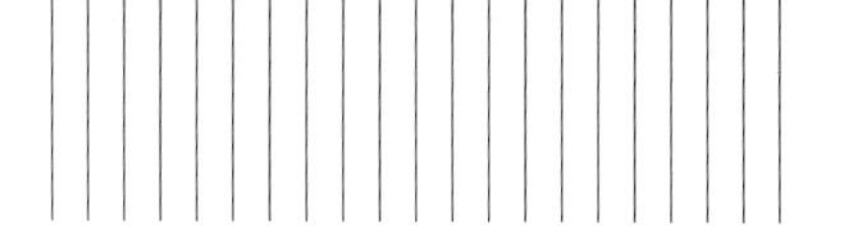

令和７年版

地方自治小六法

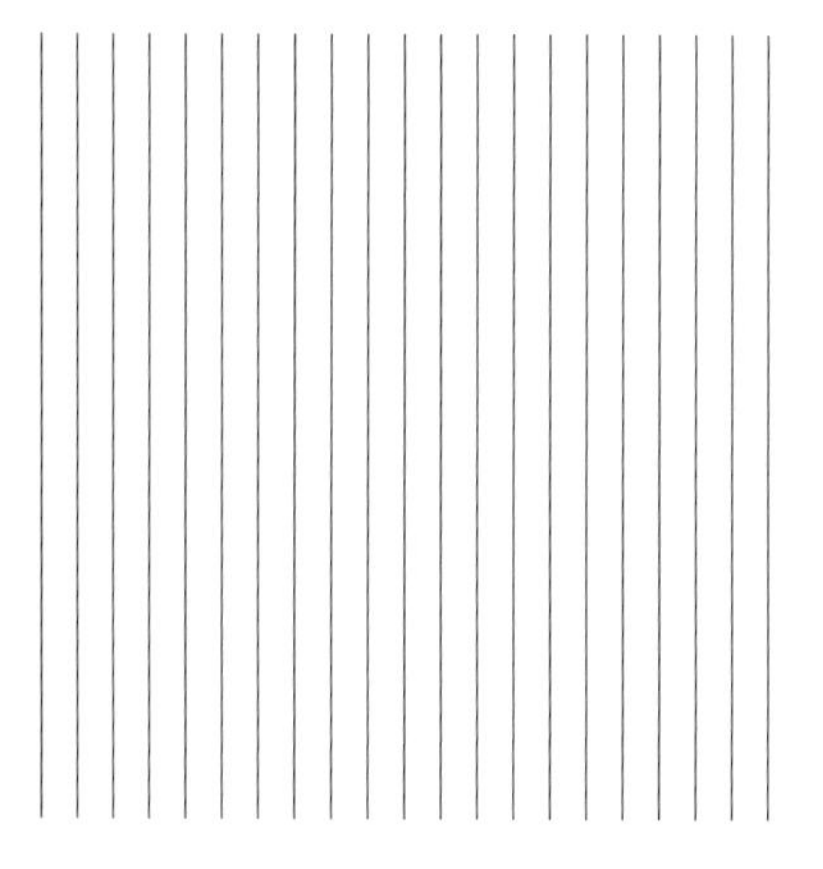

地方自治制度研究会　監修

学陽書房

序

さきに、学陽書房では、当庁編さんになる「地方自治六法」を広く世に問い好評を博したが、その後地方自治関係の諸法令の度度の改正に加え、今十三国会では、地方自治法、公職選挙法等の基本法令の大幅の改正が行われた結果、従来の法令集では全く用を足さなくなつた。

そこでこれを機に学陽書房では、さきの地方自治六法の経験と読者の批判とを慎重に採り入れ、地方自治体において最も必要と思われる法令のみを載録して、「最新、完全な法令集であると共に、文字通り携帯に至便で、しかも個人でもたやすく手に入れることのできる値段」というモットーのもとに、本書が刊行されることとなつた。

当庁においてもその趣旨に全幅の賛意を表し、関係部課がこれに協力したものであつて、その内容、体裁についても「地方自治六法」において周知されたように、読者各位の期待に十分副いうるものであり、これにより事務能率の確保、研修成果の向上に資することができれば望外の幸である。

各地方議会の議員各位並びに各自治体の職員諸氏に自信を以て推せんする次第である。

昭和二十七年八月二十五日

自治庁次長

鈴木俊一

監修のことば
―令和七年版によせて―

本書は、昭和二十七年発刊以来、毎年版を新たにしてきたが、幸いにも好評をもって迎えられていることを踏まえ、最近までの法令改正の内容を加筆し、新版を発行することとした。

この新版においては、参照条文、行政実例、通知、判例、注釈の吟味選択を慎重に行うとともに、法の解釈・運用の規範となるものを収録補完し、できる限りの整備を施すことにより、「解説書を兼ねた法規集」としての特色を一層発揮させ、常に最新の内容とすることに努めた。

引き続き、本書が関係者各位によって執務・研修・会議等に広く活用され、そのよき伴侶たることを切望する次第である。

令和六年九月

地方自治制度研究会

はしがき
―令和七年版の発刊について―

ここに令和七年版をお届けします。昨年版では、多くの読者各位から熱心なご鞭撻のことばを頂き、かつ、将来への貴重なご意見やご啓示を多数賜わりましたことを深く感謝申しあげます。

本年版におきましては、第二百十三国会までの主要な改正法令を収録し、さらに次のとおり充実・整備を図りました。

一　画期的新編集方式の拡充　地方自治法の財務関係は、法を上段に、施行令を中段に、行政実例・判例・注釈を下段に配列し、事項ごとに対照させて、その取扱細目と解釈運用の基準が一目でわかるようにしました。また、地方公共団体の物品等又は特定役務の調達手続の特例を定める政令関係部分についても、財務規定の本則を上段に、当該特例政令を中段に、通知・注釈を下段に配列し、適用関係が容易に分かるよう別掲（地方公共団体の物品等又は特定役務の調達手続の特例を定める政令関係対応表）しました。

二　最新法令の充実収録　令和六年版発刊以降、令和六年七月二日までに公布された改正法令をすべて加除訂正しました。

三　行政実例・判例の充実　地方自治法、地方公務員法等基幹法令の通知・注釈を大幅に増補充実したほか、行政実例・判例について、法の解釈運用上すでに古くなったものは削除する等大幅見直しを図り、規範となるもののみを選択網羅することに努めました。

四　引用条文の添付　地方自治法の条文中において「準用する」「適用する」あるいは「例による」とされている各条文について、見出しを附して条文の理解を便ならしめるようにしました。これらを「引用条文」と称して示しました。

以上のように読者各位のご要望に基づき、類書に見ない最新の内容・最高の権威を保持し、七十三年の伝統に立つ小六法本来の特色、とりわけ愛用感のある簡便性、内容の最新性、正確性等を十分ならしめ、読者各位のご信頼に応えるべく努力いたしました。しかしなお、若干の不十分があろうことは免かれえないことと思われますが、これにつきましては、各位の忌憚のないご批判とご支援をまつて逐次整備いたしたいと存じます。どうかご諒承とご寛恕を願う次第であります。

本年版の編集に当たりましても、関係各位のご指導とご協力に負うところが甚だ大でありました。ここに深謝の意を捧げるとともに、厚く御礼申しあげます。

令和六年九月

学陽書房編集部

総目次

憲法

自治法関係

公務員法関係

選挙法関係

住民関係法

財政法関係

公営企業法関係

行政手続関係法

諸法

附録

法令名索引（あいうえお順）

と

に

ふ

ほ

み

よ

ろ

附　録

凡　　例

【本書の目的】
本書は、地方自治に携わる人々の事務用として、また研修用として簡便かつ実用的な法規集として編集した。

【収録法令】
収録法令は、地方公共団体の実務並びに研修において必要とする重要法令等を吟味選択した。

【内容現在】
内容は、原則として令和六年七月二日をもつて加除訂正したものを収録した。参照条文付き法令は、令和六年十月一日施行までを組み入れ（地方税法は令和七年四月一日）、それ以降の施行日の改正は、枠立てとした。その他の法令については、令和七年四月一日施行まで組み込んだ。

【分　類】
本書は、それぞれの部門に従つて、憲法、自治法関係、公務員法関係、選挙法関係、住民関係法、財政法関係、公営企業法関係、行政手続関係法、諸法の九編に分類した。

【検索方法】
収録法令の所在頁、及び五十音順による「法令名索引」は、本編前の「編別総目次」、各編頭初の「細目次」の外、各頁の傍柱によつて検索できるようにした。

【公布・改正】
各法令の公布年月日及び法令番号は、各法令の題名の下に示し、以後の改正については直近の改正年月日及び番号のみを最終改正として掲げた。これに使用した略号は、次の例による。

法	法律	自治令	自治省令	総務令	総務省令
政令	政令	最高裁規	最高裁判所規則		

【条文見出】
本書の編集者がつけた条文見出しは、〔　〕を附して示し、法令自体についている（　）の見出しと区別した。

【項番号】
項数の附されていない法令にあつては、検出の便宜上、編集者においてそれぞれ項数を附したが、最近の法令形式の2・3等と区別するため、②・③とした。

【改正経過】
地方自治法には、各条文の末尾にその改正経過を色刷りで示した。

例　＊本条―全改〔昭三八・六法九九〕

と例示してあるのは、当該条文が、昭和三十八年六月法律第九十九号をもつて、全部改正されたことを示す。

【実例・判例・注釈】
(1)　尨大な地方自治関係の「行政実例・判例」のなかから、法の解釈運用にあたり現在規範とされるもののみを、地方自治制度研究会において慎重厳選し、その要旨を、地方自治法及び地方公務員法等主要法令の各条ごとに当該条文の末尾に配列したほか、地方自治法の各条項においては、その解釈運用上基本的に解説しておくことが必要と思われる条句につき、規定の趣旨・解釈上の問題点等をさらに注解として加えた。これにより解説書を兼ねた小六法として利用できるように図つた。このため説明の頭に付した見出しの●は行政実例・判例・通知・法制意見を、○は注釈であることを示し、両者の区別をした。
(2)　実例・判例・注釈は色刷りとし（住民基本台帳法を除く）、各条ごとにそれぞれの字句に付された番号と同一の一連番号で表示し、両者の関係を明示した。なお、その条全部にかかる実例・判例は※印で示した。

(3) これに使用した略号は、左の例による。

行実	行政実例
通知	通知
法制意見	内閣法制局意見
地裁判	地方裁判所判決
高裁判	高等裁判所判決
最裁判	最高裁判所判決
大審判	大審院判決
行裁判	行政裁判所判決

【三段対照表】

(1) 地方自治法中財務の章については、上段に地方自治法を、中段に対応する同施行令を、下段に関連する実例、判例、通知、注釈を配した三段対照式編集とした。

(2) 地方自治法施行令の特例政令となる「地方公共団体の物品等又は特定役務の調達手続の特例を定める政令」については、本政令をそのまま収録すると共に、適用関係が容易に分かるよう、上段に地方自治法及び同施行令を、中段に対応する特例政令を、下段に通知、注釈を配した三段対照表を収録した。

【引用条文】

地方自治法の条文中において「準用する」、「適用する」あるいは「例による」とされている当該各条文について見出しを附して条文の理解に供することとし、これらを「引用条文」と総称して示すこととした。

【参照条文】

同じく、地方自治制度研究会の懇切な監修のもとに、地方自治法、地方公務員法、住民基本台帳法、地方財政法及び地方税法（総則）に参照条文を附した。特に地方自治法の参照条文は、全く新たに実務の見地から詳細精密な注記を附した。これについては、左記の方針をとったから御了承願いたい。

(1) 当該条文中において、すでに引用してある条・項については、あらためて参照条文としては掲げていない。

(2) 見出しは、できるだけ当該条文中の字句を引用するようにつとめたが、条文の構成その他により必ずしも統一していない。

(3) ＝印　この印の上部に掲げた条数は、その参照事項に関する地方自治法中の直接の根拠規定たることを示し、印の下部に掲げた条数は、上部に掲げた条数の実体的規定を示す。

【例】　第九四条の場合について示せば次のとおり。

【選挙権を有する者】法一八＝選挙法九2～5・一一・二五二

※印　①見出し中の※印は、当該見出しとは直接的関係はないが、間接的関係あるものとしての参考条数であることを示し、②末行に※印を附して一括して示した条数は、当該条文の参考条文として参照すべきものを示す。

【例】　第一七二条の場合について示せば次のとおり。

②【長の任免権】地公法六　※法二五二の一七の八2
④【この法律の定め】法二〇四～二〇六
※　法一五四・一六七・二五二の二〇の二9

これに使用した法令名等の主な略語は、次のとおりである。

憲法　日本国憲法

法　1　地方自治法の参照条文においては、地方自治法を示す。
2　地方公務員法の参照条文においては、地方公務員法を示す。
3　住民基本台帳法の参照条文においては、住民基本台帳法を示す。

4　地方財政法の参照条文においては、地方財政法を示す。
5　地方税法の参照条文においては、地方税法を示す。

令　1　地方自治法の参照条文においては、地方自治法施行令を示す。
2　住民基本台帳法の参照条文においては、住民基本台帳法施行令を示す。
3　地方財政法の参照条文においては、地方財政法施行令を示す。
4　地方税法の参照条文においては、地方税法施行令を示す。

程　地方自治法施行規程

則　1　地方自治法の参照条文においては、地方自治法施行規則を示す。
2　地方税法の参照条文においては、地方税法施行規則を示す。

自治法　地方自治法
自治令　地方自治法施行令
特例政令　地方公共団体の物品等又は特定役務の調達手続の特例を定める政令
合併特例法　市町村の合併の特例に関する法律
改正前合併特例法　市町村の合併の特例等に関する法律（平成二二年改正前）
旧合併特例法　市町村の合併の特例に関する法律（旧）
地公法　地方公務員法
選挙法　公職選挙法
選挙令　公職選挙法施行令
番号利用法　行政手続における特定の個人を識別するための番号の利用等に関する法律
地財法　地方財政法
地財令　地方財政法施行令

地税法　地方税法
地税令　地方税法施行令
辺地財特法　辺地に係る公共的施設の総合整備のための財政上の特別措置等に関する法律
後特法　後進地域の開発に関する公共事業に係る国の負担割合の特例に関する法律
交付金法　国有資産等所在市町村交付金法
交付税法　地方交付税法
健全化法　地方公共団体の財政の健全化に関する法律
適正化法　補助金等に係る予算の執行の適正化に関する法律
公企法　地方公営企業法
公企令　地方公営企業法施行令
公企則　地方公営企業法施行規則
行労法　行政執行法人の労働関係に関する法律
地教法　地方教育行政の組織及び運営に関する法律
地教令　地方教育行政の組織及び運営に関する法律施行令
予決令　予算決算及び会計令
行訴法　行政事件訴訟法
民訴　民事訴訟法
農委法　農業委員会等に関する法律
建基法　建築基準法
刑訴法　刑事訴訟法
会検法　会計検査院法
教特法　教育公務員特例法

職安法　職業安定法
労基法　労働基準法
労組法　労働組合法
労調法　労働関係調整法
地公労法　地方公営企業等の労働関係に関する法律
政資法　政治資金規正法
議院証人法　議院における証人の宣誓及び証言等に関する法律
国公法　国家公務員法
民委法　民生委員法
国保法　国民健康保険法
年金法　国民年金法
風営法　風俗営業等の規制及び業務の適正化等に関する法律
児福法　児童福祉法
社教法　社会教育法
感染症予防法　感染症の予防及び感染症の患者に対する医療に関する法律
農災法　農業災害補償法
収用法　土地収用法
消組法　消防組織法
解散法　地方公共団体の議会の解散に関する特例法
入札契約適正化法　公共工事の入札及び契約の適正化の促進に関する法律
公共工事品質確保法　公共工事の品質確保の促進に関する法律
地独法　地方独立行政法人法
独禁法　私的独占の禁止及び公正取引の確保に関する法律
大都市地域特別区設置法　大都市地域における特別区の設置に関する法律

人規　人事院規則
一・二　条数を示す。
1・2　項数を示す。
Ⅰ・Ⅱ　号数を示す。

【附　録】

(1)　各地方議会事務局及び地方議員の強い要望に応え、
イ「標準」都道府県
　　　　　市　議会会議規則
　　　　　町　村
ロ「標準」都道府県
　　　　　市　議会委員会条例
　　　　　町　村
ハ「標準」都道府県
　　　　　市　議会傍聴規則
　　　　　町　村
を附して、地方議会運営の便に供した。

(2)　直接請求の手続方法を表にし、「直接請求手続一覧表」として掲載し、読者の便を図った。

(3)　地方自治法規に十分なじみのない方々のため、細項目による「地方自治法」の「**関係事項別条文索引**」を、巻末に附した。

憲法

人間社会のすべての構成員がもつ固有の尊厳と、平等で奪うことのできない権利とを承認することは、世界における自由、正義および平和の基礎である。

—国際連合・「世界人権宣言」より—

○日本国憲法

昭二一・一一・三

日本国民は、正当に選挙された国会における代表者を通じて行動し、われらとわれらの子孫のために、諸国民との協和による成果と、わが国全土にわたつて自由のもたらす恵沢を確保し、政府の行為によつて再び戦争の惨禍が起ることのないやうにすることを決意し、ここに主権が国民に存することを宣言し、この憲法を確定する。そもそも国政は、国民の厳粛な信託によるものであつて、その権威は国民に由来し、その権力は国民の代表者がこれを行使し、その福利は国民がこれを享受する。これは人類普遍の原理であり、この憲法は、かかる原理に基くものである。われらは、これに反する一切の憲法、法令及び詔勅を排除する。

日本国民は、恒久の平和を念願し、人間相互の関係を支配する崇高な理想を深く自覚するのであつて、平和を愛する諸国民の公正と信義に信頼して、われらの安全と生存を保持しようと決意した。われらは、平和を維持し、専制と隷従、圧迫と偏狭を地上から永遠に除去しようと努めてゐる国際社会において、名誉ある地位を占めたいと思ふ。われらは、全世界の国民が、ひとしく恐怖と欠乏から免かれ、平和のうちに生存する権利を有することを確認する。

われらは、いづれの国家も、自国のことのみに専念して他国を無視してはならないのであつて、政治道徳の法則は、普遍的なものであり、この法則に従ふことは、自国の主権を維持し、他国と対等関係に立たうとする各国の責務であると信ずる。

日本国民は、国家の名誉にかけ、全力をあげてこの崇高な理想と目的を達成することを誓ふ。

第一章　天皇

第一条　天皇は、日本国の象徴であり日本国民統合の象徴であつて、この地位は、主権の存する日本国民の総意に基く。

第二条　皇位は、世襲のものであつて、国会の議決した皇室典範の定めるところにより、これを継承する。

第三条　天皇の国事に関するすべての行為には、内閣の助言と承認を必要とし、内閣が、その責任を負ふ。

第四条　天皇は、この憲法の定める国事に関する行為のみを行ひ、国政に関する権能を有しない。

②　天皇は、法律の定めるところにより、その国事に関する行為を委任することができる。

第五条　皇室典範の定めるところにより摂政を置くときは、摂政は、天皇の名でその国事に関する行為を行ふ。この場合には、前条第一項の規定を準用する。

第六条　天皇は、国会の指名に基いて、内閣総理大臣を任命する。

②　天皇は、内閣の指名に基いて、最高裁判所の長たる裁判官を任命する。

第七条　天皇は、内閣の助言と承認により、国民のために、左の国事に関する行為を行ふ。

一　憲法改正、法律、政令及び条約を公布すること。

二　国会を召集すること。

三　衆議院を解散すること。

四　国会議員の総選挙の施行を公示すること。

五　国務大臣及び法律の定めるその他の官吏の任免並びに全権委任状及び大使及び公使の信任状を認証すること。

六　大赦、特赦、減刑、刑の執行の免除及び復権を認証すること。

七　栄典を授与すること。

八　批准書及び法律の定めるその他の外交文書を認証すること。

九　外国の大使及び公使を接受すること。

十　儀式を行ふこと。

第八条　皇室に財産を譲り渡し、又は皇室が、財産を譲り受け、若しくは賜与することは、国会の議決に基かなければならない。

第二章　戦争の放棄

第九条　日本国民は、正義と秩序を基調とする国際平和を誠実に希求し、国権の発動たる戦争と、武力による威嚇又は武力の行使は、国際紛争を解決する手段としては、永久にこれを放棄する。

②　前項の目的を達するため、陸海空軍その他の戦力は、これを保持しない。国の交戦権は、これを認めない。

第三章　国民の権利及び義務

第十条　日本国民たる要件は、法律でこれを定める。

第十一条　国民は、すべての基本的人権の享有を妨げられない。この憲法が国民に保障する基本的人権は、侵すことのできない永久の権利として、現在及び将来の国民に与へられる。

第十二条　この憲法が国民に保障する自由及び権利は、国民の不断の努力によつて、これを保持しなければならない。又、国民は、これを濫用してはならないのであつて、常に公共の福祉のためにこれを利用する責任を負ふ。

第十三条　すべて国民は、個人として尊重される。生命、自由及び幸福追求に対する国民の権利については、公共の福祉に反しない限り、立法その他の国政の上で、最大の尊重を必要とする。

第十四条 すべて国民は、法の下に平等であつて、人種、信条、性別、社会的身分又は門地により、政治的、経済的又は社会的関係において、差別されない。

② 華族その他の貴族の制度は、これを認めない。

③ 栄誉、勲章その他の栄典の授与は、いかなる特権も伴はない。栄典の授与は、現にこれを有し、又は将来これを受ける者の一代に限り、その効力を有する。

第十五条 公務員を選定し、及びこれを罷免することは、国民固有の権利である。

② すべて公務員は、全体の奉仕者であつて、一部の奉仕者ではない。

③ 公務員の選挙については、成年者による普通選挙を保障する。

④ すべて選挙における投票の秘密は、これを侵してはならない。選挙人は、その選択に関し公的にも私的にも責任を問はれない。

第十六条 何人も、損害の救済、公務員の罷免、法律、命令又は規則の制定、廃止又は改正その他の事項に関し、平穏に請願する権利を有し、何人も、かかる請願をしたためにいかなる差別待遇も受けない。

第十七条 何人も、公務員の不法行為により、損害を受けたときは、法律の定めるところにより、国又は公共団体に、その賠償を求めることができる。

第十八条 何人も、いかなる奴隷的拘束も受けない。又、犯罪に因る処罰の場合を除いては、その意に反する苦役に服させられない。

第十九条 思想及び良心の自由は、これを侵してはならない。

第二十条 信教の自由は、何人に対してもこれを保障する。いかなる宗教団体も、国から特権を受け、又は政治上の権力を行使してはならない。

② 何人も、宗教上の行為、祝典、儀式又は行事に参加することを強制されない。

③ 国及びその機関は、宗教教育その他いかなる宗教的活動もしてはならない。

第二十一条 集会、結社及び言論、出版その他一切の表現の自由は、これを保障する。

② 検閲は、これをしてはならない。通信の秘密は、これを侵してはならない。

第二十二条 何人も、公共の福祉に反しない限り、居住、移転及び職業選択の自由を有する。

② 何人も、外国に移住し、又は国籍を離脱する自由を侵されない。

第二十三条 学問の自由は、これを保障する。

第二十四条 婚姻は、両性の合意のみに基いて成立し、夫婦が同等の権利を有することを基本として、相互の協力により、維持されなければならない。

② 配偶者の選択、財産権、相続、住居の選定、離婚並びに婚姻及び家族に関するその他の事項に関しては、法律は、個人の尊厳と両性の本質的平等に立脚して、制定されなければならない。

第二十五条 すべて国民は、健康で文化的な最低限度の生活を営む権利を有する。

② 国は、すべての生活部面について、社会福祉、社会保障及び公衆衛生の向上及び増進に努めなければならない。

第二十六条 すべて国民は、法律の定めるところにより、その能力に応じて、ひとしく教育を受ける権利を有する。

② すべて国民は、法律の定めるところにより、その保護する子女に普通教育を受けさせる義務を負ふ。義務教育は、これを無償とする。

第二十七条 すべて国民は、勤労の権利を有し、義務を負ふ。

② 賃金、就業時間、休息その他の勤労条件に関する基準は、法律でこれを定める。

③ 児童は、これを酷使してはならない。

第二十八条 勤労者の団結する権利及び団体交渉その他の団体行動をする権利は、これを保障する。

第二十九条 財産権は、これを侵してはならない。

② 財産権の内容は、公共の福祉に適合するやうに、法律でこれを定める。

③ 私有財産は、正当な補償の下に、これを公共のために用ひることができる。

第三十条 国民は、法律の定めるところにより、納税の義務を負ふ。

第三十一条 何人も、法律の定める手続によらなければ、その生命若しくは自由を奪はれ、又はその他の刑罰を科せられない。

第三十二条 何人も、裁判所において裁判を受ける権利を奪はれない。

第三十三条 何人も、現行犯として逮捕される場合を除いては、権限を有する司法官憲が発し、且つ理由となつてゐる犯罪を明示する令状によらなければ、逮捕されない。

第三十四条 何人も、理由を直ちに告げられ、且つ、直ちに弁護人に依頼する権利を与へられなければ、抑留又は拘禁されない。又、何人も、正当な理由がなければ、拘禁されず、要求があれば、その理由は、直ちに本人及びその弁護人の出席する公開の法廷で示されなければならない。

第三十五条　何人も、その住居、書類及び所持品について、侵入、捜索及び押収を受けることのない権利は、第三十三条の場合を除いては、正当な理由に基いて発せられ、且つ捜索する場所及び押収する物を明示する令状がなければ、侵されない。

② 捜索又は押収は、権限を有する司法官憲が発する各別の令状により、これを行ふ。

第三十六条　公務員による拷問及び残虐な刑罰は、絶対にこれを禁ずる。

第三十七条　すべて刑事事件においては、被告人は、公平な裁判所の迅速な公開裁判を受ける権利を有する。

② 刑事被告人は、すべての証人に対して審問する機会を充分に与へられ、又、公費で自己のために強制的手続により証人を求める権利を有する。

③ 刑事被告人は、いかなる場合にも、資格を有する弁護人を依頼することができる。被告人が自らこれを依頼することができないときは、国でこれを附する。

第三十八条　何人も、自己に不利益な供述を強要されない。

② 強制、拷問若しくは脅迫による自白又は不当に長く抑留若しくは拘禁された後の自白は、これを証拠とすることができない。

③ 何人も、自己に不利益な唯一の証拠が本人の自白である場合には、有罪とされ、又は刑罰を科せられない。

第三十九条　何人も、実行の時に適法であつた行為又は既に無罪とされた行為については、刑事上の責任を問はれない。又、同一の犯罪について、重ねて刑事上の責任を問はれない。

第四十条　何人も、抑留又は拘禁された後、無罪の裁判を受けたときは、法律の定めるところにより、国にその補償を求めることができる。

第四章　国会

第四十一条　国会は、国権の最高機関であつて、国の唯一の立法機関である。

第四十二条　国会は、衆議院及び参議院の両議院でこれを構成する。

第四十三条　両議院は、全国民を代表する選挙された議員でこれを組織する。

② 両議院の議員の定数は、法律でこれを定める。

第四十四条　両議院の議員及びその選挙人の資格は、法律でこれを定める。但し、人種、信条、性別、社会的身分、門地、教育、財産又は収入によつて差別してはならない。

第四十五条　衆議院議員の任期は、四年とする。但し、衆議院解散の場合には、その期間満了前に終了する。

第四十六条　参議院議員の任期は、六年とし、三年ごとに議員の半数を改選する。

第四十七条　選挙区、投票の方法その他両議院の議員の選挙に関する事項は、法律でこれを定める。

第四十八条　何人も、同時に両議院の議員たることはできない。

第四十九条　両議院の議員は、法律の定めるところにより、国庫から相当額の歳費を受ける。

第五十条　両議院の議員は、法律の定める場合を除いては、国会の会期中逮捕されず、会期前に逮捕された議員は、その議院の要求があれば、会期中これを釈放しなければならない。

第五十一条　両議院の議員は、議院で行つた演説、討論又は表決について、院外で責任を問はれない。

第五十二条　国会の常会は、毎年一回これを召集する。

第五十三条　内閣は、国会の臨時会の召集を決定することができる。いづれかの議院の総議員の四分の一以上の要求があれば、内閣は、その召集を決定しなければならない。

第五十四条　衆議院が解散されたときは、解散の日から四十日以内に、衆議院議員の総選挙を行ひ、その選挙の日から三十日以内に、国会を召集しなければならない。

② 衆議院が解散されたときは、参議院は、同時に閉会となる。但し、内閣は、国に緊急の必要があるときは、参議院の緊急集会を求めることができる。

③ 前項但書の緊急集会において採られた措置は、臨時のものであつて、次の国会開会の後十日以内に、衆議院の同意がない場合には、その効力を失ふ。

第五十五条　両議院は、各ゝその議員の資格に関する争訟を裁判する。但し、議員の議席を失はせるには、出席議員の三分の二以上の多数による議決を必要とする。

第五十六条　両議院は、各ゝその総議員の三分の一以上の出席がなければ、議事を開き議決することができない。

② 両議院の議事は、この憲法に特別の定のある場合を除いては、出席議員の過半数でこれを決し、可否同数のときは、議長の決するところによる。

第五十七条　両議院の会議は、公開とする。但し、出席議員の三分の二以上の多数で議決したときは、秘密会を開くことができる。

② 両議院は、各ゝその会議の記録を保存し、秘密会の記

録の中で特に秘密を要すると認められるもの以外は、これを公表し、且つ一般に頒布しなければならない。

③ 出席議員の五分の一以上の要求があれば、各議員の表決は、これを会議録に記載しなければならない。

第五十八条 両議院は、各ゝその議長その他の役員を選任する。

② 両議院は、各ゝその会議その他の手続及び内部の規律に関する規則を定め、又、院内の秩序をみだした議員を懲罰することができる。但し、議員を除名するには、出席議員の三分の二以上の多数による議決を必要とする。

第五十九条 法律案は、この憲法に特別の定のある場合を除いては、両議院で可決したとき法律となる。

② 衆議院で可決し、参議院でこれと異なつた議決をした法律案は、衆議院で出席議員の三分の二以上の多数で再び可決したときは、法律となる。

③ 前項の規定は、法律の定めるところにより、衆議院が、両議院の協議会を開くことを求めることを妨げない。

④ 参議院が、衆議院の可決した法律案を受け取つた後、国会休会中の期間を除いて六十日以内に、議決しないときは、衆議院は、参議院がその法律案を否決したものとみなすことができる。

第六十条 予算は、さきに衆議院に提出しなければならない。

② 予算について、参議院で衆議院と異なつた議決をした場合に、法律の定めるところにより、両議院の協議会を開いても意見が一致しないとき、又は参議院が、衆議院の可決した予算を受け取つた後、国会休会中の期間を除いて三十日以内に、議決しないときは、衆議院の議決を国会の議決とする。

第六十一条 条約の締結に必要な国会の承認については、前条第二項の規定を準用する。

第六十二条 両議院は、各ゝ国政に関する調査を行ひ、これに関して、証人の出頭及び証言並びに記録の提出を要求することができる。

第六十三条 内閣総理大臣その他の国務大臣は、両議院の一に議席を有すると有しないとにかかはらず、何時でも議案について発言するため議院に出席することができる。又、答弁又は説明のため出席を求められたときは、出席しなければならない。

第六十四条 国会は、罷免の訴追を受けた裁判官を裁判するため、両議院の議員で組織する弾劾裁判所を設ける。

② 弾劾に関する事項は、法律でこれを定める。

第五章　内閣

第六十五条 行政権は、内閣に属する。

第六十六条 内閣は、法律の定めるところにより、その首長たる内閣総理大臣及びその他の国務大臣でこれを組織する。

② 内閣総理大臣その他の国務大臣は、文民でなければならない。

③ 内閣は、行政権の行使について、国会に対し連帯して責任を負ふ。

第六十七条 内閣総理大臣は、国会議員の中から国会の議決で、これを指名する。この指名は、他のすべての案件に先だつて、これを行ふ。

② 衆議院と参議院とが異なつた指名の議決をした場合に、法律の定めるところにより、両議院の協議会を開いても意見が一致しないとき、又は衆議院が指名の議決をした後、国会休会中の期間を除いて十日以内に、参議院が、指名の議決をしないときは、衆議院の議決を国会の議決とする。

第六十八条 内閣総理大臣は、国務大臣を任命する。但し、その過半数は、国会議員の中から選ばれなければならない。

② 内閣総理大臣は、任意に国務大臣を罷免することができる。

第六十九条 内閣は、衆議院で不信任の決議案を可決し、又は信任の決議案を否決したときは、十日以内に衆議院が解散されない限り、総辞職をしなければならない。

第七十条 内閣総理大臣が欠けたとき、又は衆議院議員総選挙の後に初めて国会の召集があつたときは、内閣は、総辞職をしなければならない。

第七十一条 前二条の場合には、内閣は、あらたに内閣総理大臣が任命されるまで引き続きその職務を行ふ。

第七十二条 内閣総理大臣は、内閣を代表して議案を国会に提出し、一般国務及び外交関係について国会に報告し、並びに行政各部を指揮監督する。

第七十三条 内閣は、他の一般行政事務の外、左の事務を行ふ。

一　法律を誠実に執行し、国務を総理すること。

二　外交関係を処理すること。

三　条約を締結すること。但し、事前に、時宜によつては事後に、国会の承認を経ることを必要とする。

四　法律の定める基準に従ひ、官吏に関する事務を掌理すること。

五　予算を作成して国会に提出すること。

六　この憲法及び法律の規定を実施するために、政令を制定すること。但し、政令には、特にその法律の委任がある場合を除いては、罰則を設けることができない。

七　大赦、特赦、減刑、刑の執行の免除及び復権を決定すること。

第七十四条　法律及び政令には、すべて主任の国務大臣が署名し、内閣総理大臣が連署することを必要とする。

第七十五条　国務大臣は、その在任中、内閣総理大臣の同意がなければ、訴追されない。但し、これがため、訴追の権利は、害されない。

第六章　司法

第七十六条　すべて司法権は、最高裁判所及び法律の定めるところにより設置する下級裁判所に属する。

②　特別裁判所は、これを設置することができない。行政機関は、終審として裁判を行ふことができない。

③　すべて裁判官は、その良心に従ひ独立してその職権を行ひ、この憲法及び法律にのみ拘束される。

第七十七条　最高裁判所は、訴訟に関する手続、弁護士、裁判所の内部規律及び司法事務処理に関する事項について、規則を定める権限を有する。

②　検察官は、最高裁判所の定める規則に従はなければならない。

③　最高裁判所は、下級裁判所に関する規則を定める権限を、下級裁判所に委任することができる。

第七十八条　裁判官は、裁判により、心身の故障のために職務を執ることができないと決定された場合を除いては、公の弾劾によらなければ罷免されない。裁判官の懲戒処分は、行政機関がこれを行ふことはできない。

第七十九条　最高裁判所は、その長たる裁判官及び法律の定める員数のその他の裁判官でこれを構成し、その長たる裁判官以外の裁判官は、内閣でこれを任命する。

②　最高裁判所の裁判官の任命は、その任命後初めて行はれる衆議院議員総選挙の際国民の審査に付し、その後十年を経過した後初めて行はれる衆議院議員総選挙の際更に審査に付し、その後も同様とする。

③　前項の場合において、投票者の多数が裁判官の罷免を可とするときは、その裁判官は、罷免される。

④　審査に関する事項は、法律でこれを定める。

⑤　最高裁判所の裁判官は、法律の定める年齢に達した時に退官する。

⑥　最高裁判所の裁判官は、すべて定期に相当額の報酬を受ける。この報酬は、在任中、これを減額することができない。

第八十条　下級裁判所の裁判官は、最高裁判所の指名した者の名簿によつて、内閣でこれを任命する。その裁判官は、任期を十年とし、再任されることができる。但し、法律の定める年齢に達した時には退官する。

②　下級裁判所の裁判官は、すべて定期に相当額の報酬を受ける。この報酬は、在任中、これを減額することができない。

第八十一条　最高裁判所は、一切の法律、命令、規則又は処分が憲法に適合するかしないかを決定する権限を有する終審裁判所である。

第八十二条　裁判の対審及び判決は、公開法廷でこれを行ふ。

②　裁判所が、裁判官の全員一致で、公の秩序又は善良の風俗を害する虞があると決した場合には、対審は、公開しないでこれを行ふことができる。但し、政治犯罪、出版に関する犯罪又はこの憲法第三章で保障する国民の権利が問題となつてゐる事件の対審は、常にこれを公開しなければならない。

第七章　財政

第八十三条　国の財政を処理する権限は、国会の議決に基いて、これを行使しなければならない。

第八十四条　あらたに租税を課し、又は現行の租税を変更するには、法律又は法律の定める条件によることを必要とする。

第八十五条　国費を支出し、又は国が債務を負担するには、国会の議決に基くことを必要とする。

第八十六条　内閣は、毎会計年度の予算を作成し、国会に提出して、その審議を受け議決を経なければならない。

第八十七条　予見し難い予算の不足に充てるため、国会の議決に基いて予備費を設け、内閣の責任でこれを支出することができる。

②　すべて予備費の支出については、内閣は、事後に国会の承諾を得なければならない。

第八十八条　すべて皇室財産は、国に属する。すべて皇室の費用は、予算に計上して国会の議決を経なければならない。

第八十九条　公金その他の公の財産は、宗教上の組織若しくは団体の使用、便益若しくは維持のため、又は公の支配に属しない慈善、教育若しくは博愛の事業に対し、これを支出し、又はその利用に供してはならない。

第九十条　国の収入支出の決算は、すべて毎年会計検査院がこれを検査し、内閣は、次の年度に、その検査報告とともに、これを国会に提出しなければならない。

②　会計検査院の組織及び権限は、法律でこれを定める。

第九十一条　内閣は、国会及び国民に対し、定期に、少くとも毎年一回、国の財政状況について報告しなければならない。

第八章　地方自治

第九十二条　地方公共団体の組織及び運営に関する事項は、地方自治の本旨に基いて、法律でこれを定める。

第九十三条　地方公共団体には、法律の定めるところにより、その議事機関として議会を設置する。

②　地方公共団体の長、その議会の議員及び法律の定めるその他の吏員は、その地方公共団体の住民が、直接これを選挙する。

第九十四条　地方公共団体は、その財産を管理し、事務を処理し、及び行政を執行する権能を有し、法律の範囲内で条例を制定することができる。

第九十五条　一の地方公共団体のみに適用される特別法は、法律の定めるところにより、その地方公共団体の住民の投票においてその過半数の同意を得なければ、国会は、これを制定することができない。

第九章　改正

第九十六条　この憲法の改正は、各議院の総議員の三分の二以上の賛成で、国会が、これを発議し、国民に提案してその承認を経なければならない。この承認には、特別の国民投票又は国会の定める選挙の際行はれる投票において、その過半数の賛成を必要とする。

②　憲法改正について前項の承認を経たときは、天皇は、国民の名で、この憲法と一体を成すものとして、直ちにこれを公布する。

第十章　最高法規

第九十七条　この憲法が日本国民に保障する基本的人権は、人類の多年にわたる自由獲得の努力の成果であつて、これらの権利は、過去幾多の試錬に堪へ、現在及び将来の国民に対し、侵すことのできない永久の権利として信託されたものである。

第九十八条　この憲法は、国の最高法規であつて、その条規に反する法律、命令、詔勅及び国務に関するその他の行為の全部又は一部は、その効力を有しない。

②　日本国が締結した条約及び確立された国際法規は、これを誠実に遵守することを必要とする。

第九十九条　天皇又は摂政及び国務大臣、国会議員、裁判官その他の公務員は、この憲法を尊重し擁護する義務を負ふ。

第十一章　補則

第百条　この憲法は、公布の日から起算して六箇月を経過した日〔昭二二・五・三〕から、これを施行する。

②　この憲法を施行するために必要な法律の制定、参議院議員の選挙及び国会召集の手続並びにこの憲法を施行するために必要な準備手続は、前項の期日よりも前に、これを行ふことができる。

第百一条　この憲法施行の際、参議院がまだ成立してゐないときは、その成立するまでの間、衆議院は、国会としての権限を行ふ。

第百二条　この憲法による第一期の参議院議員のうち、その半数の者の任期は、これを三年とする。その議員は、法律の定めるところにより、これを定める。

第百三条　この憲法施行の際現に在職する国務大臣、衆議院議員及び裁判官並びにその他の公務員で、その地位に相応する地位がこの憲法で認められてゐる者は、法律で特別の定をした場合を除いては、この憲法施行のため、当然にはその地位を失ふことはない。但し、この憲法によつて、後任者が選挙又は任命されたときは、当然その地位を失ふ。

自治法関係

政治の目的は、統治する者と統治される者とを幸福にすることにある。この両者を含めた最大多数の最大幸福を実際につくり出すものが最善のものである。

―オーエン―

▽細目次△

○地方自治法第二百五十五条の五第一項の規定による自治紛争処理委員の審理等の手続に関する省令（平一八総務令七）……七〇七
○地方自治法第二百五十二条の二十一の三第一項に規定する総務大臣の勧告の手続に関する省令（平二七総務令四）……七二〇
○普通地方公共団体に対する国の関与等に関する訴訟規則（平一二最高裁規四）……七二一
◉地方公共団体の議会の解散に関する特例法（昭四〇法一一八）……七二二
◉大都市地域における特別区の設置に関する法律（平二四法八〇）……七二三
○大都市地域における特別区の設置に関する法律施行令（平二五政令四二）……七二五
◉市町村の合併の特例に関する法律（平一六法五九）……七五一
○市町村の合併の特例に関する法律施行令（平一七政令五五）……七六八
○市町村の合併の特例に関する法律施行規則（平一七総務令四三）……七九六
◉国と地方の協議の場に関する法律（平二三法三八）……八〇六
◉地方教育行政の組織及び運営に関する法律（昭三一法一六二）……八〇八
○地方教育行政の組織及び運営に関する法律施行令（昭三一政令二二一）……八二〇

○地方自治法

昭二二・四・一七
法 六 七

最終改正　令六・六・二六法六六

目次〔略〕

第一編　総則

〔この法律の目的〕

第一条　この法律は、地方自治の本旨に基いて、地方公共団体の区分並びに地方公共団体の組織及び運営に関する事項の大綱を定め、併せて国と地方公共団体との間の基本的関係を確立することにより、地方公共団体における民主的にして能率的な行政の確保を図るとともに、地方公共団体の健全な発達を保障することを目的とする。

＊本条―追加〔昭二七・八法三〇六〕

【参照条文】
憲法九二～九五　令　程　則　旧合併特例法　改正前合併特例法　合併特例法　公企法　地公法　選挙法　地財法　交付税法　地税法　地教法　警察法　消組法等

〔地方公共団体の役割と国による制度策定等の原則〕

第一条の二　地方公共団体は、住民の福祉の増進を図ることを基本として、地域における行政を自主的かつ総合的に実施する役割を広く担うものとする。

② 国は、前項の規定の趣旨を達成するため、国においては国際社会における国家としての存立にかかわる事務、全国的に統一して定めることが望ましい国民の諸活動若しくは地方自治に関する基本的な準則に関する事務又は全国的な規模で若しくは全国的な視点に立つて行わなければならない施策及び事業の実施その他の国が本来果たすべき役割を重点的に担い、住民に身近な行政はできる限り地方公共団体にゆだねることを基本として、地方公共団体との間で適切に役割を分担するとともに、地方公共団体に関する制度の策定及び施策の実施に当たつて、地方公共団体の自主性及び自立性が十分に発揮されるようにしなければならない。

＊本条―追加〔平一一・七法八七〕

〔地方公共団体の種類〕

第一条の三　地方公共団体は、普通地方公共団体及び特別地方公共団体とする。

② 普通地方公共団体は、都道府県及び市町村とする。

③ 特別地方公共団体は、特別区、地方公共団体の組合及び財産区とする。

＊旧一条―繰下〔昭二七・八法三〇六〕、三項―一部改正〔昭三二・六法一四七、昭三八・六法九九〕、旧一条の二―繰下〔平一一・七法八七〕、三項―一部改正〔平二三・五法三五〕

【参照条文】
①【地方公共団体―憲法九二～九五】【普通地方公共団体―法二編　令二編】【特別地方公共団体―法三編　令三編】

〔地方公共団体の法人格とその事務〕

第二条　地方公共団体は、法人とする。

② 普通地方公共団体は、地域における事務及びその他の事務で法律又はこれに基づく政令により処理することとされるものを処理する。

③ 市町村は、基礎的な地方公共団体として、第五項において都道府県が処理するものとされているものを除き、一般的に、前項の事務を処理するものとする。

④ 市町村は、前項の規定にかかわらず、次項に規定する事務のうち、その規模又は性質において一般の市町村が処理することが適当でないと認められるものについては、当該市町村の規模及び能力に応じて、これを処理することができる。

⑤ 都道府県は、市町村を包括する広域の地方公共団体として、第二項の事務で、広域にわたるもの、市町村に関する連絡調整に関するもの及びその規模又は性質において一般の市町村が処理することが適当でないと認められるものを処理するものとする。

⑥ 都道府県及び市町村は、その事務を処理するに当つては、相互に競合しないようにしなければならない。

⑦ 特別地方公共団体は、この法律の定めるところにより、その事務を処理する。

⑧ この法律において「自治事務」とは、地方公共団体が処理する事務のうち、法定受託事務以外のものをいう。

⑨ この法律において「法定受託事務」とは、次に掲げる事務をいう。

一　法律又はこれに基づく政令により都道府県、市町村又は特別区が処理することとされる事務のうち、国が本来果たすべき役割に係るものであつて、国においてその適正な処理を特に確保する必要があるものとして法律又はこれに基づく政令に特に定めるもの（以下「第一号法定受託事務」という。）

二　法律又はこれに基づく政令により市町村又は特別区

が処理することとされる事務のうち、都道府県が本来果たすべき役割に係るものであつて、都道府県においてその適正な処理を特に確保する必要があるものとして法律又はこれに基づく政令に特に定めるもの（以下「第二号法定受託事務」という。）

⑩　この法律又はこれに基づく政令に規定するもののほか、法律に定める法定受託事務は第一号法定受託事務にあつては別表第一の上欄に掲げる法律についてそれぞれ同表の下欄に、第二号法定受託事務にあつては別表第二の上欄に掲げる法律についてそれぞれ同表の下欄に掲げるとおりであり、政令に定める法定受託事務はこの法律に基づく政令に示すとおりである。

⑪　地方公共団体に関する法令の規定は、地方自治の本旨に基づき、かつ、国と地方公共団体との適切な役割分担を踏まえたものでなければならない。

⑫　地方公共団体に関する法令の規定は、地方自治の本旨に基づいて、かつ、国と地方公共団体との適切な役割分担を踏まえて、これを解釈し、及び運用するようにしなければならない。この場合において、特別地方公共団体に関する法令の規定は、この法律に定める特別地方公共団体の特性にも照応するように、これを解釈し、及び運用しなければならない。

⑬　法律又はこれに基づく政令により地方公共団体が処理することとされる事務が自治事務である場合においては、国は、地方公共団体が地域の特性に応じて当該事務を処理することができるよう特に配慮しなければならない。

⑭　地方公共団体は、その事務を処理するに当つては、住民の福祉の増進に努めるとともに、最少の経費で最大の効果を挙げるようにしなければならない。

⑮　地方公共団体は、常にその組織及び運営の合理化に努めるとともに、他の地方公共団体に協力を求めてその規模の適正化を図らなければならない。

⑯　地方公共団体は、法令に違反してその事務を処理してはならない。なお、市町村及び特別区は、当該都道府県の条例に違反してその事務を処理してはならない。

⑰　前項の規定に違反して行つた地方公共団体の行為は、これを無効とする。

＊　二項―一部改正〔昭二二・一二法一六九〕、三・四・六・七項―追加〔昭二三・七法一七九〕、三項―一部改正〔昭二四・六法二〇七附則三項・昭二七・八法二九二附則五項〕、二・三項―一部改正・四・五・八・九・一〇項―追加・旧四・五項―二項ずつ繰下・旧六・七項―五項ずつ繰下〔昭二七・八法三〇六〕、三項―一部改正・四・五・六項―追加・旧四～一二項―三項ずつ繰下〔昭三一・六法一四七〕、五項―一部改正〔昭三七・九法一六一〕、三・五項―一部改正〔昭三八・六法九九〕、三項―一部改正〔昭三八・七法一三三〕、三・四項―一部改正・五項―追加・旧五～一五項―一項ずつ繰下〔昭四四・三法二〕、三・六項―一部改正〔昭四九・六法七一〕、三項―一部改正〔平三・四法二四、平九・六法七四〕、三・六項―一部改正〔平一〇・一〇法一一四〕、二項―全改・旧三項―削る・旧四項―一部改正し三項に繰上・旧五項―四項に繰上・旧六項―一部改正し五項に繰上・旧七項―六項に繰上・旧八～一〇項―削る・旧一一項―七項に繰上・八～一一項―追加・一二項―一部改正・一三項―追加・旧一三～一六項―一項ずつ繰下〔平一一・七法八七〕、三項―一部改正・四項―全改〔平二三・五法三五〕

【参照条文】

①【法人―民法三三】

②【地方公共団体の事務―憲法九四　※法二八一2

【普通地方公共団体の区域―法五

⑥　※法二五二の二二の5・二五二の二二の三8

⑦【特別地方公共団体の事務―法二八一・二八四・二九四

⑫【地方自治の本旨―憲法九二　法一

⑭　※法一九九3・二五二の二一の5・二五二の二二の三8・二五二の三七2

⑮【組織及び運営の合理化―法二五二の一七の五　【規模の適正化―法八の二　※法一三八の三・一八〇の四1・一八〇の五4・一九九3・二五二の三七2

【実　例】

※　●市町村は住民の福祉に関する事項である限り請負をなしうる。（昭二三・六・二二行実）

〔地方公共団体の名称〕

第三条　地方公共団体の名称は、従[1]来の名称による。

②　都道府県の名称を変更しようとするときは、法律でこれを定める。

③　都道府県以外の地方公共団体の名称を変更しようとするときは、この法律に特別の定めのあるものを除くほか、条例でこれを定める。

④　地方公共団体の長は、前項の規定により当該地方公共団体の名称を変更しようとするときは、あらかじめ都道府県知事に協議しなければならない。

⑤　地方公共団体は、第三項の規定により条例を制定し又は改廃したときは、直ちに都道府県知事に当該地方公共団体の変更後の名称及び名称を変更する日を報告しなければならない。

⑥　都道府県知事は、前項の規定による報告があつたときは、直ちにその旨を総務大臣に通知しなければならない。

⑦　前項の規定による通知を受けたときは、総務大臣は、直ちにその旨を告示するとともに、これを国の関係行政機関の長に通知しなければならない。

＊　三項―一部改正〔昭二二・一二法一六九〕、四・五項―追加〔昭二七・八法三〇六〕、二・三項―一部改正〔昭三一・六法一四七〕、四・五項―一部改正〔昭三五・六法一一三附則五〕、三項―一部改正・四・五項―追加・旧四・五項―一部改正し二項ずつ繰下〔平一一・七法八七〕、六・七項―一部改正〔平一一・一二法

一六〇）

【参照条文】

② 【名称変更法律の制定―憲法九五　国会法六七　法二六一・二六二　令一八〇・一八八・一九〇

③ 【名称変更条例―法一四・九六1Ⅰ　【特別の定―法二八七1Ⅰ・二九一の四1Ⅰ

※ 【廃置分合―法六・七

【実例・通知】

1）●従来町村の名称を「まち」あるいは「むら」と呼称している場合はそれが公称であり、また、従来「ちょう」あるいは「そん」と呼称している場合はそれが公称である。（昭二七・一一・二二行実）

※ ●地名の書き表わし方は、さしつかえのない限り、当用漢字字体表を用いる。当用漢字表以外の漢字についても、当用漢字字体表の字体に準じた字体を用いてもよい。（昭二三・四・二二通知）

〔**地方公共団体の事務所の設定又は変更**〕

第四条　地方公共団体は、その事務所[1]の位置を定め又はこれを変更しようとするときは、条例[2]でこれを定めなければならない。

② 前項の事務所の位置を定め又はこれを変更するに当つては、住民の利用に最も便利であるように、交通の事情、他の官公署との関係等について適当な考慮を払わなければならない。

③ 第一項の条例を制定し又は改廃しようとするときは、当該地方公共団体の議会において出席議員[3]の三分の二以上の者の同意がなければならない。

＊二項―追加〔昭二五・五法一四三〕、二項―追加・旧二項―一部改正し三項に繰下〔昭二七・八法三〇六〕

【参照条文】

① ※ 【法施行当時から事務所の位置変更のない地方公共団体―程一

② ※ 法一四・九六1Ⅰ・二五二の二〇2・二五二の二〇の二2・二八七1Ⅳ・二九一の四1Ⅵ

③ ※ 法一五五・一五六・二〇二の四4・二八七1Ⅳ・二九一の四1Ⅵ

※ 法一一六1

【実例・注釈】

1）○「事務所」とは、地方公共団体の主たる事務所、すなわち、都道府県については都道府県庁、市町村、特別区についてはそれぞれ市役所、町村役場、区役所である。なお、法第一五五条を参照のこと。

2）●この条例の提案権は、長及び議員の双方にある。（昭三四・八・三一行実）

●事務所の位置の変更条例の制定時期を新事務所の建築着工前とするか、建築完了後とするかは、いずれでもさしつかえないが、建築に必要な財源のみとおしもたたない時期に制定することは適当でない。（昭三四・八・三一行実）

3）○「出席議員の三分の二以上の者」とは、たとえば、出席議員が六〇人のときは四〇人又は四〇人をこえる者、四〇人のときは二七人又は二七人をこえる者を指し、この場合においては、議長も議員として議決に加わることができる。

●住居表示の実施に伴い、地方公共団体の事務所の所在地名を変更する場合のように、事務所の位置を実質的に変更しない条例の一部改正は出席議員の過半数で決すればよい。（昭四一・六・三〇行実）

〔**地方公共団体の休日**〕

第四条の二　地方公共団体の休日は、条例で定める。

② 前項の地方公共団体の休日は、次に掲げる日について定めるものとする。

一　日曜日及び土曜日

二　国民の祝日に関する法律（昭和二十三年法律第百七十八号）に規定する休日

三　年末又は年始における日で条例で定めるもの

③ 前項各号に掲げる日のほか、当該地方公共団体において特別な歴史的、社会的意義を有し、住民がこぞつて記念することが定着している日で、当[1]該地方公共団体の休日とすることについて広く国民の理解を得られるようなものは、第一項の地方公共団体の休日として定めることができる。この場合においては、当該地方公共団体の長は、あらかじめ総務大臣に協議しなければならない。

④ 地方公共団体の行政庁に対する申請、届出その他の行為の期限で法律又は法律に基づく命令で規定する期間（時をもつて定める期間を除く。）をもつて定めるものが第一項の規定に基づき条例で定められた地方公共団体の休日に当たるときは、地方公共団体の休日の翌日をもつてその期限とみなす。ただし、法律又は法律に基づく命令に別段の定めがある場合は、この限りでない。

＊本条―追加〔昭六三・一二法九四〕、三項―追加・旧三項―四項に繰下〔平三・四法二四〕、二項―一部改正〔平四・四法二九〕、三項―一部改正〔平一一・一二法一六〇〕

【引用条文】

② 【国民の祝日に関する法律二（国民の祝日）・三（休日）

【参照条文】

① 【国の行政機関の休日―行政機関の休日に関する法律　【裁判所の休日―裁判所の休日に関する法律

④ 【期限―民法一四二　【別段の定め―地税法二〇の五2　選挙法二七〇の三等

【通　知】

1）●盆、祭、市制記念の日等については、「当該地方公共団体において特別な歴史的、社会的意義を有し、住民がこぞつて記念することが定着している日で、当該地方公共団体の休日とすることについて広く国民の理解を得られるようなもの」には該当しない。（平三・四・二通知）

第二編　普通地方公共団体

第一章　通則

〔区域〕

第五条　普通地方公共団体の区域[1]は、従来[2]の区域による。

② 都道府県は、市町村を包括する。

【参照条文】

① ※【区域変更―法六・六の二・七・七の二・九～九の五

② ※法二5

【実例・判例】

1）●領海は、これに接続する府県、市町村又は島嶼の区域に属する。（昭一一・一二・二八、昭一二・五・二〇行裁判）

●境界が河川による場合、その境界線を河川のどこをもつて境界とするかは個々の事態によつて判断するほかはなく、これについての一般原則はない。（昭三三・八・二〇行実）

2）●川の中心をもつて郡村界としていた場合、川の流域が変更しても、郡村界は当然に変更するものということはできない。（大三・一二・二五行裁判）

〔都道府県の廃置分合及び境界変更〕

第六条　都道府県の廃置分合又は境界変更をしようとするときは、法律でこれを定める。

② 都道府県の境界にわたつて市町村の設置又は境界の変更があつたときは、都道府県の境界も、また、自ら変更する。従来地方公共団体の区域に属しなかつた地域を市町村の区域に編入したときも、また、同様とする。

③ 前二項の場合において財産処分を必要とするときは、関係地方公共団体が協議してこれを定める。但し、法律に特別の定があるときは、この限りでない。

④ 前項の協議については、関係地方公共団体の議会の議決を経なければならない。

＊　三項―一部改正〔昭二二・一二法一六九〕、二項―一部改正〔昭二七・八法三〇六、昭三六・一一法二三五、平一六・五法五七〕

【参照条文】

① 【法律の制定―憲法九五　国会法六七　法二六一・二六二　令一八〇・一八八・一九〇　【※政令委任―法二五五＝令一の二～六・一三〇・一三一・一七六

② 【市町村の設置又は境界変更―法七1・3・6・7　【従来地方公共団体の区域に属しなかつた地域―法七の二　※法二五九

③ 【特別の定―法六1の法律―現在なし

④ 【議会の議決―法九六1XV・一一六1

〔申請に基づく都道府県合併〕

第六条の二　前条第一項の規定によるほか、二以上の都道府県の廃止及びそれらの区域の全部による一の都道府県の設置又は都道府県の廃止及びその区域の全部の他の一の都道府県の区域への編入は、関係都道府県の申請に基づき、内閣が国会の承認を経てこれを定めることができる。

② 前項の申請については、関係都道府県の議会の議決を経なければならない。

③ 第一項の申請は、総務大臣を経由して行うものとする。

④ 第一項の規定による処分があつたときは、総務大臣は、直ちにその旨を告示しなければならない。

⑤ 第一項の規定による処分は、前項の規定による告示によりその効力を生ずる。

＊　本条―追加〔平一六・五法五七〕

【参照条文】

② 【議会の議決―法九六1XV

〔市町村の廃置分合及び境界変更〕

第七条　市町村の廃置分合又は市町村の境界変更は、関係市町村の申請[1]に基き、都道府県知事が当該都道府県の議会の議決[2]を経てこれを定め[3]、直ちにその旨を総務大臣に届け出なければならない。

② 前項の規定により市[4]の廃置分合をしようとするときは、都道府県知事は、あらかじめ総務大臣に協議し、その同意を得なければならない。

③ 都道府県の境界にわたる市町村の設置を伴う市町村の廃置分合又は市町村の境界の変更は、関係のある普通地方公共団体の申請に基づき、総務大臣がこれを定める。

④ 前項の規定により都道府県の境界にわたる市町村の設置の処分を行う場合においては、当該市町村の属すべき都道府県について、関係のある普通地方公共団体の申請に基づき、総務大臣が当該処分と併せてこれを定める。

⑤ 第一項及び第三項の場合において財産処分を必要とするときは、関係市町村が協議してこれを定める。

⑥ 第一項及び前三項の申請又は協議については、関係の

ある普通地方公共団体の議会の議決を経なければならない。

⑦ 第一項の規定による届出を受理したとき、又は第三項若しくは第四項の規定による処分をしたときは、総務大臣は、直ちにその旨を告示するとともに、これを国の関係行政機関の長に通知しなければならない。

⑧ 第一項、第三項又は第四項の規定による処分は、前項の規定による告示によりその効力を生ずる。

＊ 本条―全改〔昭二二・一二法一六九〕、一項―一部改正・二・七項―追加・旧三・四・五項―一部改正し一項ずつ繰下・旧二項―三項に繰下〔昭二七・八法三〇六〕、一・二・三・六項―一部改正〔昭三五・六法一一三附則五条〕、一項―一部改正〔昭三六・一一法二三五〕、二項―一部改正〔平一一・七法八七〕、一・二・三・六項―一部改正〔平一一・一二法一六〇〕、三項―一部改正・四項―追加・旧四〜七項―一部改正し一項ずつ繰下〔平一六・五法五七〕

【参照条文】

① 【※市の要件―法八1・附則二〇の三・二〇の五 旧合併特例法五の二 合併特例法七 【※町の要件―法八2 【議会の議決―法九六1XV・一一六1 【※境界変更の手続の特例―法九の三1・2・附則二〇の二 【※政令委任―法二五五＝令一の二〜六・一三〇・一三一・一七六・一七七

※ 法六2・七の二〜九の五

【実例・判例・注釈】

1・2）●市町村の境界変更、廃置分合の申請につき、県議会がその区域の一部を修正して議決し、又は知事が申請内容を一部修正して提案することはできない。（昭二五・二・一行実）

3）○「定め」とは、関係市町村の申請の内容と異なつた定めをすることはできない。しかし、その時期については、申請の内容に拘束されない。

4）●市の廃置分合には、市の区域の一部をもつて町村を置く場合及び町村を廃してその区域を市に編入する場合を含まない。（昭二八・二・二七行実）

※ ●市町村の住民は、知事がしたその市町村合併の取消を求める法律上の利益を有しない。（昭三〇・一二・二最裁判）

※ ●合併前の市議会でした市営住宅譲渡処分の議決は、合併後の市にその効力が及ばない。（昭四二・一一・二一行実）

※ ●一たん議決した境界変更について、その申請がされていない間に次の会期において当該議決の内容を変更しようとするときは、新たな議案を提出し、議決すれば足りる。また、この議案の提案権は、長及び議員の双方にある。（昭四八・一〇・二行実）

※ 法第二五五条の実例を参照

〔所属未定地域の編入〕

第七条の二 法律で別に定めるものを除く外、従来地方公共団体の区域に属しなかつた地域[1]を都道府県又は市町村の区域に編入する必要があると認めるときは、内閣がこれを定める。この場合において、利害関係があると認められる都道府県又は市町村があるときは、予めその意見を聴かなければならない。

② 前項の意見については、関係のある普通地方公共団体の議会の議決を経なければならない。

③ 第一項の規定による処分があつたときは、総務大臣は、直ちにその旨を告示しなければならない。前条第八項の規定は、この場合にこれを準用する。

＊ 本条―追加〔昭二七・八法三〇六〕、三項―一部改正〔昭三五・六法一一三附則五条〕、二項―一部改正〔平一一・一二法一六〇〕、三項―一部改正〔平一六・五法五七〕

【引用条文】

③ 【法七（市町村の廃置分合及び境界変更）8

【参照条文】

① 【法律―所属未定地域決定のための法律をいう―現在なし

※ 法六・七・九の四・九の五

【注 釈】

1）○従来地方公共団体の区域に属しなかつた地域とは、地方自治法施行前から、日本の領土でありながら、いずれの市町村、都道府県の区域にも属しない地域、割譲等により新たにわが国の領土となつた地域、又は領海外に造成された新しい島嶼等でわが領土に属することとなつたようなものを指す。

〔市及び町の要件・市町村相互間の変更〕

第八条 市となるべき普通地方公共団体は、左に掲げる要件[1]を具えていなければならない。

一 人口[2]五万以上を有すること。

二 当該普通地方公共団体の中心の市街地を形成している区域内に在る戸数[3]が、全戸数[4]の六割以上であること。

三 商工業その他の都市的業態に従事する者及びその者と同一世帯に属する者の数[5]が、全人口の六割以上であること。

四 前各号に定めるものの外、当該都道府県の条例で定める都市的施設その他の都市としての要件を具えていること。

② 町となるべき普通地方公共団体は、当該都道府県の条例で定める町としての要件を具えていなければならない。

③ 町村を市とし又は市を町村とする処分は第七条第一項、第二項及び第六項から第八項までの例により、村を町とし又は町を村とする処分は同条第一項及び第六項から第八項までの例により、これを行うものとする。

＊ 本条—全改〔昭二三・一二法一六九〕、三項—一部改正〔昭二七・八法三〇六〕、一項—一部改正〔昭二九・六法一九三〕、三項—一部改正〔平一六・五法五七〕

【引用条文】

③【法七（市町村の廃置分合及び境界変更）1・2・6・7・8】

【参照条文】

①【人口—法二五四　令一七六・一七七　程二五　【※市についての参考事項—法七2・二五九2　令一七八】

【実例・注釈】

1）●市が境界変更により要件を欠くに至っても必ずしも町となる必要はない。（昭二三・一〇・三〇行実）

2）○「人口五万以上」とは、官報で公示された最近の国勢調査又はこれに準ずる全国的な人口調査の結果による人口が五万又は五万をこえる場合を指す。

3）○「戸数」とは、市の中心部となるべき市街を形成している区域内の戸数をいい、密集し軒をつらねているものを指す。

4）○「全戸数」とは、必ずしも世帯数又は建物数を指すのでなく、たとえばアパートは生活単位ごとに一戸、学校、工場等は一戸として計算する。

5）○「世帯」とは、現実に住居及び生計を同じくしている者の集団をいう。

（市町村の適正規模の勧告）

第八条の二　都道府県知事は、市町村が第二条第十五項の規定によりその規模の適正化を図るのを援助するため、市町村の廃置分合又は市町村の境界変更の計画を定め、これを関係市町村に勧告することができる。

② 前項の計画を定め又はこれを変更しようとするときは、都道府県知事は、関係市町村、当該都道府県の議会、当該都道府県の区域内の市町村の議会又は長の連合組織その他の関係のある機関及び学識経験を有する者等の意見を聴かなければならない。

③ 前項の関係市町村の意見については、当該市町村の議会の議決を経なければならない。

④ 都道府県知事は、第一項の規定により勧告をしたときは、直ちにその旨を公表するとともに、総務大臣に報告しなければならない。

⑤ 総務大臣は、前項の規定による報告を受けたときは、国の関係行政機関の長に対し直ちにその旨を通知するものとする。

⑥ 第一項の規定による勧告に基く市町村の廃置分合又は市町村の境界変更については、国の関係行政機関は、これを促進するため必要な措置を講じなければならない。

＊ 本条—追加〔昭二七・八法三〇六〕、一項—一部改正〔昭三一・六法一四七〕、四・五項—一部改正〔昭三五・六法一一三附則五条〕、一項—一部改正〔昭四四・三法二、平一一・七法八七〕、四・五項—一部改正〔平一一・一二法一六〇〕

【引用条文】

①【法二（地方公共団体の法人格とその事務）15】

【参照条文】

①【廃置分合、境界変更—法六2・七2・3　【勧告—法二四五の四・二五二の一七の五】

③【議会の議決—法九六1XV・一一六1】

㊟ 次条中、点線の左側は、令和四年五月二五日から起算して四年を超えない範囲内において政令で定める日から施行となる。

（市町村の境界の調停及び裁定）

第九条　市町村の境界に関し争論があるときは、都道府県知事は、関係市町村の申請に基づき、これを第二百五十一条の二の規定による調停に付することができる。

② 前項の規定によりすべての関係市町村の申請に基いてなされた調停により市町村の境界が確定しないとき、又は市町村の境界に関し争論がある場合においてすべての関係市町村から裁定を求める旨の申請があるときは、都道府県知事は、関係市町村の境界について裁定することができる。

③ 前項の規定による裁定は、文書を以てこれをし、その理由を附けてこれを関係市町村に交付しなければならない。

④ 第一項又は第二項の申請については、関係市町村の議会の議決を経なければならない。

⑤ 第一項の規定による調停又は第二項の規定による裁定により市町村の境界が確定したときは、都道府県知事は、直ちにその旨を総務大臣に届け出なければならない。

⑥ 前項の規定による届出を受理したとき、又は第十項の規定による通知があつたときは、総務大臣は、直ちにその旨を告示するとともに、これを国の関係行政機関の長に通知しなければならない。

⑦ 前項の規定による告示があつたときは、関係市町村の境界について第七条第一項又は第三項及び第七項の規定による処分があつたものとみなし、これらの処分の効力は、当該告示により生ずる。

⑧ 第二項の規定による都道府県知事の裁定に不服があるときは、関係市町村は、裁定書の交付を受けた日から三十日以内に裁判所に出訴することができる。

⑨ 市町村の境界に関し争論がある場合において、都道府県知事が第一項の規定による調停又は第二項の規定による裁定に適しないと認めてその旨を通知したときは、関係市町村は、裁判所に市町村の境界の確定の訴を提起す

ることができる。第一項又は第二項の規定による申請をした日から九十日以内に、第一項の規定による調停に付されないとき、若しくは同項の規定による調停により市町村の境界が確定しないとき、又は第二項の規定による裁定がないときも、また、同様とする。

⑩ 前項の規定による訴訟の判決が確定したときは、当該裁判所は、直ちに判決書の写 電子判決書(民事訴訟法(平成八年法律第百九号)第二百五十二条第一項に規定する電子判決書をいい、同法第二百五十三条第二項の規定により裁判所の使用に係る電子計算機に備えられたファイルに記録されたものに限る。第七十四条の二第十項において同じ。)に記録されている事項を出力することにより作成した書面を添えてその旨を総務大臣及び関係のある都道府県知事に通知しなければならない。

⑪ 前十項の規定は、政令の定めるところにより、市町村の境界の変更に関し争論がある場合にこれを準用する。

＊ 本条—全改〔昭二七・八法三〇六〕、五・六・一〇項—一部改正〔昭三五・六法一一三附則五条〕、一項—一部改正〔平一一・七法八七〕、五・六・一〇項—一部改正〔平一一・一二法一六〇〕、七項—一部改正〔平一六・五法五七〕、一〇項—一部改正〔令四・五法四八〕

【引用条文】

① 【法二五一の二(自治紛争処理委員)】

【参照条文】

① 【調停—令一七四の六 ※【本条の特例—法九の三3

⑧ 【出訴—法二五六 裁判所法二五

⑪ 【政令—未制定 ※【境界—法五1 ※【境界変更—法七1

【実例・判例・注釈】

1) ●市町村の境界に関し争論があるときとは、市町村の境界が判明せずそれについて争論がある場合を意味する。(昭二七・一一・一二七行実)

●公有水面のみに係る場合を除き、県の境界にわたる市町村の境界に関する争論についても、本条の手続による。(昭四〇・五・一四行実)

2) ○「三十日以内」とは、裁定書の交付を受けた日の翌日を第一日とし三〇日目にあたる日までを指す。

※ ●町村の境界を確定するに当たつては、当該境界につきこれを変更又は確定する法定の措置が既にとられていない限り、まず、江戸時代における関係町村の当該係争地域に対する支配・管理・利用等の状況を調べ、そのおおよその区分線を知り得る場合には、これを基準として境界を確定すべきものと解するのが相当である。そして、右の区分線を知り得ない場合には、当該係争地域の歴史的沿革に加え、明治以降における関係町村の行政権行使の実状、国又は都道府県の行政機関の管轄、住民の社会・経済生活上の便益、地勢上の特性等の自然的条件、地積などを考慮の上、最も衡平妥当な線を見いだしてこれを境界と定めるのが相当である。(昭六一・五・二九最裁判)

〔市町村の境界の決定〕

第九条の二 市町村の境界が判明でない場合において、その境界に関し争論がないときは、都道府県知事は、関係市町村の意見を聴いてこれを決定することができる。

② 前項の規定による決定は、文書を以てこれをし、その理由を附けてこれを関係市町村に交付しなければならない。

③ 第一項の意見については、関係市町村の議会の議決を経なければならない。

④ 第一項の規定による都道府県知事の決定に不服があるときは、関係市町村は、決定書の交付を受けた日から三[1]十日以内に裁判所に出訴することができる。

⑤ 第一項の規定による決定が確定したときは、都道府県知事は、直ちにその旨を総務大臣に届け出なければならない。

⑥ 前条第六項及び第七項の規定は、前項の規定による届出があつた市町村の境界の決定にこれを準用する。

＊ 本条—追加〔昭二七・八法三〇六〕、五項—一部改正〔昭三五・六法一一三附則五条〕、五項—一部改正〔平一一・一二法一六〇〕

【引用条文】

⑥ 【法九(市町村の境界の調停及び裁定)6・7

【参照条文】

① 【境界—法五1

③ 【議会の議決—法九六1XV・一一六1

④ 【出訴—法二五六 裁判所法二五

※ 法七・九・九の三〜九の五

【注 釈】

1) ○「三十日以内」とは、決定書の交付を受けた日の翌日を第一日として第三〇日目にあたる日までを指す。

〔公有水面のみに係る市町村の境界の決定等〕

第九条の三 公有水面のみに係る市町村の境界変更は、第七条第一項の規定にかかわらず、関係市町村の同意を得て都道府県知事が当該都道府県の議会の議決を経てこれを定め、直ちにその旨を総務大臣に届け出なければならない。

② 公有水面のみに係る市町村の境界変更で都道府県の境界にわたるものは、第七条第三項の規定にかかわらず、関係のある普通地方公共団体の同意を得て総務大臣がこれを定める。

③ 公有水面のみに係る市町村の境界に関し争論があるときは、第九条第一項及び第二項の規定にかかわらず、都道府県知事は、職権によりこれを第二百五十一条の二の規定による調停に付し、又は当該調停により市町村の境界が確定しないとき、若しくはすべての関係市町村の裁定することについての同意があるときは、これを裁定することができる。

④ 第一項若しくは第二項の規定による公有水面のみに係る市町村の境界変更又は前項の規定による公有水面のみに係る市町村の境界の裁定は、当該公有水面の埋立て（干拓を含む。以下同じ。）が行なわれる場合においては、前三項の規定にかかわらず、公有水面の埋立てに関する法令により当該埋立ての竣功（しゅん）の認可又は通知がなされる時までこれをすることができる。

⑤ 第一項から第三項までの同意については、関係のある普通地方公共団体の議会の議決を経なければならない。

⑥ 第七条第七項及び第八項の規定は第一項及び第二項の場合に、第九条第三項、第五項から第八項まで、第九項前段及び第十項の規定は第三項の場合にこれを準用する。

＊ 本条—追加〔昭三六・一一法二三五〕、三項—一部改正〔平一一・七法八七〕、一・二項—一部改正〔平一一・一二法一六〇〕、六項—一部改正〔平一六・五法五七〕

【引用条文】
⑥【法七（市町村の廃置分合及び境界変更）7・8・九（市町村の境界の調停及び裁定）3・5～8・9前段・10

【参照条文】
①【議会の議決—法九六1XV・一一六1
③【調停—令一七四の六　※法附則二〇の二
④【竣功認可—公有水面埋立法　※【公有水面—公有水面埋立法一
⑤【議会の議決—法九六1XV・一一六1
※ 法九の四

〔埋立地の所属すべき市町村を定める措置〕

第九条の四　総務大臣又は都道府県知事は、公有水面の埋立てが行なわれる場合において、当該埋立てにより造成されるべき土地の所属すべき市町村を定めるため必要があると認めるときは、[1]できる限りすみやかに、前二条に規定する措置を講じなければならない。

＊ 本条—追加〔昭三六・一一法二三五〕、一部改正〔平一一・一二法一六〇〕

【参照条文】
【公有水面—公有水面埋立法一

【注　釈】
1）○「できる限りすみやかに」とは、公有水面埋立法第三条の規定により地元市町村の議会の意見を徴したときから同法第二条又は第四十二条第一項の規定により埋立ての免許又は承認がなされる時までの期間にすることがこれに当る。

〔あらたに生じた土地の確認〕

第九条の五　市町村の区域内に[1]あらたに土地を生じたときは、市町村長は、当該市町村の議会の議決を経てその旨を確認し、都道府県知事に届け出なければならない。

② 前項の規定による届出を受理したときは、都道府県知事は、直ちにこれを告示しなければならない。

＊ 本条—追加〔昭三六・一一法二三五〕、二項—一部改正〔昭四四・三法二〕

【参照条文】
①【議会の議決—法九六1XV・一一六1　※法五・七

【実　例】
1）●公有水面に土砂が累積され、将来とも永続的に海水に蔽われないような陸地となつたものは、その護岸等の施設を施したことの有無を問わずあらたに生じた土地に該当する。（昭三七・一〇・一二行実）

第二章　住民

〔住民の意義及び権利義務〕

第十条　市町村の区域内に住所[1]を有する者は、当該市町村及びこれを包括する都道府県の住民とする。

② 住民は、法律の定めるところにより、その属する普通地方公共団体の役務[2]の提供をひとしく[3]受ける権利を有し、その負担を分任する義務を負う。

＊ 二項—一部改正〔昭三八・六法九九〕

【参照条文】
①【区域—法五　【住所—民法二二・二三・二四　会社法四　一般社団・財団法人法四
②【負担—法二二三～二二九
※ 法二四四

【判例・注釈】
1）●ある地がある人の住所なりやはその地をもつて生活の本拠となす意思とその意思の実現即ちその地に常住する事実の存否により決すべきであり、いかなる状況が存すればかかる意思ありと認めらるべきかは事実問題で一定の具体的標準はない。（大九・七・二三大審判）
●転地療養のため妻子を同伴し乙市に赴き甲村自宅

留守は不在中妹等に依頼している場合は住所を移転したものとはいえない。（昭一二・四・一九行裁判）

●本籍地たる乙村に居住している者が甲村に在る農家に雇われ、さらに同村に在る某社番として雇われても、本籍地に娘及び婿養子が居住している場合には、その者の住所は依然として乙村にある。（昭一四・一・二七行裁判）

●住所所在地の認定は各般の客観的事実を総合して判断すべきものであつて、ある者が間断なくその場所に居住することを要するものではなく、また単に滞在日数の多いかどうかによつてのみ判断すべきものでもないけれども、客観的施設の有無によつてのみ判断すべきものでもない。（昭二七・四・一五最裁判）

●およそ法令において人の住所につき法律上の効果を規定している場合、反対の解釈をなすべき特段の事由のないかぎり、その住所とは各人の生活の本拠をさすものと解する。（昭二九・一〇・二〇最裁判）

●大学の学生が大学付属の寄宿舎で起臥し、実家からの距離が遠く通学が不可能ないし困難なため、多数の応募学生のうちから厳選のうえ入寮を許され、最も長期の者は四年間、最も短期の者でも一年間在寮の予定のもとに右寮に居住し選挙人名簿調製期日まで最も長期の者は約三年、最も短期の者でも五箇月間を経過しており、休暇に際しては帰省するけれども、配偶者があるわけでもなく、また管理すべき財産を持つているわけでもないので、したがつて休暇以外は実家に帰る必要も事実もなく、主食の配給も寄宿舎所在村で受けており、住民登録も同村でなされており、登録をなさない者でも故意に登録の手続をとらなかつたのでない場合は、それらの者については、選挙人名簿調製期日まで三箇月間は同村に住所があつたものと解する。（昭二九・一〇・二〇最裁判）

●選挙権の要件としての住所は、その人の生活に最も関係の深い一般的生活、全生活の中心をもつてその者の住所と解すべく、私生活面の住所、事業活動面の住所、政治活動面の住所等を分離して判断すべきではない。（昭三五・三・二二最裁判）

2）○「役務の提供」とは、地方公共団体及び地方公共団体の機関によつて行なわれる役務の提供の双方を含み、公の施設の供用のみならず、地方公共団体の諸種の施策を含めて、地方公共団体が住民に対しサービスをすることをいう。

3）○「ひとしく受ける」とは、住民ならば何人も同じ資格で区別なく平等に享受できるという意である。

●村民各自は、村道に対して他の村民の有する利益ないし自由を侵害しない程度において自己の生活上必須の行動を自由に行いうべき使用の自由権を有し、村民の村道使用の自由権に対して継続的な妨害がされた場合には、当該村民は、右の妨害の排除を請求することができる。（昭三九・一・一六最裁判）

〔住民の選挙権〕

第十一条 日本国民[1]たる普通地方公共団体の住民は、この法律の定めるところにより、その属する普通地方公共団体の選挙[2]に参与する権利を有する。

＊本条一部改正（昭二五・四法一〇一、昭二六・七法二〇三、昭二七・八法三〇六）

【参照条文】【日本国民―憲法一〇 国籍法 【この法律の定め―法一七～一九 【普通地方公共団体の選挙―憲法一五・九三２ 選挙法九２～５

【判例・注釈】

1）○「日本国民」とは、国籍法の定めるところにより日本国籍を有する者をいう。

●日本国民たる住民に限り地方公共団体の議会の議員及び長の選挙権を有するものとした地方自治法第一一条は、憲法第一五条第一項、第九三条第二項に違反しない。（平七・二・二八最裁判）

2）○「選挙に参与する権利」とは、選挙する権利と選挙される権利をいい、現在では普通地方公共団体の長の選挙及び議会の議員の選挙について認められている。

〔条例の制定改廃請求権及び事務の監査請求権〕

第十二条 日本国民たる普通地方公共団体の住民は、この法律の定めるところにより、その属する普通地方公共団体の条例（地方税の賦課徴収並びに分担金、使用料及び手数料の徴収に関するものを除く。）の制定又は改廃を請求する権利を有する。

② 日本国民たる普通地方公共団体の住民は、この法律の定めるところにより、その属する普通地方公共団体の事務の監査を請求する権利を有する。

＊一項一部改正（昭二三・七法一七九、昭三八・六法九九）

【参照条文】
①【日本国民―憲法一〇 国籍法 【条例の制定・改廃請求（この法律の定め）―法七四～七四の四 令九一～九八の四 則九
②【監査請求（この法律の定め）―法七五・二五二の三九 令九九 則一〇
※ 法二四二 令一七二 則一三

〔議会の解散請求権及び主要公務員の解職請求権〕

第十三条 日本国民たる普通地方公共団体の住民は、この法律の定めるところにより、その属する普通地方公共団体の議会の解散を請求する権利を有する。

② 日本国民たる普通地方公共団体の住民は、この法律の定めるところにより、その属する普通地方公共団体の議会の議員、長、副知事若しくは副市町村長、第二百五十二条の十九第一項に規定する指定都市の総合区長、選挙管理委員若しくは監査委員又は公安委員会の委員の解職を請求する権利を有する。

③ 日本国民たる普通地方公共団体の住民は、法律の定めるところにより、その属する普通地方公共団体の教育委員会の教育長又は委員の解職を請求する権利を有する。

＊ 二項—一部改正〔昭二二・一二法一九六附則一五条、昭二三・七法一七九〕、三項—追加〔昭二七・八法三〇六〕、二項—一部改正〔平一八・六法五三、平二六・五法四二〕、三項—一部改正〔平二六・六法七六〕

【参照条文】

① 【日本国民—憲法一〇　国籍法　【議会の解散請求（この法律の定め）—法七六～七九・八五　令一〇〇～一〇九の三・一二〇　則一一

② 【議員の解職請求（この法律の定め）—法八〇・八二1・八三～八五　令一一〇～一一五・一二〇　則一二　【長の解職請求（この法律の定め）—法八一・八二2・八三～八五　令一一六～一二〇　則一二　【副知事、副市町村長、指定都市の総合区長、選挙管理委員、監査委員、公安委員の解職請求（この法律の定め）—法八六～八八　令一二一　則一二

③ 【教育長又は教育委員の解職請求（法律の定め）—地教法八

※ 憲法一五

〔住民基本台帳〕

第十三条の二　市町村は、別に法律の定めるところにより、その住民につき、住民たる地位に関する正確な記録を常に整備しておかなければならない。

＊ 本条—追加〔昭四二・七法八一〕

【参照条文】

【法律—住民基本台帳法

第三章　条例及び規則

㊟ 次条中、点線の左側は、令和四年六月一七日から起算して三年を超えない範囲内において政令で定める日〔令七・六・一〕から施行となる。

〔条例の制定及び罰則〕

第十四条　普通地方公共団体は、法令に違反しない限りにおいて第二条第二項の事務に関し、[1]条例を制定[2]することができる。

② 普通地方公共団体は、義務を課し、又は権利を制限するには、法令に特別の定めがある場合を除くほか、[3]条例によらなければならない。

③ 普通地方公共団体は、法令に特別の定めがあるものを除くほか、その条例中に、条例に違反した者に対し、二年以下の懲役若しくは禁錮（拘禁刑）、百万円以下の罰金、拘留、科料若しくは没収の刑[4]又は五万円以下の過料を科する旨の規定を設けることができる。

＊ 本条—全改〔昭二二・一二法一六九〕、五項—一部改正〔平三・四法二一〕、二項—全改・旧三・四項—削る・旧五項—一部改正し三項に繰上・六項—削る〔平一一・七法八七〕、三項—一部改正〔令四・六法六八〕

【参照条文】

① 【条例の制定—憲法九四　法一六・七四・九六1 I・一七六・一七九・二二二・附則一一

② 【特別の定（例示）—法二二八2・3　地税法三一・七二の一一・八一・一五四　消防法四六　屋外広告物法三四　風営法四九　建基法一〇二等　【過料—法二五五の三

※ 憲法三一

【実例・通知・判例】

1）●名誉市民に対し、その功績を顕彰するに相応しい礼を以て遇することを内容とする条例は違憲ではない。（昭三二・一一・二二行実）

●条例が国の法令に違反するかどうかは、両者の対象事項と規定文言を対比するのみではなく、それぞれの趣旨、目的、内容及び効果を比較し、両者の間に矛盾抵触があるかどうかによってこれを決しなければならない。（昭五〇・九・一〇最裁判）

●いわゆる普通河川の管理について定める普通地方公共団体の条例において、河川法が適用河川又は準用河川について定めるところ以上に強力な河川管理の定めをすることは、同法に違反し、許されないものといわなければならない。（昭五三・一二・二一最裁判）

●資本金等の額が一定額以上の法人の事業活動に対し道府県法定外普通税として臨時特例企業税を課すことを定める条例の規定は、地方税法の定める欠損金の繰越控除の適用を一部遮断することをその趣旨、目的とするもので、特例企業税の課税によって各事業年度の所得の金額の計算につき欠損金の繰越控除を実質的に一部排除する効果を生ずるものであり、各事業年度間の所得の金額と欠損金額の平準化を図り法人の税負担をできるだけ均等化して公平な課税を行うという趣旨、目的に反し、違法、無効であるというべきである。（平二五・三・二一最裁判）

1・3）●憲法第二九条第二項との関係で、直接に財産権を制限することはできないが、家畜市場開設期間中に所在市町村内のそれ以外の場所で家畜の売買等

自治法

をなすことを禁ずることは、公共の秩序維持と公共の福利増進のため必要な規制をする結果間接に財産権を制限する結果になるだけであるからさしつかえない。（昭二五・二・二二行実）

●憲法第二二条は、公共の福祉に反しない限り職業選択の自由を保障しているのであり、同法第一三条の規定からも同様のことがいえるのであつて、公共の福祉に反するおそれがあると認められる場合においては、その限度において必要な営業上の制限を加えることも可能である。（昭二六・一・一八行実）

●行政代執行法第二条に規定する「法律（法律の委任に基づく命令、規則及び条例を含む。以下同じ。）」中の条例には、法律の個別的な委任に基づく条例のみでなく、本条第一項及び第二項の条例をも含む。（昭二六・一〇・二三行実）

●単なる身許の確認その他犯罪捜査以外の目的のために、条例で指紋の採取を強制することは、一般的には消極に解すべきである。（昭二七・一・三一行実）

●畜犬の飼育者について、狂犬病予防以外の公益上の目的から、憲法その他の法令に違反しない限度において、軽犯罪法第一条第一二号以外の義務を課する旨の条例を制定することができる。（昭二七・八・二〇行実）

●各種生産物の検査を行なうことは、法令に特別の定があるものを除く外、公益上特に必要がある場合においてはその限度において条例でこれを定めて実施することができる。（昭二八・四・二四行実）

●青少年の福祉を保持する趣旨のもとに青少年の深夜外出を制限し、青少年に悪影響を及ぼすおそれがある図書、興行等の観覧、販売等を条例で禁止できる。（昭二九・一二・二七行実）

●公園管理の見地から、園内における行商、遊芸稼業等を一般的に禁止して許可制にすることはできないが、公共の秩序を維持するため必要上やむを得ない場合に限り一定の条件の下における営業等を規制することは可能である。（昭三一・一〇・二三行実）

●県が公害防止条例の規定に基づき汚水または廃液に関する公害の基準を定める場合、鉱山保安法第二条第二項に規定する「鉱山」についても条例の適用がある。（昭四三・一〇・七行実）

●事業者が公害防止協定に規定された事項を遵守しない場合に、知事が事業者に対してその措置を講ずるよう命じ、また操業の一時停止を命ずることができる旨を条例に規定することはできない。（昭四六・七・六行実）

●行列行進または公衆の集団示威運動について、公安委員会の許可を受けなければならない旨の規定が、これらの行動そのものを一般的に許可制にする趣旨ではなく、特定の場所または方法についてのみ制限する場合があることを定めたにすぎない場合には、憲法第一二条、第二一条、第二八条、第九八条等に違反するものではない。（昭二九・一一・二四最裁判）

●道路その他の公共の場所で行う集団行進または集団示威運動についていわゆる届出制を採用しても、憲法第二一条、第一二条等に違反しない。（昭三〇・三・三〇最裁判）

●行列行進または公衆の集団示威運動により公共の福祉が著しく侵されることを防止するため、条例に、特定の場所または方法につき、合理的かつ明確な基準のもとに、あらかじめその許可を受けさせまたは届出をさせてこのような場合にはこれを禁止することができる旨の規定を設けても、憲法の保障する国民の自由を不当に制限するものと解することはできない。（昭三〇・五・一〇最裁判）

●金属屑業を営もうとする者に一定事項の公安委員会への届出を義務づけ、未成年者との売買等を禁止しても、いわゆる公共の福祉を維持するための必要な措置として規定されたものであつて、憲法第二二条第一項に違反しない。（昭三一・四・三最裁判）

●一定の住民を国民健康保険に強制加入させ、保険料は世帯主の町民税賦課等級に応じて納付させることを規定した条例は、憲法上の自由権および憲法第二九条第一項所定の財産権を侵害するものではない。（昭三三・二・一二最裁判）

●売春の取締について各別に条例を制定し、罰則を条例で定める結果、その取扱いに差別を生ずることがあつても、憲法第一四条に違反しない。（昭三三・一〇・一五最裁判）

●道路その他公共の場所における集会若しくは集団行進、および場所のいかんにかかわりない集団示威運動を許可制にしても、不許可の場合が厳格に制限されている限り、憲法第二一条に違反しない。（昭三五・七・二〇最裁判）

●集団行動について、条例に、許可制を採用しても、「公共の安寧を保持する上に直接危険を及ぼすと明らかに認められる場合のほかは、許可しなければならない」と定めて、許可を義務づけ、実質的には届出制とことなるところがない場合は、憲法第二一条に違反しない。（昭三五・九・二九最裁判）

●風俗営業の深夜営業を、それらが往々にして売淫や賭博その他善良の風俗を害する行為を誘発するおそれがあるものとして、禁止し、かかるおそれのない場合のみ公安委員会の承認により、許可することは、公共の福祉のために是認されるべきであつて、憲法第一三条、第二二条第一項、第二五条等に違反しない。（昭三七・四・四最裁判）

●ため池の破損、決かいの原因となるため池の堤とうの使用行為を制限しても、それは災害を防止するという社会生活上の已むを得ない必要から来ることであるから、憲法第二九条第二項・三項に違反しない。（昭三八・六・二六最裁判）

2）

●条例を廃止するには、廃止条例をもつてしなけれ

ばならない。（昭四・九行実）

●市がマンションを建築しようとする事業主に対して宅地開発等に関する指導要綱に基づいて教育施設負担金の寄付を求めた行為は違法な公権力の行使に当たる。（平五・二・一八最裁判）

●甲知事の交際費に係る債権者請求書、領収書、歳出額現金出納簿及び支出証明書のうち、交際の相手方が識別され得るものは、原則として、甲公文書公開等条例において公文書の非公開事由を定めた条項により、公開しないことができる文書ないし公開してはならない文書に該当する。（平六・一・二七最裁判）

●乙知事の交際費に係る現金出納簿のうち交際の相手方が識別され得るものは、原則として、乙公文書の開示に関する条例において公文書の非開示事由を定めた条項により、開示しないことができる文書に該当する。（平六・一・二七最裁判）

4）●法人の代表者又は法人若しくは人の代理人、使用人その他の従業者が県条例の条項に違反する行為をしたときは、それが法人又は人の業務に関してなされたものである限り、行為者を罰するほか当該法人又は人も罰する旨の規定を設けることができる。（昭二五・八・二六行実）

●没収刑を除き、条例中に罰金と他の刑の併科規定を設けることはできないが（没収刑は、条例中に規定することを要せず、刑法の定めにより科することができる。）、刑罰と行政罰は当然併科することができる。（昭二六・四・一四行実）

●地方公共団体が、契約の当事者たる地位において、当該契約に違反したときは刑罰を科する旨の規定を設けることはできない。（昭三四・二・一〇行実）

※●府県税の納税義務者に課税上必要な事項の申告を命ずる場合に条例には単に「府県税に関し、納税義務がある者は、知事の定めるところにより、課税上必要な事項を申告しなければならない」と簡単に規定し、細目については規則で規定することができる。（昭二二・一二・二七通知）

※●市町村の条例が法令又は県の条例に違反した場合は、最終的には、当該条例に基く処分の取消又は変更に係る訴訟の提起により、裁判所によつて当該事件に関する限りにおいて条例の無効が決定されるはずである。この場合当該市町村としては、当該条例の改廃の措置をすみやかに講ずべきである。（昭二三・一〇・三〇行実）

※●建築基準法第四〇条の規定に基き建築物の敷地、構造又は建築設備に関して安全上、防災上又は衛生上必要な制限を附加する市町村の条例において、県条例に規定するところと実質的に異なつた内容の規定を設けようとするのであれば、県条例において規定する事項以外の「制限を附加」することは可能であるが、県条例に規定する事項についてその規定に違反するような規定を設けることは法第二条第一五項（現行法では第一六項）によりできない。（昭二七・七・二二行実）

※●印鑑の登録及び証明についての規程は、手数料に関する事項その他法令により条例で規定すべきものとされている事項を含まない場合においては、条例及び規則のいずれによるもさしつかえないが、条例によることが適当である。（昭三四・二・一三行実）

〔規則〕

第十五条　普通地方公共団体の長は、法令に違反しない限りにおいて、その権限に属する事務に関し、規則[1]を制定することができる。

②　普通地方公共団体の長は、法令に特別の定め[2]があるものを除くほか、普通地方公共団体の規則中に、規則に違反した者に対し、五万円以下の過料を科する旨の規定を設けることができる。

＊　一項―一部改正・二項―全改〔昭三三・一二法一六九〕、二項―一部改正〔平六・六法四八〕

【参照条文】

①【長の権限に属する事務―法一四八・一四九　【規則の制定―法一六5　地税法三2　漁業法一一九2　※法一三八の四2　地公法八5　地教法一五1　警察法三八5

②【特別の定（例示）―法一五九2　漁業法一一九3等　【過料―法二五五の三

※程二

【実例】

1）●事務分掌、服務細則等は訓令で定めてもさしつかえないが、事務分掌等は規則で規定するのが適当である。（昭二四・一・一三行実）

●国税及び地方税を二カ年にわたり引き続き完納していることを競争入札の参加資格の要件として規則で定めることは可能であるが、これを条例で規定することはできない。（昭五七・一・七行実）

2）●法律の規定により規則に刑罰規定が委任されている場合に、当該規則に法に定める刑罰規定を設けず、二千円以下の過料を科する旨の規定を設けることは、第一五条第二項に違反する。（昭三〇・八・二三行実）

●条例の規定による委任があつても、規則に刑罰規定を設けることはできない。（昭二五・七・三一行実）

〔条例・規則等の公布〕

第十六条　普通地方公共団体の議会の議長は、条例の制定又は改廃の議決があつたときは、その日から三日以内[1]にこれを当該普通地方公共団体の長に送付[2]しなければならない。

② 普通地方公共団体の長は、前項の規定により条例の送付を受けた場合は、その日から二十日以内にこれを公布[3]しなければならない。ただし、再議その他の措置を講じた場合は、この限りでない。

③ 条例は、条例に特別の定があるものを除く外、公布[4]の日から起算して十日を経過した日から、これを施行[5]する。

④ 当該普通地方公共団体の長の署名[6]、施行期日の特例その他条例の公布に関し必要な事項は、条例でこれを定めなければならない。

⑤ 前二項の規定は、普通地方公共団体の規則並びにその機関の定める規則及びその他の規程で公表を要するものにこれを準用する。但し、法令又は条例に特別の定があるときは、この限りでない。

＊本条…全改〔昭二五・五法一四三〕、二項…一部改正〔平二四・九法七二〕

【参照条文】
① 【条例制定改廃の議決―法九六1Ⅰ】
② 【再議―法一七六　【その他の措置（例示）―地税法二五九・六六九・七三一】
⑤ 【機関の定める規則・規程―法一二〇・一三八の四2＝法一九四　地公法八5　警察法三八5　収用法五九　農委法三四　【法令の特別の定―地教法一五2】

【実例・判例・注釈】
1) ○「その日から三日以内に」とは、議会の議決のあつた日の翌日を第一日とし三日目にあたる日までを指す。
2) ○「送付」とは、長の了知し得る範囲に至る意味、すなわち到達主義をさすのであり、単に議長の手を離れたという意味の発信主義ではない。
3) ●条例は告示されるまでは効力を生じない。（昭二五・一〇・一〇最裁判）
●条例の制定、変更、廃止又は条例の内容となる事項について、上級行政庁の認可若しくは許可を要するものとなつている場合には、その許可をまつて公布すべきである。（昭三一・一二・一八行実）
●法令を官報により公布する場合においては、その法令を掲載した官報が印刷局より全国の各官報販売所に発送され、これを一般希望者がいずれかの官報販売所又は印刷局官報課において、閲覧し又は購読しようとすれば、それをなし得た最初の時点までにはおそくとも、公布されたものと解すべきである。（昭三三・一〇・一五最裁判）
4) ○「公布の日から起算して十日を経過した日から」とは、公布の日を第一日として一一日目にあたる日からの意である。
5) ●条例をさかのぼつて施行することはできないが、条例にその旨規定すれば、法的安定性を害しない限り、さかのぼつて適用することができる場合がある。（昭二七・一〇・七行実）
●条例の一部改正条例は、施行されて始めて母体たる条例にとけこむ。（昭二八・六・二二行実）
6) ●自署のもののゴム印を作つて押なつすることは無効である。（昭二五・一二・五行実）

第四章　選挙

＊本章…削除〔昭二五・四法一〇一〕、追加〔昭二七・八法三〇六〕

〔議員及び長の選挙〕

第十七条　普通地方公共団体の議会の議員及び長は、別に法律の定めるところにより、選挙人が投票によりこれを選挙する。

＊本条…削除〔昭二五・四法一〇一〕、追加〔昭二七・八法三〇六〕

【参照条文】
※ 【法律の定め―選挙法】　憲法一五・九三2

〔選挙権〕

第十八条　[1]日本国民たる年齢[2]満十八年以上の者で引き続き[3]三箇月以上市町村の区域内に住所を有するものは、別に法律の定めるところにより、その属する普通地方公共団体の議会の議員及び長の選挙権を有する。

＊本条…削除〔昭二五・四法一〇一〕、追加〔昭二七・八法三〇六〕、一部改正〔昭四一・六法七七、平二七・六法四三〕

【参照条文】
【日本国民―憲法一〇　国籍法　【市町村の区域―法五　【住所―民法二二　【法律の定め―選挙法九2〜5・一一・二五二】

【判例】
1) ●日本国民たる住民に限り地方公共団体の議会の議員及び長の選挙権を有するものとした地方自治法第一八条は、憲法第一五条第一項、第九三条第二項に違反しない。（平七・二・二八最裁判）
2) ●「年齢満二十年〔現行法では十八年〕以上の者」とは、出生の翌年を第一年とし第二〇年〔現行法では十八年〕目の誕生日の前日に達している者をいう。（昭五四・一一・二二高裁判）
3) ●「三箇月以上」とは、住所を移した月の翌月を第一月として三箇月目の応当日の前日まで引き続いての意である。（昭五八・一二・一最裁判）

〔議員及び長の被選挙権〕

第十九条　普通地方公共団体の議会の議員の選挙権を有する者で年齢満二十五年以上のものは、別に法律の定めるところにより、普通地方公共団体の議会の議員の被選挙権を有する。

② 日本国民で年齢満三十年以上[1]のものは、別に法律の定めるところにより、都道府県知事の被選挙権を有する。

③ 日本国民で年齢満二十五年以上のものは、別に法律の定めるところにより、市町村長の被選挙権を有する。

＊ 本条―削除〔昭二五・四法一〇一〕、追加〔昭二七・八法三〇六〕

【参照条文】
① 【法律の定―選挙法一〇１Ⅲ・Ⅴ・一一・二五二
② 【法律の定―選挙法一〇１Ⅳ・一一・二五二
③ 【法律の定―選挙法一〇１Ⅵ・一一・二五二

【注　釈】
1）○「年齢満三十年以上」とは、出生の翌年を第一年とし三〇年目の誕生日の前日に達していることをいう。

第二十条乃至第七十三条　削除　〔昭三一・六法一六三〕

第五章　直接請求

第一節　条例の制定及び監査の請求

〔条例の制定又は改廃の請求とその処置〕

第七十四条　普通地方公共団体の議会の議員及び長の選挙権を有する者（以下この編において「選挙権を有する者」という。）は、政令で定めるところにより、その総数の五十分の一以上の者の連署をもつて、その代表者から、普通地方公共団体の長に対し、条例（地方税の賦課徴収並びに分担金、使用料及び手数料の徴収に関するものを除く。）の制定又は改廃の請求[1]をすることができる。

② 前項の請求があつたときは、当該普通地方公共団体の長は、直ちに請求の要旨を公表しなければならない。

③ 普通地方公共団体の長は、第一項の請求を受理[2]した日から二十日以内に議会を招集し、意見を付けてこれを議会に付議[3]し、その結果を同項の代表者（以下この条において「代表者」という。）に通知するとともに、これを公表しなければならない。

④ 議会は、前項の規定により付議された事件の審議を行うに当たつては、政令で定めるところにより、代表者に意見を述べる機会を与えなければならない。

⑤ 第一項の選挙権を有する者とは、公職選挙法（昭和二十五年法律第百号）第二十二条第一項又は第三項の規定による選挙人名簿の登録が行われた日において選挙人名簿に登録されている者とし、その総数の五十分の一の数は、当該普通地方公共団体の選挙管理委員会において、その登録が行われた日後直ちに告示しなければならない。

⑥ 選挙権を有する者のうち次に掲げるもの[4]は、代表者となり、又は代表者であることができない。

一　公職選挙法第二十七条第一項又は第二項の規定により選挙人名簿にこれらの項の表示をされている者（都道府県に係る請求にあつては、同法第九条第三項の規定により当該都道府県の議会の議員及び長の選挙権を有するものとされた者（同法第十一条第一項若しくは第二百五十二条又は政治資金規正法（昭和二十三年法律第百九十四号）第二十八条の規定により選挙権を有しなくなつた旨の表示をされている者を除く。）を除く。）

二　前項の選挙人名簿の登録が行われた日以後に公職選挙法第二十八条の規定により選挙人名簿から抹消された者

三　第一項の請求に係る普通地方公共団体（当該普通地方公共団体が、都道府県である場合には当該都道府県の区域内の市町村並びに第二百五十二条の十九第一項に規定する指定都市（以下この号において「指定都市」という。）の区及び総合区を含み、指定都市である場合には当該市の区及び総合区を含む。）の選挙管理委員会の委員又は職員である者

⑦ 第一項の場合において、当該地方公共団体の区域内で衆議院議員、参議院議員又は地方公共団体の議会の議員若しくは長の選挙が行われることとなるときは、政令で定める期間、当該選挙が行われる区域内においては請求のための署名を求めることができない。

⑧ 選挙権を有する者は、心身の故障その他の事由[5]により条例の制定又は改廃の請求者の署名簿に署名することができないときは、その者の属する市町村の選挙権を有する者（代表者及び代表者の委任を受けて当該市町村の選挙権を有する者に対し当該署名簿に署名することを求める者を除く。）に委任して、自己の氏名（以下「請求者の氏名」という。）を当該署名簿に記載させることができる。この場合において、委任を受けた者による当該請求者の氏名の記載は、第一項の規定による請求者の署名とみなす。

⑨ 前項の規定により委任を受けた者（以下「氏名代筆者」という。）が請求者の氏名を条例の制定又は改廃の請求者の署名簿に記載する場合には、氏名代筆者は、当該署名簿に氏名代筆者としての署名をしなければならない。

＊ 一項―一部改正〔昭二三・七法一七九、昭二五・四法一〇一、昭三八・六法九九〕、四項―一部改正〔昭四一・六法七七、

昭四三・五法三九〕、五項―追加〔昭四四・三法二〕、四項―一部改正〔昭四四・五法三〇〕、一項―一部改正・六・七項―追加〔平六・六法四八〕、四―追加・旧四項～七項―一項ずつ繰下〔平一四・三法四〕、六項―追加・旧六項～八項―一項ずつ繰下〔平二三・五法三五〕、八項―一部改正〔平二五・五法二一〕、六項―一部改正〔平二六・五法四二〕、五項―一部改正〔平二八・二法八〕、五・六項―一部改正〔平二八・四法二四〕、一・三～九項―一部改正〔平二八・一二法九四〕

【引用条文】

⑤【選挙法二二（登録）１・３

⑥⑤【選挙法二七（表示）１・２・二八（抹消）・一一（選挙権及び被選挙権を有しない者）１・二五二（選挙犯罪による処刑者に対する選挙権及び被選挙権の停止）【政資法二八

【参照条文】

①【選挙権を有する者―法一八＝選挙法九２～５・一一・二五二【政令の定―令九一～九八の四　※則九【条例の制定、改廃の請求―法一二１

③【議会の招集―法一〇一

⑤【選挙人名簿―選挙法一九

⑦【政令で定める期間―令九二４・５

※法七四の二・七四の三

【実例・通知・注釈】

１）●公布していない条例に対しては、改廃請求はできない。（昭二三・六・二行実）

●直接請求の正式受理後は賛否投票期日の告示前においても、請求の撤回はなし得ない。（昭二三・八・九行実）

●既存の条例の一部を改正する条例の公布後、その施行期日の到来前において、改正条例の改廃請求を行う場合は、当該改正条例の改廃請求であつても、当該改正条例の施行によつて改正される条例の改廃請求であつてもさしつかえない。（昭三三・一〇・六行実）

●直接請求受理前に代表者が辞退したとき、他の者が代表者証明書の交付を受け前の者のなした署名、請求の要旨により請求することはできない。（昭二四・二・二三行実）

●署名簿の取りまとめ中請求代表者数人あるうちの一部の者が請求代表者を辞退する場合は、他の請求代表者を通じて選挙管理委員会に届け出なければならない。選挙管理委員会は、辞退の届出があつた場合はその旨告示しなければならない。（昭二三・六・二四行実）

●国民健康保険料の賦課徴収に関する条例の制定又は改廃は、直接請求の対象となる。（昭四一・五・二八行実）

２）○「受理した日から二十日以内」とは、請求を受理した日の翌日を第一日とし、第二〇日目にあたる日までを指す。

３）●署名簿の照合中に市長提出案により当該条例が制定公布された場合も、選挙管理委員会は、照合完了の上、請求代表者に返付しなければならないが、既に制定公布された条例が、請求に係る条例と同一内容の場合には、取扱として議会に付議する必要はない。（昭二四・九・五行実）

●長は、条例の直接請求を受理した場合において、議会の議員の任期満了による選挙が告示されており、実質的に審議することができない等特段の事情があるときは、二〇日経過後に議会を招集し、請求に係る条例を付議することとしてさしつかえない。（昭四八・六・六行実）

※●第七四条の条例制定の請求があつた場合でも、法令上条例規定事項でないことが明瞭な場合は、令第九一条第一項において受理すべき限りでない。（昭二四・七・四行実）

※●請求書に記載された請求の要旨が事実と相違することが明らかな場合でも、選挙管理委員会としては、これを訂正、補正させ、あるいは事実と相違する旨の証明書を発行したりすることはできない。（昭二五・一二・一一行実）

※●請求代表者が郵便をもつて令第九二条第一項及び第二項前段による署名を求めることはできない。（昭二六・九・一〇行実）

※●議会が直接請求に基づき付議された条例案を閉会中の継続審査中、その議員の任期が満了した場合には、条例案は廃案となるが、長は次の議会において再び付議すべきである。（昭三八・三・八行実）

※●地方自治法施行規則で定められている条例制定請求代表者証明書の様式を横書きとして交付してさしつかえない。（昭四八・三・一行実）

４）●請求代表者証明書交付申請者が法第七四条第六項各号の資格制限に該当していることについて、当該交付申請を受けた長が知つていた場合には、当該申請者に対して同条第六項の規定により代表者になれないことを教示して、申請を取り下げるよう促すことが適当である。（平二三・八・二四通知）

５）●「身体の故障又は文盲（現行法では心身の故障その他の事由）により条例の制定又は改廃の請求者の署名簿に署名することができないとき」とは、公職選挙法第四八条と同様、通常の文字又は点字のいずれによっても自書能力がない場合に認められるものであること。（平六・七・一九通知）

㊟　次条中、点線の左側は、令和四年五月二五日から起算して四年を超えない範囲内において政令で定める日から施行となる。

〔署名の証明・縦覧・争訟等〕

第七十四条の二　条例の制定又は改廃の請求者の代表者は、条例の制定又は改廃の請求者の署名簿を市町村の選挙管理委員会に提出してこれに署名した者が選挙人名簿に登録された者であることの証明を求めなければならない。この場合においては、当該市町村の選挙管理委員会は、その[1]日から二十日以内に審査[2]を行い、署名の効力を決定し、その旨を証明[3]しなければならない。

② 市町村の選挙管理委員会は、前項の規定による署名簿の署名の証明が終了したときは、その日から[4]七日間、その指定した場所[5]において署名簿を関係人の縦覧[6]に供さなければならない。

③ 前項の署名簿の縦覧の期間及び場所については、市町村の選挙管理委員会は、予めこれを告示し、且つ、公衆の見易い方法によりこれを公表しなければならない。

④ 署名簿の署名に関し異議があるときは、関係人[7]は、第二項の規定による縦覧期間内に当該市町村の選挙管理委員会にこれを申し出る[8]ことができる。

⑤ 市町村の選挙管理委員会は、前項の規定による異議の申出を受けた場合においては、その申出を受けた日から十四日以内にこれを決定しなければならない。この場合において、その申出を正当であると決定したときは、直ちに第一項の規定による証明を修正し、その旨を申出人及び関係人に通知し、併せてこれを告示し、その申出を正当でないと決定したときは、直ちにその旨を申出人に通知しなければならない。

⑥ 市町村の選挙管理委員会は、第二項の規定による縦覧期間内に関係人の異議の申出がないとき、又は前項の規定によるすべての異議についての決定をしたときは、その旨及び有効署名[9]の総数を告示するとともに、署名簿を条例の制定又は改廃の請求者の代表者に返付しなければならない。

⑦ 都道府県の条例の制定又は改廃の請求者の署名簿の署名に関し第五項の規定による決定に不服がある者は、その決定のあつた日から十日以内に都道府県の選挙管理委員会[10]に審査を申し立てることができる。

⑧ 市町村の条例の制定又は改廃の請求者の署名簿の署名に関し第五項の規定による決定に不服がある者は、その決定のあつた日から十四日以内に地方裁判所に出訴[11]することができる。その判決に不服がある者は、控訴することはできないが最高裁判所に上告することができる。

⑨ 第七項の規定による審査の申立てに対する裁決に不服がある者は、その裁決書の交付を受けた日から十四日以内に高等裁判所に出訴することができる。

⑩ 審査の申立てに対する裁決又は判決が確定したときは、当該都道府県の選挙管理委員会又は当該裁判所は、直ちに裁決書 又は判決書の写 〔の写し又は電子判決書に記録されている事項を出力することにより作成した書面〕 を関係市町村の選挙管理委員会に送付しなければならない。この場合においては、送付を受けた当該市町村の選挙管理委員会は、直ちに条例の制定又は改廃の請求者の代表者にその旨を通知しなければならない。

⑪ 署名簿の署名に関する争訟については、審査の申立てに対する裁決は審査の申立てを受理した日から二十日以内にこれをするものとし、訴訟の判決は事件を受理した日から百日以内にこれをするように努めなければならない。

⑫ 第八項及び第九項の訴えは、当該決定又は裁決をした選挙管理委員会の所在地を管轄する地方裁判所又は高等裁判所の専属管轄とする。

⑬ 第八項及び第九項の訴えについては、行政事件訴訟法（昭和三十七年法律第百三十九号）第四十三条の規定にかかわらず、同法第十三条の規定を準用せず、また、同法第十六条から第十九条までの規定は、署名簿の署名の効力を争う数個の請求に関してのみ準用する。

＊ 本条―追加〔昭二五・五法一四三〕、二・一三項―追加〔昭三七・五法一四〇〕、四・五・六・七・九・一〇・一一項―一部改正〔昭三七・九法一六一〕、一項―一部改正〔昭四一・六法七七、令三・五法三七〕、一〇項―一部改正〔令四・五法四八〕

【引用条文】
⑬【行訴法一三・一六～一九・四三】

【参照条文】
①【署名した者―令九五　【選挙人名簿―選挙法四章
【署名の審査―令九四・九五　※則九
⑤【証明の修正―令九五の三
⑥【署名簿の返付―令九五の四
⑧【出訴―法二五六
※ 審査の申出・申立て―行政不服審査法

【実例・判例・注釈】
1）○「その日から二十日以内」とは、提出した日の翌日を第一日とし、第二〇日目にあたる日までを指す。
●二〇日の期間を経過しても、当該署名簿の効力に影響を及ぼさないが、署名簿の提出を受けた委員会が故意に右期間経過後も審査を行なわない場合には、公職選挙法第二二六条による職権濫用罪が成立する。（昭二七・一一・一八行実）
2）○「審査」には、署名簿自体の様式及び法定署名数に達している署名であるか否か等の形式的な事項に関するものと、署名が選挙権を有する者の自署にかかるものであるか否かの実質的な審査に関するものとの二種類がある。
●一旦署名簿が選挙管理委員会に提出された後においては、署名収集の期間満了前であつても選挙管理委員会は、請求代表者から署名押印の補充収集の申出に応ずることはできない。（昭二五・一二・一一行実）

●「署名し印をおした者（現行法では署名した者）が選挙人名簿に記載された者」とは、審査時において名簿に記載されている者である。（昭二七・一二・一七行実）

3）●令第九五条の二の規定に基づき、市町村の選挙管理委員会は、法第七四条の二第一項の規定による署名簿の署名の証明が終了したときは、直ちに条例制定又は改廃請求者署名簿に署名した者の総数及び有効署名の総数の「告示」と公衆の見易い方法による「掲示」を行わなければならないこととされているが、近年の急速なデジタル技術の進展に伴い、住民の利便性の向上及び行政の効率化の観点から、当該「告示」をインターネットを利用した方法により行うこと、又は当該「告示」を書面で行う場合であっても、それに併せてその内容をインターネットを利用した方法により公表することが望ましいものと考えられる。他方、インターネットを利用することができない者等がいることに鑑み、「掲示」については、引き続き書面で行うことが必要であるものと考えられる。（令五・九・二七通知）

※ ●令第九五条にいう「請求代表者を通じて、当該署名簿の署名及び印（現行令では署名）を取り消す」とは、署名者本人が請求代表者に申し出て署名簿の署名を自ら抹消することにより取り消すことを意味し、請求代表者は取消の申出を拒否することはできない。（昭二二・五・二二行実）

4）○「その日から七日間」とは、証明が終了した日の翌日を第一日とし、第七日目にあたる日までの期間を指す。

5・7）●第七四条の二第二項の関係人とは、選挙人名簿に登載されている者全部を指し、同条第四項の関係人には、請求代表者、その委任を受けた者、被解職請求者、署名者、他人に自己の名を偽筆された者等署名に直接利害関係ある者を含むが、選挙権を有する者であつても当該署名に直接の利害関係を有しない者は異議の申出をすることができない。（昭二六・九・一〇行実）

6）●「直接請求制度の運用上の課題に関する研究会」報告書において、署名簿の縦覧に関しては、昨今の情報通信技術の著しい発展等社会経済情勢の変化とそれに伴う個人情報保護に対する意識の変化に十分対応することができているかということを考える必要があり、署名簿の縦覧において個人情報への配慮を行う場合には、その縦覧の趣旨と個人情報保護とのバランスを慎重に考える必要があると指摘されている。この点、同報告書は、署名簿の縦覧における個人情報への配慮の方向性として、以下の手順で縦覧を行うことが考えられるとしている。

① 縦覧の際に、署名簿の住所、生年月日等を黒塗りや目隠しケースを当てる等の方法により、一旦隠しておく。

② 特定の署名者の署名を住所、生年月日等の部分も含めて縦覧したい旨の申出があった場合には、住所、生年月日等の部分も含めた当該特定の署名者の署名を縦覧させる。

③ 以上の手順を踏んでもなお、署名簿全体を縦覧したい旨の申出あった場合には、署名簿全体を縦覧させる。

各地方公共団体におかれては、個人情報保護の観点から、同報告書の内容やこれまでの各団体における署名簿の縦覧時の運用等を踏まえ、署名簿の縦覧時における個人情報への配慮について検討されたい。なお、署名簿の住所、生年月日等を一旦隠しておく方法については、各地方公共団体の人口規模や署名簿の縦覧の頻度等を踏まえ、適切な方法を検討されたい。（令四・一二・二八通知）

8・10・11）●地方公共団体の議会の解散請求者署名簿の署名の効力に関する訴において、解散請求を受けている地方公共団体の議会は、当事者能力を有しない。（昭二九・二・二六最裁判）

●地方自治法第七四条の二の規定による署名簿の署名に関する争訟は、個々の署名の効力の有無をその対象とするものである。（昭三三・六・一〇最裁判）

9）○「有効署名の総数」とは、当該署名の署名者が選挙人名簿に記載された者であり、かつ、その署名について異議の申出がなく又は異議の申出がなされても市町村選挙管理委員会の決定により有効とされたものの総数を指す。

〔署名の無効及び関係人の出頭証言〕

第七十四条の三 条例の制定又は改廃の請求者の署名で左に掲げるものは、これを無効とする。

一 法令の定める成規の手続によらない署名

二 何人であるかを確認し難い署名

② 前条第四項の規定により詐偽又は強迫に基く旨の異議の申出があつた署名で市町村の選挙管理委員会がその申出を正当であると決定したものは、これを無効とする。

③ 市町村の選挙管理委員会は、署名の効力を決定する場合において必要があると認めるときは、関係人の出頭及び証言を求めることができる。

④ 第百条第二項、第三項、第七項及び第八項の規定は、前項の規定による関係人の出頭及び証言にこれを準用する。

＊ 本条…追加〔昭二五・五法一四三〕、二項…一部改正〔昭三七・九法一六一〕

【引用条文】
④【法一〇〇（調査権・刊行物の送付・図書室の設置等）2・3・7・8

【参照条文】
①【法令の定める成規の手続—令九一〜九四1 則九
③・④【関係人の出頭、証言—民訴一九五〜一九九・二

○一～二〇五

※　法二〇七

【実例・判例・注釈】

1）○「関係人」とは、当該署名がなされるについての関係のある者であつて範囲は場合によつて異なるが一般的には署名者たる本人、請求代表者又はその委任を受けた者、自己の氏名を他人に代筆されたその本人、同一の筆跡で同居の家族・親族等の者の署名がなされている場合における同居の家族等を指す。

※　●署名は自書でなければならないから、同一筆蹟で明らかに自書でないと認定しうるものは無効として取り扱うべきである。（昭二三・六・一八行実）

※　●名前が戸籍どおり記名されていない場合でも、本人の署名と認められる限り有効である。（昭二三・一〇・三一行実）

※　●平仮名、片仮名若しくはローマ字による署名又は氏が同じため隣と同じであるという意味で「〃」の記号をして名のみ自書したものも、有効である。（昭二四・一・二〇行実）

※　●請求代表者証明書に添付された請求書の内容と相違する請求書又はその写を付した署名簿を用いて求めた署名、住所、生年月日の記載していない署名及び「有効無効の印」欄、「番号」欄、「備考」欄のない署名簿を用いて求めた署名は、すべて無効である。（昭二五・一二・一一行実、欄はあるが文字の記載のないものは有効として扱つてよいとするものとして昭二九・五・一四行実参照）

※　●証人として出頭を求める関係人の範囲のうちには、署名に関係がある限り県選挙管理委員会の委員、書記を含むものと解してさしつかえない。（昭二五・一二・一一行実）

※　●令第九二条第二項の規定による署名収集の委任状に委任年月日が欠けていても、当該署名簿の署名が委任後になされたことが明らかである限り当該署名は当然無効とは解されない。（昭三〇・一二・一行実）

※　●県条例の改廃請求において、一冊の署名簿中に他市町村における選挙権を有する者の署名が混記されている場合は、法令の定める成規の手続によらない署名であり無効である。（昭四八・四・二六行実）

※　●地方公共団体の長の解職請求者署名簿に、部落民が部落会の決議により署名し、あるいは請求代表者又はその代理人が第三者を同伴して署名を集めたからといつて、それだけでその署名が無効であるとはいえない。（昭二八・六・一二最裁判）

※　●第七四条の三第二項は、直接請求における請求者署名簿の署名が詐偽又は強迫に基づくものであるかどうかの認定を一応市町村選挙管理委員会の権限に属せしめているが、それは、署名簿の署名に関する訴訟において、裁判所が同委員会の右認定の当否を判断することを妨げるものではない。（昭二八・六・一二最裁判）

※　●町選挙管理委員会が町長解職請求代表者から署名簿の提出を受け、選挙人名簿記載者の証明を求められた場合、同委員会は、解職請求理由の内容の当否について審査権限を有しない。（昭二八・一二・四最裁判）

※　●署名の意味が不明のまま直接請求の署名簿にした署名であつても、令第九五条で規定する時期までに、同条に規定する方法によつて取り消されない限り有効である。（昭二九・一二・二六最裁判）

※　●選挙人名簿に記載されている者は、その後選挙権を失つても、直接請求の署名簿に署名することができる。（昭二九・二・二六最裁判）

㊟　次条中、点線の左側は、令和四年六月一七日から起算して三年を超えない範囲内において政令で定める日〔令七・六・一〕から施行となる。

〔署名に関する罰則〕

第七十四条の四　条例の制定又は改廃の請求者の署名に関し、次の各号に掲げる行為をした者は、四年以下の懲役若しくは禁錮（拘禁刑）又は百万円以下の罰金に処する。

一　署名権者又は署名運動者に対し、暴行若しくは威力を加え、又はこれをかどわかしたとき。

二　交通若しくは集会の便を妨げ、又は演説を妨害し、その他偽計詐術等不正の方法をもつて署名の自由を妨害したとき。

三　署名権者若しくは署名運動者又はその関係のある社寺、学校、会社、組合、市町村等に対する用水、小作、債権、寄附その他特殊の利害関係を利用して署名権者又は署名運動者を威迫したとき。

②　条例の制定若しくは改廃の請求者の署名を偽造し若しくはその数を増減した者又は署名簿その他の条例の制定若しくは改廃の請求に必要な関係書類を抑留、毀壊若しくは奪取した者は、三年以下の懲役若しくは禁錮（拘禁刑）又は五十万円以下の罰金に処する。

③　条例の制定又は改廃の請求者の署名に関し、選挙権を有する者の委任を受けずに又は選挙権を有する者が心身の故障その他の事由により請求者の署名簿に署名することができないときでないのに、氏名代筆者として請求者の氏名を請求者の署名簿に記載した者は、三年以下の懲役若しくは禁錮（拘禁刑）又は五十万円以下の罰金に処する。

④　選挙権を有する者が心身の故障その他の事由により条

例の制定又は改廃の請求者の署名簿に署名することができない場合において、当該選挙権を有する者の委任を受けて請求者の氏名を請求者の署名簿に記載した者が、当該署名簿に氏名代筆者としての署名をせず又は虚偽の署名をしたときは、三年以下の拘禁刑（懲役若しくは禁錮）又は五十万円以下の罰金に処する。

⑤ 条例の制定又は改廃の請求者の署名に関し、次に掲げる者が、その地位を利用して署名運動をしたときは、二年以下の拘禁刑（禁錮）又は三十万円以下の罰金に処する。

一 国若しくは地方公共団体の公務員又は行政執行法人（独立行政法人通則法（平成十一年法律第百三号）第二条第四項に規定する行政執行法人をいう。）若しくは特定地方独立行政法人（地方独立行政法人法（平成十五年法律第百十八号）第二条第二項に規定する特定地方独立行政法人をいう。）の役員若しくは職員

二 沖縄振興開発金融公庫の役員又は職員

⑥ 条例の制定又は改廃の請求に関し、政令で定める請求書及び請求代表者証明書を付していない署名簿、政令で定める署名を求めるための請求代表者の委任状を付していない署名簿その他法令の定める所定の手続によらない署名簿を用いて署名を求めた者又は政令で定める署名を求めることができる期間外の時期に署名を求めた者は、十万円以下の罰金に処する。

＊ 本条―追加〔昭二五・五法一四三〕、三項―一部改正〔昭四四・三法二〕、一項―全改・二項―一部改正・三・四項―追加・旧三項―一部改正し五項に繰下〔平六・六法四八〕、五項―追加・旧五項―六項に繰下〔平二三・五法三五〕、三・四項―一部改正〔平二五・五法二一〕、五項―一部改正〔平二六・六法六七〕、一～五項―一部改正〔令四・六法六八〕

【参照条文】
① 【署名権者―法七四1・5 【署名運動者―令九一1・九二1・2
② 【関係書類―令九一～九三 ※則九
⑥ 【政令の定―令九一・九二 【法令の定―法七四 令九一～九三 則九 【政令で定める署名を求めることができる期間―令九二3～5
※ 選挙法二二五・二二九・二三七

〔監査の請求とその処置〕

第七十五条 選挙権を有する者（道の方面公安委員会については、当該方面公安委員会の管理する方面本部の管轄区域内において選挙権を有する者）は、政令で定めるところにより、その総数の五十分の一以上の者の連署をもつて、その代表者から、普通地方公共団体の監査委員に[1]対し、当該普通地方公共団体の事務の執行に関し、監査の請求[2]をすることができる。

② 前項の請求があつたときは、監査委員は、直ちに当該請求の要旨を公表しなければならない。

③ 監査委員は、第一項の請求に係る事項につき監査[3]し、監査の結果に関する報告を決定し、これを同項の代表者（第五項及び第六項において「代表者」という。）に送付し、かつ、公表[4]するとともに、これを当該普通地方公共団体の議会及び長並びに関係のある教育委員会、選挙管理委員会、人事委員会若しくは公平委員会、公安委員会、労働委員会、農業委員会その他法律に基づく委員会又は委員に提出しなければならない。

④ 前項の規定による監査の結果に関する報告の決定は、監査委員の合議によるものとする。

⑤ 監査委員は、第三項の規定による監査の結果に関する報告の決定について、各監査委員の意見が一致しないことにより、前項の合議により決定することができない事項がある場合には、その旨及び当該事項についての各監査委員の意見を代表者に送付し、かつ、公表するとともに、これらを当該普通地方公共団体の議会及び長並びに関係のある教育委員会、選挙管理委員会、人事委員会若しくは公平委員会、公安委員会、労働委員会、農業委員会その他法律に基づく委員会又は委員に提出しなければならない。

⑥ 第七十四条第五項の規定は第一項の選挙権を有する者及びその総数の五十分の一の数について、同条第六項の規定は代表者について、同条第七項から第九項まで及び第七十四条の二から前条までの規定は第一項の規定による請求者の署名について、それぞれ準用する。この場合において、第七十四条第六項第三号中「区域内」とあるのは、「区域内（道の方面公安委員会に係る請求については、当該方面公安委員会の管理する方面本部の管轄区域内）」と読み替えるものとする。

＊ 一・三・五項―一部改正〔昭二五・五法一四三〕、一・三項―一部改正〔昭二七・八法三〇六〕、一項―一部改正〔昭二九・六法一九三〕、一項―一部改正・四項―削り旧五項を四項に繰上〔昭三八・六法九九〕、四項―一部改正〔昭四四・三法二〕、三項―一部改正・四項―追加・旧四項―五項に繰下〔平三・四法二四〕、五項―一部改正〔平六・六法四八〕、四項―一部改正〔平九・六法六七〕、一・三項―一部改正〔平一一・七法八七〕、五項―一部改正〔平一四・三法四〕、三項―一部改正〔平一六・一一法一四〇〕、五項―一部改正〔平二三・五法三五〕、一～三項―一部改正・五項―追加・旧五項―一部改正し六項に繰下〔平二九・六法五四〕

【引用条文】
⑥ 【法七四（条例の制定又は改廃の請求とその処置）

5・6・7・8・9・七四の二（署名の証明・縦覧・争訟等）・七四の三（署名の無効及び関係人の出頭証言）・七四の四（署名に関する罰則）

【参照条文】

① 【選挙権を有する者—法一八＝選挙法九2～5・一一・二五二　【方面公安委員会—警察法四六　【政令の定—令九九　※則一〇　【監査の特例（個別外部監査契約）—法二五二の三九

③ 【その他法令に基く委員の例—社教法一五

④ 【監査委員の定数—法一九五2

※ 法七四～七四の四の参照条文参照

【実例】

1）●監査請求は、監査委員たる機関に対する請求を認めたものであり、特定個人たる監査委員に対しての請求を認めたものでない。（昭二六・七・三〇行実）

2）●単なる税額のみの公開請求は、監査の請求とは解されない。（昭二四・二・二一行実）

●県の監査請求の署名簿の審査を行なうのに要する経費は県の負担である。（昭四一・四・一二行実）

●市の特定の事務または特定の事業の経営を私人に委託した場合当該私人の処理する事務は直接請求による監査の対象とならない。（昭四四・五・八行実）

3）●事務監査の執行の際請求代表者に立ち会わせる必要はない。（昭二五・一〇・一九行実）

●監査請求事件が裁判所において係争中のものであつても、監査委員は独自の立場において監査をなすべきである。（昭二九・四・二一行実）

4）●監査結果の公表は、その実施した監査の内容の大要を示し、その結果の法的ないし事実上の適不適について公表すれば足りる。（昭二八・七・一一行実）

第二節　解散及び解職の請求

〔議会の解散の請求とその処置〕

第七十六条　選挙権を有する者は、政令の定めるところにより、その総数の三分の一（その総数が四十万を超え八十万以下の場合にあつてはその四十万を超える数に六分の一を乗じて得た数と四十万に三分の一を乗じて得た数とを合算して得た数、その総数が八十万を超える場合にあつてはその八十万を超える数に八分の一を乗じて得た数と四十万に六分の一を乗じて得た数と四十万に三分の一を乗じて得た数とを合算して得た数）以上の者の連署をもつて、その代表者から、普通地方公共団体の選挙管理委員会に対し、当該普通地方公共団体の議会の解散の請求をすることができる。

② 前項の請求があつたときは、委員会は、直ちに請求の要旨を公表しなければならない。

③ 第一項の請求があつたとき、委員会は、これを選挙人の投票に付さなければならない。

④ 第七十四条第五項の規定は第一項の選挙権を有する者及びその総数の三分の一の数（その総数が四十万を超え八十万以下の場合にあつてはその四十万を超える数に六分の一を乗じて得た数と四十万に三分の一を乗じて得た数とを合算して得た数、その総数が八十万を超える場合にあつてはその八十万を超える数に八分の一を乗じて得た数と四十万に六分の一を乗じて得た数と四十万に三分の一を乗じて得た数とを合算して得た数）について、同条第六項の規定は第一項の代表者について、同条第七項から第九項まで及び第七十四条の二から第七十四条の四までの規定は第一項の規定による請求者の署名について準用する。

＊ 四項—一部改正（昭二五・五法一四三、昭四四・三法二、平六・六法四八）、一・四項—一部改正（平一四・三法四）、四項—一部改正（平二三・五法三五）、一・四項—一部改正（平二四・九法七二）

【引用条文】

④ 法七四（条例の制定又は改廃の請求とその処置）5・6・7・8・9・七四の二（署名の証明・縦覧・争訟等）・七四の三（署名の無効及び関係人の出頭証言）・七四の四（署名に関する罰則）

【参照条文】

① 【選挙権を有する者—法一八＝選挙法九2～5・一一・二五二　【政令の定—令一〇〇　※則一一　※【解散請求の制限—法七九

③ 【解散の投票—法七七・八五

※※ 法七七・七八・八五

※ 法七四～七四の四の参照条文参照

【実例・注釈】

1）○「その総数の三分の一以上の者の連署」とは、選挙人名簿に登録されている者の総数を三等分した数（端数が出れば切り上げる。）又はそれをこえる数の者の連続した署名を指す。なお、三分の一の数は当該普通地方公共団体の選挙管理委員会において告示されるものである。

※ ●議会の解散反対の運動のための費用を歳出予算から支出することはできないが、令第一〇四条の規定による弁明書提出の事務費等特に法令によつて要求された行為のために要する経費は支出できる。（昭二三・五・二〇行実）

※ ●議会の解散請求に対し議会が異議あるときの訴訟費用を、町村費に計上して支出することはできない。（昭二四・二・二五行実）

※ ●議会解散請求の際、議会不成立中のときは、残留議員が適宜の方法により決定した弁明書を徴すればよい。（昭二四・一〇・一二行実）

※ ●財産区議会に対するリコールはできない。（昭二八・三・六行実）

※ ●議会の解散請求に関する議会の法令研究、調査のための出張、弁護士依頼等に要する費用を町の予算から支出することはできない。（昭三二・五・一六行実）

〔解散の投票の結果とその処置〕

第七十七条　解散の投票の結果が判明したときは、選挙管理委員会は、直ちにこれを前条第一項の代表者及び当該普通地方公共団体の議会の議長に通知し、かつ、これを公表するとともに、都道府県にあつては都道府県知事に、市町村にあつては市町村長に報告[1]しなければならない。その投票の結果が確定したときも、また、同様とする。

＊本条一部改正〔昭二二・一二法一六九、昭二五・五法一四三、昭二七・七法二六二、昭三五・六法一一三、平一一・七法八七〕

【参照条文】【解散の投票─法七六3・八五】

※法七八

【通　知】

1）●都道府県の議会の解散又は議会の議員及び知事の解職の投票の結果の報告には、(1)請求及び弁明の要旨、(2)選挙人の連署数、(3)選挙録の写、(4)解散又は解職に伴う選挙執行日等の書類を添付すべきである。（昭二三・三・二九通知）

〔議会の解散〕

第七十八条　普通地方公共団体の議会は、第七十六条第三項の規定による解散の投票において過半数[1]の同意があつたときは、解散するものとする。

＊本条一部改正〔昭二五・五法一四三〕

【参照条文】【解散の投票─法七六3・七七・八五】

【実例・注釈】

1）●過半数とは、有効投票の過半数を意味するものであり、投票率の多寡は問わない。（昭二四・一一・一六行実）

○「過半数の同意」とは、有効投票の半数を一以上超える数の同意を指す。例えば、有効投票が千の場合は、五〇一以上の数がこれに当たる。

〔解散請求の制限期間〕

第七十九条　第七十六条第一項の規定による普通地方公共団体の議会の解散の請求は、その議会の議員の一般選挙[2]のあつた日から一年間及び同条第三項の規定による解散の投票[1]のあつた日から一年間は、これをすることができない。

＊本条一部改正〔昭二五・四法一〇一〕

【参照条文】【一般選挙─選挙法三三・一一六】【解散の投票─法七六3・七七・八五】

【実例・注釈】

1）●議会の解散請求の場合、代表者証明書の交付その他の請求に関する手続は総選挙のあつた日から一年経過後でなければできない。（昭二三・四・三〇行実）

2）○「一般選挙のあつた日から一年間」とは、一般選挙のあつた日の翌日から起算して翌年の同月同日の前日に当たる日までの期間を指す。

〔議員の解職の請求とその処置〕

第八十条　選挙権を有する者は、政令の定めるところにより、所属の選挙区におけるその総数[1]の三分の一（その総数が四十万を超え八十万以下の場合にあつてはその四十万を超える数に六分の一を乗じて得た数と四十万に三分の一を乗じて得た数とを合算して得た数、その総数が八十万を超える場合にあつてはその八十万を超える数に八分の一を乗じて得た数と四十万に六分の一を乗じて得た数と四十万に三分の一を乗じて得た数とを合算して得た数）以上の者の連署をもつて、その代表者から、普通地方公共団体の選挙管理委員会に対し、当該選挙区に属する普通地方公共団体の議会の議員の解職の請求をすることができる。この場合において選挙区がないときは、選挙権を有する者の総数の三分の一（その総数が四十万を超え八十万以下の場合にあつてはその四十万を超える数に六分の一を乗じて得た数と四十万に三分の一を乗じて得た数とを合算して得た数、その総数が八十万を超える場合にあつてはその八十万を超える数に八分の一を乗じて得た数と四十万に六分の一を乗じて得た数と四十万に三分の一を乗じて得た数とを合算して得た数）以上の者の連署をもつて、議員の解職の請求[2]をすることができる。

② 前項の請求があつたときは、委員会は、直ちに請求の要旨を関係区域内に公表しなければならない。

③ 第一項の請求があつたときは、委員会は、これを当該選挙区の選挙人の投票に付さなければならない。この場合において選挙区がないときは、すべての選挙人の投票に付さなければならない。

④ 第七十四条第五項の規定は第一項の選挙権を有する者及びその総数の三分の一の数（その総数が四十万を超え八十万以下の場合にあつてはその四十万を超える数に六分の一を乗じて得た数と四十万に三分の一を乗じて得た数、その総数が八十万を超える場合にあつてはその八十万を超える数に八分の一を乗じて得

た数と四十万に六分の一を乗じて得た数と四十万に三分の一を乗じて得た数とを合算して得た数）について、同条第六項の規定は第一項の代表者について、同条第七項から第九項まで及び第七十四条の二から第七十四条の四までの規定は第一項の規定による請求者の署名について準[3]用する。この場合において、第七十四条第六項第三号中「都道府県の区域内の」とあり、及び「市の」とあるのは、「選挙区の区域の全部又は一部が含まれる」と読み替えるものとする。

＊ 四項—一部改正〔昭二五・五法一四三、昭四四・三法二、平六・六法四八〕、一・四項—一部改正〔平一四・三法四〕、四項—一部改正〔平二三・五法三五〕、一・四項—一部改正〔平二四・九法七二〕

【引用条文】

④【法七四（条例の制定又は改廃の請求とその処置）5・6・7・8・9・七四の二（署名の証明・縦覧・争訟等）・七四の三（署名の無効及び関係人の出頭証言）・七四の四（署名に関する罰則）

【参照条文】

①【選挙権を有する者—法一八＝選挙法九2〜5・一一・二五二　【政令の定—令一一〇・一一二　※則一二　【選挙区—選挙法一二1・4・一五　※【解職請求の制限—法八四

※③【解職の投票—法八五

※憲法一五　法八二1・八三

※法七四〜七四の四の参照条文参照

【実例・判例・注釈】

1）○「その総数の三分の一以上の者の連署」とは、所属選挙区における選挙権名簿に登録されている者の総数を三等分した数（端数が出れば切り上げる。）又はそれを超える数の者の連続した署名を指す。

●県会議員の解職請求の署名収集期間中に、当該議員の選挙区たるA郡中の一村が分割しそれぞれ甲市、乙市に編入合併され消滅することとなつた場合、選挙権を有する者の三分の一の数は、署名審査終了の際に告示されている数による。なお、署名の審査終了前に市町村の廃置分合又は境界変更があつたときは当該処分の日に新たな告示をすべきものである。（昭三一・四・一五行実）

2）●欠員が過半数であり議会が不成立の場合であつても、残留議員に対し解職請求できる。（昭二三・一二・三行実）

●一部事務組合の議員に対する解職請求は、規約に特別の定めがない限り、議員が住民の直接選挙による場合にはできる。（昭二四・一〇・九行実）

3）●普通地方公共団体の議会の議員の解職の投票に関しては、その投票の効力または投票の結果の効力に関してのみ異議、審査の申立てまたは訴訟を提起することができるのであつて、解職の投票前の過程における個々の処分の違法は独立して争訟の対象となるのではなく、ただ投票に関する争訟において投票無効の原因として主張することができるにすぎないものと解するのを相当とする。（昭二六・二・二〇最裁判）

（**長の解職の請求とその処置**）

第八十一条　選挙権を有する者は、政令の定めるところにより、その総数の三分の一（その総数が四十万を超え八十万以下の場合にあつてはその四十万を超える数に六分の一を乗じて得た数と四十万に三分の一を乗じて得た数とを合算して得た数、その総数が八十万を超える場合にあつてはその八十万を超える数に八分の一を乗じて得た数と四十万に六分の一を乗じて得た数と四十万に三分の一を乗じて得た数とを合算して得た数）以上の者の連署をもつて、その代表者から、普通地方公共団体の選挙管理委員会に対し、当該普通地方公共団体の長の解職の請求をすることができる。

②　第七十四条第五項の規定は前項の選挙権を有する者及びその総数の三分の一の数（その総数が四十万を超え八十万以下の場合にあつてはその四十万を超える数に六分の一を乗じて得た数と四十万に三分の一を乗じて得た数とを合算して得た数、その総数が八十万を超える場合にあつてはその八十万を超える数に八分の一を乗じて得た数と四十万に六分の一を乗じて得た数と四十万に三分の一を乗じて得た数とを合算して得た数）について、同条第六項の規定は前項の代表者について、同条第七項から第九項まで及び第七十四条の二から第七十四条の四までの規定は前項の規定による請求者の署名について、第七十六条第二項及び第三項の規定は前項の請求について準用する。

＊ 二項—一部改正〔昭二五・五法一四三、昭四四・三法二、平六・六法四八〕、一・二項—一部改正〔平一四・三法四〕、二項—一部改正〔平二三・五法三五〕、一・二項—一部改正〔平二四・九法七二〕

【引用条文】

②【法七四（条例の制定又は改廃の請求とその処置）5・6・7・8・9・七四の二（署名の証明・縦覧・争訟等）・七四の三（署名の無効及び関係人の出頭証言）・七四の四（署名に関する罰則）・七六（議会の解散の請求とその処置）2・3

【参照条文】

①【選挙権を有する者—法一八＝選挙法九2〜5・一一・二五二　【政令の定—令一一六　※則一二　※【解職請求の制限—法八四

※②【解職の投票—法八五

憲法一五　法八二2・八三

※ 法七四～七四の四の参照条文参照

【実例・判例】

※ ●直接請求による賛否投票の期日の告示後、村長が辞職したときは投票中止の措置をとるべきである。（昭二五・六・二二行実）

※ ●解職請求要旨が事実と相違し、虚偽であつても、形式が具備すれば選挙管理委員会としては受理しなければならない。（昭二八・四・一三行実）

※ ●分冊された長の解職請求者署名簿であつても、その各分冊に解職請求書および請求代表者証明書の写を添えたものであれば、これを違法ということはできない。（昭二六・一二・二七高裁判）

〔解職の投票の結果とその処置〕

第八十二条 第八十条第三項の規定による解職の投票の結果が判明したときは、普通地方公共団体の選挙管理委員会は、直ちにこれを同条第一項の代表者並びに当該普通地方公共団体の議会の関係議員及び議長に通知し、かつ、これを公表するとともに、都道府県にあつては都道府県知事に、市町村にあつては市町村長に報告しなければならない。その投票の結果が確定したときも、また、同様とする。

② 前条第二項の規定による解職の投票の結果が判明したときは、委員会は、直ちにこれを同条第一項の代表者並びに当該普通地方公共団体の長及び議会の議長に通知し、かつ、これを公表しなければならない。その投票の結果が確定したときも、また、同様とする。

＊一・二項―一部改正〔昭二三・一二法一六九、昭二五・五法一四三、昭二七・七法二六二、昭三五・六法一一三、平一一・七法八七〕

〔議員又は長の失職〕

第八十三条 普通地方公共団体の議会の議員又は長は、第八十条第三項又は第八十一条第二項の規定による解職の投票において、過半数の同意があつたときは、その職を失う。

※ 法七八の参照条文及び実例・注釈を参照

〔議員又は長の解職請求の制限期間〕

第八十四条 第八十条第一項又は第八十一条第一項の規定による普通地方公共団体の議会の議員又は長の解職の請求は、その就職の日から一年間及び第八十条第三項又は第八十一条第二項の規定による解職の投票の日から一年間は、これをすることができない。ただし、公職選挙法第百条第六項の規定により当選人と定められ普通地方公共団体の議会の議員又は長となつた者に対する解職の請求は、その就職の日から一年以内においても、これをすることができる。

＊本条―一部改正〔昭二三・一二法一六九、昭二五・四法一〇一、昭二七・八法三〇六、昭四一・六法七七、昭四三・五法三九、昭四四・五法三〇、昭四九・六法七一、平六・二法二〕

【参照条文】

【解職の投票―法八五　【就職の日―選挙法一〇二

〔解散及び解職投票の手続〕

第八十五条 政令で特別の定をするものを除く外、公職選挙法中普通地方公共団体の選挙に関する規定は、第七十六条第三項の規定による解散の投票並びに第八十条第三項及び第八十一条第二項の規定による解職の投票にこれを準用する。

② 前項の投票は、政令の定めるところにより、普通地方公共団体の選挙と同時にこれを行うことができる。

＊一項―一部改正〔昭二五・四法一〇一〕

【引用条文】

【法七六（議会の解散の請求とその処置）3・八〇（議員の解職の請求とその処置）3・八一（長の解職の請求とその処置）2

【参照条文】

①【特別の定―令一〇〇の二～一〇九の三・一一一・一一二～一一五・一一六の二～一一八

※②【政令の定―令一二〇

※ 則一～八

【実例・判例】

※ ●第八一条第二項の規定による解職投票には、政治資金規正法及び選挙運動の法定費用額の規定は適用がない。（昭二三・一一・一行実）

※ ●村長解職賛否投票の効力に関する訴訟係属中、村長の任期が満了したときは、訴の利益は失われる。（昭二六・一〇・二三最裁判）

※ ●地方公共団体の長の解職賛否投票で有効投票の過半数が解職に賛成であつた場合、右投票の効力について争訟の提起がない以上、解職請求者署名簿の署名の効力に関する訴は、これを維持する利益が失われる。（昭三〇・九・二二最裁判）

※ ●村長解職賛否投票の効力に関する訴は、当該村が吸収合併によつてなくなつた後においては、その利益がなくなつたものと解すべきである。（昭三五・一二・七最裁判）

※ ●特別区の長の任期が満了したときは、解職請求者署名簿の署名の効力を争う訴の利益は、失われる。（昭三六・七・一八最裁判）

〔主要公務員の解職の請求とその処置〕

第八十六条 選挙権[1]を有する者（第二百五十二条の十九第一項に規定する指定都市（以下この項において「指定都

市」という。）の総合区長については当該総合区の区域内において選挙権を有する者、指定都市の区又は総合区の選挙管理委員については当該区又は総合区の区域内において選挙権を有する者、道の方面公安委員会の委員については当該方面公安委員会の管理する方面本部の管轄区域内において選挙権を有する者）は、政令の定めるところにより、その総数の三分の一（その総数が四十万を超え八十万以下の場合にあつてはその四十万を超える数に六分の一を乗じて得た数と四十万に三分の一を乗じて得た数とを合算して得た数、その総数が八十万を超える場合にあつてはその八十万を超える数に八分の一を乗じて得た数と四十万に六分の一を乗じて得た数と四十万に三分の一を乗じて得た数とを合算して得た数）以上の者の連署をもつて、その代表者から、普通地方公共団体の長に対し、副知事若しくは副市町村長、指定都市の総合区長、選挙管理委員若しくは監査委員又は公安委員会の委員の解職の請求をすることができる。

② 前項の請求があつたときは、当該普通地方公共団体の長は、直ちに請求の要旨を公表しなければならない。

③ 第一項の請求があつたときは、当該普通地方公共団体の長は、これを議会に付議し、その結果を同項の代表者及び関係者に通知し、かつ、これを公表しなければならない。

④ 第七十四条第五項の規定は第一項の選挙権を有する者及びその総数の三分の一の数（その総数が四十万を超え八十万以下の場合にあつてはその四十万を超える数に六分の一を乗じて得た数と四十万に三分の一を乗じて得た数とを合算して得た数、その総数が八十万を超える場合にあつてはその八十万を超える数に八分の一を乗じて得た数と四十万に六分の一を乗じて得た数と四十万に三分の一を乗じて得た数とを合算して得た数）について、同条第七項から第九項まで及び第七十四条の二から第七十四条の四までの規定は第一項の規定による請求者の署名について準用する。この場合において、第七十四条第六項第三号中「区域内」とあるのは「区域内（道の方面公安委員会の委員に係る請求については、当該方面公安委員会の管理する方面本部の管轄区域内）」と、「市の区及び総合区」とあるのは「市の区及び総合区（総合区長に係る請求については当該総合区、区又は総合区の選挙管理委員に係る請求については当該区又は総合区に限る。）」と読み替えるものとする。

＊三項一部改正〔昭二二・一二法一六九〕、一項一部改正〔昭二二・一二法一九六、昭二三・七法一七九〕、四項一部改正〔昭二五・五法一四三〕、三項一部改正〔昭二七・七法二六二〕、一項一部改正〔昭二九・六法一九三〕、三項一部改正〔昭三五・六法一一三〕、四項一部改正〔昭四四・三法二、平六・六法四八〕、三項一部改正〔平一一・七法八七〕、一・四項一部改正〔平一四・三法四〕、一項一部改正〔平一八・六法五三〕、四項一部改正〔平二三・五法三五〕、一・四項一部改正〔平二四・九法七二、平二六・五法四二〕

【引用条文】
④【法七四（条例の制定又は改廃の請求とその処置）5・6・7・8・9・七四の二（署名の証明・縦覧・争訟等）・七四の三（署名の無効及び関係人の出頭証言）・七四の四（署名に関する罰則）

【参照条文】
①【選挙権を有する者―法一八＝選挙法九2～5・一一・二五二　【副知事、副市町村長―法一六一～一六七　【選挙管理委員―法一八一～一八六　【監査委員―法一九五～一九九　【公安委員―警察法三八～四二　【方面公安委員及び方面本部―警察法四六・五一　【政令の定―令一二一　※則一二　※憲法一五　法八七・二五二の一〇　地教法八・九　【解職請求の制限―法八八
※法七四～七四の四の参照条文参照

【実例・通知】
1）●区選挙管理委員の解職請求における選挙権者の範囲は、その区の選挙権者である。（昭二五・三・一七行実）
●総合区の区域内において選挙権を有する者は、その代表者から、市長に対し、総合区長の解職の請求をすることができるものとされたこと。（平二六・五・三〇通知）

〔請求に基く主要公務員の失職〕

第八十七条　前条第一項に掲げる職に在る者は、同条第三項の場合において、当該普通地方公共団体の議会の議員[1]の三分の二[2]以上の者が出席し、その四分の三以上の者の同意があつたときは、その職を失う。

② 第百十八条第五項の規定は、前条第三項の規定による議決についてこれを準用する。

＊二項―追加〔昭二五・五法一四三〕

【引用条文】
②【法一一八（投票による選挙・指名推選及び投票の効力の異議）5

【参照条文】
①【議会の議員―※法九〇・九一　【表決―法一一六
②※法二五六

【実例・注釈】
1）●「議員」とは、在職議員の意である。（昭二八・六・二五行実）
2）○「三分の二以上の者の出席」とは、在職議員数の三分の二の数（端数が出れば切り上げる。）又はそ

れを超える数の者の出席を指す。例えば、在職議員数が三〇人のときは、二〇人又はそれを超える者の出席である。

〔主要公務員の解職請求の制限期間〕

第八十八条 第八十六条第一項の規定による副知事若しくは副市町村長又は第二百五十二条の十九第一項に規定する指定都市の総合区長の解職の請求は、その就職の日から一年間及び第八十六条第三項の規定による議会の議決の日から一年間は、これをすることができない。

② 第八十六条第一項の規定による選挙管理委員若しくは監査委員又は公安委員会の委員の解職の請求は、その就[1]職の日から六箇月間及び同条第三項の規定による議会の議決の日から六箇月間は、これをすることができない。

＊二項―一部改正〔昭二二・一二法一九六、昭二三・七法一七九〕、一項―一部改正〔平一八・六法五三、平二六・五法四二〕

【引用条文】

【法八六（主要公務員の解職の請求とその処置）1

【参照条文】

※ 法七九・八四

※ 法八六の参照条文参照

【注 釈】

1）○「就職の日から六箇月間」とは、就職した日の翌日を第一日とし、六箇月目に当たる日までの期間を指す。

第六章 議会

第一節 組織

〔議会の設置〕

第八十九条 普通地方公共団体に、その議事機関として、当該普通地方公共団体の住民が選挙した議員をもつて組織される議会[1]を置く。

② 普通地方公共団体の議会は、この法律の定めるところにより当該普通地方公共団体の重要な意思決定に関する事件を議決し、並びにこの法律に定める検査及び調査その他の権限を行使する。

③ 前項に規定する議会の権限の適切な行使に資するため、普通地方公共団体の議会の議員は、住民の負託を受け、誠実にその職務を行わなければならない。

＊一項―一部改正・二・三項―追加〔令五・五法一九〕

【参照条文】

【議会の設置―憲法九三1 ※【本条の特例―法九四

※ 法二八三・二九一の四1Ⅶ・二九五・二九六1

【実例・判例】

1）●町村会は人格を有しない。（明三五・三・五行裁判）

●議会の名称は、「何々県議会」、「何々市議会」と呼称すべきである。（昭二二・一二・二九行実）

※ ●本条は、議会の役割や責任、議員の職務等の重要性が改めて認識されるよう、全ての議会や議員に共通する一般的な事項を規定するものであり、新たな権限や義務を定めるものではない。（令五・五・八通知）

〔都道府県議会の議員の定数〕

第九十条 都道府県の議会の議員の定数[1]は、条例で定[2]める。

② 前項の規定による議員の定数の変更は、一[3]般選挙の場合でなければ、これを行うことができない。

③ 第六条の二第一項の規定による処分により、著しく人口の増加があつた都道府県においては、前項の規定にかかわらず、議員の任期中においても、議員の定数を増加することができる。

④ 第六条の二第一項の規定により都道府県の設置をしようとする場合において、その区域の全部が当該新たに設置される都道府県の区域の一部となる都道府県（以下本条において「設置関係都道府県」という。）は、その協議により、あらかじめ、新たに設置される都道府県の議会の議員の定数を定めなければならない。

⑤ 前項の規定により新たに設置される都道府県の議会の議員の定数を定めたときは、設置関係都道府県は、直ちに当該定数を告示しなければならない。

⑥ 前項の規定により告示された新たに設置される都道府県の議会の議員の定数は、第一項の規定に基づく当該都道府県の条例により定められたものとみなす。

⑦ 第四項の協議については、設置関係都道府県の議会の議決を経なければならない。

＊二項―一部改正〔昭二五・四法一〇二〕、二項―全改・三項―追加〔昭二七・八法三〇六〕、二項―追加・旧二・三項―一部改正し一項ずつ繰下〔昭四四・三法二〕、二項―一部改正〔昭五二・五法四六〕、一～四項―一部改正〔平一一・七法八七〕、五～九項―追加〔平一六・五法五七〕、二・三項―削る・旧四・五項―一部改正し二項ずつ繰上・旧六～八項―二項ずつ繰上・旧九項―一部改正し七項に繰上〔平二三・五・法三五〕

【引用条文】

③・④【法六の二（申請に基づく都道府県合併）

【参照条文】

②【一般選挙―選挙法三三・一一六

【実例・注釈】

1）●定数とは、議会議員の総定数で、各選挙区の定数をさすものではない。（昭二五・一二・一七行実）

2）○議員定数条例の提案権は、長にもある。

3）○「一般選挙」とは、議員の全部についての選挙をいう。議員の任期満了、議会の解散、議員の総辞職による選挙等である。

〔市町村議会の議員の定数〕

第九十一条　市町村の議会の議員の定数は、条例で定める。

② 前項の規定による議員の定数の変更は、一般選挙の場合でなければ、これを行うことができない。

③ 第七条第一項又は第三項の規定による処分により、著[1]しく人口の増減があつた市町村においては、前項の規定にかかわらず、議員の任期中においても、議員の定数を増減することができる。

④ 前項の規定により議員の任期中にその定数を減少した場合において当該市町村の議会の議員の職に在る者の数がその減少した定数を超えているときは、当該議員の任期中は、その数を以て定数とする。但し、議員に欠員を生じたときは、これに応じて、その定数は、当該定数に至るまで減少するものとする。

⑤ 第七条第一項又は第三項の規定により市町村の設置を伴う市町村の廃置分合をしようとする場合において、その区域の全部又は一部が当該廃置分合により新たに設置される市町村の区域の全部又は一部となる市町村（以下本条において「設置関係市町村」という。）は、設置関係市町村が二以上のときは設置関係市町村の協議により、設置関係市町村が一のときは当該設置関係市町村の議会の議決を経て、あらかじめ、新たに設置される市町村の議会の議員の定数を定めなければならない。

⑥ 前項の規定により新たに設置される市町村の議会の議員の定数を定めたときは、設置関係市町村は、直ちに当該定数を告示しなければならない。

⑦ 前項の規定により告示された新たに設置される市町村の議会の議員の定数は、第一項の規定に基づく当該市町村の条例により定められたものとみなす。

⑧ 第五項の協議については、設置関係市町村の議会の議決を経なければならない。

＊ 二・三項―全改・四・五項―追加〔昭二二・一二法一六九〕、三項―一部改正〔昭二五・四法一〇一〕、四項―一部改正〔昭二七・八法三〇六〕、一・二項―一部改正・三項―追加・旧三・四項―一部改正し一項ずつ繰下・旧五項―六項に繰下・七～一〇項―追加〔平一一・七法八七〕、七項―一部改正〔平一六・五法五七〕、二・三項―削る・旧四・五項―一部改正し二項ずつ繰上・旧六～九項―二項ずつ繰上・旧一〇項―一部改正し八項に繰上〔平二三・五法三五〕

【引用条文】

③・⑤【法七（市町村の廃置分合及び境界変更）1・3

【参照条文】

③【定数の増減をした場合―選挙令八・八の二・九

【実例・通知】

1）●「著しく人口の増加があつた場合」とは、合併による人口の告示又は官報に人口の公示があつたことを前提とする。（昭二二・五・二九通知）

※ ●町が市となつた場合の補充選挙はできない。（昭二五・五・一二行実）

〔兼職の禁止〕

第九十二条　普通地方公共団体の議会の議員は、衆議院議員又は参議院議員と兼ねることができない。

② 普通地方公共団体の議会の議員は、地方公共団体の議会の議員並びに常勤の[1]職員及び地方公務員法（昭和二十五年法律第二百六十一号）第二十二条の四第一項に規定する短時間勤務の職を占める職員（以下「短時間勤務職員」という。）と兼ねることができない。

＊ 二項―一部改正〔昭二三・七法一七九、昭二五・四法一〇一、昭二六・六法二〇三、平一一・七法一〇七、平一六・六法八五、令三・六法六三〕

【引用条文】

②【地公法二八の五1

【参照条文】

①【国会議員との兼職禁止―国会法三九　※【議員との兼職を禁じた他の規定の例―法一四一2・一六六2・一八二7　地教法六　警察法四二2　漁業法一四〇　港湾法一七1Ⅱ　裁判所法五二Ⅰ

※ 選挙法八九～九一・一〇三

【実　例】

1）●消防法第三条にいう「消防長」は、「常勤の職員」に該当する。（昭二三・四・六行実）

●「常勤の職員」とは、地方団体から給料を支給されるべき職員をいい、報酬を受ける職員は含まれない。（昭二四・七・二八法制意見）

●隔日勤務の職員は、その職務の内容の性質から他の常勤の職員の勤務と同一のものとして取り扱われるものについては、「常勤の職員」に該当する。（昭二六・八・一五行実）

●一定の期間を限り臨時的に雇用されその期間中常時勤務している職員は、「常勤の職員」に該当する。（昭二六・八・一五行実）

●失業対策事業のため、期間を定めて雇用する監督者、技術者、技能者、監督補助者及び事務補助者は、常時勤務のものについては、「常勤の職員」に該当する。（昭二六・八・一五行実）

〔議員の兼業禁止〕

第九十二条の二　普通地方公共団体の議会の議員は、当該普通地方公共団体に対し請負[1]（業として行う工事の完成若しくは作業その他の役務の給付又は物件の納入その他の取引で当該普通地方公共団体が対価の支払をすべきも

自治法

のをいう。以下この条、第百四十二条、第百八十条の五第六項及び第二百五十二条の二十八第三項第十二号において同じ。）をする者（各会計年度において支払を受ける当該請負の対価の総額が普通地方公共団体の議会の適正な運営の確保のための環境の整備を図る観点から政令で定める額を超えない者を除く。）及びその支配人又は[2]主として同一の行為をする法人の無限責任社員、取締役、執行役若しくは監査役若しくは[3]これらに準ずべき者、支配人及び清算人たることができない。

＊本条…追加〔昭三一・六法一四七〕、一部改正〔平一一・七法八七、平一四・五法四五、令四・一二法一〇一〕

【参照条文】
【請負―民法六三二～六四二　建設業法一八～二四の八　【支配人―会社法一〇～一三　【無限責任社員―会社法五八〇～五八四　【取締役―会社法三四八～三六一　【監査役―会社法三八一～三八九　【清算人―会社法四七八～四八八

※【請負に該当するかどうかの決定―法一二七

※法一四二・一八〇の五⑥　選挙法一〇四　地税法四二五②　公有地の拡大の推進に関する法律二六②

【実例・判例・通知】

1）●「請負」とは、民法第六三二条の請負のみならず、普通地方公共団体、その長又はその長から委任を受けた者から一定の報酬を得てその需要を供給することを業とする場合を含むが、単なる一取引と解されるものは含まれない。（昭二七・六・二一行実）

●物品売買又は物品修理等の契約については、その契約が一定の期間にわたり一定の物品を納付し又は修理することを内容とし、又はその契約の履行にあたり事実上必要とされる時期に分割して供給することとする等継続的な供給契約と解される場合は、本条にいう請負契約に該当する。（昭三一・九・二八行実）

●卸売人が中央市場において卸売の業務をするというだけの理由で、中央卸売市場を開設する地方公共団体に対し請負をするものということはできない。（昭三六・一二・一九行実）

●保育所が、児童福祉法第二四条の規定による措置により、市町村長から委託を受けて児童等の保育を行なっている場合、この保育所の責任者が当該市町村の議会の議員であっても、「請負」ではない。（昭三九・一二・七行実）

●建設工事請負契約において原材料等を現物支給した場合には現物支給相当額は請負金額に含まれない。（昭四三・四・一〇行実）

●知事の許可を受けて砂利採取事業を行なう株式会社は、地方自治法第一四二条にいう「請負」をする法人に該当しない。（昭三五・九・二最裁判）

●本条の請負は、ひろく業務としてなされる経済的又は営利的な取引契約を含む一方、一定期間にわたる継続的な取引関係に立つものに限られると解され、法令等の規制があるため当事者が自由に内容を定めることができない取引契約や、継続性がない単なる一取引をなすに止まる取引契約は、同条の請負に該当するものではない。（平三〇・四・二五通知）

●議員又は議員が無限責任社員等を務める企業等が、当該地方公共団体から補助金の交付又は指定管理者の指定を受けることについては、前者は贈与に類するものであり、後者は議会の議決を経た上で地方公共団体に代わって公の施設の管理を行うものであり、特段の事情がある場合を除き、いずれも当該地方公共団体と営利的な取引関係に立つものではなく、同条の請負に該当するものではない。（平三〇・四・二五通知）

2）●「主として同一の行為をする法人」とは、当該地方公共団体に対する請負が当該法人の業務の主要部分を占めるものをいう。（昭二五・六・三〇行実）

●「主として」の意味は、当該会社の業務の主要な部分が団体若しくはその機関との請負によって占められている場合を指す。（昭三二・五・一一行実）

3）●「これらに準ずべき者」とは、法人の無限責任社員、取締役若しくは監査役と同等程度の執行力と責任とを当該法人に対して有する者の意である。（昭三一・一〇・二二行実）

※●下請負は程度のいかんを問わず本条の請負にはいらないが、形式上下請負であっても、一括請負その他実質上元請負と異ならず、本条の趣旨に適合せず、適当でない場合がありうる。（昭二七・一一・二七行実）

※●議員が国民健康保険医になることは、本条に該当しない。（昭三二・九・二八行実）

※●町有林の立木処分の競争入札にあたり、町会議員が落札者となることは、本条に該当しない。（昭三一・一〇・二二行実）

※●当該普通地方公共団体等に対する請負量が当該法人の全体の業務量の半分を超える場合は、そのこと自体において、当該法人は地方自治法第一四二条の「主として同一の行為をする法人」に当たるというべきであるが、右請負量が当該法人の全体の業務量の半分を超えない場合であっても、当該請負が当該法人の業務の主要部分を占め、その重要度が長の職務執行の公正、適正を損なうおそれが類型的に高いと認められる程度にまで至っているような事情があるときは、当該法人は「主として同一の行為をする法人」に当たるといいうる。（昭六二・一〇・二〇最裁判）

※●議員が、当該地方公共団体に対し請負をする者〔現行では、各会計年度において支払を受ける請負の対価の総額が政令で定める額を超えない者を除く。〕等たることはできないこととされているのは、議会運営の公正を保障するとともに、事務執行の適

性を確保することを趣旨とする。（平三〇・四・二五通知）

※●議会の議員に係る請負に関する規制の明確化及び緩和は、近年、地方議会議員選挙において、投票率の低下や無投票当選の増加の傾向が強まっており、議員のなり手不足への対応が喫緊の課題となっていることを踏まえて行われるものであり、議会運営の公正を保障するとともに、事務執行の適正を確保するという本条の規定の趣旨を変更するものではないこと。（令四・一二・一六通知）

※●議会の議員に係る請負に関する規制の緩和に伴い、議会運営の公正、事務執行の適正が損なわれることがないよう、例えば、条例等の定めるところにより、地方公共団体に対し請負をする者である議員が、当該請負の対価として各会計年度に支払を受けた金銭の総額や請負の概要など一定の事項を議長に報告し、当該報告の内容を議長が公表することとするなど、各地方公共団体において、議員個人による請負の状況の透明性を確保するための取組を併せて行うことが適当であること。（令四・一二・一六通知）

〔任期〕

第九十三条　普通地方公共団体の議会の議員の任期は、四年とする。

②　前項の任期の起算、補欠議員の在任期間及び議員の定数に異動を生じたためあらたに選挙された議員の在任期間については、公職選挙法第二百五十八条及び第二百六十条の定めるところによる。

＊二項―全改・三・四項―削る〔昭二五・四法一〇一〕、二項―一部改正〔昭三〇・一法四、昭三六・一一法一三五〕

【引用条文】

②【選挙法二五八（地方公共団体の議会の議員の任期の起算）・二六〇（補欠議員の任期）

【参照条文】

②【補欠議員―選挙法三四・一一三　【定数の異動―法九〇2・九一2　※【任期の特例―法七八・八三・一七八1

※旧合併特例法七1　改正前合併特例法九1　合併特例法九1

〔町村総会〕

第九十四条　町村は、条例で、第八十九条第一項の規定にかかわらず、議会を置かず、選挙権を有する者の総会を設けることができる。

＊本条―一部改正〔令五・五法一九〕

【引用条文】

【法八九（議会の設置）

【参照条文】

【選挙権を有する者―法一八＝選挙法九2～5・一一・二五二

※憲法九三1　法九五

〔町村総会に対する準用〕

第九十五条　前条の規定による町村総会に関しては、町村の議会に関する規定を準用する。

【参照条文】

※憲法九三1　法八九

第二節　権限

〔議決事件〕

第九十六条　普通地方公共団体の議会は、次に掲げる事件を議決しなければならない。

一　条例を設け又は改廃すること。

二　予算を定めること。

三　決算を認定すること。

四　法律又はこれに基づく政令に規定するものを除くほか、地方税の賦課徴収又は分担金、使用料、加入金若しくは手数料の徴収に関すること。

五　その種類及び金額について政令で定める基準[1]に従い条例で定める契約[2]を締結すること。

六　[3]条例で定める場合を除くほか、財産を交換し、出資の目的とし、若しくは支払手段として使用し、又は適正な対価なくしてこれを譲渡[4]し、若しくは貸し付ける[5]こと。

七　不動産を信託すること。

八　前二号に定めるものを除くほか、その種類及び金額について政令で定める基準[1]に従い条例で定める財産[6]の取得又は処分をすること。

九　[7]負担付きの寄附又は贈与を受けること。

十　[8]法律若しくはこれに基づく政令又は条例に特別の定めがある場合を除くほか、権利[9]を放棄すること。

十一　条例で定める重要な公の施設につき条例で定める長期かつ独占的な利用をさせること。

十二　普通地方公共団体がその当事者である審査請求その他の不服申立て、訴え[10]の提起（普通地方公共団体の行政庁の処分又は裁決（行政事件訴訟法第三条第二項に規定する処分又は同条第三項に規定する裁決をいう。以下この号、第百五条の二、第百九十二条及び第百九十九条の三第三項において同じ。）に係る同法第十一条第一項（同法第三十八条第一項（同法第四十三条第二項において準用する場合を含む。）又は同法第四十三条第一項において準用する場合を含む。）の規定による普通地方公共団体を被告とする訴訟（以下この号、第百五条の二、第百九十二条及び第百九十九条の三第三項において「普通地方公共団体を被告とする訴訟」という。）に係るものを除く。）、和解[11]（普通地方公共団体の行政庁の処分又は裁決に係る普通地方公共団体を被告とする訴訟に係るものを除く。）、あっせん、調停及び仲裁に関すること。

十三　法律上その義務に属する[12]損害賠償の額を定めること。

十四　普通地方公共団体の区域内の[13]公共的団体等の活動の総合調整に関すること。

十五　その他法律又はこれに基づく政令（これらに基づく条例を含む。）により議会の権限に属する事項

② 前項に定めるものを除くほか、普通地方公共団体は、条例で普通地方公共団体に関する事件（法定受託事務に係るものにあつては、国の安全に関することその他の事由により議会の議決すべきものとすることが適当でないものとして政令で定めるものを除く。）につき議会の議決すべきものを定めることができる。

＊一項一部改正〔昭二二・一二法一六九〕、全改〔昭二三・七法一七九〕、一部改正〔昭二七・八法三〇六、昭三一・六法一四七、昭三七・九法一六一、昭三八・六法九九、昭六一・五法七五〕、一・二項一部改正〔平一一・七法八七〕、一項一部改正〔平一六・六法八四、平一八・六法五三〕、二項一部改正〔平二三・五法三五〕

【引用条文】

①【行訴法三（抗告訴訟）2・3・一一（被告適格等）1・三八（取消訴訟に関する規定の準用）1・四三（抗告訴訟又は当事者訴訟に関する規定の準用）1・2

【法一〇五の二（議長の訴訟の代表）・一九二（選挙管理委員会の訴訟の代表）・一九九の三（代表監査委員）3

【参照条文】

①【※議決事件の発案—法一一二・一四九Ⅰ　【※議決事件の専決処分—法一七九・一八〇　【条例の制定、改廃—法一二1・一四・七四・一七六　【予算—法九七2・一一二1・一七六・一七七・一八〇の六・二一一・二一五・二一八・二一九・二四三の五　地財法三　【決算—法二三三・二四三の五　【4号の「法律又は政令」—法二二三〜二二七　地税法　【地方税—法二二三　地税法　【使用料—法二二五・二二六　地財法二三　【手数料—法二二七　【分担金—法二二四　【加入金—法二二六　【賦課徴収—法一四九Ⅲ・一八〇の六Ⅲ　【財産の取得、管理、処分—法二三七・二三八の二〜二三八の五　地財法八　令一二一の二の二2　【信託—信託法一等　法二三八の五2等　国有財産法二〇　【公の施設の設置、管理、処分—法二四四〜二四四の三　【負担附寄附、贈与—民法五五三　【契約—法二三四〜二三四の三　令一二一の二の二1　【不服申立て—法二九一　地財法二七3　【訴えの提起—法二四二の三3・二四三の二の八6　【和解—民法六九五　民訴八九・二六七・二七五　【調停—法二五一の二　【公共的団体等—法一五七　【損害賠償—憲法一七　国家賠償法　民法七〇九等　【15号の「法律又は政令」の例—法六4・七6・八六3　令五3等

※　憲法九四　公企法四〇

【実例・通知・判例】

1）●第五号及び第八号に規定する政令で定める基準は、政令別表第三及び第四に定められているが、条例で、同表の種類を増加し、又は同表に掲げる金額を下る条件を定めることはできない。（昭三八・一二・一九通知）

●面積一件五千平方米以上、予定価格二千万円以上として条例で定めた場合において、一件五千平方米未満の土地の取得処分については、その予定価格が二千万円を超えても議会の議決は必要としない。（昭三九・四・三〇行実）

●令別表第四の「動産」には無記名債権を含まない。（昭四〇・一一・四行実）

2）●議会の議決を経た契約について、議会の議決を経た事項の変更については、すべて議会の議決を経なければならない。ただし、軽易な事項については、第一八〇条により措置しておくことが適当である。（昭二六・一一・一五行実）

●議会の議決を経なければならない契約について、議会に修正権はない。（昭二九・六・二二行実）

●議会の議決を経た土地売買契約を解除するには、議会の議決を要しない。（昭三三・九・一九行実）

●入札にあたり単価について予定価格を定めた場合においても契約金額の総額を定めて契約を締結すべきである。（昭三七・五・一五行実）

●議決を経た請負金額の減額変更の結果、条例に規定する金額に達しなくなつたときは、議決を要しない。（昭三七・九・一〇行実）

●市が行うべき工事を県に委託する当該委託契約は、議会の議決を要する。（昭四一・一〇・一行実）

●「工事の設計管理」のみを契約の目的とする場合は、令第一二一条の二の別表中にいう「工事又は製造の請負」には含まれない。（昭四四・二・六行実）

●当初の設計内容について一部変更を要する場合において契約金額内の増減のみで総額に変更がないときの議会の議決の要否については、議決を得た事項について変更がない限り一般的には議会の議決を要しない。（昭四五・六・二二行実）

●航空写真をもとに地図を作成して納入することを一括して委託する契約である限り、「工事又は製造の請負」に該当する。（昭五二・一一・一六行実）

3）●条例を設けて無償譲渡することとしたときは、処

分にあたつて更に議会の議決を要しない。（昭三八・一二・二三行実）

4）●物件の賃貸借契約が実質上所有権留保の条件を付した割賦販売契約と等しいときは、当該物件の無償譲渡につき議決を要しない。（昭四〇・一〇・一一行実）

5）●「貸し付け」の中には、地上権等の用益物権の設定を含む。（昭四〇・一二・二四行実）

6）●土地収用法の規定により、収用委員会が裁決をして土地を収用又は使用する場合は議決を要しない。（昭四〇・一二・一五行実）

●土地収用法第五〇条の和解による土地の取得は土地の収用であり、本条第一項第一二号の和解に関する議決の他に土地取得に関する議決は必要でない。（昭五〇・一一・一四行実）

●市町村が土地改良法第五四条の二第五項の規定に基づき土地の取得者となる場合、当該土地の取得に当たつては議会の議決は要しない。（昭五七・八・二八行実）

7）●「負担附寄附（現行法では負担付きの寄附）又は贈与」の意は、寄附又は贈与の契約に付された条件そのものに基づいて、地方公共団体が法的な義務を負い、その義務不履行の場合には、その寄附又は贈与の効果に何らかの影響を与えるようなものをいう。（昭二五・五・三一行実）

●負担附寄附（現行法では負担付きの寄附）以外の寄附については、議会の議決を経る必要はない。（昭二五・六・一行実）

●「負担附寄附（現行法では負担付きの寄附）」の「負担」には、寄附物件の維持管理は含まない。（昭二五・六・八行実）

●図書館を建設することを条件として県が敷地の寄附を受ける場合、当該条件に基づき県が法的義務を負い、その義務の不履行の場合において、当該寄附が解除される等その寄附の効果に影響を与えるものである限り「負担附きの寄附（現行法では負担付きの寄附）」に該当する。（昭四一・二・二行実）

8）●母子福祉法第一二条（現行法では母子及び父子並びに寡婦福祉法第一五条）の規定に基づいて貸付金の償還を免除することは、「権利の放棄」の性質を有するが、本条第一項第一〇号の「法律に特別の定めがあるもの」に該当する。（昭四四・一一・二五行実）

9）●不納欠損は、既に調定された歳入が徴収し得なくなつたことを表示する決算上の取扱いであるから、時効により消滅した債権、放棄した債権等について行うべきである。（昭二七・六・一二行実）

●私法上の契約に基づく収入が納入されないまま、年度繰越となり、その後徴収不可能となつた場合の欠損措置は、「権利の放棄」として議会の議決を要する。（昭二八・三・一九行実）

●負担附寄附（現行法では負担付きの寄附）又は贈与及び権利の放棄についての議会の議決は、歳入歳出予算とは関係がなく、常にこれを要する。（昭三二・一〇・一行実）

●本号の権利放棄に関しては、第一八〇条の規定を根拠にして、条例で金額の限度を定め、長限りで権利の放棄ができる。（昭三八・一二・一九通知）

●県が出資している株式会社において、商法第三七五条（現行法では会社法第四四七条）の規定により資本の減少の決議があつた場合、権利の放棄の議会の議決は要しない。（昭四二・八・八行実）

●権利放棄の議案の提出は、議員提出議案によることができる。（平一八・七・二〇高裁判）

●普通地方公共団体による債権の放棄は、その効力が生ずるには、その長による執行行為としての放棄の意思表示を要する。（平二四・四・二〇最裁判）

●住民訴訟の対象とされている損害賠償請求権又は不当利得返還請求権を放棄する旨の議決がされた場合、このような請求権が認められる場合は様々であり、個々の事案ごとに、当該請求権の発生原因である財務会計行為等の性質、内容、原因、経緯及び影響、当該議決の趣旨及び経緯、当該請求権の放棄又は行使の影響、住民訴訟の係属の有無及び経緯、事後の状況その他の諸般の事情を総合考慮して、これを放棄することが普通地方公共団体の民主的かつ実効的な行政運営の確保を旨とする地方自治法の趣旨等に照らして不合理であつて上記の裁量権の範囲の逸脱又はその濫用に当たると認められるときは、その議決は違法となり、当該放棄は無効となるものと解するのが相当である。（平二四・四・二〇最裁判）

10）●地方公共団体には地方議会が当事者である場合を含まないが、議会自身が当事者である訴訟については、議会がその機関意思を決定するための議決を要する。（昭二五・一一・一〇行実）

●第二四三条の二（現行法では第二四三条の二の二）の規定による損害賠償の不履行に対して民事訴訟を提起する場合（現行法第二四三条の二の二第六項の場合を除く。）は、本条第一項第一二号の議会の議決を要する。（昭二六・三・二七行実）

●「訴えの提起」には、仮処分の申立て及び仮処分の決定に対する債務者の異議申立ては含まれない。（昭三九・一〇・二行実）

●支払命令の申立ては本条第一項第一二号の「訴えの提起」に該当しない。（昭四一・一二・二行実）

●地方公共団体が弁護士を訴訟行為の代理人に選任することについては、地方自治法第九六条第一項第一二号の規定による議会の議決は必要でない。（昭四八・二・八行実）

●県を被告とする訴えが提起され、その第一審判決に対し、県が附帯控訴する場合は、議会の議決を要する。（昭五二・一二・一二行実）

●訴訟当事者でない市が、民事訴訟法第三一五条（現行第二二三条）の規定に基づいて行う即時抗告は、地方自治法第九六条第一項第一二号に規定する「審査請求その他の不服申立て」又は「訴えの提起」に該当しない。（昭五四・三・一二行実）

●普通地方公共団体の申立てに基づいて発せられた支払命令に対し債務者から適法な異議の申立てがあり、民訴法第四四二条第一項（現行第三九五条）の規定により右支払命令の申立ての時に訴えの提起があつたものとみなされる場合においても、地方自治法第九六条第一項第一二号の規定により訴えの提起に必要とされる議会の議決を経なければならないものと解するのが相当である。（昭五九・五・三一最裁判）

11）●和解には、民法第六九五条の和解、民事訴訟法第一三六条（現行第八九条）の訴訟上の和解及び同法第三五六条（現行第二七五条）の訴訟提起前の和解のすべてを含む。（昭三〇・三・一二行実）

●土地収用法第五〇条の和解に関する議案については議会は修正できない。（昭五〇・一一・四行実）

12）●判決により確定した損害賠償の額については、さらに本号の規定により議会の議決を得る必要はない。（昭三六・一一・二七行実）

●判決に基づく連帯損害賠償債務の負担部分の決定については、議会の議決は不要である。（昭四八・四・一二行実）

13）●公共的団体等とは、農業協同組合、森林組合、漁業会、林業会、生活協同組合、商工会議所等の産業経済団体、養老院、育児院、赤十字社、司法保護等の厚生社会事業団体、青年団、婦人会、教育会、体育会等の文化教育事業団体等いやしくも公共的な活動を営むものはすべて含まれ、法人たるといなとを問わない。（昭二四・一・二七行実）

※●町会の権限は、法令に規定する事項に限る。（大三・七・一六行裁判）

※●県会はその既に為した選挙又は議決を自ら取り消しえない。（昭八・一・七行実）

※●議案中重大な誤謬を看過して議決した場合、一般的には越権違法等の法律上の瑕疵がない限り一事不再議の原則の支配を受ける。（昭二五・六・八行実）

※●市議会議員が、市又は市長を被告として市議会議決の不存在又は無効確認を求める訴は、これを認める法律の規定が存在しない以上、不適法として却下を免れない。（昭二八・六・一二最裁判）

※●村議会の予算議決の無効確認を求める訴は、不適法である。（昭二九・二・一一最裁判）

〔選挙及び予算の増額修正〕

第九十七条　普通地方公共団体の議会は、法律又はこれに基く政令によりその権限に属する選挙を行わなければならない。

② 議会は、予算[1]について、増額してこれを議決することを妨げない。但し、普通地方公共団体の長の予算の提出[2]の権限を侵す[3]ことはできない。

＊二項＝追加〔昭二二・一二法一六九〕、一項＝一部改正〔昭二七・八法三〇六〕、二項＝一部改正〔昭三八・六法九九〕

【参照条文】

① 【法令による選挙―法一〇三1・一〇六2・一八二 令一三五2・一三六2　※【選挙手続―法一一八

② 【予算の提出権―法一一二1・一四九Ⅰ・一八〇の六Ⅱ・二一一1・二一八1・2

※ 憲法六〇・七三Ⅴ　地財法二七　法一七六・一七七・二五六

【通知・注釈】

1）○「予算」とは、法第二一五条第一号から第七号までに掲げるもの全部を含んだものを意味する。

2）○「提出の権限」とは、予算案を議会に差し出しその議決を求めることをいい、長に専属する権限であるところから、提案権あるいは発案権と称されている。

3）●予算の増額修正

1　当該予算の趣旨を損うような増額修正をすることは、長の発案権の侵害になると解する。予算の趣旨を損うような増額修正に当たるかどうかを判定するに当たつては、当該増額修正をしようとする内容、規模、当該予算全体との関連、当該地方公共団体の行財政運営における影響度等を総合的に勘案して、個々の具体の事案に即して判断することが必要である。なお、このことは、歳入歳出予算だけでなく、継続費、債務負担行為等についても、同様である。

2　地方公共団体の議会の予算審議において、議会が予算修正を行おうとするときは、長と議会との間で調整を行い、妥当な結論を見出すことが望ましい。（昭五二・一〇・三通知）

〔検査及び監査の請求〕

第九十八条　普通地方公共団体の議会[1]は、当該普通地方公共団体の事務（自治事務にあつては労働委員会及び収用委員会の権限に属する事務で政令で定めるものを除き、法定受託事務にあつては国の安全を害するおそれがあることその他の事由により議会の検査の対象とすることが適当でないものとして政令で定めるものを除く。）に関する書類[2]及び計算書を検閲し、当該普通地方公共団体の長、教育委員会、選挙管理委員会、人事委員会若しくは公平委員会、公安委員会、労働委員会、農業委員会又は監査委員その他法律に基づく委員会又は委員の報告を請求して、当該事務の管理、議決の執行及び出納を検査[3]することができる。

② 議会は、監査委員に対し、当該普通地方公共団体の事務[4]（自治事務にあつては労働委員会及び収用委員会の権

限に属する事務で政令で定めるものを除き、法定受託事務にあつては国の安全を害するおそれがあることその他の事由により本項の監査の対象とすることが適当でないものとして政令で定めるものを除く。）に関する監査を求め、監査の結果に関する報告を請求することができる。この場合における監査の実施については、第百九十九条第二項後段の規定を準用する。

＊一項—一部改正〔昭二五・五法一四三、昭二七・八法三〇六〕、一・二項—一部改正〔平三・四法二四、平一一・七法八七、平一六・一一法一四〇〕

【引用条文】

②【法】一九九（職務権限）２

【参照条文】

①【普通地方公共団体の事務】法二2～10　※法二五二の一九1・二五二の二二1　【政令】令一二一の四1・2　【その他法律に基づく委員の例】社教法一五

②【政令】令一二一の四3・4　【監査の請求】法一九九6　【監査の特例（個別外部監査契約）】法二五二の四〇　【監査の実施】令一四〇の六

※　法一〇〇・一四八・一四九・一七〇

【実例・通知】

1）●法第九八条、第一〇〇条第一項の規定は、直接には委員会に適用されないが、あらかじめこれらに関する議会の権限を委員会に委任する旨の議決を経ればよい。ただし、外部に対しては議長名でなすべきである。（昭二四・四・一一行実）

2）●「当該地方公共団体の事務に関する書類及び計算書」には経理関係の支出命令書その他の証憑書類を含む。（昭二六・一二・二五行実）

3）●議会の検査権は、書類及び計算書を検閲し、又は普通地方公共団体の長その他執行機関から報告を徴して行うべきものであつて、実地について事務の検査をすることは許されず、そのような必要があるときには、同条第二項の規定により行うべきものである。（昭二八・四・一行実）

●本条第一項の規定による事務の検査は、必ずしも具体的な事件の発生のあることを要件とするものではなく、一般に必要があると議会が認めるときは、同条同項の規定する方法により市政全般について検査することができる。（昭二八・四・一行実）

●本条第一項の議会の検査権を委任された決算特別委員会は、決算審査に当つて、滞納者又は不納欠損処分対象者の資料を要求できる。ただし、提出された書類、資料の取扱いについては、納税者の利益を不当に損うことのないよう、秘密会において審議する等適切な配慮をすることが望ましい。（昭四四・一二・一〇行実）

4）●「地方公共団体の事務」には、出納及び出納に関連する事務を含む。（昭二九・六・四行実）

●監査委員の監査は従来原則として財務監査とされていたものをいわゆる行政監査にも拡大するものである。（平三・四・二通知）

〔意見書の提出〕

第九十九条　普通地方公共団体の議会は、当該普通地方公共団体の公益に関する事件につき[1]意見書を国会又は[2]関係行政庁に提出することができる。

＊一項—一部改正〔昭二五・五法一四三、昭二七・八法三〇六〕、旧一項—削る・旧二項—一部改正し一項に繰上〔平一一・七法八七〕、一部改正〔平一二・五法八九〕

【実例・注釈】

1）○「意見書」とは、当該普通地方公共団体の公益に関する事件につき議会の機関意思を意見としてまとめた書類をいう。

●本条の意見書原案の発案権は議員にある。なお、議会の議決に基づきそれを外部に提出する場合は議長名を用いる。（昭二五・七・二〇行実）

2）○「関係行政庁」とは、意見書の内容について権限を有する行政機関の意である。行政庁であるから、裁判所等は含まれない。

●指定都市の区の区域の設定変更に関するような事務の処理については、市長は、関係行政庁に該当しない。（昭三三・一二・二二行実）

㊟　次条中、点線の左側は令和四年六月一七日から起算して三年を超えない範囲内において政令で定める日〔令七・六・一〕から、実線の左側は令和四年五月二五日から起算して四年を超えない範囲内において政令で定める日から施行となる。

〔調査権・刊行物の送付・図書室の設置等〕

第百条　普通地方公共団体の議会は、当該普通地方公共団体の事務（自治事務にあつては労働委員会及び収用委員会の権限に属する事務で政令で定めるものを除き、法定受託事務にあつては国の安全を害するおそれがあることその他の事由により議会の調査の対象とすることが適当でないものとして政令で定めるものを除く。次項において同じ。）に関する[1]調査を行うことができる。この場合において、当該調査を行うため特に必要があると認めるときは、[2]選挙人その他の[3]関係人の出頭及び証言並びに[4]記録の提出を[5]請求することができる。

②　民事訴訟に関する法令の規定中証人の訊問に関する規定
尋問に関する規定
（過料、罰金、拘留又は勾引に関する規定を除く。）は、この法律に特別の定めがあるものを除くほか、前項後段の規定により議会が当該普通地方公共団体の事務に関する調査のため選挙人その他の関係人[6]の証[7]言を請求する場合に、これを準用する。ただし、過料、罰金、拘留又は勾引に関する規定は、この限りでない。

この場合において、民事訴訟法第二百五条第二項中「、最高裁判所規則で」とあるのは「、議会が」と、「最高裁判所規則で定める電子情報処理組織を使用してファイルに記録し、又は当該書面に記載すべき事項に係る電磁的記録を記録した記録媒体を提出する」とあるのは「電磁的方法（電子情報処理組織を使用する方法その他の情報通信の技術を利用する方法をいう。）により提供する」と、同条第三項中「ファイルに記録された事項若しくは同項の記録媒体に記録された」とあるのは「提供された」と読み替えるものとする。

③ 第一項後段の規定により出頭又は記録の提出の請求を受けた選挙人その他の関係人が、正当の理由がないのに、議会に出頭せず若しくは記録を提出しないとき又は証言を拒んだときは、六箇月以下の禁錮／拘禁刑又は十万円以下の罰金に処する。

④ 議会は、選挙人その他の関係人が公務員たる地位において知り得た事実については、その者から職務上の秘密に属するものである旨の申立／申立てを受けたときは、当[8]該官公署の承認がなければ、当該事実に関する証言又は記録の提出を請求することができない。この場合において当該官公署が承認を拒むときは、その理由を疏明[9]しなければ／疎明しなければならない。

⑤ 議会が前項の規定による疏明／疎明[10]を理由がないと認めるときは、当該官公署に対し、当該証言又は記録の提出が公の利益を害する旨の声明を要求することができる。

⑥ 当該官公署が前項の規定による要求を受けた日から二十日以内に声明をしないときは、選挙人その他の関係人は、証言又は記録の提出をしなければならない。

⑦ 第二項において準用する民事訴訟に関する法令の規定により宣誓した選挙人その他の関係人が虚偽の陳述をしたときは、これを三箇月以上五年以下の禁錮／拘禁刑に処する。

⑧ 前項の罪を犯した者が議会において調査が終了した旨の議決がある前に自白したときは、その刑を減軽し又は免除することができる。

⑨ 議会は、選挙人その他の関係人が、第三項又は第七項の罪を犯したものと認めるときは、告発[11]しなければならない。但し／ただし、虚偽の陳述をした選挙人その他の関係人が、議会の調査が終了した旨の議決がある前に自白したときは、告発しないことができる。

⑩ 議会が第一項の規定による調査を行うため当該普通地方公共団体の区域内の団体等[12]に対し照会をし又は記録の送付を求めたときは、当該団体等は、その求めに応じなければならない。

⑪ 議会は、第一項の規定による調査を行う場合においては、予め[13]／あらかじめ、予算の定額の範囲内において、当該調査のため要する経費の額を定めて置かなければならない。その額を超えて経費の支出を必要とするときは、更に議決を経なければならない。

⑫ 議会は、会議規則の定めるところにより、議案の審査又は議会の運営に関し協議又は[14]調整を行うための場を設けることができる。

⑬ 議会は、議案の審査又は当該普通地方公共団体の事務に関する調査のためその他議会において必要があると認めるときは、会議規則の定めるところにより、議員を派遣することができる。

⑭ 普通地方公共団体は、条例の定めるところにより、その議会の議員の調査研究その他の活動に資するため必要な経費の一部として、その議会における会派又は議員に対し、政[15]務活動費を交付することができる。この場合において、当該政務活動費の交付の対象、額及び交付の方法並びに当該政務活動費を充てることができる経費の範囲は、条例で定めなければならない。

⑮ 前項の政務活動費の交付を受けた会派又は議員は、条例の定めるところにより、当該政務活動費に係る収入及び支出の状況を書面又は電磁的記録（電子的方式、磁気的方式その他人の知覚によつては認識することができない方式で作られる記録であつて、電子計算機による情報処理の用に供されるものをいう。以下同じ。）をもつて議長

に報告するものとする。

⑯　議長は、第十四項の政務活動費については、その使途の透明性の確保に努めるものとする。

⑰　政府は、都道府県の議会に官報及び政府の刊行物を、市町村の議会に官報及び市町村に特に関係があると認める政府の刊行物を送付しなければならない。[16]

⑱　都道府県は、当該都道府県の区域内の市町村の議会及び他の都道府県の議会に、公報及び適当と認める刊行物を送付しなければならない。

⑲　議会は、議員の調査研究に資するため、図書室を附置し前二項の規定により送付を受けた官報、公報及び刊行物を保管して置かなければならない。

⑳　前項の図書室は、一般にこれを利用させることができる。

＊二・三・四・五・六・七・八・九・一一・一二・一三・一四・一五項―追加・旧二項―一部改正し一〇項に繰下〔昭二二・一二法一六九〕、二項―一部改正〔昭三六・一一法二三五〕、三項―一部改正〔平六・六法四八〕、一項―一部改正〔平一一・七法八七〕、一二・一三項追加以下繰下〔平一二・五法八九〕、一二項追加・旧一二項以下繰下〔平一四・三法四〕、一項―一部改正〔平一六・一一法一四〇〕、一二項追加・旧一二項以下繰下〔平二〇・六法六九〕、一・二・三・一四・一五項―一部改正・一六項追加・旧一六項以下繰下〔平二四・九法七二〕、二項―一部改正〔令四・五法四八〕、三～五・七・九・一一項―一部改正〔令四・六法六八〕、一五項―一部改正〔令五・五法一九〕

【参照条文】

①【普通地方公共団体の事務―法二2～10　※法二五二の一九1・二五二の二二1】

②【証人尋問規定―民訴一九〇～二〇六　【過料・罰金・勾引―民訴一九二～一九四・二〇一5】

④【公務員の秘密を守る義務―地公法三四　国公法一〇〇】

※　憲法六二　法九八・二〇七

【実例・通知・判例・注釈】

1）●議会の調査権を概括的に議長に委任するとの議決をし、事務局をして常時理事者につき一般事務の調査をさせることはできない。（昭二三・四・一〇行実）

●地方公共団体の事務の調査とは、第二条第二項の事務であつて、通常は現に議題となつている事項若しくは将来議題に上るべき基礎事項（議案調査）につき調査し、又は世論の焦点となつている事件（政治調査）等につきその実状を明らかならしめ、その他一般的に地方公共団体の重要な事務の執行状況を審査（事務調査）することをいう。（昭二三・一〇・一二行実）

●議会の調査権は実地調査を含み、第九八条第一項の検査は書面検査であり、実地検査の場合は同条第二項の規定により監査委員をして行わせるものであるから、第一〇〇条の調査権には、これらの検査権は含まない。（昭二六・一〇・一〇行実）

●議会は一般的包括的に市政全般について調査する旨の議決はなしえない。当該地方公共団体の事務のうちいかなる範囲のものについて調査権を行使するかを議決すべきである。（昭二九・九・一五行実）

●負担金等が単なる会費的なものである場合は、当該負担金が町村会等の団体の収入として適確に受け入れられているかどうかという点までが調査の対象であり、負担金等が財政的援助の性質をもつものである場合は、当該負担金が特定の目的のために適切に使用されているかどうかという点までが調査の対象となる。（昭四一・六・一五行実）

●決算特別委員会は、本条の調査権の議決に基づいて滞納者及び不納欠損処分者の徴収原簿、課税基礎簿及び滞納整理簿を検査できる。ただし、提出された書類、資料の取扱いについては、納税者の利益を不当に損うことのないよう、秘密会において審議する等適切な配慮をすることが望ましい。（昭四四・一二・一〇行実）

2）○「選挙人」とは、選挙人名簿に記載せられている者の意ではなく、当該地方公共団体に関する選挙について実質的に選挙権を有している者を指す。

3）○「その他の関係人」とは、当該団体の住民に限らず、調査の対象に関係を有する選挙人以外のすべての者を指す。記録の提出については、法人をも含む。

4）●資料、記録の提出要求、議会図書室等の事項であつても議決に基づき、議長、副議長及び議員に特別の委任がない限りその職務権限によつて当然に専決処理することはできない。（昭二四・一一・一四行実）

●地方公共団体が出資した株式会社に対する「出資金の行政効果」を調査するために必要な限度において、すでに株主総会において承認済の貸借対照表等の項目別内容明細等について記録の提出を当該会社に対し、直接、請求することができる。（昭三六・一一・二七行実）

●地方公共団体が構成員となつている県町村会、県町村議長会等で当該団体が負担金等を負担している団体の代表者に対し議会が百条調査権に基づき当該団体の決算書等の記録の提出を請求することは、負担金等に関する事件の調査のために必要な限度においてできる。（昭四一・六・一五行実）

5）●委員会において、関係人に対し証言を求める場合は、委員会の申出に基づき、出頭の日時、場所、証明を求める事項（証人により証すべき事項の要領）並びに出頭しない場合の法律上の制裁を議長名をもつて通知すれば足りる。（昭四四・五・二六行実）

●普通地方公共団体の議会が当該普通地方公共団体の事務に関する調査において選挙人等の出頭等を求めることができるのは、公益上の必要性と選挙人等の負担等を総合的に勘案し、公益が上回る場合であると考えられる。各議会においては、これまで以上に説明責任を果たすことが求められることを踏まえ、適切に運用されたいこと。（平二四・九・五通知）

6）●特別委員会がその付託された団体の事務に関する調査につき、関係人の出頭、証言又は記録の提出を

請求するには、議案付託の議決に際して、これらの権限を委任する旨の議決を経なければならない。（昭三二・一〇・六行実）

7） ●関係人に証言を求める場合、民事訴訟法第二五八条（現行第一八〇条）及び第二七五条（現行民事訴訟規則第一〇六条）の規定は準用されない。（昭四四・五・二六行実）

●特別委員会において証人を訊問する場合、委員長の決定した証言を求める事項について、委員長が主訊問を行わないで、各委員が証人に対し、証言を求めることもできる。（昭四四・五・二六行実）

●普通地方公共団体の議会が地方自治法第一〇〇条第一項の規定により関係人の出頭及び証言を請求する場合の書面の送達については、民事訴訟法の送達に関する規定の準用はなく、相当な方法により行えば足りるものである。（昭五七・七・一三最裁判）

8） ○「当該官公署」とは、当該事実が職務上の秘密に属するか否かを認定し得る官公署であり行政機関のみならず、議会、司法機関、公団等も含まれる。

9） ○「疏明」とは、一応の申しひらきをすることをいう。

10） ○「当該証言」とは、選挙人その他の関係人が公務員たる地位において知り得た事実についての証言である。

●官公署が声明をした場合は、もはやその事実に関する証言又は記録の提出義務は完全になくなる。（昭二九・一一・一八行実）

11） ●第一〇〇条第九項のごとき場合を除く外特定人をある犯罪容疑者として告発する旨の議決をすることはできない。（昭二六・三・三行実）

12） ●団体等には、国の行政機関は含まない。（昭二三・三・二三行実）

13） ○「予め」とは、個々具体的な調査事件について前もつて定めることであつて、概括的に年度初めに議決しておくことではない。

●議会が当該調査のために要する経費に充てるための補正予算案の提出を市長に要求しても市長は、当該補正予算案を提出する法律上の義務はない。（昭三四・六・二三行実）

14） ●普通地方公共団体の議会の議員の活動のうち、議案の審査や議会運営の充実を図る目的で開催されている各派代表者会議、正副委員長会議、全員協議会等について、会議規則に定めることにより、議会活動の範囲に含まれ得ることを明確にしようとするものであること。（平二〇・六・一八通知）

●協議又は調整を行うための場における議会活動については、説明責任の徹底及び透明性の向上を図ることも重要であることから、会議規則に所要の規定を設けるにあたっては、例えば、協議又は調整を行うための場を設ける手続のほか、協議又は調整の目的等その内容が明らかになるよう規定する必要があること。（平二〇・六・一八通知）

15） ●政務調査費（現政務活動費）を交付するか否かは各団体の判断に委ねられたところであるが、その制度化にあたっては、各団体における議員の調査研究活動の実態や議会運営の方法等を勘案の上、政務調査費の交付の必要性やその交付対象について十分検討されたいこと。（平一二・五・三一通知）

●政務調査費（現政務活動費）については、情報公開を促進し、その使途の透明性を確保することも重要であるとされていることから、条例の制定にあたっては、例えば、政務調査費に係る収入及び支出の報告書等の書類を情報公開や閲覧の対象とすることを検討するなど透明性の確保に十分意を用いること。（平一二・五・三一通知）

●政務調査費（現政務活動費）の額を条例で定めるにあたっては、例えば、特別職報酬等審議会等の第三者機関の意見をあらかじめ聞くなど、住民の批判を招くことがないよう配慮すること。（平一二・五・三一通知）

●従来、都道府県等において政務調査費（現政務活動費）と同様の趣旨で支給されていた「県政調査費」等のいわゆる会派交付金については、条例の根拠が必要となること。（平一二・五・三一通知）

●政務活動費を充てることができる経費の範囲を条例で定める際には住民の理解が十分得られるよう配慮するとともに、政務活動費の使途の適正性を確保するためにその透明性を高めることなどにより、適切に運用されたいこと。（平二四・九・五通知）

16） ○「政府の刊行物」とは、国費をもつて発行頒布する各種資料その他の刊行物である。政府の編さんに係るものであつても国費をもつて刊行しないものは含まれない。

〔**専門的事項に係る調査**〕

第百条の二　普通地方公共団体の議会は、議案の審査又は当該普通地方公共団体の事務に関する調査のために必要な専門的事項に係る調査を学識経験を有する者等にさせることができる。[1]

＊本条—追加〔平一八・六法五三〕

【通知】

1） ●複数の学識経験を有する者等に合同で調査・報告を行わせることも可能であること。（平一八・六・七通知）

第三節　招集及び会期

〔**招集**〕

第百一条　普通地方公共団体の議会は、普通地方公共団体の長がこれを招集する。[1]

② 議長は、議会運営委員会の議決を経て、当該普通地方公共団体の長に対し、会議に付議すべき事件を示して臨時会の招集を請求することができる。

③ 議員[2]の定数の四分の一以上の者は、当該普通地方公共団体の長に対し、会議[3]に付議すべき事件を示して臨時会の招集を請求[4]することができる。

④ 前二項の規定による請求があつたときは、当該普通地方公共団体の長は、請求のあつた日から二十日以内に臨時会を招集[5]しなければならない。

⑤ 第二項の規定による請求のあつた日から二十日以内に当該普通地方公共団体の長が臨時会を招集しないときは、第一項の規定にかかわらず、議長は、臨時会を招集することができる。

⑥ 第三項の規定による請求のあつた日から二十日以内に当該普通地方公共団体の長が臨時会を招集しないときは、第一項の規定にかかわらず、議長は、第三項の規定による請求をした者の申出に基づき、当該申出のあつた日から、都道府県及び市にあつては十日以内、町村にあつては六日以内に臨時会を招集しなければならない。

⑦ 招集は、開会の日前[6]、都道府県及び市にあつては七日、町村にあつては三日までにこれを告示しなければならない。ただし、緊急[7]を要する場合は、この限りでない。

⑧ 前項の規定による招集の告示をした後に当該招集に係る開会の日に会議を開くことが災害その他やむを得ない事由により困難であると認めるときは、当該告示をした者は、当該招集に係る開会の日の変更をすることができる。この場合においては、変更後の開会の日及び変更の理由を告示しなければならない。

＊ 一項…一部改正・二〜四項…追加・旧二項…一部改正し五項に繰下〔平一八・六法五三〕、五・六項…追加・旧五項…七項に繰下〔平二四・九法七二〕、八項…追加〔令四・一二法一〇一〕

【参照条文】

② 【付議事件―法一〇二3・4　【臨時会―法一〇二1・3・4

③ 【議員定数―法九〇・九一

※ 憲法七Ⅱ・五三

【実例・判例・注釈】

1) ●合併問題等の事情のため、町村会を他町村内に招集することはさしつかえない。（昭六・五・二三行実）

2) ○「議員定数の四分の一以上の者」とは、たとえば、議員定数（法九〇・九一）三〇人の議会の場合は、八人又はそれを超える数を指す。

3) ●議員に発案権がある事件の外は、会議の招集を請求することはできない。（明二八・二・二二行実）
●第九条の規定による意見書提出のための臨時会の招集請求はできる。（昭二四・七・一一行実）
●議長の不信任決議案を「付議すべき事件」とし臨時会の招集を請求することはできない。（昭二八・八・二五行実）
●継続審査に付した事件を付議すべき事件として、臨時会招集の請求をなしうる。（昭三二・八・二〇行実）
●議会閉会中に議長が受理した請願を審査するための臨時会招集の請求はできる。（昭四九・二・五行実）

4) ●議会招集後において臨時会の請求の撤回はできない。請求撤回の申立があつた場合及び告示事件付議の必要が消滅した場合においても、既になされた招集の効力に影響はない。（昭二七・一一・一二行実）

5) ●「議会清浄化に関する件」を付議すべき事件として臨時会招集請求があつても、法令に基づく具体的な付議事件に該当しないので、当該案件について、長は臨時会を招集できない。（昭四〇・四・一四行実）

6) ○「開会の日前、……七日、……まで」とは、開会の日の前日を第一日として計算して第七日目にあたる日までである。例えば、一二月一〇日を開会の日として招集するとすれば、一二月三日までに告示をすればよい。

7) ●会議事件が急施（現行法では緊急）事件であるか否かは議案の性質のみにより一般的に定めることはできず、各場合の事情を斟酌して判定すべきである。（昭二一・五・三一行裁判）
●「急施（現行法では緊急）を要する場合」とは、同項本文所定の日数の余裕をおくことができない程度に緊急に招集する必要がある場合をさし、その急施（現行法では緊急）を要するか否かの認定は、それが議会の運営に著しく妥当を欠くと認められないかぎり、招集権者の裁量に任かされているものである。（昭三一・七・二四高裁判）

※ ●普通地方公共団体の機関相互間の争いについては、法律に特別の規定のない限り、法律上の争訟として裁判所に訴訟の提起は許されないから、町議会議員が町長に対し、町議会の招集を命ずる旨の判決を求める訴は不適法である。（昭二八・五・二八最裁判）

〔**定例会・臨時会及び会期**〕

第百二条　普通地方公共団体の議会は、定例会[1]及び臨時会[2]とする。

② 定例会は、毎年[3]、条例で定める回数[4]これを招集しなければならない。

③ 臨時会は、必要がある場合において、その事件に限りこれを招集する。

④ 臨時会に付議すべき事件[5]は、普通地方公共団体の長があらかじめこれを告示[6]しなければならない。

⑤ 前条第五項又は第六項の場合においては、前項の規定

にかかわらず、議長が、同条第二項又は第三項の規定による請求において示された会議に付議すべき事件を臨時会に付議すべき事件として、あらかじめ告示しなければならない。

⑥ 臨時会の開会中に緊急[7]を要する事件があるときは、前三項の規定にかかわらず、直ちにこれを会議に付議することができる。

⑦ 普通地方公共団体の議会の会期[8]及びその延長[9]並びにその開閉[10]に関する事項は、議会[11]がこれを定める。

＊ 二項―一部改正〔昭二七・八法三〇六、昭三一・六法一四七、平一六・五法五七〕、四・五項―一部改正〔平一八・六法五三〕、五項―追加・旧五項―一部改正し六項に繰下・旧六項―七項に繰下〔平二四・九法七二〕

【引用条文】⑤【法一〇一（招集）5・6

【参照条文】③【招集―法一〇一1 ⑥【会議―法一一三・一一四

【実例・判例・注釈】

1 ○「定例会」とは、付議事件の有無にかかわらず、定例的に招集される会議である。

2 ○「臨時会」とは、必要のあるとき、特定の事件に限りこれを審議するために招集される会議である。

3 ●「毎年」とは、暦年（一月一日から一二月三一日まで）をいう。（昭二七・九・一九行実）

4 ○「条例で定める回数」には、招集をしても応招議員が定足数を欠いて会議を開くに至らなかった場合も含まれる。

●議会の招集権は長に専属するものであるから、条例で規定することはできない。（昭二一・一一・一八行実）

5 ●第三項及び第四項の臨時会に付議すべき事件は、必ずしも発案権が長に属する事件及び議員から招集請求があつた事件に限定されるものではない。（昭二六・五・二五行実）

6 ●第四項の「付議すべき事件」とは、議案に限らず選挙、決定その他議会に付議されるべきすべての事件を含む。（昭二六・八・二〇行実）

●会議規則の如き会議自体の進行に必要なものは、臨時県会において告示を要せず議しうる。（行実）

●常任委員会の継続審査に付された事件について臨時会を招集しようとする場合、付議すべき事件として告示を必要とする。（昭二八・一・二二行実）

7 ●会議の事件が急施（現行法では緊急）を要するか否かは各事件につき決定すべきものであり、同日の村会に付議すべき数事件のうち一事件が急施（現行法では緊急）を要するものとするために、他の事件をも急施（現行法では緊急）を要するものとはいえない。（大六・一・三〇行実）

●急施（現行法では緊急）事件であるかないかの認定は、当該議案の発案者が長である場合は長、議員である場合は議員がするものであるが、議会も当該議案の審議に当たつてその認定をすることができる。（昭二八・四・一三行実）

●臨時会においては、急施（現行法では緊急）を要するものでないかぎり、予め付議事件の告示をしなければ継続審査案件といえども審議することはできない。（昭四三・七・一二行実）

8 ○「会期」とは、議会が会議を継続して行う期間であり、議会は会期中に限り活動能力を有する。その定め方は、「何日間」でも「何日まで」でもよい。

9 ○「その延長」とは、予定された議案の審議が長引いて、予め定めた会期中に終了しない場合において、審議期間を更に延ばすことである。延長は一回に限らず法律上は何回でも行い得る。

●県議会の会期延長決議の効力に関する紛争は、なんら直接に個人の市民的な権益に関する問題ではなく、また、右紛争につき出訴を許した規定もないから、右決議の無効確認を求める訴えは、許されない。（昭三一・九・五地裁判）

10 ○「開閉」とは、開会及び閉会のことである。議会をして会議を開き、活動能力を有する状態におくこと、又はこれを失なわしめることであつて、議会における個々の会議の開閉のことではない。

11 ●会議規則で、「議会の会期及びその延長は、議長が議会運営委員会の意見を聴きこれを定め、議会の議決を要しない」旨規定することは、違法である。（昭二六・四・一四行実）

〔通年の会期〕

第百二条の二 普通地方公共団体の議会は、前条の規定にかかわらず、条例で定めるところにより、定例会及び臨時会とせず、毎年、条例で定める日から翌年の当該日の前日までを会期とすることができる。[1]

② 前項の議会は、第四項の規定により招集しなければならないものとされる場合を除き、前項の条例で定める日の到来をもつて、普通地方公共団体の長が当該日にこれを招集したものとみなす。

③ 第一項の会期中において、議員の任期が満了したとき、議会が解散されたとき又は議員が全てなくなつたときは、同項の規定にかかわらず、その任期満了の日、その解散の日又はその議員が全てなくなつた日をもつて、会期は終了するものとする。

④ 前項の規定により会期が終了した場合には、普通地方公共団体の長は、同項に規定する事由により行われた一般選挙により選出された議員の任期が始まる日から三十日以内に議会を招集しなければならない。この場合においては、その招集の日から同日後の最初の第一項の条例

で定める日の前日までを会期とするものとする。

⑤　第三項の規定は、前項後段に規定する会期について準用する。

⑥　第一項の議会は、条例で、定期的に会議を開く日（以下「定例日」という。）を定めなければならない。

⑦　普通地方公共団体の長は、第一項の議会の議長に対し、会議に付議すべき事件を示して定例日以外の日において会議を開くことを請求することができる。この場合において、議長は、当該請求のあつた日から、都道府県及び市にあつては七日以内、町村にあつては三日以内に会議を開かなければならない。

⑧　第一項の場合における第七十四条第三項、第百二十一条第一項、第二百四十三条の三第二項及び第三項並びに第二百五十二条の三十九第四項の規定の適用については、第七十四条第三項中「二十日以内に議会を招集し、」とあるのは「二十日以内に」と、第百二十一条第一項中「議会の審議」とあるのは「定例日に開かれる会議の審議又は議案の審議」と、第二百四十三条の三第二項及び第三項中「次の議会」とあるのは「次の定例日に開かれる会議」と、第二百五十二条の三十九第四項中「二十日以内に議会を招集し」とあるのは「二十日以内に」とする。

＊　本条—追加〔平二四・九法七二〕

【引用条文】
①【法一〇二（定例会・臨時会及び会期）
⑧【法七四（条例の制定又は改廃の請求とその処置）3・一二一（長及び委員長等の出席義務）1・二四三の三（財政状況の公表等）2・3・二五二の三九（第七五条の規定による監査の特例）4

【通知】
1）●会期を通年とする議会においては、その審議の充実及び活性化を図るとともに、本会議や委員会の開催により執行機関や職員の事務処理に支障を及ぼしたり、費用負担が著しく増加することのないよう、適切に運用されたいこと。（平二四・九・五通知）

第四節　議長及び副議長

〔議長及び副議長〕

第百三条　普通地方公共団体の議会は、議員の中から議長及び副議長一人を選挙しなければならない。

②　議長及び副議長の任期は、議員の任期による。

【参照条文】
①【選挙—法九七1・一一八・一七六4〜8
②【議員の任期—法九三

【実例・注釈】
1）●議長選挙の結果当選したものが、議長の職に就くことを承認しない以上議長ではない。（昭二五・九・二八行実）
●一般選挙後初めての議会においては、他のすべての案件に先行して議長、副議長の選挙を行うべきである。（昭二六・六・一行実）
●正副議長の選挙を記名投票により行つた場合は無効である。（昭二九・八・二六行実）
●議長の選挙事由は、議長が欠けてはじめて生ずるものであつて、欠員が生じない以前に行われた議長の選挙は、選挙事由のないものとして違法である。（昭三三・八・二三行実）
2）○「議員の任期」は、四年（法九三）である。

〔議長の議事整理権・議会代表権〕

第百四条　普通地方公共団体の議会の議長は、議場の秩序を保持し、議事を整理し、議会の事務を統理し、議会を代表する。

＊　本条—一部改正〔昭三三・一二法一六九〕

【参照条文】
【議長—法一〇三　【秩序保持—法一二九〜一三一　【議事の整理—法一〇五・一一三〜一一六・一二〇・一二一・一三七　【事務の統理—法一二三・一三八
※　法一〇五の二〜一〇八・一二六

【実例】
1）●一般選挙後、正副議長が決定されるまでの間は、一般的に議会を代表するものではない。（昭二六・六・一行実）

〔議長の委員会への出席〕

第百五条　普通地方公共団体の議会の議長は、委員会に出席し、発言することができる。

【参照条文】
【委員会—法一〇九

【実例】
1）●委員会での議長の発言事項については何ら制限がないので、単に議長として議事整理権、議会事務統理権等の立場からのみでなく、議事の内容に立ち入つて質疑し、意見を陳述することもさしつかえない。（昭二七・六・二一行実）

〔議長の訴訟の代表〕

第百五条の二　普通地方公共団体の議会又は議長（第百三十八条の二第一項及び第二項において「議会等」という。）の処分又は裁決に係る普通地方公共団体を被告とする訴訟については、議長が当該普通地方公共団体を代表する。

* 本条—追加〔平一六・六法八四〕、一部改正〔令五・五法一九〕

【引用条文】
【法一三八の二（電子情報処理組織による通知）1・2

【参照条文】
【議長の職務—法一〇四 ※法一〇四の参照条文参照

〔議長の代理及び仮議長〕

第百六条 普通地方公共団体の議会の議長に事故[1]があるとき、又は議長が欠けたとき[2]は、副議長[3]が議長の職務を行う。

② 議長及び副議長にともに事故[1]があるときは、仮議長[4]を選挙し、議長の職務を行わせる。

③ 議会は、仮議長の選任を議長に委任する[5]ことができる。

* 一・二項—一部改正〔昭二三・一二法一六九〕

【参照条文】
① 【副議長—法一〇三 【議長の職務—法一〇四 ※法一〇四の参照条文参照
② 【選挙—法九七1・一一八・一七六4〜8

【実 例】
1) ●議長の故障（現行法では事故）とは、法令上又は事実上議長の職務を執り得ない場合及びその職務を執らない事実のある一切の場合を指し、積極的に職務を執り得ない事由ある場合のみに局限すべき理由はない。（大六・二・二三行実）
●議長が海外旅行で長期間不在の場合、長期間病気療養のため転地又は入院した場合、危篤又は精神障害等のため判断能力を失つた場合は、一般的には事故がある場合に該当する。（昭三九・九・一八行実）
2) ●議長及び副議長がともに欠けたときは、すみやかに後任者を選挙すべきであり、仮議長により議事を運営すべきでない。（昭二五・六・二六行実）
3) ●副議長はその名において議長としての職務を行うのであり、特別の名称を付する必要はない。（昭二七・九・一八行実）
4) ●仮議長は、議会の運営に必要な限度をこえて議長の職務の行使をすべきものではない。（昭三二・一二・二四行実）
5) ●仮議長の選任を議長に委任された場合、議長の仮議長選任の時期はいつでもよい。また、指名の仕方により同一会期中を通じて仮議長となることも可能であるが、仮議長の性質上必要のつど指名することが適当である。（昭二二・五・二九行実）

〔臨時議長〕

第百七条 第百三条第一項及び前条第二項の規定による選挙を行う場合[1,2]において、議長の職務を行う者がないときは、年長の議員が臨時に議長の職務を行う[3]。

【引用条文】
【法一〇三（議長及び副議長）1・一〇六（議長の代理及び仮議長）2

【参照条文】
【選挙—法九七1・一一八・一七六4〜8
【議長の職務—法一〇四 ※法一〇四の参照条文参照

【実 例】
1) ●年長の議員とは、選挙の行われるとき議場に出席している議員中最年長者をいい、現任議員中の最年長者の意ではない。（昭二六・九・一〇行実）
2) ●議場に出席している年長の議員は、臨時議長の職務を拒むことはできない。（昭三六・六・九行実）
3) ●一般選挙後初めて行われた議会の初日に議長、副議長の選挙が行われなかつた場合、年長議員の下に、議長、副議長選挙のため会期を定め又は会期を延長しうる。（昭二八・四・六行実）
※ ●年長議員の呼称は、通常臨時議長何某と称している。（昭二六・六・一行実）
※ ●議長、副議長がともに欠けたときは、出席議員中の年長議員が臨時議長となり議長を選挙すべきである。（昭二八・一一・九行実）

〔議長及び副議長の辞職〕

第百八条 普通地方公共団体の議会の議長及び副議長は、議会の許可[1]を得て辞職することができる。但し、副議長は、議会の閉会中においては、議長の許可を得て辞職することができる。

【参照条文】
【議長・副議長—法一〇三 【議会の許可に関する議決—法一一六・一一七 【議員の辞職—法一二六

【実例・判例】
1) ●議長及び副議長は、本条により許可を得ない限り絶対に辞職し得ない。（昭二二・一〇・六行実）
※ ●地方自治法中には、議長又は副議長に対する不信任議決に対して法律上の効果を附与した規定はない。従つて不信任議決を受けた議長又は副議長が自己の意思によつて辞職する場合は格別、しからざる限り、不信任議決によつてその職を失うものではない。また不信任議決に対する訴訟はできない。（昭二三・八・七行実）
※ ●議長辞職の意思表示の方法が適当であつたかどうかは、辞職の許否を審査する議会が自由裁量によつて決すべき事項であつて、裁判所が判断すべき事項ではない。（昭二五・四・一一地裁判）
※ ●議長の辞職は要式行為ではないから、議長本人が辞職の意思を決定し、かつ、その意思に基づき議会に辞意が表示されれば足り、その表示が文書による

自治法

と口頭によると、直接なると間接なるとを問うものではない。（昭二六・二・一五高裁判）

※●副議長不信任動議が成立した場合、これを先決問題とするかどうか、また先決問題とする場合にこれを議題とするに当たつて議事日程変更の手続きを必要とするかどうかは、いずれも議会が決定すべきである。（昭四一・六・八行実）

第五節　委員会

〔常任委員会、議会運営委員会及び特別委員会〕

第百九条　普通地方公共団体の議会は、条例で[1]、常任委員会、議会運営委員会及び特別委員会を置くことができる。

②　常任委員会は、その部門に属する当該普通地方公共団体の事務に関する調査を行い[2]、議案、請願等を審査する[3]。

③　議会運営委員会は、次に掲げる事項に関する調査を行い、議案、請願等を審査する。

一　議会の運営に関する事項

二　議会の会議規則、委員会に関する条例等に関する事項

三　議長の諮問に関する事項

④　特別委員会は、議会の議決により付議された事件を審査する。

⑤　第百十五条の二の規定は、委員会について準用する[4]。

⑥　委員会は、議会の議決すべき事件のうちその部門に属する当該普通地方公共団体の事務に関するものにつき、議会に議案を提出することができる。ただし、予算については、この限りでない。

⑦　前項の規定による議案の提出は、文書をもつてしなければならない。

⑧　委員会は、議会の議決により付議された特定の事件[5]については[6]、閉会中も、なお、これを審査することができる[7]。

⑨　前各項に定めるもののほか、委員の選任その他委員会[8]に関し必要な事項は、条例で定める。

＊二項—一部改正〔昭二三・七法一七九〕、一・二項—全改・三項—削る・旧六項—一部改正し五項に繰上・旧四・五項—一項ずつ繰上〔昭三一・六法一四七〕、五項—追加・旧五項—六項に繰下〔平三・四法二四〕、一項—一部改正〔平一二・五法八九〕、二項—一部改正・三項—追加・旧三～五項—一項ずつ繰下・七・八項—追加・旧六項—九項に繰下〔平一八・六法五三〕、本条—全改〔平二四・九法七二〕

【引用条文】

⑤【法一一五の二（公聴会及び参考人）】

【参照条文】

②【普通地方公共団体の事務—法二2～17　※法二五二の一九1・二五二の二二1　【議案・請願等—法一一二・一二四・一四九Ⅰ・一八〇の六Ⅱ

※国会法四〇～五四・六八

【実例・通知・注釈】

1）●常任委員会に関する条例の発案権は議員に専属する。（昭二二・八・八行実）

●第九八条第一項及び第一〇〇条第一項の職務を行うための常設の特別委員会の設置はできない。（昭二六・九・一〇行実）

●議会において審議されていない事件についても、議会の議決により付議された特定の事件については、特別委員会を設置しうる。（昭二六・一〇・一〇行実）

●前議会で行つた議員の発言について、懲罰事由に該当するか否かを調査する特別委員会を次の会期において設置することはできない。（昭四〇・三・一二行実）

●議会内に会議規則により議会運営委員会と同様の目的をもつ各地区振興特別委員会正副委員長連絡協議会を設定し、その運営に要する経費を市の予算から支出することはできない。（昭四一・一・二一行実）

2）●本条第四項（現行法では第二項）の調査は、条例案その他の議案の立案のための調査で、第六項（現行法では第八項）の審査には第三項（現行法では第二項）の調査を含む。ただし、第六項（現行法では第八項）の規定により特に議会の議決がないときは、閉会中は、議案の審査も第三項（現行法では第二項）の調査もできない。（昭二二・八・一八行実）

●委員個人の自由意思で調査権の行使はできない。（昭二四・二・二二行実）

3）○「請願等」には、請願及び陳情・陳情類似の要望又は意見書のようなものを含む。

4）●公聴会の開催方法は条例中に規定すべきである。（昭二三・八・八行実）

●公聴会を非公開とすることはできない。（昭二二・八・八行実）

5）●付議された特定の事件に関する限り後会に継続するものであり、あらためて提案する必要はない。（昭二五・六・二行実）

6）○「閉会中」とは、議会が本来の活動能力を有しない期間すなわち、定例会及び臨時会の開会中以外の期間を指す。

7）2参照

●閉会中もなお審査を継続することとなつた事件を、次の会期において更に継続審査の議決はできる。（昭二八・四・六行実）

※●常任委員会は、本条第六項（現行法では第八項）の規定による以外は、議会閉会中は一切その活動を停止する。閉会中の事実上の自主的会合、審議はさしつかえないが、この場合においては、法律上の効

果を伴わず、費用弁償の支給はできない。（昭二五・五・一二行実）

※ ●会議公開の原則は当然には委員会に適用されないが、委員会においても、委員長の許可を得て傍聴することができる等の取扱をすることはさしつかえない。（昭二六・一〇・一〇行実）

※ ●特に期限を付さない限り、次の会期まで特別委員会は存続するものであるから、次の会期中に更に審査を終わらない場合は、再度審査に付する方法をとるべきである。（昭二七・一〇・三一行実）

※ ●一の条例を数委員会に分割付託することはできず、所管が二以上の委員会の所管にまたがるときは事案の性格により、一の委員会に付託し、関係委員会と協議して連合審査会を開くか、特別委員会を設けこれに付託する方法によるべきである。（昭二八・四・六行実）

※ ●連合審査会に参加した他の委員会の委員は、討論、表決に加わることはできない。（昭二八・四・六行実）

※ ●連合審査会とは、同一事案を同時に付託された二以上の委員会をいうのではなく、ある事件を付託された委員会が当該議案と関係のある委員会を招いてその意見を聞く会議のことである。（昭二八・八・五行実）

※ ●予算は不可分であつて、委員会としての最終的審査は一つの委員会において行うべく、二以上の委員会で分割審査すべきものではない。（昭二九・九・三行実）

※ ●議員の任期が満了した場合、設置されている特別委員会は自然消滅する。（昭三四・三・一七行実）

※ ●議長が、閉会中に受理した請願を継続審査事件を付託されている委員会に付託することはできない。（昭四九・一一・五行実）

8） ●新型コロナウイルス感染症対策のため、委員会をいわゆるオンライン会議により開催することについては、各団体の条例や会議規則等について必要に応じて改正等の措置を講じ、新型コロナウイルス感染症のまん延防止措置の観点等から委員会の開催場所への参集が困難と判断される実情がある場合に、映像と音声の送受信により相手の状態を相互に認識しながら通話をすることができる方法を活用することで委員会を開催することは差し支えない。（令二・四・三〇通知）

●委員会への出席が困難な事情として、例えば、災害の発生や育児・介護等の事由がある場合に、各団体の判断で、映像と音声の送受信により相手の状態を相互に認識しながら通話をすることができる方法で委員会への出席を可能とすることは差し支えない。（令五・二・七通知）

第百十条及び第百十一条　削除　〔平二四・九法七二〕

第六節　会議

〔**議員の議案提出権**〕

第百十二条　普通地方公共団体の議会の[1]議員は、議会の議[2]決すべき事件につき、議会に[3]議案を提出することができる。但し、予算については、この限りでない。

② 前項の規定により議案を提出するに当たつては、議員の[4]定数の[5]十二分の一以上の者の賛成がなければならない。

③ 第一項の規定による議案の提出は、文書を以てこれをしなければならない。

＊二項—追加・旧二項—一部改正し三項に繰下〔昭三一・六法一四七〕、一項—一部改正〔昭三八・六法九九〕、二項—一部改正〔平一一・七法八七〕

【参照条文】
① 【議決事件—法九六　【議案提出に関する規定—法九七2但書・一一五・一四九I・二二一1・二二八1・2　※法一二〇・一八〇の六II　地教法二九
② 【議員定数—法九〇・九一

【実例・判例・注釈】

1） ●議会に議案を提出できるのは議員にのみ認められており、議長として議案を提案することはできない。（昭二四・一〇・二九行実）

2） ●「議会の議決すべき事件」には、「機関意思の決定」は含まれず、「団体意思の決定」（ただし、歳入歳出予算は除く。）の場合のみを意味する。（昭二五・七・一四行実）

3） ●町村会開会前には議員は発案し得ない。（昭四・七・三〇行実）

●「長が議会の議決を経て定める」旨規定してある事項、その他執行機関の執行の有効要件としての議決については、議員に提案権はない。（昭二五・六・八行実）

●市町村の議会事務局設置条例の発案権は議員に専属する。（昭五三・三・二二行実）

●権利放棄の議案の提出は、議員提出議案によることができる。（平一八・七・二〇高裁判）

4） ○「定数の十二分の一以上」とは、たとえば、議員の定数が三〇人の議会であれば三人（端数が生ずれば切り上げて計算する。）又はそれより多くの議員の意である。

5） ●「十二分の一以上の者」には、提出者を含む。（昭三一・九・二八行実）

●十二分の一以上の者の賛成又は発議は、議案の提出又は発議の際の要件であり、審議継続の要件ではない。（昭三一・九・二八行実）

※ ●議会に上程された議案の撤回は、会議規則の定めるところによるが、原則としては提案者の意思のみによつて撤回することはできない。（昭二七・二・六行実）

※ ●動議は、修正の動議、緊急動議、議事進行に関す

る動議等があり、議員があらかじめ議長の議案の提出について連絡をとらず会議においてすることをいい、発議は、議員があらかじめ議案について議長と連絡をとつて会議において陳述することが通常の用例である。（昭二四・八・一五行実）

〔**定足数**〕

第百十三条　普通地方公共団体の議会は、議員の定[1]数の半数以上の議員[2]が出席しなければ、会議を開く[3]ことができない。但し、第百十七条の規定による除斥のため半数に達しないとき、同[4]一の事件につき再度[5]招集してもなお半数に達しないとき、又は招集に応じても出席議員が定数を欠き議長において出[6]席を催告してもなお半[7]数に達しないとき若しくは半数に達してもその後半数に達しなくなつたときは、この限りでない。

＊本条一部改正〔昭二二・一二法一六九〕

【引用条文】【法一一七（議長及び議員の除斥）

【参照条文】【議員定数―法九〇・九一　【同一事件―法一〇二3　【招集―法一〇一　※【開議不能の場合の措置―法一七九

※　法一三七

【実例・通知・判例・注釈】

1）○「定数の半数以上」とは、例えば、議員の定数が三〇人の議会では、議長を含めて一五人又はそれより多くの者の意である。

●本条の議員定数中には議員たる議長をも算入すべきものである。（昭四・六・一五行裁判）

2）●本会議への「出席」については、現に議場にいることと解されている。（令二・四・三〇通知）

●表決に対する賛否の意見の開陳として行われる討論や、表決・討論の前提として議題となっている事件の内容を明確にするために行われる質疑は、議員が議場で行う必要がある。他方、団体の事務全般について執行機関の見解をただす趣旨での「質問」は、その形式について法律の定めがないことから、定足数を満たし会議が成立している場合に、各団体において会議規則の改正等の所要の手続を講じた上で、出席が困難な事情により議場にいない欠席議員がオンラインで行うことも差し支えない。（令五・二・七通知）

3）●現議員数が本条の規定による数に満たないときは、補欠選挙をした上でなければ開会できない。（明二二・七・五行実）

4）○「同一の事件」とは、臨時会に付議すべき事件として告示された事件と同じ事件の意である。

●同一の事件について再度招集しても定数の半数に満たなかつたが、ただし書の規定により、会議を開いた場合には、同一の事件でないものを付議することはできない。（大一三・五・一八行実）緊急な事件も付議することができない。（昭二五・九・一六行実）

5）○「再度招集」とは、長が再度、議員に一定の日時に一定の場所へ集合することを要求する行為である。

●再度招集の場合、招集は第一〇一条第二項（現行法では第七項）により、議会開会の一定日前に告示しなければならない。（昭二五・九・一六行実）

●定例会については再度招集はあり得ない。（昭二六・一〇・一〇行実）

6）○「出席を催告」とは、応招議員が定数の半数又はそれより多い場合に、議会の定める適宜の方式によりその応招議員に対して行う出席をうながす行為である。

●出席催告は、開議の時刻を翌日に定め得ず、かつ、その効力はその日の会議を閉じるまでであって翌日に及ばない。（昭二三・六・二九行実）

●会期二日以上の議会において、二日目以後の出席催告は、第一日以降当日までに応招した議員に対して出席催告を行う。（昭二六・一〇・一〇行実）

●催告により開議する時刻は、催告を受けたすべての議員が出席しうると認められる時間の余裕をおかなければならない。（昭二七・一二・二六行実）

●会議規則に議員の会期中の連絡場所及び宿所を議長に届け出る旨を定めている場合、議事堂外に所在する応招議員に対する出席催告は届出の場所にすればよい。（昭二七・一二・二六行実）

7）○「半数に達しないとき」とは、例えば、議員定数三〇人の議会において議長を含めた出席議員が一五人に達しないときである。

〔**議員の請求による開議**〕

第百十四条　普通地方公共団体の議会の議員の定数の半数以上の者から請[1]求があるときは、議長は、その日の[2]会議を[3]開かなければならない。この場合において議長[4]がなお会議を開かないときは、第百六条第一項又は第二項の例[5]による。

②　前項の規定により会議を開いたとき、又は議員中に異[6]議があるときは、議長は、会議の議決によらない限り、その日の会[7]議を閉じ又は中止することができない。

【引用条文】①【法一〇六（議長の代理及び仮議長）1・2

【参照条文】①【議員定数―法九〇・九一　②【会議の議決―法一一六

※　法一二九2

【実例・判例・注釈】

1）●会議規則の規定により、休会とされ、又は日曜日

及び休日には会議を開かないとされているときにおいても、本条第一項の規定による開議請求ができる。（昭三四・五・二五行実）

2 ○「その日の会議」とは、会期中における一日一日の会議であり、その日の会議の回数は問わない。すなわち、一旦その日の会議が開かれた後休憩、会議の中止等があった場合、一度開議して散会した後の正規の手続による会議を含む。

3 ●会議規則で定めた会議時間経過後においても、開議請求があったときは、議長は、その日の会議を開かなければならない。（昭三一・一二・二四行実）

4 ●「議長がなお会議を開かないとき」とは、議会の開会後においてその日の会議を開かないときを意味し、議会の開会を含まない。（昭二二・一〇・六行実）

5 ●議長は時刻を限定した開議請求の時刻には拘束されないが、開議のために要する時間以上に長時間にわたって開会しないときは、第一項後段の適用がある。（昭二四・九・六行実）

6 5参照

●会議規則に規定された閉会時刻に閉会しようとするとき、議員中に異議があるときは、会議の議決がなければ会議を閉じることはできない。（昭七・三・三〇行実）

●地方公共団体の議会の会議中、議場が騒然として議長が整理することが困難な場合は、議員中に閉議に異議がある者があっても、議長は職権で閉議することができる。（昭三三・二・四最裁判）

7 ○「会議を閉じ」とは、広い意味での散会であり、閉会とは異なる。

〔議事の公開の原則及び秘密会〕

第百十五条 普通地方公共団体の議会の会議は、これを公開する。但し、議長又は議員[1]三人以上の発議[2]により、出[3]席議員の三分の二以上の多数で議決したときは、秘密会を開くことができる。

② 前項但書の議長又は議員の発議は、討論[4]を行わないでその可否を決しなければならない。

【参照条文】

※ ②【可否の表決―法一一六

法一三〇・一三一

【実例・判例・注釈】

1 ○「議員三人以上」とは、議員三人又はそれより多くの者の意である。

2 ●秘密会については三人以上の発議があってはじめて、同条第二項によりその可否を決することを要する。（昭二四・一二・二二最裁判）

●秘密会を解く場合の議員の発議及び表決数には、秘密会開会の場合のような制限はない。（昭二五・六・八行実）

3 ○「出席議員の三分の二以上」とは、たとえば出席議員が一六人の場合は一一人（端数は切り上げて計算する。）又はそれより多くの者の意である。

4 ○「討論」とは、議題となっている事件に対し賛成又は反対の意見を述べることである。

※ ●秘密会の議事は、秘密会の秘密性が存続する限り公表すべきではない。（昭二八・六・二三行実）

※ ●委員会の秘密会において審議された案件のうち秘密にわたる事項を本会議で審議しようとする場合は、本会議は秘密会とすることが適当である。（昭三三・三・一八行実）

※ ●会議規則に「委員会の秘密会の議事は、何人も秘密性の継続する限り、他に漏らしてはならない。」と規定されている場合でも、当該議事を当該委員会の委員でない議員に漏らしてもさしつかえないと解するが、当該議員が知りえた秘密会の議事を他に漏らした場合には秘密漏えいとなる。（昭四七・六・二六行実）

〔公聴会及び参考人〕

第百十五条の二 普通地方公共団体の議会は、会議において、予算その他重要な議案、請願等について公聴会を開き、真に利害関係を有する者又は学識経験を有する者等から意見を聴くことができる。

② 普通地方公共団体の議会は、会議において、当該普通地方公共団体の事務に関する調査又は審査のため必要があると認めるときは、参考人の出頭を求め、その意見を聴くことができる。

＊ 本条―追加〔平二四・九法七二〕

【参照条文】

①【予算―法九七2・一一二1・二一一・二一五・二一八 【公聴会―法二〇七

※ 国会法五一

〔修正の動議〕

第百十五条の三 普通地方公共団体の議会が議案[1]に対する修正の動議を議題とするに当たっては、議員[2]の定数の十二分の一以上の者の発議[3]によらなければならない。

＊ 本条―追加〔昭三一・六法一四七〕、一部改正〔平一一・七法八七〕、旧一一五条の二―繰下〔平二四・九法七二〕

【参照条文】

【議案―法九六・一一二・一四九Ⅰ 【議員定数―法九〇・九一

【実例・注釈】

1 ●本条に規定する議案と第一一二条にいう議案とは同意である。（昭三一・九・二八行実）

2 ○「議員の定数の十二分の一以上」とは、たとえば、議員の定数が三〇人のときは三人（端数は切り上げて計算する。）又はそれより多くの議員の意である。

3）●修正動議には、少なくとも十二分の一以上の者が発議者として連署しなければならない。（昭三一・一二・二七行実）

※●委員会が修正案を提出する場合は、本条の適用はない。（昭三一・九・二八行実）

〔表決〕

第百十六条　この法律に特別の定がある場合を除く外、普通地方公共団体の議会の議事[1]は、出席議員[2]の過半数[3]でこれを決し、可否同数[4]のときは、議長の決するところによる。

②　前項の場合においては、議長は、議員として議決に加わる権利を有しない。

【参照条文】

①【特別の定—法四3・八七1・一一五1・一一八3・一二七1・一三五3・一七六3・一七八3・二四四の二2　解散法二2　※地教法一四3・4

※　法一一三

【実例・通知・注釈】

1）○「議事」とは、選挙以外の事件の意である。

2）●本会議への「出席」については、現に議場にいることと解されている。（令二・四・三〇通知）

●表決に対する賛否の意見の開陳として行われる討論や、表決・討論の前提として議題となっている事件の内容を明確にするために行われる質疑は、議員が議場で行う必要がある。他方、団体の事務全般について執行機関の見解をただす趣旨での「質問」は、その形式について法律の定めがないことから、定足数を満たし会議が成立している場合に、各団体において会議規則の改正等の所要の手続を講じた上で、出席が困難な事情により議場にいない欠席議員がオンラインで行うことも差し支えない。（令五・二・七通知）

●採決の際議場にある議員で当該事件につき表決権を有する者は、すべて本条にいう出席議員に該当する。（昭二五・六・八行実）

●出席議員数の計算については、本条第一項の場合は議長を入れず、特別多数決の場合は入れる。なお、第一一八条第一項の決定についても、議長は裁決権のみを有する。（昭二六・五・二行実）

3）○「過半数」とは、半数をこえる数であり、たとえば、出席議員が二〇人のときは、一一人又はそれより多い数、一五人の場合は八人（端数は切り上げて計算する。）又はそれより多い数である。

4）○「可否同数」とは、賛成又は反対の数がおのおの同数の場合、たとえば、出席議員（議長を除く。）が二〇人のときは、賛成、反対がおのおの一〇人の意である。

●投票による採決の場合、可とする者一八名、否とする者一五名、白票三名の場合は、可否同数とはいえない。（昭八・六・二四行実）

●議員の定数の半数（定足数三〇人）での会議において、投票による採決の結果、可一四票、否一四票、白票二票の場合は、本条第一項後段の規定により議長が裁決すべきである。また、可一四票、否一三票、白票三票の場合は、可否のいずれも出席議員の過半数に達せず、当該議案は成立しないこととなり、否決されたと同様の結果になる。（昭二五・五・一二行実）

●採決を行うに当たり、白票は反対として取り扱う旨を宣告して投票採決した結果、出席議員三四名（議長を除く。）のところ賛成一七票、反対一六票、白票一票となったので、可否同数として議長が裁決をしたのは、適法である。（昭三二・一一・六行実）

〔議長及び議員の除斥〕

第百十七条　普通地方公共団体の議会の議長及び議員は、自己若しくは父母、祖父母、配偶者、子、孫若しくは兄弟姉妹の一身上[1]に関する事件又は自己若しくはこれらの者の従事する業務に直接の利害関係[2]のある事件については、その議事[3]に参与することができない。但し、議会の同意があつたときは、会議に出席[4]し、発言することができる。

＊本条一部改正〔昭三一・六法一四七〕

【参照条文】

※【除斥と定足数との関係—法一一三　※【除斥の例外—法一二七2

※　法八七・九六・一〇八・一一八1・一二六・一二七・一三四・一三七・一四五・一六五1・一七八1・一九六1等　地教法四・七　警察法三九・四一　地公法九の二　地税法四〇四・四二三　農委法八・一一

【実例・注釈】

1）●選挙の全部又は一部に対する異議は議員の一身上に関する事件でないから、その選挙に当選した議員でもその異議に関する議決に加わりうる。（明二二・五・二八行実）

●正副議長の辞職許可に関する議事において、辞表提出中の正副議長は、除斥すべきである。（昭二三・六・二四行実）

●議長不信任案上程の場合、議長は一身上に関する事件としてその議事に参与することはできない。（昭二五・三・二二行実）

2）●議員が代表者である株式会社の行為が陳情事項の対象である場合、同陳情の審議に際しては同議員は除斥される。（昭三一・一〇・三一行実）

●ＰＴＡに対する補助金交付の請願書が提出された

場合にPTA会長の職にある議員は除斥される。（昭三八・一二・二五行実）

●議会において、商工会議所の所有地と市有地との交換の議案審議に際して、商工会議所法第四一条第二項の議員の身分を有する議会議員は、特段の事情がない限り、単に商工会議所の議員の身分を有することのみをもつては、除斥されない。（昭四五・三・一七行実）

●市が開発公社から土地を買収する場合、当該土地取得に係る議案の審議に際して、当該公社の理事及び監事の職にある議員は、除斥の対象となる。（昭四五・一一・二〇行実）

●当該条例の制定改廃が、一般的・普遍的性格を有するものであれば、それらを審議する過程においては除斥の問題は生じない。（昭五三・七・二六行実）

3）○「議事」とは、選挙以外の事件の意である。

4）●本条但書の場合において、発言を目的としない議場への出席は、法の予想するところでない。（昭三四・一二・二一行実）

※ ●数人の出席停止の議決については、全員を同時に除斥すべきでなく、一人ごとに除斥すべきである。（昭七・三・一八行実）

※ ●除名議決に際し、当該議員を除斥しないで行なつた議決は違法である。（昭二七・一〇・六行実）

※ ●常任委員会の委員長の選任が選挙又は指名推選の方法によるものであるとき及び常任委員の選任については、本条の適用はない。（昭二八・四・六行実）

※ ●議員から選出された監査委員は、監査報告の審議については除斥されない。（昭三〇・一一・一〇行実）

※ ●議員が当該地方公共団体から補助金を受けている協会の会長あるいは理事等の職にある場合、当該補助金が計上されている予算審議にあたり、当該議員は除斥されない。（昭三一・九・二八行実）

※ ●除斥の時期は、動議として提出された事件が議題に供されたときである。（昭三三・三・三一行実）

※ ●土地開発公社の公有水面埋立ての免許について公有水面埋立法に基づき意見を求められた議会が当該意見を審議するにあたつては当該土地開発公社の理事の職にある議員は、除斥の対象となる。（昭四八・七・二五行実）

（投票による選挙・指名推選及び投票の効力の異議）

第百十八条 法律又はこれに基づく政令により普通地方公共団体の議会において行う選挙[1]については、公職選挙法第四十六条第一項及び第四項、第四十七条、第四十八条、第六十八条第一項並びに普通地方公共団体の議会の議員の選挙に関する第九十五条の規定を準用する。その投票の効力に関し異議[2]があるときは、議会がこれを決定[3]する。

② 議会は、議員中に異議[4]がないときは、前項の選挙につき指名推選[5]の方法を用いることができる。

③ 指名推選の方法を用いる場合においては、被指名人を以て当選人と定めるべきかどうかを会議に諮り、議員の全員の同意があつた者を以て当選人[6]とする。

④ 一の選挙を以て二人以上[7]を選挙する場合においては、被指名人を区分して前項の規定を適用してはならない。

⑤ 第一項の規定による決定に不服がある者は、決定があつた日から二十一日以内に、都道府県にあつては総務大臣、市町村にあつては都道府県知事に審査を申し立て、その裁決に不服[8]がある者は、裁決のあつた日から二十一日以内に裁判所に出訴することができる。

⑥ 第一項の規定による決定は、文書を以てし、その理由を附けてこれを本人に交付しなければならない。

＊一項—一部改正〔昭二五・四法一〇一〕、五項—一部改正〔昭二五・五法一四三〕、一項—一部改正〔昭二七・八法三〇六、昭三〇・一法四〕、五項—全改・六項—一部改正〔昭三一・六法一四七〕、五項—一部改正〔昭三五・六法一一三〕、五・六項—一部改正〔昭三七・九法一六一〕、一項—一部改正〔昭五七・八法八一、平六・二法二、平七・一二法一三五〕、五項—一部改正〔平一一・一二法一六〇〕、一項—一部改正〔平一四・三法四〕

【引用条文】

①【選挙法四六（投票の記載事項及び投函）1・4・四七（点字投票）・四八（代理投票）・六八（無効投票）1・九五（衆議院比例代表選出議員又は参議院比例代表選出議員の選挙以外の選挙における当選人）】

【参照条文】

①【法律又は政令による選挙—法一〇三1・一〇六2・一八二 令一三五2・一三六2】

⑤【裁判所—裁判所法二五】

※ 法九七1・二五五の四〜二五八

【実例・注釈】

1）●本条の選挙については、議長は議員としての投票権を有する。（昭二四・七・二二行実）

●本条による選挙について、連記投票による選挙は無効である。（昭二九・六・三行実）

2）●異議の申立ては、投票直後から次の議題に入るまでに行なわなければ効力はない。（昭二五・一一・七行実）

●異議の申立ては議員個々人に与えられた権能であり、これを動議によつて決定すべきものではない。（昭二五・一一・七行実）

●異議の申立ては、口頭ですればよい。（昭三三・六・一八行実）

3）○「決定」とは、議会が疑義ある投票の効力について、一定の内容のものに決めることをいい、その方法は法一一六条の過半数議決による。

4）●議員全部の同意を得て一部を指名推選により一部

を投票により行つた選挙は、違法な選挙である。（昭四・九内務省決定）

5）○「指名推選」とは、投票の煩を省くために行なうものであり、投票を行なつたのと全く同じ結果が得られる場合に限り認める便法であるから、議員中に一人でもこの方法に異議があれば、これによることはできない。

●指名推選は、指名推選の方法によること、指名の方法、被指名者何某を当選人とすることのいずれにも異議がなかつた場合にのみ当選が決定する。（昭二八・六・二四行実）

6）●出席議員を被指名者としこれを当選人と定めるについては、本人の同意を要する。（昭四・九内務省決定）

7）○「二人以上」とは、二人又はそれより多くの者の意である。

8）●出訴権者は、当時の選挙人全員である。（昭二五・八・一六行実）

●手続上のみならず、その決定の内容についても違法の瑕疵ある場合には、裁判所に出訴できる。（昭二八・二・六行実）

※ ●議会の行う選挙の投票の効力に関し、住民から議会を被告として裁判所に出訴することはできない。（昭二四・五・一〇行実）

〔会期不継続の原則〕

第百十九条　会期中に議決に至らなかつた事件は、後会に継続[1]しない。

【参照条文】【会期―法一〇二7・一〇二の二1・3～5　【議決―法一一六　※【本条の例外―法一〇九8　※国会法六八

【実例・判例】

1）●議会の議決により閉会中の審査に付された議案は、次の会期にあらたに提案するを要しない。（昭二四・一・一〇行実）

※ ●閉会中の審査期間は、必ずしも次の会期までとは限らないが、その継続審査に特に期限を付さない限りは、原則として次の会期までである。（昭二五・五・三行実）

※ ●懲罰事件も委員会の継続審査事件として付託できる。（昭三〇・一二・二三行実）

※ ●次の会期にわたり出席停止の懲罰議決をすることは、違法である。（昭二五・九・一一高裁判）

※ ●議会が前の議会の会期中における議員の行為に関し後の議会において懲罰を科することはできない。（昭二七・二・一五高裁判）

〔会議規則〕

第百二十条　普通地方公共団体の議会は、会議規則を設けなければならない。

【参照条文】※【会議規則の違反―法一二九1・一三四1・一七六4～8　※憲法五八2

【実　例】

※ ●冗長の発言を制止する権限を議長に付与する旨を会議規則中に設けてもさしつかえない。（行実）

※ ●地方議会の議員が議場で行つた演説、討論又は表決については、憲法第五一条のごとき保障の規定はない。（昭二三・六・一六行実）

※ ●会議規則中に一事不再議に関する規定の有無にかかわりなく、地方公共団体の議会についても、一事不再議の原則の適用があるものと解する。（昭三三・三・二六行実）

※ ●関連質問を一切認めないことは議事運営の実情に即さないが、その場合の発言は最少限度の範囲に限るべきであり、他の通告済議員の質問時間に影響を及ぼすような発言を認めるべきでない。（昭三四・一一・二行実）

※ ●当該団体の会議規則に基づいて委員会が許可する委員外議員の「発言」には、一般に質疑も含まれる。（昭四一・一〇・二二行実）

※ ●会議規則において会議時間が定められている場合、議長が招集日当日の会議時間の繰上げをすることはできる。（昭四一・一二・二六行実）

※ ●委員会に付託した事件以外の委員長報告については、標準都道府県会議規則第四〇条の規定は適用されないが、地方自治法及び標準都道府県会議規則において特に禁止している規定はないので、必要があれば、その手続等については当該議会において適宜定めればよい。（昭四四・一〇・二五行実）

〔長及び委員長等の出席義務〕

第百二十一条　普通地方公共団体の長、教育委員会の教育長、選挙管理委員会の委員長、人事委員会の委員長又は公平委員会の委員長、公安委員会の委員長、労働委員会の委員、農業委員会の会長及び監査委員その他法律に基づく委員会の代表者又は委員並びにその委任[1]又は嘱託[2]を受けた者は、議会の審議に必要な説明のため議長から出席を求められたときは、議場に出席しなければならない。ただし、出席すべき日時に議場に出席できないことについて正当な理由がある場合において、その旨を議長に届け出たときは、この限りでない。

②　第百二条の二第一項の議会の議長は、前項本文の規定により議場への出席を求めるに当たつては、普通地方公共団体の執行機関の事務に支障を及ぼすことのないよう配慮しなければならない。

＊本条―一部改正〔昭二二・一二法一九六、昭二三・七法一七〇、法一七九、昭二五・五法一四三、昭二七・八法三〇六、昭三一・六法一四七、法一六三、平一一・七法八七、平一六・一一法一四〇、平一八・六法五三〕、一項―一部改正・二項―追加〔平二四・九法七二〕、一項―一部改正〔平二六・六法七六〕

【引用条文】

②【法一〇二の二（通年の会期）】1

【参照条文】

【執行機関の長の代表権―法一四七・一八七2　地教法一三1　地公法一〇2　警察法四三3　農委法五3　労組法一九の一二2　※法一九九　【その他法律に基づく委員会の例―収用法五一　地税法四二三　漁業法一四七・一七一

※法九八・一二一

【実　例】

1）●嘱託すべき者の範囲は、当該地方公共団体の職員に限る。（昭二三・二・三行実）

2）●府県会が理事者を指名しその出席を要求しても、何人を出席説明させるかは知事の任意であり、その指定に従うことを要しない。（行実）

〔長の説明書提出〕

第百二十二条　普通地方公共団体の長は、議会に、第二百十一条第二項に規定する予算[1]に関する説明書その他当該普通地方公共団体の事務に関する説明書を提出しなければならない。

＊本条―一部改正〔昭三一・六法一四七、昭三八・六法九九〕

【引用条文】

【法二一一（予算の調製及び議決）】2

【参照条文】

※法二一一・二二三5・二四一5・二四三の三2・3　令一四四・一七三の五

【注　釈】

1）○「予算に関する説明書」とは、ア歳入歳出予算の各項の内容を明らかにした歳入歳出予算事項別明細書及び給与費の内訳を明らかにした給与費明細書、イ継続費についての前々年度末までの支出額、前年度末までの支出額又は支出額の見込み及び当該年度以降の支出予定額並びに事業の進行状況等に関する調書、ウ債務負担行為で翌年度以降にわたるものについての前年度末までの支出額又は支出額の見込み及び当該年度以降の支出予定額等に関する調書、エ地方債の前々年度末における現在高並びに前年度末及び当該年度末における現在高の見込みに関する調書及び、オその他予算の内容を明らかにするため必要な書類をいう。なお、アからエまでの書類の様式は、総務省令で定める様式を基準としなければならないとされている。

〔会議録〕

第百二十三条　議長は、事務局長又は書記長（書記長を置かない町村においては書記）に書面又は電磁的記録によ[1]り会議録を作成させ、並びに会議の次第及び出席議員の氏名を記載させ、又は記録させなければならない。

②　会議録が書面をもつて作成されているときは、議長及び議会において定めた二人以上の議員がこれに署名[2]しなければならない。

③　会議録が電磁的記録をもつて作成されているときは、議長及び議会において定めた二人以上の議員が当該電磁的記録に総務省令で定める署名に代わる措置をとらなければならない。

④　議長は、会議録が書面をもつて作成されているときはその写しを、会議録が電磁的記録をもつて作成されているときは当該電磁的記録を添[3]えて会議の結果を普通地方公共団体の長に報告しなければならない。

＊三項―一部改正〔昭二二・一二法一六九〕、一項―一部改正〔昭二五・五法一四三〕、三項―一部改正〔昭二七・七法二六二、昭三五・六法一一三、昭四四・三法二〕、一・二項―一部改正・三項―追加・旧三項―一部改正し四項に繰下〔平一八・六法五三〕、一項―一部改正〔令三・三法七〕、一・四項―一部改正〔令五・五法一九〕

【参照条文】

①【事務局長、書記長―法一三八　【会議録の調製―法一二〇（会議規則）

②③【会議録署名議員―法一二〇（会議規則）

③【総務省令で定―則一二の二の二

【実例・通知・判例】

1）●会議録の調製にあたり、重複した発言を抹消する等発言の内容に修正を加えるべきでない。（昭二八・六・二七行実）

●秘密会の議事及び議長が第一二九条の規定により取消しを命じた発言も、会議録の性質上、原本には記載しておくべきである。（昭三三・三・一〇行実）

●会議録の調製方法は会議規則又は議長の定めるところによる。（昭四八・六・二七行実）

●会議録に会議の一部を記載しないことにより、会議のてん末を偽わつた場合においては、会議録に虚偽の記載をしたものに該当する。（昭二・六・八大審判）

2）●市町村会において定むべき会議録署名議員は、毎日定めても毎会期定めても、市町村会が適宜定めうる。（行実）

●同一会期中一時議長が討論するため副議長と議長席を交替した場合の会議録の署名は、議長、副議長ともに署名するのが適当である。（昭二七・九・一九行実）

●議長及び二名以上の議員が会議録に署名するの

は、会議録の内容の真正を確保する趣旨であり、会議録の作成はこの署名をまって完了するものと認めるべきものであるから、議長及び署名議員もまた会議録作成者として職務を有する。（大六・六・六大審判）

3）●議会の会議の結果の報告には、議案を添付すべきである。（昭二三・三・二九通知）

※ ●会議録の閲覧請求があつた場合、特段の事情のない限りその要求に応じなければならない。（昭五〇・一一・六行実）

※ ●議会活動の透明性向上の観点から、会議録を速やかに作成するとともに、住民が閲覧しやすい環境に置くことが重要であり、音声認識技術の活用により会議録作成作業の効率化が図られている事例等も参考にしつつ、会議録のホームページ上での公開等に積極的に取り組まれたい。（平三〇・四・二五通知）

第七節　請願

〔**請願の提出**〕

第百二十四条　普通地方公共団体の議会に請願しようとする者[1]は、議員の紹介[2]により請願書を提出しなければならない。

【参照条文】

※　憲法一六　法一二五　請願法　国会法七九～八二　会議規則

【実例・判例・注釈】

1）●「普通地方公共団体の議会に請願しようとする者」とは、当該普通地方公共団体の住民のみならず、他のすべての住民（自然人たると法人たるとを問わない。）を指す。（昭二五・三・一六行実）

●議会には、法律上の権限としては請願権がない。（昭二八・二・一八行実）

●市町村立学校長は、学校の施設、予算等につき、地方公共団体の一機関たる学校長としては請願できないが、個人としては請願しうる。（昭三三・五・七行実）

2）○「紹介」とは、請願の内容に賛意を表し、橋渡しをすることをいう。

●請願の内容に賛意を表するものでなければ、紹介すべきではない。（昭二四・九・五行実）

●請願紹介の取消しは、議会において採択又は不採択の意思決定前で議会の同意が得られればさしつかえない。（昭三〇・三・一八行実）

●正式に受理後、議会において審議中に紹介議員（一名）が死亡した場合、その請願を引き続き審査してさしつかえない。（昭三九・七・二四行実）

●二人以上の紹介議員による請願書が議会で受理された後、その中の一部議員が紹介を取り消す場合は議会の同意を要する。（昭四二・七・二六行実）

●閉会中議長が受理した請願で未だ付議されていないものについて、これを紹介した議員は議長の同意を得ればその紹介の取消しをすることができるが、この場合、取消しの手続を会議規則に規定すべきである。（昭四九・二・五行実）

●議会閉会中に所定の要件を備えた請願が提出され、議長がこれを受理したが、議会に付議する前に紹介議員が紹介を取り消し、死亡し、又は辞職する等によつて当該請願に係る紹介議員が全てなくなつた場合は、新たな紹介議員を付することとすべきである。（昭四九・四・二行実）

※ ●明らかに当該地方公共団体の事務に関する事項でないと認められる請願も、受理を拒むことはできないが、当該地方公共団体の権限外の事項については、不採択のほかはない。（昭二五・一二・二七行実）

※ ●請願は、憲法、法律に規定された国民の権利であるから、法定の形式を具備していれば、議長において受理を拒む権限はない。（昭二六・一〇・八行実）

※ ●請願又は陳情の取下げは、会議規則の定めるところによるべきであるが、原則としては、提案者の意思のみによつて撤回することはできず、議会の同意を必要とする。（昭二八・四・六行実）

※ ●憲法第一六条の「平穏」とは、示威運動や面会の強要等威迫的手段によることなくの意であり、請願文中の文言のいかんは問わない。（昭二八・九・三〇行実）

※ ●請願が会期最終日に提出されたため所定の手続きにより審議する時間がない場合でも提出された請願は受理すべきである。（昭四八・三・二六行実）

※ ●請願は、議会開会中であると閉会中であるとを問わず、所定の様式が整つている限り、議長においてこれを受理してさしつかえない。（昭四八・九・二五行実）

※ ●請願の採否の決定は、行政処分ではない。（昭三二・一・三一地裁判）

※ ●議会を被告として請願の採否の議決を命ずる判決を求める訴えは、不適法である。（昭三二・一・三一地裁判）

〔**採択請願の処置**〕

第百二十五条　普通地方公共団体の議会は、その採択した請願で当該普通地方公共団体の長、教育委員会、選挙管理委員会、人事委員会若しくは公平委員会、公安委員会、労働委員会、農業委員会又は監査委員その他法律に基づく委員会又は委員において措置することが適当と認めるものは、これらの者にこれを送付し、かつ、その請願の処理の経過及び結果の報告を請求することができる。

＊　本条一部改正〔昭二二・一二法一九六、昭二三・七法一七〇、法一七九、昭二五・五法一四三、昭二七・八法三〇六、平一

一・七法八七、平一六・一二法一四〇）

【参照条文】

【その他法律に基づく委員会の例―収用法五一　地税法四二三　漁業法一四七・一七一

※　法一二四

第八節　議員の辞職及び資格の決定

〔辞職〕

第百二十六条[1,2]　普通地方公共団体の議会の議員は、議会の許可を得て辞職することができる。但し、閉会中においては、[3]議長の許可を得て辞職することができる。

【参照条文】

【議会の許可に関する議決―法一一六・一一七　【議長及び副議長の辞職―法一〇八　※【辞職以外の失職―法七八・八三・九三・一二七・一七八1

【実例・判例】

1）●議会の議員は、本条の規定により許可を得ない限り絶対に辞職し得ない。（昭二二・一〇・六行実）

●議会は正当の理由なくして議員の辞職許可願を拒否することができない。（昭二四・八・九最裁判）

2）●議会の議員が総辞職の議案を議決しても、その効果は生じない。（昭二三・一〇・三〇行実）

3）●議長が閉会中議員の職を辞職するには、副議長の許可を受けるべきであり、副議長がないときは議員として議長に対し辞表を提出しうる。また議員の辞職について、議長、副議長がともにないときは年長の議員の許可を得て辞職できる。（昭二三・六・二一行実）

●議長は、休会中に本条但書の規定により辞職願の許可はできない。（昭二五・五・三一行実）

※●議員が辞職に当たり議長に提出する書類は辞職届ではなく、辞職願である。（昭二五・三・二二行実）

※●議員の辞職は、これについて議会又は議長の許可があるまでは有効に撤回することができる。（昭二四・六・二〇地裁判）

〔失職及び資格決定〕

第百二十七条　普通地方公共団体の議会の議員が被選挙権を[1]有しない者であるとき、又は第九十二条の二（第二百八十七条の二第七項において準用する場合を含む。以下この項において同じ。）の規定に該当するときは、その職を失う。[2]その被選挙権の有無又は第九十二条の二の規定に該当するかどうかは、議員が公職選挙法第十一条、第十一条の二若しくは第二百五十二条又は政治資金規正法第二十八条の規定に該当するため被選挙権を有しない場合を除くほか、[4]議会がこれを決定する。[3]この場合においては、出席議員の三分の二以上の多数によりこれを決定しなければならない。

② 前項の場合においては、議員は、第百十七条の規定にかかわらず、その会議に出席して自己の資格に関し弁明することはできるが決定に加わることができない。

③ 第百十八条第五項及び第六項の規定は、第一項の場合について準[5]用する。

＊ 一項―一部改正〔昭二五・四法一〇一、昭三六・一一法二三五、平六・二法四、平一一・八法一二二、平二四・九法七二、平二八・四法二四〕、一項―一部改正・二項削る・旧三・四項―一部改正し一項ずつ繰上〔平二八・一二法九四〕

【引用条文】

①【法九二の二（議員の兼業禁止）・二八七の二（特例一部事務組合）7　【選挙法一一（選挙権及び被選挙権を有しない者）・一一の二（被選挙権を有しない者）・二五二（選挙犯罪による処刑者に対する選挙権及び被選挙権の停止）　【政資法二八

②【法一一七（議長及び議員の除斥）

③【法一一八（投票による選挙・指名推選及び投票の効力の異議）5・6

【参照条文】

①【被選挙権―法一九1＝選挙法一〇1Ⅲ・Ⅴ

【実例・判例・注釈】

1）●被選挙権を有しない者には、当初よりこれを有しない者、当選の当初のみ有しなかつた者、又は当初はこれを有したがその後これを失つた者の一切を包含する。（行実）

2）●単に禁錮刑の宣告を受けたにとどまり、その確定をしない者は失職しない。（行実）

●議員の資格喪失の時期は、議会において被選挙権なしとの決定があつたときである。なお、決定に不服の出訴をした場合もその職を失い、裁判所において議会の決定の取消し又は無効の判決があつたときは、当初から被選挙権なしとの決定がなかつたと同様の状態に復する。（昭二五・一二・二〇行実）

●議員が第九二条の二の規定に該当したために失職する時期は、議会が決定したときからである。（昭三七・五・一行実）

3）●本条の決定についての発案権は議員に専属する。（昭三七・五・一行実）

4）○「出席議員の三分の二以上の多数」には、議長も議員として決定に加わることができる。

5）●地方公共団体の議会がする議員の資格に関する決定に対する不服申立権者の範囲は、専ら決定によつてその職を失うこととなつた当該議員に限る。（昭五六・五・一四最裁判）

〔失職の時期〕

第百二十八条　普通地方公共団体の議会の議員は、公職選挙法第二百二条第一項若しくは第二百六条第一項の規定による異議の申出、同法第二百二条第二項若しくは第二百六条第二項の規定による審査の申立て、同法第二百三条第一項、第二百七条第一項、第二百十条若しくは第二百十一条の訴訟の提起に対する決定、裁決又は判決が確定するまでの間（同法第二百十条第一項の規定による訴訟を提起することができる場合において、当該訴訟が提起されなかつたとき、当該訴訟についての訴えを却下し若しくは訴状を却下する裁判が確定したとき、又は当該訴訟が取り下げられたときは、それぞれ同項に規定する出訴期間が経過するまで、当該裁判が確定するまで又は当該取下げが行われるまでの間）は、その職を失わない。

＊本条―全改〔昭二五・四法一〇一〕、一部改正〔昭二五・五法一四三、昭二七・八法三〇八、昭三〇・一法四、昭三七・九法一六一、昭五〇・七法六三、平六・二法二〕

【引用条文】
【選挙法二〇二（地方公共団体の議会の議員及び長の選挙の効力に関する異議の申出及び審査の申立て）1・2・二〇六（地方公共団体の議会の議員又は長の当選の効力に関する異議の申出及び審査の申立て）1・2・二〇三（地方公共団体の議会の議員及び長の選挙の効力に関する訴訟）1・二〇七（地方公共団体の議会の議員及び長の当選の効力に関する訴訟）1・二一〇（総括主宰者、出納責任者等の選挙犯罪による公職の候補者であつた者の当選の効力及び立候補の資格に関する訴訟等）・二一一（総括主宰者、出納責任者等の選挙犯罪による公職の候補者等であつた者の当選無効及び立候補の禁止の訴訟）

【参照条文】
※【判決の確定―民訴一一六

【実　例】
※●公職選挙法第二五一条の規定により当選無効となつた議員の失職時期は、第一二八条に該当しないから、当選の日に遡及して失職する。（昭三九・七・一〇行実）

※●公職選挙法第二五一条の規定により当選無効となり失職した議員が当選の日から判決確定の日までの間提供した役務について、地方公共団体が当該失職した議員が提供した勤務により受けた利益と地方公共団体が支給した報酬その他の給付を受けた当該失職議員の利益との間に差があると認められる場合には、その限度において不当利得返還請求権を有することになる。一般的にはその勤務と給付は均衡しているとみられるのが通常であり、その場合は、不当利得返還請求権も生じないことになる。不当利得返還請求権が生じない場合においては、予算措置を講ずる必要はない。（昭四一・五・二〇行実）

※●公職選挙法第一二九条及び第一三八条第一項違反に問われ、当選無効の判決が確定した日から市が同法第二五四条の規定に基づく通知を受けた日までの間に議員が提供した役務の反対給付については、たとえ議員としての活動をした場合であつても支給することができない。（昭四一・五・二三行実）

第九節　紀律

〔議場の秩序維持〕

第百二十九条　普通地方公共団体の議会の会議中この法律又は会議規則に違反しその他議場の秩序を乱す議員があるときは、議長は、これを制止し、又は発言を取り消させ、その命令に従わないときは、その日の会議が終わるまで[1]発言を禁止し、又は議場の外に退去させることができる。

② 議長は、[2]議場が騒然として整理することが困難であると認めるときは、その日の会議を閉じ[3]、又は中止することができる。

【参照条文】
①【この法律の規定の例―法一三二　【会議規則―法一二〇　【秩序維持―法一〇四・一三一　※【秩序違反―法一三四
②※法一一四2

【実例・判例】
1）●議長から発言を禁止された議員も裁決の際起立し又は投票することはさしつかえない。（行実）
●議長が第二項の閉議を宣言するためには、必ずしもその前提として第一項の措置を講ずる必要はない。（昭三三・七・二四高裁判）
2）●「議場が騒然として」の認定は、社会通念により判定するの外はない。（昭二八・八・一四行実）
3）●議会の会議中、議場が騒然として議長が整理することが困難な場合は、議員中に閉議に異議がある者があつても、議長は職権で閉議しうる。（昭三三・二・四最裁判）

〔会議の傍聴〕

第百三十条　[1]傍聴人が公然と可否を表明し、又は騒ぎ立てる等会議を妨害するときは、普通地方公共団体の議会の議長は、これを制止し、その命令に従わないときは、これを退場させ、必要がある場合においては、これを当該[2]警察官に引き渡すことができる。

② 傍聴席が騒がしいときは、議長は、すべての傍聴人を退場させることができる。

③ 前二項に定めるものを除くほか、議長は、会議の傍聴に関し必要な規則を設けなければならない。

＊一項―一部改正〔昭三一・一二法一九六、昭二九・六法一九三〕、三項―一部改正〔平一八・六法五三〕

【参照条文】
※【秩序維持―法一〇四・一三一　※【会議の公開―法

一一五

【実　例】

1）●新聞記者についても、傍聴人取締り（現行法では会議の傍聴）の法令が適用される。（昭三一・八・一行実）

2）●開会中傍聴人が喧騒を極め会議の妨害をしても議長の請求がなければ警察官は自ら進んで傍聴人を退場させることができない。（行実）

（**議長の注意の喚起**）

第百三十一条　議場[1]の秩序を乱し又は会議を妨害するものがあるときは、議員は、議長の注意を喚起することができる。

【参照条文】

※　法一〇四・一二九・一三〇

【実　例】

1）●議場の秩序を乱し会議を妨害する者の中には傍聴人を含む。（昭二二・八・八行実）

（**品位の保持**）

第百三十二条　普通地方公共団体の議会の会議又は委員会においては、議員は、無礼の言葉を使用し、又は他人の私生活にわたる言論をしてはならない。

＊本条一部改正〔昭三一・六法一四七〕

【参照条文】

※　【委員会—法一〇九　国会法一一九

（**侮辱に対する処置**）

第百三十三条　普通地方公共団体の議会の会議又は委員会において、侮辱を受けた議員は、これを議会に訴え[1]て処[2]分を求めることができる。

【参照条文】

【委員会—法一〇九　【侮辱—法一三二　【処分—法一三四・一三五

【実例・注釈】

1）○「訴えて」とは、訴訟ではなく、事実を申し立てることをいう。

●侮辱を受けた議員が、議会に訴えて処分を求めるとき、第一三五条第二項の規定の適用はない。（昭三一・九・二八行実）

2）●処分とは、懲罰処分の意である。（昭二二・八・八行実）

第十節　懲罰

（**懲罰理由**）

第百三十四条　普通地方公共団体の議会は、この法律並びに会議規則及び委員会に関する条例に違反した議員に対し、議決[1]により懲罰を科することができる。

②　懲罰に関し必要な事項は、会議規則[2]中にこれを定めなければならない。

＊一項一部改正〔昭三一・六法一四七〕

【参照条文】

【法律違反による懲罰—法一二九・一三二・一三三・一三七　【会議規則—法一二〇　【委員会に関する条例—法一〇九

【実例・判例】

1）●懲罰処分の効力の発生の時期は、議決のときであり、本人に対しその旨の通知がなされたときではない。（昭二五・一〇・九行実）

●数人の議員の懲罰において懲罰の理由が同一である場合、これら議員懲罰に関し一括審議して、懲罰対象議員全員を採決に加えない審議採決の方法はできない。（昭二七・九・一九行実）

2）●会議規則中議員懲罰に関する実体規定を、規則制定前の議員の行為に適用し、懲罰議決をすることは違法である。（昭二六・四・二八最裁判）

※　●会議規則に違反して秘密会の議決をもらした場合、その秘密性が継続する限り次の会期において懲罰を科しうる。（昭二五・三・一八行実）

※　●議場外の行為であっても、秘密会の議事を外部にもらす行為に対しては、懲罰を科することはできる。（昭二五・三・一八行実）

※　●懲罰の種類の選択が著しく客観的妥当性を欠き、はなはだしく条理に反するときは、懲罰の議決は違法である。（昭二五・四・二一地裁判）

※　●地方議会が、その議員を懲罰する場合に、第一三五条所定の懲罰のいずれを科すべきかは、全然議会の自由裁量に属するものとはいえず、議員を第一三二条違反として懲罰した場合、その議員の議会において使用した言葉が同条所定の「無礼の言葉」に該当するかどうかは、法律解釈の問題であるから、その解釈を誤りこれに基づいて議員を除名すれば、その除名は違法である。（昭二七・一二・四最裁判）

※　●議員の会期外の行為でも、議会の開会を阻止し流会に至らしめるような議会運営に関する行為は、懲罰事由となる。（昭二八・一〇・一最裁判）

※　●議会の運営と全く関係のない議員の議場外における個人的行為は、懲罰事由とすることができない。（昭二八・一一・二〇最裁判）

（**懲罰の種類及び除名の手続**）

第百三十五条　懲罰は、左の通りとする。

一　公開の議場における戒告

二　公開の議場における陳謝

三　一定期間の出席[1]停止

四　除名

② 懲罰の動議を議題とするに当つては、議員[2]の定数の八分の一以上の者の発議によらなければならない。

③ 第一項第四号の除名については、当該普通地方公共団体の議会の議員の三分の二以上の者が出席し、その四分の三以上の者の同意がなければならない。

＊二項―追加・旧二項―一部改正し三項に繰下〔昭三一・六法一四七〕

【参照条文】
①※法一三六
②【議員定数―法九〇・九一　※【本項の例外―法一三三・一三七　※【懲罰手続―法一三四2

【実例・判例・通知・注釈】
1）●会議規則により一旦出席停止をした場合は、重ねて同一事件につき出席停止をなし得ない。（昭七・一二・二行実）
●出席停止の効力は、次の会期に及ばない。（昭二三・一〇・三〇行実）
●普通地方公共団体の議会の議員に対する出席停止の懲罰の適否は、司法審査の対象となる。（令二・一一・二五最裁判）
●地方議会における出席停止の懲罰は、その適否が専ら議会の自主的・自律的な解決に委ねられるべきであるということはできず、法第二五五条の四の規定による審決の対象となる。（令二・一二・一七通知）
2）○「議員の定数の八分の一以上」とは、たとえば、議員の定数が八〇人のときは一〇人又はそれをこえる数、六〇人のときは八人又はそれをこえる数を指す。
※●議員の任期の満了したときは、議員除名議決の取消を求める訴の利益は失われる。（昭二七・二・一五、昭三五・三・九、昭三五・一二・七最裁判）
※●陳謝の決議は、当該会期中にかぎり効力を有するものと解すべきであるから、右決議の取消を求める訴えは、当該会期の終了により訴えの利益を欠くに至る。（昭二九・一二・二地裁判）
※●議長が職権により懲罰案件を提出することは、第一三七条の規定に該当する場合を除き、許されない。（昭三一・九・二八行実）
※●議会における懲罰の議決にあたり、特定の懲罰につき否決された場合において、他の懲罰を科する場合の動議の取扱は、
一　懲罰の動議が単に某議員に対し懲罰を科されたいとするものであつた場合においては、その懲罰の内容につき否決されたにとどまり、未だ先に提出された懲罰の動議そのものが否決されたものではないと解されるので、改めて他の懲罰を科されたいとする動議は、法第一三五条第二項の懲罰の動議ではない。
二　懲罰の動議が某議員に対し特定の懲罰を科されたいとするものであつた場合においては、更に他の懲罰を科されたいとする動議は、法第一三五条第二項の懲罰の動議に該当する。（昭三三・四・三行実）

〔除名議員の再当選〕

第百三十六条　普通地方公共団体の議会は、除名された議員で再び当選した議員を拒むことができない。

【参照条文】
【除名された議員―法一三五1Ⅳ
※法一三四1

〔欠席議員の懲罰〕

第百三十七条　普通地方公共団体の議会の議員が正当な理由がなくて招集に応じないため、又は正当な理由がなくて会議に欠席したため、議長が、特に招状を発しても、なお故なく出席しない者は、議長において、議会の議決を経て、これに懲罰[1]を科することができる。

【参照条文】
【招集―法一〇一　【懲罰―法一三四・一三五　※【出席催告―法一一三

【実　例】
1）●本条の懲罰については、会議規則に関係なく、議長が提案して議決をすればよい。（昭二九・五・一二行実）

第十一節　議会の事務局及び事務局長、書記長、書記その他の職員

＊節名―改正〔昭二五・五法一四三、昭二六・六法二〇三〕

〔事務局の設置及び議会の職員〕

第百三十八条　都道府県の議会に事務局を置く。

② 市町村の議会に条例[1]の定めるところにより、事務局を置くことができる。

③ 事務局に事務局長、書記その他の職員を置く。

④ 事務局を置かない市町村の議会に書記長、書記その他の職員を置く。ただし、町村においては、書記長を置かないことができる。

⑤ 事務局長、書記長、書記その他の職員は、議長がこれを任免する。[2]

⑥ 事務局長、書記長、書記その他の常勤の職員の定数は、条例でこれを定める。ただし、臨時の職については、この限りでない。

⑦ 事務局長[3]及び書記長は議長の命を受け、書記その他の

職員は上[4]司の指揮を受けて、議会に関する事務に従事する。

⑧　事務局長、書記長、書記その他の職員に関する任用、人事評価、給与、勤務時間その他の勤務条件、分限及び懲戒、服務、退職管理、研修、福祉及び利益の保護その他身分取扱いに関しては、この法律に定めるものを除くほか、地方公務員法の定めるところによる。

＊　本条―全改〔昭二五・五法一四三〕、三・四項―一部改正・五項―全改・六・九項―追加・旧六項―七項に繰下・旧七項―一部改正し八項に繰下〔昭二六・六法二〇三〕、六項―一部改正〔昭二七・八法三〇六〕、二・四項―一部改正〔昭三三・四法五三〕、九項―一部改正〔平一一・七法一〇七〕、四・六・七項―一部改正・八項―削る・旧九項―一項繰上〔平一八・六法五三〕、八項―一部改正〔平二六・五法三四〕

【参照条文】
⑤【議長の任免権―地公法六１
⑧【この法律の定―法二〇四～二〇六

【実例・注釈】
１）●市町村の議会事務局設置条例の発案権は議員に専属する。（昭五三・三・二二行実）
２）●事務局長の選任に、議会の同意を要する旨を条例で規定することはできない。（昭二五・七・六行実）
●書記の任免辞令は、「書記を命ずる」でさしつかえない。（昭二五・九・四行実）
●事務局長等は、議長又はその任免権の委任を受けた者の承認がない限り、辞職することができない。（昭二六・七・二四行実）
●職員の任免について、議長が欠けたときは副議長が代行することができる。（昭三九・九・一八行実）
３）●事務局長に長の部局の職員を選任兼務させることはさしつかえない。（昭三四・七・九行実）
４）○「上司」とは、職務上の上級者をいい、たとえば、書記の上司は議長又は事務局長若しくは書記長その他組織上当該職員の上位にある職員をいう。
※　●議長の権限（職員の任免権を除く。）を事務局長に委任し、又は代理させるようなことを条例で規定することはできない。（昭二六・三・一九行実）

第十二節　雑則

＊　本節―追加〔令五・五法一九〕

〔電子情報処理組織による通知〕

第百三十八条の二　議会等に対して行われる通知のうちこの章（第百条第十五項を除く。）の規定において文書その他の人の知覚によつて認識することができる情報が記載された紙その他の有体物（次項において「文書等」という。）により行うことが規定されているもの（情報通信技術を活用した行政の推進等に関する法律（平成十四年法律第百五十一号）第七条第一項の規定が適用されるものを除く。）については、当該通知に関するこの章の規定にかかわらず、総務省令で定めるところにより、総務省令で定める電子情報処理組織（議会等の使用に係る電子計算機（入出力装置を含む。以下この項及び第四項において同じ。）とその通知の相手方の使用に係る電子計算機とを電気通信回線で接続した電子情報処理組織をいう。以下この条において同じ。）を使用する方法により行うことができる[1]。

②　議会等が行う通知のうちこの章（第百二十三条第四項を除く。）の規定において文書等により行うことが規定されているもの（情報通信技術を活用した行政の推進等に関する法律第六条第一項の規定が適用されるものを除く。）については、当該通知に関するこの章の規定にかかわらず、総務省令で定めるところにより、総務省令で定める電子情報処理組織を使用する方法により行うことができる[2]。ただし[3]、当該通知のうち第九十九条の規定によるもの以外のものにあつては、当該通知を受ける者が当該電子情報処理組織を使用する方法により受ける旨の総務省令で定める方式による表示をする場合に限る。

③　前二項の電子情報処理組織を使用する方法により行われた通知については、当該通知に関するこの章の規定に規定する方法により行われたものとみなして、この法律その他の当該通知に関する法令の規定を適用する。

④　第一項又は第二項の電子情報処理組織を使用する方法により行われた通知は、当該通知を受ける者の使用に係る電子計算機に備えられたファイルへの記録がされた時に当該者に到達したものとみなす。

＊　本条―追加〔令五・五法一九〕

【参照条文】
①【当該通知―法一〇九6・7・一二一1・3・一二四
【総務省令で定―則一二の二の四・一二の二の九
【総務省令で定める電子情報処理組織―則一二の二の三
②【当該通知―法九九・一一八1・6・一二七1・3・一三七
【総務省令で定―則一二の二の六・一二の二の八・一二の二の九
【総務省令で定める電子情報処理組織―則一二の二の五
【総務省令で定める方式―則一二の二の七

【通　知】
１・２）●本条第一項及び第二項の規定は、議会等に対して行われる通知や議会等が行う通知の規定において文書等で行うことが求められていたものについて、各議会の判断により、オンラインにより行うことを可能とするものであることから、従前のとおり、文書等により手続を行うことを妨げるものではない。（令五・五・八通知）

3）●第二項ただし書きは、デジタル化に対応できない者等がいることを前提に、通知を受ける者がオンラインによる通知に同意することを求めるものであるが、法第九九条のうち国会への意見書の提出については、国会に同意を求める必要はない。（令五・五・八通知）

※ ●地方自治法施行規則（昭和二二年内務省令第二九号）第一二条の二の四第二項ただし書きに規定する通知を行った者を確認するための措置は、主体認証（※1）による確認のほか、アクセスログ、電子メール送付等のプロセスの記録を活用した確認（※2）なども考えられるが、各通知の主体や性質等を総合的に勘案し、本人からの通知であることを確認することができる方法とすること。

（※1）主体認証とは、本人しか知り得ない情報（パスワード等）、本人のみが所有する機器等（ICカード等）、本人の生体的な特徴（指紋等）により当人認証を行う手法の総称のこと（「行政手続におけるオンラインによる本人確認の手法に関するガイドライン」（平成三一年二月二五日各府省情報化統括責任者（CIO）連絡会議決定）より）。

（※2）アクセスログ、電子メール送付等のプロセスの記録を活用する間接的な確認方法とは、システムやネットワークなどのアクセスログを確認することや、メールアドレスのドメインを確認すること、電子メールのやりとりの中で特定の者しか知り得ないことを確認すること、継続したやりとりの内容に矛盾がないことを確認すること等を指す。（令六・一・一九通知）

※ ●国会への意見書の提出を電子情報処理組織を使用する方法により行う場合の衆議院事務局又は参議院事務局がそれぞれ指定する方法。（令六・三・二六通知）

第七章　執行機関

第一節　通則

＊本節―追加〔昭二七・八法三〇六〕

〔執行機関の義務〕

第百三十八条の二の二　普通地方公共団体の執行機関は、当該普通地方公共団体の条例、予算その他の議会の議決に基づく事務及び法令、規則[1]その他の規程に基づく当該普通地方公共団体の事務を、自らの判断と責任において、誠実に管理し及び執行する義務を負う。

＊本条―追加〔昭二七・八法三〇六〕、一部改正〔昭三八・六法九九、平一一・七法八七、旧一三八条の二―繰下〔令五・五法一九〕

【参照条文】

【執行機関―法一三八の四1・一三九・一八〇の五1～3　【条例―法一四　【予算―法二一一・二一五・二一八　【議会の議決―法九六・一一六　【規則・規程等―法一五・一三八の四2・一九四　地公法八5　地教法一五　警察法三八5　収用法五九　農委法三四　※法一三八の四の参照条文参照

【実　例】

1）●明確に一定の形式及び名称が定められていなくても、たとえば、選挙管理委員会が選挙管理委員会に関し必要な事項を定めることができることとされているものについて定めたもの（第一九四条）、同様に、収用委員会（土地収用法第五九条）等が一定の所掌事務につきなした法的規制は、この「その他の規程」に該当する。（昭二七・八行政資料）

〔執行機関の組織の原則〕

第百三十八条の三　普通地方公共団体の執行機関の組織は、普通地方公共団体の長の所轄[1]の下に、それぞれ明確な範囲の所掌事務と権限を有する執行機関によつて、系統的にこれを構成しなければならない。

②　普通地方公共団体の執行機関は、普通地方公共団体の長の所轄の下に、執行機関相互の連絡を図り、すべて、一体として、行政機能を発揮するようにしなければならない。

③　普通地方公共団体の長は、当該普通地方公共団体の執行機関相互の間にその権限につき疑義が生じたときは、これを調整するように努めなければならない。

＊本条―追加〔昭二七・八法三〇六〕

【参照条文】

①・②【執行機関―法一三八の四1・一三九・一八〇の五1～3　【長の所轄―※収用法五一　警察法三八　労組法一九の一二　※法一八〇の二・一八〇の三・一八〇の七

③【権限の疑義―法二五一

※　法一四七・一八〇の四・一八〇の五4・二二一・二三八の二

【注　釈】

1）○「所轄」とは、上級の行政機関対下級の行政機関の間の関係を表す意味の用語であり、通常二つの機関の間において、一方が上級の機関であることを認めながらも、他方は相当程度当該上級機関から独立した機関であることを表す意味に用いられている。

〔委員会・委員及び附属機関の設置〕

第百三十八条の四　普通地方公共団体にその執行機関として普通地方公共団体の長の外、法律の定めるところにより、委員会又は委員を置く。

② 普通地方公共団体の委員会は、法律の定めるところにより、法令又は普通地方公共団体の条例若しくは規則に違反しない限りにおいて、その権限に属する事務に関し、規則[1]その他の規程を定めることができる。

③ 普通地方公共団体は、法律又は条例の定めるところにより、執行機関の附属機関として自治紛争処理委員、審査会、審議会、調査会その他の調停、審査、諮問又は調査のための機関[2]を置くことができる。ただし、政令で定める執行機関については、この限りでない。

＊本条＝追加〔昭二七・八法三〇六〕、三項＝一部改正〔平一一・七法八七〕

【参照条文】

①【法律の定める委員会又は委員―法一八〇の五1～3

②【規則の制定権―地公法八5　地教法一五　警察法三八5　【規程の制定権―法一九四　収用法五九　農委法三四　【※規則・規程等制定上の注意―法一八〇の四2・二二二2

③【自治紛争処理委員―法二五一　【政令の定―現在なし　【※附属機関の職務等―法二〇二の三　※法二五二の七～二五二の一三

【実　例】

1）●委員会がその権限に属する事務に関して必要な規則を制定する場合、長はこれに積極的に干渉することは事前においても事後においてもできない。（昭二八・六・一六行実）

2）●附属機関たる性格を有するものは、名称のいかんを問わず、臨時的、速急を要する機関であっても、条例によらなければ設置できない。（昭二七・一一・一九行実）

●地方公共団体に設置される附属機関は、第一三八条の四第三項の規定により、「調停、審査又は調査のための機関」に限られる。（昭三〇・三・一八行実）

●一の執行機関の附属機関として設けられた審議会等の権限として、他の執行機関の諮問に応じ調査審議し又は建議できる旨を規定することはできる。（昭三三・一一・八行実）

※ ●執行機関の長が、当該執行機関の附属機関の長又は委員となることは、さしつかえない。（昭三三・三・一二行実）

第二節　普通地方公共団体の長

＊旧一節＝繰下〔昭二七・八法三〇六〕

第一款　地位

〔知事及び市町村長〕

第百三十九条　都道府県に知事を置く。

② 市町村に市町村長を置く。

【参照条文】

※ 憲法九三2　法一七・一九2・3・一四七～一五九

〔任期〕

第百四十条　普通地方公共団体の長の任期は、四年とする。

② 前項の任期の起算については、公職選挙法第二百五十九条及び第二百五十九条の二の定めるところによる。

＊二項＝全改〔昭二五・四法一〇二〕、一部改正〔昭三七・五法一一二〕

【引用条文】

②【選挙法二五九（地方公共団体の長の任期の起算）・二五九の二（地方公共団体の長の任期の起算の特例）

【参照条文】

【※任期満了以外の離職―法八三・一四三・一四五・一七八2　【※長の交代の場合の措置―法一五九　令一二三・一二四・一二八～一三一　【※期間計算―民法一四三

〔兼職の禁止〕

第百四十一条　普通地方公共団体の長は、衆議院議員又は参議院議員と兼ねることができない。

② 普通地方公共団体の長は、地方公共団体の議会の議員並びに常勤[1]の職員及び短時間勤務職員と兼ねることができない。

＊二項＝一部改正〔昭三三・七法一七九、昭三六・六法二〇三、平一一・七法一〇七、平一六・六法八五〕

【参照条文】

【※国会議員との兼職禁止―国会法三九　【長との兼職を禁じた他の規定の例―地教法六

※ 法九二　選挙法八九～九一・一〇三

【実　例】

1）●市町村長は、市町村の消防長を兼職することはできない。（昭三一・一〇・一行実）

※ ●弁護士が弁護士の登録を取り消さないで町村長に就任しても、町村長たる地位に影響はない。（昭二六・一二・二六行実）

※ ●県が株式を所有し、且つ、地方住民の福祉と密接な関連をもつ電力会社及び民間放送会社等の会社役員を普通地方公共団体の長が兼職することは法律的にはさしつかえない。（昭二八・六・三〇行実）

〔長の兼業禁止〕

第百四十二条　普通地方公共団体の長は、当該普通地方公共団体に対し請負をする者及びその支配人又は主として同一の行為をする法人（当該普通地方公共団体が出資している法人で政令で定めるものを除く。）の無限責任社員、取締役、執行役若しくは監査役若しくはこれらに準ずべき者、支配人及び清算人たることができない。

＊本条―一部改正〔昭三一・六法一四七、平三・四法二四、平一一・七法八七、平一四・五法四五〕

【参照条文】
【請負―民法六三二～六四二　建設業法一八・二四】
【支配人―会社法一〇～一三】　【政令の定―令一二二】
【無限責任社員―会社法五八〇～五八四】
【取締役―会社法三二九～三三二・三四八～三六一】
【執行役―会社法四〇二・四〇三・四一六～四二二】
【監査役―会社法三二九・三三〇・三三五・三三六・三八一～三八九】
【清算人―会社法四七八・四七九・四八一～四八八】
※ 法九二の二・一八〇の五6　地税法四二五2　公有地の拡大の推進に関する法律二六2

【実例・判例・通知】

※ ●当該会社が第一四二条の規定に該当しない限り、普通地方公共団体の長が公費を出資した会社の社長となることはさしつかえない。（昭二九・六・一七行実）

※ ●市が公有水面埋立権を取得し埋立事業を株式会社に委託する場合において、当該会社にはその委託料の支払いをしないかわりに資本参加するとともに市が取得した埋立地の一部を無償譲渡する場合において、この株式会社の事業量のうち九〇パーセントが市から委託を受けた埋立事業で占めるときは、市長が当該株式会社の取締役に就任することは地方自治法第一四二条の兼業に該当する。（昭四七・七・一五行実）

(注)　平成三年法律第二四号改正により、当該普通地方公共団体が資本金の二分の一以上を出資している場合は、本条の適用が除外される。

※ ●市長がモーターボート競走会長理事の地位に就くことは地方自治法第一四二条に違反し、許されない。（昭三一・一一・三最裁判）

※ 法九二条の二の実例、判例及び平三〇・四・二五の通知を参照

〔失職〕

第百四十三条　普通地方公共団体の長が、被選挙権を有しなくなつたとき又は前条の規定に該当するときは、その職を失う。その被選挙権の有無又は同条の規定に該当するかどうかは、普通地方公共団体の長が公職選挙法第十一条、第十一条の二若しくは第二百五十二条又は政治資金規正法第二十八条の規定に該当するため被選挙権を有しない場合を除くほか、当該普通地方公共団体の選挙管理委員会がこれを決定しなければならない。

② 前項の規定による決定は、文書をもつてし、その理由をつけてこれを本人に交付しなければならない。

③ 第一項の規定による決定についての審査請求は、都道府県にあつては総務大臣、市町村にあつては都道府県知事に対してするものとする。

④ 前項の審査請求に関する行政不服審査法（平成二十六年法律第六十八号）第十八条第一項本文の期間は、第一項の決定があつた日の翌日から起算して二十一日とする。

＊一項―一部改正〔昭二五・四法一〇一、昭三六・一一法二三五〕、二項―全改・三・四項―追加〔昭三七・九法一六一〕、一項―一部改正〔平六・二法四、平一一・八法一二二〕、三項―一部改正〔平一一・一二法一六〇〕、三・四項―一部改正〔平二六・六法六九〕

【引用条文】
① 【選挙法一一（選挙権及び被選挙権を有しない者）・一一の二（被選挙権を有しない者）・二五二（選挙犯罪による処刑者に対する選挙権及び被選挙権の停止）】　【政資法二八】
④ 【行政不服審査法一八（審査請求期間）1】

【参照条文】
① 【被選挙権―法一九2・3＝選挙法一〇1Ⅳ・Ⅵ】
※ 【長の失職の場合の措置―法一五九　令一二三・一二四・一二八～一三一】
※ 法一二七　地教法九

【実　例】

1）●選挙管理委員会において、当該普通地方公共団体の長が、第一四二条後段（主として同一の行為をする法人の…）に該当するかどうかを決定する場合、当該法人に対しその業務に関する書類等を検閲し、必要な報告を求めることは、法律上の権限としては、できない。（昭三八・四・一八行実）

〔失職の時期〕

第百四十四条　普通地方公共団体の長は、公職選挙法第二百二条第一項若しくは第二百六条第一項の規定による異議の申出、同法第二百二条第二項若しくは第二百六条第二項の規定による審査の申立て、同法第二百三条第一項、第二百七条第一項、第二百十条若しくは第二百十一条の訴訟の提起に対する決定、裁決又は判決が確定するまでの間（同法第二百十条第一項の規定による訴訟を提起することができる場合において、当該訴訟が提起されなかつたとき、当該訴訟についての訴えを却下し若しく

は訴状を却下する裁判が確定したとき、又は当該訴訟が取り下げられたときは、それぞれ同項に規定する出訴期間が経過するまで、当該裁判が確定するまで又は当該取下げが行われるまでの間）は、その職を失わない。

＊本条―全改〔昭二五・四法一〇一〕、一部改正〔昭二五・四法一四三、昭二七・八法三〇八、昭三〇・一法四、昭三七・九法一六一、昭五〇・七法六三、平六・二法二〕

【引用条文】

【選挙法二〇二（地方公共団体の議会の議員及び長の選挙の効力に関する異議の申出及び審査の申立て）1・2・二〇六（地方公共団体の議会の議員又は長の当選の効力に関する異議の申出及び審査の申立て）1・2・二〇三（地方公共団体の議会の議員及び長の選挙の効力に関する訴訟）1・二〇七（地方公共団体の議会の議員及び長の当選の効力に関する訴訟）1・二一〇（総括主宰者、出納責任者等の選挙犯罪による公職の候補者であつた者の当選の効力及び立候補の資格に関する訴訟等）・二一一（総括主宰者、出納責任者等の選挙犯罪による公職の候補者等であつた者の当選無効及び立候補の禁止の訴訟）

【参照条文】

【※判決の確定―民訴一一六

※ 法一二八

〔退職〕

第百四十五条 普通地方公共団体の長は、退職しようとするときは、その退職しようとする日前[1]、都道府県知事にあつては三十日[2]、市町村長にあつては二十日までに[3]、当該普通地方公共団体の議会の議長に申し出なければならない。但し、議会の同意[4]を得たときは、その期日前[5]に退職することができる。

【参照条文】

【議会の同意―法一一六　【※本条の特例―選挙法九〇　【※本条以外の離職―法八三・一四〇・一四三・一七八2　【※長の退職の場合の措置―法一五九　令一二三・一二四・一二八～一三一

【実例・判例・注釈】

1）○「日前」とは、退職しようとする日の前日を第一日として前に遡つて計算する意である。

2）○「三十日」又は「二十日」までとは、退職をしようとする日の前日を第一日として、前に遡つて計算して三〇日目又は二〇日目にあたる日までを指す。

3）●町村長の辞表は、議長がないときは副議長、議長及び副議長がともにないときはあらかじめ選任した仮議長又は議会の書記長（書記長がないときは書記）に提出すべきである。（昭二一・一二・二七行実）

4）●退職申出に対する議会の同意はその期日のみであり、退職期日の明記してない辞表につき議会が同意の議決を行つた場合、議決の日をもつて退職の期日と解する。（昭二三・六・一二行実）

●長の辞表に退職期日が指定してあつた場合、議会はその期日を修正して同意を与えることはできない。（昭二五・一一・一六行実）

5）○「その期日前」とは、本条本文で定める退職しうる日よりも前、すなわち、退職の申出の日の翌日を第一日目として三〇日目又は二〇日目にあたる日よりも前という意である。

●市長が次期市長立候補の目的で本月二四日退職したい旨を明記して退職の申出をし、二八日に議会を開き同意した場合、市長の退職日は同意議決の日である。（昭三〇・一・二八行実）

※ ●町長が辞職を撤回した後、議会が「辞職撤回を認めず、辞職を受理する」との決議をした場合、議会の町長退職承認の決議は、不能の議決であつて無効であり、その議決を町長が再議に付した行為もまた無効である。（昭二三・六・一二行実）

※ ●町長退職届に退職期日の指定のないものは、退職申立の翌日から起算して二〇日目に当然退職する。（昭二四・一一・二六行実）

※ ●任期満了による市長選挙の告示の日に現市長が立候補し、同時に現職を辞任する場合にも本条の適用がある。（昭三三・一一・一二行実）

※ ●地方公共団体の長の退職申出は、地方自治法第一四五条所定の期日前に退職するため議会の同意を得た後であつても、まだ後任者の選挙の期日の告示などその効果をみだりに動かしがたい行為が行われず、長個人にも信義則上咎むべき事情の認められない原判決判示の事情のもとにおいては、これを撤回することが許されると解すべきである。（昭三九・九・一八最判）

※ ●法第一四五条の規定による退職申出に退職期日の指定がない場合の退職の時点は、退職申出の日の翌日から起算して二〇日目に当る日の午前〇時と解する。（昭四六・三・一三行実）

第百四十六条 削除〔平三・四法二四〕

第二款 権限

〔長の統轄代表権〕

第百四十七条 普通地方公共団体の長は、当該普通地方公共団体を統轄[1]し、これを代表[2]する。

【参照条文】

※ 法一三八の三・二二一・二三八の二・二五二の二〇の二8　地教法二八

【実例・注釈】

1）○「統轄」とは、当該普通地方公共団体の事務の全般について、当該普通地方公共団体の長が総合的統一を確保する権限を有することを意味する。

自治法

●「統轄」権は、普通地方公共団体の事務の全般につき当該普通地方公共団体の長が総合的統一を確保する権限を有することを意味するものであつて、普通地方公共団体の長が法令上選挙管理委員会の権限に属する事務を処理執行する権能を有しないことはいうまでもないが、委員会及び選挙事務に必要な予算を調製する権限は、なお、普通地方公共団体の長に属しているのであり、選挙に関する事務も普通地方公共団体の事務の一であるから、「統轄」の対象となるものと解すべきである。（昭二二・八・八行実）

2）○「代表」とは、普通地方公共団体の長が外部に対して、当該普通地方公共団体の行為となるべき各般の行為をなしうる権限をいい、長のなした行為そのものが、法律上直ちに当該普通地方公共団体の行為となることを意味する。

（事務の管理及び執行権）

第百四十八条　普通地方公共団体の長[1]は、当該普通地方公共団体の事務を管理し及びこれを執行する。

＊本条…全改（昭二二・一二法一六九）、一項…一部改正・二・三項…追加（昭二七・八法三〇六）、一項…一部改正・二・三項…削る（平一一・七法八七）

【参照条文】

【普通地方公共団体の事務…法二2〜17　※二五二の二〇の二8

【判　例】

1）●市長の権限は、市長が自らこれを制限できない。（昭二一・六・一六大審判）

（担任事務）

第百四十九条　普通地方公共団体の長は、概ね左に掲げる事務を担任する。

一　普通地方公共団体の議会の議決[1]を経べき事件につきその議案を提出すること。

二　予算を調製し、及びこれを執行[2]すること。

三　地方税を賦課徴収し、分担金、使用料、加入金又は手数料を徴収[3]し、及び過料を科すること。

四　決算を普通地方公共団体の議会の認定に付すること。

五　会計を監督[4]すること。

六　財産を取得し、管理[5]し、及び処分すること。

七　公の施設を設置[6]し、管理し、及び廃止すること。

八　証書及び公文書類を保管[7]すること。

九　前各号に定めるものを除く外、当該普通地方公共団体の事務を執行[8]すること。

＊本条…一部改正（昭二七・八法三〇六、昭三八・六法九九）

【参照条文】

【議会の議決事件…法九六　【予算の調製…法二一一・二一八　【予算の執行…法二二〇　【地方税…法二二三　地税法　【分担金…法二二四　【使用料…法二二五・二二六　【加入金…法二二六　【手数料…法二二七　地方公共団体の手数料の標準に関する政令　【過料…法一五2・一五九2・二二八2・3　【決算…法二三三　【会計事務…法一七〇・二三五　【財産…法二三七〜二四一　【公の施設…法二四四〜二四四の四　【長の権限事項の例…法一五・一〇一・一五二〜一五八・一六二・一六八・一七一・一七二・一七四・一七六〜一八〇

【実例・判例・注釈】

1）●市町村行政事務に係る市町村会の議事については本条第一号の規定に基づき市町村長が発案すべきであるが、第九八条、第九九条及び第一二〇条の規定に係る事項は市町村長が発案すべきものでない。（行実）

2）○「執行」には、歳入の調定及び納入の通知並びに支出負担行為、支出命令及び収入命令を含む。

●収入支出の権限は、普通地方公共団体の長にあるから、選挙管理委員会の委員長が支出を受けようとするときは、当該団体の長に収入役（現行法では会計管理者）に対する支出命令を求めなければならない。（昭二一・一二・二七行実）

●金銭出納の権限を有しない町長が、収入役（現行法では会計管理者）名義の金員受領書を偽造し、町を借主とする消費貸借名下に他人より金銭を詐取し、これにより他人に加えた損害は、民法第四四条の町長が職務を行うにつき加えた損害にはあたらない。（昭三七・二・六最裁判）

3）●授業料の減免措置は、教育委員会の権限でなく、知事の権限である。（昭二六・九・二二行実）

4）●収入役（現行法では会計管理者）が、公金の保管方法として銀行に預金する場合には、町村長は常にその銀行の選択に注意し、収入役（現行法では会計管理者）を監督して適当な処置をとらしむべき職務を有する。（大三大審判）

5）●議事堂の管理権は、普通地方公共団体の長又はその委任により当該普通地方公共団体の吏員（現行法では職員）にあり、議長にはないと解されるから、議長は建造物不法侵入不退去の罪の容疑者を告訴することはできない。（昭三九・一・八行実）

6・7）●証書には貸金、預金、小作等の証書又は契約書のごときを含み公債証書のごときは含まず、また公文書類とは府県の行政に関する一切の帳簿類書類を指し法令全書のごときはこれに該当しない。（行実）

●村長の職務上保管する帳簿は、村民たりといえども自由に披閲謄写する権利はなく、その披閲謄写の許可は公法上村長の職権に属する。（明二七大審判）

8）●町村民から願出のあつたときは、町村長は自己の

関知しうる範囲で証明を行うことは法律上別にさしつかえない。（行実）

※ ●選挙は議決とその性質を異にするから本条にいう議決を経べき事件中に包含されない。（行実）

〔財務に関する事務等の適正な管理及び執行を確保するための方針の策定等〕

第百五十条 都道府県知事及び第二百五十二条の十九第一項に規定する指定都市（以下この条において「指定都市」という。）の市長は、その担任する事務のうち次に掲げるものの管理及び執行が法令に適合し、かつ、適正に行われることを確保するための方針を定め、及びこれに基づき必要な体制を整備しなければならない。

一 財務[1]に関する事務その他総務省令で定める事務

二 前号に掲げるもののほか、その管理及び執行が法令に適合し、かつ、適正に行われることを特に確保する必要がある事務として当該都道府県知事又は指定都市の市長が認めるもの

② 市町村長（指定都市の市長を除く。第二号及び第四項において同じ。）は、その担任する事務のうち次に掲げるものの管理及び執行が法令に適合し、かつ、適正に行われることを確保するための方針を定め、及びこれに基づき必要な体制を整備するよう努めなければならない。

一 前項第一号に掲げる事務

二 前号に掲げるもののほか、その管理及び執行が法令に適合し、かつ、適正に行われることを特に確保する必要がある事務として当該市町村長が認めるもの

③ 都道府県知事又は市町村長は、第一項若しくは前項の方針を定め、又はこれを変更したときは、遅滞なく、これを公表しなければならない。

④ 都道府県知事、指定都市の市長及び第二項の方針を定めた市町村長（以下この条において「都道府県知事等」という。）は、毎会計年度少なくとも一回以上、総務省令で定めるところにより、第一項又は第二項の方針及びこれに基づき整備した体制について評価した報告書を作成しなければならない。

⑤ 都道府県知事等は、前項の報告書を監査委員の審査に付さなければならない。

⑥ 都道府県知事等は、前項の規定により監査委員の審査に付した報告書を監査委員の意見を付けて議会に提出しなければならない。

⑦ 前項の規定による意見の決定は、監査委員の合議によるものとする。

⑧ 都道府県知事等は、第六項の規定により議会に提出した報告書を公表しなければならない。

⑨ 前各項に定めるもののほか、第一項又は第二項の方針及びこれに基づき整備する体制に関し必要な事項は、総務省令で定める。

＊ 本条—全改〔平二九・六法五四〕

【引用条文】
①【法二五二の一九（指定都市の権能）1】

【参照条文】
①【財務に関する事務—法一九九1】
④【総務省令の定—則一二の二の一〇】
⑤【監査委員の審査—法二三三・二四一】

【通　知】
1）●「財務に関する事務」とは、第一九九条第一項の「財務に関する事務」と同義であり、第二編第九章（「財務」）の予算の執行、収入、支出、契約、現金及び有価証券の出納保管、財産管理等の事務の全てを包含する。（平二九・六・九通知）

※ 本規定は、地方公共団体の長以外の執行機関や地方公営企業の管理者に係る地方自治法第一五〇条第一項又は第二項に規定する方針及びこれに基づき整備する体制に関し規定するものではないが、地方公共団体の長は、これらの機関に対し、予算の執行に関する調査権（第二二一条）等の一定の権限を有しており、これらを適切に行使することも含めて、第一五〇条第一項又は第二項に規定する方針を定め、及びこれに基づき必要な体制を整備することが求められる。（平二九・六・九通知）

第百五十一条 削除 〔平二九・六法五四〕

〔長の職務の代理〕

第百五十二条 普通地方公共団体の長に事故があるとき、又は長が欠けたときは、副知事又は副市町村長がその職務を代理する[1]。この場合において副知事又は副市町村長が二人以上あるときは、あらかじめ当該普通地方公共団体の長が定めた順序[2]、又はその定めがないときは席次の上下により、席次[3]の上下が明らかでないときは年齢の多少により、年齢が同じであるときはくじにより定めた順序で、その職務を代理する。

② 副知事若しくは副市町村長にも事故があるとき若しくは副知事若しくは副市町村長も欠けたとき又は副知事若しくは副市町村長を置かない普通地方公共団体において当該普通地方公共団体の長に事故があるとき若しくは当該普通地方公共団体の長が欠けたときは、その補助機関である職員のうちから当該普通地方公共団体の長の指定する職員がその職務を代理する。

③ 前項の場合において、同項の規定により普通地方公共団体の長の職務を代理する者がないときは、その補助機

関である職員のうちから当該普通地方公共団体の規則で定めた上席[4]の職員がその職務を代理する。

＊ 一・二項一部改正〔昭二三・一二法一六九〕、二項一部改正〔昭二七・八法三〇六〕、三項追加〔昭三八・六法九九〕、一～三項一部改正〔平一八・六法五三〕

【参照条文】

【副知事、副市町村長―法一六一　【副知事、副市町村長の長の代理―法一六七　【※副知事、副市町村長を置かない団体―法一六一1但書

※　法二五二の一七の八・二五二の二〇の二6

【実例・通知・注釈】

1）●町村に関する民事訴訟については、町村長が欠員又は故障ある場合においては助役（現行法では副市町村長）が町村長に代つて当事者となる。（明二四・六・二二行実）

●指定する吏員（現行法では職員）は長が更迭した場合当然新たに指定替を要するものではないが、指定の変更はさしつかえない。（昭二二・八・八通知）

●臨時代理者又は職務執行者はすべての長の職務権限を全部行うものであるから、必要な限度で補助機関の選任ができる。（昭二三・一〇・三〇行実）

●本条の職務代理者及び第二四七条の職務代行者（現行法では第二五二条の一七の八の臨時代理者）は、原則としては長の職務の全部を代行するものであるが、事の性質上他の代行を許さない事件（たとえば議会の解散、助役（現行法では副市町村長）、収入役（現行法では会計管理者）の選任）は除外すべきである。（昭三〇・九・二行実）

●職務代理者は、法第一八〇条の五第一項から第三項までに規定する委員会の委員又は委員のうち長が選任権者であるものについて、当該委員の任期満了等により当該委員の職務を行う者がいない場合において、同条同項に規定する委員会の委員又は委員を選任することができる。（昭五五・七・二二行実）

2）●「順序」は、規則で定めればよい。（昭二二・八・八通知）

3）○「席次の上下」とは、給料の多寡、在職年数の長短等による序列の上下をいう。

4）○「上席の職員」とは、当該地方公共団体の規則で定めた上席の者をいう。通常は長の直近下位の内部組織の職の順等によって適宜決めておく。

※　●本条の規定による長の職務代理者に対する不信任議決は法律上の効力を有せず、従つて右代理者に議会を解散する権限はない。（昭二三・九・一四行実）

※　●知事職務代理者は、知事の当選の効力が生じ知事がその身分を取得した日（そのとき知事に事故ある場合は事故のやんだ日）に代理権を失う。（昭二五・一一・一一行実）

※　●本条の長の職務代理の名称は、〇〇県知事職務代理者、〇〇県副知事氏名が適当である。（昭二五・一二・五行実）

〔長の事務の委任・臨時代理〕

第百五十三条　普通地方公共団体の長は、その権限に属する事務の一部をその補助機関である職員に[1]委任し、又はこれに臨時に代理させる[2]ことができる。

② 普通地方公共団体の長は、その権限に属する事務の[4]一部をその管理に属する行政庁に[3]委任することができる。

＊ 二項一部改正・三項削る〔平一一・七法八七〕、一項一部改正〔平一八・六法五三〕

【参照条文】

① 【長の権限に属する事務―法一四八・一四九　【職員―法一七二1

② 【管理に属する行政庁―法一五五1

【実例・判例】

1）●A県の一般職に属する常勤の職員を、B市において吏員（現行法では職員）相当の職である非常勤職員に任用した場合、この職員をして右市長の指定代理人として訴訟行為を行なわせることができる。（昭二七・五・一五行実）

2）●臨時代理者として町村長の事務を執行する場合の名義は、町村長某代理某とすべきである。（行裁判）

3）●保健所は、法第一五三条第二項の行政庁とはならない。（昭二三・八・二七行実）

●家畜保健衛生所は、本条項にいう行政庁に該当しない。（昭二五・九・一八行実）

4）●普通地方公共団体の長はその権限に属する事務を国の出先機関に委任執行させることはできない。（昭二三・八・九行実）

●本条第二項の規定に基づく委任は、普通文書の形式をもつて地域、事件を限定してすることも法的には支障なく、委任の形式には何ら定めがないが、住民に直接関係ある事務を委任する場合は、住民に周知させるよう公示等の措置を講ずることが適当である。（昭二八・一二・一行実）

〔職員の指揮監督〕

第百五十四条　普通地方公共団体の長は、その補助機関である職員を指揮監督する。

＊ 本条全改〔昭二二・一二法一六九〕、一部改正〔平一八・六法五三〕

【参照条文】

【補助機関―法一六一～一七五

〔処分の取消及び停止〕

第百五十四条の二　普通地方公共団体の長は、その管理に

属する行政庁の処分が法令、条例又は規則に違反すると認めるときは、その処分を取り消し、又は停止することができる。

＊ 本条―追加〔平一一・七法八七〕

【参照条文】
【所管行政庁―法一五五1　※法一五六1

〔支庁・地方事務所・支所等の設置〕

第百五十五条 普通地方公共団体の長は、その権限に属する事務を分掌させるため、条例で、必要な地に、都道府県にあつては支庁（道にあつては支庁出張所を含む。以下これに同じ。）及び地方事務所、市町村にあつては支所[1]又は出張所[2]を設け[3]ることができる。

② 支庁若しくは地方事務所又は支所若しくは出張所の位置、名称及び所管区域[4]は、条例でこれを定めなければならない。

③ 第四条第二項の規定は、前項の支庁若しくは地方事務所又は支所若しくは出張所の位置及び所管区域にこれを準用する。

＊ 一・二・四項―一部改正〔昭二五・五法一四三〕、三項―一部改正・五項―追加〔昭二七・八法三〇六〕、二・三項―削る・旧四・五項―一部改正し二項ずつ繰上〔昭三一・六法一四七〕

【引用条文】
③【法四（地方公共団体の事務所の設定又は変更）2

【参照条文】
①【長の権限に属する事務―法一四八・一四九　【事務の分掌―法一五八1　【※支庁・地方事務所・支所の長―法一七五

※ 法一五六

【実例・通知・注釈】

1) ●本法において支所と称するのは、市区町村内の特定区域を限り主として市町村の事務の全般にわたつて事務を掌る事務所を意味し、土木、勧業その他特定の事務のみを分掌させる事務所は、法にいう支所ではない。（昭二二・五・二九通知）
●法に規定する支所である限り出張所等の他の名称を使用することは適当でない。（昭二二・一一・一九通知）

2) ●支所は市町村内の特定区域を限り主として市町村の事務の全般にわたつて事務を掌る事務所であり、出張所は住民の便宜のために市役所又は町村役場まで出向かなくてもすむ程度の簡単な事務を処理するために設置するものである。（昭三三・二・二六行実）

3) ●支所の設置は、交通不便の地あるいは市町村の廃置分合等により従前の市町村役場を廃止せず支所とする場合等であり、その組織は相当の職員が常時勤務することを要件とする。（昭二三・一一・二〇行実）

4) ○「所管区域」とは、各地方事務所等の分掌事務行使のために割り当てられた地域をいう。

※ ●総合出先機関が、特定の事務を処理する他の出先機関の事務を除き、出先において処理すべきその他の事務をとりまとめて所掌するものであるときは、本条の規定に基づく機関である。（昭三一・二・一一行実）

〔行政機関の設置・国の地方行政機関の設置の条件〕

第百五十六条 普通地方公共団体の長は、前条第一項に定めるものを除くほか、法律又は条例[1]で定めるところにより、保健所、警察署その他の行政機関[2]を設けるものとする。

② 前項の行政機関の位置、名称及び所管区域は、条例で定める。

③ 第四条第二項の規定は、第一項の行政機関の位置及び所管区域について準用する。

④ 国の地方行政機関（駐在機関を含む。以下この項において同じ。）は、国会の承認を経なければ、設けてはならない。国の地方行政機関の設置及び運営に要する経費は、国において負担しなければならない。

⑤ 前項前段の規定は、司法行政及び懲戒機関、地方出入国在留管理局の支局及び出張所並びに支局の出張所、警察機関、官民人材交流センターの支所、検疫機関、防衛省の機関、税関の出張所及び監視署、税関支署並びにその出張所及び監視署、税務署及びその支署、国税不服審判所の支部、地方航空局の事務所その他の航空現業官署、総合通信局の出張所、電波観測所、文教施設、国立の病院及び療養施設、気象官署、海上警備救難機関、航路標識及び水路官署、森林管理署並びに専ら国費をもつて行う工事の施行機関については、適用しない。

＊ 一・三項―一部改正・四・五項―追加〔昭二二・一二法一六九〕、五項―一部改正〔昭二三・六法五二、昭二四・五法一六一、昭二五・五法一三三〕、一項―一部改正〔昭二五・五法一四三〕、五項―一部改正〔昭二七・七法二五一、法二六五、法二七八、法二八〇〕、三・四項―追加・旧三・四項―二項ずつ繰下・旧五項―一部改正し七項に繰下〔昭二七・八法三〇六〕、一・五項―一部改正〔昭二八・八法二一二、昭二九・六法一六四〕、七項―一部改正〔昭二九・六法一九三〕、七項―一部改正〔昭三三・四法七八、昭三七・五法一三三、昭四二・七法五三、昭四四・三法二、昭四五・三法八、昭五五・三法一三、昭五五・一一法八五、昭五九・六法五一、昭五九・一二法八七、昭六一・一二法九三、平一〇・一〇法一三五〕、二項―一部改正・四・五項―削る・旧六・七項―二項ずつ繰上〔平一一・七法八七〕、五項―一部改正〔平一一・一二法一六〇、平一四・七法九八、平一八・一二法一一八、平一九・七法一〇八〕、本条―一部改正〔平三〇・一二法一〇二〕

【引用条文】

③①【法一五五（支庁・地方事務所・支所等の設置）1

③【法四（地方公共団体の事務所の設定又は変更）2

【参照条文】

④①【保健所―地域保健法五　【警察署―警察法五三

④【経費の国家負担―地財法一二　※法二三二

【実　例】

1）●「条例の定めるところにより」とは、行政機関の設置はすべて条例事項であり、同時に議会の議決事項となる意である。（昭二五・七・二五行実）

●行政機関の設置に関する条例の発案は、長の専権に属するにかんがみ、第二条第九項及び第一〇項（現行法では第一四項及び第一五項）にのつとる提案に対しては、議会においてはこれらの規定に反するような修正をすべきでない。（昭三〇・一二・二三行実）

2）●行政機関とは、普通の意味におけるそれと別段異なるものではなく、ある特定の行政部門につき設置されるものである。（昭二五・七・二五行実）

●ばい煙の排出の規制等に関する法律（現行大気汚染防止法）に規定する常時監視、緊急時の措置等を主たる業務とする公害監視センターは、行政機関として条例で設置できる。（昭四三・五・七行実）

〔公共的団体等の監督〕

第百五十七条　普通地方公共団体の長は、当該普通地方公共団体の区域内の公共的団体等[1]の活動の綜合調整[2]を図るため、これを指揮監督[3]することができる。

② 前項の場合において必要があるときは、普通地方公共団体の長は、当該普通地方公共団体の区域内の公共的団体等をして事務の報告をさせ、書類及び帳簿を提出させ及び実地について事務を視察することができる。

③ 普通地方公共団体の長は、当該普通地方公共団体の区域内の公共的団体等の監督上必要な処分をし又は当該公共的団体等の監督官庁[4]の措置を申請することができる。

④ 前項の監督官庁は、普通地方公共団体の長の処分を取り消すことができる。

【参照条文】

①①【地方公共団体の区域―法五　【公共的団体の活動の綜合調整―法九六1XIV

【実例・注釈】

1）●公共的団体等とは、農業協同組合、森林組合、漁業会、林業会、生活協同組合、商工会議所等の産業経済団体、養老院、育児院、赤十字社、司法保護等の厚生社会事業団体、青年団、婦人会、教育会、体育会等の文化教育事業団体等いやしくも公共的な活動を営むものはすべて含まれ、法人たるといなとを問わない。（昭二四・一二・七行実）

●民法第三四条（現行三三条）の規定に基づく公益法人についても、その具体的活動が公共的活動に及ぶ限りにおいては本条の公共的団体等に包含される。（昭三四・一二・一六行実）

2）●綜合調整とは、公共的団体等の行動に関し勧告等の適当な措置はとれるが、取消はできない。（昭二四・八・一五行実）

3）●部内の団体の指揮監督については議会の議決に基づかなければならないが、議決による委任により長の裁量により行うこともできる。（昭二二・五・二九行実）

●本条の規定によつては、市町村長は当該市町村の区域内にある農業協同組合の役員の選挙が役員選挙規定に違反したことを理由に役員選挙の取消処分を行うことはできないものと解する。（昭二九・七・二六行実）

4）○「監督官庁」とは、法令の規定により、当該公共的団体等に対し監督権を有する官庁をいう。

〔内部組織〕

第百五十八条　普通地方公共団体の長は、その権限に属する事務を分掌させるため、必要な内部組織を設けることができる。この場合において、当該普通地方公共団体の長の直近下位の内部組織の設置及びその分掌する事務については、条例[1]で定めるものとする。

② 普通地方公共団体の長は、前項の内部組織の編成に当たつては、当該普通地方公共団体の事務及び事業の運営が簡素かつ効率的なものとなるよう十分配慮[2]しなければならない。

＊　一項―全改・二項―追加・旧二項―一部改正し三項に繰下・旧三項―四項に繰下〔昭二二・一二法一六九〕、一項―一部改正〔昭二三・七法一七〇〕、一項―一部改正・二項―追加・旧二項―一部改正し三項に繰下・旧三・四項―一項ずつ繰下〔昭二三・七法一八〇〕、一・三項―一部改正・四項―追加・旧四・五項―一項ずつ繰下〔昭二五・五法一四三〕、二項―一部改正〔昭二六・五法一六〇〕、一・三項―一部改正〔昭二六・六法二〇八〕、一・二・三項―全改・六項―一部改正〔昭二七・八法三〇六〕、一・二項―一部改正・三項―追加・旧三・六項―一部改正し一項ずつ繰下・旧四・五項―一項ずつ繰下〔昭三一・六法一四七〕、三・四項―一部改正〔昭三五・六法一一三〕、一項―一部改正〔昭三八・六法九九〕、二・七項―一部改正〔昭四四・三法二〕、一項―全改〔平三・五法七九〕、三・四項―一部改正〔平九・六法六七〕、二・七項―一部改正〔平一一・七法八七〕、三・四項―一部改正〔平一一・一二法一六〇〕、本条―全改〔平一五・六法八一〕、三項―削る〔平二三・五法三五〕

【参照条文】

①【長の権限に属する事務―法一四八・一四九　【事務の分掌―法一五五

【実例・通知】

1）●局部（現行法では長の直近下位の内部組織）設置条例の発案権は、知事のみこれを有する。（昭二八・一・七行実）

●議会は、部（現行法では長の直近下位の内部組織）の設置に関する条例を修正しうるが、その範囲は、本条第一項及び第二項後段（現行法では第二項）の趣旨を逸脱できない。（昭二八・一・二一行実）

●議会は、改正条例案に含まれていない既存の部（現行法では長の直近下位の内部組織）の名称又は所掌事務を変更する修正をすることはできない。（昭四九・一・二九行実）

●本条第一項の地方公共団体の長の直近下位の内部組織とは、地方公共団体の長の権限に属する事務を分掌するために設けられる最上位の組織を意味するものであり、局又は部若しくはこれに準ずる組織の名称如何にかかわらず、条例で定めることが必要となるものであること。（平一五・七・一七通知）

2）●地方公共団体の内部組織の編成に当たっては、その事務及び事業の運営が簡素かつ効率的なものとなるよう十分配慮しなければならないものであること。すなわち、組織の改編を行うに当たっては、社会経済情勢の変化に対応し、新たな行政課題や住民の多様なニーズに即応した施策を総合的かつ機動的に展開できるような見直しを行うとともに、既存の組織についても従来のあり方にとらわれることなく、スクラップ・アンド・ビルドを徹底することとされたいこと。（平一五・七・一七通知）

〔事務引継〕

第百五十九条　普通地方公共団体の長の[1]事務の引継ぎに関する規定は、政令でこれを定める。

②　前項の政令には、正当の理由がなくて事務の引継ぎを拒んだ者に対し、十万円以下の過料を科する規定を設けることができる。

＊二項―一部改正〔昭二二・一二法一六九、平六・六法四八〕、一項―一部改正〔平一八・六法五三〕

【参照条文】①【政令の定―令一二三・一二四・一二八～一三一】
※法二五五の三

【実例】
1）●任期満了の日前に行われた町長選挙において、町長が現職のまま立候補の上当選し、引き続き町長となつた場合は、事務引継の必要はない。（昭三三・八・七行実）

〔一部事務組合等に関する特例〕

第百六十条　一部事務組合の管理者（第二百八十七条の三第二項の規定により管理者に代えて理事会を置く第二百八十五条の一部事務組合にあつては、理事会）又は広域連合の長（第二百九十一条の十三において準用する第二百八十七条の三第二項の規定により長に代えて理事会を置く広域連合にあつては、理事会）に係る第百五十条第一項又は第二項の方針及びこれに基づき整備する体制については、これらの者を市町村長（第二百五十二条の十九第一項に規定する指定都市の市長を除く。）とみなして、第百五十条第二項から第九項までの規定を準用する。

＊本条―全改〔平二九・六法五四〕

【引用条文】
【法二八七の三（議決方法の特例及び理事会の設置）2・二八五（複合的一部組合の設置）・二九一の一三（一部事務組合に関する規定の準用）・一五〇（財務に関する事務等の適正な管理及び執行を確保するための方針の策定等）・二五二の一九（指定都市の権能）1】

第三款　補助機関

〔副知事・副市町村長の設置及びその定数〕

第百六十一条　都道府県に副知事を、市町村に副市町村長を置く。ただし、[1]条例で置かないことができる。

②　副知事及び副市町村長の定数は、[2]条例で定める。

＊一項―一部改正・二項―削る・旧三・四項―一部改正し一項ずつ繰上〔昭二七・八法三〇六〕、本条―全改〔平一八・六法五三〕

【参照条文】
※法一六二・一六三・二五二の二〇の二3

【実例】
1）●副知事又は助役（現行法では副市町村長）を置かない場合は、必ず条例の制定を必要とする。（昭三四・一・一五行実）

2）●助役（現行法では副市町村長）の定数を二人とする条例を廃止し、一人とする条例を議員発案により決定した場合、一般的には現存の条例を廃止する条例において、現任助役（現行法では副市町村長）の残任期間等に関し特別な措置を講ずべきであるが、かかる規定のない場合は、市長はいずれか一人の助役（現行法では副市町村長）を解職しなければならない。（昭三一・八・二〇行実）

※●助役（現行法では副市町村長）及び収入役（現行法では廃止）は、労働基準法第一〇条のいわゆる使用者に該当し、同法第二〇条の適用に関してはこれを労働者とみるべきではない。（昭二五・七・三一行実）

〔副知事及び副市町村長の選任〕

第百六十二条　副知事及び副市町村長は、普通地方公共団体の長が[1]議会の同意を得てこれを選任する。[2]

＊本条―一部改正〔平一八・六法五三〕

【参照条文】
【議会の同意―法九六1XV・一一六　【※選任上の注意―法一六四・一六六　【※長の専決処分の禁止―法一七九1　※法二五二の二〇の二4

【実　例】
1）●助役（現行法では副市町村長）の選任にあたり議会の同意を求める場合の発案権は、市長に専属する。（昭二五・九・五行実）
2）●市長から提示された助役（現行法では副市町村長）を議会が同意しなかつた場合、議会の同意なくして市長は助役（現行法では副市町村長）を選任できない。（昭二九・一一・二五行実）

〔副知事及び副市町村長の任期〕
第百六十三条　副知事及び副市町村長の任期[1]は、四年とする。ただし、普通地方公共団体の長は、任期中においてもこれを解職することができる。

＊　本条一部改正〔平一八・六法五三〕

【参照条文】
【※更迭の場合の措置―法一六六2　令一二七・一三〇・一三一　【※任期満了以外の離職―法八七・一六四2・一六六3　【※期間計算―民法一四三　※法二五二の二〇の二5

【実　例】
1）●助役（現行法では副市町村長）の任期の起算日は、事前に就任承諾があれば発令の日であり、なければ就任承諾の日である。（昭二五・五・四行実）
●助役（現行法では副市町村長）を選任する場合、村長の任期限をもつて助役（現行法では副市町村長）の任期限とすることは、助役（現行法では副市町村長）の同意があつても違法である。（昭二七・一〇・七行実）

〔副知事及び副市町村長の欠格事由〕
第百六十四条　公職選挙法第十一条第一項又は第十一条の二の規定に該当する者は、副知事又は副市町村長となることができない。
②　副知事又は副市町村長は、公職選挙法第十一条第一項の規定に該当するに至つたときは、その職を失う。

＊　一・二項一部改正〔昭二五・四法一〇一〕、一項一部改正〔平一一・八法一二二〕、一・二項一部改正〔平一八・六法五三〕

【引用条文】
①【選挙法一一（選挙権及び被選挙権を有しない者）1・一一の二（被選挙権を有しない者）
②【選挙法一一（選挙権及び被選挙権を有しない者）1

〔副知事及び副市町村長の退職〕
第百六十五条　普通地方公共団体の長の職務を代理する副知事又は副市町村長は、退職しようとするときは、その退職しようとする日前[1]二十日までに、当該普通地方公共団体の議会の議長に申し出なければならない。ただし、議会の承認を得たときは、その期日前[2]に退職することができる。
②　前項に規定する場合を除くほか、[3]副知事又は副市町村長は、その退職しようとする日前二十日までに、当該普通地方公共団体の長に申し出なければならない。ただし、当該普通地方公共団体の長の承認を得たときは、その期日前に退職することができる。

＊　一・二項一部改正〔平一八・六法五三〕

【参照条文】
①【長の職務代理―法一五二1　【※退職の場合の措置―法一六六2　令一二七・一三〇・一三一
※法一四五・二五二の一七の八　令一の二

【実例・注釈】
1）○「日前二十日まで」とは、退職予定日の前日を第一日として前に遡つて計算し二〇日までを指す。
○退職予定日と申出の日との間に少なくとも一九日の期間を置く意である。
2）○「期日前」とは、本項本文で定める退職しうる日よりも前すなわち、退職の申出の日の翌日を第一日目として二〇日目に当たる日よりも前にという意である。
3）●副知事を二人以上置く場合一人の副知事が知事の職務を代理し、知事の職務を代理しない他の副知事が退職しようとするときは、本条第二項により当該知事の職務を代理する副知事に申し出て退職の手続をするものである。（昭二二・五・二九行実）

〔副知事及び副市町村長の兼職・兼業禁止及び事務引継〕
第百六十六条　副知事及び副市町村長は、検察官、警察官若しくは収税官吏又は普通地方公共団体における公安委員会の委員と兼ねることができない。
②　第[1]百四十一条、第百四十二条及び第百五十九条の規定は、副知事及び副市町村長にこれを準用する。
③　普通地方公共団体の長は、副知事又は副市町村長が前項において準用する第百四十二条の規定に該当するときは、これを解職しなければならない。

＊　一項一部改正〔昭二五・四法一〇一、昭二六・六法二〇三〕、三項追加〔昭三六・一一法二三五〕、一～三項一部改正〔平一八・六法五三〕

【引用条文】
②【法一四一（兼職の禁止）・一四二（長の兼業禁止）・

一五九（事務引継）
③【法一四二（長の兼業禁止）

【参照条文】
※ 法一四一・一四二の参照条文参照

【実 例】
1）●助役（現行法では副市町村長）に一般事務職員の職務を行わせる必要が臨時に生じた場合に、いわゆるその職務の事務取扱を命ずることはできる。（昭二七・九・二行実）

〔副知事及び副市町村長の職務〕

第百六十七条 副知事及び副市町村長は、普通地方公共団体の長を補佐し、普通地方公共団体の長の命を受け政策及び企画をつかさどり、その補助機関である職員の担任する事務を監督し、別に定めるところにより、普通地方公共団体の長の職務を代理[1]する。

② 前項に定めるもののほか、副知事及び副市町村長は、普通地方公共団体の長の権限に属する事務の一部について、第百五十三条第一項の規定により委任を受け、その事務を執行する。

③ 前項の場合においては、普通地方公共団体の長は、直ちに、その旨を告示しなければならない。

＊ 本条―一部改正〔昭二六・六法二〇三〕、一項―一部改正・二・三項―追加〔平一八・六法五三〕

【引用条文】
②【法一五三（長の事務の委任・臨時代理）1

【参照条文】
①【別の定め―法一五二1
※ 法一五三・二五二の一七の八

【実 例】
1）●町村（現行では市町村）に関する民事訴訟については、町村長（現行では市町村長）欠員又は故障ある場合においては助役（現行法では副市町村長）が町村長（現行では市町村長）に代つて当事者となる。（明二四・六・二二行実）

〔会計管理者〕

第百六十八条 普通地方公共団体に会計管理者一人を置く。

② 会計管理者は、普通地方公共団体の長の補助機関である職員のうちから、普通地方公共団体の長が命ずる。

＊ 五項―一部改正〔昭二五・四法一〇一、昭二六・六法二〇三〕、一項―一部改正・三項―全改・五項―追加・旧五・六項―一部改正し一項ずつ繰下〔昭二七・八法三〇六〕、八・九項―追加〔昭三六・一一法二三五〕、九項―一部改正〔昭三七・九法一六一〕、二項―一部改正〔平一六・五法五七〕、本条―全改〔平一八・六法五三〕

【参照条文】
②【職員―法一七二

【実 例】
※ ●地方自治法上収入役（現行法では会計管理者）は常勤の職員であつて非常勤の職務とすることは許されない。（昭二九・九・一〇行実）

〔親族の就職禁止〕

第百六十九条 普通地方公共団体の長、副知事若しくは副市町村長又は監査委員と親子、夫婦又は兄弟姉妹の関係にある者は、会計管理者となることができない。

② 会計管理者は、前項に規定する関係が生じたときは、その職を失う。

＊ 一・二項―一部改正・三・四項―削る〔平一八・六法五三〕

【参照条文】
①【地方公共団体の長―法一三九 【副知事、副市町村長―法一六一 【監査委員―法一九五

【実例・通知】
※ ●兄弟たる関係とは養実の兄弟たる関係あるものをいい、配偶者の兄弟たる関係あるものを含まない。（大七・四・二六行実）
※ ●本条第一項には、血族関係及び法律上血族関係と同一視される養父、義兄弟等を含むが、姻族関係は含まない。（昭二二・八・八通知）

〔会計管理者等の職務権限〕

第百七十条 法律又はこれに基づく政令に特別の定めがあるものを除くほか、会計管理者は、当該普通地方公共団体の会計事務[1]をつかさどる。

② 前項の会計事務を例示すると、おおむね次のとおりである。

一 現金（現金に代えて納付される証券及び基金[2]に属する現金を含む。）の出納及び保管を行うこと。
二 小切手を振り出すこと。
三 有価証券（公有財産又は基金に属するものを含む。）の出納及び保管を行うこと。
四 物品[3]（基金に属する動産を含む。）の出納及び保管（使用中の物品に係る保管を除く。）を行うこと。
五 現金及び財産の記録管理[4]を行うこと。
六 支出負担行為に関する確認を行うこと。
七 決算を調製し、これを普通地方公共団体の長に提出すること。

③ 普通地方公共団体の長は、会計管理者に事故がある場合において必要があるときは、当該普通地方公共団体の長の補助機関である職員にその事務を代理させることができる。

＊二・四項―一部改正〔昭二二・一二法一六九〕、一・三項―一部改正・四項―全改〔昭二七・八法三〇六〕、一項―一部改正〔昭三二・六法一四七〕、一項―全改・二項―追加・旧二・三・四項―一項ずつ繰下・六項―追加〔昭三八・六法九九〕、二項―一部改正〔昭四九・六法七二〕、一項―一部改正・三項―全改・四～六項―削る〔平一八・六法五三〕

【参照条文】

①【特別の定―法一七一4・二三二の五2・二三五・二四三・二四三の五　令一七七の二・一六一・一六四・一六五の二・一六八～一六八の五　公企法二七・二八　遺失物法一五　地税法三二一の五4

②【現金―法二三五の四　令一六八の六・一六八の七

【代用納付証券―法二三一の二3～5　令一五六・一五七　【基金―法二四一　【小切手―法二三二の六　令一六五の三　【公有財産―法二三八　【物品―法二三九　令一七〇・一七〇の五　【財産―法二三七1　【支出負担行為―法二三二の三・二三二の四2　【決算―法二三三1

※法二四三の二の七

【実例・通知・判例・注釈】

1）○「会計事務」とは、収入・支出のうちの現実の収支の執行手続・決算・現金及び有価証券並びに物品に関する事務を総称する。

●「出納その他の会計事務」には歳入歳出外の現金の出納及び保管並びにこれらに関連する事務を含む。従つて収入役（現行法では会計管理者）が職務上保管するものである限り歳入歳出外の現金も公金である。（昭二八・四・一三行実）

2）●基金に属する現金の預金名義は、地方公共団体であり、その取扱責任者が出納長又は収入役（現行法では会計管理者）である。（昭三八・一二・一九通知）

●基金および公有財産に属する株券の名義は地方公共団体名義とし、その取扱いは長の通知により収入役（現行法では会計管理者）が出納および保管をすることになる。（昭四〇・一一・三〇行実）

3）●使用中の物品については、使用職員が保管責任を有するものである。（昭三八・一二・一九通知）

●本条第二項第四号の物品には、占有動産（令一七〇の五）は含まれない。（昭三八・一二・一九通知）

●使用に供し得る状態にある物品も使用中の物品に含まれ、使用中の物品については、その責任者を定めておくことが適当である。（昭三八・一二・一九通知）

●使用中の物品の最終的な責任者は、使用職員を指定した場合を除き、知事である。（昭三八・一二・一九通知）

●使用中の物品も財産であるから、出納長（現行法では会計管理者）が記録管理するものである。（昭三八・一二・一九通知）

●購入した物品を直ちに使用させる場合又は使用中の物品を不用と決定して直ちに売却するときも出納長（現行法では会計管理者）の出納を通じて行なうべきである。（昭三八・一二・一九通知）

4）○記録管理の内容は、決算に添付する「財産に関する調書」の最終的作成ができる程度であればよい。

※●町村の収入は、本条により収入役（現行法では会計管理者）においてこれを受領し及び支出の責務を有す。従つてその間における保管は収入役（現行法では会計管理者）の責任に属す。（明三二・一二・一八行裁判）

※●町村の収入を受領する権限は収入役（現行法では会計管理者）に一任されているから借入金の受領のごとき収入の受領にすぎない事項は、町村収入役（現行法では会計管理者）がこれをなすべきもので町村長の職務権限に属するものでない。（明三六大審判）

※●国庫から市町村へ交付する補助金の受領につき当該市町村の収入役（現行法では会計管理者）が銀行に委任した場合においても、その支出官が被委任の銀行へ直接支払を行うことはできない。（昭二六・九・二〇行実）

〔出納員及び会計職員〕

第百七十一条　会計管理者の事務を補助させるため出納員[1]その他の会計職員を置く。ただし、町村においては、出納員を置かないことができる。

② 出納員その他の会計職員は、普通地方公共団体の長の補助機関である職員のうちから、普通地方公共団体の長がこれを命ずる。[2]

③ 出納員は、会計管理者の命を受けて現金の出納（小切手の振出しを含む。）若しくは保管又は物品の出納若しくは保管の事務をつかさどり[3]、その他の会計職員は、上[4]司の命を受けて当該普通地方公共団体の会計事務をつかさどる。

④ 普通地方公共団体の長は、会計管理者をしてその事務の一部を出納員に委任させ[5]、又は当該出納員をしてさらに当該委任を受けた事務の一部を出納員以外の会計職員に委任させる[6]ことができる。この場合においては、普通地方公共団体の長は、直ちに、その旨を告示しなければならない。

⑤ 普通地方公共団体の長は、会計管理者の権限に属する事務を処理させるため、規則で、必要な組織[7]を設けることができる。

＊本条―全改〔昭三八・六法九九〕、一～四項―一部改正・五項―削る・旧六項―一部改正し五項に繰上〔平一八・六法五三〕

【参照条文】

②【職員―法一七二　※法一七〇・二四三の二の二　公企法二八

【実例・通知・注釈】

1）●「その他の会計職員」については地方公共団体が自主的に規定することはさしつかえないが、この場合できれば分任出納員、現金取扱員及び物品取扱員とすることが適当である。（昭三八・一二・一九通知）

2）●出納員その他の会計職員は、個々に任命するのがたてまえである。（昭三八・一二・一九通知）

●教育委員会の事務職員及び警察職員を出納員に任命するには従前通り事務吏員（現行法では長の補助機関である職員）に併任しなければならない。（昭三八・一二・一九通知）

3）●出納員に「その他の会計事務」を取り扱わせることはさしつかえない。（昭三八・一二・一九通知）

●市役所の支所、出張所等が、指定金融機関から遠隔地にある場合、支所、出張所の出納員をして、将来不特定の小口の支払いに充てさせるため収入役（現行法では会計管理者）独自の権限で、収入役（現行法では会計管理者）の保管する現金の一部を保管させることはさしつかえない。（昭三九・九・二五行実）

4）○「上司」には、会計管理者のほか、出納員及び出納員以外の上席の会計職員が含まれる。

5）●本条第四項の規定により出納長（現行法では会計管理者）をしてその事務の一部を出納員又は分任出納員に委任させる場合に、知事において委任すべき事務の範囲を限定することはさしつかえない。（昭三四・三・三〇行実）

6）○出納員以外の会計職員に対する委任は、会計管理者から、まず出納員に対して委任させ、当該出納員から再委任させることを要する。

7）●本条第六項（現行法では本条第五項）にいう必要な組織とは長の補助組織の一としてではなく、収入役（出納長）（現行法では会計管理者）独自の組織である。（昭三八・一二・一九通知）

●本条第六項（現行法では本条第五項）の規定により設けられた出納長、又は収入役（現行法では会計管理者）の権限に属する事務を処理するための補助組織に、長の権限に属する事務を分掌させるためには、同組織中の長の権限を補助する職員に、長からの委任により、又は長の権限の補助執行としての専決、代決により行う。（昭三八・一二・一九通知）

●収入役（現行法では会計管理者）の権限に属する事務を処理させるための組織に市長の権限に属する事務を分掌させる場合は、本項の規則中に含めて規定することが適当である。（昭三九・四・二八行実）

〔職員〕

第百七十二条 前十一条に定める者を除くほか、普通地方公共団体に職員を置く。

② 前項の職員は、普通地方公共団体の長がこれを任免する。

③ 第一項の職員の定数は、条例[1]でこれを定める。ただし、臨時又は非常勤の職については、この限りでない。

④ 第一項の職員に関する任用、人事評価、給与、勤務時間その他の勤務条件、分限及び懲戒、服務、退職管理、研修、福祉及び利益の保護その他身分取扱いに関しては、この法律に定めるものを除くほか、地方公務員法の定めるところによる。

＊ 四項—追加〔昭二二・一二法一六九〕、一・二・三項—一部改正・四項—全改〔昭二六・六法二〇三〕、三項—一部改正〔昭二七・八法三〇六〕、一・三・四項—一部改正〔平一八・六法五三〕、四項—一部改正〔平二六・五法三四〕

【参照条文】

② 【長の任免権—地公法六 ※法二五二の一七の八2

④ 【この法律の定め—法二〇四〜二〇六

※ 法二五四・一六七・二五二の二〇の二9

【実例】

1）●地方公営企業の職員定数は、本条第三項の規定により条例で定めるべきである。（昭二七・一二・一行実）

●財産区である事務所の職員は、市長の事務部局に属する職員であり、その定数条例は、財産区の議会が議決すべきでなく、市議会が議決すべきである。（昭二九・四・一六行実）

●財産区議会の専任の書記は、市町村の職員であり、その定数は、当該市町村職員定数条例中に規定すべきものである。（昭三一・二・一一行実）

●職員定数条例の制定にあたり、総数何人とある原案を議会が職員団体の業務専従者何人その他の職員何人という形に修正することは違法である。（昭三二・九・二五行実）

●消防吏員（現行法では職員）は、特別法である消防組織法に基づく市町村長の補助機関たる職員であつて、その定数条例の根拠は、同法第一一条第四項（現行法では第一一条第二項）である。（昭三六・二・七行実）

※ ●町村吏員（現行法では職員）の資格で町村に損害を与えた以上、たとえその職を去つた後でも町村に対し賠償する責を免れることはできない。（明二七・一一・二八行実）

第百七十三条 削除〔平一八・六法五三〕

〔専門委員〕

第百七十四条 普通地方公共団体は、常設[1]又は臨時[2]の専門委員[3]を置くことができる。

② 専門委員は、専門の学識経験を有する者の中から、普通地方公共団体の長がこれを選任する。

③ 専門委員は、普通地方公共団体の長の委託[4]を受け、その権限に属する事務に関し必要な事項を調査[5]する。

④ 専門委員は、非常勤とする。

＊四項―追加〔昭二七・八法三〇六〕

【参照条文】

③ ③【長の権限に属する事務―法一四八・一四九】

④【非常勤―地公法三3Ⅲ】【※専門委員の身分取扱等―程一二〜一五・一八】

※ 法一八〇の七・二〇三の二・二五二の七　漁業法一三七4・5・一七三

【実例・注釈】

1) ○「常設」とは、常時継続して置くことの意である。

2) ○「臨時」とは、必要に応じてその都度置くことの意である。

3) ●専門委員は、執行機関たる長の補助機関である。(昭二八・七・一行実)

●専門委員の設置は、規則ですることが適当である。(昭二八・七・一行実)

4) ●本条の専門委員は、全くの独任制の補助機関であるから、調査の委託は個々の委員に対し個別的に行うべきである。(昭二六・九・二二行実)

5) ●必要な事項を調査することには、いわゆる調査のみではなくて「諮問に対する答申」なども含まれる。(昭二三・二・二六行実)

※ ●議決機関の構成員である議員が、専門委員の職につくことは適当でない。(昭二八・七・一行実)

〔**支庁及び地方事務所等の長**〕

第百七十五条　都道府県の支庁若しくは地方事務所又は市町村の支所の長は、当該普通地方公共団体の長の補助機関である職員をもつて充てる。

② 前項に規定する機関の長は、普通地方公共団体の長の定めるところにより、上司の指揮を受け、その主管の事務を掌理し部下の職員を指揮監督する。

＊二項―削る・旧三項―一部改正し二項に繰上〔昭二三・一二法一六九〕、二項―一部改正〔昭二六・六法二〇三〕、一項―一部改正〔昭二七・八法三〇六〕、一・二項―一部改正〔平一八・六法五三〕

【参照条文】

①【支庁、地方事務所、支所―法一五五】【職員―法一七二】

②【職員―法一七二】

第四款　議会との関係

〔**議会の瑕疵ある議決又は選挙に対する長の処置**〕

第百七十六条　普通地方公共団体の議会の議決について異議があるときは、当該普通地方公共団体の長は、この法律に特別の定めがあるものを除くほか、その議決の日（条例の制定若しくは改廃又は予算に関する議決については、その送付を受けた日[1]）から十日以内に理由を示し[2]てこれを再議[3]に付することができる。

② 前項の規定による議会の議決が再議に付された議決[4]と同じ議決であるときは、その議決は、確定[5]する。

③ 前項の規定による議決のうち条例の制定若しくは改廃又は予算に関するものについては、出席議員[6]の三分の二以上の者の同意がなければならない。

④ 普通地方公共団体の議会の議決又は選挙がその権限を超え又は法令若しくは会議規則に違反すると認める[7]ときは、当該普通地方公共団体の長は、理由を示してこれを再議[8]に付し又は再選挙を行わせなければならない。

⑤ 前項の規定による議会の議決又は選挙がなおその権限を超え又は法令若しくは会議規則に違反すると認めるときは、都道府県知事にあつては総務大臣、市町村長にあつては都道府県知事に対し、当該議決又は選挙があつた日から二十一日以内に、審査を申し立てることができる。

⑥ 前項の規定による申立てがあつた場合において、総務大臣又は都道府県知事は、審査の結果、議会の議決又は選挙がその権限を超え又は法令若しくは会議規則に違反すると認めるときは、当該議決又は選挙を取り消す旨の裁定をすることができる。

⑦ 前項の裁定に不服があるときは、普通地方公共団体の議会又は長は、裁定のあつた日から六十日以内に、裁判所[9]に出訴することができる。

⑧ 前項の訴えのうち第四項の規定による議会の議決又は選挙の取消しを求めるものは、当該議会を被告として提起しなければならない。

＊一・二・三項―追加・旧一・二項―三項ずつ繰下〔昭二三・七法一七九〕、一・二項―一部改正〔昭二五・五法一四三〕、五項―全改・六・七項―追加〔昭三一・六法一四七〕、五・六項―一部改正〔昭三五・六法一一三〕、五・六・七項―一部改正〔昭三七・九法一六一〕、一項―一部改正〔昭三八・六法九九〕、五・六項―一部改正〔平一一・一二法一六〇〕、八項―追加〔平一六・六法八四〕、一・三項―一部改正〔平二四・九法七二〕

【参照条文】

①【条例の制定改廃の議決―法七四3・九六1Ⅰ・一一六】【予算の議決―法九六1Ⅱ・一一六】【特別の定―法一七六4〜7・一七七】【※再議に付さないときの措置―法一六2・二一九2】

④【議会の議決―法九六・一一六】【議会の選挙―法九七1・一一八】【会議規則―法一二〇】

⑥【※審査の請求に伴う措置―法二五五の五・二五七・二五八】

※ 健全化法一七

【実例・通知・注釈】

1）○「送付を受けた日」とは、条例の制定若しくは改廃の議決又は予算を定める議決があり、議長から法第一六条第一項又は法第二一九条第一項の規定により当該条例又は予算の送付を当該普通地方公共団体の長が受けた日を指す。

2）○「十日以内」とは、送付を受けた日の翌日を第一日とし一〇日目にあたる日までを指す。

3）●議会の議決が、再議に付された議決と異なる議決であるときは、その議決について少なくとも過半数の同意があれば、あらたな議決があつたものである。従つてこの議決に異議あるときは、あらたに再議に付しうる。（昭二三・九・一七行実）

●条例にあつては、異議ある条文のみならず、条例全体を再議に付するが、審議の対象は異議のある部分に限られる。（昭二三・一〇・三〇通知、昭三九・四・九行実）

●本条第一項の再議に付しうる議決は、当該議決が効力を生ずることについて又はその執行に関して異議若しくは支障のある議決をいうのであつて、否決されたものについては、効力又は執行上の問題は生じないので再議の対象にならない。（昭二六・一〇・一二行実）

4）○「議決と同じ議決」とは、長がその議決について異議があるため議会の再議に付した当該議決と同一内容の議決を指す。

5）○「確定」とは、当該議決により条例又は予算が成立し、再議に付することができない効果を持つ意味である。

6）○「出席議員の三分の二以上」とは、たとえば、出席議員三〇人のときは、二〇人又は二〇人をこえる数を指す。この場合は、議長は、議員として議決に加わることができる。

●本条第一項の規定により再議に付した場合三分の二以上の者の同意が得られなかつたときは、原案が承認されたものとみなすことはできない。なお、第一七九条の専決処分は、これをすることができない。（昭二三・八・二五行実）

●議会の議決が再議に付された議決と同じ議決であるときは、出席議員の三分の二以上の者の同意を得ない限り再議に付された議決は成立しない。従つて、この場合原案が成立するということはない。（昭二三・九・一七行実）

●議員提出の条例案について修正議決し知事が再議に付した場合、三分の二の同意が得られないときは、再議に付された条例案は、廃案となる。（昭三九・四・九行実）

7）●越権又は違法については、その客観的事実があると認められる範囲において長に認定権がある。（昭二八・九・二九行実）

8）●議会の議決の手続に違法がある場合も、本条第四項の規定により再議に付しうる。（昭二四・四・一八行実）

●本条第四項の再議についても、再議に付しうべき時間的余裕がない等特別の事情のない限りは、当該会期中に付すべきである。（昭二八・九・二九行実）

9）●特に規定のない限り、民事訴訟の一般原則に従い、地方裁判所が第一審の管轄裁判所である。（昭二二・一一・二九通知）

※●再議に付しても議会がその審議を延期し議決しなかつた場合は、第一七九条第一項の規定により措置する。（昭二三・七・七行実）

※●第一項の場合においては執行後においては再議に付し得ないが、第四項の場合においては執行後でも再議に付しうる。（昭二三・九・二二行実）

※●「再議に付したとき」とは、長が議会を招集し再議に必要な長としての手続一切を終つたときであり、再議に付したときは、当該議決の効果の発生は停止される。（昭二八・九・二九行実）

※●再議の撤回はできない。（昭四三・一一・二八行実）

第百七十七条〔**収入又は支出に関する議決に対する長の処置**〕

[1]普通地方公共団体の議会において次に掲げる経費を削除し又は減額[2]する議決をしたときは、その経費及びこれに伴う収入について、当該普通地方公共団体の長は、理由を示してこれを再議に付さなければならない。[3]

一 法令により負担する経費、法律の規定に基づき当該行政庁の職権により命ずる経費その他の普通地方公共団体の義務[4]に属する経費

二[5] 非常の災害による応急若しくは復旧の施設のために必要な経費又は感染症予防のために必要な経費

② 前項第一号の場合において、議会の議決がなお同号に掲げる経費を削除し又は減額したときは、当該普通地方公共団体の長は、その経費及びこれに伴う収入を予算に計上してその経費を支出することができる。

③ 第一項第二号の場合において、議会の議決がなお同号に掲げる経費を削除し又は減額したときは、当該普通地方公共団体の長は、その議決を不信任[6]の議決とみなすことができる。

＊ 二項―一部改正〔平一〇・一〇法一一四〕、旧一項―削る・旧二項―一部改正し一項に繰上・旧三項―二項に繰上・旧四項―一部改正し三項に繰上〔平二四・九法七二〕

【参照条文】

① 【法令により負担する経費―河川法六〇 道路法五〇 水防法四一～四三 生活保護法七三 【行政庁の職権により命ずる経費―道路法五二 土地改良法九〇1 【義務費―法九六1XIII 地財法九・一〇 選

挙法二六四　【感染症予防費―感染症予防法五七・五八

②【経費の支出―法一四九Ⅱ・二三二の四　地財法四1

③【不信任議決―法一七八1

※　健全化法一七

【実例・判例・注釈】

1）○「削除」とは、当該経費の全部を予算から除去することの意である。

2）○「減額」とは、当該費用の一部を予算から除去することの意である。

3）●本条第二項（現行法では第一項）の規定に基づいて再議に付するのは、当該予算案全体であるが、再議の対象となるのは減額された義務費及びこれに伴う収入である。（昭二七・一二・八行実）

●第一七六条第一項の規定は、否決された議決については適用することはできないが、本条第二項（現行法では第一項）及び第三項（現行法では第二項）の規定は、義務費等特殊の経費に関する特別規定であつて、否決は経費の削除と解すべく、この場合は再議に付しうる。（昭三〇・三・一九行実）

●本条第二項（現行法では第一項）に掲げる経費を主とする当初予算案及び関連議案が否決されたときは、予算案については本条第二項（現行法では第一項）の規定により再議に、予算に関連するその他の議案は新議案として提出すべきものである。（昭三〇・三・一九行実）

4）●給与が義務費となるのは、現に吏員（現行法では職員）としての身分を取得している者に対する給与に限る。（昭二三・九・一五行実）

●超過勤務手当を現実に支払う義務が生じている場合は義務費であるが、そうでない場合は、その費用は直ちに義務費に該当するといえない。（昭二四・八・二五行実）

●退職金が義務費になるときは、任命権者が退職願を受理したときである。（昭二七・一二・八行実）

5）●地方事務所が失火等により焼失した場合、これを再建しあるいは他の建物に移転するに要する経費は、第一七七条第二項第二号（現行法では第一項第二号）の経費に該当しない。（昭二九・五・一一行実）

●「非常の災害」とは、震災、水害およびこれに準ずる災害を指称するのであるから、通常程度の降雪により惹起されたと認められる貯水槽等の破損復旧のためにする経費は該当しない。（昭三三・二・二七地裁判）

6）●本条第四項（現行法では第三項）の規定により不信任議決とみなす場合は、その議決がなお議員数の三分の二以上の出席とその四分の三以上の者の同意により決せられることを要件としない。（昭二三・六・一六行実）

（不信任議決と長の処置）

第百七十八条　普通地方公共団体の[1]議会において、当該普通地方公共団体の長の不信任の議決をしたときは、直ちに議長からその旨を当該普通地方公共団体の[2]長に[3]通知しなければならない。この場合においては、普通地方公共団体の長は、その[4]通知を受けた日から[5]十日以内に議会を[6]解散することができる。

② 議会において当該普通地方公共団体の長の不信任の議決をした場合において、前項の期間内に議会を解散しないとき、又はその[7]解散後初めて招集された議会において[8]再び不信任の議決があり、議長から当該普通地方公共団体の長に対しその旨の通知があつたときは、普通地方公共団体の長は、[9]同項の期間が経過した日又は議長から[10]通知があつた日においてその職を失う。

③ 前二項の規定による不信任の議決については、議員数の[11]三分の二以上の者が[12]出席し、第一項の場合においてはその四分の三以上の者の、前項の場合においてはその[13]過半数の者の同意がなければならない。

＊一項―一部改正・二・三項―全改（昭二五・五法一四三）

【参照条文】

【不信任議決―法一七七3　【※本条以外の議会の解散―法七八　【※本条以外の長の失職―法八三・一四三　【※長の退職の場合の措置―法一五九　令一二三・一二四・一二八～一三一

【実例・判例・注釈】

1）●町村の役場事務組合（現行法では廃止）の長の不信任議決は、その役場事務組合の議会のみが適法になしうるものであつて、関係町村の議会の行いうるものでない。（昭二六・一〇・五行実）

2）●第一七八条第一項の長には、長の職務代理（執行）者は含まれない。（昭二三・六・一六行実）

3）●不信任議決の通知の撤回及び議決による不信任の撤回は、いずれもできない。（昭二九・四・九行実）

4）○「通知を受けた日」とは、普通地方公共団体の長が、不信任の議決をされた旨の通知を議長から受けた日を指す。

5）○「十日以内」とは、不信任の通知を受けた日の翌日を第一日として一〇日目にあたる日までを指す。

●長が議長から不信任議決の通知を受けたとき既に議員が総辞職しており又は不信任議決の通知を受けた日から一〇日以内に、議員が総辞職したことのために、長が議会を解散することができない場合は、長は失職しない。（昭二五・一一・三〇行実）

●長の不信任議決後一〇日を過ぎる前に不信任議決をした議員の任期が終わるときは、長は解散を行うことを要せず、また一〇日を過ぎても長は失職しない。（昭三〇・四・二二行実）

6 ●議会解散は、文書でするのが適当であり、文書が到達すれば受理しなくても効力を生ずる。（昭二三・九・一四行実）

7 ●解散後初めて招集された議会において不信任議決をなさず二回目以降の議会で不信任議決した場合は、あらたなる不信任議決である。（昭二三・三・六行実）

●解散後初めて招集された議会における長の不信任議決は、先ず議長及び副議長を選挙し、議席決定等の後新議長主宰のもとに本条第一項の規定により長の不信任を議決し、その旨長に通知すればよい。なお、長に対する再度の不信任議決は、当該会期中であればいつでも行いうる。（昭二七・一二・二三行実）

8 ●議員の任期満了による選挙が行われた後議員の任期満了前一〇日以前に、議会が本条第一項の不信任議決を行った場合、任期満了による選挙において選挙された議員が構成する議会においてされた不信任議決は、本条第一項のあらたな不信任議決で、本条第二項後段に該当しない。（昭三三・八・二一行実）

●長が不信任の議決を受けて議会を解散し、その改選後の初議会が開かれるまでの間に長の任期が満了し、その選挙の結果議会を解散した長が再選された場合、議会が改選後の初議会において当該長を再び不信任議決したとしても、当該議決は、あらたな不信任議決である。（昭三八・三・一八行実）

9 ○「期間が経過した日」とは、通知を受けた日の翌日を第一日として一〇日目にあたる日の翌日を指す。

10 ○「通知があった日」とは、普通地方公共団体の長が、再び不信任の議決をされた旨の通知を議長から受けた日を指す。

11 ○「三分の二以上」とは、たとえば、現に在任する議員総数が四〇人のときは、二七人又はそれより多い数を指す。

12 ●不信任議決の定足数については、第一一三条ただし書の適用はない。（昭二六・一二・六行実）

13 ○「過半数の者の同意」とは、議長を含む出席議員の半数をこえる者の同意、たとえば、三〇人の出席のときは、一五人をこえる者の同意を指す。

※ ●解散後初めて招集された議会において不信任議決があり、その議決について第一七六条第四項の規定による再議に付した際の議会の議決についても、解散後初めての議会とみなし、本条第三項後段の規定が適用される。（昭二八・四・一三行実）

※ ●長の不信任議決の無効確認を求める訴は、あらたな長が選挙されその効力が確定した後は、その利益を失う。（昭三二・一〇・二三最裁判）

〔長の専決処分〕

第百七十九条 普通地方公共団体の議会が成立しないとき[1]、第百十三条ただし書の場合においてなお会議を開くことができないとき、普通地方公共団体の長において議会[2]の議決すべき事件について特に緊急を要するため議会を招集する時間的余裕がないことが明らかであると認めるとき、又は議会において議決[3]すべき事件を議決しない[4]ときは、当該普通地方公共団体の長は、その議決すべき事件を処分することができる。ただし、第百六十二条の規定による副知事又は副市町村長の選任の同意及び第二百五十二条の二十の二第四項の規定による第二百五十二条の十九第一項に規定する指定都市の総合区長の選任の同意については、この限りでない。

② 議会の決定すべき事件に関しては、前項の例による。

③ 前二項の規定による処置については、普通地方公共団体の長は、次の会議においてこれを議会に報告し、その承認[5]を求めなければならない。

④ 前項の場合において、条例の制定若しくは改廃又は予算に関する処置について承認を求める議案が否決されたときは、普通地方公共団体の長は、速やかに、当該処置に関して必要と認める措置を講ずるとともに、その旨を議会に報告しなければならない。

＊一項―一部改正〔平一八・六法五三〕、一項―一部改正・四項―追加〔平二四・九法七二〕、一項―一部改正〔平二六・五法四二〕

【引用条文】

①【法一一三（定足数）ただし書・一六二（副知事及び副市町村長の選任）・二五二の一九（指定都市の権能）1・二五二の二〇の二（総合区の設置）4

【参照条文】

①【招集―法一〇一 【議決すべき事件―法九六

②【議会の決定すべき事件―法一一八1・一二七1

※法一八〇 令一三七

【実例・通知】

1 ●市町村議会が成立しないときとは、現に在任する市町村会議員の数が会議を開くに足るべき数に満たない場合をいう。（行実）

2 ●「議会を招集する暇がない」（現行法では「議会の議決すべき事件について特に緊急を要するため議会を招集する時間的余裕がないことが明らかであると認める」）か否かは、長の裁量によって決定すべきであるが、長の認定には客観性がなければならない。（昭二六・八・一五行実）

3 ●本条の議決の中には、選挙は含まない。（行実）

●「議決すべき事件」とは、第九六条各号の事項を指す。（昭二二・一二・二九通知）

4 ●否決は議決の一種であるから、否決した場合は、本条に該当しない。（行実）

●議会が故意に議事を遅延してその議決すべき事件を議決しないものと明らかに認められるときには、長において専決処分することができる。（昭二五・

六・一行実）

●長が本条第一項の規定を適用しうるためには、具体的事情の下に客観的根拠に基づいて「議会において議決すべき事件を議決しないとき」が認定されるべきものである。（昭二六・五・三一行実）

●土地収用法第五〇条の和解についても本条第一項の要件に該当する場合は、長は専決処分をすることができる。（昭五〇・一一・四行実）

５）●長の専決処分が議会の承認を得られなかつた場合においても、法律上処分の効力には影響はない。（昭二六・八・一五行実）

〔議会の委任による専決処分〕

第百八十条　普通地方公共団体の議会の権限に属する軽易な事項で、その議決により特に指定したもの[1]は、普通地方公共団体の長において、これを専決処分にすることができる。

②　前項の規定により専決処分をしたときは、普通地方公共団体の長は、これを議会に報告[2]しなければならない。

【参照条文】

①【議会の権限に属する事項―法九六　【議決―法一一六　【専決処分―法一七九

【実　例】

１）●議決により知事が専決処分をするのは軽易な議決事件に限るのが妥当であり、条例の設置廃止のごとき事項を委任するのは性質上適当でない。（昭五・二行実）

●条例により権限を市長に包括委任することは、違法ではないが適当ではないから、具体的基準を示して委任すべきである。（昭二五・九・一六行実）

●条例により議会の議決事項とされているものを、更に議会の議決により長の専決処分とするのは、一般的には適当でないが、個別的事件について、やむを得ない事情があればさしつかえない。（昭二六・一〇・二四行実）

●長は、議長に対して事件を指定して本条の議決を依頼することができる。（昭三〇・一二・一七行実）

●専決処分指定事項につき、議会は、将来に向つて指定を廃止する旨の議決をすることができる。（昭三五・七・八行実）

●本条の規定により既に議会で指定された事項について、あらたな条件を付し、又は長において必要があると認め、議会の議決に再び付するがごときは許されない。（昭三七・七・四行実）

●法律の規定に基づき長が議会に対して行う諮問に対する議決について、議会は、その範囲を限定して、長の専決処分事項として指定することはできない。（昭三八・一一・一二行実）

２）●本条の専決処分についても次の会議において議会に報告することが法意と解される。（昭三一・四・二行実）

第五款　他の執行機関との関係

＊本款―追加〔昭二七・八法三〇六〕

〔長の事務の委員会等への委任及び補助執行〕

第百八十条の二　普通地方公共団体の長は、その権限に属する事務の一部を、当該普通地方公共団体の委員会又は委員と協議して、普通地方公共団体の委員会[1]、委員会の委員長（教育委員会にあつては、教育長）、委員若しくはこれらの執行機関の事務を補助する職員若しくはこれらの執行機関の管理に属する機関の職員に委任し、又はこれらの執行機関の事務を補助する職員若しくはこれらの執行機関の管理に属する機関の職員をして補助執行させることができる。ただし、政令で定める普通地方公共団体の委員会又は委員については、この限りでない。

＊本条―追加〔昭二七・八法三〇六〕、一部改正〔昭三一・六法一四七、平二六・六法七六〕

【参照条文】

【長の権限に属する事務―法一四八・一四九　【執行機関（長を除く）の事務を補助する職員―法一九一・二〇〇　地公法一二　地教法一八　警察法五五　農委法二六　漁業法一三七6　【執行機関の管理に属する機関―地教法二三1・三二　警察法三八3・四七2　【政令の定―現在なし

※法二14・15・一三八の三・一五三・一八〇の三～一八〇の七　健全化法二六

【実　例】

１）●港湾法第三五条の規定に基づく委員会は本条の委員会に含まれる。（昭三六・七・二五行実）

〔長の補助職員の他の執行機関の職員の兼職・事務の従事等〕

第百八十条の三　普通地方公共団体の長は、当該普通地方公共団体の委員会又は委員と協議して、その補助機関である職員を、当該執行機関の事務を補助する職員若しくはこれらの執行機関の管理に属する機関の職員と兼ね[1]させ、若しくは当該執行機関の事務を補助する職員若しくはこれらの執行機関の管理に属する機関の職員に充て[2]、又は当該執行機関の事務に従事[3]させることができる。

＊本条―追加〔昭二七・八法三〇六〕、一部改正〔昭三一・六法一四七、平一八・六法五三〕

【参照条文】

【執行機関（長を除く）の事務を補助する職員―法一

九一・二〇〇　地公法一二　地教法一八　警察法五五　農委法二六　漁業法一三七6　【外部監査人の監査への協力】法二五二の三三2

※　法二14・15・一三八の三・一五三・一八〇の二・一八〇の四～一八〇の七　健全化法一六

【実　例】

1）●兼職には辞令が必要であり、発令権者は当該委員会又は委員である。また発令形式は

〇〇市町村事務吏員（現行法では〇〇市町村職員）　何　某

〇〇委員会事務職員（書記）に兼ねて任命する。

年　月　日　　〇〇委員会

でよい。（昭二八・七・一行実）

1～3）●「兼ねさせる」とは、当該吏員等（現行法では長の補助機関である職員）に対して委員会又は委員が兼務を命ずる旨の辞令を本人に交付することを要し、「充てる」とは、委員会又は委員の具体的任命行為がなくても、委員会又は委員の補助職員の組織を定める条例、規則、規程等によって当該委員会又は委員の補助職員には長の補助職員たる吏員等（現行法では長の補助機関である職員）をもって充てる旨の規定をし、長が特定の職員に対し、当該委員会又は委員の事務を行うよう職務命令をすればよく、「事務に従事させる」とは、単に当該吏員等（現行法では長の補助機関である職員）に対して委員会又は委員の事務に従事すべき旨の職務命令をすれば足りる。（昭二九・五・一一行実）

●長以外の執行機関の補助職相互の間の兼職や議会の事務局の職と長以外の執行機関の補助職との間の兼職の運用については、当該職員の職務遂行に著しい支障がないと認められる場合等には、本条の手続に準じて兼職あるいは事務従事させることはさしつかえない。（昭四一・一〇・二六行実）

〔組織等に関する長の総合調整権〕

第百八十条の四　普通地方公共団体の長は、各執行機関を通じて組織及び運営の合理化を図り、その相互の間に権衡を保持するため、必要があると認めるときは、当該普通地方公共団体の委員会若しくは委員の事務局又は委員会若しくは委員の管理に属する事務を掌る機関（以下本条中「事務局等」という。）の組織、事務局等に属する職員の定数又はこれらの職員の身分取扱について、委員会又は委員に必要な措置を講ずべきことを勧告することができる。

②　普通地方公共団体の委員会又は委員は、事務局等の組織、事務局等に属する職員の定数又はこれらの職員の身分取扱で当該委員会又は委員の権限に属する事項の中政令で定めるものについて、当該委員会又は委員の規則その他の規程を定め、又は変更しようとする場合においては、予め当該普通地方公共団体の長に協議しなければならない。

＊本条―追加〔昭三一・六法一四七〕

【参照条文】

【執行機関】法一八〇の五1～3　【組織及び運営の合理化】法二15　【事務局等】法一九一・二〇〇　地公法一二　地教法一七　警察法四四　農委法二六　労組法一九の一二　【職員の定数、身分取扱】法一九三・二〇一　地公法一二　地教法一九・二〇　警察法五六2・五七2

②【政令の定】令一三二　【規則・規程の制定】法一三八の四2

※　法一三八の三・一五六・二二一・二三八の二

【実　例】

1）●委員会の地方駐在機関の組織等について、法令に基づく規則で定めることなく内規的な規程や要綱で定めるような場合についても協議を必要とする。（昭三一・九・二八行実）

第三節　委員会及び委員

＊節名―改正・旧二節―繰下〔昭二七・八法三〇六〕

第一款　通則

＊本款―追加〔昭二七・八法三〇六〕

〔委員会及び委員の設置・委員の兼業禁止等〕

第百八十条の五　執行機関として法律の定めるところにより普通地方公共団体に置かなければならない委員会及び委員は、左の通りである。

一　教育委員会
二　選挙管理委員会
三　人事委員会又は人事委員会を置かない普通地方公共団体にあつては公平委員会
四　監査委員

②　前項に掲げるもののほか、執行機関として法律の定めるところにより都道府県に置かなければならない委員会は、次のとおりである。

一　公安委員会
二　労働委員会
三　収用委員会
四　海区漁業調整委員会
五　内水面漁場管理委員会

③　第一項に掲げるものの外、執行機関として法律の定めるところにより市町村に置かなければならない委員会は、左の通りである。

一　農業委員会

二　固定資産評価審査委員会

④　前三項の委員会若しくは委員の事務局又は委員会の管理に属する事務を掌る機関で法律により設けられなければならないものとされているものの組織を定めるに当たつては、当該普通地方公共団体の長が第百五十八条第一項の規定により設けるその内部組織との間に権衡を失しないようにしなければならない。

⑤　普通地方公共団体の委員会の委員又は委員は、法律に特別の定があるものを除く外、非常勤とする。

⑥　普通地方公共団体の委員会の委員（教育委員会にあつては、教育長及び委員）又は委員は、当該普通地方公共団体に対しその職務に関し請負をする者及びその支配人又は主として同一の行為をする法人（当該普通地方公共団体が出資している法人で政令で定めるものを除く。）の無限責任社員、取締役、執行役若しくは監査役若しくはこれらに準ずべき者、支配人及び清算人たることができない。

⑦　法律に特別の定めがあるものを除くほか、普通地方公共団体の委員会の委員（教育委員会にあつては、教育長及び委員）又は委員が前項の規定に該当するときは、その職を失う。その同項の規定に該当するかどうかは、その選任権者がこれを決定しなければならない。

⑧　第百四十三条第二項から第四項までの規定は、前項の場合にこれを準用する。

＊　本条—追加〔昭二七・八法三〇六〕、四項—追加・旧四項—一部改正し五項に繰下・旧五項—六項に繰下〔昭二八・八法二一二〕、一項—一部改正・四項—追加・旧四項—五項に繰下〔昭二九・六法一八五〕、二項—一部改正・三・五項—削る・旧四項—三項に繰上・旧六項—四項に繰上〔昭二九・六法一九三〕、三・四項—全改・五・七項—追加・旧五項—六項に繰下・旧一八〇条の四—繰下〔昭三一・六法一四七〕、四項—削る・旧五項—一部改正し四項に繰上・旧六・七項—一項ずつ繰上〔昭三三・四法五三〕、七・八項—追加〔昭三六・一一法二三五〕、八項—一部改正〔昭三七・九法一六一〕、一・二・四項—一部改正〔昭三八・六法九九〕、六項—一部改正〔平三・四法二四、平一一・七法八七、平一四・五法四五〕、四項—一部改正〔平一五・六法八一〕、二項—一部改正〔平一六・一一法一四〇〕、六・七項—一部改正〔平二六・六法七六〕

【引用条文】
④【法一五八（内部組織）1
⑧【法一四三（失職）2～4

【参照条文】
①・②・③【法律の定め—教育委員会—地教法二　選挙管理委員会—法一八一・二五二の二〇5・二五二の二〇の二11　人事委員会、公平委員会—地公法七　公安委員会—警察法三八・四六　労働委員会—労組法一九の一二　収用委員会—収用法五一　海区漁業調整委員会—漁業法一三六　内水面漁場管理委員会—漁業法一七一　監査委員—法一九五　農業委員会—農委法三　固定資産評価審査委員会—地税法四二三

④【法律により設ける事務局等—地公法一二　地教法一七　警察法四四・四七　労組法一九の一二

⑤【特別の定—法一九六4・5　地公法九の二11

⑥【請負—民法六三二～六四二　【支配人—会社法一〇～一三　【政令の定—令一三三　【無限責任社員—会社法五七六・五八〇　【取締役—会社法三二九～三三二・三四八～三六一　【執行役—会社法四〇二・四〇三・四一八～四二二　【監査役—会社法三二九・三三〇・三三五・三三六・三八一～三八九　【清算人—会社法四七八～四八八

※　法九二の二・一四二　地税法四二五2　公有地の拡大の推進に関する法律二六2

⑦【特別の定め—法一八四　漁業法一四二

※　法二14・15・一八〇の四

【実例・判例・通知】

※　本条第六項に関しては、法九二条の二の実例、判例及び平三〇・四・二五の通知を参照

（委員会及び委員の権限に属しない事項）

第百八十条の六　普通地方公共団体の委員会又は委員は、左に掲げる権限を有しない。但し、法律に特別の定があるものは、この限りでない。

一　普通地方公共団体の予算を調製し、及びこれを[1]執行すること。

二　普通地方公共団体の議会の議決を経べき事件につきその議案を提出すること。

三　地方税を賦課徴収し、分担金若しくは加入金を徴収し、又は過料を科すること。

四　普通地方公共団体の決算を議会の認定に付すること。

＊　本条—追加〔昭二七・八法三〇六〕、旧一八〇条の五—繰下〔昭三一・六法一四七〕、本条—一部改正〔昭三八・六法九九〕

【参照条文】
【法律の特別の定—現在なし　※法一八〇の二　地教法二九　【予算の調製権—法一一二1但書・一四九Ⅱ　※地教法二九　【議決事件—法九六　【議案提出権—法一一二1・一四九Ⅰ　【収入支出命令—法一四九Ⅱ　※法一八〇の二　【地方税—法二二三　※地税法　【分担金—法二二四　※地財法二七　【加入金—法二二六　【過料—法一四・一五・一五九・二二八・二三一の三・二五五の三　令一三一　【決算の認定—法二三三3　地税法三一・三〇二等

【通　知】
1）●高等学校授業料、運転免許手数料等その管理に属する公の施設の使用料及び所掌事務に係る手数料は、法第一八〇条の二の規定による委任があれば徴

収することができる。（昭三八・一二・一九通知）

〔委員会等の事務の委任・補助執行・委託等〕

第百八十条の七 普通地方公共団体の委員会又は委員は、その権限に属する事務の一部を、当該普通地方公共団体の長と協議して、普通地方公共団体の長の補助機関である職員若しくはその管理に属する支庁若しくは地方事務所、支所若しくは出張所、第二百二条の四第二項に規定する地域自治区の事務所、第二百五十二条の十九第一項に規定する指定都市の区若しくは総合区の事務所若しくはその出張所、保健所その他の行政機関の長に委任し、若しくは普通地方公共団体の長の補助機関である職員若しくはその管理に属する行政機関に属する職員をして補助執行させ、又は専門委員に委託して必要な事項を調査させることができる。ただし、政令で定める事務については、この限りではない。

＊本条―追加〔昭二七・八法三〇六〕、一部改正・旧一八〇条の六―繰下〔昭三一・六法一四七〕、本条―一部改正〔平一六・五法五七、平一八・六法五三、平二六・五法四二〕

【引用条文】

【法二〇二の四（地域自治区の設置）2】【法二五二の一九（指定都市の権能）1】

【参照条文】

【長の補助機関―法一六一～一七五】【支庁、地方事務所、支所、出張所―法一五五・二五二の二〇1～4】【地域自治区の事務所―法二〇二の四2】【※指定都市の区―法二五二の二〇1】【※指定都市の総合区―法二五二の二〇の二1】【保健所その他の行政機関―法一五六1～3】【専門委員―法一七四】【政令の定―令一三三の二】

※法一八〇の二　地公法八3　地教法二五・五七

第二款　教育委員会

＊本款―追加〔昭二七・八法三〇六〕

〔教育委員会の職務権限等〕

第百八十条の八 教育委員会は、別に法律の定めるところにより、学校その他の教育機関を管理し、学校の組織編制、教育課程、教科書その他の教材の取扱及び教育職員の身分取扱に関する事務を行い、並びに社会教育その他教育、学術及び文化に関する事務を管理し及びこれを執行する。

＊本条―追加〔昭二七・八法三〇六〕、旧一八〇条の七―繰下〔昭三一・六法一四七〕、一項―一部改正〔昭三一・六法一六三〕、二・三項―削る〔平一一・七法八七〕

【参照条文】

①【別の法律―地教法　学校教育法　教特法　教育職員免許法　社教法　文化財保護法等】

※法一三八の二の二～一三八の四・一八〇の五

第三款　公安委員会

＊本款―追加〔昭二九・六法一九三〕

〔公安委員会の職務権限等〕

第百八十条の九 公安委員会は、別に法律の定めるところにより、都道府県警察を管理する。

② 都道府県警察に、別に法律の定めるところにより、地方警務官、地方警務官以外の警察官その他の職員を置く。

＊本条―追加〔昭二九・六法一九三〕、旧一八〇条の八―繰下〔昭三一・六法一四七〕、三・四項―削る〔平一一・七法八七〕、二項―一部改正〔平一八・六法五三〕

【参照条文】

①【別の法律―警察法】【警察の管理―警察法三八3】②【警察職員―警察法五五～五七・六〇】

※法一三八の二の二～一三八の四・一八〇の五

第四款　選挙管理委員会

＊款名―追加〔昭二七・八法三〇六〕、旧三款―繰下〔昭二九・六法一九三〕

〔選挙管理委員会の設置及び組織〕

第百八十一条 普通地方公共団体に選挙管理委員会を置く。

② 選挙管理委員会は、四人の選挙管理委員を以てこれを組織する。

＊二項―一部改正〔昭二七・八法三〇六、昭三一・六法一四七、昭三三・四法七五〕

【参照条文】

【委員会が成立していない場合―法二五二の一七の九　令一三七】【※地方公共団体の廃置分合のあった場合―令四】【※指定都市の区―法二五二の二〇5・6】【※指定都市の総合区―法二五二の二〇の二11】

※法一三八の二の二～一三八の四・一八〇の五　地公法三3

〔選挙管理委員及び補充員の選挙〕

第百八十二条 選挙管理委員は、選挙権を有する者で、[1]人格が高潔で、政治及び選挙に関し公正な識見を有するもののうちから、普通地方公共団体の議会においてこれを選[2]挙する。

② 議会は、前項の規定による選挙を行う場合においては、同時に、同項に規定する者のうちから委員と同数の[3]補充員を選挙しなければならない。[4]補充員がすべてなくなつたときも、また、同様とする。

③ 委員中に欠員があるときは、選挙管理委員会の委員長は、補充員の中からこれを補欠する。[5]その順序は、選挙の時が異なるときは選挙の前後により、選挙の時が同時であるときは得票数により、得票数が同じであるときはくじにより、これを定める。[6]

④ 法律の定めるところにより行なわれる選挙、投票又は国民審査に関する罪を犯し刑に処せられた者は、委員又は補充員となることができない。

⑤ 委員又は補充員は、それぞれその中の二人が同時に同一の政党その他の政治団体に[7]属する者となることとなつてはならない。

⑥ 第一項又は第二項の規定による選挙において、同一の政党その他の政治団体に属する者が前項の制限を超えて選挙された場合及び第三項の規定により委員の補欠を行えば同一の政党その他の政治団体に属する委員の数が前項の制限を超える場合等に関し必要な事項は、政令でこれを定める。

⑦ 委員[8]は、地方公共団体の議会の議員及び長と兼ねることができない。

⑧ 委員又は補充員の選挙を行うべき事由が生じたときは、選挙管理委員会の委員長は、直ちにその旨を当該普通地方公共団体の議会及び長に通知しなければならない。

＊ 四項—全改〔昭二七・八法三〇六〕、六項—追加〔昭三一・六法一四七〕、一・二項—一部改正・四・七項—追加・旧四・五項—一項ずつ繰下・旧六項—八項に繰下〔昭三七・五法一三三〕、五・六項—一部改正〔昭五〇・七法六四〕

【参照条文】

① 【選挙権を有する者—法一八＝選挙法九２～４・一一・二五二　【議会における選挙—法九七１・一一八　令一七四の四五

③ 【委員長—法一八七

⑥ 【政令—令一三四～一三六の二

※ 法一八〇の五６・一九三・二五二の一七の九　令四

【実例・判例・注釈】

1 ●選挙管理委員の被選挙権は、実質上それを有していれば名簿に登載されていないでもよい。（昭二一・一二・二七行実）

2 ○「選挙」とは、投票又は指名推選の方法による選挙をいう。

●選挙管理委員の選任については、本人の承諾を必要とする。（昭二二・一二・二七行実）

●選挙管理委員の承諾書は、議長あてとするのが正当である。（昭二二・一二・二七行実）

●選挙管理委員の選挙については、全員一回の投票により決定すべきであり、個々に投票を行うことはできない。（昭二六・一二・二二行実）

●選挙管理委員および同補充員の選任について指名推選の方法を用いても違法ではない。（昭三五・二・九最裁判）

3 ●選挙管理委員の選挙に指名推選の方法を用いてもよいが、補充員を指名推選する際は補充の順序を定めておく必要がある。（昭二二・一二・二七行実）

●指名推せんによる当選人が既に死亡していた場合は、その数だけ選挙する。（昭三九・三・六行実）

●選挙管理委員の再選挙を行う場合において現在補充員となつている者を委員として選挙することは差支えない。（昭三九・三・一七行実）

4 ●選挙管理委員二人となり補充員がない場合は、補充員四人のみの選挙を行なうべきである。（昭二六・三・六行実）

5 ●選挙管理委員の補充員は、委員長の補欠により当然に選挙管理委員の身分を取得するから、補欠されることを望まない補充員は補欠前に補充員を辞するか、補欠後に選挙管理委員として辞職の手続をとるべきである。（昭二五・一一・一一行実）

6 ●補充の順序を定める具体的な事務は、選挙管理委員会の委員長が執行すべきである。（昭四四・四・三行実）

7 ●選挙管理委員の所属政党又は団体は、原則として本人に申し出させ議会が認定する。ただし、委員となつて後政党に加入したような場合は、委員会が認定する。（昭二三・五・二九行実）

8 ●補充員は現職のまま公職の候補者となりうる。（昭二六・三・二七行実）

※ ●選挙管理委員及び補充員が同時にすべて辞職した場合は、議会は補充員のみを選挙すべきではなく、あらたに委員及び補充員を選挙すべきである。（昭二四・八・八行実）

※ ●選挙管理委員及び補充員の選挙後、その任期の起算日前に、当選人が死亡し又は辞退した場合は、さらに選挙を行なわなければならない。（昭三五・九・一二行実）

〔任期〕

第百八十三条　選挙管理委員の任期[1]は、四年とする。但し、後任者が[2]就任する時まで在任する。

② 補欠委員の任期は、前任者の残任期間とする。

③ 補充員の任期は、委員の任期による。

④ 委員及び補充員は、その選挙に関し第百十八条第五項の規定による裁決又は判決が確定するまでは、その職を失わない。

＊四項一部改正〔昭二二・一二法一六九〕、一項一部改正〔昭二三・一二法二一六〕、四項一部改正〔昭二五・五法一四三、昭三一・六法一四七〕、一項一部改正〔昭三七・五法一三三〕

【引用条文】
④【法一一八（投票による選挙・指名推選及び投票の効力の異議）】５

【参照条文】
【期間計算―民法一四三】【※任期満了以外の離職―法八七・一八四～一八五】【※委員長の離職の場合の措置―法一九三《法一五九の準用に関する部分》令一四〇】【判決の確定―民訴一一六】
※法一八二・二五六

【実例】
1）●選挙管理委員の任期は、選挙の日から起算する。（昭二四・一一・二八行実）
●再選挙で選任された選挙管理委員の任期は、最初に行われた選挙の日から起算する。ただし、前任者の任期満了の日前に選挙を行つた場合は、前任者の任期満了の日の翌日とする。（昭四一・五・一一行実）
2）●選挙管理委員の任期満了の日前に行われた後任の委員の選挙において当選した者のうち、一名はその当選を承諾したが、他の三名の承諾の意思が明らかでない場合、前任の委員の任期満了日後に開催される委員会は、法第一八三条第一項ただし書の規定により前任の委員が、在任しているものと解し、当該委員をもつて構成される。（昭四七・三・一四行実）

〔失職〕
第百八十四条 選挙管理委員は、選挙権を有しなくなつたとき、第百八十条の五第六項の規定に該当するとき又は第百八十二条第四項に規定する者に該当するときは、その職を失う。その選挙権の有無又は第百八十条の五第六項の規定に該当するかどうかは、選挙管理委員が公職選挙法第十一条若しくは同法第二百五十二条又は政治資金規正法第二十八条の規定に該当するため選挙権を有しない場合を除くほか、選挙管理委員会がこれを決定する。
② 第百四十三条第二項から第四項までの規定は、前項の場合にこれを準用する。

＊一項一部改正〔昭二五・四法一〇一、昭三六・一一法二三五、昭三七・五法一三三〕、二項一部改正〔昭三七・九法一六二〕、一項一部改正〔平六・二法四〕

【引用条文】
①【法一八〇の五（委員会及び委員の設置・委員の兼業禁止等）】６・一八二（選挙管理委員及び補充員の選挙）４【選挙法一一（選挙権及び被選挙権を有しない者）・二五二（選挙犯罪による処刑者に対する選挙権及び被選挙権の停止）】【政資法二八】
②【法一四三（失職）】２～４

【参照条文】
【選挙権―法一八＝選挙法九２～４】
※法一二七・一八〇の五・一九三・二五五の五

〔罷免〕
第百八十四条の二 普通地方公共団体の議会は、選挙管理委員が心身の故障のため職務の遂行に堪えないと認めるとき、又は選挙管理委員に職務上の義務違反その他選挙管理委員たるに適しない非行があると認めるときは、議決によりこれを罷免することができる。この場合においては、議会の常任委員会又は特別委員会において公聴会を開かなければならない。
② 委員は、前項の規定による場合を除くほか、その意に反して罷免されることがない。

＊本条追加〔平三・四法二四〕

【参照条文】
【常任委員会・特別委員会―法一〇九１】【公聴会―法一〇九５・一一五の二１】

〔退職〕
第百八十五条 選挙管理委員会の委員長が退職しようとするときは、当該選挙管理委員会の承認を得なければならない。
② 委員が退職しようとするときは、委員長の承認を得なければならない。

【参照条文】
【委員長―法一八七】【※委員長が退職した場合の措置―法一九三《法一五九の準用に関する部分》令一四〇】

【実例】
※●選挙管理委員の補充員は委員長に届け出て退職することができる。（昭二六・三・二七行実）

〔守秘義務〕
第百八十五条の二 選挙管理委員は、職務上知り得た秘密を漏らしてはならない。その職を退いた後も、同様とする。

＊本条追加〔平三・四法二四〕

【参照条文】
※地公法三四

〔職務権限〕
第百八十六条 選挙管理委員会は、法律又はこれに基づく政令の定めるところにより、当該普通地方公共団体が処理する選挙に関する事務及びこれに関係のある事務を管理する。

＊ 一項一部改正・三項追加〔昭二七・八法三〇六〕、一項一部改正・二・三項削る〔平一一・七法八七〕

【参照条文】【選挙管理委員会の職務権限を規定した法令―法七四～七四の三・七五～七七・八〇～八二・八六・一四三・二六一等　令　選挙法五・六等　同令　土地改良法二三　最高裁判所裁判官国民審査法　政資法等

〔委員長〕

第百八十七条　選挙管理委員会は、委員の中から委員長を選挙しなければならない。

② 委員長は、委員会に関する事務を処理し、委員会を代表する。

③ 委員長に事故があるとき、又は委員長が欠けたときは、委員長の指定する委員がその職務を代理する。

＊ 三項一部改正〔昭三一・一二法一六九〕

【参照条文】【委員長の職務―法一二一・一八五の2・一八八～一九一・一九三　令一三七・一四〇

【判　例】

※ ●選挙管理委員会の委員は、委員長の委任があれば、当該選挙管理委員会を訴訟当事者とする訴訟で委員会を代理することができる。（昭二九・六・一五最裁判）

〔招集〕

第百八十八条　選挙管理委員会は、委員長がこれを招集する。委員から委員会の招集の請求があるときは、委員長は、これを招集しなければならない。

【参照条文】

※ 法一〇一

〔会議〕

第百八十九条　選挙管理委員会は、三人以上[1]の委員が出席しなければ、会議を開く[2]ことができない。

② 委員長及び委員は、自己若しくは父母、祖父母、配偶者、子、孫若しくは兄弟姉妹の[3]一身上に関する事件又は自己若しくはこれらの者の従事する業務に直接の利害関係のある事件については、その議事に参与することができない。但し、委員会の同意を得たときは、会議に出席し、発言することができる。

③ 前項の規定により委員の数が減少して第一項の数に達しないときは、委員長は、補充員でその事件に関係のないものを以て第百八十二条第三項の順序により、臨時にこれに充てなければならない。委員の事故[4]に因り委員の数が第一項の数に達しないときも、また、同様とする。

＊ 三項一部改正〔昭三一・一二法一六九〕、一項一部改正〔昭二七・八法三〇六〕、一・二項一部改正〔昭三一・六法一四七〕、一項一部改正〔昭三三・四法七五〕

【引用条文】

③【法一八二（選挙管理委員及び補充員の選挙）3

【参照条文】【※除斥の場合の措置―令一三六　【※開議不能の場合の措置―令一三七

※ 法一一七・一七九

【実例・通知・判例・注釈】

1）○「三人以上」とは、三人又は三人をこえる数を指す。

2）●選挙管理委員の選挙において当選を承諾しない者がある場合でもその再選挙執行前に委員会を招集し、その委員会において定足数を充足すれば委員会は組織されたものとして会議を運営してさしつかえない。（昭二八・三・二三行実）

3）●選挙管理委員会の委員長が、その父が立候補しようとしている選挙につき、一般的に投票管理者、投票立会人、選挙長などの選任、あるいはその選任を委員長に一任する旨の決議に参与することはさしつかえない。（昭三一・六・二一高裁判）

●選挙管理委員長の退職の承認は、当該退職委員長にとって「一身上に関する事件」である。（昭三三・三・二七地裁判）

4）●選挙管理委員が旅行、私用等により会議に出席できなかった場合も、委員に故障ある場合とみなして補充員をこれに充てることができる。（昭二一・一二・二七通知）

〔表決〕

第百九十条　選挙管理委員会の議事は、出席委員の過半数[1]を以てこれを決する。可否同数のときは、委員長の決するところによる。

＊ 二項削る〔昭二七・八法三〇六〕

【参照条文】

※ 法一一六

【注　釈】

1）○「過半数」とは、委員長を含む出席委員の半数をこえる数、たとえば四人のときは、二人をこえる数、すなわち三人以上を指す。

〔書記その他の職員〕

第百九十一条　都道府県及び市の選挙管理委員会に書記[1]

長、書記その他の職員を置き、町村の選挙管理委員会に書記その他の職員を置く。

② 書記長、書記その他の常勤の職員の定数は、条例でこれを定める。但し、臨時の職については、この限りでない。

③ 書記長は委員長の命を受け、書記その他の職員又は第百八十条の三の規定による職員は上司の指揮を受け、それぞれ委員会に関する事務に従事する。

＊ 一・二・三項―一部改正〔昭二六・六法二〇三〕、昭二七・八法三〇六〕、一項―一部改正〔昭三六・一一法二三五〕、一・三項―全改・二項―一部改正〔昭三七・五法一三三〕

【引用条文】

③【法一八〇の三（長の補助職員の他の執行機関の職員の兼職・事務の従事等）】

【参照条文】

※ 法一七二・一九三・二〇〇 選挙法二七三

【実 例】

1）●選挙管理委員会規程により、書記長その他の職員の職の名称として事務局長等を定めることは差し支えない。（昭四三・六・一八行実）

〔選挙管理委員会の訴訟の代表〕

第百九十二条 選挙管理委員会の処分又は裁決に係る普通地方公共団体を被告とする訴訟については、選挙管理委員会が当該普通地方公共団体を代表する。

＊ 本条―全改〔平一六・六法八四〕

〔準用規定〕

第百九十三条 第百四十一条第一項及び第百六十六条第一項の規定は選挙管理委員について、第百五十三条第一項、第百五十四条及び第百五十九条の規定は選挙管理委員会の委員長について、第百七十二条第二項及び第四項の規定は選挙管理委員会の書記長、書記その他の職員について、それぞれ準用する。

＊ 本条―一部改正〔昭二二・一二法一六九、昭二三・七法一七九〕、全改〔昭二六・六法二〇三〕、一部改正〔昭三一・六法一四七、昭三七・五法一三三、平二八・一二法九四〕

【引用条文】

【法一四一（兼職の禁止）1・一六六（副知事及び副市町村長の兼職・兼業禁止及び事務引継）1・一五三（長の事務の委任・臨時代理）1・一五四（職員の指揮監督）・一五九（事務引継）・一七二（職員）2・4】

【参照条文】

※【委員長―令一四〇】

〔委員会の規程〕

第百九十四条 この法律及びこれに基く政令に規定するものを除く外、選挙管理委員会に関し必要な事項は、委員会がこれを定める。

【参照条文】

【この法律―法一八一～一九三・二〇三の二～二〇六・二五二の一七の九・二五二の一七の一〇 【政令―令一三四～一四〇 程一八・一九 【※必要事項制定上の注意―法一八〇の四

※ 法一八〇の五4

【実 例】

※ ●選挙後初めて招集する委員会の招集方法は、委員会の規程に定めるべきである。（昭二一・一二・二七行実）

※ ●市選挙管理委員会が区選挙管理委員会にポスターの検印等を内部委任することはさしつかえない。（昭二三・六・二三行実）

第五款 監査委員

＊ 旧三節―四款に改正〔昭二七・八法三〇六〕、旧四款―繰下〔昭二九・六法一九三〕

〔監査委員の設置及び定数〕

第百九十五条 普通地方公共団体に監査委員を置く。

② 監査委員の定数は、都道府県及び政令で定める市にあつては四人とし、その他の市及び町村にあつては二人とする。ただし、条例でその定数を増加することができる。

＊ 本条―全改〔昭三八・六法九九〕、二項―一部改正〔平九・六法六七、平一八・六法五三〕

【参照条文】

② 【政令―令一四〇の二

※ 法一三八の二・一八〇の五1

〔選任及び兼職の禁止〕

第百九十六条 監査委員は、普通地方公共団体の長が、議会の同意を得て、人格が高潔で、普通地方公共団体の財務管理、事業の経営管理その他行政運営に関し優れた識見を有する者（議員である者を除く。以下この款において「識見を有する者」という。）及び議員のうちから、これを選任する。ただし、条例で議員のうちから監査委員を選任しないことができる。

② 識見を有する者のうちから選任される監査委員の数が二人以上である普通地方公共団体にあつては、少なくともその数から一を減じた人数以上は、当該普通地方公共団体の職員で政令で定めるものでなかつた者でなければならない。

③ 監査委員は、地方公共団体の常勤の職員及び短時間勤

務職員と兼ねることができない。

④ 識見を有する者のうちから選任される監査委員は、常勤とすることができる。

⑤ 都道府県及び政令で定める市にあつては、識見を有する者のうちから選任される監査委員のうち少なくとも一人以上は、常勤としなければならない。

⑥ 議員のうちから選任される監査委員の数は、都道府県及び前条第二項の政令で定める市にあつては二人又は一人、その他の市及び町村にあつては一人とする。

＊ 二項―一部改正〔昭二六・六法二〇三〕、三項―追加〔昭二七・八法三〇六〕、全改〔昭三一・六法一四七〕、一・三項―全改〔昭三八・六法九九〕、一項―一部改正・二項―追加・旧二項―三項に繰下・旧三項―一部改正し四項に繰下・五項―追加〔平三・四法二四〕、二項―一部改正〔平九・六法六七〕、三項―一部改正〔平一一・七法一〇七、平一六・六法八五〕、一・二項―一部改正〔平一八・六法五三〕、一・四項―一部改正・六項―追加〔平二九・六法五四〕

【参照条文】

① 【※選任上の注意―法一九八の二・二〇一（法一四一1・一六四・一六六1準用に関する部分）】

② 【政令―令一四〇の三】

⑤ 【政令―令一四〇の四】

※ 法一八〇の五6

【実例・通知】

1）●監査委員について任期満了前に後任者を選任することはできないが、準備手続をすすめることはさしつかえない。（昭二四・八・一九行実）

●二以上の市町村を廃止して、その区域をもつて新たに一つの市町村の設置があつた場合は、長の職務執行者が議会の同意を得て監査委員を選任すべきものではない。（昭四二・一・一〇行実）

●条例で議員のうちから監査委員を選任しないことができるものとされているが、当該条例の提出権は、長並びに議員及び委員会の双方に存するものであるが、当該条例を制定するかどうかは、監査委員と議会の監視機能における役割分担の観点等を踏まえ検討されたい。（平二九・六・九通知）

〔任期〕

第百九十七条　監査委員の任期は、識見を有する者のうちから選任される者にあつては四年とし、議員のうちから選任される者にあつては議員の任期による。ただし、後任者が選任されるまでの間は、その職務を行うことを妨げない。

＊ 本条―全改〔昭三一・六法一四七〕、一部改正〔昭三八・六法九九、昭四九・六法七一、平三・四法二四〕

【参照条文】

【議員の任期―法九三】【期間計算―民法一四三】【※任期満了以外の離職―法八七・一九七の二～一九八の二】【※監査委員離職の場合の措置―法二〇一（法一五九の準用に関する部分）】令一四一

※ 法一九六

【実　例】

1）●後任者が選任されるまでの間における監査職務の執行は、監査委員たる身分で執行するものでなく、その延長であるとの観念に基づく執行である。（昭二四・五・一三行実）

●任期満了後における監査委員の職務を執行する者の名称は、監査委員職務執行者何某とするのが適当である。（昭二六・四・一六行実）

●任期満了者の職務執行については、法律上特別の手続を必要とするものではない。（昭三二・五・一六行実）

●任期満了者は、監査事務運営上必要があると認められる場合には、職務を行うべきである。（昭三二・六・一〇行実）

●議会選出監査委員の任期満了後においても、後任者が選任されるまで職務を行うことはさしつかえない。（昭三二・八・一行実）

●二以上の市町村を廃止して、その区域をもつて新たに一つの市町村の設置があつた場合は、ただし書の規定の適用はない。（昭四二・一・一〇行実）

〔罷免〕

第百九十七条の二　普通地方公共団体の長は、監査委員が心身の故障のため職務の遂行に堪えないと認めるとき、又は監査委員に職務上の義務違反その他監査委員たるに適しない非行があると認めるときは、議会の同意を得て、これを罷免することができる。この場合においては、議会の常任委員会又は特別委員会において公聴会を開かなければならない。

② 監査委員は、前項の規定による場合を除くほか、その意に反して罷免されることがない。

＊ 本条―追加〔平三・四法二四〕

【参照条文】

【常任委員会・特別委員会―法一〇九1】

【公聴会―法一〇九5・一一五の二1】

〔退職〕

第百九十八条　監査委員は、退職しようとするときは、普通地方公共団体の長の承認を得なければならない。

【参照条文】

【※退職の場合の措置―法二〇一（法一五九の準用に関する部分）】令一四一

〔親族の就職禁止〕

第百九十八条の二　普通地方公共団体の長又は副知事若しくは副市町村長と親子、夫婦又は兄弟姉妹の関係にある者は、監査委員となることができない。

② 監査委員は、前項に規定する関係が生じたときは、その職を失う。

＊本条―追加〔昭三一・六法一四七〕、一項―一部改正〔平一八・六法五三〕

【参照条文】

【団体の長―法一三九　【副知事、副市町村長―法一六一　【※監査委員の就職を禁じた他の規定―法一六九1　地教法六

〔服務〕

第百九十八条の三　監査委員は、その職務を遂行するに当たつては、法令に特別の定めがある場合を除くほか、監査基準（法令の規定により監査委員が行うこととされている監査、検査、審査その他の行為（以下この項において「監査等」という。）の適切かつ有効な実施を図るための基準をいう。次条において同じ。）に従い、常に公正不偏の態度を保持して、監査等をしなければならない。

② 監査委員は、職務上知り得た秘密を漏らしてはならない。その職を退いた後も、同様とする。

＊本条―追加〔平三・四法二四〕、一項―一部改正〔平二九・六法五四〕

【参照条文】

①【監査基準―法一九八の四　【特別の定め―法一九九3　令一四〇の六　公企法三〇3

〔監査基準の策定等及び指針〕

第百九十八条の四　監査基準は、監査委員が定めるものとする。

② 前項の規定による監査基準の策定は、監査委員の合議によるものとする。

③ 監査委員は、監査基準を定めたときは、直ちに、これを普通地方公共団体の議会、長、教育委員会、選挙管理委員会、人事委員会又は公平委員会、公安委員会、労働委員会、農業委員会その他法律に基づく委員会及び委員に通知するとともに、これを公表しなければならない。

④ 前二項の規定は、監査基準の変更について準用する。

⑤ 総務大臣は、普通地方公共団体に対し、監査基準の策定又は変更について、指針を示すとともに、必要な助言を行うものとする。

＊本条―追加〔平二九・六法五四〕

【参照条文】

①⑤【監査基準―法一九八の三

⑤ 法二四五の四・二四七・二五二の一七の五

【通　知】

1）●監査委員は、総務大臣が示す指針を踏まえて監査基準を策定又は変更されたい。また、既に自主的に監査の実施に関する基準を定めている普通地方公共団体においては、当該基準が法第一九八条の三第一項の監査基準と同様の性質・内容であれば、当該基準を監査基準として位置付けることも可能であるが、当該指針を踏まえ、必要な検討を行うことが求められる。（平二九・六・九通知）

●地方公共団体に共通する、監査等を行うに当たって必要な基本原則と考えられる事項を規定した「監査基準（案）」を策定した。併せて、監査等を監査基準（案）に沿って行うために、監査基準（案）に規定する項目のうち、特に留意を要する事項に係る実務のあり方について、詳細な説明、具体例、望ましい実務を記載した「実施要領」についても策定したので、これらを併せて通知する。（平三一・三・二九通知）

〔職務権限〕

第百九十九条　監査委員は、普通地方公共団体の財務[1]に関する事務の執行及び普通地方公共団体の経営に係る事業の管理を監査する。

② 監査委員は、前項に定めるもののほか、必要があると認めるときは、普通[2]地方公共団体の事務（自治事務にあつては労働委員会及び収用委員会の権限に属する事務で政令で定めるものを除き、法定受託事務にあつては国の安全を害するおそれがあることその他の事由により監査委員の監査の対象とすることが適当でないものとして政令で定めるものを除く。）の執行について監査をすることができる。この場合において、当[3]該監査の実施に関し必要な事項は、政令で定める。

③ 監査委員は、第一項又は前項の規定による監査をするに当たつては、当該普通地方公共団体の財務に関する事務の執行及び当該普通地方公共団体の経営に係る事業の管理又は同項に規定する事務の執行が第二条第十四項及び第十五項の規定の趣旨にのつとつてなされているかどうかについて、特に、意を用いなければならない。

④ 監査委員は、毎会計年度少なくとも一[4]回以上期日を定めて第一項の規定による監[5]査をしなければならない。

⑤ 監査委員は、前項に定める場合のほか、必要があると認めるときは、いつでも第一項の規定による監査をすることができる。

⑥ 監査委員は、当該普通地方公共団体の長から当該普通地方公共団体の事務の執行に関し監査の要求があつたと

自治法

きは、その要求に係る事項について監査をしなければならない。

⑦　監査委員は、必要があると認めるとき、又は普通地方公共団体の長の要求があるときは、当該普通地方公共団体が補助金、交付金、負担金、貸付金、損失補償、利子補給その他の財政的援助[6]を与えているものの出納その他の事務の執行で当該財政的援助に係るものを監査することができる。当該普通地方公共団体が出資しているもので政令[7]で定めるもの、当該普通地方公共団体が借入金の元金又は利子の支払を保証しているもの、当該普通地方公共団体が受益権を有する信託で政令で定めるものの受託者[8]及び当該普通地方公共団体が第二百四十四条の二第三項の規定に基づき公の施設の管理を行わせているものについても、同様とする。

⑧　監査委員は、監査[9]のため必要があると認めるときは、関係人の出頭を求め、若しくは関係人について調査し、若しくは関係人に対し帳簿、書類その他の記録の提出を求め、又は学識経験を有する者等から意見を聴くことができる。

⑨　監査委員は、第九十八条第二項の請求若しくは第六項の要求に係る事項についての監査又は第一項、第二項若しくは第七項の規定による監査について、監査の結果に関する報告を決定し、これを普通地方公共団体の議会及び長並びに関係のある教育委員会、選挙管理委員会、人事委員会若しくは公平委員会、公安委員会、労働委員会、農業委員会その他法律に基づく委員会又は委員に提出するとともに、これを公表[10]しなければならない。

⑩　監査委員は、監査の結果に基づいて必要があると認めるときは、当該普通地方公共団体の組織及び運営の合理化に資するため、第七十五条第三項又は前項の規定による監査の結果に関する報告に添えてその意見[11]を提出することができる。この場合において、監査委員は、当該意見の内容を公表しなければならない。

⑪　監査委員は、第七十五条第三項の規定又は第九項の規定による監査の結果に関する報告のうち、普通地方公共団体の議会、長、教育委員会、選挙管理委員会、人事委員会若しくは公平委員会、公安委員会、労働委員会、農業委員会その他法律に基づく委員会又は委員において特に措置を講ずる必要があると認める事項については、その者に対し、理由を付して、必要な措置を講ずべきことを勧告することができる。この場合において、監査委員は、当該勧告の内容を公表しなければならない。

⑫　第九項の規定による監査の結果に関する報告の決定、第十項の規定による意見の決定又は前項の規定による勧告の決定は、監査委員の合議によるものとする。

⑬　監査委員は、第九項の規定による監査の結果に関する報告の決定について、各監査委員の意見が一致しないことにより、前項の合議により決定することができない事項がある場合には、その旨及び当該事項についての各監査委員の意見を普通地方公共団体の議会及び長並びに関係のある教育委員会、選挙管理委員会、人事委員会若しくは公平委員会、公安委員会、労働委員会、農業委員会その他法律に基づく委員会又は委員に提出するとともに、これらを公表しなければならない。

⑭　監査委員から第七十五条第三項の規定又は第九項の規定による監査の結果に関する報告の提出があつた場合において、当該監査の結果に関する報告の提出を受けた普通地方公共団体の議会、長、教育委員会、選挙管理委員会、人事委員会若しくは公平委員会、公安委員会、労働委員会、農業委員会その他法律に基づく委員会又は委員は、当該監査の結果に基づき、又は当該監査の結果を参考として措置（次項に規定する措置を除く。以下この項において[12]同じ。）を講じたときは、当該措置の内容を監査委員に通知しなければならない。この場合において、監査委員は、当該措置の内容を公表[13]しなければならない。

⑮　監査委員から第十一項の規定による勧告を受けた普通地方公共団体の議会、長、教育委員会、選挙管理委員会、人事委員会若しくは公平委員会、公安委員会、労働委員会、農業委員会その他法律に基づく委員会又は委員は、当該勧告に基づき必要な措置を講ずるとともに、当該措置の内容を監査委員に通知しなければならない。この場合において、監査委員は、当該措置の内容を公表しなければならない。

＊　五項―追加・旧五項―一部改正し六項に繰下〔昭二五・五法一四三〕、二・八項―追加・旧二・六項―一部改正し一項ずつ繰下・旧三～五項―一項ずつ繰下〔昭二七・八法三〇六〕、二・四・六項―一部改正・七項―追加・旧七項―一部改正し八項に繰下・旧八項―九項に繰下〔昭三一・六法一四七〕、四・八項―一部改正〔昭三五・六法一一三〕、一・二・六・八項―一部改正・四項―追加・旧四項―一部改正し五項に繰下・旧五項―削る〔昭三八・六法九九〕、二・八項―一部改正〔昭四四・三法二〕、六項―一部改正〔昭六一・五法七五〕、二項―追加・旧二項―一部改正し三項に繰下・旧三～五項―一項ずつ繰下・旧六項―一部改正し七項に繰下・旧七項―八項に繰下・旧八・九項―一部改正し一項ずつ繰下・一一項―追加〔平三・四法二四〕、一一項―一部改正・一二項―追加〔平九・六法六七〕、二・三・六・九・一二項―一部改正〔平一一・七法八七〕、八項―一部改正〔平一四・三法四〕、七項―一部改正〔平一五・六法八一〕、二・九・一二項―一部改正〔平一六・一一法一四〇〕、三・四・七・九・一〇項―一部改正・一一項―追加・旧一一項―一部改正し一二項に繰下・一三項―追加・旧一二項―一部改正し一四項に繰下・一五項―追加〔平二九・六法五四〕

【引用条文】
③【法二（地方公共団体の法人格とその事務）14・15

自治法

【参照条文】
⑦【法二四四の二（公の施設の設置、管理及び廃止）3
⑨【法九八（検査及び監査の請求）2
⑩・⑪・⑭【法七五（監査の請求とその処置）3
①【監査委員の職務―法七五・九八2・一二一・二三三2・二三五の二・二四二・二四三の二の七2・二四三の二の八3　公企法三〇等
②【政令―令一四〇の五・一四〇の六　【外部監査人への配慮―法二五二の三〇2
④【会計年度―法二〇八1　※財政法一一
⑥【議会の要求―法九八2　【監査の特例（個別外部監査契約）―法二五二の四一
⑦【政令の定―令一四〇の七　【受益権―信託法二7等　【信託―信託法二1等　法二三八の五2　国有財産法二〇1　【受託者―信託法二5等　信託業法二等　金融機関の信託業務の兼営等に関する法律一　【監査の特例（個別外部監査契約）―法二五二の四二
⑧【関係人の出頭等―法二〇七
⑨【法律に基づく委員の例―社教法一五
⑫【監査委員の定数―法一九五2
※　法一三八の二の二・一三八の三

【実例・通知・判例・注釈】

1）●条例そのもの（第一項の）監査はできない。（昭二六・九・二一行実）
●（第一項の監査においては）進行中の土木工事についても、財務に関する事務の執行に関する限り監査することができる。（昭二八・四・一三行実）
●（第一項の監査においては）職員の出勤状況を財政経理的見地から監査することができる。（昭二八・四・一三行実）
●（第一項の監査においては）生活保護費にかかる出納その他出納に関連する事務の執行の適否の観点を離れて保護決定の適否自体を監査することはできない。（昭三七・五・七行実）
●「財務に関する事務の執行」には、予算の執行、収入、支出、契約、現金及び有価証券の出納保管、財産管理等の事務の執行を包含する。（昭三八・一二・一九通知）
●特別昇給に関する実施基準及び具体的実施対象それ自体については一般的に（第一項の）監査の対象とはならない。（昭四三・一一・七行実）
●補償費の監査にあたつては、補償費の出納その他出納に関連する事務の執行の適否の観点を離れて補償基準又は補償費の算定方法そのものを（第一項の監査において）監査することはできない。（昭四四・四・三行実）

2）●これは監査委員の監査は従来原則として財務監査とされていたものをいわゆる行政監査にも拡大するものである。（平三・四・二通知）

3）●令第一四〇条の六において「法令の定めるところに従つて適正に行われているかどうかについて、適時に監査を行わなければならない」とされているが、これは、法律及び政省令のほか訓令通達等に従って適正に行われているかどうかについても監査しなければならないこと及び監査の時期はその監査を受ける事務の執行にも支障が生じないように配慮することなど、最も適切な時期としなければならないことを定めたものである。（平三・四・二通知）

4）○「一回以上期日を定めて」とは、毎会計年度において一回又はそれより多い回数定例的にという意である。
●定例監査の期日は条例で一定しておくのが適当である。（昭三三・九・二九行実）

5）●いわゆる破壊検査も、一般監査の範囲を逸脱せず、かつ、他に当該監査の目的を達する方法がない場合に限りすることができる。（昭四四・四・三行実）

6）●地方教職員共済組合に対して監査することはできない。（昭二七・四・一〇行実）
●交付金又は貸付金の使途が会館建設費に限られている場合は、事業経理の監査まではできない。（昭二七・八・二〇行実）
●市立学校のPTA、学校後援会などの経理につき、補助金その他の財政的援助がある場合は、本条第六項（現行法では第七項）の規定に基づく監査はできるが、他の場合は監査できない。（昭二八・四・二四行実）
●モーターボート競走会に対する交付金は、競走の実施の委任に対する対価として交付するものであるから、「財政的援助」ではないから、法一九九条第六項（現行法では第七項）の適用はない。（昭三一・一〇・三行実）
●財政的援助を与えているものの監査とは、金銭をもつて援助している場合のみであり、人的援助はこの項の援助に該当しない。（昭三一・一一・二八行実）
●調査研究委託料は、財政的援助にあたらない。（昭三二・一〇・二四行実）
●行政目的をもつて金融機関に対してする預託は、予算に計上して支出すべきものであるが、実質上財政的援助と認められる預託金については、本条第六項（現行法では第七項）の規定により監査できる。（昭三四・四・三行実）
●間接補助事業者（補助を受ける者からさらに補助を受ける者）を本条第六項（現行法では第七項）の規定により監査することはできない。（昭三四・一一・九行実）
●物的援助は、財政的援助ではない。（昭三八・一一・一二行実）
●地方職員共済組合の事務のうち、地方公務員等共済組合法第一一三条の規定に基づき県が交付した負担金に係る出納その他の事務の執行については監査できないが、法定の負担金以外の負担金を交付している場合は監査できる。（昭四一・五・一二行実）

自治法

●児童福祉法第二四条の規定により乳幼児を入所せしめている私立保育所に対し市が同法第五一条の規定により措置費を支出している場合、監査委員は、これを私立保育所に対する財政援助とみなして当該保育所の出納について監査することはできない。(昭四六・八・一一行実)

7) ○「政令で定めるもの」とは、当該普通地方公共団体が資本金、基本金その他これに準ずるものの四分の一以上を出資している法人を指す。(令一四〇の七参照)

8) ●監査委員は、公の施設の管理を受託している団体の当該委託に係る出納その他の事務の執行について監査できる。(平三・四・二通知)

9) ●市の特定の事務または特定の事業の経営を私人に委託した場合、委託を受けた私人の事務そのものは、監査の対象とすることはできないが、委託した地方公共団体の事務を監査するのに必要があれば、当該委託を受けた者に対して出頭を求め、調査し、または帳簿書類その他の記録の提出を求めることはできる。(昭四四・五・八行実)

10) ●監査結果の公表は、所定機関に対する報告(現行法では提出)より先にすべきではない。(昭三二・四・一七行実)

11) ●(第一項の監査において)提出する意見の範囲は、必ずしも監査対象内に限られるべきものではない。(昭二七・八行実)

●意見の公表は必要でない。(昭二七・一〇・六行実)

●(第一項の監査において)地方公共団体の組織及び運営の合理化に資するために必要があると認めるときには、条例の改正又は廃止の意見を監査の結果に添えて提出することはさしつかえない。(昭二七・一二・二五行実)

12) ●長等が監査委員の監査結果の報告に基づく改善策を講じない場合は、監査委員に対する報告義務はないものである。したがって監査委員の監査結果の報告・公表後相当期間経過しても改善策が公表されなければ、長等が改善策を講じていないことが明らかになるものである。(平一〇・四・一通知)

13) ●長等からの監査委員の監査結果の報告に基づく改善策の報告については、その公表方法、公表時期等は、報告を受けた監査委員において判断されるものであるが、通常監査結果を公表している方法と同様の方法により、報告後できるだけ速やかに公表することが望ましい。(平一〇・四・一通知)

※ ●交際費の内容まで監査することは経費の性質上適当でないが、収支の経理手続についてこれを行うことはさしつかえなく、また、議会又は住民の直接請求による場合は監査できるが、結果の公表については適当な配慮が必要である。(昭二四・一・二六行実)

※ ●公立病院で保管している麻薬の管理状況についての監査に当たり麻薬取締官の立会いを求める必要はない。(昭二六・一〇・二四行実)

※ ●監査委員が教育委員会を被告として監査拒否の無効確認を求める訴は不適法である。(昭三〇・三・一四地裁判)

※ ●他人の管理に属する場所に立ち入つて調査するためには、管理者の承諾がなければならない。(昭三五・一・六行実)

※ ●市町村の監査委員が直接請求による監査、議会の要求による監査及び定期監査等を行うについて、当該監査の性質上、土木、建築等の専門的知識が必要な場合は民間団体に対し、当該工事等の調査を依頼し、その調査結果を参考として監査を行つて差し支えない。(昭四三・四・一〇行実)

※ ●監査の基礎となる調査を委託した場合は、監査結果の報告において委託した旨及びその結果を明示することとされたい。(平一〇・四・一通知)

〔監査執行上の除斥〕

第百九十九条の二　監査委員は、自己若しくは父母、祖父母、配偶者、子、孫若しくは兄弟姉妹の一身上に関する事件又は自己若しくはこれらの者の従事する業務に直接の利害関係のある事件については、監査することができない。

＊本条…追加〔昭三一・六法一四七〕

【参照条文】

※ 法一一七　【外部監査人についての除斥…法二五二の二九】

【実　例】

1) ●県議会開会中の費用弁償の支給につき第二四三条の二(現行法では第二四二条)第一項により監査委員に対し当該違法、不当行為の禁止の措置請求があつた場合には、議会選出の監査委員は監査できない。(昭三二・二・一三行実)

●監査委員の実弟が校長として勤務する高等学校の監査については、当該監査委員は監査できない。(昭三三・八・四行実)

●実兄が課長をしている課の監査を行うことは違法である。(昭三四・一二・四行実)

●財団法人の監事を兼ねている監査委員は、当該財団法人の監査にあたつては除斥される。(昭三八・一一・二〇行実)

●労働委員会の委員を兼ねている監査委員は、当該労働委員会の監査を執行する場合は除斥される。(昭四三・六・一八行実)

●衛生民生部次長であつた監査委員は、当該監査委員が次長として在任していた期間を対象として衛生民生部の監査を執行する場合は除斥される。(昭四三・六・一八行実)

※ ●監査委員の定数二人の団体において、そのうち一人が除斥された場合における監査(合議)は、除斥

されない監査委員一人で行う。（昭四八・四・一三行実）

〔代表監査委員〕

第百九十九条の三　監査委員は、識見を有する者のうちから選任される監査委員の一人（監査委員の定数が二人の場合において、そのうち一人が議員のうちから選任される監査委員であるときは、識見を有する者のうちから選任される監査委員）を代表監査委員としなければならない。

② 代表監査委員は、監査委員に関する庶務及び次項又は第二百四十二条の三第五項に規定する訴訟に関する事務を処理する。

③ 代表監査委員又は監査委員の処分又は裁決に係る普通地方公共団体を被告とする訴訟については、代表監査委員が当該普通地方公共団体を代表する。

④ 代表監査委員に事故があるとき、又は代表監査委員が欠けたときは、監査委員の定数が三人以上の場合には代表監査委員の指定する監査委員が、二人の場合には他の監査委員がその職務を代理する。

＊本条―追加〔昭三八・六法九九〕、一項―一部改正〔平三・四法二四〕、二項―一部改正〔平一四・三法四〕、二項―一部改正・三項―追加・旧三項―一項繰下〔平一六・六法八四〕、一・四項―一部改正〔平一八・六法五三、平二九・六法五四〕

【引用条文】
②【法二四二の三（訴訟の提起）5】

【参照条文】
【監査委員の定数―法一九五2】【識見を有する者―法一九六1】

〔事務局の設置等〕

第二百条　都道府県の監査委員に事務局を置く。

② 市町村[1]の監査委員に条例の定めるところにより、事務局を置くことができる。

③ 事務局に事務局長、書記[2]その他の職員を置く。

④ 事務局を置かない市町村の監査委員の事務を補助させるため書記その他の職員を置く。

⑤ 事務局長、書記その他の職員は、代表監査委員がこれを任免する。

⑥ 事務局長、書記その他の常勤の職員の定数[3]は、条例でこれを定める。ただし、臨時の職については、この限りでない。

⑦ 事務局長は監査委員の命を受け、書記その他の職員[4]又は第百八十条の三の規定による職員は上司の指揮[5]を受け、それぞれ監査委員に関する事務に従事[6]する。

＊本条―全改〔昭三八・六法九九〕、二・四・五項―一部改正〔平九・六法六七〕

【引用条文】
⑦【法一八〇の三（長の補助職員の他の執行機関の職員の兼職・事務の従事等）】

【参照条文】
※法一七二・一九一・一九九の三・二〇一　地公法六1
⑦【外部監査人の監査への協力―法二五二の三三2】

【実例・通知・注釈】
1）●規模の小さな町村においては、監査委員事務局を設置するに当たつては、組織・機構の簡素化という観点から、地方自治法第二五二条の七第一項の規定による共同設置を行うことが望ましい。（平一〇・四・一通知）
2）●監査委員の事務を補助する職員のうち吏員相当の職員（現行法では「吏員」と「その他の職員」の区分は廃止されて「職員」に一本化されている。）の身分は法律上書記であり、これを主事に改めることはできない。（昭三一・六・一〇行実）
3）●職員の定数は、原則として専任者の定数を定めるものであるが、兼任者の定数もあわせて定めることはさしつかえない。（昭二七・一・七行実）
4）○「上司」とは、監査委員、事務局長、職制上の上席職員を指す。
5・6）●指揮し又は従事させる方法は文書又は口頭のいずれでもよい。（昭三八・一一・六行実）

〔監査専門委員〕

第二百条の二　監査委員に常設又は臨時の監査専門委員を置くことができる。

② 監査専門委員は、専門の学識経験を有する者の中から、代表監査委員が、代表監査委員以外の監査委員の意見を聴いて、これを選任する。

③ 監査専門委員は、監査委員の委託を受け、その権限に属する事務に関し必要な事項を調査する。

④ 監査専門委員は、非常勤とする。

＊本条―追加〔平二九・六法五四〕

【参照条文】
③【監査委員の職務―法七五・九八2・一二一・一九九・二三三2・二三五の二・二四一・二四三の二・二四三の二の二3　公企法三〇等】

【通　知】
●監査専門委員に対する報酬及び費用弁償の額並びにその支給方法は、法第二〇三条の二第四項の規定に基づき、条例で定めなければならない。（平二九・六・九通知）

〔準用規定〕

第二百一条　第百四十一条第一項、第百五十四条、第百五十九条、第百六十四条及び第百六十六条第一項の規定は監査委員に、第百五十三条第一項の規定は代表監査委員に、第百七十二条第四項の規定は監査委員の事務局長、書記その他の職員にこれを準用する。

＊本条―一部改正〔昭二二・一二法一六九、昭二三・七法一七九、昭二六・六法二〇三、昭三一・六法一四七、昭三八・六法九九〕

【引用条文】
【法一四一（兼職の禁止）1・一五四（職員の指揮監督）・一五九（事務引継）・一六四（副知事及び副市町村長の欠格事由）・一六六（副知事及び副市町村長の兼職）1・一五三（長の事務の委任・臨時代理）1・一七二（職員）4

【参照条文】
※令一四一

【実例・判例】
●監査委員は、長の任免権（選任権）の及ぶ限度で長の命を受けるべきものである。（昭二六・七・三〇行実）
●兼職禁止に違反してなされた監査委員の選任は当然無効である。（昭三〇・一二・一三地裁判）

〔**条例への委任**〕
第二百二条　法令に特別の定めがあるものを除くほか、監査委員に関し必要な事項は、条例でこれを定める。

＊本条―一部改正〔平二九・六法五四〕

【参照条文】
【特別の定め―法一九五～二〇一・二〇三の二～二〇六等　【政令―令九九・一四〇の二～一四一　程二〇・二一

※法一八〇の四2・一八〇の五4

【実　例】
※●条例で、議長に対し、議会の議事の結果を監査委員に報告することを義務づけることはできない。（昭二六・八・二〇行実）

第六款　人事委員会、公平委員会、労働委員会、農業委員会その他の委員会

＊本款―追加〔昭二七・八法三〇六〕、款名―改正・旧五款―繰下〔昭二九・六法一九三〕、款名―改正〔平一六・一一法一四〇〕

〔**その他の委員会の職務権限等**〕
第二百二条の二　人事委員会は、別に法律の定めるところにより、人事行政に関する調査、研究、企画、立案、勧告等を行い、職員の競争試験及び選考を実施し、並びに職員の勤務条件に関する措置の要求及び職員に対する不利益処分を審査し、並びにこれについて必要な措置を講ずる。

② 公平委員会は、別に法律の定めるところにより、職員の勤務条件に関する措置の要求及び職員に対する不利益処分を審査し、並びにこれについて必要な措置を講ずる。

③ 労働委員会は、別に法律の定めるところにより、労働組合の資格の立証を受け及び証明を行い、並びに不当労働行為に関し調査し、審問し、命令を発し及び和解を勧め、労働争議のあつせん、調停及び仲裁を行い、その他労働関係に関する事務を執行する。

④ 農業委員会は、別に法律の定めるところにより、農地等の利用関係の調整、農地の交換分合その他農地に関する事務を執行する。

⑤ 収用委員会は別に法律の定めるところにより土地の収用に関する裁決その他の事務を行い、海区漁業調整委員会又は内水面漁場管理委員会は別に法律の定めるところにより漁業調整のため必要な指示その他の事務を行い、固定資産評価審査委員会は別に法律の定めるところにより固定資産課税台帳に登録された価格に関する不服の審査決定その他の事務を行う。

＊本条―追加〔昭二七・八法三〇六〕、六項―一部改正〔昭二八・八法二一二、昭二九・六法一八五〕、三・八項―削る・旧七項―一部改正し六項に繰上・旧四～六項―一項ずつ繰上〔昭二九・六法一九三〕、六項―一部改正〔昭三一・六法一四七〕、七項―追加〔昭三三・四法五三〕、五項―一部改正〔平一一・三法一五〕、六・七項―削る〔平一一・七法八七〕、三項―一部改正〔平一六・一一法一四〇〕、四項―一部改正〔平二一・六法五七〕

【参照条文】
①・②【人事委員会、公平委員会の職務権限―地公法八　③【労働委員会の職務権限―労組法二〇　④【農業委員会の職務権限―農委法六　農地法　⑤【収用委員会の職務権限―収用法五一　【海区漁業調整委員会の職務権限―漁業法一三五　【内水面漁場管理委員会の職務権限―漁業法一七一　【固定資産評価審査委員会の職務権限―地税法四二三
※法一三八の二の二～一三八の四・一八〇の二～一八〇の七

第七款　附属機関

＊本款―追加〔昭二七・八法三〇六〕、旧六款―繰下〔昭二九・六法一九三〕

〔**附属機関の職務権限・組織等**〕
第二百二条の三　普通地方公共団体の執行機関の附属機関は、法律若しくはこれに基く政令又は条例の定めるところにより、その担任する事項について調停、審査、審議又は調査等を行う機関とする。

② 附属機関を組織する委員その他の構成員は、非常勤とする。

③ 附属機関の庶務は、法律又はこれに基く政令に特別の定があるものを除く外、その属する執行機関において掌るものとする。

＊本条…追加〔昭二七・八法三〇六〕、四項…削る〔平一一・七法八七〕

【参照条文】

【附属機関—法一三八の四3

【実 例】

1）●漁港法（現行法では漁港及び漁場の整備等に関する法律）の規定による漁港管理会は附属機関である。漁港管理規程は条例で規定すべきである。（昭二九・三・六行実）

第四節 地域自治区

＊本節…追加〔平一六・五法五七〕

（地域自治区の設置）

第二百二条の四 市町村は、市町村長の権限に属する事務を分掌させ、及び地域の住民の意見を反映させつつこれを処理させるため、条例で、その区域を分けて定める区域ごとに地域自治区を設けることができる。

2 地域自治区に事務所を置くものとし、事務所の位置、名称及び所管区域は、条例で定める。

3 地域自治区の事務所の長は、当該普通地方公共団体の長の補助機関である職員をもつて充てる。

4 第四条第二項の規定は第二項の地域自治区の事務所の位置及び所管区域について、第百七十五条第二項の規定は前項の事務所の長について準用する。

＊本条…追加〔平一六・五法五七〕、三項…一部改正〔平一八・六法五三〕

【引用条文】

④【法四（地方公共団体の事務所の設定又は変更）2・法一七五（支庁及び地方事務所等の長）2

【参照条文】

【地方自治区の設置手続等の特例—合併特例法二三 【地域自治区の区長—合併特例法二四 【合併特例区が設けられている場合の地域自治区の特例—合併特例法五六

（地域協議会の設置及び構成員）

第二百二条の五 地域自治区に、地域協議会を置く。

2 地域協議会の構成員は、地域自治区の区域内に住所を有する者のうちから、市町村長が選任する。

3 市町村長は、前項の規定による地域協議会の構成員の選任に当たつては、地域協議会の構成員の構成が、地域自治区の区域内に住所を有する者の多様な意見が適切に反映されるものとなるよう配慮しなければならない。

4 地域協議会の構成員の任期は、四年以内において条例で定める期間とする。

5 第二百三条の二第一項の規定にかかわらず、地域協議会の構成員には報酬を支給しないこととすることができる。

＊本条…追加〔平一六・五法五七〕、五項…一部改正〔平二〇・六法六九〕

【引用条文】

⑤【法二〇三の二（報酬及び費用弁償）1

【参照条文】

②【地域自治区の区域—法二〇二の四1・2 【住所を有する者—法一〇

【通 知】

●市町村長は、地域協議会の構成員の選任に当たっては、地域協議会の構成員の構成が、地域自治区の区域内に住所を有する者の多様な意見が適切に反映されるものとなるよう配慮しなければならないものとされたこと。この場合において、公平性、手続の透明性及び住民の実質的参画に十分配慮する必要があること。（平一六・五・二六通知）

●地域自治区に置かれる地域協議会は、住民の主体的な参加を期待するものであることにかんがみ、その構成員は、原則として無報酬とすることを基本とされたい。（平一六・五・二六通知）

（地域協議会の会長及び副会長）

第二百二条の六 地域協議会に、会長及び副会長を置く。

2 地域協議会の会長及び副会長の選任及び解任の方法は、条例で定める。

3 地域協議会の会長及び副会長の任期は、地域協議会の構成員の任期による。

4 地域協議会の会長は、地域協議会の事務を掌理し、地域協議会を代表する。

5 地域協議会の副会長は、地域協議会の会長に事故があるとき又は地域協議会の会長が欠けたときは、その職務を代理する。

＊本条…追加〔平一六・五法五七〕

【参照条文】

①【地域協議会の構成員の任期—法二〇二の五4

（地域協議会の権限）

第二百二条の七 地域協議会は、次に掲げる事項のうち、市町村長その他の市町村の機関により諮問されたもの又は必要と認めるものについて、審議し、市町村長その他の市町村の機関に意見を述べることができる。
一　地域自治区の事務所が所掌する事務に関する事項
二　前号に掲げるもののほか、市町村が処理する地域自治区の区域に係る事務に関する事項
三　市町村の事務処理に当たつての地域自治区の区域内に住所を有する者との連携の強化に関する事項
2　市町村長は、条例で定める市町村の施策に関する重要事項であつて地域自治区の区域に係るものを決定し、又は変更しようとする場合においては、あらかじめ、地域協議会の意見を聴かなければならない。
3　市町村長その他の市町村の機関は、前二項の意見を勘案し、必要があると認めるときは、適切な措置を講じなければならない。

＊本条—追加〔平一六・五法五七〕

【参照条文】①【地域自治区の事務所—法二〇二の四2】【地域自治区の区域—法二〇二の四1・2】【住所を有する者—法一〇】

（地域協議会の組織及び運営）
第二百二条の八　この法律に定めるもののほか、地域協議会の構成員の定数その他の地域協議会の組織及び運営に関し必要な事項は、条例で定める。

＊本条—追加〔平一六・五法五七〕

【参照条文】【地域協議会の構成員—法二〇二の五2・3】【地域協議会の組織—法二〇二の六

（政令への委任）
第二百二条の九　この法律に規定するものを除くほか、地域自治区に関し必要な事項は、政令で定める。

＊本条—追加〔平一六・五法五七〕

第八章　給与その他の給付

＊章名—改正〔昭二七・八法三〇六〕

（議員報酬及び費用弁償）
第二百三条　普通地方公共団体は、その議会の議員に対し、議員報酬を支給しなければならない。
②　普通地方公共団体の議会の議員は、職務を行うため要する費用の弁償を受けることができる。
③　普通地方公共団体は、条例で、その議会の議員に対し、期末手当を支給することができる。
④　議員報酬、費用弁償及び期末手当の額並びにその支給方法は、条例でこれを定めなければならない。

＊本条—追加〔平二〇・六法六九〕

【参照条文】
※　法二〇三の二・二〇四の二・二〇六

【実　例】
1）●議会欠席議員に対し報酬を減額する旨を条例に規定することはさしつかえない。（昭二四・八・二五行実）
●懲罰議員に対して報酬を減額する旨を条例で規定することはさしつかえない。（昭三二・五・一六行実）
●議員報酬は、民事訴訟法第六〇四条（現行の民事執行法第一五二条）の規定により全額これを差し押えることができる。（昭三一・一一・一行実）
●繰上補充により当選した議員の報酬は、当選人の告示があつた日から支給すべきである。（昭二八・一〇・二八行実）
●議員の報酬、費用弁償の支給起算日は、当選の効力を発生する日（当選人の告示の日）である。（昭二六・四・二六行実）
※　●議員に対し記念品料を贈ることは、名目上記念品料として支出されたものであつても、当該支出が実質的に退職手当に類するものと認められる限り違法である。（昭三二・一・三〇行実）

（報酬及び費用弁償）
第二百三条の二　普通地方公共団体は、その委員会の非常勤の委員、非常勤の監査委員、自治紛争処理委員、審査会、審議会及び調査会等の委員その他の構成員、専門委員、監査専門委員、投票管理者、開票管理者、選挙長、投票立会人、開票立会人及び選挙立会人その他普通地方公共団体の非常勤の職員（短時間勤務職員及び地方公務員法第二十二条の二第一項第二号に掲げる職員を除く。）に対し、報酬を支給しなければならない。
②　前項の者に対する報酬は、その勤務日数に応じてこれを支給する。ただし、条例で特別の定めをした場合は、この限りでない。
③　第一項の者は、職務を行うため要する費用の弁償を受けることができる。
④　普通地方公共団体は、条例で、第一項の者のうち地方公務員法第二十二条の二第一項第一号に掲げる職員に対し、期末手当又は勤勉手当を支給することができる。
⑤　報酬、費用弁償、期末手当及び勤勉手当の額並びにその支給方法は、条例でこれを定めなければならない。

＊一項―一部改正〔昭二七・八法三〇六〕、二・四項―追加・旧二項―一部改正し三項に繰下・旧三項―一部改正し五項に繰下〔昭三一・六法一四七〕、一項―一部改正〔平一一・七法八七、平一一・七法一〇七、平一六・六法八五〕、一・二・三項―一部改正・四項―削る・旧五項―一部改正し四項に繰上・旧二〇三条―繰下〔平二〇・六法六九〕、一～三項―一部改正・四項―追加・旧四項―一部改正し五項に繰下〔平二九・五法二九〕、一項―一部改正〔平二九・六法五四〕、四・五項―一部改正〔令五・五法一九〕

【引用条文】
①・④【地公法二二の二（会計年度職員）1Ⅰ】

【参照条文】
①【※報酬に関する他の規定―農委法一五　消組法二三】
※　法二〇四の二・二〇六

【実例・通知・判例・注釈】
1）●私立学校法は私立学校審議会の委員について費用弁償の支給のみ規定しているが、本条の規定により報酬を支給することはさしつかえない。（昭二八・五・二一行実）
●非常勤職員に対する報酬の額につき、期末手当を考慮して、六月、一二月に支給する額を他の月に比して多くするような規定はなすべきでない。（昭三一・九・二八通知）
2）○「勤務日数」とは、公務のために、現に勤務した日数をいう。
3）●費用弁償について、〔名誉職員〕協同の決議によつて予めその利益を不行使又は放棄することはできない。（大七・一二・一九大審判）
●費用弁償について執務のいかんにかかわらず一月ないし一年の期間を通じて定額を支給するような取扱いは適当でない。（昭二七・六・二一行実）
●費用弁償は重複して支給することはできない。なお、額が異なるときは高額の方を支給すべきである。（昭二七・一二・二五行実）
●議員についてはその性質上定額旅費又は定額通信費を支給すべきでない。（昭三一・七・一八行実）
4）○「報酬」とは、非常勤職員の勤務に対する反対給付として支給される金銭である。
5）○「費用弁償」とは、非常勤職員の職務の執行に要した経費を償うため支給される金銭である。

〔給料、手当及び旅費〕
第二百四条　普通地方公共団体は、普通地方公共団体の長及びその補助機関たる常勤の職員、委員会の常勤の委員（教育委員会にあつては、教育長）、常勤の監査委員、議会の事務局長又は書記長、書記その他の常勤の職員、委員会の事務局長若しくは書記長、委員の事務局長又は委員会若しくは委員の事務を補助する書記その他の常勤の職員その他普通地方公共団体の常勤の職員並びに短時間勤務職員及び地方公務員法第二十二条の二第一項第二号に掲げる職員に対し、給料及び旅費を支給しなければならない。
②　普通地方公共団体は、条例で、前項の者に対し、扶養手当、地域手当、住居手当、初任給調整手当、通勤手当、単身赴任手当、在宅勤務等手当、特殊勤務手当、特地勤務手当（これに準ずる手当を含む。）、へき地手当（これに準ずる手当を含む。）、時間外勤務手当、宿日直手当、管理職員特別勤務手当、夜間勤務手当、休日勤務手当、管理職手当、期末手当、勤勉手当、寒冷地手当、特定任期付職員業績手当、任期付研究員業績手当、義務教育等教員特別手当、定時制通信教育手当、産業教育手当、農林漁業普及指導手当、災害派遣手当（武力攻撃災害等派遣手当及び特定新型インフルエンザ等対策派遣手当を含む。）又は退職手当を支給することができる。
③　給料、手当及び旅費の額並びにその支給方法は、条例[1]でこれを定めなければならない。

＊一項―一部改正〔昭二二・一二法一六九、昭二五・五法一四三、昭二六・六法二〇三、昭二七・八法三〇六〕、二項―追加・旧二項―一部改正し三項に繰下〔昭三一・六法一四七〕、二項―一部改正〔昭三二・五法一四五、昭三三・六法一五四、昭三三・四法八七、昭三五・三法四二、昭三五・六法九三、昭三五・一二法一五〇、昭三七・五法一〇九、昭三八・三法五四〕、一項―一部改正〔昭三八・六法九九〕、二項―一部改正〔昭三九・七法一三三、昭三九・七法一六九、昭四五・一二法一一九、昭五〇・三法九、平元・一二法七三、平三・一二法一〇二、平九・一二法一一二〕、一項―一部改正〔平一一・七法一〇七〕、二項―一部改正〔平一一・四法五一、平一四・五法四八、平一六・五法五三、平一六・六法八五、平一六・六法一一二、平一七・一一法一一三、平二一・五法四一、平二四・五法三二〕、一項―一部改正〔平二六・六法七六〕、一・二項―一部改正〔平二九・五法二九〕、二項―一部改正〔令五・四法一四、令五・一一法七三〕

【参照条文】
①【※給料支給に関する他の規定―地公法二四～二六　公企法三八　地公労法七Ⅰ　収用法五七　消組法二三】
②【手当支給―法二五二の一八の二　地公法二五3Ⅳ・Ⅴ】
※　法二〇四の二・二〇六

【実例・通知・判例】
1）●兼職の場合の給与の支給関係は、公務員給与の性質上、同一勤務に対して重複して給与を支給することにならないよう措置することが適当である。（昭二八・一・七行実）
●被服の現物支給は、給料の一部又は特殊勤務手当の一種として条例で規定すればできる。なお、現物支給が職務遂行上の特別な必要に基づくものであれば給与その他の給付とは解されないので、条例に基づかないで支給することができる。（昭三一・九・二八通知）
※　●企業職員の給与については、本条の特例規定とし

て公企法第三八条の規定が適用される。（昭三一・九・二八通知）

※●地公法第五七条に規定する単純な労務に雇用される一般職に属する地方公務員については、本条の規定は適用されない。（昭三一・九・二八通知）

※●職員が講演等を依頼された場合の謝礼金は、給与とは認められない。（昭三四・五・一三行実）

※●市長が条例に基づくものとして、休憩時間を繰り下げて午後零時から午後一時までの時間に窓口業務に従事した職員に対し継続して特殊勤務手当を支給したことは条例の規定によつて市長に許容された範囲を超え、違法な公金の支出にあたる。（平七・四・一七最裁判）

〔給与等の支給制限〕

第二百四条の二　普通地方公共団体は、いかなる給与[1]その他の給付も[2]法律又はこれに基づく条例に基づかずには、これをその議会の議員、第二百三条の二第一項の者及び前条第一項の者に支給することができない。

＊本条…追加〔昭三一・六法一四七〕、一部改正〔平一〇・六法六九、平一九・五法二九〕

【引用条文】【法二〇三の二（報酬及び費用弁償）1・二〇四（給料、手当及び旅費）1

【参照条文】【支給根拠規定の例―法二〇三・二〇三の二・二〇四・二〇五・二五二の一七の一〇　地公法二四・二五1　市町村立学校職員給与負担法　教特法一七　地教法四二　警察法五六2　公企法三八　地公労法一七等

【通知・判例・注釈】

1）●「給与その他の給付」には、公務災害補償は含まれない。（昭三一・九・二八通知）

2）○「法律又はこれに基く条例」とは、法律は、法律自体をいい命令を含まない。これに基く条例は、法律に給与その他の給付支給の条例制定の根拠が明定されていることを意味する。

※●地方公共団体の記念行事等に際して、当該地方公共団体の関係議員に記念品等を一律に贈呈することは、その趣旨、態様等からみて社会通念上儀礼の範囲を超えると認められる限り地方自治法第二〇四条の二に違反するものである。（昭三九・七・一四最裁判）

〔退職年金又は退職一時金〕

第二百五条　第二百四条第一項の者は、退職年金又は退職一時金を受けることができる。

＊本条…一部改正〔昭二三・一二法一六九、昭二六・六法二〇三、昭三一・六法一四七、平二九・五法二九〕

【引用条文】【法二〇四（給料、手当及び旅費）1

【参照条文】【退職年金、退職一時金―法二五二の一八　令一七四の五〇〜一七四の六五　地方公務員等共済組合法七四

※法二〇六

【実例】

※●本条の規定による知事の恩給在任年の起算の日は、公職選挙法第一〇二条の規定による告示の日である。（昭二九・一〇・二九行実）

〔給与その他の給付に関する処分についての審査請求〕

第二百六条　普通地方公共団体の長以外の機関がした第二百三条から第二百四条まで又は前条の規定による給与その他の給付に関する処分についての審査請求は、法律に特別の定めがある場合を除くほか、普通地方公共団体の長が当該機関の最上級行政庁でない場合においても、当該普通地方公共団体の長に対してするものとする。

②　普通地方公共団体の長は、第二百三条から第二百四条まで又は前条の規定による給与その他の給付に関する処分についての審査請求がされた場合には、当該審査請求が不適法であり、却下するときを除き、議会に諮問した上、当該審査請求に対する裁決をしなければならない。

③　議会は、前項の規定による諮問を受けた日から二十日以内に[1]意見を述べなければならない。

④　普通地方公共団体の長は、第二項の規定による諮問をしないで同項の審査請求を却下したときは、その旨を議会に報告しなければならない。

＊一項…一部改正〔昭二六・六法二〇三、昭二七・八法三〇六〕、一項…一部改正・四項…追加〔昭三一・六法一四七〕、四項…一部改正〔昭三五・六法一一三〕、本条…全改〔昭三七・九法一六一〕、一・六項…一部改正〔平一一・一二法一六〇〕、一項…一部改正〔平二〇・六法六九〕、一・二・六項…削る・旧三項…一部改正し一項に繰上・旧四項…一部改正し二項に繰上・旧五項…三項に繰上〔平二六・六法六九〕、二・三項…一部改正・四項…追加〔平二九・四法二五〕

【引用条文】①【法二〇三（議員報酬及び費用弁償）・二〇三の二（報酬及び費用弁償）・二〇四（給料、手当及び旅費）・二〇五（退職年金又は退職一時金）

【参照条文】【特別の定め―地公法四六〜五一の二等

※行政不服審査法

【実例】

1）●議会の答申意見は、尊重されるべきであるが、必ずしも常に長はそれに絶対的に拘束されるものでは

ない。（昭二六・七・一七行実）

〔実費弁償〕

第二百七条　普通地方公共団体は、条例の定めるところにより、第七十四条の三第三項及び第百条第一項後段（第二百八十七条の二第七項において準用する場合を含む。）の規定により出頭した選挙人その他の関係人、第百十五条の二第二項（第百九条第五項において準用する場合を含む。）の規定により出頭した参考人、第百九十九条第八項の規定により出頭した関係人、第二百五十一条の二第九項の規定により出頭した当事者及び関係人並びに第百十五条の二第一項（第百九条第五項において準用する場合を含む。）の規定による公聴会に参加した者の要した実費を弁償しなければならない。

＊本条一部改正〔昭二三・七法一七九、昭二五・五法一四三、昭二七・八法三〇六、昭三一・六法一四七、昭三三・四法五三、昭三八・六法九九、平三・四法二四、平一一・七法八七、平一八・六法五三、平二四・九法七二〕

【引用条文】

【法七四の三（署名の無効及び関係人の出頭証言）3・一〇〇（調査権・刊行物の送付・図書室の設置等）1・一〇九（常任委員会・議会運営委員会及び特別委員会）5・一一五の二（公聴会及び参考人の出頭）・一九九（職務権限）8・二五一の二（調停）9・二八七の二（特例一部事務組合）7

【通　知】

1）●実費の弁償とは、事実要した経費の意味であり、費用の弁償よりやや厳格な意味であるが、定額でもさしつかえない。（昭二三・八・八通知）

※●本条に規定していないもので明文の規定のないものについて、実費弁償を支払うことはさしつかえない。（昭三一・九・二八通知）

地方自治法

第九章　財務

本章―全改〔昭三八・六法九九〕

第一節　会計年度及び会計の区分

＊本節―全改〔昭三八・六法九九〕

（会計年度及びその独立の原則）

第二百八条　普通地方公共団体の会計年度は、毎年四月一日に始まり、翌年三月三十一日に終わるものとする。

2　各会計年度における歳出は、その年度の歳入をもつて、これに充てなければならない。

＊本条―全改〔昭三八・六法九九〕

【参照条文】
①【国の会計年度―財政法一一
②【会計年度所属区分―令一四二・一四三
※　法二三三の二・二四三の五

地方自治法施行令

第五章　財務

（歳入の会計年度所属区分）

第百四十二条　歳入の会計年度所属は、次の区分による。

一　納期[1]の一定している収入は、その納期の末日[2]（民法（明治二十九年法律第八十九号）第百四十二条、地方自治法第四条の二第四項、地方税法（昭和二十五年法律第二百二十六号）第二十条の五又は当該期日が土曜日に当たる場合にその翌日をもつて納期の末日とする旨の法令、条例若しくは規則の規定の適用がないものとしたときの納期の末日をいう。次項において同じ。）の属する年度。ただし、地方税法第三百二十一条の三の規定により特別徴収の方法によつて徴収する市町村民税及び同法第四十一条第一項の規定によりこれとあわせて徴収する道府県民税（同法第三百二十一条の五の二の規定により納入するものを除く。）は、特別徴収義務者が同法第三百二十一条の五第一項又は第二項ただし書の規定による徴収をすべき月の属する年度

二　随時[3]の収入で、納入通知書又は納税の告知に関する文書[4]（以下本条において「通知書等」という。）を発するものは、当該通知書等を発した日の属する年度

三　随時の収入で、通知書等を発しないものは、これを領収[5]した日の属する年度。ただし、地方交付税、地方譲与税、交付金、負担金、補助金、地方債その他これらに類する収入及び他の会計から繰り入れるべき収入[6]

行政実例・通知・判例・注釈

❖令一四二条関係

1）○「納期の一定している収入」とは、現実に納入すべき期日が法令又は契約によつてあらかじめ定められている収入のことである。

2）○「納期の末日」が、祭日・日曜日等の休日であつても、会計年度所属区分上は、考慮されない。

3）○「随時の収入」とは、収入の性質が随時性を有し、納入通知書又は納税の告知に関する文書により徴収するものをいう。

4）○「納税の告知に関する文書」とは、地方税法第一三条に基づいて発する文書をいう。

5）●本号の「領収」には、法第二三一条の二第三項の規定による口座振替の方法による預金の受入及び証券の受領、法第二三二条の六の規定によつて発せられる公金振替書による振替収入等を含む。（昭三八・一二・一九通知）

6）●この「収入」の調定は、年度内にしなければならない。（昭三八・一二・一九通知）

7）○「納期の末日の属する会計年度の末日」とは、納期の末日の属する会計年度の三月三一日のことである。

❖令一四三条関係

1）●三月分の通勤手当、特殊勤務手当等は旧年度より支出しなければならない。（昭三八・一二・一九通知）

2）●退職金の年度区分は、事実の生じた時、すなわち退職の日によつて決定される。（昭三八・一二・一九通知）

は、その収入を計上した予算の属する年度

2　前項[7]第一号の収入について、納期の末日の属する会計年度の末日（民法第百四十二条、地方自治法第四条の二第四項、地方税法第二十条の五又は納期の末日が土曜日に当たる場合にその翌日をもつて納期の末日とする旨の法令、条例若しくは規則の規定の適用があるときは、当該延長された日）までに申告がなかつたとき、又は通知書等を発しなかつたときは、当該収入は、申告があつた日又は通知書等を発した日の属する会計年度の歳入に組み入れるものとする。

3　普通地方公共団体の歳入に係る督促手数料、延滞金及び滞納処分費は、第一項の規定にかかわらず、当該歳入の属する会計年度の歳入に組み入れるものとする。

（**歳出の会計年度所属区分**）

第百四十三条　歳出の会計年度所属は、次の区分による。

一　地方債の元利償還金、年金、恩給の類は、その支払期日の属する年度

二　給与その他の給付[1]（前号に掲げるものを除く。）は、[2]これを支給すべき事実の生じた時の属する年度

三　地方公務員共済組合負担金及び社会保険料（労働保険料を除く。）並びに賃借料、光熱水費、電信電話料の類[3]は、その支出の原因である事実の存した期間[4]の属する年度。ただし、賃借料、光熱水費、電信電話料の類で、その支出の原因である事実の存した期間が二年度にわたるものについては、支払期限[5]の属する年度

四　工事請負費[6][7]、物件購入費、運賃の類及び補助費の類[8]で相手方の行為の完了があつた後支出するものは、当[9]該行為の履行があつた日の属する年度

五　前各号に掲げる経費以外の経費[10]は、その支出負担行為をした日の属する年度

3）●退職手当は、本条第一項第二号中の給与に該当し、その支給すべき事実の生じた時の属する年度とは、退職（死亡を含む。）の日の属する年度である。（昭三五・一・六行実）
●電信電話料の四月分（三月分（一日～三一日）通話料及び四月分（一日～三〇日）使用料）の所属年度は、三月分の通話料は旧年度の、四月分の使用料は新年度の所属とすべきである。（昭四〇・九・二九行実）

4）○これは、支出負担行為を新年度の四月一日以降に行つてもよいという特例まで定めたものではない。

5）○ここで、「支払期限の属する年度」とは、新年度のことである。

6）●工事請負費等は履行確認（検査）の日によつて所属年度が左右されるのが原則である。（昭三八・一二・一九通知）

7）●三月三一日に行為が終らないで繰越明許費の取扱いをした工事の三月三一日現在までの出来高払又は部分払の支払は三月三一日の属する年度からすべきものである。（昭三九・三・三行実）
●債務負担行為に基づく災害土木復旧工事等の請負契約において、支払期日を翌年度に定め、年度内に工事が完成した場合の支出年度は、本条第一項第四号の規定の適用を受けるが、翌年度において過年度支出とすること自体は、別段違法でない。（昭三九・一二・九行実）

8）●「補助費の類」とは、補助金、負担金等をいい、寄附金は含まない。（昭三八・一二・一九通知）

9）●「当該行為の履行があつた日」とは、履行確認の日をいう。（昭三八・一二・一九通知）
●「当該行為の履行」の範囲に所有権移転登記の履行も含まれる。（昭四四・一・八行実）

10）●損害保険料の所属年度区分は、本条第一項第五号による。（昭三八・一二・一九通知）
●私設の郵便差出箱の取集料の所属年度区分は、本条

地方自治法

（会計の区分）

第二百九条　普通地方公共団体の会計は、一般会計及び特別会計とする。

2　特別会計は、普通地方公共団体が特定の事業を行なう場合その他特定の[1]歳入をもつて特定の歳出に充て一般の歳入歳出と区分して経理する必要がある場合において、条例[2]でこれを設置することができる。

＊本条…全改〔昭三八・六法九九〕

【参照条文】

【特別会計―地財法六　公企法一七　母子及び父子並びに寡婦福祉法三六1　農業保険法一一〇1　社教法三四等】

第二節　予算

＊本節…全改〔昭三八・六法九九〕

地方自治法施行令

2　旅行の期間（外国旅行にあつては、その準備期間を含む。）が二年度にわたる場合における旅費は、当該二年度のうち前の年度の歳出予算から概算で支出することができるものとし[11]、当該旅費の精算によつて生ずる返納金又は追給金は、その精算を行なつた日の属する年度の歳入又は歳出とするものとする。

行政実例・通知・判例・注釈

第一項第五号による。（昭四二・一一・二二行実）

11）●旅行期間が二年度にわたる場合で旅費を概算払せず旅行終了後精算払した場合の年度区分は、本条第一項第二号により、旧年度分と新年度分とに分けて支出すべきである。（昭三八・一二・一九通知）

※●支出命令は出納整理期間中においてもなし得る。（昭三八・一二・一九通知）

❖法二〇九条関係

1）●「特定の歳入」には、一般会計からの繰出による歳入も含まれる。（昭三八・一二・一九通知）

2）●特別会計の設定は、設定の議案（現行法では条例案）と当該特別会計予算案を同時に議決すればよい。（昭三一・一〇・一八行実）

●地方公営企業法第二条第一項の規定の適用のあるものについては、特に条例で設置する必要はない。（昭三八・一二・一九通知）

●特別会計設置条例は、特別会計を全部一条例にまとめて規定しても、特別会計ごとに条例を制定しても、いずれでもよい。（昭三八・一二・一九通知）

●地方財政法第六条に規定する公営企業にかかる特別会計の設置は条例が必要である。（昭四一・六・三〇行実）

※●一般会計と特別会計相互間において歳計現金の過不足する場合、その支出に充てるため、他会計の歳計現金を使用することはさしつかえない。（昭二八・四・一六行実）

（総計予算主義の原則）

第二百十条　一会計年度における一切の収入及び支出は、すべて[1]これを歳入歳出予算に編入しなければならない。

＊本条―全改〔昭三八・六法九九〕

【参照条文】
【会計年度―法二〇八
【歳入歳出予算の区分―法二一六　【収入支出の意義―財政法二1・2・3

（予算の調製及び議決）

第二百十一条　普通地方公共団体の長は、毎会計年度[1]予算を調製し、年度開始前[2][3]に、議会の議決[4]を経なければならない。この場合において、普通地方公共団体の長は、遅くとも年度開始前、都道府県及び第二百五十二条の十九第一項に規定する指定都市にあつては三十日、その他の市及び町村にあつては二十日までに当該予算を議会[5]に提出するようにしなければならない。

2　普通地方公共団体の長は、予算を議会に提出するときは、政令で定める予算に関する説明書をあわせて提出しなければならない。

＊本条―全改〔昭三八・六法九九〕

【引用条文】
①【法二五二の一九（指定都市の権能）1

（予算に関する説明書）

第百四十四条　地方自治法第二百十一条第二項に規定する政令で定める予算に関する説明書は、次のとおりとする。

一　歳入歳出予算の各項の内容を明らかにした歳入歳出予算事項別明細書及び給与費の内訳を明らかにした給与費明細書

二　継続費についての前前年度末までの支出額、前年度末までの支出額又は支出額の見込み及び当該年度以降の支出予定額並びに事業の進行状況等に関する調書

三　債務負担行為で翌年度以降にわたるものについての前年度末までの支出額又は支出額の見込み及び当該年度以降の支出予定額等に関する調書

四　地方債の前前年度末における現在高並びに前年度末及び当該年度末における現在高の見込みに関する調書

五　その他予算の内容を明らかにするため必要な書類

❖法二一〇条関係

1）○「すべて歳入歳出予算に編入する」とは、収入予定額の全額を歳入予算に計上し、支出予定額の全額を歳出予算に計上することである。

※●競輪事業の経理については、勝者投票券売上金額から施行者取得金額を控除した残額から勝者投票の的中者中払戻の請求を受け現実に払戻をした金額のみを支出とするべきである。（昭二七・一〇・一〇行実）

※●用途廃止をした県有建物の除却工事を請負に付する場合において、当該建物から生ずる残存物件を請負業者に引き取らせることを条件とし、除却工事費から残存物件の見積価格を控除する方式によつても総計予算主義の原則に反しない。また除却工事費よりも残存物件の見積価格の方が大で解体撤去を条件とする建物の売払契約を締結することもさしつかえない。（昭四三・一一・六行実）

❖法二一一条関係

1）○「毎会計年度」とは、四月一日から翌年三月三一日までの間を指す。

2）○「年度開始前」は、新しく始まる会計年度を前提に、前の会計年度の終わる三月三一日までの時限を指す。

3）○「年度開始前……三十日（二十日）まで」とは、三月三十一日を第一日として逆に数えて第三十日まで遡つたその日まで（中二十九日（十九日））、すなわち、三月二日（十二日）までの意である。

4）●三月中に翌年度予算を議決せず、四月にこれを議決した予算といえども無効でない。（昭六・三・二〇行実）

5）●法定期限経過後予算を議会に提出しても当該予算の効力には影響がない。（昭二八・二・二五行実）

自治法

地方自治法

【参照条文】

①【会計年度―法二〇八　【予算の調製―法一四九Ⅱ・二一五～二一八・二四三の五・二五二の二〇の二10　令一四七・一五〇1Ⅲ・2　則一四・一五　地財法三・四　公企法八1Ⅰ・九Ⅲ・二四　地教法二九【議会の議決―法九六1Ⅱ・九七2【※予算の提出権―法一二二1但書・九七2但書・一四九Ⅱ・一八〇の六Ⅰ

②【予算に関する説明書―令一四四1　則一五の二　公企法九Ⅳ・二五【※予算の提出権―法一二二1但書・九七2但書・一四九Ⅱ・一八〇の六Ⅰ

※　法一七六・一七七

（継続費）

第二百十二条　普通地方公共団体の経費をもつて支弁する事件でその履行に数年度[1]を要するものについては、予算の定めるところにより、その経費の総額及び年割額[2]を定め、数年度にわたつて支出することができる。

2　前項の規定により支出することができる経費は、これを継続費という。

＊　本条―全改〔昭三八・六法九九〕

【参照条文】【予算の定め―法二一五　【継続費―令一四五　則一四・一五の三

※　法二二〇3　公企令一八の二

地方自治法施行令

2　前項第一号から第四号までに規定する書類の様式は、総務省令で定める様式を基準としなければならない。

（歳入歳出予算の款項の区分及び予算の調製の様式）

第百四十七条　歳入歳出予算の款項の区分は、総務省令で定める区分を基準としてこれを定めなければならない。

2　予算の調製の様式は、総務省令で定める様式を基準としなければならない。

（継続費）

第百四十五条　継続費の毎会計年度の年割額に係る歳出予算の経費の金額のうち、その年度内に支出を終わらなかつたものは、当該継続費の継続年度の終わりまで逓次繰り越して使用することができる。この場合においては、普通地方公共団体の長は、翌年度の五月三十一日までに継続費繰越計算書を調製し、次の会議においてこれを議会に報告しなければならない。

2　普通地方公共団体の長は、継続費に係る継続年度（継続費に係る歳出予算の金額のうち法第二百二十条第三項ただし書の規定により翌年度に繰り越したものがある場合には、その繰り越された年度）が終了したときは、継続費精算報告書を調製し、地方自治法第二百三十三条第五項の書類の提出と併せてこれを議会に報告しなければならない。

行政実例・通知・判例・注釈

❖法二一二条関係

1）○「数年度」とは、二年度以上一定の年期間をいう。

2）●継続年期間及び各年度の支出額を定めることを必要とする。（大一二・一一・八行裁判）

※　●継続費の予算定額を繰り越す場合は、令第一五六条（現行令では第一四五条）による繰越計算書（現行令では継続費繰越計算書）の報告のみで、別に翌年度分として繰越予算としての議決は要しない。（昭二五・七・六行実）

※　●継続費の逓次繰越額を継続年度中途の年度における更正予算（現行法では補正予算）で減額することはできない。（昭二六・一一・一五行実）

（繰越明許費）

第二百十三条　歳出予算の経費のうちその性質上又は予算成立後の事由に基づき年度内にその支出を終わらない見込みのあるものについては、予算の定めるところにより、翌年度に繰り越して使用することができる。

2　前項の規定により翌年度に繰り越して使用することができる経費は、これを繰越明許費という。

＊ 本条―全改〔昭三八・六法九九〕

【参照条文】【予算の成立―法二一一】【年度―法二〇八1】【予算の定め―法二一五】【繰越明許費―令一四六　則一四・一五の四】

※ 法二一二・二二〇3　財政法一四の三　公企法二六

（債務負担行為）

第二百十四条　[1]歳出予算の金額、継続費の総額又は繰越明許費の金額の範囲内におけるものを除くほか、普通地方公共団体が債務を負担する行為をするには、予算で債務負担行為として定めておかなければならない。

＊ 本条―全改〔昭三八・六法九九〕

3　継続費繰越計算書及び継続費精算報告書の様式は、総務省令で定める様式を基準としなければならない。

（繰越明許費）

第百四十六条　地方自治法第二百十三条の規定により翌年度に繰り越して使用しようとする歳出予算の経費については、[1]当該経費に係る歳出に充てるために必要な金額を当該年度から翌年度に繰り越さなければならない。

2　普通地方公共団体の長は、繰越明許費に係る歳出予算の経費を翌年度に繰り越したときは、翌年度の五月三十一日までに繰越計算書を調製し、次の会議においてこれを議会に報告しなければならない。

3　繰越計算書の様式は、総務省令で定める様式を基準としなければならない。

❖ 法二一三条関係

※ ●予算の繰越使用の議決が当該年度経過後に行われたときは当該議決は無効であり、この繰越予算に基づき行つた事業及び経費の支出は追加予算（現行法では補正予算）を編成して措置するほかはない。（昭三二・一二・二四行実）

※ ●繰り越した予算は一般予算と区別して整理するが、その執行及び会計事務の手続は、翌年度一般予算と同様に処理してよい。また繰り越した予算の執行は翌年度限りである。なお、繰越予算についても出納整理期間はある。（昭三三・六・一六行実）

※ ●繰越明許費をさらに翌年度に事故繰越しすることは、法律上は可能と思われるが、運用にあたつては特に慎重を期する必要がある。（昭三八・一二・一九通知）

※ ●繰越明許費の場合も、財源に拘束される。（昭三八・一二・一九通知）

❖ 令一四六条関係

1）○財源が用意されている事業について翌年度に繰越しを行うため、当然翌年度において執行するために必要な金額をつけて繰り越すべきことを明示したものである。

❖ 法二一四条関係

1）○「歳出予算の金額」とは、経費の支出の権能であり、歳出予算に基づく場合は当該年度において債務を負担することができるので、債務負担行為として予算で定める必要はないという意で除外されたものである。

※ ●予算措置としては一割昇給の財源しかないが、欠員の関係から五割程度の昇給発令が可能である場合、当

地方自治法

【参照条文】【歳入歳出予算―法二一〇】【継続費―法二一二】【繰越明許費―法二一三】【予算の定め―法二一五】

※　法一四九Ⅱ・二三四・二三四の三　財政法一五

地方自治法施行令

行政実例・通知・判例・注釈

該昇給の発令は、当該年度の予算について追加更正（現行法では補正）を必要としないと見込まれる範囲において行つてさしつかえない。（昭三一・九・二八通知）

※　●「目」に予算がある場合に「節」の予算額を超過する請負工事契約を締結するには費目流用の手続を経た後に締結しなければならない。（昭三四・六・一九行実）

※　●一般会計より特別会計又は基金に対し、数ケ年度にわたつて繰出すことは単なる内部意思の決定であるから、債務負担行為として定める必要はない。（昭三九・六・二五行実）

※　●私人の所有に属する土地を借り上げる場合に、借上料が無料であつても土地に属する公課等を市町村が負担するとする契約を締結することは、債務負担行為となる。（行実）

※　●建物を県が賃借し、その賃借料は年額により定め毎年定期に定額を支払い（支払年額は同額）、二五回分の賃借料を支払つた場合には、県に所有権を無償で譲渡するという内容の建物賃貸借契約を締結するには、債務負担行為として議会の議決を経ておくべきである。（昭三九・一一・三〇行実）

※　●賃借料年額一〇万円で五年間建物を賃借する契約は、債務負担行為として予算に定めておく必要があるが、当該契約条項中に、翌年度以降において歳入歳出予算の金額について減額又は削除があつた場合は、当該契約は解除する旨の条件を附した場合は債務負担行為とする必要はない。（昭四〇・九・一行実）

※　●県が都市計画法第六条第二項（現行法では第七五条）の規定によつて負担金を納付する場合、三ケ年分を一括して納入の通知がなされ、それぞれ各年度毎に分割して納付することとなるが、この場合は債務負担行為として予算で定める必要はない。（昭四〇・九・

（**予算の内容**）

第二百十五条 予算は、次の各号に掲げる事項に関する定[1]めから成るものとする。

一 歳入歳出予算
二 継続費
三 繰越明許費
四 債務負担行為
五 地方債
六 一時借入金
七 歳出予算の各項の経費の金額の流用

＊ 本条…全改〔昭三八・六法九九〕

【参照条文】【歳入歳出予算―法二一〇・二一六・二一七 【継続費―法二一二 【繰越明許費―法二一三 【債務負担行為―法二一四 【地方債―法二三〇 【一時借入金―法二三五の三 【歳出予算の各項の経費の金額の流用―法二二〇2

※ 法二〇九・二一一・二一八1・2・二四三の五 令一四七2 則一四 財政法一六 公企法二四

（**歳入歳出予算の区分**）

第二百十六条 歳入歳出予算は、歳入にあつては、その性質に従つて款に大別し、かつ、各款中においてはこれを項に区分し、歳出にあつては、その目的に従つてこれを

（**歳入歳出予算の款項の区分及び予算の調製の様式**）

第百四十七条 歳入歳出予算の款項の区分は、総務省令で定める区分を基準としてこれを定めなければならない。

2 予算の調製の様式は、総務省令で定める様式を基準と

一三行実）

※ ●請負工事金の支払が歳出予算の執行行為にあたる場合でも、請負人に当該工事資金の融通を受けさせるため、村が請負人と共同で約束手形を振出すことは、債務負担行為にあたる。（昭三五・七・一最裁判）

⚜ 法二一五条関係

1）○「定めから成る」とは、予算を構成し、予算の内容の一事項であるという意である。

※ ●予算の内容をなす継続費の設定又は債務負担行為の必要のない場合において、過年度に継続費を設定し又は債務負担行為をしているものについては、予算の内容として提出する必要はない。ただし、予算に関する説明書のうち、継続費、債務負担行為に関する調書の提出は必要である。（昭三八・一二・一九通知）

⚜ 法二一六条関係

※ ●村立の保育所及び幼稚園の保育料の予算計上科目は、保育所については児童福祉法第五六条の規定による措置費の徴収金を除き、（款）使用料及び手数料（項）使用料中に適宜な目を設けて計上し、幼稚園に

地方自治法

款項に区分しなければならない。

＊ 本条—全改（昭三八・六法九九）

【参照条文】
【歳入歳出予算の款項の区分—令一四七　則一五
【目節の区分—法二二〇1　令一五〇1Ⅲ・2　則一五
※　法二二〇

（予備費）

第二百十七条　予算外[1]の支出又は予算超過の支出に充てるため、歳入歳出予算に予備費を計上しなければならない。ただし、特別会計にあつては、予備費を計上しないことができる。

2　予備費は、議会[2]の否決した費途に充てることができない。

＊ 本条—全改（昭三八・六法九九）

【参照条文】
【歳入歳出予算—法二一〇・二一五　【特別会計—法二〇九
※　令一五一　憲法八七　財政法二四

地方自治法施行令

しなければならない。

行政実例・通知・判例・注釈

ついては（款）使用料及び手数料（項）使用料（目）授業料として計上するのが適当である。（昭三三・八・二九行実）

※

●財団法人の設立行為たる寄附行為として市費を支出する場合の予算計上科目は、その性質上第三六節　出資金（現行法では第二三節　投資及び出資金）とすべきである。（昭三〇・一・六行実）

※

●県の予算を通じて市町村に交付された国庫支出金は、すべて県支出金として計上すべきである。（昭三三・四・一六行実）

※

●荷馬車の借上料は、契約の内容により第一六節　通信運搬費（現行法では第一一節　役務費）又は第二〇節　借料及び損料（現行法では第一三節　使用料及び賃借料）に計上すべきである。（昭三三・五・二行実）

✤ 法二一七条関係

1）●予算外の支出とは予算に科目のない支出はもちろん、科目はあつても予算で全然見積られていない支出をいう。（行実）

2）●議会の否決した費途でも更に追加予算（現行法では補正予算）として議決を経て支出することは妨げない。（行実）

※

●議会で予算金額を減じた費途は、本条にいう否決した費途ではないから、予算金額に不足を生じた場合予備費より支出しても違法でない。（行実）

※

●いつたん予備費から充用支出した金額を、後日関係科目に予算を追加（補正）し、これを予備費に繰り戻すことはできない。（昭二四・三・一〇通知）

※

●予備費を予算外の支出として一般工事費に支出することは、充用の手続をとつている限りさしつかえない。（昭二九・三・九行実）

※

●予備費の充用による予算執行後当該充用額に残額が

（補正予算、暫定予算等）

第二百十八条　普通地方公共団体の長は、予算の調製後に生じた事由に基づいて、既定[1]の予算に追加その他の変更を加える必要が生じたときは、補正予算を調製し、これを議会に提出することができる。

2　普通地方公共団体の長は、必要に応じて、一会計年度のうちの一定[2]期間に係る暫定予算を調製し、これを議会に提出することができる。

3　前項の暫定予算は、当該会計年度の予算が成立したときは、その効力[3]を失うものとし、その暫定予算に基づく支出又は債務の負担があるときは、その支出又は債務の負担は、これを当該会計年度の予算に基づく支出又は債務の負担とみなす。

4　普通地方公共団体の長は、特別会計のうちその事業の経費を主として当該事業の経営に伴う収入をもつて充てるもので条例で定めるものについて、業務量[4]の増加により業務のため直接必要な経費に不足を生じたときは、当該業務量の増加により増加する収入に相当する金額を当該経費（政令で定める経費を除く。）に使用することができる。この場合においては、普通地方公共団体の長は、次の会議においてその旨を議会に報告しなければならな

（会計年度経過後の予算の補正の禁止）

第百四十八条　予算は、会計年度[1]経過後においては、これを補正することができない。

（弾力条項の適用できない経費）

第百四十九条　地方自治法第二百十八条第四項に規定する政令で定める経費は、職員の給料とする。

生じても、予備費に繰り戻すことはできない。（昭三〇・一一・八行実）

※●歳入歳出予算を議する場合、他日追加予算（現行法では補正予算）の必要に際し、歳出更正の見込をもつて著しく予備費を増額議決することは適当でない。（行実）

※●予算中項の金額に不足を生じた場合は、予備費より支出しても又同一款内において剰余を生ずると認められる他の項の予算中より流用してもよい。（行実）

❖法二一八条関係

1）●当初予算成立前に追加予算（現行法では補正予算）案の提出はできるが、議決は当初予算の議決後でなければならない。（昭二八・七・一行実）

●当該年度経過後は一切予算の追加又は更正（現行法では補正）はできない。（行実）

●議会が追加更正予算（現行法では補正予算）につき、会計年度経過後に会計年度内に議決したこととすることの取扱いをした場合、当該予算は無効である。（昭三一・七・二四地裁判）

●同一年度において、否決した費用を追加予算（現行法では補正予算）として提出することはさしつかえない。（行実）

2）○「一定期間」とは、本予算が成立すると見込まれるときまでの期間及び本予算が成立すると見込まれたときに成立しない場合において、さきの暫定予算に係る期間を経過したときから本予算が成立すると見込まれるときまでの期間をいう。

3）●本予算成立後は暫定予算の残額からは支出できない。（昭二二・一・三一行実）

4）●予算措置の手続については、法第一七九条の規定による長の専決処分の例により措置すればよい。（昭三八・一二・一九通知）

●弾力条項の適用は、議会の開会中でも行なうことができる。議会開会中に弾力条項を適用した場合は当該

い。

＊本条―全改〔昭三八・六法九九〕

【参照条文】
①【予算の調製―法二一一　公企法八1Ⅰ・九Ⅲ・二四　地教法二九　【予算の補正―令一四八
【※予算の提出権―法一二一1但書・九七2但書・一四九Ⅱ・一八〇の六Ⅰ・二二一1
②【会計年度―法二〇八1　【暫定予算―令二
【※予算の提出権―法一二一1但書・九七2但書・一四九Ⅱ・一八〇の六Ⅰ・二二一1
③【支出負担行為―法二三二の三　【債務負担行為―法二一四
④【特別会計―法二〇九　【政令の定め―令一四九
【※公企法二四3

（予算の送付及び公表）
第二百十九条　普通地方公共団体の議会の議長は、予算を定める議決があつたときは、その日から三日以内[1]にこれを当該普通地方公共団体の長に送付しなければならない。

2　普通地方公共団体の長は、前項の規定により予算の送付を受けた場合において、再議その他の措置[2]を講ずる必要がないと認めるときは、直ちに、その要領を住民に公表しなければならない。

＊本条―全改〔昭三八・六法九九〕、二項―一部改正〔平一一・一二法一六〇〕、見出し・二項―一部改正〔平二三・五法三五〕

【参照条文】
①【予算を定める議決―法九六1Ⅱ・一一六・二一一

（予算が成立したとき等の通知）
第百五十一条　普通地方公共団体の長は、予算が成立した[1]とき、歳出予算を配当したとき、予備費を充当したとき、又は地方自治法第二百二十条第二項ただし書の規定により歳出予算の各項の経費の金額を流用したときは、直ちにこれを会計管理者に通知しなければならない。

会議で報告することもさしつかえない。（昭四二・一・三一行実）

✤令一四八条関係
1）○「会計年度経過後」とは、次の会計年度の始まる四月一日以後を指す。
※●目以下の流用は、予算の執行に属するものにつき理事者限り（規則の定めるところによる。）で適宜行うことができる。（行実）
※●当該年度経過後は、たとえ出納閉鎖期以前でも費目の流用はできない。（行実）

✤法二一九条関係
1）○「三日以内」とは、予算を定める議決のあつた日の翌日を第一日として三日目にあたる日までを指す。
2）○「その他の措置」とは、いわゆる原案執行、不信任議決としての解散（法一七七2・3）等の措置を指す。

✤令一五一条関係
1）○「予算が成立したとき」とは、予算を定める議会の議決があつたときを指す。

1・二一八1・2　※令一五一
②【再議その他の措置―法一七六・一七七

（予算の執行及び事故繰越し）

第二百二十条 普通地方公共団体の長は、政令で定める基準に従つて予算の執行に関する手続を定め、これに従つて予算を執行しなければならない。

2 歳出予算の経費の金額は、各款の間又は各項の間において相互にこれを流用することができない。ただし、歳出予算の各項の経費の金額は、予算の執行上必要がある場合に限り、予算の定めるところにより、これを流用[1]することができる。

3 繰越明許費の金額を除くほか、毎会計年度の歳出予算の経費の金額は、これを翌年度において使用することができない。ただし、歳出予算の経費の金額のうち、年度内に支出負担行為をし、避けがたい事故のため年度内に支出を終わらなかつたもの（当該支出負担行為に係る工事その他の事業の遂行上の必要に基づきこれに関連して[2]支出を要する経費の金額を含む。）は、これを翌年度に繰り越して使用することができる。

＊ 本条―全改〔昭三八・六法九九〕

【参照条文】
①【政令の定め―令一五〇　則一五　【※予算の執行権―法一四九Ⅱ・一八〇の六Ⅰ　公企法八1　※令一五一
②【予算の定め―法二一五　※令一五一
③【繰越明許費―法二一三　【会計年度―法二〇八1　【支出負担行為―法二三二の三
※　令一四六　則一五の五

（予算の執行に関する長の調査権等）

（予算の執行及び事故繰越し）

第百五十条 普通地方公共団体の長は、次の各号に掲げる事項を予算の執行に関する手続として定めなければならない。

一 予算の計画的かつ効率的な執行を確保するため必要な計画を定めること。

二 定期又は臨時に歳出予算の配当を行なうこと。

三 歳入歳出予算の各項を目節に区分するとともに、当該目節の区分に従つて歳入歳出予算を執行すること。

2 前項第三号の目節の区分は、総務省令で定める区分を基準としてこれを定めなければならない。

3 第百四十六条の規定は、地方自治法第二百二十条第三項ただし書の規定による予算の繰越しについてこれを準用する。

（普通地方公共団体の長の調査等の対象となる法人等の

⚜ 法二二〇条関係

1） ●予算各項の金額は、会計年度経過後は、出納閉鎖前でも流用の議決をすることはできない。（大八・九・二七行実）

2） ○「これに関連して支出を要する経費」とは、例えば、工事費等において、その工事の遂行に関連して必要な竣功検査に要する経費又はその他の事務経費をいう。

※ ●予算執行に当たり予算の配当は、必ず行うべきものである。（昭三八・一二・一九通知）

⚜ 法二二一条関係

自治法

地方自治法

第二百二十一条　普通地方公共団体の長は、予算の執行の適正を期するため、委員会若しくは委員又はこれらの管理に属する機関で権限を有するものに対して、収入及び支出の実績若しくは見込みについて報告を徴し、予算の執行状況を実地について調査し、又はその結果に基づいて必要な措置を講ずべきことを求めることができる。

2　普通地方公共団体の長は、予算の執行の適正を期するため、工事の請負契約者、物品の納入者、補助金、交付金、貸付金等の交付若しくは貸付けを受けた者[1]（補助金、交付金、貸付金等[2]の終局の受領者を含む。）又は調査、試験、研究等の委託を受けた者に対して、その状況を調査し、又は報告を徴することができる。

3　前二項の規定は、普通地方公共団体が出資している法人で政令で定めるもの、普通地方公共団体が借入金の元金若しくは利子の支払を保証し、又は損失補償を行う等その者のために債務を負担している法人で政令で定めるもの及び普通地方公共団体が受益権を有する信託で政令で定めるものの受託者にこれを準用する。

＊本条―全改〔昭三八・六法九九〕、三項―一部改正〔昭六一・五法七五〕

【参照条文】

①【予算執行の適正―地財法四　※法二14　【予算の執行権を有する委員会、委員等―※法一八〇の二　※法一四九Ｖ・一八〇の六Ｉ

②【工事の請負契約者、物品の納入者―法二三四～二三四の三　【補助金―法二三二の二　※法一九九1・7・一八〇の四・二三八の二

③【政令の定―令一五二　【受益権―信託法二7等

地方自治法施行令

第百五十二条　地方自治法第二百二十一条第三項に規定する普通地方公共団体が出資している法人で政令で定めるものは、次に掲げる法人とする。（範囲）

一　当該普通地方公共団体が設立した地方住宅供給公社、地方道路公社、土地開発公社及び地方独立行政法人

二　当該普通地方公共団体が資本金、基本金その他これらに準ずるものの[1]二分の一以上を出資している一般社団法人及び一般財団法人並びに株式会社

三　当該普通地方公共団体が資本金、基本金その他これらに準ずるものの四分の一以上二分の一未満を出資している一般社団法人及び一般財団法人並びに株式会社のうち条例で定めるもの

2　当該普通地方公共団体及び一又は二以上の前項第二号に掲げる法人（この項の規定により同号に掲げる法人とみなされる法人を含む。）が資本金、基本金その他これらに準ずるものの二分の一以上を出資している一般社団法人及び一般財団法人並びに株式会社は、同号に掲げる法人とみなす。

3　当該普通地方公共団体及び一又は二以上の第一項第二号に掲げる法人（前項の規定により同号に掲げる法人とみなされる法人を含む。）が資本金、基本金その他これらに準ずるものの四分の一以上二分の一未満を出資している一般社団法人及び一般財団法人並びに株式会社は、第一項第三号に規定する一般社団法人及び一般財団法人並びに株式会社とみなす。

4　地方自治法第二百二十一条第三項に規定する普通地方公共団体がその者のために債務を負担している法人で政

行政実例・通知・判例・注釈

1）●地方公務員等共済組合法第一一三条の規定により地方公共団体が交付する負担金についても、本条第二項の規定が適用される。（昭四五・八・一三行実）

2）○「等」には、分担金、負担金があり、「終局の受領者」は府県が市町村を通じて一定の住民に補助金を交付するような場合においてその一定の住民を指す。

❖令一五二条関係

1）●出資金の比率は、各事業年度の書類を提出すべきときの比率をいう。（昭三八・五・二二行実）

2）●不動産の信託とは、土地又はその定着物を信託財産とし、その管理又は処分を目的とする信託（自ら設定した信託以外のものを含む。）をいう。（昭六一・五・三〇通知）

※●予算執行の適正化等を図る観点から、公金をもって資本金等の四分の一以上二分の一未満という高い割合の出資等をしている法人等のうち必要性があると判断したものについて長の調査権の対象とするものであるので、条例の制定にあたっては当該法人等の事業内容、出資経緯、出資目的等を個別に検討し判断されたい。（平一三・一一・二六通知）

※●条例を制定することに伴い、法第二四三条の三第二項の規定に基づき長が経営状況に関する書類の作成及び議会への提出を行う法人等も連動して追加されることとなる。（平一三・一一・二六通知）

【信託―信託法一等　法二三八の五2等　国有財産法二〇等　【受託者―信託法二5等　信託業法三等　金融機関の信託業務の兼営等に関する法律一等

（予算を伴う条例、規則等についての制限）

第二百二十二条　普通地方公共団体の長は、条例その他議会の議決を要すべき案件があらたに[1]予算を伴うこととなるものであるときは、必要な[2]予算上の措置が適確に講ぜられる見込みが得られるまでの間は、これを議会に提出してはならない。

2　普通地方公共団体の長、委員会若しくは委員又はこれらの管理に属する機関は、その権限に属する事務に関する規則その他の規程の制定又は改正があらたに予算を伴うこととなるものであるときは、必要な予算上の措置が適確に講ぜられることとなるまでの間は、これを制定し、又は改正してはならない。

＊本条―全改〔昭三八・六法九九〕

【参照条文】

令で定めるものは、次に掲げる法人とする。

一　当該普通地方公共団体がその者のためにその資本金、基本金その他これらに準ずるものの二分の一に相当する額以上の額の債務を負担している一般社団法人及び一般財団法人並びに株式会社

二　当該普通地方公共団体がその者のためにその資本金、基本金その他これらに準ずるものの四分の一に相当する額以上二分の一に相当する額未満の額の債務を負担している一般社団法人及び一般財団法人並びに株式会社のうち条例で定めるもの

5　地方自治法第二百二十一条第三項に規定する普通地方公共団体が受益権を有する信託で政令で定めるものは、当該普通地方公共団体が受益権を有する[2]不動産の信託とする。

❖法二二二条関係

1）●職員を増加させるための職員定数条例の改正は本条でいう「あらたに予算を伴うこととなるもの」には該当しない。（昭五五・一二・二五行実）

2）●「予算上の措置が適確に講ぜられる見込み」とは、関係予算案が議会に提出されたときをいう。（昭三一・九・二八通知）

※●議員の提案する事項には本条の制限はないが、本条の趣旨を尊重して運営されるべきである。（昭三一・九・二八通知、昭三二・九・二五行実）

地方自治法

①【予算―法二一一1・二一八1・2　【長の議案提出権―法一四九Ⅰ　※法一一二・一一五の三
②【規則・規程の制定―法一五・一三八の四2＝法一九四　地教法一五　公企法一〇　警察法五八　収用法五九

第三節　収入

＊本節―全改〔昭三八・六法九九〕

（地方税）

第二百二十三条　普通地方公共団体は、法律の定めるところにより、地方税を賦課徴収することができる。

＊本条―全改〔昭三八・六法九九〕

【参照条文】
【法律の定―地税法
※憲法三〇・八四　【地方税の賦課徴収―法九六1Ⅳ・一四九Ⅲ

（分担金）

第二百二十四条　普通地方公共団体は、政令で定める場合を除くほか、[1]数人又は[2]普通地方公共団体の一部に対し[3]利益のある事件に関し、その[4]必要な費用に充てるため、[5]当該事件により特に利益を受ける者から、その[6]受益の限度において、分担金を徴収することができる。

＊本条―全改〔昭三八・六法九九〕

【参照条文】
【分担金の徴収―法九六1Ⅳ・一四九Ⅲ・二二八・二

地方自治法施行令

（分担金を徴収することができない場合）

第百五十三条　地方税法第七条の規定により不均一の課税をし、若しくは普通地方公共団体の一部に課税をし、又は同法第七百三条の規定により水利地益税を課し、若しくは同法第七百三条の二の規定により共同施設税を課するときは、同一の事件に関し分担金を徴収することができない。

行政実例・通知・判例・注釈

⚜ 法二二四条関係

1）○「数人」とは、地域的に関係のない特定多数人をいう。

2）○「普通地方公共団体の一部」とは、当該普通地方公共団体の地域的な一部をいう。

3）●「利益のある」とは、その営造物（現行法では公の施設）のため単に積極的利益を受けるのみでなく消極的に利益を受ける場合を含む。（行実）

○「利益のある事件」には、例えば、防疫、防風、防火、防水若しくは防潮等の措置であつても、数人又は当該普通地方公共団体の一定地域が利益を受ける限り、含まれる。

二九・二三一の三 【政令一令一五三

4） ●市の一部区域において、農道、用排水路、溜池等の農業土木を行う場合、これは「地方公共団体の一部に対し利益のある事件」と解される。（昭二七・一二・二六行実）

●「必要な費用」とは、新築費、改築費及び修繕費のほかその管理に要する一切の費用をいう。（行実）

5） ●市域に編入された農村部中の「大字」若しくは「小字」を事業区域とし、農道等の農業土木を行う場合、「当該事件により特に利益を受ける者」とは、必ずしもその区域内の住民に限らない。（昭二七・一二・二六行実）

6） ●事業に要した費用の総額がそのまま「受益の限度」と解することは一般的にはできない。あくまで具体的に受益の限度を定めるべきである。（昭二七・一二・二六行実）

※ ●学校教育のような一般的受益の性質を有するものについては、分担金を徴収できない。（昭二三・四・五行実）

※ ●保険料は、分担金ではない。（昭二五・九・一六行実）

※ ●一般的に自動車等の所有者から、その自動車等が地方公共団体の道路を通行することを理由として、分担金を徴収することはできないが、個々の道路が事実上もっぱら自動車等の所有者を利すると認められる場合においては、その受益の範囲内において分担金を徴収しうる。（昭二八・四・二八行実）

※ ●市町村は地方財政法第二七条第一項に基づき当該市町村が負担した負担金の一部にあてるため、特に利益を受ける者から分担金を徴収することができる。また、港湾法第四三条の四の規定に基づき港湾管理者が市町村から受益者負担金を徴収した場合にも、市町村は当該市町村が負担した負担金の一部にあてるため、特に利益を受ける者から本条に基づく分担金を徴収することができる。（昭五三・九・二九行実）

※ ●法第二一一条（現行法では第二四四条の三）の規定

地方自治法

（使用料）

第二百二十五条　普通地方公共団体は、第二百三十八条の四第七項の規定による許可を受けてする行政財産の使用又は公の施設の利用につき使用料を徴収することができる。

＊本条―全改〔昭三八・六法九九〕、一部改正〔昭四九・六法七一、平一八・六法五三〕

【引用条文】【法二三八の四（行政財産の管理及び処分）7

【参照条文】【使用料の徴収―法九六1Ⅳ・一四九Ⅲ・二二六・二二八・二二九・二三一の三・二四四の二8・9

※　地財法二三・二四　公企法九Ⅸ・二一・三三3

地方自治法施行令

行政実例・通知・判例・注釈

による協議により、甲町が設置する水道施設の建設費用の一部を乙村が負担する場合、当該負担金にかかる水道施設が乙村の一部に利用されるものであれば、乙村はそれにより特に利益を受ける者から分担金を徴収することができる。（昭三四・一二・五行実）

※　●簡易水道事業の費用にあてるため、その事業によつて特に利益を受ける者から、その受益の限度において分担金を徴収することができる。（昭三九・二・二八行実）

✤　法二二五条関係

※　●府県立病院の入院料、診察料等その料金に区別があつても、すべて営造物（現行法では公の施設）の使用料に属する。（行実）

※　●公立学校は地方公共団体の営造物（現行法では公の施設）であるから、授業料も使用料の一であると解してさしつかえない。（昭二三・八・一八行実）

※　●公営住宅法による公営住宅は営造物（現行法では公の施設）であり、家賃の金額は条例で定めることを要する。（昭二六・一一・九行実）

※　●公営住宅法による市営住宅の家賃の決定を条例で市長に委任することはできない。公営住宅法によらず市費単独で建設した市営住宅も、それが営造物（現行法では公の施設）たる性質をもつものであれば、その家賃は条例で定めなければならない。（昭二七・一〇・六行実）

※　●道路法第三九条の占用料は営造物（現行法では公の施設）の特別使用と解し、地方自治法の適用がある。なお、国道についても地方財政法第二三条の適用がある。（昭二八・七・二行実）

※　●水道料金領収書の裏面に業者の広告を掲載し、広告料を徴収することはさしつかえないが、これは私法上

の契約によるものであつて本条の使用料ではない。（昭二一・九・一〇行実）

※●国営土地改良事業により造成された溜池につき県が管理の委託を受けた場合は、地方財政法第二三条によりかんがい水の使用料を徴収できる。この場合受益者がその地域の土地改良区の組合員であつても、その者から徴収する使用料に代えて土地改良区から使用料に相当する金額を徴収することはできない。（昭三二・三・七行実）

※●病院に入院中の患者の私物の洗濯料は、使用料である。（昭三二・一二・一一行実）

※●市町村道として認定された林道について使用料の徴収はできない。市町村道以外の林道について、所定の分担金をとることはさしつかえないが使用料を徴収することは適当でない。（昭三三・八・二五行実）

※●病院及び公園の土地又は建物の一部を売店として使用させる場合は、行政財産の目的外使用による使用料を徴収することができる。競輪場の場合は、普通財産の利用にかかる料金として措置すべきである。（昭三八・一二・一九通知）

※●職員住宅家賃は、一般的には、普通財産の貸付料として措置すべきである。（昭三八・一二・一九通知）

※●保健所における診療料、集団検診料（強制健康診断の場合を含む。）及び予防接種料は使用料である。（昭三八・一二・一九通知）

※●高等学校通信教育受講料は使用料である。（昭三八・一二・一九通知）

※●行政財産の目的外の使用料につき条例で規定すべき事項は、納入義務者、金額、徴収の時期及び方法等であつて、条例で定めることが適当でない技術的細目を除き、すべて条例で具体的に規定することが法意である。（昭三八・一二・一九通知）

※●自主興業の入場料は、公の施設の使用料ではないので条例の規定によることを要しない。（昭四一・一一・二二行実）

地方自治法

（旧慣使用の使用料及び加入金）

第二百二十六条　市町村は、第二百三十八条の六の規定による公有財産の使用につき使用料を徴収することができるほか、同条第二項の規定により使用の許可を受けた者から加入金を徴収することができる。

＊本条―全改〔昭三八・六法九九〕

【引用条文】

【法二三八の六（旧慣による公有財産の使用）】

【参照条文】

【旧慣使用の使用料、加入金の徴収―法九六１Ⅳ・一四九Ⅲ・二二八・二二九・二三一の三】

（手数料）

第二百二十七条　普通地方公共団体は、当該普通地方公共団体の事務で特定の者のためにするものにつき、手数料を徴収することができる。

＊本条―全改〔昭三八・六法九九〕、二・三項―削る〔平一一・七法八七〕

【参照条文】

【手数料の徴収―法九六１Ⅳ・一四九Ⅲ・二二八・二二九・二三一の三】

地方自治法施行令

行政実例・通知・判例・注釈

法二二六条関係

1　○「加入金」とは、旧慣の使用を新たに許される者から、その特権的な使用の対価として徴収する金銭をいう。

●「加入金」は敷金ではないから、返還の規定は設けることができない。（行実）

●分担金を徴収して簡易水道を布設した場合において、当該施設の区域内の未加入者から新たに加入の申込みがあつたときに、その者を加入させるに際し、本条の加入金を徴収することはできない。（昭三七・五・一一行実）

法二二七条関係

1　●「普通地方公共団体の事務」の範囲は、公権力の行使に当たる事務に限定されない。（昭四四・二・六行実）

2　●印鑑証明事務のうち印鑑簿への登録及びその保管の事務のみを取り出して特定の者のための事務とはいえないが、印鑑証明手数料の額を定めるに当たり、登録に要する費用を考慮することはさしつかえない。（昭三四・三・九通知）

●特定の者のためにする事務とは、一個人の要求に基づき主としてその者の利益のため行う事務（身分証明、印鑑証明、公簿閲覧等）の意で、もつぱら地方公共団体自身の行政上の必要のためにする事務については手数料を徴収できない。（昭二四・三・一四行実）

●国民健康保険受診証（現行法では国民健康保険被保険者証）の再交付に関する事務は、「特定の者のためにする」事務に該当しない。（昭三三・五・一〇行実）

●戸籍法第四九条第三項及び第八六条第一項にもとづ

く市町村長への届出書に添付する医師の出産証明及び死亡診断書（死体検案書を含む。）について、手数料を徴収してさしつかえない。（昭四三・一一・五行実）

●（一般廃棄物である家庭系可燃ごみ及び不燃ごみの収集、運搬及び処分の事務は）大多数の者が利益を受けるとしても、それが間接的なものではなく、直接的なものであり、また、指定収集袋を介在させることにより、ごみの排出者とその収集運搬行為との間に対応関係が生じ、指定収集袋を用いたごみ排出者に対してのみ負担を課することが可能となるのであるから、指定収集袋を用いた排出者のためのごみの収集運搬行為は、「特定の者」のために提供する役務ということができ、排出者の指定収集袋に係る料金の負担をもって手数料の概念に当てはめると解釈することは可能である。そうすると、本件における被告のごみ処理有料化が、地方自治法二二七条の「特定の者」のためにするとの文言に反するとまではいうことができない。（平二二・四・二七東京高判）

※

●第一四条第二項の規定により条例で業者の登録制度又は許可制度を規定した場合は、登録又は許可手数料を徴収することができる。（昭二四・八・一九行実）

※

●国又は他の地方公共団体が私人と同様の地位にある場合においては、これらから手数料を徴収できる。（昭二四・一二・一五行実）

※

●職員の採用試験には試験手数料を徴収できない。（昭三〇・九・一四行実）

※

●単に印鑑簿に印鑑を登録し、それを保管する事務は、特定の者のためにする事務とは解されない。（昭三一・九・一七、昭三四・二・一三行実）

※

●公立学校在学の生徒等に対し学校長が成績、通学等の各種証明書を発行する場合、本条第一項の手数料を徴収することはできない。（昭三五・一〇・四行実）

※

●地方公共団体の長が当該地方公共団体の職員に対して、使用者たる地位に基づいてする給与証明事務又は履歴証明事務については、手数料を徴収できない。

地方自治法

（分担金等に関する規制及び罰則）

第二百二十八条　分担金、使用料、加入金及び手数料に関する事項については、条例[1]でこれを定めなければならない。この場合において、手数料について全国的に統一して定めることが特に必要と認められるものとして政令で定める事務（以下本項において「標準事務」という。）について手数料を徴収する場合においては、当該標準事務に係る事務のうち政令で定めるものにつき、政令で定める金額の手数料を徴収することを標準として条例を定めなければならない。

2　分担金、使用料、加入金及び手数料の徴収に関しては、次項に定めるものを除くほか、条例で五万円以下の過料を科する規定を設けることができる。

3　詐欺その他不正の行為により、分担金、使用料、加入金又は手数料の徴収を免れた者については、条例でその徴収[2]を免れた金額の五倍[3]に相当する金額（当該五倍に相当する金額が五万円を超えないときは、五万円とする。）以下の過料を科する規定を設けることができる。

＊本条…全改〔昭三八・六法九九〕、三項…一部改正〔平六・六法四八〕、一項…一部改正、二・三項…全改〔平一一・七法八七〕

【参照条文】

①【政令―地方公共団体の手数料の標準に関する政令

※【委員会、委員と本条の関係―法一八〇の六Ⅲ

②【過料―法二五五の三

※法一四・一五・九六1Ⅳ・一四九Ⅲ・二二四〜二二三

地方自治法施行令

行政実例・通知・判例・注釈

（昭三七・一〇・三行実）

❖法二二八条関係

1）●民間団体又は個人の委託を受けて県が工事等をした場合の委託料については条例の根拠を要しない。（昭二五・一一・二二行実）

●使用料に関する事項は議会の権限であり条例事項であるから、使用料の額の決定を全面的に市長に委任することは違法である。（昭二八・四・三〇行実）

●分担金の徴収条例には、分担金を徴収すべき事件ごとに徴収すべき分担金の種類、受益者の範囲及びこれを各受益者に分賦する方法を具体的かつ明確に規定すべきである。（昭二七・九・一一行実）

●公の施設の使用料を徴収する場合において、一定額の使用料を、使用開始前（又は使用中）に徴収し、使用の終了後に精算することを条例で規定して実施することはできる。（昭四〇・六・二四行実）

2）●町営上水道の配水管に無断で分水管を接続して料金を支払わないまま水道水を使用していた者は、「詐偽（現行法では詐欺）その他不正の行為により……使用料…の徴収を免れた者」に該当する。（昭五四・一一・九行実）

3）●過料を科すときから遡つて五年を超える部分は過料の算定基礎たる「その徴収を免れた金額」には含まれない。（昭五五・三・二五行実）

○「五倍に相当する金額以下」とは、五倍に当たる金額又は五倍に当たる金額に満たない金額をいう。

※　●過料のほか免れた料金を別に徴収することができる。（昭三六・三・一七行実）

※　●分担金条例中に減免規定を設けることはできる。（昭二七・一二・二六行実）

※　●教育委員会において管理している球場の使用料の減

七・二二九・二三一の三　公企法八1Ⅳ・九Ⅸ・二一・三三3

（分担金等の徴収に関する処分についての審査請求）

第二百二十九条　普通地方公共団体の長以外の機関がした分担金、使用料、加入金又は手数料の徴収に関する処分についての審査請求は、普通地方公共団体の長が当該機関の最上級行政庁でない場合においても、当該普通地方公共団体の長に対してするものとする。

2　普通地方公共団体の長は、分担金、使用料、加入金又は手数料の徴収に関する処分についての審査請求がされた場合には、当該審査請求が不適法であり、却下するときを除き、議会に諮問した上、当該審査請求に対する裁決をしなければならない。

3　議会は、前項の規定による諮問を受けた日から二十日以内に意見を述べなければならない。

4　普通地方公共団体の長は、第二項の規定による諮問をしないで同項の審査請求を却下したときは、その旨を議会に報告しなければならない。

5　第二項の審査請求に対する裁決を経た後でなければ、同項の処分については、裁判所に出訴することができない。

＊本条―全改〔昭三八・六法九九〕、一・三項―削る・旧二項―一部改正し一項に繰上・旧四項―一部改正し二項に繰上・旧五項―三項に繰上・旧六項―一部改正し四項に繰上〔平二六・六法六九〕、二・三項―一部改正・四項―追加・旧四項―一部改正し五項に繰下〔平二九・四法二五〕

【参照条文】

①【長以外の執行機関―法一三八の四1

免措置は、長の権限である。（昭三六・五・二九行実）

❖法二二九条関係

1）●議会の答申意見は、尊重されるべきであるが、必ずしも常に長はそれに絶対的に拘束されるものではない。（昭二六・七・一七行実）

※●公営住宅法第二一条の二第二項（現行法では第二八条第二項）の規定による公営住宅の割増賃料の徴収に不服がある者は、行政不服審査法に基づき不服申立てができる。この場合本条が手続上の特例規定として適用される。（昭四〇・一・二二行実）

※●都市計画法第七五条第一項及び第二項に基づく条例による下水道受益者負担金の賦課処分に対する異議申立てについては、地方自治法第二二九条第三項以下（現行法では第三項及び第五項）の規定の適用はない。（昭四七・一二・一三行実）

地方自治法

①〜③　※行政不服審査法　行政事件訴訟法八

（地方債）

第二百三十条　普通地方公共団体は、別に法律で定める場合において、予算の定めるところにより、地方債を起こすことができる。

2　前項の場合において、地方債の起債の目的、限度額、起債の方法、利率及び償還の方法は、予算でこれを定めなければならない。

＊本条…全改〔昭三八・六法九九〕

【参照条文】
①【法律…地財法五〜五の八　公企法二二・二三　健全化法一一・一二　【予算…法九六1Ⅱ・二一五
②【償還…地財法七1　健全化法一二2

（歳入の収入の方法）

第二百三十一条　普通地方公共団体の歳入を収入するときは、政令の定めるところにより、これを調定[1]し、納入義務者に対して納入の通知をしなければならない。

＊本条…全改〔昭三八・六法九九〕

【参照条文】
【政令の定…令一五四

地方自治法施行令

（歳入の調定及び納入の通知）

第百五十四条　地方自治法第二百三十一条の規定による歳入の調定[1]は、当該歳入について、所属年度、歳入科目、納入すべき金額、納入義務者等を誤つていないかどうかその他法令又は契約に違反する事実がないかどうかを調査してこれをしなければならない。

2　普通地方公共団体の歳入を収入するときは、地方交付税、地方譲与税、補助金、地方債、滞納処分費[2]その他その性質上納入の通知を必要としない歳入を除き、納入の通知をしなければならない。

3　前項[3]の規定による納入の通知は、所属年度、歳入科目、納入すべき金額、納期限、納入場所及び納入の請求の事由を記載した納入通知書でこれをしなければならない。

行政実例・通知・判例・注釈

✤法二三〇条関係

※●地方公共団体がその経営する地方公営企業について起す地方債に関する権限は、長にある。（昭三七・一二・二六行実）

※●オーバー・パー発行に係る会計処理の取扱い等については、「地方債のオーバー・パー発行に関する取扱いについて（通知）」（平成二九年三月三一日付け総財地第一一七号、総財公第五一号、総財務第五一号各都道府県総務部長、各指定指市総務部長あて総務省自治財政局地方債課長、総務省自治財政局公営企業課長、総務省自治財政局財務調査課長通知）により通知された事項について十分留意されたいこと。

✤法二三一条関係

1）○「調定」とは、地方公共団体の歳入を徴収しようとする場合において、長が本条の規定に基づきその歳入の内容を調査して収入金額等を決定する行為、すなわち、徴収に関する地方公共団体の内部的意思決定の行為をいう。

※●法令により納期の一定した収入の納期末日が日曜日又は休日に当たる場合の納入通知書の納期限は、当該法令に民法第一四二条の規定を適用しない旨の定めがない限り、法定の期限を告知すべきである。（昭三八・一二・九行実）

✤令一五四条関係

1）●税収入、税外収入を問わず、繰り越された過年度未収金で、繰り越された年度の末日までに収入できなかつたものをさらに繰越しをする場合は、その繰り越す

（証紙による収入の方法等）

第二百三十一条の二　普通地方公共団体は、使用料又は手数料の徴収については、条[1]例の定めるところにより、証紙による収入の方法によることができる。

2　証紙による収入の方法による場合においては、証紙の売りさばき代金をもつて歳入[2]とする。

3　証紙による収入の方法によるものを除くほか、普通地方公共団体の歳入は、第二百三十五条の規定により金融機関が指定されている場合においては、政令の定めるところにより、口座振替の方法により、又は証券をもつて納付することができる。

4　前項の規定により納付された証券を支払の提示期間内又は有効期間内に提示し、支払の請求をした場合において、支払の拒絶があつたときは、当該歳入は、はじめから納付がなかつたものとみなす。この場合における当該証券の処分に関し必要な事項は、政令で定める。

5　証紙による収入の方法によるものを除くほか、普通地方公共団体の歳入については、第二百三十五条の規定により金融機関を指定していない市町村においては、政令の定めるところにより、納入義務者から証券の提供を受

ただし、その性質上納入通知書によりがたい歳入については、口頭、掲示その他の方法によつてこれをすることができる。

（口座振替の方法による歳入の納付）

第百五十五条　普通地方公共団体の歳入の納入義務者は、当該普通地方公共団体の指定金融機関若しくは指定代理金融機関又は収納代理金融機関若しくは収納事務取扱金融機関に預金口座を設けているときは、当該金融機関に請[1]求して口座振替の方法により当該歳入を納付することができる。

（証券をもつてする歳入の納付）

第百五十六条　地方自治法第二百三十一条の二第三項の規定により普通地方公共団体の歳入の納付に使用することができる証券は、次に掲げる証券で納[1]付金額を超えないものに限る。

一　持参人払式の小切手等（小切手その他金銭の支払を目的とする有価証券であつて小切手と同程度の支払の確実性があるものとして総務大臣が指定するものをいう。以下この号において同じ。）又は会計管理者若しくは指定金融機関、指定代理金融機関、収納代理金融機関若しくは収納事務取扱金融機関（以下この条において「会計管理者等」という。）を受取人とする小切手等で、手形交換所に加入している金融機関又は当該金融

年度の滞納繰越調定額から当該越しをする金額を減額しないものである。（昭四一・一一・二四行実）

2）○「その他その性質上納入の通知を必要としない歳入」には、たとえば、申告納付に係る地方税、地方税の延滞金、会計管理者等が行う窓口収納の歳入、出納員をおいていない出張所その他の小規模な出先機関で即納させる単純な歳入等がある。

3）●証紙売さばき代金の収入の方法は、納入通知書によることが適当であるが、口頭、掲示その他の方法によつてもさしつかえない。（昭三九・三・三行実）

✤法二三一条の二関係

1）●条例で、収入の方法として証紙によるべき旨定めた場合は、証紙収入の方法によらなければならない。（昭三八・一二・一九通知）

2）○「証紙の売りさばき代金をもつて歳入とする」とは、証紙の売りさばき代金を歳入金とする時期について定めたもので、証紙の売りさばき代金を地方公共団体が収納したとき直ちに収入として歳入にすることを意味する。

※●競輪場、水泳場、美術館等において入場券、利用券等を発行することはさしつかえない。（昭三八・一二・一九通知）

※●県の収入証紙が遺失物法第一五条（現行法では第三七条第一項）の規定により県に帰属した場合は、物品として県に帰属させるべきものである。（昭四〇・五・二五行実）

✤令一五五条関係

1）●口座振替の方法による歳入の納付又は支出を行う場合、納入義務者又は債権者からそのつど口座振替請求書又は依頼書を徴すること又は会計年度ごとにこれを徴することいずれの方法によることもさしつかえないが、定期的に収納又は支払する収入又は支出については、会計年度ごとにこれを徴することとし、特別の事情のない限り更新する取扱いとすればよい。（昭三

地方自治法

け、その証券の取立て及びその取り立てた金銭による納付の委託を受けることができる。

＊ 本条―全改〔昭三八・六法九九〕、三・四項―一部改正・六・七項―追加〔平一八・六法五三〕、六・七項―削る〔令三・三法七〕

【引用条文】

③・⑤【法二三五（金融機関の指定）

【参照条文】

③・④【口座振替―令一五五　【証券納付―令一五六

⑤【取立て・納付の委託―令一五七

※ 地税法一1XIII

地方自治法施行令

機関に手形交換を委託している金融機関を支払人とし、支払地が当該[2]普通地方公共団体の長が定める区域内であつて、その権利の行使のため定められた期間内に支払のための提示又は支払の請求をすることができるもの

二　無記名式の国債若しくは地方債又は無記名式の国債若しくは地方債の利札で、支払期日の到来したもの

2　会計管理者等は、前項第一号に掲げる証券であつてもその支払が確実でないと認めるときは、その受領を拒絶することができる。

3　地方自治法第二百三十一条の二第四項前段に規定する場合においては、会計管理者等は、当該証券をもつて納付した者に対し、速やかに、当該証券について支払がなかつた旨及びその者の請求により当該証券を還付する旨を書面で通[3]知しなければならない。

（取立て及び納付の委託）

第百五十七条　地方自治法第二百三十一条の二第五項の規定により取立て及び納付の委託を受けることができる証[1]券は、前条第一項に規定する証券とする。

2　地方自治法第二百三十一条の二第五項の規定により取立て及び納付の委託を受ける場合において、その証券の取立てにつき費用を要するときは、会計管理者は、当該取立て及び納付の委託をしようとする者に、その費用の額に相当する金額をあわせて提供させなければならない。

3　地方自治法第二百三十一条の二第五項の規定により取立て及び納付の委託を受けた場合において、必要があると認めるときは、会計管理者は、確実と認める金融機関

行政実例・通知・判例・注釈

八・一二・一九通知）

※ ●口座振替の方法による場合の領収書の発行は、指定金融機関、指定代理金融機関又は収納代理金融機関（現行令では指定金融機関、指定代理金融機関、収納代理金融機関又は収納事務取扱金融機関）が行うことになる。（昭三八・一二・一九通知）

※ ●口座振替の方法による歳入の納付は、指定金融機関、指定代理金融機関又は収納代理金融機関（現行令では指定金融機関、指定代理金融機関、収納代理金融機関又は収納事務取扱金融機関）に預金口座を設けている納入義務者に限り行うことができる。（昭三八・一二・一九通知）

※ ●県が補助金等を市町村に交付する場合、当該市町村が指定金融機関等を指定していない限り、口座振替によることができない。（昭三九・一〇・二七通知）

✤ 令一五六条関係

○「総務大臣が指定するもの」とは、①郵政民営化法第九四条に規定する郵便貯金銀行が発行する振替払出証書及び②郵政民営化法第九四条に規定する郵便貯金銀行が発行する為替証書とする。（平一九・九・二八告示五四四号）

1）○「納付金額を超えない」とは、納付金額に等しいか又はそれより少額をいう。納付金額より少額の場合は、その差額を現金又は歳入代用納付証券でもつて納付しなければならないことは当然である。

2）●手形交換所において行われている業務については、令和四年一一月四日から電子交換所において行われることとなるが、電子交換所においては、交換対象地域を限定している既存の手形交換所と異なり、全国を交換対象としていることから、地方公共団体の規則において、地方自治法施行令第一五六条第一項第一号に基づき、持参人払式の小切手等の支払地についての普通

（指定納付受託者に対する納付の委託）

第二百三十一条の二の二　普通地方公共団体の歳入（第二百三十五条の四第三項に規定する歳入歳出外現金を含む。以下「歳入等」という。）を納付しようとする者は、次の各号のいずれかに該当するときは、指定納付受託者（次条第一項に規定する指定納付受託者をいう。第二号において同じ。）に納付を委託することができる。

一　歳入等の納付の通知に係る書面で総務省令で定めるものに基づき納付しようとするとき。

二　電子情報処理組織を使用して行う指定納付受託者に対する通知で総務省令で定めるものに基づき納付しようとするとき。

＊本条…追加〔令三・三法七〕

にその取立てを再委託することができる。

地方公共団体の長が定める区域に関する規定等、規則その他の規程における手形交換所の所管区域を前提とする規定については、これを全国の区域とする等の改正を施行する必要がある。（令三・七・二一通知）

3）●小切手をもつて納付された歳入金で、当該小切手が不渡りになつた場合、納付した者に対する当該証券について支払がなかつた旨等の通知は、本条の規定に基づき、出納長（現行法では会計管理者）等が行うものである。（昭三八・一二・一九通知）

❖令一五七条関係

1）●取立て及び納付の委託を受けることができる証券は、令第一五六条第一項に規定する証券に限られるので、約束手形及び為替手形は含まれない。なお、約束手形及び為替手形は、地方税法第一六条の二の規定により納付の委託を受けることができる。（昭三八・一二・一九通知）

❖法二三一条の二の二関係

※●法二三一条の二の二第一号はコンビニエンスストア等における納付を、同条第二号はクレジットカード決済による納付及びスマートフォンアプリ等を利用した決済方法による納付を主に想定したものである。（令三・四・一通知）

※●指定納付受託者が取り扱うことができる歳入等の種類については、地方公共団体が住民のニーズ等を踏まえて決定することが適当であり、制度上その範囲を限定していないことから、指定納付受託者と締結する契約等においてその対象を具体的に定めるとともに、これを広く住民に周知することが適当である。（令三・四・一通知）

地方自治法

【引用条文】【法二三五の四（現金及び有価証券の保管）3・法二三一の二の三（指定納付受託者）】

【参照条文】【総務省令で定―則一二の二の一】

（指定納付受託者）

第二百三十一条の二の三　歳入等の納付に関する事務（以下「納付事務」という。）を適切かつ確実に遂行することができる者として政令で定める者のうち普通地方公共団体の長が総務省令で定めるところにより指[1]定するもの（以下「指定納付受託者」という。）は、総務省令で定めるところにより、歳入等を納付しようとする者の委託を受けて、納付事務を行うことができる。

2　普通地方公共団体の長は、前項の規定による指定をしたときは、指定納付受託者の名称、住所又は事務所の所在地、指定納付受託者が行う納付事務に係る歳入等その他総務省令で定める事項を告示しなければならない。

3　指定納付受託者は、その名称、住所又は事務所の所在地を変更しようとするときは、総務省令で定めるところにより、あらかじめ、その旨を普通地方公共団体の長に届け出なければならない。

4　普通地方公共団体の長は、前項の規定による届出があつたときは、当該届出に係る事項を告示しなければならない。

＊本条―追加〔令三・三法七〕、二項―一部改正〔令五・五法一九〕

【参照条文】

地方自治法施行令

（指定納付受託者等の要件）

第百五十八条　地方自治法第二百三十一条の二の三第一項及び第二百三十一条の二の四に規定する政令で定める者は、次の各号に掲げる要件のいずれにも該当する者とする。

一　地方自治法第二百三十一条の二の三第一項に規定する納[1]付事務（次号において「納付事務」という。）を適切かつ確実に遂行することができる財産的基礎を有すること。

二　その[2]人的構成等に照らして、納付事務を適切かつ確実に遂行することができる知識及び経験を有し、かつ、十分な社会的信用を有すること。

行政実例・通知・判例・注釈

✤ 法二三一条の二の三関係

●地方公共団体が指定納付受託者を指定するに当たっては、歳入等の納付を委託した者に係る個人情報の取扱いについて十分に留意し、個人情報の保護に関する法律に基づいた適切な措置が講じられるよう、指定納付受託者と締結する契約等において、秘密の保持、個人情報の漏えい防止措置、個人情報の目的外利用の制限等、個人情報の保護のために必要な措置について具体的に定めることが適当である。（令三・四・一通知）

✤ 令一五八条関係

1）●「納付事務を適切かつ確実に遂行することができる財産的基礎を有すること」とは、概ね次のような要件を満たすことが求められるものであること。

①　資本金の額、資産又は負債の状況等から財政的基盤が十分に整っていること。

②　累積欠損がなく、かつ、経営状態が良好であること。（令三・四・一通知）

2）●「その人的構成等に照らして、納付事務を適切かつ確実に遂行することができる知識及び経験を有し、かつ、十分な社会的信用を有すること」とは、概ね次のような要件を満たすことが求められるものと考えられるものであること。

①　経営陣の体制、業務に対する十分な知識及び経験を有する業務精通者の確保が十分であると認められること。

②　コンプライアンス体制等の業務執行体制が十分に整備されていること。（令三・四・一通知）

① 【政令で定―令一五八 【総務省令で定―則一二の二の一二・一二の二の一三
② 【総務省令で定―則一二の二の一四
③ 【総務省令で定―則一二の二の一五

（納付事務の委託）

第二百三十一条の二の四 第二百三十一条の二の二の規定により歳入等を納付しようとする者の委託[1]を受けた指定納付受託者は、当該委託を受けた納付事務の一部を、納付事務を適切かつ確実に遂行することができる者として政令で定める者に委託することができる。

＊ 本条―追加〔令三・三法七〕

【引用条文】
【法二三一の二の二（指定納付受託者に対する納付の委託）
【参照条文】
【政令で定―令一五八

（指定納付受託者の納付）

第二百三十一条の二の五 指定納付受託者は、第二百三十一条の二の二の規定により歳入等を納付しようとする者の委託を受けたときは、[1]普通地方[2]公共団体が指定する日までに当該委託を受けた歳入等を納付しなければならない。

2 指定納付受託者は、第二百三十一条の二の二の規定により歳入等を納付しようとする者の委託を受けたときは、総務省令で定めるところにより、その旨及び当該委託を受けた年月日を普通地方公共団体の長に報告しなければならない。

3 第一項の場合において、当該指定納付受託者が同項の

❖ 法二三一条の二の四関係

1）●複数の主体が納付事務に関わる場合においては、指定納付受託者以外の者は、法二三一条の二の四の納付事務の委託を受けた者として当該納付事務に関わることとなる。（令三・四・一通知）

❖ 法二三一条の二の五関係

1）●「地方公共団体が指定する日」については、歳入等に係る納期限、指定納付受託者の事務処理に要する日数等を踏まえて適切に設定するとともに、指定納付受託者と締結する契約等においてあらかじめ定めておくことが適当である。（令三・四・一通知）

●地方公共団体が指定納付受託者と締結する契約等において、当該指定納付受託者が分担金等以外の歳入等を地方公共団体が指定する日までに納付しない場合においても、当該指定納付受託者に当該歳入等及び延滞金を負担させることをあらかじめ定めておくことが考えられる。（令三・四・一通知）

2）●指定金融機関への口座振替の方法により納付する等、指定納付受託者が納付の委託を受けた歳入等を地

地方自治法

指定する日までに当該歳入等を納付したときは、当該委託を受けた日に当該歳入等の納付がされたものとみなす。

＊ 本条―追加〔令三・三法七〕

【引用条文】
①・②【法二三一の二の二（指定納付受託者に対する納付の委託）

【参照条文】
②【総務省令で定―則一二の二の一六

（指定納付受託者の帳簿保存等の義務）

第二百三十一条の二の六　指定納付受託者は、総務省令で定めるところにより、帳簿を備え付け、これに納付事務に関する事項を記載し、及びこれを保存しなければならない。

2　普通地方公共団体の長は、前三条、この条及び第二百三十一条の四の規定を施行するため必要があると認めるときは、その必要な限度で、総務省令で定めるところにより、指定納付受託者に対し、報告をさせることができる。

3　普通地方公共団体の長は、前三条、この条及び第二百三十一条の四の規定を施行するため必要があると認める

地方自治法施行令

行政実例・通知・判例・注釈

方公共団体に対してどのように納付すべきかについては、指定納付受託者と締結する契約等においてあらかじめ定めておくことが適当である。（令三・四・一通知）

※

●指定納付受託者が行う納付事務に要する費用に充てるための手数料等の取扱いについては、地方公共団体と住民のいずれが当該手数料等を負担するかを含め、それぞれの地方公共団体において、指定納付受託者制度の活用の効果と経費を比較検討する等の上、適切に決定し、指定納付受託者と締結する契約等において定めることが適当である。具体的には、指定納付受託者が取り扱うこととなる歳入等の件数、事務量、地方公共団体における収納事務の効率化の効果、住民が享受することとなる利便性、口座振替や私人委託制度等の他の方法による場合における手数料等の取扱い等を踏まえ検討することが適当である。（令三・四・一通知）

❖法二三一条の二の六関係

1）●立入検査については、その目的や対象、場所等を踏まえて、効果的かつ適切な方法で行うことが適当であり、デジタル技術を活用することが効果的かつ適切である場合には、例えば、オンライン会議システムを活用することなどにより、遠隔地から行うことも可能である。（令五・五・八通知）

ときは、その必要な限度で、その職員に、指定納付受託者の事務所に立ち入り、指定納付受託者の帳簿書類（その作成又は保存に代えて電磁的記録の作成又は保存がされている場合における当該電磁的記録を含む。第二百四十三条の二の二第三項において同じ。）その他必要な物件を検査させ、又は関係者に質問させることができる。

4　前項の規定により立入検査を行う職員は、その身分を示す証明書を携帯し、かつ、関係者の請求があるときは、これを提示しなければならない。

5　第三項に規定する権限は、犯罪捜査のために認められたものと解してはならない。

＊本条―追加〔令三・三法七〕、三項―一部改正〔令五・五法一九〕

【引用条文】

②・③【法二三一の二の三（指定納付受託者）・二三一の二の四（納付事務の委託）・二三一の二の五（指定納付受託者の納付）・二三一の四（指定納付受託者からの歳入等の徴収等）・二四三の二の二（指定公金事務取扱者の帳簿保存等の義務）3

【参照条文】

①【総務省令で定―地方自治法に係る民間事業者等が行う書面の保存等における情報通信の技術の利用に関する法律施行規則

②【総務省令で定―則一二の二の一七

（指定納付受託者の指定の取消し）

第二百三十一条の二の七　普通地方公共団体の長は、指定納付受託者が次の各号のいずれかに該当するときは、総務省令で定めるところにより、第二百三十一条の二の三第一項の規定による指定を取り消すことができる。

地方自治法

一　第二百三十一条の二の三第一項に規定する政令で定める者に該当しなくなつたとき。

二　第二百三十一条の二の五第二項又は前条第二項の規定による報告をせず、又は虚偽の報告をしたとき。

三　前条第一項の規定に違反して、帳簿を備え付けず、帳簿に記載せず、若しくは帳簿に虚偽の記載をし、又は帳簿を保存しなかつたとき。

四　前条第三項の規定による立入り若しくは検査を拒み、妨げ、若しくは忌避し、又は同項の規定による質問に対して陳述をせず、若しくは虚偽の陳述をしたとき。

2　普通地方公共団体の長は、前項の規定により指定を取り消したときは、その旨を告示しなければならない。

＊本条…追加〔令三・三法七〕

【引用条文】
①【法二三一の二の三（指定納付受託者）1・二三一の二の五（指定納付受託者の納付）2・二三一の二の六（指定納付受託者の帳簿保存等の義務）1・2・3

【参照条文】
①【総務省令で定…則一二の二の一八

（督促、滞納処分等）

第二百三十一条の三　分担金、使用料、加入金、手数料、過料その他の普通地方公共団体の歳入を納期限までに納付しない者があるときは、普通地方公共団体の長は、期限を指定してこれを督促[1]しなければならない。

2　普通地方公共団体の長は、前項の歳入について同項の規定による督促[2]をした場合には、条例で定めるところに

地方自治法施行令

行政実例・通知・判例・注釈

❖法二三一条の三関係

1）●指定期限経過後に滞納者に交付された督促状は無効である。（昭二一・一一・五行裁判）

2）●「条例」とは、個々の手数料条例、使用料条例等のみをさすものではなく、督促手数料及び延滞金に関してのみ規定した条例を含む。（昭二八・一二・一〇行実）

●督促状に指定した納入の期限内に納入した場合と、

より、手数料及び延滞金[3]を徴収することができる。

3　普通地方公共団体の長は、分担金、加入金、過料又は法律[4]で定める使用料その他の普通地方公共団体の歳入（以下この項及び次条第一項において「分担金等」という。）につき第一項の規定による督促を受けた者が同項の規定により指定された期限までにその納付すべき金額を納付しないときは、当該分担金等並びに当該分担金等に係る前項の手数料及び延滞金について、地方税[5]の滞納処分の例により処分することができる。この場合におけるこれらの徴収金の先取特権の順位は、国税及び地方税に次ぐものとする。

4　第一項の歳入並びに第二項の手数料及び延滞金の還付[6]並びにこれらの徴収金の徴収又は還付に関する書類の送達及び公示送達については、地方税の例による。

5　普通地方公共団体の長以外の機関がした前各項の規定による処分についての審査請求は、普通地方公共団体の長が当該機関の最上級行政庁でない場合においても、当該普通地方公共団体の長に対してするものとする。

6　第三項の規定により普通地方公共団体の長が地方税の滞納処分の例によりした処分についての審査請求については、地方税法（昭和二十五年法律第二百二十六号）第十九条の四の規定を準用する。

7　普通地方公共団体の長は、第一項から第四項までの規定による処分についての審査請求がされた場合には、当該審査請求が不適法であり、却下するときを除き、議会に諮問した上、当該審査請求に対する裁決をしなければならない。

8　議会は、前項の規定による諮問を受けた日から二十日以内に意見を述べなければならない。

それ以後との場合を条例の規定により延滞金の額に軽重の差を設けることはさしつかえないが、地方税法の規定による税の延滞金及び延滞加算金の額との均衡を失しないよう措置することが適当である。（昭三五・一二・二七行実）

3）●延滞金の徴収は、第一項による督促をしなければできない。（昭三五・一二・二七行実）

4）●「法律で定める」の字句は、「使用料」と「その他の普通地方公共団体の歳入」の両方にかかっているものである。（昭三九・三・三行実）

5）○「地方税の滞納処分の例により」とは、地方税の滞納処分と同一の手続によって処分すべきことを意味し、滞納処分に関する限り、地方税法及び同法施行令の規定が包括的に適用される。

6）●第一項の歳入を還付する場合は、第四項の規定により当然地方税法第一七条の四の規定の例によって計算した金額を加算しなければならない。（昭三八・一二・一九通知）

※●町村職員退職手当組合に納入した負担金に誤納があった場合、この誤納金の還付については本条第四項の規定が準用され、消滅時効については法第二三六条の規定が適用される。（昭四一・六・八行実）

※●寄附金贈与契約による収入は公法上の収入でないから、その滞納者に対しては民事訴訟によるほか滞納処分をなし得ない。（行実）

※●滞納処分のため出張した吏員の旅費は、滞納処分費として徴収することはできない。（行実）

※●地方交付税は差押の対象にならない。（昭三一・九・三行実）

地方自治法

9　普通地方公共団体の長は、第七項の規定による諮問をしないで同項の審査請求を却下したときは、その旨を議会に報告しなければならない。
10　第七項の審査請求に対する裁決を経た後でなければ、第一項から第四項までの規定による処分については、裁判所に出訴することができない。
11　第三項の規定による処分中差押物件の公売は、その処分が確定するまで執行を停止する。
12　第三項の規定による処分は、当該普通地方公共団体の区域外においても、することができる。

＊　本条―全改〔昭三八・六法九九〕、五項―一部改正・六項―全改・七・九項―一部改正〔平二六・六法六九〕、一～三・六～八項―一部改正・九項―追加・旧九項―一部改正し一〇項に繰下・旧一〇項―一一項に繰下・旧一一項―一部改正し一二項に繰下〔平二九・四法二五〕、三項―一部改正〔令三・三法七〕

【引用条文】
③【法二三一の四（指定納付受託者からの歳入等の徴収等）1
⑥【地税法一九の四（審査請求期間の特例）

【参照条文】
①【分担金―法二二四　【使用料、加入金―法二二五・二二六　【手数料―法二二七　【過料―法一五2・一四九Ⅲ・一五九2・二二八2・3　地税法七二の一一等
③【法律で定める収入―法附則六　児童福祉法五七の二6　国民健康保険法七九の二　道路法七三　河川法七四　土地区画整理法一一〇等　【地方税の滞納処分―※国税徴収法五章　【先取特権―民法三〇三　※地税法一四～一四の二〇
④【地方税の還付―地税法一七～一七の四

地方自治法施行令

行政実例・通知・判例・注釈

⑤～⑧ ※行政不服審査法
⑪【執行停止―※行政不服審査法二五 行政事件訴訟法二五
⑫【区域―法五
※ 法九六１Ⅳ・一四九Ⅲ・二二四～二二九・二三六・二五八 令一五四 地税法一八～一八の三

㊟ 次条中、点線の左側は、令和六年六月二六日から起算して二年六月を超えない範囲内において政令で定める日から施行となる。

（指定納付受託者指定納付受託者等からの歳入等の徴収等）

第二百三十一条の四 指定納付受託者が第二百三十一条の二の五第一項の歳入等（分担金等であるものに限る。以下この項において同じ。）を同条第一項の指定する日までに納付しない場合における当該歳入等の徴収又は第二百四十三条の二の七第四項において準用する地方税法第七百四十七条の八第一項に規定する機構指定納付受託者が第二百四十三条の二の七第四項において準用する同法第七百四十七条の十第一項の規定により納付すべき第二百四十三条の二の七第二項に規定する特定歳入等（分担金等であるものに限る。以下この項において「特定歳入等」という。）を同条第四項において準用する同法第七百四

地方自治法

十七条の十第一項の指定する日までに納付しない場合に
おける当該特定歳入等の徴収については、地方税法
同法
第十三条の四の規定を準用する。この場合における当該歳入等に係る
又は当該特定歳入等に係る
徴収金の先取特権の順位は、国税及び地方税に次ぐものとする。

2　普通地方公共団体の長以外の機関がした前項前段において準用する地方税法第十三条の四第一項の規定による処分についての審査請求は、普通地方公共団体の長が当該機関の最上級行政庁でない場合においても、当該普通地方公共団体の長に対してするものとする。

3　第一項前段において準用する地方税法第十三条の四第一項の規定により普通地方公共団体の長がした処分についての審査請求については、同法第十九条の四の規定を準用する。

4　普通地方公共団体の長は、第一項前段において準用する地方税法第十三条の四第一項の規定による処分についての審査請求がされた場合には、当該審査請求が不適法であり、却下するときを除き、議会に諮問した上、当該審査請求に対する裁決をしなければならない。

5　議会は、前項の規定による諮問を受けた日から二十日以内に意見を述べなければならない。

6　普通地方公共団体の長は、第四項の規定による諮問をしないで同項の審査請求を却下したときは、その旨を議会に報告しなければならない。

7　第四項の審査請求に対する裁決を経た後でなければ、

地方自治法施行令

行政実例・通知・判例・注釈

第一項前段において準用する地方税法第十三条の四第一項の規定による処分については、裁判所に出訴することができない。

8　第一項前段において準用する地方税法第十三条の四第一項の規定による処分中差押物件の公売は、その処分が確定するまで執行を停止する。

9　第一項前段において準用する地方税法第十三条の四第一項の規定による処分は、当該普通地方公共団体の区域外においても、することができる。

＊本条—追加〔令三・三法七〕、一項—一部改正〔令六・六・法六五〕

【引用条文】
①【法二三一の二の五（指定納付受託者の納付）1　地税法一三の四（指定納付受託者等が委託を受けた場合の徴収の特例）
②【地税法一三の四（指定納付受託者等が委託を受けた場合の徴収の特例）1
③【地税法一三の四（指定納付受託者等が委託を受けた場合の徴収の特例）1・一九の四（審査請求期間の特例）
④・⑦・⑧・⑨【地税法一三の四（指定納付受託者等が委託を受けた場合の徴収の特例）1

第四節　支出

＊本節—全改〔昭三八・六法九九〕

（経費の支弁等）
第二百三十二条　普通地方公共団体は、当該普通地方公共団体の事務を処理するために必要な経費その他法律又はこれに基づく政令により当該普通地方公共団体の負担に

地方自治法

属する経費を支弁するものとする。

2　法律又はこれに基づく政令により普通地方公共団体に対し事務の処理を義務付ける場合においては、国は、そのために要する経費の財源につき必要な措置を講じなければならない。

＊本条…全改〔昭三八・六法九九〕、一・二項…一部改正〔平一一・七法八七〕

【参照条文】
①【普通地方公共団体の事務—法二2～6　※法二五二の一九1・二五二の二二1　【法令により地方公共団体の負担に属する経費の例—児童手当法一八　市町村立学校職員給与負担法一・二　生活保護法七三　※地財法九～一〇の三
②※法一五六4　地財法一二・一三・二八等　【法令による地方公共団体の事務—法二9・10・別表一・二参照　【財源措置—地財法一三・二八等

（**寄附又は補助**）

第二百三十二条の二　普通地方公共団体は、その公益上必要がある場合においては、寄附又は補助をすることができる。

＊本条…全改〔昭三八・六法九九〕

【参照条文】
※法一九九7・二二一2

地方自治法施行令

行政実例・通知・判例・注釈

❖法二三二条の二関係

1）●公益上必要かどうかを一応認定するのは長及び議会であるが、この認定は全くの自由裁量行為ではないから、客観的にも公益上必要であると認められなければならない。（昭二八・六・二九行実）

●予備費の充用により補助金を支出することについての議会の適否の認定は、決算認定等にあたり行なわれるべきものと解する。（昭四五・九・二五行実）

●予算計上の範囲内において、執行の際に対象事業、金額等が具体的に決定される補助金についての議会の認定は、予算審議の段階において包括的になされるべきものと解する。（昭四五・九・二五行実）

●営利会社に対する町村の補助は、特別の事由がある

（**支出負担行為**）

第二百三十二条の三 普通地方公共団体の支出の原因となるべき契約その他の行為[1]（これを支出負担行為という。）は、法令又は予算の定めるところに従い、これをしなければならない。

場合のほか公益上必要があるものと認められない。（昭六・一二・二六行裁判）

※●法人に対する政府の財政援助の制限に関する法律第三条で、地方公共団体は農業協同組合に対して債務保証はできない。（昭二五・六・七行実）

※●憲法第八九条、法人に対する政府の財政援助の制限に関する法律等の禁止規定に反しない限り、市は公共事務に関連して債務保証をなしうる。（昭二五・一一・一五行実）

※●財団法人○○県信用保証協会が保証する特別小口融資について損失補償をすることは、法人に対する政府の財政援助の制限に関する法律第三条の規制するところでない。（昭二九・五・一二行実）

※●補助を受ける者は法令による団体であると否とを問わない。（明三七・五・二〇行裁判）

※●府県その他の公共団体が他に対して寄附又は補助をなす権能は、自己に財政上余裕がある場合に限るべく、その場合でも公益の程度、弊害の有無等につき慎重に調査すべきである。（明三四・三・四通知）

※●町が地区交通安全協会を経由して県に対してしたミニパトカーの寄附は、法令の規定に基づき経費の負担区分が定められている事務について、地方公共団体相互の間における経費の負担区分を乱すことに当たり、地方財政法第二八条の二に違反するものであつて、そのためにされたミニパトカーの購入及び購入代金の支出も違法なものである。（平八・四・二六最裁判）

✤法二三二条の三関係

1）○「その他の行為」とは、補助金の交付の決定のような公法上の債務を負担する行政行為、地方公共団体の不法行為に基づく損害賠償金の支出の決定行為、給与その他の給付の支出の決定、地方公共団体内の会計間の繰入れの決定行為等をいう。

※●支出負担行為としての事務は行なわず直ちに支出手続を行なうことはできない。（昭三八・一二・一九通

地方自治法

＊ 本条…全改〔昭三八・六法九九〕

【参照条文】

【契約―法二三四　【予算の執行―法二二〇1　令一五〇1　【支出負担行為の確認―法一七〇2Ⅵ・二三二の四2　【支出負担行為と歳出の会計年度所属区分―令一四三1Ⅴ　【支出負担行為と職員の賠償責任―法二四三の二の八

（支出の方法）

第二百三十二条の四　会計管理者は、普通地方公共団体の長の政令で定めるところによる命令[1]がなければ、支出をすることができない。

2　会計管理者は、前項の命令を受けた場合においても、当該支出負担行為が法令又は予算に違反していないこと及び当該支出負担行為に係る債務が確定していることを確認[2]したうえでなければ、支出をすることができない。

＊ 本条…全改〔昭三八・六法九九〕、一項…一部改正〔平一六・五法五七〕、一・二項…一部改正〔平一八・六法五三〕

【参照条文】

地方自治法施行令

（支出命令）

第百六十条の二　地方自治法第二百三十二条の四第一項に規定する政令で定めるところによる命令は、次のとおりとする。

一　当該支出負担行為に係る債務が確定した時以後に行う命令

二　当該支出負担行為に係る債務が確定する前に行う次に掲げる経費の支出に係る命令[1]

イ　電気、ガス又は水の供給を受ける契約に基づき支払をする経費

ロ　電気通信役務の提供を受ける契約に基づき支払をする経費

行政実例・通知・判例・注釈

※ 知）

●職員が債務者の金銭消費貸借上の保証人となつている場合において、債務者が債務不履行のため裁判所からその保証人である職員の第三債務者（当該地方公共団体）に対して有する債権（給料）につき仮差押または差押命令があつた場合、その差押に係る部分の給料の取扱いについては、移付命令（現行では転付命令）が差押命令と同時になされたときは、仕訳して支出負担行為することとし、事後になされたときは、仮差押または差押命令に表示された債権者から請求があつたときに支払うこととすべきである。（昭四〇・五・二五行実）

※ ●本条の規定に違反して予算がないのに業者と締結した請負契約は無効であるが、予算議決によつて追認された場合は当事者間においては契約時にさかのぼつて有効となるものと解される。（昭四一・六・一四行実）

⚜ 法二三二条の四関係

1）●支出命令は、支出負担行為が法定されたので、当該会計年度経過後（出納整理期間中）も発することができる。（昭三八・一二・一九通知）

2）○「確認」とは、契約書等の書類確認、物品等の現物確認、実地調査等による確認等をいう。

⚜ 令一六〇の二関係

1）●（令第一六〇条の二第二号に掲げる経費についても、）法第二三二条の四第二項の規定により、出納長又は収入役（現行法では会計管理者）が支払をするときは、当該支出負担行為が法令又は予算に違反していないこと及び当該支出負担行為に係る債務が確定していることを確認する必要があることに留意すること。（平一六・一一・一〇通知）

① 【支出命令―法一四九Ⅱ ※法一八〇の六Ⅰ 地財法四１ 【政令の定―令一六〇の二

② 【支出負担行為―法二三二の三 【法令―法一四九Ⅱ・二〇八～二一〇・二一四・二一七・二二〇・二三二の三・二三二の五・二三二の六 令一四三・一四九・一六一～一六五の七 憲法八九 健全化法一一等 【予算―法二一〇～二一八・二二〇 令一四四～一五〇等 【確認と職員の賠償責任―法二四三の二の八

第二百三十二条の五 普通地方公共団体の支出は、債権者のためでなければ、これをすることができない。

2 普通地方公共団体の支出は、政令の定めるところにより、資金前渡、概算払、前金払、繰替払、隔地払又は口[1]座振替の方法によつてこれをすることができる。

＊ 本条―全改〔昭三八・六法九九〕

【参照条文】

② 【資金前渡―令一六一 【概算払―令一六二 【前金払―令一六三・附七・則附三 【繰替払―令一六四 【隔地払―令一六五 【口座振替の方法―令一六五の二

ハ イ及びロに掲げる経費のほか、二月以上の期間にわたり、物品を買い入れ若しくは借り入れ、役務の提供を受け、又は不動産を借り入れる契約で、単価又は一月当たりの対価の額が定められているもののうち普通地方公共団体の規[2]則で定めるものに基づき支払をする経費

（資金前渡）

第百六十一条 次に掲げる経費については、当該普通地方公共団体の職員[1]をして現金支払をさせるため、その資金を当該職員に前渡[2]することができる。

一 外国において支払をする経費

二 遠[3]隔の地又は交通不便の地域において支払をする経費

三 船舶に属する経費

四 給与[4]その他の給付

五 地方債の元利償還金

六 諸払戻金及びこれに係る還付加算金

七 報償金[5]その他これに類する経費

八 社会[6]保険料

九 官[7]公署に対して支払う経費

十 生活扶助費、生業扶助費その他[8]これらに類する経費

十一 事業現場その他[9]これに類する場所において支払を必要とする事務経費

十二 非[10]常災害のため即時支払を必要とする経費

十三 電気、ガス又は水の供給を受ける契約に基づき支払をする経費

十四 電気通信役務の提供を受ける契約に基づき支払を

2）● （令第一六〇条の二第二号ハの普通地方公共団体の規則で定めるものに基づき支払をする経費としては、）後納郵便、コピー用紙又はガソリンの購入、新聞購読に係る契約に基づき支払をする経費等が想定されるものであること。（平一六・一一・一〇通知）

♣ 法二三二条の五関係

1）● インターネットバンキングによる口座振替は、本項の「口座振替の方法」に該当するものである。（令四・三・二九通知、令五・六・一三通知）

※ ● 給与を委任状により受任者に一括して支払つた後、受任者が中途において拐帯逃亡し委任者が給与の支給を受けていない場合は、その月の給与を更に支払わねばならない。（昭二七・一二・二六行実）

※ ● 給与についての債権の差押については、法律に特別の定がある場合（国税徴収法第七六条第一項（現行法では第七六条第一項）及び民事訴訟法第六一八条第二項（現行法では民事執行法第一五二条））以外はできない。（昭二七・一二・二六行実）

※ ● 移転料、旅費等の実費弁償的なものを除き、本給に加算し支給される諸手当は賃金に含まれる。（昭二九・五・一二行実）

※ ● 国民健康保険法第四五条第五項の規定により保険者が保険給付費の支払事務を国民健康保険団体連合会に委託した場合、連合会が正当債権者である療養取扱機関に支払いを完了しない限り、保険者の債務は消滅しない。（昭三五・九・八行実）

※ ● 交際費の支出については、一般の経費と同様、支出負担行為に基づき、正当債権者に支払をすることが建前である。（昭四〇・五・二六通知）

※ ● 交際費といえども正当債権者の領収書を受けておく

地方自治法

地方自治法施行令

する経費

十五　前二号に掲げる経費のほか、二月以上の期間にわたり、物品を買い入れ若しくは借り入れ、役務の提供を受け、又は不動産を借り入れる契約で、単価又は一月当たりの対価の額が定められているもののうち普通地方公共団体[11]の規則で定めるものに基づき支払をする経費

十六　[12]犯罪の捜査若しくは犯則の調査又は被収容者若しくは被疑者の護送に要する経費

十七　前各号に掲げるもののほか、経費の性質上現金支払をさせなければ事務の取扱いに支障を及ぼすような経費で普通地方公共団体の規則で定めるもの

2　歳入の誤納又は過納となつた金額を払い戻すため必要があるときは、前項の例により、その資金（当該払戻金に係る還付加算金を含む。）を前渡することができる。

3　前二項の規定による資金の前渡は、特に必要があるときは、他の普通地方公共団体の職員[1]に対してもこれをすることができる。

（**概算払**）

第百六十二条　次の各号に掲げる経費については、概算払をすることができる。

一　旅費

二　官公署に対して支払う経費

三　補助金、負担金及び交付金

四　社会保険診療報酬支払基金又は国民健康保険団体連合会に対し支払う診療報酬

五　訴訟[1]に要する経費

六　前各号に掲げるもののほか、経費の性質上概算をも

行政実例・通知・判例・注釈

ことが建前であるが、香典等社会通念上相手方から領収書を徴することができにくいものは、支出額、相手方等の収支の経理を明らかにする方法によることも、やむをえない。（昭四〇・五・二六通知）

※●職員をして店舗等においてクレジットカードを提示するとともに、その支払方法をクレジットカードサービスによることとすることについては、地方自治法及びその関係法令の規定に抵触するものではない（令三・一・二四通知）

⚜令一六一条関係

1）●資金前渡を受ける職員の範囲には、別段の制限はなく、吏員以外の職員も、さらに、特別職の職員も含まれる。（昭四〇・六・二三行実）

2）●年度開始前の資金前渡は認められない。（昭三八・一二・一九通知）

●資金前渡を受けた金額の範囲においては、資金前渡の中には支出負担行為の事務をも含む。（昭三八・一二・一九通知）

3）●「遠隔の地」とは地理的、距離的に遠隔した辺ぴな地域をいい、「交通不便の地域」とは距離的には遠隔でなくても交通の便に欠けることが多大である地域をいう。（昭二五・五・一五行実）

●遠隔の地又は交通不便の地域において支払をする経費には交際費を含む。（昭二七・五・一九行実）

4）●「給与その他の給付」とは、法第二編中の第八章給与その他の給付を指す。（昭三八・一二・一九通知）

5）○「その他これに類する経費」とは、謝礼金、賞賜金などをいう。

6）○「社会保険料」とは、健康保険法、船員保険法、厚生年金保険法、雇用保険法等の規定により地方公共団体が事業主として納付すべきものをいう。

7）○「官公署」とは、国の各省庁、国会、裁判所、地方

つて支払をしなければ事務の取扱いに支障を及ぼすような経費で普通地方公共団体の規則で定めるもの

（前金払）

第百六十三条 次の各号に掲げる経費については、前金払をすることができる。

一 官公署に対して支払う経費

二 補助金、負担金、交付金及び委託費

三 前金で支払をしなければ契約しがたい請負、買入れ又は借入れに要する経費

四 土地又は家屋の買収又は収用によりその移転を必要とすることとなつた家屋又は物件の移転料

五 定期刊行物の代価、定額制供給に係る電燈電力料及び日本放送協会に対し支払う受信料

六 外国で研究又は調査に従事する者に支払う経費

七 運賃

八 前各号に掲げるもののほか、経費の性質上前金をもつて支払をしなければ事務の取扱いに支障を及ぼすような経費で普通地方公共団体の規則で定めるもの

（繰替払）

第百六十四条 次の各号に掲げる経費の支払については、会計管理者又は指定金融機関、指定代理金融機関、収納代理金融機関若しくは収納事務取扱金融機関をしてその収納に係る当該各号に掲げる現金を繰り替えて使用させることができる。

一 地方税の報奨金 当該地方税の収入金

二 競輪、競馬等の開催地において支払う報償金、勝者、勝馬等の的中投票券の払戻金及び投票券の買戻金 当該競輪、競馬等の投票券の発売代金

三 証紙取扱手数料 当該証紙の売りさばき代金

四 歳入の徴収又は収納の委託手数料 当該委託により

公共団体等を指し、独立行政法人等は当然には含まれない。

8) ○「これらに類する経費」とは、葬祭扶助費、医療費、助産費、葬祭費、移送費をいう。

9) ○「これに類する場所」とは、測量、土木、営繕、水利等の事業その他各種の試験等を行うに当たって設けられる事務所等をいう。

10) ●地方公共団体又は指定金融機関等が被災したことにより、その支払いに必要となる前渡金の用意が困難である場合における資金前渡の事務処理については、次の流れを参考とし適切に対処されたい。①当該支出の相手方が正当な債権者となりうるかを確認する、②現場職員は所属長等（支出命令者）へ契約内容及び支出予定額を連絡し、支出の事前承諾を得る、③現場職員は、支払相手方から現場職員を宛名とする領収書を受領する、④後日、速やかに資金前渡について支出負担行為及び支出命令を実施する、資金前渡職員は、現場職員（債権者）が支出した③の経費を当該前渡金により精算する。（令二・三・三一通知）

11) ●（令第一六一条第一項第一五号の普通地方公共団体の規則で定めるものに基づき支払をする経費としては、）後納郵便、コピー用紙又はガソリンの購入、新聞購読に係る契約に基づき支払をする経費等が想定されるものであること。（平一六・一一・一〇通知）

12) ●他府県の警察において逮捕した被疑者の所轄府県警察署までの護送に要する経費の取扱いは、毎年度一定金額を被疑者の所轄府県警察署の職員に資金前渡し、その経費から他府県の当該警察職員の立替分を精算することが適当である。（昭四〇・五・二五行実）

※ ●交際費は、一定金額を定めて定例的に資金前渡する支出の方法は適当でないが、必要がある場合には、所定の手続により資金前渡の方法によるべきである。（昭四〇・五・二六通知）

❖ 令一六二条関係

1) ○「訴訟」とは、民事訴訟法の規定による民事訴訟及

地方自治法

地方自治法施行令

徴収又は収納した収入金

五　前各号に掲げるもののほか、経費[2]の性質上繰り替えて使用しなければ事務の取扱いに支障を及ぼすような経費で普通地方公共団体の規則で定めるもの　当該普通地方公共団体の規則で定める収入金

（隔地払）

第百六十五条　地方自治法第二百三十五条の規定により金融機関を指定している普通地方公共団体において、隔地[1]の債権者に支払をするため必要があるときは、会計管理者は、支払場所[2]を指定し、指定金融機関又は指定代理金融機関に必要な資金を交付して送金の手続をさせることができる。この場合においては、その旨[3]を債権者に通知しなければならない。

2　指定金融機関又は指定代理金融機関は、前項の規定により資金の交付[4]を受けた場合において、当該資金の交付の日から一年を経過した後は、債権者に対し支払をすることができない。この場合において、会計管理者は、債権者から支払の請求を受けたときは、その支払をしなければならない。

（口座振替の方法による支出）

第百六十五条の二　地方自治法第二百三十五条の規定により金融機関を指定している普通地方公共団体において、指定金融機関、指定代理金融機関その他普通地方公共団体の長が定める金融機関[1]に預金口座を設けている債権者[2]から申出があつたときは、会計管理者は、指定金融機関又は指定代理金融機関に通知して、口座振替の方法により支出[3]をすることができる。

行政実例・通知・判例・注釈

び行政事件訴訟法の規定による行政事件訴訟（抗告訴訟、当事者訴訟、民衆訴訟及び機関訴訟）をいい、和解、あつ旋、調停、仲裁等は含まれない。

✤令一六三条関係

1）●「前金で支払をしなければ契約しがたい……」とは、その性質上前金払をしなければ契約をすることが困難であるものの意であり、ただ単に相手方が前金払を強く要望し、これを契約の条件としているだけでは本号に該当しない。（昭二九・九・一〇行実）

※●本条第三号の経費であつても後年度に属するものは、当該年度において前金払することはできない。たとえある経費を継続費としたとしても、当該年度の支出額に計上されていない限りできない。（昭二九・六・二行実）

※●令附則第七条の「三割」とは、前金払をする時点における前払金額の工事金額に対する割合をいうが、前金払をした後著しく工事金額に減額があつたときは、前払金のうち相当額を返還させる旨の特約をしておくのが適当である。（昭三九・一〇・六行実）

※●令附則第七条に規定する「当該経費」とは、保証事業会社の保証にかかる公共工事の契約総額である。（昭四七・一一・二八行実）

✤令一六四条関係

1）●地方税の報奨金の支払については、資金前渡、繰替払のいずれによることもできる。（昭三八・一二・一九通知）

2）●地方税の還付加算金は繰替払できる。（昭四二・一一・一〇行実）

✤令一六五条関係

1）●隔地以外の者に対してはたとえ本人が隔地払（送金払）を希望した場合でも、隔地払によることはできない。（昭三八・一二・一九通知）

自治法

（小切手の振出し及び公金振替書の交付）

第二百三十二条の六　第二百三十五条の規定により金融機関を指定している普通地方公共団体における支出は、政令の定めるところにより、[1]現金の交付に代え、当該金融機関を支払人とする小切手を振り出し、又は[2]公金振替書を当該金融機関に交付してこれをするものとする。ただし、小切手を振り出すべき場合において、債権者から申出があるときは、会計管理者は、自ら現金で[3]小口の支払をし、又は当該金融機関をして現金で支払をさせることができる。

2　前項の金融機関は、会計管理者の振り出した小切手の提示を受けた場合において、その小切手が振出日付から十日以上を経過しているものであつても[4]一年を経過しな

（小切手の振出し及び公金振替書の交付）

第百六十五条の三　地方自治法第二百三十二条の六第一項本文の規定による小切手の振出しは、[1]各会計ごとに、受取人の氏名、支払金額、会計年度、番号その他必要な事項を記載してこれをしなければならない。ただし、受取人の氏名の記載は、[2]普通地方公共団体の長が特に定める場合を除くほか、これを省略することができる。

2　会計管理者は、小切手を振り出したときは、これを指定金融機関又は指定代理金融機関[3]に通知しなければならない。

3　[4]職員に支給する給与（退職手当を除く。）に係る支出については、地方自治法第二百三十二条の六第一項本文の規定により小切手を振り出すことができない。

2）○「支払場所を指定し」とは、支払場所として支払がなされるべき金融機関の名称と所在地とを指定することである。

3）●隔地払をしたときの債権者への通知を指定金融機関等へ委任することはできない。（昭三八・一二・一九通知）

4）○「交付の日から一年を経過した後」とは、当該交付の日の翌日から起算して一年を経過した後をいい、例えば交付の日が五月一〇日であれば、翌年の五月一一日以後をいう。

⚜令一六五条の二関係

1）●長が金融機関を定める場合は、指定金融機関又は指定代理金融機関と為替取引のある金融機関のうちから適宜定める。（昭三八・一二・一九通知）

2）●債権者からの申出は、一般的には単なる振込先金融機関の通知で足りる。（昭三八・一二・一九通知）

3）●口座振替の方法により支出した場合の領収書は、指定金融機関の領収書でよい。（昭三八・一二・一九通知）

⚜法二三二条の六関係

1）○「現金の交付に代え」とは、小切手の振出しが代物弁済となることを意味する。

2）●公金振替書は、当該地方公共団体の会計相互間の経費の支出について使用すべきである。（昭三八・一二・一九通知）

3）○「小口」とは、少額を意味し、その具体的内容は、各地方公共団体が実情に応じて定める。

4）○「一年を経過」とは、振出日付の翌日から起算して一年を経過することをいい、例えば振出日付が五月一〇日であれば、翌年の五月一一日以後は一年を経過したことになる。

※●小切手を債権者に交付する場合は、引換に領収書を徴すべきである。（昭三八・一二・一九通知）

※●小切手振出済通知書は、地方公共団体が調製するも

地方自治法

いものであるときは、その支払をしなければならない。

＊本条＝全改〔昭三八・六法九九〕、一・二項＝一部改正〔平一八・六法五三〕

【引用条文】
①【法二三五（金融機関の指定）】

【参照条文】
①【金融機関の指定＝法二三五　【小切手の振出権限＝法一七〇２Ⅱ　【小切手の振出し及び公金振替書の交付＝令一六五の三
②【小切手の償還＝令一六五の四　【支払を終わらない資金の歳入への組入れ又は納付＝令一六五の五

地方自治法施行令

4　第一項の規定は、地方自治法第二百三十二条の六第一項本文の規定による公金振替書の交付についてこれを準用する。

5　指定金融機関を指定していない市町村の支出については、地方自治法第二百三十二条の六の規定は、これを適用しない。

（小切手の償還）

第百六十五条の四　会計管理者は、小切手の所持人から償[1]還の請求を受けたときは、これを調査し、償還すべきものと認めるときは、その償還をしなければならない。

（支払を終わらない資金の歳入への組入れ又は納付）

第百六十五条の五　毎会計年度の小切手振出済金額のうち、翌年度の五月三十一日までに支払を終わらない金額に相当する資金は、決算上の剰余金とせず、これを繰り越し整理しなければならない。

2　前項の規定により繰り越した資金のうち、小[1]切手の振出日付から一年を経過しまだ支払を終わらない金額に相当するものは、これを当該一年を経過した日の属する年度の歳入に組み入れなければならない。

3　第百六十五条第一項の規定により交付を受けた資金のうち、資金交付の日から一年を経過しまだ支払を終わらない金額に相当するものは、指定金融機関又は指定代理金融機関においてその送金を取り消し、これを当該取り消した日の属する年度の歳入に納付しなければならない。

行政実例・通知・判例・注釈

のである。（昭三八・一二・一九通知）

※●地方公共団体振出しの小切手を持って現金を受け取りに来た際、小切手の振出済通知書がおくれて未着の場合であっても、支払うことができる。（昭三八・一二・一九通知）

❖令一六五条の三関係

1）○「各会計ごとに」とは、各会計を区分すべきことを意味するから、各会計ごとに小切手の種類を変えることは必要でなく、小切手に会計名を記載することをもって足りる。

2）●「普通地方公共団体の長が特に定める場合」とは、官公庁、出納員等を受取人として小切手を振り出す場合である。（昭三八・一二・一九通知）

3）●小切手振出済通知書は、振出小切手一枚ごとに行っても、又数枚のものを連記して行ってもよい。（昭三八・一二・一九通知）

4）●本条本項の規定は、労働基準法第二四条の規定による賃金の直接払の原則に従ったものである。（昭三八・一二・一九通知）

❖令一六五条の四関係

1）●「償還」とは、小切手の所持人は、小切手の振出日付から一年を経過しない場合はいつでもその支払を受けることができるが、一年を経過すると金融機関において支払を受けることができなくなり、また、遡求権を行使することもできないので、出納長又は収入役（現行法では会計管理者）は、その受けた利益を限度として償還（支払い）するということである。（昭三八・一二・一九通知）

※●小切手亡失者が、当該小切手の振出日から一年未満の期間内に除権判決を得て請求の権利を申し立てる場合は、利得返還請求には該当しない。（昭三九・一〇・二七通知）

第五節 決算

＊本節—全改〔昭三八・六法九九〕

（決算）

第二百三十三条 会計管理者は、毎会計年度、政令で定めるところにより、決算を調製し、出納の閉鎖後三箇月以内[1]に、証書類その他政令で定める書類と併せて、普通地方公共団体の長に提出しなければならない。

2 普通地方公共団体の長は、決算及び前項の書類を監査委員の審査[2]に付さなければならない。

3 普通地方公共団体の長は、前項の規定により監査委員の審査に付した決算を監査委員の意見を付けて次の通常予算を議する会議[3]までに議会の認定[4]に付さなければならない。

4 前項の規定による意見の決定は、監査委員の合議によるものとする。

5 普通地方公共団体の長は、第三項の規定により決算を

（決算）

第百六十六条 普通地方公共団体の決算は、歳入歳出予算についてこれを調製しなければならない。

2 地方自治法第二百三十三条第一項及び第五項に規定する政令で定める書類[1]は、歳入歳出決算事項別明細書、実質収支に関する調書及び財産に関する調書とする。

3 決算の調製の様式及び前項に規定する書類の様式は、総務省令で定める様式を基準としなければならない。

（翌年度歳入の繰上充用）

第百六十六条の二 会計年度経過後にいたつて歳入が歳出に不足するときは、翌年度の歳入を繰り上げて[1]これに充てることができる。この場合においては、そのために必要な額を翌年度の歳入歳出予算に編入しなければならな

※●小切手喪失者が小切手振出日付から一年経過後において償還請求をする場合も、原則として除権判決は必要である。（昭三九・一〇・二七通知）

※●小切手喪失者が小切手振出日付から一年経過後において償還請求をする場合は、除権判決は必要でない旨を会計規則等で規定することはできない。（昭四〇・一一・二六行実）

⚜令一六五条の五関係

1）●小切手が一年を経過して未払であることの確認は指定金融機関等において小切手振出済通知書と小切手支払済通知書の写と照合して確認すればよい。（昭三八・一二・一九通知）

⚜法二三三条関係

1）○「三箇月以内」とは、三箇月の期間の最終日までを指す。すなわち、六月一日から八月三一日までの間である。

●本条の期限を遅延したことは職務怠慢でありその責を免れない。（明三三・七・一〇行裁判）

2）●決算報告の審査は、主として計算に過誤がないか、実際の収支が収支命令に符合するか、収支が違法でないか等の点に注意すべきである。（行実）

●主要施策の成果の報告は、当然には監査委員の決算審査の対象とならない。（昭三一・九・二八行実）

3）○「次の通常予算を議する会議」とは、当該決算を調製した次回の通常予算を審議する議会を指す。

●決算の議案を通常予算を審議する議会に同時に提出することは、違法ではない。（昭二九・三・九行実）

4）●議会は決算の認定をしないことができる。認定され

地方自治法

議会の認定に付するに当たつては、当該決算に係る会計年度における主要な施策の成果を説明する書類その他政令で定める書類を併せて提出しなければならない。

6　普通地方公共団体の長は、第三項の規定により議会の認定に付した決算の要領を住民に公表しなければならない。

7　普通地方公共団体の長は、第三項の規定による決算の認定に関する議案が否決された場合において、当該議決を踏まえて必要と認める措置を講じたときは、速やかに、当該措置の内容を議会に報告するとともに、これを公表しなければならない。

＊本条―全改〔昭三八・六法九九〕、四項―追加・旧四・五項―一部改正し一項ずつ繰下〔平三・四法二四〕、四項―一部改正〔平九・六法六七〕、六項―一部改正〔平一一・一二法一六〇〕、一項―一部改正〔平一八・六法五三〕、六項―一部改正〔平二三・五法三五〕、一項―一部改正・七項―追加〔平二九・六法五四〕

【参照条文】
①【会計年度―法二〇八1　【政令への委任―法二四三の五　【政令の定―令一六六　則一六・一六の二　【決算の調製―法一七〇2Ⅶ　【出納の閉鎖―法二三五の五
③【通常予算を議する会議―法一二一1　【議会の認定―法九六1Ⅲ・一四九Ⅳ
⑤【政令の定―令一六六　則一六の二
※法一九九　令一六六の二　公企法三〇　健全化法三

地方自治法施行令

い。

行政実例・通知・判例・注釈

なくても決算の効力に影響はない。（昭三一・二・一行実）

5）●決算認定後誤りを発見し決算金額に異動を生ずる場合は、市町村長は、決算報告の内容を修正した上再認定に付することができる。（昭二八・七・七行実）

●議会において支出が不当として決算を認定しない場合でも市町村長は、当該決算を知事に報告し（現行法では報告を要しない）、あわせてその要領を住民に公表すべきである。（行実）

※●出納員が公金を横領費消した場合の決算上の処理は、決算の支出額には横領金を含まない額を計上し、歳入歳出差引剰余金何程と記入した後に横領事故による金何程現金不足と記し、次年度以降に弁償があったとき又は欠損処分が決定したときそれぞれ処置するものとする。（昭三〇・四・二七行実）

※●決算審査にあたり証拠書類の検閲が必要となつた場合でも、第九八条、第一〇〇条による議決がなければ議会はその提出を求め得ない。（昭三一・二・一行実）

※●決算の認定にあたりその審査は概括的審査にとどまつてもよいが、個々の収入支出の適否について具体的に審査することが適当である。（昭三一・二・一行実）

※●市税を錯誤により賦課し、当該賦課額を未納のまま繰り越した場合には、納税義務者に対する賦課処分を取り消し又は更正するとともに、前年度滞納分として処置された調定額及び現年度歳入予算に計上された当該税目の滞納繰越分を減額更正すべきである。（昭三二・一〇・一五行実）

※●証書類を検察庁に押収されている場合の決算審査は、検察庁に対し閲覧を請求する等監査委員としてとりうる限りの手段を講じて審査し、なお明らかでない事項は審査意見中にその旨記しておくべきである。（昭三五・三・一行実）

（歳計剰余金の処分）

第二百三十三条の二　各会計年度において決算上剰余金[1]を生じたときは、翌年度の歳入に編入しなければならない。ただし、条例の定めるところにより、又は普通地方公共団体の議会の議決により、剰余金の全部又は一部を翌年度に繰り越さないで[2]基金に編入することができる。

＊本条…全改〔昭三八・六法九九〕

【参照条文】

【会計年度及びその独立の原則…法二〇八　【条例の制定…法一二1・一四・七四・九六1Ⅰ・一七六　【議会の議決…法九六1XV　【基金…法二四一

※地財法七　公企法三二

第六節　契約

＊本節…全改〔昭三八・六法九九〕

（契約の締結）

第二百三十四条　売買、貸借、請負その他の契約[1]は、一般[2]競争入札、指名競争入札[3]、随意契約[4]又はせり売り[5]の方法により締結するものとする。

（指名競争入札）

第百六十七条　地方自治法第二百三十四条第二項の規定により指名競争入札によることができる場合[1]は、次の各号に掲げる場合とする。

令一六六条関係

1）●令第一六六条第二項の「政令で定める書類」は、すべて出納長又は収入役（現行法では会計管理者）が調製するものである。（昭三八・一二・一九通知）

令一六六条の二関係

1）●繰上充用は、出納閉鎖期前に行うべきであって、出納閉鎖後の繰上充用は、時期を失し違法である。（昭二八・五・二五行実）

法二三三条の二関係

1）●決算上の剰余金の二分の一を下らない金額は、地方財政法第七条の規定によって積み立て又は償還期限を繰り上げて行なう地方債の償還の財源に充てなければならない。なお、この場合の積み立ては、本条ただし書の規定によって処理することはさしつかえない。（昭四一・六・三〇行実）

●決算剰余金は、地方財政法施行令第一三条（現行令では第四七条）に規定する実質収支による剰余金であり、累年度収支による剰余金（歳入歳出決算書における歳入歳出差引残額）である。（同右）

2）○「繰り越さないで編入する」とは、翌年度の歳入に編入することなく、ただちに基金に編入することをいう。

法二三四条関係

1）○「その他の契約」とは、保管、運送等の契約をいう。

2）○「一般競争入札」とは、契約に関する公告をし、一

地方自治法

2　前項の指名競争入札、随意契約又はせり売りは、政令[6]で定める場合に該当するときに限り、これによることができる。

3　普通地方公共団体は、一般競争入札又は指名競争入札（以下この条において「競争入札」という。）に付する場合においては、政令の定めるところにより、契約の目的に応じ、予定価格[7]の制限の範囲内で最高又は最低の価格[8]をもつて申込みをした者を契約の相手方とするものとする。ただし、普通地方公共団体の支出の原因となる契約については、政令の定めるところにより、予定価格の制限の範囲内の価格をもつて申込みをした者のうち最低の価格をもつて申込みをした者以外の者を契約の相手方とすることができる。

4　普通地方公共団体が競争入札につき入札保証金[9]を納付させた場合において、落札者が契約を締結しないときは、その者の納付に係る入札保証金（政令の定めるところによりその納付に代えて提供された担保を含む。）は、当該普通地方公共団体に帰属するものとする。

5　普通地方公共団体が契約につき契約書又は契約内容を記録した電磁的記録を作成する場合においては、当該普通地方公共団体の長又はその委任を受けた者が契約の相手方とともに、契約書に記名押印し、又は契約内容を記録した電磁的記録に当該普通地方公共団体の長若しくはその委任を受けた者及び契約の相手方の作成に係るものであることを示すために講ずる措置であつて、当該電磁的記録が改変されているかどうかを確認することができる等これらの者の作成に係るものであることを確実に示

地方自治法施行令

一　工事又は製造の請負、物件の売買その他の契約でその性質又は目的が一般競争入札に適しないものをするとき。

二　その性質又は目的により競争に加わるべき者の数が一般競争入札に付する必要がないと認められる程度に少数である契約をするとき。

三　一般競争入札に付することが不利と認められるとき。

（随意契約）

第百六十七条の二　地方自治法第二百三十四条第二項の規定により随意契約によることができる場合は、次に掲げる場合とする。

一　売買、貸借、請負その他の契約でその予定価格（貸借の契約にあつては、予定賃貸借料の年額又は総額）が別表第五上欄に掲げる契約の種類に応じ同表下欄に定める額の範囲内において普通地方公共団体の規則で定める額を超えないものをするとき。

二　不動産[1]の買入れ又は借入れ、普通地方公共団体が必要とする物品の製造、修理、加工又は納入に使用させるため必要な物品の売払いその他の契約でその性質又は目的が競争入札に適しないものをするとき。

三　障害者の日常生活及び社会生活を総合的に支援するための法律（平成十七年法律第百二十三号）第五条第十一項に規定する障害者支援施設（以下この号において「障害者支援施設」という。）、同条第二十七項に規定する地域活動支援センター（以下この号において「地域活動支援センター」という。）、同条第一項に規定する障害福祉サービス事業（同条第七項に規定する生活介護、同条第十三項に規定する就労移行支援又は同

行政実例・通知・判例・注釈

定の資格を有する不特定多数の者をして入札の方法によつて競争させ、最も有利な条件を提供した者との間に契約を締結する契約方式をいう。

●市の山林の処分について一般競争入札による落札者と売買契約締結後当該契約を解除し、これを再処分する場合は、令第一六七条の規定による指名競争入札によることができる場合及び令第一六七条の二の規定により随意契約によることができる場合を除き、新たな一般競争入札によらなければならない。（昭四一・五・二三行実）

3）○「指名競争入札」とは、資力信用その他について適当である特定多数の競争参加者を選んで入札の方法によつて競争させ、最も有利な条件を提供した者との間に契約を締結する契約方式をいう。

4）○「随意契約」とは、競争の方法によることなく、任意に特定の者を選んで契約を締結する契約方式をいう。

5）○「せり売り」とは、契約価格等について多数の者を口頭（挙動）で競争させ、最も有利な価格を申し出た者との間に契約を締結する契約方式をいう。

6）●「指名競争入札」は、令第一六七条第一号から第三号までに掲げる要件に該当する場合に限り認められ、その要件に該当するかどうかは、個々の事例につき地方公共団体が客観的な判断により認定するものであつて、指名競争入札によれる場合を条例又は規則で一般的に規定することはできない。（昭三八・一二・一九通知）

7）●予定価格の設定の方法、基準等を規則で規定することはさしつかえない。（昭三八・一二・一九通知）

8）●普通地方公共団体が、収入の原因となる契約を締結するため一般競争入札を行う場合、最低制限価格のほか最高制限価格をも設定し、最低制限価格以上最高制

すことができるものとして総務省令[10]で定めるものを講じなければ、当該契約は、確定しないものとする。

6　競争入札に加わろうとする者に必要な資格、競争入札における公告又は指名の方法、随意契約及びせり売りの手続その他契約の締結の方法に関し必要な事項は、政令でこれを定める。

＊本条…全改（昭三八・六法九九）、五項…一部改正（平一四・一二法一五二）、三・五項…一部改正（平一八・六法五三）

【参照条文】

①【契約―民法三編二章（契約）

②【政令の定―令一六七～一六七の三　特例政令一一　則一二の二の二・一二の三

③【政令の定―令一六七の九～一六七の一〇の二・一六七の一三　特例政令九　則一二の一一　【予定価格―特例政令三

④【政令の定―令一六七の七・一六七の一三

⑤【省令の定―則一二の四の二

⑥【政令の定―令一六七の四～一六七の六・一六七の八・一六七の一一～一六七の一四　特例政令四～八・一二

※法九六1Ⅴ・二三七2・二三八の五　入札契約適正化法　公共工事品質確保法

条第十四項に規定する就労継続支援を行う事業に限る。以下この号において「障害福祉サービス事業」という。）を行う施設若しくは小規模作業所（障害者基本法（昭和四十五年法律第八十四号）第二条第一号に規定する障害者の地域社会における作業活動の場として同法第十八条第三項の規定により必要な費用の助成を受けている施設をいう。以下この号において同じ。）若しくは[2]これらに準ずる者として総務省令で定めるところにより普通地方公共団体の長の認定を受けた者若しくは生活困窮者自立支援法（平成二十五年法律第百五号）第十六条第三項に規定する認定生活困窮者就労訓練事業（以下この号において「認定生活困窮者就労訓練事業」という。）を行う施設でその施設に使用される者が主として同法第三条第一項に規定する生活困窮者（以下この号において「生活困窮者」という。）であるもの（当該施設において製作された物品を買い入れることが生活困窮者の自立の促進に資することにつき総務省令で定めるところにより普通地方公共団体の長の認定を受けたものに限る。）（以下この号において「障害者支援施設等」という。）において製作された物品を当該障害者支援施設等から普通地方公共団体の規則で定める手続により買い入れる契約、障害者支援施設、地域活動支援センター、障害福祉サービス事業を行う施設、小規模作業所、高年齢者等の雇用の安定等に関する法律（昭和四十六年法律第六十八号）第三十七条第一項に規定するシルバー人材センター連合若しくは同条第二項に規定するシルバー人材センター若しくはこれら[3]に準ずる者として総務省令で定めるところにより普通地方公共団体の長の認定を受けた者から普通地方公共団体の規則で定める手続により役務の提供を受ける契

限価格以下の範囲の価格をもって申込みをした者のうち最高の価格の申込者を落札者とする方法を採ることは許されない。（平六・一一・二二最裁判）

9）●入札保証金を契約保証金の一部又は全部に充当することを規則で規定することはさしつかえない。（昭三八・一二・一九通知）

10）●改正前の地方自治法施行規則第一二条の四の二第二項に掲げる電子証明書を同条第一項に掲げる電子署名の措置とともに送付するとの事務処理の方法についての定めを単に廃止することとしたものではなく、電子契約記録について電子署名とともに講ずべき電子証明書等の種類、内容等については、改正後の地方自治法施行規則第一二条の四の二に規定する総務省関係法令に係る情報通信技術を活用した行政の推進等に関する法律施行規則第二条第二項第一号に掲げる電子署名、すなわち、電子署名等に係る地方公共団体情報システム機構の認証業務に関する法律第二条第一項又は電子署名及び認証業務に関する法律第二条第一項に規定する電子署名の解釈として、これらの電子署名として成立するために必要な条件となり得るものかとの観点から判断することとしたものである。（令三・二・八通知）

●電子契約記録における電子証明書等の種類、内容等については、当該電子署名の成立条件となるものかとの観点から判断されるものであるが、電子契約記録に講じられる電子署名が地方自治法施行規則第一二条の四の二に掲げる電子署名であることを証明することができる電子証明書は、改正前の地方自治法施行規則第一二条の四の二第二項に規定されていた次に掲げる電子証明書であり、改正省令の施行後においてもなお有効に活用できるものである。

①　電子署名等に係る地方公共団体情報システム機構の認証業務に関する法律第三条第一項に規定する署名用電子証明書

②　電子署名法第八条に規定する認定認証事業者が作

地方自治法

地方自治法施行令

約、母子及び父子並びに寡婦福祉法（昭和三十九年法律第百二十九号）第六条第六項に規定する母子・父子福祉団体若しくはこれに準ずる者として総務省令で定めるところにより普通地方公共団体の長の認定を受けた者（以下この号において「母子・父子福祉団体等」という。）が行う事業でその事業に使用される者が主として同項に規定する配偶者のない者で現に児童を扶養しているもの及び同条第四項に規定する寡婦であるものに係る役務の提供を当該母子・父子福祉団体等から普通地方公共団体の規則で定める手続により受ける契約又は認定生活困窮者就労訓練事業を行う施設（当該施設から役務の提供を受けることが生活困窮者の自立の促進に資することにつき総務省令で定めるところにより普通地方公共団体の長の認定を受けたものに限る。）が行う事業でその事業に使用される者が主として生活困窮者であるものに係る役務の提供を当該施設から普通地方公共団体の規則で定める手続により受ける契約をするとき。

四　新商品の生産により新たな事業分野の開拓を図る者として総務省令で定めるところにより普通地方公共団体の長の認定を受けた者が新商品として生産する物品を当該認定を受けた者から普通地方公共団体の規則で定める手続により買い入れ若しくは借り入れる契約又は新役務の提供により新たな事業分野の開拓を図る者として総務省令で定めるところにより普通地方公共団体の長の認定を受けた者から普通地方公共団体の規則で定める手続により新役務の提供を受ける契約をするとき。

行政実例・通知・判例・注釈

成する電子証明書で、電子署名及び認証業務に関する法律施行規則第四条第一号に規定するもの

③　商業登記法第一二条の二第一項及び第三項の規定に基づき登記官が作成した電子証明書

④　地方公共団体情報システム機構が地方公共団体認証基盤において作成する職責証明書

一方、①から④に掲げる電子証明書以外の電子証明書等については、個別の電子証明書等の種類、内容等を踏まえて個々に電子署名法第二条第一項に規定する電子署名等の成立要件となりうるものかどうかを判断する必要があるが、特に、立会人型電子契約サービスについて電子署名法第二条第一項に規定する電子署名に該当するか判断する際には、「利用者の指示に基づきサービス提供事業者自身の署名鍵により暗号化等を行う電子契約サービスに関するQ＆A」（令和二年七月一七日　総務省・法務省・経済産業省）を参照されたい。

●インターネット上のなりすましの防止や契約の確定の実効性の確保等の電子契約記録における契約実務の円滑な運用を図る観点からは、電子署名法第三条の規定に基づき真正に成立したものと推定することができる電子契約記録とすることが望ましいものであり、そのためには、

①　電子署名等に係る地方公共団体情報システム機構の認証業務に関する法律第三条第一項に規定する署名用電子証明書

②　電子署名法第八条に規定する認定認証事業者が作成する電子証明書で、電子署名及び認証業務に関する法律施行規則第四条第一号に規定するもの

③　商業登記法第一二条の二第一項及び第三項の規定に基づき登記官が作成した電子証明書

④　地方公共団体情報システム機構が地方公共団体認

五　緊急の必要により競争入札に付することができないとき。

六　競争入札に付することが不利と認められるとき。

七　時価に比して著しく有利な価格で契約を締結することができる見込みのあるとき。

八　競争入札に付し入札者がないとき、又は再度の入札に付し落札者がないとき。

九　落札者が契約を締結しないとき。

2　前項第八号の規定により随意契約による場合は、契約保証金及び履行期限を除くほか、最初競争入札に付するときに定めた予定価格その他の条件を変更することができない。

3　第一項第九号の規定により随意契約による場合は、落札金額の制限内でこれを行うものとし、かつ、履行期限を除くほか、最初競争入札に付するときに定めた条件を変更することができない。

4　前二項の場合においては、予定価格又は落札金額を分割して計算することができるときに限り、当該価格又は金額の制限内で数人に分割して契約を締結することができる。

（せり売り）

第百六十七条の三　地方自治法第二百三十四条第二項の規定によりせり売りによることができる場合は、動産の売払いで当該契約の性質がせり売りに適しているものをする場合とする。

（一般競争入札の参加者の資格）

第百六十七条の四　普通地方公共団体は、特別の理由がある場合を除くほか、一般競争入札に次の各号のいずれかに該当する者を参加させることができない。

一　当該入札に係る契約を締結する能力を有しない者

証基盤において作成する職責証明書を併せて送信する方法はなお有効なものである。

①から④までの電子証明書以外のものについては、個々の電子証明書等の種類、内容等を踏まえてその有効性が判断されるものであるが、特に、立会人型電子契約サービスにおける電子証明書等の具体的な種類、内容等については、「利用者の指示に基づきサービス提供事業者自身の署名鍵により暗号化等を行う電子契約サービスに関するQ＆A（電子署名法第三条関係）」（令和二年九月四日　総務省・法務省・経済産業省）を参照されたい。

※●議会に提出する工事請負契約に関する議案には、契約の目的・方法・金額・相手方等を明記すればよい。（昭二五・一二・六行実）

※●仮契約の締結により、相手方は、議会の同意があつたときに同意を得た事項を内容とする本契約を締結する旨の債権を有するものである。（昭二七・六・九行実）

※●県の行なうべき工事を特定の市町村に行なわせる場合には、本条の規定による契約で行なつても、または第二五二条の一四の事務委託の規定によつても、そのいずれの方法でもさしつかえない。（昭二八・九・一六行実）

※●公正な入札事務の執行が阻害されるおそれのある場合においては、必要な限度において、あらかじめ、入札関係者以外の立会いを排除する等の措置をとることも差し支えない。（昭四三・七・一二行実）

※●競争入札の執行は長の権限に属するから議員が入札に立ち会う権能はない。（昭三一・八・一行実）

※●随意契約において見積書を徴する旨を規則で定めることができる。（昭三八・一二・一九通知）

※●郵便による場合は、公告において入札条件として明示すべきである。（昭三八・一二・一九通知）

※●入札手続の電子化については、現行の法令の範囲内において実施可能である。（平一三・一二・二七通知）

地方自治法

地方自治法施行令

二　破産手続開始の決定を受けて復権を得ない者
三　暴力団員による不当な行為の防止等に関する法律（平成三年法律第七十七号）第三十二条第一項各号に掲げる者

2　普通地方公共団体は、一般競争入札に参加しようとする者が次の各号のいずれかに該当すると認められるとき[1]は、その者について三年以内の期間を定めて一般競争入札に参加させないことができる。その者を代理人、支配人[2]その他の使用人又は入札代理人として使用する者についても、また同様とする。
一　契約の履行に当たり、故意に工事、製造その他の役務を粗雑に行い、又は物件の品質若しくは数量に関して不正の行為をしたとき。
二　競争入札又はせり売りにおいて、その公正な執行を妨げたとき又は公正な価格の成立を害し、若しくは不正の利益を得るために連合したとき。
三　落札者が契約を締結すること又は契約者が契約を履行することを妨げたとき。
四　地方自治法第二百三十四条の二第一項の規定による監督又は検査の実施に当たり職員の職務の執行を妨げたとき。
五　正当[3]な理由がなくて契約を履行しなかつたとき。
六　契約により、契約の後に代価の額を確定する場合において、当該代価の請求を故意に虚偽の事実に基づき過大な額で行つたとき。
七　この項（この号を除く。）の規定により一般競争入札に参加できないこととされている者を契約の締結又は契約の履行に当たり代理人、支配人その他の使用人と

行政実例・通知・判例・注釈

※
●普通地方公共団体が公共事業に係る工事を実施するにあたり、複数の工区に分割してそれぞれの工区ごとに請負契約を締結することは、当該工事に係る請負契約の締結につき地方自治法第九六条第一項第五号を潜脱する目的でされたものと認められる場合には違法であると解するのが相当である。（平一六・六・一最裁判）

⚜ 令一六七条関係

1）●土木建築工事についても、本条第一号から第三号までに掲げる要件に該当する場合には指名競争入札によることができるが、それ以外の場合にはできない。（昭三八・一二・一九通知）

●指名競争入札の執行につき、本条各号の要件に該当するかどうかは、各地方公共団体において個々具体的・客観的に判断すべきものであり、条例又は規則で一般的に指名競争入札又は随意契約によることができる旨規定することはできない。（昭三八・一二・一九通知）

⚜ 令一六七条の二関係

1）●本条第一項第一号（現行第二号）の「不動産の買入れ又は借入れ…物品の売払い」は、「その他の契約でその性質又は目的が競争入札に適しないもの」の例示である。また「その他の契約」を条例規則等で定めることはできない。（昭三八・一二・一九通知）

●地方住宅供給公社に対し、業務の用に供する財産として財産を譲渡し、又は貸し付ける場合は、本条第一項第一号（現行第二号）の規定により、随意契約によることができる。（昭四〇・六・三〇行実）

2）●令第一六七条の二第一項第三号に規定する障害者支援施設、地域活動支援センター、障害福祉サービス事業を行う施設又は小規模作業所には該当しないが、実態としてこれらの施設等と同様に障害者の就労機会の

して使用したとき。

第百六十七条の五　普通地方公共団体の長は、前条に定めるもののほか、必要があるときは、一般競争入札に参加する者に必要な資格として、あらかじめ、契約の種類[1]及び金額に応じ、工事、製造又は販売等の実績、従業員の数、資本の額その他の経営[2]の規模及び状況を要件とする資格を定めることができる。

2　普通地方公共団体の長は、前項の規定により一般競争入札に参加する者に必要な資格を定めたときは、これを公示しなければならない。

第百六十七条の五の二　普通地方公共団体の長は、一般競争入札により契約を締結しようとする場合において、契[1]約の性質又は目的により、当該入札を適正かつ合理的に行うため特に必要があると認めるときは、前条第一項の資格を有する者につき、更に、当該入札に参加する者の事業所の所在地又はその者の当該契約に係る工事等についての経験若しくは技術的適性の有無等に関する必要な資格を定め、当該資格を有する者により当該入札を行わせることができる。

（一般競争入札の公告）

第百六十七条の六　普通地方公共団体の長は、一般競争入札により契[1]約を締結しようとするときは、入札に参加する者に必要な資格、入札の場所及び日時[2]その他入札について必要な事項を公告しなければならない。

2　普通地方公共団体の長は、前項の公告において、入札に参加する者に必要な資格のない者のした入札及び入札に関する条件に違反した入札は無効とする旨を明らかにしておかなければならない。

（一般競争入札の入札保証金）

第百六十七条の七　普通地方公共団体は、一般競争入札に

確保等の活動・事業を行っている者が想定される。（平二三・一二・二六通知）

3）●令第一六七条の二第一項第三号に規定された高年齢者等の雇用の安定等に関する法律（昭和四六年法律第六八号）第四一条第一項（現行第三七条第一項）に規定するシルバー人材センター連合又は同条二項に規定するシルバー人材センターとして指定されていないが、実態としてこれらと同様に高年齢者等の就労機会の確保等の活動・事業を行っている者が想定される。（平二三・一二・二六通知）

4）●令第一六七条の二第一項第三号に規定された母子及び寡婦福祉法（昭和三九年法律第一二九号）第六条第六項に規定する母子福祉団体（現行母子・父子福祉団体）には該当しないが、実態としてこれと同様に母子及び寡婦の就労機会の確保等の活動・事業を行っている者が想定される。（平二三・一二・二六通知）

5）●（令第一六七条の二第一項第三号及び第四号で）物品等を調達する手続を定める普通地方公共団体の規則においては、地方公共団体の契約方法の原則である機会均等、透明性及び公正性を確保するための手続を規定する必要があり、具体的にはおおむね次のような内容が想定されるものであること。

①　あらかじめ契約の発注見通しを公表すること。

②　契約を締結する前において、契約内容、契約の相手方の決定方法や選定基準、申請方法等を公表すること。

③　契約を締結した後において、契約の相手方となった者の名称、契約の相手方とした理由等の契約の締結状況について公表すること。（平一六・一一・一〇通知）

6）○「その他の条件」とは、たとえば品質を落とす等、契約の要素となっている事項をいう。

✤令一六七条の四関係

1）●本条第二項に該当することとなる者について、入札

地方自治法

地方自治法施行令

より契約を締結しようとするときは、入札に参加しようとする者をして当該普通地方公共団体の規則で定める率[1]又は額の入札保証金[2]を納めさせなければならない。

2　前項の規定による入札保証金の納付は、国債、地方債その他普通地方公共団体の長が確実と認める担保の提供をもつて代えることができる。

（一般競争入札の開札及び再度入札）

第百六十七条の八　一般競争入札の開札は、第百六十七条の六第一項の規定により公告した入札の場所において、入札の終了後直ちに、入札者を立ち会わせて[1]しなければならない。この場合において、入札者が立ち会わないときは、当該入札事務に関係のない職員[2]を立ち会わせなければならない。

2　前項の規定にかかわらず、一般競争入札において、入札[3]書に記載すべき事項を記録した電磁的記録（電子的方式、磁気的方式その他人の知覚によつては認識することができない方式で作られる記録であつて、電子計算機による情報処理の用に供されるものをいう。以下同じ。）を提出することにより行われる場合であつて、普通地方公共団体の長が入札事務の公正かつ適正な執行の確保に支障がないと認めるときは、入札者及び当該入札事務に関係のない職員を立ち会わせないことができる。

3　入札者は、その提出した入札書（当該入札書に記載すべき事項を記録した電磁的記録を含む。）の書換え、引換え又は撤回をすることができない。

4　普通地方公共団体の長は、第一項の規定により開札をした場合において、各人の入札のうち予定価格の制限の範囲内の価格の入札がないとき（第百六十七条の十第二

行政実例・通知・判例・注釈

の参加制限を受けた者のなした入札は無効である。（昭四三・一一・七行実）

2）○「その他の使用人」とは、たとえば主任の技術者のように一定の範囲の責任を与えられている者をいい、単なる労務者は含まない。

3）●落札者が契約を締結しない場合は、事後の入札に参加させないことができる。（昭三九・一〇・二七通知）

※　●本条の規定により参加を制限した場合は、その者に対してその旨を通知すべきである。（昭四三・一一・七行実）

●地方公共団体の契約担当部局においては、あらかじめ当該地方公共団体の区域を管轄する警察当局と調整の上、一般競争入札に参加しようとする者が本号に該当するか否かを照会する手続を定めるなどにより不適格者の確実な排除を行うこと。（平二六・一〇・二九通知）

✤令一六七条の五関係

1）○「種類及び金額に応じ」とは、たとえば、土木工事を請負う場合、二百万円から五百万円の工事を履行するために必要な能力は、資本金百万円以上の者であるとするがごときである。

2）●国税及び地方税を二カ年にわたり引き続き完納していることを参加資格の要件として規則で定めることは可能であるがこれを条例で規定することはできない。（昭五七・一・七行実）

✤令一六七条の五の二関係

1）●消費税法第二条第一項第七号の二に規定する適格請求書発行事業者でない者が契約の相手方となった場合に当該地方公共団体に課せられる消費税の負担が増加すること等の地方公共団体にとって不利益になることを理由として適格請求書発行事業者でない者を競争入札に参加させないこととするような資格を定めること

項の規定により最低制限価格を設けた場合にあつては、予定価格の制限の範囲内の価格で最低制限価格以上の価格の入札がないとき）は、直ちに、[4]再度の入札をすることができる。

は、「契約の性質又は目的により、当該入札を適正かつ合理的に行うため特に必要があると認めるとき」との要件に直ちに該当するものではないことから、適当ではない。（令四・一〇・七通知）

✤令一六七条の六関係

1）●法第九六条第一項第五号及び第七号（現行第八号）の規定により契約の締結等に関し、議会の議決を要するものを一般競争入札に付する場合には、公告においてその旨を明らかにする必要がある。（昭三八・一二・一九通知）

2）○「その他入札について必要な事項」とは、一般競争入札に付する事項、契約条項を示す場所、入札保証金に関する事項等をいう。

✤令一六七条の七関係

1）○「率又は額」とは、たとえば、率については入札に参加する者が見積る契約金額の百分の三以上とするとか、額については財産の売却契約の場合、長が定める額とするがごときである。

2）●国の取組に沿って入札ボンド制度の導入を検討する場合の地方自治法令との関係についての留意点は下記のとおりである。

(1)　実際の導入に当たっては、地方自治法第二三四条第四項に規定する入札保証制度の体系（入札保証金及び各地方公共団体の財務規則において位置付けられた保険会社の入札保証保険、金融機関の入札保証等）を活用することとし、同法施行令第一六七条の五及び第一六七条の一一に規定する資格を有する者で過去二カ年の間に契約不履行等の事実がない場合において入札保証金の全部又は一部を納付させないことができる取扱を改め、入札保証金の納付を原則化した上で、入札ボンドの提出があれば、入札保証金（現金）の納付を求めない運用とすること。

(2)　国と同様、金融機関又は保証事業会社の契約保証の予約を入札ボンドとして取扱うことができるものであること。

地方自治法

地方自治法施行令

行政実例・通知・判例・注釈

(3)　入札保証保険及び入札保証の付保割合については、地方公共団体の財務規則で定める最低の付保割合を基本とすること。

(4)　納付された入札保証金、入札保証保険、入札保証の保管、落札したにもかかわらず契約を締結しない場合における入札保証金の地方公共団体への帰属等の取扱いについては、地方自治法令、地方公共団体の財務規則等に従うこととすること。（平一八・九・一三通知）

✤令一六七条の八関係

1）●開札に当たつては、原則として、入札者全員を立ち会わせることが法の趣旨である。（昭三八・一二・一九通知）

2）●入札者が立ち会わないとき立会する職員は、入札事務について公正を確保できる限り、入札者一人につき一人でなくてもさしつかえない。（昭三八・一二・一九通知）

3）●電子入札システムを導入して競争入札を実施している普通地方公共団体において、当該システムにより開札事務を行う場合に、不正行為が行われる余地がないと判断されるときなどが想定される。（平二三・一二・二六通知）

4）○「再度の入札」とは、開札の結果、入札者の入札価格がいずれも予定価格に達しないとき、開札後直ちに行う再度の入札をいう。

●令第一六七条の一〇第二項の規定により最低制限価格を設けた一般競争入札において、予定価格の制限の範囲内の価格で最低制限価格以上の価格の入札がなかつたとき、最低制限価格より低い価格の入札をした者の再度の入札への参加については、入札条項に特別の定めをし、参加させない旨を公告していない限り参加

（一般競争入札のくじによる落札者の決定）

第百六十七条の九 普通地方公共団体の長は、落札となるべき同価の入札をした者が二人以上あるときは、直ちに、当該入札者にくじを引かせて落札者を定めなければならない。この場合において、当該入札者のうちくじを引かない者があるときは、これに代えて、当該入札事務に関係のない職員にくじを引かせるものとする。

（一般競争入札において最低価格の入札者以外の者を落札者とすることができる場合）

第百六十七条の十 普通地方公共団体の長は、一般競争入札により工事又は製造その他についての請負の契約を締結しようとする場合において、予定価格の制限の範囲内で最低の価格をもつて申込みをした者の当該申込みに係る価格によつてはその者により当該契約の内容に適合した履行がされないおそれがあると認めるとき、又はその者と契約を締結することが公正な取引の秩序を乱すこととなるおそれがあつて著しく不適当であると認めるときは、その者を落札者とせず、予定価格の制限の範囲内の価格をもつて申込みをした他の者のうち、最低の価格をもつて申込みをした者を落札者とすることができる。

2 普通地方公共団体の長は、一般競争入札により工事又は製造その他についての請負の契約を締結しようとする場合において、当該契約の内容に適合した履行を確保するため特に必要があると認めるときは、あらかじめ最低制限価格を設けて、予定価格の制限の範囲内で最低の価格をもつて申込みをした者を落札者とせず、予定価格の制限の範囲内の価格で最低制限価格以上の価格をもつて申込みをした者のうち最低の価格をもつて申込みをした

させないことはできない。（昭四〇・三・三〇行実）

令一六七条の九関係

1）●落札者の決定において、入札者はくじを引くことを辞退することはできない。（昭三八・一二・一九通知）

令一六七条の一〇関係

1）●本条第一項の規定により契約締結の権限を有する者が、契約の相手方を決定する場合、次順位者とすることができるかどうかの判断については、専門の補助職員に審査させたうえですることが適当である。（昭三八・一二・一九通知）

地方自治法

地方自治法施行令

者を落札者とすることができる。

第百六十七条の十の二　普通地方公共団体の長は、一般競争入札により当該普通地方公共団体の支出の原因となる契約を締結しようとする場合において、当該契約がその性質又は目的から地方自治法第二百三十四条第三項本文又は前条の規定により難いものであるときは、これらの規定にかかわらず、予定価格の制限の範囲内の価格をもつて申込みをした者のうち、価格その他の条件が当該普通地方公共団体にとつて最も有利なものをもつて申込みをした者を落札者とすることができる。

2　普通地方公共団体の長は、前項の規定により工事[1]又は製造その他についての請負の契約を締結しようとする場合において、落札者となるべき者の当該申込みに係る価格によつてはその者により当該契約の内容に適合した履行がされないおそれがあると認めるとき、又はその者と契約を締結することが公正な取引の秩序を乱すこととなるおそれがあつて著しく不適当であると認めるときは、同項の規定にかかわらず、その者を落札者とせず、予定価格の制限の範囲内の価格をもつて申込みをした他の者のうち、価格その他の条件が当該普通地方公共団体にとつて最も有利なものをもつて申込みをした者を落札者とすることができる。

3　普通地方公共団体の長は、前二項の規定により落札者を決定する一般競争入札（以下「総合評価一般競争入札」という。）を行おうとするときは、あらかじめ、当該総合評価一般競争入札に係る申込みのうち価格その他の条件が当該普通地方公共団体にとつて最も有利なものを決定するための基準（以下「落札者決定基準」という。）を定

行政実例・通知・判例・注釈

※　令一六七条の一〇の二関係

●公共工事の入札及び契約の適正化については、従来より一般競争入札及び総合評価方式の導入・拡充について要請してきたが、より一層の導入・拡大を図られたい。（平二〇・二・一四通知）

1）●公共工事以外の請負の契約についても、技術的要素等の評価を行うことが重要であるものについては、総合評価方式による一般競争入札の導入・拡充を図ることが求められていることに留意が必要である。（平二〇・二・一四通知）

めなければならない。

4　普通地方公共団体の長は、落札者決定基準を定めようとするときは、総務省令で定めるところにより、あらかじめ、学識経験を有する者（次項において「学識経験者」という。）の意見を聴かなければならない。

5　普通地方公共団体の長は、前項の規定による意見の聴取において、併せて、当該落札者決定基準に基づいて落札者を決定しようとするときに改めて意見を聴く必要があるかどうかについて意見を聴くものとし、改めて意見を聴く必要があるとの意見が述べられた場合には、当該落札者を決定しようとするときに、あらかじめ、学識経験者の意見を聴かなければならない。

6　普通地方公共団体の長は、総合評価一般競争入札を行おうとする場合において、当該契約について第百六十七条の六第一項の規定により公告をするときは、同項の規定により公告をしなければならない事項及び同条第二項の規定により明らかにしておかなければならない事項のほか、総合評価一般競争入札の方法による旨及び当該総合評価一般競争入札に係る落札者決定基準についても、公告をしなければならない。

（指名競争入札の参加者の資格）

第百六十七条の十一　第百六十七条の四の規定は、指名競争入札の参加者の資格についてこれを準用する。

2　普通地方公共団体の長は、前項に定めるもののほか、指名競争入札に参加する者に必要な資格として、工事又は製造の請負、物件の買入れその他当該普通地方公共団体の長が定める契約について、あらかじめ、契約の種類及び金額に応じ、第百六十七条の五第一項に規定する事項を要件とする資格を定めなければならない。

3　第百六十七条の五第二項の規定は、前項の場合にこれ

地方自治法

地方自治法施行令

を準用する。

（指名競争入札の参加者の指名等）

第百六十七条の十二　普通地方公共団体の長は、指名競争入札により契約を締結しようとするときは、当該入札に参加することができる資格を有する者のうちから、当該入札に参加させようとする者を指名しなければならない。

2　前項の場合においては、普通地方公共団体の長は、入札の場所及び日時その他入札について必要な事項をその指名する者に通知しなければならない。

3　第百六十七条の六第二項の規定は、前項の場合にこれを準用する。

4　普通地方公共団体の長は、次条において準用する第百六十七条の十の二第一項及び第二項の規定により落札者を決定する指名競争入札（以下「総合評価指名競争入札」という。）を行おうとする場合において、当該契約について第二項の規定により通知をするときは、同項の規定により通知をしなければならない事項及び前項において準用する第百六十七条の六第二項の規定により明らかにしておかなければならない事項のほか、総合評価指名競争入札の方法による旨及び当該総合評価指名競争入札に係る落札者決定基準についても、通知をしなければならない。

（指名競争入札の入札保証金等）

第百六十七条の十三　第百六十七条の七から第百六十七条の十まで及び第百六十七条の十の二（第六項を除く。）の規定は、指名競争入札の場合について準用する。

（せり売りの手続）

第百六十七条の十四　第百六十七条の四から第百六十七条

行政実例・通知・判例・注釈

（契約の履行の確保）

第二百三十四条の二　普通地方公共団体が工事若しくは製造その他についての請負契約又は物件の買入れその他の契約を締結した場合においては、当該普通地方公共団体の職員は、政令の定めるところにより、契約の適正な履行を確保するため又はその受ける給付の完了の確認（給付の完了前に代価の一部を支払う必要がある場合において行なう工事若しくは製造の既済部分又は物件の既納部分の確認を含む。）をするため必要な監督又は検査をしなければならない。

2　普通地方公共団体が契約の相手方をして契約保証金を納付させた場合において、契約の相手方が契約上の義務を履行しないときは、その契約保証金（政令の定めるところ[2]によりその納付に代えて提供された担保を含む。）は、当該普通地方公共団体に帰属するものとする。ただし、損害の賠償又は違約金について契約で別段の定めをしたときは、その定めたところによるものとする。

＊本条―全改〔昭三八・六法九九〕

【参照条文】
①【政令の定―令一六七の一五
②【政令の定―令一六七の一六　【損害の賠償又は違約金―民法四一五～四二二の二

の七までの規定は、せり売りの場合にこれを準用する。

（監督又は検査の方法）

第百六十七条の十五　地方自治法第二百三十四条の二第一項の規定による監督は、立会い、指示その他の方法によつて行なわなければならない。

2　地方自治法第二百三十四条の二第一項の規定による検査は、契約書、仕様書及び設計書[1]その他の関係書類（当該関係書類に記載すべき事項を記録した電磁的記録を含む。）に基づいて行わなければならない。

3　普通地方公共団体の長は、地方自治法第二百三十四条の二第一項に規定する契約について、契約の目的たる物件の給付の完了後相当の期間内に当該物件につき破損、変質、性能の低下その他の事故が生じたときは、取替え、補修その他必要な措置を講ずる旨の特約があり、当該給付の内容が担保されると認められるときは、同項の規定による検査の一部を省略することができる。

4　普通地方公共団体の長は、地方自治法第二百三十四条の二第一項に規定する契約について、特に専門的な知識又は技能を必要とすることその他の理由により当該普通地方公共団体の職員によつて監督又は検査を行なうことが困難であり、又は適当でないと認められるときは、当該普通地方公共団体の職員以外の者に委託して当該監督又は検査を行なわせることができる。

（契約保証金）

第百六十七条の十六　普通地方公共団体は、当該普通地方公共団体と契約を締結する者をして[1]当該普通地方公共団体の規則で定める率又は額の契約保証金を納めさせなければならない。

✤法二三四条の二関係

1）●物品の検収は、契約担当機関が行うものである。（昭三八・一二・一九通知）
●地方公共団体が施行する公共事業等について、当該事業の監督又は検査を行なうに必要な知識又は技能を有する職員を確保することが困難であり、かつ、当該地方公共団体の職員以外の者に監督又は検査を委託することが技術的にも、財政的にも有利であると認められる場合においては、当該事業の監督又は検査を当該地方公共団体以外の者に委託することができる。（昭四一・一・一一行実）
●市の特定の事務または事業の経営を私人に委託した場合、契約履行の確保のための監督、検査の責任は市長にある。（昭四四・五・八行実）

2）●契約保証金は、損害の賠償又は違約金について契約に別段の定めがない限り、当然に地方公共団体に帰属する。（昭三八・一二・一九通知）
●契約保証金を納付した相手方が契約上の義務を履行しないときは、その返還請求権の差押があつても当該契約保証金は地方公共団体に帰属する。（昭四八・一〇・三一行実）

✤令一六七条の一五関係

1）○「その他の関係書類」とは、検査に必要な細部設計図、原寸図等をいう。

✤令一六七条の一六関係

1）●次のような場合は、契約保証金の全部又は一部を納付させないことができる。
(1)　契約の相手方が保険会社との間に当該地方公共団体を被保険者とする履行保証保険契約を締結したとき。

地方自治法

（長期継続契約）

第二百三十四条の三　普通地方公共団体は、第[1]二百十四条の規定にかかわらず、翌年度以降にわたり、電気、ガス若しくは水の供給若しくは電気通信役務の提供を受ける契約又は不動産を借りる契約その他政令で定める契約を締結することができる。この場合においては、各年度におけるこれらの経費の予算の範囲内においてその給付を受けなければならない。

＊　本条—全改〔昭三八・六法九九〕、一部改正〔昭五九・一二

地方自治法施行令

2　第百六十七条の七第二項の規定は、前項の規定による契約保証金の納付についてこれを準用する。

（長期継続契約を締結することができる契約）

第百六十七条の十七　地方自治法第二百三十四条の三に規定する政令で定める契約は、翌年度以降にわたり物品を借り入れ又は[1]役務の提供を受ける契約で、その契約の性質上翌年度以降にわたり契約を締結しなければ当該契約に係る事務の取扱いに支障を及ぼすようなもののうち、条[2]例で定めるものとする。

行政実例・通知・判例・注釈

(2)　契約の相手方から委託を受けた保険会社、銀行、農林中央金庫その他予算決算及び会計令（昭和二二年勅令第一六五号）第一〇〇条の三第二号の規定に基づき財務大臣が指定する金融機関と工事履行保証契約を締結したとき。

(3)　令第一六七条の五及び第一六七条の一一に規定する資格を有する者と契約を締結する場合において、その者が過去二カ年の間に国（公社・公団を含む。）又は地方公共団体と種類及び規模をほぼ同じくする契約を数回以上にわたつて締結し、これらをすべて誠実に履行し、かつ、契約を履行しないこととなるおそれがないと認められるとき。

(4)　法令に基づき延納が認められる場合において確実な担保が提供されたとき。

(5)　物品を売り払う契約を締結する場合において、売却代金が即納されるとき。

(6)　随意契約を締結する場合において、契約金額が少額であり、かつ、契約の相手方が契約を履行しないこととなるおそれがないとき。（平一二・四・一八通知）

✤

1）法二三四条の三関係

●法第二三四条の三の長期継続契約締結の場合、法第二一四条の債務負担行為として議会の議決を経る必要はない。（昭三八・一二・一九通知）

●賃借料年額一〇万円で五年間建物を賃借する契約は、一般的には債務負担行為として予算に定めておく必要があるが、当該契約条項中に、翌年度以降において歳入歳出予算の当該金額について減額又は削除があつた場合は、当該契約は解除する旨の条件を附した場合は債務負担行為とする必要はない。（昭四〇・九・一行実）

法八七、平一六・五法五七）

【引用条文】【法二一四（債務負担行為）

【参照条文】

【政令の定―令一六七の一七

❖令一六七の一七

1） ソフトウェアの提供を受け、地方公共団体の利用に供されることを内容とする使用許諾契約は、令第一六七条の一七に規定する役務の提供に該当すると考えられるものであるが、具体的な契約の内容を踏まえ、当該契約がその性質上翌年度以降にわたり契約を締結しなければ当該契約に係る事務の取扱いに支障を及ぼすようなものと判断した上で、同条の規定に基づき必要な条例が制定されている場合においては、法第二三四条の三に規定する長期継続契約を締結することができると考えられる。

　なお、ソフトウェアの使用許諾契約について長期継続契約とするための条例の制定又は改正を検討するに当たっては、複数年度にわたる契約については、本来であれば、議会の議決による法第二一四条の債務負担行為に基づくものであり、その例外として、法第二三四条の三の規定により長期継続契約として複数年度にわたる契約が限定的に認められている趣旨を十分に留意されたい。（令二・一二・二三通知）

2） ●商慣習上複数年にわたり契約を締結することが一般的であるもの、毎年四月一日から役務の提供を受ける必要があるもの等に係る契約が対象になるものであること。例えば、ＯＡ機器を借り入れるための契約、庁舎管理業務委託契約等が想定されるものであること。（平一六・一一・一〇通知）

●契約の締結に当たっては、更なる経費の削減やより良質なサービスを提供する者と契約を締結する必要性にかんがみ、定期的に契約の相手方を見直す機会を確保するため、適切な契約期間を設定する必要があることに留意すべきものであること。（平一六・一一・一〇通知）

地方自治法

第七節　現金及び有価証券

＊本節―全改〔昭三八・六法九九〕

（金融機関の指定）

第二百三十五条　都道府県は、政令の定めるところにより、金[1]融機関を指定[2]して、都道府県の公[3]金の収納又は支払の事務を取り扱わせなければならない。

2　市町村は、政令の定めるところにより、金融機関を指定して、市町村の公[3]金の収納又は支払の事務を取り扱わせることができる。

＊本条―全改〔昭三八・六法九九〕

【参照条文】
①・②【政令の定―令一六八〜一六八の五

地方自治法施行令

（指定金融機関等）

第百六十八条　都道府県は、地方自治法第二百三十五条第一項の規定により、議[1]会の議決を経て、一[2]の金融機関を指[3]定して、当該都道府県の公[4]金の収納及び支払の事務を取り扱わせなければならない。

2　市町村は、地方自治法第二百三十五条第二項の規定により、議[1]会の議決を経て、一[2]の金融機関を指定[3]して、当該市町村の公[4]金の収納及び支払の事務を取り扱わせることができる。

3　普通地方公共団体の長は、必要があると認めるときは、指[5]定金融機関をして、その取り扱う収納及び支払の事務の一部を、当該普通地方公共団体の長が指[6]定[7]する金融機関に取り扱わせることができる。

4　普通地方公共団体の長は、必要があると認めるときは、指[5]定金融機関をして、その取り扱う収納の事務の一[8]部を、当該普通地方公共団体の長が指[7]定する金融機関に取り扱わせることができる。

5　指定金融機関を指定していない市町村の長は、必要があると認めるときは、会計管理者をして、その取り扱う収納の事務の一部を、当該市町村の長が指定する金融機関に取り扱わせることができる。

6　第一項又は第二項の金融機関を指定金融機関と、第三項の金融機関を指定代理金融機関と、第四項の金融機関を収納代理金融機関と、前項の金融機関を収納事務取扱

行政実例・通知・判例・注釈

⚜ 法二三五条関係

1）●金融機関とは、法令によって金融機関と称せられるもののすべてを指すが、指定金融機関は、地方公共団体の公金の収納又は支払の事務を取り扱うのであるから、金融機関はそれぞれの法令により種々の制約を受け地方公共団体の公金の収納又は支払の事務を取り扱うことができないものは含まれない。（昭三八・一二・一九通知）

2）○「指定」とは、指定金融機関・指定代理金融機関及び収納代理金融機関の指定をいう。

●府県知事が府県金庫事務（現行法では公金の収納及び支払の事務）の取扱を命ずるのは法令に基づく命令作用ではなく、府県知事と府県の金庫事務（現行法では公金の収納及び支払の事務）を取り扱う銀行との関係は私法上の契約に属する。（行実）

3）○「公金の収納又は支払」とは、現金のほか、証券による納付、隔地払及び公金振替又は口座振替の方法によるものを含む。

⚜ 令一六八条関係

1）●指定金融機関の指定について、議会の議決が得られなかった場合においては、法第一七六条及び第一七七条を適用する余地はなく、改めて議会を招集して、新たに指定金融機関指定の議案を提出し、又はその暇がないときは、長において専決処分をする外はない。（昭二五・八・一〇行実）

2）●「一の金融機関」とは、一地方公共団体を通じて指定金融機関たる法人が一つでなければならないということで、店舗の数を指すものではない。（昭三八・一

金融機関という。

7　普通地方公共団体の長は、指定代理金融機関又は収納代理金融機関を指定し、又はその取消しをしようとするときは、あらかじめ、指定金融機関の意見[9]を聴かなければならない。

8　普通地方公共団体の長は、指定金融機関、指定代理金融機関、収納代理金融機関又は収納事務取扱金融機関を定め、又は変更したときは、これを告示[10]しなければならない。

（指定金融機関の責務）

第百六十八条の二　指定金融機関は、指定代理金融機関及び収納代理金融機関の公金の収納又は支払の事務を総括[1]する。

2　指定金融機関は、公金の収納又は支払の事務（指定代理金融機関及び収納代理金融機関において取り扱う事務を含む。）につき当該普通地方公共団体に対して責任を有する。

3　指定金融機関は、普通地方公共団体の長の定めるところにより担保[2]を提供しなければならない。

（指定金融機関等における公金の取扱い）

第百六十八条の三　指定金融機関、指定代理金融機関、収納代理金融機関及び収納事務取扱金融機関は、納税通知書、納入通知書その他の納入に関する書類[1]（当該書類に記載すべき事項を記録した電磁的記録を含む。）に基づかなければ、公金の収納をすることができない。

2　指定金融機関及び指定代理金融機関は、会計管理者の振り出した小切手又は会計管理者の通知[2]に基づかなければ、公金の支払をすることができない。

3　指定金融機関、指定代理金融機関及び収納代理金融機関は、公金を収納したとき、又は公金の払込みを受けた

二・一九通知）

●指定金融機関は、半永久的に一つの金融機関であることを要しない。いわゆる交替制によることもさしつかえないが、半年毎のごとき短期交替制は認められない。（昭三八・一二・一九通知）

3）●金融機関の指定は、住民の利便等の点から当該地方公共団体の事務所の所在地に本（支）店を有する金融機関を指定することが適当であるが、事務所の所在地に確実な金融機関がない場合は、必ずしもこれによることを要しない。（昭三八・一二・一九通知）

4）●公金には、歳入歳出外現金を含む。（昭二八・四・一三行実）

5）●指定代理及び収納代理金融機関の契約は、指定金融機関が代表して地方公共団体と締結する。（昭三八・一二・一九通知）

6）●指定金融機関のある市町村に、数箇の指定代理金融機関を置くことはさしつかえない。（昭三八・一二・一九通知）

7）●指定代理、収納代理又は収納事務取扱金融機関以外に歳入代理店等を設置することはできないが、地方税法第三二一条の五第四項の規定に基づき当該地方公共団体において地方税の特別徴収義務者が納入する金融機関を指定することはさしつかえない。（昭二六・七・一二行実）

8）●収納代理金融機関は、県税のみの収納のように限定して取り扱わせることができる。（昭三八・一二・一九通知）

9）○意見を聴かなければならないというのは、長に対する義務づけではあるが、その意見に拘束されるものではない。

10）○告示は、単に金融機関名のみでなく、位置、名称、取扱事務の範囲をその内容に含ましめるのが適当である。

※　○市町村の収入に関する事項は、会計管理者の職務権限に属し、地方自治法所定の手続によらない限りその

地方自治法

地方自治法施行令

ときは、これを当該普通地方公共団体の預金口座に受け入れなければならない。この場合において、指定代理金融機関及び収納代理金融機関にあつては、会計管理者の定めるところにより、当該受け入れた公金を指定金融機関の当該普通地方公共団体の預金口座に振り替えなければならない。

4　収納事務取扱金融機関は、公金を収納したとき、又は公金の払込みを受けたときは、これを当該市町村の預金口座に受け入れなければならない。この場合において、収納事務取扱金融機関は、会計管理者の定めるところにより、当該受け入れた公金を会計管理者の定める収納事務取扱金融機関の当該市町村の預金口座に振り替えなければならない。

（**指定金融機関等の検査**）

第百六十八条の四　会計管理者は、指定金融機関、指定代理金融機関、収納代理金融機関及び収納事務取扱金融機関について、定期及び臨時に公金の収納又は支払の事務及び公金の預金の状況を検査しなければならない。

2　会計管理者は、前項の検査をしたときは、その結果に基づき、指定金融機関、指定代理金融機関、収納代理金融機関及び収納事務取扱金融機関に対して必要な措置を講ずべきことを求めることができる。

3　監査委員は、第一項の検査の結果について、会計管理者に対し報告を求めることができる。

（**指定金融機関等に対する現金の払込み**）

第百六十八条の五　指定金融機関を定めている普通地方公共団体において、会計管理者が現金（現金に代えて納付される証券を含む。）を直接収納したときは、速やかに、

行政実例・通知・判例・注釈

権限を委任することはできない。

❖令一六八条の二関係

1）○「総括」とは、公金の取扱いに関する限り、指定金融機関が、指定代理金融機関、収納代理金融機関を代表して地方公共団体とその公金の収納及び支払の事務を取り扱う契約（指定契約）を締結する権限を有するということであり、かつ、指定代理金融機関、収納代理金融機関をも含めて一切の事務処理の総括にあたるということである。

●指定金融機関における総括事務を取り扱う店舗は、地方公共団体の事務所の所在地にある店舗とするのが適当である。（昭三八・一二・一九通知）

2）●普通地方公共団体の長の定める担保には、現金も含まれる。（昭四一・四・一二行実）

❖令一六八条の三関係

1）○「その他の納入に関する書類」とは、納税通知書又は納入通知書に代わるこれに相当する書類をいい、会計管理者から発せられる収納の通知書をいう。

2）○「通知」とは、たとえば令第一六五条の二に規定する通知のごとく、小切手に代わる支払の通知をいう。

●会計管理者が指定金融機関又は指定代理金融機関に対してインターネットを経由してインターネットバンキングによる口座振替の方法により支出することを指示することは、本項の「会計管理者の通知」に該当する。（令五・六・一三通知）

3）●指定代理金融機関又は収納代理金融機関に明らかにする方法で定めるべきである。（昭三九・三・三行実）

❖令一六八条の四関係

1）●検査については、その目的や対象、場所等を踏まえて、効果的かつ適切な方法で行うことが適当であり、デジタル技術を活用することが効果的かつ適切である場合には、例えば、オンライン会議システムを活用す

（現金出納の検査及び公金の収納等の監査）

第二百三十五条の二　普通地方公共団体の現金[1]の出納は、毎月例日[2]を定めて監査委員がこれを検査[3,4,5]しなければならない。

2　監査委員は、必要があると認めるとき、又は普通地方公共団体の長の要求があるときは、前条の規定により指定された金融機関が取り扱う当該普通地方公共団体の公金の収納又は支払の事務について監査[4]することができる。

3　監査委員は、第一項の規定による検査の結果に関する報告又は前項の規定による監査の結果に関する報告を普通地方公共団体の議会及び長に提出しなければならない。

＊　本条―全改〔昭三八・六法九九〕、三項―一部改正〔平三・四法二四〕

【参照条文】

①【出納―法一七〇2Ⅰ　【現金―法二三五の四

②【公金の収納又は支払の事務を取り扱う金融機関―法二三五　令一六八～一六八の五

（一時借入金）

第二百三十五条の三　普通地方公共団体の長は、歳出予算

これを指定金融機関、指定代理金融機関又は収納代理金融機関に払い込まなければならない。

ることなどにより、遠隔地から行うことも可能である。（令五・五・八通知）

✤令一六八条の五関係

1）○「速やかに」とは、原則としてその日中にという意である。

✤法二三五条の二関係

1）●「現金の出納」には、法第一七〇条第二項第三号に規定する有価証券（公有財産又は基金に属するものを含む。）の出納は含まれない。（昭四〇・九・一三行実）

●「現金の出納」には、基金に属する現金の出納を含む。（昭四〇・一〇・九行実）

2）○「毎月例日」とは、毎月たとえば一五日又は二〇日というように定められた日を指す。

●例月出納検査の例日は、条例（法二〇二）で定めておくのが適当である。（昭三四・一二・二三行実）

3）●議会又は委員会が出納検査をすることはできない。（昭二六・八・二〇行実）

4）●検査（監査）は、厳正かつ公平中立の立場で行なわれるべきであり、その執行に当たつては主観的判断を加えるべきではないが、監査委員がその事務執行の必要から、そのときまでの検査（監査）に当たつて、その対象を限定して行なうことは何らさしつかえない。（昭二七・一〇・六行実）

5）●検査については、その目的や対象、場所等を踏まえて、効果的かつ適切な方法で行うことが適当であり、デジタル技術を活用することが効果的かつ適切である場合には、例えば、オンライン会議システムを活用することなどにより、遠隔地から行うことも可能である。（令五・五・八通知）

✤法二三五条の三関係

1）●「最高額」とは、ある時点における一時借入金の現在高の最高額をいう。（昭二六・一二・二五行実）

地方自治法

内の支出をするため、一時借入金を借り入れることができる。

2　前項の規定による一時借入金の借入れの最高額[1]は、予算でこれを定めなければならない。

3　第一項の規定による一時借入金は、その[2]会計年度の歳入をもつて償還しなければならない。

＊本条…全改〔昭三八・六法九九〕

【参照条文】
①【歳出予算内の支出―法二一一～二一四・二一八
②【予算―法二一五
③【会計年度内の収入―法二〇八　令一四二

（現金及び有価証券の保管）

第二百三十五条の四　普通地方公共団体の歳入歳出に属する現金（以下「歳計現金[1]」という。）は、政令の定めるところにより、最も確実かつ有利な方法[2]によりこれを保管しなければならない。

2　債権の担保として徴するもののほか、普通地方公共団体の所有に属しない現金又は有価証券は、法律又は政令[3]の規定によるのでなければ、これを保管することができない。

3　法令又は契約に特別の定めがあるものを除くほか、普通地方公共団体が保管する前項の現金（以下「歳入歳出外現金」という。）には、利子[4]を付さない。

＊本条…全改〔昭三八・六法九九〕

【参照条文】

地方自治法施行令

（歳計現金の保管）

第百六十八条の六　会計管理者は、歳計現金を指定金融機関その他の確実な金融機関への預金その他の最も確実かつ有利な方法によつて保管しなければならない。

（歳入歳出外現金及び保管有価証券）

第百六十八条の七　会計管理者は、普通地方公共団体が債権者として債務者に属する権利を代位して行うことにより受領すべき現金又は有価証券その他の現金又は有価証券で総務省令で定めるものを保管することができる。

2　会計管理者は、普通地方公共団体の長の通知がなければ、歳入歳出外現金又は普通地方公共団体が保管する有価証券で当該普通地方公共団体の所有に属しないものの出納をすることができない。

3　前項に定めるもののほか、歳入歳出外現金の出納及び保管は、歳計現金の出納及び保管の例により、これを行

行政実例・通知・判例・注釈

2）●「その会計年度の歳入」とは、出納閉鎖日（五月三一日）までに収入された歳入をいう。（昭三八・一二・一九通知）

●利子は翌年度から支払つても違法ではない。（大四・七・七行裁判、昭二四・三・一〇通知）

✤法二三五条の四関係

1）●一般会計、特別会計相互間の歳計現金の流用は、出納長（現行法では会計管理者）の責任においてできる。この場合公営企業会計の歳計現金を一般会計に流用する手続は、長及び出納長又は収入役（現行法では会計管理者）と企業管理者との協議がととのうことが必要である。（昭二八・四・一六、昭二九・四・一六行実）

●たとえば中小企業、農林水産業等に対する対策として金融の円滑を図る目的をもつて、出納長（現行法では会計管理者）等の責任において、その保管する現金の預託をする、いわゆる政策預託は、歳入歳出予算に貸付金、償還金として計上することを建前とする。（昭三三・三・一四通知）

2）●「最も確実かつ有利な方法」とは、通常は金融機関に預金して安全に保管することであり、かつ、支払準備金に支障のないかぎり適時適正に預金による運用の利益を図ることであり、これを基本的な原則とする意

① 【政令の定】令一六八の六
② 【債権の担保の例】令一六七の七・一六七の一六・一六八の二3・一六九の七2・一七一の四2 地税法一六 公営住宅法一八 則一二の五 【法律又は政令の規定の例】令一六八の七1 地方公務員等共済組合法一一五 所得税法一八三 地税法一六の二・二〇の四・四二・三二一の五 生活保護法七六 児福法三三の二の二・三三の三等 遺失物法

なわなければならない。

味である。（昭三八・一二・一九通知）

3 ●遺失物法による遺失金は警察署長の出納保管に属する歳入歳出外現金である。（昭四〇・九・三〇行実）

●公営住宅法第一四条但書（現行法では第一八条）の規定により徴収する敷金は、市に属する収入と解し、予算に編入しても、又は市の収入とはならないものと解し、歳入歳出外現金として保管しても、いずれによるもさしつかえない。（昭三〇・一二・一三行実）

●児童福祉法第三三条の二（現行法では第三三条の二の二）の規定により児童相談所長が保管する一時保護児童の所持する現金は、歳入歳出外現金である。（昭四四・四・三行実）

4 ○「利子を付さない」とは、利子を生じても、相手方に帰属させないという意味である。

⚜ 令一六八条の六関係

※ ●出納長又は収入役（現行法では会計管理者）が歳計現金を指定金融機関以外の金融機関に預金して保管する場合、運用面において長の承認あるいは協議を経るようにすることはさしつかえない。（昭三九・六・一五行実）

※ ●出納長等（現行法では会計管理者）が行う公金の保管の形式のうち最も適当と認められるのは確実な金融機関に対する預金の方法によることである。また、特定の政策目的を達成するための預託等は、出納長等（現行法では会計管理者）の権限としての現金の保管とは、その性質上明らかに区分して取り扱われるべきものであるから、歳入歳出予算に貸付金として計上支出するようにすべきである。（昭三三・三・一四通知）

※ ●中小企業金融対策等行政目的のために歳計金を金融機関に預託する場合の取扱いについては、昭三三・三・一四付の通知により歳入歳出予算に貸付金として計上支出し、受入側の金融機関は、借入金で処理することが適当と認められるが、この場合、県の財務規則等に預金証書をもつて借用証書にかえる旨の規定を設け、金融機関から借用証書を徴する代りに預金証書を

地方自治法

（出納の閉鎖）

第二百三十五条の五　普通地方公共団体の出納は、翌年度の五月三十一日[1]をもつて閉鎖する。

＊本条…全改〔昭三八・六法九九〕

第八節　時効

＊本節…全改〔昭三八・六法九九〕

（金銭債権の消滅時効）

第二百三十六条　金銭の給付を目的とする普通地方公共団体の権利は、時効に関し他の法律[1]に定めがあるものを除くほか、これを行使することができる時から五年間行使しないときは、時効によつて消滅する。普通地方公共団体に対する権利で、金銭の給付を目的とするものについても、また同様とする。

2　金銭の給付を目的とする普通地方公共団体の権利の時効による消滅については、法律[2]に特別の定めがある場合を除くほか、時効の援用を要せず、また、その利益を放

地方自治法施行令

行政実例・通知・判例・注釈

微してもさしつかえない。（昭三五・六・二七行実）

※

●出納長又は収入役（現行法では会計管理者）は、支払準備に支障のない範囲内で、かつ、金融機関への預金にくらべて有利な場合には、「債券の条件付売買の取扱いについて」（昭五一・三・一〇付蔵証第二八七号）の定めるところに従い、証券会社の行う国債証券、地方債証券、政府保証債券等の元本の償還及び利息の支払いが確実な証券を対象としたいわゆる買い現先の方法により歳計現金の保管を行うことも差し支えない。（昭五七・七・二〇行実）

✤法二三五条の五関係

1）●出納閉鎖期日前にかいの出納を締め切ることはさしつかえない。（昭三八・一二・一九通知）

✤法二三六条関係

1）●本条第一項の「他の法律」には民法を含む。（昭三八・一二・一九通知）

●私法上の債権について年賦償還することにした場合、民法第一六七条第一項（現行法では第一六六条第一項第二号）の規定による消滅時効の完成時期は、年次償還表による各年度の償還金毎に督促の指定期限の翌日から起算し、一〇年を経過した日である。（昭四〇・五・二五行実）

2）●国家賠償法に基づく普通地方公共団体に対する損害賠償請求権は、私法上の金銭債権であつて、公法上の

棄することができないものとする。普通地方公共団体に対する権利で、金銭の給付を目的とするものについても、また同様とする。

3 金銭の給付を目的とする普通地方公共団体の権利について、消滅時効の完成猶予、更新その他の事項（前項に規定する事項を除く。）に関し、適用すべき法律の規定がないときは、民法（明治二十九年法律第八十九号）の規定を準用する。普通地方公共団体に対する権利で、金銭の給付を目的とするものについても、また同様とする。

4 法令の規定により普通地方公共団体がする納入[3]の通知及び督促[4]は、時効の更新の効力を有する。

＊ 本条―全改〔昭三八・六法九九〕、一・三・四項―一部改正〔平二九・六法四五〕

【引用条文】

③【民法一五〇（催告による時効の完成猶予）】

【参照条文】

①【他の法律の定め―民法一六六～一六九・七二四・七二四の二 会社法七〇一・七〇五 手形法七〇・七七 小切手法五一・五八 地税法一八・一八の三 労基法一一五 地方公務員等共済組合法一四四の二三 土地区画整理法四二1 国民健康保険法一一〇1 道路法七三5 海岸法三五5 労働保険の保険料の徴収等に関する法律四一1等

②【時効の援用―民法一四五 【時効の利益の放棄―民法一四六 【法律の特別の定め―地税法一八2

③【適用すべき法律の規定―民法一四四・一四七～一五四・一五八～一六一 地税法一八2・3・一八の二・一八の三2 労働保険の保険料の徴収等に関する法律四一2 土地区画整理法四二2・一一〇8 刑法三四2 地方公務員等共済組合法一四四の二三

④【納入の通知―法二三一 令一五四 【督促―法二三

金銭債権ではなく、その消滅時効については、民法第一四五条の規定は「法律に特別の定めがある場合」に該当するので、時効の援用が必要である。（昭四六・一一・三〇最裁判）

3）○「納入の通知」とは、法第二三一条及び令第一五四条第二項の規定によりするものをいう。

4）●本条第四項の「督促」には、法令の規定によりする私法上の債権に係る督促を含む。（昭三八・一二・一九通知）

●法令の規定により普通地方公共団体がする督促は、最初のものに限り時効中断（現行法では「更新」）の効力を有すると解される。督促後相当の期間を経過しても、なお、履行がないときは強制執行等の措置をとるべきである。（昭四四・二・六行実）

※ ●附則（昭三八法九九）第九条にいう「地方公共団体の徴収金」は、本条にいう「金銭の給付を目的とする普通地方公共団体の権利」を指す。（昭四〇・八・六行実）

地方自治法

※　一の三1　令一七一

※　法附則（昭三八法九九）九

第九節　財産

＊　本節―全改〔昭三八・六法九九〕

（財産の管理及び処分）

第二百三十七条　この法律において「財産」とは、公有財産、物品及び債権並びに基金をいう。

2　第二百三十八条の四第一項の規定の適用がある場合を除き、普通地方公共団体の財産は、条例又は議会の議決による場合でなければ、これを交換し、出資の目的とし、若しくは支払手段[1]として使用し、又は適正な対価なくしてこれを譲渡[2]し、若しくは貸[3]し付けてはならない。

3　普通地方公共団体の財産は、第二百三十八条の五第二項の規定の適用がある場合で議会の議決によるとき又は同条第三項の規定の適用がある場合でなければ、これを信託してはならない。

＊　本条―全改〔昭三八・六法九九〕、三項―追加〔昭六一・五法七五〕、三項―一部改正〔平一八・六法五三〕

【引用条文】
②【法二三八の四（行政財産の管理及び処分）1
③【法二三八の五（普通財産の管理及び処分）2

【参照条文】
②【議会の議決―法九六1Ⅵ
③【議会の議決―法九六1Ⅶ　【信託―信託法一等　法二三八の五2等　国有財産法二〇等

※　公企法三三2・四〇1

地方自治法施行令

行政実例・通知・判例・注釈

⚜ 法二三七条関係

1）○「支払手段として使用」するとは、予算上の措置を講じないで財産により債権債務の関係を消滅させることをいい、たとえば代物弁済等をいう。

2）○「譲渡」には、有償譲渡のほか、無償譲渡を含む。

●賃貸借の期間の満了のときに賃貸物件を賃借人に無償譲渡する条件が付されている賃貸借契約が実質上所有権留保の条件を付した割賦販売契約と等しいものであるときは、議会の議決は必要ない。（昭四〇・一〇・一一行実）

3）●「貸し付け」には、地上権等の用益物権の設定による使用を含む。（昭四〇・一二・二四行実）

第一款　公有財産

＊本款―全改〔昭三八・六法九九〕

（公有財産の範囲及び分類）

第二百三十八条　この法律において「公有財産」とは、普通地方公共団体の所有に属する財産のうち次に掲げるもの（基金に属するものを除く。）をいう。

一　[1]不動産

二　[2]船舶、浮標、浮桟橋及び浮ドック並びに航空機

三　前二号に掲げる不動産及び動産の従物

四　地上権、地役権、鉱業権[3]その他これらに準ずる権利

五　特許権、著作権、商標権、実用新案権[4]その他これらに準ずる権利

六　株式[5]、社債（特別の法律により設立された法人の発行する債券に表示されるべき権利を含み、短期社債等を除く。）、地方債及び国債[6]その他これらに準ずる権利

七　[7]出資による権利

八　財産の信託[8]の受益権

2　前項第六号の「短期社債等」とは、次に掲げるものをいう。

一　社債、株式等の振替に関する法律（平成十三年法律第七十五号）第六十六条第一号に規定する短期社債

二　投資信託及び投資法人に関する法律（昭和二十六年法律第百九十八号）第百三十九条の十二第一項に規定する短期投資法人債

三　信用金庫法（昭和二十六年法律第二百三十八号）第五十四条の四第一項に規定する短期債

四　保険業法（平成七年法律第百五号）第六十一条の十第一項に規定する短期社債

✤法二三八条関係

1）●立木は、仮植中のものを除き、土地の定着物として不動産である。（昭三八・一二・一九通知）

2）●船舶について、船舶法、商法の規定を参考にして基準を設けることはさしつかえない。（昭三八・一二・一九通知）

3）○「その他これらに準ずる権利」とは、永小作権・入会権・漁業権・入漁権・租鉱権・採石権等をいい、占有権・担保物権等は含まない。
●道路法施行法第五条第一項に基づく使用貸借による権利は、地方自治法第二三八条第一項第四号にいう「地上権、地役権、鉱業権その他これらに準ずる権利」に当たらない。（平二・一〇・二五最裁判）

4）○「その他これらに準ずる権利」とは、意匠権等の無体財産権をいう。
●電話加入権は本号に含まれない。（昭三八・一二・一九通知）

5）●電信電話債券は、社債券（特別の法律により設立された法人の発行する債券を含む。）である。なお、登録機関へ登録して保護預けしてさしつかえない。（昭四一・二・一四行実）

6）○「その他これらに準ずる権利」とは、投資信託の受益証券・貸付信託の受益証券等にかかる権利をいう。

7）●出捐金は、本条第一項第七号に該当し、公有財産である。（昭三八・一二・一九通知）

8）●不動産の信託とは、土地又はその定着物を信託財産とし、その管理又は処分を目的とする信託（自ら設定した信託以外のものを含む。）をいう。（昭六一・五・三〇通知）

9）●行政財産を公用財産、公共用財産等に、普通財産を第一種、第二種普通財産等に細分類することはさしつ

地方自治法

五　資産の流動化に関する法律（平成十年法律第百五号）第二条第八項に規定する特定短期社債

六　農林中央金庫法（平成十三年法律第九十三号）第六十二条の二第一項に規定する短期農林債

3　公有財産は、これを行政財産と普通財産とに分類する。[9]

4　行政財産とは、普通地方公共団体において公用又は公共用に供し、又は供することと決定した財産をいい、普通財産とは、行政財産以外の一切の公有財産をいう。

＊本条―全改〔昭三八・六法九九〕、一項―一部改正〔昭六一・五法七五、平一三・六法七五〕、一項―一部改正・二項―追加・旧二・三項―一項繰下〔平一四・六法六五〕、二項―一部改正〔平一六・六法八八、平一七・七法八七〕、一項―一部改正〔平一八・六法五三〕、二項―一部改正〔平一八・六法六六、平一九・六法七四〕

【参照条文】
①【基金―法二四一　【不動産・動産―民法八六　【従物―民法八七　【地上権―民法二六五～二六九の二　【地役権―民法二八〇～二九四　【鉱業権―鉱業法　【特許権―特許法　【著作権―著作権法　【商標権―商標法　【実用新案権―実用新案法　【特別の法律―地方公共団体金融機構法四〇等　【信託―信託法一等　法二三八の五2等　国有財産法二〇等
※【受益権―信託法二7等
国有財産法二

（公有財産に関する長の総合調整権）

第二百三十八条の二　普通地方公共団体の長は、公有財産の効率的運用を図るため必要があると認めるときは、委員会若しくは委員又はこれらの管理に属する機関で権限

地方自治法施行令

行政実例・通知・判例・注釈

かえない。（昭三八・一二・一九通知）

○普通財産を行政財産に、行政財産を普通財産に用途変更するのは、法令の規定に基づいて他の機関が権限を有することとされている場合を除いて長の権限である。

※

●本条第一項各号に掲げられたもの以外のものを公有財産の範囲に含めることはできない。（昭三八・一二・一九通知）

を有するものに対し、公有財産の取得又は管理について、報告を求め、実地について調査し、又はその結果に基づいて必要な措置を講ずべきことを求めることができる。

2 普通地方公共団体の委員会若しくは委員又はこれらの管理に属する機関で権限を有するものは、公有財産を取得し、又は行政財産の用途を変更し、若しくは第二百三十八条の四第二項若しくは第三項（同条第四項において準用する場合を含む。）の規定による行政財産である土地の貸付け若しくはこれに対する地上権若しくは地役権の設定若しくは同条第七項の規定による行政財産の使用の許可で当該普通地方公共団体の長が指定するものをしようとするときは、あらかじめ当該普通地方公共団体の長に協議しなければならない。

3 普通地方公共団体の委員会若しくは委員又はこれらの管理に属する機関で権限を有するものは、その管理に属する行政財産の用途を廃止したときは、直ちにこれを当該普通地方公共団体の長に引き継がなければならない。

＊ 本条―全改（昭三八・六法九九）、二項―一部改正（昭四九・六法七一、平一八・六法五三）

【引用条文】
② 【法二三八の四（行政財産の管理及び処分）2・3・4・7

【参照条文】
① 【財産の効率的運用―地財法八
② 【権限を有するもの―法一八〇の二 地教法二一Ⅱ・二八

※ 法二三八の三・一四九Ⅵ・一八〇の四・二二一

（職員の行為の制限）
第二百三十八条の三 公有財産に関する事務に従事する職[1]

⚜ 法二三八条の三関係
1）● 「公有財産の事務に従事する職員」とは、現に公有財産の管理又は処分に関する事務に従事する職員のほ

地方自治法

員は、その取扱い[2]に係る公有財産を譲り受け、又は自己の所有物と交換することができない。

2　前項の規定に違反する行為は、これを無効とする。

＊　本条…全改〔昭三八・六法九九〕

【参照条文】

※　法二三八・二三九2・3　国有財産法一六

（行政財産の管理及び処分）

第二百三十八条の四　行政財産は、次項から第四項までに定めるものを除くほか、これを貸し付け、交換し、売り[1]払い、譲与し、出資の目的とし、若しくは信託し、又はこれに私権を設定することができない。

2　行政財産は、次に掲げる場合には、その用途又は目的を妨げない限度において、貸し付け、又は私権を設定することができる。

一　当該普通地方公共団体以外の者が行政財産である土地の上に政令で定める堅固な建物その他の土地に定着する工作物であつて当該行政財産である土地の供用の目的を効果的に達成することに資すると認められるものを所有し、又は所有しようとする場合（当該普通地方公共団体と一棟の建物を区分して所有する場合を除く。）において、その者（当該行政財産を管理する普通地方公共団体が当該行政財産の適正な方法による管理

地方自治法施行令

（行政財産である土地を貸し付けることができる堅固な工作物）

第百六十九条　地方自治法第二百三十八条の四第二項第一号に規定する政令で定める堅固な建物その他の土地に定着する工作物は、鉄骨造、コンクリート造、石造、れんが造その他これらに類する構造の土地に定着する工作物とする。

（行政財産である土地を貸し付けることができる法人）

第百六十九条の二　地方自治法第二百三十八条の四第二項第二号に規定する政令で定める法人は、次に掲げる法人とする。

一　特別の法律により設立された法人で国又は普通地方公共団体において出資しているもののうち、総務大臣[1]が指定するもの

二　港務局、地方住宅供給公社、地方道路公社、土地開発公社及び地方独立行政法人並びに普通地方公共団体

行政実例・通知・判例・注釈

か、公有財産の管理処分の総合調整に当たる職員を含み、また、組織上の補助職員及び監督職員を含む。（昭三八・一二・一九通知）

●管財課の職員が、公有財産の管理処分の総合調整に係る事務を含む当該事務に従事しない場合に限り、本条の職員には該当しない。（昭五二・七・一三行実）

●本条の規定は、処分の方法（例えば、公募抽せんの方法）を問わず適用される。（昭五二・七・一三行実）

2）○処分の制限を受ける公有財産は、公有財産に関する事務に従事する職員が現に取り扱い、又は取り扱い得る状態にあるものに限られ、既往において取り扱つていたものは含まれない。

❖法二三八条の四関係

1）●行政財産の管理及び処分については、公共施設の集約化に当たっての効率的かつ効果的な施設整備や余剰地の利活用の促進等に資するよう、将来における行政財産としての用途廃止後に普通財産に切り替えた上で売り払う内容の契約であって、契約締結後の事情変更等にも支障なく対応できる限り、行政財産として供用している間に契約を締結することが可能である。（平三〇・三・二六通知）

2）○行政処分により使用させる趣旨であり、契約により貸し付けるものではない。

3）●許可するに当り、取消によって生じた損失を補償しない旨の条件を附しておくことが適当である。（昭三八・一二・一九通知）

●行政財産である港湾施設の船室待合所に広告物を掲示する場合は、目的外使用の許可事項である。（昭三九・七・一行実）

●行政財産の目的外使用の許可について、相手方に不

を行う上で適当と認める者に限る。）に当該土地を貸し付けるとき。

二　普通地方公共団体が国、他の地方公共団体又は政令で定める法人と行政財産である土地の上に一棟の建物を区分して所有するためその者に当該土地を貸し付ける場合

三　普通地方公共団体が行政財産である土地及びその隣接地の上に当該普通地方公共団体以外の者と一棟の建物を区分して所有するためその者（当該建物のうち行政財産である部分を管理する普通地方公共団体が当該行政財産の適正な方法による管理を行う上で適当と認める者に限る。）に当該土地を貸し付ける場合

四　行政財産のうち庁舎その他の建物及びその附帯施設並びにこれらの敷地（以下この号において「庁舎等」という。）についてその床面積又は敷地に余裕がある場合として政令で定める場合において、当該普通地方公共団体以外の者（当該庁舎等を管理する普通地方公共団体が当該庁舎等の適正な方法による管理を行う上で適当と認める者に限る。）に当該余裕がある部分を貸し付けるとき（前三号に掲げる場合に該当する場合を除く。）。

五　行政財産である土地を国、他の地方公共団体又は政令で定める法人の経営する鉄道、道路その他政令で定める施設の用に供する場合において、その者のために当該土地に地上権を設定するとき。

六　行政財産である土地を国、他の地方公共団体又は政令で定める法人の使用する電線路その他政令で定める施設の用に供する場合において、その者のために当該土地に地役権を設定するとき。

3　前項第二号に掲げる場合において、当該行政財産であ

が資本金、基本金その他これらに準ずるものの二分の一以上を出資している一般社団法人及び一般財団法人並びに株式会社

三　公共団体又は公共的団体で法人格を有するもののうち、当該普通地方公共団体が行う事務と密接な関係を有する事業を行うもの

四　国家公務員共済組合及び国家公務員共済組合連合会並びに地方公務員共済組合、全国市町村職員共済組合連合会及び地方公務員共済組合連合会

（行政財産である庁舎等を貸し付けることができる場合）

第百六十九条の三　地方自治法第二百三十八条の四第二項第四号に規定する政令で定める場合は、同号に規定する庁舎等の床面積又は敷地のうち、当該普通地方公共団体の事務又は事業の遂行に関し現に使用され、又は使用されることが確実であると見込まれる部分以外の部分がある場合とする。

（行政財産である土地に地上権を設定することができる法人等）

第百六十九条の四　地方自治法第二百三十八条の四第二項第五号に規定する政令で定める法人は、次に掲げる法人とする。

一　独立行政法人鉄道建設・運輸施設整備支援機構、鉄道事業法（昭和六十一年法律第九十二号）第三条第一項の許可を受けた鉄道事業者及び軌道法（大正十年法律第七十六号）第三条の特許を受けた軌道経営者

二　独立行政法人日本高速道路保有・債務返済機構、高速道路株式会社法（平成十六年法律第九十九号）第一条に規定する会社及び地方道路公社

三　電気事業法（昭和三十九年法律第百七十号）第二条第一項第十七号に規定する電気事業者

利益な条件を付したときは、不服申立ての教示が必要である。（昭三九・一〇・二七通知）

●行政財産の目的外使用の許可を受けた者が他の者に当該行政財産の全部又は一部を転貸することは、許可処分の性質上認められない。（昭四〇・一・二二行実）

●県の指定金融機関が県庁内の一室に事務所を設置する場合は許可を要する。（昭四二・八・一四行実）

●行政財産の目的外使用許可に係る許可期間については、将来当該財産を本来の目的に使用したとき、直ちに原状回復又は使用関係の是正が困難となり、ひいては行政財産の本来の用途又は目的を妨げる結果ともなるような長期継続的使用の許可ができないものであるとされているが、どのような場合が、用途又は目的を妨げない限度であるかは、具体的事例により個別的に判断することとされている。

このことを踏まえ、太陽光発電用のソーラーパネルを設置するため行政財産である庁舎等の屋根の使用を許可することについては、建物の構造や耐震性、耐用年数等態様上の問題がなく、将来にわたって屋根を公用又は公共用に使用する予定がない場合には、適切な期間設定による長期継続的使用の許可をすることも可能である。（平二五・六・二六通知）

④

●屋外用通信基地局を設置するため行政財産の使用を許可することについても、行政財産の構造や耐震性、耐用年数等態様上の問題がなく、かつ、将来にわたって行政財産を公用又は公共用に使用する予定がない等の場合には、適切な期間設定による長期継続的使用の許可をすることが可能である。（令六・七・一通知）

●地方公共団体の庁舎等において、専ら地方公共団体の事務、事業の遂行のために使用させる場合には、行政財産の目的外使用には当たらず、よって同項の許可は必要とならない。したがって、例えば、地方公共団体の事務、事業の遂行のために屋内用通信基地局の整備を行う場合（公用端末の通信の用に供する場合のほか、職員及び来庁者が地方公共団体の事務、事業の遂

地方自治法

る土地の貸付けを受けた者が当該土地の上に所有する一棟の建物の一部（以下この項及び次項において「特定施設」という。）を当該普通地方公共団体以外の者に譲渡しようとするときは、当該特定施設を譲り受けようとする者（当該行政財産を管理する普通地方公共団体が当該行政財産の適正な方法による管理を行う上で適当と認める者に限る。）に当該土地を貸し付けることができる。

4　前項の規定は、同項（この項において準用する場合を含む。）の規定により行政財産である土地の貸付けを受けた者が当該特定施設を譲渡しようとする場合について準用する。

5　前三項の場合においては、次条第四項及び第五項の規定を準用する。

6　第一項の規定に違反する行為は、これを無効とする。

7　行政財産は、その用途又は目的を妨げない限度においてその使用[2]を許可[3]することができる。

8　前項の規定による許可を受けてする行政財産の使用については、借地借家法[4]（平成三年法律第九十号）の規定は、これを適用しない。

9　第七項の規定により行政財産の使用を許可した場合において、公用若しくは公共用に供するため必要を生じたとき、又は許可の条件に違反する行為があると認めるときは、普通地方公共団体の長又は委員会は、その許可を取り消すことができる。

＊　本条―追加〔昭三八・六法九九〕、一項―一部改正・二項―追加・旧二・五項―一部改正し一項ずつ繰下・旧三・四項―一項ずつ繰下〔昭四九・六法七一〕、一・二項―一部改正〔昭六一・五法七五〕、五項―一部改正〔平三・一〇法九〇〕、一項―

地方自治法施行令

四　ガス事業法（昭和二十九年法律第五十一号）第二条第十二項に規定するガス事業者

五　水道法（昭和三十二年法律第百七十七号）第三条第五項に規定する水道事業者

六　電気通信事業法（昭和五十九年法律第八十六号）第百二十条第一項に規定する認定電気通信事業者

2　地方自治法第二百三十八条の四第二項第五号に規定する政令で定める施設は、次に掲げる施設とする。

一　軌道

二　電線路

三　ガスの導管

四　水道（工業用水道を含む。）の導管

五　下水道の排水管及び排水渠

六　電気通信線路

七　鉄道、道路及び前各号に掲げる施設の附属設備

（行政財産である土地に地役権を設定することができる法人等）

第百六十九条の五　地方自治法第二百三十八条の四第二項第六号に規定する政令で定める法人は、電気事業法第二条第一項第十七号に規定する電気事業者とする。

2　地方自治法第二百三十八条の四第二項第六号に規定する政令で定める施設は、電線路の附属設備とする。

行政実例・通知・判例・注釈

行のために必要な通信の用に供する場合を含む。）についても、行政財産の目的外使用には当たらない。他方、例えば、地方公共団体の事務、事業の遂行以外の目的で屋外用通信基地局を整備する場合等については、行政財産の目的外使用に当たる。（令六・七・一通知）

●行政財産の目的外使用には、農地法に規定する土地の利用関係の規制（賃貸借の更新、小作料の定額、小作料の減額請求権等）の適用はない。（昭三九・一〇・二七通知）

※

●庁舎管理規則において、一定の目的のための庁舎への出入について許可を要する旨及び庁舎内において一定の行為を禁ずる旨を規定することができる。（昭三七・八・二〇行実）

※

●県営土地改良事業によつて生じた土地改良施設を当該所在の地方公共団体（または土地改良区）に本来の目的をもつて移譲する場合には、行政財産たる当該財産をいつたん普通財産に用途変更した後に譲渡し、譲渡を受けた地方公共団体は、これを直ちに行政財産として管理することが適当である。（昭四五・七・一四行実）

❖令一六九条の二関係

1）○「総務大臣が指定するもの」とは、特殊法人登記令（昭和三九年政令第二八号、現行では独立行政法人等登記令）別表の名称の欄に掲げる法人（国又は普通地方公共団体において出資しているものに限る。）とする。（昭四九・六・一〇告示一二七号）

一部改正・二項―全改・三～五項―追加・旧三～五項―三項ずつ繰下・旧六項―一部改正し九項に繰下（平一八・六法五三）

【参照条文】
①【信託―信託法一等　国有財産法二〇等
②【政令―令一六九～一六九の五
※　法一四九Ⅵ・二二五・二三八　公企法六・九Ⅶ・三三　地教法二二Ⅱ・二八　法附則（昭三八法九九）一〇1　国有財産法一八

（**普通財産の管理及び処分**）
第二百三十八条の五　普通財産は、これを貸し付け[1]、交換し、売り払い、譲与し、若しくは出資の目的とし、又はこれに私権を設定することができる。
２　普通財産である土地（その土地の定着物を含む。）は、当該普通地方公共団体を受益者として政令で定める信託の目的により、これを信託する[2]ことができる。
３　普通財産のうち国債その他の政令で定める有価証券（以下この項において「国債等」という。）は、当該普通地方公共団体を受益者として、指定金融機関その他の確実な金融機関に国債等をその価額に相当する担保の提供を受けて貸し付ける方法により当該国債等を運用することを信託の目的とする場合に限り、信託することができる。
４　普通財産を貸し付けた場合において、その貸付期間中に国、地方公共団体その他公共団体において公用又は公共用に供するため必要を生じたときは、普通地方公共団体の長は、その契約を解除する[3]ことができる。
５　前項の規定により契約を解除した場合においては、借受人は、これによつて生じた損失につきその補償を求めることができる。

（**普通財産の信託**）
第百六十九条の六　地方自治法第二百三十八条の五第二項に規定する政令で定める信託の目的は、次に掲げるものとする。
一　信託された土地に建物を建設し、又は信託された土地を造成し、かつ、当該土地（その土地の定着物を含む。以下この項において同じ。）の管理又は処分を行うこと。
二　前号に掲げる信託の目的により信託された土地の信託の期間の終了後に、当該土地の管理又は処分を行うこと。
三　信託された土地の処分を行うこと。
２　地方自治法第二百三十八条の五第三項に規定する政令で定める有価証券は、国債、地方債及び同法第二百三十八条第一項第六号に規定する社債とする。

（**売払代金等の納付**）
第百六十九条の七　普通財産の売払代金又は交換差金は[1]、当該財産の引渡前にこれを納付させなければならない[2]。
２　前項の規定にかかわらず、普通地方公共団体の長は、普通財産を譲渡する場合において、当該財産の譲渡を受ける者が当該売払代金又は交換差金を一時に納付するこ

❖　法二三八条の五関係
1）●本条第一項の規定により普通財産はこれを貸し付け、交換すること等ができるのであるが、この場合において法第二三七条第二項の適用を受けるものである。（昭三八・一二・一九通知）
2）●主たる部分が公用・公共用施設であっても、その他の施設が併設され、その収益により信託配当を受けることによって、地方公共団体が負担する費用が他の手法（直接施行する場合やPFIで行う場合等）と比較して安価となる場合には、地方公共団体が土地信託制度を活用する合理性がある。（平一四・五・一通知）
3）●本条第二項（現行第四項）の規定は、地方公共団体に対し、公益的な目的のために一般私法上の解除権とは別個の特別な解除権を認めたものであるから、本項に基づく解除については民法第五四〇条の規定が当然に適用されるものではないが、類推適用される。本条第二項（現行第四項）の規定と第三項（現行第五項）の損失補償請求権の規定とは、その保護する法益目的がちがうので、損失補償とは別に解除の効力は発生し、損失補償をもつて同時履行の抗弁権を行使することはできない。（昭三九・一一・一〇行実）
●本条第二項（現行第四項）の解除権は、契約中に解除権を留保していない場合においても本条文を根拠として行使することができる。（昭四〇・一一・二六行実）

地方自治法

6　普通地方公共団体の長が一定の用途並びにその用途に供しなければならない期日及び期間を指定して普通財産を貸し付けた場合において、借受人が指定された期日を経過してもなおこれをその用途に供せず、又はこれをその用途に供した後指定された期間内にその用途を廃止したときは、当該普通地方公共団体の長は、その契約を解除することができる。

7　第四項及び第五項の規定は貸付け[4]以外の方法により普通財産を使用させる場合に、前項の規定は普通財産を売り払い、又は譲与する場合に準用する。

8　第四項から第六項までの規定は、普通財産である土地（その土地の定着物を含む。）を信託する場合に準用する。

9　第七項に定めるもののほか普通財産の売払いに関し必要な事項及び普通財産の交換に関し必要な事項は、政令でこれを定める。

＊　本条—追加（昭三八・六法九九）、二項—追加・旧二〜四項—一項ずつ繰下・旧五項—一部改正し六項に繰下・七項—追加・旧六項—一部改正し八項に繰下（昭六一・五法七五）、三項—追加・旧三〜五項—一項ずつ繰下・旧六〜八項—一部改正し一項ずつ繰下（平一八・六法五三）

【参照条文】
②・③【信託—信託法一等　【受益者—信託法八八等
【政令—令一六九の六
⑨【政令—令一六九の七
※　法九六1Ⅵ・Ⅶ・一四九Ⅵ・一九九7・二二一3・二三七2・3・二三八　地財法八　公企法六・九Ⅶ・三三　地教法二一Ⅱ　法附則（昭三八法九九）一〇2　国有財産法二〇・二八の二

地方自治法施行令

とが困難であると認められるときは、確実な担保を徴し、かつ、利息を付して、五年以内の延納の特約をすることができる。ただし、次の各号に掲げる場合においては、延納期限を当該各号に掲げる期間以内とすることができる。

一　他の地方公共団体その他公共団体に譲渡する場合　十年

二　住宅又は宅地[3]を現に使用している者に譲渡する場合　十年

三　分譲することを目的として取得し、造成し、又は建設した土地又は建物を譲渡する場合　二十年

四　公営住宅法（昭和二十六年法律第百九十三号）第四十四条第一項の規定により公営住宅又はその共同施設（これらの敷地を含む。）を譲渡する場合　三十年

3　前項の規定により延納の特約をしようとする場合において、普通財産の譲渡を受けた者が国又は他の地方公共団体であるときは、担保を徴しないことができる。

（有価証券の出納）

第百六十九条の八　第百六十八条の七第二項の規定は、公有財産に属する有価証券の出納についてこれを準用する。

行政実例・通知・判例・注釈

4）○「貸付け以外の方法」とは、地上権、地役権等の用益物権を設定すること等をいう。

※　●町長が地方自治法所定の町議会の同意を得て町有財産である廃道敷を売却した行為は、私法行為であって、行政事件訴訟特例法第一条（現行法では行政事件訴訟法第三条）にいう「行政庁の処分」ではないから、その取消を求める訴は不適法である。（昭三〇・七・二〇地裁判）

※　●都道府県が実施する施設譲渡事業において、譲渡対象施設たる建物については、当該建物の建設完了後直ちに譲渡が行なわれるものである限り、都道府県は所有権の保存の登記を行なうことなく、譲受人が直接所有権の保存の登記をすることもさしつかえない。（昭四四・二・六行実）

⚜令一六九条の七関係

1）○「交換差金」とは、等価でない財産を交換する場合において価格の差額を補填するために支払う金銭をいう。

2）●売払代金又は交換差金は、登記又は登録完了前に納付させなければならない。（昭三九・一〇・二七通知）

3）●宅地とは、一般に建物敷地としての宅地であり、住宅敷地、工場敷地、倉庫敷地、病院敷地、事務所敷地等が含まれる。（昭四一・五・一三行実）

（旧慣による公有財産の使用）

第二百三十八条の六　旧来の慣行[1]により市町村の住民中特に公有財産を使用する権利[2]を有する者があるときは、その旧慣による。その旧慣を変更し、又は廃止しようとするときは、市町村の議会の議決を経なければならない。

2　前項の公有財産をあらたに使用しようとする者があるときは、市町村長は、議会の議決を経て、これを許可することができる。

＊本条—追加〔昭三八・六法九九〕

【参照条文】

①【住民—法一〇1　【議決—法九六1XV・一一六

※　法二二六・二二九

（行政財産を使用する権利に関する処分についての審査請求）

第二百三十八条の七　第二百三十八条の四の規定により普通地方公共団体の長以外の機関がした行政財産を使用する権利に関する処分についての審査請求は、普通地方公共団体の長が当該機関の最上級行政庁でない場合においても、当該普通地方公共団体の長に対してするものとする。

2　普通地方公共団体の長は、行政財産を使用する権利に関する処分についての審査請求がされた場合には、当該審査請求が不適法であり、却下するときを除き、議会に諮問した上、当該審査請求に対する裁決をしなければな

❖法二三八条の六関係

1）○「旧来の慣行」とは、通常旧慣といわれ、市制、町村制の施行以前から続いている慣行の意である。

●部落と村との協定により各部落民の有する利用権等は「旧慣」に該当する。（昭二四・五・一六行実）

2）●いわゆる「慣行の使用権」とは、溜池の用水、柴草山の肥料、山林の下草の採取等のため慣行がある区域に限り使用するようなものをいう。（行実）

※●旧慣の変更廃止は議会の議決で行ないうるが、当該財産を市町村と各部落との間に一定の条件の下に市町村有に統合したものである場合、当該統一条件は尊重し不当に旧慣による権利を侵さないようにすべきである。（昭二四・五・一六行実）

※●旧部落有財産の管理処分に関し新たに当該部落民会の同意を要する旨の条例を設けることはさしつかえない。（昭二四・五・一六行実）

※●旧慣による財産が、関係町村を異にする三部落に係る財産区の所有である場合には、当該財産の管理処分については、関係町村の一部事務組合を設けるのが適当である。（昭二八・一一・九行実）

❖法二三八条の七関係

1）○「諮問があつた日から二十日以内」とは、諮問があつた日の翌日を第一日として二〇日目に当たる日までを指す。

○「二十日」の期限は訓示的規定であつて、それより遅れて意見を述べた場合でも効力には影響がない。

2）●議会の答申意見は尊重されるべきであるが、必ずしも常に長はそれに絶対的に拘束されるということはない。（昭二六・七・一七行実）

自治法

地方自治法

らない。

3　議会は、前項の規定による諮問[1]を受けた日から二十日以内に意[2]見を述べなければならない。

4　普通地方公共団体の長は、第二項の規定による諮問をしないで同項の審査請求を却下したときは、その旨を議会に報告しなければならない。

＊　本条―追加〔昭三八・六法九九〕、一・六項―一部改正〔平一一・一二法一六〇〕、一・二・六項―削る・旧三・四項―一部改正し二項ずつ繰上・旧五項―三項に繰上〔平二六・六法六九〕、二・三項―一部改正・四項―追加〔平二九・四法二五〕

【引用条文】

①・②・③【法二三八の四（行政財産の管理及び処分）

【参照条文】

※　法二五五の三・二五六・二五七2・二五八・附則（昭三八法九九）一四　行政不服審査法

第二款　物品

＊　款名―追加〔昭三八・六法九九〕

（物品）

第二百三十九条　この法律において「物品」とは、普通地方公共団体の所有に属する動産で次の各号に掲げるもの以外のもの及び普通地方公共団体が使用のために保管する動産（政令で定める動産を除く。）をいう。

一　現金（現金に代えて納付される証券を含む。）

二　公有財産に属するもの

三　基金に属するもの

2　物品に関する事務に従事する職員は、その取扱いに係

地方自治法施行令

（物品の範囲から除かれる動産）

第百七十条　地方自治法第二百三十九条第一項に規定する政令で定める動産は、警察法第七十八条第一項の規定により都道府県警察が使用している国有財産及び国有の物品とする。

（関係職員の譲受けを制限しない物品）

第百七十条の二　地方自治法第二百三十九条第二項に規定する政令で定める物品は、次の各号に掲げる物品とする。

一　証紙その他その価格が法令の規定により一定してい

行政実例・通知・判例・注釈

※　法二三九条関係

●物品の分類（備品、消耗品等）は、地方公共団体において適宜分類してさしつかえない。（昭三八・一二・一九通知）

●県の収入証紙が遺失物法第一五条（現行法では第三七条第一項）の規定により県に帰属した場合の取扱は、物品として県に帰属させるべきである。（昭四〇・五・二五行実）

●災害救助法による応急仮設住宅は物品として取扱うのが適当である。（昭四二・二・一四行実）

る物品（政令で定める物品を除く。）を普通地方公共団体から譲り受けることができない。

3 前項の規定に違反する行為は、これを無効とする。

4 前二項に定めるもののほか、物品の管理及び処分に関し必要な事項は、政令でこれを定める。

5 普通地方公共団体が保管するもの（使用のために保管するものを除く。）のうち政令で定めるもの（以下「占有動産」という。）の管理に関し必要な事項は、政令でこれを定める。

＊本条―全改〔昭三八・六法九九〕

【参照条文】

①【動産―民法八六】【政令の定め―令一七〇】【公有財産―法二三八】【基金―法二四一】

②【公有財産に関する規定―法二三八の三】【政令の定め―令一七〇の二】

④【政令―令一七〇の三・一七〇の四】

⑤【政令―令一七〇の五】

第三款 債権

＊款名―追加〔昭三八・六法九九〕

（債権）

第二百四十条 この章において「債権」とは、金銭の給付

る物品

二 売払いを目的とする物品又は不用の決定をした物品で普通地方公共団体の長が指定するもの

（物品の出納）

第百七十条の三 第百六十八条の七第二項の規定は、物品（基金に属する動産を含む。）の出納についてこれを準用する。

（物品の売払い）

第百七十条の四 物品は、売払いを目的とするもののほか、不用の決定をしたものでなければ、売り払うことができない。

（占有動産）

第百七十条の五 地方自治法第二百三十九条第五項に規定する政令で定める動産は、次の各号に掲げる動産とする。

一 普通地方公共団体が寄託[1]を受けた動産

二 遺失物法（平成十八年法律第七十三号）第四条第一項若しくは第十三条第一項若しくは児童福祉法（昭和二十二年法律第百六十四号）第三十三条の二の二若しくは第三十三条の三の規定により保管する動産[2]又は生活保護法（昭和二十五年法律第百四十四号）第七十六条第一項に規定する遺留動産

2 占有動産は、法令に特別の定めがある場合を除くほか、会計管理者がこれを管理する。この場合においては、第百六十八条の七第二項の規定を準用する。

（督促）

第百七十一条 普通地方公共団体の長は、債権（地方自治

❖令一七〇条の五関係

1）○「寄託」とは、受寄者が寄託者のために受寄物の原状を維持・保全することを約し、ある物を受け取ることをいう。

●公の施設として条例の定めるところによって設置した県営放牧場が一定期間所有者から預かって飼育している家畜は、占有動産である。（昭四〇・二・二六行実）

2）●本条第一項第二号の「動産」には現金・有価証券は含まれない。（昭三八・一二・一九通知）

地方自治法

を目的とする普通地方公共団体の権利をいう。

2　普通地方公共団体の長は、債権について、政令の定めるところにより、その督促、強制執行その他その保全及び取立てに関し必要な措置をとらなければならない。

3　普通地方公共団体の長は、債権について、政令の定めるところにより、その徴収停止、履行期限の延長又は当該債権に係る債務の免除をすることができる。

4　前二項の規定は、次の各号に掲げる債権については、これを適用しない。

一　地方税法の規定に基づく徴収金に係る債権

二　過料に係る債権

三　証券に化体されている債権（国債に関する法律（明治三十九年法律第三十四号）の規定により登録されたもの及び社債、株式等の振替に関する法律の規定により振替口座簿に記載され、又は記録されたものを含む。）

四　電子記録債権法（平成十九年法律第百二号）第二条第一項に規定する電子記録債権

五　預金に係る債権

六　歳入歳出外現金となるべき金銭の給付を目的とする債権

七　寄附金に係る債権

八　基金に属する債権

＊本条―全改（昭三八・六法九九）、四項―一部改正（平一三・六法七五、平一四・六法六五、平一六・六法八八、平一九・六法一〇二、平二六・六法六九）

【参照条文】

地方自治法施行令

法第二百三十一条の三第一項に規定する歳入に係る債権を除く。）について、履行期限までに履行しない者があるときは、期限を指定してこれを督促しなければならない。

（強制執行等）

第百七十一条の二　普通地方公共団体の長は、債権（地方自治法第二百三十一条の三第三項に規定する分担金等に係る債権（第百七十一条の五及び第百七十一条の六第一項において「強制徴収により徴収する債権」という。）を除く。）について、同法第二百三十一条の三第一項又は前条の規定による督促をした後相当の期間を経過してもなお履行されないときは、次に掲げる措置をとらなければならない。ただし、第百七十一条の五の措置をとる場合又は第百七十一条の六の規定により履行期限を延長する場合その他特別の事情があると認める場合は、この限りでない。

一　担保の付されている債権（保証人の保証がある債権を含む。）については、当該債権の内容に従い、その担保を処分し、若しくは競売その他の担保権の実行の手続をとり、又は保証人に対して履行を請求すること。

二　債務名義のある債権（次号の措置により債務名義を取得したものを含む。）については、強制執行の手続をとること。

三　前二号に該当しない債権（第一号に該当する債権で同号の措置をとつてなお履行されないものを含む。）については、訴訟手続（非訟事件の手続を含む。）により履行を請求すること。

（履行期限の繰上げ）

第百七十一条の三　普通地方公共団体の長は、債権につい

行政実例・通知・判例・注釈

※②・③【政令】令一七一～一七一の七
※法二三一の三1・4・二三五の四1・2・二四一7
※民法一編五章・六章・三編　商法　会社法　民訴
非訟事件手続法等

て履行期限を繰り上げることができる理由が生じたときは、遅滞なく、債務者に対し、履行期限を繰り上げる旨の通知をしなければならない。ただし、第百七十一条の六第一項各号の一に該当する場合その他特に支障があると認める場合は、この限りでない。

（**債権の申出等**）

第百七十一条の四　普通地方公共団体の長は、債権について、債務者が強制執行又は破産手続開始の決定を受けたこと等を知つた場合において、法令の規定により当該普通地方公共団体が債権者として配当の要求その他債権の申出をすることができるときは、直ちに、そのための措置をとらなければならない。

2　前項に規定するもののほか、普通地方公共団体の長は、債権を保全するため必要があると認めるときは、債務者に対し、担保の提供（保証人の保証を含む。）を求め、又は仮差押え若しくは仮処分の手続をとる等必要な措置をとらなければならない。

（**徴収停止**）

第百七十一条の五　普通地方公共団体の長は、債権（強制徴収により徴収する債権を除く。）で履行期限後相当の期間を経過してもなお完全に履行されていないものについて、次の各号の一に該当し、これを履行させることが著しく困難又は不適当であると認めるときは、以後その保全及び取立てをしないことができる。

一　法人である債務者がその事業を休止し、将来その事業を再開する見込みが全くなく、かつ、差し押えることができる財産の価額が強制執行の費用をこえないと認められるとき。

二　債務者の所在が不明であり、かつ、差し押えることができる財産の価額が強制執行の費用をこえないと認

⚜ 令一七一条の五関係
○徴収停止後一定期間経過後当該徴収停止に係る債権が当然に消滅するという制度を条例により設けることはできず、権利放棄（法第九六条第一項第一〇号）の措置をとるか、時効（法第二三六条）により債権が消滅するのを待つほかない。
※●本条は、債権の保全及び取立てをしないことができる場合を定めたにすぎず、地方税法第一五条の七第四項の徴収金納付義務の消滅というような効果はない。
（昭三九・一〇・一五行実）

地方自治法

地方自治法施行令

められるときその他これに類するとき。

三　債権金額が少額で、取立てに要する費用に満たないと認められるとき。

（履行延期の特約等）

第百七十一条の六　普通地方公共団体の長は、債権（強制徴収により徴収する債権を除く。）について、次の各号の一に該当する場合においては、その履行期限を延長する特約[1]又は処分をすることができる。この場合において、当該債権の金額を適宜分割して履行期限を定めることを妨げない。

一　債務者が無資力又はこれに近い状態にあるとき。

二　債務者が当該債務の全部を一時に履行することが困難であり、かつ、その現に有する資産の状況により、履行期限を延長することが徴収上有利であると認められるとき。

三　債務者について災害、盗難その他の事故が生じたことにより、債務者が当該債務の全部を一時に履行することが困難であるため、履行期限を延長することがやむを得ないと認められるとき。

四　損害賠償金又は不当利得による返還金に係る債権について、債務者が当該債務の全部を一時に履行することが困難であり、かつ、弁済につき特に誠意を有すると認められるとき。

五　貸付金に係る債権について、債務者が当該貸付金の使途に従つて第三者に貸付けを行なつた場合において、当該第三者に対する貸付金に関し、第一号から第三号までの一に該当する理由があることその他特別の事情により、当該第三者に対する貸付金の回収が著しく困

行政実例・通知・判例・注釈

令一七一条の六関係

1）●債務者に連帯保証人がある場合においても、本条の規定に基づき、履行期限の延長の特約をすることはさしつかえない。（昭四四・二・六行実）

難であるため、当該債務者がその債務の全部を一時に履行することが困難であるとき。

2　普通地方公共団体の長は、履行期限後においても、前項の規定により履行期限を延長する特約又は処分をすることができる。この場合においては、既に発生した履行の遅滞に係る損害賠償金その他の徴収金（次条において「損害賠償金等」という。）に係る債権は、徴収すべきものとする。

（免除）

第百七十一条の七　普通地方公共団体の長は、前条の規定により債務者が無資力又はこれに近い状態にあるため履行延期の特約又は処分をした債権について、当初の履行期限（当初の履行期限後に履行延期の特約又は処分をした場合は、最初に履行延期の特約又は処分をした日）から十年を経過した後において、なお、債務者が無資力又はこれに近い状態にあり、かつ、弁済することができる見込みがないと認められるときは、当該債権及びこれに係る損害賠償金等を免除することができる。

2　前項の規定は、前条第一項第五号に掲げる理由により履行延期の特約をした貸付金に係る債権で、同号に規定する第三者が無資力又はこれに近い状態にあることに基づいて当該履行延期の特約をしたものについて準用する。この場合における免除については、債務者が当該第三者に対する貸付金について免除することを条件としなければならない。

3　前二項の免除をする場合については、普通地方公共団体の議会の議決は、これを要しない。

地方自治法

第四款　基金

＊本款…全改〔昭三八・六法九九〕

（基金）

第二百四十一条　普通地方公共団体は、条例の定めるところにより、特定の目的のために財産[1]を維持し、資金[2]を積み立て、又は定額の資金を運用するための基金[3]を設けることができる。

2　基金は、これを前項の条例で定める特定の目的に応じ、及び確実かつ効率的に運用しなければならない。

3　第一項の規定により特定の目的のために財産を取得し、又は資金を積み立てるための基金を設けた場合においては、当該目的のためでなければこれを処分[4]することができない。

4　基金の運用から生ずる収益及び基金の管理に要する経費は、それぞれ毎会計年度の歳入歳出予算に計上しなければならない。

5　第一項の規定により特定の目的のために定額の資金を運用するための基金を設けた場合においては、普通地方公共団体の長は、毎会計年度、その運用の状況を示す書類を作成し、これを監査委員の審査に付し、その意見を付けて、第二百三十三条第五項の書類と併せて議会に提出しなければならない。

6　前項の規定による意見の決定は、監査委員の合議によるものとする。

7　基金の管理については、基金に属する財産の種類に応じ、収入若しくは支出の手続、歳計現金の出納若しくは保管、公有財産若しくは物品の管理若しくは処分又は債

地方自治法施行令

行政実例・通知・判例・注釈

❖法二四一条関係

1）○従前の基本財産に相当するがその目的のためならそれから生ずる収益はもちろん元本をも処分し使用してさしつかえない。

2）○従前の積立金穀に相当するもので、減債基金・財政調整積立金等がこれに相当する。

●公営住宅敷金を本条に基づき条例を設け、基金として管理することは差支えない。（昭四〇・七・二一行実）

3）●地財法第四条の三及び同法第七条の規定による積み立ては、基金としての設置条例を必要とする。（昭四一・六・三〇行実）

●土地開発基金により用地等を先行取得する場合に要する測量・杭打並びに旅費及び通信費等の経費は、別途予算に計上して支出すべきである。（昭四五・一一・二一行実）

4）●災害救助基金に属する現金を処分して同基金の設置目的のために使用する場合には歳入歳出予算に計上しなければならない。（昭三九・一二・二四行実）

5）○財産の種類に応じて、そのそれぞれに対応する処理又は管理若しくは処分に関する規定をそのまま適用して基金に属する財産の処理又は管理若しくは処分を行なうことである。

●基金に属する現金を金融機関に預金する場合の取扱いは、出納長（現行法では会計管理者）が預金先、預金の種別（定期・普通等）を決め、預金の手続をする。この場合において、指定金融機関以外の金融機関に預金するものについては、知事に協議する。（昭三九・一二・九行実）

権の管理の例[5]による。

8　第二項から前項までに定めるもののほか、基金の管理及び処分に関し必要な事項は、条例でこれを定めなければならない。

＊本条―全改〔昭三八・六法九九〕、五項―一部改正・六項―追加・旧六項―七項に繰下・旧七項―一部改正し八項に繰下〔平三・四法二四〕、六項―一部改正〔平九・六法六七〕

【引用条文】

⑤【法二三三（決算）5

【参照条文】

①※法二三三の二　地財法七1

④・⑤【会計年度―法二〇八1　【歳入歳出予算―法二一五　※法二一〇

⑦【財産の種類―法二三七1　【収入の手続―法二三一・二三一の二　【支出の手続―法二三二の三～二三二の五　【歳計現金の出納保管―法一七〇2Ⅰ・二三五の四　【財産の管理・処分―法一四九Ⅵ・二三八の四・二三八の五・二三九・二四〇2・3　公企法九Ⅶ　地教法二一Ⅱ

⑧※法九六1Ⅰ

第十節　住民による監査請求及び訴訟

＊本節―全改〔昭三八・六法九九〕

（住民監査請求）

第二百四十二条　普通地方公共団体の住民[1]は、当該普通地方公共団体の長若しくは委員会若しくは委員又は当該普通地方公共団体の職員[2]について、違法若しくは不当[3]な公金の支出、財産の取得、管理若しくは処分、契約の締結若しくは履行若しくは債務その他の義務の負担がある[4]（当該行為がなされることが相当の確実さをもつて予測さ

（住民による監査請求）

第百七十二条　地方自治法第二百四十二条第一項の規定による必要な措置の請求は、その要旨を記載した文書をもつてこれをしなければならない。

2　前項の規定による請求書は、総務省令で定める様式によりこれを調製しなければならない。

●基金に属する現金を定期預金しているもので、その預金が満期になつた場合の取扱いは、知事から別段の指示がない限り、出納長（現行法では会計管理者）が切替の手続を行ない、同時に当該利子額、利子計算期日等を知事に通知して知事が調定の手続をする。（昭三九・一二・九行実）

●定額の資金を運用するための基金については、法第二三五条の五（出納の閉鎖）の規定の適用はない。歳入歳出予算に計上した収益金の基金からの当該会計への振替は収益額が確定し、現金が確保された段階で振替すればよい。（昭四一・一二・一四行実）

❖法二四二条関係

1）●「住民」の範囲は、法律上の行為能力の認められている限り法人たると個人たるとを問わない。（昭二三・一〇・三〇行実）

●一部事務組合を構成する普通地方公共団体の住民は、当該一部事務組合の監査委員に対し、住民監査請求ができる。（昭四五・七・一四行実）

●請求人四名のうち一名が当該団体の住民でない場合

地方自治法

れる場合を含む。）と認めるとき、又は違法若しくは不当に公金の賦課若しくは徴収若しくは[5]財産の管理を怠る事実（以下「怠る事実」という。）があると認めるときは、[6]これらを証する書面を添え、監査委員に対し、監査を求め、当該行為を防止し、若しくは是正し、若しくは当該怠る事実を改め、又は当該行為若しくは怠る事実によつて当該普通地方公共団体の被つた損害を補塡するために必要な措置を講ずべきことを[7]請求することができる。

2　前項の規定による請求は、[8]当該行為のあつた日又は[9]終わつた日から[10]一年を経過したときは、これをすることができない。ただし、正当な理由があるときは、この限りでない。

3　第一項の規定による請求があつたときは、監査委員は、直ちに当該請求の要旨を当該普通地方公共団体の議会及び長に通知しなければならない。

4　第一項の規定による請求があつた場合において、当該行為が違法であると思料するに足りる相当な理由があり、当該行為により当該普通地方公共団体に生ずる回復の困難な損害を避けるため緊急の必要があり、かつ、当該行為を停止することによつて人の生命又は身体に対する重大な危害の発生の防止その他公共の福祉を著しく阻害するおそれがないと認めるときは、監査委員は、当該普通地方公共団体の長その他の執行機関又は職員に対し、理由を付して次項の手続が終了するまでの間当該行為を停止すべきことを勧告することができる。この場合においては、監査委員は、当該勧告の内容を第一項の規定による請求人（以下この条において「請求人」という。）に通知するとともに、これを公表しなければならない。

地方自治法施行令

行政実例・通知・判例・注釈

において、住所要件を有する三名につき住民監査請求は有効に成立しているものであるから受理すべきである。（昭五七・一〇・二六行実）

2）○「職員」とは、形式的には普通地方公共団体の議会の議員を除き一般職たると特別職たるとを問わず、また、長の補助部局だけに限らず委員会等のすべての職員を包含するが、実際には支出又は契約等の事務に関係がある職員が主体となる。

●「普通地方公共団体の職員」には消防分団長及び団員を含む。（昭三三・七・二五行実）

●議長交際費の使途等に関し当該議長を対象とした本条に基く監査請求は受理すべきである。（昭四〇・五・一二行実）

●「公有地の拡大の推進に関する法律」により設立された土地開発公社が行う現金の支出、財産の取得、管理又は処分、契約の締結等について住民監査請求をすることはできない。（昭五〇・一〇・一行実）

3）●「不当な（公金の）支出」とは、一般的には時価により購入しうる物品について額のいかんにかかわらず当該支出が不適当な場合をいう。（昭二三・一〇・一二行実）

●公金とは、法令上当該普通地方公共団体又はその機関の管理に属する現金、有価証券をいう。（昭二三・一〇・一二行実）

●県立高校に対する土地、物品、金銭等の寄附は、県が損害をこうむるおそれがないので、本条の監査請求の対象とはならない。（昭四五・四・二一行実）

●土地区画整理事業の施行者としての知事が行なう保留地の処分は、本条第一項の「財産の処分」に該当するが、換地処分については該当しない。（昭四五・四・二一行実）

4）●職員の昇給決定が違法あるいは不当に行われたとし

5 第一項の規定による請求があつた場合には、監査委員は、監査を行い、当該請求に理由がないと認めるときは、理由を付してその旨を書面により請求人に通知するとともに、これを公表し、当該請求に理由があると認めるときは、当該普通地方公共団体の議会、長その他の執行機関又は職員に対し期間を示して必要な措置を講ずべきことを勧告するとともに、当該勧告の内容を請求人に通知し、かつ、これを公表しなければならない。

6 前項の規定による監査委員の監査及び勧告は、第一項の規定による請求[11]があつた日から六十日以内に行わなければならない。

7 監査委員は、第五項の規定による監査を行うに当たつては、請求人に証拠の提出及び陳述の機会[12]を与えなければならない。

8 監査委員は、前項の規定による陳述の聴取を行う場合又は関係のある当該普通地方公共団体の長その他の執行機関若しくは職員の陳述の聴取を行う場合において、必要があると認めるときは、関係のある当該普通地方公共団体の長その他の執行機関若しくは職員又は請求人を立ち会わせることができる。

9 第五項の規定による監査委員の勧告があつたときは、当該勧告を受けた議会、長その他の執行機関又は職員は、当該勧告に示された期間内に必要な措置を講ずるとともに、その旨を監査委員に通知しなければならない。この場合において、監査委員は、当該通知に係る事項を請求人に通知するとともに、これを公表しなければならない。

10 普通地方公共団体の議会は、第一項の規定による請求があつた後に、当該請求に係る行為又は怠る事実に関する損害賠償又は不当利得返還の請求権その他の権利の放棄に関する議決をしようとするときは、あらかじめ監査

たならば、そのことにより将来当該職員が退職するにあたり不当な額の退職金の支給がなされることが退職手当に関する条例上予測される場合もその是正措置の住民監査請求をなしうる。(昭四九・七・一一行実)

(5)
●「財産の管理を怠る事実」とは、公有財産を不法に占用されているにもかかわらず何らの是正措置を講じない場合等をいう。(昭三八・一二・一九通知)
●一級河川の堤防(国有河川堤防敷地)上に兼用工作物として設置された県道は、本条の財産には該当しない。(昭四一・五・一二行実)
●普通地方公共団体の長その他の財務会計職員の財務会計上の行為を違法、不当としてその是正措置を求める住民監査請求は、特段の事情がない限り、当該行為が違法、無効であることに基づいて発生する実体法上の請求権の不行使を違法、不当とする財産の管理を怠る事実についての監査請求をもその対象として含むものと解すべきである。(昭六二・二・二〇最裁判)
●道路法施行法第五条第一項に基づく使用貸借による権利は、地方自治法第二四二条第一項にいう「財産」に含まれない。(平二・一〇・二五最裁判)

(6)
●「これらを証する書面」は、事実を証するような形式を備えておれば一応受付けなければならない。それが事実であるかどうかは、監査委員の監査によつてはじめて明らかになるものである。(昭二三・一〇・三〇行実)

(7)
●監査委員の監査終了前においては、請求の撤回ができる。(昭二四・一二・二八行実)
●私立保育所で定員を超えて保育し児童福祉法で示された最低基準の保育がなされていないとして、法第二四二条の監査請求があつた場合、この監査請求は長、職員等の行為または事実に対するものではないので受理すべき限りでない。(昭四六・八・一一行実)
●同一住民が同一の財務会計上の行為又は怠る事実を対象として再度の住民監査請求をすることは許されない。(昭六二・二・二〇最裁判)

地方自治法

委員の意見を聴かなければならない。

11　第四項の規定による勧告、第五項の規定による監査及び勧告並びに前項の規定による意見についての決定は、監査委員の合議[13]によるものとする。

＊　本条―全改〔昭三八・六法九九〕、六項―一部改正〔平九・六法六七〕、三項―追加・旧三・五項―一部改正し一項ずつ繰下・旧四項―一項繰下・七項―追加・旧六・七項―一部改正し二項ずつ繰下〔平一四・三法四〕、一項―一部改正・三項―追加・旧三～六項―一部改正し一項ずつ繰下・旧七項―八項に繰下・旧八項―削る・九項―一部改正・一〇・一一項―追加〔平二九・六法五四〕

【参照条文】

①【住民―法一〇1　【公金の支出―法二三二の四・二三二の五　令一六一等　地財法四1　【財産の取得、管理又は処分―法九六1Ⅵ・Ⅶ・Ⅷ・一四九Ⅵ・二三七～二四一　令一二一の二の2　【契約の締結―法九六1Ⅴ　令一二一の二の1　【債務その他の義務負担―法九六1Ⅸ・二一四・二三〇・二三五の三　地財法五　【公金の賦課又は徴収―法九六1Ⅳ・二二三～二三一の三　【本条の請求―令一七二　則一三　【住民監査請求の特例（個別外部監査契約）―法二五二の四三

地方自治法施行令

行政実例・通知・判例・注釈

8）○「当該行為」とは、第一項に規定されている四種類の行為を指す。

●普通地方公共団体の長その他の財務会計職員の財務会計上の行為が違法、無効であることに基づいて発生する実体法上の請求権の不行使をもつて財産の管理を怠る事実とする住民監査請求については、右財務会計上の行為のあつた日又は終わつた日を基準として地方自治法第二四二条第二項の規定を適用すべきである。（昭六二・二・二〇最裁判）

●概算払による公金の支出についての監査請求は、当該公金の支出がされた日から一年を経過したときはできない。（平七・二・二一最裁判）

9）○「終わつた日」とは、当該行為又はその効力が相当の期間継続性を有するものについて、当該行為又はその効力が終了した日（例えば、財産の貸付については、貸付期間の満了した日又は貸付契約の解除された日）を指す。

10）●「正当な理由」の有無は、普通地方公共団体の住民が相当の注意力をもつて調査した時に客観的にみて当該行為を知ることができたかどうか、また、当該行為を知ることができたと解されるときから相当の期間内に監査請求をしたかどうかによつて判断すべきものである。（昭六三・四・二二最裁判）

11）○「請求があつた日から六十日以内」とは、監査請求のあつた日の翌日を第一日とし、六〇日目にあたる日までを指す。

●「請求があつた日」とは、監査請求書が当該行政機関に到達した日、すなわち当該監査請求書に当該都道府県の文書取扱規程等に定める収受印を押印した日である。なお、六〇日の期間計算については、当該日の翌日から起算される。（昭四一・一一・二四行実）

12）●住民監査請求については、法律上代理に関する規定

㊟ 次条中、点線の左側は、令和六年六月二六日から起算して二年六月を超えない範囲内において政令で定める日から施行となる。

（住民訴訟）

第二百四十二条の二 普通地方公共団体の住民は、前条第一項の規定による請求をした場合において、同条第五項

はないが、請求人の陳述については、代理が許される。（昭四一・四・一三行実）

13 ○「合議」とは、全監査委員が協議し、最終的には意見が一致する意である。

●監査委員の定数二人の町において、そのうち一人が除斥された場合における監査は、除斥されない監査委員一人で行う。（昭四八・四・一三行実）

※ ●監査の結果を不服として監査委員に対し異議の申立てがあつた場合、監査委員は、これを受理すべきでない。（昭三三・七・一四行実）

※ ●同一人が同一事件について同一内容の再監査を請求することはできないが、あらたに追加された内容を含むときは、その請求が別個の監査請求と認められる限り監査しなければならない。（昭三三・七・一四行実）

※ ●刑事訴訟が提起され係属中の事件について本条による監査請求があつた場合、これを受理して監査を行なつてよい。（昭三三・七・二五行実）

※ ●同一事件について、二箇以上の請求がなされた場合でも、請求者が異なる以上一事不再議の適用はないが、一箇の請求について行なつた監査の結果に基づいて、請求に係る事実がないと認めるときは、他の請求について改めて監査を行なうことなく、その旨を請求者に通知すれば足りる。（昭三四・三・一九行実）

※ ●農地法により知事が買収し、売り渡す農地等については、本条の財産に該当しない。（昭三四・一〇・二一行実）

⚜ 法二四二条の二関係

1 ●地方自治法第二四二条の二に規定する住民訴訟は、原告が死亡した場合においては、その訴訟を承継する

地方自治法

の規定による監査委員の監査の結果若しくは勧告若しくは同条第九項の規定による普通地方公共団体の議会、長その他の執行機関若しくは職員の措置に不服があるとき、又は監査委員が同条第五項の規定による監査若しくは勧告を同条第六項の期間内に行わないとき、若しくは議会、長その他の執行機関若しくは職員が同条第九項の規定による措置を講じないときは、裁判所に対し、同条第一項の請求に係る違法な行為又は怠る事実につき、訴えをもつて次に掲げる請求をすることができる。[1]

一　当該執行機関又は職員に対する当該行為の全部又は一部の差止めの請求

二　行政処分たる当該行為の取消し又は無効確認の請求

三　当該執行機関又は職員に対する当該怠る事実の違法確認の請求

四　当該職員[2]又は当該行為若しくは怠る事実に係る相手[3]方[4]に損害賠償又は不当利得返還の請求をすることを当該普通地方公共団体の執行機関又は職員に対して求める請求。ただし、当該職員又は当該行為若しくは怠る事実に係る相手方が第二百四十三条の二の八第三項（第二百四十三条の二の九第三項）の規定による賠償の命令の対象となる者である場合には、当該賠償の命令をすることを求める請求

2　前項の規定による訴訟は、次の各号に掲げる場合の区分に応じ、当該各号に定める期間内に提起しなければならない。

一　監査委員の監査の結果又は勧告に不服がある場合　当該監査の結果又は当該勧告の内容の通知があつた日から三十日以内

地方自治法施行令

行政実例・通知・判例・注釈

に由なく、当然に終了するものと解すべきである。（昭五五・二・二二最裁判）

●地方自治法第二四二条の二第一項第二号の訴において、その被告とされるのは当該行政処分をなした行政庁または行政機関であるが、右行政庁あるいは行政機関は本来行政処分の効果の帰属する主体ではなく、その帰属主体である国または公共団体の一機関にすぎないのであるが、訴を提起する者の便宜と、攻撃防禦方法を尽させ、裁判の適正・迅速を期するうえで望ましいといつた観点から、被告適格を認められたものであること、同第二号で訴えられている行政庁または行政機関を構成する者が交替したときは、新構成員が当然にその訴訟を承継すべきものであること、右訴に応訴することもその職務執行の一部と考えうること等の点から考えて、同号に基づき訴えられている町長の応訴費用は当該町において負担すべきものと解するのが相当である。（昭四七・三・二八地裁判）

●市の指導要綱に基づき給水契約留保の措置をとり水道法違反により起訴された市長個人のため市がその弁護士費用（手数料・着手金）を支出したことが違法な公金の支出に当たる。（平一・三・二三最裁判）

●町が地区交通安全協会を経由して県に対してしたミニパトカーの寄附は、法令の規定に基づき経費の負担区分が定められている事務について、地方公共団体相互の間における経費の負担区分を乱すことに当たり、地方財政法第二八条の二に違反するものであつて、そのためにされたミニパトカーの購入及び購入代金の支出も違法なものである。（平八・四・二六最裁判）

2）

●法第二四二条の二第一項第四号にいう「当該職員」とは、当該訴訟において適否が問題とされている財務会計上の行為を行う権限を法令上本来的に有するとされている者及びその者から権限の委任を受けるなどし

二　監査委員の勧告を受けた議会、長その他の執行機関又は職員の措置に不服がある場合　当該措置に係る監査委員の通知があつた日から三十日以内

三　監査委員が請求をした日から六十日を経過しても監査又は勧告を行わない場合　当該六十日を経過した日から三十日以内

四　監査委員の勧告を受けた議会、長その他の執行機関又は職員が措置を講じない場合　当該勧告に示された期間を経過した日から三十日以内

3　前項の期間は、[5]不変期間とする。

4　第一項の規定による訴訟が係属しているときは、当該普通地方公共団体の他の住民は、[6]別訴をもつて同一の請求をすることができない。

5　第一項の規定による訴訟は、当該普通地方公共団体の事務所の所在地を管轄する地方裁判所の管轄に専属する。

6　第一項第一号の規定による請求に基づく差止めは、当該行為を差し止めることによつて[7]人の生命又は身体に対する重大な危害の発生の防止その他公共の福祉を著しく阻害するおそれがあるときは、することができない。

7　第一項第四号の規定による訴訟が提起された場合には、当該職員又は当該行為若しくは怠る事実の相手方に対して、当該普通地方公共団体の執行機関又は職員は、遅滞なく、その訴訟の告知をしなければならない。

8　前項の訴訟告知があつたときは、第一項第四号の規定による訴訟が終了した日から六月を経過するまでの間は、当該訴訟に係る損害賠償又は不当利得返還の請求権の時効は、完成しない。

9　民法第百五十三条第二項の規定は、前項の規定による時効の完成猶予について準用する。

10　第一項に規定する違法な行為又は怠る事実については、

て右権限を有するに至つた者をいう。（昭六二・四・一〇最裁判）

●地方公営企業の管理者が、訓令等により、その権限に属する財務会計上の行為をあらかじめ特定の補助職員に専決させることとしている場合には、右専決により処理した財務会計上の行為の適否が問題とされている代位請求住民訴訟において、管理者及び補助職員は本条第一項第四号にいう「当該職員」に該当する。（平三・一二・二〇最裁判）

3）●土地開発公社の理事の違法な行為につき、その設立者である普通地方公共団体の住民は、地方自治法第二四二条の二第一項第四号の規定による訴訟を提起することができない。（平三・一一・二八最裁判）

●普通地方公共団体の長の権限に属する財務会計上の行為を、委任を受けた吏員（現行法では職員）が処理した場合は、長は、右吏員（現行法では職員）が財務会計上の違法行為をすることを阻止すべき指揮監督上の義務に違反し、故意又は過失により右吏員（現行法では職員）が財務会計上の違法行為をすることを阻止しなかつたときに限り、普通地方公共団体が被つた損害につき賠償責任を負う。（平五・二・一六最裁判）

4）●住民訴訟の対象とされている損害賠償請求権又は不当利得返還請求権を放棄する旨の議決がされた場合、このような請求権が認められる場合は様々であり、個々の事案ごとに、当該請求権の発生原因である財務会計行為等の性質、内容、原因、経緯及び影響、当該議決の趣旨及び経緯、当該請求権の放棄又は行使の影響、住民訴訟の係属の有無及び経緯、事後の状況その他の諸般の事情を総合考慮して、これを放棄することが普通地方公共団体の民主的かつ実効的な行政運営の確保を旨とする地方自治法の趣旨等に照らして不合理であって上記の裁量権の範囲の逸脱又はその濫用に当たると認められるときは、その議決は違法となり、当該放棄は無効となるものと解するのが相当である。（平二四・四・二〇最裁判）

地方自治法

民事保全法（平成元年法律第九十一号）に規定する仮処分をすることができない。

11　第二項から前項までに定めるもののほか、第一項の規定による訴訟については、行政事件訴訟法第四十三条の規定の適用があるものとする。

12　第一項の規定による訴訟を提起した者が勝訴[8]（一部勝訴を含む。）した場合において、弁護士、弁護士法人又は弁護士・外国法事務弁護士共同法人に報酬を支払うべきときは、当該普通地方公共団体に対し、その報酬額の範囲内で相当と認められる額の支払を請求することができる。

＊本条―全改〔昭三八・六法九九〕、八項―追加〔平六・六法四八〕、七項―一部改正〔平一三・六法四二〕、一項―一部改正・六～一〇項―追加・旧六・七項―一部改正し五項ずつ繰下・旧八項―削る〔平一四・三法四〕、八・九項―全改〔平二九・六法四五〕、一・二項―一部改正〔平二九・六法五四〕、一二項―一部改正〔令二・五法三三〕、一項―一部改正〔令五・五法一九、令六・六法六五〕

【引用条文】

① 【法二四二（住民監査請求）1・5・6・9・二四三の二の八（職員の賠償責任）3

⑨ 【民法一五三（時効の完成猶予又は更新の効力が及ぶ者の範囲）2

⑩ 【民事保全法

⑪ 【行訴法四三（抗告訴訟又は当事者訴訟に関する規定の準用）

（訴訟の提起）

第二百四十二条の三　前条第一項第四号本文の規定による

地方自治法施行令

行政実例・通知・判例・注釈

5）○「不変期間」とは、法定期間の一種であるが、裁判所がこれを伸縮できないこと及び当事者の責任のない理由によつてこれを守れなかつた場合は、一週間内に限つて追完ができることに特色がある。

6）○「別訴」とは、訴訟係属中、それについて別個独立の訴を起こすことをいう。

7）●「人の生命又は身体に対する重大な危害の発生の防止その他公共の福祉を著しく阻害するおそれがあるとき」とは、当該財務会計行為を差し止めた場合、人の生命に危険が及ぶおそれがある場合、身体に重大な危害が生ずるおそれがある場合ないしは、それに匹敵するような重大な利益が害されるおそれがある場合という極めて限定的な場合を指すことになるものであり、当該財務会計行為を適法な手続に従ってやり直す時間的余裕がある場合や当該危害の発生を防止する他の手段があり、かつ、当該代替手段を行う時間的余裕がある場合は、前記の重大な利益が害されるおそれはないとして、本項の例外要件を充足しない。（平一四・三・三〇通知）

8）●「勝訴」には、被告が請求を認諾したことにより訴訟手続きが終了した場合も含まれる。（平一〇・六・一六最裁判）

❖ 法二四二条の三関係

1）●法第二四二条の三第二項（又は法第二四三条の二

訴訟について、損害賠償又は不当利得返還の請求を命ずる判決が確定した場合においては、普通地方公共団体の長は、当該判決が確定した日から六十日以内の日を期限として、当該請求に係る損害賠償金又は不当利得の返還金の支払を請求しなければならない。

２　前項に規定する場合において、当該判決が確定した日から六十日以内に当該請求に係る損害賠償金又は不当利得による返還金が支払われないときは、当該普通地方公共団体は、当該損害賠償又は不当利得返還の請求を目的とする訴訟を提起しなければならない。

３　前項の訴訟の提起については、第九十六条第一項第十二号の規定にかかわらず、当該普通地方公共団体の議会の議決を要しない。

４　前条第一項第四号本文の規定による訴訟の裁判が同条第七項の訴訟告知を受けた者に対してもその効力を有するときは、当該訴訟の裁判は、当該普通地方公共団体と当該訴訟告知を受けた者との間においてもその効力を有する。

５　前条第一項第四号本文の規定による訴訟について、普通地方公共団体の執行機関又は職員に損害賠償又は不当利得返還の請求を命ずる判決が確定した場合において、当該普通地方公共団体がその長に対し当該損害賠償又は不当利得返還の請求を目的とする訴訟を提起するときは、当該訴訟については、代表監査委員が当該普通地方公共団体を代表する。

＊　本条―追加〔平一四・三法四〕

【引用条文】
①・⑤【法二四二の二（住民訴訟）１Ⅳ
③【法九六（議決事件）１Ⅻ

（現行法では法第二四三条の二の八）第五項）の規定により訴訟を提起するにあたっては、民事訴訟規則第五三条及び第五五条の規定の趣旨を踏まえ、訴状において、当該訴訟が、法第二四二条の二第一項第四号の規定に基づく住民訴訟の判決の結果提起されたものであることを明記するとともに、訴状に、当該住民訴訟の判決の写しを添付する。（平一四・三・三〇通知）

地方自治法

④【法二四二の二（住民訴訟）1Ⅳ・7

【参照条文】

⑤【代表監査委員—法一九九の三

第十一節　雑則

＊本節—全改〔昭三八・六法九九〕

㊟次条中、点線の左側は、令和六年六月二六日から起算して二年六月を超えない範囲内において政令で定める日から施行となる。

（私人の公金取扱いの制限）

第二百四十三条　普通地方公共団体は、法律若しくはこれに基づく政令に特別の定めがある場合又は次条第一項の規定により委託する場合若しくは第二百四十三条の二の七第二項の規定により地方税共同機構に行わせる場合を除くほか、公金の徴収若しくは収納又は支出の権限を私人に委任し、又は私人をして行わせてはならない。

＊本条—全改〔昭三八・六法九九〕、一部改正〔令五・五法一九、令六・六法六五〕

【引用条文】

【法二四三の二（指定公金事務取扱者）1、二四三の二の七（特定歳入等の収納）2

【参照条文】

①【公金の徴収、支出の権限—法一四九Ⅱ・Ⅲ・一七〇・二三二の四　【法律の定—地税法　公企法三三の二　国保法八〇の二　高齢者の医療の確保に関す

地方自治法施行令

行政実例・通知・判例・注釈

❖法二四三条関係

1）○「私人」には、自然人ばかりでなく、法人も法人格のない団体（この場合は委託の相手は、代表者である。）も含まれる。

る法律一一四

※　令一七三の二・一七三の三

（**指定公金事務取扱者**）

第二百四十三条の二　普通地方公共団体の長は、公金の徴[1]収若しくは収[2]納又は支出に関する事務（以下この条及び次条第一項において「公金事務」という。）を適切かつ確実に遂行することができる者として政令で定める者のうち当該普通地方公共団体の長が総務省令で定めるところにより指定するものに、この条から第二百四十三条の二の六までの規定の定めるところにより、公金事務を委[3]託することができる。

２　普通地方公共団体の長は、前項の規定による委託をしたときは、当該委託を受けた者（以下「指定公金事務取扱者」という。）の名称、住所又は事務所の所在地、指定公金事務取扱者に委託した公金事務に係る歳入等又は歳出その他総務省令で定める事項を告示しなければならない。

３　指定公金事務取扱者は、その名称、住所又は事務所の所在地を変更しようとするときは、総務省令で定めるところにより、あらかじめ、その旨を普通地方公共団体の長に届け出なければならない。

４　普通地方公共団体の長は、前項の規定による届出があつたときは、当該届出に係る事項を告示しなければならない。

５　指定公金事務取扱者は、第一項の規定により委託を受けた公金事務の一部について、公金事務を適切かつ確実に遂行することができる者として政令で定める者に委託をすることができる。この場合において、指定公金事務取扱者は、あらかじめ、当該委託について普通地方公共

（**指定公金事務取扱者等の要件**）

第百七十三条　地方自治法第二百四十三条の二第一項、第五項及び第六項（同条第七項の規定により適用する場合を含む。）に規定する政令で定める者は、次の各号に掲げる要件のいずれにも該当する者とする。

一　地方自治法第二百四十三条の二第一項に規定する公[1]金事務（次号において「公金事務」という。）を適切かつ確実に遂行することができる財産的基礎を有すること。

二[2]　その人的構成等に照らして、公金事務を適切かつ確実に遂行することができる知識及び経験を有し、かつ、十分な社会的信用を有すること。

❖法二四三条の二関係

１）○「徴収」とは、地方公共団体の歳入を調定し、納入の通知をし、収入を受け入れる行為をいう。

●私人に歳入の徴収を委託した場合は、私人が納入通知書を発行することとなる。（昭三八・一二・一九通知）

２）○「収納」とは、調定及び納入の通知のあつた地方公共団体の収入を受け入れる行為をいう。

３）●滞納処分のできる使用料及び手数料について、私人に督促状の発行、延滞金の徴収及び滞納処分の委託をすることはできない。（昭三八・一二・一九通知）

●都道府県営住宅の管理を市町村に委託する（現行法では「管理を行わせる。」）場合、家賃徴収事務を法第二四四条の二第三項の規定により委託することはできないが、令第一五八条（現行法では法第二四三条の二）の規定により委託することが適当である。（昭四五・一一・一七行実）

※

●歳入の徴収を委託された私人は、法第二四三条の二（現行法では法第二四三条の二の八）の賠償責任は負わないが、民法上の賠償義務は負うものである。（昭三八・一二・一九通知）

●社会保険診療報酬支払基金に対する診療報酬支払事務の委託は、新令第一六五条の三（現行法では法第二四三条の二）の規定による「私人」に対する支出事務の委託ではない。（昭三八・一二・一九通知）

●指定公金事務取扱者及び当該者から公金事務の一部の委託を受けた者等において、個人情報の保護に係る適切な措置が講じられるよう、指定公金事務取扱者と締結する契約等において、秘密の保持、個人情報の漏えい防止措置、個人情報の目的外利用の制限等、個人情報の保護のために必要な措置について定めることが適当である。（令五・五・八通知）

地方自治法

団体の長の承認を受けなければならない。

6　前項の規定により公金事務の一部の委託を受けた者は、当該委託をした指定公金事務取扱者の許諾を得た場合であつて、かつ、公金事務を適切かつ確実に遂行することができる者として政令で定める者に対してするときに限り、その一部の再委託をすることができる。この場合において、指定公金事務取扱者は、あらかじめ、当該再委託について普通地方公共団体の長の承認を受けなければならない。

7　前項の規定により公金事務の一部の再委託を受けた者は、当該公金事務の一部の委託を受けた者とみなして、同項の規定を適用する。

8　会計管理者は、指定公金事務取扱者について、定期及び臨時に公金事務の状況を検査しなければならない。

9　会計管理者は、前項の規定による検査をしたときは、その結果に基づき、指定公金事務取扱者に対して必要な措置を講ずべきことを求めることができる。

10　監査委員は、第八項の規定による検査について、会計管理者に対し報告を求めることができる。

＊　本条―追加〔令五・五法一九〕

【引用条文】

①【法二四三の二の二（指定公金事務取扱者の帳簿保存等の義務）1・二四三の二の三（指定公金事務取扱者の指定の取消し）・二四三の二の四（公金の徴収の委託）・二四三の二の五（公金の収納の委託）・二四三の二の六（公金の支出の委託）

【参照条文】

①【政令で定め―令一七三　【総務省令で定め―則一二

地方自治法施行令

行政実例・通知・判例・注釈

4）●検査については、その目的や対象、場所等を踏まえて、効果的かつ適切な方法で行うことが適当であり、デジタル技術を活用することが効果的かつ適切である場合には、例えば、オンライン会議システムを活用することなどにより、遠隔地から行うことも可能である。（令五・五・八通知）

❖　令一七三条関係

1）●「公金事務を適切かつ確実に遂行することができる財産的基礎を有すること」とは、概ね次のような要件を満たすことが求められるものであること。

①　資本金の額、資産又は負債の状況等から財政的基盤が十分に整っていること。

②　累積欠損がなく、かつ、経営状態が良好であること。（令六・一・一九通知）

2）●「その人的構成等に照らして、公金事務を適切かつ確実に遂行することができる知識及び経験を有し、かつ、十分な社会的信用を有すること」とは、概ね次のような要件を満たすことが求められるものと考えられるものであること。

①　経営陣の体制、業務に対する十分な知識及び経験を有する業務精通者の確保が十分であると認められること。

②　コンプライアンス体制等の業務執行体制が十分に整備されていること。（令六・一・一九通知）

の二の一二3
②【総務省令で定め―則一二の二の一四2
③【総務省令で定め―則一二の二の一五2
⑤・⑥【政令で定め―令一七三

（指定公金事務取扱者の帳簿保存等の義務）

第二百四十三条の二の二　指定公金事務取扱者は、総務省令で定めるところにより、帳簿を備え付け、これに公金事務に関する事項を記載し、及びこれを保存しなければならない。

2　普通地方公共団体の長は、前条、この条及び第二百四十三条の二の四から第二百四十三条の二の六までの規定を施行するため必要があると認めるときは、その必要な限度で、総務省令で定めるところにより、指定公金事務取扱者に対し、報告をさせることができる。

3　普通地方公共団体の長は、前条、この条及び第二百四十三条の二の四から第二百四十三条の二の六までの規定を施行するため必要があると認めるときは、その必要な限度で、その職員に、指定公金事務取扱者の事務所に立ち入り、指定公金事務取扱者の帳簿書類その他必要な物件を検査[1]させ、又は関係者に質問させることができる。

4　前項の規定により立入検査を行う職員は、その身分を示す証明書を携帯し、かつ、関係者の請求があるときは、これを提示しなければならない。

5　第三項に規定する権限は、犯罪捜査のために認められたものと解してはならない。

＊本条―追加〔令五・五法一九〕

【引用条文】
②・③【法二四三の二（指定公金事務取扱者）・二四三の二の二の四（公金の徴収の委託）・二四三の二の

❖法二四三条の二の二関係

1）●立入検査については、その目的や対象、場所等を踏まえて、効果的かつ適切な方法で行うことが適当であり、デジタル技術を活用することが効果的かつ適切である場合には、例えば、オンライン会議システムを活用することなどにより、遠隔地から行うことも可能である。（令五・五・八通知）

地方自治法

五（公金の収納の委託）・二四三の二の六（公金の支出の委託）

【参照条文】

①【総務省令で定め―地方自治法に係る民間事業者等が行う書面の保存等における情報通信の技術の利用に関する法律施行規則

②【総務省令で定め―則一二の二の一七2

（指定公金事務取扱者の指定の取消し）

第二百四十三条の二の三　普通地方公共団体の長は、指定公金事務取扱者が次の各号のいずれかに該当するときは、総務省令で定めるところにより、第二百四十三条の二第一項の規定による指定を取り消すことができる。

一　第二百四十三条の二第一項に規定する政令で定める者に該当しなくなつたとき。

二　前条第一項の規定に違反して、帳簿を備え付けず、帳簿に記載せず、若しくは帳簿に虚偽の記載をし、又は帳簿を保存しなかつたとき。

三　前条第二項又は第二百四十三条の二の六第三項の規定による報告をせず、又は虚偽の報告をしたとき。

四　前条第三項の規定による立入り若しくは検査を拒み、妨げ、若しくは忌避し、又は同項の規定による質問に対して陳述をせず、若しくは虚偽の陳述をしたとき。

2　普通地方公共団体の長は、前項の規定により指定を取り消したときは、その旨を告示しなければならない。

＊本条―追加〔令五・五法一九〕

【引用条文】

①【法二四三の二（指定公金事務取扱者）1・二四三の

地方自治法施行令

行政実例・通知・判例・注釈

二の二（指定公金事務取扱者の帳簿保存等の義務）
1・2・3・二四三の二の六（公金の支出の委託）
3

【参照条文】
①【総務省令で定め―則一二の二の一八2　【政令で定め―令一七三

（公金の徴収の委託）

第二百四十三条の二の四　普通地方公共団体の長が第二百四十三条の二第一項の規定によりその徴収に関する事務を委託することができる歳入は、他の法律又はこれに基づく政令に特別の定めがあるものを除くほか、政令で定めるものとする。

2　指定公金事務取扱者（歳入の徴収に関する事務の委託を受けた者に限る。以下この条において同じ。）は、現金の納付その他総務省令で定める方法により納入義務者から歳入の納付を受けるものとする。

3　前項の場合において、普通地方公共団体の歳入の納入義務は、納入義務者が指定公金事務取扱者に当該歳入を納付したときに履行されたものとする。

4　指定公金事務取扱者は、政令の定めるところにより、その徴収した歳入を普通地方公共団体に払い込まなければならない。

＊本条―追加〔令五・五法一九〕

【引用条文】
①【法二四三の二（指定公金事務取扱者）1

【参照条文】
①【他の法律に特別の定め―地税法　公企法三三の二　国保法八〇の二　高齢者の医療の確保に関する法律一一四　【政令で定め―令一七三の二1
②【総務省令で定め―則一二の二の一九

（公金の徴収又は収納の委託）

第百七十三条の二　地方自治法第二百四十三条の二の四第一項に規定する政令で定めるものは、次に掲げる普通地方公共団体の歳入のうち、同法第二百四十三条の二第一項に規定する指定公金事務取扱者（次項において「指定公金事務取扱者」という。）が徴収することにより、その収入の確保及び住民の便益の増進に寄与すると普通地方公共団体の長が認めるものとする。

一　使用料
二　手数料
三　賃貸料
四　物品売払代金[2]
五　寄附金[3]
六　貸付金の元利償還金
七　第一号及び第二号に掲げる歳入に係る延滞金並びに第三号から前号までに掲げる歳入に係る遅延損害金

2　指定公金事務取扱者（歳入の徴収又は歳入等（地方自治法第二百三十一条の二の二に規定する歳入等をいう。以下この項において同じ。）の収納に関する事務の委託を受けた者に限る。）は、普通地方公共団体の規則の定めるところにより、その徴収した歳入又はその収納した歳入等を、その内容を示す計算書（当該計算書に記載すべき事項を記録した電磁的記録を含む。）を添えて、会計管理者又は指定金融機関、指定代理金融機関、収納代理金融

✤法二四三条の二の四関係

1）●私人が三月中に徴収した現金を地方公共団体において四月に領収した場合、当該収入金の所属年度は旧年度である。（昭三八・一二・一九通知）

✤令一七三条の二関係

1）●児童福祉法第五六条の規定により徴収する入所措置費は使用料でないから、私人にその徴収事務を委託することはできない。（昭四一・一・一三行実）

2）●物品売払代金には、地方公共団体が編纂する図書、地方公共団体が生産する農産品等の売却に係る歳入が含まれる。（平一六・一一・一〇通知）

3）●「ふるさと寄附金」（地方税法（昭和二五年法律第二二六号）第三七条の二第一項第一号及び第三一四条の七第一項第一号に規定する都道府県、市町村又は特別区に対する寄附金をいう。）の徴収又は収納の事務についても私人に委託することができる。（平二三・一二・二六通知）

地方自治法

④【政令の定め】令一七三の二2

（公金の収納の委託）

第二百四十三条の二の五　普通地方公共団体の長が第二百四十三条の二第一項の規定によりその収納に関する事務を委託することができる歳入等は、次の各号のいずれにも該当するものとして当該普通地方公共団体の長が定めるものとする。

一　指定公金事務取扱者が収納することにより、その収入の確保及び住民の便益の増進に寄与すると認められるもの

二　その性質上その収納に関する事務を委託することが適当でないものとして総務省令で定めるもの以外のもの

2　指定公金事務取扱者（歳入等の収納に関する事務の委託を受けた者に限る。次項において同じ。）は、第二百三十一条の規定による納入の通知（その性質上納入の通知を必要としない歳入等にあつては、普通地方公共団体の長が定める方法）に基づかなければ、歳入等の収納をすることができない。

3　前条第二項から第四項までの規定は、指定公金事務取扱者が歳入等の収納をする場合について準用する。

＊本条…追加〔令五・五法一九〕

【引用条文】
①【法二四三の二（指定公金事務取扱者）1
②【法二三一（歳入の収入の方法）

地方自治法施行令

機関若しくは収納事務取扱金融機関に払い込まなければならない。

行政実例・通知・判例・注釈

③【法二四三の二の四（公金の徴収の委託）】2・3・4

【参照条文】
①【総務省令で定め―則一二の二の二〇】
②【性質上納入の通知を必要としない歳入―令一五四2】

（公金の支出の委託）

第二百四十三条の二の六 普通地方公共団体の長が第二百四十三条の二第一項の規定によりその支出に関する事務を委託することができる歳出は、他の法律又はこれに基づく政令に特別の定めがあるものを除くほか、政令で定めるものとする。

2 普通地方公共団体の長は、指定公金事務取扱者（歳出の支出に関する事務の委託を受けた者に限る。次項において同じ。）に対し、当該支出に必要な資金を交付するものとする。

3 指定公金事務取扱者は、普通地方公共団体の規則の定めるところにより、その支出の結果を会計管理者に報告しなければならない。

* 本条―追加〔令五・五法一九〕

【引用条文】
①【法二四三の二（指定公金事務取扱者）】1

㊟ 次条は、令和六年六月二六日から起算して二年六月を超えない範囲内において政令で定める日から施行となる。

（特定歳入等の収納）

第二百四十三条の二の七 地方税共同機構（以下この条において「機構」という。）は、歳入等（地方税（当該地方税に係る地方税法第一条第一項第十四号に

（公金の支出の委託）

第百七十三条の三 地方自治法第二百四十三条の二の六第一項に規定する政令で定めるものは、第百六十一条第一項第一号から第十五号までに掲げる経費、貸付金及び同条第二項の規定によりその資金を前渡することができる払戻金（当該払戻金に係る還付加算金を含む。）とする。

2 第百五十九条の規定は、地方自治法第二百四十三条の二第一項の規定により歳出の支出に関する事務を委託した場合の精算残金を返納させるときについて準用する。

⚜ 令一七三条の三関係

※ ●支出事務を委託した場合の精算残金は、戻入の手続によるものである。（昭四一・四・二七行実）

地方自治法

規定する督促手数料、延滞金、過少申告加算金、不申告加算金、重加算金及び滞納処分費を含む。）その他の政令で定めるものを除く。次項及び第六項において同じ。）の収納に関する事務の合理化及び納入義務者の利便の向上に寄与するため、次項に規定する特定収納事務に関する業務を行う。

2　普通地方公共団体の長は、歳入等のうち、納入義務者が総務省令で定める方法により納付するものであつて、次の各号のいずれにも該当するものとして当該普通地方公共団体の長が定めるもの（以下この条において「特定歳入等」という。）の収納に関する事務（次項及び第四項において「特定収納事務」という。）については、政令で定めるところにより、機構に行わせるものとする。

一　機構が収納することにより、その収入の確保及び住民の便益の増進に寄与すると認められるもの

二　その性質上その収納に関する事務を機構に行わせることが適当でないものとして総務省令で定めるもの以外のもの

3　普通地方公共団体の長は、前項の規定により機構に特定収納事務を行わせるときは、当該特定収納事務に係る特定歳入等その他総務省令で定める事項を告示しなければならない。

4　地方税法第七百四十七条の六第三項及び第七百四十七条の七から第七百四十七条の十二までの規定は、第二項の規定により機構に特定収納事務を行わせる場合について準用する。この場合において、同法第七百四十七条の六第三項中「第一項の規定により行

地方自治法施行令

行政実例・通知・判例・注釈

う前項に規定する特定徴収金（以下この章において「特定徴収金」という。）の収納の事務」とあるのは「地方自治法第二百四十三条の二の七第二項の規定により行う同項に規定する特定収納事務（以下この項において「特定収納事務」という。）」と、「特定徴収金の収納の事務」とあるのは「特定収納事務」と、同法第七百四十七条の七中「特定徴収金」とあるのは「地方自治法第二百四十三条の二の七第二項に規定する特定歳入等（以下この章において「特定歳入等」という。）」と、「納付し、又は納入しよう」とあるのは「納付しよう」と、「納付又は納入」とあるのは「納付」と、同法第七百四十七条の八第一項中「特定徴収金の納付又は納入」とあるのは「特定歳入等の納付」と、同項並びに同法第七百四十七条の九及び第七百四十七条の十第一項中「特定徴収金を納付し、又は納入しよう」とあるのは「特定歳入等を納付しよう」と、同項中「特定徴収金を機構に納付し、又は納入しなければ」とあるのは「特定歳入等を機構に納付しなければ」と、同条第二項中「特定徴収金を納付し、又は納入しよう」とあるのは「特定歳入等を納付しよう」と、同条第三項中「特定徴収金を納付し、又は納入すべき」とあるのは「特定歳入等を納付すべき」と、同条第四項中「特定徴収金」とあるのは「特定歳入等」と、「納付し、又は納入した」とあるのは「納付した」と、「納付又は納入」とあるのは「納付」と読み替えるものとする。

5　第一項の規定により機構が同項に規定する業務を行う場合には、地方税法第七百八十五条第一項中「機構処理税務事務の」とあるのは「機構処理税務事務及び地方自治法第二百四十三条の二の七第二項に規定する特定収納事務（以下この節及び第六節において「機構処理税務事務等」という。）の」と、同条第二項中「機構処理税務事務の」とあるのは「機構処理税務事務等の」と、同法第七百八十六条第一項中「機構」とあるのは「機構は、機構処理税務情報」とあるのは「機構は、機構処理税務情報及び機構が地方自治法第二百四十三条の二の七第二項に規定する特定収納事務において取り扱う情報（以下この節において「機構処理税務情報等」という。）」と、「機構処理税務情報の漏えい」とあるのは「機構処理税務情報等の漏えい」と、「その他の機構処理税務情報」とあるのは「その他の機構処理税務情報等」と、同条第二項中「機構処理税務情報」とあるのは「機構処理税務情報等」と、「の規定による」とあるのは「（地方自治法第二百四十三条の二の七第四項において準用する場合を含む。第七百八十八条第二項及び第七百九十条の二において同じ。）の規定による」と、同法第七百八十七条第二項中「機構処理税務情報の」とあるのは「機構処理税務情報等の」と、同法第七百八十八条第一項中「機構処理税務事務」とあるのは「機構処理税務事務等」と、同条第二項中「機構処理税務情報」とあるのは「機構処理税務情報等」と、同法第七百八十九条及び第七百九十条中「機構処理税務事務」とあるのは「機構処理税務事務等」と、同法第七百九十条の二中「の事務」とあるのは「の事務又は地方自治法第二百四十三条の二の七第二項に規定する特定収納事務」と、「及び特定徴収金」とあるのは「及び特定徴収金又は同法第二百四十三条の二の七第二項に規定する特定歳入等（以下この条において「特定徴収金等」という。）」と、「又は特別徴収義務者」とあるのは「若しくは特別徴収義務者又は納入義務者」と、「（第七百四十七条の八第一項」とあるのは「（第七百四十七条の八第一項（同法第二百四十三条の二の七第四項において準用する場合を含む。以下この条において同じ。）」と、「第七百四十七条の九の」とあるのは「第七百四十七条の九（同法第二百四十三条の二の七第四項において準用する場合を含む。以下この条において同じ。）の」と、「特定徴収金の」とあるのは「特定徴収金等の」と、同法第七百九十六条第一項中「この法律に」とあるのは「地方自治法若しくはこれらの法律に」と、「機構処理税務事務」とあるのは「機構処理税務事務等」と、同法第七百九十七条第一項中「この法律に」とあるのは「地方自治法若しくはこれらの法律に」と、同法第七百九十八条中「機構処理税務事務」とあるのは「機構処理税務事務等」と、同法第八百条及び第八百一条第一号中「の規定」とあるのは「（地方自治法第二百四十三条の二の七第五項の規定により読み替えて適用する場合を含む。）の規定」と、同条第二号中「の規定による報告」とあるのは「（地方自治法第二百四十三条の二の七第五項の規定により読み替えて適用する場合を含む。以下この号において同じ。）の規定による報告」と、「同項」とあるのは「第七百九十六条第一項」とする。

6　総務大臣は、前項の規定により読み替えて適用する地方税法第七百九十条の二の規定による報告があつた場合において、特定徴収金手続用電子情報処理組織（同条に規定する特定徴収金手続用電子情報処

地方自治法

理組織をいう。以下この項において同じ。）の故障その他やむを得ない理由により、納期限までに歳入等の納付をすべき者であつて、当該納期限までに当該納付のうち、特定徴収金手続用電子情報処理組織を使用して行う特定歳入等の納付の全部又は一部を行うことができないと認める者が多数に上ると認めるときは、この法律又は他の法令（条例を含む。）の規定にかかわらず、対象となる特定歳入等の納付、対象者の範囲及び期日を指定して当該納期限を延長することができる。この場合において、延長後の納期限は、当該理由がなくなつた日から六月を超えてはならない。

7　総務大臣は、前項の規定による指定をしようとするときは、あらかじめ、当該指定に係る特定歳入等に係る法令を所管する大臣に協議しなければならない。

8　総務大臣は、第六項の規定による指定をしたときは、直ちに、その旨を告示するとともに、前項の大臣、普通地方公共団体の長及び機構に通知しなければならない。

9　前各項に定めるもののほか、特定歳入等の収納に関し必要な事項は、政令で定める。

＊　本条―追加〔令六・六法六五〕

【引用条文】

①【地税法一

④【地税法第六章

⑤【地税法第九章第四節・六節・八節

地方自治法施行令

行政実例・通知・判例・注釈

⑥【地税法七九〇の二】

㊟ 次条中、点線の左側は、令和六年六月二六日から起算して二年六月を超えない範囲内において政令で定める日から施行となる。

（普通地方公共団体の長等の損害賠償責任の一部免責）

第二百四十三条の二の七
第二百四十三条の二の八 普通地方公共団体は、条例で、当該普通地方公共団体の長若しくは委員会の委員若しくは委員又は当該普通地方公共団体の職員（次条第三項の規定による賠償の命令の対象となる者を除く。以下この項において「普通地方公共団体の長等」という。）の当該普通地方公共団体に対する損害を賠償する責任を、普通地方公共団体の長等が職務[1]を行うにつき善意でかつ重大な過失がないときは、普通地方公共団体の長等が賠償の責任を負う額から、普通地方公共団体の長等の職責[2]その他の事情を考慮して政令で定める基準を参酌して、政令で定める額以上で当該条例で定める額を控除して得た額について免れさせる旨を定めることができる。

2 普通地方公共団体の議会は、前項の条例の制定又は改廃に関する議決をしようとするときは、あらかじめ監査委員の意見を聴かなければならない。

3 前項の規定による意見の決定は、監査委員の合議によるものとする。

＊ 本条―追加〔平二九・六法五四〕、旧二四三条の二―繰下〔令五・五法一九〕、旧二四三条の二の七―繰下〔令六・六法六五〕

【引用条文】

（普通地方公共団体の長等の損害賠償責任の一部免責の基準等）

第百七十三条の四 地方自治法第二百四十三条の二の七第一項に規定する政令で定める基準は、次の各号に掲げる同項に規定する普通地方公共団体の長等（以下この条において「普通地方公共団体の長等」という。）の区分に応じ、当該各号に定める額とする。

一 地方警務官（警察法第五十六条第一項に規定する地方警務官をいう。以下この項及び次項各号において同じ。）以外の普通地方公共団体の長等 普通地方公共団体から地方自治法第二百四十三条の二の七第一項の損害を賠償する責任（以下この条において「普通地方公共団体の長等の損害賠償責任」という。）の原因となった行為を行った日を含む会計年度において在職中に支給され、又は支給されるべき同法第二百三条の二第一項若しくは第四項又は第二百四条第一項若しくは第二項の規定による給与（扶養手当、住居手当、通勤手当、単身赴任手当、在宅勤務等手当又は寒冷地手当が支給されている場合には、これらの手当を除く。）の一会計年度当たりの額に相当する額として総務省令で定める方法により算定される額（次項第一号において「普通地方公共団体の長等の基準給与年額」という。）に、次に掲げる地方警務官以外の普通地方公共団体の長等の

✤ 法二四三条の二の七関係

1）●「職務を行うにつき善意でかつ重大な過失がない」とは、一般的には、普通地方公共団体の長等が違法な職務行為によって、当該普通地方公共団体に損害を及ぼすことを認識しておらず、かつ、認識しなかったことについて著しい不注意がない場合を指すものである。（平二九・六・九通知）

2）●地方自治法第二四三条の二（現行法では第二四三条の二の七）第一項が「職責その他の事情」を考慮して参酌基準を定めるとしている趣旨に鑑み、普通地方公共団体の長等や地方警務官の基準給与年額を、普通地方公共団体の長等や地方警務官の損害賠償責任の原因となった事実が生じた時点の職責に応じて定めるため、地方自治法施行令新第一七三条（現行令では第一七三条の四）第一項においては、普通地方公共団体の長等や地方警務官の損害賠償責任の原因となった行為を行った日を基準に判断することとされており、退職手当は普通地方公共団体の長等や地方警務官が退職した後に、その者又はその遺族に対して支給されるものであることから、普通地方公共団体の長等や地方警務官の基準給与年額に含まれない。（令元・一一・八通知）

✤ 令一七三条の四関係

1）●「普通地方公共団体の長等の損害賠償責任の原因となった事実」の内容には、当該長等が職務を行うにつき善意でかつ重大な過失がないという判断の基礎となった事実が含まれる。（令元・一一・八通知）

自治法

地方自治法

①【法二四三の二の九（職員の賠償責任）3

【参照条文】

①【政令で定め】令一七三の四

地方自治法施行令

区分に応じ、それぞれ次に定める数を乗じて得た額

イ　普通地方公共団体の長　六

ロ　副知事若しくは副市町村長、指定都市の総合区長、教育委員会の教育長若しくは委員、公安委員会の委員、選挙管理委員会の委員又は監査委員　四

ハ　人事委員会の委員若しくは公平委員会の委員、労働委員会の委員、農業委員会の委員、収用委員会の委員、海区漁業調整委員会の委員、内水面漁場管理委員会の委員、固定資産評価審査委員会の委員、消防長又は地方公営企業の管理者　二

ニ　普通地方公共団体の職員（地方警務官並びにロ及びハに掲げる普通地方公共団体の職員を除く。）　一

二　地方警務官　国から普通地方公共団体の長等の損害賠償責任の原因となつた行為を行つた日を含む会計年度において在職中に支給され、又は支給されるべき一般職の職員の給与に関する法律（昭和二十五年法律第九十五号）その他の法律による給与（扶養手当、住居手当、通勤手当、単身赴任手当、在宅勤務等手当又は寒冷地手当が支給されている場合には、これらの手当を除く。）の一会計年度当たりの額に相当する額として総務省令で定める方法により算定される額（次項第二号において「地方警務官の基準給与年額」という。）に、次に掲げる地方警務官の区分に応じ、それぞれ次に定める数を乗じて得た額

イ　警視総監又は道府県警察本部長　二

ロ　イに掲げる地方警務官以外の地方警務官　一

2　地方自治法第二百四十三条の二の七第一項に規定する政令で定める額は、次の各号に掲げる普通地方公共団体

行政実例・通知・判例・注釈

※

●（現行則では第一三条の二第二項の）「その職責に関係する他の職」を兼ねている場合とは、兼ねている他の職も合わせて、一体とした職責が認められる場合を指し、例えば、固定資産評価委員会の委員を税務課長が兼ねている場合や人事委員会の委員を人事委員会の事務局長が兼ねている場合、また、地方自治法第二九二条の規定により普通地方公共団体に関する規定が準用される一部事務組合の管理者を構成団体の長が兼ねている場合等が想定される。（現行則では第一三条の二第五項の）「その職責に関係する他の職」を兼ねている場合とは、兼ねている他の職も合わせて、一体とした職責が認められる場合を指す。（令二・三・二七通知）

㊟　次条中、点線の左側は、令和六年六月二六日から起算して二年六月を超えない範囲内において政令で定める日から施行となる。

の長等の区分に応じ、当該各号に定める額とする。

一　地方警務官以外の普通地方公共団体の長等　普通地方公共団体の長等の基準給与年額

二　地方警務官　地方警務官の基準給与年額

3　地方自治法第二百四十三条の二の七第一項の条例（第二号において「一部免責条例」という。）を定めている普通地方公共団体の長は、当該普通地方公共団体における普通地方公共団体の長等が同項の規定により普通地方公共団体の長等の損害賠償責任を免れたことを知つたときは、速やかに、次に掲げる事項を当該普通地方公共団体の議会に報告するとともに、当該事項を公表しなければならない。

一　当該普通地方公共団体の長等の損害賠償責任の原因となつた事実及び当該普通地方公共団体の長等が賠償の責任を負う額

二　当該普通地方公共団体の長等が賠償の責任を負う額から一部免責条例に基づき控除する額及びその算定の根拠

三　地方自治法第二百四十三条の二の七第一項の規定により当該普通地方公共団体の長等が賠償の責任を免れた額

4　前三項に定めるもののほか、地方自治法第二百四十三条の二の七第一項の規定による普通地方公共団体の長等の損害賠償責任の一部の免責に関し必要な事項は、総務省令で定める。

地方自治法

（職員の賠償責任）

第二百四十三条の二の八
第二百四十三条の二の九　会計管理者若しくは会計管理者[1]の事務を補助する職員、資金前渡を受けた職員、占有動産を保管している職員又は物品を使用している職員が故[2]意又は重大な過失（現金については、故意又は過失）により、その[3]保管に係る現金、有価証券、物品（基金に属する動産を含む。）若しくは占有動産又はその使用に係る物品を亡失し、又は損傷したときは、これによつて生じた損害を賠償しなければならない。次に掲げる行為をする権限を有する職員又はその権限に属する事務を直接補助する職員[4]で普通地方公共団体の規則で指定したものが故[5]意又は重大な過失[6]により法令の規定に違反して当該行為をしたこと又は怠つたことにより普通地方公共団体に損害を与えたときも、同様とする。

一　支出負担行為
二　第二百三十二条の四第一項の命令又は同条第二項の確認
三　支出[7]又は支払
四　第二百三十四条の二第一項の監督又は検査

2　前項の場合において、その損害が二人以上の職員の行為により生じたものであるときは、当該職員は、それぞれの職分に応じ、かつ、当該行為が当該損害の発生の原因となつた程度に応じて賠償の責めに任ずるものとする。

3　普通地方公共団体の長は、第一項の職員が同項に規定する行為により当該普通地方公共団体に損害を与えたと認めるときは、監査委員[8]に対し、その事実があるかどうかを監査し、賠償責任の有無及び賠償[9]額を決定すること

地方自治法施行令

行政実例・通知・判例・注釈

1）❖法二四三条の二の八関係

●職員とは、現金又は物品を亡失又はき損した当時に職員であれば足りる。したがつて、退職後又は死亡後といえども賠償責任は免れ得ない。（昭二五・一〇・一二行実）

●「出納長若しくは収入役（現行法では会計管理者）の事務を補助する職員」は、出納員その他の会計職員としてすべてこれを任命しなければならない。単に宿日直中の職員は、含まれない。（昭三八・一二・一九通知）

●地方公営企業の料金徴収を行なつている企業出納員が故意または重大な過失により公金を亡失した場合は、管理者の事務を補助する職員として本条の適用がある。（昭三九・一二・九行実）

●物品管理規則に基づき供用者とされた職員がつねに「物品を使用している職員」に該当するとは限らない。（昭四五・七・一四行実）

●財務規則において自動車を配している事務所の所長を物品管理者と定めていても、自動車を運転している者が運転中に起こした事故についての賠償責任は、原則として当該運転者が負う。（昭四五・一二・二行実）

●地方公共団体の職員に対する損害賠償請求権は、本条一項所定の要件を充たす事実があればこれによつて実体法上直ちに発生するものと解するのが相当であり、本条三項に規定する長の賠償命令をまつて初めてその請求権が発生するとされたものと解すべきではない。（昭六一・二・二七最裁判）

●普通地方公共団体の長の職責並びに法二四三条の二（現行法では法二四三条の二の八）の規定の趣旨及び内容に照らせば、同条一項所定の職員には当該地方公共団体の長は含まれず、長の当該地方公共団体に対する賠償責任については民法の規定による。（昭六一・

を求め、その決定に基づき、期限を定めて賠償を命じなければならない。

4　第二百四十二条の二第一項第四号ただし書の規定による訴訟について、賠償の命令を命ずる判決が確定した場合には、普通地方公共団体の長は、当該判決が確定した日から六十日以内の日を期限として、賠償を命じなければならない。この場合においては、前項の規定による監査委員の監査及び決定を求めることを要しない。

5　前項の規定により賠償を命じた場合において、当該判決が確定した日から六十日以内に当該賠償の命令に係る損害賠償金が支払われないときは、当該普通地方公共団体は、当該損害賠償の請求を目的とする[10]訴訟を提起しなければならない。

6　前項の訴訟の提起については、第九十六条第一項第十二号の規定にかかわらず、当該普通地方公共団体の議会の議決を要しない。

7　第二百四十二条の二第一項第四号ただし書の規定による訴訟の判決に従いなされた賠償の命令について取消訴訟が提起されているときは、裁判所は、当該取消訴訟の判決が確定するまで、当該賠償の命令に係る損害賠償の請求を目的とする訴訟の訴訟手続を中止しなければならない。

8　第三項の規定により監査委員が賠償責任があると決定した場合において、普通地方公共団体の長は、当該職員からなされた当該損害が避けることのできない事故その他やむを得ない事情によるものであることの[11]証明を相当と認めるときは、議会の同意を得て、[12]賠償責任の全部又は一部を免除することができる。この場合においては、あらかじめ監査委員の意見を聴き、その意見を付けて[13]議会に付議しなければならない。

二・二七最裁判）

2）●故意又は過失があつたかどうかの事実の認定は、長が行なう。（昭二五・九・二二行実）

●県教育委員会の指導主事に充てられている市立小学校の教員が指導主事の職務執行中、県の自動車を損傷し県に損害を与えた場合においては、当該損害賠償に関する本条の適用については、県の監査委員において措置すべきものである。（昭四三・八・一〇行実）

3）●給与の源泉徴収にかかる税金を出納員が消費した場合も、本条にいう現金の亡失にあたる。（昭二五・一〇・一二行実）

●「その保管に係る現金」の「保管」には、「出納」を含まない。（昭三八・一二・一九通知）

4）●「その権限に属する事務を直接補助する職員で規則で指定」するものの範囲としては、予算執行職員等の権限を実質的に補佐する直接下級者で、たとえば、課長が予算執行権限を有する場合には、その直接下級者である課長補佐等を指定するのが適当である。（昭三八・一二・一九通知）

●「権限」とは、法律上の権限及び法律上権限を有する者からの委任に基づく権限をいい、単なる内部的な専決（代決）権限を含まない。（昭三九・一〇・一五行実）

5）●知事が自己の権限に属する支出を補助職員に委任し、知事の指揮監督の下で支出をした補助職員については、自治法二四三条の二（現行法では法二四三条の二の八）第一項後段により損害賠償責任の発生要件が限定されており、支出行為をするにつき故意又は重大な過失があつた場合に限り当該地方公共団体に対して損害賠償責任を負う。（平九・四・二最裁判）

6）●「法令」には、条例、規則を含む。（昭三八・一二・一九通知）

7）●「支出」とは、予算執行行為としての歳出金の払渡しをいい、「支払」とは、出納長又は収入役（現行法では会計管理者）が自ら現金で小口の支払をする場

地方自治法

9　第三項の規定による決定又は前項後段の規定による意見の決定は、監査委員の合議によるものとする。

10　第二百四十二条の二第一項第四号ただし書の規定による訴訟の判決に従い第三項の規定による処分がなされた場合には、当該処分については、審査請求をすることができない。

11　普通地方公共団体の長は、第三項の規定による処分についての審査請求がされた場合には、当該審査請求が不適法であり、却下するときを除き、議会に諮問した上、当該審査請求に対する裁決をしなければならない。

12　議会は、前項の規定による諮問を受けた日から二十日以内に意見を述べなければならない。

13　普通地方公共団体の長は、第十一項の規定による諮問をしないで同項の審査請求を却下したときは、その旨を議会に報告しなければならない。

14　第一項の規定により損害を賠償しなければならない場合には、同項の職員の賠償責任については、賠償責任に関する民法の規定は、適用しない。

＊　本条―全改〔昭三八・六法九九〕、一項―一部改正〔昭四九・六法七二〕、五項―一部改正〔平九・六法六七〕、六項―一部改正〔平一一・一二法一六〇〕、三項―一部改正・四～七項―追加・旧四・五項―一部改正し四項ずつ繰下・旧六項―四項繰下・一一項―追加・旧七～九項―一部改正し五項ずつ繰下〔平一四・三法四〕、一項―一部改正〔平一八・六法五三〕、一〇項―削る・旧一一・一二項―一部改正し一項ずつ繰上・旧一三・一四項―一項ずつ繰上〔平二六・六法六九〕、一～四・一〇～一二項―一部改正・一三項―追加・旧一三項―一部改正し一四項に繰下〔平二九・四法二五〕、旧二四三条の二の二―繰下〔平二九・六法五四〕、旧二四三条の二の二―繰下〔令五・五法一九〕、旧二四三条の二の八―繰下〔令六・六法六五〕

地方自治法施行令

行政実例・通知・判例・注釈

合、資金前渡を受けた職員が債権者に支払う場合、繰替払をする場合等をいう。（昭三八・一二・一九通知）

●地方公営企業の管理者の権限に属する財務会計上の行為を補助職員が専決により処理した場合は、管理者は、右補助職員が財務会計上の違法行為をすることを阻止すべき指揮監督上の義務に違反し、故意又は過失により右補助職員が財務会計上の違法行為をすることを阻止しなかつたときに限り、普通地方公共団体が被つた損害につき賠償責任を負うものと解するのが相当である。（平三・一二・二〇最裁判）

●普通地方公共団体の長の権限に属する財務会計上の行為を、委任を受けた吏員（現行法では職員）が処理した場合は、長は、右吏員（現行法では職員）が財務会計上の違法行為をすることを阻止すべき指揮監督上の義務に違反し、故意又は過失により右吏員（現行法では職員）が財務会計上の違法行為をすることを阻止しなかつたときに限り、普通地方公共団体が被つた損害につき賠償責任を負う。（平五・二・一六最裁判）

8）●「監査」には、法第一九九条にいう定期又は臨時の監査を含む。（昭二五・九・二八行実）

●刑事判決が確定した後でも監査委員の監査は省略できない。（昭二五・一〇・一七行実）

9）●監査委員は監査により確認した損害金額から過失の程度により一部を減額し、賠償額を決定することはできない。（昭四五・一〇・五行実）

10）●（法第二四二条の三第二項又は）法第二四三条の二（現行法では法第二四三条の二の八）第五項の規定により訴訟を提起するにあたっては、民事訴訟規則第五三条及び第五五条の規定の趣旨を踏まえ、訴状において、当該訴訟が、法第二四二条の二第一項第四号の規定に基づく住民訴訟の判決の結果提起されたものであることを明記するとともに、訴状に、当該住民訴訟の

【引用条文】
①【法二三二の四（支出の方法）1・2・二三四の二（契約の履行の確保）1
④【法二四二の二（住民訴訟）1Ⅳ
⑥【法九六（議決事件）1Ⅻ
⑦・⑩【法二四二の二（住民訴訟）1Ⅳ

【参照条文】
①【出納関係職員―法一六八～一七一・二三二の四　令一六一　法二三九1・5　【故意又は過失―民法七〇九　【予算関係職員―法二三二の三～二三二の五・二三四の二
※　法一九九　公企法三四　民法

11　判決の写しを添付する。（平一四・三・三〇通知）
●出納職員のなすべき証明は文書によるべきである。（昭二九・五・二六行実）

12　●賠償責任の全部又は一部の免除は、監査委員の賠償決定後に当該職員から挙証があり市長がこれを相当と認めたときに行なわれる。（昭三八・一二・一九通知）

13　●法第一八〇条の規定により、一定金額までのものを長が専決処分できるものとすることはさしつかえない。（昭二五・八・一七行実）
●賠償責任を免除する場合、監査委員の意見と異なるときは、監査委員の審査の結果は、必ずしも長を拘束するものではないので、長としては、審査の結果の意見をつけて議会に付議し、議会の議決により処理できる。（昭二九・五・二六行実）

※　●町村吏員（現行法では職員）の資格で町村に損害を与えたときは、離職後でも町村に対する賠償責任を免れ得ない。（明二七・一一・二八行裁判）

※　●吏員（現行法では職員）の賠償義務は財産上の義務であり、相続開始により相続人が当然継承する。（大一一・五・二九行裁判）

※　●条例、規則で内部的に賠償責任規定を設けることはできない。（昭二五・一一・一三行実）

※　●損害賠償させる物品の価格は、原則として帳簿価格によるべきであるが、物価の変動が著しく、帳簿価格のみによることが不適当であると考えられるときは、行為時若しくは賠償時の時価により、又は帳簿価格と時価を適宜考慮して決定することもさしつかえない。（昭二六・四・一七行実）

※　●小学校教員が出納員から渡された職員の給与を拐帯逃亡した場合、各教員は、直接給与の支給を受けていないので、その月の給与を更に支払わなければならない。（昭二六・八・一行実）

※　●出納員が不正手段（勝手に徴税令書を発行し、領収書を交付の上収受）により横領費消した場合は、地方公共団体は、当該収入金を受領したことにはならない

地方自治法

（財政状況の公表等）

第二百四十三条の三　普通地方公共団体の長は、条例の定めるところにより、毎年[1]二回以上歳入歳出予算の執行状況並びに財産、地方債及び一時借入金の現在高[2]その他財政に関する事項を住民に公表しなければならない。

2　普通地方公共団体の長は、第二百二十一条第三項の法[3]人について、毎事業年度、政令で定めるその経営状況を説明する書類を作成し、これを次の議会に提出しなければならない。

3　普通地方公共団体の長は、第二百二十一条第三項の信託について、信託契約に定める計算期ごとに、当該信託に係る事務の処理状況を説明する政令で定める書類を作成し、これを次の議会に提出しなければならない。

＊本条―全改〔昭三八・六法九九〕、三項―追加〔昭六一・五

地方自治法施行令

（法人の経営状況等を説明する書類）

第百七十三条の五　地方自治法第二百四十三条の三第二項に規定する政令で定めるその経営状況を説明する書類は、当該法人の毎事業年度の事業の計画及び決算に関する書類とする。

2　地方自治法第二百四十三条の三第三項に規定する政令で定める書類は、信託契約で定める計算期ごとの事業の計画及び実績に関する書類とする。

行政実例・通知・判例・注釈

が、対外的には、当該出納員の不法行為に対する賠償責任を負い、地方公共団体は、当該出納員に対して求償できる。（昭二八・一・一六行実）

※●横領金の決算上の措置は、当該年度の決算においては横領金額を収入済額として当該収入科目備考欄に盗難の旨明示する。また、翌年度以降においては補填された賠償金を歳入の諸収入として収入し、過年度分として当該横領金相当額を歳出の諸支出金（款）補填金（現行法は「21　補償、補填及び賠償金」）の科目から当該収入科目に振替補填して収入済として処理すべきである。（昭二八・四・二八行実）

※●火災により物品が焼失した場合、保管責任者の故意又は重大な過失により物品が亡失し又は損傷したときは、その損害を賠償しなければならない。（昭二八・一〇・一三行実）

❖法二四三条の三関係

1）○「毎年二回以上」とは、毎会計年度二回又はそれより多い回を指す。

2）○「現在高」とは、財政事情説明書の作成時の現在有高を指す。

3）●「法人」とは次のものをいう。

①　当該普通地方公共団体が設立した地方住宅供給公社、地方道路公社、土地開発公社及び地方独立行政法人

②　当該普通地方公共団体が資本金、基本金その他これらに準ずるものの二分の一以上を出資している一般社団法人及び一般財団法人並びに株式会社

③　当該普通地方公共団体が資本金、基本金その他これらに準ずるものの四分の一以上二分の一未満を出資している一般社団法人及び一般財団法人並びに株式会社のうち条例で定めるもの

法七五）

【引用条文】

②・③【法二三二（予算の執行に関する長の調査権等）

【参照条文】

①【予算―法二一一1・二一五　【財産―法二三七～二四一　【地方債―法二一五・二三〇　地財法五～五の七　公企法二二・二三　健全化法一二　【一時借入金―法二一五・二三五の三　【地方財政の状況に関する報告―地財法三〇の二

②【政令―令一七三の五

③【信託―信託法一等　法二三八の五2等　国有財産法二〇等　【政令―令一七三の五

※　公企法四〇の二

（**普通地方公共団体の財政の運営に関する事項等**）

第二百四十三条の四　普通地方公共団体の財政の運営、普通地方公共団体の財政と国の財政との関係等に関する基本原則については、この法律に定めるもののほか、別に法律でこれを定める。

＊　本条―全改〔昭三八・六法九九〕

【参照条文】

【法律―地財法　※交付税法　健全化法

（**政令への委任**）

第二百四十三条の五　歳入及び歳出の会計年度所属区分、予算及び決算の調製の様式、過年度収入及び過年度支出並びに翌年度歳入の繰上充用その他財務に関し必要な事項は、この法律に定めるもののほか、政令でこれを定め

（**誤払金等の戻入**）

第百五十九条　歳出の誤払い[1]又は過渡し[2]となつた金額及び資金前渡又は概算払をした場合の精算残金を返納させるときは、収入の手続の例により[3]、これを当該支出した経費に戻入[4,5]しなければならない。

（**過年度収入**）

④　当該普通地方公共団体及び一又は二以上の②の法人（④により②の法人とみなされる法人を含む。）が資本金、基本金その他これらに準ずるものの二分の一以上を出資している一般社団法人及び一般財団法人並びに株式会社は、②の法人とみなす。

⑤　当該普通地方公共団体及び一又は二以上の②の法人（④により②の法人とみなされる法人を含む。）が資本金、基本金その他これらに準ずるものの四分の一以上二分の一未満を出資している一般社団法人及び一般財団法人並びに株式会社は、③の一般社団法人及び一般財団法人並びに株式会社とみなす。

⑥　当該普通地方公共団体がその者のためにその資本金、基本金その他これらに準ずるものの二分の一に相当する額以上の額の債務を負担している一般社団法人及び一般財団法人並びに株式会社

⑦　当該普通地方公共団体がその者のためにその資本金、基本金その他これらに準ずるものの四分の一に相当する額以上二分の一に相当する額未満の額の債務を負担している一般社団法人及び一般財団法人並びに株式会社のうち条例で定めるもの（平二三・一二・二六通知）

❖令一七三条の五関係

1）○「事業の計画に関する書類」とは、当該法人の事業計画、予算等に相当する書類をいう。

2）○「決算に関する書類」とは、当該法人の貸借対照表、損益計算書、事業の実績報告書等に相当する書類をいう。

❖令一五九条関係

1）○「誤払い」とは、金額の多少を問わず、支出の原因がないにかかわらず誤つて支出されたことをいう。

2）○「過渡し」とは、計算違い等により正当な債務金額を超えて支出されたことをいう。

3）○「収入の手続の例による」とは、調定に相当する戻入の決定をし、納入の通知に相当する戻入の通知をし

地方自治法

る。

＊本条―全改〔昭三八・六法九九〕

【参照条文】【政令の定―令一四二～一七三の六　※則一四～一六の二

地方自治法施行令

第百六十条　出納閉鎖後の収入は、これを現年度の歳入としなければならない。前条（第百七十三条の三第二項において準用する場合を含む。）の規定による戻入金で出納閉鎖後に係るものについても、また同様とする。

（**誤納金又は過納金の戻出**）

第百六十五条の六　歳入の誤納又は過納となつた金額を払い戻すときは、[1]支出の手続の例により、これを当該収入した歳入から[2]戻出しなければならない。

（**過年度支出**）

第百六十五条の七　出納閉鎖後の支出は、これを現年度の歳出としなければならない。前条の規定による戻出金で出納閉鎖後に係るものについても、また同様とする。

（**普通地方公共団体の規則への委任**）

第百七十三条の六　この政令及びこの政令に基づく総務省令に規定するものを除くほか、普通地方公共団体の財務に関し必要な事項は、当該普通地方公共団体の規則で定める。

行政実例・通知・判例・注釈

て誤払金等を戻入することをいう。

4　○「戻入」とは、本来支出の必要がなかつたものについては、予算使用の目的が達成されていないものであるから、再び使用する道を開くのが適当であるとの趣旨から、予算使用権を復活して歳出の経費に戻し入れることをいう。

5　●過誤払金等の戻入は、法律で明定されていないかぎり強制執行できない。（昭三八・一二・一九通知）

●出納整理期間中に誤払金等を発見した場合においては、当該期間中に支出負担行為を減額のうえ返納通知をすれば当該支出した経費に戻入することができる。（昭四一・四・二二行実）

令一六〇条関係

※　●前年度中に納税通知書、納入通知書等を発しなかつたものでその収入原因が前年度以前にあるようなものについても、本条の収入とすべきである。（昭三・七・二〇行実）

令一六五条の六関係

1　○「支出の手続の例により」とは、支出負担行為に相当する戻出の決定をし、支出命令に相当する戻出の通知をして誤納又は過納を戻出することをいう。

2　●出納整理期間中に誤納金又は過納金を発見した場合において、当該期間中に調定額を減額のうえ戻出命令をすれば、当該収入した歳入から戻出することができる。（昭四一・四・二二行実）

※　●過年度における過誤納金は相当の支出科目（償還金利子及び割引料）により支出することを要するが、当該年度における過誤納金は当該科目より直ちに支払うことを要する。（行実）

※　●決算書の調製に当たつて還付未了となつた過誤納金は、歳入中の収入済額として取り扱い、その旨付記しておけばよい。（昭三六・六・一二行実）

※ 令一七三条の六関係

※ ●市長が収入役（現行法では会計管理者）の補助部課として物品の出納保管を所掌する用度課を設けた場合、市の教育委員会に要する物品の出納保管は当然用度課が行うべきである。また、市長が物品会計規則を定めた場合、この規則は、市の教育委員会をも拘束する。（昭二八・八・五行実）

※ ●現金出納簿は、各会計ごとに調製し当該年度の出納閉鎖期日で閉止するのが適当である。（昭三二・八・二三行実）

第十章　公の施設

＊章名―追加〔昭三八・六法九九〕

（公の施設）

第二百四十四条　普通地方公共団体は、住[1]民の福祉を増進する目的をもつてその利用に供するための施設（これを公の施設という。）を設けるものとする。

2　普通地方公共団体（次条第三項に規定する指定管理者を含む。次項において同じ。）は、正[2]当な理由がない限り、住民が公の施設を利用することを拒んではならない。

3　普通地方公共団体は、住民が公の施設を利用することについて、不[3]当な差別的取扱いをしてはならない。

＊本条―全改〔昭三八・六法九九〕、二項―一部改正〔平一五・六法八一〕

【参照条文】

①【住民―法一〇1　【設置―法一四九Ⅶ・二四四の二1　地教法二一Ⅰ

②・③【※憲法一四1　法一〇2・一四九Ⅶ・二三八の四7　地教法二一Ⅰ・Ⅱ

【実例・通知・判例】

1）●主として中小企業労働者とその家族の福利の向上に資することを目的として設置した県立中小企業労働者保養所は、公の施設である。（昭三九・九・一八行実）

●准看護婦（現行法では准看護師）養成所は、公の施設である。（昭三九・一〇・一五行実）

●厚生年金還元融資により建築し、中小企業事業主に、貸付期間満了後は無償譲渡することを条件として一定期間貸し付ける住宅は、公の施設ではない。（昭三九・一〇・二七通知）

●下水道法第二条第四号に規定する流域下水道は、公の施設である。（昭四七・一・二〇行実）

2）●公共施設の管理者が施設の利用を拒否できるのは、その集会によって他の基本的人権が侵害され、公共の福祉が損なわれる危険がある場合に限られる。（平七・三・七最裁判）

●市条例が市民会館の使用不許可理由とする「公の秩序を乱すおそれがある場合」とは、集会の自由を保障することの重要性よりも会館で集会が開かれることによって人の生命、身体又は財産が侵害され、公共の安全が損なわれる危険を回避・防止する必要性が優越する場合をいうものと限定して解釈すべきである。（平七・三・七最裁判）

●公務の中核を担う庁舎等において、政治的な対立がみられる論点について集会等が開催され、威力又は気勢を他に示すなどして特定の政策等を訴える示威行為が行われると、市長が庁舎等をそうした示威行為のための利用に供したという外形的な状況を通じて、あたかも被上告人が特定の立場の者を利しているかのような外観が生じ、これにより外見上の政治的中立性に疑義が生じて行政に対する住民の信頼が損なわれ、ひいては公務の円滑な遂行が確保されなくなるという支障が生じ得る。本件規定（庁舎等において特定の政策、主義又は意見に賛成し、又は反対する目的で個人又は団体で威力又は気勢を他に示す等の示威行為をしてはならない旨の規則の規定）は、上記支障を生じさせないことを目的とするものであって、その目的は合理的であり正当である。（本庁舎に係る建物の付近に位置してこれと一体的に管理ないし利用されている）本件広場における集会に係る行為に対し本件規定を適用することが憲法二一条一項に違反するものということはできない。（令五・二・二一最裁判）

3）●公の施設の利用について、集団的に又は常習的に暴力的不法行為を行うおそれがある組織の利益になると認めるときは、使用を許可しない旨を条例で定めることは差し支えない。（昭四〇・一二・二五行実）

●会館利用申立人の行う集会が、その思想、行動を敵視する団体の妨害行動により会館の周辺の混乱が予想され、その規制の困難性や出費を理由にその使用を制限することは表現の自由ないし集会の自由の趣旨に反し、法第二四四条第二項の公の施設の利用を拒むことができる正当な理由に当たらない。（平二・二・二六高裁判）

●普通地方公共団体の住民ではないが、その区域内に事務所、事業所、家屋敷等を有し、当該普通地方公共団体に対し地方税を納付する義務を負う者など住民に準ずる地位にある者による公の施設の利用について、当該公の施設の性質やこれらの者と当該普通地方公共団体との結び付きの程度等に照らし合理的な理由なく差別的取扱いをすることは、地方自治法二四四条三項に違反する。

普通地方公共団体が営む水道事業の水道料金を定めた条例の改正により、当該普通地方公共団体の住民基本台帳に記録されていない別荘に係る給水契約者の基本料金を別荘以外の給水契約者の基本料金の三・五七倍を超える金額とすることなどを内容とする水道料金の増額改定が行われた場合において、上記の別荘に係る給水契約者の基本料金が、当該給水に要する個別原価に基づいて定められたものではなく、給水契約者の水道使用量に大きな格差があるにもかかわらず、別荘以外の給水契約者（ホテル等の大規模施設に係る給水契約者を含む。）の一件当たりの年間水道料金の平均額と別荘に係る給水契約者の一件当たりの年間水道料金の負担額がほぼ同一水準になるようにするとの考え方に基づいて定められたものであることなど判示の事情の下では、上記の水道料金の改定をした条例のうち別荘に係る給水契

約者の基本料金を改定した部分は、地方自治法二四四条三項に違反するものとして無効である。（平一八・七・一四最裁判）

（**公の施設の設置、管理及び廃止**）

第二百四十四条の二 普通地方公共団体は、法律又はこれに基づく政令に特別の定めがあるものを除くほか、公の施設の設置及びその管理に関する事項は、条例[1]でこれを定めなければならない。

2 普通地方公共団体は、条例で定める重要な公の施設のうち条例で定める特に重要なものについて、これを廃止[2]し、又は条例で定める長期かつ独占的な利用[3]をさせようとするときは、議会において出席議員の三分の二以上の者の同意を得なければならない。

3 普通地方公共団体は、公の施設の設置の目的を効果的に達成するため必要があると認めるときは、条例[4]の定めるところにより、法人[5]その他の団体であつて当該普通地方公共団体が指定するもの（以下本条及び第二百四十四条の四において「指定管理者」という。）に、当該公の施設の管理を行わせることができる。

4 前項の条例[6]には、指定管理者の指定の手続、指定管理者が行う管理の基準及び業務の範囲その他必要な事項を定めるものとする。

5 指定管理者の指定[7]は、期間を定めて行うものとする。

6 普通地方公共団体は、指定管理者の指定をしようとするときは、あらかじめ、当該普通地方公共団体の議会の議決[8]を経なければならない。

7 指定管理者は、毎年度終了後、その管理する公の施設の管理の業務に関し事業報告書[9]を作成し、当該公の施設を設置する普通地方公共団体に提出しなければならない。

8 普通地方公共団体は、適当[10]と認めるときは、指定管理者にその管理する公の施設[11]の利用に係る料金（次項において「利用料金」という。）を当該指定管理者の収入として収受させることができる。

9 前項の場合における利用料金は、公益上必要があると認める場合を除くほか、条例[12]の定めるところにより、指定管理者が定めるものとする。この場合において、指定管理者は、あらかじめ当該利用料金について当該普通地方公共団体の承認を受けなければならない。

10 普通地方公共団体の長又は委員会は、指定管理者の管理する公の施設の管理の適正を期するため、指定管理者に対して、当該管理の業務又は経理の状況に関し報告を求め、実地について調査し、又は必要な指示をすることができる。

11 普通地方公共団体は、指定管理者が前項の指示に従わないときその他当該指定管理者による管理を継続することが適当でないと認めるときは、その指定を取り消し、又は期間を定めて管理の業務の全部又は一部の停止を命ずることができる。

＊ 本条―全改〔昭三八・六法九九〕、三項―一部改正・四～六項―追加・旧四項―七項に繰下〔平三・四法二四〕、七項―一部改正〔平六・六法四八〕、七項―削る〔平一一・七法八七〕、三項―一部改正・四～七項―追加・旧四～六項―一部改正し四項ずつ繰下・一一項―追加〔平一五・六法八一〕

【参照条文】

① 【特別の定め―社教法二四 生活保護法四〇4 都市公園法一八 下水道法二五 【設置・管理―法九六 1 XI・一四九 VII・二四四・二四四の三・二四四の四 公企法九 VII・三三 地教法二一 I・II・二八

② 【廃止―法一四九 VII 地教法二一 I 【長期かつ独占的な利用―法九六 1 XI ※法附則（昭三八法九九）一三

③ 【公共的団体―法一五七

【実例・通知・注釈】

1）○公の施設の設置は、個別的な条例でも統一条例で定めることも差しつかえない。

●本条第一項の条例中に、公の施設の使用により生じた損害は、その原因をとわずすべて使用者がその責に任ずる旨を規定することは国家賠償法第二条第一項に違反し、無効である。（昭四〇・九・一行実）

2）●条例で定める特に重要な公の施設である水道事業施設の一部廃止であつても、条例の改廃を伴わない限り、本条第二項の議会の議決は要しない。（昭四五・三・一九行実）

3）●墓地はその性質上一定の区域を分割的に、かつ、永代的に使用させることになるが、墓地をその本来の目的に従つて使用させる場合、条例の定めるところにより住民に対し一般的に解放したものであれば、本条第二項の「長期かつ独占的な利用」には該当しない。（昭二六・一〇・二四行実）

●「独占的な利用」とは、当該処分により従前住民が有していた利用関係を失わしめ、相手方に他の介入を排除するような利益を与えられると認められる場合をいう。（昭三二・一〇・四行実）

●公の施設の利用が、当該公の施設の機能、効用を増進することとなり、かつ、住民の一般利用が妨げられないものについては、独占的利用に該当しない。（昭四一・一二・二六行実）

4）●地方公共団体の長は、条例の定めるところにより、指定管理者に使用許可を行わせることができるものであるが、使用料の強制徴収（第二三一条の三）、不服申立てに対する決定（第二四四条の四）、行政財産の目的外使用許可（第二三八条の四第四項（現行法では同条第七項））等法令により地方公共団体の長のみが行うことができる権限については、これらを指定管理者に行わせることはできないものである。（平一五・七・一七通知）

5）●指定管理者制度は、地方公共団体が指定する法人その他の団体に公の施設の管理を行わせようとする制度であり、その対象は民間事業者等が幅広く含まれる。（平一五・七・一七通知）

6）●指定管理者の指定の手続、指定管理者が行う管理の基準及び業務の範囲その他必要な事項は条例で定めることとされており、その具体的な内容は以下のとおりである。

① 「指定の手続」としては、申請の方法や選定基準等を定めるものであること。なお、指定の申請に当たっては、複数の申請者に事業計画書を提出させることとし、選定する際の基準としては例えば次のような事項を定めておく方法が望ましいものである。

ア　住民の平等利用が確保されること。

イ　事業計画書の内容が、施設の効用を最大限に発揮するとともに管理経費の縮減が図られるものであること。

ウ　事業計画書に沿った管理を安定して行う物的能力、人的能力を有していること。

② 「管理の基準」としては、住民が当該公の施設を利用するに当たっての基本的な条件（休館日、開館時間、使用制限の要件等）のほか、管理を通じて取得した個人に関する情報の取扱いなど当該公の施設の適正な管理の観点から必要不可欠である業務運営の基本的事項を定めるものである。

③ 「業務の範囲」としては、指定管理者が行う管理の業務について、その具体的範囲を規定するものであり、使用の許可まで含めるかどうかを含め、施設の維持管理等の範囲を各施設の目的や態様等に応じて設定するものである。（平一五・七・一七通知）

●指定管理者に支出する委託費の額等、細目的事項については、地方公共団体と指定管理者の間の協議により定めることとし、別途両者の間で協定等を締結することが適当である。（平一五・七・一七通知）

7）●指定管理者による管理が適切に行われているかどうかを定期的に見直す機会を設けるため、指定管理者の指定は、期間を定めて行うものとすることとされている。この期間については、法令上具体の定めはないものであり、公の施設の適切かつ安定的な運営の要請も勘案し、各地方公共団体において、施設の設置目的や実情等を踏まえて指定期間を定めること。（平二二・一二・二八通知）

●指定管理者の指定の申請にあたっては、住民サービスを効果的、効率的に提供するため、サービスの提供者を民間事業者等から幅広く求めることに意義があり、複数の申請者に事業計画書を提出させることが望ましい。一方で、利用者や住民からの評価等を踏まえ同一事業者を再び指定している例もあり、各地方公共団体において施設の態様等に応じて適切に選定を行うこと。（平二二・一二・二八通知）

8）●指定に当たって議決すべき事項は、指定管理者に管理を行わせようとする公の施設の名称、指定管理者となる団体の名称、指定の期間等である。（平一五・七・一七通知）

9）●「事業報告書」においては、管理業務の実施状況や利用状況、料金収入の実績や管理経費等の収支状況等、指定管理者による管理の実態を把握するために必要な事項が記載されるものである。（平一五・七・一七通知）

10）●適当と認めるときに当たるかどうかは、当該公の施設の有効な活用及び適正な運営等の観点から総合的に判断すべきものである。（平三・四・二通知）

11）●利用料金は、公の施設の使用料に相応するものである。（平三・四・二通知）

●旧法第二四四条の二第四項及び第五項と同様、指定管理者制度においても、利用料金を当該指定管理者の収入として収受させることができることとし、当該利用料金は、公益上必要があると認める場合を除くほか、条例の定めるところにより、指定管理者が定めるものとしている。（平一五・七・一七通知）

12）●条例において、利用料金に関し、その基本的枠組み（利用料金の金額の範囲、算定方法等）を定めるべきものである。（平三・四・二通知）

※●使用料未納による市営住宅の居住者の退去は、行政処分として退去の強制執行はできない。退去の強制執行は訴訟によらなければならない。（昭二五・五・一六行実）

※●地方公共団体の経営する墓地は、営造物（公の施設）として、その使用関係には、一般私法の規定は一般的には排除される。（昭二六・一〇・二四行実）

●県物産館が行なう事務のうち、1出品物の展示、2出品物保全のための看視と保清、3出品物の説明・カタログ等の配布、4出品物についての引合相談を社団法人物産協会に委託できる。（昭三八・六・一九行実）

※●清掃、警備といった個々の具体的業務を指定管理者から第三者へ委託することは差し支えないが、法律の規定に基づいて指定管理者を指定することとした今回の制度の趣旨にかんがみれば、管理に係る業務を一括してさらに第三者へ委託することはできないものである。（平一五・七・一七通知）

●指定管理者が管理を通じて取得した個人情報については、その取扱いについて十分留意し、「管理の基準」として必要な事項を定めるほか、個人情報保護条例において個人情報の保護に関して必要な事項を指定管理者との間で締結する協定に盛り込むことを規定する等、必要な措置を講ずべきものであること。また、指定管理者の選定の際に情報管理体制のチェックを行うこと等により、個人情報が適切に保護されるよう配慮されたい。

その際、「地方公共団体における個人情報保護対策について」（平成一五年六月一六日付け総行情第九一号総務省政策統括官通知）の内容を十分に踏まえて対応されたい。（平一五・七・一七通知）

●指定管理者の選定の際に情報管理体制のチェックを行うこと等により、個人情報が適切に保護されるよう配慮すること。（平二一・一二・二八通知）

●道路法、河川法、学校教育法等個別の法律において公の施設の管理主体が限定される場合には、指定管理者制度を採ることができないものである。（平一五・七・一七通知）

※●公の施設の管理及び指定管理者制度の運用にあたっては、引き続き、下記の点に留意の上、運用されたい。

① 公の施設の管理については、既に指定管理者制度を導入している施設も含め、引き続き、そのあり方について検証及び見直しを行い、より効果的、効率的な運営に努めること。

② 指定管理者の選定手続については、透明性の高い手続きが求められることから、指定管理者の指定の申請に当たっては、複数の申請者に事業計画書を提出させることとし、選定する際の基準、手続等について適時に必要な情報開示を行うこと等に努めること。（平一九・一・三一通知）

●指定管理者制度を活用した場合でも、住民の安全確保に十分に配慮するとともに、指定管理者との協定等には、施設の種別に応じた必要な体制に関する事項、リスク分担に関する事項、損害賠償責任保険等の加入に関する事項等の具体的事項をあらかじめ盛り込むことが望ましい。（平二二・一二・二八通知）

●指定管理者が労働法令を遵守することは当然であり、指定管理者の選定にあたっても、指定管理者において労働法令の遵守や雇用・労働条件への適切な配慮がなされるよう、留意すること。（平二二・一二・二八通知）

●指定期間が複数年度にわたり、かつ、地方公共団体から指定管理者に対して委託料を支出することが確実に見込まれる場合には、債務負担行為を設定すること。（平二二・一二・二八通知）

（公の施設の区域外設置及び他の団体の公の施設の利用）

第二百四十四条の三　普通地方公共団体は、その区域外においても、また、関係普通地方公共団体との協議[1]により、公[2]の施設を設けることができる。

2　普通地方公共団体は、他の普通地方公共団体との協議[3]により、当該他の普通地方公共団体の公の施設を自己の住[4]民の利用に供させることができる。

3　前二項の協議については、関係普通地方公共団体の議会の議決を経なければならない。

＊本条―追加〔昭三八・六法九九〕

【参照条文】
①【区域―法五
②【住民―法一〇1
※　法一〇2・一四九Ⅶ・二四四・二四四の二・二四四の四

【実　例】

1）●区域外に営造物（公の施設）を設置する場合、設置される地域の住民との間に使用関係を生じないときは協議を要しない。（昭二五・八・二行実）

●一般乗合旅客自動車運送事業の路線が地方公共団体の区域外にわたる場合は、一般的には本条の協議を要する。（昭二七・六・二九行実）

●協議の手続は、営造物（公の施設）の設置に関する協議に応ずる旨の文書に議会の議決書を添えて通知する扱とすべきである。（昭三〇・一・六行実）

2）●区域外に延長された路線についてバスを運行する場合、これに必要な営業所、車庫等は、当該延長されたバス路線に必要な施設として本条の営造物（公の施設）を形成する要素となる。（昭二八・六・二七行実）

3）●市内に一時に多数の伝染病患者が発生し市立伝染病院のみでは収容しきれず、余剰患者を市長が伝染病予防法〔現―感染症の予防及び感染症の患者に対する医療に関する法律〕に規定するその他適当な場所として他市町村立伝染病院に入院させる場合は協議は要しない。（昭四一・一・一三行実）

●A県が隣接のB県の一町二村に水道用水供給事業を行う場合には、A県とB県との間において協議を行うべきであり、B県内の町村との間の協議は必要がない。（昭五七・一二・二行実）

4）●市が隣町に水道を敷設した場合、当該町と私法上の契約を締結することにより市が町から直接水道使用料をとることはできない。条例の定めるところにより個々の使用者から使用料を徴収すべきである。（昭二九・一〇・九行実）

※●市の水道事業の一環として隣接町村住民の利用を目的とする上水道を敷設することは、本条第一項の協議を経れば可能であるが、この場合には、第二項の協議は不要である。なお、当該市の条例をそのまま隣接町村の水道利用者に適用することはできる。（昭三一・五・二二行実）

（公の施設を利用する権利に関する処分についての審査

請求）

第二百四十四条の四　普通地方公共団体の長以外の機関（指定管理者を含む。）がした公の施設を利用する権利に関する処分についての審査請求は、普通地方公共団体の長が当該機関の最上級行政庁でない場合においても、当該普通地方公共団体の長に対してするものとする。

2　普通地方公共団体の長は、公の施設を利用する権利に関する処分についての審査請求がされた場合には、当該審査請求が不適法であり、却下するときを除き、議会に諮問した上、当該審査請求に対する裁決をしなければならない。

3　議会は、前項の規定による諮問[1]を受けた日から二十日以内に意見[2]を述べなければならない。

4　普通地方公共団体の長は、第二項の規定による諮問をしないで同項の審査請求を却下したときは、その旨を議会に報告しなければならない。

＊本条—追加〔昭三八・六法九九〕、一・六項—一部改正〔平一一・一二法一六〇〕、三項—一部改正〔平一五・六法八一〕、一・二・六項—削る・旧三・四項—一部改正し二項ずつ繰上・旧五項—三項に繰上〔平二六・六法六九〕、二・三項—一部改正・四項—追加〔平二九・四法二五〕

【参照条文】

※【公の施設の利用—法一〇2・二四四2・3・二四四の二2・二四四の三2　【普通地方公共団体の長以外の機関—法一三八の四

※行政不服審査法　法二五五の四・二五七2・二五八

【実例・注釈】

1）○「諮問があつた日から二十日以内」とは、諮問があつた日の翌日を第一日として二〇日目に当たる日までを指す。

2）●議会の答申意見は尊重されるべきであるが、必ずしも常に長はそれに絶対的に拘束されるものではない。（昭二六・七・一七行実）

※●公営住宅の入居者の選考が不当又は違法に行なわれた場合、入居申込みをして入居できなかつた者は、本条（平二六法六九による改正前の二四四の四）に基づき不服の申立てをすることができる。（昭三五・一二・一五行実）

第十一章　情報システム

＊本章—追加〔令六・六法六五〕

（情報システムの利用に係る基本原則）

第二百四十四条の五　普通地方公共団体は、その事務を処理するに当たつて、事務の種類及び内容に応じ、第二条第十四項及び第十五項の規定の趣旨を達成するため必要があると認めるときは、情報システムを有効に利用するとともに、他の普通地方公共団体又は国と協力して当該事務の処理に係る情報システムの利用の最適化を図るよう努めなければならない。

2　普通地方公共団体は、その事務の処理に係る情報システムの利用に当たつて、サイバーセキュリティ（サイバーセキュリティ基本法（平成二十六年法律第百四号）第二条に規定するサイバーセキュリティをいう。次条第一項において同じ。）の確保、個人情報の保護その他の当該情報システムの適正な利用を図るために必要な措置を講じなければならない。

＊本条—追加〔令六・六法六五〕

㊟　次条は、令和八年四月一日から施行となる。

（サイバーセキュリティを確保するための方針等）

第二百四十四条の六　普通地方公共団体の議会及び長その他の執行機関は、それぞれその管理する情報システムの利用に当たつてのサイバーセキュリティを確保するための方針を定め、及びこれに基づき必要な措置を講じなければならない。

2　普通地方公共団体の議会及び長その他の執行機関は、前項の方針を定め、又はこれを変更したときは、遅滞なく、これを公表しなければならない。

3　総務大臣は、普通地方公共団体に対し、第一項の方針（政令で定める執行機関が定めるものを除く。）の策定又は変更について、指針を示すとともに、必要な助言を行うものとする。

4　総務大臣は、前項の指針を定め、又は変更しようとするときは、国の関係行政機関の長に協議しなければならない。

＊本条—追加〔令六・六法六五〕

第十二章　国と普通地方公共団体との関係及び普通地方公共団体相互間の関係

＊章名—改正〔昭二七・八法三〇六〕、旧一〇章—一一章に繰下〔昭三八・六法九九〕、旧一一章—一二章に繰下〔令六・六法六五〕

第一節　普通地方公共団体に対する国又は都道府県の関与等

＊節名―追加〔平一一・七法八七〕

第一款　普通地方公共団体に対する国又は都道府県の関与等

＊款名―追加〔平一一・七法八七〕

（関与の意義）

第二百四十五条　この章並びに第二百五十二条の二十六の三第一項及び第二項において「普通地方公共団体に対する国又は都道府県の関与」とは、普通地方公共団体の事務の処理に関し、国の行政機関（内閣府設置法（平成十一年法律第八十九号）第四条第三項に規定する事務をつかさどる機関たる内閣府、宮内庁、同法第四十九条第一項若しくは第二項に規定する機関、デジタル庁設置法（令和三年法律第三十六号）第四条第二項に規定する事務をつかさどる機関たるデジタル庁、国家行政組織法（昭和二十三年法律第百二十号）第三条第二項に規定する機関、法律の規定に基づき内閣の所轄の下に置かれる機関又はこれらに置かれる機関をいう。以下この章において同じ。）又は都道府県の機関が行う次に掲げる行為（普通地方公共団体がその固有の資格において当該行為の名宛人となるものに限り、国又は都道府県の普通地方公共団体に対する支出金の交付及び返還に係るものを除く。）をいう。

一　普通地方公共団体に対する次に掲げる行為

イ　助言又は勧告

ロ　資料の提出の要求

ハ　是正の要求（普通地方公共団体の事務の処理が法令の規定に違反しているとき又は著しく適正を欠き、かつ、明らかに公益を害しているときに当該普通地方公共団体に対して行われる当該違反の是正又は改善のため必要な措置を講ずべきことの求めであつて、当該求めを受けた普通地方公共団体がその違反の是正又は改善のため必要な措置を講じなければならないものをいう。）

ニ　同意

ホ　許可、認可又は承認

ヘ　指示

ト　代執行（普通地方公共団体の事務の処理が法令の規定に違反しているとき又は当該普通地方公共団体がその事務の処理を怠つているときに、その是正のための措置を当該普通地方公共団体に代わつて行うことをいう。）

二　普通地方公共団体との協議

三　前二号に掲げる行為のほか、一定の行政目的を実現するため普通地方公共団体に対して具体的かつ個別的に関わる行為（相反する利害を有する者の間の利害の調整を目的としてされる裁定その他の行為（その双方を名宛人とするものに限る。）及び審査請求その他の不服申立てに対する裁決、決定その他の行為を除く。）

＊本条―全改〔平一一・七法八七〕、一部改正〔平一一・一二法一六〇、平二六・六法六九、令三・五法三六、令六・六法六五〕

【引用条文】

【法二五二の二六の三（資料及び意見の提出の要求）1・2　【内閣府設置法四（所掌事務）3・四九（設置）1・2　【デジタル庁設置法四（所掌事務）2　【国家行政組織法三（行政機関の設置、廃止、任務及び所掌事務）2

【参照条文】

【法律の規定に基づき内閣の所轄の下に置かれる機関―国公法三　【その固有の資格―行政不服審査法七2

※法二四五の二～二五二・二五二の一七の五～二五二の一七の七・二五二の二六の三～二五二の二六の一〇

（関与の法定主義）

第二百四十五条の二　普通地方公共団体は、その事務の処理に関し、法律又はこれに基づく政令によらなければ、普通地方公共団体に対する国又は都道府県の関与を受け、又は要することとされることはない。

＊本条―追加〔平一一・七法八七〕

【参照条文】

※法二四五

（関与の基本原則）

第二百四十五条の三　国は、普通地方公共団体が、その事務の処理に関し、普通地方公共団体に対する国又は都道府県の関与を受け、又は要することとする場合には、その目的を達成するために必要な最小限度のものとするとともに、普通地方公共団体の自主性及び自立性に配慮しなければならない。

2　国は、できる限り、普通地方公共団体が、自治事務の

自治法

処理に関しては普通地方公共団体に対する国又は都道府県の関与のうち第二百四十五条第一号ト及び第三号に規定する行為を、法定受託事務の処理に関しては普通地方公共団体に対する国又は都道府県の関与のうち同号に規定する行為を受け、又は要することとすることのないようにしなければならない。

3　国は、国又は都道府県の計画と普通地方公共団体の計画との調和を保つ必要がある場合等国又は都道府県の施策と普通地方公共団体の施策との間の調整が必要な場合を除き、普通地方公共団体の事務の処理に関し、普通地方公共団体が、普通地方公共団体に対する国又は都道府県の関与のうち第二百四十五条第二号に規定する行為を要することとすることのないようにしなければならない。

4　国は、法令に基づき国がその内容について財政上又は税制上の特例措置を講ずるものとされている計画を普通地方公共団体が作成する場合等国又は都道府県の施策と普通地方公共団体の施策との整合性を確保しなければこれらの施策の実施に著しく支障が生ずると認められる場合を除き、自治事務の処理に関し、普通地方公共団体が、普通地方公共団体に対する国又は都道府県の関与のうち第二百四十五条第一号ニに規定する行為を要することとすることのないようにしなければならない。

5　国は、普通地方公共団体が特別の法律により法人を設立する場合等自治事務の処理について国の行政機関又は都道府県の機関の許可、認可又は承認を要することとすること以外の方法によつてその処理の適正を確保することが困難であると認められる場合を除き、自治事務の処理に関し、普通地方公共団体が、普通地方公共団体に対する国又は都道府県の関与のうち第二百四十五条第一号ホに規定する行為を要することとすることのないようにしなければならない。

6　国は、国民の生命、身体又は財産の保護のため緊急に自治事務の的確な処理を確保する必要がある場合等特に必要と認められる場合を除き、自治事務の処理に関し、普通地方公共団体が、普通地方公共団体に対する国又は都道府県の関与のうち第二百四十五条第一号へに規定する行為に従わなければならないこととすることのないようにしなければならない。

＊本条—追加〔平一一・七法八七〕

【引用条文】
②【法二四五（関与の意義）Ⅰト・Ⅲ
③【法二四五（関与の意義）Ⅱ
④【法二四五（関与の意義）Ⅰニ
⑤【法二四五（関与の意義）Ⅰホ
⑥【法二四五（関与の意義）Ⅰヘ

（技術的な助言及び勧告並びに資料の提出の要求）

第二百四十五条の四　各大臣（内閣府設置法第四条第三項若しくはデジタル庁設置法第四条第二項に規定する事務を分担管理する大臣たる内閣総理大臣又は国家行政組織法第五条第一項に規定する各省大臣をいう。以下この章から第十四章まで及び第十六章において同じ。）又は都道府県知事その他の都道府県の執行機関は、その担任する事務に関し、普通地方公共団体に対し、普通地方公共団体の事務の運営その他の事項について適切と認める技術的な助言若しくは勧告をし、又は当該助言若しくは勧告をするため若しくは普通地方公共団体の事務の適正な処理に関する情報を提供するため必要な資料の提出を求めることができる。

2　各大臣は、その担任する事務に関し、都道府県知事その他の都道府県の執行機関に対し、前項の規定による市町村に対する助言若しくは勧告又は資料の提出の求めに関し、必要な指示をすることができる。

3　普通地方公共団体の長その他の執行機関は、各大臣又は都道府県知事その他の都道府県の執行機関に対し、その担任する事務の管理及び執行について技術的な助言若しくは勧告又は必要な情報の提供を求めることができる。

＊本条—追加〔平一一・七法八七〕、一項—一部改正〔平一一・一二法一六〇、令三・五法三六、令六・六法六五〕

【引用条文】
①【内閣府設置法四（所掌事務）3】【デジタル庁設置法四（所掌事務）2】【国家行政組織法五（行政機関の長）1】

【参照条文】
【助言・勧告—法二四五Ⅰイ】【資料の提出の求め—法二四五Ⅰロ】【指示—法二四五Ⅰヘ】
※法二四七・二四八・二五二の一七の五・二五二の二六の三・二五二の二六の四

（是正の要求）

第二百四十五条の五　各大臣は、その担任する事務に関し、都道府県の自治事務の処理が法令の規定に違反していると認めるとき、又は著しく適正を欠き、かつ、明らかに公益を害していると認めるときは、当該都道府県に対し、当該自治事務の処理について違反の是正又は改善のため必要な措置を講ずべきことを求めることができる。

2　各大臣は、その担任する事務に関し、市町村の次の各号に掲げる事務の処理が法令の規定に違反していると認めるとき、又は著しく適正を欠き、かつ、明らかに公益を害していると認めるときは、当該各号に定める都道府県の執行機関に対し、当該事務の処理について違反の是正又は改善のため必要な措置を講ずべきことを当該市町村に求めるよう指示をすることができる。

一 市町村長その他の市町村の執行機関（教育委員会及び選挙管理委員会を除く。）の担任する事務（第一号法定受託事務を除く。次号及び第三号において同じ。） 都道府県知事

二 市町村教育委員会の担任する事務 都道府県教育委員会

三 市町村選挙管理委員会の担任する事務 都道府県選挙管理委員会

3 前項の指示を受けた都道府県の執行機関は、当該市町村に対し、当該事務の処理について違反の是正又は改善のため必要な措置を講ずべきことを求めなければならない。

4 各大臣は、第二項の規定によるほか、その担任する事務に関し、市町村の事務（第一号法定受託事務を除く。）の処理が法令の規定に違反していると認める場合、又は著しく適正を欠き、かつ、明らかに公益を害していると認める場合において、緊急を要するときその他特に必要があると認めるときは、自ら当該市町村に対し、当該事務の処理について違反の是正又は改善のため必要な措置を講ずべきことを求めることができる。

5 普通地方公共団体は、第一項、第三項又は前項の規定による求めを受けたときは、当該事務の処理について違反の是正又は改善のための必要な措置を講じなければならない。

＊本条―追加〔平一一・七法八七〕

【参照条文】【是正の要求―法二四五Ⅰハ】【指示―法二四五Ⅰヘ】
※法二四九・二五〇の一三・二五一の三

（是正の勧告）

第二百四十五条の六 次の各号に掲げる都道府県の執行機関は、市町村の当該各号に定める自治事務の処理が法令の規定に違反していると認めるとき、又は著しく適正を欠き、かつ、明らかに公益を害していると認めるときは、当該市町村に対し、当該自治事務の処理について違反の是正又は改善のため必要な措置を講ずべきことを勧告することができる。

一 都道府県知事 市町村長その他の市町村の執行機関（教育委員会及び選挙管理委員会を除く。）の担任する自治事務

二 都道府県教育委員会 市町村教育委員会の担任する自治事務

三 都道府県選挙管理委員会 市町村選挙管理委員会の担任する自治事務

＊本条―追加〔平一一・七法八七〕

【参照条文】【勧告―法二四五Ⅰイ】
※法二四七

（是正の指示）

第二百四十五条の七 各大臣は、その所管する法律又はこれに基づく政令に係る都道府県の法定受託事務の処理が法令の規定に違反していると認めるとき、又は著しく適正を欠き、かつ、明らかに公益を害していると認めるときは、当該都道府県に対し、当該法定受託事務の処理について違反の是正又は改善のため講ずべき措置に関し、必要な指示をすることができる。

2 次の各号に掲げる都道府県の執行機関は、市町村の当該各号に定める法定受託事務の処理が法令の規定に違反していると認めるとき、又は著しく適正を欠き、かつ、明らかに公益を害していると認めるときは、当該市町村に対し、当該法定受託事務の処理について違反の是正又は改善のため講ずべき措置に関し、必要な指示をすることができる。

一 都道府県知事 市町村長その他の市町村の執行機関（教育委員会及び選挙管理委員会を除く。）の担任する法定受託事務

二 都道府県教育委員会 市町村教育委員会の担任する法定受託事務

三 都道府県選挙管理委員会 市町村選挙管理委員会の担任する法定受託事務

3 各大臣は、その所管する法律又はこれに基づく政令に係る市町村の第一号法定受託事務の処理について、前項各号に掲げる都道府県の執行機関に対し、同項の規定による市町村に対する指示に関し、必要な指示をすることができる。

4 各大臣は、前項の規定によるほか、その所管する法律又はこれに基づく政令に係る市町村の第一号法定受託事務の処理が法令の規定に違反していると認める場合、又は著しく適正を欠き、かつ、明らかに公益を害していると認める場合において、緊急を要するときその他特に必要があると認めるときは、自ら当該市町村に対し、当該第一号法定受託事務の処理について違反の是正又は改善のため講ずべき措置に関し、必要な指示をすることができる。

＊ 本条―追加（平一一・七法八七）

【参照条文】【指示―法二四五Ｉへ

※ 法二四九・二五〇の一三・二五一の三

（代執行等）

第二百四十五条の八　各大臣は、その所管する法律若しくはこれに基づく政令に係る都道府県知事の法定受託事務の管理若しくは執行が法令の規定若しくは当該各大臣の処分に違反するものがある場合又は当該法定受託事務の管理若しくは執行を怠るものがある場合において、本項から第八項までに規定する措置以外の方法によつてその是正を図ることが困難であり、かつ、それを放置することにより著しく公益を害することが明らかであるときは、文書により、当該都道府県知事に対して、その旨を指摘し、期限を定めて、当該違反を是正し、又は当該怠る法定受託事務の管理若しくは執行を改めるべきことを勧告することができる。

2　各大臣は、都道府県知事が前項の期限までに同項の規定による勧告に係る事項を行わないときは、文書により、当該都道府県知事に対し、期限を定めて当該事項を行うべきことを指示することができる。

3　各大臣は、都道府県知事が前項の期限までに当該事項を行わないときは、高等裁判所に対し、訴えをもつて、当該事項を行うべきことを命ずる旨の裁判を請求することができる。

4　各大臣は、高等裁判所に対し前項の規定により訴えを提起したときは、直ちに、文書により、その旨を当該都道府県知事に通告するとともに、当該高等裁判所に対し、その通告をした日時、場所及び方法を通知しなければならない。

5　当該高等裁判所は、第三項の規定により訴えが提起されたときは、速やかに口頭弁論の期日を定め、当事者を呼び出さなければならない。その期日は、同項の訴えの提起があつた日から十五日以内の日とする。

6　当該高等裁判所は、各大臣の請求に理由があると認めるときは、当該都道府県知事に対し、期限を定めて当該事項を行うべきことを命ずる旨の裁判をしなければならない。

7　第三項の訴えは、当該都道府県の区域を管轄する高等裁判所の専属管轄とする。

8　各大臣は、都道府県知事が第六項の裁判に従い同項の期限までに、なお、当該事項を行わないときは、当該都道府県知事に代わつて当該事項を行うことができる。この場合においては、各大臣は、あらかじめ当該都道府県知事に対し、当該事項を行う日時、場所及び方法を通知しなければならない。

9　第三項の訴えに係る高等裁判所の判決に対する上告の期間は、一週間とする。

10　前項の上告は、執行停止の効力を有しない。

11　各大臣の請求に理由がない旨の判決が確定した場合において、既に第八項の規定に基づき第二項の規定による指示に係る事項が行われているときは、都道府県知事は、当該判決の確定後三月以内にその処分を取り消し、又は原状の回復その他必要な措置を執ることができる。

12　前各項の規定は、市町村長の法定受託事務の管理若しくは執行が法令の規定若しくは各大臣若しくは都道府県知事の処分に違反するものがある場合又は当該法定受託事務の管理若しくは執行を怠るものがある場合において、本項に規定する措置以外の方法によつてその是正を図ることが困難であり、かつ、それを放置することにより著しく公益を害することが明らかであるときについて準用する。この場合においては、前各項の規定中「各大臣」とあるのは「都道府県知事」と、「都道府県知事」とあるのは「市町村長」と、「当該都道府県の区域」とあるのは「当該市町村の区域」と読み替えるものとする。

13　各大臣は、その所管する法律又はこれに基づく政令に係る市町村長の第一号法定受託事務の管理又は執行について、都道府県知事に対し、前項において準用する第一項から第八項までの規定による措置に関し、必要な指示をすることができる。

14　第三項（第十二項において準用する場合を含む。次項において同じ。）の訴えについては、行政事件訴訟法第四十三条第三項の規定にかかわらず、同法第四十一条第二項の規定は、準用しない。

15　前各項に定めるもののほか、第三項の訴えについては、主張及び証拠の申出の時期の制限その他審理の促進に関し必要な事項は、最高裁判所規則で定める。

＊ 本条―追加（平一一・七法八七）

【引用条文】

⑭【行訴法四三（抗告訴訟又は当事者訴訟に関する規定の準用）３・四一（抗告訴訟に関する規定の準用）

【参照条文】

2【代執行―法二四五Ｉト

⑮【最高裁判所規則の定―普通地方公共団体に対する国の関与等に関する訴訟規則（平一二最高裁判所規則四）

※ 法二五〇の一三Ｉ各号・二五一の三Ｉ各号

【判例】

※　●民事訴訟法の補助参加に関する規定は、その性質上、機関訴訟である地方自治法第一五一条の二（現行第二四五条の八）第三項に基づく職務執行命令訴訟（現行代執行に関する訴訟）には準用されないものと解しても憲法第三二条に違反するものではない。（平八・二・二六最裁判）

※　●職務執行命令訴訟（現行代執行に関する訴訟）においては、主務大臣が発した職務執行命令（現行各大臣の指示）がその適法要件を充足しているか否かを客観的に審理判断すべきものと解するのが相当である。（平八・八・二八最裁判）

※　●争点１（法令違反等の要件の該当性の有無）について、公有水面埋立法の規定に基づく変更承認の申請について、変更承認をすることを求める是正の指示が違法な国の関与に当たるとして、当該指示の取消しを求める裁判に関する最高裁の判決において法令（公有水面埋立法）に違反することが確定したにもかかわらず、その後も何ら対応していないことから、被告の事務の管理等については、地方自治法第二四五条の八第一項にいう「法令の規定（中略）に違反するものがある場合」に該当する。争点２（補充性の要件の該当性の有無）について、最高裁の判決において敗訴が確定した後も何ら対応していないことから、被告において不承認とする意思は明確かつ強固であるというほかなく、被告の事務の管理等については、同条第一項から第八項に規定する措置以外の方法によってその是正を図ることが困難であるとの要件（補充性の要件）に該当する。争点３（公益侵害の要件の該当性の有無）について、人の生命や身体に大きく関わる危険性があることに加え、変更申請・裁決以降も変更申請に係る事務を放置し、最高裁の判決において法令違反との判断を受けた後もこれを放置していることは、社会公益の利益を害するものといわざるを得ず、被告の事務の管理等については、甚だしく社会公益の利益を害するものと認められるから、「著しく公益を害することが明らかであるとき」として、公益侵害の要件に該当する。（令五・一二・二〇高裁判）

（処理基準）

第二百四十五条の九　各大臣は、その所管する法律又はこれに基づく政令に係る都道府県の法定受託事務の処理について、都道府県が当該法定受託事務を処理するに当たりよるべき基準を定めることができる。

2　次の各号に掲げる都道府県の執行機関は、市町村の当該各号に定める法定受託事務の処理について、市町村が当該法定受託事務を処理するに当たりよるべき基準を定めることができる。この場合において、都道府県の執行機関の定める基準は、次項の規定により各大臣の定める基準に抵触するものであつてはならない。

一　都道府県知事　市町村長その他の市町村の執行機関（教育委員会及び選挙管理委員会を除く。）の担任する法定受託事務

二　都道府県教育委員会　市町村教育委員会の担任する法定受託事務

三　都道府県選挙管理委員会　市町村選挙管理委員会の担任する法定受託事務

3　各大臣は、特に必要があると認めるときは、その所管する法律又はこれに基づく政令に係る市町村の第一号法定受託事務の処理について、市町村が当該第一号法定受託事務を処理するに当たりよるべき基準を定めることができる。

4　各大臣は、その所管する法律又はこれに基づく政令に係る市町村の第一号法定受託事務の処理について、第二項各号に掲げる都道府県の執行機関に対し、同項の規定により定める基準に関し、必要な指示をすることができる。

5　第一項から第三項までの規定により定める基準は、その目的を達成するために必要な最小限度のものでなければならない。

＊本条―追加〔平一一・七法八七〕

【参照条文】
④【指示―法二四五Ⅰへ
※　法二四五の三１・６

第二款　普通地方公共団体に対する国又は都道府県の関与等の手続

＊款名―追加〔平一一・七法八七〕

（普通地方公共団体に対する国又は都道府県の関与の手続の適用）

第二百四十六条　次条から第二百五十条の五までの規定は、普通地方公共団体に対する国又は都道府県の関与について適用する。ただし、他の法律に特別の定めがある場合は、この限りでない。

＊本条―全改〔平一一・七法八七〕

【引用条文】
【法二四七～二五〇の五
【参照条文】
※　法二四五

（助言等の方式等）

第二百四十七条　国の行政機関又は都道府県の機関は、普

通地方公共団体に対し、助言、勧告その他これらに類する行為（以下本条及び第二百五十二条の十七の三第二項において「助言等」という。）を書面によらないで行つた場合において、当該普通地方公共団体から当該助言等の趣旨及び内容を記載した書面の交付を求められたときは、これを交付しなければならない。

2　前項の規定は、次に掲げる助言等については、適用しない。

一　普通地方公共団体に対しその場において完了する行為を求めるもの

二　既に書面により当該普通地方公共団体に通知されている事項と同一の内容であるもの

3　国又は都道府県の職員は、普通地方公共団体が国の行政機関又は都道府県の機関が行つた助言等に従わなかつたことを理由として、不利益な取扱いをしてはならない。

＊本条―全改〔平一一・七法八七〕

【引用条文】

①【法二五二の一七の三（条例による事務処理の特例の効果）２

【参照条文】

※　法二四五

（資料の提出の要求等の方式）

第二百四十八条　国の行政機関又は都道府県の機関は、普通地方公共団体に対し、資料の提出の要求その他これに類する行為（以下本条及び第二百五十二条の十七の三第二項において「資料の提出の要求等」という。）を書面によらないで行つた場合において、当該普通地方公共団体から当該資料の提出の要求等の趣旨及び内容を記載した書面の交付を求められたときは、これを交付しなければならない。

＊本条―全改〔平一一・七法八七〕

【引用条文】

【法二五二の一七の三（条例による事務処理の特例の効果）２

【参照条文】

※　法二四五

（是正の要求等の方式）

第二百四十九条　国の行政機関又は都道府県の機関は、普通地方公共団体に対し、是正の要求、指示その他これらに類する行為（以下本条及び第二百五十二条の十七の三第二項において「是正の要求等」という。）をするときは、同時に、当該是正の要求等の内容及び理由を記載した書面を交付しなければならない。ただし、当該書面を交付しないで是正の要求等をすべき差し迫つた必要がある場合は、この限りでない。

2　前項ただし書の場合においては、国の行政機関又は都道府県の機関は、是正の要求等をした後相当の期間内に、同項の書面を交付しなければならない。

＊本条―全改〔平一一・七法八七〕

【引用条文】

①【法二五二の一七の三（条例による事務処理の特例の効果）２

【参照条文】

※　法二四五

（協議の方式）

第二百五十条　普通地方公共団体から国の行政機関又は都道府県の機関に対して協議の申出があつたときは、国の行政機関又は都道府県の機関及び普通地方公共団体は、誠実に協議を行うとともに、相当の期間内に当該協議が調うよう努めなければならない。

2　国の行政機関又は都道府県の機関は、普通地方公共団体の申出に基づく協議について意見を述べた場合において、当該普通地方公共団体から当該協議に関する意見の趣旨及び内容を記載した書面の交付を求められたときは、これを交付しなければならない。

＊本条―全改〔平一一・七法八七〕

【参照条文】

※　法二四五

（許認可等の基準）

第二百五十条の二　国の行政機関又は都道府県の機関は、普通地方公共団体からの法令に基づく申請又は協議の申出（以下この款、第二百五十条の十三第二項、第二百五十一条の三第二項、第二百五十一条の五第一項、第二百五十一条の六第一項及び第二百五十二条の十七の三第三項において「申請等」という。）があつた場合において、許可、認可、承認、同意その他これらに類する行為（以下この款及び第二百五十二条の十七の三第三項において「許認可等」という。）をするかどうかを法令の定めに従つて判断するために必要とされる基準を定め、かつ、行政上特別の支障があるときを除き、これを公表しなければならない。

2　国の行政機関又は都道府県の機関は、普通地方公共団体に対し、許認可等の取消しその他これに類する行為（以下本条及び第二百五十条の四において「許認可等の取消し等」という。）をするかどうかを法令の定めに従つて判断するために必要とされる基準を定め、かつ、これを公表するよう努めなければならない。

3 国の行政機関又は都道府県の機関は、第一項又は前項に規定する基準を定めるに当たつては、当該許認可等又は許認可等の取消し等の性質に照らしてできる限り具体的なものとしなければならない。

＊本条…追加〔平一一・七法八七〕、一項…一部改正〔平一六・六法八四、平二四・九法七二〕

【引用条文】
①【法二五〇の一三（国の関与に関する審査の申出）2・二五一の三（審査及び勧告）2・二五一の五（国の関与に関する訴えの提起）1・二五一の六（都道府県の関与に関する訴えの提起）1・二五二の一七の三（条例による事務処理の特例の効果）3
②【法二五〇の四（許認可等の取消し等の方式）
【参照条文】
※法二四五・二五〇の三・二五〇の四

（許認可等の標準処理期間）

第二百五十条の三 国の行政機関又は都道府県の機関は、申請等が当該国の行政機関又は都道府県の機関の事務所に到達してから当該申請等に係る許認可等をするまでに通常要すべき標準的な期間（法令により当該国の行政機関又は都道府県の機関と異なる機関が当該申請等の提出先とされている場合は、併せて、当該申請等が当該提出先とされている機関の事務所に到達してから当該国の行政機関又は都道府県の機関の事務所に到達するまでに通常要すべき標準的な期間）を定め、かつ、これを公表するよう努めなければならない。

2 国の行政機関又は都道府県の機関は、申請等が法令により当該申請等の提出先とされている機関の事務所に到達したときは、遅滞なく当該申請等に係る許認可等をするための事務を開始しなければならない。

＊本条…追加〔平一一・七法八七〕

【参照条文】
※法二四五・二五〇の二・二五〇の四

（許認可等の取消し等の方式）

第二百五十条の四 国の行政機関又は都道府県の機関は、普通地方公共団体に対し、申請等に係る許認可等を拒否する処分をするとき又は許認可等の取消し等をするときは、当該許認可等を拒否する処分又は許認可等の取消し等の内容及び理由を記載した書面を交付しなければならない。

＊本条…追加〔平一一・七法八七〕

【参照条文】
※法二四五・二五〇の二・二五〇の三

（届出）

第二百五十条の五 普通地方公共団体から国の行政機関又は都道府県の機関への届出が届出書の記載事項に不備がないこと、届出書に必要な書類が添付されていることその他の法令に定められた届出の形式上の要件に適合している場合は、当該届出が法令により当該届出の提出先とされている機関の事務所に到達したときに、当該届出をすべき手続上の義務が履行されたものとする。

＊本条…追加〔平一一・七法八七〕

【参照条文】
※法二四五

（国の行政機関が自治事務と同一の事務を自らの権限に属する事務として処理する場合の方式）

第二百五十条の六 国の行政機関は、自治事務として普通地方公共団体が処理している事務と同一の内容の事務を法令の定めるところにより自らの権限に属する事務として処理するときは、あらかじめ当該普通地方公共団体に対し、当該事務の処理の内容及び理由を記載した書面により通知しなければならない。ただし、当該通知をしないで当該事務を処理すべき差し迫つた必要がある場合は、この限りでない。

2 前項ただし書の場合においては、国の行政機関は、自ら当該事務を処理した後相当の期間内に、同項の通知をしなければならない。

＊本条…追加〔平一一・七法八七〕

第二節 国と普通地方公共団体との間並びに普通地方公共団体相互間及び普通地方公共団体の機関相互間の紛争処理

＊本節…追加〔平一一・七法八七〕

第一款 国地方係争処理委員会

＊本款…追加〔平一一・七法八七〕

（設置及び権限）

第二百五十条の七 総務省に、国地方係争処理委員会（以下本節において「委員会」という。）を置く。

2 委員会は、普通地方公共団体に対する国又は都道府県の関与のうち国の行政機関が行うもの（以下本節において「国の関与」という。）に関する審査の申出につき、この法律の規定によりその権限に属させられた事項を処理する。

＊本条―追加〔平一一・七法八七〕、一項―一部改正〔平一一・七法一〇二〕

【参照条文】
※　法二四五　総務省設置法八（審議会等）２

（組織）

第二百五十条の八　委員会は、委員五人をもつて組織する。

２　委員は、非常勤とする。ただし、そのうち二人以内は、常勤とすることができる。

＊本条―追加〔平一一・七法八七〕

㊟　次条中、点線の左側は、令和四年六月一七日から起算して三年を超えない範囲内において政令で定める日〔令七・六・一〕から施行となる。

（委員）

第二百五十条の九　委員は、優れた識見を有する者のうちから、両議院の同意を得て、総務大臣が任命する。

２　委員の任命については、そのうち三人以上が同一の政党その他の政治団体に属することとなつてはならない。

３　委員の任期が満了し、又は欠員を生じた場合において、国会の閉会又は衆議院の解散のために両議院の同意を得ることができないときは、総務大臣は、第一項の規定にかかわらず、同項に定める資格を有する者のうちから、委員を任命することができる。

４　前項の場合においては、任命後最初の国会において両議院の事後の承認を得なければならない。この場合において、両議院の事後の承認が得られないときは、総務大臣は、直ちにその委員を罷免しなければならない。

５　委員の任期は、三年とする。ただし、補欠の委員の任期は、前任者の残任期間とする。

６　委員は、再任されることができる。

７　委員の任期が満了したときは、当該委員は、後任者が任命されるまで引き続きその職務を行うものとする。

８　総務大臣は、委員が破産手続開始の決定を受け、又は禁錮／拘禁刑以上の刑に処せられたときは、その委員を罷免しなければならない。

９　総務大臣は、両議院の同意を得て、次に掲げる委員を罷免するものとする。

一　委員のうち何人も属していなかつた同一の政党その他の政治団体に新たに三人以上の委員が属するに至つた場合においては、これらの者のうち二人を超える員数の委員

二　委員のうち一人が既に属している政党その他の政治団体に新たに二人以上の委員が属するに至つた場合においては、これらの者のうち一人を超える員数の委員

10　総務大臣は、委員のうち二人が既に属している政党その他の政治団体に新たに属するに至つた委員を直ちに罷免するものとする。

11　総務大臣は、委員が心身の故障のため職務の執行ができないと認めるとき、又は委員に職務上の義務違反その他委員たるに適しない非行があると認めるときは、両議院の同意を得て、その委員を罷免することができる。

12　委員は、第四項後段及び第八項から前項までの規定による場合を除くほか、その意に反して罷免されることがない。

13　委員は、職務上知り得た秘密を漏らしてはならない。その職を退いた後も、同様とする。

14　委員は、在任中、政党その他の政治団体の役員となり、又は積極的に政治運動をしてはならない。

15　常勤の委員は、在任中、総務大臣の許可がある場合を除き、報酬を得て他の職務に従事し、又は営利事業を営み、その他金銭上の利益を目的とする業務を行つてはならない。

16　委員は、自己に直接利害関係のある事件については、その議事に参与することができない。

17　委員の給与は、別に法律で定める。

＊本条―追加〔平一一・七法八七〕、一・三・四・八・九・一〇・一一・一五項―一部改正〔平一一・七法一〇二〕、八項―一部改正〔平一六・六法七六、令四・六法六八〕

【参照条文】
⑧【禁錮以上の刑―刑法九・一一～一三
⑰【法律―特別職の職員の給与に関する法律
※　国公法一〇〇（秘密を守る義務）

（委員長）

第二百五十条の十　委員会に、委員長を置き、委員の互選によりこれを定める。

２　委員長は、会務を総理し、委員会を代表する。

３　委員長に事故があるときは、あらかじめその指名する委員が、その職務を代理する。

＊本条―追加〔平一一・七法八七〕

（会議）

第二百五十条の十一　委員会は、委員長が招集する。

２　委員会は、委員長及び二人以上の委員の出席がなければ、会議を開き、議決をすることができない。

３　委員会の議事は、出席者の過半数でこれを決し、可否同数のときは、委員長の決するところによる。
４　委員長に事故がある場合の第二項の規定の適用については、前条第三項に規定する委員は、委員長とみなす。

＊本条―追加〔平一一・七法八七〕

【引用条文】
④【法二五〇の一〇（委員長）３
【参照条文】
※　法二五〇の一〇（委員長）

（政令への委任）
第二百五十条の十二　この法律に規定するもののほか、委員会に関し必要な事項は、政令で定める。

＊本条―追加〔平一一・七法八七〕

【参照条文】
【政令の定―令一七四・一七四の二

第二款　国地方係争処理委員会による審査の手続

＊本款―追加〔平一一・七法八七〕

（国の関与に関する審査の申出）
第二百五十条の十三　普通地方公共団体の長その他の執行機関は、その担任する事務に関する国の関与のうち是正の要求、許可の拒否その他の処分その他公権力の行使に当たるもの（次に掲げるものを除く。）に不服があるときは、委員会に対し、当該国の関与を行つた国の行政庁を相手方として、文書で、審査の申出をすることができる。
一　第二百四十五条の八第二項及び第十三項の規定による指示
二　第二百四十五条の八第八項の規定に基づき都道府県知事に代わつて同条第二項の規定による指示に係る事項を行うこと。
三　第二百五十二条の十七の四第二項の規定により読み替えて適用する第二百四十五条の八第十二項において準用する同条第二項の規定による指示
四　第二百五十二条の十七の四第二項の規定により読み替えて適用する第二百四十五条の八第十二項において準用する同条第八項の規定に基づき市町村長に代わつて前号の指示に係る事項を行うこと。
２　普通地方公共団体の長その他の執行機関は、その担任する事務に関する国の不作為（国の行政庁が、申請等が行われた場合において、相当の期間内に何らかの国の関与のうち許可その他の処分その他公権力の行使に当たるものをすべきにかかわらず、これをしないことをいう。以下本節において同じ。）に不服があるときは、委員会に対し、当該国の不作為に係る国の行政庁を相手方として、文書で、審査の申出をすることができる。
３　普通地方公共団体の長その他の執行機関は、その担任する事務に関する当該普通地方公共団体の法令に基づく協議の申出が国の行政庁に対して行われた場合において、当該協議に係る当該普通地方公共団体の義務を果たしたと認めるにもかかわらず当該協議が調わないときは、委員会に対し、当該協議の相手方である国の行政庁を相手方として、文書で、審査の申出をすることができる。
４　第一項の規定による審査の申出は、当該国の関与があつた日から三十日以内にしなければならない。ただし、天災その他同項の規定による審査の申出をしなかつたことについてやむを得ない理由があるときは、この限りでない。
５　前項ただし書の場合における第一項の規定による審査の申出は、その理由がやんだ日から一週間以内にしなければならない。
６　第一項の規定による審査の申出に係る文書を郵便又は民間事業者による信書の送達に関する法律（平成十四年法律第九十九号）第二条第六項に規定する一般信書便事業者若しくは同条第九項に規定する特定信書便事業者による同条第二項に規定する信書便（第二百六十条の二第十二項において「信書便」という。）で提出した場合における前二項の期間の計算については、送付に要した日数は、算入しない。
７　普通地方公共団体の長その他の執行機関は、第一項から第三項までの規定による審査の申出（以下本款において「国の関与に関する審査の申出」という。）をしようとするときは、相手方となるべき国の行政庁に対し、その旨をあらかじめ通知しなければならない。

＊本条―追加〔平一一・七法八七〕、六項―一部改正〔平一四・七法一〇〇〕

【引用条文】
①【法二四五の八（代執行等）２・８・12・13・二五二の一七の四（是正の要求等の特則）２
⑥【民間事業者による信書の送達に関する法律二２・６・９
【参照条文】
①【国の関与―法二四五・二五〇の七２　【是正の要求―法二四五Ⅰハ・二四五の五　【許可―法二四五Ⅰホ
③【協議―法二四五Ⅱ　【協議の方式―法二五〇１

※ 令一七四の三

（審査及び勧告）

第二百五十条の十四　委員会は、自治事務に関する国の関与について前条第一項の規定による審査の申出があつた場合においては、審査を行い、相手方である国の行政庁の行つた国の関与が違法でなく、かつ、普通地方公共団体の自主性及び自立性を尊重する観点から不当でないと認めるときは、理由を付してその旨を当該審査の申出をした普通地方公共団体の長その他の執行機関及び当該国の行政庁に通知するとともに、これを公表し、当該国の行政庁の行つた国の関与が違法又は普通地方公共団体の自主性及び自立性を尊重する観点から不当であると認めるときは、当該国の行政庁に対し、理由を付し、かつ、期間を示して、必要な措置を講ずべきことを勧告するとともに、当該勧告の内容を当該普通地方公共団体の長その他の執行機関に通知し、かつ、これを公表しなければならない。

2　委員会は、法定受託事務に関する国の関与について前条第一項の規定による審査の申出があつた場合においては、審査を行い、相手方である国の行政庁の行つた国の関与が違法でないと認めるときは、理由を付してその旨を当該審査の申出をした普通地方公共団体の長その他の執行機関及び当該国の行政庁に通知するとともに、これを公表し、当該国の行政庁の行つた国の関与が違法であると認めるときは、当該国の行政庁に対し、理由を付し、かつ、期間を示して、必要な措置を講ずべきことを勧告するとともに、当該勧告の内容を当該普通地方公共団体の長その他の執行機関に通知し、かつ、これを公表しなければならない。

3　委員会は、前条第二項の規定による審査の申出があつた場合においては、審査を行い、当該審査の申出に理由がないと認めるときは、理由を付してその旨を当該審査の申出をした普通地方公共団体の長その他の執行機関及び相手方である国の行政庁に通知するとともに、これを公表し、当該審査の申出に理由があると認めるときは、当該国の行政庁に対し、理由を付し、かつ、期間を示して、必要な措置を講ずべきことを勧告するとともに、当該勧告の内容を当該普通地方公共団体の長その他の執行機関に通知し、かつ、これを公表しなければならない。

4　委員会は、前条第三項の規定による審査の申出があつたときは、当該審査の申出に係る協議について当該協議に係る普通地方公共団体がその義務を果たしているかどうかを審査し、理由を付してその結果を当該審査の申出をした普通地方公共団体の長その他の執行機関及び相手方である国の行政庁に通知するとともに、これを公表しなければならない。

5　前各項の規定による審査及び勧告は、審査の申出があつた日から九十日以内に行わなければならない。

＊本条—追加〔平一一・七法八七〕

【引用条文】①～④〔法二五〇の一三（国の関与に関する審査の申出）1～3

【参照条文】※ 法二五〇の七・二五〇の一三

（関係行政機関の参加）

第二百五十条の十五　委員会は、関係行政機関を審査の手続に参加させる必要があると認めるときは、国の関与に関する審査の申出をした普通地方公共団体の長その他の執行機関、相手方である国の行政庁若しくは当該関係行政機関の申立てにより又は職権で、当該関係行政機関を審査の手続に参加させることができる。

2　委員会は、前項の規定により関係行政機関を審査の手続に参加させるときは、あらかじめ、当該国の関与に関する審査の申出をした普通地方公共団体の長その他の執行機関及び相手方である国の行政庁並びに当該関係行政機関の意見を聴かなければならない。

＊本条—追加〔平一一・七法八七〕

（証拠調べ）

第二百五十条の十六　委員会は、審査を行うため必要があると認めるときは、国の関与に関する審査の申出をした普通地方公共団体の長その他の執行機関、相手方である国の行政庁若しくは前条第一項の規定により当該審査の手続に参加した関係行政機関（以下本条において「参加行政機関」という。）の申立てにより又は職権で、次に掲げる証拠調べをすることができる。

一　適当と認める者に、参考人としてその知つている事実を陳述させ、又は鑑定を求めること。

二　書類その他の物件の所持人に対し、その物件の提出を求め、又はその提出された物件を留め置くこと。

三　必要な場所につき検証をすること。

四　国の関与に関する審査の申出をした普通地方公共団体の長その他の執行機関、相手方である国の行政庁若しくは参加行政機関又はこれらの職員を審尋すること。

2　委員会は、審査を行うに当たつては、国の関与に関する審査の申出をした普通地方公共団体の長その他の執行機関、相手方である国の行政庁及び参加行政機関に証拠の提出及び陳述の機会を与えなければならない。

＊本条―追加〔平一一・七法八七〕

【引用条文】①【法二五〇の一五（関係行政機関の参加）1

【参照条文】【令一七四の四

（国の関与に関する審査の申出の取下げ）

第二百五十条の十七　国の関与に関する審査の申出をした普通地方公共団体の長その他の執行機関は、第二百五十条の十四第一項から第四項までの規定による審査の結果の通知若しくは勧告があるまで又は第二百五十条の十九第二項の規定により調停が成立するまでは、いつでも当該国の関与に関する審査の申出を取り下げることができる。

2　国の関与に関する審査の申出の取下げは、文書でしなければならない。

＊本条―追加〔平一一・七法八七〕

【引用条文】①【法二五〇の一四（審査及び勧告）1～4・二五〇の一九（調停）2

（国の行政庁の措置等）

第二百五十条の十八　第二百五十条の十四第一項から第三項までの規定による委員会の勧告があつたときは、当該勧告を受けた国の行政庁は、当該勧告に示された期間内に、当該勧告に即して必要な措置を講ずるとともに、その旨を委員会に通知しなければならない。この場合においては、委員会は、当該通知に係る事項を当該勧告に係る審査の申出をした普通地方公共団体の長その他の執行機関に通知し、かつ、これを公表しなければならない。

2　委員会は、前項の勧告を受けた国の行政庁に対し、同項の規定により講じた措置についての説明を求めることができる。

＊本条―追加〔平一一・七法八七〕

【引用条文】①【法二五〇の一四（審査及び勧告）1～3

（調停）

第二百五十条の十九　委員会は、国の関与に関する審査の申出があつた場合において、相当であると認めるときは、職権により、調停案を作成して、これを当該国の関与に関する審査の申出をした普通地方公共団体の長その他の執行機関及び相手方である国の行政庁に示し、その受諾を勧告するとともに、理由を付してその要旨を公表することができる。

2　前項の調停案に係る調停は、調停案を示された普通地方公共団体の長その他の執行機関及び国の行政庁から、これを受諾した旨を記載した文書が委員会に提出されたときに成立するものとする。この場合においては、委員会は、直ちにその旨及び調停の要旨を公表するとともに、当該普通地方公共団体の長その他の執行機関及び国の行政庁にその旨を通知しなければならない。

＊本条―追加〔平一一・七法八七〕

（政令への委任）

第二百五十条の二十　この法律に規定するもののほか、委員会の審査及び勧告並びに調停に関し必要な事項は、政令で定める。

＊本条―追加〔平一一・七法八七〕

【参照条文】【政令の定―令一七四の三～一七四の五　国地方係争処理委員会の審査の手続に関する規則

第三款　自治紛争処理委員

＊款名―追加〔平一一・七法八七〕

（自治紛争処理委員）

第二百五十一条　自治紛争処理委員は、この法律の定めるところにより、普通地方公共団体相互の間又は普通地方公共団体の機関相互の間の紛争の調停、普通地方公共団体に対する国又は都道府県の関与のうち都道府県の機関が行うもの（以下この節において「都道府県の関与」という。）に関する審査、第二百五十二条の二第一項に規定する連携協約に係る紛争を処理するための方策の提示及び第百四十三条第三項（第百八十条の五第八項及び第百八十四条第二項において準用する場合を含む。）の審査請求又はこの法律の規定による審査の申立て若しくは審決の申請に係る審理を処理する。

2　自治紛争処理委員は、三人とし、事件ごとに、優れた識見を有する者のうちから、総務大臣又は都道府県知事がそれぞれ任命する。この場合においては、総務大臣又は都道府県知事は、あらかじめ当該事件に関係のある事務を担任する各大臣又は都道府県の委員会若しくは委員に協議するものとする。

3　自治紛争処理委員は、非常勤とする。

4　自治紛争処理委員は、次の各号のいずれかに該当するときは、その職を失う。
一　当事者が次条第二項の規定により調停の申請を取り下げたとき。
二　自治紛争処理委員が次条第六項の規定により当事者に調停を打ち切つた旨を通知したとき。
三　総務大臣又は都道府県知事が次条第七項又は第二百五十一条の三第十三項の規定により調停が成立した旨を当事者に通知したとき。
四　市町村長その他の市町村の執行機関が第二百五十一条の三第五項から第七項までにおいて準用する第二百五十条の十七の規定により自治紛争処理委員の審査に付することを求める旨の申出を取り下げたとき。
五　自治紛争処理委員が第二百五十一条の三第五項において準用する第二百五十条の十四第一項若しくは第二項若しくは第二百五十一条の三第六項において準用する第二百五十条の十四第三項の規定による審査の結果の通知若しくは勧告及び勧告の内容の通知又は第二百五十一条の三第七項において準用する第二百五十条の十四第四項の規定による審査の結果の通知をし、かつ、これらを公表したとき。
六　普通地方公共団体が第二百五十一条の三の二第一項の規定により同条第一項の処理方策の提示を求める旨の申請を取り下げたとき。
七　自治紛争処理委員が第二百五十一条の三の二第三項の規定により当事者である普通地方公共団体に同条第一項に規定する処理方策を提示するとともに、総務大臣又は都道府県知事にその旨及び当該処理方策を通知し、かつ、公表したとき。
八　第二百五十五条の五第一項の規定による審理に係る審査請求、審査の申立て又は審決の申請をした者が、当該審査請求、審査の申立て又は審決の申請を取り下げたとき。
九　第二百五十五条の五第一項の規定による審理を経て、総務大臣又は都道府県知事が審査請求に対する裁決をし、審査の申立てに対する裁決若しくは裁定をし、又は審決をしたとき。

5　総務大臣又は都道府県知事は、自治紛争処理委員が当該事件に直接利害関係を有することとなつたときは、当該自治紛争処理委員を罷免しなければならない。

6　第二百五十条の九第二項、第八項、第九項（第二号を除く。）及び第十項から第十四項までの規定は、自治紛争処理委員に準用する。この場合において、同条第二項中「三人以上」とあるのは「二人以上」と、同条第八項中「総務大臣」とあるのは「総務大臣又は都道府県知事」と、同条第九項中「総務大臣は、両議院の同意を得て」とあるのは「総務大臣又は都道府県知事は」と、「三人以上」とあるのは「二人以上」と、「二人」とあるのは「一人」と、同条第十項中「総務大臣」とあるのは「総務大臣又は都道府県知事」と、「二人」とあるのは「一人」と、同条第十一項中「総務大臣」とあるのは「総務大臣又は都道府県知事」と、「両議院の同意を得て、その委員を」とあるのは「その自治紛争処理委員を」と、同条第十二項中「第四項後段及び第八項から前項まで」とあるのは「第八項、第九項（第二号を除く。）、第十項及び前項並びに第二百五十一条第五項」と読み替えるものとする。

＊本条—削除〔昭二二・一二法一六九〕、追加〔昭二七・八法三〇六〕、一・二・五項—一部改正〔昭三五・六法一一三〕、七項—一部改正〔昭三八・六法九九〕、見出し—追加・一項—全改・二項—一部改正・三～五項—全改・六～八項—削る〔平一一・七法八七〕、二・三・四・五項—一部改正〔平一一・七法一〇二〕、一項—一部改正・三項—追加・旧三項—一部改正し四項に繰下・旧四項—五項に繰下・旧五項—一部改正し六項に繰下〔平二六・五法四二〕、一・四項—一部改正〔平二六・六法六九〕

【引用条文】
①【法一四三（失職）3・一八〇の五（委員会及び委員の設置・委員の兼業禁止等）8・一八四（失職）2・二五二の二（連携協約）1
④【法二五一の二（調停）2・6・7・二五一の三（審査及び勧告）5～7・13・二五〇の一七（国の関与に関する審査の申出の取下げ）・二五〇の一四（審査及び勧告）1～4・二五一の三の二（処理方策の提示）1～3・二五五の五（審査請求等の裁決等の手続）1
⑥【法二五〇の九（委員）2・8・9（2号を除く）・10～14

【参照条文】
①【自治紛争処理委員—法一三八の四3・二〇二の三・二〇三の二
※　法二四五

【注　釈】
1）○「事件ごとに」とは、紛争事件一件一件についてという意である。

第四款　自治紛争処理委員による調停、審査及び処理方策の提示の手続

＊款名—追加〔平一一・七法八七〕、改正〔平二六・五法四二〕

（調停）
第二百五十一条の二　普通地方公共団体相互の間又は普通地方公共団体の機関相互の間に紛争があるときは、この法律に特別の定めがあるものを除くほか、都道府県又は都道府県の機関が当事者となるものにあつては総務大

臣、その他のものにあつては都道府県知事は、当事者の文書による申請に基づき又は職権により、紛争の解決のため、前条第二項の規定により自治紛争処理委員を任命し、その調停に付することができる。

2 当事者の申請に基づき開始された調停においては、当事者は、総務大臣又は都道府県知事の同意を得て、当該申請を取り下げることができる。

3 自治紛争処理委員は、調停案を作成して、これを当事者に示し、その受諾を勧告するとともに、理由を付してその要旨を公表することができる。

4 自治紛争処理委員は、前項の規定により調停案を当事者に示し、その受諾を勧告したときは、直ちに調停案の写しを添えてその旨及び調停の経過を総務大臣又は都道府県知事に報告しなければならない。

5 自治紛争処理委員は、調停による解決の見込みがないと認めるときは、総務大臣又は都道府県知事の同意を得て、調停を打ち切り、事件の要点及び調停の経過を公表することができる。

6 自治紛争処理委員は、前項の規定により調停を打ち切つたときは、その旨を当事者に通知しなければならない。

7 第一項の調停は、当事者のすべてから、調停案を受諾した旨を記載した文書が総務大臣又は都道府県知事に提出されたときに成立するものとする。この場合においては、総務大臣又は都道府県知事は、直ちにその旨及び調停の要旨を公表するとともに、当事者に調停が成立した旨を通知しなければならない。

8 総務大臣又は都道府県知事は、前項の規定により当事者から文書の提出があつたときは、その旨を自治紛争処理委員に通知するものとする。

9 自治紛争処理委員は、第三項に規定する調停案を作成するため必要があると認めるときは、当事者及び関係人の出頭及び陳述を求め、又は当事者及び関係人並びに紛争に係る事件に関係のある者に対し、紛争の調停のため必要な記録の提出を求めることができる。

10 第三項の規定による調停案の作成及びその要旨の公表についての決定、第五項の規定による調停の打切りについての決定並びに事件の要点及び調停の経過の公表についての決定並びに前項の規定による出頭、陳述及び記録の提出の求めについての決定は、自治紛争処理委員の合議によるものとする。

＊本条―追加〔平一一・七法八七〕、一・二・四・五・七・八項―一部改正〔平一一・一二法一六〇〕

【引用条文】
①【法二五一（自治紛争処理委員）2
【参照条文】
①【特別の定め―法九・九の三3・一七六5～7等
※ 令一七四の六

（審査及び勧告）

第二百五十一条の三 総務大臣は、市町村長その他の市町村の執行機関が、その担任する事務に関する都道府県の関与のうち是正の要求、許可の拒否その他の処分その他公権力の行使に当たるもの（次に掲げるものを除く。）に不服があり、文書により、自治紛争処理委員の審査に付することを求める旨の申出をしたときは、速やかに、第二百五十一条第二項の規定により自治紛争処理委員を任命し、当該申出に係る事件をその審査に付さなければならない。

一 第二百四十五条の八第十二項において準用する同条第二項の規定による指示

二 第二百四十五条の八第十二項において準用する同条第八項の規定に基づき市町村長に代わつて前号の指示に係る事項を行うこと。

2 総務大臣は、市町村長その他の市町村の執行機関が、その担任する事務に関する都道府県の不作為（都道府県の行政庁が、申請等が行われた場合において、相当の期間内に何らかの都道府県の関与のうち許可その他の処分その他公権力の行使に当たるものをすべきにかかわらず、これをしないことをいう。以下本節において同じ。）に不服があり、文書により、自治紛争処理委員の審査に付することを求める旨の申出をしたときは、速やかに、第二百五十一条第二項の規定により自治紛争処理委員を任命し、当該申出に係る事件をその審査に付さなければならない。

3 総務大臣は、市町村長その他の市町村の執行機関が、その担任する事務に関する当該市町村の法令に基づく協議の申出が都道府県の行政庁に対して行われた場合において、当該協議に係る当該市町村の義務を果たしたと認めるにもかかわらず当該協議が調わないことについて、文書により、自治紛争処理委員の審査に付することを求める旨の申出をしたときは、速やかに、第二百五十一条第二項の規定により自治紛争処理委員を任命し、当該申出に係る事件をその審査に付さなければならない。

4 前三項の規定による申出においては、次に掲げる者を相手方としなければならない。

一 第一項の規定による申出の場合は、当該申出に係る都道府県の関与を行つた都道府県の行政庁

二 第二項の規定による申出の場合は、当該申出に係る都道府県の不作為に係る都道府県の行政庁

三　前項の規定による申出の場合は、当該申出に係る協議の相手方である都道府県の行政庁

5　第二百五十条の十三第四項から第七項まで、第二百五十条の十四第一項、第二項及び第五項並びに第二百五十条の十五から第二百五十条の十七までの規定は、第一項の規定による申出について準用する。この場合において、これらの規定中「普通地方公共団体の長その他の執行機関」とあるのは「市町村長その他の市町村の執行機関」と、「国の行政庁」とあるのは「都道府県の行政庁」と、「委員会」とあるのは「自治紛争処理委員」と、第二百五十条の十三第四項並びに第二百五十条の十四第一項及び第二項中「国の関与」とあるのは「都道府県の関与」と、第二百五十条の十七第一項中「第二百五十条の十九第二項」とあるのは「第二百五十一条の三第十三項」と読み替えるものとする。

6　第二百五十条の十三第七項、第二百五十条の十四第三項及び第五項並びに第二百五十条の十五から第二百五十条の十七までの規定は、第二項の規定による申出について準用する。この場合において、これらの規定中「普通地方公共団体の長その他の執行機関」とあるのは「市町村長その他の市町村の執行機関」と、「国の行政庁」とあるのは「都道府県の行政庁」と、「委員会」とあるのは「自治紛争処理委員」と、第二百五十条の十七第一項中「第二百五十条の十九第二項」とあるのは「第二百五十一条の三第十三項」と読み替えるものとする。

7　第二百五十条の十三第七項、第二百五十条の十四第四項及び第五項並びに第二百五十条の十五から第二百五十条の十七までの規定は、第三項の規定による申出について準用する。この場合において、これらの規定中「普通地方公共団体の長その他の執行機関」とあるのは「市町村長その他の市町村の執行機関」と、「国の行政庁」とあるのは「都道府県の行政庁」と、「委員会」とあるのは「自治紛争処理委員」と、第二百五十条の十四第四項中「当該協議に係る普通地方公共団体」とあるのは「当該協議に係る市町村」と、第二百五十条の十七第一項中「第二百五十条の十九第二項」とあるのは「第二百五十一条の三第十三項」と読み替えるものとする。

8　自治紛争処理委員は、第五項において準用する第二百五十条の十四第一項若しくは第二項若しくは第六項において準用する第二百五十条の十四第三項の規定による審査の結果の通知若しくは勧告及び勧告の内容の通知又は前項において準用する第二百五十条の十四第四項の規定による審査の結果の通知をしたときは、直ちにその旨及び審査の結果又は勧告の内容を総務大臣に報告しなければならない。

9　第五項において準用する第二百五十条の十四第一項若しくは第二項又は第六項において準用する第二百五十条の十四第三項の規定による自治紛争処理委員の勧告があつたときは、当該勧告を受けた都道府県の行政庁は、当該勧告に示された期間内に、当該勧告に即して必要な措置を講ずるとともに、その旨を総務大臣に通知しなければならない。この場合においては、総務大臣は、当該通知に係る事項を当該勧告に係る第一項又は第二項の規定による申出をした市町村長その他の市町村の執行機関に通知し、かつ、これを公表しなければならない。

10　総務大臣は、前項の勧告を受けた都道府県の行政庁に対し、同項の規定により講じた措置についての説明を求めることができる。

11　自治紛争処理委員は、第五項において準用する第二百五十条の十四第一項若しくは第二項、第六項において準用する第二百五十条の十四第三項又は第七項において準用する第二百五十条の十四第四項の規定により審査をする場合において、相当であると認めるときは、職権により、調停案を作成して、これを第一項から第三項までの規定による申出をした市町村長その他の市町村の執行機関及び相手方である都道府県の行政庁に示し、その受諾を勧告するとともに、理由を付してその要旨を公表することができる。

12　自治紛争処理委員は、前項の規定により調停案を第一項から第三項までの規定による申出をした市町村長その他の市町村の執行機関及び相手方である都道府県の行政庁に示し、その受諾を勧告したときは、直ちに調停案の写しを添えてその旨及び調停の経過を総務大臣に報告しなければならない。

13　第十一項の調停案に係る調停は、調停案を示された市町村長その他の市町村の執行機関及び都道府県の行政庁から、これを受諾した旨を記載した文書が総務大臣に提出されたときに成立するものとする。この場合においては、総務大臣は、直ちにその旨及び調停の要旨を公表するとともに、当該市町村長その他の市町村の執行機関及び都道府県の行政庁にその旨を通知しなければならない。

14　総務大臣は、前項の規定により市町村長その他の市町村の執行機関及び都道府県の行政庁から文書の提出があつたときは、その旨を自治紛争処理委員に通知するものとする。

15　次に掲げる事項は、自治紛争処理委員の合議によるものとする。

一　第五項において準用する第二百五十条の十四第一項の規定による都道府県の関与が違法又は普通地方公共

団体の自主性及び自立性を尊重する観点から不当であるかどうかについての決定及び同項の規定による勧告の決定

二　第五項において準用する第二百五十条の十四第二項の規定による都道府県の関与が違法であるかどうかについての決定及び同項の規定による勧告の決定

三　第六項において準用する第二百五十条の十四第三項の規定による第二項の申出に理由があるかどうかについての決定及び第六項において準用する第二百五十条の十四第三項の規定による勧告の決定

四　第七項において準用する第二百五十条の十四第四項の規定による第三項の申出に係る協議について当該協議に係る市町村がその義務を果たしているかどうかについての決定

五　第五項から第七項までにおいて準用する第二百五十条の十五第一項の規定による関係行政機関の参加についての決定

六　第五項から第七項までにおいて準用する第二百五十条の十六第一項の規定による証拠調べの実施についての決定

七　第十一項の規定による調停案の作成及びその要旨の公表についての決定

＊本条—追加〔平一一・七法八七〕、一・二・三・八・九・一〇・一二・一三・一四項—一部改正〔平一一・一二法一六〇〕

【引用条文】
①【法二四五の八（代執行等）2・8・12
①〜③【法二五一（自治紛争処理委員）2
⑤〜⑦【法二五〇の一三（国の関与に関する審査の申出）4〜7・二五〇の一四〜二五〇の一七
⑧・⑨・⑪【法二五〇の一四（審査及び勧告）1〜4
⑮【法二五〇の一四（審査及び勧告）1〜4・二五〇の一五（関係行政機関の参加）1・二五〇の一六（証拠調べ）1

【参照条文】
①【都道府県の関与—法二五一　1　【是正の要求—法二四五Ⅰハ・二四五の五　【許可—法二四五Ⅰホ
③【協議—法二四五Ⅱ　【協議の方式—法二五〇1
※令一七四の七

（処理方策の提示）

第二百五十一条の三の二　総務大臣又は都道府県知事は、第二百五十二条の二第七項の規定により普通地方公共団体から自治紛争処理委員による同条第一項に規定する連携協約に係る紛争を処理するための方策（以下この条において「処理方策」という。）の提示を求める旨の申請があつたときは、第二百五十一条第二項の規定により自治紛争処理委員を任命し、処理方策を定めさせなければならない。

2　前項の申請をした普通地方公共団体は、総務大臣又は都道府県知事の同意を得て、当該申請を取り下げることができる。

3　自治紛争処理委員は、処理方策を定めたときは、これを当事者である普通地方公共団体に提示するとともに、その旨及び当該処理方策を総務大臣又は都道府県知事に通知し、かつ、これらを公表しなければならない。

4　自治紛争処理委員は、処理方策を定めるため必要があると認めるときは、当事者及び関係人の出頭及び陳述を求め、又は当事者及び関係人並びに紛争に係る事件に関係のある者に対し、処理方策を定めるため必要な記録の提出を求めることができる。

5　第三項の規定による処理方策の決定並びに前項の規定による出頭、陳述及び記録の提出の求めについての決定は、自治紛争処理委員の合議によるものとする。

6　第三項の規定により処理方策の提示を受けたときは、当事者である普通地方公共団体は、これを尊重して必要な措置を執るようにしなければならない。

＊本条—追加〔平二六・五法四二〕

【引用条文】
①【法二五一（自治紛争処理委員）2・二五二の二（連携協約）1・7

【参照条文】【令一七四の八

【通　知】
●処理方策の提示を受けた普通地方公共団体は、その内容に従う法的な義務を負うものではないが、これを尊重して必要な措置を執るようにしなければならないこととされていることを踏まえ、当該普通地方公共団体においては、当該処理方策の内容を尊重し、適切に紛争の解決を図られたいこと。（平二六・五・三〇通知）

（政令への委任）

第二百五十一条の四　この法律に規定するもののほか、自治紛争処理委員の調停、審査及び勧告並びに処理方策の提示に関し必要な事項は、政令で定める。

＊本条—追加〔平一一・七法八七〕、一部改正〔平二六・五法四二〕

【参照条文】
【令一七四の六〜一七四の九　自治紛争処理委員の調停、審査及び処理方策の提示の手続に関する省令

第五款　普通地方公共団体に対する国又は都道府県の関与に関する訴え

＊款名―追加〔平一一・七法八七〕

（国の関与に関する訴えの提起）

第二百五十一条の五　第二百五十条の十三第一項又は第二項の規定による審査の申出をした普通地方公共団体の長その他の執行機関は、次の各号のいずれかに該当するときは、高等裁判所に対し、当該審査の申出の相手方となつた国の行政庁（国の関与があつた後又は申請等が行われた後に当該行政庁の権限が他の行政庁に承継されたときは、当該他の行政庁）を被告として、訴えをもつて当該審査の申出に係る違法な国の関与の取消し又は当該審査の申出に係る国の不作為の違法の確認を求めることができる。ただし、違法な国の関与の取消しを求める訴えを提起する場合において、被告とすべき行政庁がないときは、当該訴えは、国を被告として提起しなければならない。

一　第二百五十条の十四第一項から第三項までの規定による委員会の審査の結果又は勧告に不服があるとき。

二　第二百五十条の十八第一項の規定による国の行政庁の措置に不服があるとき。

三　当該審査の申出をした日から九十日を経過しても、委員会が第二百五十条の十四第一項から第三項までの規定による審査又は勧告を行わないとき。

四　国の行政庁が第二百五十条の十八第一項の規定による措置を講じないとき。

2　前項の訴えは、次に掲げる期間内に提起しなければならない。

一　前項第一号の場合は、第二百五十条の十四第一項から第三項までの規定による委員会の審査の結果又は勧告の内容の通知があつた日から三十日以内

二　前項第二号の場合は、第二百五十条の十八第一項の規定による委員会の通知があつた日から三十日以内

三　前項第三号の場合は、当該審査の申出をした日から九十日を経過した日から三十日以内

四　前項第四号の場合は、第二百五十条の十四第一項から第三項までの規定による委員会の勧告に示された期間を経過した日から三十日以内

3　第一項の訴えは、当該普通地方公共団体の区域を管轄する高等裁判所の管轄に専属する。

4　原告は、第一項の訴えを提起したときは、直ちに、文書により、その旨を被告に通知するとともに、当該高等裁判所に対し、その通知をした日時、場所及び方法を通知しなければならない。

5　当該高等裁判所は、第一項の訴えが提起されたときは、速やかに口頭弁論の期日を指定し、当事者を呼び出さなければならない。その期日は、同項の訴えの提起があつた日から十五日以内の日とする。

6　第一項の訴えに係る高等裁判所の判決に対する上告の期間は、一週間とする。

7　国の関与を取り消す判決は、関係行政機関に対しても効力を有する。

8　第一項の訴えのうち違法な国の関与の取消しを求めるものについては、行政事件訴訟法第四十三条第一項の規定にかかわらず、同法第八条第二項、第十一条から第二十二条まで、第二十五条から第二十九条まで、第三十一条、第三十二条及び第三十四条の規定は、準用しない。

9　第一項の訴えのうち国の不作為の違法の確認を求めるものについては、行政事件訴訟法第四十三条第三項の規定にかかわらず、同法第四十条第二項及び第四十一条第二項の規定は、準用しない。

10　前各項に定めるもののほか、第一項の訴えについては、主張及び証拠の申出の時期の制限その他審理の促進に関し必要な事項は、最高裁判所規則で定める。

＊本条―追加〔平一一・七法八七〕、一・八項―一部改正・一〇項―削る・旧一一項―一〇項に繰上〔平一六・六法八四〕

【引用条文】

①【法二五〇の一三（国の関与に関する審査の申出）1・2・二五〇の一四（審査及び勧告）1～3・二五〇の一八（国の行政庁の措置等）1

②【法二五〇の一四（審査及び勧告）1～3・二五〇の一八（国の行政庁の措置等）1

⑧【行訴法八2・一一～二二・二五～二九・三一・三二・三四・四三1

⑨【行訴法四〇2・四一2・四三3

【参照条文】

⑩【最高裁判所規則の定―普通地方公共団体に対する国の関与等に関する訴訟規則

（都道府県の関与に関する訴えの提起）

第二百五十一条の六　第二百五十一条の三第一項又は第二項の規定による申出をした市町村長その他の市町村の執行機関は、次の各号のいずれかに該当するときは、高等裁判所に対し、当該申出の相手方となつた都道府県の行政庁（都道府県の関与があつた後又は申請等が行われた後に当該行政庁の権限が他の行政庁に承継されたときは、当該他の行政庁）を被告として、訴えをもつて当該申出に係る違法な都道府県の関与の取消し又は当該申出に係る都道府県の不作為の違法の確認を求めることができる。ただし、違法な都道府県の関与の取消しを求める

訴えを提起する場合において、被告とすべき行政庁がないときは、当該訴えは、当該都道府県を被告として提起しなければならない。

一　第二百五十一条の三第五項において準用する第二百五十条の十四第一項若しくは第二項又は第二百五十一条の三第六項において準用する第二百五十条の十四第三項の規定による自治紛争処理委員の審査の結果又は勧告に不服があるとき。

二　第二百五十一条の三第九項の規定による都道府県の行政庁の措置に不服があるとき。

三　当該申出をした日から九十日を経過しても、自治紛争処理委員が第二百五十一条の三第五項において準用する第二百五十条の十四第一項若しくは第二項又は第二百五十一条の三第六項において準用する第二百五十条の十四第三項の規定による審査又は勧告を行わないとき。

四　都道府県の行政庁が第二百五十一条の三第九項の規定による措置を講じないとき。

2　前項の訴えは、次に掲げる期間内に提起しなければならない。

一　前項第一号の場合は、第二百五十一条の三第五項において準用する第二百五十条の十四第一項若しくは第二項又は第二百五十一条の三第六項において準用する第二百五十条の十四第三項の規定による自治紛争処理委員の審査の結果又は勧告の内容の通知があつた日から三十日以内

二　前項第二号の場合は、第二百五十一条の三第九項の規定による総務大臣の通知があつた日から三十日以内

三　前項第三号の場合は、当該申出をした日から九十日を経過した日から三十日以内

四　前項第四号の場合は、第二百五十一条の三第五項において準用する第二百五十条の十四第一項若しくは第二項又は第二百五十一条の三第六項において準用する第二百五十条の十四第三項の規定による自治紛争処理委員の勧告に示された期間を経過した日から三十日以内

3　前条第三項から第七項までの規定は、第一項の訴えに準用する。この場合において、同条第三項中「当該普通地方公共団体の区域」とあるのは「当該市町村の区域」と、同条第七項中「国の関与」とあるのは「都道府県の関与」と読み替えるものとする。

4　第一項の訴えのうち違法な都道府県の関与の取消しを求めるものについては、行政事件訴訟法第四十三条第一項の規定にかかわらず、同法第八条第二項、第十一条から第二十二条まで、第二十五条から第二十九条まで、第三十一条、第三十二条及び第三十四条の規定は、準用しない。

5　第一項の訴えのうち都道府県の不作為の違法の確認を求めるものについては、行政事件訴訟法第四十三条第三項の規定にかかわらず、同法第四十条第二項及び第四十一条第二項の規定は、準用しない。

6　前各項に定めるもののほか、第一項の訴えについては、主張及び証拠の申出の時期の制限その他審理の促進に関し必要な事項は、最高裁判所規則で定める。

＊本条―全改〔平一一・七法八七〕、二項―一部改正〔平一一・一二法一六〇〕、一・四項―一部改正・六項―削る・旧七項―六項に繰上〔平一六・六法八四〕、旧二五二条―繰上〔平二四・九法七二〕

【引用条文】
①・②【法二五〇の一四（審査及び勧告）1～3・二五一の三（審査及び勧告）1・2・5・6・9
③【法二五一の五（国の関与に関する訴えの提起）3～7
④【行訴法八2・一一～二二・二五～二九・三一・三二・三四・四三1
⑤【行訴法四〇2・四一2・四三3

【参照条文】
⑥【最高裁判所規則の定―普通地方公共団体に対する国の関与等に関する訴訟規則

（普通地方公共団体の不作為に関する国の訴えの提起）

第二百五十一条の七　第二百四十五条の五第一項若しくは第四項の規定による是正の要求又は第二百四十五条の七第一項若しくは第四項の規定による指示を行つた各大臣は、次の各号のいずれかに該当するときは、高等裁判所に対し、当該是正の要求又は指示を受けた普通地方公共団体の不作為（是正の要求又は指示を受けた普通地方公共団体の行政庁が、相当の期間内に是正の要求に応じた措置又は指示に係る措置を講じなければならないにもかかわらず、これを講じないことをいう。以下この項、次条及び第二百五十二条の十七の四第三項において同じ。）に係る普通地方公共団体の行政庁（当該是正の要求又は指示があつた後に当該行政庁の権限が他の行政庁に承継されたときは、当該他の行政庁）を被告として、訴えをもつて当該普通地方公共団体の不作為の違法の確認を求めることができる。

一　普通地方公共団体の長その他の執行機関が当該是正の要求又は指示に関する第二百五十条の十三第一項の規定による審査の申出をせず（審査の申出後に第二百五十条の十七第一項の規定により当該審査の申出が取り下げられた場合を含む。）、かつ、当該是正の要求に

応じた措置又は指示に係る措置を講じないとき。

二　普通地方公共団体の長その他の執行機関が当該是正の要求又は指示に関する第二百五十条の十三第一項の規定による審査の申出をした場合において、次に掲げるとき。

イ　委員会が第二百五十条の十四第一項又は第二項の規定による審査の結果又は勧告の内容の通知をした場合において、当該普通地方公共団体の長その他の執行機関が第二百五十一条の五第一項の規定による当該是正の要求又は指示の取消しを求める訴えの提起をせず（訴えの提起後に当該訴えが取り下げられた場合を含む。ロにおいて同じ。）、かつ、当該是正の要求に応じた措置又は指示に係る措置を講じないとき。

ロ　委員会が当該審査の申出をした日から九十日を経過しても第二百五十条の十四第一項又は第二項の規定による審査又は勧告を行わない場合において、当該普通地方公共団体の長その他の執行機関が第二百五十一条の五第一項の規定による当該是正の要求又は指示の取消しを求める訴えの提起をせず、かつ、当該是正の要求に応じた措置又は指示に係る措置を講じないとき。

2　前項の訴えは、次に掲げる期間が経過するまでは、提起することができない。

一　前項第一号の場合は、第二百五十条の十三第四項本文の期間

二　前項第二号イの場合は、第二百五十一条の五第二項第一号、第二号又は第四号に掲げる期間

三　前項第二号ロの場合は、第二百五十一条の五第二項第三号に掲げる期間

3　第二百五十一条の五第三項から第六項までの規定は、第一項の訴えについて準用する。

4　第一項の訴えについては、行政事件訴訟法第四十三条第三項の規定にかかわらず、同法第四十条第二項及び第四十一条第二項の規定は、準用しない。

5　前各項に定めるもののほか、第一項の訴えについては、主張及び証拠の申出の時期の制限その他審理の促進に関し必要な事項は、最高裁判所規則で定める。

＊本条―追加〔平二四・九法七二〕

【引用条文】

①【法二四五の五（是正の要求）1・4・二四五の七（是正の指示）1・4・二五〇の一三（国の関与に関する審査の申出）1・二五〇の一四（審査及び勧告）1・2・二五〇の一七（国の関与に関する審査の申出の取下げ）1・二五一の五（国の関与に関する訴えの提起）1

②【法二五〇の一三（国の関与に関する審査の申出）4・二五一の五（国の関与に関する訴えの提起）2

③【法二五一の五（国の関与に関する訴えの提起）3～6

④【行訴法四〇2・四一2・四三3

【参照条文】

⑤【最高裁判所規則の定―普通地方公共団体に対する国の関与等に関する訴訟規則

（市町村の不作為に関する都道府県の訴えの提起）

第二百五十二条　第二百四十五条の五第二項の指示を行つた各大臣は、次の各号のいずれかに該当するときは、同条第三項の規定による是正の要求を行つた都道府県の執行機関に対し、高等裁判所に対し、当該是正の要求を受けた市町村の不作為に係る市町村の行政庁（当該是正の要求があつた後に当該行政庁の権限が他の行政庁に承継されたときは、当該他の行政庁。次項において同じ。）を被告として、訴えをもつて当該市町村の不作為の違法の確認を求めるよう指示をすることができる。

一　市町村長その他の市町村の執行機関が当該是正の要求に関する第二百五十一条の三第一項の規定による申出をせず（申出後に同条第五項において準用する第二百五十条の十七第一項の規定により当該申出が取り下げられた場合を含む。）、かつ、当該是正の要求に応じた措置を講じないとき。

二　市町村長その他の市町村の執行機関が当該是正の要求に関する第二百五十一条の三第一項の規定による申出をした場合において、次に掲げるとき。

イ　自治紛争処理委員が第二百五十一条の三第五項において準用する第二百五十条の十四第一項の規定による審査の結果又は勧告の内容の通知をした場合において、当該市町村長その他の市町村の執行機関が第二百五十一条の六第一項の規定による当該是正の要求の取消しを求める訴えの提起をせず（訴えの提起後に当該訴えが取り下げられた場合を含む。ロにおいて同じ。）、かつ、当該是正の要求に応じた措置を講じないとき。

ロ　自治紛争処理委員が当該申出をした日から九十日を経過しても第二百五十一条の三第五項において準用する第二百五十条の十四第一項の規定による審査又は勧告を行わない場合において、当該市町村長その他の市町村の執行機関が第二百五十一条の六第一項の規定による当該是正の要求の取消しを求める訴えの提起をせず、かつ、当該是正の要求に応じた措置を講じないとき。

2　前項の指示を受けた都道府県の執行機関は、高等裁判所に対し、当該市町村の不作為に係る市町村の行政庁を被告として、訴えをもつて当該市町村の不作為の違法の確認を求めなければならない。

3　第二百四十五条の七第二項の規定による指示を行つた都道府県の執行機関は、次の各号のいずれかに該当するときは、高等裁判所に対し、当該指示を受けた市町村の不作為に係る市町村の行政庁（当該指示があつた後に当該行政庁の権限が他の行政庁に承継されたときは、当該他の行政庁）を被告として、訴えをもつて当該市町村の不作為の違法の確認を求めることができる。

一　市町村長その他の市町村の執行機関が当該指示に関する第二百五十一条の三第一項の規定による申出をせず（申出後に同条第五項において準用する第二百五十条の十七第一項の規定により当該申出が取り下げられた場合を含む。）、かつ、当該指示に係る措置を講じないとき。

二　市町村長その他の市町村の執行機関が当該指示に関する第二百五十一条の三第一項の規定による申出をした場合において、次に掲げるとき。

イ　自治紛争処理委員が第二百五十一条の三第五項において準用する第二百五十条の十四第二項の規定による審査の結果又は勧告の内容の通知をした場合において、当該市町村長その他の市町村の執行機関が第二百五十一条の六第一項の規定による当該指示の取消しを求める訴えの提起をせず（訴えの提起後に当該訴えが取り下げられた場合を含む。ロにおいて同じ。）、かつ、当該指示に係る措置を講じないとき。

ロ　自治紛争処理委員が当該申出をした日から九十日を経過しても第二百五十一条の三第五項において準用する第二百五十条の十四第二項の規定による審査又は勧告を行わない場合において、当該市町村長その他の市町村の執行機関が第二百五十一条の六第一項の規定による当該指示の取消しを求める訴えの提起をせず、かつ、当該指示に係る措置を講じないとき。

4　第二百四十五条の七第三項の指示を行つた各大臣は、前項の都道府県の執行機関に対し、同項の規定による訴えの提起に関し、必要な指示をすることができる。

5　第二項及び第三項の訴えは、次に掲げる期間が経過するまでは、提起することができない。

一　第一項第一号及び第三項第一号の場合は、第二百五十一条の三第五項において準用する第二百五十条の十三第四項本文の期間

二　第一項第二号イ及び第三項第二号イの場合は、第二百五十一条の六第二項第一号、第二号又は第四号に掲げる期間

三　第一項第二号ロ及び第三項第二号ロの場合は、第二百五十一条の六第二項第三号に掲げる期間

6　第二百五十一条の五第三項から第六項までの規定は、第二項及び第三項の訴えについて準用する。この場合において、同条第三項中「当該普通地方公共団体の区域」とあるのは、「当該市町村の区域」と読み替えるものとする。

7　第二項及び第三項の訴えについては、行政事件訴訟法第四十三条第三項の規定にかかわらず、同法第四十条第二項及び第四十一条第二項の規定は、準用しない。

8　前各項に定めるもののほか、第二項及び第三項の訴えについては、主張及び証拠の申出の時期の制限その他審理の促進に関し必要な事項は、最高裁判所規則で定める。

＊本条―追加〔平二四・九法七二〕

【引用条文】

①【法二四五の五（是正の要求）2・3・二五〇の一四（審査及び勧告）1・二五〇の一七（国の関与に関する審査の申出の取下げ）1・二五一の三（審査及び勧告）1・5・二五一の六（都道府県の関与に関する訴えの提起）1

③【法二四五の七（是正の指示）2・二五〇の一四（審査及び勧告）2・二五〇の一七（国の関与に関する審査の申出の取下げ）1・二五一の三（審査及び勧告）1・5・二五一の六（都道府県の関与に関する訴えの提起）1

④【法二四五の七（是正の指示）3

⑤【法二五〇の一三（国の関与に関する審査の申出）4・二五一の三（審査及び勧告）5・二五一の六（都道府県の関与に関する訴えの提起）2

⑥【法二五一の五（国の関与に関する訴えの提起）3～6

⑦【行訴法四〇2・四一2・四三3

【参照条文】

⑧【最高裁判所規則の定―普通地方公共団体に対する国の関与等に関する訴訟規則

第三節　普通地方公共団体相互間の協力

＊節名―追加〔平一一・七法八七〕

第一款　連携協約

＊款名―追加〔平二六・五法四二〕

（連携協約）

第二百五十二条の二　普通地方公共団体は、当該普通地方公共団体及び他の普通地方公共団体の区域における当該普通地方公共団体及び当該他の普通地方公共団体の事務の処理に当たつての当該他の普通地方公共団体との連携を図るため、協議により、当該普通地方公共団体及び当該他の普通地方公共団体が連携して事務を処理するに当たつての基本的な方針及び役割分担を定める協約（以下「連携協約」という。）を当該他の普通地方公共団体と締結することができる。

2　普通地方公共団体は、連携協約を締結したときは、その旨及び当該連携協約を告示するとともに、都道府県が締結したものにあつては総務大臣、その他のものにあつては都道府県知事に届け出なければならない。

3　第一項の協議については、関係普通地方公共団体の議会の議決を経なければならない。

4　普通地方公共団体は、連携協約を変更し、又は連携協約を廃止しようとするときは、前三項の例によりこれを行わなければならない。

5　公益上必要がある場合においては、都道府県が締結するものについては総務大臣、その他のものについては都道府県知事は、関係のある普通地方公共団体に対し、連携協約を締結すべきことを勧告することができる。

6　連携協約を締結した普通地方公共団体は、当該連携協約に基づいて、当該連携協約を締結した他の普通地方公共団体と連携して事務を処理するに当たつて当該普通地方公共団体が分担すべき役割を果たすため必要な措置を執るようにしなければならない。

7　連携協約を締結した普通地方公共団体相互の間に連携協約に係る紛争があるときは、当事者である普通地方公共団体は、都道府県が当事者となる紛争にあつては総務大臣、その他の紛争にあつては都道府県知事に対し、文書により、自治紛争処理委員による当該紛争を処理するための方策の提示を求める旨の申請をすることができる。

＊本条…追加〔平二六・五法四二〕

【通知】

●連携協約は、都道府県と市町村の間や異なる都道府県の区域に所在する市町村の間など、いかなる地方公共団体の間においても締結することが可能であることから、地方中枢拠点都市圏において圏域の中心都市が、経済、社会、文化又は住民生活等において密接な関係を有する異なる都道府県の区域に所在する市町村との間で締結することや、条件不利地域の市町村が都道府県との間で締結することなど、地域の実情に応じて有効に活用されたいこと。（平二六・五・三〇通知）

●連携協約に基づき、事務の委託等により事務の共同処理を行う場合は、地方自治法等に定められるそれぞれの事務の共同処理制度の規定に基づき規約を定める必要があるが、連携協約とその他の規約を一体的に協議し、これらについて併せて議会の議決を経るなど、運用上の工夫を行うことが可能であること。（平二六・五・三〇通知）

第二款　協議会

＊款名…追加〔平一一・七法八七〕、旧一款…繰下〔平二六・五法四二〕

（協議会の設置）

第二百五十二条の二の二　普通地方公共団体は、普通地方公共団体の事務の一部を共同して管理し及び執行し、若しくは普通地方公共団体の事務の管理及び執行について連絡調整を図り、又は広域にわたる総合的な計画を共同して作成するため、協議により規約を定め、普通地方公共団体の協議会を設けることができる。

2　普通地方公共団体は、協議会を設けたときは、その旨及び規約を告示するとともに、都道府県の加入するものにあつては総務大臣、その他のものにあつては都道府県知事に届け出なければならない。

3　第一項の協議については、関係普通地方公共団体の議会の議決を経なければならない。ただし、普通地方公共団体の事務の管理及び執行について連絡調整を図るため普通地方公共団体の協議会を設ける場合は、この限りでない。

4　公益上必要がある場合においては、都道府県の加入するものについては総務大臣、その他のものについては都道府県知事は、関係のある普通地方公共団体に対し、普通地方公共団体の協議会を設けるべきことを勧告することができる。

5　普通地方公共団体の協議会が広域にわたる総合的な計画を作成したときは、関係普通地方公共団体は、当該計画に基づいて、その事務を処理するようにしなければならない。

6　普通地方公共団体の協議会は、必要があると認めるときは、関係のある公の機関の長に対し、資料の提出、意見の開陳、説明その他必要な協力を求めることができる。

＊本条…追加〔昭二七・八法三〇六〕、一項…一部改正〔昭二九・六法一九三〕、二項…一部改正〔昭三五・六法一一三〕、一・二・三項…一部改正・四・五・六項…追加〔昭三六・一一法二三五〕、二項…一部改正〔昭四四・三法二〕、見出し…追加・一〜六項…一部改正〔平一一・七法八七〕、二・四項…一部改正〔平一

一・二二法一六〇〕、旧二五二条の二―繰下〔平二六・五法四二〕

【参照条文】
①【普通地方公共団体の事務―法二2～6・8～10　※二五二の一七の二―1　【長の権限に属する事務―法一四八・一四九　【委員会、委員の権限に属する事務―法一八〇の八・一八〇の九・一八六・一九九・二〇二の二　【執行機関―法一三八の二の二～一三八の四
③【議会の議決―法九六1XV・一一六1
※　法二五二の三～二五二の六の二・二八四

【実例】
※　●協議会を設けることにより関係地方公共団体の執行機関が消滅し去るものではない。（昭二七・八行政資料）

（協議会の組織）
第二百五十二条の三　普通地方公共団体の協議会は、会長及び委員をもつてこれを組織する。
2　普通地方公共団体の協議会の会長及び委員は、規約の定めるところにより常勤又は非常勤とし、関係普通地方公共団体の職員のうちから、これを選任する。
3　普通地方公共団体の協議会の会長は、普通地方公共団体の協議会の事務を掌理し、協議会を代表する。

＊本条―追加〔昭二七・八法三〇六〕、見出し―追加・一～三項―一部改正〔平一一・七法八七〕

【参照条文】
※　法二五二の二の二・二五二の四～二五二の六の二

（協議会の規約）
第二百五十二条の四　普通地方公共団体の協議会の規約には、次に掲げる事項につき規定を設けなければならない。
一　協議会の名称
二　協議会を設ける普通地方公共団体
三　協議会の管理し及び執行し、若しくは協議会において連絡調整を図る関係普通地方公共団体の事務又は協議会の作成する計画の項目
四　協議会の組織並びに会長及び委員の選任の方法
五　協議会の経費の支弁の方法
2　普通地方公共団体の事務の一部を共同して管理し及び執行するため普通地方公共団体の協議会を設ける場合には、協議会の規約には、前項各号に掲げるもののほか、次に掲げる事項につき規定を設けなければならない。
一　協議会の管理し及び執行する関係普通地方公共団体の事務（以下本項中「協議会の担任する事務」という。）の管理及び執行の方法
二　協議会の担任する事務を管理し及び執行する場所
三　協議会の担任する事務に従事する[1]関係普通地方公共団体の職員の身分取扱い
四　協議会の担任する事務の用に供する関係普通地方公共団体の財産の取得、管理及び処分又は公の施設の設置、管理及び廃止の方法
五　前各号に掲げるものを除くほか、協議会と協議会を設ける関係普通地方公共団体との関係その他協議会に関し必要な事項

＊本条―追加〔昭二七・八法三〇六〕、一項―一部改正・二項―追加〔昭三六・一一法二三五〕、二項―一部改正〔昭三八・六法九九〕、見出し―追加・一・二項―一部改正〔平一一・七法八七〕、二項―一部改正〔平一八・六法五三〕

【参照条文】
※　法二五二の二の二・二五二の三・二五二の五～二五二の六の二

【注釈】
1）○協議会は、固有の職員を有せず、関係地方公共団体から派遣された職員をもつてその事務を処理するものである。

（協議会の事務の管理及び執行の効力）
第二百五十二条の五　普通地方公共団体の協議会が関係普通地方公共団体又は[1]関係普通地方公共団体の長その他の執行機関の名においてした事務の管理及び執行は、関係普通地方公共団体の長その他の執行機関が管理し及び執行したものとしての効力を有する。

＊本条―追加〔昭二七・八法三〇六〕、見出し―追加〔平一一・七法八七〕

【参照条文】
※　法二五二の二の二～二五二の四・二五二の六・二五二の六の二

【実例】
1）●「関係地方公共団体の長その他の執行機関の名において」の表示は、次のようにすべきである。
何々市町村（市町村長）（委員会）の名において
何々協議会会長　氏名　会長印
（昭二七・一一・一二行実）

（協議会の組織の変更及び廃止）
第二百五十二条の六　普通地方公共団体は、普通地方公共団体の協議会を設ける普通地方公共団体の数を増減し、若しくは協議会の規約を変更し、又は協議会を廃止しようとするときは、第二百五十二条の二の二第一項から第三項までの例によりこれを行わなければならない。

＊ 本条—追加〔昭二七・八法三〇六〕、一部改正〔昭三六・一一法二三五〕、見出し—追加〔平一一・七法八七〕、本条—一部改正〔平二六・五法四二〕

【引用条文】【法二五二の二の二（協議会の設置）1〜3

【参照条文】※ 法二五二の二の二〜二五二の五・二五二の六の二

（脱退による協議会の組織の変更及び廃止の特例）

第二百五十二条の六の二　前条の規定にかかわらず、協議会を設ける普通地方公共団体は、その議会の議決を経て、脱退する日の二年前までに他の全ての関係普通地方公共団体に書面で予告をすることにより、協議会から脱退することができる。

2　前項の予告を受けた関係普通地方公共団体は、当該予告をした普通地方公共団体が脱退する時までに、第二百五十二条の二の二第一項から第三項までの例により、当該脱退により必要となる規約の変更を行わなければならない。ただし、第二百五十二条の四第一項第二号に掲げる事項のみに係る規約の変更については、第二百五十二条の二の二第三項本文の例によらないものとする。

3　第一項の予告の撤回は、他の全ての関係普通地方公共団体が議会の議決を経て同意をした場合に限り、することができる。この場合において、同項の予告をした普通地方公共団体が他の関係普通地方公共団体に当該予告の撤回について同意を求めるに当たつては、あらかじめ、その議会の議決を経なければならない。

4　普通地方公共団体は、第一項の規定により協議会から脱退したときは、その旨を告示しなければならない。

5　第一項の規定による脱退により協議会を設ける普通地方公共団体が一となつたときは、当該協議会は廃止されるものとする。この場合において、当該普通地方公共団体は、その旨を告示するとともに、第二百五十二条の二の二第二項の例により、総務大臣又は都道府県知事に届け出なければならない。

＊ 本条—追加〔平二四・九法七二〕、二・五項—一部改正〔平二六・五法四二〕

【引用条文】
①【法二五二の六（協議会の組織の変更及び廃止）
②【法二五二の二の二（協議会の設置）1〜3・二五二の四（協議会の規約）1 II
⑤【法二五二の二の二（協議会の設置）2

【参照条文】
①・③【議会の議決—法九六1XV・一一六1
※ 法二五二の二の二〜二五二の六

第三款　機関等の共同設置

＊ 款名—追加〔平一一・七法八七〕、旧二款—繰下〔平二六・五法四二〕

（機関等の共同設置）

第二百五十二条の七　普通地方公共団体は、協議により規約を定め、共同して、第百三十八条第一項若しくは第二項に規定する事務局若しくはその内部組織（次項及び第二百五十二条の十三において「議会事務局」という。）、第百三十八条の四第一項に規定する委員会若しくは委員、同条第三項に規定する附属機関、第百五十六条第一項に規定する行政機関、第百五十八条第一項に規定する内部組織、委員会若しくは委員の事務局若しくはその内部組織（次項及び第二百五十二条の十三において「委員会事務局」という。）、普通地方公共団体の議会、長、委員会若しくは委員の事務を補助する職員、第百七十四条第一項に規定する専門委員又は第二百条の二第一項に規定する監査専門委員を置くことができる。ただし、政令で定める委員会については、この限りでない。

2　前項の規定による議会事務局、執行機関、附属機関、行政機関、内部組織、委員会事務局若しくは職員を共同設置する普通地方公共団体の数を増減し、若しくはこれらの議会事務局、執行機関、附属機関、行政機関、内部組織、委員会事務局若しくは職員の共同設置に関する規約を変更し、又はこれらの議会事務局、執行機関、附属機関、行政機関、内部組織、委員会事務局若しくは職員の共同設置を廃止しようとするときは、関係普通地方公共団体は、同項の例により、協議してこれを行わなければならない。

3　第二百五十二条の二の二第二項及び第三項本文の規定は前二項の場合について、同条第四項の規定は第一項の場合について、それぞれ準用する。

＊ 本条—追加〔昭二七・八法三〇六〕、一項—一部改正〔昭二八・八法二一二〕、三項—一部改正〔昭三六・一一法二三五〕、見出し—追加・一〜三項—一部改正〔平一一・七法八七〕、一項—一部改正〔平一八・六法五三〕、一・二項—一部改正〔平二三・五法三五〕、三項—一部改正〔平二六・五法四二〕、一・三項—一部改正〔平二九・六法五四〕

【引用条文】
①【法一三八（議会事務局）1・2・一三八の四（委員会・委員及び附属機関の設置）1・3・一五六（行政機関）1・一五八（内部組織・委員会事務局）1・一七四（専門委員）1・二〇〇の二（監査専門委員）1
③【法二五二の二の二（協議会の設置）2・3・4

【参照条文】
①【事務を補助する職員—法一七二・一九一1・二〇〇

3・4　地公法一二1・4・5　地教法一八1・2　農委法二六1　漁業法一三七6・一五六　【政令の定―令一七四の一九　【※機関の共同設置に関する他の規定―地公法七4　地税法四〇四3
※　法二五二の七の二～二五二の一三
【注　釈】
1）○「政令で定める委員会」とは、公安委員会である。（令一七四の一九参照）

（脱退による機関等の共同設置の変更及び廃止の特例）
第二百五十二条の七の二　前条第二項の規定にかかわらず、同条第一項の規定により機関等を共同設置する普通地方公共団体は、その議会の議決を経て、脱退する日の二年前までに他の全ての関係普通地方公共団体に書面で予告をすることにより、共同設置から脱退することができる。
2　前項の予告を受けた関係普通地方公共団体は、当該予告をした普通地方公共団体が脱退する時までに、協議して当該脱退により必要となる規約の変更を行わなければならない。
3　第二百五十二条の二の二第二項及び第三項本文の規定は、前項の場合について準用する。ただし、次条第二号（第二百五十二条の十三において準用する場合を含む。）に掲げる事項のみに係る規約の変更については、第二百五十二条の二の二第三項本文の規定は、準用しない。
4　第一項の予告の撤回は、他の全ての関係普通地方公共団体が議会の議決を経て同意をした場合に限り、することができる。この場合において、同項の予告をした普通地方公共団体が他の関係普通地方公共団体に当該予告の撤回について同意を求めるに当たつては、あらかじめ、その議会の議決を経なければならない。
5　普通地方公共団体は、第一項の規定により機関等の共同設置から脱退したときは、その旨を告示しなければならない。
6　第一項の規定による脱退により機関等を共同設置する普通地方公共団体が一となつたときは、当該共同設置は廃止されるものとする。この場合において、当該普通地方公共団体は、その旨を告示するとともに、第二百五十二条の二の二第二項の例により、総務大臣又は都道府県知事に届け出なければならない。
＊本条―追加〔平二四・九法七二〕、三・六項―一部改正〔平二六・五法四二〕
【引用条文】
①【法二五二の七（機関等の共同設置）1・2
③【法二五二の二の二（協議会の設置）2・3・二五二の八（機関の共同設置に関する規約）Ⅱ・二五二の一三（議会事務局等の共同設置に関する準用規定）
⑥【法二五二の二の二（協議会の設置）2
【参照条文】
①・④【議会の議決―法九六1XV・一一六1
※　法二五二の七・二五二の八～二五二の一三

（機関の共同設置に関する規約）
第二百五十二条の八　第二百五十二条の七の規定により共同設置する普通地方公共団体の委員会若しくは委員又は附属機関（以下この条において「共同設置する機関」という。）の共同設置に関する規約には、次に掲げる事項につき規定を設けなければならない。
一　共同設置する機関の名称
二　共同設置する機関を設ける普通地方公共団体
三　共同設置する機関の執務場所
四　共同設置する機関を組織する委員その他の構成員の選任の方法及びその身分取扱い
五　前各号に掲げるものを除くほか、共同設置する機関と関係普通地方公共団体との関係その他共同設置する機関に関し必要な事項
＊本条―追加〔昭二七・八法三〇六〕、見出し―追加・本条―一部改正〔平一一・七法八七〕、本条―一部改正〔平一八・六法五三、平二四・九法七二〕
【引用条文】
【法二五二の七（機関等の共同設置）
【参照条文】
※　法二五二の七・二五二の七の二・二五二の九～二五二の一三　令一七四の二四1・2

（共同設置する機関の委員等の選任及び身分取扱い）
第二百五十二条の九　普通地方公共団体が共同設置する委員会の委員で、普通地方公共団体の議会が選挙すべきものの選任については、規約で、次の各号のいずれの方法によるかを定めるものとする。
一　規約で定める普通地方公共団体の議会が選挙すること。
二　関係普通地方公共団体の長が協議により定めた共通の候補者について、すべての関係普通地方公共団体の議会が選挙すること。
2　普通地方公共団体が共同設置する委員会の委員（教育委員会にあつては、教育長及び委員）若しくは委員又は附属機関の委員その他の構成員で、普通地方公共団体の長が当該普通地方公共団体の議会の同意を得て選任すべきものの選任については、規約で、次の各号のいずれの方法によるかを定めるものとする。
一　規約で定める普通地方公共団体の長が当該普通地方

公共団体の議会の同意を得て選任すること。

二　関係普通地方公共団体の長が協議により定めた共通の候補者について、それぞれの関係普通地方公共団体の長が当該普通地方公共団体の議会の同意を得た上、規約で定める普通地方公共団体の長が選任すること。

3　普通地方公共団体が共同設置する委員会の委員若しくは委員又は附属機関の委員その他の構成員で、普通地方公共団体の長、委員会又は委員が選任すべきものの選任については、規約で、次の各号のいずれの方法によるかを定めるものとする。

一　規約で定める普通地方公共団体の長、委員会又は委員が選任すること。

二　関係普通地方公共団体の長、委員会又は委員が協議により定めた者について、規約で定める普通地方公共団体の長、委員会又は委員がこれを選任すること。

4　普通地方公共団体が共同設置する委員会の委員（教育委員会にあつては、教育長及び委員）若しくは委員又は附属機関の委員その他の構成員で第一項又は第二項の規定により選任するものの身分取扱いについては、規約で定める普通地方公共団体の議会が選挙し又は規約で定める普通地方公共団体の長が選任する場合においては、当該普通地方公共団体の職員とみなし、全ての関係普通地方公共団体の議会が選挙する場合においては、規約で定める普通地方公共団体の職員とみなす。

5　普通地方公共団体が共同設置する委員会の委員若しくは委員又は附属機関の委員その他の構成員で第三項の規定により選任するものの身分取扱いについては、これらの者を選任する普通地方公共団体の長、委員会又は委員の属する普通地方公共団体の職員とみなす。

＊本条—追加〔昭二七・八法三〇六〕、見出し—追加・一〜五項—一部改正〔平一一・七法八七〕、二・四項—一部改正〔平二六・六法七六〕

【参照条文】

①【議会が選挙すべきもの—法一八二1

②【長が議会の同意を得て選任すべきものの例—法一九六1　地教法四2　地公法九の二2　地税法四二三3　収用法五二3　警察法三九1　漁業法一三八①

③【長、委員会又は委員が選任すべきものの例—社教法一五2　漁業法一七二2　民委法八2

※　法二五二の七〜二五二の八・二五二の一〇〜二五二の一三　令一七四の二四1・2

（共同設置する機関の委員等の解職請求）

第二百五十二条の十　普通地方公共団体が共同設置する委員会の委員（教育委員会にあつては、教育長及び委員）若しくは委員又は附属機関の委員その他の構成員で、法律の定めるところにより選挙権を有する者の請求に基づき普通地方公共団体の議会の議決によりこれを解職することができるものの解職については、関係普通地方公共団体における選挙権を有する者が、政令の定めるところにより、その属する普通地方公共団体の長に対し、解職の請求を行い、二の普通地方公共団体の共同設置する場合においては全ての関係普通地方公共団体の議会において解職に同意する旨の議決があつたとき、又は三以上の普通地方公共団体の共同設置する場合においてはその半数を超える関係普通地方公共団体の議会において解職に同意する旨の議決があつたときは、当該解職は、成立するものとする。

＊本条—追加〔昭二七・八法三〇六〕、見出し—追加・本条—一部改正〔平二六・六法七六〕

【参照条文】

【選挙権を有する者の請求に基づき議会の議決により解職するもの—法八六・八七　地教法八　【選挙権を有する者—法一八　選挙法九2〜5・一一・二五二　【政令の定—令一七四の二〇〜一七四の二三

※　法二五二の七〜二五二の九・二五二の一一〜二五二の一三

【注　釈】

1）○「半数を超える関係普通地方公共団体の議会において解職に同意する旨の議決があつたとき」とは例えば一〇の議会であるとすると六番目の議会が、同意議決を完了したときの意味である。

（共同設置する機関の補助職員等）

第二百五十二条の十一　普通地方公共団体が共同設置する委員会又は委員の事務を補助する職員は、第二百五十二条の九第四項又は第五項の規定により共同設置する委員会の委員（教育委員会にあつては、教育長及び委員）又は委員が属するものとみなされる普通地方公共団体（以下この条において「規約で定める普通地方公共団体」という。）の長の補助機関である職員をもつて充て、普通地方公共団体が共同設置する附属機関の庶務は、規約で定める普通地方公共団体の執行機関においてこれをつかさどるものとする。

2　普通地方公共団体が共同設置する委員会若しくは委員又は附属機関に要する経費は、関係普通地方公共団体がこれを負担し、規約で定める普通地方公共団体の歳入歳出予算にこれを計上して支出するものとする。

3　普通地方公共団体が共同設置する委員会が徴収する手数料その他の収入は、規約で定める普通地方公共団体の収入とする。

4　普通地方公共団体が共同設置する委員会が行う関係普

通地方公共団体の財務に関する事務の執行及び関係普通地方公共団体の経営に係る事業の管理の通常の監査は、規約で定める普通地方公共団体の監査委員が毎会計年度少なくとも一回以上期日を定めてこれを行うものとする。この場合において、規約で定める普通地方公共団体の監査委員は、第百九十九条第九項の規定による監査の結果に関する報告を他の関係普通地方公共団体の長に提出するとともに、これを公表しなければならない。

5 前項の場合において、規約で定める普通地方公共団体の監査委員は、第百九十九条第九項の規定による監査の結果に関する報告の決定について、各監査委員の意見が一致しないことにより、同条第十二項の合議により決定することができない事項がある場合には、その旨及び当該事項についての各監査委員の意見を他の関係普通地方公共団体の長に提出するとともに、これらを公表しなければならない。

＊本条―追加〔昭二七・八法三〇六〕、四項―一部改正〔昭三八・六法九九、平三・四法二四〕、見出し―追加・一〜四項―一部改正〔平一一・七法八七〕、一項―一部改正〔平一八・六法五三、平二六・六法七六〕、四項―一部改正・五項―追加〔平二九・六法五四〕

【引用条文】
①【法二五二の九（共同設置する機関の委員等の選任及び身分取扱い）4・5

【参照条文】
①【長の補助機関である職員―法一七二 ※【附属機関の庶務―法二〇二の三3
②【予算―法二一一
③【手数料―法二二七
④【監査―法一九九
※法一八〇の三・二五二の七〜二五二の一〇・二五二の一一・二五二の一三 令一七四の二四1・2

（共同設置する機関に対する法令の適用）

第二百五十二条の十二 普通地方公共団体が共同設置する委員会若しくは委員又は附属機関は、この法律その他これらの機関の権限に属する事務の管理及び執行に関する法令、条例、規則その他の規程の適用については、この法律に特別の定めがあるものを除くほか、それぞれ関係普通地方公共団体の委員会若しくは委員又は附属機関とみなす。

＊本条―追加〔昭二七・八法三〇六〕、見出し―追加・本条―一部改正〔平一一・七法八七〕

【参照条文】
【特別の定―法二五二の九〜二五二の一一
※法二五二の七〜二五二の一一・二五二の一三 令一七四の二四1・2

（議会事務局等の共同設置に関する準用規定）

第二百五十二条の十三 第二百五十二条の八から前条までの規定は、政令で定めるところにより、第二百五十二条の七の規定による議会事務局、行政機関、内部組織、委員会事務局、普通地方公共団体の議会、長、委員会若しくは委員の事務を補助する職員、専門委員又は監査専門委員の共同設置について準用する。

＊本条―追加〔昭二七・八法三〇六〕、見出し―追加〔平一一・七法八七〕、見出し・本条―一部改正〔平一八・六法五三、平二三・五法三五〕、本条―一部改正〔平二九・六法五四〕

【引用条文】
【法二五二の七（機関等の共同設置）〜二五二の一二（共同設置する機関に対する法令の適用）

【参照条文】
【政令の定―令一七四の二四
※法二五二の七及び同条参照条文参照

第四款 事務の委託

＊款名―追加〔平一一・七法八七〕、旧三款―繰下〔平二六・五法四二〕

（事務の委託）

第二百五十二条の十四 普通地方公共団体は、協議により規約を定め、普通地方公共団体の事務の一部を、他の普通地方公共団体に委託して、当該他の普通地方公共団体の長又は同種の委員会若しくは委員をして管理し及び執行させることができる。

2 前項の規定により委託した事務を変更し、又はその事務の委託を廃止しようとするときは、関係普通地方公共団体は、同項の例により、協議してこれを行わなければならない。

3 第二百五十二条の二の二第二項及び第三項本文の規定は前二項の規定により普通地方公共団体の事務を委託し、又は委託した事務を変更し、若しくはその事務の委託を廃止する場合に、同条第四項の規定は第一項の場合にこれを準用する。

＊本条―追加〔昭二七・八法三〇六〕、三項―一部改正〔昭三六・一一法二三五〕、見出し―追加・一〜三項―一部改正〔平一一・七法八七〕、一・三項―一部改正〔平二六・五法四二〕

【引用条文】
③【法二五二の二の二（協議会の設置）2・3・4

【参照条文】
①【普通地方公共団体の事務―法二2〜6・8〜10
※【事務委託に関する他の規定―地公法七4 学校教育

※　法四〇
※　法二五二の一五・二五二の一六

【実　例】

※　●一部事務組合の事務の一部を普通地方公共団体に委託することができる。（昭二八・四・一行実）

※　●公共土木施設災害復旧事業費国庫負担法に基づく市町村の災害復旧事業につき、県が市町村から工事の設計、監督等を委ねられる場合、本条に基づく事務委託によることも、私法上の契約によることもさしつかえない。（昭三〇・一二・一六行実）

※　●市が県と共同で多目的ダムの建設工事を施行し（工事は県に委託）、完成後共同施設の管理を同県に委託するのは、公法上の事務の委託として本条により処理すべきである。（昭四一・四・一三行実）

※　●ゴミ処理事務のうち、ゴミの収集、運搬、処理手数料の徴収を除き、ゴミの焼却及び焼却後の残土の埋立処分のみに関する事務の委託を受ける場合には、地方自治法第二五二条の一四の規定に基づく事務委託によることも、私法上の契約によることもさしつかえないが、処理手数料の徴収を除き、ゴミの収集、運搬、焼却及び焼却後の残土の埋立処分に関する事務の委託を受ける場合には、同条の事務委託の規定による手続を経ることが適当である。（昭五三・四・一八行実）

（**事務の委託の規約**）

第二百五十二条の十五　前条の規定により委託する普通地方公共団体の事務（以下本条中「委託事務」という。）の委託に関する規約には、次に掲げる事項につき規定を設けなければならない。

一　委託する普通地方公共団体及び委託を受ける普通地方公共団体
二　委託事務の範囲並びに委託事務の管理及び執行の方法
三　委託事務に要する経費の支弁の方法
四　前各号に掲げるもののほか、委託事務に関し必要な事項

＊本条—追加〔昭二七・八法三〇六〕、見出し—追加・本条—一部改正〔平一一・七法八七〕

【引用条文】
【法二五二の一四（事務の委託）】

【参照条文】
※　法二五二の一四・二五二の一六

（**事務の委託の効果**）

第二百五十二条の十六　普通地方公共団体の事務を、他の普通地方公共団体に委託して、当該他の普通地方公共団体の長又は同種の委員会若しくは委員をして管理し及び執行させる場合においては、当該事務の管理及び執行に関する法令中委託した普通地方公共団体又はその執行機関に適用すべき規定は、当該委託された事務の範囲内において、その事務の委託を受けた普通地方公共団体又はその執行機関について適用があるものとし、別に規約で定めをするものを除くほか、事務の委託を受けた普通地方公共団体の当該委託された事務の管理及び執行に関する条例、規則又はその機関の定める規程は、委託した普通地方公共団体の条例、規則又はその機関の定める規程としての効力を有する。

＊本条—追加〔昭二七・八法三〇六〕、見出し—追加・本条—一部改正〔平一一・七法八七〕、本条—一部改正〔平二六・五法四二〕

【参照条文】
【機関の定める規程—法一三八の四2】

※　法二五二の一四・二五二の一五

第五款　事務の代替執行

＊款名—追加〔平二六・五法四二〕

（**事務の代替執行**）

第二百五十二条の十六の二　普通地方公共団体は、他の普通地方公共団体の求めに応じて、協議により規約を定め、当該他の普通地方公共団体の事務の一部を、当該他の普通地方公共団体又は当該他の普通地方公共団体の長若しくは同種の委員会若しくは委員の名において管理し及び執行すること（以下この条及び次条において「事務の代替執行」という。）ができる。

2　前項の規定により事務の代替執行をする事務（以下この款において「代替執行事務」という。）を変更し、又は事務の代替執行を廃止しようとするときは、関係普通地方公共団体は、同項の例により、協議してこれを行わなければならない。

3　第二百五十二条の二の二第二項及び第三項本文の規定は前二項の規定により事務の代替執行をし、又は代替執行事務を変更し、若しくは事務の代替執行を廃止する場合に、同条第四項の規定は第一項の場合に準用する。

＊本条—追加〔平二六・五法四二〕

【引用条文】
③【法二五二の二の二（協議会の設置）2〜4】

【通　知】
●事務の代替執行は、市町村の間において行う場合のほか、条件不利地域の市町村において近隣に事務の共同処理を行うべき市町村がない場合等において、市町村優先の原則や行政の簡素化・効率化とい

う事務の共同処理制度の立法趣旨を踏まえつつ、都道府県が事務の一部を当該市町村に代わって処理することができるようにすることを念頭に制度化されたものであり、地域の実情に応じて、適切に運用されたいこと。（平二六・五・三〇通知）

（事務の代替執行の規約）

第二百五十二条の十六の三　事務の代替執行に関する規約には、次に掲げる事項につき規定を設けなければならない。

一　事務の代替執行をする普通地方公共団体及びその相手方となる普通地方公共団体

二　代替執行事務の範囲並びに代替執行事務の管理及び執行の方法

三　代替執行事務に要する経費の支弁の方法

四　前三号に掲げるもののほか、事務の代替執行に関し必要な事項

＊本条―追加〔平二六・五法四二〕

（代替執行事務の管理及び執行の効力）

第二百五十二条の十六の四　第二百五十二条の十六の二の規定により普通地方公共団体が他の普通地方公共団体又は他の普通地方公共団体の長若しくは同種の委員会若しくは委員の名において管理し及び執行した事務の管理及び執行は、当該他の普通地方公共団体の長又は同種の委員会若しくは委員が管理し及び執行したものとしての効力を有する。

＊本条―追加〔平二六・五法四二〕

【引用条文】

【法二五二の一六の二（事務の代替執行

【通　知】

●上記の事務の代替執行の効果を踏まえ、事務の代替執行をする事務（以下「代替執行事務」という。）の処理について適切に意思疎通が図られるよう、代替執行事務の処理状況の報告や代替執行事務の処理方法についての協議を定期的に行うこと等をあらかじめ規約に定めておくことが望ましいこと。

また、代替執行事務の処理権限は事務の代替執行の求めを行った普通地方公共団体に残ることになるため、当該普通地方公共団体の議会は、代替執行事務の処理状況について必要な調査・審査等を行うものであること。（平二六・五・三〇通知）

第六款　職員の派遣

＊款名―追加〔平一一・七法八七〕、旧四款―六款に繰下〔平二六・五法四二〕

（職員の派遣）

第二百五十二条の十七　普通地方公共団体の長又は委員会若しくは委員は、法律に特別の定めがあるものを除くほか、当該普通地方公共団体の事務の処理のため特別の必要があると認めるときは、他の普通地方公共団体の長又は委員会若しくは委員に対し、当該普通地方公共団体の職[1]員の派遣を求めることができる。

２　前項の規定による求めに応じて派遣される職員は、派遣を受けた普通地方公共団体の職員の身分をあわせ有することとなるものとし、その給料、手当（退職手当を除く。）[2]及び旅費は、当該職員の派遣を受けた普通地方公共団体の負担とし、退職手当及び退職年金又は退職一時金は、当該職員の派遣をした普通地方公共団体の負担とする。ただし、当該派遣が長期間にわたることその他の特別の事情があるときは、当該職員の派遣を求める普通地方公共団体及びその求めに応じて当該職員の派遣をしようとする普通地方公共団体の長又は委員会若しくは委員の協議により、当該派遣の趣旨に照らして必要な範囲内において、当該職員の派遣を求める普通地方公共団体が当該職員の退職手当の全部又は一部を負担することとすることができる。

３　普通地方公共団体の委員会又は委員が、第一項の規定により職員の派遣を求め、若しくはその求めに応じて職員を派遣しようとするとき、又は前項ただし書の規定により退職手当の負担について協議しようとするときは、あらかじめ、当該普通地方公共団体の長に協議しなければならない。

４　第二項に規定するもののほか、第一項の規定に基づき派遣された職員の身分取扱いに関しては、当該職員の派遣をした普通地方公共団体の職員に関する法令の規定の適用があるものとする。ただし、当該法令の趣旨に反しない範囲内で政令で特別の定めをすることができる。

＊本条―追加〔昭三一・六法一四七〕、見出し―追加・一～四項―一部改正〔平一一・七法八七〕、二項―削る・旧三項―一部改正し二項に繰上・三項―追加・四項―一部改正〔平一八・六法五三〕

【参照条文】

①【特別の定の例―警察法六〇　【委員会、委員―法一三八の四1・一八〇の五1～3

②【給料、手当、旅費―法二〇四　【退職年金、退職一時金―法二〇五

④【政令の定―令一七四の二五

【実　例】

1）●都道府県の職員を市町村の助役（現行法では副市町村長）に派遣することはできない。（昭三三・三・二六行実）

●地方公営企業法第一五条に規定する管理者の任命に係る職員は、本条の規定により派遣することができないが、長の部局の職員と併任させた場合は派遣することができる。（昭三三・五・二七行実）

2）

●A県の職員をB町に派遣する場合、派遣職員の給与については、施行令第一七四条の二五第三項の規定に基づき、派遣職員に関する身分取扱の協議によりA県の職員の給与条例に基づきB町において給与を直接派遣職員に支給することもさしつかえない。（昭三五・六・九行実）

●県が職員を町に派遣した場合、県と町の協議により、県が管理職手当及び赴任旅費を負担することとすることは、本条第三項に抵触する。（昭四三・五・三〇行実）

※

●本条に規定する派遣職員は、原則として双方の地方公共団体の定数に含ましめるべきものであるが、条例の定めるところにより派遣をした地方公共団体の定数には含ましめない扱いとすることもさしつかえない。（昭三二・一〇・二二行実）

第四節　条例による事務処理の特例

＊本節—追加（平一一・七法八七）

（条例による事務処理の特例）

第二百五十二条の十七の二　都道府県は、都道府県知事の権限に属する事務の一部を、条例の定めるところにより、市町村が処理することとすることができる。この場合においては、当該市町村が処理することとされた事務は、当該市町村の長が管理し及び執行するものとする。

2　前項の条例（同項の規定により都道府県の規則に基づく事務を市町村が処理することとする場合で、同項の条例の定めるところにより、規則に委任して当該事務の範囲を定めるときは、当該規則を含む。以下この節及び第二百五十二条の二十六の四第一項第三号において同じ。）を制定し又は改廃する場合においては、都道府県知事は、あらかじめ、その権限に属する事務の一部を処理し又は処理することとなる市町村の長に協議しなければならない。

3　市町村の長は、その議会の議決を経て、都道府県知事に対し、第一項の規定によりその権限に属する事務の一部を当該市町村が処理することとするよう要請することができる。

4　前項の規定による要請があつたときは、都道府県知事は、速やかに、当該市町村の長と協議しなければならない。

＊本条—追加（平一一・七法八七）、三・四項—追加（平一六・五法五七）、二項—一部改正（令六・六法六五）

【参照条文】

【※都道府県教育委員会の権限に関する条例による事務処理の特例—地教法五五

※　地財法二八

【通　知】

●一つの条例で、一括して条例による事務処理の特例を定めることとするほか、個別の条例において、事務処理の特例を定める方法も考えられる。（平一一・九・一四通知）

●条例による事務処理の特例は、都道府県が処理することとされている事務を市町村が処理することとするものであり、地方自治法第二五二条の一七の二第一項に基づき、事務処理の特例を定めていることが明らかになるように規定することが必要と考えられる。（平一一・九・一四通知）

●都道府県知事の権限に属する事務である限り、法令に明示の禁止の規定のあるもの又はその趣旨・目的等から対象とすることのできないものを除き、原則として対象とすることができる。（平一一・九・一四通知）

●教育委員会の権限に属する事務については、別途地方教育行政の組織及び運営に関する法律で条例による事務処理の特例制度が設けられており、これらを併せて一つの条例案として立案することもさしつかえない。（平一一・九・一四通知）

●具体的に知事の権限となっていることが必要である。たとえば、屋外広告物法第三条では、都道府県は条例の定めるところにより広告物等を制限することができるとされているが、このような場合、都道府県が条例を制定し、知事の許可権限等が規定されることにより、はじめて知事の権限が具体化することになる。都道府県が条例を制定しない限り、具体的な知事の権限はなく、条例による事務処理の対象とすることはできない。（平一一・九・一四通知）

●特例条例では、市町村が処理することとなる事務の範囲及び対象となる市町村を明確に規定することが必要と考えられる。（平一一・九・一四通知）

●市町村が処理することとなる事務について、法律又はこれに基づく政令により都道府県が処理することとされている事務（都道府県知事の権限に属するもの）については、原則として、法律等の条項が特定されるような形で規定することが必要と考えられる。（平一一・九・一四通知）

●都道府県の条例に基づく事務について特例条例で規定する場合も、法律等に基づく事務と同様、その範囲が明確になるように定める必要がある。（平一一・九・一四通知）

●都道府県の規則に基づく事務については、特例条例において当該事務の内容を具体的に定める方法と、特例条例上は、「○○に係る事務のうち規則に基づく事務であって別に規則で定めるもの」と規定し、具体の事務の範囲は、別途規則で定めることする方法とが考えられる。なお、後者の場合、当該規則については、特例条例と同様、市町村長と協議する必要がある。（平一一・九・一四通知）

（条例による事務処理の特例の効果）

第二百五十二条の十七の三　前条第一項の条例の定めるところにより、都道府県知事の権限に属する事務の一部を市町村が処理する場合においては、当該条例の定めるところにより市町村が処理することとされた事務について規定する法令、条例又は規則中都道府県に関する規定は、当該事務の範囲内において、当該市町村に関する規定として当該市町村に適用があるものとする。

2　前項の規定により市町村に適用があるものとされる法令の規定により国の行政機関が市町村に対して行うものとなる助言等、資料の提出の要求等又は是正の要求等は、都道府県知事を通じて行うことができるものとする。

3　第一項の規定により市町村に適用があるものとされる法令の規定により市町村が国の行政機関と行うものとなる協議は、都道府県知事を通じて行うものとし、当該法令の規定により国の行政機関が市町村に対して行うものとなる許認可等に係る申請等は、都道府県知事を経由して行うものとする。

＊本条…追加（平一一・七法八七）

【引用条文】
①【法二五二の一七の二（条例による事務処理の特例）
1

【参照条文】
②【助言等—法二四七1　【資料の提出の要求等—法二四八　【是正の要求等—法二四九1
③【協議—法二四五Ⅱ　【許認可等に係る申請等—法二

※　五〇の二1　地教法五五9

【通　知】

●条例による事務処理の特例は、都道府県の条例の定めるところにより、「都道府県知事の権限に属する事務の一部を市町村が処理することとする」ものであり、地方自治法の各種規定（関与の規定、不服審査の規定、手数料の規定）等は、市町村が事務を処理するものとして適用される。（平一一・九・一四通知）

●市町村が処理することとされた事務については、市町村の事務として、地方自治法の各種規定が適用されることとなることから、事務を規定している都道府県の条例・規則を除き、当該市町村の条例・規則（例：行政手続条例や情報公開条例、財務規則等）が適用となる。また、必要に応じて、市町村が当該事務の処理のため、地方自治法第一四条・第一五条等に基づき、条例・規則を制定することができる。当該事務が特定の者のためにするものであれば、同法第二二七条及び第二二八条に基づき、市町村において手数料条例を定め、徴収することができる。（平一一・九・一四通知）

●法令に基づく事務を条例による事務処理の特例により市町村が処理することとする場合、当該法令に基づく事務に関して都道府県が定めていた条例・規則は原則として市町村には適用されない。（平一一・九・一四通知）

●許可等の権限を市町村が処理することとした場合、当該許可等に係る手数料については、市町村が条例で定めるところにより、徴収することができる。また、当該手数料は、当然市町村の歳入となる。（平一一・九・一四通知）

（是正の要求等の特則）

第二百五十二条の十七の四　都道府県知事は、第二百五十二条の十七の二第一項の条例の定めるところにより市町村が処理することとされた事務のうち自治事務の処理が法令の規定に違反していると認めるとき、又は著しく適正を欠き、かつ、明らかに公益を害していると認めるときは、当該市町村に対し、第二百四十五条の五第二項に規定する各大臣の指示がない場合であつても、同条第三項の規定により、当該自治事務の処理について違反の是正又は改善のため必要な措置を講ずべきことを求めることができる。

2　第二百五十二条の十七の二第一項の条例の定めるところにより市町村が処理することとされた事務のうち法定受託事務に対する第二百四十五条の八第十二項において準用する同条第一項から第十一項までの規定の適用については、同条第十二項において読み替えて準用する同条第二項から第四項まで、第六項、第八項及び第十一項中「都道府県知事」とあるのは、「各大臣」とする。この場合においては、同条第十三項の規定は適用しない。

3　第二百五十二条の十七の二第一項の条例の定めるところにより市町村が処理することとされた事務のうち自治事務の処理について第二百四十五条の五第三項の規定による是正の要求（第一項の規定による是正の要求を含む。）を行つた都道府県知事は、第二百五十二条第一項各号のいずれかに該当するときは、同項に規定する各大臣の指示がない場合であつても、同条第二項の規定により、訴えをもつて当該是正の要求を受けた市町村の不作為の違法の確認を求めることができる。

4　第二百五十二条の十七の二第一項の条例の定めるところにより市町村が処理することとされた事務のうち法定受託事務に係る市町村長の処分についての第二百五十五

条の二第一項の審査請求の裁決に不服がある者は、当該処分に係る事務を規定する法律又はこれに基づく政令を所管する各大臣に対して再審査請求をすることができる。

5　市町村長が第二百五十二条の十七の二第一項の条例の定めるところにより市町村が処理することとされた事務のうち法定受託事務に係る処分をする権限をその補助機関である職員又はその管理に属する行政機関の長に委任した場合において、委任を受けた職員又は行政機関の長がその委任に基づいてした処分につき、第二百五十五条の二第二項の再審査請求の裁決があつたときは、当該裁決に不服がある者は、再々審査請求をすることができる。この場合において、再々審査請求は、当該処分に係る再審査請求若しくは審査請求の裁決又は当該処分を対象として、当該処分に係る事務を規定する法律又はこれに基づく政令を所管する各大臣に対してするものとする。

6　前項の再々審査請求については、行政不服審査法第四章の規定を準用する。

7　前項において準用する行政不服審査法の規定に基づく処分及びその不作為については、行政不服審査法第二条及び第三条の規定は、適用しない。

＊本条—追加〔平一一・七法八七〕、三項—追加・旧三項—四項に繰下〔平二四・九法七二〕、四項—一部改正・五～七項—追加〔平二六・六法六九〕

【引用条文】

①【法二五二の一七の二（条例による事務処理の特例）】
1・二四五の五（是正の要求）2・3

②【法二五二の一七の二（条例による事務処理の特例）】
1・二四五の八（代執行等）1～13

③【法二五二の一七の二（条例による事務処理の特例）】
1・二四五の五（是正の要求）3・二五二（市町村の不作為に関する都道府県の訴えの提起）1・2

④【法二五二の一七の二（条例による事務処理の特例）】
1・二五五の二（法定受託事務に係る審査請求）1

⑤【法二五二の一七の二（条例による事務処理の特例）】
1・二五五の二（法定受託事務に係る審査請求）2

⑥【行政不服審査法四章（再審査請求）】

⑦【行政不服審査法二（処分についての審査請求）・三（不作為についての審査請求）】

【参照条文】

※　地教法五五9

【通　知】

●条例による事務処理の特例により市町村が処理することとされた事務が、法定受託事務の場合には、他の法律に特別の定めがある場合（事務を規定している法令の都道府県に関する規定は、市町村に関する規定として市町村に適用される）を除き、市町村長の処分又は不作為について、都道府県知事に対して審査請求をすること、さらに、同法第二五二条の一七の四第三項（現行第四項）に基づき、各大臣に再審査請求をすることができる。（平一一・九・一四通知）

●条例による事務処理の特例により市町村が処理することとされた事務が、自治事務の場合には、法律等に審査請求をすることができる旨の規定がない限り、原則として市町村長に対して異議申立てを行うこととなる。また、当該自治事務を規定している法律に審査請求をすることができる旨の規定がある場合には、当該規定に基づき審査請求をすることができる。同様に、条例に基づく処分については、当該条例に都道府県の審査会等へ審査請求をすることができる旨の規定があれば、当該条例が事務を規定する条例として、市町村長の処分等についても適用され、住民は都道府県の審査会等に対して審査請求を行うことができるものである。（平一一・九・一四通知）

●条例による事務処理の特例は、改正前の地方自治法第一五三条第二項とは異なり、（旧）行政不服審査法第五条第一項、第八条第一項第二号及び同条第三項の適用はない。（平一一・九・一四通知）

第五節　雑則

＊節名—追加〔平一一・七法八七〕

（組織及び運営の合理化に係る助言及び勧告並びに資料の提出の要求）

第二百五十二条の十七の五　総務大臣又は都道府県知事は、普通地方公共団体の組織及び運営の合理化に資するため、普通地方公共団体に対し、適切と認める技術的な助言若しくは勧告をし、又は当該助言若しくは勧告をするため若しくは普通地方公共団体の組織及び運営の合理化に関する情報を提供するため必要な資料の提出を求めることができる。

2　総務大臣は、都道府県知事に対し、前項の規定による市町村に対する助言若しくは勧告又は資料の提出の求めに関し、必要な指示をすることができる。

3　普通地方公共団体の長は、第二条第十四項及び第十五項の規定の趣旨を達成するため必要があると認めるときは、総務大臣又は都道府県知事に対し、当該普通地方公共団体の組織及び運営の合理化に関する技術的な助言若しくは勧告又は必要な情報の提供を求めることができる。

＊本条—追加〔平一一・七法八七〕、一・二・三項—一部改正〔平一一・一二法一六〇〕

【引用条文】
③【法二（地方公共団体の法人格とその事務）14・15
【参照条文】
【助言・勧告―法二四五Ⅰイ　【資料の提出の要求―法二四五Ⅰロ　【指示―法二四五Ⅰへ
※　法二四五の四・二四七・二四八・二五二の一七の六・二五二の一七の七

（財務に係る実地検査）
第二百五十二条の十七の六　総務大臣は、必要があるときは、都道府県について財務に関係のある事務に関し、実地の検査を行うことができる。
2　都道府県知事は、必要があるときは、市町村について財務に関係のある事務に関し、実地の検査を行うことができる。
3　総務大臣は、都道府県知事に対し、前項の規定による検査に関し、必要な指示をすることができる。
4　総務大臣は、前項の規定によるほか、緊急を要するときその他特に必要があると認めるときは、市町村について財務に関係のある事務に関し、実地の検査を行うことができる。
＊本条―追加〔平一一・七法八七〕、一・三・四項―一部改正〔平一一・一二法一六〇〕
【参照条文】
※　法二五二の一七の五・二五二の一七の七

（市町村に関する調査）
第二百五十二条の十七の七　総務大臣は、第二百五十二条の十七の五第一項及び第二項並びに前条第三項及び第四項の規定による権限の行使のためその他市町村の適正な運営を確保するため必要があるときは、都道府県知事に対し、市町村についてその特に指定する事項の調査を行うよう指示をすることができる。
＊本条―追加〔平一一・七法八七〕、一部改正〔平一一・一二法一六〇〕
【引用条文】
【法二五二の一七の五（組織及び運営の合理化に係る助言及び勧告並びに資料の提出の要求）1・2・二五二の一七の六（財務に係る実地検査）3・4
【参照条文】
※　地教法五三

（長の臨時代理者）
第二百五十二条の十七の八　第百五十二条の規定により普通地方公共団体の長の職務を代理する者がないときは、都道府県知事については総務大臣、市町村長については都道府県知事は、普通地方公共団体の長の被選挙権を有する者で当該普通地方公共団体の区域内に住所を有するもののうちから臨時代理者を選任し、当該普通地方公共団体の長の職務[1]を行わせることができる。
2　臨時代理者は、当該普通地方公共団体の長が選挙され、就任する時[2]まで、普通地方公共団体の長の権限に属するすべての職務を行う。
3　臨時代理者により選任又は任命された当該普通地方公共団体の職員は、当該普通地方公共団体の長が選挙され、就任した時[3]は、その職を失う。
＊本条―追加〔平一一・七法八七〕、一項―一部改正〔平一一・一二法一六〇〕
【引用条文】
①【法一五二（長の職務の代理）
【参照条文】
①【地方公共団体の長の職務―法一四八・一四九　【長の被選挙権―法一九2・3＝選挙法一〇1Ⅳ・Ⅵ・一一・二五二
※　令一の二　選挙法一〇二
【実例・注釈】
1）●職務を行う者の職名は、「職務執行者」とするのが適当である。（昭二六・一・一八行実）
2）○「就任する時」とは、通常は公職選挙法第一〇二条の規定により当選の効力が発生した時すなわち当選人の告示があった日であるが、本条の場合は、実際に就任する時である。
3）○「就任した時」とは、2と同じく、長の当選の効力の発生した時でなく、実際に就任した時である。
●臨時代理者により選任又は任命された職員が、その後長が公選されたときにそのまま職員として留まるには、長の新たな選任又は任命行為が必要である。（昭二三・一〇・三〇行実）

（臨時選挙管理委員）
第二百五十二条の十七の九　普通地方公共団体の選挙管理委員会が成立しない場合において、当該普通地方公共団体の議会もまた成立[1]していないときは、都道府県にあっては総務大臣、市町村にあっては都道府県知事は、臨時選挙管理委員を選任し、選挙管理委員の職務を行わせることができる。
＊本条―追加〔平一一・七法八七〕、一部改正〔平一一・一二法一六〇〕
【参照条文】
【選挙管理委員の職務―法一八六　【※委員会が成立しない場合等の措置―令一三七
※　法二編七章三節四款・二五二の一七の一〇
【実例・注釈】

1) ○「成立していないとき」とは、在職議員の総数が議員定数の半数に満たない場合又は解散若しくは総辞職により議会が構成員を欠いている場合である。

※ ●本条の規定は、特別区、全部事務組合、役場事務組合及び財産区（現行法では特別区及び財産区）にも適用がある。（昭二二・一一・二九通知、昭二三・七・一九行実）

（臨時選挙管理委員の給与）

第二百五十二条の十七の十　前条の臨時選挙管理委員に対する給与は、当該普通地方公共団体の選挙管理委員に対する給与の例によりこれを定める。

＊本条—追加〔平一一・七法八七〕

【引用条文】【法二五二の一七の九（臨時選挙管理委員）】

【参照条文】【選挙管理委員の報酬・給与等—法二〇三の二・二〇四】

（在職期間の通算）

第二百五十二条の十八　都道府県は、恩給法（大正十二年法律第四十八号）第十九条に規定する公務員（同法同条に規定する公務員とみなされる者を含む。以下本条中「公務員」という。）であつた者、他の都道府県の退職年金及び退職一時金に関する条例（以下本条中「退職年金条例」という。）の適用を受ける職員（その都道府県の退職年金条例の適用を受ける市町村立学校職員給与負担法（昭和二十三年法律第百三十五号）第一条及び第二条に規定する職員を含む。以下本条中「他の都道府県の職員」という。）であつた者又は市町村の退職年金条例の適用を受ける学校教育法（昭和二十二年法律第二十六号）第一条に規定する大学、高等学校及び幼稚園の職員並びに市町村の教育事務に従事する職員中政令で定める者（以下本条中「市町村の教育職員」という。）であつた者が、当該都道府県の退職年金条例の適用を受ける職員（その都道府県の退職年金条例の適用を受ける市町村立学校職員給与負担法第一条及び第二条に規定する職員を含む。以下本条中「当該都道府県の職員」という。）となつた場合においては、政令の定める基準に従い、当該公務員、他の都道府県の職員又は市町村の教育職員としての在職期間を当該都道府県の退職年金条例の規定による退職年金及び退職一時金の基礎となるべき在職期間に通算する措置を講じなければならない。ただし、市町村の教育職員としての在職期間については、当該市町村の教育職員に適用される退職年金条例の規定が政令の定める基準に従つて定められていないときは、この限りでない。

2　都道府県は、当該都道府県の職員であつた者が公務員、他の都道府県の職員又は市町村の教育職員となり、その当該都道府県の職員としての在職期間が恩給法の規定による恩給の基礎となるべき在職期間又は他の都道府県若しくは市町村の退職年金条例の規定による退職年金及び退職一時金の基礎となるべき在職期間に通算される場合における必要な調整措置を、政令の定める基準に従い、講じなければならない。

3　第一項の規定は、公務員であつた者、都道府県の職員（都道府県の退職年金条例の適用を受ける職員（その都道府県の退職年金条例の適用を受ける市町村立学校職員給与負担法第一条及び第二条に規定する職員を含む。）をいう。以下本項において同じ。）であつた者又は他の市町村の教育職員であつた者が市町村の教育職員となつた場合における当該市町村について、前項の規定は、市町村の教育職員であつた者が公務員、都道府県の職員又は他の市町村の教育職員となつた場合における当該市町村について、これを準用する。

4　普通地方公共団体は、第一項及び前項の規定の適用がある場合のほか、他の普通地方公共団体の退職年金条例の適用を受ける職員であつた者が当該普通地方公共団体の退職年金条例の適用を受ける職員となつた場合においては、当該他の普通地方公共団体の退職年金条例の適用を受ける職員としての在職期間を当該普通地方公共団体の退職年金条例の規定による退職年金及び退職一時金の基礎となる在職期間に通算する措置を講ずるように努めなければならない。

＊本条—追加〔昭三一・六法一四七〕、一・二項—一部改正・三項—追加・旧三項—一部改正し四項に繰下〔昭三四・三法一二〕、見出し—追加・一～四項—一部改正〔平一一・七法八七〕

【引用条文】①【恩給法一九（公務員）】【市町村立学校職員給与負担法一・二】【学校教育法一（学校の範囲）】③【市町村立学校職員給与負担法一・二】

【参照条文】【退職年金、退職一時金—法二〇五】【本条の「政令の定」—令一七四の五〇～一七四の六五】

（在職期間の通算）

第二百五十二条の十八の二　普通地方公共団体は、国又は他の普通地方公共団体の職員から引き続いて当該普通地方公共団体の職員となつた者に係る退職手当の算定の基礎となる勤続期間の計算については、その者の当該国又は他の普通地方公共団体の職員としての引き続いた在職期間を当該普通地方公共団体の職員としての引き続いた在職期間に通算する措置を講ずるように努めなければならない。

＊本条―追加〔昭三七・五法一三三〕

第十三章　大都市等に関する特例

＊本章―追加〔昭三一・六法一四七〕、旧一一章―一二章に繰下〔昭三八・六法九九〕、章名―全改〔平六・六法四八〕、章名―一部改正〔平一一・七法八七〕、旧一二章―一三章に繰下〔令六・六法六五〕

第一節　大都市に関する特例

＊節名―追加〔平六・六法四八〕

（指定都市の権能）

第二百五十二条の十九　政令で指定する人口五十万以上の市[1]（以下「指定都市」という。）は、次に掲げる事務のうち都道府県が法律又はこれに基づく政令の定めるところにより処理することとされているものの全部又は一部で政令で定めるものを、政令で定めるところにより、処理することができる。

一　児童福祉に関する事務
二　民生委員に関する事務
三　身体障害者の福祉に関する事務
四　生活保護に関する事務
五　行旅病人及び行旅死亡人の取扱に関する事務
五の二　社会福祉事業に関する事務
五の三　知的障害者の福祉に関する事務
六　母子家庭及び父子家庭並びに寡婦の福祉に関する事務
六の二　老人福祉に関する事務
七　母子保健に関する事務
七の二　介護保険に関する事務
八　障害者の自立支援に関する事務
八の二　生活困窮者の自立支援に関する事務
九　食品衛生に関する事務
九の二　医療に関する事務
十　精神保健及び精神障害者の福祉に関する事務
十一　結核の予防に関する事務
十一の二　難病の患者に対する医療等に関する事務
十二　土地区画整理事業に関する事務
十三　屋外広告物の規制に関する事務

2　指定都市がその事務を処理するに当たつて、法律又はこれに基づく政令の定めるところにより都道府県知事若しくは都道府県の委員会の許可、認可、承認その他これらに類する処分を要し、又はその事務の処理について都道府県知事若しくは都道府県の委員会の改善、停止、制限、禁止その他これらに類する指示その他の命令を受けるものとされている事項で政令で定めるものについては、政令の定めるところにより、これらの許可、認可等の処分を要せず、若しくはこれらの指示その他の命令に関する法令の規定を適用せず、又は都道府県知事若しくは都道府県の委員会の許可、認可等の処分若しくは指示その他の命令に代えて、各大臣の許可、認可等の処分を要するものとし、若しくは各大臣の指示その他の命令を受けるものとする。

＊本条―追加〔昭三一・六法一四七〕、一項―一部改正〔昭三八・七法一三三、昭三九・七法一二九、昭四〇・八法一四一、昭四五・六法一〇九、昭五六・六法七九、平二・六法五八、平五・六法七四〕、見出し―追加・二項―一部改正〔平六・六法四八〕、一項―一部改正〔平六・一一法九七、平八・六法一〇七、平一〇・九法一一〇、平一〇・一〇法一一四〕、一・二項―一部改正〔平一一・七法八七〕、一項―一部改正〔平一七・一一法一二三、平二三・六法七二、平二三・八法一〇五、平二五・一二法一〇五、平二六・四法二八、平二六・五法五〇、平二六・六法五一〕

【参照条文】
【人口―法二五四　【指定都市（政令）―指定都市又は中核市の指定があつた場合における必要な事項を定める政令
①【政令―令一七四の二六～一七四の四〇
②【政令―令一七四の二六8・一七四の二八6・一七四の二九6・一七四の三〇の二3・一七四の三一3・一七四の三一の二4・一七四の三二4・一七四の三七4・一七四の三九4・一七四の四一　【※指定都市に関する特例規定の例―令九二～九四・九六・九七・九八の三・一〇〇・一一〇・一一六　地公法七1等
※　法二3～5・附則一六　警察法三八2等

【注　釈】
1）○「人口五十万以上の市」とは、官報で公示された最近の国勢調査又はこれに準ずる全国的な人口調査の人口が五十万又は五十万をこえる市を指す。

（区の設置）

第二百五十二条の二十　指定都市は、市長の権限に属する事務を分掌させるため、条例で、その区域を分けて区を設け、区の事務所又は必要があると認めるときはその出張所を置くものとする。

2　区の事務所又はその出張所の位置、名称及び所管区域並びに区の事務所が分掌する事務は、条例でこれを定めなければならない。

3　区にその事務所の長として区長を置く。

4　区長又は区の事務所の出張所の長は、当該普通地方公共団体の長の補助機関である職員をもつて充てる。

5　区に選挙管理委員会を置く。

6　第四条第二項の規定は第二項の区の事務所又はその出張所の位置及び所管区域に、第百七十五条第二項の規定は区長又は第四項の区の事務所の出張所の長に、第二編第七章第三節中市の選挙管理委員会に関する規定は前項の選挙管理委員会について、これを準用する。

7　指定都市は、必要と認めるときは、条例で、区ごとに区地域協議会を置くことができる。この場合において、その区域内に地域自治区が設けられる区には、区地域協議会を設けないことができる。

8　第二百二条の五第二項から第五項まで及び第二百二条の六から第二百二条の九までの規定は、区地域協議会に準用する。

9　指定都市は、地域自治区を設けるときは、その区域は、区の区域を分けて定めなければならない。

10　第七項の規定に基づき、区に区地域協議会を置く指定都市は、第二百二条の四第一項の規定にかかわらず、その一部の区の区域に地域自治区を設けることができる。

11　前各項に定めるもののほか、指定都市の区に関し必要な事項は、政令でこれを定める。

＊本条—追加〔昭三一・六法一四七〕、見出し—追加・二・三・四・五・六項—一部改正〔平六・六法四八〕、六〜九項—追加・旧六項—一部改正し一〇項に繰下〔平一六・五法五七〕、三項—一部改正〔平一八・六法五三〕、二項—一部改正・三項—追加・旧三項—一部改正し四項に繰下・旧四項—五項に繰下・旧五項—一部改正し六項に繰下・旧六〜八項—一項ずつ繰下・旧九項—一部改正し一〇項に繰下・旧一〇項—一一項に繰下〔平二六・五法四二〕

【引用条文】

⑥【法四（地方公共団体の事務所の設定又は変更）2・一七五（支庁及び地方事務所等の長）2・二編七章三節】

⑧【法二〇二の五（地域協議会の設置及び構成員）2〜5・二〇二の六（地域協議会の会長及び副会長）・二〇二の七（地域協議会の権限）・二〇二の八（地域協議会の組織及び運営）・二〇二の九（政令への委任）】

⑩【法二〇二の四（地域自治区の設置）1】

【参照条文】

①・②【※法一五五】

⑪【政令—令一七四の四二〜一七四の四八　【※区に関する特例規定の例—令九八の三・一八二3・一九〇2　地公法三六2　地税法三の二等

※法二五二の一九　令一七七2等】

【通　知】

●指定都市においては、改正の趣旨が、区の役割を拡充し、住民自治を強化しようとするものであることを踏まえ、区の事務所が分掌する事務を定める条例について、単に現在区の事務所が分掌している事務を機械的に規定するのではなく、どのような区のあり方がふさわしいか十分に検討した上で立案する必要があること。また、指定都市の議会においても、条例の制定について議決する際には、同様に、どのような区のあり方がふさわしいか十分に議論することが重要であること。

　加えて、区の役割を拡充し、区を単位とする住民自治の機能を強化する観点から、総合区の設置の要否及び議会における区を単位として調査・審査等を行う仕組みの設置の要否についても併せて議論することが望ましいこと。（平二六・五・三〇通知）

●区地域協議会

①　指定都市は、必要と認めるときは、条例で、区ごとに区地域協議会を置くことができるものとされたこと。この場合において、その区域内に地域自治区が設けられる区には、区地域協議会を設けないことができるものとされたこと。

②　指定都市は、地域自治区を設けるときは、その区域は、区の区域を分けて定めなければならないものとされたこと。

③　区に区地域協議会を置く指定都市は、その一部の区の区域に地域自治区を設けることができるものとされたこと。（平一六・五・二六通知）

（総合区の設置）

第二百五十二条の二十の二　指定都市は、その行政の円滑な運営を確保するため必要があると認めるときは、前条第一項の規定にかかわらず、市長の権限に属する事務のうち特定の区の区域内に関するものを第八項の規定により総合区長に執行させるため、条例で、当該区に代えて総合区を設け、総合区の事務所又は必要があると認めるときはその出張所を置くことができる。

2　総合区の事務所又はその出張所の位置、名称及び所管区域並びに総合区の事務所が分掌する事務は、条例でこれを定めなければならない。

3　総合区にその事務所の長として総合区長を置く。

4　総合区長は、市長が議会の同意を得てこれを選任する。

5　総合区長の任期は、四年とする。ただし、市長は、任期中においてもこれを解職することができる。

6　総合区の事務所の職員のうち、総合区長があらかじめ指定する者は、総合区長に事故があるとき又は総合区長が欠けたときは、その職務を代理する。

7　第百四十一条、第百四十二条、第百五十九条、第百六十四条、第百六十五条第二項、第百六十六条第一項及び第三項並びに第百七十五条第二項の規定は、総合区長について準用する。

8 総合区長は、総合区の区域に係る政策及び企画をつかさどるほか、法律若しくはこれに基づく政令又は条例により総合区長が執行することとされた事務及び市長の権限に属する事務のうち主として総合区の区域内に関するもので次に掲げるものを執行し、これらの事務の執行について当該指定都市を代表する。ただし、法律又はこれに基づく政令に特別の定めがある場合は、この限りでない。

一 総合区の区域に住所を有する者の意見を反映させて総合区の区域のまちづくりを推進する事務（法律若しくはこれに基づく政令又は条例により市長が執行することとされたものを除く。）

二 総合区の区域に住所を有する者相互間の交流を促進するための事務（法律若しくはこれに基づく政令又は条例により市長が執行することとされたものを除く。）

三 社会福祉及び保健衛生に関する事務のうち総合区の区域に住所を有する者に対して直接提供される役務に関する事務（法律若しくはこれに基づく政令又は条例により市長が執行することとされたものを除く。）

四 前三号に掲げるもののほか、主として総合区の区域内に関する事務で条例で定めるもの

9 総合区長は、総合区の事務所又はその出張所の職員（政令で定めるものを除く。）を任免する。ただし、指定都市の規則で定める主要な職員を任免する場合においては、あらかじめ、市長の同意を得なければならない。

10 総合区長は、歳入歳出予算のうち総合区長が執行する事務に係る部分に関し必要があると認めるときは、市長に対し意見を述べることができる。

11 総合区に選挙管理委員会を置く。

12 第四条第二項の規定は第二項の総合区の事務所又はその出張所の位置及び所管区域について、第百七十五条第二項の規定は総合区の事務所の出張所の長について、第二編第七章第三節中市の選挙管理委員会に関する規定は前項の選挙管理委員会について準用する。

13 前条第七項から第十項までの規定は、総合区について準用する。

14 前各項に定めるもののほか、指定都市の総合区に関し必要な事項は、政令でこれを定める。

＊ 本条…追加〔平二六・五法四二〕

【引用条文】
⑦【法一四一（兼職の禁止）・一四二（長の兼業禁止）・一五九（事務引継）・一六四（副知事及び副市町村長の欠格事由）・一六五（副知事及び副市町村長の退職）2・一六六（副知事及び副市町村長の兼職・兼業禁止及び事務引継）1・3・一七五（支庁及び地方事務所等の長）2
⑫【法四（地方公共団体の事務所の設定又は変更）2・一七五（支庁及び地方事務所等の長）2・二編七章三節（委員会及び委員）

【参照条文】
⑨【令一七四の四八の三
⑭【令一七四の四八の二・一七四の四八の四～一七四の四八の七

【通　知】
●総合区は、指定都市の一部の区域に設置することも、全域に設置することも、また設置しないことも、いずれも可能であることを踏まえ、指定都市においては、どのような区のあり方がふさわしいか十分に議論し、総合区の設置の要否について検討する必要があること。（平二六・五・三〇通知）

（政令への委任）

第二百五十二条の二十一 法律又はこれに基づく政令に定めるもののほか、第二百五十二条の十九第一項の規定による指定都市の指定があつた場合において必要な事項は、政令でこれを定める。

＊ 本条…追加〔昭三七・五法一三三〕、見出し…追加〔平六・六法四八〕

【引用条文】
【法二五二の一九（指定都市の権能）1

【参照条文】
【政令…指定都市又は中核市の指定があつた場合における必要な事項を定める政令

（指定都市都道府県調整会議）

第二百五十二条の二十一の二 指定都市及び当該指定都市を包括する都道府県（以下この条から第二百五十二条の二十一の四までにおいて「包括都道府県」という。）は、指定都市及び包括都道府県の事務の処理について必要な協議を行うため、指定都市都道府県調整会議を設ける。

2 指定都市都道府県調整会議は、次に掲げる者をもつて構成する。

一 指定都市の市長

二 包括都道府県の知事

3 指定都市の市長及び包括都道府県の知事は、必要と認めるときは、協議して、指定都市都道府県調整会議に、次に掲げる者を構成員として加えることができる。

一 指定都市の市長以外の指定都市の執行機関が当該執行機関の委員長（教育委員会にあつては、教育長）、委員若しくは当該執行機関の事務を補助する職員又は当該執行機関の管理に属する機関の職員のうちから選任した者

二　指定都市の市長がその補助機関である職員のうちから選任した者

三　指定都市の議会が当該指定都市の議会の議員のうちから選挙により選出した者

四　包括都道府県の知事以外の包括都道府県の執行機関が当該執行機関の委員長（教育委員会にあつては、教育長）、委員若しくは当該執行機関の事務を補助する職員又は当該執行機関の管理に属する機関の職員のうちから選任した者

五　包括都道府県の知事がその補助機関である職員のうちから選任した者

六　包括都道府県の議会が当該包括都道府県の議会の議員のうちから選挙により選出した者

七　学識経験を有する者

4　指定都市の市長又は包括都道府県の知事は、指定都市の市長又は包括都道府県の知事以外の執行機関の権限に属する事務の処理について、指定都市都道府県調整会議における協議を行う場合には、指定都市都道府県調整会議に、当該執行機関が当該執行機関の委員長（教育委員会にあつては、教育長）、委員若しくは当該執行機関の事務を補助する職員又は当該執行機関の管理に属する機関の職員のうちから選任した者を構成員として加えるものとする。

5　指定都市の市長又は包括都道府県の知事は、第二条第六項又は第十四項の規定の趣旨を達成するため必要があると認めるときは、指定都市の市長にあつては包括都道府県の事務に関し当該包括都道府県の知事に対して、包括都道府県の知事にあつては指定都市の事務に関し当該指定都市の市長に対して、指定都市都道府県調整会議において協議を行うことを求めることができる。

6　前項の規定による求めを受けた指定都市の市長又は包括都道府県の知事は、当該求めに係る協議に応じなければならない。

7　前各項に定めるもののほか、指定都市都道府県調整会議に関し必要な事項は、指定都市都道府県調整会議が定める。

＊本条―追加（平二六・五法四二）

【引用条文】

⑤【法二（地方公共団体の法人格とその事務）6・14

【通　知】

●指定都市都道府県調整会議は、いわば自動的に設置されていることになるものであるが、開催回数や開催頻度等の会議の運営に関し必要な事項は、地域の実情に応じて、指定都市都道府県調整会議で定めるものであること。

なお、現在、指定都市と包括都道府県の間で会議が設置されている場合については、当該会議が、改正法により設けるものとされた指定都市都道府県調整会議と同様の性質を持つものであれば、当該会議を指定都市都道府県調整会議として位置付けることも可能であること。

また、一の都道府県内に複数の指定都市がある場合、改正法により設けるものとされた指定都市都道府県調整会議は各々の指定都市と包括都道府県の間で設けることとなるが、協議内容が互いに関連するなど、関係地方公共団体が適当と認める場合にあっては、同時に開催することも考えられること。（平二六・五・三〇通知）

●指定都市都道府県調整会議の構成員については、衆議院総務委員会附帯決議（平成二六年四月二四日）及び参議院総務委員会附帯決議（平成二六年五月二〇日）において指定都市と都道府県それぞれの執行機関と議会が共に参画することが協議の実効性を高める上で重要であるとされたことを踏まえ、地域の実情や協議事項等に応じて必要な者を加えるなど適切に運用されたいこと。（平二六・五・三〇通知）

（指定都市と包括都道府県の間の協議に係る勧告）

第二百五十二条の二十一の三　指定都市の市長又は包括都道府県の知事は、前条第五項の規定による求めに係る協議を調えるため必要があると認めるときは、総務大臣に対し、文書で、当該指定都市及び包括都道府県の事務の処理に関し当該協議を調えるため必要な勧告を行うことを求めることができる。

2　指定都市の市長又は包括都道府県の知事は、前項の規定による勧告の求め（以下この条及び次条において「勧告の求め」という。）をしようとするときは、あらかじめ、当該指定都市又は包括都道府県の議会の議決を経なければならない。

3　指定都市の市長又は包括都道府県の知事は、勧告の求めをしようとするときは、指定都市の市長にあつては包括都道府県の知事、包括都道府県の知事にあつては指定都市の市長に対し、その旨をあらかじめ通知しなければならない。

4　勧告の求めをした指定都市の市長又は包括都道府県の知事は、総務大臣の同意を得て、当該勧告の求めを取り下げることができる。

5　総務大臣は、勧告の求めがあつた場合においては、これを国の関係行政機関の長に通知するとともに、次条第二項の規定により指定都市都道府県勧告調整委員を任命し、当該勧告の求めに係る総務大臣の勧告について意見を求めなければならない。

6 前項の規定により通知を受けた国の関係行政機関の長は、総務大臣に対し、文書で、当該勧告の求めについて意見を申し出ることができる。

7 総務大臣は、前項の意見の申出があつたときは、当該意見を指定都市都道府県勧告調整委員に通知するものとする。

8 総務大臣は、指定都市都道府県勧告調整委員から意見が述べられたときは、遅滞なく、指定都市の市長及び包括都道府県の知事に対し、第二条第六項又は第十四項の規定の趣旨を達成するため必要な勧告をするとともに、当該勧告の内容を国の関係行政機関の長に通知し、かつ、これを公表しなければならない。

＊本条—追加〔平二六・五法四二〕

【参照条文】④【令一七四の四八の八1 ⑤【令一七四の四八の八2

【通知】●指定都市と都道府県の間の二重行政の問題については、そのほとんどが、指定都市都道府県調整会議における当事者間の真摯な協議によって解決されることが望ましいものであり、上記勧告の求めは、万が一協議が進まず、第三者の調整により事態の打開を図る必要があると指定都市の市長又は包括都道府県の知事が判断し、議会の議決を経た場合に限り行うことを可能とするものであること。（平二六・五・三〇通知）

（指定都市都道府県勧告調整委員）

第二百五十二条の二十一の四 指定都市都道府県勧告調整委員は、前条第五項の規定による総務大臣からの意見の求めに応じ、総務大臣に対し、勧告の求めがあつた事項に関して意見を述べる。

2 指定都市都道府県勧告調整委員は、三人とし、事件ごとに、優れた識見を有する者のうちから、総務大臣がそれぞれ任命する。

3 指定都市都道府県勧告調整委員は、非常勤とする。

4 指定都市都道府県勧告調整委員は、勧告の求めをした指定都市の市長若しくは包括都道府県の知事が前条第四項の規定により勧告の求めを取り下げたとき又は同条第五項の規定による総務大臣からの意見の求めに応じ、総務大臣に対し、勧告の求めがあつた事項に関して意見を述べたときは、その職を失う。

5 総務大臣は、指定都市都道府県勧告調整委員が当該事件に直接利害関係を有することとなつたときは、当該指定都市都道府県勧告調整委員を罷免しなければならない。

6 第二百五十条の九第二項、第八項、第九項（第二号を除く。）及び第十項から第十四項までの規定は、指定都市都道府県勧告調整委員に準用する。この場合において、同条第二項中「三人以上」とあるのは「二人以上」と、同条第九項中「総務大臣は、両議院の同意を得て」とあるのは「総務大臣は」と、「三人以上」とあるのは「二人以上」と、「二人」とあるのは「一人」と、同条第十項中「二人」とあるのは「一人」と、同条第十一項中「両議院の同意を得て、その委員を」とあるのは「その指定都市都道府県勧告調整委員を」と、同条第十二項中「第四項後段及び第八項から前項まで」とあるのは「第八項、第九項（第二号を除く。）、第十項及び前項並びに第二百五十二条の二十一の四第五項」と読み替えるものとする。

＊本条—追加〔平二六・五法四二〕

【引用条文】⑥【法二五〇の九（国地方係争処理委員会の委員）2・8・9・10〜14

【参照条文】①【令一七四の四八の八3〜7

（政令への委任）

第二百五十二条の二十一の五 前二条に規定するもののほか、第二百五十二条の二十一の三第一項に規定する総務大臣の勧告に関し必要な事項は、政令で定める。

＊本条—追加〔平二六・五法四二〕

第二節 中核市に関する特例

＊本節—追加〔平六・六法四八〕

（中核市の権能）

第二百五十二条の二十二 政令で指定する人口二十万以上の市（以下「中核市」という。）は、第二百五十二条の十九第一項の規定により指定都市が処理することができる事務のうち、都道府県がその区域にわたり一体的に処理することが中核市が処理することに比して効率的な事務その他の中核市において処理することが適当でない事務以外の事務で政令で定めるものを、政令で定めるところにより、処理することができる。

2 中核市がその事務を処理するに当たつて、法律又はこれに基づく政令の定めるところにより都道府県知事の改善、停止、制限、禁止その他これらに類する指示その他の命令を受けるものとされている事項で政令で定めるものについては、政令の定めるところにより、これらの指示その他の命令に関する法令の規定を適用せず、又は都道府県知事の指示その他の命令に代えて、各大臣の指示その他の命令を受けるものとする。

＊ 本条—追加〔平六・六法四八〕、一・二項—一部改正〔平一一・七法八七〕、一項—一部改正〔平一八・六法五三、平二六・五法四二〕

【引用条文】
①【法二五二の一九（指定都市の権能）1

【参照条文】
【中核市（政令）—指定都市又は中核市の指定があつた場合における必要な事項を定める政令
①【政令—令一七四の四九の二〜一七四の四九の一九
②【政令—令一七四の四九の二3・一七四の四九の四3・一七四の四九の五3・一七四の四九の七3・一七四の四九の九3・一七四の四九の一〇3・一七四の四九の一一1・一七四の四九の一二3・一七四の四九の一六3

【通　知】
●政令においては、指定都市に認められている行政監督の特例のうち、福祉分野の事務に関するものに限つて、行政監督の特例が設けられたものであること。なお、この特例は、原則として、中核市等に移譲されることとなる事務に関するもの及びこれに類するものについて設けられているものであること。（平七・四・一通知）

第二百五十二条の二十三　削除〔平一八・六法五三〕

（中核市の指定に係る手続）

第二百五十二条の二十四　総務大臣は、第二百五十二条の二十二第一項の中核市の指定に係る政令の立案をしようとするときは、関係市からの申出に基づき、これを行うものとする。

2　前項の規定による申出をしようとするときは、関係市は、あらかじめ、当該市の議会の議決を経て、都道府県の同意を得なければならない。

3　前項の同意については、当該都道府県の議会の議決を経なければならない。

＊ 本条—追加〔平六・六法四八〕、一項—一部改正〔平一一・一二法一六〇〕

【引用条文】
①【法二五二の二二（中核市の権能）1

【通　知】
●中核市の決定に当たつては、当該市の意向を尊重しつつ、事務の移譲を行う都道府県と事務が移譲される市とが相互に意思の疎通を行い、十分に調整を行う必要があること。（平七・四・一通知）

（政令への委任）

第二百五十二条の二十五　第二百五十二条の二十一の規定は、第二百五十二条の二十二第一項の規定による中核市の指定があつた場合について準用する。

＊ 本条—追加〔平六・六法四八〕

【引用条文】
【法二五二の二一（政令への委任）・二五二の二二（中核市の権能）1

（指定都市の指定があつた場合の取扱い）

第二百五十二条の二十六　中核市に指定された市について第二百五十二条の十九第一項の規定による指定都市の指定があつた場合は、当該市に係る第二百五十二条の二十二第一項の規定による中核市の指定は、その効力を失うものとする。

＊ 本条—追加〔平六・六法四八〕

【引用条文】
【法二五二の一九（指定都市の権能）1・二五二の二二（中核市の権能）1

（中核市の指定に係る手続の特例）

第二百五十二条の二十六の二　第七条第一項又は第三項の規定により中核市に指定された市の区域の全部を含む区域をもつて市を設置する処分について同項の規定により総務大臣に届出又は申請があつた場合は、第二百五十二条の二十四第一項の関係市からの申出があつたものとみなす。

＊ 本条—追加〔平一一・七法八七〕、一部改正〔平一一・一二法一六〇、平一六・五法五七〕

【引用条文】
【法七（市町村の廃置分合及び境界変更）1・3・二五二の二四（中核市の指定に係る手続）1

㊟ 第二編第一二章第三節は、平成二七年四月一日から削られた。

第十四章　国民の安全に重大な影響を及ぼす事態における国と普通地方公共団体との関係等の特例

＊ 本章—追加〔令六・六法六五〕

【通　知】
●本章の規定については、国民の安全に重大な影響を及ぼす事態における国と地方公共団体の権限と責任を明確化する趣旨のものであり、改正前の第一一章（改正後第一二章）の特例として、大規模な災害、感染症のまん延その他その及ぼす被害の程度においてこれらに類する国民の安全に重大な影響を及ぼす事態に限って適用される国又は都道府県の関与について要件・手続を定めるものである。また、これらの関与は、改正後第一二章における「国又は都道府県の関与」に該当するものであり、要件・手続は、同章に規定された関与の法定主義（第二四五条の二）及び関与の基本原則（第二四五条の三）等に則って規定されているほか、国又は都道府県の関与に適用される同章の規定が適用されるものである。（令六・七・二通知）

（資料及び意見の提出の要求）

第二百五十二条の二十六の三　各大臣又は都道府県知事その他の都道府県の執行機関は、大規模な災害、感染症のまん延その他その及ぼす被害の程度においてこれらに類する国民の安全に重大な影響を及ぼす事態（以下この章において「国民の安全に重大な影響を及ぼす事態」と総称する。）が発生し、又は発生するおそれがある場合において、その担任する事務に関し、当該国民の安全に重大な影響を及ぼす事態への対処に関する基本的な方針について検討を行い、若しくは国民の生命、身体若しくは財産の保護のための措置（以下この章において「生命等の保護の措置」という。）を講じ、又は普通地方公共団体が講ずる生命等の保護の措置について適切と認める普通地方公共団体に対する国又は都道府県の関与（第二百四十五条の四第一項の規定による助言及び勧告を除く。）を行うため必要があると認めるときは、普通地方公共団体に対し、資料の提出を求めることができる。

2　各大臣又は都道府県知事その他の都道府県の執行機関は、国民の安全に重大な影響を及ぼす事態が発生し、又は発生するおそれがある場合において、その担任する事務に関し、当該国民の安全に重大な影響を及ぼす事態への対処に関する基本的な方針について検討を行い、若しくは生命等の保護の措置を講じ、又は普通地方公共団体が講ずる生命等の保護の措置について適切と認める普通地方公共団体に対する技術的な助言その他の普通地方公共団体に対する国又は都道府県の関与若しくは情報の提供を行うため必要があると認めるときは、普通地方公共団体に対し、意見の提出を求めることができる。

3　第二百四十五条の四第二項の規定は、前二項の規定による市町村に対する都道府県知事その他の都道府県の執行機関の資料又は意見の提出の求めについて準用する。

＊本条—追加〔令六・六法六五〕

【引用条文】①【法二四五の四（技術的な助言及び勧告並びに資料の提出の要求）1　③【法二四五の四2

【参照条文】【資料の提出の求め—法二四五Ⅰロ

※　法二四八

【通　知】●「国民の安全に重大な影響を及ぼす事態」とは、その及ぼす被害の程度において、大規模な災害、感染症のまん延に類すると規定されているとおり、災害対策基本法や新型インフルエンザ等対策特別措置法において、国が役割を果たすこととされている事態に比肩する程度の被害が生じる事態を指すものであり、実際に生じ、又は生じるおそれのある事態の規模、態様等に照らして判断されるものである。また、「発生するおそれがある場合」とは、国民の安全に重大な影響を及ぼす事態が相当な確度で発生する見込みがある場合を指すものであり、客観的・合理的に判断されるものである。（令六・七・二通知）

（事務処理の調整の指示）

第二百五十二条の二十六の四　各大臣は、国民の安全に重大な影響を及ぼす事態が発生し、又は発生するおそれがある場合において、その担任する事務に関し、生命等の保護の措置の的確かつ迅速な実施を確保するため、当該国民の安全に重大な影響を及ぼす事態に係る都道府県において、一の市町村の区域を超える広域の見地から、当該都道府県の事務（法律又はこれに基づく政令により都道府県が処理することとされている事務であつて、当該生命等の保護の措置に係るものに限る。）の処理と当該都道府県の区域内の市町村の事務（法律又はこれに基づく政令により都道府県が処理することとされている事務のうち、次に掲げるものであつて、当該生命等の保護の措置に密接に関連するものに限る。）の処理との間の調整を図る必要があると認めるときは、第二百四十五条の四第二項（前条第三項において準用する場合を含む。）の規定によるほか、当該都道府県に対し、当該調整を図るために必要な措置を講ずるよう指示をすることができる。この場合において、各大臣は、当該市町村に対し、当該指示をした旨を通知するものとする。

一　法律又はこれに基づく政令により指定都市又は中核市が処理することとされている事務（法律又はこれに基づく政令によりこれらの市以外の市町村が当該事務を処理することとされている場合における当該事務を除く。）

二　前号に掲げる事務を除くほか、法律又はこれに基づく政令により市町村が処理することとされている事務のうち政令で定めるもの

三　第二百五十二条の十七の二第一項の条例又は地方教育行政の組織及び運営に関する法律（昭和三十一年法律第百六十二号）第五十五条第一項の条例の定めるところにより市町村が処理することとされている事務

2　前項後段の規定による通知は、都道府県知事その他の都道府県の執行機関を通じてすることができる。

＊　本条―追加〔令六・六法六五〕

【引用条文】
①【法二四五の四（技術的な助言及び勧告並びに資料の提出の要求）2・二五二の一七の二（条例による事務処理の特例）1・法二五二の二六の三（資料及び意見の提出の要求）3・地教法五五1

【参照条文】
【指示―法二四五Ⅰ
※　法二四九・二五〇の一三

【通　知】
●「都道府県において、一の市町村の区域を超える広域の見地から（略）調整を図る必要がある」場合とは、都道府県の単位において区域内のリソースの活用や、市町村の区域を超えた生活圏・経済圏の一体性を考慮に入れた対応が必要な場面が考えられる。（令六・七・二通知）

（生命等の保護の措置に関する指示）

第二百五十二条の二十六の五　各大臣は、国民の安全に重大な影響を及ぼす事態が発生し、又は発生するおそれがある場合において、当該国民の安全に重大な影響を及ぼす事態の規模及び態様、当該国民の安全に重大な影響を及ぼす事態に係る地域の状況その他の当該国民の安全に重大な影響を及ぼす事態に関する状況を勘案して、その担任する事務に関し、生命等の保護の措置の的確かつ迅速な実施を確保するため特に必要があると認めるときは、他の法律の規定に基づき当該生命等の保護の措置に関し必要な指示をすることができる場合を除き、閣議の決定を経て、その必要な限度において、普通地方公共団体に対し、当該普通地方公共団体の事務の処理について当該生命等の保護の措置の的確かつ迅速な実施を確保するため講ずべき措置に関し、必要な指示をすることができる。

2　各大臣は、前項の規定により普通地方公共団体に対して指示をしようとするときは、あらかじめ、当該指示に係る同項に規定する国民の安全に重大な影響を及ぼす事態に関する状況を適切に把握し、当該普通地方公共団体の事務の処理について同項の生命等の保護の措置の的確かつ迅速な実施を確保するため講ずべき措置の検討を行うため、第二百五十二条の二十六の三第一項又は第二項の規定による当該普通地方公共団体に対する資料又は意見の提出の求めその他の適切な措置を講ずるように努めなければならない。

3　市町村に対する第一項の指示は、都道府県知事その他の都道府県の執行機関を通じてすることができる。

4　各大臣は、第一項の指示をしたときは、その旨及びその内容を国会に報告するものとする。

＊　本条―追加〔令六・六法六五〕

【引用条文】
②【法二五二の二六の三（資料及び意見の提出の要求）1・2

【参照条文】
【指示―法二四五Ⅰ
①【他の法律の規定に基づき必要な指示をすることができる場合の例―災害対策基本法二三の七2・二八2・二八の六2　新型インフルエンザ等対策特別措置法二〇3
※　法二四九・二五〇の一三

【通　知】
①生命等の保護の措置に関する指示に関し、勘案すべき事態の規模、態様及び事態に係る地域の状況については、「規模」とは、被害の地域的、人的な広がりを指し、事態が全国規模である場合や、局所的であっても被害が甚大であるかが、「態様」とは、被害の種別、程度等を指し、例えば、生命・身体に生じさせる危険の重大性などが、「地域の状況」とは、例えば、離島等のへき地であり迅速な対応に課題があるなどの状況が、それぞれ考えられる。また、「特に必要があると認めるとき」とは、国の役割として指示を行う必要性が特に認められる場合に限定する趣旨であり、例えば、全国的な観点から、国の責任において広域的な対応や統一的な対応を行う必要性が高く、かつ、国民の生命等の保護のため、助言等ではなく法的な対応義務を課す指示によって的確かつ迅速な措置を確保する必要性が高い場合などが考えられる。（令六・七・二通知）
②第一項の指示を行うに当たり、国と地方公共団体の間で迅速で柔軟な情報共有・コミュニケーションが確保されるようにし、状況に応じて、十分な協議・調整が行われることが必要であり、本規定に基づき地方公共団体から提出を受けた資料又は意見を十分踏まえた上で当該指示の行使について検討する必要がある。（令六・七・二通知）
④第一項の指示が行われた場合には、各府省において、どのような事態においてどのような国の役割が必要とされたのか、地方公共団体をはじめとする関係者の意見を聴いた上で、適切に検証される必要があり、こうした検証が、個別法の規定のあり方につ

いての見直しの検討も含めた議論の契機とされることが期待されるものである。また、本規定は、当該指示が行われたときは、国が責任をもって対応すべき事態であるにもかかわらず、個別法に必要な規定が設けられていないことを意味することから、どのような場面でどのような指示があったのか、国会においても適切に検証し、個別法の制定や改正に関する議論につなげていくことを目的としており、指示を行ったということに加え、いつ、どのような事態において、どの地方公共団体に対し、どのような措置の的確かつ迅速な実施を確保するためにどのような指示を行ったかなどについて、政府の対応に一定の目途が立った段階で、できるだけ速やかに国会に報告することが求められる。(令六・七・二通知)

(普通地方公共団体相互間の応援の要求)

第二百五十二条の二十六の六 普通地方公共団体の長又は委員会若しくは委員は、国民の安全に重大な影響を及ぼす事態が発生し、又は発生するおそれがある場合において、生命等の保護の措置を的確かつ迅速に講ずるため必要があると認めるときは、他の法律の規定に基づき当該生命等の保護の措置について応援を求めることができる場合を除き、他の普通地方公共団体の長又は委員会若しくは委員に対し、応援を求めることができる。この場合において、応援を求められた普通地方公共団体の長又は委員会若しくは委員は、正当な理由がない限り、当該求めに応じなければならない。

2 前項の応援を求めた普通地方公共団体の長又は委員会若しくは委員は、同項の生命等の保護の措置の実施について、当該応援に従事する者を指揮する。

* 本条—追加〔令六・六法六五〕

【参照条文】

① 【他の法律の規定に基づき応援を求めることができる場合の例—災害対策基本法六七1・六八・七四1

※ 法二四九

【通　知】

● 「正当な理由」とは、応援の求めに応じる余力がない等、求めに応じることが困難な場合があることを指す。どのような事情が「正当な理由」に該当するのかについては、事態の性質や応援の求めを受けた地方公共団体の状況等により、個別具体的に判断するものである。(令六・七・二通知)

(都道府県による応援の要求及び指示)

第二百五十二条の二十六の七 都道府県知事は、国民の安全に重大な影響を及ぼす事態が発生し、又は発生するおそれがある場合において、当該都道府県の区域内の市町村の実施する生命等の保護の措置が的確かつ迅速に講ぜられるようにするため特に必要があると認めるときは、他の法律の規定に基づき当該生命等の保護の措置について応援することを求めることができる場合を除き、市町村長又は市町村の委員会若しくは委員に対し、他の市町村長又は他の市町村の委員会若しくは委員を応援することを求めることができる。

2 都道府県知事は、前項に規定する場合において、同項の規定による求めのみによつては同項の生命等の保護の措置に係る応援が円滑に実施されないと認めるときは、他の法律の規定に基づき当該生命等の保護の措置について応援すべきことを指示することができる場合を除き、市町村長又は市町村の委員会若しくは委員に対し、他の市町村長又は他の市町村の委員会若しくは委員を応援すべきことを指示することができる。

3 前二項の規定による求め又は指示に係る応援を受ける市町村長又は市町村の委員会若しくは委員は、これらの規定の生命等の保護の措置の実施について、当該応援に従事する者を指揮する。

* 本条—追加〔令六・六法六五〕

【参照条文】

① 【指示—法二四五Ⅰ
【他の法律の規定に基づき応援することを求めることができる場合の例—災害対策基本法七二2

② 【他の法律の規定に基づき応援すべきことを指示することができる場合の例—災害対策基本法七二1

※ 法二四七・二四九・二五一の三

(国による応援の要求及び指示等)

第二百五十二条の二十六の八 都道府県知事は、国民の安全に重大な影響を及ぼす事態が発生し、又は発生するおそれがある場合において、第二百五十二条の二十六の六第一項若しくは前条第一項の規定による求め又は同条第二項の規定による指示のみによつてはこれらの規定の生命等の保護の措置に係る応援が円滑に実施されないと認めるときは、他の法律の規定に基づき当該生命等の保護の措置について応援することを求めるよう求めることができる場合を除き、当該国民の安全に重大な影響を及ぼす事態に関係のある事務を担任する各大臣に対し、他の都道府県知事又は他の都道府県の委員会若しくは委員に対し当該国民の安全に重大な影響を及ぼす事態が発生し若しくは発生するおそれがある都道府県の知事若しくは委員会若しくは委員(以下この条において「事態発生都道府県の知事等」という。)又は当該国民の安全に重大な影響を及ぼす事態が発生し若しくは発生するおそれがある市町村の長若しくは委員会若しくは委員（以下この条において「事態発生市町村の長等」という。）を応援することを求めるよう求めることができる。

2　各大臣は、前項の規定による求めがあつた場合において、その担任する事務に関し、事態発生都道府県の知事等及び事態発生市町村の長等の実施する生命等の保護の措置が的確かつ迅速に講ぜられるようにするため特に必要があると認めるときは、他の法律の規定に基づき当該生命等の保護の措置について応援することを求めることができる場合を除き、当該事態発生都道府県の知事等以外の都道府県知事又は都道府県の委員会若しくは委員（以下この条において「都道府県知事等」という。）に対し、当該事態発生都道府県の知事等又は当該事態発生市町村の長等を応援することを求めることができる。

3　各大臣は、国民の安全に重大な影響を及ぼす事態が発生し、又は発生するおそれがある場合であつて、その担任する事務に関し、事態発生都道府県の知事等及び事態発生市町村の長等の実施する生命等の保護の措置が的確かつ迅速に講ぜられるようにするため特に必要があると認める場合において、当該国民の安全に重大な影響を及ぼす事態に照らし特に緊急を要し、第一項の規定による求めを待ついとまがないと認めるときは、他の法律の規定に基づき当該生命等の保護の措置について応援することを求めることができる場合を除き、当該求めを待たないで、当該事態発生都道府県の知事等以外の都道府県知事等又は当該事態発生市町村の長等以外の市町村長若しくは市町村の委員会若しくは委員（以下この条において「市町村長等」という。）に対し、当該事態発生都道府県の知事等又は当該事態発生市町村の長等を応援することを求めることができる。この場合において、各大臣は、当該事態発生都道府県の知事等に対し、速やかにその旨を通知するものとする。

4　各大臣は、前二項に規定する場合において、これらの規定による求めのみによつてはこれらの規定の生命等の保護の措置に係る応援が円滑に実施されないと認めるときは、他の法律の規定に基づき当該生命等の保護の措置について応援すべきことを指示することができる場合を除き、事態発生都道府県の知事等以外の都道府県知事等又は事態発生市町村の長等以外の市町村長等に対し、当該事態発生都道府県の知事等又は当該事態発生市町村の長等を応援すべきことを指示することができる。この場合（前項に規定する場合において、各大臣が指示するときに限る。）において、各大臣は、当該事態発生都道府県の知事等に対し、速やかにその旨を通知するものとする。

5　事態発生都道府県の知事等以外の都道府県知事等は、第二項若しくは第三項の規定による求め又は前項の規定による指示に応じ応援をする場合において、事態発生市町村の長等の実施する生命等の保護の措置が的確かつ迅速に講ぜられるようにするため特に必要があると認めるときは、当該都道府県の区域内の市町村長等に対し、当該事態発生市町村の長等を応援することを求めることができる。

6　事態発生都道府県の知事等以外の都道府県知事等は、第四項の規定による指示に応じ応援をする場合において、事態発生市町村の長等の実施する生命等の保護の措置が的確かつ迅速に講ぜられるようにするため特に必要があり、かつ、前項の規定による求めのみによつては当該生命等の保護の措置に係る応援が円滑に実施されないと認めるときは、当該都道府県の区域内の市町村長等に対し、当該事態発生市町村の長等を応援すべきことを指示することができる。

7　第二項から前項までの規定による求め又は指示に係る応援を受ける事態発生都道府県の知事等又は事態発生市町村の長等は、これらの規定の生命等の保護の措置の実施について、当該応援に従事する者を指揮する。

＊本条―追加〔令六・六法六五〕

【引用条文】
①【法二五二の二六の六（普通地方公共団体相互間の応援の要求）1・二五二の二六の七（都道府県による応援の要求及び指示）1・2

【参照条文】
①【指示―法二四五Ⅰ
①【他の法律の規定に基づき応援することを求めるよう求めることができる場合の例―災害対策基本法七四の三1
②・③【他の法律の規定に基づき応援することを求めることができる場合の例―災害対策基本法七四の三2
※　法二四七・二四九・二五〇の一三・二五一の三

（職員の派遣のあつせん）

第二百五十二条の二十六の九　普通地方公共団体の長又は委員会若しくは委員は、国民の安全に重大な影響を及ぼす事態が発生し、又は発生するおそれがある場合において、生命等の保護の措置を的確かつ迅速に講ずるため必要があると認めるときは、他の法律の規定に基づき当該生命等の保護の措置について職員の派遣のあつせんを求めることができる場合を除き、当該国民の安全に重大な影響を及ぼす事態に関係のある事務を担任する各大臣又は都道府県知事に対し、第二百五十二条の十七第一項の規定による職員の派遣についてあつせんを求めることができる。

2　第二百五十二条の十七第三項の規定は、前項の規定によりあつせんを求めようとする場合について準用する。

3　市町村長又は市町村の委員会若しくは委員が第一項の規定により各大臣に対しあつせんを求めるときは、都道府県知事を経由してするものとする。

＊　本条…追加〔令六・六法六五〕

【引用条文】

①【法二五二の一七（職員の派遣）1

②【法二五二の一七（職員の派遣）3

【参照条文】

①【他の法律の規定に基づき職員の派遣のあつせんを求めることができる場合の例…災害対策基本法三〇2

※　法二四九・二五〇の一三・二五一の三

（職員の派遣義務）

第二百五十二条の二十六の十　普通地方公共団体の長又は委員会若しくは委員は、前条の規定によるあつせんがあつたときは、その所掌事務の遂行に著しい支障のない限り、適任と認める職員を派遣しなければならない。

＊　本条…追加〔令六・六法六五〕

【参照条文】

【災害対策基本法三一

【通　知】

●「著しい支障」とは、職員派遣に応じる余力がない等、あっせんに応じることが困難な場合を指す。どのような事情が「著しい支障」に該当するのかについては、事態の性質や職員派遣のあっせんを受けた地方公共団体の状況等により、個別具体的に判断するものである。（令六・七・二通知）

第十五章　外部監査契約に基づく監査

＊　本章…追加〔平九・六法六七〕、旧一三章…一五章に繰下〔令六・六法六五〕

第一節　通則

＊　本節…追加〔平九・六法六七〕

（外部監査契約）

第二百五十二条の二十七　この法律において「外部監査契約」とは、包括外部監査契約及び個別外部監査契約をいう。

2　この法律において「包括外部監査契約」とは、第二百五十二条の三十六第一項各号に掲げる普通地方公共団体及び同条第二項の条例を定めた同条第一項第二号に掲げる市以外の市又は町村が、第二条第十四項及び第十五項の規定の趣旨を達成するため、この法律の定めるところにより、次条第一項又は第二項に規定する者の監査を受けるとともに監査の結果に関する報告の提出を受けることを内容とする契約であつて、この法律の定めるところにより、当該監査を行う者と締結するものをいう。

3　この法律において「個別外部監査契約」とは、次の各号に掲げる普通地方公共団体が、当該各号に掲げる請求又は要求があつた場合において、この法律の定めるところにより、当該請求又は要求に係る事項について次条第一項又は第二項に規定する者の監査を受けるとともに監査の結果に関する報告の提出を受けることを内容とする契約であつて、この法律の定めるところにより、当該監査を行う者と締結するものをいう。

一　第二百五十二条の三十九第一項に規定する普通地方公共団体　第七十五条第一項の請求

二　第二百五十二条の四十第一項に規定する普通地方公共団体　第九十八条第二項の請求

三　第二百五十二条の四十一第一項に規定する普通地方公共団体　第百九十九条第六項の要求

四　第二百五十二条の四十二第一項に規定する普通地方公共団体　第百九十九条第七項の要求

五　第二百五十二条の四十三第一項に規定する普通地方公共団体　第二百四十二条第一項の請求

＊　本条…追加〔平九・六法六七〕、二・三項…一部改正〔平一一・七法八七〕、二項…一部改正〔平二九・六法五四〕

【引用条文】

②【法二（地方公共団体の法人格とその事務）14・15・二五二の三六（包括外部監査契約の締結）1・2・二五二の二八（外部監査契約を締結できる者）1・2

③【法二五二の二八（外部監査契約を締結できる者）1・2・二五二の三九（第七五条の規定による監査の特例）1・七五（監査の請求とその処置）1・二五二の四〇（第九八条第二項の規定による監査の特例）1・九八（検査及び監査の請求）2・二五二の四一（第一九九条第六項の規定による監査の特例）1・一九九（職務権限）6・二五二の四二（第一九九条第七項の規定による監査の特例）1・一九九（職務権限）・二五二の四三（住民監査請求等の特例）1・二四二（住民監査請求）1

【参照条文】
②【この法律の定め―法二五二の三六～二五二の三八】【会計年度―法二〇八1】
③【この法律の定め―法二五二の三九～二五二の四三】

㊟ 次条中、点線の左側は、令和四年六月一七日から起算して三年を超えない範囲内において政令で定める日〔令七・六・一〕から施行となる。

（外部監査契約を締結できる者）

第二百五十二条の二十八 普通地方公共団体が外部監査契約を締結できる者は、普通地方公共団体の財務管理、事業の経営管理その他行政運営に関し優れた識見を有する者であつて、次の各号のいずれかに該当するものとする。

一 弁護士（弁護士となる資格を有する者を含む。）

二 公認会計士（公認会計士となる資格を有する者を含む。）

三 国の行政機関において会計検査に関する行政事務に従事した者又は地方公共団体において監査若しくは財務に関する行政事務に従事した者であつて、監査に関する実務に精通しているものとして政令で定めるもの

2 普通地方公共団体は、外部監査契約を円滑に締結し又はその適正な履行を確保するため必要と認めるときは、前項の規定にかかわらず、同項の識見を有する者であつて税理士（税理士となる資格を有する者を含む。）であるものと外部監査契約を締結することができる。

3 前二項の規定にかかわらず、普通地方公共団体は、次の各号のいずれかに該当する者と外部監査契約を締結してはならない。

一 禁錮〔拘禁刑〕以上の刑に処せられ、その執行を終わり、又は執行を受けることがなくなつてから三年を経過しない者

二 破産手続開始の決定を受けて復権を得ない者

三 国家公務員法（昭和二十二年法律第百二十号）又は地方公務員法の規定により懲戒免職の処分を受け、当該処分の日から三年を経過しない者

四 弁護士法（昭和二十四年法律第二百五号）、公認会計士法（昭和二十三年法律第百三号）又は税理士法（昭和二十六年法律第二百三十七号）の規定による懲戒処分により、弁護士会からの除名、公認会計士の登録の抹消又は税理士の業務の禁止の処分を受けた者で、これらの処分を受けた日から三年を経過しないもの（これらの法律の規定により再び業務を営むことができることとなつた者を除く。）

五 税理士法第四十八条第一項の規定により同法第四十四条第三号に掲げる処分を受けるべきであつたことについて決定を受けた者で、当該決定を受けた日から三年を経過しないもの

六 懲戒処分により、弁護士、公認会計士又は税理士の業務を停止された者で、現にその処分を受けているもの

七 税理士法第四十八条第一項の規定により同法第四十四条第二号に掲げる処分を受けるべきであつたことについて決定を受けた者で、同項後段の規定により明らかにされた期間を経過しないもの

八 当該普通地方公共団体の議会の議員

九 当該普通地方公共団体の職員

十 当該普通地方公共団体の職員で政令で定めるものであつた者

十一 当該普通地方公共団体の長、副知事若しくは副市町村長、会計管理者又は監査委員と親子、夫婦又は兄弟姉妹の関係にある者

十二 当該普通地方公共団体に対し請負（外部監査契約に基づくものを除く。）をする者及びその支配人又は主として同一の行為をする法人の無限責任社員、取締役、執行役若しくは監査役若しくはこれらに準ずべき者、支配人及び清算人

＊本条―追加〔平九・六法六七〕、三項―一部改正〔平一一・七法八七、平一一・一二法一五一、平一四・五法四五、平一八・六法五三、令元・六法三七、令四・三法四、令四・六法六八〕

【参照条文】
①【弁護士の職務・資格―弁護士法三～七】【公認会計士の業務・資格―公認会計士法二～四】【政令の定め―令一七四の四九の二　則一七の二～一七の六】
②【税理士の業務・資格―税理士法二～四】
③【懲戒の場合―国公法八二】【懲戒―地公法二九】【懲戒の種類―弁護士法五七　公認会計士法二九　税理士法四四】【禁錮以上の刑―刑法九～一三】【復権を得ない破産者―破産法二五五】【政令の定め―令一七四の四九の二二】【監査委員等の請負禁止―法一八〇の五6】

【実例・判例・通知】
※本条第一二号に関しては、法九二条の二の実例、判例及び平三〇・四・二五通知を参照

（特定の事件についての監査の制限）

第二百五十二条の二十九 包括外部監査人（普通地方公共団体と包括外部監査契約を締結し、かつ、包括外部監査契約の期間（包括外部監査契約に基づく監査を行い、監査の結果に関する報告を提出すべき期間をいう。以下本章において同じ。）内にある者をいう。以下本章において同じ。）又は個別外部監査人（普通地方公共団体と個別外部監査契約を締結し、かつ、個別外部監査契約の期

間（個別外部監査契約に基づく監査を行い、監査の結果に関する報告を提出すべき期間をいう。以下本章において同じ。）内にある者をいう。以下本章においては、自己若しくは父母、祖父母、配偶者、子、孫若しくは兄弟姉妹の一身上に関する事件又は自己若しくはこれらの者の従事する業務に直接の利害関係のある事件については、監査することができない。

＊本条—追加〔平九・六法六七〕

【参照条文】※【監査委員についての除斥—法一九九の二】

（監査の実施に伴う外部監査人と監査委員相互間の配慮）

第二百五十二条の三十　外部監査人（包括外部監査人及び個別外部監査人をいう。以下本章において同じ。）は、監査を実施するに当たつては、監査委員にその旨を通知する等相互の連絡を図るとともに、監査委員の監査の実施に支障を来さないよう配慮しなければならない。

2　監査委員は、監査を実施するに当たつては、外部監査人の監査の実施に支障を来さないよう配慮しなければならない。

＊本条—追加〔平九・六法六七〕

【参照条文】【監査委員の監査の実施—法一九九】

㊟　次条中、点線の左側は、令和四年六月一七日から起算して三年を超えない範囲内において政令で定める日〔令七・六・一〕から施行となる。

（監査の実施に伴う外部監査人の義務）

第二百五十二条の三十一　外部監査人は、外部監査契約の本旨に従い、善良な管理者の注意をもつて、誠実に監査を行う義務を負う。

2　外部監査人は、外部監査契約の履行に当たつては、常に公正不偏の態度を保持し、自らの判断と責任において監査をしなければならない。

3　外部監査人は、監査の実施に関して知り得た秘密を漏らしてはならない。外部監査人でなくなつた後であつても、同様とする。

4　前項の規定に違反した者は、二年以下の懲役（拘禁刑）又は百万円以下の罰金に処する。

5　外部監査人は、監査の事務に関しては、刑法（明治四十年法律第四十五号）その他の罰則の適用については、法令により公務に従事する職員とみなす。

＊本条—追加〔平九・六法六七〕、四項—一部改正〔令四・六法六八〕

【参照条文】⑤【定義—刑法七】

㊟　次条中、点線の左側は、令和四年六月一七日から起算して三年を超えない範囲内において政令で定める日〔令七・六・一〕から施行となる。

（外部監査人の監査の事務の補助）

第二百五十二条の三十二　外部監査人は、監査の事務を他の者に補助させることができる。この場合においては、外部監査人は、政令の定めるところにより、あらかじめ監査委員に協議しなければならない。

2　監査委員は、前項の規定による協議が調つた場合には、直ちに当該監査の事務を補助する者の氏名及び住所並びに当該監査の事務を補助する者が外部監査人の監査の事務を補助できる期間を告示しなければならない。

3　第一項の規定による協議は、監査委員の合議によるものとする。

4　外部監査人は、監査が適正かつ円滑に行われるよう外部監査人補助者（第二項の規定により外部監査人の監査の事務を補助する者として告示された者であつて、かつ、外部監査人の監査の事務を補助できる期間内にあるものをいう。以下本条において同じ。）を監督しなければならない。

5　外部監査人補助者は、外部監査人の監査の事務を補助したことに関して知り得た秘密を漏らしてはならない。外部監査人補助者でなくなつた後であつても、同様とする。

6　前項の規定に違反した者は、二年以下の懲役（拘禁刑）又は百万円以下の罰金に処する。

7　外部監査人補助者は、外部監査人の監査の事務の補助に関しては、刑法その他の罰則の適用については、法令により公務に従事する職員とみなす。

8　外部監査人は、第二項の規定により告示された者に監査の事務を補助させる必要がなくなつたときは、速やかに、その旨を監査委員に通知しなければならない。

9　前項の通知があつたときは、監査委員は、速やかに、当該通知があつた者の氏名及び住所並びにその者が外部監査人を補助する者でなくなつたことを告示しなければならない。

10　前項の規定による告示があつたときは、当該告示された者が外部監査人の監査の事務を補助できる期間は終了する。

＊本条—追加〔平九・六法六七〕、六項—一部改正〔令四・六法六八〕

【参照条文】
①【政令の定—令一七四の四九の二三　則一七の七
⑦【定義—刑法七

（外部監査人の監査への協力）

第二百五十二条の三十三　普通地方公共団体が外部監査人の監査を受けるに当たつては、当該普通地方公共団体の議会、長その他の執行機関又は職員は、外部監査人の監査の適正かつ円滑な遂行に協力するよう努めなければならない。

2　代表監査委員は、外部監査人の求めに応じ、監査委員の監査の事務に支障のない範囲内において、監査委員の事務局長、書記その他の職員、監査専門委員又は第百八十条の三の規定による職員を外部監査人の監査の事務に協力させることができる。

＊本条—追加〔平九・六法六七〕、二項—一部改正〔平二九・六法五四〕

【引用条文】
②【法一八〇の三（長の補助職員の他の執行機関の職員の兼職・事務の従事等）

【参照条文】
②【代表監査委員—法一九九の三　【監査委員の事務局長、書記その他の職員—法二〇〇

【通　知】
1）●法第二五二条の三三第一項に規定する「外部監査人の監査の適正かつ円滑な遂行に協力するよう努めなければならない。」とは、業務に特段の支障のない範囲で、できるかぎり協力するということを意味するものであること。（平一〇・一〇・一通知）

（議会による説明の要求又は意見の陳述）

第二百五十二条の三十四　普通地方公共団体の議会は、外部監査人の監査に関し必要があると認めるときは、外部監査人又は外部監査人であつた者の説明を求めることができる。

2　普通地方公共団体の議会は、外部監査人の監査に関し必要があると認めるときは、外部監査人に対し意見を述べることができる。

＊本条—追加〔平九・六法六七〕

（外部監査契約の解除）

第二百五十二条の三十五　普通地方公共団体の長は、外部監査人が第二百五十二条の二十八第一項各号のいずれにも該当しなくなつたとき（同条第二項の規定により外部監査契約が締結された場合にあつては、税理士（税理士となる資格を有する者を含む。）でなくなつたとき）、又は同条第三項各号のいずれかに該当するに至つたときは、当該外部監査人と締結している外部監査契約を解除しなければならない。

2　普通地方公共団体の長は、外部監査人が心身の故障のため監査の遂行に堪えないと認めるとき、外部監査人にこの法律若しくはこれに基づく命令の規定又は外部監査契約に係る義務に違反する行為があると認めるときその他外部監査人と外部監査契約を締結していることが著しく不適当と認めるときは、外部監査契約を解除することができる。この場合においては、あらかじめ監査委員の意見を聴くとともに、その意見を付けて議会の同意を得なければならない。

3　外部監査人が、外部監査契約を解除しようとするときは、普通地方公共団体の長の同意を得なければならない。この場合においては、当該普通地方公共団体の長は、あらかじめ監査委員の意見を聴かなければならない。

4　前二項の規定による意見は、監査委員の合議によるものとする。

5　普通地方公共団体の長は、第一項若しくは第二項の規定により外部監査契約を解除したとき、又は第三項の規定により外部監査契約を解除されたときは、直ちに、その旨を告示するとともに、遅滞なく、新たに外部監査契約を締結しなければならない。

6　外部監査契約の解除は、将来に向かつてのみその効力を生ずる。

＊本条—追加〔平九・六法六七〕

【引用条文】
①【法二五二の二八（外部監査契約を締結できる者）

【参照条文】
②【監査の実施に伴う外部監査人の義務—法二五二の三一

第二節　包括外部監査契約に基づく監査

＊本節—追加〔平九・六法六七〕

（包括外部監査契約の締結）

第二百五十二条の三十六　次に掲げる普通地方公共団体の長は、政令で定めるところにより、毎会計年度、当該会計年度に係る包括外部監査契約を、速やかに、一の者と締結しなければならない。この場合においては、あらかじめ監査委員の意見を聴くとともに、議会の議決を経なければならない。

一　都道府県

二　政令で定める市

2　前項第二号に掲げる市以外の市又は町村で、契約に基づく監査を受けることを条例により定めたものの長は、同項の政令で定めるところにより、条例で定める会計年度において、当該会計年度に係る包括外部監査契約を、速やかに、一の者と締結しなければならない。この場合においては、あらかじめ監査委員の意見を聴くとともに、議会の議決を経なければならない。

3　前二項の規定による意見の決定は、監査委員の合議によるものとする。

4　第一項又は第二項の規定により包括外部監査契約を締結する場合には、第一項各号に掲げる普通地方公共団体及び第二項の条例を定めた第一項第二号に掲げる市以外の市又は町村（以下「包括外部監査対象団体」という。）は、連続して四回、同一の者と包括外部監査契約を締結してはならない。

5　包括外部監査契約には、次に掲げる事項について定めなければならない。

一　包括外部監査契約の期間の始期

二　包括外部監査契約を締結した者に支払うべき監査に要する費用の額の算定方法

三　前二号に掲げる事項のほか、包括外部監査契約に基づく監査のために必要な事項として政令で定めるもの

6　包括外部監査対象団体の長は、包括外部監査契約を締結したときは、前項第一号及び第二号に掲げる事項その他政令で定める事項を直ちに告示しなければならない。

7　包括外部監査契約の期間の終期は、包括外部監査契約に基づく監査を行うべき会計年度の末日とする。

8　包括外部監査対象団体は、包括外部監査契約の期間を十分に確保するよう努めなければならない。

＊本条―追加〔平九・六法六七〕、一項―一部改正・二項―追加・旧二・三項―一部改正し一項ずつ繰下・旧四～七項―一項ずつ繰下〔平二九・六法五四〕

【参照条文】
①【政令の定―令一七四の四九の二四・一七四の四九の二五　則一七の八　【会計年度―法二〇八1　【議会の議決―法九六1　【政令で定める市―令一七四の四九の二六
⑤【政令の定―令一七四の四九の二七
⑥【政令の定―令一七四の四九の二八

（包括外部監査人の監査）

第二百五十二条の三十七　包括外部監査人は、包括外部監査対象団体の財務に関する事務の執行及び包括外部監査対象団体の経営に係る事業の管理のうち、第二条第十四項及び第十五項の規定の趣旨を達成するため必要と認める特定の事件について監査するものとする。

2　包括外部監査人は、前項の規定による監査をするに当たつては、当該包括外部監査対象団体の財務に関する事務の執行及び当該包括外部監査対象団体の経営に係る事業の管理が第二条第十四項及び第十五項の規定の趣旨にのつとつてなされているかどうかに、特に、意を用いなければならない。

3　包括外部監査人は、包括外部監査契約で定める包括外部監査契約の期間内に少なくとも一回以上第一項の規定による監査をしなければならない。

4　包括外部監査対象団体は、当該包括外部監査対象団体が第百九十九条第七項に規定する財政的援助を与えているものの出納その他の事務の執行で当該財政的援助に係るもの、当該包括外部監査対象団体が出資しているもので同項の政令で定めるものの出納その他の事務の執行で当該出資に係るもの、当該包括外部監査対象団体が借入金の元金若しくは利子の支払を保証しているものの出納その他の事務の執行で当該保証に係るもの、当該包括外部監査対象団体が受益権を有する信託で同項の政令で定めるものの受託者の出納その他の事務の執行で当該信託に係るもの又は当該包括外部監査対象団体が第二百四十四条の二第三項の規定に基づき公の施設の管理を行わせているものの出納その他の事務の執行で当該管理の業務に係るものについて、包括外部監査人が必要があると認めるときは監査することができることを条例により定めることができる。

5　包括外部監査人は、包括外部監査契約で定める包括外部監査契約の期間内に、監査の結果に関する報告を決定し、これを包括外部監査対象団体の議会、長及び監査委員並びに関係のある教育委員会、選挙管理委員会、人事委員会若しくは公平委員会、公安委員会、労働委員会、農業委員会その他法律に基づく委員会又は委員に提出しなければならない。

＊本条―追加〔平九・六法六七〕、一・二・五項―一部改正〔平一一・七法八七〕、四項―一部改正〔平一五・六法八二〕、五項―一部改正〔平一六・一一法一四〇〕

【引用条文】
①・②【法二（地方公共団体の法人格とその事務）14・15
④【法一九九（職務権限）7・二四四の二（公の施設の設置、管理及び廃止）3

【参照条文】
①・②【監査の特例―健全化法二六
④【政令の定―令一四〇の七　【受益権―信託法二7等　【信託―信託法二1等・法二三八の五2・国有財

産法二〇1　【受託者―信託法二5等・信託業法二等・金融機関の信託業務の兼営等に関する法律一等

⑤【法律に基づく委員の例―社教法一五

【通　知】

1）●法第二五二条の三七第四項に基づき包括外部監査人が監査を行うことのできる財政的援助を与えているもの等の範囲は、監査委員が監査を行うことのできる財政的援助を与えているものの範囲と同じであること。（平一〇・一〇・一通知）

〔包括外部監査人の監査〕

第二百五十二条の三十八　包括外部監査人は、監査のため必要があると認めるときは、監査委員と協議して、関係人の出頭を求め、若しくは関係人について調査し、若しくは関係人の帳簿、書類その他の記録の提出を求め、又は学識経験を有する者等から意見を聴くことができる。

2　包括外部監査人は、監査の結果に基づいて必要があると認めるときは、当該包括外部監査対象団体の組織及び運営の合理化に資するため、監査の結果に関する報告に添えてその意見を提出することができる。

3　監査委員は、前条第五項の規定により監査の結果に関する報告の提出があつたときは、これを公表しなければならない。

4　監査委員は、包括外部監査人の監査の結果に関し必要があると認めるときは、当該包括外部監査対象団体の議会及び長並びに関係のある教育委員会、選挙管理委員会、人事委員会若しくは公平委員会、公安委員会、労働委員会、農業委員会その他法律に基づく委員会又は委員にその意見を提出することができる。

5　第一項の規定による協議又は前項の規定による意見の決定は、監査委員の合議によるものとする。

6　前条第五項の規定による監査の結果に関する報告の提出があつた場合において、当該監査の結果に関する報告の提出を受けた包括外部監査対象団体の議会、長、教育委員会、選挙管理委員会、人事委員会若しくは公平委員会、公安委員会、労働委員会、農業委員会その他法律に基づく委員会又は委員は、当該監査の結果に基づき、又は当該監査の結果を参考として措置を講じたときは、その旨を監査委員に通知するものとする。この場合においては、監査委員は、当該通知に係る事項を公表しなければならない。

＊本条―追加〔平九・六法六七〕、四・六項―一部改正〔平一一・七法八七〕、一項―一部改正〔平一四・三法四〕、四・六項―一部改正〔平一六・一一法一四〇〕

【引用条文】

③・⑥【法二五二の三七（包括外部監査人の監査）5

【参照条文】

①【監査委員との協議―令一七四の四九の二九

④・⑥【法律に基づく委員の例―社教法一五

【通　知】

●法第二五二条の三八第一項の協議が調ったことを証する書面は、出頭の要請等をした関係人に示すことが主として想定されるものであること。（平一〇・一〇・一通知）

第三節　個別外部監査契約に基づく監査

＊本節―追加〔平九・六法六七〕

〔第七十五条の規定による監査の特例〕

第二百五十二条の三十九　第七十五条第一項の請求に係る監査について、監査委員の監査に代えて契約に基づく監査によることができることを条例により定める普通地方公共団体の同項の選挙権を有する者は、政令で定めるところにより、同項の請求をする場合には、併せて監査委員の監査に代えて個別外部監査契約に基づく監査によることを求めることができる。

2　前項の規定により個別外部監査契約に基づく監査によることが求められた第七十五条第一項の請求（以下この条において「事務の監査の請求に係る個別外部監査の請求」という。）については、第七十五条第二項から第五項までの規定は、適用しない。

3　事務の監査の請求に係る個別外部監査の請求があつたときは、監査委員は、直ちに、政令で定めるところにより、当該請求の要旨を公表するとともに、当該事務の監査の請求に係る個別外部監査の請求について監査委員の監査に代えて個別外部監査契約に基づく監査によることについての意見を付けて、その旨を当該普通地方公共団体の長に通知しなければならない。

4　前項の規定による通知があつたときは、当該普通地方公共団体の長は、当該通知があつた日から二十日以内に議会を招集し、同項の規定による監査委員の意見を付けて、当該事務の監査の請求に係る個別外部監査の請求について監査委員の監査に代えて個別外部監査契約に基づく監査によることについて、議会に付議し、その結果を監査委員に通知しなければならない。

5　事務の監査の請求に係る個別外部監査の請求について監査委員の監査に代えて個別外部監査契約に基づく監査によることについて議会の議決を経た場合には、当該普通地方公共団体の長は、政令で定めるところにより、当該事務の監査の請求に係る個別外部監査の請求に係る事項についての個別外部監査契約を一の者と締結しなければならない。

6 前項の個別外部監査契約を締結する場合には、当該普通地方公共団体の長は、あらかじめ監査委員の意見を聴くとともに、議会の議決を経なければならない。

7 第三項又は前項の規定による意見の決定は、監査委員の合議によるものとする。

8 第五項の個別外部監査契約には、次に掲げる事項について定めなければならない。

一 事務の監査の請求に係る個別外部監査の請求に係る事項

二 個別外部監査契約の期間

三 個別外部監査契約を締結した者に支払うべき監査に要する費用の額の算定方法

四 前三号に掲げる事項のほか、個別外部監査契約に基づく監査のために必要な事項として政令で定めるもの

9 普通地方公共団体の長は、第五項の個別外部監査契約を締結したときは、前項第一号から第三号までに掲げる事項その他政令で定める事項を直ちに告示しなければならない。

10 包括外部監査対象団体の長が、第五項の個別外部監査契約を当該包括外部監査対象団体の包括外部監査人と締結するときは、第六項の規定は、適用しない。この場合において、当該個別外部監査契約は、個別外部監査契約の期間が当該包括外部監査対象団体が締結している包括外部監査契約で定める包括外部監査契約の期間を超えないものであり、かつ、個別外部監査契約を締結した者に支払うべき費用の額の算定方法が当該包括外部監査契約で定める包括外部監査契約を締結した者に支払うべき費用の額の算定方法に準じたものでなければならない。

11 前項の規定により第五項の個別外部監査契約を締結した包括外部監査対象団体の長は、その旨を議会に報告しなければならない。

12 第五項の個別外部監査契約を締結した者は、当該個別外部監査契約で定める個別外部監査契約の期間内に、事務の監査の請求に係る個別外部監査の請求に係る事項につき監査し、かつ、監査の結果に関する報告を決定するとともに、これを当該個別外部監査契約を締結した普通地方公共団体の議会、長及び監査委員並びに関係のある教育委員会、選挙管理委員会、人事委員会若しくは公平委員会、公安委員会、労働委員会、農業委員会その他法律に基づく委員会又は委員に提出しなければならない。

13 監査委員は、前項の規定により監査の結果に関する報告の提出があつたときは、これを当該事務の監査の請求に係る個別外部監査の請求に係る代表者に送付するとともに、公表しなければならない。

14 前条第一項、第二項及び第四項から第六項までの規定は、事務の監査の請求に係る個別外部監査の請求に係る事項についての個別外部監査人の監査について準用する。この場合において、同条第二項及び第四項中「包括外部監査対象団体」とあるのは「個別外部監査契約を締結した普通地方公共団体」と、同条第六項中「前条第五項」とあるのは「次条第十二項」と、「包括外部監査対象団体」とあるのは「個別外部監査契約を締結した普通地方公共団体」と読み替えるものとする。

15 事務の監査の請求に係る個別外部監査の請求について、監査委員の監査に代えて個別外部監査契約に基づく監査によることについて、議会がこれを否決したときは、当該事務の監査の請求に係る個別外部監査の請求は、初めから第一項の規定により個別外部監査契約に基づく監査によることが求められていない第七十五条第一項の請求であつたものとみなして、同条第三項から第五項までの規定を適用する。

＊本条―追加〔平九・六法六七〕、一二項―一部改正〔平一一・七法八七、平一六・一一法一四〇〕、一～三・五・六・一〇・一三・一五項―一部改正〔平二九・六法五四〕

【引用条文】
①・②・⑮【法七五（監査の請求とその処置）1～5
⑭【法二五二の三八（包括外部監査人の監査）1・2・4～6

【参照条文】
①【選挙権を有する者―法一八 選挙法九2～5・一一・二五二 【政令の定―令一七四の四九の三〇 則一七の九
③【政令の定―令一七四の四九の三一
④【議会の招集―法一〇一 【付議事件―法一〇二3・4
⑤【議会の議決―法九六1 【政令の定―令一七四の四九の三二～一七四の四九の三五 則一七の一〇
⑧【政令の定―令一七四の四九の三四
⑨【政令の定―令一七四の四九の三五
⑩【包括外部監査契約の期間―法二五二の三六5・7 【包括外部監査契約を締結した者に支払うべき費用の算定方法―法二五二の三六5
⑫【事務の監査の結果の告示等―令一七四の四九の三六 【その他法律に基づく委員の例―社教法一五
⑭【事務の監査の請求に係る個別外部監査についての監査委員との協議―令一七四の四九の三七

（第九十八条第二項の規定による監査の特例）

第二百五十二条の四十 第九十八条第二項の請求に係る監査について監査委員の監査に代えて契約に基づく監査によることができることを条例により定める普通地方公共団体の議会は、同項の請求をする場合において、特に必要があると認めるときは、その理由を付して、併せて監

査委員の監査に代えて個別外部監査契約に基づく監査によることを求めることができる。この場合においては、あらかじめ監査委員の意見を聴かなければならない。

2　前項の規定により個別外部監査契約に基づく監査によることが求められた第九十八条第二項の請求（以下本条において「議会からの個別外部監査の請求」という。）については、監査委員は、当該議会からの個別外部監査の請求に係る事項についての監査及び監査の結果に関する報告は行わない。

3　議会からの個別外部監査の請求があつたときは、監査委員は、直ちにその旨を当該普通地方公共団体の長に通知しなければならない。

4　前条第五項から第十一項までの規定は、前項の規定による通知があつた場合について準用する。この場合において、同条第五項中「事務の監査の請求に係る個別外部監査の請求について監査委員の監査に代えて個別外部監査契約に基づく監査によることについて議会の議決を経た」とあるのは「次条第三項の規定による通知があつた」と、「事務の監査の請求に係る個別外部監査の請求に係る」とあるのは「同条第二項に規定する議会からの個別外部監査の請求に係る」と、同条第七項中「第三項」とあるのは「次条第一項」と、同条第八項第一号中「事務の監査の請求に係る個別外部監査の請求」とあるのは「次条第二項に規定する議会からの個別外部監査の請求」と読み替えるものとする。

5　前項において準用する前条第五項の個別外部監査契約を締結した者は、当該個別外部監査契約で定める個別外部監査契約の期間内に、議会からの個別外部監査の請求に係る事項につき監査しなければならない。

6　第百九十九条第二項後段、第二百五十二条の三十七第五項及び第二百五十二条の三十八の規定は、議会からの個別外部監査の請求に係る事項についての個別外部監査人の監査について準用する。この場合において、第二百五十二条の三十七第五項並びに第二百五十二条の三十八第二項、第四項及び第六項中「包括外部監査対象団体」とあるのは、「個別外部監査契約を締結した普通地方公共団体」と読み替えるものとする。

＊本条…追加〔平九・六法六七〕

【引用条文】
①・②【法九八（検査及び監査の請求）２
④【法二五二の三九（第七五条の規定による監査の特例）５～11
⑤【法二五二の三九（第七五条の規定による監査の特例）５
⑥【法一九九（職務権限）２・二五二の三七（包括外部監査人の監査）５・二五二の三八（包括外部監査人の監査）

【参照条文】
④【議会からの個別外部監査の請求への規定の準用―令一七四の四九の三八1　則一七の一一
⑥【議会からの個別外部監査の請求についての監査委員との協議―令一七四の四九の三八2

（第百九十九条第六項の規定による監査の特例）

第二百五十二条の四十一　第百九十九条第六項の要求に係る監査について、監査委員の監査に代えて契約に基づく監査によることができることを条例により定める普通地方公共団体の長は、同項の要求をする場合において、特に必要があると認めるときは、その理由を付して、併せて監査委員の監査に代えて個別外部監査契約に基づく監査によることを求めることができる。

2　前項の規定により個別外部監査契約に基づく監査によることが求められた第百九十九条第六項の要求（以下本条において「長からの個別外部監査の要求」という。）については、同項の規定にかかわらず、監査委員は、当該長からの個別外部監査の要求に係る事項についての監査は行わない。

3　長からの個別外部監査の要求があつたときは、監査委員は、直ちに、監査委員の監査に代えて個別外部監査契約に基づく監査によることについての意見を当該普通地方公共団体の長に通知しなければならない。

4　第二百五十二条の三十九第四項から第十一項までの規定は、前項の規定による通知があつた場合について準用する。この場合において、同条第四項中「前項」とあるのは「第二百五十二条の四十一第三項」と、「長は、当該通知があつた日から二十日以内に議会を招集し」とあるのは「長は」と、「事務の監査の請求に係る個別外部監査の請求」とあるのは「同条第二項に規定する長からの個別外部監査の要求」と、「付議し、その結果を監査委員に通知しなければならない」とあるのは「付議しなければならない」と、同条第五項中「事務の監査の請求に係る個別外部監査の請求について」とあるのは「第二百五十二条の四十一第二項に規定する長からの個別外部監査の要求について」と、「事務の監査の請求に係る個別外部監査の請求に係る」とあるのは「同項に規定する長からの個別外部監査の要求に係る」と、同条第七項中「第三項」とあるのは「第二百五十二条の四十一第三項」と、同条第八項第一号中「事務の監査の請求に係る個別外部監査の請求」とあるのは「第二百五十二条の四十一第二項に規定する長からの個別外部監査の要求」と読み替えるものとする。

5　前項において準用する第二百五十二条の三十九第五項の個別外部監査契約を締結した者は、当該個別外部監査契約で定める個別外部監査契約の期間内に、長からの個別外部監査の要求に係る事項につき監査しなければならない。

6　第二百五十二条の三十七第五項及び第二百五十二条の三十八の規定は、長からの個別外部監査の要求に係る事項についての個別外部監査人の監査について準用する。この場合において、第二百五十二条の三十七第五項並びに第二百五十二条の三十八第二項、第四項及び第六項中「包括外部監査対象団体」とあるのは、「個別外部監査契約を締結した普通地方公共団体」と読み替えるものとする。

＊　本条―追加〔平九・六法六七〕

【引用条文】
①・②【法一九九（職務権限）6
④【法二五二の三九（第七五条の規定による監査の特例）4～11
⑤【法二五二の三九（第七五条の規定による監査の特例）5
⑥【法二五二の三七（包括外部監査人の監査）5・二五二の三八（包括外部監査人の監査）

【参照条文】
①【監査の特例―健全化法二六
④【長からの個別外部監査の要求への規定の準用―令一七四の四九の三九1　則一七の一二
⑥【長からの個別外部監査の要求についての監査委員との協議―令一七四の四九の三九2

（**第百九十九条第七項の規定による監査の特例**）

第二百五十二条の四十二　普通地方公共団体が第百九十九条第七項に規定する財政的援助を与えているものの出納その他の事務の執行で当該財政的援助に係るもの、普通地方公共団体が出資しているもので同項の政令で定めるものの出納その他の事務の執行で当該出資に係るもの、普通地方公共団体が借入金の元金若しくは利子の支払を保証しているものの出納その他の事務の執行で当該保証に係るもの、普通地方公共団体が受益権を有する信託で同項の政令で定めるものの受託者の出納その他の事務の執行で当該信託に係るもの又は普通地方公共団体が第二百四十四条の二第三項の規定に基づき公の施設の管理を行わせているものの出納その他の事務の執行で当該管理の業務に係るものについての第百九十九条第七項の要求に係る監査について、監査委員の監査に代えて契約に基づく監査によることができることを条例により定める普通地方公共団体の長は、同項の要求をする場合において、特に必要があると認めるときは、その理由を付して、併せて監査委員の監査に代えて個別外部監査契約に基づく監査によることを求めることができる。

2　前項の規定により個別外部監査契約に基づく監査によることが求められた第百九十九条第七項の要求（以下本条において「財政的援助を与えているもの等に係る個別外部監査の要求」という。）については、同項の規定にかかわらず、監査委員は、当該財政的援助を与えているもの等に係る個別外部監査の要求に係る事項についての監査は行わない。

3　財政的援助を与えているもの等に係る個別外部監査の要求があつたときは、監査委員は、直ちに、監査委員の監査に代えて個別外部監査契約に基づく監査によることについての意見を当該普通地方公共団体の長に通知しなければならない。

4　第二百五十二条の三十九第四項から第十一項までの規定は、前項の規定による通知があつた場合について準用する。この場合において、同条第四項中「前項」とあるのは「第二百五十二条の四十二第三項」と、「長は、当該通知があつた日から二十日以内に議会を招集し」とあるのは「長は」と、「事務の監査の請求に係る個別外部監査の請求」とあるのは「同条第二項に規定する財政的援助を与えているもの等に係る個別外部監査の要求」と、「付議し、その結果を監査委員に通知しなければならない」とあるのは「付議しなければならない」と、同条第五項中「事務の監査の請求に係る個別外部監査の請求について」とあるのは「第二百五十二条の四十二第二項に規定する財政的援助を与えているもの等に係る個別外部監査の要求について」と、「事務の監査の請求に係る個別外部監査の請求に係る」とあるのは「同項に規定する財政的援助を与えているもの等に係る個別外部監査の要求に係る」と、同条第七項中「第三項」とあるのは「第二百五十二条の四十二第三項」と、同条第八項第一号中「事務の監査の請求に係る個別外部監査の請求」とあるのは「第二百五十二条の四十二第二項に規定する財政的援助を与えているもの等に係る個別外部監査の要求」と読み替えるものとする。

5　前項において準用する第二百五十二条の三十九第五項の個別外部監査契約を締結した者は、当該個別外部監査契約で定める個別外部監査契約の期間内に、財政的援助を与えているもの等に係る個別外部監査の要求に係る事項につき監査しなければならない。

6　第二百五十二条の三十七第五項及び第二百五十二条の三十八の規定は、財政的援助を与えているもの等に係る個別外部監査の要求に係る事項についての個別外部監査人の監査について準用する。この場合において、第二百五十二条の三十七第五項並びに第二百五十二条の三十八第二項、第四項及び第六項中「包括外部監査対象団体」とあるのは、「個別外部監査契約を締結した普通地方公共団体」と読み替えるものとする。

＊本条…追加〔平九・六法六七〕、一項…一部改正〔平一五・六法八一〕

【引用条文】

①【法一九九（職務権限）7・二四四の二（公の施設の設置、管理及び廃止）3

②【法一九九（職務権限）7

④【法二五二の三九（第七五条の規定による監査の特例）4～11

⑤【法二五二の三九（第七五条の規定による監査の特例）5

⑥【法二五二の三七（包括外部監査人の監査）5・二五二の三八（包括外部監査人の監査）

【参照条文】

①④【政令の定…令一四〇の七

④【財政的援助を与えているもの等に係る個別外部監査の要求への規定の準用…令一七四の四九の四〇1、則一七の一三

⑥【財政的援助を与えているもの等に係る個別外部監査の要求についての監査委員との協議…令一七四の四九の四〇2

（住民監査請求等の特例）

第二百五十二条の四十三　第二百四十二条第一項の請求に係る監査について監査委員の監査に代えて契約に基づく監査によることができることを条例により定める普通地方公共団体の住民は、同項の請求をする場合において、特に必要があると認めるときは、政令で定めるところにより、その理由を付して、併せて監査委員の監査に代えて個別外部監査契約に基づく監査によることを求めることができる。

2　監査委員は、前項の規定により個別外部監査契約に基づく監査によることが求められた第二百四十二条第一項の請求（以下この条において「住民監査請求に係る個別外部監査の請求」という。）があつた場合において、当該住民監査請求に係る個別外部監査の請求について、監査委員の監査に代えて個別外部監査契約に基づく監査によることが相当であると認めるときは、個別外部監査契約に基づく監査によることを決定し、当該住民監査請求に係る個別外部監査の請求があつた日から二十日以内に、その旨を当該普通地方公共団体の長に通知しなければならない。この場合において、監査委員は、当該通知をした旨を、当該住民監査請求に係る個別外部監査の請求に係る請求人に直ちに通知しなければならない。

3　第二百五十二条の三十九第五項から第十一項までの規定は、前項前段の規定による通知があつた場合について準用する。この場合において、同条第五項中「事務の監査の請求に係る個別外部監査の請求について監査委員の監査に代えて個別外部監査契約に基づく監査によることについて議会の議決を経た」とあるのは「第二百五十二条の四十三第二項前段の規定による通知があつた」と、「事務の監査の請求に係る個別外部監査の請求に係る」とあるのは「同項に規定する住民監査請求に係る個別外部監査の請求に係る」と、同条第七項中「第三項」とあるのは「第二百五十二条の四十三第二項の規定による監査委員の監査に代えて個別外部監査契約に基づく監査によることの決定」と、同条第八項第一号中「事務の監査の請求に係る個別外部監査の請求」とあるのは「第二百五十二条の四十三第二項に規定する住民監査請求に係る個別外部監査の請求」と読み替えるものとする。

4　前項において準用する第二百五十二条の三十九第五項の個別外部監査契約を締結した者は、当該個別外部監査契約で定める個別外部監査契約の期間内に、住民監査請求に係る個別外部監査の請求に係る事項について監査を行い、かつ、監査の結果に関する報告を決定するとともに、これを監査委員に提出しなければならない。

5　第二項前段の規定による通知があつた場合における第二百四十二条第五項から第七項まで及び第十一項並びに第二百四十二条の二第一項及び第二項の規定の適用については、第二百四十二条第五項中「第一項の規定による請求」とあるのは「第二百五十二条の四十三第四項の規定による監査の結果に関する報告の提出」と、「監査を行い」とあるのは「当該監査の結果に関する報告に基づき」と、「請求人に通知する」とあるのは「同条第二項に規定する住民監査請求に係る個別外部監査の請求に係る請求人（以下この条において「請求人」という。）に通知する」と、同条第六項中「監査委員の監査」とあるのは「請求に理由があるかどうかの決定」と、「第一項の規定による」とあるのは「第二百五十二条の四十三第二項に規定する住民監査請求に係る個別外部監査の」と、「六十日」とあるのは「九十日」と、同条第七項中「監査委員は、第五項」とあるのは「第二百五十二条の四十三第三項において準用する第二百五十二条の三十九第五項の個別外部監査契約を締結した者は、第二百五十二条の四十三第四項」と、同条第十一項中「第四項の規定による勧告、第五項」とあるのは「第五項」と、「監査及び勧告並びに前項の規定による意見」とあるのは「請求に理由があるかどうかの決定及び勧告」と、第二百四十二条の二第一項中「前条第一項の規定による」とあるのは「第

二百五十二条の四十三第二項に規定する住民監査請求に係る個別外部監査の」と、「同条第五項の規定による監査委員の監査の結果」とあるのは「前条第五項の規定による請求に理由がない旨の決定」と、「監査若しくは」とあるのは「請求に理由がない旨の決定若しくは」と、「同条第一項」とあるのは「第二百五十二条の四十三第二項に規定する住民監査請求に係る個別外部監査」と、同条第二項第一号中「の監査の結果」とあるのは「の請求に理由がない旨の決定」と、「当該監査の結果」とあるのは「当該請求に理由がない旨」と、同項第三号中「六十日」とあるのは「九十日」と、「監査又は」とあるのは「当該請求に理由がない旨の決定又は」とする。

6　第二百五十二条の三十八第一項、第二項及び第五項の規定は、住民監査請求に係る個別外部監査の請求に係る事項についての個別外部監査人の監査について準用する。この場合において、同条第二項中「包括外部監査対象団体」とあるのは、「個別外部監査契約を締結した普通地方公共団体」と読み替えるものとする。

7　個別外部監査人は、第五項において読み替えて適用する第二百四十二条第七項の規定による陳述の聴取を行う場合又は関係のある当該普通地方公共団体の長その他の執行機関若しくは職員の陳述の聴取を行う場合において、必要があると認めるときは、監査委員と協議して、関係のある当該普通地方公共団体の長その他の執行機関若しくは職員又は請求人を立ち会わせることができる。

8　前項の規定による協議は、監査委員の合議によるものとする。

9　住民監査請求に係る個別外部監査の請求があつた場合において、監査委員が当該住民監査請求に係る個別外部監査の請求があつた日から二十日以内に、当該普通地方公共団体の長に第二項前段の規定による通知を行わないときは、当該住民監査請求に係る個別外部監査の請求は、初めから第一項の規定により個別外部監査契約に基づく監査によることが求められていない第二百四十二条第一項の請求であつたものとみなす。この場合において、監査委員は、同条第五項の規定による通知を行うときに、併せて当該普通地方公共団体の長に第二項前段の規定による通知を行わなかつた理由を書面により当該住民監査請求に係る個別外部監査の請求に係る請求人に通知するとともに、これを公表しなければならない。

＊本条―追加〔平九・六法六七〕、五項―一部改正・七・八項―追加・旧七項―一部改正し九項に繰下〔平一四・三法四〕、一・二・五・七・九項―一部改正〔平二九・六法五四〕

【引用条文】
①・②【法二四二（住民監査請求）1
③【法二五二の三九（第七五条の規定による監査の特例）5〜11
④【法二五二の三九（第七五条の規定による監査の特例）5
⑤【法二四二（住民監査請求）5〜7・11・二四二の二（住民訴訟）1・2
⑥【法二五二の三八（包括外部監査人の監査）1・2・5
⑦【法二四二（住民監査請求）7
⑨【法二四二（住民監査請求）1・5

【参照条文】
①【政令の定―令一七四の四九の四一　則一七の一四
③【住民監査請求に係る個別外部監査の請求への規定の準用―令一七四の四九の四二1　則一七の一五
⑥【住民監査請求に係る個別外部監査の請求についての監査委員との協議―令一七四の四九の四二2

（個別外部監査契約の解除）

第二百五十二条の四十四　第二百五十二条の三十五第二項、第四項及び第五項の規定は、個別外部監査人が第二百五十二条の二十九の規定により監査することができなくなつたと認められる場合について準用する。

＊本条―追加〔平九・六法六七〕

【引用条文】
【法二五二の三五（外部監査契約の解除）2・4・5・二五二の二九（特定の事件についての監査の制限）

第四節　雑則

＊本節―追加〔平九・六法六七〕

（一部事務組合等に関する特例）

第二百五十二条の四十五　一部事務組合又は広域連合に係る包括外部監査契約に基づく監査については、一部事務組合又は広域連合を第二百五十二条の三十六第一項第二号に掲げる市以外の市又は町村とみなして、第二節（同項を除く。）の規定を準用する。

＊本条―追加〔平九・六法六七〕、一部改正〔平二九・六法五四〕

【引用条文】
【法二五二の三六（包括外部監査契約の締結）1Ⅱ
【第二節（法二五二の三六〜二五二の三八）（包括外部監査契約に基づく監査）

【参照条文】
【一部事務組合―法二八四1・2
【広域連合―法二八四1・3

（政令への委任）

第二百五十二条の四十六　この法律に規定するもののほか、外部監査契約に基づく監査に関し必要な事項その他本章の規定の適用に関し必要な事項は、政令で定める。

＊本条―追加〔平九・六法六七〕

【参照条文】

【政令の定―令一七四の四九の二五・一七四の四九の三三・一七四の四九の四三】

第十六章　補則

＊旧一一章―繰下〔昭二一・六法一四七〕、旧一二章―繰下〔昭三八・六法九九〕、旧一三章―繰下〔平九・六法六七〕、旧一四章―一六章に繰下〔令六・六法六五〕

〔所管知事の決定及び総務大臣の権限〕

第二百五十三条　都道府県知事の権限に属する市町村に関する事件で数都道府県にわたるものがあるときは、関係都道府県知事の協議により、その事件を管理すべき都道府県知事を定めることができる。

②　前項の場合において関係都道府県知事の協議が調わないときは、総務大臣は、その事件を管理すべき都道府県知事を定め、又は都道府県知事に代つてその権限を行うことができる。

＊二項―追加〔昭二七・八法三〇六〕、一部改正〔昭三五・六法一一三、平一一・一二法一六〇〕

【参照条文】

【知事の権限に属する市町村に関する事件で数都道府県にわたるものの例―法九1・2・九の二・二五二の二の二2・二五二の七3・二五二の一四3　令五・六等の事件で数都道府県にわたるもの

※法二九三

〔人口の定義〕

第二百五十四条　[1]この法律における人口は、[2]官報で公示された最近の国勢調査又は[3]これに準ずる全国的な人口調査の結果による人口による。

＊本条―一部改正〔昭二七・八法三〇六〕

【参照条文】

【この法律における人口―法八1Ⅰ・Ⅲ・二五二の一九1・二五二の二二1　※令一七六・一七七　【国勢調査―統計法五】

※【本条の例外―法附則二〇の四・二〇の五3

【実例・注釈】

1）●「この法律における人口」には、監獄、矯正院〔それぞれ現行では刑事施設、少年院という〕にある者を含む。（昭二三・八・三行実）

2）●昭和五五年国勢調査の結果による人口については、地方自治法第二五四条に規定する「官報で公示された最近の国勢調査の結果による人口」とは、確定人口が官報に公示されるまでの間は、要計表によつて算出された人口を指すものと解される。（昭五五・九・三行実）

3）●「これに準ずる全国的な人口調査」とは政府が行う人口に対する全国的な調査で、統計法第二条の規定による指定統計をいう。（昭二九・七・一五行実）

※●境界変更の場合における人口調査は、境界変更現在日において当該地域に現に在住する者について都道府県知事が行うものであるが、住民基本台帳人口を基礎として調査してもよい。（昭三〇・八・一五行実）

※●市町村の境界変更に伴い知事が人口告示をした後に、その日以前の最近の国勢調査による関係市町村の人口が公示された場合は、知事の告示した人口は訂正すべきである。（昭三一・六・九行実）

〔廃置分合及び境界変更に関する事項の政令への委任〕

第二百五十五条　この法律に規定するものを除くほか、第六条第一項及び第二項、第六条の二第一項並びに第七条第一項及び第三項の場合において必要な事項は、政令でこれを定める。

＊本条―一部改正〔昭二三・一二法一六九、昭二七・八法三〇六、平一六・五法五七〕

【引用条文】

【法六（都道府県の廃置分合及び境界変更）1・2・六の二（申請に基づく都道府県合併）1・七（市町村の廃置分合及び境界変更）1・3

【参照条文】

【政令の定―令一の二～六・一三〇・一三一・一七六・一七七

【実例・通知】

※●令第一条（現行法では令第一条の二）の規定による職務執行者の正式名称は、「〇〇村長職務執行者氏名」とすべきである。（昭二三・八・八通知）

※●甲町の一部を分割して乙村及び丙村を設置した場合における選挙管理委員は、分割前の甲町の委員がそのまま乙村及び丙村の委員の職務を行う。（昭二二・九・六行実）

※●職務執行者によつて選任された職員は、長が選挙され就任しても失職しない。（昭二四・一一・三〇行実）

※●廃置分合に伴い「承継すべき事務」には公文書類のみならず公法上の未徴収金、歳計現金も含む。（昭二六・一一・二一通知）

※●A、B両町村で一部事務組合を設けている場合に

おいて、A町とこの組合外の甲村を廃しその区域をもつて乙町を設置したときは、当該一部事務組合の事務は当然には乙町に引き継がれるものではない。（昭二八・三・一〇行実）

※●町村合併の際の債務及び旧町村の出納閉鎖後に入る歳入金は、新町村の債務及び歳入とすべきである。（昭二八・一二・一四行実）

※●長の職務執行者は、一般職の職員のうちから定められた者でない限りは、地方公務員法上の特別職で、同法第三六条の政治的行為の制限は受けない。（昭二九・四・三〇行実）

※●契約に基づく権利義務は当然に新市町村に承継されるもので関係市町村において一方的に放棄することはできない。（昭二九・六・八行実）

※●甲村を廃し、その区域の一部を乙市に編入した場合における当該編入した地域に係る地方税の未徴収金の徴収及びこれに伴う一切の事務は乙市が承継すべきである。（昭三〇・六・一六行実）

※●市村の合併の際、旧市が受けていた道路運送法第四条（現行第九条）の規定による運賃及び料金の認可の効力は新市に承継される。（昭三〇・六・三〇行実）

※●甲市と乙村を廃し、その区域をもつて丙市を置いた場合、旧甲市が受けていた地方税法第六六九条の規定による法定外普通税の許可（現行法では同意）の効力は丙市に承継されるが、旧甲市の地域についてのみ許可されているものと解される。（同右）

※●町村合併により消滅した団体に収入不足額がある場合には、赤字決算もやむを得ず、不足額の実態を明確にして引き継げばよい。（昭三〇・八・一七行実）

〔**法定受託事務に係る審査請求**〕

第二百五十五条の二　法定受託事務に係る次の各号に掲げる処分及びその不作為についての審査請求は、他の法律に特別の定めがある場合を除くほか、当該各号に定める者に対してするものとする。この場合において、不作為についての審査請求は、他の法律に特別の定めがある場合を除くほか、当該各号に定める者に代えて、当該不作為に係る執行機関に対してすることもできる。

一　都道府県知事その他の都道府県の執行機関の処分　当該処分に係る事務を規定する法律又はこれに基づく政令を所管する各大臣

二　市町村長その他の市町村の執行機関（教育委員会及び選挙管理委員会を除く。）の処分　都道府県知事

三　市町村教育委員会の処分　都道府県教育委員会

四　市町村選挙管理委員会の処分　都道府県選挙管理委員会

2　普通地方公共団体の長その他の執行機関が法定受託事務に係る処分をする権限を当該執行機関の事務を補助する職員若しくは当該執行機関の管理に属する機関の職員又は当該執行機関の管理に属する行政機関の長に委任した場合において、委任を受けた職員又は行政機関の長がその委任に基づいてした処分に係る審査請求につき、当該委任をした執行機関が裁決をしたときは、他の法律に特別の定めがある場合を除くほか、当該裁決に不服がある者は、再審査請求をすることができる。この場合において、当該再審査請求は、当該委任をした執行機関が自ら当該処分をしたものとした場合におけるその処分に係る審査請求をすべき者に対してするものとする。

＊本条—追加〔平一一・七法八七〕、一項—一部改正・二項—追加〔平二六・六法六九〕

【参照条文】

※法二四五の七・二五二の一七の四4〜7　行政不服審査法二・三

〔**過料の処分についての告知等**〕

第二百五十五条の三　普通地方公共団体の長が過料の処分をしようとする場合においては、過料の処分を受ける者に対し、あらかじめその旨を告知するとともに、弁明の機会を与えなければならない。

＊本条—追加〔昭三八・六法九九〕、旧二五五条の二—繰下〔平一一・七法八七〕、二・四項—一部改正〔平一一・一二法一六〇〕、二〜四項—削る〔平二六・六法六九〕

〔**違法な権利侵害の是正手続**〕

第二百五十五条の四　法律の定めるところにより異議の申出、審査請求、再審査請求又は審査の申立てをすることができる場合を除くほか、普通地方公共団体の事務についてこの法律の規定により普通地方公共団体の機関がした処分により違法に権利を侵害されたとする者は、その処分があつた日から二十一日以内に、都道府県の機関がした処分については総務大臣、市町村の機関がした処分については都道府県知事に審決の申請をすることができる。

＊本条—追加〔昭三一・六法一四七〕、一部改正〔昭三五・六法一一三〕、全改〔昭三七・九法一六一〕、旧二五五条の二—繰下〔昭三八・六法九九〕、旧二五五条の三—繰下〔平一一・七法八七〕、一部改正〔平一一・一二法一六〇、平二六・六法六九〕

【参照条文】
【異議の申出—法七四の二4・二九一1　【審査請求—行政不服審査法二　【再審査請求—行政不服審査法六　【審査の申立て—法七四の二7・一一八5・一七六5

【通　知】

※●地方議会における出席停止の懲罰は、その適否が専ら議会の自主的・自律的な解決に委ねられるべきであるということはできず、法第二五五条の四の規定による審決の申請の対象となる。（令二・一一・一七通知）

〔審査請求等の裁決等の手続〕

第二百五十五条の五　総務大臣又は都道府県知事に対して第百四十三条第三項（第百八十条の五第八項及び第百八十四条第二項において準用する場合を含む。）の審査請求又はこの法律の規定による審査の申立て若しくは審決の申請があつた場合においては、総務大臣又は都道府県知事は、第二百五十一条第二項の規定により自治紛争処理委員を任命し、その審理を経た上、審査請求に対する裁決をし、審査の申立てに対する裁決若しくは裁定をし、又は審決をするものとする。ただし、行政不服審査法第二十四条（第二百五十八条第一項において準用する場合を含む。）の規定により当該審査請求、審査の申立て又は審決の申請を却下する場合は、この限りでない。

2　前項に規定する審査請求については、行政不服審査法第九条、第十七条及び第四十三条の規定は、適用しない。この場合における同法の他の規定の適用についての必要な技術的読替えは、政令で定める。

3　第一項に規定する審査の申立て又は審決の申請については、第二百五十八条第一項において準用する行政不服審査法第九条の規定は、適用しない。この場合における同項において準用する行政不服審査法の他の規定の適用についての必要な技術的読替えは、政令で定める。

4　前三項に規定するもののほか、第一項の規定による自治紛争処理委員の審理に関し必要な事項は、政令で定める。

＊　本条―追加〔昭三一・六法一四七〕、一部改正〔昭三五・六法一一三、昭三七・九法一六一〕、旧二五五条の三―繰下〔昭三八・六法九九〕、一部改正・旧二五五条の四―繰下〔平一一・七法八七〕、一部改正〔平一一・一二法一六〇、平二四・九法七二〕、一項―一部改正・二～四項―追加〔平二六・六法六九〕

【引用条文】

①【法一四三（失職）3・一八〇の五（委員会及び委員の設置・委員の兼業禁止等）8・一八四（失職）2　【法二五一（自治紛争処理委員）2・二五八（異議の申出等の手続）1　【行政不服審査法二四（審理手続を経ないでする却下裁決）

②【行政不服審査法九（審理員）・一七（審理員となるべき者の名簿）・四三（行政不服審査会等への諮問）　【政令―令一七八の二

③【法二五八（異議の申出等の手続）1　【行政不服審査法九（審理員）　【政令―令一七八の三

④【政令―令一七八の四

【参照条文】

【審査請求―法一四三3・二〇六1・二三八の七1・二四四の四1・二五五の二・二五二の一七の四　【審査の申立て―法七四の二7・一一八5・一七六5　【審決の申請―法二五五の四

〔争訟手続〕

第二百五十六条　市町村の境界に関する裁定若しくは決定又は市町村の境界の確定、普通地方公共団体における直接請求の署名簿の署名、直接請求に基づく議会の解散又は議員若しくは長の解職の投票及び副知事、副市町村長、指定都市の総合区長、選挙管理委員、監査委員又は公安委員会の委員の解職の議決、議会において行う選挙若しくは決定又は再議決若しくは再選挙、選挙管理委員会において行う資格の決定その他この法律に基づく住民の賛否の投票に関する効力は、この法律に定める争訟の提起期間及び管轄裁判所に関する規定によることによつてのみこれを争うことができる。

＊　本条―追加〔昭二五・五法一四三〕、一部改正〔昭二七・八法三〇六〕、一部改正・旧二五五条の二―繰下〔昭三一・六法一四七〕、旧二五五条の四―繰下〔昭三八・六法九九〕、旧二五五条の五―繰下〔平一一・七法八七〕、一部改正〔平一八・六法五三、平二六・五法四二〕

【参照条文】

【市町村の境界に関する裁定、決定、確定―法九～九の三　【直接請求の署名―法七四の二　【解散、解職の投票―法七六3・八〇3・八一2・八五　【解職の議決―法八六3　【議会で行う選挙―法九七＝法一〇三1・一〇六2・一八二　令一三五2・一三六2　※法一一八　【議会で行う決定―法一一八・一二七　【再議決―法一七六・一七七　【選挙管理委員会の資格決定―法一四三1・一八四1　【住民の賛否投票―法二六一・二六二　【争訟の提起期間及び管轄裁判所―以上の各条文参照　※行訴法八・一二

〔審査の裁決期間〕

第二百五十七条　この法律に特別の定めがあるものを除くほか、この法律の規定による審査の申立てに対する裁決は、その申立てを受理した日から九十日[1]以内にこれをしなければならない。

②　この法律の規定による異議の申出又は審査の申立てに対して決定[2]又は裁決をすべき期間内に決定又は裁決がないときは、その申出又は申立てをしりぞける旨の決定又は裁決があつたものとみなすことができる。

＊　一・二項―一部改正〔昭二五・五法一四三〕、本条―全改〔昭三七・九法一六一〕

【参照条文】

①【特別の定】法七四の二5・11【審査の申立て】法七四の二7・一一八5・一七六5

②【異議の申出】法七四の二4・二九一1【審査の申立て】法七四の二7・一一八5・一七六5

【実例・判例】

1）●本条第一項は、訓示的規定である。（昭三・一〇・二〇行裁判）

●審査の申立て書の補正を命じ、還付した場合における本条第一項の裁決期間は、審査の申立て書の再提出の日の翌日から起算すべきものである。（昭四・七・三〇行実）

2）●異議の決定は必ずその文書を申立人に交付すべきであり、その交付がない場合は、決定はその効力を生じない。（大一二・四・一七行裁判）

〔異議の申出等の手続〕

第二百五十八条 この法律又は政令に特別の定めがあるものを除くほか、この法律の規定による異議の申出、審査の申立て又は審決の申請については、行政不服審査法第九条から第十四条まで、第十八条第一項ただし書及び第三項、第十九条第一項、第二項、第四項及び第五項第三号、第二十一条、第二十二条第一項から第三項まで及び第五項、第二十三条から第三十八条まで、第四十条から第四十二条まで、第四十四条、第四十五条、第四十六条第一項、第四十七条、第四十八条並びに第五十条から第五十三条までの規定を準用する。

2 前項において準用する行政不服審査法の規定に基づく処分及びその不作為については、行政不服審査法第二条及び第三条の規定は、適用しない。

＊本条―全改〔昭三七・九法一六二〕、一部改正〔昭四九・六法七二〕、一項―一部改正・二項―追加〔平二六・六法六九〕

【引用条文】

【行政不服審査法九（審理員）・一〇（法人でない社団又は財団の審査請求）・一一（総代）・一二（代理人による審査請求）・一三（参加人）・一四（行政庁が裁決をする権限を有しなくなった場合の措置）・一八（審査請求期間）1ただし書・3・一九（審査請求書の提出）1・2・4・5Ⅲ・二一（処分庁等を経由する審査請求）・二二（誤った教示をした場合の救済）1～3・5・二三（審査請求書の補正）・二四（審理手続を経ないでする却下裁決）・二五（執行停止）・二六（執行停止の取消し）・二七（審査請求の取下げ）・二八（審理手続の計画的進行）・二九（弁明書の提出）・三〇（反論書等の提出）・三一（口頭意見陳述）・三二（証拠書類等の提出）・三三（物件の提出要求）・三四（参考人の陳述及び鑑定の要求）・三五（検証）・三六（審理関係人への質問）・三七（審理手続の計画的遂行）・三八（審査請求人等による提出書類等の閲覧等）・四〇（審理員による執行停止の意見書の提出）・四一（審理手続の終結）・四二（審理員意見書）・四四（裁決の時期）・四五（処分についての審査請求の却下又は棄却）・四六（処分についての審査請求の認容）1・四七（同前）・四八（不利益変更の禁止）・五〇（裁決の方式）・五一（裁決の効力発生）・五二（裁決の拘束力）・五三（証拠書類等の返還）

【参照条文】

①【特別の定】法二五五の四・二五七2・二九一2【異議の申出】法七四の二4・二九一1【審査の申立て】法七四の二7・一一八5・一七六5【審決の申請】法二五五の四

②【行政不服審査法二（処分についての審査請求）・三（不作為についての審査請求）

〔郡の区域〕

第二百五十九条 郡の区域をあらたに画し若しくはこれを廃止し、又は郡の区域若しくはその名称を変更しようとするときは、都道府県知事が、当該都道府県の議会の議決を経てこれを定め、総務大臣に届け出なければならない。

② 郡の区域内において市の設置があつたとき、又は郡の区域の境界にわたつて市町村の境界の変更があつたときは、郡の区域も、また、自ら変更する。

③ 郡の区域の境界にわたつて町村が設置されたときは、その町村の属すべき郡の区域は、第一項の例によりこれを定める。

④ 第一項から第三項までの場合においては、総務大臣は、直ちにその旨を告示するとともに、これを国の関係行政機関の長に通知しなければならない。第七条第八項の規定は、第一項又は前項の規定により郡の区域をあらたに画し、若しくはこれを廃止し、又は郡の区域を変更する場合にこれを準用する。

⑤ 第一項乃至第三項の場合において必要な事項は、政令でこれを定める。

＊一・三項―一部改正・四項―追加・旧四項―一部改正し五項に繰下〔昭二二・一二法一六九〕、四項―一部改正〔昭二七・八法三〇六〕、一・四項―一部改正〔昭三五・六法一一三、平一一・一二法一六〇〕、四項―一部改正〔平一六・五法五七〕

【引用条文】④【法七（市町村の廃置分合及び境界変更）8

【参照条文】②【市の設置】法七1・2・八1・3【市町村の境界変更】法七1

⑤【政令】令一七八

〔市町村区域内の町又は字の区域〕

第二百六十条 市町村長は、政令で特別の定めをする場合を除くほか、市町村の区域内の町[2]若しくは字[3]の区域を新[4]たに画し若しくはこれを廃止し、又は町若しくは字の区域若しくはその名称を変更しようとするときは、当該市町村の議会の議決を経て定めなければならない。

② 前項の規定による処分をしたときは、市町村長は、これを告示しなければならない。

③ 第一項の規定による処分は、政令で特別の定めをする場合を除くほか、前項の規定による告示によりその効力を生ずる。

＊ 一・二項―一部改正〔昭三二・二法一六九〕、二項―一部改正〔昭三五・六法一一三〕、三項―追加〔昭三九・七法一六九〕、二項―一部改正〔昭四四・三法二〕、一・二項―一部改正〔平二三・八法一〇五〕

【参照条文】

①【特別の定】令一七九

【実　例】

1）●本条の字区域の変更等の議案は、市町村長のみが提出できる。（昭二二・九・二二行実）

2）●指定都市以外の市においては、その町及び字の名称中に「何市何区何町何丁目」のような「区」の文字は使用できない。（昭二六・一一・二八行実）

3）●字には小字も含む。（昭二三・八・九行実）
●町村合併により設置された町又は村において、本条第一項の規定により、新たに一部の地域を除き大字の区域を画することもさしつかえない。（昭三〇・一二・六行実）

4）●市に編入処分後当該区域の町名を新設する場合は「昭和何年何月何日編入された旧〇〇村の区域の町名を〇〇町とする」旨の議案が適当であり、この場合編入の時にさかのぼつて町名を用いることはできない。（昭二九・四・二六行実）

〔地縁による団体〕

第二百六十条の二 町又は字の区域その他市町村内の一定の区域に住所を有する者の地縁に基づいて形成された団体（以下この条及び第二百六十条の四十九第二項において「地縁による団体」[1]という。）は、地域的な共同活動を円滑に行うため市町村長の認可を受けたときは、その規約に定める目的の範囲内において、権利[2]を有し、義務を負う。

② 前項の認可は、地縁による団体のうち次に掲げる要件に該当するものについて、その団体の代表者が総務省令で定めるところにより行う申請[3]に基づいて行う。

一 その区域の住民相互の連絡、環境の整備、集会施設の維持管理等良好な地域社会の維持及び形成に資する地域的な共同活動を行うことを目的とし、現に[4]その活動を行つていると認められること。

二 その区域[5]が、住民にとつて客観的に明らかなものとして定められていること。

三 その区域に住所を有するすべての個人は、構成員[6]となることができるものとし、その相当数の者が現に[7]構成員となつていること。

四 規約を定めていること。

③ 規約には、次[8]に掲げる事項が定められていなければならない。

一 目的

二 名称

三 区域

四 主たる事務所の所在地

五 構成員の資格に関する事項

六 代表者に関する事項

七 会議に関する事項

八 資産に関する事項

④ 第二項第二号の区域は、当該地縁による団体が相当[9]の期間にわたつて存続している区域の現況によらなければならない。

⑤ 市町村長は、地縁による団体が第二項各号に掲げる要件に該当していると認めるときは、第一項の認可をしなければならない。

⑥ 第一項の認可は、当該認可を受けた地縁による団体を、公共団体その他の行政組織の一部とすることを意味するものと解釈してはならない。

⑦ 第一項の認可を受けた地縁による団体（以下「認可地縁団体」という。）は、正当な理由[10]がない限り、その区域に住所を有する個人の加入を拒んではならない。

⑧ 認可地縁団体は、民主的な運営の下に、自主的に活動するものとし、構成員に対し不当な差別的取扱いをしてはならない。

⑨ 認可地縁団体は、特定の政党のために利用してはならない。

⑩ 市町村長は、第一項の認可をしたときは、総務省令で定めるところにより、これを告示[11]しなければならない。告示した事項に変更があつたときも、また同様とする。

⑪ 認可地縁団体は、前項の規定に基づいて告示された事項に変更があつたときは、総務省令で定めるところにより、市町村長に届け出なければならない。

⑫ 何人も、市町村長に対し、総務省令で定めるところにより、第十項の規定により告示した事項に関する証明書[12]の交付を請求することができる。この場合において、当該請求をしようとする者は、郵便又は信書便により、当該証明書の送付を求めることができる。

⑬ 認可地縁団体は、第十項の告示があるまでは、認可地

縁団体となつたこと及び同項の規定に基づいて告示された事項をもつて第三者に対抗することができない。

⑭ 市町村長は、認可地縁団体が第二項各号に掲げる要件のいずれかを欠くこととなつたとき、又は不正な手段により第一項の認可を受けたときは、その認可を取り消すことができる。

⑮ 一般社団法人及び一般財団法人に関する法律（平成十八年法律第四十八号）第四条及び第七十八条の規定は、認可地縁団体に準用する。

⑯ 認可地縁団体は、法人税法（昭和四十年法律第三十四号）その他法人税に関する法令の規定の適用については、同法第二条第六号に規定する公益法人等とみなす。この場合において、同法第三十七条の規定を適用する場合には同条第四項中「公益法人等」とあるのは「公益法人等（地方自治法（昭和二十二年法律第六十七号）第二百六十条の二第七項に規定する認可地縁団体（以下「認可地縁団体」という。）並びに」と、同法第六十六条の規定を適用する場合には同条第一項中「普通法人」とあるのは「普通法人（認可地縁団体を含む。）」と、同条第二項中「除く」とあるのは「除くものとし、認可地縁団体を含む」と、同条第三項中「公益法人等（」とあるのは「公益法人等（認可地縁団体及び」とする。

⑰ 認可地縁団体は、消費税法（昭和六十三年法律第百八号）その他消費税に関する法令の規定の適用については、同法別表第三に掲げる法人とみなす。

＊本条―追加〔平三・四法二四〕、二・一〇・一一・一二項―一部改正〔平一一・一二法一六〇〕、一六項―一部改正〔平一四・七法七九〕、一二項―一部改正〔平一四・七法一〇〇〕、一八項―一部改正〔平一六・六法七六〕、一五項―一部改正〔平一六・一二法一四七、平一七・七法八七〕、三・七・八・九・一一・一三・一四・一六・一七項―一部改正・一五項―全改・一八項―削る〔平一八・六法五〇〕、一六項―一部改正〔平二〇・四法二三、令二・三法八〕、一・一三項―一部改正〔令三・五法四四〕、一項―一部改正〔令六・六法六五〕

【引用条文】

⑮【一般社団法人及び一般財団法人に関する法律四（住所）・七八（代表者の行為についての損害賠償責任）】

⑯【法人税法】

⑰【消費税法】

【参照条文】

①【法人の成立―民法三三】

②【総務省令の定―則一八】

⑩【総務省令の定―則一九】

⑪【総務省令の定―則二〇】

⑫【総務省令の定―則二一】

※法一四九Ⅲ・二五〇の一三6

【通知・注釈】

1）○本条の「地縁による団体」とはいわゆる自治会・町内会等の地域的な共同活動を行つている団体をいう。

2）●「権利を有し、義務を負う」とは、法律上の権利義務の主体となることを意味する。（平三・四・二通知）

3）●認可の申請は、あくまで当該団体の自主的な判断により行われるものである。（平三・四・二通知）
●認可の申請を行おうとする地縁による団体は、当該団体の総会において認可を申請する旨の決定を行うものである。（平三・四・二通知）

4）●「現にその活動を行つていると認められること」は、地縁による団体の活動の実績を示す報告書等により確認するものである。（平三・四・二通知）

5）●「その区域が、住民にとつて客観的に明らかなものとして定められていること」とは、当該地縁による団体の構成員のみならず当該市町村内のその他の住民にとつても容易にその区域が認識できる区域であることを要するものであり、例えば、河川、道路等により区域が画されていることなどをいうものである。（平三・四・二通知）

6）●認可を受ける地縁による団体の構成員は、当該団体の区域内に住所を有する個人に限られているが、このことは、区域内に住所を有する法人、組合等の団体が賛助会員等になることを妨げるものではない。（平三・四・二通知）

7）●「現に構成員となつていること」は、構成員の住所が記載された構成員の名簿により確認するものである。（平三・四・二通知）

8）●第三項各号の事項については、次のことに留意するものであること。（平三・四・二通知）
（1）第一号の「目的」は、地縁による団体の権利能力の範囲を明確にする程度に活動内容をできる限り具体的に定めることが望ましいこと。
（2）第四号の「事務所」とは、地縁による団体について一を限り設けられた主たる事務所をいうものであり、この所在地が当該地縁による団体の住所となるものであること。
（3）第五号の「構成員の資格に関する事項」においては、区域に住所を有する個人が全て地縁による団体の構成員となり得ること及び当該地縁による団体は正当な理由がない限り区域に住所を有する個人の加入を拒んではならないことを必ず定めなければならないものであること。

9）●「相当の期間」とは、地域の実情に即して判断されるべきであるが、一般的には認可申請を行う地縁による団体が当該区域において安定的に存在していると認められる期間をいう。（平三・四・二通知）

10）●「正当な理由」とは、その者の加入によつて、良好な地域社会の維持及び形成に資する地域的な共同活動を行うことを目的とする当該地縁による団体の目的及び活動が、著しく阻害されることが明らかであると認められる場合など、その者の加入を拒否することについて、社会通念上も、また、同条第二項第三号の規定の趣旨からも客観的に妥当と認められる理由がある場合をいう。（平三・四・二通知）

11 ●告示は、法人登記に代わるものであるため、取引の安全の確保の観点から、遅滞なく行わなければならない。（平三・四・二通知）

12 ●証明書の交付は、則第二一条に定める台帳の写しを交付することにより行うものであり、この台帳は、永久保存すべきものである。（平三・四・二通知）

●証明書の交付事務については、法第二二八条の規定に基づき条例で定めるところにより手数料を徴することができる。（平三・四・二通知）

〔規約の変更〕

第二百六十条の三　認可地縁団体の規約は、総構成員の四分の三以上の同意があるときに限り、変更することができる。ただし、当該規約に別段の定めがあるときは、この限りでない。

②　前項の規定による規約の変更は、市町村長の認可を受けなければ、その効力を生じない。

＊本条―追加〔平一八・六法五〇〕

〔財産目録及び構成員名簿〕

第二百六十条の四　認可地縁団体は、認可を受ける時及び毎年一月から三月までの間に財産目録を作成し、常にこれをその主たる事務所に備え置かなければならない。ただし、特に事業年度を設けるものは、認可を受ける時及び毎事業年度の終了の時に財産目録を作成しなければならない。

②　認可地縁団体は、構成員名簿を備え置き、構成員の変更があるごとに必要な変更を加えなければならない。

＊本条―追加〔平一八・六法五〇〕

〔代表者〕

第二百六十条の五　認可地縁団体には、一人の代表者を置かなければならない。

＊本条―追加〔平一八・六法五〇〕

〔認可地縁団体の代表〕

第二百六十条の六　認可地縁団体の代表者は、認可地縁団体のすべての事務について、認可地縁団体を代表する。ただし、規約の規定に反することはできず、また、総会の決議に従わなければならない。

＊本条―追加〔平一八・六法五〇〕

〔代表者の代表権の制限〕

第二百六十条の七　認可地縁団体の代表者の代表権に加えた制限は、善意の第三者に対抗することができない。

＊本条―追加〔平一八・六法五〇〕

〔代表者の代理行為の委任〕

第二百六十条の八　認可地縁団体の代表者は、規約又は総会の決議によって禁止されていないときに限り、特定の行為の代理を他人に委任することができる。

＊本条―追加〔平一八・六法五〇〕

〔仮代表者〕

第二百六十条の九　認可地縁団体の代表者が欠けた場合において、事務が遅滞することにより損害を生ずるおそれがあるときは、裁判所は、利害関係人又は検察官の請求により、仮代表者を選任しなければならない。

＊本条―追加〔平一八・六法五〇〕

〔利益相反行為〕

第二百六十条の十　認可地縁団体と代表者との利益が相反する事項については、代表者は、代表権を有しない。この場合においては、裁判所は、利害関係人又は検察官の請求により、特別代理人を選任しなければならない。

＊本条―追加〔平一八・六法五〇〕

〔監事〕

第二百六十条の十一　認可地縁団体には、規約又は総会の決議で、一人又は数人の監事を置くことができる。

＊本条―追加〔平一八・六法五〇〕

〔監事の職務〕

第二百六十条の十二　認可地縁団体の監事の職務は、次のとおりとする。

一　財産の状況を監査すること。
二　代表者の業務の執行の状況を監査すること。
三　財産の状況又は業務の執行について、法令若しくは規約に違反し、又は著しく不当な事項があると認めるときは、総会に報告をすること。
四　前号の報告をするため必要があるときは、総会を招集すること。

＊本条―追加〔平一八・六法五〇〕

〔通常総会〕

第二百六十条の十三　認可地縁団体の代表者は、少なくとも毎年一回、構成員の通常総会を開かなければならない。

＊本条―追加〔平一八・六法五〇〕

〔臨時総会〕

第二百六十条の十四　認可地縁団体の代表者は、必要があると認めるときは、いつでも臨時総会を招集することができる。

②　総構成員の五分の一以上から会議の目的である事項を示して請求があつたときは、認可地縁団体の代表者は、臨時総会を招集しなければならない。ただし、総構成員の五分の一の割合については、規約でこれと異なる割合を定めることができる。

＊本条―追加〔平一八・六法五〇〕

〔総会の招集〕

第二百六十条の十五　認可地縁団体の総会の招集の通知は、総会の日より少なくとも五日前に、その会議の目的である事項を示し、規約で定めた方法に従つてしなければならない。

＊本条―追加〔平一八・六法五〇〕

〔認可地縁団体の事務の執行〕

第二百六十条の十六　認可地縁団体の事務は、規約で代表者その他の役員に委任したものを除き、すべて総会の決議によつて行う。

＊本条―追加〔平一八・六法五〇〕

〔総会の決議事項〕

第二百六十条の十七　認可地縁団体の総会においては、第二百六十条の十五の規定によりあらかじめ通知をした事項についてのみ、決議をすることができる。ただし、規約に別段の定めがあるときは、この限りでない。

＊本条―追加〔平一八・六法五〇〕

【引用条文】【法二六〇の一五（総会の招集）】

〔構成員の表決権〕

第二百六十条の十八　認可地縁団体の各構成員の表決権は、平等とする。

②　認可地縁団体の総会に出席しない構成員は、書面で、又は代理人によつて表決をすることができる。

③　前項の構成員は、規約又は総会の決議により、同項の規定による書面による表決に代えて、電磁的方法（電子情報処理組織を使用する方法その他の情報通信の技術を利用する方法であつて総務省令で定めるものをいう。第二百六十条の十九の二において同じ。）により表決をすることができる。

④　前三項の規定は、規約に別段の定めがある場合には、適用しない。

＊本条―追加〔平一八・六法五〇〕、三項―追加・旧三項―一部改正し四項に繰下〔令三・五法三七〕、三項―一部改正〔令四・五法四四〕

【参照条文】
③【総務省令の定―則二二の二1】

〔表決権のない場合〕

第二百六十条の十九　認可地縁団体と特定の構成員との関係について議決をする場合には、その構成員は、表決権を有しない。

＊本条―追加〔平一八・六法五〇〕

〔総会の決議方法〕

第二百六十条の十九の二　この法律又は規約により総会において決議をすべき場合において、構成員全員の承諾があるときは、書面又は電磁的方法による決議をすることができる。ただし、電磁的方法による決議に係る構成員の承諾については、総務省令で定めるところによらなければならない。

②　この法律又は規約により総会において決議すべきものとされた事項については、構成員全員の書面又は電磁的方法による合意があつたときは、書面又は電磁的方法による決議があつたものとみなす。

③　この法律又は規約により総会において決議すべきものとされた事項についての書面又は電磁的方法による決議は、総会の決議と同一の効力を有する。

④　総会に関する規定は、書面又は電磁的方法による決議について準用する。

＊本条―追加〔令四・五法四四〕

〔認可地縁団体の解散事由〕

第二百六十条の二十　認可地縁団体は、次に掲げる事由によつて解散する。

一　規約で定めた解散事由の発生
二　破産手続開始の決定
三　第二百六十条の二第十四項の規定による同条第一項の認可の取消し
四　総会の決議
五　構成員が欠けたこと。
六　合併（合併により当該認可地縁団体が消滅する場合

に限る。）

＊本条…追加〔平一八・六法五〇〕、一部改正〔令四・五法四四〕

〔認可地縁団体の解散の決議〕

第二百六十条の二十一　認可地縁団体は、総構成員の四分の三以上の賛成がなければ、解散の決議をすることができない。ただし、規約に別段の定めがあるときは、この限りでない。

＊本条…追加〔平一八・六法五〇〕

〔認可地縁団体についての破産手続の開始〕

第二百六十条の二十二　認可地縁団体がその債務につきその財産をもつて完済することができなくなつた場合には、裁判所は、代表者若しくは債権者の申立てにより又は職権で、破産手続開始の決定をする。

② 前項に規定する場合には、代表者は、直ちに破産手続開始の申立てをしなければならない。

＊本条…追加〔平一八・六法五〇〕

〔清算認可地縁団体〕

第二百六十条の二十三　解散した認可地縁団体は、清算の目的の範囲内において、その清算の結了に至るまではなお存続するものとみなす。

＊本条…追加〔平一八・六法五〇〕

〔清算人〕

第二百六十条の二十四　認可地縁団体が解散したときは、破産手続開始の決定及び合併による解散の場合を除き、代表者がその清算人となる。ただし、規約に別段の定めがあるとき、又は総会において代表者以外の者を選任したときは、この限りでない。

＊本条…追加〔平一八・六法五〇〕、一部改正〔令四・五法四四〕

〔裁判所による清算人の選任〕

第二百六十条の二十五　前条の規定により清算人となる者がないとき、又は清算人が欠けたため損害を生ずるおそれがあるときは、裁判所は、利害関係人若しくは検察官の請求により又は職権で、清算人を選任することができる。

＊本条…追加〔平一八・六法五〇〕

【引用条文】

【法二六〇の二四（清算人）】

〔清算人の解任〕

第二百六十条の二十六　重要な事由があるときは、裁判所は、利害関係人若しくは検察官の請求により又は職権で、認可地縁団体の清算人を解任することができる。

＊本条…追加〔平一八・六法五〇〕

〔清算人の職務及び権限〕

第二百六十条の二十七　認可地縁団体の清算人の職務は、次のとおりとする。

一　現務の結了

二　債権の取立て及び債務の弁済

三　残余財産の引渡し

② 清算人は、前項各号に掲げる職務を行うために必要な一切の行為をすることができる。

＊本条…追加〔平一八・六法五〇〕

〔債権の申出の催告等〕

第二百六十条の二十八　認可地縁団体の清算人は、その就職後遅滞なく、公告をもつて、債権者に対し、一定の期間内にその債権の申出をすべき旨の催告をしなければならない。この場合において、その期間は、二月を下ることができない。

② 前項の公告には、債権者がその期間内に申出をしないときは清算から除斥されるべき旨を付記しなければならない。ただし、清算人は、知れている債権者を除斥することができない。

③ 認可地縁団体の清算人は、知れている債権者には、各別にその申出の催告をしなければならない。

④ 第一項の公告は、官報に掲載してする。

＊本条…追加〔平一八・六法五〇〕、一項…一部改正〔令四・五法四四〕

〔期間経過後の債権の申出〕

第二百六十条の二十九　前条第一項の期間の経過後に申出をした債権者は、認可地縁団体の債務が完済された後まだ権利の帰属すべき者に引き渡されていない財産に対してのみ、請求をすることができる。

＊本条…追加〔平一八・六法五〇〕

【引用条文】

【法二六〇の二八（債権の申出の催告等）1】

〔清算認可地縁団体についての破産手続の開始〕

第二百六十条の三十　清算中に認可地縁団体の財産がその債務を完済するのに足りないことが明らかになつたとき

は、清算人は、直ちに破産手続開始の申立てをし、その旨を公告しなければならない。

② 清算人は、清算中の認可地縁団体が破産手続開始の決定を受けた場合において、破産管財人にその事務を引き継いだときは、その任務を終了したものとする。

③ 前項に規定する場合において、清算中の認可地縁団体が既に債権者に支払い、又は権利の帰属すべき者に引き渡したものがあるときは、破産管財人は、これを取り戻すことができる。

④ 第一項の規定による公告は、官報に掲載してする。

* 本条…追加〔平一八・六法五〇〕

〔残余財産の帰属〕

第二百六十条の三十一 解散した認可地縁団体の財産は、破産手続開始の決定及び合併による解散の場合を除き、規約で指定した者に帰属する。

② 規約で権利の帰属すべき者を指定せず、又はその者を指定する方法を定めなかつたときは、代表者は、市町村長の認可を得て、その認可地縁団体の目的に類似する目的のために、その財産を処分することができる。ただし、総会の決議を経なければならない。

③ 前二項の規定により処分されない財産は、市町村に帰属する。

* 本条…追加〔平一八・六法五〇〕、一項…一部改正〔令四・五法四四〕

【通知】

1）●認可地縁団体が団体解散時の残余財産の帰属者を規約により指定する場合に、営利法人等を帰属権利者とすることは、法の定める地縁による団体の目的にかんがみ適当ではなく、法第二六〇条の三一第二項の趣旨から、当該団体と類似の目的を有する団体に限って帰属権利者を指定する旨規定することが適当であるから、団体に対する認可や規約の変更に係る認可にあたっては、この点について、確認すべきこと。（平二〇・一二・一五通知）

●認可地縁団体の剰余金の分配については、これを行うことは適当ではないから、団体に対する認可や規約の変更に係る認可にあたっては、この点について、確認すべきこと。なお、例えば、認可地縁団体の規約において、資産の処分について総会の議決によることとしている場合は、剰余金の分配と認められる資産の処分を対象に含めることはできないから、この点留意すべきこと。（平二〇・一二・一五通知）

〔裁判所による監督〕

第二百六十条の三十二 認可地縁団体の解散及び清算は、裁判所の監督に属する。

② 裁判所は、職権で、いつでも前項の監督に必要な検査をすることができる。

* 本条…追加〔平一八・六法五〇〕

〔清算結了の届出〕

第二百六十条の三十三 認可地縁団体の清算が結了したときは、清算人は、その旨を市町村長に届け出なければならない。

* 本条…追加〔平一八・六法五〇〕

〔事件の管轄〕

第二百六十条の三十四 認可地縁団体に係る次に掲げる事件は、その主たる事務所の所在地を管轄する地方裁判所の管轄に属する。

一 仮代表者又は特別代理人の選任に関する事件

二 解散及び清算の監督に関する事件

三 清算人に関する事件

* 本条…追加〔平一八・六法五〇〕

〔不服申立ての制限〕

第二百六十条の三十五 認可地縁団体の清算人の選任の裁判に対しては、不服を申し立てることができない。

* 本条…追加〔平一八・六法五〇〕

〔裁判所の選任する清算人等の報酬〕

第二百六十条の三十六 裁判所は、第二百六十条の二十五の規定により清算人を選任した場合には、認可地縁団体が当該清算人に対して支払う報酬の額を定めることができる。この場合においては、裁判所は、当該清算人（監事を置く認可地縁団体にあつては、当該清算人及び監事）の陳述を聴かなければならない。

* 本条…追加〔平一八・六法五〇〕

【引用条文】

【法二六〇の二五（裁判所による清算人の選任）】

〔検査役の選任〕

第二百六十条の三十七 裁判所は、認可地縁団体の解散及び清算の監督に必要な調査をさせるため、検査役を選任することができる。

② 前二条の規定は、前項の規定により裁判所が検査役を選任した場合について準用する。この場合において、前条中「清算人（監事を置く認可地縁団体にあつては、当該清算人及び監事）」とあるのは、「認可地縁団体及び検

査役」と読み替えるものとする。

＊本条―追加〔平一八・六法五〇〕、一部改正・旧二六〇条の三八―繰上〔平二三・五法五三〕

【引用条文】
【法二六〇の三五（不服申立ての制限）・二六〇の三六（裁判所の選任する清算人等の報酬）】

〔認可地縁団体の合併〕

第二百六十条の三十八　認可地縁団体は、同一市町村内の他の認可地縁団体と合併することができる。

＊本条―追加〔令四・五法四四〕

〔合併時の手続〕

第二百六十条の三十九　認可地縁団体が合併しようとするときは、総会の決議を経なければならない。

②　前項の決議は、総構成員の四分の三以上の多数をもつてしなければならない。ただし、規約に別段の定めがあるときは、この限りでない。

③　合併は、市町村長の認可を受けなければ、その効力を生じない。

④　第二百六十条の二第二項及び第五項の規定は、前項の認可について準用する。この場合において、同条第二項第一号中「現にその活動を」とあるのは、「合併しようとする各認可地縁団体が連携して当該目的に資する活動を現に」と読み替えるものとする。

＊本条―追加〔令四・五法四四〕

〔債権者保護手続〕

第二百六十条の四十　認可地縁団体は、前条第三項の認可があつたときは、その認可の通知のあつた日から二週間以内に、財産目録を作成し、次項の規定により債権者が異議を述べることができる期間が満了するまでの間、これをその主たる事務所に備え置かなければならない。

②　認可地縁団体は、前条第三項の認可があつたときは、その認可の通知のあつた日から二週間以内に、その債権者に対し、合併に異議があれば一定の期間内に述べるべきことを公告し、かつ、判明している債権者に対しては、各別にこれを催告しなければならない。この場合において、その期間は、二月を下ることができない。

＊本条―追加〔令四・五法四四〕

〔合併に関する異議の手続等〕

第二百六十条の四十一　債権者が前条第二項の期間内に異議を述べなかつたときは、合併を承認したものとみなす。

②　債権者が異議を述べたときは、認可地縁団体は、弁済し、若しくは相当の担保を供し、又はその債権者に弁済を受けさせることを目的として信託会社若しくは信託業務を営む金融機関に相当の財産を信託しなければならない。ただし、合併をしてもその債権者を害するおそれがないときは、この限りでない。

③　合併しようとする各認可地縁団体は、前条及び前二項の規定による手続が終了した場合には、総務省令で定めるところにより、共同で、遅滞なく、その旨を市町村長に届け出なければならない。

＊本条―追加〔令四・五法四四〕

〔事務処理者〕

第二百六十条の四十二　合併により認可地縁団体を設立する場合には、規約の作成その他認可地縁団体の設立に関する事務は、各認可地縁団体において選任した者が共同して行わなければならない。

＊本条―追加〔令四・五法四四〕

〔権利義務の承継〕

第二百六十条の四十三　合併後存続する認可地縁団体又は合併により設立した認可地縁団体は、合併により消滅した認可地縁団体の一切の権利義務（当該認可地縁団体がその行う活動に関し行政庁の認可その他の処分に基づいて有する権利義務を含む。）を承継する。

＊本条―追加〔令四・五法四四〕

〔合併の認可の告示〕

第二百六十条の四十四　市町村長は、第二百六十条の四十一第三項の規定による届出があつたときは、当該届出に係る合併について第二百六十条の三十九第三項の認可をした旨その他総務省令で定める事項を告示しなければならない。

②　認可地縁団体の合併は、前項の規定による告示により、その効力を生ずる。

③　合併により設立した団体は、第一項の規定による告示の日において認可地縁団体となつたものとみなす。

④　第一項の規定により告示した事項は、第二百六十条の二第十項の規定により告示した事項とみなす。この場合において、合併後存続する認可地縁団体に係る同項の規定による従前の告示は、その効力を失う。

⑤　第二百六十条の四第一項の規定は、第一項の規定による告示があつた場合について準用する。

＊本条―追加〔令四・五法四四〕

〔合併の認可の取消〕

第二百六十条の四十五　市町村長は、次の各号のいずれかに該当するときは、第二百六十条の三十九第三項の認可を取り消すことができる。

一　第二百六十条の三十九第三項の認可をした日から六月を経過しても第二百六十条の四十一第三項の規定による届出がないとき。

二　認可地縁団体が不正な手段により第二百六十条の三十九第三項の認可を受けたとき。

②　前条第一項の規定による告示後に前項（第二号に係る部分に限る。）の規定により第二百六十条の三十九第三項の認可が取り消されたときは、当該認可に係る合併をした認可地縁団体は、当該合併の効力が生じた日後に合併後存続した認可地縁団体又は合併により設立した認可地縁団体が負担した債務について、連帯して弁済する責任を負う。

③　前項に規定する場合には、当該合併の効力が生じた日後に合併後存続した認可地縁団体又は合併により設立した認可地縁団体が取得した財産は、当該合併をした認可地縁団体の共有に属する。

④　前二項に規定する場合には、各認可地縁団体の第二項の債務の負担部分及び前項の財産の共有持分は、各認可地縁団体の協議によつて定める。

＊本条―追加〔令四・五法四四〕

〔不動産登記法の特例の申請手続〕

第二百六十条の四十六　認可地縁団体が所有する不動産であつて表題部所有者（不動産登記法（平成十六年法律第百二十三号）第二条第十号に規定する表題部所有者をいう。以下この項において同じ。）又は所有権の登記名義人の全てが当該認可地縁団体の構成員又はかつて当該認可地縁団体の構成員であつた者であるもの（当該認可地縁団体によつて、十年以上所有の意思をもつて平穏かつ公然と占有されているものに限る。）について、当該不動産の表題部所有者若しくは所有権の登記名義人又はこれらの相続人（以下この条において「登記関係者」という。）の全部又は一部の所在が知れない場合において、当該認可地縁団体が当該認可地縁団体を登記名義人とする当該不動産の所有権の保存又は移転の登記をしようとするときは、当該認可地縁団体は、総務省令で定めるところにより、当該不動産に係る次項の公告を求める旨を市町村長に申請することができる。この場合において、当該申請を行う認可地縁団体は、次の各号に掲げる事項を疎明するに足りる資料を添付しなければならない。

一　当該認可地縁団体が当該不動産を所有していること。

二　当該認可地縁団体が当該不動産を十年以上所有の意思をもつて平穏かつ公然と占有していること。

三　当該不動産の表題部所有者又は所有権の登記名義人の全てが当該認可地縁団体の構成員又はかつて当該認可地縁団体の構成員であつた者であること。

四　当該不動産の登記関係者の全部又は一部の所在が知れないこと。

②　市町村長は、前項の申請を受けた場合において、当該申請を相当と認めるときは、総務省令で定めるところにより、当該申請を行つた認可地縁団体が同項に規定する不動産の所有権の保存又は移転の登記をすることについて異議のある当該不動産の登記関係者又は当該不動産の所有権を有することを疎明する者（次項から第五項までにおいて「登記関係者等」という。）は、当該市町村長に対し異議を述べるべき旨を公告するものとする。この場合において、公告の期間は、三月を下つてはならない。

③　前項の公告に係る登記関係者等が同項の期間内に同項の異議を述べなかつたときは、第一項に規定する不動産の所有権の保存又は移転の登記をすることについて当該公告に係る登記関係者の承諾があつたものとみなす。

④　市町村長は、前項の規定により第一項に規定する不動産の所有権の保存又は移転の登記をすることについて登記関係者の承諾があつたものとみなされた場合には、総務省令で定めるところにより、当該市町村長が第二項の規定による公告をしたこと及び登記関係者等が同項の期間内に異議を述べなかつたことを証する情報を第一項の規定により申請を行つた認可地縁団体に提供するものとする。

⑤　第二項の公告に係る登記関係者等が同項の期間内に同項の異議を述べたときは、市町村長は、総務省令で定めるところにより、その旨及びその内容を第一項の規定により申請を行つた認可地縁団体に通知するものとする。

＊本条―追加〔平二六・五法四二〕、旧二六〇条の三八―二六〇条の四六に繰下〔令四・五法四四〕

【引用条文】
①【不動産登記法二（定義）X

【参照条文】
①【総務省令の定―則二二の二
②【総務省令の定―則二二の三
④【総務省令の定―則二二の四
⑤【総務省令の定―則二二の五

【通　知】
●当該特例措置は、認可地縁団体から市町村長への申請に基づいて行うものであり、市町村長は、申請の際に当該認可地縁団体から提出される不動産の所有状況等に関する疎明資料を確認し、当該申請を相当と認める場合に公告手続に移るものであること。また、法第二六〇条の二第一項の市町村長の認可を受けていない地縁団体が特例適用の対象となる不動産を有する場合にあっては、同項の認可を受けたうえで、特例適用を申請することが可能であること。（平二六・五・三〇通知）

〔不動産登記法の特例〕

第二百六十条の四十七　不動産登記法第七十四条第一項の規定にかかわらず、前条第四項に規定する証する情報を提供された認可地縁団体が申請情報（同法第十八条に規定する申請情報をいう。次項において同じ。）と併せて当該証する情報を登記所に提供するときは、当該認可地縁団体が当該証する情報に係る前条第一項に規定する不動産の所有権の保存の登記を申請することができる。

② 不動産登記法第六十条の規定にかかわらず、前条第四項に規定する証する情報を提供された認可地縁団体が申請情報と併せて当該証する情報を登記所に提供するときは、当該認可地縁団体のみで当該証する情報に係る同条第一項に規定する不動産の所有権の移転の登記を申請することができる。

＊ 本条―追加〔平二六・五法四二〕、旧二六〇条の三九―二六〇条の四七に繰下〔令四・五法四四〕

【引用条文】

① 【不動産登記法一八・七四1　法二六〇の四六（不動産登記法の特例の申請手続）4】

② 【不動産登記法六〇　法二六〇の四六（不動産登記法の特例の申請手続）4】

〔過料に処すべき行為〕

第二百六十条の四十八　次の各号のいずれかに該当する場合には、認可地縁団体の代表者又は清算人は、非訟事件手続法（平成二十三年法律第五十一号）により、五十万円以下の過料に処する。

一　第二百六十条の二十二第二項又は第二百六十条の三十第一項の規定による破産手続開始の申立てを怠ったとき。

二　第二百六十条の二十八第一項又は第二百六十条の三十第一項の規定による公告を怠り、又は不正の公告をしたとき。

三　第二百六十条の四十第一項の規定に違反して、財産目録を作成せず、若しくは備え置かず、又はこれに記載すべき事項を記載せず、若しくは虚偽の記載をしたとき。

四　第二百六十条の四十第二項又は第二百六十条の四十一第二項の規定に違反して、合併をしたとき。

＊ 本条―追加〔平一八・六法五〇〕、一部改正・旧二六〇条の三九―繰上〔平二三・五法五三〕、旧二六〇条の三八―二六〇条の四〇に繰下〔平二六・五法四二〕、一部改正・旧二六〇条の四〇―二六〇条の四八に繰下〔令四・五法四四〕

【引用条文】

【非訟事件手続法　法二六〇の二二（認可地縁団体についての破産手続の開始）2・二六〇の三〇（清算中の認可地縁団体についての破産手続の開始）1・二六〇の二八（債権の申出の催告等）1】

【通　知】

1）●認可を受けた地縁による団体の代表者又は清算人に科される過料は、非訟事件手続法により裁判所が科するものである。（平三・四・二通知）

〔指定地域共同活動団体〕

第二百六十条の四十九　市町村は、基礎的な地方公共団体として、その事務を処理するに当たり、地域の多様な主体の自主性を尊重しつつ、これらの主体と協力して、住民の福祉の増進を効率的かつ効果的に図るようにしなければならない。

② 市町村長は、前項の規定の趣旨を達成するため必要があると認めるときは、地域的な共同活動を行う団体のうち、地縁による団体その他の団体（当該市町村内の一定の区域に住所を有する者を主たる構成員とするものに限る。）又は当該団体を主たる構成員とする団体であつて、次に掲げる要件を備えるものを、その申請により、指定地域共同活動団体として指定することができる。

一　良好な地域社会の維持及び形成に資する地域的な共同活動であつて、地域において住民が日常生活を営むために必要な環境の持続的な確保に資するものとして条例で定めるもの（以下この条において「特定地域共同活動」という。）を、地域の多様な主体との連携その他の方法により効率的かつ効果的に行うと認められること。

二　民主的で透明性の高い運営その他適正な運営を確保するために必要なものとして条例で定める要件を備えること。

三　目的、名称、主としてその活動を行う区域その他の総務省令で定める事項を内容とする定款、規約その他これらに準ずるものを定めていること。

四　前三号に掲げるもののほか、条例で定める要件を備えること。

③ 市町村は、指定地域共同活動団体に対し、当該指定地域共同活動団体が行う特定地域共同活動に関し必要な支

援を行うものとする。

④　市町村長は、指定地域共同活動団体が行う特定地域共同活動の状況及び当該特定地域共同活動に対する前項の支援の状況について公表するものとする。

⑤　指定地域共同活動団体は、特定地域共同活動を他の地域的な共同活動を行う団体と連携して効率的かつ効果的に行うため、当該特定地域共同活動と関連性が高い活動を行う団体が行う当該特定地域共同活動と他の地域的な共同活動との間の調整を行うよう市町村長に求めることができる。この場合において、市町村長は、必要があると認めるときは、当該調整を図るために必要な措置を講じなければならない。

⑥　市町村は、当該市町村の事務の処理が指定地域共同活動団体が行う当該事務に関連する特定地域共同活動と一体的に行われることにより、住民の福祉の増進が効率的かつ効果的に図られると認めるときは、当該事務の当該指定地域共同活動団体への委託については、第二百三十四条第二項の規定にかかわらず、政令の定めるところにより、当該市町村の規則で定める手続により、随意契約によることができる。

⑦　市町村は、指定地域共同活動団体が当該市町村の所有に属する行政財産を使用して特定地域共同活動を行うことにより、当該特定地域共同活動に関連する当該市町村の事務の処理と相まつて、住民の福祉の増進が効率的かつ効果的に図られると認めるときは、第二百三十八条の四第一項の規定にかかわらず、当該特定地域共同活動の用に供するため、当該行政財産を、その用途又は目的を妨げない限度において、当該指定地域共同活動団体に貸し付けることができる。

⑧　前項の規定による貸付けについては、民法第六百四条並びに借地借家法第三条及び第四条の規定は、適用しない。

⑨　第二百三十八条の二第二項及び第二百三十八条の五第四項から第六項までの規定は、第七項の規定による貸付けについて準用する。

⑩　市町村長は、指定地域共同活動団体が行う特定地域共同活動の適正な実施を確保するため必要があると認めるときは、当該指定地域共同活動団体に対し、当該特定地域共同活動の状況その他必要な事項に関し報告を求めることができる。

⑪　市町村長は、指定地域共同活動団体が第二項に規定する要件を欠くに至つたと認めるときその他法令、法令に基づいてする行政庁の処分若しくは当該市町村の条例に違反し、又はその運営が著しく適正を欠くと認めるときは、この条の規定の施行に必要な限度において、当該指定地域共同活動団体に対し、期限を定めて、その改善のために必要な措置を講ずべきことを命ずることができる。

⑫　市町村長は、指定地域共同活動団体が第二項に規定する要件を欠くに至つたと認める場合であつて前項の規定による命令によつてはその改善を期待することができないことが明らかであるとき、同項の規定による命令に違反したとき、又は不正な手段により第二項の指定を受けたときその他条例で定めるときは、その指定を取り消すことができる。

＊　本条…追加〔令六・六法六五〕

【引用条文】

⑨【法二三八の二（公有財産に関する長の総合調整権）2・二三八の五（普通財産の管理及び処分）4・5・6

【参照条文】

⑥【契約の締結―法二三四2

⑦【行政財産の管理及び処分―法二三八の四1

⑧【賃貸借の存続期間―民法六〇四1・2　【借地権の存続期間―借地借家法三　【借地権の更新後の期間―借地借家法四

【通　知】

●市町村は、基礎的な地方公共団体として、その事務を処理するに当たり、地域の多様な主体の自主性を尊重しつつ、これらの主体と協力して、住民の福祉の増進を効率的かつ効果的に図るようにしなければならないものとされたこと。（令六・七・二通知）

●市町村長は、第一項の趣旨を達成するため必要があると認めるときは、地域的な共同活動を行う団体のうち、地縁による団体その他の団体（当該市町村内の一定の区域に住所を有する者を主たる構成員とするものに限る。）又は当該団体を主たる構成員とする団体であって、次に掲げる要件を備えるものを、その申請により、指定地域共同活動団体として指定することができるものとされたこと。（令六・七・二通知）

（1）良好な地域社会の維持及び形成に資する地域的な共同活動であって、地域において住民が日常生活を営むために必要な環境の持続的な確保に資するものとして条例で定めるもの（以下「特定地域共同活動」という。）を、地域の多様な主体との連携その他の方法により効率的かつ効果的に行うと認められること。

（2）民主的で透明性の高い運営その他適正な運営を確保するために必要なものとして条例で定める要件を備えること。

（3）目的、名称、主としてその活動を行う区域その他の総務省令で定める事項を内容とする定款、規約その他これらに準ずるものを定めていること。

(4)(1)から(3)までに掲げるもののほか、条例で定める要件を備えること。

●指定地域共同活動団体は、特定地域共同活動を他の地域的な共同活動を行う団体と連携して効率的かつ効果的に行うため、当該特定地域共同活動と他の地域的な共同活動を行う団体が行う当該特定地域共同活動と関連性が高い活動との間の調整を行うよう市町村長に求めることができるものとすること。この場合において、市町村長は、必要があると認めるときは、当該調整を図るために必要な措置を講じなければならないものとされたこと。(令六・七・二通知)

●市町村は、住民の福祉の増進が効率的かつ効果的に図られると認めるときは、指定地域共同活動団体への事務の委託については、第二三四条第二項の規定にかかわらず、随意契約によることができるものとされたこと。なお、指定都市の締結する特定調達契約(地方公共団体の物品等又は特定役務の調達手続の特例を定める政令(平成七年政令第三七二号)第四条に規定する特定調達契約をいう。)に該当するものの取扱いについては、改正法の施行に合わせて、今後同令の改正を予定しており、その定めるところによること。(令六・七・二通知)

●市町村は、住民の福祉の増進が効率的かつ効果的に図られると認めるときは、第二三八条の四第一項の規定にかかわらず、特定地域共同活動の用に供するため、行政財産を指定地域共同活動団体に貸し付けることができるものとされたこと。(令六・七・二通知)

●市町村長は、指定地域共同活動団体に対し、特定地域共同活動の状況その他必要な事項に関し報告を求めることができるものとするほか、指定地域共同活動団体が第二項の要件を欠くに至ったと認めるとき等は、その改善のために必要な措置を講ずべきことを命ずることができるものとされたこと。(令六・七・二通知)

〔特別法の住民投票〕

第二百六十一条　一の普通地方公共団体のみに適用される特別法が国会又は参議院の緊急集会において議決されたときは、最後に議決した議院の議長(衆議院の議決が国会の議決となつた場合には衆議院議長とし、参議院の緊急集会において議決した場合には参議院議長とする。)は、当該法律を添えてその旨を内閣総理大臣に通知しなければならない。

② 前項の規定による通知があつたときは、内閣総理大臣は、直ちに当該法律を添えてその旨を総務大臣に通知し、総務大臣は、その通知を受けた日から五日以内に、関係普通地方公共団体の長にその旨を通知するとともに、当該法律その他関係書類を移送しなければならない。

③ 前項の規定による通知があつたときは、関係普通地方公共団体の長は、その日から三十一日以後六十日以内に、選挙管理委員会をして当該法律について賛否の投票を行わしめなければならない。

④ 前項の投票の結果が判明したときは、関係普通地方公共団体の長は、その日から五日以内に関係書類を添えてその結果を総務大臣に報告し、総務大臣は、直ちにその旨を内閣総理大臣に報告しなければならない。その投票の結果が確定したことを知つたときも、また、同様とする。

⑤ 前項の規定により第三項の投票の結果が確定した旨の報告があつたときは、内閣総理大臣は、直ちに当該法律の公布の手続をとるとともに衆議院議長及び参議院議長に通知しなければならない。

* 一・二・四項—一部改正・五項—削る・旧六項—一部改正・五項に繰上〔昭二二・一二法一六九〕、一・五項—一部改正〔昭三〇・一法三〕、二・四項—一部改正〔昭三五・六法一一三、平一一・一二法一六〇〕

【参照条文】

① 【一の地方公共団体のみに適用される特別法—憲法九五　国会法六七　【参議院の緊急集会—憲法五四　2・3　国会法一一章

②・③ 【長に対する通知及び通知を受けた場合の措置—令一八〇　【賛否の投票—法二六二

⑤ 【法律の公布手続—憲法七Ⅰ　国会法六五1・六六

【注　釈】

1) ○「その日から三十一日以後六十日以内」とは、総務大臣から国会において特別法の議決があつた旨の通知が到達した日の翌日を第一日とし三〇日目にあたる日の翌日から、その日を第一日として計算して六〇日目にあたる日までである。例えば、通知のあつた日を五月一〇日とすれば、六月一〇日から八月八日までの間となる。

〔住民投票に関する準用規定〕

第二百六十二条　政令で特別の定をするものを除く外、公職選挙法中普通地方公共団体の選挙に関する規定は、前条第三項の規定による投票にこれを準用する。

② 前条第三項の規定による投票は、政令の定めるところにより、普通地方公共団体の選挙又は第七十六条第三項の規定による解散の投票若しくは第八十条第三項及び第八十一条第二項の規定による解職の投票と同時にこれを行うことができる。

* 二項—一部改正〔昭二三・七法一七九〕、一項—一部改正〔昭二五・四法一〇一〕、二項—一部改正〔昭三八・六法九九〕

【引用条文】
① 【選挙法　法二六一（特別法の住民投票）３
② 【法七六（議会の解散の請求とその処置）３・八〇（議員の解職の請求とその処置）３・八一（長の解職の請求とその処置）２・二六一（特別法の住民投票）３

【参照条文】
① 【特別の定―令一八一・一八七・一八八の二
② 【政令の定―令一八八

【実　例】
※ ●参議院議員選挙と特別法賛否投票は、事実上同日に投票を行うことができる。（昭二五・五・一〇行実）

〔公営企業の特例〕

第二百六十三条　普通地方公共団体の経営する企業の組織及びこれに従事する職員の身分取扱並びに財務その他企業の経営に関する特例は、別に法律でこれを定める。

＊本条―削除〔昭二五・四法一〇一〕、追加〔昭二七・八法二九二〕

【参照条文】
「別に法律」の定―公企法　地公労法

〔相互救済事業経営の委託〕

第二百六十三条の二　普通地方公共団体は、議会の議決を経て、その利益を代表する全国的な公益的法人に委託することにより、他の普通地方公共団体と共同して、火災、水災、震災その他の災害に因る財産の損害に対する相互救済事業を行うことができる。

② 前項の公益的法人は、毎年[1]一回以上定期に、その事業の経営状況を関係普通地方公共団体の長に通知するとともに、これを適当と認める新聞紙に二回以上掲載しなければならない。

③ 第一項の相互救済事業で保険業に該当するものについては、保険業法は、これを適用しない。

＊本条―追加〔昭三三・七法一七九〕、一項―一部改正〔昭三八・六法九九〕、四項―一部改正〔平七・六法一〇六、平一四・六法六五〕、三項―削る・旧四項―三項に繰上〔平二五・六法四四〕

【参照条文】
① 【議会の議決―法九六１XV　【財産―法二三七
③ 【保険―保険法　保険業法一・三・四等
※ 法二五二の一四

【注　釈】
１）○「毎年一回以上」とは、一月一日から一二月三一日までの間において一回又は一回をこえる回数である。

〔長、議長の連合組織〕

第二百六十三条の三　都道府県知事若しくは都道府県の議会の議長、市長若しくは市の議会の議長又は町村長若しくは町村の議会の議長が、その相互間の連絡を緊密にし、並びに共通の問題を協議し、及び処理するためのそれぞれの全国的連合組織を設けた場合においては、当該連合組織の代表者は、その旨を総務大臣に届け出なければならない。

② 前項の連合組織で同項の規定による届出をしたものは、地方自治に影響を及ぼす法律又は政令その他の事項に関し、総務大臣を経由して内閣に対し意見を申し出、又は国会に意見書を提出することができる。

③ 内閣は、前項の意見の申出を受けたときは、これに遅滞なく回答するよう努めるものとする。

④ 前項の場合において、当該意見が地方公共団体に対し新たに事務又は負担を義務付けると認められる国の施策に関するものであるときは、内閣は、これに遅滞なく回答するものとする。

⑤ 各大臣は、その担任する事務に関し地方公共団体に対し新たに[1]事務又は負担を義務付けると認められる施策の立案をしようとする場合には、第二項の連合組織が同項の規定により内閣に対して意見を申し出ることができるよう、当該連合組織に当該施策の内容となるべき事項を知らせるために適切な措置を[2]講ずるものとする。

＊本条―追加〔昭三八・六法九九〕、二項―追加〔平五・六法七三〕、三・四項―追加〔平一一・七法八七〕、一・二項―一部改正〔平一一・一二法一六〇〕、五項―追加〔平一八・六法五三〕

【通　知】
※ ●各大臣は、新たに事務又は負担を義務付けられる地方公共団体の長の連合組織及び当該地方公共団体の議長の連合組織に適切な措置を講ずるものであること。したがって、必ずしも全ての長又は議長の全国的連合組織に対して行われるものではないこと。（平一八・六・七通知）

１）●「新たに事務又は負担を義務付けると認められる施策の立案をしようとする場合」とは、地方公共団体に対し新たに必置規制や計画策定など事務を義務付ける施策又は地方公共団体に対し新たに負担を義務付ける施策について規定する法律案又は政令案の立案をしようとする場合が該当するものであること。（平一八・六・七通知）

２）●「適切な措置」とは、長又は議長の全国的連合組織に対する事前の情報提供であり、その時期や方法は、各大臣が本制度の趣旨を踏まえ、適切に判断するものであること。例えば、法律案については、審議会等の答申を受けた場合、当該答申を踏まえて法案化する旨を当該答申とともに通知する方法があること。（平一八・六・七通知）

自治法

第三編　特別地方公共団体

＊編名―改正〔昭二二・一二法一六九〕

第一章　削除　〔昭三一・六法一四七〕

第二百六十四条乃至第二百八十条　削除　〔昭三一・六法一四七〕

第二章　特別区

＊旧二節―二章に改正〔昭二二・一二法一六九〕

（特別区）

第二百八十一条　都の区は、これを特別区という。

2　特別区は、法律又はこれに基づく政令により都が処理することとされているものを除き、地域における事務並びにその他の事務で法律又はこれに基づく政令により市が処理することとされるもの及び法律又はこれに基づく政令により特別区が処理することとされるものを処理する。

＊二項―一部改正〔昭二二・一二法一六九〕、三項―追加〔昭二三・七法一七九〕、本条―全改〔昭二七・八法三〇六〕、二項―一部改正〔昭三一・六法一四七、法一六三〕、二項―全改・三項―一部改正・四項―後段追加〔昭三九・七法一六九〕、二項―一部改正〔昭四四・六法三八〕、二・三項―全改・四・五項―削る〔昭四九・六法七一〕、見出し―追加・二・三項―一部改正〔平一〇・五法五四〕、二・三項―一部改正〔平一一・七法八七〕、三項―削る〔平二三・五法三五〕

【参照条文】
①【特別区―法一の三3
※ 法二2　大都市地域特別区設置法三

（都と特別区との役割分担の原則）

第二百八十一条の二　都は、特別区の存する区域において、特別区を包括する広域の地方公共団体として、第二条第五項において都道府県が処理するものとされている事務及び特別区に関する連絡調整に関する事務のほか、同条第三項において市町村が処理するものとされている事務のうち、人口が高度に集中する大都市地域における行政の一体性及び統一性の確保の観点から当該区域を通じて都が一体的に処理することが必要であると認められる事務を処理するものとする。

2　特別区は、基礎的な地方公共団体として、前項において特別区の存する区域を通じて都が一体的に処理するものとされているものを除き、一般的に、第二条第三項において市町村が処理するものとされている事務を処理するものとする。

3　都及び特別区は、その事務を処理するに当たつては、相互に競合しないようにしなければならない。

＊本条―追加〔平一〇・五法五四〕、一・二項―一部改正〔平一一・七法八七〕、一項―一部改正〔平二三・五法三五〕

【引用条文】
①・②【法二（地方公共団体の法人格とその事務）3・5

【参照条文】
※ 法二7

（特別区の廃置分合又は境界変更）

第二百八十一条の三　第七条の規定は、特別区については、適用しない。

＊本条―追加〔平一〇・五法五四〕

【引用条文】
【法七（市町村の廃置分合及び境界変更）

【参照条文】
※ 法二八一の四・二八一の五

（特別区の廃置分合又は境界変更）

第二百八十一条の四　市町村の廃置分合又は境界変更を伴わない特別区の廃置分合又は境界変更は、関係特別区の申請に基づき、都知事が都の議会の議決を経てこれを定め、直ちにその旨を総務大臣に届け出なければならない。

2　前項の規定により特別区の廃置分合をしようとするときは、都知事は、あらかじめ総務大臣に協議し、その同意を得なければならない。

3　都と道府県との境界にわたる特別区の境界変更は、関係特別区及び関係のある普通地方公共団体の申請に基づき、総務大臣がこれを定める。

4　第一項の場合において財産処分を必要とするときは関係特別区が、前項の場合において財産処分を必要とするときは関係特別区及び関係市町村が協議してこれを定める。

5　第一項、第三項及び前項の申請又は協議については、関係特別区及び関係のある普通地方公共団体の議会の議決を経なければならない。

6　第一項の規定による届出を受理したとき、又は第三項の規定による処分をしたときは、総務大臣は、直ちにその旨を告示するとともに、これを国の関係行政機関の長に通知しなければならない。

7　第一項又は第三項の規定による処分は、前項の規定による告示によりその効力を生ずる。

8 都内の市町村の区域の全部又は一部による特別区の設置は、当該市町村の申請に基づき、都知事が都の議会の議決を経てこれを定め、直ちにその旨を総務大臣に届け出なければならない。

9 第二項及び第五項から第七項までの規定は、前項の規定による特別区の設置について準用する。この場合において、第二項中「前項」とあるのは「第八項」と、「廃置分合」とあるのは「設置」と、第五項中「第一項、第三項及び前項の申請又は協議」とあるのは「第八項の申請」と、「関係特別区及び関係のある普通地方公共団体」とあるのは「当該市町村」と、第六項中「第一項の規定による届出を受理したとき、又は第三項の規定による処分をしたとき」とあるのは「第八項の規定による届出を受理したとき」と、第七項中「第一項又は第三項」とあるのは「次項」と、「前項」とあるのは「第九項において準用する前項」と読み替えるものとする。

10 都内の市町村の廃置分合又は境界変更を伴う特別区の境界変更で市町村の設置を伴わないものは、関係特別区及び関係市町村の申請に基づき、都知事が都の議会の議決を経てこれを定め、直ちにその旨を総務大臣に届け出なければならない。

11 第二項及び第四項から第七項までの規定は、前項の規定による特別区の境界変更について準用する。この場合において、第二項中「前項」とあるのは「第十項」と、「廃置分合」とあるのは「境界変更」と、第四項中「第一項」とあるのは「第十項」と、「関係特別区が、前項の場合において財産処分を必要とするときは関係特別区」とあるのは「、関係特別区」と、第五項中「第一項、第三項及び前項の申請又は協議」とあるのは「第十項の申請又は第十一項において準用する前項の協議」と、「関係のある普通地方公共団体」とあるのは「関係市町村」と、第六項中「第一項の規定による届出を受理したとき、又は第三項の規定による処分をしたとき」とあるのは「第十項の規定による届出を受理したとき」と、第七項中「第一項又は第三項」とあるのは「第十一項において準用する前項」と読み替えるものとする。

12 この法律に規定するものを除くほか、第一項、第三項、第八項及び第十項の場合において必要な事項は、政令でこれを定める。

＊ 本条…追加〔平一〇・五法五四〕、二項…一部改正〔平一一・七法八七〕、一・二・三・六・八・一〇項…一部改正〔平一一・一二法一六〇〕

【参照条文】
※ ⑫【政令の定…令二〇九】 法七～九の五・二八一の三・二八一の五　大都市地域特別区設置法一二

〔特別区の廃置分合又は境界変更〕

第二百八十一条の五 第二百八十三条第一項の規定による特別区についての第九条第七項、第九条の三第一項、第二項及び第六項並びに第九十一条第三項及び第五項の規定の適用については、第九条第七項中「第七条第一項又は第三項及び第七項」とあるのは「第二百八十一条の四第一項若しくは第三項及び第六項又は同条第十項及び同条第十一項において準用する同条第六項」と、第九条の三第一項中「第七条第一項」とあるのは「第二百八十一条の四第一項及び第十項」と、同条第二項中「第七条第三項」とあるのは「第二百八十一条の四第三項」と、同条第六項中「第七条第七項及び第八項」とあるのは「第二百八十一条の四第六項及び第七項」と、第九十一条第三項中「第七条第一項又は第三項」とあるのは「第二百八十一条の四第一項、第三項、第八項又は第十項」と、同条第五項中「第七条第一項又は第三項」とあるのは「第二百八十一条の四第一項又は第八項」とする。

＊ 本条…追加〔平一〇・五法五四〕、一部改正〔平一一・七法八七、平一六・五法五七、平二三・五法三五〕

【引用条文】
【法九（市町村の境界の調停及び裁定）7・九の三（公有水面のみに係る市町村の境界の決定等）1・2・6・九一（市町村議会の議員の定数）3・5・二八三（市に関する規定の適用）1

【参照条文】
※ 法二八一の三・二八一の四

〔都と特別区及び特別区相互の間の調整〕

第二百八十一条の六 都知事は、特別区に対し、都と特別区及び特別区相互の間の調整上、特別区の事務の処理について、その処理の基準を示す等必要な助言又は勧告をすることができる。

＊ 本条…追加〔平一〇・五法五四〕、旧二八一条の八…繰上〔平一一・七法八七〕、旧二八一条の七…繰上〔平二三・五法三五〕

【参照条文】
※ 法二四五の四・二四七・二五二の一七の五

〔特別区財政調整交付金〕

第二百八十二条 都は、都及び特別区並びに特別区相互間の財源の均衡化を図り、並びに特別区の行政の自主的かつ計画的な運営を確保するため、政令で定めるところにより、条例で、特別区財政調整交付金を交付するものとする。

2　前項の特別区財政調整交付金とは、地方税法第五条第二項に掲げる税のうち同法第七百三十四条第一項及び第二項（第二号に係る部分に限る。）の規定により都が課するものの収入額と法人の行う事業に対する事業税の収入額（同法第七十二条の二十四の七第九項の規定により同条第一項から第五項までに規定する標準税率を超える税率で事業税を課する場合には、法人の行う事業に対する事業税の収入額に相当する額から当該額に同法第七百三十四条第四項に規定する政令で定めるところにより算定した率を乗じて得た額を控除した額）に同項に規定する政令で定める率を乗じて得た額を統計法（平成十九年法律第五十三号）第二条第四項に規定する基幹統計である事業所統計の最近に公表された結果による各市町村及び特別区の従業者数で按分して得た額のうち特別区に係る額との合算額に条例で定める割合を乗じて得た額で特別区がひとしくその行うべき事務を遂行することができるように都が交付する交付金をいう。

3　都は、政令で定めるところにより、特別区財政調整交付金に関する事項について総務大臣に報告しなければならない。

4　総務大臣は、必要があると認めるときは、特別区財政調整交付金に関する事項について必要な助言又は勧告をすることができる。

＊ 一項―一部改正・二・三項―追加〔昭二七・八法三〇六〕、二項―一部改正・三・四項―追加・旧三項―一部改正し五項に繰下〔昭三九・七法一六九〕、二項―一部改正〔昭四九・六法七一〕、一～四項―全改〔平一〇・五法五四〕、三・四項―一部改正〔平一一・一二法一六〇〕、二項―一部改正〔平二五・三法三〕、本条―一部改正〔平二八・三法一三〕、二項―一部改正〔令二・三法五、令四・三法一〕

【引用条文】
②【地税法五（市町村が課することができる税目）2・七二の二四の七（法人の事業税の標準税率等）1～5・9・七三四（都における普通税の特例）1・2
Ⅱ・4　統計法二（定義）4

【参照条文】
①③【政令の定―令二一〇の一〇～二一〇の一四
③【政令の定―令二一〇の一五
※　法二四五の四・二四七・二五二の一七の五　地財法二六・二八　交付税法二一　地税法七三五～七三七・七三九

（都区協議会）

第二百八十二条の二　都及び特別区の事務の処理について、都と特別区及び特別区相互の間の連絡調整を図るため、都及び特別区をもつて都区協議会を設ける。

2　前条第一項又は第二項の規定により条例を制定する場合においては、都知事は、あらかじめ都区協議会の意見を聴かなければならない。

3　前二項に定めるもののほか、都区協議会に関し必要な事項は、政令で定める。

＊ 本条―追加〔昭三九・七法一六九〕、二項―一部改正〔昭四九・六法七一〕、見出し―追加・二・三項―一部改正〔平一〇・五法五四〕、一項―一部改正〔平一一・七法八七〕

【参照条文】
③【政令の定―令二一〇の一六

（市に関する規定の適用）

第二百八十三条　この法律又は政令で特別の定めをするものを除くほか、第二編及び第四編中市に関する規定は、特別区にこれを適用する。

2　他の法令の市に関する規定中法律又はこれに基づく政令により市が処理することとされている事務で第二百八十一条第二項の規定により特別区が処理することとされているものに関するものは、特別区にこれを適用する。

3　前項の場合において、都と特別区又は特別区相互の間の調整上他の法令の市に関する規定をそのまま特別区に適用しがたいときは、政令で特別の定めをすることができる。

＊ 本条―全改〔昭二七・八法三〇六〕、二・三項―追加〔昭三九・七法一六九〕、二項―一部改正〔昭四九・六法七一〕、見出し―追加・一・二・三項―一部改正〔平一〇・五法五四〕、一・二項―一部改正〔平一一・七法八七〕

【引用条文】
②【法二八一（特別区）2

【参照条文】
①【特別の定―法二八一の三～二八二の二　令二〇九・二一〇の一〇～二一〇の一六
③【特別の定―令二一〇の一七
※　地税法七三六・七三七・七三九　交付税法二一　選挙法二六六　消組法二六～二八　消防法三七等

第三章　地方公共団体の組合

＊ 旧三節―三章に改正〔昭二二・一二法一六九〕

第一節　総則

＊ 本節―節名追加〔平六・六法四八〕

（組合の種類及び設置）

第二百八十四条　地方公共団体の組合は、一部事務組合及び広域連合とする。

2　普通地方公共団体及び特別区は、その事務の一部を共同処理するため、[1]その協議により規約を定め、都道府県の加入するものにあつては総務大臣、その他のものにあつては[2]都道府県知事の許可を得て、一部事務組合を設け[3]ることができる。この場合において、一部事務組合内の地方公共団体につきその執行機関の権限に属する事項がなくなつたときは、その執行機関は、一部事務組合の成立と同時に消滅する。

3　普通地方公共団体及び特別区は、その事務で広域にわたり処理することが適当であると認めるものに関し、広域にわたる総合的な計画（以下「広域計画」という。）を作成し、その事務の管理及び執行について広域計画の実施のために必要な連絡調整を図り、並びにその事務の一部を広域にわたり総合的かつ計画的に処理するため、その協議により規約を定め、前項の例により、総務大臣又は都道府県知事の許可を得て、広域連合を設けることができる。この場合においては、同項後段の規定を準用する。

4　総務大臣は、前項の許可をしようとするときは、国の関係行政機関の長に協議しなければならない。

＊一項―一部改正〔昭二二・一二法一六九、昭二七・八法三〇六、昭三一・六法一四七、昭三五・六法一一三〕、見出し・一項―追加・旧一項―一部改正し二項に繰下・三・四項―追加・旧二項―一部改正し五項に繰下・旧三項―一部改正し六項に繰下・旧四・五項―削る〔平六・六法四八〕、二・三項―一部改正〔平一一・七法八七〕、二・三・四項―一部改正〔平一一・一二法一六〇〕、一・二項―一部改正・五・六項―削る〔平二三・五法三五〕

【参照条文】

②【普通地方公共団体―法一の三2　【特別区―法二八一1　【団体の事務―法二2

※法二八六・二八六の二・二九〇・二九三　地教法二・六〇　学校教育法三九・四九　水防法二2　港湾法三三　社会福祉法一四4

【実例・通知】

1）●協議によるべき事項は、規約の設定はもちろん組合の設立をも含むが、これを別個に行なう必要はない。（昭二四・一二・一五行実）

2）●知事は、組合の設立許可に際し、規約の内容を協議することはできるが、自らこれを変更することはできない。（昭二七・三・一三行実）

●一部事務組合の設置の許可にあたり、その規約中の一部を改正することを条件として許可した場合に、その条件どおり規約を改正した場合には改めて知事の許可を必要としない。（昭二九・五・六行実）

3）●同一種類の事務でもそれぞれ別の区域に関するものであるときは、別個に一部事務組合を設けてもさしつかえない。（昭二四・一〇・二九行実）

●市町村が土地改良法による土地改良事業を行うには知事の認可を必要とするが、現に認可を受けていない市町村も、当該事務を共同処理するために設立する組合の構成団体となることができる。（昭三六・一・二七行実）

●広域連合は、広域計画を作成し、地方公共団体又はその機関の事務で広域にわたり処理することが適当であると認める事務及びこれに関連して国等から委任された事務を総合的かつ計画的に処理するために設けられるものであり、この趣旨に合致するものであれば、基本的には広域連合が処理することができる事務についての制限はないものであること。（平七・六・一五通知）

●「広域にわたり処理することが適当であると認める事務」とは、地方公共団体が、それぞれ単独で処理するよりも、他の地方公共団体と協力して広域連合を設置してその事務に当たらせることが適当であると認められるものをいうものであり、基本的には広域連合を組織しようとする地方公共団体が住民福祉の増進、事務処理の効率化等の見地から判断すべきものであること。（平七・六・一五通知）

●国等は、広域連合の処理する事務に関連するものについて、その権限又は権限に属する事務（現行法ではその権限に属する事務）を委任することができる（現行法では広域連合が処理することとすることができる）ものであること。したがつて、国からの権限等の委任がなされなければ、その目的を達成できない広域連合（現行法では国の権限に属する事務を処理することとされなければ、その目的を達成できない広域連合）の設置は適切でないことに留意すること。（平七・六・一五通知）

●広域連合の設置のための手続は、概ね一部事務組合に準ずるものであること。（平七・六・一五通知）

●都道府県知事が、広域連合の設置、規約等の変更及び解散について許可をし又は許可の申請を行う場合、数都道府県にわたる広域連合の設置について自治大臣（現行法では総務大臣）に意見を述べる場合には、都道府県の関係する部局とも十分な連絡調整を図ること。（平七・六・一五通知）

※●町村組合の共同事業に関し条例をもつて規定すべき事項は、組合条例の名をもつて施行すべきものである。（行実）

※●一部事務組合は新たに他の市町村と一部事務組合を設けることができる。（昭三一・四・一九行実）

※●財産区の事務を共同処理する一部事務組合の規約の変更は、財産区の議会の議決を経ることを要する。（昭三一・一〇・四行実）

〔複合的一部事務組合の設置〕

第二百八十五条　市町村及び特別区の事務に関し相互に関

連するものを共同処理するための市町村及び特別区の一部事務組合については、市町村又は特別区の共同処理しようとする事務が他の市町村又は特別区の共同処理しようとする事務と同一の種類のものでない場合においても、これを設けることを妨げるものではない。

＊本条…全改〔昭四九・六法七二〕、一部改正〔平一〇・五法五四、平一一・七法八七〕

（設置の勧告等）

第二百八十五条の二　公益上必要がある場合においては、都道府県知事は、関係のある市町村及び特別区に対し、一部事務組合又は広域連合を設けるべきことを勧告することができる。

2　都道府県知事は、第二百八十四条第三項の許可をしたときは直ちにその旨を公表するとともに、総務大臣に報告しなければならない。

3　総務大臣は、第二百八十四条第三項の許可をしたときは直ちにその旨を告示するとともに、国の関係行政機関の長に通知し、前項の規定による報告を受けたときは直ちにその旨を国の関係行政機関の長に通知しなければならない。

＊本条…追加〔平六・六法四八〕、二・三項…一部改正〔平一一・一二法一六〇〕、二項…一部改正〔平二五・六法四四〕

【引用条文】

②・③【法二八四（組合の種類及び設置）3

第二節　一部事務組合

＊本節…節名追加〔平六・六法四八〕

（組織、事務及び規約の変更）

第二百八十六条　一部事務組合は、これを組織する地方公共団体（以下この節において「構成団体」という。）の数を[1]増減し若しくは共同処理する事務を変更し、又は一部事務組合の規約を変更しようとするときは、関係地方公共団体の協議によりこれを定め、都道府県の加入するものにあつては総務大臣、その他のものにあつては都道府県知事の[2]許可を受けなければならない。ただし、第二百八十七条第一項第一号、第四号又は第七号に掲げる事項のみに係る一部事務組合の規約を変更しようとするときは、この限りでない。

2　一部事務組合は、第二百八十七条第一項第一号、第四号又は第七号に掲げる事項のみに係る一部事務組合の規約を変更しようとするときは、構成団体の協議によりこれを定め、前項本文の例により、直ちに総務大臣又は都道府県知事に届出をしなければならない。

＊一項…一部改正〔昭二二・一二法一六九、昭三一・六法一四七、昭三五・六法一一三〕、一項…一部改正・二項…追加・旧二項…一部改正し三項に繰下〔平三・五法七九〕、本条…見出し追加・一・二項…一部改正・三項…削る〔平六・六法四八〕、一・二項…一部改正〔平一一・一二法一六〇、平二四・九法七二〕

【引用条文】

【法二八七（規約等）1Ⅰ・Ⅳ・Ⅶ

【参照条文】

※法二八四・二九〇　公企法三九の二

【実　例】

1）●村を市に合併する場合、当該村が一部事務組合を構成しているときは、組合町村の数の減少をなすための手続を要する。（明四五・八・九行実）

2）●規約改正の提案、許可申請は組合議会ではできない。許可の申請は関係地方公共団体の長又は組合管理者のいずれでもよい。（昭三四・一二・一六行実）

※●組合規約の変更の発案は関係町村のいずれの町村でもなしうる。（大一五・七・二四行実）

（脱退による組織、事務及び規約の変更の特例）

第二百八十六条の二　前条第一項本文の規定にかかわらず、構成団体は、その議会の議決を経て、脱退する日の二年前までに他の全ての構成団体に書面で予告をすることにより、一部事務組合から脱退することができる。

2　前項の予告を受けた構成団体は、当該予告をした構成団体が脱退する時までに、前条の例により、当該脱退により必要となる規約の変更を行わなければならない。この場合において、同条中「第二百八十七条第一項第一号」とあるのは、「第二百八十七条第一項第一号、第二号」とする。

3　第一項の予告の撤回は、他の全ての構成団体が議会の議決を経て同意をした場合に限り、することができる。この場合において、同項の予告をした構成団体が他の構成団体に当該予告の撤回について同意を求めるに当たつては、あらかじめ、その議会の議決を経なければならない。

4　第一項の規定による脱退により一部事務組合の構成団体が一となつたときは、当該一部事務組合は解散するものとする。この場合において、当該構成団体は、前条第一項本文の例により、総務大臣又は都道府県知事に届け出なければならない。

＊本条…追加〔平二四・九法七二〕

（規約等）

第二百八十七条　一部事務組合の規約には、次に掲げる事項につき規定を設けなければならない。

一 一部事務組合の名称[1]
二 一部事務組合の構成団体
三 一部事務組合の共同処理する事務
四 一部事務組合の事務所の位置[2]
五 一部事務組合の議会の組織及び議員の選挙[3]の方法
六 一部事務組合の執行機関の組織[4]及び選任の方法
七 一部事務組合の経費の支弁の方法

2 一部事務組合の議会の議員又は管理者（第二百八十七条の三第二項の規定により管理者に代えて理事会を置く第二百八十五条の一部事務組合にあつては、理事）その他の職員は、第九十二条第二項、第百四十一条第二項及び第百九十六条第三項（これらの規定を適用し又は準用する場合を含む。）の規定にかかわらず、当該一部事務組合の構成団体の議会の議員又は長その他の職員と兼ねることができる。

＊ 三項―追加（昭二七・八法三〇六）、一部改正（昭三一・六法一四七、昭四九・六法七一、平三・四法二四）、本条―見出し追加・一項―一部改正・二項―削る・旧三項―一部改正し二項に繰上（平六・六法四八）、一・二項―一部改正（平二四・九法七二）

【引用条文】
②【法二八五（複合的一部事務組合の設置）・九二（兼職の禁止）2・一四一（兼職の禁止）2・一九六（選任及び兼職の禁止）3

【参照条文】
①【一部事務組合―法二八四2　【議員等の選挙―選挙令九〇4　【経費の支弁―法二九一

【実例・判例】
1）●一部事務組合の名称は必ずしも組合内の町村名を冠するを要せず、組合の事業のみを表示する文字を用いてよいが、町村組合たることを明らかにするべきである。（行実）
2）●組合役場の位置は、規約で定むべきもので、組合構成町村の区域内には限られず、他町村に定めても違法でない。（大三・五・八行裁判）
3）●組合議会の議員の選挙の方法について関係町村の議会で選挙すると規定した場合には法第一一八条第一項から第四項までの規定が準用される。（昭二五・一二・一一行実）
4）●監査委員は義務設置であり、その定数、選任の方法及び任期に関する事項並びに事務局及び職員の設置に関する事項は規約に規定しなければならない。（昭四一・一・一三行実）
※●組合議会は規約の範囲外の事項又は規約に矛盾する議決を行い得ない。（明二八・五・一五行裁判）

㊟ 次条中、点線の左側は令和八年四月一日から、実線の左側は令和六年六月二六日から起算して二年六月を超えない範囲内において政令で定める日から施行となる。

（特例一部事務組合）

第二百八十七条の二 一部事務組合（一部事務組合を構成団体とするもの並びに第二百八十五条に規定する場合に設けられたもの及び次条第二項の規定により管理者に代えて理事会を置くものを除く。）は、規約で定めるところにより、当該一部事務組合の議会を構成団体の議会をもつて組織することとすることができる。

2 前項の規定によりその議会を構成団体の議会をもつて組織することとした一部事務組合（以下この条において「特例一部事務組合」という。）の管理者は、この法律その他の法令の規定により一部事務組合の管理者が一部事務組合の議会に付議することとされている事件があるときは、構成団体の長を通じて、当該事件に係る議案を全ての構成団体の議会に提出しなければならない。

3 前項の規定により同項に規定する事件に係る議案の提出を受けた構成団体の議会は、当該事件を議決するものとする。

4 構成団体の議会の議長は、前項の議決があつたときは、当該構成団体の長を通じて、議決の結果を特例一部事務組合の管理者に送付しなければならない。

5 特例一部事務組合にあつては、第二項に規定する事件の議会の議決は、当該議会を組織する構成団体の議会の一致する議決によらなければならない。

6 特例一部事務組合にあつては、この法律その他の法令の規定により一部事務組合の執行機関が一部事務組合の議会に通知し、報告し、提出し、又は勧告することとされている事項の議会への通知、報告、提出又は勧告は、当該特例一部事務組合の執行機関が構成団体の長を通じて当該事項を全ての構成団体の議会に通知し、報告し、提出し、又は勧告することにより行うものとする。

7 前編第六章第一節（第九十二条の二に限る。）、第二節（第百条第十四項から第二十項までを除く。）、第七節及び第十二節の規定は、特例一部事務組合の議会について準用する。この場合において、第九十二条の二、第九十九条、第百条の二及び第百二十五条中「普通地方公共団体の議会」とあり、第九十八条第一項及び第百条第一項中「普通地方公共団体の議会」とあり、及び「議会」とあり、第九十八条第二項並びに第百条第二項から第五項まで及び第八項から第十三項までの規定中「議会」とあり、並びに第百三十八条の二第一項及び第二項中「議会等」とあるのは「特例一部事務組合の構成団体の議会」と、第九十七条第一項中「法律」とあるのは「規約で定めるところにより、法律」と、第百二十四条中「議員」

とあるのは「特例一部事務組合の構成団体の議会の議員」と、「請願書」とあるのは「当該構成団体の議会に請願書」と読み替えるものとする。

8　第百六十条の規定により第百五十条第二項から第九項までの規定を特例一部事務組合に準用する場合には、同条第八項中「議会」とあるのは、「特例一部事務組合の構成団体の議会」と読み替えるものとする。

9　第二百五十二条の四十五の規定により前編第十五章第二節（第二百五十二条の三十六第一項を除く。）の規定を特例一部事務組合に準用する場合には、第二百五十二条の三十七第五項中「議会」とあるのは「全ての構成団体の議会」と、第二百五十二条の三十八第六項中「議会」とあるのは「構成団体の議会」と読み替えるものとする。

10　第二百九十二条の規定によりこの法律中都道府県、市又は町村に関する規定を特例一部事務組合に準用する場合には、第十六条第二項中「前項の規定により条例」とあるのは「第二百八十七条の二第四項の規定により特例一部事務組合（同条第二項に規定する特例一部事務組合をいう。以下同じ。）の全ての構成団体（第二百八十六条第一項に規定する構成団体をいう。以下同じ。）の議会の議長から条例に関する議決の結果」と、「これ」とあるのは「当該条例」と、第百四十五条中「都道府県知事」とあるのは「都道府県の加入する特例一部事務組合の管理者」と、「市町村長」とあるのは「都道府県の加入しない特例一部事務組合の管理者」と、「普通地方公共団体の議会の議長」とあるのは「特例一部事務組合の全ての構成団体の議会の議長」と、第百六十五条第一項中「普通地方公共団体の議会の議長」とあるのは「特例一部事務組合の全ての構成団体の議会の議長」と、第百七十六条第一項、第四項及び第七項、第百七十七条第一項、第百七十九条第一項、第百八十条第一項、第百九十九条第十四項及び第十五項、第二百四十二条第十項、第二百四十三条の二の七第二項、第二百五十二条の二十八第三項、第二百五十二条の三十三第一項、第二百五十二条の三十四並びに第二百五十二条の四十第一項中「普通地方公共団体の議会」とあり、第百七十六条第二項、第五項、第六項及び第八項、第百七十七条第二項、第百七十九条第二項から第四項まで、第百八十条第二項、第二百四十二条第九項、第二百四十二条の二第二項、第二百五十二条の四十第二項、第三項、第五項及び第六項並びに第二百五十六条中「議会」とあり、並びに第二百四十二条の二第一項中「普通地方公共団体の議会」とあり、及び「議会」とあるのは「特例一部事務組合の構成団体の議会」と、第百七十六条第五項中「都道府県知事にあつては」とあるのは「都道府県の加入する特例一部事務組合の管理者にあつては」と、「市町村長」とあるのは「都道府県の加入しない特例一部事務組合の管理者」と、第百七十九条第一項中「議会の」とあるのは「特例一部事務組合の構成団体の議会の」と、「議会を招集する」とあるのは「議決を経る」と、「議会に」とあるのは「特例一部事務組合の構成団体の議会に」と、「を処分する」とあるのは「について第二百八十七条の二第三項の議決があつたものとみなす」と、第百八十条第一項中「これを専決処分にする」とあるのは「これについて第二百八十七条の二第三項の議決があつたものとみなす」と、同条第二項中「専決処分をしたときは」とあるのは「議決があつたものとみなしたときは」と、第二百十九条第二項中「前項の規定により予算」とあるのは「第二百八十七条の二第四項の規定により特例一部事務組合の全ての構成団体の議会の議長から予算に関する議決の結果」と、「その要領」とあるのは「当該予算の要領」と、第二百四十四条の六第一項及び第二項中「普通地方公共団体の議会及び長」とあるのは「特例一部事務組合の管理者」と、第二百五十二条の四十第四項中「議会から」とあるのは「特例一部事務組合の構成団体の議会から」と読み替えるものとする。

11　特例一部事務組合にあつては、前条第一項第六号の規定にかかわらず、この法律その他の法令の規定による一部事務組合の監査委員の事務は、規約で定める構成団体の監査委員が行うものとすることができる。

＊　本条…追加〔平二四・九法七二〕、六・七項…一部改正・八・九項…追加・旧八項…一部改正し一〇項に繰下・旧九項…一一項に繰下〔平二九・六法五四〕、七・一〇項…一部改正〔令五・五法一九〕、九・一〇項…一部改正〔令六・六法六五〕

（議決方法の特例及び理事会の設置）

第二百八十七条の三　第二百八十五条の一部事務組合の規約には、その議会の議決すべき事件のうち当該一部事務組合を組織する市町村又は特別区の一部に係るものその他特別の必要があるものの議決の方法について特別の規定を設けることができる。

2　第二百八十五条の一部事務組合には、当該一部事務組合の規約で定めるところにより、管理者に代えて、理事をもつて組織する理事会を置くことができる。

3　前項の理事は、一部事務組合を組織する市町村若しくは特別区の長又は当該市町村若しくは特別区の長がその議会の同意を得て当該市町村又は特別区の職員のうちから指名する者をもつて充てる。

＊本条―追加〔昭四九・六法七一〕、本条―見出し追加・二・三項―一部改正〔平六・六法四八〕、一・三項―一部改正〔平一〇・五法五四〕、旧二八七条の二―繰下〔平二四・九法七二〕

【引用条文】
①・②【法二八五（複合的一部事務組合の設置）】

【参照条文】
②【理事会―令二一一】

【実　例】
※●相互に関連する事務を共同処理するための市町村の一部事務組合であれば、構成市町村間で共同処理する事務が全て同一種類である場合も地方自治法第二八七条の三第一項の規定に基づき特別の必要があるものの議決の方法について特別の規定を設け、又は同条第二項の規定に基づき理事会を置くことができる。（昭五〇・一二・二四行実）

（議決事件の通知）

第二百八十七条の四　一部事務組合の管理者（前条第二項の規定により管理者に代えて理事会を置く第二百八十五条の一部事務組合にあつては、理事会。第二百九十一条第一項及び第二項において同じ。）は、当該一部事務組合の議会の議決すべき事件のうち政令で定める重要なものについて当該議会の議決を求めようとするときは、あらかじめ、これを当該一部事務組合の構成団体の長に通知しなければならない。当該議決の結果についても、同様とする。

＊本条―追加〔昭四九・六法七一〕、本条―見出し追加〔平六・六法四八〕、本条―一部改正・旧二八七条の三―繰下〔平二四・九法七二〕

【引用条文】
【法二八五（複合的一部事務組合の設置）・二九一（経費分賦に関する異議）1・2】

【参照条文】
【政令―令二一一の二】

（解散）

第二百八十八条　一部事務組合を解散しようとするときは、構成団体の協議により、第二百八十四条第二項の例により、総務大臣又は都道府県知事に届出をしなければならない。

＊一項―一部改正〔昭二二・一二法一六九、昭三五・六法一一三〕、本条―見出し追加・一項―一部改正・二項―削る〔平六・六法四八〕、本条―一部改正〔平一一・一二法一六〇、平二四・九法七二〕

【引用条文】
【法二八四（組合の種類及び設置）2】

【参照条文】
①【一部事務組合―法二八四2】【総務大臣―※総務省設置法五】
※法二九〇・二九三

【実　例】
※●解散に伴う決算は、令五条の準用により、旧組合の管理者が行い、これを構成団体の長に送付し、構成団体の監査委員がこれを監査し、構成団体の議会がこれを認定する。（昭二七・八・九行実）

（財産処分）

第二百八十九条　第二百八十六条、第二百八十六条の二又は前条の場合において、財産処分を必要とするときは、関係地方公共団体の協議によりこれを定める。

＊本条―一部改正〔昭二二・一二法一六九〕、本条―見出し追加・一部改正〔平六・六法四八〕、本条―一部改正〔平二四・九法七二〕

【引用条文】
【法二八六（組織・事務及び規約の変更）・二八六の二・二八八（解散）】

【参照条文】
【議会の議決―法九六1XV・一一六】
※法二九〇

（議会の議決を要する協議）

第二百九十条　第二百八十四条第二項、第二百八十六条（第二百八十六条の二第二項の規定によりその例によることとされる場合（同項の規定による規約の変更が第二百八十七条第一項第二号に掲げる事項のみに係るものである場合を除く。）を含む。）及び前二条の協議については、関係地方公共団体の議会の議決を経なければならない。

＊本条―見出し追加・一部改正〔平六・六法四八〕、本条―一部改正〔平二四・九法七二〕

【引用条文】
【法二八四（組合の種類及び設置）2・二八六（組織、事務及び規約の変更）・二八八（解散）・二八九（財産処分）】

【参照条文】
【議会の議決―法九六1XV・一一六】

【実　例】
1）●議会の議決は、協議の内容についてなされるべきもので、関係地方公共団体の長が当該地方公共団体を代表して協議を行うことについて議決を要するものではない。（昭三四・一二・一六行実）
※●市町村職員退職手当組合に加入市町村以外の市町

村があらたに加入し、又は脱退する場合の関係市町村との協議について加入市町村議会においてこれを軽易な事項として専決処分の対象として指定することは差し支えない。（昭四〇・九・二四行実）

（**経費分賦に関する異議**）

第二百九十一条　一部事務組合の経費の分賦に関し、違法又は錯誤があると認めるときは、一部事務組合の構成団体は、その告知[1]を受けた日から三十日以内に当該一部事務組合の管理者に異議[2]を申し出ることができる。

2　前項の規定による異議の申出があつたときは、一部事務組合の管理者は、その議会に諮つてこれを決定しなければならない。

3　一部事務組合の議会は、前項の規定による諮問があつた日から二十日以内にその意見を述べなければならない。

＊一・二項―一部改正〔昭三七・九法一六二〕、本条―見出し追加・一・二・三項―一部改正〔平六・六法四八〕、一項―一部改正〔平二四・九法七二〕

【参照条文】

①【管理者―法二八七2　【異議の申し出―法九六1XII　【異議の決定―法二五七

※法二五八

【実　例】

1）●「告知を受けた日」とは、組合費分賦の告知が市町村に到達した日をいい、その翌日から異議申立期間を起算する。（行実）

2）●組合費の分賦に関し異議の申立（出）をなしうるのは、その分賦が違法か又は錯誤があると認める場合に限られ、それ以外を不当とする異議の申し立てはできない。（行実）

第三節　広域連合

＊本節―追加〔平六・六法四八〕

（**広域連合による事務の処理等**）

第二百九十一条の二　国は、その行政機関の長の権限に属する事務のうち広域連合の事務に関連するものを、別に法律又はこれに基づく政令の定めるところにより、当該広域連合が処理[1]することとすることができる。

2　都道府県は、その執行機関の権限に属する事務のうち都道府県の加入しない広域連合の事務に関連するもの[2]を、条例の定めるところにより、当該広域連合が処理することとすることができる。

3　第二百五十二条の十七の二第二項、第二百五十二条の十七の三及び第二百五十二条の十七の四の規定は、前項の規定により広域連合が都道府県の事務を処理する場合について準用する。

4　都道府県の加入する広域連合の長（第二百九十一条の十三において準用する第二百八十七条の三第二項の規定により長に代えて理事会を置く広域連合にあつては、理事会。第二百九十一条の四第四項、第二百九十一条の五第二項、第二百九十一条の六第一項及び第二百九十一条の八第二項を除き、以下同じ。）は、その議会の議決を経て、国の行政機関の長に対し、当該広域連合の事務に密接に関連する国の行政機関の長の権限に属する事務の一部を当該広域連合が処理することとするよう要請[3]することができる。

5　都道府県の加入しない広域連合の長は、その議会の議決を経て、都道府県に対し、当該広域連合の事務に密接に関連する都道府県の事務の一部を当該広域連合が処理することとするよう要請[4]することができる。

＊本条―追加〔平六・六法四八〕、一・二項―一部改正・三項―追加・旧三・四項―一部改正し一項ずつ繰下〔平一一・七法八七〕、四項―一部改正〔平二四・九法七二〕

【引用条文】

③【法二五二の一七の二（条例による事務処理の特例）2・二五二の一七の三（条例による事務処理の特例の効果）・二五二の一七の四（是正の要求等の特則）

【参照条文】

【広域連合―法二八四3

【通　知】

1）●広域連合に対する国の権限等の委任（現行法では広域連合による国の行政機関の長の権限に属する事務の処理）は、個別の法令の定めるところにより行われるものであるが、委任（現行法では事務の処理）の可否は広域連合の規模、能力、事務の範囲等により総合的に判断されるものであることから、一定の条件を満たした広域連合に一律に委任する（現行法では処理させることとする）方法のほか、個別の広域連合ごとに委任する（現行法では処理させることとする）ことも可能であること。（平七・六・一五通知）

2）●都道府県知事等が、その権限に属する事務を広域連合の長等に委任する（現行法では処理させることとする）場合における委任（現行法では事務処理）の形式については、委任（現行法では事務処理）の内容が明らかにされれば足りるものであるが、住民に関連のある事務については、例えば告示等の方法によりあらかじめ周知することが必要であること。（平七・六・一五通知）

●都道府県知事等の事務の広域連合への委任（現行法では都道府県知事等の事務を広域連合に処理させること）については、個別の法制度上委任することになじまない事務もありうることから、個別の法制度の趣旨を十分検討の上、行うものであること。また、委任（現行法では事務を処理させる）に当たっては都道府県の関係部局とも十分な連絡調整を図ること。（平七・六・一五通知）

3・4）●広域連合の長は、権限委任（現行法では事務を処理することとすること）等の要請を行う場合は、密接に関連する事務について要請の制度が設けられた趣旨に鑑み、要請を行おうとする内容について十分検討を行うとともに、必要に応じ、国の関係行政機関の長、都道府県知事等に対しあらかじめ連絡を行うものとすること。（平七・六・一五通知）

（組織、事務及び規約の変更）

第二百九十一条の三 広域連合は、これを組織する地方公共団体の数を増減し若しくは処理する事務を変更し、又は広域連合の規約を変更しようとするときは、関係地方公共団体の協議によりこれを定め、都道府県の加入するものにあつては総務大臣、その他のものにあつては都道府県知事の許可を受けなければならない。ただし、次条第一項第六号若しくは第九号に掲げる事項又は前条第一項若しくは第二項の規定により広域連合が新たに事務を処理することとされた場合（変更された場合を含む。）における当該事務のみに係る広域連合の規約を変更しようとするときは、この限りでない。

2 総務大臣は、前項の許可をしようとするときは、国の関係行政機関の長に協議しなければならない。

3 広域連合は、次条第一項第六号又は第九号に掲げる事項のみに係る広域連合の規約を変更しようとするときは、関係地方公共団体の協議によりこれを定め、第一項本文の例により、直ちに総務大臣又は都道府県知事に届出をしなければならない。

4 前条第一項又は第二項の規定により広域連合が新たに事務を処理することとされたとき（変更されたときを含む。）は、広域連合の長は、直ちに次条第一項第四号又は第九号に掲げる事項に係る規約につき必要な変更を行い、第一項本文の例により、総務大臣又は都道府県知事に届出をするとともに、その旨を当該広域連合を組織する地方公共団体の長に通知しなければならない。

5 都道府県知事は、第一項の許可をしたとき、又は第三項若しくは前項の届出を受理したときは、直ちにその旨を公表するとともに、総務大臣に報告しなければならない。

6 総務大臣は、第一項の許可をしたとき又は第三項若しくは第四項の届出を受理したときは直ちにその旨を告示するとともに、これを国の関係行政機関の長に通知し、前項の規定による報告を受けたときは直ちにその旨を国の関係行政機関の長に通知しなければならない。

7 広域連合の長は、広域計画に定める事項に関する事務を総合的かつ計画的に処理するため必要があると認めるときは、その議会の議決を経て、当該広域連合を組織する地方公共団体に対し、当該広域連合の規約を変更するよう要請することができる。

8 前項の規定による要請があつたときは、広域連合を組織する地方公共団体は、これを尊重して必要な措置を執るようにしなければならない。

＊本条＝追加（平六・六法四八）、一・四項一部改正（平一一・七法八七）、一〜六項一部改正（平一一・一二法一六〇）

【引用条文】
①【法二九一の二（広域連合による事務の処理等）1・2・二九一の四（規約等）1Ⅵ・Ⅸ】
④【法二九一の四（規約等）1Ⅳ・Ⅸ】

（規約等）

第二百九十一条の四 広域連合の規約には、次に掲げる事項につき規定を設けなければならない。

一 広域連合の名称
二 広域連合を組織する地方公共団体
三 広域連合の区域[1]
四 広域連合の処理[2]する事務
五 広域連合の作成する[3]広域計画の項目
六 広域連合の事務所の位置
七 広域連合の議会の組織及び議員[4]の選挙の方法
八 広域連合の長、選[5]挙管理委員会その他執行機関の組織及び選[6]任の方法
九 広域連合の経費の支弁の方法

2 前項第三号に掲げる広域連合の区域は、当該広域連合を組織する地方公共団体の区域を合わせた区域を定めるものとする。ただし、都道府県の加入する広域連合について、当該広域連合の処理する事務が当該都道府県の区域の一部のみに係るものであることその他の特別の事情があるときは、当該都道府県の包括する市町村又は特別区で当該広域連合を組織しないものの一部又は全部の区域を除いた区域を定めることができる。

3 広域連合の長は、広域連合の規約が定められ又は変更されたときは、速やかにこれを公表しなければならない。

4 広域連合の議会の議員又は長（第二百九十一条の十三において準用する第二百八十七条の三第二項の規定により長に代えて理事会を置く広域連合にあつては、理事。次条第二項及び第二百九十一条の六第一項において同じ。）その他の職員は、第九十二条第二項、第百四十一条第二項及び第百九十六条第三項（これらの規定を適用し又は準用する場合を含む。）の規定にかかわらず、当

該広域連合を組織する地方公共団体の議会の議員又は長その他の職員と兼ねることができる。

＊本条—追加〔平六・六法四八〕、四項—一部改正〔平二四・九法七二〕

【引用条文】

④【法九二（兼職の禁止）2・一四一（兼職の禁止）2・一九六（選任及び兼職の禁止）3

【参照条文】

①【経費の支弁—法二九一の九

【通　知】

1）●広域連合の規約に定める「広域連合の区域」には、当該広域連合を組織する地方公共団体の区域を合わせた区域を定めること。ただし、都道府県の加入する広域連合については、広域連合の処理する事務が都道府県の区域の一部に係る場合等は、その区域を特に「広域連合の区域」として定め、広域連合に加入しない市町村の区域を除くことができるものであること。（平七・六・一五通知）

2・3）●広域連合の規約に定める「広域連合の処理する事務」及び「広域計画の項目」については、できる限り明確かつ具体的なものとすること。（平七・六・一五通知）

4・6）●「議会の議員の選挙の方法」については、議員の定数、被選挙資格、任期、選挙の方法、広域連合を組織する地方公共団体の議会において選挙する場合の当該議会において選挙すべき議員数、投票の方法等について規定し、「長の選任の方法」については、被選挙資格、任期、選挙の方法、投票の方法等について規定するものであること。（平七・六・一五通知）

5）●広域連合は普通地方公共団体と同様の直接請求を認めることとしていることから、選挙管理委員会を置くこととされているものであること。（平七・六・一五通知）

（議会の議員及び長の選挙）

第二百九十一条の五　広域連合の議会の議員は、政令で特別の定めをするものを除くほか、広域連合の規約で定めるところにより、広域連合の選挙人（広域連合を組織する普通地方公共団体又は特別区の議会の議員及び長の選挙権を有する者で当該広域連合の区域内に住所を有するものをいう。次項及び次条第八項において同じ。）が投票により又は広域連合を組織する地方公共団体の議会においてこれを選挙する。

2　広域連合の長は、政令で特別の定めをするものを除くほか、広域連合の規約で定めるところにより、広域連合の選挙人が投票により又は広域連合を組織する地方公共団体の長が投票によりこれを選挙する。

＊本条—追加〔平六・六法四八〕、一項—一部改正〔平二三・五法三五〕

【引用条文】

①【法二九一の六（直接請求）8

【通　知】

●広域連合については、これを組織する地方公共団体に対して規約の変更の要請や広域計画に基づく勧告をすることができるなど一定の独立性を認めることとしているところであり、その区域の住民の意思が広域連合の行政に十分反映されるよう議会の議員及び長の選出についても、選挙の方法を直接選挙又は間接選挙に限定することとし、充て職を認めないこととしたこと。（平七・六・一五通知）

●広域連合が、その議会の議員又は長を選挙人による直接選挙により選出する場合には、当該選挙につき公職選挙法の規定が適用されることとなるよう当該広域連合の規約を定める必要があること。なお、この場合において、当該広域連合の設置等の許可に当たつては、都道府県知事は、あらかじめ時間的余裕をもつて、都道府県選挙管理委員会及び都道府県警察と十分連絡をとること。（平七・六・一五通知）

（直接請求）

第二百九十一条の六　前編第五章（第七十五条第六項後段、第八十条第四項後段、第八十五条及び第八十六条第四項後段を除く。）及び第二百五十二条の三十九（第十四項を除く。）の規定は、政令で特別の定めをするものを除くほか、広域連合の条例（地方税の賦課徴収並びに分担金、使用料及び手数料の徴収に関するものを除く。）の制定若しくは改廃、広域連合の事務の執行に関する監査、広域連合の議会の解散又は広域連合の議会の議員若しくは長その他広域連合の職員で政令で定めるものの解職の請求について準用する。この場合において、同章（第七十四条第一項を除く。）の規定中「選挙権を有する者」とあるのは「請求権を有する者」と、第七十四条第一項中「普通地方公共団体の議会の議員及び長の選挙権を有する者（以下この編において「選挙権を有する者」という。）」とあるのは「広域連合を組織する普通地方公共団体又は特別区の議会の議員及び長の選挙権を有する者で当該広域連合の区域内に住所を有するもの（以下「請求権を有する者」という。）」と、同条第六項第一号（第七十五条第六項前段、第七十六条第四項、第八十条第四項前段、第八十一条第二項及び第八十六条第四項前段において準用する場合を含む。）中「に係る」とあるのは「の加入する広域連合に係る」と、「された者」とあるのは「された者のうち当該広域連合の区域内に住所を有するもの」と、第七十四条第六項第三号（第七十五条第六項前段、第七十六条第四項、第八十一条第二項及び第八十六条第四項前段において準用する場合を含む。）中「普通地方公共団体（当該普通地方公共団体が、都道府県である場合には当該都道府県」とあるのは「広域連合（当該広域連合」と、「（以下この号において「指定都市」という。）の区及び総合区を含み、指定都市である場合には当該市の区及び総合区」とあるのは「の区及び総合区」と、第八十条第四項前段において準用する第七十四条第六項第三号中「普通地方公共団体（当該普通地方公共団体が、都道府県である場合には当該都道府県の区域内の」とあるのは「広域連合（当該広域連合が、広域連合の選挙人の投票により当該広域連合の議会の議員を選挙する広域連合である場合には当該選挙区の区域の全部又は一部が含まれる」と、「を含み、指定都市である場合には当該市の区及び総合区」とあるのは「（選挙区がないときは当該広域連合の区域内の市町村並びに指定都市の区及び総合区）を含み、広域連合を組織する地方公共団体の議会において当該広域連合の議会の議員を選挙する広域連合である場合には当該議員を選挙した議会が置かれている地方公共団体の区域内の市町村並びに指定都市の区及び総合区（当該広域連合の区域内にあるものに限る。）」と、第二百五十二条の三十九第一項中「選挙権を有する者」とあるのは「請求権を有する者」と読み替えるほか、必要な技術的読替えは、政令で定める。

2　前項に定めるもののほか、広域連合を組織する普通地方公共団体又は特別区の議会の議員及び長の選挙権を有する者で当該広域連合の区域内に住所を有するもの（第五項前段において「請求権を有する者」という。）は、政令で定めるところにより、その総数の三分の一（その総数が四十万を超え八十万以下の場合にあつてはその四十万を超える数に六分の一を乗じて得た数と四十万に三分の一を乗じて得た数とを合算して得た数、その総数が八十万を超える場合にあつてはその八十万を超える数に八分の一を乗じて得た数と四十万に六分の一を乗じて得た数と四十万に三分の一を乗じて得た数とを合算して得た数）以上の者の連署をもつて、その代表者から、当該広域連合の長に対し、当該広域連合の規約の変更を要請するよう請求することができる。

3　前項の規定による請求があつたときは、広域連合の長は、直ちに、当該請求の要旨を公表するとともに、当該広域連合を組織する地方公共団体に対し、当該請求に係る広域連合の規約を変更するよう要請しなければならない。この場合においては、当該要請をした旨を同項の代表者に通知しなければならない。

4　前項の規定による要請があつたときは、広域連合を組織する地方公共団体は、これを尊重して必要な措置を執るようにしなければならない。

5　第七十四条第五項の規定は請求権を有する者及びその総数の三分の一の数（その総数が四十万を超え八十万以下の場合にあつてはその四十万を超える数に六分の一を乗じて得た数と四十万に三分の一を乗じて得た数とを合算して得た数、その総数が八十万を超える場合にあつてはその八十万を超える数に八分の一を乗じて得た数と四十万に六分の一を乗じて得た数と四十万に三分の一を乗じて得た数とを合算して得た数）について、同条第六項の規定は第二項の代表者について、同条第七項から第九項まで及び第七十四条の二から第七十四条の四までの規定は第二項の規定による請求者の署名について、それぞれ準用する。この場合において、第七十四条第五項中「第一項の選挙権を有する者」とあるのは「第二百九十一条の六第二項に規定する広域連合を組織する普通地方公共団体又は特別区の議会の議員及び長の選挙権を有する者で当該広域連合の区域内に住所を有するもの（以下「請求権を有する者」という。）」と、同条第六項中「選挙権を有する者」とあるのは「請求権を有する者」と、同項第一号中「に係る」とあるのは「の加入する広域連合に係る」と、「された者」とあるのは「された者のうち当該広域連合の区域内に住所を有するもの」と、同項第三号中「普通地方公共団体（当該普通地方公共団体が、都道府県である場合には当該都道府県」とあるのは「広域連合（当該広域連合」と、「（以下この号において「指定都市」という。）の区及び総合区を含み、指定都市である場合には当該市の区及び総合区」とあるのは「の区及び総合区」と、同条第八項並びに第七十四条の四第三項及び第四項中「選挙権を有する者」とあるのは「請求権を有する者」と読み替えるほか、必要な技術的読替えは、政令で定める。

6　第二百五十二条の三十八第一項、第二項及び第四項から第六項までの規定は、第一項において準用する第二百五十二条の三十九第一項の規定により第二百五十二条の二十七第三項に規定する個別外部監査契約に基づく監査によることが求められた第一項において準用する第七十五条第一項の請求に係る事項についての第二百五十二条の二十九に規定する個別外部監査人の監査について準用する。この場合において、必要な技術的読替えは、政令で定める。

7　政令で特別の定めをするものを除くほか、公職選挙法中普通地方公共団体の選挙に関する規定は、第一項において準用する第七十六条第三項の規定による解散の投票並びに第八十条第三項及び第八十一条第二項の規定による解職の投票について準用する。

8　前項の投票は、政令で定めるところにより、広域連合の選挙人による選挙と同時に行うことができる。

＊本条—追加〔平六・六法四八〕、一項—一部改正・六項—追加・旧六・七項—一項ずつ繰下〔平九・六法六七〕、一項—一部改正〔平一一・七法八七〕、二・五項—一部改正〔平一四・三法四〕、一・五項—一部改正〔平二三・五法三五〕、二・五項—一部改正〔平二四・九法七二〕、一・五項—一部改正〔平二六・五法四二〕、一・五・六項—一部改正〔平二八・一二法九四〕、一・三・八項—一部改正〔平二九・六法五四〕

【引用条文】

①【法第五章（法七五6後段・八〇4後段・八五・八六4後段を除く。）・七四（条例の制定又は改廃の請求とその処置）1・二五二の三九（第七五条の規定による監査の特例）1～13・15

⑤【法七四（条例の制定又は改廃の請求とその処置）5～9・七四の二（署名の証明・縦覧・争訟等）・七四の三（署名の無効及び関係人の出頭証言）・七四の四（署名に関する罰則）

⑥【法七五（監査の請求とその処置）1・二五二の三八（包括外部監査人の監査）1・2・4～6・二五二の三九（第七五条の規定による監査の特例）1・二五二の二七（外部監査契約）3・二五二の二九（特定の事件についての監査の制限）

⑦【法七六（議会の解散の請求とその処置）3・八〇（議員の解職の請求とその処置）3・八一（長の解職の請求とその処置）2

【参照条文】

①【特別の定め—令二二二2・二二二の三2・二二三2・二二四2・二二五2・二二六の二2
【政令—令二二二1・二二二の三1・二二三1・二二四1・二二五1・二二六の二1

②【政令—令二二七の二

⑤【政令—令二二七1

⑦【特別の定め—令二二三の三・二二三の四・二二三の六・二二三の七・二二四の三・二二四の五・二二五の三・二二五の五・二二五の六

【通　知】

●広域連合については、普通地方公共団体と同様の直接請求が認められることとされたこと。（平七・六・一五通知）

●広域連合における直接請求は、普通地方公共団体の直接請求の手続に準じて行われるものであること。（平七・六・一五通知）

●広域連合の議会の解散、議会の議員又は長の解職の投票の手続は、都道府県における投票の手続に準じて行うこととし、公職選挙法及び公職選挙法施行令の規定中都道府県の議会の議員又は長の選挙に関する部分は広域連合の投票に関する規定とみなし、都道府県の選挙管理委員会に関する部分は広域連合の選挙管理委員会に関する規定とみなすこととしたものであること。（平七・六・一五通知）

（広域計画）

第二百九十一条の七　広域連合は、当該広域連合が設けられた後、速やかに、その議会の議決を経て、広域計画を作成しなければならない。

2　広域計画は、第二百九十一条の二第一項又は第二項の規定により広域連合が新たに事務を処理することとされたとき（変更されたときを含む。）その他これを変更することが適当であると認められるときは、変更することができる。

3　広域連合は、広域計画を変更しようとするときは、その議会の議決を経なければならない。

4　広域連合及び当該広域連合を組織する地方公共団体は、広域計画に基づいて、その事務を処理するようにしなければならない。

5　広域連合の長は、当該広域連合を組織する地方公共団体の事務の処理が広域計画の実施に支障があり又は支障があるおそれがあると認めるときは、当該広域連合の議会の議決を経て、当該広域連合を組織する地方公共団体に対し、当該広域計画の実施に関し必要な措置を講ずべきことを勧告することができる。

6　広域連合の長は、前項の規定による勧告を行つたときは、当該勧告を受けた地方公共団体に対し、当該勧告に基づいて講じた措置について報告を求めることができる。

＊本条—追加〔平六・六法四八〕、二・五・七・八・九項—一部改正〔平一一・七法八七〕、三・四項—一部改正〔平一一・一二法一六〇〕、二～四項—削る・旧五項—二項に繰上・旧六項—一部改正し三項に繰上・旧七～九項—三項ずつ繰上〔平二三・五法三五〕

【引用条文】

②【法二九一の二（広域連合による事務の処理等）1・2

【通　知】

●広域連合においては、これを組織する地方公共団体やその住民に対して当該広域連合の目標等を明確に示しながら事務処理に当たるとともに、広域的調整を図りながら広域行政を円滑に行うため、その設置に当たつて広域計画の作成が義務づけられているものであること。（平七・六・一五通知）

●広域計画には、広域連合の処理する事務のみならず、当該広域連合を組織する地方公共団体が相互に役割分担を行い、連絡調整を図りながら処理することが必要な事務についても定めるものであること。（平七・六・一五通知）

●広域連合及びこれを組織する地方公共団体は、広域計画に基づいて事務を処理しなければならず、また、広域連合の長は、広域計画の実施に支障があると認めるときは、広域連合の議会の議決を経て広域連合を組織する地方公共団体に対し、必要な措置を講ずるよう勧告することができるものであること。（平七・六・一五通知）
●広域計画の作成又は変更に当たつては、必要に応じ、広域連合を組織する地方公共団体との連絡調整を図ること。（平七・六・一五通知）

（**協議会**）
第二百九十一条の八　広域連合は、広域計画に定める事項を一体的かつ円滑に推進するため、広域連合の条例で、必要な協議を行うための協議会を置くことができる。
2　前項の協議会は、広域連合の長（第二百九十一条の十三において準用する第二百八十七条の三第二項の規定により長に代えて理事会を置く広域連合にあつては、理事）及び国の地方行政機関の長、都道府県知事（当該広域連合を組織する地方公共団体である都道府県の知事を除く。）、広域連合の区域内の公共的団体等の代表者又は学識経験を有する者のうちから広域連合の長（第二百九十一条の十三において準用する第二百八十七条の三第二項の規定により長に代えて理事会を置く広域連合にあつては、理事会）が任命する者をもつて組織する。
3　前項に定めるもののほか、第一項の協議会の運営に関し必要な事項は、広域連合の条例で定める。
＊本条—追加（平六・六法四八）、二項—一部改正（平一二・九法七二）

（**広域連合の分賦金**）
第二百九十一条の九　第二百九十一条の四第一項第九号に掲げる広域連合の経費の支弁の方法として、広域連合を組織する普通地方公共団体又は特別区の分賦金に関して定める場合には、広域連合が作成する広域計画の実施のために必要な連絡調整及び広域計画に基づく総合的かつ計画的な事務の処理に資するため、当該広域連合を組織する普通地方公共団体又は特別区の人口、面積、地方税の収入額、財政力その他の客観的な指標に基づかなければならない。
2　前項の規定により定められた広域連合の規約に基づく地方公共団体の分賦金については、当該地方公共団体は、必要な予算上の措置をしなければならない。
＊本条—追加（平六・六法四八）
【引用条文】①【法二九一の四（規約等）1Ⅸ】

（**解散**）
第二百九十一条の十　広域連合を解散しようとするときは、関係地方公共団体の協議により、第二百八十四条第二項の例により、総務大臣又は都道府県知事の許可を受けなければならない。
2　総務大臣は、前項の許可をしようとするときは、国の関係行政機関の長に協議しなければならない。
3　都道府県知事は、第一項の許可をしたときは、直ちにその旨を公表するとともに、総務大臣に報告しなければならない。
4　総務大臣は、第一項の許可をしたときは直ちにその旨を告示するとともに、これを国の関係行政機関の長に通知し、前項の規定による報告を受けたときは直ちにその旨を国の関係行政機関の長に通知しなければならない。
＊本条—追加（平六・六法四八）、一～四項—一部改正（平一一・一二法一六〇）
【引用条文】①【法二八四（組合の種類及び設置）2】
【通　知】●広域連合は、一部事務組合と異なり、解散についても自治大臣（現行では総務大臣）又は都道府県知事の許可が必要とされているものであること。（平七・六・一五通知）
●国から権限又は事務を委任されている広域連合を解散しようとするときは、自治大臣（現行では総務大臣）及び当該権限又は事務を委任している国の行政機関の長と連絡調整を図り、解散後の事務処理に遺漏のないよう措置すべきこと。（平七・六・一五通知）

（**議会の議決を要する協議**）
第二百九十一条の十一　第二百八十四条第三項、第二百九十一条の三第一項及び第三項、前条第一項並びに第二百九十一条の十三において準用する第二百八十九条の協議については、関係地方公共団体の議会の議決を経なければならない。
＊本条—追加（平六・六法四八）
【引用条文】【法二八四（組合の種類及び設置）3・二九一の三（組織、事務及び規約の変更）1・3・二九一の一〇（解散）1・二九一の一三（一部事務組合に関する規定の準用）・二八九（財産処分）】
【参照条文】【議会の議決—法九六1ⅩⅤ・一一六】

（**経費分賦等に関する異議**）
第二百九十一条の十二　広域連合の経費の分賦に関し、違法又は錯誤があると認めるときは、広域連合を組織する地方公共団体は、その告知を受けた日から三十日以内に当該広域連合の長に異議を申し出ることができる。

2　第二百九十一条の三第四項の規定による広域連合の規約の変更のうち第二百九十一条の四第一項第九号に掲げる事項に係るものに関し不服があるときは、広域連合を組織する地方公共団体は、第二百九十一条の三第四項の規定による通知を受けた日から三十日以内に当該広域連合の長に異議を申し出ることができる。

3　広域連合の長は、第一項の規定による異議の申出があつたときは当該広域連合の議会に諮つてこれを決定し、前項の規定による異議の申出があつたときは当該広域連合の議会に諮つて規約の変更その他必要な措置を執らなければならない。

4　広域連合の議会は、前項の規定による諮問があつた日から二十日以内にその意見を述べなければならない。

＊本条—追加〔平六・六法四八〕

【引用条文】

②【法二九一の三（組織、事務及び規約の変更）4・二九一の四（規約等）1Ⅸ

（一部事務組合に関する規定の準用）

第二百九十一条の十三　第二百八十七条の三第二項、第二百八十七条の四及び第二百八十九条の規定は、広域連合について準用する。この場合において、第二百八十七条の三第二項中「第二百八十五条の一部事務組合」とあるのは「広域連合」と、第二百八十九条中「第二百八十六条、第二百八十六条の二又は前条」とあるのは「第二百九十一条の三第一項、第三項若しくは第四項又は第二百九十一条の十第一項」と読み替えるものとする。

＊本条—追加〔平六・六法四八〕、一部改正〔平二四・九法七二〕

【引用条文】

【法二八七の三（議決方法の特例及び理事会の設置）2・二八七の四（議決事件の通知）・二八九（財産処分）・二八五（複合的一部事務組合の設置）・二八六（組織、事務及び規約の変更）・二八六の二（脱退による組織、事務及び規約の変更の特例）・二九一の三（組織、事務及び規約の変更）1・3・4・二九一の一〇（解散）1

第四節　雑則

＊本節—節名追加〔平六・六法四八〕、旧六節—繰下〔平二三・五法三五〕

（普通地方公共団体に関する規定の準用）

第二百九十二条　地方公共団体の組合については、法律又はこれに基づく政令に特別の定めがあるものを除くほか、都道府県の加入するものにあつては都道府県に関する規定、市及び特別区の加入するもので都道府県の加入しないものにあつては市に関する規定、その他のものにあつては町村に関する規定を準用する。

＊本条—一部改正〔昭二七・八法三〇六、昭三一・六法一四七〕、本条—見出し追加・一部改正〔平六・六法四八〕

【参照条文】

【「特別の定め」の例示—法二八四〜二九一の一三・二九三　令二一一〜二一八の二　選挙法二六七　地公法七3　地教法二等

【実　例】

1）●準用される法令は、地方自治法、同法施行令、同法施行規則中の規定だけに限らず、他のすべての法令を含む。（昭二六・一一・二五行実）

●組合の管理者及び組合議会の議員がともに住民の直接選挙による場合以外は、一部事務組合に対し不信任議決の規定は準用されない。（昭二八・三・一四行実）

●県の加入する一部事務組合の場合、地方公務員法第三六条第二項の規定により政治的行為の制限される区域は、県の区域である。（昭二六・一二・二五行実）

●一部事務組合を構成する普通地方公共団体の住民は、当該一部事務組合の監査委員に対し、地方自治法第二四二条の規定による住民監査請求ができる。（昭四五・七・一四行実）

※

（数都道府県にわたる組合に関する特例）

第二百九十三条　市町村及び特別区の組合で数都道府県にわたるものに係る第二百八十四条第二項及び第三項、第二百八十六条第一項本文、第二百九十一条の三第一項本文並びに第二百九十一条の十第一項の許可並びに第二百八十五条の二第一項の規定による勧告は、これらの規定にかかわらず、政令で定めるところにより、総務大臣が関係都道府県知事の意見を聴いてこれを行い、市町村及び特別区の組合で数都道府県にわたるものに係る第二百八十六条第二項、第二百八十八条並びに第二百九十一条の三第三項及び第四項の届出は、これらの規定にかかわらず、関係都道府県知事を経て総務大臣にこれをしなければならない。

＊本条—一部改正〔昭二二・一二法一六九〕、全改〔昭三六・一法三五〕、一部改正〔平三・五法七九〕、全改〔平六・六法四八〕、二項—一部改正〔平一一・七法八七〕、一・二項—一部改正〔平一一・一二法一六〇〕、一項—一部改正・二項—削る〔平

二三・五法三五〕

【引用条文】

【法二八四（組合の種類及び設置）2・3・二八五の二（設置の勧告等）1・二八六（組織、事務及び規約の変更）・二八八（解散）・二九一の三（組織、事務及び規約の変更）1・3・4・二九一の一〇（解散）1

【参照条文】

※法二五三

（政令への委任）

第二百九十三条の二　この法律に規定するもののほか、地方公共団体の組合の規約に関する事項その他本章の規定の適用に関し必要な事項は、政令で定める。

＊本条―追加〔昭四九・六法七一〕、本条―見出し追加〔平六・六法四八〕

第四章　財産区

＊旧四節―四章に改正〔昭二二・一二法一六九〕

（財産区の意義及びその運営）

第二百九十四条　法律又はこれに基く政令に特別の定があるものを除く外、市町村及び特別区の一部で財産を有し若しくは公の施設を設けているもの又は市町村及び特別区の廃置分合若しくは境界変更の場合におけるこの法律若しくはこれに基く政令の定める財産処分に関する協議に基き市町村及び特別区の一部が財産を有し若しくは公の施設を設けるものとなるもの（これらを財産区という。）があるときは、その財産又は公の施設の管理及び処分又は廃止については、この法律中地方公共団体の財産又は公の施設の管理及び処分又は廃止に関する規定による。

②　前項の財産又は公の施設に関し特に要する経費[1]は、財産区の負担とする。

③　前二項の場合においては、地方公共団体は、財産区の収入及び支出については会計を分別[2]しなければならない。

＊一項―一部改正〔昭二七・八法三〇六、昭二九・六法一九三、昭三一・六法一四七〕、一・二項―一部改正〔昭三八・六法九九〕

【参照条文】

①【特別の定―法二九五～二九七　令二一九～二二二　【特別区―法一の三3・二八一1　【財産処分に関する協議―法七5　【管理及び処分に関する規定―法九六1Ⅵ・Ⅷ・一四九Ⅵ・二三七～二四〇　※地財法八

【実例・判例・注釈】

1）●財産区議会の議員の選挙に要する費用は、財産区において負担すべきである。（昭四四・四・三行実）

2）○「会計を分別」とは、財産区の収支は明確にしておく必要があるため、市町村又は特別区の会計と分別して経理することが要求されており、特別会計を設けることが適当である。

●財産区の財産を財産区の財産の管理及び処分に関係のない公共事業等のために使う場合は、議会の議決により、町の予算に繰入れ、町の予算を通して使うのが正しい。（昭三八・一二・八行実）

※●区会又は区総会のない町村の一部の所有する不動産の売却贈与は、町村会の議決をもつて町村長が処理すべきものである。（行実）

※●財産を所有する部落に区会が設けられていない場合は、町村会の議決により町村長がその事務を管理すべきである。（明三八大審判）

※●市町村の一部の所有に属する財産より生ずる収入は一部の費用に充て、残余があつても住民に分配するのは穏当でない。（行実）

※●財産区の財産の全部を処分した場合、財産区は法人格を失う。（行実）

※●財産区の区域内の一部の地域を財産区の区域から除外することはできない。（昭四一・一〇・一二行実）

※●在来の部落有財産の本質に変更がない限り、当該財産を処分して得たもので他の財産を取得できる。（昭二七・一一・七行実）

※●財産区の設置する営造物（現行法では公の施設）に地方公営企業法の規定を適用することはさしつかえない。（昭二八・六・二九行実）

※●財産区は財産の交換をなしうる。（昭三四・五・二六行実）

※●財産区が鉱業権設定の出願をし、鉱業権を取得することはさしつかえない。（昭三四・八・二六行実）

※●財産区は、その財産又は営造物（現行法では公の施設）の管理行為の一部と認められる限り、温泉の諸施設の整備又は環境の改善等の事業を行うことができるが、起債又は一時借入の当事者となることはできない。（昭二九・三・九行実）

※●財産区がその財産又は営造物（現行法では公の施設）の管理上必要な限度をこえてする補助金の支出は違法である。（昭三五・四・一八行実）

※●財産区の保有する山林等の財産の維持と山林処分代金の積立てをあわせて一本とした基金を設けても、また、山林処分代金の積立てのみについて基金を設けても、さしつかえない。（昭三九・九・二五行実）

※●財産区の基金条例は、当該財産区のある市町村の

長が財産区議会に提案し議決を経て当該市町村の公告式により公布するものである。（昭三九・九・二五行実）

※●財産区議会の議決に付すべき契約、財産の取得及び処分についての令第一二一条の二の基準については、市の区域内にある財産区については市の基準が、町村の区域内にある財産区については町村の基準が適用になる。（昭四〇・七・一三行実）

※●財産区は監査委員を置くことはできず、財産区所在の市町村の監査委員が監査を行う。（昭二九・三・九行実）

※●財産区が新たに取得することができる財産は、当該財産区の本来の目的及び性格から許される範囲内のものでなければならないが、当該財産区が交換しようとする財産又は当該財産区が処分した財産と同一種類の財産に限られるわけではない。（昭五八・三・二六行実）

※●財産区は、その本来の目的及び性格に反しない限り、その財産の管理又は処分により生じた現金をもつて財産を取得できる。（昭五八・三・二六行実）

（財産区の議会又は総会の設置及びその権限）

第二百九十五条　財産区の財産又は公の施設に関し必要[1]があると認めるときは、都道府県知事は、議会の議決を経[2]て市町村又は特別区の条例を設定し、財産区の議会又は総会を設けて財産区に関し市町村又は特別区の議会の議決すべき事項を議決させることができる。

＊本条—一部改正〔昭三一・六法一四七、昭三八・六法九九〕

【参照条文】
【※財産区議会又は総会設置上の注意—法二九六の二】
4【※議会又は総会に関する必要事項—法二九六】
【議決すべき事項—法九六　※法二九六の三
※法八九・九四】

【実　例】

1）●「必要があると認める場合」とは、財産区の事務が複雑なため若しくはきわめて一局部のため又は町村と利害が一致しないため等により、財産区固有の意思決定機関を設ける必要がある場合等をいう。（昭二七・六・一二行実）

2）●財産区議会を設置する場合の議会の議決とは、市町村又は特別区の議会の議決である。（昭二二・一・三一行実）

※●財産区議会を廃止する条例の提案権は知事にある。（昭三〇・一・六行実）

※●財産区議会設置条例の改廃は、知事が財産区議会に提案して、その議決を得ることによりできる。（昭三三・二・二六行実）

※●財産区の議会に関する条例の公布は、知事が市町村の公告式により公布すべきである。（昭三一・五・二四行実）

※●財産区の議会において財産区の事務に従事する職員の給与条例を制定することはできない。（昭三五・四・一八行実）

（財産区の議会又は総会の組織）

第二百九十六条　財産区の議会の議員の定数、任期、選挙権、被選挙権及び選挙人名簿に関する事項は、前条[1]の条[2]例中にこれを規定しなければならない。財産区の総会の組織に関する事項についても、また、同様とする。

②　前項に規定するものを除く外、財産区の議会の議員の選挙については、公職選挙法第二百六十八条の定めるところによる。

③　財産区の議会又は総会に関しては、第二編中町村の議会に関する規定を準用する。

＊二項—全改〔昭二五・四法一〇一〕

【引用条文】
②【選挙法二六八（財産区の特例）】
【参照条文】
③【議会に関する規定—法二編六章（法八九～一三八の二）（議会）】

【実　例】

1）●財産区の議会の議員の選挙人名簿は、当該市町村の選挙人名簿と別に調製すべきである。（昭一八・六・二三行実）

2）●選挙人名簿の記載に関する異議申立等の争訟手続は、「条例中」に含まれず、公職選挙法第二六八条の規定による。（昭二四・一・一〇行実）

※●財産区の議会議員は、区域の一部が重複する他の財産区の議会議員を兼職できない。（昭三八・三・二七行実）

（財産区管理会の設置及び組織）

第二百九十六条の二　市町村及び特別区は、条例で、財産区[1]に財産区管理会を置くことができる。但し、市町村及び特別区の廃置分合又は境界変更の場合において、この法律又はこれに基く政令の定める財産処分に関する協議により財産区を設けるときは、その協議により当該財産区に財産区管理会を置くことができる。

②　財産区管理会は、財産区管理委員七人以内を以てこれを組織する。

③　財産区管理委員は、非常勤とし、その任期は、四年とする。

④　第二百九十五条の規定により財産区の議会又は総会を設ける場合においては、財産区管理会を置くことができない。

＊本条—追加〔昭二九・六法一九三〕、一項—一部改正〔昭三一・六法一四七〕

【引用条文】

④【法二九五（財産区の議会又は総会の設置及びその権限）】

【参照条文】

①【財産区の設置―法二九四1】【財産処分に関する協議―法七5】

④【議会又は総会の設置―法二九五】

【実　例】

1）●財産区管理会は任意設置の機関であり、これを設置する場合には財産区ごとに条例で定めなければならないが、一条例で一括して規定することはさしつかえない。（昭三〇・一・六行実）

〔財産区管理会の権能〕

第二百九十六条の三　市町村長及び特別区の区長は、財産区の財産又は公の施設の管理及び処分又は廃止で条例又は前条第一項但書に規定する協議で定める重要なものについては、財産区管理会の同意を得なければならない。

②　市町村長及び特別区の区長は、財産区の財産又は公の施設の管理に関する事務の全部又は一部を財産区管理会の同意を得て、財産区管理会又は財産区管理委員に委任することができる。

③　財産区管理会は、当該財産区の事務の処理について監査することができる。

＊本条―追加〔昭二九・六法一九三〕、一・二項―一部改正〔昭三一・六法一四七〕、一・二項―一部改正〔昭三八・六法九九〕

【参照条文】

①【特別区―法二八一1】【但書に規定する協議―法七5】

※法二九四

【実　例】

1）●財産区の歳入歳出予算の調製、財産区の財産の管理及び処分に関する議案の提出、財産区の収支を命令し金銭若しくは物品の出納保管を掌る事務等は、財産区管理会又は財産区管理委員に委任できない。（昭三一・三・二六行実）

〔財産区管理会の運営等〕

第二百九十六条の四　前二条に定めるものを除く外、財産区管理委員の選任、財産区管理会の運営その他財産区管理会に関し必要な事項は、条例でこれを定める。但し、第二百九十六条の二第一項但書の規定により財産区管理会を置く場合においては、同項但書に規定する協議によりこれを定めることができる。

②　市町村長及び特別区の区長は、財産区管理会の同意を得て、条例で第二百九十六条の二第一項但書に規定する協議の内容を変更することができる。

＊本条―追加〔昭二九・六法一九三〕、二項―一部改正〔昭三一・六法一四七〕

【引用条文】

①・②【法二九六の二（財産区管理会の設置及び組織）1但書】

【参照条文】

①【但書に規定する協議―法七5】

②【特別区―法二八一1】

【実　例】

1）●財産区管理会条例において定められている管理会の委員の選任方法を改めようとする場合、当該管理会条例の改正の発案権は、議員にもある。（昭四四・六・三〇行実）

2）●本条第二項の条例は、条例の改廃請求の対象となり、この請求が成立した場合における改廃にも財産区管理会の同意を要する。（昭三一・五・一六行実）

※　●財産区管理会の委員が退職しようとする場合の退職願の提出先は、財産区管理会に関する条例又は協議の定めるところによるが、一般的には、財産区管理会の同意をえて退職することができることとするのが適当である。（昭三六・一・三一行実）

〔財産区運営の基本原則等〕

第二百九十六条の五　財産区は、その財産又は公の施設の管理及び処分又は廃止については、その住民の福祉を増進するとともに、財産区のある市町村又は特別区の一体性をそこなわないように努めなければならない。

②　財産区のある市町村又は特別区は、財産区と協議して、当該財産区の財産又は公の施設から生ずる収入の全部又は一部を市町村又は特別区の事務に要する経費の一部に充てることができる。この場合においては、当該市町村又は特別区は、その充当した金額の限度において、財産区の住民に対して不均一の課税をし、又は使用料その他の徴収金について不均一の徴収をすることができる。

③　前項前段の協議をしようとするときは、財産区は、予めその議会若しくは総会の議決を経、又は財産区管理会の同意を得なければならない。

＊本条―追加〔昭二九・六法一九三〕、一・二・三・五項―一部改正〔昭三一・六法一四七、昭三八・六法九九〕、二・五項―一部改正〔平一一・七法八七〕、二項―削る・旧三・四項―一項ずつ繰上・五項―削る〔平一三・五法三五〕

【参照条文】

①【住民福祉の増進―法二14】【特別区―法二八一1】

②【不均一の課税―※地税法六2・七】【使用料その他の徴収金―法二二四～二二七】

③【議会・総会―法二九五】【管理会―法二九六の二

【議決―法九六1XV・二一六】

〔財産区に係る関与及び裁定〕

第二百九十六条の六　都道府県知事は、必要があると認めるときは、財産区の事務の処理について、当該財産区のある市町村若しくは特別区の長に報告若しくは資料の提出を求め、又は監査することができる。

② 財産区の事務に関し、市町村若しくは特別区の長若しくは議会、財産区の議会若しくは総会又は財産区管理会の相互の間に紛争があるときは、都道府県知事は、当事者の申請に基き又は職権により、これを裁定することができる。

③ 前項に規定するものを除く外、同項の裁定に関し必要な事項は、政令で定める。

＊ 本条―追加〔昭二九・六法一九三〕、一・二項―一部改正〔昭三一・六法一四七〕、一項―一部改正〔平一一・七法八七〕

【参照条文】

③【政令―令二一九～二二一　※令一七四の六・一七四の七

※　法九・二四五の四・二四五の五・二四五の七・二五一～二五一の三・二五二の一七の五～二五二の一七の七

【実　例】

1）●財産区の財産について監査若しくは検査を行った場合の議会への報告又は決算の認定は当該財産区の議会のみでよい。（昭三九・九・二九行実）

〔政令への委任〕

第二百九十七条　この法律に規定するものを除く外、財産区の事務に関しては、政令でこれを定める。

【参照条文】

【政令の定―令二二二】

第四編　補則

〔事務の区分〕

第二百九十八条　都道府県が第三条第六項、第七条第一項及び第二項（第八条第三項の規定によりその例によることとされる場合を含む。）、第八条の二第一項、第二項及び第四項、第九条第一項及び第二項（同条第十一項において準用する場合を含む。）並びに第五項及び第九項（同条第十一項及び第九条の三第六項において準用する場合を含む。）、第九条の二第一項及び第五項並びに第九条の三第一項及び第三項の規定により処理することとされている事務、第二百四十五条の四第一項の規定により処理することとされている事務（市町村が処理する事務が自治事務又は第二号法定受託事務である場合には、同条第二項の規定による各大臣の指示を受けて行うものに限る。）、第二百四十五条の五第三項の規定により処理することとされている事務、第二百四十五条の七第二項、第二百四十五条の八第十二項において準用する同条第一項から第四項まで及び第八項並びに第二百四十五条の九第二項の規定により処理することとされている事務（市町村が処理する第一号法定受託事務に係るものに限る。）、第二百五十二条第二項の規定により処理することとされている事務、同条第三項の規定により処理することとされている事務（市町村が処理する第一号法定受託事務に係るものに限る。）、第二百五十二条の十七の四第一項及び第三項（第二百九十一条の二第三項において準用する場合を含む。）の規定により処理することとされている事務、第二百五十二条の十七の五第一項の規定により処理することとされている事務（同条第二項の規定による総務大臣の指示を受けて行うものに限る。）、第二百五十二条の十七の六第二項及び第二百五十二条の十七の七の規定により処理することとされている事務、第二百五十二条の二十六の三第一項及び第二項の規定により処理することとされている事務（市町村が処理する事務が自治事務又は第二号法定受託事務である場合には、同条第三項において準用する第二百四十五条の四第二項の規定による各大臣の指示を受けて行うものに限る。）、第二百五十二条の二十六の四及び第二百五十二条の二十六の五第三項の規定により処理することとされている事務、第二百五十五条の二の規定により処理することとされている事務（第一号法定受託事務に係るものに限る。）、第二百六十一条第二項から第四項までの規定により処理することとされている事務、第二百八十四条第二項の規定により処理することとされている事務（都道府県の加入しない一部事務組合に係る許可に係るものに限る。）、同条第三項の規定により処理することとされている事務（都道府県の加入しない広域連合に係る許可に係るものに限る。）、第二百八十六条（第二百八十六条の二第二項の規定によりその例によることとされる場合を含む。）及び第二百八十六条の二第四項の規定により処理することとされている事務（都道府県の加入しない一部事務組合に係る許可又は届出に係るものに限る。）、第二百八十八条の規定により処理することとされている事務（都道府県の加入しない一部事務組合に係る届出に係るものに限る。）、第二百九十一条の三第一項及び第三項から第五項までの規定により処理することとされている事務（都道府県の加入しない広域連合に係る許可又は届出に係るものに限る。）、第二百九十一条の十第一項の規定により処理することとされている事務（都道府県の加入しない広域連合に係る許可に係るものに限る。）、同条第三項の規定により処理することとされている事務並びに第二百六十二条第一項において準用する公職選挙法中普通地方公共団体の選挙に関する規定により処理することとされている事務は、第一号法定受託事務とする。

2 都が第二百八十一条の四第一項、第二項（同条第九項及び第十一項において準用する場合を含む。）、第八項及び第十項の規定により処理することとされている事務は、第一号法定受託事務とする。

3 市町村が第二百六十一条第二項から第四項までの規定により処理することとされている事務及び第二百六十二条第一項において準用する公職選挙法中普通地方公共団体の選挙に関する規定により処理することとされている事務は、第一号法定受託事務とする。

＊本条—追加〔平一一・七法八七〕、一項—一部改正〔平一一・一二法一六〇〕、旧三一〇条—繰上・一項—一部改正〔平二三・五法三五〕、一項—一部改正〔平二四・九法七二、令六・六法六五〕

【参照条文】
※法二（地方公共団体の法人格とその事務）9Ⅰ

（事務の区分）
第二百九十九条 市町村が第七十四条の二第一項から第三項まで、第五項、第六項及び第十項並びに第七十四条の三第三項（これらの規定を第七十五条第六項、第七十六条第四項、第八十条第四項、第八十一条第二項及び第八十六条第四項において準用する場合を含む。）の規定により処理することとされている事務（都道府県に対する請求に係るものに限る。）並びに第八十五条第一項において準用する公職選挙法中普通地方公共団体の選挙に関する規定により処理することとされている事務（第七十六条第三項の規定による都道府県の議会の解散の投票並びに第八十条第三項及び第八十一条第二項の規定による都道府県の議会の議員及び長の解職の投票に関するものに限る。）は、第二号法定受託事務とする。

＊本条—追加〔平一一・七法八七〕、旧三一一条—繰上〔平二三・五法三五〕、本条—一部改正〔平二九・六法五四〕

【参照条文】
※法二（地方公共団体の法人格とその事務）9Ⅱ

附　則（抄）

（施行期日）
第一条 この法律は、日本国憲法施行の日〔昭二二・五・三〕から、これを施行する。

＊一項—一部改正・二項—追加〔昭二二・一二法一六九〕、一項—一部改正〔昭二二・一二法一九六〕、二項—一部改正〔昭二三・三法一四、昭二三・五法三二〕、二項—削る〔昭二六・六法二〇三〕

（廃止法律の効力）
第二条 東京都制、道府県制、市制及び町村制は、これを廃止する。但し、東京都制第百八十九条乃至第百九十一条及び第百九十八条の規定は、なお、その効力を有する。

【引用条文】
【東京都制一八九〜一九一・一九八】

（府県知事・市町村長・議員等の身分の経過措置）
第三条 この法律施行の際現に東京都長官、北海道庁長官、府県知事、市町村長及び市町村長に準ずる者若しくは東京都議会議員、道府県会議員、市町村会議員及び市町村会議員に準ずる者又は都道府県若しくは市町村及びこれに準ずるものの他の職に在る者は、この法律又は他の法律で別に定める者を除く外、この法律により選挙又は選任された都道府県若しくは市町村及びこれに準ずるものの長若しくは議会の議員又は都道府県若しくは市町村及びこれに準ずるものの他の相当する職に在る者とみなし、任期があるものについては、その任期は、従前の規定による選挙又は就任の日からこれを起算する。

② 都又は特別区の議会の議員の定数は、第九十条第一項又は第九十一条第一項の規定にかかわらず、次の総選挙までの間は、なお、従前の規定による。

【引用条文】
②【法九〇（都道府県議会の議員の定数）1・九一（市町村議会の議員の定数）1】

（都道府県の職制）
第四条 この法律又は他の法律に特別の定があるものを除く外、都道府県に関する職制に関しては、当分の間、なお、従前の都庁府県に関する官制の規定を準用する。但し、政令で特別の規定を設けることができる。

② 都道府県知事は、前項の規定にかかわらず、条例で、必要な地に労政事務所を置くことができる。

＊本条—一部改正〔昭二二・一二法一九六〕、二項—追加〔昭三一・六法一四七〕

（都道府県の補助職員に関する特例）
第五条 この法律又は他の法律に特別の定めがあるものを除くほか、都道府県知事の補助機関である職員に関しては、別に普通地方公共団体の職員に関して規定する法律が定められるまで従前の都庁府県の官吏又は待遇官吏に関する各相当規定を準用する。ただし、政令で特別の規定を設けることができる。

② 都道府県知事の補助機関である職員は、政令の定めるところにより、分限委員会の承認を得なければ事務の都合により休職を命ぜられることはない。

③ 前項の分限委員会の名称、組織、権限等は、政令でこれを定める。

＊一項一部改正〔昭二二・一二法一六九〕、一・二項一部改正〔平一八・六法五三〕

〔強制徴収できる使用料等〕

第六条 他の法律で定めるもののほか、第二百三十一条の三第三項に規定する法律で定める使用料その他の普通地方公共団体の歳入は、次に掲げる普通地方公共団体の歳入とする。

一 港湾法（昭和二十五年法律第二百十八号）の規定により徴収すべき入港料その他の料金、占用料、土砂採取料、過怠金その他の金銭

二 土地改良法（昭和二十四年法律第百九十五号）の規定により土地改良事業の施行に伴い徴収すべき清算金、仮清算金その他の金銭

三 下水道法（昭和三十三年法律第七十九号）第十八条から第二十条まで（第二十五条の三十において第十八条及び第十八条の二を準用する場合を含む。）の規定により徴収すべき損傷負担金、汚濁原因者負担金、工事負担金及び使用料

四 漁港及び漁場の整備等に関する法律（昭和二十五年法律第百三十七号）第三十五条、第三十九条の二第十項又は第三十九条の五の規定により徴収すべき漁港の利用の対価、負担金、土砂採取料、占用料及び過怠金

＊本条一追加〔昭四四・三法二〕、一部改正〔昭四五・一二法一四一、昭四七・六法一〇六、昭四八・一〇法一一二〕、旧六条の五―六条に繰上〔平七・三法五二〕、一部改正〔平一一・五法七八、平一三・六法九二、平二七・五法三二、令三・五法三一、令五・五法三四〕

【引用条文】

【法二三一の三（督促、滞納処分等）3】【下水道法一八（損傷負担金）・一八の二（汚濁原因者負担金）・一九（工事負担金）・二〇（使用料）・二五の三〇（準用規定）】【漁港及び漁場の整備等に関する法律三五（利用の対価の徴収）・三九の二（監督処分）10・三九の五（土砂採取料及び占用料）】

〔勤務年数の通算〕

第七条 都道府県の退職年金及び退職一時金に関する条例（以下本条中「退職年金条例」という。）の規定の適用を受ける職員（都道府県の退職年金条例の適用を受ける市町村立学校職員給与負担法第一条及び第二条に規定する職員を含む。）中政令で定める者（以下本条中「都道府県の職員」という。）又は市町村の退職年金条例の規定の適用を受ける学校教育法第一条に規定する大学、高等学校及び幼稚園の職員並びに市町村の教育事務に従事する職員中政令で定める者（以下本条中「市町村の教育職員」という。）であつた者が恩給法第十九条に規定する公務員（同法同条に規定する公務員とみなされる者を含む。以下本条中「公務員」という。）となつた場合においては、その者に同法の規定を適用し、又は準用するときは、政令で定めるところにより、都道府県又は市町村の退職年金条例の規定により退職年金及び退職一時金の基礎となるべき都道府県の職員又は市町村の教育職員としての在職年月数は、同法の規定による恩給の基礎となるべき在職年数に通算する。但し、市町村の教育職員としての在職年月数については、当該市町村の教育職員に適用される退職年金条例の規定が政令で定める基準に従つて定められていないときは、この限りでない。なお、恩給法第二条第一項に規定する普通恩給を受ける権利を有する都道府県の職員又は市町村の教育職員が公務員となつた場合においては、その普通恩給の基礎となつた都道府県の職員又は市町村の教育職員としての在職年月数以外の都道府県の職員又は市町村の教育職員としての在職年月数は、恩給法の規定による恩給の基礎となるべき在職年数に通算しない。

② 都道府県の職員又は市町村の教育職員が引き続いて公務員となつた場合について前項の規定を適用するときは、恩給法第二条第一項に規定する一時恩給又は一時扶助料に関する同法の規定の適用又は準用については、これを勤続とみなす。

③ 前二項に定めるものの外、恩給の基礎となる在職年の通算に関し必要な事項は、政令でこれを定める。

＊本条一部改正〔昭二二・一二法一六九〕、削除〔昭二二・一二法一九六〕、追加〔昭三一・六法一四七〕、一・二項一部改正〔昭三四・三法一二〕

【引用条文】

【市町村立学校職員給与負担法一・二】【学校教育法一】【恩給法一九・二1】

第八条 削除〔平一一・七法八七〕

〔職員の分限・給与・服務・懲戒等の政令への委任〕

第九条 この法律に定めるものを除くほか、地方公共団体

の長の補助機関である職員、選挙管理委員会の書記並びに監査委員及び監査委員の事務を補助する書記の分限、給与、服務、懲戒等に関しては、別に普通地方公共団体の職員に関して規定する法律が定められるまでの間は、従前の規定に準じて政令でこれを定める。

② この法律に定めるものを除くほか、監査専門委員の分限、給与、服務、懲戒等に関しては、前項の規定を準用する。

＊本条―一部改正〔昭二二・一二法一六九、平一八・六法五三〕、二項―追加〔平二九・六法五四〕

〔**旧軍人軍属等に関する事務の取扱**〕

第十条 都道府県は、軍人軍属であつた者の身上の取扱に関する事務及び未引揚邦人の調査に関する事務を処理しなければならない。但し、政令で特例を設けることができる。

② 前項の事務の処理に関しては、政令で必要な規定を設けることができる。

③ 第一項の事務を処理するために要する経費は、国庫の負担とする。

＊一・二項―一部改正〔昭二三・一二法二八〇〕、一・三項―一部改正〔昭二七・八法三〇六〕、一項―一部改正〔昭二八・八法一六一〕、一・三項―一部改正〔昭三一・六法一四七〕、三項―削る・旧四項―三項に繰上〔平三・五法七九〕

〔**旧法の下にした手続・処分の効力**〕

第十一条 従前の東京都制、道府県制、市制若しくは町村制又はこれらの法律に基いて発する命令によつてした手続その他の行為は、これをこの法律又はこれに基いて発する命令中の相当する規定によつてした手続その他の行為とみなす。

〔**旧法の下に行なつた選挙に関する罰則の適用法規**〕

第十二条 この法律施行前東京都制、道府県制、市制若しくは町村制又はこれらの法律に基いて発する勅令により行つた選挙に関し、これらの法律において準用する衆議院議員の選挙に関する罰則を適用すべきであつた行為については、なお、従前の例による。

〔**他の法令中の地方長官等の意義**〕

第十三条 他の法令中地方長官、東京都長官、北海道庁長官又は都道府県若しくは東京都の区の官吏に関する規定は、政令で特別の規定を設ける場合を除くほか、それぞれ都道府県知事、都知事、道知事又は都道府県若しくは特別区の相当する都道府県知事若しくは特別区の区長の補助機関である職員に関する規定とみなす。

＊本条―一部改正〔昭三一・六法一四七、平一八・六法五三〕

〔**他の法令中の府県参事会等の意義**〕

第十四条 他の法令中都道府県参事会若しくは都道府県参事会員又は市参事会若しくは市参事会員に関する規定は、この法律による都道府県若しくは市の議会又はこれらの議会の議員に関する規定とみなす。

＊本条―一部改正〔昭三一・六法一四七〕

〔**他の法令で旧法の規定を掲げる場合の適用**〕

第十五条 他の法令中に東京都制、道府県制、府県制、市制又は町村制の規定を掲げている場合において、この法律中これらの規定に相当する規定があるときは、政令で特別の規定を設ける場合を除く外、各〻この法律中のこれらの規定に相当する規定を指しているものとする。

〔**指定都市に対する他の法令の適用**〕

第十六条 他の法令中の従前の市制第六条の市又は市制第八十二条第一項若しくは市制第八十二条第三項の市に関する規定は、指定都市に関する規定とみなす。

＊一項―削る・旧二項―一部改正し一項に繰上〔昭三一・六法一四七〕、本条―一部改正〔昭四九・六法七一〕

〔**郡長が管轄した区域に関する規定の適用**〕

第十七条 他の法令中従前郡長の管轄した区域に関する規定は、郡に関する規定とみなす。但し、政令で特別の規定を設けることができる。

＊旧一八条―一七条に繰上〔昭四九・六法七一〕

〔**他の法令中の選挙管理委員会の意義**〕

第十八条 他の法令中都議会議員選挙管理委員会、道府県会議員選挙管理委員会、市町村会議員選挙管理委員会若しくは市町村会議員選挙管理委員会に準ずる選挙管理委員会に関する規定は、都道府県又は市町村若しくは市町村に準ずるものの選挙管理委員会に関する規定とみなす。

＊旧一九条―一八条に繰上〔昭四九・六法七一〕

第十九条 削除〔平六・七法八四〕

＊本条―追加〔昭四九・六法七一〕、削除〔平六・七法八四〕

〔**戸籍法の適用を受けない者の選挙権の停止**〕

第二十条 戸籍法の適用を受けない者の選挙権及び被選挙権は、当分の間、これを停止する。

② 前項の者は、選挙人名簿にこれを登録することができない。

＊二項一部改正〔昭四一・六法七七〕

〔**公有水面埋立地等の所属決定の特例**〕

第二十条の二 地方自治法の一部を改正する法律（昭和三十六年法律第二百三十五号）の施行前に公有水面の埋立てに関する法令により埋立ての竣功の認可又は通知がなされている埋立地又は干拓地で、その編入すべき市町村について同法の施行の際現に争論があり、同法による改正前の第七条第一項後段の規定による処分がなされていないものは、これを公有水面とみなして第九条の三第三項の規定を適用することができる。

＊本条追加〔昭三六・一二法二三五〕

【引用条文】【法九の三（公有水面のみに係る市町村の境界の決定等）3】

〔**市の人口要件の特例**〕

第二十条の三 第七条第一項の規定による関係市町村の区域の全部若しくは一部をもつて市を設置する処分又は第八条第三項の規定による町村を市とする処分については、昭和四十二年三月三十一日までにその申請がなされたものに限り、同条第一項第一号の規定にかかわらず、市となるべき普通地方公共団体の人口に関する要件は、四万以上とする。ただし、地方自治法の一部を改正する法律（昭和二十九年法律第百九十三号）附則第二項の規定によることを妨げるものではない。

＊本条追加〔昭四〇・三法六〕

【引用条文】【法七（市町村の廃置分合及び境界変更）1・八（市及び町の要件・市町村相互間の変更）1Ⅰ・3】

〔**市の人口要件の特例**〕

第二十条の四 昭和四十一年十二月三十一日までの間に第八条第三項の規定により町村を市とする処分をする場合における前条に規定する人口は、第二百五十四条の規定にかかわらず、当該町村の人口に関して最近に行なわれた統計法（昭和二十二年法律第十八号）第三条の規定による指定統計調査の結果による人口とする。

＊本条追加〔昭三八・六法九九〕、一部改正し旧二〇条の三を二〇条の四に繰下〔昭四〇・三法六〕

【引用条文】【法八（市及び町の要件・市町村相互間の変更）3・二五四（人口の定義）】【旧統計法三（指定統計調査）】

〔**市の人口要件の特例**〕

第二十条の五 第七条第一項の規定による関係市町村の区域の全部若しくは一部をもつて市を設置する処分又は第八条第三項の規定による町村を市とする処分については、この法律の市町村の要件に関する制度の改正が行なわれるまでの間で政令で定める期間中にその申請がなされたものに限り、同条第一項第一号の規定にかかわらず、市となるべき普通地方公共団体の人口に関する要件は、三万以上とする。

2 前項の申請がなされたもので人口三万以上五万未満のものに対する第八条第一項の規定の適用については、同項第二号及び第三号中「六割以上」とあるのは、「七割以上」と読み替えるものとする。

3 前二項に規定する人口は、第二百五十四条の規定にかかわらず、当該関係市町村の区域の全部若しくは一部の地域の人口又は当該町村の人口に関して最近に行なわれた統計法第三条の規定による指定統計調査の結果による人口とする。

＊本条追加〔昭四五・三法一〕

【引用条文】【法七（市町村の廃置分合及び境界変更）1・八（市及び町の要件・市町村相互間の変更）1ⅠⅡⅢ・3・二五四（人口の定義）】【旧統計法三（指定統計調査）】

〔**政令への委任**〕

第二十一条 この法律の施行に関し必要な規定は、政令でこれを定める。

別表第一 第一号法定受託事務（第二条関係）

備考 この表の下欄の用語の意義及び字句の意味は、上欄に掲げる法律における用語の意義及び字句の意味によるものとする。

法律	事務
砂防法（明治三十年法律第二十九号）	一 この法律の規定により地方公共団体が処理することとされている事務のうち次に掲げるもの イ 第四条第一項、第五条、第六条第二項、第七条、第八条、第十一条ノ二第一項、第十五条から第十七条まで、第十八条第二項、第二十二条、第二十三条第一項、第二十八条から第三十条まで、第三十二条第二項、第三十六条及び第三十八条の規定により都道府県が処理することとされている事務 ロ 第六条第二項、第七条及び第二十三条第一項の規定により市町村が処理することとされている事務 二 他の法律及びこれに基づく政令の規定により都道府県が第二条により国土交通大臣の指定した土地の管理に関し処理することとされている事務
運河法（大正二年法律第十六号）	第二条、第三条第二項、第四条第一項から第四項まで（運河の効用に妨げがあるかどうかについて争いがある場合における決定に係る部分に限る。）、第五条から第十条まで、第十八条及び第十九条ノ三の規定により都道府県が処理することとされている事務
公有水面埋立法（大正十年法律第五十七号）	この法律の規定により地方公共団体が処理することとされている事務のうち次に掲げるもの 一 第二条第一項及び第二項（第四十二条第三項において準用する場合を含む。）、第三条第一項から第三項まで（第十三条ノ二第二項及び第四十二条第三項において準用する場合を含む。）、第十三条、第十三条ノ二第一項（第四十二条第三項において準用する場合を含む。）、第十四条第一項（第四十二条第三項において準用する場合を含む。）、第十六条第一項、第二十条、第二十二条第一項、同条第二項（竣功認可の告示に係る部分に限る。）、第二十五条、第三十二条第一項（第三十六条において準用する場合を含む。）、第三十二条第二項、第三十四条、第三十五条（第三十六条において準用する場合を含む。）、第四十二条第一項並びに第四十三条の規定により都道府県又は指定都市が処理することとされている事務 二 第十四条第三項（第四十二条第三項において準用する場合を含む。）の規定により市町村が処理することとされている事務
軌道法（大正十年法律第七十六号）	第八条第一項、第十条、第十二条第二項、第十三条、第二十四条並びに第二十六条において読み替えて準用する鉄道事業法（昭和六十一年法律第九十二号）第五十五条第二項並びに第五十六条第一項及び第二項の規定により都道府県又は指定都市が処理することとされている事務
物価統制令（昭和二十一年勅令第百十八号）	第三十条第一項の規定により都道府県が処理することとされている事務
会計法（昭和二十二年法律第三十五号）	第四十八条第一項の規定により都道府県が行うこととされる事務
船員法（昭和二十二年法律第百号）	第百四条第三項の規定により都道府県が処理することとされている事務
災害救助法（昭和二十二年法律第百十八号）	この法律の規定により地方公共団体が処理することとされている事務のうち次に掲げるもの 一 第四条第三項、第七条第一項及び第二項、同条第四項において準用する第五条第二項、第七条第五項、第八条、第九条第一項、同条第二項において準用する第五条第二項及び第三項、第十条第一項及び第二項、同条第三項において準用する第六条第三項、第十一条、第十二条並びに第十四条の規定により都道府県等が処理することとされている事務 二 第二条及び第十三条第一項の規定により都道府県が処理することとされている事務 三 第二条の二第一項及び第二項の規定により救助実施市が処理することとされている事務 四 第十三条第二項の規定により災害発生市町村等が処理することとされている事務
農業協同組合法（昭和二十二年法律第百三十二号）	この法律（第九十八条第十五項を除く。）の規定により都道府県が処理することとされている事務（第十条第一項第三号の事業を行う組合に係るものに限る。）
最高裁判所裁判官国民審査法（昭和二十二年法律第百三十六号）	この法律の規定により地方公共団体が処理することとされている事務

職業安定法（昭和二十二年法律第百四十一号）	第十一条第一項の規定により市町村が処理することとされている事務
児童福祉法（昭和二十二年法律第百六十四号）	第五十六条第一項の規定により都道府県が処理することとされている事務
農業保険法（昭和二十二年法律第百八十五号）	この法律（第百七十一条第一項及び第二百二十二条第二項を除く。）の規定により都道府県が処理することとされている事務
国の利害に関係のある訴訟についての法務大臣の権限等に関する法律（昭和二十二年法律第百九十四号）	この法律の規定により地方公共団体が処理することとされている事務のうち、第二条第三項（第九条において準用する場合を含む。）に規定する職員に係るもの並びに第六条の二第一項及び第二項（第九条において準用する場合を含む。）の規定により処理するもの
戸籍法（昭和二十二年法律第二百二十四号）	第一条第一項の規定により市町村が処理することとされている事務
食品衛生法（昭和二十二年法律第二百三十三号）	一　第二十五条第一項（第六十八条第一項及び第三項において準用する場合を含む。）、第二十六条第一項（第六十八条第一項において準用する場合を含む。）、第二十八条第一項（第六十八条第一項及び第三項において準用する場合を含む。次号において同じ。）、第三十条第二項（第五十四条に規定する営業（食品又は添加物の流通の状況を考慮して政令で定めるものに限る。）の許可に付随する監視指導に係る部分を除くものとし、第六十八条第一項及び第三項において準用する場合を含む。同号において同じ。）、第五十九条（第六十八条第一項及び第三項において準用する場合を含む。同号において同じ。）、第六十三条（第六十八条第一項において準用する場合を含む。同号において同じ。）及び第六十四条第一項（第六十八条第一項において準用する場合を含む。同号において同じ。）の規定により都道府県が処理することとされている事務 二　第二十八条第一項、第三十条第二項、第五十九条、第六十三条及び第六十四条第一項の規定により保健所を設置する市又は特別区が処理することとされている事務
予防接種法（昭和二十三年法律第六十八号）	㊟　本項中、点線の左側は、令和四年一二月九日から起算して三年六月を超えない範囲内において政令で定める日から施行となる。 第六条、第六条の二第一項（臨時の予防接種に係る部分に限る。以下同じ。）、第七条の二（臨時の予防接種に係る部分に限る。以下同じ。）、第九条の三（臨時の予防接種に係る部分に限る。以下同じ。）及び第九条の四（臨時の予防接種に係る部分に限る。以下同じ。）の規定により都道府県が処理することとされている事務並びに第六条第一項から第三項まで、第六条の二第一項、第七条の二、第九条の三、第九条の四、第十五条第一項、第十八条及び第十九条第一項の規定により市町村が処理することとされている事務
国有財産法（昭和二十三年法律第七十三号）	第九条第三項の規定により都道府県又は市町村が行うこととされる事務
農薬取締法（昭和二十三年法律第八十二号）	第二十九条第一項及び第二項の規定により都道府県が処理することとされている事務
地方財政法（昭和二十三年法律第百九号）	一　都道府県が第五条の三第一項の規定により処理することとされている事務（都道府県が申出を受けた協議に係るものに限る。）、同条第六項の規定により処理することとされている事務（都道府県に対する届出に係るものに限る。）、同条第七項（第一号に係る部分に限る。）の規定により処理することとされている事務（都道府県の行う同意に係るものに限る。）、第五条の四第一項、第三項及び第四項の規定により処理することとされている事務（都道府県の行う許可に係るものに限る。）並びに同条第五項の規定により処理することとされている事務 二　第三十三条の五の七第二項の規定により、平成二十一年度から平成二十八年度までの間、都道府県が処理することとされている事務（都道府県の行う許可に係るものに限る。） 三　第三十三条の七第四項の規定により、平成十七年度までの間、都道府県が処理することとさ

法律名	事務
	れている事務（都道府県の行う許可に係るものに限る。） 四　第三十三条の八第一項の規定により、平成十八年度から平成三十七年度までの間、都道府県が処理することとされている事務（都道府県の行う許可に係るものに限る。）
大麻取締法大麻草の栽培の規制に関する法律（昭和二十三年法律第百二十四号）	㊟本項中、点線の左側は令和五年一二月一三日から起算して一年を超えない範囲内において政令で定める日から、実線の左側は令和五年一二月一三日から起算して二年を超えない範囲内において政令で定める日から施行となる。 第四条第二項、第十四条、第十六条第二項第九条（第三号から第五号までに係る部分に限る。）、第十一条から第十二条の二まで、第十二条第十二条の五第二項及び第二十一条第一項の八第三項及び第二十二条の三第一項の規定により都道府県が処理することとされている事務
船員職業安定法（昭和二十三年法律第百三十号）	一　第十四条第二項の規定により市町村が処理することとされている事務 二　第八十九条第九項又は第九十二条第一項の規定により読み替えて適用される船員法第百四条第三項の規定により都道府県が処理することとされている事務
教科書の発行に関する臨時措置法（昭和二十三年法律第百三十二号）	第五条第一項、第六条第二項及び第七条第二項の規定により都道府県が処理することとされている事務並びに同条第一項の規定により市町村が処理することとされている事務
検察審査会法（昭和二十三年法律第百四十七号）	第十条から第十二条までの規定により市町村が処理することとされている事務
政治資金規正法（昭和二十三年法律第百九十四号）	㊟本項中、点線の左側は、令和八年一月一日から施行となる。 一　この法律の規定により都道府県が処理することとされている事務のうち、次に掲げるもの イ　第六条第一項（同条第五項において準用する場合を含む。）、第六条の三、第七条第一項、第七条の二第一項及び第二項及び第二項、第七条の二第一項及び第二項、同条第三項（第十七条第四項において準用する場合を含む。）、第七条の三第一項、第十二条第一項、第十七条第一項及び第三項、第十八条第五項、第十九条第二項及び第三項、第十九条の二、第十九条の十六、第二十条第第二十条一項及び第三項、第二十条の二、第二十二条の六第五項（第二十二条の六の二第五項において準用する場合を含む。）並びに第三十一条の規定により都道府県が処理することとされている事務 ロ　第十八条第一項において適用する第六条第一項、第六条の三、第七条第一項、第七条の及び第二二第一項及び第二項、第七条の二第一項及び第二項、同条第三項（第十八条第一項において適用する第十七条第四項において準用する場合を含む。）、第七条の三第一項、第十二条第一項並びに第十七条第一項及び第三項の規定により都道府県が処理することとされている事務 ハ　第十八条の二第一項において適用する第六条第一項、第六条の三、第七条第一項、第七条の三第一項、第十二条第一項及び第十七条第一項の規定により都道府県が処理することとされている事務 二　第二十八条第四項において準用する公職選挙法第十一条第三項の規定により市町村が処理することとされている事務
医師法（昭和二十三年法律第二百一号）	第六条第三項、第七条第四項及び第八項前段、同条第十項及び第十一項（これらの規定を第七条の二第五項において準用する場合を含む。）、第七条の二第五項において準用する行政手続法第十五条第一項及び第三項（同法第二十二条第三項において準用する場合を含む。）、第十六条第四項、第十八条第一項及び第三項、第十九条第一項、第二十条第六項並びに第二十四条第三項並びに第七条第八項後段において準用する同法第二十二条第三項において準用する同法第十五条第三項の規定により都道府県が処理することとされている事務
歯科医師法（昭和二十三年法律第二百二号）	第六条第三項、第七条第四項及び第八項前段、同条第十項及び第十一項（これらの規定を第七条の二第五項において準用する場合を含む。）、第七条の二第五項において準用する行政手続法第十五条第一項及び第三項（同法第二十二条第三項において準用する場合を含む。）、第十六条第四項、第十八条

法律	事務
	第一項及び第三項、第十九条第一項、第二十条第六項並びに第二十四条第三項並びに第七条第八項後段において準用する同法第二十二条第三項において準用する同法第十五条第三項の規定により都道府県が処理することとされている事務
保健師助産師看護師法（昭和二十三年法律第二百三号）	第十五条第三項及び第七項前段、同条第九項及び第十項（これらの規定を第十五条の二第七項において準用する場合を含む。）、第十五条第四項において準用する行政手続法第十五条第一項及び第三項（同法第二十二条第三項において準用する場合を含む。）、第十六条第四項、第十八条第一項及び第三項、第十九条第一項、第二十条第六項並びに第二十四条第三項並びに第十五条第七項後段において準用する同法第二十二条第三項において準用する同法第十五条第三項の規定により都道府県が処理することとされている事務
水産業協同組合法（昭和二十三年法律第二百四十二号）	この法律（第百二十七条第十五項を除く。）の規定により都道府県が処理することとされている事務（第十一条第一項第四号の事業を行う漁業協同組合、第八十七条第一項第四号の事業を行う漁業協同組合連合会、第九十三条第一項第二号の事業を行う水産加工業協同組合又は第九十七条第一項第二号の事業を行う水産加工業協同組合連合会に係るものに限る。）
測量法（昭和二十四年法律第百八十八号）	第十四条第三項（第三十九条において準用する場合を含む。）、第二十一条第二項（第二十三条第二項及び第三十九条において準用する場合を含む。）、第二十四条第二項（第三十九条において準用する場合を含む。）及び第五十五条の十二第一項の規定により都道府県が処理することとされている事務並びに第二十一条第三項（第三十九条において、測量計画機関が国である公共測量に準用する場合を含む。）の規定により市町村（特別区を含む。）が処理することとされている事務
土地改良法（昭和二十四年法律第百九十五号）	第八十五条第八項、第八十五条の二第十項、第八十五条の三第五項及び第十一項並びに第八十五条の四第四項の規定により都道府県が処理することとされている事務（国営土地改良事業に係るものに限る。）並びに第八十九条の規定により都道府県が処理することとされる事務
漁業法（昭和二十四年法律第二百六十七号）	㊟ 本項中、点線の左側は、令和六年六月二六日から起算して二年を超えない範囲内において政令で定める日から施行となる。 この法律の規定により都道府県が処理することとされている事務のうち、次に掲げるもの 一　第二章（第十条、第十五条第四項（同条第六項において準用する場合を含む。）及び第三十五条を除く。）並びに第五十七条第一項及び第四項から第六項までの規定、第五十八条において準用する第三十八条、第三十九条、第四十条第二項、第四十一条第一項第五号及び第二項、第四十二条（第二項ただし書及び第三項ただし書を除く。）、第四十三条、第四十四条第一項から第三項まで、第四十五条（第二号及び第三号に係る部分に限る。）、第四十六条、第四十七条、第四十九条第二項、第五十条、第五十一条第一項、第五十二条、第五十四条第一項から第三項まで並びに第五十六条の規定並びに第百十九条第一項、第二項、第七項及び第八項、第百二十四条第一項、第百二十五条第一項、第百二十六条第一項から第三項まで並びに第百二十七条の規定により都道府県が処理することとされている事務 二　第百二十条第三項、第四項、第八項、第九項及び第十一項の規定、同条第十二項において準用する第八十六条第三項の規定、第百二十二条、第百三十一条第一項及び第二項、第百七十六条第一項及び第二項並びに第百七十七条第十三項（第四号に係る部分に限る。）の規定、同条第十四項において準用する同条第三項及び第十一項（これらの規定のうち同条第十三項（同号に係る部分に限る。）に係る部分に限る。）の規定並びに第百八十六条／第百八十七条の規定により都道府県が処理することとされている事務（大臣許可漁業、知事許可漁業、第百十九条第一項の規定若しくは同条第二項の農林水産省令の規定により農林水産大臣の許可その他の処分を要する漁業又は同条第一項の規定若しくは同条第二項の規則の規定により都道府県知事の許可その他の処分を要する漁業に関するものに限る。）
私立学校法（昭和二十四年法律第二百七十号）	㊟ 本項中、点線の囲み部分は、令和七年四月一日から施行となる。 第二十六条第二項（第六十四条第五項において準用する場合を含む。）、第三十一条第一項（第六十四条第五項及び第七項において準用する場合を含む。）及び第二項（第三十二条第二項、第五十条第三項並びに第六十四条第五項及び第七項において準用する場合を含む。）、第三十二条第一項（第六十四条第五項において準用する場合を含む。）、第三十七条第三項（第五号に係る部分に限り、第六十四条第五項において準用する場合を含む。）、第四十条の四（第六十四条第五項において準用する場合を含む。）、第四十五条（第六十四条第五項において準用する場合を含む。）、第五十条第二項（第六十四条第五項において準用する場合を含む。）及び第四項（第六十四条第五項において準用する場合を含む。）、第五十条の四第二項（第六十四条第五項において準用する場合を含む。）、第

五十条の七（第六十四条第五項において準用する場合を含む。）、第五十条の十三第五項（第六十四条第五項において準用する場合を含む。）及び第六項（第六十四条第五項において準用する場合を含む。）、第五十条の十四（第六十四条第五項において準用する場合を含む。）、第五十二条第二項（第六十四条第五項において準用する場合を含む。）、第六十条第一項（第六十四条第五項において準用する場合を含む。）、第二項（第六十一条第二項及び第六十四条第五項において準用する場合を含む。）、第三項（第六十条第十一項、第六十一条第二項及び第六十四条第五項において準用する場合を含む。）、第九項（第六十四条第五項において準用する場合を含む。）及び第十項（第六十四条第五項において準用する場合を含む。）、第六十一条第一項（第六十四条第五項において準用する場合を含む。）、第六十二条第一項から第三項まで（第六十四条第五項において準用する場合を含む。）並びに第六十三条第一項（第六十四条第五項において準用する場合を含む。）の規定により都道府県が処理することとされている事務

第十九条第二項、第二十三条第一項、第二十五条、第三十四条第二項、第五十条第二項、第五十六条第二項、第六十五条第二項、第七十二条第一項、第百八条第三項及び第五項、第百九条第三項から第五項まで、第百十二条第二項、第百十五条、第百二十一条第五項及び第六項、第百二十二条、第百二十六条第三項、第百三十三条第一項及び第二項、同条第三項（同条第十二項及び第百三十四条第三項において準用する場合を含む。）、第百三十三条第十項及び第十一項、第百三十四条第一項及び第二項、第百三十五条第一項から第三項まで並びに第百三十六条第一項の規定（これらの規定を第百五十二条第六項において準用する場合を含む。）、第二十四条第二項（第百五十二条第六項、第九項及び第十項において準用する場合を含む。）並びに第百五十二条第七項の規定により都道府県が処理することとされている事務

相続税法（昭和二十五年法律第七十三号）	第五十八条第二項の規定により市町村が処理することとされている事務
公職選挙法（昭和二十五年法律第百号）	この法律の規定により地方公共団体が処理することとされている事務のうち、次に掲げるもの 一　衆議院議員又は参議院議員の選挙に関し、都道府県が処理することとされている事務 二　都道府県が第百四十三条第十七項の規定により処理することとされている事務（衆議院議員又は参議院議員の選挙における公職の候補者又は公職の候補者となろうとする者（公職にある者を含む。以下この項において「国の選挙の公職の候補者等」という。）及び第百九十九条の五第一項に規定する後援団体（以下この項において「後援団体」という。）で当該国の選挙の公職の候補者等に係るものの政治活動のために掲示される第百四十三条第十六項第一号に規定する立札及び看板の類に係る事務に限る。）、第百四十七条の規定により処理することとされている事務（国の選挙の公職の候補者等及び当該国の選挙の公職の候補者等に係る後援団体の政治活動のために使用される文書図画に係る事務に限る。）、第百四十八条第二項及び第二百一条の七第二項の規定により処理することとされている事務、第二百一条の十一第二項の規定により処理することとされている事務（第二百一条の六第一項ただし書（第二百一条の七第二項において準用する場合を含む。）の規定により開催される政談演説会に係る事務に限る。）、第二百一条の十一第四項の規定により処理することとされている事務（第二百一条の六第一項ただし書の規定により掲示されるポスターに係る事務に限る。）、第二百一条の十一第八項の規定により処理することとされている事務（第二百一条の六第一項ただし書（第二百一条の七第二項において準用する場合を含む。）の規定により掲示される立札及び看板の類に係る事務に限る。）並びに第二百一条の十一第十一項及び第二百一条の十四第二項の規定により処理することとされている事務（衆議院議員又は参議院議員の選挙の期日の公示又は告示の日から選挙の当日までの間における事務に限る。） 三　衆議院議員又は参議院議員の選挙に関し、市町村が処理することとされている事務 四　選挙人名簿又は在外選挙人名簿に関し、市町村が処理することとされている事務 五　市町村が第百四十七条の規定により処理することとされている事務（国の選挙の公職の候補者等及び当該国の選挙の公職の候補者等に係る後援団体の政治活動のために使用される文書図画に係る事務に限る。）並びに第二百一条の十一第十一項及び第二百一条の十四第二項の規定により処理することとされている事務（衆議院議員又は参議院議員の選挙の期日の公示又は告示の日から選挙の当日までの間における事務に限る。）
精神保健及び精神障害者福祉に関	一　この法律（第一章から第三章まで、第十九条の二第四項、第十九条の七、第十九条の八、第十九条の九第一項、同条第二項（第三十三条の

する法律（昭和二十五年法律第百二十三号）	七において準用する場合を含む。）、第十九条の十一、第二十九条の九、第三十条第一項及び第三十一条、第三十三条の六第一項及び第六項、第五章第四節、第四十条の三、第四十条の七、第六章並びに第五十一条の十一の三第二項を除く。）の規定により都道府県が処理することとされている事務 二　この法律（第六章第二節を除く。）の規定により保健所を設置する市又は特別区が処理することとされている事務（保健所長に係るものに限る。） 三　第三十三条第二項及び第六項並びに第三十四条第二項の規定により市町村が処理することとされている事務
肥料の品質の確保等に関する法律（昭和二十五年法律第百二十七号）	この法律の規定により都道府県が処理することとされている事務のうち、次に掲げるもの 一　第四条第一項及び第三項、第六条第一項、第七条第一項、第十条、第十二条第四項、第十三条、第十五条、第十六条第一項、第二項及び第四項、第十六条の二、第二十二条、第二十九条第一項並びに第三十条第一項の規定により都道府県が処理することとされている事務 二　第二十九条第四項、第三十条第四項及び第七項、第三十一条第三項並びに第三十三条第一項の規定により都道府県が処理することとされている事務（販売業者に係るものを除く。） 三　第三十一条第二項の規定により都道府県が処理することとされている事務のうち次に掲げるもの以外のもの イ　第十九条第二項の規定の違反に関する処分 ロ　その届出に係る販売業者に対する処分（イに掲げるものを除く。） 四　第三十一条第六項の規定による登録証の返納の受理（前号イに掲げる処分に係るものを除く。） 五　第三十一条第七項の規定による通知（第三号イ及びロに掲げる処分に係るものを除く。）
生活保護法（昭和二十五年法律第百四十四号）	一　都道府県、市及び福祉事務所を設置する町村が第十九条第一項から第五項まで、第二十四条第一項及び第三項（これらの規定を同条第九項において準用する場合を含む。）並びに第八項、第二十五条第一項及び第二項、第二十六条、第二十七条第一項、第二十八条第一項、第二項及び第五項、第二十九条、第三十条から第三十七条の二まで（第三十条第二項及び第三十三条第三項を除く。）、第四十七条第一項、第四十八条第四項、第五十三条第四項（第五十四条の二第五項及び第六項並びに第五十五条の二において準用する場合を含む。）、第五十五条の四第一項、同条第二項及び第三項（これらの規定を第五十五条の五第二項において準用する場合を含む。）、第五十五条の五第一項、第五十五条の六、第六十一条、第六十二条第三項及び第四項、第六十三条、第七十六条第一項、第七十七条第二項、第七十八条の二第一項及び第二項、第八十条並びに第八十一条の規定により処理することとされている事務 二　都道府県が第二十三条第一項及び第二項、第二十九条第二項、第四十条第二項、第四十一条第二項から第五項まで、第四十二条、第四十三条第一項、第四十四条第一項、第四十五条、第四十六条第二項及び第三項、第四十八条第三項、第四十九条、第四十九条の二第四項（第四十九条の三第四項及び第五十四条の二第五項において準用する場合を含む。）並びに第五十四条の二第六項及び第五十五条第二項において準用する第四十九条の二第一項、第四十九条の三第一項、第五十条第二項、第五十条の二及び第五十一条第二項（これらの規定を第五十四条の二第五項及び第六項並びに第五十五条第二項において準用する場合を含む。）、第五十三条第一項及び第三項（これらの規定を第五十四条の二第五項及び第六項並びに第五十五条の二において準用する場合を含む。）、第五十四条第一項（第五十四条の二第五項及び第六項並びに第五十五条第二項において準用する場合を含む。）、第五十四条の二第一項、第五十五条第一項、第五十五条の三、第六十五条第一項、第七十四条第二項第二号及び第三号、第七十七条第一項、第七十七条の二第一項、同条第二項（第七十八条第四項において準用する場合を含む。）、第七十八条第一項から第三項まで並びに第八十三条の二並びに第七十四条の二において準用する社会福祉法第五十八条第二項から第四項までの規定により処理することとされている事務 三　市町村が第二十九条第二項、第四十三条第二項、第七十七条第一項、第七十七条の二第一項、同条第二項（第七十八条第四項において準用する場合を含む。）及び第七十八条第一項から第三項まで並びに第七十四条の二において準用する社会福祉法第五十八条第二項から第四項までの規定により処理することとされている事務 四　福祉事務所を設置しない町村が第十九条第六項及び第七項、第二十四条第十項並びに第二十五条第三項の規定により処理することとされている事務
植物防疫法（昭和二十五年法律第百五十一号）	第二十一条の規定により都道府県が処理することとされている事務

国会議員の選挙等の執行経費の基準に関する法律（昭和二十五年法律第百七十九号）	第四条第十五項から第十七項まで、第四条の二第三項から第六項まで、第四条の三第四項、第六項及び第七項、第五条第十六項から第十八項まで並びに第十三条第一項ただし書の規定により都道府県が処理することとされている事務
建築基準法（昭和二十五年法律第二百一号）	第十五条第四項、第十六条及び第七十七条の六十三の規定により都道府県が処理することとされている事務並びに第十五条第一項から第三項までの規定により市町村が処理することとされている事務
地方交付税法（昭和二十五年法律第二百十一号）	第五条第三項、第十七条第一項、第十七条の三第二項、第十七条の四第一項後段、第十八条第一項後段及び第二項後段の規定並びに第十九条第七項後段及び第八項後段（これらの規定を第二十条の二第四項及び附則第十五条第四項において準用する場合を含む。）の規定により都道府県が処理することとされている事務
文化財保護法（昭和二十五年法律第二百十四号）	第百十条第一項及び第二項、第百十二条第一項並びに第百十条第三項及び第百十二条第四項において準用する第百九条第三項及び第四項の規定により都道府県又は指定都市が処理することとされている事務
港湾法（昭和二十五年法律第二百十八号）	第四条第四項（第九条第二項及び第三十三条第二項において準用する場合を含む。以下同じ。）、第五項（第九条第二項、第三十三条第二項及び第五十六条第二項において準用する場合を含む。以下同じ。）、第八項（第九条第二項及び第三十三条第二項において準用する場合を含む。以下同じ。）並びに第十二項及び第十三項（これらの規定を第三十三条第二項において準用する場合を含む。）、第九条第三項並びに第五十六条第一項（水域を定める事務に係る部分に限る。）の規定により都道府県が処理することとされている事務（第四条第四項の規定により処理することとされているものについては、同項の規定による都道府県知事の同意に関するものに限り、同条第五項の規定により処理することとされているものについては、同項の規定による都道府県知事が行う協議に関するものに限り、同条第八項の規定により処理することとされているものについては、同項の規定による都道府県が行う届出に関するものを除く。）
地方税法（昭和二十五年法律第二百二十六号）	この法律の規定により道府県が処理することとされている事務のうち、第三百八十八条第一項の規定により同項に規定する固定資産評価基準の細目を定める事務、第四百十九条第一項に規定する事務及び附則第七十条第二項後段に規定する事務
狂犬病予防法（昭和二十五年法律第二百四十七号）	一　第二条第三項、第八条、第九条第二項、第十条から第十三条まで、第十四条第一項、第十五条から第十七条まで、第十八条第一項、同条第二項において準用する第六条第二項、第三項、第五項、第七項及び第九項並びに第十八条の二第一項の規定により都道府県が処理することとされている事務 二　第二条第三項、第八条第一項及び第二項、第九条第二項、第十条から第十三条まで、第十四条第一項、第十五条から第十七条まで、第十八条第一項、同条第二項において準用する第六条第二項、第三項、第五項及び第七項から第九項まで並びに第十八条の二第一項の規定により地域保健法第五条第一項の規定に基づく政令で定める市又は特別区が処理することとされている事務 三　第十八条第二項において準用する第六条第七項及び第八項の規定により市町村（地域保健法第五条第一項の規定に基づく政令で定める市を除く。）が処理することとされている事務
社会福祉法（昭和二十六年法律第四十五号）	一　都道府県が第三十一条第一項、第四十二条第二項、第四十五条の六第二項（第四十五条の十七第三項において準用する場合を含む。）、第四十五条の九第五項、第四十五条の三十六第二項及び第四項、第四十六条第一項第六号、第二項及び第三項、第四十六条の六第四項及び第五項、第四十七条の五、第五十条第三項、第五十四条の六第二項、第五十五条の二第一項、第五十五条の三第一項、第五十五条の四、第五十六条第一項、第四項から第八項まで及び第九項（第五十八条第四項において準用する場合を含む。）、第五十七条、第五十八条第二項、第五十九条、第百十四条並びに第百二十一条の規定により処理することとされている事務 二　市が第三十一条第一項、第四十二条第二項、第四十五条の六第二項（第四十五条の十七第三項において準用する場合を含む。）、第四十五条の九第五項、第四十五条の三十六第二項及び第四項、第四十六条第一項第六号、第二項及び第三項、第四十六条の六第四項及び第五項、第四十七条の五、第五十条第三項、第五十四条の六第二項、第五十五条の二第一項、第五十五条の三第一項、第五十五条の四、第五十六条第一項、第四項から第八項まで及び第九項（第五十八条第四項において準用する場合を含む。）、第五十七条、第五十八条第二項、第五十九条、第百十四条並びに第百二十一条の規定により処理することとされている事務 三　町村が第五十八条第二項及び同条第四項において準用する第五十六条第九項の規定により処理することとされている事務

恩給法の一部を改正する法律（昭和二十六年法律第八十七号）	附則第七項又は第十項の規定により都道府県知事が行う恩給を受ける権利の裁定に関する事務
公共土木施設災害復旧事業費国庫負担法（昭和二十六年法律第九十七号）	第十三条第一項の規定により都道府県が処理することとされている事務
宗教法人法（昭和二十六年法律第百二十六号）	第九条、第十四条第一項、第二項（第二十八条第二項、第三十九条第二項及び第四十六条第二項において準用する場合を含む。）及び第四項（第二十八条第二項、第三十九条第二項及び第四十六条第二項において準用する場合を含む。）、第二十五条第四項、第二十六条第四項（第三十六条において準用する場合を含む。）、第二十八条第一項、第三十九条第一項、第四十三条第三項、第四十六条第一項、第四十九条第三項、第五十一条第五項及び第六項、第七十八条の二第一項及び第二項（第七十九条第四項及び第八十条第五項において準用する場合を含む。）、第七十九条第一項から第三項まで、第八十条第一項から第三項まで及び第六項、第八十一条第一項、第四項及び第五項並びに第八十二条の規定により都道府県が処理することとされている事務
家畜伝染病予防法（昭和二十六年法律第百六十六号）	第三章（第二十一条第六項及び第七項を除く。）の規定（第六十二条第一項において準用する場合を含む。）により地方公共団体が処理することとされている事務
国土調査法（昭和二十六年法律第百八十号）	第十九条第二項から第四項まで（第二十一条の二第六項において準用する場合を含む。）、第二十条第一項及び第二十一条の二第七項の規定により都道府県が処理することとされている事務
道路運送法（昭和二十六年法律第百八十三号）	第六十九条第一項及び第九十五条の四の規定により都道府県が処理することとされている事務
道路運送車両法（昭和二十六年法律第百八十五号）	第十一条第一項、第二項、第四項及び第六項並びに第三十四条第二項及び第三十五条第四項（これらの規定を第七十三条第二項において準用する場合を含む。）の規定により市町村（特別区を含む。）が処理することとされている事務
公営住宅法（昭和二十六年法律第百九十三号）	第三十七条第五項（同条第七項において準用する場合を含む。）、第四十四条第六項、第四十五条第三項及び第四十六条第二項の規定により都道府県が処理することとされている事務
検疫法（昭和二十六年法律第二百一号）	一　第二十二条第二項から第五項まで、第二十三条第二項から第五項まで（同条第六項においてこれらの規定を準用する場合を含む。）及び第七項並びに第二十六条の三の規定により都道府県、保健所を設置する市又は特別区が処理することとされている事務 二　第二十三条第七項の規定により市町村が処理することとされている事務
土地収用法（昭和二十六年法律第二百十九号）	この法律の規定により地方公共団体が処理することとされている事務のうち、次の各号に掲げるもの（第十七条第一項各号に掲げる事業又は第二十七条第二項若しくは第四項の規定により国土交通大臣の事業の認定を受けた事業に関するものに限る。） 一　都道府県が第十一条第一項及び第四項、第十四条第一項、第十五条の二第二項及び第三項（第十五条の七第二項において準用する場合を含む。）、第十五条の三から第十五条の五まで、第十五条の八から第十五条の十一まで、第十五条の十二において準用する仲裁法、第二十四条第四項及び第五項（第二十六条の二第三項、第三十四条の四第三項、第三十六条の二第四項及び第四十二条第四項（第四十五条第三項及び第四十七条の四第二項において準用する場合を含む。）においてこれらの規定を準用する場合を含む。）、第二十五条第二項、第二十八条の三第一項、第三十条第二項及び第三項（第三十条の二においてこれらの規定を準用する場合を含む。）、第三十四条の二第二項において準用する第十九条第一項前段及び第二項、第三十四条の三、第三十四条の四第一項、第三十六条第五項、第四十一条において準用する第十九条、第四十二条第一項、第五項及び第六項（第四十五条第三項及び第四十七条の四第二項においてこれらの規定を準用する場合を含む。）、第四十五条第一項、第四十五条の二、第四十六条第一項及び第二項、第四十七条、第四十七条の二第一項、第四十七条の三第五項において準用する第十九条第一項前段、第四十七条の四第一項、第五十条第一項、第二項及び第四項、第六十五条第一項、第六十五条の二第七項、第六十六条第三項（第百二十条において準用する場合を含

	む。）、第八十一条第三項、第八十二条第二項から第四項まで及び第六項、第八十三条第二項、第八十三条第三項から第六項まで（第八十四条第三項及び第百二十三条第六項においてこれらの規定を準用する場合を含む。）、第八十四条第二項、第八十五条第二項、第八十六条第二項、第八十九条第一項、第九十条の三第一項、第九十条の四、第百条の二第三項において準用する第九十四条第十一項、第百二条の二第二項及び第三項、第百四条の二において準用する第九十四条第十一項、第百十七条において準用する第十九条、第百十八条第一項及び第五項、第百十九条並びに第百二十三条第一項及び第三項の規定（第百三十八条第一項においてこれらの規定を準用する場合を含む。）により処理することとされている事務 二　市町村が第十二条第二項、第十四条第一項及び第三項、第二十四条第二項、第二十六条の二第二項、第三十四条の四第二項、第三十六条第四項、第三十六条の二第三項、第四十二条第二項及び第三項（第四十五条第三項及び第四十七条の四第二項においてこれらの規定を準用する場合を含む。）、第四十五条第二項、第百二条の二第一項、第百十八条第二項及び第三項、第百二十二条第一項及び第三項、第百二十八条第一項、第百二十八条第二項において準用する第百二条の二第三項並びに第百二十八条第三項及び第四項の規定（第百三十八条第一項においてこれらの規定を準用する場合を含む。）により処理することとされている事務
森林法（昭和二十六年法律第二百四十九号）	この法律の規定により地方公共団体が処理することとされている事務のうち、次に掲げるもの 一　第二十五条の二、第二十六条の二、第二十七条第一項、第三十三条の二及び第三十九条第一項の規定により都道府県が処理することとされている事務（第二十五条第一項第一号から第三号までに掲げる目的を達成するための指定に係る保安林に関するものに限る。） 二　第二十七条第二項及び第三項（申請書に意見書を付する事務に関する部分を除く。）、第三十条並びに第三十三条第三項（これらの規定を第三十三条の三において準用する場合を含む。）の規定により都道府県が処理することとされている事務 三　第三十条の二第一項、同条第二項において準用する第三十条後段、第三十二条第二項及び第三項並びに第三十三条第六項において準用する同条第一項及び第三項（これらの規定を第三十三条の三において準用する場合を含む。）の規定により都道府県が処理することとされている事務（第二十五条第一項第一号から第三号までに掲げる目的を達成するための指定に係る保安林に関するものに限る。） 四　第三十一条、第三十二条第一項（第三十三条の三において準用する場合を含む。）、第三十四条から第三十四条の三まで、第三十八条及び第三十九条の二第一項の規定により都道府県が処理することとされている事務（民有林にあつては、第二十五条第一項第一号から第三号までに掲げる目的を達成するための指定に係る保安林に関するものに限る。） 五　第四十四条において準用する第二十七条第二項及び第三項（申請書に意見書を付する事務に関する部分を除く。）、第三十条、第三十一条、第三十二条第一項、第三十三条第三項、第三十四条から第三十四条の三まで並びに第三十九条第一項の規定並びに第四十六条の二第一項の規定により都道府県が処理することとされている事務 六　第十条の七の二第二項の規定により市町村が処理することとされている事務（第二十五条第一項第一号から第三号までに掲げる目的を達成するための指定に係る保安林又は保安施設地区の区域内の森林に関するものに限る。）
覚醒剤取締法（昭和二十六年法律第二百五十二号）	第四条第一項（第三十条の五において準用する場合を含む。）、第五条第二項（第三十条の五において準用する場合を含む。）、第九条第一項、第十条第一項及び第二項（覚醒剤製造業者に係る部分に限るものとし、これらの規定を第三十条の五において準用する場合を含む。）、第十一条第一項及び第二項（覚醒剤製造業者に係る部分に限るものとし、これらの規定を第三十条の五において準用する場合を含む。）、第十二条第一項（第三十条の五において準用する場合を含む。）、第十五条第二項、第十七条第五項、第二十条第六項、第二十二条第一項、第二十二条の二、第二十三条、第二十四条第一項及び第二項、第二十九条、第三十条、第三十条の四第一項（覚醒剤原料輸入業者若しくは覚醒剤原料輸出業者又は覚醒剤原料製造業者に係る部分に限る。）、第三十条の六第四項、第三十条の十二第一項第一号及び第二号、第三十条の十三、第三十条の十四、第三十条の十五第一項及び第二項、第三十一条、第三十二条第一項及び第二項、第三十五条第三項並びに第三十六条第一項の規定により都道府県が処理することとされている事務
出入国管理及び難民認定法（昭和二十六年政令第三百十九号）	㊟　本項中、点線の左側は、令和六年六月二一日から起算して二年を超えない範囲内において政令で定める日から施行となる。 第十九条の七第一項及び第二項（第十九条の八第二項及び第十九条の九第二項において準用する場

法律	事務
	合を含む。）、第十九条の八第一項、並びに第十九条の九第一項 第十九条の九第一項並びに第十九条の十五の二第二項、第六項及び第九項後段の規定により市町村が処理することとされている事務
旅券法（昭和二十六年法律第二百六十七号）	第三条第一項から第三項まで、第五項及び第六項、第八条第一項及び第三項、第九条第一項及び第三項、第十条第四項、第十七条第一項から第三項まで並びに第十九条第五項及び第六項の規定により都道府県が処理することとされている事務
水産資源保護法（昭和二十六年法律第三百十三号）	第四条第一項、第六項及び第七項並びに第三十三条の規定により都道府県が処理することとされている事務
漁船損害等補償法（昭和二十七年法律第二十八号）	この法律の規定により都道府県が処理することとされている事務
戦傷病者戦没者遺族等援護法（昭和二十七年法律第百二十七号）	第四十条第三項の規定により都道府県が処理することとされている事務
日本国とアメリカ合衆国との間の相互協力及び安全保障条約第六条に基づく施設及び区域並びに日本国における合衆国軍隊の地位に関する協定の実施に伴う土地等の使用等に関する特別措置法（昭和二十七年法律第百四十号）	第九条第二項において準用する土地収用法第八十一条第三項の規定、第十四条の規定により適用される土地収用法第九十四条第四項において準用する同法第十九条、同法第九十四条第五項、同条第六項において準用する同法第五十条第一項、第二項及び第四項、第六十五条第一項、第六十五条の二第七項並びに第六十六条第三項並びに同法第九十四条第七項、第八項及び第十一項の規定、第十六条第二項及び第三項（第十七条第三項において準用する場合を含む。）並びに第四項（第十七条第三項において準用する場合を含む。）において準用する土地収用法第九十四条第十一項の規定、第十九条第一項、第三項及び第五項、第二十条第一項、第二十一条第一項、第二十二条並びに第二十三条第六項の規定並びに第二十六条において準用する公共用地の取得に関する特別措置法第二十三条第二項、第二十四条、第二十五条、第二十六条第一項、同条第二項において準用する土地収用法第八十三条第四項から第六項まで、第二十九条第二項、第三十四条及び第三十七条第二項において準用する同法第九十四条第十一項の規定により都道府県が処理することとされている事務
宅地建物取引業法（昭和二十七年法律第百七十六号）	第八条、第十条及び第十四条の規定により都道府県が処理することとされている事務（国土交通大臣の免許を受けた宅地建物取引業者に係る宅地建物取引業者名簿の備付け、登載、閲覧、訂正及び消除に関するものに限る。）
道路法（昭和二十七年法律第百八十号）	一　この法律の規定により地方公共団体が処理することとされている事務のうち次に掲げるもの イ　この法律の規定により都道府県、指定市又は第十七条第二項の規定により都道府県の同意を得た市（次号において「都道府県等」という。）が、指定区間外の国道の道路管理者として処理することとされている事務（第二十四条の二第一項及び第三項（第四十八条の三十五第三項において準用する場合を含む。）、第三十九条第一項（第九十一条第二項において準用する場合を含む。）、第四十四条第五項から第七項まで（これらの規定を第九十一条第二項において準用する場合を含む。）、第四十七条の二第三項、第四十八条の三十五第一項、第四十九条、第五十四条第一項、同条第二項において準用する第十九条第二項、第五十四条第三項において準用する第七条第六項、第五十四条の二第一項、同条第二項において準用する第十九条の二第二項、第五十四条の二第三項において準用する第七条第六項、第五十五条第一項、同条第二項において準用する第二十条第三項、第五十五条第三項において準用する第七条第六項、第五十八条第一項、第五十九条第一項及び第三項、第六十条、第六十一条第一項、第六十九条第一項、同条第二項において準用する第四十四条第六項及び第七項、第七十条第一項、第三項及び第四項、第七十一条第四項（道路監理員の任命に係る部分に限り、第九十一条第二項において準用する場合を含む。）、第七十二条第一項（第九十一条第二項において準用する場合を含む。）、第七十二条第二項において準用する第四十四条第六項及び第七項並びに第七十二条第三項（これらの規定を第九十一条第二項において準用する場合を含む。）、第七十三条第一項から第三項まで（これらの規定を第九十一条第二項において準用する場合を含む。）、第七十五条第五項並びに同条第六項において準用する第四十四条第六項及び第七項（これらの規定を第九十一条第二項において準用する場合を含む。）、第八十五条第三項、第九十一条第三項並びに同条第四項において準用する第四十四条第六項及び

第七項の規定により処理することとされているものを除く。）及び指定区間外の国道を構成していた不用物件の管理者として処理することとされている事務（第九十五条（第九十一条第二項において準用する場合を含む。）の規定により処理することとされているものを除く。）

ロ　第十三条第二項の規定により都道府県又は指定市が処理することとされる事務（政令で定めるものを除く。）

ハ　第十七条第四項、第四十八条の二十第三項及び第四十八条の二十二第一項の規定により国道に関して指定市以外の市町村が処理することとされている事務（政令で定めるものを除く。）

ニ　第十七条第八項の規定により国道に関して都道府県が処理することとされている事務

ホ　第九十四条第五項（第九十一条第二項において準用する場合を含む。）の規定により都道府県が処理することとされている事務

二　他の法律及びこれに基づく政令の規定により、都道府県等が指定区間外の国道の道路管理者又は道路管理者となるべき者として処理することとされている事務（費用の負担及び徴収に関するものを除く。）

農地法（昭和二十七年法律第二百二十九号）

この法律の規定により都道府県又は市町村が処理することとされている事務のうち、次の各号及び第六十三条第二項各号に掲げるもの以外のもの

一　第三条第四項の規定により市町村が処理することとされている事務（同項の規定により農業委員会が処理することとされている事務を除く。）

二　第四条第一項、第二項及び第八項の規定により都道府県等が処理することとされている事務（同一の事業の目的に供するため四ヘクタールを超える農地を農地以外のものにする行為に係るものを除く。）

三　第四条第三項の規定により市町村が処理することとされている事務（意見を付する事務に限る。）

四　第四条第三項の規定により市町村（指定市町村に限る。）が処理することとされている事務（申請書を送付する事務（同一の事業の目的に供するため四ヘクタールを超える農地を農地以外のものにする行為に係るものを除く。）に限る。）

五　第四条第四項及び第五項（これらの規定を同条第十項において準用する場合を含む。）の規定により市町村が処理することとされている事務

六　第四条第九項の規定により都道府県等が処理することとされている事務（意見を聴く事務（同一の事業の目的に供するため四ヘクタールを超える農地を農地以外のものにする行為に係るものを除く。）に限る。）

七　第四条第九項の規定により市町村が処理することとされている事務（意見を述べる事務に限る。）

八　第五条第一項及び第四項の規定並びに同条第三項において準用する第四条第二項の規定により都道府県等が処理することとされている事務（同一の事業の目的に供するため四ヘクタールを超える農地又はその農地と併せて採草放牧地について第三条第一項本文に掲げる権利を取得する行為に係るものを除く。）

九　第五条第三項において準用する第四条第三項の規定により市町村が処理することとされている事務（意見を付する事務に限る。）

十　第五条第三項において準用する第四条第三項の規定により市町村（指定市町村に限る。）が処理することとされている事務（申請書を送付する事務（同一の事業の目的に供するため四ヘクタールを超える農地又はその農地と併せて採草放牧地について第三条第一項本文に掲げる権利を取得する行為に係るものを除く。）に限る。）

十一　第五条第三項において読み替えて準用する第四条第四項及び第五項の規定並びに第五条第五項において読み替えて準用する第四条第十項において読み替えて準用する同条第四項及び第五項の規定により市町村が処理することとされている事務

十二　第五条第五項において準用する第四条第九項の規定により都道府県等が処理することとされている事務（意見を聴く事務（同一の事業の目的に供するため四ヘクタールを超える農地又はその農地と併せて採草放牧地について第三条第一項本文に掲げる権利を取得する行為に係るものを除く。）に限る。）

十三　第五条第五項において準用する第四条第九項の規定により市町村が処理することとされている事務（意見を述べる事務に限る。）

十四　第三十条、第三十一条、第三十二条第一項、同条第二項から第五項まで（これらの規定を第三十三条第二項において準用する場合を含む。）、第三十三条第一項、第三十四条、第三十五条第一項、第三十六条及び第四十一条第一項の規定により市町村が処理することとされている事務

十五　第四十二条の規定により市町村が処理することとされている事務

十六　第四十三条第一項の規定により市町村（指定市町村に限る。）が処理することとされている事務（同一の事業の目的に供するため四ヘク

	タールを超える農地をコンクリートその他これに類するもので覆う行為に係るものを除く。） 十七　第四十四条の規定により市町村が処理することとされている事務 十八　第四十九条第一項、第三項及び第五項並びに第五十条の規定により都道府県等が処理することとされている事務（第二号、第八号及び次号に掲げる事務に係るものに限る。） 十九　第五十一条の規定により都道府県等が処理することとされている事務（第二号及び第八号に掲げる事務に係るものに限る。） 二十　第五十一条の二の規定により都道府県又は市町村が処理することとされている事務 二十一　第五十二条から第五十二条の三までの規定により市町村が処理することとされている事務
日本国とアメリカ合衆国との間の相互協力及び安全保障条約に基づき日本国にあるアメリカ合衆国の軍隊の水面の使用に伴う漁船の操業制限等に関する法律（昭和二十七年法律第二百四十三号）	第三条の規定により都道府県が処理することとされている事務（同条第二項の規定による申請書に意見を記載した書面を添える事務を除く。）
麻薬及び向精神薬取締法（昭和二十八年法律第十四号）	第二十四条第十二項（第一号に係る部分に限る。）、第二十九条、第三十五条、第三十六条第一項及び第三項（これらの規定を同条第四項において準用する場合を含む。）、第四十六条から第四十九条まで、第五十条の二十二、第五十条の二十四第二項及び第三項、第五十条の三十三、第五十条の三十八第一項及び第二項、第五十条の三十九、第五十八条の二から第五十八条の五まで、第五十八条の六第一項、第四項、第五項及び第八項、第五十八条の八第一項、同条第二項から第六項まで（これらの規定を第五十八条の九第二項において準用する場合を含む。）、第五十八条の十一、第五十八条の十二並びに第五十八条の十六の規定により都道府県が処理することとされている事務
北海道防寒住宅建設等促進法（昭和二十八年法律第六十四号）	第五条第三項の規定により道が処理することとされている事務
と畜場法（昭和二十八年法律第百十四号）	第十七条第一項の規定により都道府県が処理することとされている事務
未帰還者留守家族等援護法（昭和二十八年法律第百六十一号）	第十一条第二項の規定により都道府県が処理することとされている事務
信用保証協会法（昭和二十八年法律第百九十六号）	第五十二条第一項の規定により都道府県又は市町村が処理することとされている事務
労働金庫法（昭和二十八年法律第二百二十七号）	第九十八条の三の規定により都道府県が処理することとされている事務
日本国に駐留するアメリカ合衆国軍隊等の行為による特別損失の補償に関する法律（昭和二十八年法律第二百四十六号）	第二条の規定により市町村（特別区を含む。）が処理することとされている事務（同条第二項の規定による申請書に意見を記載した書面を添える事務を除く。）
あへん法（昭和二十九年法律第七十一号）	この法律（第十二条第四項及び第四十四条第六項を除く。）の規定により都道府県が処理することとされている事務
土地区画整理法（昭和二十九年法律第百十九号）	この法律の規定により地方公共団体が処理することとされている事務のうち次に掲げるもの 一　都道府県が第七十一条の三第六項及び第七項（これらの規定を同条第十五項において準用する場合を含む。）並びに第七十六条の規定により処理することとされている事務（都道府県又

	は機構等（市のみが設立した地方公社を除く。）が施行する土地区画整理事業に係るものに限る。） 二　市町村が処理することとされている次に掲げる事務 イ　第五十五条第十項（同条第十三項において準用する場合を含む。）、第六十九条第八項（同条第十項において準用する場合を含む。）、第七十一条の三第十二項（同条第十五項において準用する場合を含む。）及び第七十七条第六項（第百三十三条第二項において準用する場合を含む。）に規定する事務（国土交通大臣、都道府県又は機構等（市のみが設立した地方公社を除く。）が施行する土地区画整理事業に係るものに限る。） ロ　第七十二条第六項に規定する事務（都道府県又は機構等（市のみが設立した地方公社を除く。）が施行する土地区画整理事業に係るものに限る。）
自衛隊法（昭和二十九年法律第百六十五号）	第百三条第一項から第四項まで、第六項、第七項及び第十項から第十五項まで、第百三条の二、第百五条第四項、第五項（申請書に意見を記載した書面を添える部分を除く。）及び第六項並びに第百十五条の十第四項の規定により都道府県が処理することとされている事務（第百十五条の十第四項の規定により処理することとされているもののうち民有林に係るものにあつては、森林法第二十五条第一項第一号から第三号までに掲げる目的を達成するための指定に係る保安林に関するものに限る。）
補助金等に係る予算の執行の適正化に関する法律（昭和三十年法律第百七十九号）	第二十六条第二項の規定により都道府県が行うこととされる事務
海岸法（昭和三十一年法律第百一号）	一　この法律の規定により地方公共団体が処理することとされている事務のうち次に掲げるもの イ　第二条第一項及び第三項、第二条の三、第三条第一項、第三項及び第四項、第四条第一項、第五条第一項から第五項まで、第七項及び第八項、第十三条、第十四条の五第一項、第十五条、第十六条第一項、第十七条第一項、第十八条第一項、第二項、第四項、第五項及び第七項、同条第八項において準用する第十二条の二第二項及び第三項、第十九条第一項、第三項及び第四項、第二十条第一項及び第二項、第二十一条第一項から第三項まで、同条第四項において準用する第十二条の二第二項及び第三項、第二十一条の三第一項から第三項まで、同条第四項において準用する第十二条の二第二項及び第三項、第二十二条第二項、同条第三項において準用する漁業法第百七十七条第二項、第三項前段、第四項から第八項まで、第十一項及び第十二項、第二十三条の三第一項、第二項及び第四項、第二十三条の五、第二十三条の六、第二十四条第一項及び第二項、第三十条、第三十一条第一項、第三十二条第三項、第三十三条第一項、第三十五条第一項及び第三項並びに第三十八条の規定により都道府県が処理することとされている事務（第五条第一項から第五項まで、第十四条の五第一項、第十五条、第十六条第一項、第十八条第一項、第二項、第四項、第五項及び第七項、同条第八項において準用する第十二条の二第二項及び第三項、第二十条第一項及び第二項、第二十三条の五、第二十三条の六、第三十条、第三十一条第一項、第三十五条第一項及び第三項並びに第三十八条に規定する事務にあつては、海岸保全施設に関する工事に係るものに限る。） ロ　第二条第一項、第二条の三第四項（同条第七項において準用する場合を含む。）、第五条第二項から第五項まで、第十三条、第十四条の五第一項、第十五条、第十六条第一項、第十七条第一項、第十八条第一項、第二項、第四項、第五項及び第七項、同条第八項において準用する第十二条の二第二項及び第三項、第十九条第一項、第三項及び第四項、第二十条第一項及び第二項、第二十一条第一項から第三項まで、同条第四項において準用する第十二条の二第二項及び第三項、第二十一条の三第一項から第三項まで、同条第四項において準用する第十二条の二第二項及び第三項、第二十二条第二項、同条第三項において準用する漁業法第百七十七条第二項、第三項前段、第四項から第八項まで、第十一項及び第十二項、第二十三条の三第一項、第二項及び第四項、第二十三条の五、第二十三条の六、第二十四条第一項及び第二項、第三十条、第三十一条第一項、第三十二条第三項、第三十三条第一項、第三十五条第一項及び第三項並びに第三十八条の規定により市町村が処理することとされている事務（第五条第二項から第五項まで、第十四条の五第一項、第十五条、第十六条第一項、第十八条第一項、第二項、第四項、第五項及び第七項、同条第八項において準用する第十二条の二第二項及び第三項、第二十条第一項及び第二項、第二十三条の五、第二十三条の六、第三十条、第三十

	一条第一項、第三十五条第一項及び第三項並びに第三十八条に規定する事務にあつては、海岸保全施設に関する工事に係るものに限る。） 二　他の法律及びこれに基づく政令の規定により、前号に規定する事務に関して都道府県又は市町村が処理することとされている事務
物品管理法（昭和三十一年法律第百十三号）	第十一条第一項の規定により都道府県が行うこととされる事務
国の債権の管理等に関する法律（昭和三十一年法律第百十四号）	第五条第二項の規定により都道府県が行うこととされる事務
安全な血液製剤の安定供給の確保等に関する法律（昭和三十一年法律第百六十号）	第二十四条第一項の規定により都道府県が処理することとされている事務
地方教育行政の組織及び運営に関する法律（昭和三十一年法律第百六十二号）	都道府県が第四十八条第一項（第五十四条の二及び第五十四条の三の規定により読み替えて適用する場合を含む。）の規定により処理することとされている事務（市町村が処理する事務が自治事務又は第二号法定受託事務である場合においては、第四十八条第三項（第五十四条の二及び第五十四条の三の規定により読み替えて適用する場合を含む。）に規定する文部科学大臣の指示を受けて行うものに限る。）、第五十三条第二項（第五十四条の二及び第五十四条の三の規定により読み替えて適用する場合を含む。）の規定により処理することとされている事務、第六十条第五項の規定により処理することとされている事務（都道府県委員会の意見を聴くことに係るものに限る。）並びに第五十五条第九項（同条第十項により読み替えて適用する場合並びに第六十条第七項において準用する場合及び同条第九項において読み替えて準用する場合を含む。）において準用する地方自治法第二百五十二条の十七の三第二項及び第三項並びに第二百五十二条の十七の四第一項及び第三項の規定により処理することとされている事務
租税特別措置法（昭和三十二年法律第二十六号）	この法律の規定により地方公共団体が処理することとされている事務のうち、次に掲げるもの 一　都道府県が処理することとされている第二十八条の四第三項第五号イ、第六号及び第七号イ並びに第三十一条の二第二項第十四号ハ及び第十五号ニに規定する認定の事務、第三十四条の二第二項第十二号及び第十四号に規定する指定の事務、第六十二条の三第四項第十四号ハ及び第十五号ニ並びに第六十三条第三項第五号イ、第六号及び第七号イに規定する認定の事務、第六十五条の四第一項第十二号及び第十四号に規定する指定の事務並びに第七十条の四第三十六項（第七十条の六第四十一項において準用する場合を含む。）、第七十条の六の六第二十項、第七十条の六の八第二十七項、第七十条の六の十第二十八項、第七十条の七第三十五項（第七十条の七の五第二十六項において準用する場合を含む。）及び第七十条の七の二第四十項（第七十条の七の四第二十項、第七十条の七の六第二十七項及び第七十条の七の八第十五項において準用する場合を含む。）の通知に関する事務 二　市町村が処理することとされている第二十八条の四第三項第七号イ及びロ並びに第三十一条の二第二項第十五号ニに規定する認定の事務、第三十四条の二第二項第十四号の二に規定する指定の事務、第六十二条の三第四項第十五号ニ並びに第六十三条第三項第七号イ及びロに規定する認定の事務、第六十五条の四第一項第十四号の二に規定する指定の事務並びに第七十条の四第三十六項（第七十条の六第四十一項において準用する場合を含む。）、第七十条の四第三十七項（第七十条の六第四十二項において準用する場合を含む。）及び第七十条の六の六第二十一項の通知に関する事務
特定多目的ダム法（昭和三十二年法律第三十五号）	第三十二条第一項の規定により都道府県が処理することとされている事務
自然公園法（昭和三十二年法律第百六十一号）	第二十条第一項、同条第二項において準用する第五条第三項、第二十一条第一項、同条第二項において準用する第五条第三項、第二十二条第一項、同条第二項において準用する第五条第三項及び第六十七条第二項（利用調整地区に係る部分を除く。）の規定により都道府県が処理することとされている事務
生活衛生関係営業の運営の適正化及び振興に関する法律	第五十六条の三第五項及び第五十七条第三項前段の規定により都道府県が処理することとされている事務

（昭和三十二年法律第百六十四号）	
地すべり等防止法（昭和三十三年法律第三十号）	一 第七条、第八条（第四十五条において準用する場合を含む。）、第九条、第十一条、第十三条（第四十五条において準用する場合を含む。）、第十四条第一項（第四十五条において準用する場合を含む。）、第十五条第一項（第四十五条において準用する場合を含む。）、第十六条第一項（第四十五条において準用する場合を含む。）、第十六条第二項（第四十五条において準用する場合を含む。）において準用する第六条第二項、第三項、第五項及び第六項、第十八条（第四十二条第二項において準用する場合を含む。）、第二十条第二項（第四十五条において準用する場合を含む。）、第二十一条第一項及び第二項（第四十五条においてこれらの規定を準用する場合を含む。）、第二十二条第一項、第二十三条第一項及び第二項、第二十四条第一項、第二十五条、第二十六条第一項（第四十五条において準用する場合を含む。）、第三十条（第四十五条において準用する場合を含む。）、第三十一条（第四十五条において準用する場合を含む。）、第三十三条（第四十五条において準用する場合を含む。）、第三十四条第一項（第四十五条において準用する場合を含む。）、第三十五条第三項（第四十五条において準用する場合を含む。）、第三十六条第一項（第四十五条において準用する場合を含む。）、第三十八条第一項から第三項まで（第四十五条においてこれらの規定を準用する場合を含む。）、第四十一条、第四十二条第一項並びに第四十八条の規定により都道府県が処理することとされている事務 二 他の法律及びこれに基づく政令の規定により、地すべり防止区域の管理及びぼた山崩壊防止区域の管理に関して都道府県が処理することとされている事務
首都圏の近郊整備地帯及び都市開発区域の整備に関する法律（昭和三十三年法律第九十八号）	第十九条第二項の規定により都県が処理することとされている事務（都県が施行する工業団地造成事業に係るものに限る。）
国民健康保険法（昭和三十三年法律第百九十二号）	㊟ 本項中、点線の左側は、令和五年六月九日から起算して一年六月を超えない範囲内において政令で定める日〔令六・一二・二〕から施行となる。 第十七条第一項及び第三項（第二十七条第三項において準用する場合を含む。）、第二十四条の四、第二十四条の五、第二十五条第一項、第二十七条第二項及び第四項、第三十二条第二項、第三十二条の二第二項、第三十二条の七第一項及び第二項（同条第三項において準用する場合を含む。）、第三十二条の十二、第四十一条第一項（第五十二条第六項、第五十二条の二第三項、第五十三条第三項及び第五十四条の三第二項／第五十四条の三第六項において準用する場合を含む。）及び第二項（第四十五条の二第四項、第五十二条第六項、第五十二条の二第三項、第五十三条第三項及び第五十四条の三第二項／第五十四条の三第六項において準用する場合を含む。）、第四十五条第三項並びに第四十五条の二第一項及び第五項（これらの規定を第五十二条第六項、第五十二条の二第三項、第五十三条第三項及び第五十四条の三第二項／第五十四条の三第六項において準用する場合を含む。）、第五十四条の二の二並びに第五十四条の二の三第一項及び第三項（これらの規定を第五十四条の三第二項／第五十四条の三第六項において準用する場合を含む。）、第八十条第一項、第八十八条並びに第八十九条第一項の規定により都道府県が処理することとされている事務、第百六条第一項（第二号に係る部分に限る。）、第百七条（第二号に係る部分に限る。）及び第百八条の規定により都道府県が処理することとされている事務のうち組合に係るもの並びに第百十四条の規定により都道府県が処理することとされている事務
国民年金法（昭和三十四年法律第百四十一号）	第十二条第一項及び第四項（第百五条第二項において準用する場合を含む。）並びに第百五条第一項及び第四項の規定により市町村が処理することとされている事務
小売商業調整特別措置法（昭和三十四年法律第百五十五号）	第二条、第三条第一項及び第四項（第七条第四項及び第十条第二項において準用する場合を含む。）、第四条第一項、第六条第二項、第七条第一項及び第三項、第九条第三項、第十条第一項、第十二条第一項及び第二項、第十四条、第十四条の二（第十六条の七後段において読み替えて適用される場合を含む。）、第十五条から第十六条の二まで、第十六条の三第一項、第三項、第四項（第十六条の四第二項において準用する場合を含む。）及び第五項、第十六条の四第一項、第十六条の五、第十六条の六第一項、第十七条、第十八条第一項、第十九条第一項及び第二項並びに第二十条の規定により都道府県が処理することとされてい

	る事務
住宅地区改良法（昭和三十五年法律第八十四号）	第四条第二項及び第五条並びに第二十九条第一項において準用する公営住宅法第四十四条第六項及び第四十六条第二項の規定により都道府県が処理することとされている事務
医薬品、医療機器等の品質、有効性及び安全性の確保等に関する法律（昭和三十五年法律第百四十五号）	一　第二十一条、第二十三条の二の二十一、第二十三条の四十一、第六十九条第一項、第四項、第六項及び第七項、第六十九条の二第二項、第七十条第一項及び第三項、第七十一条、第七十二条第三項、第七十二条の五、第七十六条の六第一項から第五項まで及び第七項、第七十六条の七第一項及び第二項、第七十六条の七の二並びに第七十六条の八第一項の規定により都道府県が処理することとされている事務 二　第二十一条、第六十九条第一項、第四項及び第六項、第七十条第一項及び第三項、第七十一条、第七十二条第三項並びに第七十二条の五の規定により保健所を設置する市又は特別区が処理することとされている事務
薬剤師法（昭和三十五年法律第百四十六号）	第八条第五項及び第九項前段、同条第十一項及び第十二項（これらの規定を第八条の二第五項において準用する場合を含む。）、第八条第六項において準用する行政手続法第十五条第一項及び第三項（同法第二十二条第三項において準用する場合を含む。）、第十六条第四項、第十八条第一項及び第三項、第十九条第一項、第二十条第六項並びに第二十四条第三項、第八条第九項後段において準用する同法第二十二条第三項において準用する同法第十五条第三項並びに第九条の規定により都道府県が処理することとされている事務
農業協同組合合併助成法（昭和三十六年法律第四十八号）	この法律の規定により都道府県が処理することとされている事務のうち、次に掲げるもの 一　第二条第一項及び第四条の規定により都道府県が処理することとされている事務（合併する組合のうちに信用事業を行う組合が含まれている場合に限る。） 二　第六条、第八条及び第九条の規定により都道府県が処理することとされている事務
公共用地の取得に関する特別措置法（昭和三十六年法律第百五十号）	この法律の規定により地方公共団体が処理することとされている事務のうち、次の各号に掲げるもの 一　都道府県が第八条において準用する土地収用法第二十四条第四項及び第五項並びに同法第二十五条第二項、この法律第二十条第一項、第三項及び第五項、第二十一条第一項、第二十三条第二項、第二十四条、第二十五条、第二十六条第一項、第二十六条第二項において準用する土地収用法第八十三条第四項から第六項まで、この法律第二十九条第二項、第三十条第一項、第三十四条、第三十七条第二項において準用する土地収用法第九十四条第十一項並びにこの法律第三十八条の二の規定（第四十五条においてこれらの規定を準用する場合を含む。）により処理することとされている事務 二　市町村が第八条において準用する土地収用法第二十四条第二項及びこの法律第四十条第二項の規定（第四十五条においてこれらの規定を準用する場合を含む。）により処理することとされている事務
社会福祉施設職員等退職手当共済法（昭和三十六年法律第百五十五号）	第二十三条第一項の規定により都道府県が処理することとされている事務
畜産経営の安定に関する法律（昭和三十六年法律第百八十三号）	第七条第一項及び第二項、第十条第一項、第十一条第一項（第十三条第三項において準用する場合を含む。）、第十二条第二項、第十三条第一項及び第二項並びに第二十九条第二項の規定により都道府県が処理することとされている事務
踏切道改良促進法（昭和三十六年法律第百九十五号）	第三条第五項、第四条第十七項（第五条第二項において準用する場合を含む。）及び第十四条第七項（同条第十項において準用する場合を含む。）の規定により都道府県が処理することとされている事務
児童扶養手当法（昭和三十六年法律第二百三十八号）	この法律（第二十八条の二第二項及び第三項を除く。）の規定により都道府県等が処理することとされている事務
共同溝の整備等に関する特別措置法（昭和三十八年法律第八十一号）	第三条第二項及び第三項（都道府県公安委員会の意見を聴く事務に係る部分に限る。）の規定により指定区間内の一般国道の管理を行う都道府県及び指定市が処理することとされている事務
新住宅市街地開発法（昭和三十八年法律第	この法律の規定により地方公共団体が処理することとされている事務のうち次に掲げるもの 一　都道府県が第二十七条第二項の規定により処理することとされている事務（都道府県又は地

自治法

百三十四号）	方住宅供給公社（市のみが設立したものを除く。）が施行する新住宅市街地開発事業に係るものに限る。） 二　都道府県が第三十二条第一項並びに第三十四条第三項及び第四項の規定により処理することとされている事務（都道府県又は地方住宅供給公社（市のみが設立したものを除く。）が施行する新住宅市街地開発事業に係るものに限る。） 三　市町村が第三十四条第二項の規定により処理することとされている事務（都道府県又は地方住宅供給公社（市のみが設立したものを除く。）が施行する新住宅市街地開発事業に係るものに限る。）
不動産の鑑定評価に関する法律（昭和三十八年法律第百五十二号）	第二十六条第二項（国土交通大臣に通知する事務に係る部分に限る。）の規定により都道府県が処理することとされている事務
特別児童扶養手当等の支給に関する法律（昭和三十九年法律第百三十四号）	この法律（第二十二条第二項及び第二十五条（第二十六条の五においてこれらの規定を準用する場合を含む。）を除く。）の規定により都道府県、市又は福祉事務所を管理する町村が処理することとされている事務
近畿圏の近郊整備区域及び都市開発区域の整備及び開発に関する法律（昭和三十九年法律第百四十五号）	第二十六条第二項の規定により府県が処理することとされている事務（府県が施行する工業団地造成事業に係るものに限る。）
漁業災害補償法（昭和三十九年法律第百五十八号）	この法律（第七十六条並びに第百九十六条の八第一項及び第二項を除く。）の規定により都道府県が処理することとされている事務
道路法の一部を改正する法律（昭和三十九年法律第百六十三号）	附則第三項の規定により都道府県又は指定市が処理することとされる事務
河川法（昭和三十九年法律第百六十七号）	一　この法律の規定により地方公共団体が処理することとされている事務のうち次に掲げるもの イ　第五条第一項から第四項まで及び第六項、第六条第一項第三号及び第二項から第六項まで、第十条第一項及び第二項、同条第三項において読み替えて準用する第九条第三項（都道府県知事が行う事務に係る部分に限る。）及び第四項、第十一条、第十二条第一項、第十四条、第十五条、第十五条の二第一項、第十六条第一項、同条第四項及び第五項（同条第六項においてこれらの規定を準用する場合を含む。）、第十六条の二第一項、同条第三項から第六項まで（同条第七項においてこれらの規定を準用する場合を含む。）、第十六条の三第一項、第十六条の四第一項、第十六条の五第一項、第十七条から第二十条まで、第二十一条第一項、第三項及び第四項、第二十二条第一項から第三項まで及び第六項、同条第四項及び第五項（第二十二条の三第六項、第五十七条第三項、第五十八条の六第三項、第七十六条第二項及び第八十九条第九項においてこれらの規定を準用する場合を含む。）、第二十二条の二、第二十二条の三第一項から第三項まで及び第五項、第二十三条から第二十三条の三まで、第二十四条、第二十五条、第二十六条第一項、第四項及び第五項、第二十七条第一項及び第五項、第二十八条から第三十条まで、第三十一条第二項、第三十二条第四項、第三十四条第一項、第三十六条第二項及び第四項、第三十七条から第三十八条まで、第四十二条第二項から第四項まで、第四十三条第一項、第四十四条第一項、第四十七条第一項、第二項及び第四項、第五十二条、第五十三条第三項、第五十三条の二第一項及び第三項、第五十四条第一項及び第四項、第五十五条第一項、第五十六条第一項及び第三項、第五十七条第一項及び第二項、第五十八条の二、第五十八条の三第一項及び第四項、第五十八条の四第一項、第五十八条の五第一項及び第三項、第五十八条の六第一項及び第二項、第五十八条の八第一項、第二項及び第四項、第五十八条の十一から第五十八条の十三まで、第六十六条、第六十七条、第六十八条第二項、第七十条第一項、第七十条の二第一項及び第二項、第七十四条第一項から第三項まで及び第五項、第七十五条第一項から第七項まで、第七十六条第一項及び第三項、第七十七条第一項（河川監理員を命ずる事務に係る部分を除く。）、第七十八条第一項、第八十九条第一項から第三項まで、第六項及び第

	八項、第九十一条第一項、第九十二条、第九十五条並びに第九十九条第二項の規定により、二級河川に関して都道府県又は指定都市が処理することとされている事務 ロ　第十六条の四第一項及び第十六条の五第一項の規定により、指定区間内の一級河川に関して都道府県が処理することとされている事務 ハ　第十六条の四第一項、第十六条の五第一項、第三十二条第四項及び第三十六条第三項の規定により、指定区間内の一級河川に関して指定都市が処理することとされている事務 ニ　第十六条の三の規定により、市町村が処理することとされている事務 二　他の法律及びこれに基づく政令の規定により、指定区間内の一級河川及び二級河川の管理に関して都道府県又は指定都市が処理することとされている事務
地方住宅供給公社法（昭和四十年法律第百二十四号）	第四十四条第一項の規定により都道府県又は市が処理することとされている事務
流通業務市街地の整備に関する法律（昭和四十一年法律第百十号）	この法律の規定により地方公共団体が処理することとされている事務のうち次に掲げるもの 一　都道府県が第三十条第二項、第三十八条第一項並びに第三十九条第三項及び第四項の規定により処理することとされている事務（都道府県又は機構が施行する流通業務団地造成事業に係るものに限る。） 二　市町村が第三十九条第二項の規定により処理することとされている事務（都道府県又は機構が施行する流通業務団地造成事業に係るものに限る。） 三　他の法律の規定により許可、認可その他の処分をする権限を有する行政機関（地方公共団体に限る。）が第四十六条第二項の規定により処理することとされている事務（他の法律により当該権限に属する事務が第一号法定受託事務とされている場合に限る。）
漁業協同組合合併促進法（昭和四十二年法律第七十八号）	この法律の規定により都道府県が処理することとされている事務のうち、次に掲げるもの 一　第二条及び第四条の規定により都道府県が処理することとされている事務（合併する組合のうちに水産業協同組合法第十一条第一項第四号の事業を行う組合が含まれている場合に限る。） 二　第九条、第十一条及び第十二条の規定により都道府県が処理することとされている事務
公共用飛行場周辺における航空機騒音による障害の防止等に関する法律（昭和四十二年法律第百十号）	第十一条の規定により都道府県が処理することとされている事務（意見書を添付する事務を除く。）
大気汚染防止法（昭和四十三年法律第九十七号）	この法律の規定により都道府県が処理することとされている事務のうち、第五条の二第一項の規定により処理することとされているもの（指定ばい煙総量削減計画の作成に係るものを除く。）並びに同条第二項及び第三項、第十五条第三項、第十五条の二第三項及び第四項並びに第二十二条第一項及び第二項の規定により処理することとされているもの
騒音規制法（昭和四十三年法律第九十八号）	第十八条の規定により都道府県又は市が処理することとされている事務
都市計画法（昭和四十三年法律第百号）	一　この法律の規定により地方公共団体が処理することとされている事務のうち次に掲げるもの イ　第二十条第二項（国土交通大臣から送付を受けた図書の写しを公衆の縦覧に供する事務に係る部分に限り、第二十一条第二項において準用する場合を含む。ハにおいて同じ。）、第二十二条第二項、第二十四条第一項前段及び第五項並びに第六十五条第一項（国土交通大臣が第五十九条第一項若しくは第二項の認可又は同条第三項の承認をした都市計画事業について許可をする事務に係る部分に限る。ロにおいて同じ。）の規定により都道府県が処理することとされている事務 ロ　第六十五条第一項の規定により市が処理することとされている事務 ハ　第二十条第二項及び第六十二条第二項（国土交通大臣から送付を受けた図書の写しを公衆の縦覧に供する事務に係る部分に限り、第六十三条第二項において準用する場合を含む。）の規定により市町村が処理することとされている事務 二　第六十九条の規定により適用される土地収用法の規定により地方公共団体が処理することとされている事務のうち、同法第百三十九条の四各号に掲げる事務（この法律第五十九条第一項若しくは第二項の規定による国土交通大臣の認可又は同条第三項の規定による国土交通大臣の認

	承認を受けた都市計画事業に関するものに限る。）
都市再開発法（昭和四十四年法律第三十八号）	この法律の規定により地方公共団体が処理することとされている事務のうち次に掲げるもの 一　都道府県が第六十一条第一項、第六十六条第一項から第八項まで、第六十八条第二項において準用する土地収用法第三十六条第五項並びに第九十八条第二項（第九十九条の八第五項（第百十八条の二十八第二項において準用する場合を含む。）及び第百十八条の二十七第二項において準用する場合を含む。）及び第三項の規定により処理することとされている事務（都道府県又は機構等（市のみが設立した地方住宅供給公社を除く。）が施行する市街地再開発事業に係るものに限る。） 二　市が第六十一条第一項（土地の試掘等に係る部分に限る。）、第六十六条第一項から第八項まで並びに第九十八条第二項（第百十八条の二十七第二項において準用する場合を含む。）及び第三項の規定により処理することとされている事務（機構等（市のみが設立した地方住宅供給公社を除く。）が施行する市街地再開発事業に係るものに限る。） 三　市町村が第五十五条第二項（第五十六条において準用する場合を含む。）、第五十八条第三項及び第四項において準用する第十六条第一項（ただし書を除く。）及び第十九条第四項、第六十一条第一項（土地の試掘等に係る部分を除く。）及び第三項、第六十八条第二項において準用する土地収用法第三十六条第四項、第九十八条第一項並びに第九十九条第一項及び第三項から第五項まで（これらの規定を第九十九条の八第五項（第百十八条の二十八第二項において準用する場合を含む。）において準用する場合を含む。）、第九十九条第二項において準用する第九十八条第三項並びに第百六条第六項において準用する第四十一条第二項の規定により処理することとされている事務（都道府県又は機構等（市のみが設立した地方住宅供給公社を除く。）が施行する市街地再開発事業に係るものに限る。）
地価公示法（昭和四十四年法律第四十九号）	第七条第二項の規定により市町村（特別区を含む。）が処理することとされている事務
地方道路公社法（昭和四十五年法律第八十二号）	第四十条第一項の規定により都道府県又は市が処理することとされている事務
廃棄物の処理及び清掃に関する法律（昭和四十五年法律第百三十七号）	第十二条第三項及び第四項、第十二条の二第三項及び第四項、第十二条の三第七項、第十二条の五第九項、第十二条の六、第十二条の七第一項、第二項、第三項（同条第八項において準用する場合を含む。）、第七項、第九項及び第十項、第十四条第一項、第五項（第十四条の二第二項において準用する場合を含む。）、第六項及び第十項（第十四条の二第二項において準用する場合を含む。）、第十四条の二第一項、同条第三項において読み替えて準用する第七条の二第三項及び第四項、第十四条の三（第十四条の六において読み替えて準用する場合を含む。）、第十四条の三の二第一項（第十四条の六において読み替えて準用する場合を含む。）及び第二項（第十四条の六において準用する場合を含む。）、第十四条の四第一項、第五項（第十四条の五第二項において準用する場合を含む。）、第六項及び第十項（第十四条の五第二項において準用する場合を含む。）、第十四条の五第一項、同条第三項において読み替えて準用する第七条の二第三項及び第四項、第十五条第一項、同条第四項から第六項まで（第十五条の二の六第二項においてこれらの規定を準用する場合を含む。）、第十五条の二第一項から第三項まで（第十五条の二の六第二項においてこれらの規定を準用する場合を含む。）及び第五項、第十五条の二の二第一項、第十五条の二の四において読み替えて準用する第八条の五第四項、第十五条の二の六第一項、同条第三項において読み替えて準用する第九条第三項から第六項まで、第十五条の二の七、第十五条の三、第十五条の三の二第二項、第十五条の三の三第一項及び第五項、第十五条の四において読み替えて準用する第九条の五第一項及び第二項並びに第九条の六、第十五条の四において準用する第九条の七第二項、第十七条の二第一項、同条第三項において準用する第十八条第一項、第十九条第一項、第十九条の三（第一号及び第三号を除く。）及び第十九条の五第一項（第二号から第四号までを除く。）、第十八条第一項（産業廃棄物又は産業廃棄物処理施設に係る部分に限る。）、第十九条第一項（産業廃棄物又は産業廃棄物処理施設に係る部分に限る。）、第十九条の三（第二号に係る部分に限る。）、第十九条の五第一項、同条第二項において準用する第十九条の四第二項、第十九条の六第一項、同条第二項において準用する第十九条の四第二項、第十九条の十第二項において読み替えて準用する第十九条の五第一項、第二十一条の二（産業廃棄物の処理施設に係る部分に限る。）、第二十三条の三並びに第二十三条の四の規定により都道府県が行うこととされている事務
水質汚濁防	第四条の五第一項及び第二項、第十五条第一項及

止法（昭和四十五年法律第百三十八号）	び第二項並びに第十六条第一項の規定により都道府県が処理することとされている事務
農用地の土壌の汚染防止等に関する法律（昭和四十五年法律第百三十九号）	第十一条の二の規定により都道府県が処理することとされている事務
児童手当法（昭和四十六年法律第七十三号）	この法律（第二十条から第二十二条の二まで及び第二十九条を除く。）の規定により市町村が処理することとされている事務（第十七条第一項の規定により読み替えられた第七条第一項、第八条第一項及び第十四条第一項の規定により都道府県又は市町村が処理することとされている事務を含む。）
積立式宅地建物販売業法（昭和四十六年法律第百十一号）	第十二条、第十三条及び第十六条の規定により都道府県が処理することとされている事務（国土交通大臣の許可を受けた積立式宅地建物販売業者に係る積立式宅地建物販売業者名簿の備付け、登載、閲覧、訂正及び消除に関するものに限る。）
新都市基盤整備法（昭和四十七年法律第八十六号）	この法律の規定により地方公共団体が処理することとされている事務のうち次に掲げるもの 一　都道府県が第五十一条第一項の規定により処理することとされている事務（都道府県が施行する新都市基盤整備事業に係るものに限る。） 二　市町村が第二十五条第一項において準用する土地区画整理法第五十五条第十項（同条第十三項において準用する場合を含む。）の規定により処理することとされている事務（都道府県が施行する新都市基盤整備事業に係るものに限る。） 三　市町村が第二十九条において準用する土地区画整理法第七十二条第六項及び第七十七条第六項の規定により処理することとされている事務（都道府県が施行する新都市基盤整備事業に係るものに限る。）
石油パイプライン事業法（昭和四十七年法律第百五号）	第三十四条第一項及び第二項の規定により都道府県が処理することとされている事務
防災のための集団移転促進事業に係る国の財政上の特別措置等に関する法律（昭和四十七年法律第百三十二号）	第三条第四項前段（第六項において準用する場合を含む。）及び第七項の規定により都道府県が処理することとされている事務
農水産業協同組合貯金保険法（昭和四十八年法律第五十三号）	この法律の規定により都道府県が処理することとされている事務
公害健康被害の補償等に関する法律（昭和四十八年法律第百十一号）	第四条第一項、第二項、第四項及び第六項、第五条第一項、第七条第二項（第八条第三項及び第八条の二第三項において準用する場合を含む。）、第八条第二項、第八条の二第二項、第九条、第十一条第二項、第十五条第一項、第十九条第一項、第二十条、第二十一条第二項、第二十四条第一項及び第二項、第二十五条第一項、第二十八条第一項から第四項まで及び第七項（第三十九条第三項において準用する場合を含み、第二十八条第二項にあつては同条第四項後段において準用する場合を含む。）、第二十九条第一項並びに同条第二項及び第四項（第三十五条第二項及び第四十一条第二項において準用する場合を含む。）、第三十五条第一項及び第三項、第三十九条第一項、第四十条第一項、第四十一条第一項、第四十二条、第四十三条、第四十六条、第百三十六条から第百三十八条まで、第百三十九条第一項及び第四項並びに第百四十条第一項の規定により都道府県又は第四条第三項の政令で定める市が処理することとされている事務
有害物質を含有する家庭用品の規制に関する法律（昭和四十八年法律第百十二号）	第六条及び第七条第一項の規定により都道府県、保健所を設置する市又は特別区が処理することとされている事務
伝統的工芸品産業の振興に関する法律（昭和四十九年法	第二条第三項（同条第七項において準用する場合を含む。）、第四条第一項、第五条第二項、第七条第一項、第八条第二項、第九条第一項、第十条第二項、第十一条第一項、第十二条第二項、第十三条第一項及び第十四条第二項の規定により都道府県

律第五十七号）	県又は市町村が処理することとされている事務
防衛施設周辺の生活環境の整備等に関する法律（昭和四十九年法律第百一号）	第十四条の規定により市町村（特別区を含む。）が処理することとされている事務（同条第二項の規定による申請書に意見を記載した書面を添える事務を除く。）
私立学校振興助成法（昭和五十年法律第六十一号）	㊟本項中、点線の左側は、令和七年四月一日から施行となる。 一　第十二条（第十六条において準用する場合を含む。）、第十二条の二第一項（第十六条において準用する場合を含む。）及び第二項（第十三条第二項及び第十六条において準用する場合を含む。）、第十三条第一項（第十六条において準用する場合を含む。）並びに第十四条第二項及び第三項 第四項の規定により都道府県が処理することとされている事務 二　附則第二条第二項又は第二条の二第二項の規定により読み替えて適用される第十二条、第十二条の二第一項、及び第二項、同条第二項（第十三条第二項において準用する場合を含む。）、第十三条第一項並びに第十四条第二項及び第三項 第四項の規定により都道府県が処理することとされている事務
大都市地域における住宅及び住宅地の供給の促進に関する特別措置法（昭和五十年法律第六十七号）	この法律の規定により地方公共団体が処理することとされている事務のうち次に掲げるもの 一　都府県が第五十九条第六項及び第七項（これらの規定を同条第十五項において準用する場合を含む。）、第六十四条第一項、第六十七条第一項、同条第二項において準用する土地区画整理法第七十六条第二項並びに第百四条第一項及び第二項の規定により処理することとされている事務（都府県又は機構若しくは地方公社（市のみが設立したものを除く。）が施行する住宅街区整備事業に係るものに限る。） 二　市町村が第五十七条において準用する土地区画整理法第五十五条第十項（第五十七条において準用する同法第五十五条第十三項において準用する場合を含む。）、第五十九条第十二項（同条第十五項において準用する場合を含む。）、第六十四条第一項及び第三項並びに第七十一条において準用する同法第七十七条第六項（第百一条において準用する同法第百三十三条第二項において準用する場合を含む。）の規定により処理することとされている事務（都府県又は機構若しくは地方公社（市のみが設立したものを除く。）が施行する住宅街区整備事業に係るものに限る。）
中小企業の事業活動の機会の確保のための大企業者の事業活動の調整に関する法律（昭和五十二年法律第七十四号）	第五条第二項及び第六条第二項の規定により都道府県が処理することとされている事務
犯罪被害者等給付金の支給等による犯罪被害者等の支援に関する法律（昭和五十五年法律第三十六号）	第十一条第一項、第十二条第一項及び第十三条の規定により都道府県が処理することとされている事務
農業経営基盤強化促進法（昭和五十五年法律第六十五号）	この法律の規定により地方公共団体が処理することとされている事務のうち、次に掲げるもの 一　第五条第一項、第三項及び第五項から第七項まで、第六条第五項、第八条第一項及び第四項（第九条第二項において準用する場合を含む。）、第九条第一項並びに第十条並びに第十一条第一項の規定により読み替えて適用する農地中間管理事業の推進に関する法律第十三条並びに第三十条第一項及び第二項の規定により都道府県が処理することとされている事務 二　第十二条第六項、第七項及び第十一項、第十三条の二第四項の規定により読み替えて適用する第十二条第六項並びに第十三条の二第六項の規定により読み替えて適用する第十二条第十三項及び第十四項（これらの規定を第十三条第三項において準用する場合を含む。）の規定により都道府県が処理することとされている事務（第十二条第三項第二号の土地に四ヘクタールを超える農地が含まれる農業経営改善計画に係るものに限る。） 三　第十二条第十三項及び第十四項、第十三条の二第四項の規定により読み替えて適用する第十二条第六項並びに第十三条の二第五項の規定により読み替えて適用する第十二条第六項及び第十一項（これらの規定を第十三条第三項におい

法律	事務
	て準用する場合を含む。）の規定により指定市町村が処理することとされている事務（第十二条第三項第二号の土地に四ヘクタールを超える農地が含まれる農業経営改善計画に係るものに限る。）
高齢者の医療の確保に関する法律（昭和五十七年法律第八十号）	㊟ 本項中、点線の左側は、令和五年六月九日から起算して一年六月を超えない範囲内において政令で定める日〔令六・一二・二〕から施行となる。 第四十四条第四項（第百二十四条、第百二十四条の八及び附則第十条において準用する場合を含む。）、第六十一条第一項及び第二項、第六十六条第一項（第七十四条第十項、第七十五条第七項、第七十六条第六項及び 第八十二条第二項／第八十二条第六項 において準用する場合を含む。）及び第二項（第七十二条第二項、第七十四条第十項、第七十五条第七項、第七十六条第六項及び 第八十二条第二項／第八十二条第六項 において準用する場合を含む。）、第七十条第二項並びに第七十二条第一項及び第三項（これらの規定を第七十四条第十項、第七十五条第七項、第七十六条第六項及び 第八十二条第二項／第八十二条第六項 において準用する場合を含む。）、第八十条並びに第八十一条第一項及び第三項（これらの規定を 第八十二条第二項／第八十二条第六項 において準用する場合を含む。）、第百三十三条第二項、第百三十四条第二項（附則第十条において準用する場合を含む。）、第百五十二条第一項及び第三項（これらの規定を附則第十一条第二項において準用する場合を含む。）並びに第百二十七条の規定において準用する国民健康保険法第八十八条及び第八十九条第一項の規定により都道府県が処理することとされている事務
電気通信事業法（昭和五十九年法律第八十六号）	第百三十条第二項及び第三項（これらの規定を第百三十八条第四項において準用する場合を含む。）の規定により市町村が処理することとされている事務
国民年金法等の一部を改正する法律（昭和六十年法律第三十四号）	附則第九十七条第一項の規定により都道府県、市（特別区を含む。）及び福祉事務所を管理する町村が処理することとされている第七条の規定による改正前の特別児童扶養手当等の支給に関する法律による福祉手当の支給に関する事務
大都市地域における優良宅地開発の促進に関する緊急措置法（昭和六十三年法律第四十七号）	第三条第五項（第七条第二項において準用する場合を含む。）の規定により都府県が処理することとされている事務
肉用子牛生産安定等特別措置法（昭和六十三年法律第九十八号）	第七条第一項、第二項及び第四項（第九条第二項において準用する場合を含む。）、第八条第一項、第九条第一項並びに第十七条第一項の規定により都道府県が処理することとされている事務
特定農地貸付けに関する農地法等の特例に関する法律（平成元年法律第五十八号）	第三条第一項及び第三項の規定により市町村が処理することとされている事務
食鳥処理の事業の規制及び食鳥検査に関する法律（平成二年法律第七十号）	第三十七条第一項及び第三十八条第一項の規定により都道府県が処理することとされている事務
地価税法（平成三年法律第六十九号）	第六条第二項第二号の規定により都道府県が処理することとされている確認に関する事務
日本国との平和条約に基づき日本の国籍を離脱した者等の出入国管理に関する特例法（平成三年法律第七十一号）	㊟ 本項中、点線の左側は、令和六年六月二一日から起算して二年を超えない範囲内において政令で定める日から施行となる。 第四条第三項及び第四項、第六条第一項、第七条第二項、第十条第一項から第三項まで、第十一条第一項、同条第二項及び第三項（これらの規定を第十二条第三項、第十三条第二項及び第十四条第四項において準用する場合を含む。）、第十二条第一項及び第二項、第十三条第一項、第十四条第一項及び第三項、 並びに第十六条第三項／第十六条第三項並びに第十六条の二第一項、第二項、第六項、第七項及び第十一項 の規定により市町村が処理することとされている事務

法律	事務
計量法（平成四年法律第五十一号）	一 第四十条第二項（第四十二条第三項、第四十五条第二項及び第百条において準用する場合を含む。）、第九十一条第二項及び第三項並びに第百二十七条第二項から第四項までの規定により都道府県が処理することとされている事務（同条第二項から第四項までに規定するものにあっては、政令で定めるものに限る。） 二 第百二十七条第二項から第四項までの規定により特定市町村が処理することとされている事務（政令で定めるものに限る。）
産業廃棄物の処理に係る特定施設の整備の促進に関する法律（平成四年法律第六十二号）	第四条第三項の規定により都道府県が行うこととされている事務
地方拠点都市地域の整備及び産業業務施設の再配置の促進に関する法律（平成四年法律第七十六号）	第四十七条第二項の規定により読み替えて適用される地方住宅供給公社法第四十四条第一項の規定により市町村が処理することとされている事務
協同組織金融機関の優先出資に関する法律（平成五年	この法律（第四十五条の二第三項を除く。）の規定により都道府県が処理することとされている事務
法律第四十四号）	
特定農山村地域における農林業等の活性化のための基盤整備の促進に関する法律（平成五年法律第七十二号）	第八条第六項の規定により都道府県が処理することとされている事務
環境基本法（平成五年法律第九十一号）	第十六条第二項の規定により都道府県又は市が処理することとされている事務（政令で定めるものを除く。）
政党助成法（平成六年法律第五号）	第十八条第三項（第二十九条第三項（第二十七条第七項において適用する場合を含む。）において準用し、及び第二十七条第七項において適用する場合を含む。）、第二十条第二項及び第三十条第二項（これらの規定を第二十七条第七項において適用する場合を含む。）、第三十二条第三項及び第五項並びに第三十七条の規定により都道府県が処理することとされている事務
特定水道利水障害の防止のための水道水源水域の水質の保全に関する特別措置	第二十四条の規定により都道府県が処理することとされている事務
法（平成六年法律第九号）	
中国残留邦人等の円滑な帰国の促進並びに永住帰国した中国残留邦人等及び特定配偶者の自立の支援に関する法律（平成六年法律第三十号）	第十四条第四項（第十五条第三項において準用する場合を含む。）においてその例によるものとされた生活保護法別表第三の下欄に掲げる規定によりそれぞれ同表の上欄に掲げる地方公共団体が処理することとされている事務
不動産特定共同事業法（平成六年法律第七十七号）	第十二条及び第十三条（これらの規定を第五十八条第五項及び第六十条の規定により読み替えて適用する場合を含む。）並びに第四十九条（第五十八条第六項の規定により読み替えて適用する場合を含む。）の規定により都道府県が処理することとされている事務（第十二条及び第十三条の規定により処理することとされているものについては主務大臣の許可を受けた不動産特定共同事業者に係る不動産特定共同事業者名簿の備付け、登載及び閲覧に、第四十九条の規定により処理することとされているものについては主務大臣の登録を受けた小規模不動産特定共同事業者に係る同条に規定する書類の閲覧に関するものに限る。）
原子爆弾被爆者に対する援護に関	この法律（第三章第五節、第六章及び第四十八条を除く。）の規定により都道府県並びに広島市及び長崎市が処理することとされている事務

法律	事務
する法律（平成六年法律第百十七号）	
密集市街地における防災街区の整備の促進に関する法律（平成九年法律第四十九号）	この法律の規定により地方公共団体が処理することとされている事務のうち、次に掲げるもの 一　都道府県が第百九十二条第一項、第百九十七条第一項から第八項まで、第百九十九条第二項において準用する土地収用法第三十六条第五項並びに第二百三十三条第二項（第二百四十一条第五項において準用する場合を含む。）及び第三項の規定により処理することとされている事務（都道府県又は都市再生機構等（市のみが設立した地方住宅供給公社を除く。）が施行する防災街区整備事業に係るものに限る。） 二　市が第百九十二条第一項（土地の試掘等に係る部分に限る。）、第百九十七条第一項から第八項まで並びに第二百三十三条第二項及び第三項の規定により処理することとされている事務（都道府県又は都市再生機構等（市のみが設立した地方住宅供給公社を除く。）が施行する防災街区整備事業に係るものに限る。） 三　市町村が第百八十三条第二項（第百八十四条において準用する場合を含む。）、第百八十八条第三項及び第四項において準用する第百四十条第二項及び第百四十三条第四項、第百九十二条第一項（土地の試掘等に係る部分を除く。）及び第三項、第百九十九条第二項において準用する土地収用法第三十六条第四項、第二百三十三条第一項並びに第二百三十四条第一項及び第三項から第五項まで（これらの規定を第二百四十一条第五項において準用する場合を含む。）、第二百三十四条第二項において準用する第二百三十三条第三項並びに第二百五十条第六項において準用する第百六十条第二項の規定により処理することとされている事務（都道府県又は都市再生機構等（市のみが設立した地方住宅供給公社を除く。）が施行する防災街区整備事業に係るものに限る。）
環境影響評価法（平成九年法律第八十一号）	一　第四条第一項第一号若しくは第五号又は第二十二条第一項第一号、第二号若しくは第六号に定める者（地方公共団体の機関に限る。以下「第四条第一項第一号等に定める者」という。）が、この法律の規定により行うこととされている事務（当該第四条第一項第一号等に定める者が行う免許等若しくは第二条第二項第二号ホに規定する免許、特許、許可、認可、承認若しくは同意又は特定届出若しくは同号ホに規定する届出に係る事務が第一号法定受託事務である場合に限る。） 二　第四条第一項第二号又は第二十二条第一項第三号に定める者（都道府県の機関に限る。）が、この法律の規定により行うこととされている事務
介護保険法（平成九年法律第百二十三号）	第百五十六条第四項、第百七十二条第一項及び第三項並びに第百九十七条第四項の規定により都道府県が処理することとされている事務
感染症の予防及び感染症の患者に対する医療に関する法律（平成十年法律第百十四号）	第三章（第十二条第八項、同条第九項において準用する同条第二項及び第三項、同条第九項において準用する同条第四項において準用する同条第二項及び第三項、第十四条、第十四条の二並びに第十六条を除く。）、第四章（第十八条第五項及び第六項、第十九条第二項及び第七項並びに第二十条第六項及び第八項（第二十六条においてこれらの規定を準用する場合を含む。）、第二十四条並びに第二十四条の二（第二十六条及び第四十九条の二において準用する場合を含む。）を除く。）、第二十六条の三（第四十四条の三の五第六項において準用する場合を含む。）、第二十六条の四、第三十二条、第三十三条、第六章第一節（第三十六条の八第四項を除く。）、第三十六条の十九第四項及び第三十六条の二十二（第三十六条の二十三第四項及び第三十六条の二十四第二項においてこれらの規定を準用する場合を含む。）、第三十六条の三十七、第三十八条第二項（第一種感染症指定医療機関、第一種協定指定医療機関及び第二種協定指定医療機関に係る部分に限る。）、第五項、第七項及び第八項、同条第十項及び第十一項（第一種感染症指定医療機関、第一種協定指定医療機関及び第二種協定指定医療機関に係る部分に限る。）、第四十四条の三第一項、第二項、第四項から第六項まで及び第十一項、第四十四条の三の五、第四十四条の三の六、第四十四条の四の二及び第四十四条の五第四項（第四十四条の八においてこれらの規定を準用する場合を含む。）、第四十四条の六、第八章（第四十六条第五項及び第七項、第五十条第十項、同条第十二項において準用する第三十六条第五項において準用する同条第一項及び第二項、第五十条の二第四項において準用する第四十四条の三第七項から第十項まで、第五十条の三、第五十条の四、第五十一条第四項において準用する同条第一項、第五十一条の四第二項並びに同条第三項において準用する第四十四条の五第三項を除く。）、第十章、第六十三条の三第一項並びに第六十三条の四の規定により都道府県又は保健所設置市等が処理することとされている事務
地方特例交付金等の地方財政の特	第六条及び第七条第二項後段の規定により都道府県が処理することとされている事務

別措置に関する法律（平成十一年法律第十七号）	
持続的養殖生産確保法（平成十一年法律第五十一号）	第七条の二、第八条第一項及び第二項（第九条の二第二項において準用する場合を含む。）、第九条第一項から第三項まで、第九条の二第一項並びに第九条の三の規定により都道府県が処理することとされている事務
地方分権の推進を図るための関係法律の整備等に関する法律（平成十一年法律第八十七号）	一　第九十三条の規定による改正後の民法第八十三条ノ三第一項及び第九十四条の規定による改正後の民法施行法第二十三条第四項前段の各規定により都道府県が処理することとされる事務（この法律の施行の日（以下この項において「施行日」という。）から起算して二年間に限る。） 二　附則第十八条第一項の規定により、施行日から起算して二年を超えない範囲内において政令で定める日までの間、都道府県が処理することとされている事務 三　附則第百六十一条第一項の規定により上級行政庁とみなされる行政庁（地方公共団体の機関に限る。）が行政不服審査法の規定により処理することとされる事務 四　附則第百八十四条第一項の規定により、施行日から起算して二年を超えない範囲内において政令で定める日までの間、都道府県が行うこととされる事務
ダイオキシン類対策特別措置法（平成十一年法律第百五号）	この法律の規定により都道府県が処理することとされている事務のうち、第十条第一項の規定により処理することとされているもの（総量削減計画の作成に係るものを除く。）並びに同条第二項及び第三項並びに第二十六条の規定により処理することとされているもの
特定化学物質の環境への排出量の把握等及び管理の改善の促進に関する法律（平成十一年法律第八十六号）	第五条第三項前段の規定により都道府県が処理することとされている事務
大深度地下の公共的使用に関する特別措置法（平成十二年法律第八十七号）	この法律の規定により地方公共団体が処理することとされている事務のうち、次に掲げるもの（第十一条第一項の事業に関するものに限る。） 一　都道府県が第九条において準用する土地収用法第十一条第一項及び第四項並びに第十四条第一項、第二十条において準用する同法第二十四条第四項及び第五項並びに第二十五条第二項、第二十二条第三項及び第三十条第六項において準用する同法第二十四条第四項及び第五項、第二十三条第一項、第三十六条第一項並びに同条第二項において準用する第三十五条第三項の規定により処理することとされている事務 二　市町村が第九条において準用する土地収用法第十二条第二項並びに第十四条第一項及び第三項、第二十条において準用する同法第二十四条第二項、第二十二条第二項、第三十条第五項並びに第三十五条第一項から第三項まで、第五項及び第六項の規定により処理することとされている事務
農水産業協同組合の再生手続の特例等に関する法律（平成十二年法律第九十五号）	この法律の規定により都道府県が処理することとされている事務
高齢者の居住の安定確保に関する法律（平成十三年法律第二十六号）	第二十一条第二項及び第五十一条第二項において準用する公営住宅法第四十五条第三項の規定により都道府県が処理することとされている事務
ポリ塩化ビフェニル廃棄物の適正な処理の推進に関する特別措置法（平成十三年法律第六十五号）	第十二条第一項（第十五条において読み替えて準用する場合を含む。）及び第二項（第十五条において準用する場合を含む。）並びに第二十四条及び第二十五条第一項（これらの規定を第十九条において読み替えて準用する場合を含む。）の規定により都道府県が行うこととされている事務
農業協同組合法等の一部を改正する法律（平成十三年法律第九十四号）	附則第三条第一項の規定により都道府県が処理することとされている事務
都市再生特	第五十八条の規定により国道に関して市町村が処

別措置法（平成十四年法律第二十二号）	理することとされている事務（費用の負担及び徴収に関するものを除く。）
水産業協同組合法等の一部を改正する法律（平成十四年法律第七十五号）	附則第四条第一項の規定により都道府県が処理することとされている事務
使用済自動車の再資源化等に関する法律（平成十四年法律第八十七号）	この法律の規定により都道府県、保健所を設置する市又は特別区（以下この項において「都道府県等」という。）が処理することとされている事務のうち、次に掲げるもの 一　第六十条第一項、第六十一条第一項、第六十二条、第六十三条第一項、第六十四条（第七十二条において準用する場合を含む。）、第六十六条（第七十二条において読み替えて準用する場合を含む。）、第六十七条第一項、第六十八条第一項、第六十九条（第七十条第二項において準用する場合を含む。）、第七十条第一項、第七十一条第一項、第八十八条第四項から第六項まで、第九十条第一項及び第三項、第百二十五条並びに第百二十六条の規定により都道府県等が処理することとされている事務 二　第百三十条第一項及び第二項並びに第百三十一条第一項の規定により都道府県等が処理することとされている事務（第三章第三節及び第四節並びに第五章の規定の施行に関するものに限る。）
健康増進法（平成十四年法律第百三号）	第十条第三項、第十一条第一項及び第六十一条第一項（第六十三条第二項において準用する場合を含む。）の規定により都道府県、保健所を設置する市又は特別区が処理することとされている事務
独立行政法人水資源機構法（平成十四年法律第百八十二号）	第二十四条第二項並びに第二十八条第一項から第三項まで及び第五項の規定により都道府県が処理することとされている事務
特定都市河川浸水被害対策法（平成十五年法律第七十七号）	この法律の規定により地方公共団体が処理することとされている事務のうち次に掲げるもの 一　第三条第三項（同条第五項（同条第十一項において準用する場合を含む。）において準用する場合に限る。）、同条第四項から第七項まで、第九項及び第十項（同条第十一項においてこれらの規定を準用する場合を含む。）、第四条第一項、同条第四項から第十項まで（同条第十二項においてこれらの規定を準用する場合を含む。）並びに第七十七条第一項から第三項まで、第五項、第六項及び第八項から第十項まで（同条第一項から第三項まで、第五項、第六項及び第八項から第十項までに規定する事務にあっては、特定都市河川流域の指定に係るものに限る。）の規定により都道府県が処理することとされている事務 二　第四条第一項及び同条第四項から第十項まで（同条第十二項においてこれらの規定を準用する場合を含む。）の規定により市町村が処理することとされている事務
裁判員の参加する刑事裁判に関する法律（平成十六年法律第六十三号）	第二十一条第一項及び第二項、第二十二条並びに第二十三条第四項（これらの規定を第二十四条第二項において準用する場合を含む。）の規定により市町村が処理することとされている事務
武力攻撃事態等における国民の保護のための措置に関する法律（平成十六年法律第百十二号）	この法律の規定により地方公共団体が処理することとされている事務（都道府県警察が処理することとされているものを除く。）
特定障害者に対する特別障害給付金の支給に関する法律（平成十六年法律第百六十六号）	第六条第三項及び第二十七条第三項の規定により市町村が処理することとされている事務
高齢者、障害者等の移動等の円滑化の促進に関する法律（平成十八年法律第九十一号）	第三十二条の規定により国道に関して市町村が処理することとされている事務（費用の負担及び徴収に関するものを除く。）
道州制特別区域におけ	第十二条第一項及び第二項の規定により読み替えて適用する生活保護法の規定により特定広域団体

る広域行政の推進に関する法律（平成十八年法律第百十六号）	が処理することとされている特定事務等
犯罪による収益の移転防止に関する法律（平成十九年法律第二十二号）	この法律の規定により都道府県が処理することとされている事務のうち次に掲げる者に係るもの 一　農業協同組合法第十条第一項第三号の事業を行う農業協同組合及び農業協同組合連合会 二　水産業協同組合法第十一条第一項第四号の事業を行う漁業協同組合 三　水産業協同組合法第八十七条第一項第四号の事業を行う漁業協同組合連合会 四　水産業協同組合法第九十三条第一項第二号の事業を行う水産加工業協同組合 五　水産業協同組合法第九十七条第一項第二号の事業を行う水産加工業協同組合連合会
農山漁村の活性化のための定住等及び地域間交流の促進に関する法律（平成十九年法律第四十八号）	第八条第五項の規定により都道府県が処理することとされている事務
日本国憲法の改正手続に関する法律（平成十九年法律第五十一号）	この法律の規定により地方公共団体が処理することとされている事務
更生保護法（平成十九年法律第八十八号）	第九十八条第二項の規定により市町村が処理することとされている事務
中国残留邦人等の円滑な帰国の促進及び永住帰国後の自立の支援に関する法律の一部を改正する法律（平成十九年法律第百二十七号）	附則第四条第二項において準用する中国残留邦人等の円滑な帰国の促進並びに永住帰国した中国残留邦人等及び特定配偶者の自立の支援に関する法律第十四条第四項においてその例によるものとされた生活保護法別表第三の下欄に掲げる規定によりそれぞれ同表の上欄に掲げる地方公共団体が処理することとされている事務
犯罪利用預金口座等に係る資金による被害回復分配金の支払等に関する法律（平成十九年法律第百三十三号）	この法律の規定により都道府県が処理することとされている事務
オウム真理教犯罪被害者等を救済するための給付金の支給に関する法律（平成二十年法律第八十号）	第七条第一項及び第八条の規定により都道府県が処理することとされている事務
障害のある児童及び生徒のための教科用特定図書等の普及の促進等に関する法律（平成二十年法律第八十一号）	第十六条第二項の規定により都道府県が処理することとされている事務及び同条第一項の規定により市町村が処理することとされている事務
ハンセン病問題の解決の促進に関する法律（平成二十年法律第八十二号）	第十九条第一項及び第二十一条第一項の規定により都道府県が処理することとされている事務
消費者安全法（平成二十一年法律第五十号）	第四十七条第二項の規定により地方公共団体が処理することとされている事務
出入国管理及び難民認定法及び日本国との平和条約に基	附則第十七条第一項、同条第二項及び附則第十八条第二項において準用する出入国管理及び難民認定法第十九条の七第二項、附則第十八条第一項、第二十七条第一項及び第五項、第二十八条第三項及び第四項、第二十九条第一項及び第三項並びに

づき日本の国籍を離脱した者等の出入国管理に関する特例法の一部を改正する等の法律（平成二十一年法律第七十九号）	第三十条第一項、同条第二項及び附則第三十一条第二項において準用する日本国との平和条約に基づき日本の国籍を離脱した者等の出入国管理に関する特例法第十条第三項並びに附則第三十一条第一項及び第三十三条の規定により市町村が処理することとされている事務
中小企業者等に対する金融の円滑化を図るための臨時措置に関する法律（平成二十一年法律第九十六号）	この法律（第十四条第三項を除く。）の規定により都道府県が処理することとされている事務
高等学校等就学支援金の支給に関する法律（平成二十二年法律第十八号）	第四条（第十四条第三項の規定により読み替えて適用する場合を含む。）、第六条第一項、第八条第一項（第十四条第三項の規定により読み替えて適用する場合を含む。）、第十一条第一項、第十七条及び第十八条第一項の規定により都道府県が処理することとされている事務
平成二十二年度等における子ども手当の支給に関する法律（平成二十二年法律第十九号）	この法律（第二十三条及び第三十条を除く。）の規定により市町村が処理することとされている事務（第十六条第一項の規定により読み替えられた第六条第一項、第七条第一項及び第十三条第一項の規定により都道府県又は市町村が処理することとされている事務を含む。）
廃棄物の処理及び清掃に関する法律の一部を改正する法律（平成二十二年法律第三十四号）	附則第六条第一項及び第三項の規定により都道府県が行うこととされている事務
口蹄疫対策特別措置法（平成二十二年法律第四十四号）	第五条第一項及び第二項の規定により都道府県が処理することとされている事務
東日本大震災による被害を受けた公共土木施設の災害復旧事業等に係る工事の国等による代行に関する法律（平成二十三年法律第三十三号）	第七条第二項及び第四項の規定により県が処理することとされている事務（同項の規定により県が処理することとされているものにあつては、政令で定めるものに限る。）
平成二十三年度における子ども手当の支給等に関する特別措置法（平成二十三年法律第百七号）	この法律（第二十四条から第二十七条まで及び第三十四条を除く。）の規定により市町村が処理することとされている事務（第十六条第一項の規定により読み替えられた第六条第一項、第七条第一項及び第十三条第一項の規定により都道府県又は市町村が処理することとされている事務を含む。）
平成二十三年三月十一日に発生した東北地方太平洋沖地震に伴う原子力発電所の事故により放出された放射性物質による環境の汚染への対処に関する特別措置法（平成二十三年法律第百十号）	第三十四条第一項から第四項まで、第三十五条第一項（第五号に係る部分に限る。）、第二項及び第三項（同条第一項第五号に係る部分に限る。）、第三十六条第一項、第四項（第三十七条第二項において準用する場合を含む。）及び第五項（第三十七条第二項において準用する場合を含む。）、第三十七条第一項、第三十八条第二項（第三十五条第一項第五号に係る土壌等の除染等の措置に係る部分に限る。）、第四項（第三十五条第一項第五号に係る土壌等の除染等の措置に係る部分に限る。）、第七項（第三十五条第一項第五号に係る土壌等の除染等の措置に係る部分に限る。）及び第八項、第三十九条第一項から第四項まで（第三十五条第一項第五号に掲げる土地における除去土壌等の保管に係る部分に限る。）及び第五項、第四十九条第五項、第五十条第五項並びに第五十一条第三項、第四項及び第五項の規定により都道府県又は市町村が処理することとされている事務
新型インフルエンザ等対策特別措置法（平成二十四年法律第三十一	この法律の規定により地方公共団体が処理することとされている事務（都道府県警察が処理することとされているものを除く。）

号）	
大規模災害からの復興に関する法律（平成二十五年法律第五十五号）	第四十八条第二項及び第四項の規定により都道府県が処理することとされている事務（同項の規定により都道府県が処理することとされているものにあつては、政令で定めるものに限る。）
農地中間管理事業の推進に関する法律（平成二十五年法律第百一号）	この法律の規定により地方公共団体が処理することとされている事務のうち、次に掲げるもの 一　第三条第一項、第四項及び第五項、第四条、第五条、第八条第一項及び第五項、第十三条、第十四条第一項及び第三項、第十五条、第十八条第一項、第六項及び第七項、第二十条、第二十一条第二項、第二十八条並びに第三十条第一項及び第二項の規定により都道府県が処理することとされている事務 二　第十八条第六項（第一号に係る部分に限る。）の規定により指定市町村が処理することとされている事務（農地を農地以外のものにするため又は採草放牧地を採草放牧地以外のもの（農地を除く。）にするため、農地又は農地と併せて採草放牧地について農地法第三条第一項本文に規定する権利を取得する行為であつて、当該行為に係る農地の面積の合計が四ヘクタールを超えるものに係る農用地利用集積等促進計画に係るものに限る。）
農林漁業の健全な発展と調和のとれた再生可能エネルギー電気の発電の促進に関する法律（平成二十五年法律第八十一号）	この法律の規定により都道府県又は指定市町村が処理することとされている事務のうち、次に掲げるもの 一　第七条第四項第一号及び第十一項第一号（これらの規定を第八条第四項において準用する場合を含む。）の規定により都道府県が処理することとされている事務（同一の事業の目的に供するため四ヘクタールを超える農地を農地以外のものにする行為又は同一の事業の目的に供するため四ヘクタールを超える農地若しくはその農地と併せて採草放牧地について農地法第三条第一項本文に規定する権利を取得する行為に係る設備整備計画に係るものに限る。） 二　第七条第四項第四号（第八条第四項において準用する場合を含む。）の規定により都道府県が処理することとされている事務（民有林にあつては、森林法第二十五条第一項第一号から第三号までに掲げる目的を達成するための指定に係る保安林において行う行為に係る設備整備計画に係るものに限る。） 三　第七条第九項第一号（第八条第四項において準用する場合を含む。）の規定により都道府県が処理することとされている事務 四　第七条第十五項（第八条第四項において読み替えて準用する場合を含む。）において準用する第七条第九項第一号（第八条第四項において準用する場合を含む。）の規定により指定市町村が処理することとされている事務 五　第七条第十五項（第八条第四項において読み替えて準用する場合を含む。）において準用する第七条第十一項第一号（第八条第四項において準用する場合を含む。）の規定により指定市町村が処理することとされている事務（同一の事業の目的に供するため四ヘクタールを超える農地を農地以外のものにする行為又は同一の事業の目的に供するため四ヘクタールを超える農地若しくはその農地と併せて採草放牧地について農地法第三条第一項本文に規定する権利を取得する行為に係る設備整備計画に係るものに限る。）
行政手続における特定の個人を識別するための番号の利用等に関する法律（平成二十五年法律第二十七号）	㊟　本項中、点線の左側は令和五年六月九日から起算して一年六月を超えない範囲内において政令で定める日〔令六・一二・二〕から、実線の左側は令和六年六月二一日から起算して二年を超えない範囲内において政令で定める日から施行となる。 第七条第一項及び第二項、第八条第一項（附則第三条第四項において準用する場合を含む。）、第十六条の二第二項　及び第六項　、第十七条第一項から第四項まで及び第六項（同条第七項　第五項まで及び第七項（同条第八項　において準用する場合を含む。）、第二十一条の二第二項　第十八条の五第四項及び第六項、第二十一条の二第二項（情報提供者が第九条第三項の法務大臣である場合における通知に係る部分に限り、第二十六条において準用する場合を含む。）並びに附則第三条第一項から第三項までの規定により市町村が処理することとされている事務
がん登録等の推進に関する法律（平成二十五年法律第百十一号）	第六条（第三項及び第四項を除く。）、第七条、第八条第一項、第十条第二項（第十三条第二項において準用する場合を含む。）及び第十一条の規定により都道府県又は市町村が処理することとされている事務
国外犯罪被害弔慰金等の支給に関する法律（平成二十八年法律第	第十条、第十一条第一項及び第十三条の規定により都道府県が処理することとされている事務

七十三号）	
年金生活者支援給付金の支給に関する法律（平成二十四年法律第百二号）	第三十九条の規定により市町村が処理することとされている事務
地方税法等の一部を改正する等の法律（平成二十八年法律第十三号）	附則第三十一条第二項の規定によりなおその効力を有するものとされた第九条の規定による廃止前の地方法人特別税等に関する暫定措置法（平成二十年法律第二十五号）第三章の規定により都道府県が処理することとされている事務
民間公益活動を促進するための休眠預金等に係る資金の活用に関する法律（平成二十八年法律第百一号）	この法律の規定により都道府県が処理することとされている事務
所有者不明土地の利用の円滑化等に関する特別措置法（平成三十年法律第四十九号）	この法律の規定により都道府県が処理することとされている事務のうち、次に掲げるもの 一　第二十八条、第二十九条、第三十条第一項、第三十二条第一項、第三十三条、第三十五条第一項において準用する土地収用法第八十四条第二項、第八十五条第二項及び第八十九条第一項、第三十五条第一項において準用する同法第八十三条第三項から第六項まで並びに第三十六条第一項に規定する事務（同法第十七条第一項各号に掲げる事業又は同法第二十七条第二項若しくは第四項の規定により国土交通大臣の事業の認定を受けた事業に関するものに限る。） 二　第三十七条第二項において準用する第二十八条、第二十九条及び第三十条第一項、第三十七条第三項、同条第四項において準用する第三十三条、同項において準用する土地収用法第八十四条第二項、第八十五条第二項及び第八十九条第一項、第三十七条第四項において準用する第三十五条第一項において準用する同法第八十三条第三項から第六項まで並びに第三十七条第四項において準用する第三十六条第一項に規定する事務（都市計画法第五十九条第一項から第三項までの規定により国土交通大臣の認可又は承認を受けた都市計画事業に関するものに限る。）
都市農地の貸借の円滑化に関する法律（平成三十年法律第六十八号）	第四条第一項、第五条、第六条第一項及び第二項、第七条、第八条第三項並びに第九条第一項及び第二項並びに準用特定農地貸付法第三条第一項及び第三項の規定により市町村が処理することとされている事務
特別法人事業税及び特別法人事業譲与税に関する法律（平成三十一年法律第四号）	第二章の規定により都道府県が処理することとされている事務
旧優生保護法に基づく優生手術等を受けた者に対する一時金の支給等に関する法律（平成三十一年法律第十四号）	第五条第二項並びに第八条第一項から第三項まで（これらの規定を同条第五項において準用する場合を含む。）及び第六項の規定により都道府県が処理することとされている事務
子ども・子育て支援法（平成二十四年法律第六十五号）	附則第十八条及び第十九条第二項後段の規定により都道府県が処理することとされている事務
農林水産物及び食品の輸出の促進に関する法律（令和元年法律第五十七号）	この法律の規定により地方公共団体が処理することとされている事務のうち、次に掲げるもの 一　第三十七条第七項（第三十八条第三項において準用する場合を含む。）の規定により都道府県又は指定市町村が処理することとされている事務（同一の事業の目的に供するため四ヘクタールを超える農地を農地以外のものにする行為又は同一の事業の目的に供するため四ヘクタールを超える農地若しくはその農地と併せて採草放牧地について農地法第三条第一項本文に規定する権利を取得する行為に係る輸出事業計画に係るものに限る。） 二　第五十三条第二項の規定により都道府県等が

	処理することとされている事務
特定患者等の郵便等を用いて行う投票方法の特例に関する法律（令和三年法律第八十二号）	この法律の規定及びこの法律の規定により読み替えて適用する公職選挙法の規定により、衆議院議員又は参議院議員の選挙に関し、都道府県又は市町村が処理することとされている事務
電子署名等に係る地方公共団体情報システム機構の認証業務に関する法律（平成十四年法律第百五十三号）	㊟　本項中、点線の左側は、令和六年六月二一日から起算して二年を超えない範囲内において政令で定める日から施行となる。 第三条第三項（第九条第二項及び第十条第二項において準用する場合を含む。）、第四項、第五項（第九条第二項及び第十条第二項において準用する場合を含む。）及び第七項、第三条第十項において準用する同条第三項（第九条第二項及び第十条第二項において準用する場合を含む。）、第四項、第五項（第九条第二項及び第十条第二項において準用する場合を含む。）及び第七項、第三条の二第二項において準用する第三条第三項（第九条第三項及び第十条第三項において準用する場合を含む。）、第四項、第五項（第九条第三項及び第十条第三項において準用する場合を含む。）及び第七項、第三条の二第四項において準用する同条第二項において準用する第三条第三項（第九条第三項及び第十条第三項において準用する場合を含む。）、第四項、第五項（第九条第三項及び第十条第三項において準用する場合を含む。）及び第七項、第三条の二第六項において準用する同条第二項において準用する第三条第四項、第五項（第九条第三項及び第十条第三項において準用する場合を含む。）及び第七項、第二十二条第三項、第三条の三第二項において準用する第三条第四項、第五項（第九条第二項及び第十条第二項において準用する場合を含む。）及び第七項、第二十二条第三項（第二十八条第二項及び第二十九条第二項において準用する場合を含む。）、第四項、第五項（第二十八条第二項及び第二十九条第二項において準用する場合を含む。）及び第七項、第二十二条第十項において準用する同条第三項（第二十八条第二項及び第二十九条第二項において準用する場合を含む。）、第四項、第五項（第二十八条第二項及び第二十九条第二項において準用する場合を含む。）及び第七項、第二十二条の二第二項において準用する第二十二条第三項（第二十八条第三項及び第二十九条第三項において準用する場合を含む。）、第四項、第五項（第二十八条第三項及び第二十九条第三項において準用する場合を含む。）及び第七項、第二十二条の二第四項において準用する同条第二項において準用する第二十二条第三項（第二十八条第三項及び第二十九条第三項において準用する場合を含む。）及び第七項、第二十二条の二第六項並びに第二十二条の二第六項において準用する同条第二項において準用する第二十二条第四項、第五項（第二十八条第三項及び第二十九条第三項において準用する場合を含む。）及び第七項の規定並びに第二十二条の三第二項において準用する第二十二条第四項、第五項（第二十八条第二項及び第二十九条第二項において準用する場合を含む。）及び第七項の規定により市町村が処理することとされている事務
住民基本台帳法（昭和四十二年法律第八十一号）	第十九条の三の規定により市町村が処理することとされている事務
地球温暖化対策の推進に関する法律（平成十年法律第百十七号）	㊟　本項中、点線の左側と囲み部分は、令和七年四月一日から施行となる。 この法律の規定により都道府県又は市町村が処理することとされている事務のうち、次に掲げるもの 一　第二十二条の二第四項第三号（第二十二条の三第五項及び第二十二条の四第二項において準用する場合を含む。）の規定により都道府県が処理することとされている事務（民有林にあつては、森林法第二十五条第一項第一号から第三号までに掲げる目的を達成するための指定に係る保安林において行う行為に係る地域脱炭素化促進事業計画に係るものに限る。） 二　第二十二条の二第四項第四号及び第十一項第三号（これらの規定を第二十二条の三第五項及び第二十二条の四第二項（第二十二条の三第五項及び第二十二条の四第二項において準用する場合を含む。）及び第十一項第三号（第二十二条の三第五項、第二十二条の四第二項及び第二十二条の五第九項において準用する場合

を含む。）の規定により都道府県が処理することとされている事務（同一の事業の目的に供するため四ヘクタールを超える農地を農地以外のものにする行為又は同一の事業の目的に供するため四ヘクタールを超える農地若しくはその農地と併せて採草放牧地について農地法第三条第一項本文に規定する権利を取得する行為に係る地域脱炭素化促進事業計画に係るものに限る。）

三　第二十二条の二第四項第七号（第二十二条の三第五項及び第二十二条の四第二項において準用する場合並びに第二十二条の五第四項から第八項までの規定により読み替えて適用する場合を含む。）の規定により都道府県又は指定都市が処理することとされている事務

四　第二十二条の二第四項第八号（第二十二条の三第五項及び第二十二条の四第二項において準用する場合を含む。）の規定により都道府県が処理することとされている事務（廃棄物の処理及び清掃に関する法律第十五条の三の三第一項に係るものに限る。）

五　第二十二条の二第九項第二号（第二十二条の三第五項、及び第二十二条の四第二項第二十二条の四第二項及び第二十二条の五第九項において準用する場合を含む。）の規定により都道府県が処理することとされている事務

六　第二十二条の二第十五項（第二十二条の三第五項及び第二十二条の四第二項において準用する場合を含む。）及び第二十二条の五第十項において読み替えて準用する第二十二条の二第九項第二号の規定により指定市町村が処理することとされている事務

七　第二十二条の二第十五項（第二十二条の三第五項及び第二十二条の四第二項において準用する場合を含む。）及び第二十二条の五第十項において読み替えて準用する第二十二条の二第十一項第三号並びに第二十二条の五第五項の規定により読み替えて適用する第二十二条の二第四項第四号の規定により指定市町村が処理することとされている事務（同一の事業の目的に供するため四ヘクタールを超える農地を農地以外のものにする行為又は同一の事業の目的に供するため四ヘクタールを超える農地若しくはその農地と併せて採草放牧地について農地法第三条第一項本文に規定する権利を取得する行為に係る地域脱炭素化促進事業計画に係るものに限る。）

八　第二十二条の五第八項の規定により読み替えて適用する第二十二条の二第四項第十号の規定により廃棄物の処理及び清掃に関する法律第二十四条の二第一項の政令で定める市が処理することとされている事務（同法第十五条の三の三第一項に係るものに限る。）

環境と調和のとれた食料システムの確立のための環境負荷低減事業活動の促進等に関する法律（令和四年法律第三十七号）

この法律の規定により都道府県又は指定市町村が処理することとされている事務のうち、次に掲げるもの

一　第二十一条第六項（第二号に係る部分に限り、第二十二条第四項において準用する場合を含む。）の規定により指定市町村が処理することとされている事務（同一の事業の目的に供するため四ヘクタールを超える農地を農地以外のものにする行為又は同一の事業の目的に供するため四ヘクタールを超える農地若しくはその農地と併せて採草放牧地について農地法第三条第一項本文に規定する権利を取得する行為に係る特定環境負荷低減事業活動実施計画に係るものに限る。）

二　第二十一条第十二項（同条第十六項（第二十二条第四項において準用する場合を含む。）及び第二十二条第四項において準用する場合を含む。）の規定により都道府県又は指定市町村が処理することとされている事務

三　第二十一条第十三項（同条第十六項（第二十二条第四項において準用する場合を含む。）及び第二十二条第四項において準用する場合を含む。）の規定により都道府県又は指定市町村が処理することとされている事務（同一の事業の目的に供するため四ヘクタールを超える農地を農地以外のものにする行為又は同一の事業の目的に供するため四ヘクタールを超える農地若しくはその農地と併せて採草放牧地について農地法第三条第一項本文に規定する権利を取得する行為に係る特定環境負荷低減事業活動実施計画に係るものに限る。）

四　第三十九条第五項及び第六項（これらの規定を第四十条第四項において準用する場合を含む。）の規定により都道府県又は指定市町村が処理することとされている事務（同一の事業の目的に供するため四ヘクタールを超える農地を農地以外のものにする行為又は同一の事業の目的に供するため四ヘクタールを超える農地若しくはその農地と併せて採草放牧地について農地

法律	事務
	法第三条第一項本文に規定する権利を取得する行為に係る基盤確立事業実施計画に係るものに限る。）
特定不法行為等に係る被害者の迅速かつ円滑な救済に資するための日本司法支援センターの業務の特例並びに宗教法人による財産の処分及び管理の特例に関する法律（令和五年法律第八十九号）	第三章の規定により都道府県が処理することとされている事務
森林環境税及び森林環境譲与税に関する法律（平成三十一年法律第三号）	第二章の規定により市町村又は都道府県が処理することとされている事務
預貯金者の意思に基づく個人番号の利用による預貯金口座の管理等に関する法律（令和三年法律第三十九号）	この法律（第二十六条第二項を除く。）の規定により都道府県が処理することとされている事務

別表第二　第二号法定受託事務（第二条関係）

備考　この表の下欄の用語の意義及び字句の意味は、上欄に掲げる法律における用語の意義及び字句の意味によるものとする。

法律	事務
測量法（昭和二十四年法律第百八十八号）	第三十九条において準用する第二十一条第三項の規定により市町村が処理することとされている事務（測量計画機関が都道府県である公共測量に係るものに限る。）
公職選挙法（昭和二十五年法律第百号）	この法律の規定により地方公共団体が処理することとされている事務のうち、次に掲げるもの 一　都道府県の議会の議員又は長の選挙に関し、市町村が処理することとされている事務 二　市町村が第百四十七条の規定により処理することとされている事務（都道府県の議会の議員又は長の選挙における公職の候補者又は公職の候補者となろうとする者（公職にある者を含む。以下この項において「都道府県の選挙の公職の候補者等」という。）及び当該都道府県の選挙の公職の候補者等に係る後援団体の政治活動のために使用される文書図画に係る事務に限る。）並びに第二百一条の十一第十一項及び第二百一条の十四第二項の規定により処理することとされている事務（都道府県の議会の議員又は長の選挙の期日の告示の日から選挙の当日までの間における事務に限る。）
建築基準法（昭和二十五年法律第二百一号）	第七十条第四項（第七十四条第二項（第七十六条の三第六項において準用する場合を含む。以下この項において同じ。）及び第七十六条の三第四項において準用する場合を含む。）、第七十一条（第七十四条第二項及び第七十六条の三第四項におい

自治法

	て準用する場合を含む。）、第七十二条（同条第二項の規定により建築協定書に意見を付する事務に係る部分を除き、第七十四条第二項及び第七十六条の三第四項において準用する場合を含む。）及び第七十三条第三項（第七十四条第二項、第七十五条の二第四項及び第七十六条の三第四項において準用する場合を含む。）の規定により市町村（建築主事等を置かない市町村に限る。）が処理することとされている事務
土地収用法（昭和二十六年法律第二百十九号）	この法律の規定により地方公共団体が処理することとされている事務のうち、市町村が第十二条第二項、第十四条第一項及び第三項、第二十四条第二項、第二十六条の二第二項、第三十四条の四第二項、第三十六条第四項、第三十六条の二第三項、第四十二条第二項及び第三項（第四十五条第三項及び第四十七条の四第二項においてこれらの規定を準用する場合を含む。）、第四十五条第二項、第百二条の二第一項、第百十八条第二項及び第三項、第百二十二条第一項及び第三項、第百二十八条第一項、第百二十八条第二項において準用する第百二条の二第三項並びに第百二十八条第三項及び第四項の規定（第百三十八条第一項においてこれらの規定を準用する場合を含む。）により処理することとされている事務（第十七条第二項に規定する事業（第二十七条第二項又は第四項の規定により国土交通大臣の事業の認定を受けた事業を除く。）に関するものに限る。）
森林法（昭和二十六年法律第二百四十九号）	第十条の七の二第二項の規定により市町村が処理することとされている事務（第二十五条第一項第四号から第十一号までに掲げる目的を達成するための指定に係る保安林に関するものに限る。）
農地法（昭和二十七年法律第二百二十九号）	この法律の規定により市町村が処理することとされている事務のうち、次に掲げるもの 一　第四条第一項第七号の規定により市町村（指定市町村を除く。）が処理することとされている事務（同一の事業の目的に供するため四ヘクタールを超える農地を農地以外のものにする行為に係るものを除く。） 二　第四条第三項の規定により市町村（指定市町村を除く。）が処理することとされている事務（申請書を送付する事務（同一の事業の目的に供するため四ヘクタールを超える農地を農地以外のものにする行為に係るものを除く。）に限る。） 三　第五条第一項第六号の規定により市町村（指定市町村を除く。）が処理することとされている事務（同一の事業の目的に供するため四ヘクタールを超える農地又はその農地と併せて採草放牧地について第三条第一項本文に掲げる権利を取得する行為に係るものを除く。） 四　第五条第三項において準用する第四条第三項の規定により市町村（指定市町村を除く。）が処理することとされている事務（申請書を送付する事務（同一の事業の目的に供するため四ヘクタールを超える農地又はその農地と併せて採草放牧地について第三条第一項本文に掲げる権利を取得する行為に係るものを除く。）に限る。） 五　第四十三条第一項の規定により市町村（指定市町村を除く。）が処理することとされている事務（同一の事業の目的に供するため四ヘクタールを超える農地をコンクリートその他これに類するもので覆う行為に係るものを除く。）
土地区画整理法（昭和二十九年法律第百十九号）	この法律の規定により市町村が処理することとされている事務のうち次に掲げるもの 一　第四条第一項後段、第九条第四項（第十条第三項において準用する場合を含む。）、第十条第一項後段、第十一条第五項及び第七項、第十三条第一項後段、第十四条第一項後段（同条第二項において準用する場合を含む。）及び第三項後段、第十九条第二項及び第三項（これらの規定を第三十九条第二項及び第五十一条の七第二項（第五十一条の十第二項において準用する場合を含む。）において準用する場合を含む。）、第二十条第一項（第三十九条第二項において準用する場合を含む。）、第二十一条第六項（第三十九条第二項において準用する場合を含む。）、第二十九条第一項、第三十九条第一項後段、第四十一条第三項（第七十八条第四項及び第百十条第七項において準用する場合を含む。）、第四十五条第二項後段、第五十一条の二第一項後段（第五十一条の十一第二項において準用する場合を含む。）、第五十一条の八第一項（第五十一条の十第二項において準用する場合を含む。）、第五十一条の九第四項（第五十一条の十第二項において準用する場合を含む。）、第五十一条の十第一項後段、第五十一条の十三第一項後段、第七十二条第一項後段、第七十七条第八項後段、第八十六条第二項並びに第九十七条第一項後段に規定する事務 二　第五十五条第十項（同条第十三項において準用する場合を含む。）及び第七十一条の三第十二項（同条第十五項において準用する場合を含む。）に規定する事務（市町村又は市のみが設立した地方公社が施行する土地区画整理事業に係るものに限る。） 三　第七十二条第六項及び第七十七条第六項（第百三十三条第二項において準用する場合を含む。）に規定する事務（個人施行者、組合、区画整理会社、市町村又は市のみが設立した地方公社が施行する土地区画整理事業に係るものに

	限る。）
首都圏の近郊整備地帯及び都市開発区域の整備に関する法律（昭和三十三年法律第九十八号）	第二十六条第二項の規定により市町村が処理することとされている事務（都県が造成した造成工場敷地に係るものに限る。）
新住宅市街地開発法（昭和三十八年法律第百三十四号）	第三十四条第二項の規定により市町村が処理することとされている事務（地方公共団体（都道府県を除く。）、地方住宅供給公社（市のみが設立したものに限る。）又は第四十五条第一項の規定による施行者が施行する新住宅市街地開発事業に係るものに限る。）
近畿圏の近郊整備区域及び都市開発区域の整備及び開発に関する法律（昭和三十九年法律第百四十五号）	第三十五条第二項の規定により市町村が処理することとされている事務（府県が造成した造成工場敷地に係るものに限る。）
流通業務市街地の整備に関する法律（昭和四十一年法律第百十号）	この法律の規定により市町村が処理することとされている事務のうち次に掲げるもの 一　第三十九条第二項に規定する事務（都道府県以外の地方公共団体が施行する流通業務団地造成事業に係るものに限る。） 二　他の法律の規定により許可、認可その他の処分をする権限を有する市町村が第四十六条第二項の規定により処理することとされている事務（他の法律により当該権限に属する事務が第二号法定受託事務とされている場合に限る。）
都市計画法（昭和四十三年法律第百号）	一　第二十条第二項（都道府県から送付を受けた図書の写しを公衆の縦覧に供する事務に係る部分に限り、第二十一条第二項において準用する場合を含む。）及び第六十二条第二項（都道府県知事から送付を受けた図書の写しを公衆の縦覧に供する事務に係る部分に限り、第六十三条第二項において準用する場合を含む。）の規定により市町村が処理することとされている事務 二　第六十九条の規定により適用される土地収用法の規定により地方公共団体が処理することとされている事務のうち、同法第百三十九条の三第二号に掲げる事務（この法律第五十九条第一項又は第四項の規定による都道府県知事の認可を受けた都市計画事業に関するものに限る。）
都市再開発法（昭和四十四年法律第三十八号）	この法律の規定により市町村が処理することとされている事務のうち次に掲げるもの 一　第七条の九第二項（第七条の十六第二項、第七条の二十第二項、第十一条第四項、第三十八条第二項、第四十五条第五項、第五十条の二第二項、第五十条の九第二項、第五十条の十二第二項及び第五十条の十五第二項において準用する場合を含む。）、第七条の十五第三項（第七条の十六第二項において準用する場合を含む。）、第七条の十七第五項及び第七項、第十五条第二項（第三十八条第二項において準用する場合を含む。）及び第五十条の五第二項（第五十条の九第二項において準用する場合を含む。）において準用する第七条の三第二項及び第三項、第十六条第一項（第三十八条第二項、第五十条の六及び第五十条の九第二項において準用する場合を含む。）、第十九条第四項（第三十八条第二項において準用する場合を含む。）、第二十八条第一項、第四十一条第二項（第五十条の十一第二項（第百六条第七項（第百十八条の二十四第二項において準用する場合を含む。）において準用する場合を含む。）及び第百六条第六項において準用する場合を含む。）、第五十条の八第三項（第五十条の九第二項において準用する場合を含む。）、第百十四条（第百十八条の三十第二項において準用する場合を含む。）、第百十五条（第百十八条の三十第二項において準用する場合を含む。）、第百十七条第一項及び第三項（これらの規定を第百十八条の三十第二項において準用する場合を含む。）並びに第百二十四条第一項に規定する事務 二　第五十五条第二項（第五十六条において準用する場合を含む。）、第五十八条第三項及び第四項において準用する第十六条第一項（ただし書を除く。）及び第十九条第四項並びに第百十八条の二十八第二項において準用する第九十九条の八第五項において準用する第九十八条第一項並びに第九十九条第一項及び第三項から第五項までに規定する事務（市町村又は市のみが設立した地方住宅供給公社が施行する市街地再開発事業に係るものに限る。） 三　第六十一条第一項（土地の試掘等に係る部分を除く。）及び第三項、第六十八条第二項において準用する土地収用法第三十六条第四項、第九十八条第一項並びに第九十九条第一項及び第三項から第五項まで（これらの規定を第九十九条の八第五項において準用する場合を含む。）並びに第九十九条第二項において準用する第九十八条第三項に規定する事務（個人施行者、組

	合、再開発会社、市町村又は市のみが設立した地方住宅供給公社が施行する市街地再開発事業に係るものに限る。）
公有地の拡大の推進に関する法律（昭和四十七年法律第六十六号）	第四条第一項及び第五条第一項の規定により町村が処理することとされている事務
新都市基盤整備法（昭和四十七年法律第八十六号）	この法律の規定により市町村が処理することとされている事務のうち次に掲げるもの 一　第二十五条第一項において準用する土地区画整理法第五十五条第十項（同条第十三項において準用する場合を含む。）の規定により処理することとされている事務（市町村が施行する新都市基盤整備事業に係るものに限る。） 二　第二十九条において準用する土地区画整理法第七十二条第六項及び第七十七条第六項の規定により処理することとされている事務（市町村が施行する新都市基盤整備事業に係るものに限る。）
国土利用計画法（昭和四十九年法律第九十二号）	第十五条第一項、第二十三条第一項、第二十七条の四第一項（第二十七条の七第一項において準用する場合を含む。）及び第二十九条第一項の規定により市町村が処理することとされている事務
大都市地域における住宅及び住宅地の供給の促進に関する特別措置法（昭和五十年法律第六十七号）	この法律の規定により市町村が処理することとされている事務のうち次に掲げるもの 一　第三十三条第二項（第三十七条第二項において準用する場合を含む。）、第三十六条において準用する土地区画整理法第九条第四項（第三十六条において準用する同法第十条第三項において準用する場合を含む。）、同法第十条第一項後段、同法第十一条第五項及び第七項並びに同法第十三条第一項後段、第五十条第四項において準用する同法第四十一条第三項（第七十一条において準用する同法第七十八条第四項及び第八十三条において準用する同法第百十条第七項において準用する場合を含む。）、第五十一条において準用する同法第十九条第二項及び第三項、同法第二十条第一項並びに同法第二十一条第六項（これらの規定を第五十一条において準用する同法第三十九条第二項において準用する場合を含む。）、同法第二十九条第一項、同法第三十九条第一項後段並びに同法第四十五条第二項後段、第六十三条第一項、第七十一条において準用する同法第七十七条第八項後段、第七十二条第二項において準用する同法第八十六条第二項、第八十一条第二項において準用する同法第九十七条第一項後段並びに第九十五条第一項に規定する事務 二　第五十七条において準用する土地区画整理法第五十五条第十項（第五十七条において準用する同法第五十五条第十三項において準用する場合を含む。）及び第五十九条第十二項（同条第十五項において準用する場合を含む。）に規定する事務（市町村又は市のみが設立した地方公社が施行する住宅街区整備事業に係るものに限る。） 三　第六十四条第一項（土地の試掘等に係る部分を除く。）及び第三項並びに第七十一条において準用する土地区画整理法第七十七条第六項（第百一条において準用する同法第百三十三条第二項において準用する場合を含む。）に規定する事務（個人施行者、組合、市町村又は市のみが設立した地方公社が施行する住宅街区整備事業に係るものに限る。）
農住組合法（昭和五十五年法律第八十六号）	第九十条の二第一項の規定により市町村が処理することとされている事務
浄化槽法（昭和五十八年法律第四十三号）	第五条第一項の規定により保健所を設置する市又は特別区が処理することとされている事務（都道府県知事に対する届出の経由に係るものに限る。）
密集市街地における防災街区の整備の促進に関する法律（平成九年法律第四十九号）	この法律の規定により市町村が処理することとされている事務のうち、次に掲げるもの 一　第百二十二条第二項（第百二十九条第二項、第百三十二条第二項、第百三十六条第四項、第百五十七条第二項、第百六十三条第五項、第百六十五条第二項、第百七十二条第二項、第百七十五条第二項及び第百七十八条第二項において準用する場合を含む。）、第百二十八条第三項（第百二十九条第二項において準用する場合を含む。）、第百三十条において準用する都市再開発法第七条の十七第五項及び第七項、第百三十九条第二項及び第三項（これらの規定を第百五十七条第二項及び第百六十八条第二項（第百七十二条第二項において準用する場合を含む。）において準用する場合を含む。）、第百四十条第二項（第百五十七条第二項、第百六十九条及び第百七十二条第二項において準用する場合を含む。）、第百四十三条第四項（第百五十七条第二項において準用する場合を含む。）、第百四十八条第三項において準用する都市再開発法第二十八条第一項、第百六十条第二項（第百七十四条第二項（第二百五十条第七項において準用する場合を含む。）及び第二百五十条第六項においい

	て準用する場合を含む。）、第百七十一条第三項（第百七十二条第二項及び第百七十五条第二項において準用する場合を含む。）、第二百五十九条、第二百六十条、第二百六十一条第一項及び第三項並びに第二百六十八条第一項に規定する事務 二　第百八十三条第二項（第百八十四条において準用する場合を含む。）並びに第百八十八条第三項及び第四項において準用する第百四十条第二項及び第百四十三条第四項に規定する事務（市町村又は市のみが設立した地方住宅供給公社が施行する防災街区整備事業に係るものに限る。） 三　第百九十二条第一項（土地の試掘等に係る部分を除く。）及び第三項、第百九十九条第二項において準用する土地収用法第三十六条第四項、第二百三十三条第一項並びに第二百三十四条第一項及び第三項から第五項まで（これらの規定を第二百四十一条第五項において準用する場合を含む。）並びに第二百三十四条第二項において準用する第二百三十三条第三項に規定する事務（個人施行者、事業組合、事業会社、市町村又は市のみが設立した地方住宅供給公社が施行する防災街区整備事業に係るものに限る。）
環境影響評価法（平成九年法律第八十一号）	第四条第一項第一号若しくは第五号又は第二十二条第一項第一号、第二号若しくは第六号に定める者（地方公共団体の機関に限る。以下「第四条第一項第一号等に定める者」という。）が、この法律の規定により行うこととされている事務（当該第四条第一項第一号等に定める者が行う免許等若しくは第二条第二項第二号ホに規定する免許、特許、許可、認可、承認若しくは同意又は特定届出若しくは同号ホに規定する届出に係る事務が第二号法定受託事務である場合に限る。）
大深度地下の公共的使用に関する特別措置法（平成十二年法律第八十七号）	この法律の規定により地方公共団体が処理することとされている事務のうち、市町村が第九条において準用する土地収用法第十二条第一項並びに第十四条第一項及び第三項、第二十条において準用する同法第二十四条第二項、第二十二条第二項、第三十条第五項並びに第三十五条第一項から第三項まで、第五項及び第六項の規定により処理することとされている事務（第十一条第二項の事業に関するものに限る。）
地方公共団体の議会の議員及び長の選挙に係る電磁的記録式投票機を用いて行う投票方法等の特例に関する法律（平成十三年法律第百四十七号）	この法律の規定及びこの法律の規定により読み替えて適用する公職選挙法の規定により、都道府県の議会の議員又は長の選挙に関し、市町村が処理することとされている事務
マンションの建替え等の円滑化に関する法律（平成十四年法律第七十八号）	第九条第七項（第三十四条第二項、第四十五条第四項、第五十条第二項及び第五十四条第三項において準用する場合を含む。）、第十一条第一項（第三十四条第二項において準用する場合を含む。）、第十四条第三項（第三十四条第二項において準用する場合を含む。）、第二十五条第一項、第三十八条第五項、第四十九条第三項（第五十条第二項において準用する場合を含む。）、第五十一条第四項及び第六項、第九十七条第一項並びに第百七十条第一項（第百八十三条第二項において準用する場合を含む。）の規定により町村が処理することとされている事務
特定患者等の郵便等を用いて行う投票方法の特例に関する法律（令和三年法律第八十二号）	この法律の規定及びこの法律の規定により読み替えて適用する公職選挙法の規定により、都道府県の議会の議員又は長の選挙に関し、市町村が処理することとされている事務

附　則（昭二二・一二・一二法一六九）（抄）

〔施行期日〕

第一条　この法律は、昭和二十三年一月一日から、これを施行する。但し、第二十六条及び第二十七条の改正規定並びに附則第四条は昭和二十二年十二月二十日から、全国選挙管理委員会に関する規定は公布の日から、これを施行する。

〔議員定数の経過措置〕

第二条　従前の地方自治法第九十一条第二項の規定により議員の定数を増加した市町村においては、現任議員の任期中に限り、その数を以て定数とする。但し、議員に欠員を生じたときは、これに応じて、その定数は、同条第一項の定数に至るまで減少するものとする。

〔部の経過措置〕

第三条　地方自治法第百五十八条第一項但書の規定により設けた部で同条同項の改正規定により設けることができなくなつたものは、この法律施行の日から九十日以内に限りこれを存続させることができる。

〔公金徴収団体等〕

第五条　この法律施行の際地方公共団体の徴収すべき税金、分担金、使用料及び手数料その他の公金を現に徴収している団体の代表者（代表者がないときはこれに準ずる者）又は個人は、当該地方公共団体の規則の定めるところにより、この法律施行の日から三十日以内に計算をし、計算書並びにその証拠となるべき帳簿及び書類を当該地方公共団体の出納長又は収入役に提出し、その検査を受けなければならない。計算書並びにその証拠となるべき帳簿及び書類には、当該団体の公金徴収の責任者又は当該個人がその真正であることを保証する旨を記載し、且つ、これに署名し、印をおさなければならない。

②　前項の書類は、当該地方公共団体の規則の定めるところにより、執務時間中住民の閲覧に供さなければならない。

③　第一項の検査により公金の取扱について不正の廉があることが判明したときは、出納長又は収入役は、検察官に直ちにその旨を通知しなければならない。

④　前項の規定による事件に関し検察官の請求があつたときは、最高裁判所の定めるところにより裁判所は、当該団体の解散を命ずることができる。

⑤　前項の規定により解散を命ぜられた団体は、最高裁判所の定める手続に従い、直ちに解散しなければならない。

⑥　第一項の期間内に計算書並びにその証拠となるべき帳簿及び書類を提出しないとき、又はこれらの書類に虚偽の記載をしたときは、当該団体の代表者又は当該個人は、二年以下の懲役又は二十万円以下の罰金に処する。但し、情状によりこれらの刑を併科することを妨げない。

附　則（昭二三・七・二〇法一七九）（抄）

最終改正　昭三一・六・一二法一四七

〔施行期日並びに兼職禁止規定の経過措置〕

第一条　この法律は、昭和二十三年八月一日から、これを施行する。

②　この法律施行の際現に地方公共団体の議会の議員と当該地方公共団体以外の地方公共団体の長、副知事若しくは助役又は出納長若しくは副出納長若しくは収入役若しくは副収入役その他の有給の職員を兼ねるものについては、これらの職を兼ねている間に限り、地方自治法第九十二条第二項及び第百四十一条第二項の改正規定（これらの規定を適用又は準用する規定を含む。）はこれを適用しない。この法律施行の際現に同法第五十五条第二項及び第六十五条第十一項の規定の適用又は準用を受ける得票者についても、また、同様とする。

〔戦時中に行われた市町村の区域変更に対する復旧措置〕

第二条　昭和十二年七月七日から同二十年九月二日に至るまでの間において、市町村の区域の変更があつたときは、その変更に係る区域の住民は、第七条の規定にかかわらず、本条の定めるところにより、従前の市町村の区域でその市町村を置き、又は従前の市町村の区域の通りに市町村の境界変更をすることができる。

②　前項の処分は、政令の定めるところにより、市町村の選挙管理委員会に対し、変更に係る区域の住民で選挙人名簿に登載されている者の総数の三分の一以上の者の連署を以て、その代表者から、これを請求しなければならない。

③　前項の請求があつたときは、選挙管理委員会は、請求を受理した日から三十日以内に、当該区域が従前属していた市町村の選挙人の投票に付さなければならない。

④　第二項の規定による区域が現に存する他の市町村に属していた場合においては、前項の投票に関する事務は、同項の規定にかかわらず、その市町村の選挙管理委員会がこれを管理する。この場合において必要な事項は、政令でこれを定める。

⑤　第三項の投票において有効投票の三分の二以上の同意があつたときは、委員会は、都道府県知事及び都道府県の議会に報告し、都道府県知事は、当該報告に基き第六項に定める期間の経過後に市町村の廃置分合又は境界変更を定め、内閣総理大臣に届け出なければならない。

⑥　都道府県の議会に前項の報告があつた日から三十日以内に、当該都道府県の議会において、その議員の発議により、出席議員の四分の三以上の多数でこれに同意すべきでないとの議決があつたときは、都道府県知事は、市町村の廃置分合又は境界変更を定めることができない。

⑦　第五項の場合において第一項の市町村の区域の変更に伴い処分した財産があるときは、現に存する市町村は、これが現に存する限度において、議会の議決を経てその変更に係る区域が従前属していた市町村に返還しなければならない。

⑧　前項の財産処分に不服がある市町村は、裁判所に出訴することができる。

⑨　第五項の規定による届出を受理したときは、内閣総理大臣は、直ちにその旨を告示しなければならない。

⑩　政令で特別の定をするものを除く外、地方自治法第七十四条の二から第七十四条の四までの規定は、第二項の規定による請求者の署名に、公職選挙法（昭和二十五年法律第百号）中普通地方公共団体の選挙に関する規定は、第三項の規定による投票に、地方自治法第二百五十五条の二の規定は、第二項の規定による請求者の署名及び第三項の規定による投票に関する争訟にこれを準用する。

⑪　第二項の請求は、この法律施行の日から二年以内に限り、これを行うことができる。

〔財産又は営造物の独占的な使用に関する経過措置〕

第三条　法律又は政令に特別の定がある場合を除く外、この法律施行の際現になされている地方公共団体の財産又は営造物の使用の許可で改正後の地方自治法第二百十三条第二項の規定に基く条例により定められた独占的な使用の許可に該当するものは、この法律施行の日から十年以内に、夫々改正後の同条の規定による手続を経て必要な同意を得なければ、この法律施行の日から十年を経過したときは、将来に向つてその効力を失う。但し、造林を目的とする土地の使用の許可は、この法律施行の際現にその土地の上に生育している造林に係る立木がその時までに森林法（昭和二十六年法律第二百四十九号）第七条第四項第四号の適正伐期齢級以上の齢級に達していない場合においては、その立木が生育している土地の区域については、その達する時まで（その以前にその主伐が完了したときはその時まで）は、その効力を失わない。

第五条　この法律の施行に関し必要な事項は、政令でこれを定める。

附　則（昭二五・五・四法一四三）（抄）

1　この法律は、昭和二十五年五月十五日から施行する。但し、附則第六項の規定は、昭和二十五年四月三十日から適用する。

2　地方自治法第百五十八条第一項の規定による都道府県の局部で同条第一項又は第三項の改正規定により存置させることができなくなつたものは、この法律施行の日から九十日以内に限り、存続させることができる。

4　この法律施行の際現に地方自治法の一部を改正する法律（昭和二十三年法律第百七十九号）附則第二条第二項の規定に基きその手続を開始している請求については、改正後の同条の規定にかかわらず、なお、従前の例による。

5　前項の規定は、この法律施行の際現に、地方自治法の一部を改正する法律（昭和二十三年法律第百七十九号）附則第二条第二項の規定に基く請求に係る市町村の廃置分合又は境界変更で改正前の同条第五項の規定により当該都道府県の議会の議決において出席議員の過半数の同意が得られなかつたもの又は同条第二項の規定に基きその手続を開始している請求に係る市町村の廃置分合又は境界変更について、改正後の同条の規定に基くあらたな請求をすることを妨げるものと解してはならない。

7　改正後の地方自治法第二百五十五条の二（地方自治法の一部を改正する法律（昭和二十三年法律第百七十九号）附則第二条第十項において準用する場合を含む。）に規定する争訟で、この法律施行の際現に裁判所にかかつているものは、同条の規定にかかわらず、なお、従前の例によるものとする。

8　この法律の実施のための手続その他その執行について必要な事項は、政令で定める。

附　則（昭二七・八・一五法三〇六）（抄）

1　この法律は、公布の日から起算して三月をこえない期間内において政令で定める日〔昭二七・九・一〕から施行する。

2　この法律施行の際現に効力を有する法律の規定で、改正後の地方自治法の規定に基いて法律又はこれに基く政令で規定しなければならないものについて総理府令、法務府令、省令その他の政令以外の命令で定めることを認めているものについては、この法律施行の日から起算して一年以内に、改正後の地方自治法の規定に適合するように改正の措置がとられなければならない。

3　この法律施行の際現に効力を有する総理府令、法務府令、省令その他の政令以外の命令の規定で、改正後の地方自治法の規定に基いて法律又はこれに基く政令で規定しなければならないものを定めているものは、前項の規定により法律改正がなされるまで又はこの法律施行の日から起算して一年以内において法律に基く政令で規定されるまでは、なお、その効力を有する。

4　この法律施行の際改正前の地方自治法第七条第一項若しくは第二項の規定により既になされている市町村の境界の変更に関する処分、改正前の地方自治法第八条第三項の規定により既になされている町村を市とし、若しくは市を町村とする処分若しくは村を町とし、若しくは町を村とする処分又はこれらの処分の効力については、改正後の地方自治法第七条第二項及び第七項並びに第八条第三項の規定にかかわらず、なお、従前の例による。

5　改正前の地方自治法第九条の規定に基き提起されている訴訟又は事件で、この法律施行の際現に裁判所に係属しているものについては、改正後の地方自治法第九条、第九条の二及び第二百五十五条の二の規定にかかわらず、なお、従前の例による。

6　改正前の地方自治法第百五十八条第一項から第三項までの規定により設けた都道府県の局部は、改正後の同法第百五十八条第一項から第三項までの規定にかかわらず、この法律施行の日から起算して五月以内に限り、なお、従前の例により存続させることができる。

7　この法律施行の際現にその職にある副出納長は、改正後の地方自治法第百六十八条の規定にかかわらず、その者が選任された日から起算して四年以内に限り、なお、従前の例により在職するものとする。

8　この法律施行の際現にその職にある都道府県、市町村及び特別区の選挙管理委員は、改正後の地方自治法第百八十一条第二項及び第百八十二条第四項の規定にかかわらず、その任期中に限り、なお、在職するものとする。補充員であるものの在職についても、また、同様とする。

9　改正前の地方自治法第百九十五条第三項但書の規定により監査委員を置く市においてこの法律施行の際現に監査委員の職にある者は、改正後の地方自治法第百九十五条第三項但書の規定にかかわらず、その任期中に限り、なお、在職するものとする。

10　この法律施行の際現に地方公共団体が共同して設置している地方公共団体の委員会、附属機関若しくは職員又はこの法律施行の際現に他の地方公共団体に委託されている地方公共団体の事務は、この法律施行の日から起算して一年以内において、改正後の地方自治法の規定に適合するようにこれを改めるものとし、改正後の地方自治法の規定による共同設置又は事務の委託が行われるまでは、なお、従前の例による。

11　この法律施行の際地方自治法第二百五十九条第一項又は第三項の規定により既になされている郡の区域をあらたに画し、若しくは廃止し、又は郡の区域を変更する処分の効力については、改正後の地方自治法第二百五十九条第四項の規定にかかわらず、なお、従前の例による。

12　地方自治法附則第二条但書によりなお効力を有する旧東京都制第百八十九条から第百九十一条まで及び第百九十八条の規定は、改正後の地方自治法第二百八十一条第二項各号に掲げる事務並びに第二百八十一条の二第二項に規定する特別区の区長の権限に属する事務に関しては、その適用はないものとする。

13　政令で特別の定をするものを除く外、改正後の地方自治法第二百八十一条第二項各号に掲げる事務で、この法律施行の際現に都が処理しているものは、この法律施行の日から起算して九十日以内に特別区に引き継がなければならない。

14　この法律施行の際現にその職にある特別区の区長は、改正後の地方自治法第二百八十一条の二第一項の規定にかかわらず、その任期中は、なお、従前の例により在職するものとする。

15　改正後の地方自治法第二百八十一条の二第二項又は同条第四項において準用する改正後の同法第二百八十一条の二第二項の規定により特別区の長、委員会又は委員の権限に属する事務で、この法律施行の際現に都知事、都の委員会又は委員の権限に属するものは、この法律施行の日から起算して九十日以内に特別区の長、委員会又は委員に引き継がなければならない。

16　前五項に規定するものを除く外、改正後の地方自治法の特別区に関する規定の施行に関し必要な経過措置は、政令で定める。

20　この法律の施行のため必要な事項は、政令で定める。

附　則（昭二八・八・一五法二一二）（抄）

1　この法律は、公布の日から施行する。

附　則（昭二九・六・一二法一九三）（抄）

（施行期日）

1　この法律中第二百五十二条の二、財産区及び地方自治法附則第六条に係る改正規定並びに附則第三項の規定は公布の日から、第八条第一項第一号の改正規定及び附則第二項の規定は公布の日から起算して三月をこえない範囲内において政令で定める日〔昭二九・九・二〇〕から、別表第六第三号の改正規定中市警察部長に係る部分は、警察法（昭和二十九年法律第百六十二号）施行の日〔昭二九・七・一〕から一年を経過した日から、その他の部分は警察法施行の日から施行する。

（市の設置等に関する経過措置）

2　地方自治法第七条第一項の規定による関係市町村の区域の全部若しくは一部をもつて市を設置する処分又は同法第八条第三項の規定による町村を市とする処分については、左の各号の一に該当する場合に限り、改正後の同法第八条第一項第一号の規定にかかわらず、なお、従前の例による。

一　第八条第一項第一号の改正規定の施行の際現に都道府県知事に対して当該処分の申請がなされている場合

二　第八条第一項第一号の改正規定の施行の際現に定められている地方自治法第八条の二第一項の規定による都道府県の区域内のすべての市町村を通ずる市町村の廃置分合又は境界変更に関する都道府県知事の計画に基いて昭和四十一年三月三十一日までに当該処分の申請がなされた場合

（警察法の施行に伴う経過措置）

4　警察法施行後一年間は、地方自治法中公安委員会、警察の職員その他都道府県警察に関する規定の適用については、同法第百五十五条第二項の規定により指定する市をもつて一の県とみなす。この場合においては、これらの市を包括する府県は、これらの市の区域を除いた区域をもつてその区域とみなす。

附　則（昭三一・六・一二法一四七）（抄）

（施行期日）

1　この法律は、公布の日から起算して三月をこえない範囲内において政令で定める日〔昭三一・九・一〕から施行する。ただし、第二百四条第一項の次に一項を加える改正規定中薪炭手当に係る部分は、国家公務員に対して薪炭手当を支給することを定める法律が施行される日〔昭三一・一〇・二三〕から施行する。

（法律の廃止）

2　五大都市行政監督に関する法律（大正十一年法律第一号）は、廃止する。

（開会中の議会及び招集告示のされている議会に関する経過措置）

3　この法律（附則第一項ただし書に係る部分を除く。以下同じ。）の施行の際現に開会中の地方公共団体の議会又は改正前の地方自治法（以下「旧法」という。）第百一条第二項の規定により招集の告示がされている議会については、地方公共団体の議会に関する改正後の地方自治法（以下「新法」という。）の規定にかかわらず、その会期中に限り、なお、従前の例による。

（議員、委員会の委員又は委員の兼業禁止に関する経過措置）

4　この法律の施行の際現に地方公共団体の議会の議員、教育委員会の委員、選挙管理委員、人事委員会の委員、公安委員会の委員、地方労働委員会の委員、収用委員会の委員、海区漁業調整委員会の委員、内水面漁場管理委員会の委員、監査委員、固定資産評価審査委員会の委員又は農業委員会の委員の職にある者については、新法第九十二条の二及び第百八十条の五第七項の規定（これらの規定を適用し、又は準用する場合を含む。）にかかわらず、この法律の施行後六月間（この法律の施行の際現に締結されている請負契約でこれらの規定に該当することとなるものの履行がこの法律の施行後六月以上にわたる場合にあつては、当該請負契約が履行されるまでの間）に限り、なお、従前の例による。

（都道府県の局部等に関する経過措置）

5　この法律の施行の際現に新法第百五十八条第一項の規定による局部の数をこえて置いている都道府県の局部（室その他これに準ずる組織を含む。以下同じ。）をこの法律の施行後も引き続いて存置しようとするときは、都道府県知事は、この法律の施行の日から起算して三月以内にその存置について内閣総理大臣に協議しなければならない。

6　前項に規定する期間内に同項の協議がととのわないときは、都道府県知事は、この法律の施行の日から起算して六月以内に当該都道府県の局部の数を減少する措置を講じなければならない。

（監査委員の任期等に関する経過措置）

7　この法律の施行の際現に在職する監査委員の任期は、新法第百九十七条本文の規定にかかわらず、なお、従前の例によるものとし、これらの者については、新法第百九十八条の二の規定は、適用しない。

（契約の方法に関する経過措置）

8　この法律の施行後新法第二百四十三条第一項ただし書の規定による条例が制定施行されるまでの間は、同条同項に規定する契約の方法については、なお、従前の例による。

（指定都市への事務引継に伴う経過措置）

9　この法律施行の際現に新法第二百五十二条の十九第一項の指定都市（以下「指定都市」という。）のある都道府県又は当該都道府県知事若しくは当該都道府県の委員会その他の機関が処理し、又は管理し、及び執行している事務で、新法第二百五十二条の十九第一項の規定により指定都市の区域内についてもつぱら指定都市又は指定都市の市長若しくは指定都市の委員会その他の機関のみが処理し、又は管理し、及び執行することとなるものについては、当該都道府県又は当該都道府県知事若しくは当該都道府県の委員会その他の機関は、政令で特別の定をする場合のほか、この法律の施行の日から起算して六月以内に指定都市又は指定都市の市長若しくは指定都市の委員会その他の機関に引き継がなければならない。

10　前項に規定する事務に従事している都道府県の職員で政令で定める基準によりもつぱら指定都市の区域内に係る同項の事務に従事していると認められるものは、同項の規定による事務の引継とともに、都道府県において正式任用されていた者にあつては、引き続き指定都市の相当の職員に正式任用され、都道府県において条件附採用期間中であつた者にあつては、引き続き条件附で指定都市の相当の職員となるものとする。この場合において、その者の指定都市における条件附採用の期間には、その者の都道府県における条件附採用の期間を通算するものとする。

11　前項の規定により指定都市の職員となる者が受けるべき給料の額が、指定都市の職員となる際その者が従前都道府県において受けていた給料の額に達しないこととなる場合においては、その調整のため、指定都市は、政令で定める基準に従い条例で定めるところにより、手当を支給するものとする。

12　附則第十項の規定により指定都市の職員となる者は、政令で定めるところにより、その選択によつて、都道府県の退職手当を受け、又は受けないことができるものとし、指定都市は、都道府県の退職手当を受けない者について、その者が都道府県の職員として在職した期間を当該指定都市の職員としての在職期間に通算する措置を講ずるものとする。

13　恩給法の一部を改正する法律（昭和二十二年法律第七十七号）附則第十条の規定の適用又は準用を受ける者が附則第十項の規定により指定都市の職員となつた場合においては、その職員が新法第二百五十二条の十九第一項各号に掲げる事務に従事する間に限り、これに恩給法の一部を改正する法律（昭和二十二年法律第七十七号）附則第十条の規定を準用する。この場合においては、同条第三項中「俸給を給する都道府県」とあるのは「俸給を給する地方自治法第二百五十二条の十九第一項の指定都市を包括する都道府県」と、同条第四項中「都道府県」とあるのは「地方自治法第二百五十二条の十九条第一項の指定都市」と、「国庫」とあるのは「国庫又は地方自治法第二百五十二条の十九条第一項の指定都市を包括する都道府県」と、「歳入徴収官」とあるのは「歳入徴収官又は地方自治法第二百五十二条の十九第一項の指定都市を包括する都道府県の出納長」と読み替えるものとする。

14　前項の規定に該当する場合を除くほか、都道府県の職員が附則第十項の規定により引き続いて指定都市の職員となつた場合（その者が引き続いて都道府県の職員となり、更に引き続いて指定都市の職員となつた場合を含む。）におけるその者の退職年金又は退職一時金の支給に関するその者の在職期間については、都道府県及び指定都市は、相互にその者の在職期間を通算する措置を講ずるものとする。

15　前六項に規定するもののほか、新法第二百五十二条の十九第一項に掲げる事務の指定都市又は指定都市の市長若しくは指定都市の委員会その他の機関への引継に伴う必要な経過措置は、政令で定める。

（争訟に関する経過措置）

16　この法律の施行の際現に旧法の規定により提起されている地方公共団体又はその機関の行為に係る争訟については、なお、従前の例による。

（政令への委任）

17　前各項に定めるもののほか、この法律の施行のため必要な経過措置は、政令で定める。

附　則（昭三三・四・五法五三）

（施行期日）

1　この法律は、公布の日から施行する。

（市の人口要件の特例）

2　地方自治法第七条第一項の規定による関係市町村の区域の全部若しくは一部をもつて市を設置する処分又は同法第八条第三項の規定による町村を市とする処分については、昭和三十三年九月三十日までにその申請がなされ、かつ、その申請の際当該市となるべき普通地方公共団体の人口が三万以上であるものに限り、同法第八条第一項第一号の規定にかかわらず、市となるべき普通地方公共団体の人口に関する要件は、三万以上とする。ただし、地方自治法の一部を改正する法律（昭和二十九年法律第百九十三号）附則第二項の規定によることを妨げるものではない。

3　前項の人口は、地方自治法第二百五十四条並びに第二百五十五条及びこれに基く政令の定めるところによる。

附　則（昭三四・三・一法一二）

この法律は、公布の日から起算して三月をこえない範囲内で政令で定める日（昭三四・三・三一）から施行する。

附　則（昭三六・一一・二〇法二三五）（抄）

1　この法律は、公布の日から施行する。

2　この法律の施行の際現に改正前の地方自治法第二百九十三条において準用する同法第二百五十三条第一項の規定による協議により管理すべき都道府県知事が定められている市町村及び特別区の組合で数都道府県にわたるものに係る処分については、改正後の地方自治法第二百九十三条の規定にかかわらず、なお従前の例による。

附　則（昭三七・五・一五法一三三）（抄）

（施行期日）

1　この法律は、公布の日から施行する。

（選挙管理委員に関する経過措置）

2　この法律の施行の際現に在職する選挙管理委員については、この法律による改正後の地方自治法（以下「新法」という。）第百八十二条第四項の規定は、適用しない。この場合において、その者は、新法第百八十四条第一項前段の規定にかかわらず、その任期中に限り、なお、従前の例により在職するものとする。

3　この法律の施行の際現に地方公共団体の議会の議員又は長と兼ねている選挙管理委員については、新法第百八十二条第七項の規定は、その現に兼ねている職に限り適用しない。

4　この法律の施行の際現に在職する選挙管理委員の任期は、新法第百八十三条第一項本文の規定にかかわらず、なお従前の例による。

（法人の経営状況の報告に関する経過措置）

5　新法第二百四十四条第四項の規定は、この法律の施行の日以後に始まる事業年度から適用する。

附　則（昭三七・九・一五法一六一）（抄）

1　この法律は、昭和三十七年十月一日から施行する。

2　この法律による改正後の規定は、この附則に特別の定めがある場合を除き、この法律の施行前にされた行政庁の処分、この法律の施行前にされた申請に係る行政庁の不作為その他この法律の施行前に生じた事項についても適用する。ただし、この法律による改正前の規定によつて生じた効力を妨げない。

3　この法律の施行前に提起された訴願、審査の請求、異議の申立てその他の不服申立て（以下「訴願等」という。）については、この法律の施行後も、なお従前の例による。この法律の施行前にされた訴願等の裁決、決定その他の処分（以下「裁決等」という。）又はこの法律の施行前に提起された訴願等につきこの法律の施行後にされる裁決等にさらに不服がある場合の訴願等についても、同様とする。

4　前項に規定する訴願等で、この法律の施行後は行政不服審査法による不服申立てをすることができることとなる処分に係るものは、同法以外の法律の適用については、行政不服審査法による不服申立てとみなす。

5　第三項の規定によりこの法律の施行後にされる審査の請求、異議の申立てその他の不服申立ての裁決等については、行政不服審査法による不服申立てをすることができない。

6　この法律の施行前にされた行政庁の処分で、この法律による改正前の規定により訴願等をすることができるものとされ、かつ、その提起期間が定められていなかつたものについて、行政不服審査法による不服申立てをすることができる期間は、この法律の施行の日から起算する。

8　この法律の施行前にした行為に対する罰則の適用については、なお従前の例による。

9　前八項に定めるもののほか、この法律の施行に関して必要な経過措置は、政令で定める。

10　この法律及び行政事件訴訟法の施行に伴う関係法律の整理等に関する法律（昭和三十七年法律第百四十号）に同一の法律についての改正規定がある場合においては、当該法律は、この法律によつてまず改正され、次いで行政事件訴訟法の施行に伴う関係法律の整理等に関する法律によつて改正されるものとする。

附　則（昭三八・六・八法九九）（抄）

（施行期日及び適用区分）

第一条　この法律中目次の改正規定（第三編第四章の次に一章を加える部分に限る。）、第一条の二の改正規定、第二条第三項第八号の改正規定、第二百六十三条の二の次に一条を加える改正規定、第三編第四章の次に一章を加える改正規定、附則第二十条の二の次に一条を加える改正規定及び別表の改正規定並びに附則第十五条から附則第十八条まで、附則第二十四条（地方開発事業団に関する部分に限る。）、附則第二十五条（地方開発事業団に関する部分に限る。）及び附則第三十五条の規定（以下「財務以外の改正規定等」という。）は公布の日から、普通地方公共団体に係る会計の区分、予算の調製及び議決、継続費、繰越明許費、債務負担行為、予算の内容、歳入歳出予算の区分、予備費、補正予算及び暫定予算、地方債並びに一時借入金に関する改正規定並びに附則第四条、附則第五条第一項、第二項及び第四項、附則第六条第一項並びに附則第八条の規定（以下「予算関係の改正規定」という。）は昭和三十九年一月一日から、その他の改正規定並びに附則第二条、附則第三条、附則第五条第三項、附則第六条第二項及び第三項、附則第七条、附則第九条から附則第十四条まで、附則第十九条から附則第二十三条まで、附則第二十四条（地方開発事業団に関する部分を除く。）、附則第二十五条（地方開発事業団に関する部分を除く。）並びに附則第二十六条から附則第三十四条までの規定は同年四月一日から施行する。ただし、改正後の地方自治法（以下「新法」という。）の規定中普通地方公共団体に係る会計の区分、予算の調製及び議決、継続費、繰越明許費、債務負担行為、予算の内容、歳入歳出予算の区分、予備費、補正予算及び暫定予算、地方債並びに一時借入金並びに決算に係る部分（債務負担行為、予算の内容、歳入歳出予算の区分、地方債及び一時借入金に関する部分については、当該部分が地方開発事業団に準用される場合を含む。）は、昭和三十九年度の予算及び決算から適用する。

（監査の請求に関する経過措置）

第二条　この法律（財務以外の改正規定等及び予算関係の改正規定を除く。以下同じ。）の施行前に改正前の地方自治法（以下「旧法」という。）第七十五条第四項の規定により市町村長に対してした監査の請求については、新法第七十五条の規定にかかわらず、なお従前の例による。

（監査委員に関する経過措置）

第三条　この法律の施行の際現に在職する監査委員は、新法第百九十五条第二項及び第百九十六条第一項の規定にかかわらず、その任期中に限り、なお、従前の例により在職するものとする。

（特別会計に関する経過措置）

第四条　予算関係の改正規定の施行の際現に旧法第二百三十九条の規定により設けられている特別会計については、新法第二百九条第二項の規定にかかわらず、昭和三十八年度に限り、なお従前の例による。

（予算に関する経過措置）

第五条　予算関係の改正規定の施行の際現に旧法第二百三十六条の規定により設けられている継続費は、新法第二百十二条の継続費とみなす。

2　昭和三十八年度の歳出予算に係る繰越しについては、新法第二百十三条の規定にかかわらず、なお従前の例による。

3　この法律の施行の際現に旧法第九十六条第一項第八号の規定により地方公共団体の議会の議決を経て負担している義務は、新法第二百十四条の規定により予算で定めて負担した義務とみなす。

4　前三項に定めるもののほか、昭和三十八年度分以前の予算については、なお従前の例による。

（収入に関する経過措置）

第六条　昭和三十八年度分以前の地方債については、新法第二百三十条の規定にかかわらず、なお従前の例による。

2　この法律の施行前に旧法第二百十八条の規定により賦課又は徴収した夫役現品については、なお従前の例による。

3　分担金、使用料、加入金、手数料及び過料その他の地方公共団体の収入に係る督促、旧法第二百二十五条第三項の手数料及び延滞金の徴収、滞納処分、追徴並びに還付（以下本項において「督促等の処分」という。）、先取特権並びに督促等の処分に対する不服申立てについては、新法第二百三十一条の三の規定にかかわらず、この法律の施行の日から起算して二箇月以内に限り、なお従前の例による。

（決算に関する経過措置）

第七条 昭和三十八年度分以前の決算については、新法第二百三十三条の規定にかかわらず、なお従前の例による。

2 昭和三十八年度以前に生じた歳計剰余金の処分については、新法第二百三十三条の二の規定にかかわらず、なお、従前の例により翌年度の歳入に編入し、又は基金に編入するものとする。

（一時借入金に関する経過措置）

第八条 昭和三十八年度分の一時の借入れについては、新法第二百三十五条の三の規定にかかわらず、なお従前の例による。

（時効に関する経過措置）

第九条 この法律の施行の際既に進行を開始している地方公共団体の徴収金及び支払金の時効については、新法第二百三十六条の規定にかかわらず、なお従前の例による。

（財産に関する経過措置）

第十条 この法律の施行の際現に使用させている新法第二百三十八条第三項に規定する行政財産については、新法第二百三十八条の四第三項の規定による許可により使用させているものとみなす。

2 新法第二百三十八条の五第二項から第五項までの規定は、この法律の施行の際現に貸し付け、又は貸付け以外の方法により使用させている新法第二百三十八条第三項に規定する普通財産についても適用する。

（住民による監査請求及び訴訟に関する経過措置）

第十一条 新法第二百四十二条及び第二百四十二条の二の規定は、次項に定める場合を除き、この法律の施行前にされた公金の支出、財産の取得、管理若しくは処分、契約の締結若しくは履行又は債務その他の義務の負担及びこの法律の施行前から引き続いている怠る事実についても適用する。この場合において、新法第二百四十二条第二項の期間は、この法律の施行の日から起算する。

2 この法律の施行前に旧法第二百四十三条の二第一項の規定によりした請求又はこの法律の施行の際現に係属している同条第四項の裁判については、新法第二百四十二条及び第二百四十二条の二の規定にかかわらず、なお従前の例による。

（職員の賠償責任に関する経過措置）

第十二条 この法律の施行前の事実に基づく地方公共団体の職員の賠償責任については、新法第二百四十三条の二の規定にかかわらず、なお従前の例による。

（公の施設に関する経過措置）

第十三条 新法第九十六条第一項第八号及び第二百四十四条の二第二項の規定は、この法律の施行前に旧法第二百十三条第二項に規定する使用の許可を受けた営造物を、この法律の施行後引き続き当該許可を受けた期間中使用する場合においては、適用しない。

（不服申立てに関する経過措置）

第十四条 この法律の施行前に旧法第二百十五条、第二百二十三条又は第二百二十四条の規定により提起された審査請求、異議申立て又は再審査請求については、なお従前の例による。

（地方開発事業団に関する経過措置）

第十五条 地方開発事業団の財務については、新法第三百十四条第一項の規定にかかわらず、昭和三十八年十二月三十一日までの間は、旧法第二百二十七条から第二百二十九条まで、第二百三十三条、第二百三十九条の二、第二百三十九条の三第一項、第二百四十条第一項、第二百四十三条第一項及び第三項、第二百四十三条の二、第二百四十四条第一項、第二百四十四条の二第一項及び第二項並びに第二百四十五条の規定（以下本条において「旧法の規定」という。）を準用し、昭和三十九年一月一日から同年三月三十一日までの間は、新法第二百十四条、第二百十五条（第二号及び第三号を除く。）、第二百十六条及び第二百三十五条の三の規定並びに旧法の規定（旧法第二百二十七条の規定を除く。）を準用する。ただし、旧法第二百二十七条及び新法第二百三十五条の三の規定は、特定事業に係る財務については、これを準用しない。

2 前項の規定により地方開発事業団の財務について旧法の規定又は新法の規定を準用する場合における技術的読替えは、政令でこれを定める。

3 新法第三百十四条第二項の規定の適用については、昭和三十八年十二月三十一日までの間は、同項中「第二百三十条」とあるのは、「第二百二十六条」とする。

4 新法第三百十八条の規定の適用については、昭和三十九年三月三十一日までの間は、同条中「第二百四十五条」とあるのは、「第二百四十五条の三」とする。

附　則（昭三九・七・一一法一六九）（抄）

（施行期日）

1 この法律は、昭和四十年四月一日から施行する。ただし、第一条のうち、地方自治法第二百四条第二項の改正規定は、公布の日から施行し昭和三十九年四月一日から適用し、同法第二百六十条の改正規定は、公布の日から施行し、同法第二百八十一条第二項第十五号の改正規定中この法律公布の際現に都が処理している事務に係る部分の規定は、別に法律で定める日から施行する。

（旧東京都制の効力）

2 地方自治法附則第二条ただし書によりなお効力を有する旧東京都制第百八十九条から第百九十一条まで及び第百九十八条の規定は、改正後の地方自治法第二百八十一条第二項第十三号から第二十号までに掲げる事務及び第二百八十一条の三第二項に規定する特別区の区長の権限に属する事務に関しては、その適用はないものとする。

（特別区の議会の議員定数の定限に関する経過措置）

3 特別区の議会の議員の定数の定限は、改正後の地方自治法第二百八十一条の二の規定にかかわらず、次の一般選挙までなお従前の例による。

（経過規定）

5 前三項に定めるもののほか、この法律の施行のため必要な経過措置は、政令で定める。

附　則（昭四一・六・一法七七）（抄）

（施行期日）

第一条 この法律は、公布の日から起算して八月をこえない範囲

内において政令で定める日〔昭四一・九・三〇〕から施行する。〔ただし書略〕

（地方自治法の一部改正に伴う経過措置）

第九条 この法律の施行の際前条の規定による改正前の地方自治法第七十四条の規定によつてされている請求については、なお従前の例による。

附　則（昭四三・五・二法三九）（抄）

（施行期日）

第一条 この法律は、昭和四十三年六月一日から施行する。〔ただし書略〕

（地方自治法の一部改正に伴う経過措置）

第五条 施行日から二十日を経過する日までの間にされている地方自治法第七十四条の規定による請求については、なお従前の例による。

附　則（昭四四・三・二五法二）（抄）

（施行期日）

1　この法律は、公布の日から施行する。

（都の議会の議員の定数に関する規定の適用）

2　改正後の地方自治法第九十条第二項の規定の適用については、この法律の施行後最初に行なわれる国勢調査又はこれに準ずる全国的な人口調査の結果が明らかとなるまでの間、同項中「特別区の存する区域の人口」とあるのは、「特別区の存する区域の人口として政令で定めるところにより自治大臣が推計して告示した人口」とする。

附　則（昭四四・五・一六法三〇）（抄）

（施行期日）

第一条 この法律は、昭和四十四年七月二十日から施行する。

（地方自治法の一部改正に伴う経過措置）

第八条 新法第二十二条の規定に基づいて当該選挙管理委員会がこの法律の施行後最初に選挙人名簿の登録を行なう日の前日までに地方自治法第七十四条の規定によつてされた請求については、なお従前の例による。

附　則（昭四四・六・三法三八）（抄）

（施行期日）

第一条 この法律は、都市計画法の施行の日〔昭四四・六・一四〕から施行する。〔ただし書略〕

（地方自治法等の一部改正に伴う経過措置）

第二十二条 附則第四条第一項に規定する市街地改造事業並びに同条第二項に規定する防災建築街区造成組合、防災建築街区造成事業及び防災建築物に関しては、この法律の附則の規定による改正後の次の各号に掲げる法律の規定にかかわらず、なお従前の例による。

一　地方自治法

二　建設省設置法

三　住宅金融公庫法

四　地方税法

五　租税特別措置法

六　首都高速道路公団法

七　災害対策基本法

八　阪神高速道路公団法

九　登録免許税法

2　前項の場合において、この法律の施行後の不動産の取得について附則第十条の規定による改正前の地方税法第七十三条の十四第七項の規定を適用するときは、同項中「その者が市街地改造事業又は防災建築街区造成事業を施行する土地の区域内に所有していた不動産の固定資産課税台帳に登録された価格（当該不動産の価格が固定資産課税台帳に登録されていない場合にあつては、政令で定めるところにより、道府県知事が第三百八十八条第一項の固定資産評価基準によつて決定した価格）に相当する額を」とあるのは、「当該建築施設の部分の価格に同法第四十六条（防災建築街区造成法第五十五条第一項において準用する場合を含む。）の規定により確定した当該建築施設の部分の価額に対するその者が市街地改造事業又は防災建築街区造成事業を施行する土地の区域内に有していた土地、借地権又は建築物の対償の額の割合を乗じて得た額を当該建築施設の部分の」とする。

（罰則に関する経過措置）

第二十三条 この法律の施行前にした行為に対する罰則の適用については、なお従前の例による。

附　則（昭四五・三・二八法八）（抄）

（施行期日）

第一条 この法律は、昭和四十五年五月一日から施行する。

附　則（昭四五・六・一法一〇九）（抄）

（施行期日）

1　この法律は、公布の日から起算して一年をこえない範囲内において政令で定める日〔昭四六・一・一〕から施行する。

附　則（昭四五・一二・一七法一一九）（抄）

（施行期日等）

1　この法律は、公布の日から施行する。〔ただし書略〕

附　則（昭四五・一二・二五法一四一）（抄）

（施行期日）

第一条 この法律は、公布の日から起算して六月をこえない範囲内において政令で定める日〔昭四六・六・二四〕から施行する。

附　則（昭四七・六・二六法一〇六）（抄）

（施行期日）

1　この法律は、公布の日から施行〔中略〕する。

附　則（昭四八・一〇・五法一一一）（抄）

（施行期日）

第一条 この法律は、公布の日から起算して一年をこえない範囲内において政令で定める日〔昭四九・九・一〕から施行する。〔ただし書略〕

附　則（昭四九・六・一法七一）（抄）

（施行期日）

第一条 この法律は、公布の日から施行する。ただし、第二百八十一条、第二百八十一条の三、第二百八十二条第二項、第二百八十二条の二第二項及び第二百八十三条第二項の改正規定、附則第十七条から第十九条までに係る改正規定並びに附則第二条、附則第七条から第十一条まで及び附則第十三条から第二十四条までの規定（以下「特別区に関する改正規定」という。）は、昭和五十年四月一日から施行する。

（旧東京都制の効力）

第二条 地方自治法附則第二条ただし書の規定によりなおその効力を有することとされる旧東京都制（昭和十八年法律第八十九号）第百九十一条の規定は、法律又はこれに基づく政令により市に属する事務で改正後の地方自治法第二百八十一条第二項の規定により特別区が処理することとされているもの並びに同法第二百八十一条の三第一項の規定により特別区の区長が管理し、及び執行することとされている事務に関しては、その適用はないものとする。

（特別区の区長の統一選挙）

第三条　特別区に関する改正規定の施行の日以後最初に行うべき特別区の区長の選挙は、同日から起算して三月を超えない範囲内において政令で定める日に行うものとする。

2　前項の特別区の区長の選挙についての選挙期日の告示その他公職選挙法（昭和二十五年法律第百号）の規定の適用に関し必要な事項は、政令で定める。

（特別区の区長の任期の特例）

第四条　この法律の施行の際現にその職にある特別区の区長及びこの法律の施行の日から特別区に関する改正規定の施行の日の前日までの間に地方自治法第二百八十一条の三第一項の規定により選任される特別区の区長は、同法第二百八十三条第一項の規定にかかわらず、前条第一項の規定による特別区の区長の選挙の日の前日までの間、在職するものとする。

（職員の引継ぎ）

第五条　特別区に関する改正規定の施行の日の前日において現に都又は都知事若しくは都の委員会その他の機関が処理し、又は管理し、及び執行している事務で特別区に関する改正規定の施行の日以後法律又はこれに基づく政令により特別区又は特別区の区長若しくは特別区の委員会その他の機関が処理し、又は管理し、及び執行することとなるものに専ら従事していると認められる都の職員は、同日において、都において正式任用されていた者にあつては引き続き当該特別区の相当の職員に正式任用され、都において条件付採用期間中であつた者にあつては引き続き条件付きで当該特別区の相当の職員となるものとする。この場合において、その者の当該特別区における条件付採用期間には、その者の都における条件付採用期間を通算するものとする。

2　前項に規定する都の職員でその引継ぎについて同項の規定によりがたいものをいずれの特別区が引き継ぐかについては、都知事と各特別区の区長とが協議して定めるものとする。

3　第一項の規定は、特別区に関する改正規定の施行の日の前日において現に特別区に配属されている都の職員に準用する。

（政令への委任）

第六条　前各条に定めるもののほか、この法律の施行のため必要な経過措置は、政令で定める。

附　則（昭五〇・三・三一法九）（抄）

（施行期日等）

1　この法律は、公布の日から施行し、〔中略〕昭和五十年一月一日から適用する。

附　則（昭五〇・七・一五法六三）（抄）

（施行期日）

第一条　この法律は、公布の日から起算して三月を超えない範囲内において政令で定める日〔昭五〇・一〇・一四〕から施行する。〔ただし書略〕

附　則（昭五〇・七・一五法六四）（抄）

（施行期日）

第一条　この法律は、昭和五十一年一月一日から施行する。

附　則（昭五二・五・二七法四六）

この法律は、公布の日から施行する。

附　則（昭五二・一二・二一法八八）（抄）

（施行期日等）

1　この法律は、公布の日から施行し、〔中略〕昭和五十一年四月一日から適用する。

附　則（昭五五・三・三一法一三）（抄）

（施行期日）

1　この法律は、公布の日から起算して三月を超えない範囲内において政令で定める日〔昭五五・六・三〇〕から施行する。

附　則（昭五五・五・六法四〇）（抄）

（施行期日）

第一条　この法律は、条約が日本国について効力を生ずる日〔昭五七・七・一八〕から施行する。

附　則（昭五五・一一・一九法八五）（抄）

（施行期日）

第一条　この法律は、昭和五十六年四月一日から施行する。

附　則（昭五六・六・一一法七九）（抄）

（施行期日）

第一条　この法律は、昭和五十七年四月一日から施行する。

附　則（昭五七・七・一六法六六）

この法律は、昭和五十七年十月一日から施行する。

附　則（昭五七・八・二四法八一）（抄）

（施行期日等）

第一条　この法律は、公布の日から施行する。

（罰則に関する経過措置）

第十四条　この法律の施行前にした行為及び附則第十二条においてなお従前の例によることとされる場合におけるこの法律の施行後にした行為に対する罰則の適用については、なお従前の例による。

附　則（昭五八・一二・一〇法八三）（抄）

（施行期日）

第一条　この法律は、公布の日から施行する。ただし、次の各号に掲げる規定は、それぞれ当該各号に定める日から施行する。

一～三　〔略〕

四　第三十六条中電気事業法第五十四条の改正規定、第三十八条の規定（電気工事士法第八条の改正規定を除く。）並びに附則第八条第三項及び第二十二条の規定　昭和五十九年十二月一日

附　則（昭五九・五・八法二五）（抄）

（施行期日）

第一条　この法律は、昭和五十九年七月一日から施行する。

（経過措置）

第二十三条　この法律の施行前に海運局長、海運監理部長、海運局若しくは海運監理部の支局その他の地方機関の長（以下「支局長等」という。）又は陸運局長が法律若しくはこれに基づく命令の規定によりした許可、認可その他の処分又は契約その他の行為（以下この条において「処分等」という。）は、政令（支局長等がした処分等にあつては、運輸省令）で定めるところにより、この法律による改正後のそれぞれの法律若しくはこれに基づく命令の規定により相当の地方運輸局長、海運監理部長又は地方運輸局若しくは海運監理部の海運支局その他の地方

機関の長（以下「海運支局長等」という。）がした処分等とみなす。

第二十四条　この法律の施行前に海運局長、海運監理部長、支局長等又は陸運局長に対してした申請、届出その他の行為（以下この条において「申請等」という。）は、政令（支局長等に対してした申請等にあつては、運輸省令）で定めるところにより、この法律による改正後のそれぞれの法律若しくはこれに基づく命令の規定により相当の地方運輸局長、海運監理部長又は海運支局長等に対してした申請等とみなす。

第二十五条　この法律の施行前にした行為に対する罰則の適用については、なお従前の例による。

附　則（昭五九・六・三〇法五一）（抄）

（施行期日）

1　この法律は、昭和五十九年七月一日から施行する。

附　則（昭五九・一二・二五法八七）（抄）

（施行期日）

第一条　この法律は、昭和六十年四月一日から施行する。〔ただし書略〕

附　則（昭六〇・七・一二法九〇）（抄）

（施行期日）

第一条　この法律は、公布の日から施行する。ただし、次の各号に掲げる規定は、それぞれ当該各号に定める日から施行する。

一～四　〔略〕

五　〔前略〕附則第七条、第十二条から第十四条まで及び第十七条〔地方自治法の一部改正〕の規定　公布の日から起算して六月を経過した日

附　則（昭六〇・一二・二七法一〇八）（抄）

（施行期日）

第一条　この法律は、昭和六十一年四月一日から施行する。

附　則（昭六一・五・三〇法七五）（抄）

（施行期日）

1　この法律は、公布の日から施行する。

附　則（昭六一・一二・四法九三）（抄）

（施行期日）

第一条　この法律は、昭和六十二年四月一日から施行する。〔ただし書略〕

（罰則の適用に関する経過措置）

第四十一条　この法律の施行前にした行為及びこの法律の規定によりなお従前の例によることとされる事項に係るこの法律の施行後にした行為に対する罰則の適用については、なお従前の例による。

（政令への委任）

第四十二条　附則第二条から前条までに定めるもののほか、この法律の施行に関し必要な事項は、政令で定める。

附　則（昭六一・一二・二六法一〇九）（抄）

（施行期日）

第一条　この法律は、〔中略〕それぞれ当該各号に定める日から施行する。

一・二　〔略〕

三　〔前略〕附則第十四条の規定　昭和六十二年十月一日

四・五　〔略〕

（罰則に関する経過措置）

第八条　この法律の施行前にした行為及び附則第二条第一項の規定により従前の例によることとされる場合における第四条の規定の施行後にした行為に対する罰則の適用については、なお従前の例による。

附　則（昭六三・一二・一三法九四）（抄）

（施行期日）

1　この法律は、公布の日から起算して六月を超えない範囲内において政令で定める日〔昭六四・一・一〕から施行する。

（経過措置）

2　改正後の地方自治法第四条の二第一項の規定による条例が制定施行されるまでの間は、地方公共団体の休日は、この法律の施行の際現に休日とされている日によるものとする。

附　則（平元・一二・一三法七三）（抄）

（施行期日等）

1　この法律は、〔中略〕平成二年四月一日から施行する。

附　則（平元・一二・一九法八〇）（抄）

（施行期日）

1　この法律は、公布の日から起算して六月を超えない範囲内において政令で定める日〔平二・五・一〕から施行する。

（経過措置）

2　この法律による改正前のへい獣処理場等に関する法律の規定によりした処分、手続その他の行為は、この法律による改正後の化製場等に関する法律の相当規定によりした処分、手続その他の行為とみなす。

（罰則に関する経過措置）

7　この法律の施行前にした行為に対する罰則の適用については、なお従前の例による。

附　則（平二・六・二九法五八）（抄）

（施行期日）

第一条　この法律は、〔中略〕当該各号に定める日から施行する。

一・二　〔略〕

三　〔前略〕平成五年四月一日

附　則（平三・四・二法二四）（抄）

（施行期日）

第一条　この法律は、公布の日から施行する。ただし、第百四十六条の改正規定、第百五十一条の次に一条を加える改正規定及び附則第三条から第五条までの規定は、公布の日から起算して一年を超えない範囲内において政令で定める日〔平三・七・一〕から施行する。

（経過措置）

第二条　この法律の施行の際現に在職する監査委員は、その任期が満了するまでの間、改正後の地方自治法第百九十六条第一項の規定により選任された監査委員とみなす。

2　改正後の地方自治法第百九十六条第一項及び第五項の規定は、この法律の施行の際現に在職する監査委員（議員のうちから選任された監査委員を除く。）のうちこの法律の施行の日以後最初に任期が満了する監査委員の当該任期が満了するまでの間においては、当該監査委員が選任されている地方公共団体については、適用しない。

（政令への委任）

第十三条　附則第二条及び第十条に定めるもののほか、この法律の施行に関し必要な経過措置その他の事項は、政令で定める。

附　則（平三・四・一七法三一）（抄）

（施行期日）
1　この法律は、公布の日から起算して二十日を経過した日から施行する。

附　則（平三・五・二一法七九）（抄）

（施行期日）
第一条　この法律は、公布の日から施行する。〔ただし書略〕

（地方自治法の一部改正に伴う経過措置）
第四条　第二十三条の規定の施行の際現に同条の規定による改正前の地方自治法（以下この条において「旧法」という。）第二百八十六条第一項の規定によりされている旧法第二百八十七条第一項第一号、第四号又は第七号に掲げる事項のみに係る一部事務組合の規約の変更についての許可の申請は、第二十三条の規定による改正後の地方自治法（以下この条において「新法」という。）第二百八十六条第二項の規定によりされた届出とみなす。
2　第二十三条の規定の施行の際現に旧法第二百九十八条第二項の規定によりされている旧法第二百九十九条第一号、第三号又は第七号に掲げる事項のみに係る地方開発事業団の規約の変更についての許可の申請は、新法第二百九十八条第三項の規定によりされた届出とみなす。

（罰則に関する経過措置）
第七条　この法律の施行前にした行為及び附則第二条第一項の規定により従前の例によることとされる場合における第四条の規定の施行後にした行為に対する罰則の適用については、なお従前の例による。

附　則（平三・一〇・四法九〇）（抄）

（施行期日）
第一条　この法律は、公布の日から起算して一年を超えない範囲内において政令で定める日〔平四・八・一〕から施行する。

附　則（平三・一〇・五法九五）（抄）

（施行期日）
第一条　この法律は、公布の日から起算して九月を超えない範囲内において政令で定める日〔平四・七・四〕から施行する。
〔ただし書略〕

附　則（平三・一二・二四法一〇二）（抄）

（施行期日等）
1　この法律は、公布の日から施行する。ただし、〔中略〕附則第十二項〔地方自治法の一部改正の規定〕から第二十項までの規定は、平成四年一月一日から施行する。

附　則（平三・一二・二四法一一〇）（抄）

（施行期日）
第一条　この法律は、平成四年四月一日から施行する。

附　則（平四・三・三一法七）（抄）

（施行期日）
第一条　この法律は、平成四年四月一日から施行する。ただし、〔中略〕附則第十七条から第十九条まで〔第十八条が地方自治法の一部改正〕の規定は公布の日から起算して三月を超えない範囲内において政令で定める日〔平四・六・三〇〕から、〔中略〕施行する。

附　則（平四・四・二法二九）（抄）

（施行期日）
1　この法律は、公布の日から起算して六月を超えない範囲内において政令で定める日〔平四・五・一〕から施行する。

（経過措置）
2　地方公共団体が改正後の地方自治法第四条の二第一項の規定により地方公共団体の休日を定める場合において、同条第二項第一号の土曜日については、同号の規定にかかわらず、当分の間、毎月の第二土曜日又は第四土曜日を定めることができる。
3　この法律の施行の際現に地方公共団体が改正前の地方自治法第四条の二第一項の規定により地方公共団体の休日として毎月の第二土曜日又は第四土曜日を定めている場合には、当該土曜日は、前項の規定により定められたものとみなす。

附　則（平四・四・二四法三一）（抄）

（施行期日）
1　この法律は、公布の日から起算して六月を超えない範囲内において政令で定める日〔平四・九・一〕から施行する。

附　則（平四・五・六法三九）（抄）

（施行期日）
第一条　この法律は、平成四年十月一日から施行する。

附　則（平四・五・二〇法五一）（抄）

（施行期日）
第一条　この法律は、公布の日から起算して一年六月を超えない範囲内において政令で定める日〔平五・一一・一〕から施行する。

附　則（平四・六・一法六六）（抄）

（施行期日）
第一条　この法律は、公布の日から起算して十月を超えない範囲内において政令で定める日〔平五・一・八〕から施行する。
〔ただし書略〕

附　則（平四・六・三法六七）（抄）

（施行期日）
第一条　この法律は、平成五年四月一日から施行する。〔ただし書略〕

附　則（平四・六・三法六八）（抄）

（施行期日）
第一条　この法律は、平成四年七月一日から施行する。〔ただし書略〕

附　則（平五・五・二一法五一）（抄）

（施行期日）
第一条　この法律は、公布の日から起算して三月を超えない範囲内において政令で定める日〔平五・八・九〕から施行する。

（経過措置）
第二条　全国団体のこの法律の施行の日を含む事業年度の保証事業等に係る事業計画、収支予算及び資金計画については、第十二条中「当該事業年度の開始前に」とあるのは、「保証事業等の開始の時までに」と読み替えるものとする。

附　則（平五・五・二六法五三）（抄）

（施行期日）
第一条　この法律は、公布の日から起算して六月を超えない範囲内において政令で定める日〔平五・一一・一〇〕から施行する。

（基本方針に関する経過措置）
第二条　この法律の施行前にこの法律による改正前の流通業務市街地の整備に関する法律第三条の規定により定められた流通業務施設の整備に関する基本方針は、この法律による改正後の流通業務市街地の整備に関する法律第三条の二の規定により定められた流通業務施設の整備に関する基本方針とみなす。

附　則（平五・六・一六法七〇）（抄）

（施行期日）

第一条　この法律は、公布の日から起算して六月を超えない範囲内において政令で定める日〔平五・八・二〕から施行する。

附　則（平五・六・一八法七三）（抄）

（施行期日）

1　この法律は、公布の日から施行する。

附　則（平五・六・一八法七四）（抄）

（施行期日）

第一条　この法律は、公布の日から起算して一年を超えない範囲内において政令で定める日〔平六・四・一〕から施行する。ただし、〔中略〕地方自治法（昭和二十二年法律第六十七号）第二百五十二条の十九第一項第十一号の次に一号を加える改正規定は、平成八年四月一日から施行する。

附　則（平五・一一・一九法九二）

この法律は、公布の日から施行する。ただし、第六条中地方自治法別表第七第一号の表の改正規定〔中略〕は、環境基本法附則ただし書に規定する日〔平六・八・一〕から施行する。

附　則（平五・一二・三法九四）（抄）

（施行期日）

1　この法律は、公布の日から施行する。〔ただし書略〕

附　則（平六・二・二法一）（抄）

（施行期日）

第一条　この法律は、公布の日から起算して六十日を経過した日から施行する。

附　則（平六・二・四法二）（抄）

（施行期日）

第一条　この法律は、公職選挙法の一部を改正する法律の一部を改正する法律（平成六年法律第百四号）の公布の日から起算して一月を経過した日〔平六・一二・二五〕から施行する。〔ただし書略〕

附　則（平六・二・四法四）（抄）

（施行期日）

第一条　この法律は、公職選挙法の一部を改正する法律（平成六年法律第二号）の施行の日〔平六・一二・二五〕の属する年の翌年の一月一日から施行する。〔ただし書略〕

附　則（平六・六・二九法四八）（抄）

（施行期日）

1　この法律は、公布の日から起算して一年を超えない範囲内において、各規定につき、政令で定める日〔平七・四・一〕から施行する。ただし、第十五条第二項、第七十四条、第七十四条の四、第七十五条第五項、第七十六条第四項、第八十条第四項、第八十一条第二項、第八十六条第四項、第百条第三項、第百五十九条第二項、第二百二十八条第三項、第二百四十二条の二及び第二百四十四条の二第七項の改正規定並びに別表第一から別表第七までの改正規定（別表第二第一号（十一）の改正規定、同号（十二）の次に次のように加える改正規定（中核市に係る部分に限る。）、別表第四第一号（一の四）中「指定都市」の下に「及び中核市」を加え、同号中（一の四）を（一の五）とし、（一の三）を（一の四）とし、（一の二）の次に次のように加える改正規定（「指定都市」の下に「及び中核市」を加える部分に限る。）、同号（十七）の改正規定、同号（十九の三）の改正規定（「指定都市」の下に「及び中核市」を加える部分に限る。）、同号（十九の七）、（十九の九）、（十九の十一）、（二十一の二）及び（二十三）の改正規定、同号（二十三）の次に次のように加える改正規定、同表第三号（四）の改正規定並びに別表第七第二号の表の改正規定を除く。〔平七・四・一施行〕）並びに次項から附則第四項までの規定は、公布の日から起算して二十日を経過した日から施行する。

（直接請求に関する経過措置）

2　改正後の地方自治法第七十四条第六項及び第七項の規定は、前項ただし書に規定する規定の施行の際現にその手続が開始されている直接請求については、適用しない。

（政令への委任）

3　前項に定めるもののほか、この法律の施行に関し必要な経過措置は、政令で定める。

附　則（平六・六・二九法五六）（抄）

（施行期日）

第一条　この法律は、平成六年十月一日から施行する。〔ただし書略〕

附　則（平六・七・一法八四）（抄）

（施行期日）

第一条　この法律は、公布の日から施行する。〔ただし書略〕

附　則（平六・七・一八法八七）（抄）

（施行期日）

1　この法律は、公布の日から起算して三月を超えない範囲内において政令で定める日〔平六・一〇・一五〕から施行する。

附　則（平六・一一・一一法九七）（抄）

（施行期日）

第一条　この法律は、公布の日から施行する。〔ただし書略〕

附　則（平六・一二・一六法一一七）（抄）

（施行期日）

第一条　この法律は、平成七年七月一日（以下「施行日」という。）から施行する。

附　則（平七・三・三一法五二）（抄）

（施行期日）

第一条　この法律は、平成七年四月一日から施行する。

附　則（平七・四・一九法六六）（抄）

（施行期日）

第一条　この法律は、公布の日から起算して六月を超えない範囲内において政令で定める日〔平七・一〇・一八〕から施行する。

附　則（平七・四・一九法六八）（抄）

（施行期日）

1　この法律は、公布の日から起算して六月を超えない範囲内において政令で定める日〔平七・八・一〕から施行する。

附　則（平七・四・二一法七一）（抄）

（施行期日）

第一条　この法律は、平成八年四月一日から施行する。

附　則（平七・五・一九法九三）（抄）

（施行期日）

第一条　この法律は、平成七年七月一日（以下「施行日」という。）から施行する。

附　則（平七・五・一九法九四）（抄）

（施行期日）
第一条　この法律は、平成七年七月一日から施行する。〔ただし書略〕

附　則（平七・五・二四法一〇二）（抄）

（施行期日）
第一条　この法律は、公布の日から起算して一年を経過した日から施行する。〔ただし書略〕

附　則（平七・六・七法一〇六）（抄）

（施行期日）
第一条　この法律は、保険業法（平成七年法律第百五号）の施行の日〔平八・四・一〕から施行する。

附　則（平七・六・一六法一〇九）（抄）

（施行期日）
第一条　この法律は、平成十年四月一日から施行する。

附　則（平七・一二・二〇法一三五）（抄）

（施行期日）
第一条　この法律は、公布の日から施行する。

附　則（平八・三・三一法一四）（抄）

（施行期日）
第一条　この法律は、平成九年四月一日から施行する。〔ただし書略〕

附　則（平八・三・三一法二三）（抄）

（施行期日）
第一条　この法律は、公布の日から起算して九月を超えない範囲内において政令で定める日〔平八・一〇・一〕から施行する。

附　則（平八・三・三一法二八）（抄）

（施行期日）
第一条　この法律は、平成八年四月一日から施行する。

附　則（平八・五・二四法四六）（抄）

（施行期日）
第一条　この法律は、公布の日から起算して三月を超えない範囲内において政令で定める日〔平八・七・二二〕から施行する。

附　則（平八・五・二四法四八）（抄）

（施行期日）
1　この法律は、公布の日から起算して六月を超えない範囲内において政令で定める日〔平八・一一・一〇〕から施行する。

附　則（平八・五・三一法五五）（抄）

（施行期日）
1　この法律は、公布の日から起算して三月を超えない範囲内で政令で定める日〔平八・八・三〇〕から施行する。〔ただし書略〕

附　則（平八・六・二六法一〇五）（抄）

（施行期日）
第一条　この法律は、公布の日から起算して三月を経過した日から施行する。

附　則（平八・六・二六法一〇七）（抄）

（施行期日）
第一条　この法律は、〔中略〕当該各号に定める日から施行する。
一　〔前略〕平成九年四月一日

附　則（平九・三・三一法一八）（抄）

（施行期日）
第一条　この法律は、公布の日から起算して三月を超えない範囲内において政令で定める日〔平九・六・二三〕から施行する。

附　則（平九・五・一四法五二）（抄）

（施行期日）
第一条　この法律は、公布の日から起算して三月を超えない範囲内において政令で定める日〔平九・七・一〕から施行する。

附　則（平九・六・四法六七）（抄）

（施行期日）
第一条　この法律は、公布の日から施行する。ただし、次の各号に掲げる規定は、当該各号に定める日から施行する。
一　第七十五条第四項、第百九十五条第二項、第百九十六条第二項、第百九十九条、第二百条第二項、第四項及び第五項、第二百三十三条第四項、第二百四十一条第六項、第二百四十二条第六項並びに第二百四十三条の二第五項の改正規定並びに次条第一項及び第二項、附則第三条並びに第四条の規定　平成十年四月一日
二　目次の改正規定、第二編中第十三章を第十四章とし、第十二章の次に一章を加える改正規定及び第二百九十一条の六の改正規定並びに次条第三項の規定　公布の日から起算して一年六月を超えない範囲内において政令で定める日〔平一〇・一〇・一〕

（経過措置）
第二条　改正後の地方自治法（以下「新法」という。）第百九十六条第二項の規定にかかわらず、前条第一号に掲げる規定の施行の際現に在職する監査委員（議員のうちから選任された監査委員を除く。）は、その任期が満了するまでの間は、在職することができる。
2　新法第百九十九条第十二項の規定は、前条第一号に掲げる規定の施行の日以後に提出される監査の結果に関する報告について適用する。
3　新法第二百五十二条の三十六第一項の規定の適用については、前条第二号に掲げる規定の施行の日から平成十一年三月三十一日までの間に限り、新法第二百五十二条の三十六第一項中「速やかに、一の者と締結しなければならない」とあるのは、「一の者と締結することができる」とする。
4　新法第二百五十二条の三十六第一項の規定による包括外部監査契約の締結については、普通地方公共団体の長は、前条第二号に掲げる規定の施行前においても監査委員の意見を聴くとともに、議会の議決を経ることができる。
5　前各項に定めるもののほか、この法律の施行に関し必要な経過措置は、政令で定める。

附　則（平九・六・一一法七四）（抄）

（施行期日）
第一条　この法律は、平成十年四月一日から施行する。

附　則（平九・六・一八法九二）（抄）

（施行期日）
第一条　この法律は、平成十一年四月一日から施行する。ただし、次の各号に掲げる規定は、当該各号に定める日から施行する。
一　〔前略〕附則第三条〔中略〕の規定　公布の日から起算して六月を超えない範囲内において政令で定める日〔平九・一〇・一〕

附　則（平九・一二・一〇法一一二）（抄）

（施行期日等）

1　この法律は、公布の日から施行する。ただし、次の各号に掲げる規定は、当該各号に定める日から施行する。

一　〔前略〕附則第十三項〔中略〕の規定　平成十年一月一日

附　則（平一〇・三・三一法二九）（抄）

（施行期日）

第一条　この法律は、平成十年四月一日から施行する。

附　則（平一〇・五・六法四七）（抄）

（施行期日）

1　この法律は、公布の日から施行する。

（施行期日）

第一条　この法律は、公布の日から起算して一年を超えない範囲内において政令で定める日〔平一一・五・一〕から施行する。〔ただし書略〕

附　則（平一〇・五・八法五四）（抄）

（施行期日）

第一条　この法律は、平成十二年四月一日から施行する。ただし、第一条中地方自治法別表第一から別表第四までの改正規定（別表第一中第八号の二を削り、第八号の三を第八号の二とし、第八号の四及び第九号の三を削り、第九号の四を第九号の三とし、第九号の五を第九号の四とする改正規定、同表第二十号の五の改正規定、別表第二第二号（十の三）の改正規定並びに別表第三第二号の改正規定を除く。）並びに附則第七条及び第九条の規定は、公布の日から施行する。

（旧東京都制の効力）

第二条　地方自治法附則第二条ただし書の規定によりなおその効力を有することとされる旧東京都制（昭和十八年法律第八十九号）第百九十一条の規定は、法律又はこれに基づく政令により市に属する事務で第一条の規定による改正後の地方自治法第二百八十一条第二項の規定により特別区が処理することとされているもの並びに同法第二百八十一条の七第一項の規定により特別区の区長が管理し、及び執行することとされている事務に関しては、その適用はないものとする。

（都が施行日前に行った届出に係る一般廃棄物処理施設についての廃棄物の処理及び清掃に関する法律の適用に関する事項の政令への委任）

第六条　都が施行日前に行った第十七条の規定による改正前の地方自治法の一部を改正する法律附則第二十四条の規定により読み替えて適用される第十四条の規定による改正前の廃棄物の処理及び清掃に関する法律第二十三条の三の規定により読み替えて適用される同法第九条の三第一項の規定による届出に係る同法第八条第一項に規定する一般廃棄物処理施設を都が施行日以後において引き続き保有している場合及び施行日以後に特別区に譲渡した場合についての第十四条の規定による改正後の廃棄物の処理及び清掃に関する法律の適用に関し必要な事項は、政令で定める。

（職員の引継ぎに関する事項の政令への委任）

第七条　施行日の前日において現に都又は都知事若しくは都の委員会その他の機関が処理し、又は管理し、及び執行している事務で施行日以後法律又はこれに基づく政令により特別区又は特別区の区長若しくは特別区の委員会その他の機関が処理し、又は管理し、及び執行することとなるものに従事している都の職員の特別区への引継ぎに関して必要な事項は、政令で定める。

（罰則に関する経過措置）

第八条　この法律の施行前にした行為及びこの法律の附則において従前の例によることとされる場合におけるこの法律の施行後にした行為に対する罰則の適用については、なお従前の例による。

（政令への委任）

第九条　附則第二条から前条までに定めるもののほか、この法律の施行のため必要な経過措置は、政令で定める。

附　則（平一〇・五・八法五五）（抄）

（施行期日）

第一条　この法律は、公布の日から起算して一年を超えない範囲内において政令で定める日〔平一一・四・一〕から施行する。〔ただし書略〕

附　則（平一〇・六・一二法一〇〇）（抄）

（施行期日）

第一条　この法律は、〔中略〕公布の日から起算して一年を超えない範囲内において政令で定める日〔平一一・五・一〕から施行する。

附　則（平一〇・六・一二法一〇一）（抄）

（施行期日）

第一条　この法律は、平成十一年四月一日から施行する。〔ただし書略〕

附　則（平一〇・九・二八法一一〇）

この法律は、平成十一年四月一日から施行する。

附　則（平一〇・一〇・二法一一四）（抄）

（施行期日）

第一条　この法律は、平成十一年四月一日から施行する。〔ただし書略〕

附　則（平一〇・一〇・一九法一三五）（抄）

（施行期日）

第一条　この法律は、公布の日から施行する。ただし、〔中略〕附則〔中略〕第六条〔中略〕の規定は、平成十一年三月一日から施行する。

附　則（平一〇・一二・一八法一四八）（抄）

（施行期日）

第一条　この法律は、公布の日から起算して一月を超えない範囲内において政令で定める日〔平一一・一・一〕から施行する。

附　則（平一一・三・三一法一五）（抄）

（施行期日）

第一条　この法律は、平成十一年四月一日から施行する。ただし、次の各号に掲げる規定は、当該各号に定める日から施行する。

一　〔前略〕附則〔中略〕第十六条〔中略〕の規定　平成十二年一月一日

附　則（平一一・三・三一法二〇）（抄）

（施行期日）

第一条　この法律は、公布の日から施行する。ただし、附則第十二条から第四十九条までの規定は、公布の日から起算して九月を超えない範囲内において政令で定める日〔平一一・一〇・一〕から施行する。

附　則（平一一・六・一六法七六）（抄）

（施行期日）

第一条　この法律は、公布の日から施行する。ただし、附則第十七条から第七十二条までの規定は、公布の日から起算して六月を超えない範囲内において政令で定める日〔平一一・一〇・一〕から施行する。

附　則（平一一・七・一三法八六）（抄）

（施行期日）

第一条　この法律は、公布の日から起算して九月を超えない範囲内において政令で定める日〔平一二・三・三〇〕から施行する。ただし、次の各号に掲げる規定は、当該各号に定める日から施行する。

一～三〔略〕

四〔前略〕附則第四条の規定　平成十二年四月一日又は前号に定める日〔平一四・一・一二〕のいずれか遅い日

附　則（平一一・七・一六法八七）（抄）

（施行期日）

第一条　この法律は、平成十二年四月一日から施行する。ただし、次の各号に掲げる規定は、当該各号に定める日から施行する。

一　第一条中地方自治法第二百五十条の次に五条、節名並びに二款及び款名を加える改正規定（同法第二百五十条の九第一項に係る部分（両議院の同意を得ることに係る部分に限る。）に限る。）〔中略〕並びに附則第七条、第十条、第十二条〔中略〕の規定　公布の日

二〔前略〕附則第百六十八条中地方自治法別表第一国民年金法（昭和三十四年法律第百四十一号）の項の改正規定〔中略〕　平成十四年四月一日

三〔前略〕附則第百六十八条中地方自治法別表第一児童扶養手当法（昭和三十六年法律第二百三十八号）の項の改正規定　平成十四年八月一日

四　第一条中地方自治法第九十条、第九十一条、第二百八十一条の五及び第二百八十一条の六の改正規定〔中略〕並びに附則第四条第一項及び第二項〔中略〕の規定　平成十五年一月一日

五　第一条中地方自治法別表第一の改正規定（外国人登録法の一部を改正する法律（平成十一年法律第百三十四号）の項に係る部分に限る。）〔中略〕　平成十二年四月一日又は外国人登録法の一部を改正する法律（平成十一年法律第百三十四号）の施行の日〔平一二・四・一〕のいずれか遅い日

六　附則第二百四十三条の規定　公布の日から起算して一年を超えない範囲内において政令で定める日〔平一二・三・三一〕

（地方自治法の一部改正に伴う経過措置）

第二条　この法律の施行の際現に第一条の規定による改正前の地方自治法（以下「旧地方自治法」という。）第三条第三項の規定によりされている都道府県知事の許可の申請は、第一条の規定による改正後の地方自治法（以下「新地方自治法」という。）第三条第四項の規定によりされた都道府県知事への協議の申出とみなす。

第三条　この法律の施行の日（以下「施行日」という。）前に旧地方自治法第七十五条第一項に規定する普通地方公共団体の長及び教育委員会、選挙管理委員会、人事委員会若しくは公平委員会、公安委員会、地方労働委員会、農業委員会その他法令又は条例に基づく委員会又は委員が執行したその権限に属する事務の執行に関する同項の監査の請求については、なお従前の例による。

第四条　地方公共団体（次項に規定するものを除く。）の議会の議員の定数については、平成十五年一月一日以後初めてその期日を告示される一般選挙までの間、なお従前の例による。

2　平成十五年一月一日前に新たに設置される市町村であって同日以後に当該市町村の設置による議会の議員の一般選挙の期日が告示されるものの議会の議員の定数については、当該一般選挙の告示の日後初めてその期日を告示される一般選挙までの間、なお従前の例による。

3　新地方自治法第九十一条第七項の規定による平成十五年一月一日以後に新たに設置される市町村の議会の議員の定数の決定については、同項に規定する設置関係市町村は、同日前においても同項の協議を行い、又は同項の議会の議決を経て、新たに設置される市町村の議会の議員の定数を定め、同条第八項の告示をすることができる。

第五条　施行日前に旧地方自治法第九十八条第一項に規定する普通地方公共団体の長、教育委員会、選挙管理委員会、人事委員会若しくは公平委員会、公安委員会、地方労働委員会、農業委員会又は監査委員その他法令又は条例に基づく委員会又は委員が執行したその権限に属する事務に関する同項の検査については、なお従前の例による。

2　施行日前に旧地方自治法第九十八条第二項に規定する普通地方公共団体の長、教育委員会、選挙管理委員会、人事委員会若しくは公平委員会、公安委員会、地方労働委員会、農業委員会その他法令又は条例に基づく委員会又は委員が執行したその権限に属する事務に関する同項の監査の求め及び報告の請求については、なお従前の例による。

3　施行日前に旧地方自治法第九十九条第一項に規定する普通地方公共団体の長、教育委員会、選挙管理委員会、人事委員会若しくは公平委員会、公安委員会、地方労働委員会、農業委員会又は監査委員その他法令又は条例に基づく委員会又は委員が執行したその権限に属する事務に関する同項に規定する説明の求め及び意見の陳述については、なお従前の例による。

第六条　施行日前に旧地方自治法第百九十九条第二項及び第六項に規定する普通地方公共団体の長又は委員会若しくは委員が執行したその権限に属する事務の執行に関するこれらの規定による監査（同項に規定する監査にあっては、当該普通地方公共団体の長からの要求に基づくものに限る。）については、なお従前の例による。

第七条　施行日後最初に任命される国地方係争処理委員会の委員の任命について、国会の閉会又は衆議院の解散のために両議院の同意を得ることができないときは、新地方自治法第二百五十条の九第三項及び第四項の規定を準用する。

第八条　新地方自治法第二百五十条の十三第一項及び第四項から第七項まで、第二百五十条の十四第一項、第二項及び第五項、第二百五十条の十五から第二百五十条の十九まで並びに第二百五十一条の五の規定は、施行日以後に行われる国の関与（新地方自治法第二百五十条の七第二項に規定する国の関与をいう。）について、適用する。

2　新地方自治法第二百五十一条の三第一項及び第四項（第二号及び第三号を除く。）の規定、同条第五項において準用する第二百五十条の十三第四項から第七項まで、第二百五十条の十四第一項、第二項及び第五項並びに第二百五十条の十五から第二百五十条の十七までの規定並びに第二百五十一条の三第八項から第十五項まで及び第二百五十二条の規定は、施行日以後に行われる都道府県の関与（新地方自治法第二百五十一条第一項に規定する都道府県の関与をいう。）について、適用する。

第九条　この法律の施行の際現に旧地方自治法第二百五十一条第二項の規定による自治紛争調停委員の職にある者は、新地方自治法第二百五十一条第二項の規定により自治紛争処理委員に任命されたものとみなす。

第十条　新地方自治法第二百五十二条の十七の二第一項の条例（同条第二項の規則を含む。以下この条において同じ。）の制定に関し必要な手続その他の行為は、施行日前においても行うことができる。

2　平成十一年四月一日において旧地方自治法第百五十三条第二項の規定により市町村長に委任されている都道府県知事の権限に属する事務について、新地方自治法第二百五十二条の十七の二第一項の条例の定めるところにより、施行日以後引き続き市町村の長が管理し及び執行することとする場合においては、当該条例の制定については、同条第二項の協議を要しないものとする。

3　平成十一年四月一日において地方自治法等の一部を改正する法律（平成十年法律第五十四号）第一条の規定による改正前の地方自治法第二百八十一条の三第三項の規定により特別区の区長に委任されている都知事の権限に属する事務について、新地方自治法第二百五十二条の十七の二第一項の条例の定めるところにより、施行日以後引き続き特別区の長が管理し及び執行することとする場合においては、当該条例の制定については、同条第二項の協議を要しないものとする。

第十一条　旧地方自治法第二百五十六条の規定により不服申立てに対する決定を経た後でなければ取消しの訴えを提起できないこととされる処分であって、不服申立てを提起しないで施行日前にこれを提起すべき期間を経過したものの取消しの訴えの提起については、この法律の施行後も、なお従前の例による。

第十二条　新地方自治法第二百九十一条の二第二項の条例（同条第三項において準用する新地方自治法第二百五十二条の十七の二第二項の規則を含む。次項において同じ。）の制定に関し必要な手続その他の行為は、施行日前においても行うことができる。

2　平成十一年四月一日において旧地方自治法第二百九十一条の二第二項の規定により広域連合の長その他の執行機関に委任されている都道府県知事又は都道府県の委員会若しくは委員の権限に属する事務について、新地方自治法第二百九十一条の二第二項の条例の定めるところにより、施行日以後引き続き広域連合が処理することとする場合においては、当該条例の制定については、同条第三項において準用する新地方自治法第二百五十二条の十七の二第二項の協議を要しないものとする。

第十三条　施行日前に旧地方自治法第二百九十六条の五第二項の規定によりされた認可又はこの法律の施行の際現に同項の規定によりされている認可の申請は、それぞれ新地方自治法第二百九十六条の五第二項の規定によりされた同意又は協議の申出とみなす。

第十四条　施行日前に旧地方自治法第二百九十六条の五第五項の規定によりされた許可又はこの法律の施行の際現に同項の規定によりされている許可の申請は、それぞれ新地方自治法第二百九十六条の五第五項の規定によりされた同意又は協議の申出とみなす。

第十五条　新地方自治法附則第二条ただし書の規定によりなおその効力を有することとされる旧東京都制（昭和十八年法律第八十九号）第百九十一条の規定は、法律又はこれに基づく政令により市が処理することとされている事務で新地方自治法第二百八十一条第二項の規定により特別区が処理することとされているものに関しては、その適用はないものとする。

（検討）

第二百五十条　新地方自治法第二条第九項第一号に規定する第一号法定受託事務については、できる限り新たに設けることのないようにするとともに、新地方自治法別表第一に掲げるもの及び新地方自治法に基づく政令に示すものについては、地方分権を推進する観点から検討を加え、適宜、適切な見直しを行うものとする。

第二百五十一条　政府は、地方公共団体が事務及び事業を自主的かつ自立的に執行できるよう、国と地方公共団体との役割分担に応じた地方税財源の充実確保の方途について、経済情勢の推移等を勘案しつつ検討し、その結果に基づいて必要な措置を講ずるものとする。

第二百五十二条　政府は、医療保険制度、年金制度等の改革に伴い、社会保険の事務処理の体制、これに従事する職員の在り方等について、被保険者等の利便性の確保、事務処理の効率化等の視点に立って、検討し、必要があると認めるときは、その結果に基づいて所要の措置を講ずるものとする。

附　則（平一一・七・一六法一〇二）（抄）

（施行期日）

第一条　この法律は、内閣法の一部を改正する法律（平成十一年法律第八十八号）の施行の日〔平一三・一・六〕から施行する。〔ただし書略〕

（地方自治法の一部改正に伴う経過措置）

第十五条　この法律の施行の際現に従前の総理府の国地方係争処理委員会の委員である者は、この法律の施行の日に、第三十三条の規定による改正後の地方自治法（以下この条において「新地方自治法」という。）第二百五十条の九第一項の規定により、総務省の国地方係争処理委員会の委員として任命されたものとみなす。この場合において、その任命されたものとみなされる者の任期は、同条第五項の規定にかかわらず、同日における従前の総理府の国地方係争処理委員会の委員としての任期の残任期間と同一の期間とする。

2　この法律の施行の際現に従前の総理府の国地方係争処理委員会の委員長である者は、この法律の施行の日に、新地方自治法第二百五十条の十第一項の規定により、総務省の国地方係争処理委員会の委員長として定められたものとみなす。

附　則（平一一・七・一六法一〇五）（抄）

（施行期日）

第一条　この法律は、公布の日から起算して六月を超えない範囲内において政令で定める日〔平一二・一・一五〕から施行する。ただし、次の各号に掲げる規定は、当該各号に定める日から施行する。

一 〔前略〕附則第五条の規定 平成十二年四月一日

附 則（平一一・七・二二法一〇七）（抄）

（施行期日）

第一条 この法律は、平成十三年四月一日から施行する。〔ただし書略〕

附 則（平一一・八・一三法一二二）（抄）

（施行期日）

第一条 この法律は、公布の日から起算して二十日を経過した日から施行する。〔ただし書略〕

附 則（平一一・一二・八法一五一）（抄）

（施行期日）

第一条 この法律は、平成十二年四月一日から施行する。〔ただし書略〕

附 則（平一一・一二・二二法一六〇）（抄）

（施行期日）

第一条 この法律（第二条及び第三条を除く。）は、平成十三年一月六日から施行する。ただし、次の各号に掲げる規定は、当該各号に定める日から施行する。

二 〔前略〕次条の規定 平成十二年七月一日

附 則（平一一・一二・二二法一八〇）（抄）

（施行期日）

第一条 この法律は、平成十三年一月六日から施行する。ただし、附則〔中略〕第九条の規定は、同日から起算して六月を超えない範囲内において政令で定める日〔平一三・四・一〕から施行する。

附 則（平一一・一二・二二法一八六）（抄）

（施行期日）

第一条 この法律は、平成十三年一月六日から施行する。ただし、〔中略〕附則〔中略〕第十四条〔中略〕の規定は、同日から起算して六月を超えない範囲内において政令で定める日〔平一三・四・一〕から施行する。

附 則（平一一・一二・二二法二二二）（抄）

（施行期日）

第一条 この法律は、公布の日から起算して二月を超えない範囲内において政令で定める日〔平一二・三・二〕から施行する。ただし、次の各号に掲げる規定は、当該各号に定める日から施行する。

一 〔略〕

二 〔前略〕附則〔中略〕第十二条〔中略〕の規定 公布の日から起算して三月を超えない範囲内において政令で定める日〔平一二・三・二〕

三 〔略〕

附 則（平一二・三・三一法一三）（抄）

（施行期日）

第一条 この法律は、平成十二年四月一日から施行する。〔ただし書略〕

附 則（平一二・四・五法三五）（抄）

（施行期日）

第一条 この法律は、公布の日から起算して三月を超えない範囲内において政令で定める日〔平一二・五・一〇〕から施行する。

附 則（平一二・四・七法三九）（抄）

（施行期日）

第一条 この法律は、公布の日から起算して一月を超えない範囲内において政令で定める日〔平一二・四・一〇〕から施行する。ただし、〔中略〕附則第四条〔中略〕の規定は、平成十三年一月六日から施行する。

附 則（平一二・四・二六法五一）（抄）

（施行期日）

1 この法律は、公布の日から起算して三月を超えない範囲内において政令で定める日〔平一二・七・一〕から施行する。

附 則（平一二・四・二八法五三）（抄）

（施行期日）

第一条 この法律は、公布の日から起算して六月を超えない範囲内において政令で定める日〔平一二・一〇・二〇〕から施行する。

附 則（平一二・五・一九法七三）（抄）

（施行期日）

第一条 この法律は、公布の日から起算して一年を超えない範囲内において政令で定める日〔平一三・五・一八〕から施行する。

附 則（平一二・五・一九法七八）（抄）

（施行期日）

第一条 この法律は、平成十三年四月一日から施行する。〔ただし書略〕

附 則（平一二・五・二六法八四）（抄）

（施行期日）

第一条 この法律は、平成十二年六月一日から施行する。〔ただし書略〕

附 則（平一二・五・二六法八五）（抄）

（施行期日）

第一条 この法律は、平成十三年四月一日から施行する。〔ただし書略〕

附 則（平一二・五・二六法八六）（抄）

（施行期日）

第一条 この法律は、平成十四年三月三十一日までの間において政令で定める日〔平一四・二・一〕から施行する。

附 則（平一二・五・二六法八七）（抄）

（施行期日）

1 この法律は、公布の日から起算して一年を超えない範囲内において政令で定める日〔平一三・四・一〕から施行する。

附 則（平一二・五・三一法八九）

この法律は、公布の日から施行する。ただし、第百条第十一項の次に二項を加える改正規定は、平成十三年四月一日から施行する。

附 則（平一二・五・三一法九三）（抄）

（施行期日）

第一条 この法律は、平成十三年四月一日から施行する。ただし、次の各号に掲げる規定は、当該各号に定める日から施行する。

一 〔略〕

二 第一条、第二条、第四条及び第五条並びに附則第二条、第三条、第四条第二項、第十三条、第十八条、第十九条、第二

十三条及び第二十四条の規定　公布の日から起算して、一月を超えない範囲内において政令で定める日〔平一二・六・三〇〕

三　〔略〕

四　附則第十条第一項、第十四条及び第二十二条の規定（中央省庁等改革関係法施行法第五十三条の改正規定を除く。）　平成十三年一月六日

（罰則の適用に関する経過措置）

第二十三条　この法律の各改正規定の施行前にした行為及びこの附則の規定によりなお従前の例によることとされる事項に係る各改正規定の施行後にした行為に対する罰則の適用については、それぞれなお従前の例による。

（その他の経過措置の政令への委任）

第二十四条　附則第二条から第十二条まで及び前条に定めるもののほか、この法律の施行に際し必要な経過措置は、政令で定める。

附　則（平一二・五・三一法九五）（抄）

（施行期日）

第一条　この法律は、平成十三年四月一日から施行する。

附　則（平一二・六・二法一〇五）（抄）

（施行期日）

第一条　この法律は、平成十二年十月一日から施行する。ただし、次の各号に掲げる規定は、それぞれ当該各号に定める日から施行する。

一　〔略〕

二　第二条、第四条及び附則第九条の規定　平成十三年四月一日

附　則（平一二・六・七法一一一）（抄）

（施行期日）

第一条　この法律は、公布の日から施行する。ただし、次の各号に掲げる規定は、それぞれ当該各号に定める日から施行する。

一　〔略〕

二　〔前略〕附則〔中略〕第三十二条〔中略〕の規定〔後略〕　平成十五年四月一日

附　則（平一二・一二・六法一四〇）（抄）

（施行期日）

第一条　この法律は、平成十三年一月一日から施行する。〔ただし書略〕

附　則（平一二・一二・六法一四三）（抄）

（施行期日）

第一条　この法律は、公布の日から起算して六月を超えない範囲内において政令で定める日〔平一三・三・二〕から施行する。

附　則（平一三・三・三〇法五）（抄）

（施行期日）

第一条　この法律は、平成十三年四月一日から施行する。

附　則（平一三・三・三〇法七）（抄）

（施行期日）

第一条　この法律は、平成十三年四月一日から施行する。〔ただし書略〕

附　則（平一三・四・六法二六）（抄）

（施行期日）

第一条　この法律は、公布の日から起算して四月を超えない範囲内において政令で定める日〔平一三・八・五〕から施行する。〔ただし書略〕

附　則（平一三・四・一三法三〇）（抄）

（施行期日）

第一条　この法律は、平成十三年七月一日から施行する。〔ただし書略〕

附　則（平一三・四・一八法三三）（抄）

（施行期日）

第一条　この法律は、公布の日から施行する。

附　則（平一三・六・二七法七三）（抄）

（施行期日）

第一条　この法律は、公布の日から起算して六月を超えない範囲内において政令で定める日〔平一三・一二・一五〕から施行する。ただし、次の各号に掲げる規定は、当該各号に定める日から施行する。

一・二　〔略〕

三　〔前略〕附則第五条の規定　公布の日から起算して一年六月を超えない範囲内において政令で定める日〔平一四・五・一、平一四・一〇・一〕

附　則（平一三・六・二七法七五）（抄）

（施行期日等）

第一条　この法律は、平成十四年四月一日（以下「施行日」という。）から施行し、施行日以後に発行される短期社債等について適用する。

附　則（平一三・六・二九法八二）（抄）

（施行期日）

第一条　この法律は、公布の日から起算して一年を超えない範囲内において政令で定める日〔平一四・四・一〕から施行する。

附　則（平一三・六・二九法九〇）（抄）

（施行期日）

第一条　この法律は、公布の日から起算して六月を超えない範囲内において政令で定める日〔平一三・一二・一〕から施行する。ただし、次の各号に掲げる規定は、当該各号に定める日から施行する。

一　〔略〕

二　〔前略〕附則〔中略〕第五条〔中略〕の規定　平成十三年十月一日

附　則（平一三・六・二九法九二）（抄）

（施行期日）

第一条　この法律は、平成十四年四月一日から施行する。〔ただし書略〕

附　則（平一三・六・二九法九四）（抄）

（施行期日）

第一条　この法律は、平成十四年一月一日から施行する。〔ただし書略〕

附　則（平一三・七・一一法一〇三）（抄）

（施行期日）

第一条　この法律は、公布の日から起算して一年を超えない範囲内において政令で定める日〔平一四・七・一〇〕から施行する。

附　則（平一三・一一・二八法一二六）（抄）

（施行期日等）

1　この法律は、公布の日から施行し、次項の規定による改正後

の地方自治法（昭和二十二年法律第六十七号）の規定〔中略〕は、平成十三年四月一日から適用する。

附　則（平一三・一二・七法一四七）（抄）

（施行期日）

第一条　この法律は、公布の日から起算して三月を超えない範囲内において政令で定める日〔平一四・二・一〕から施行する。〔ただし書略〕

（適用区分）

第二条　この法律の規定は、この法律の施行の日以後その期日を告示される地方公共団体の議会の議員又は長の選挙について適用する。

附　則（平一三・一二・一二法一五三）（抄）

（施行期日）

第一条　この法律は、公布の日から起算して六月を超えない範囲内において政令で定める日〔平一四・三・一〕から施行する。

附　則（平一四・三・三〇法四）（抄）

（施行期日）

第一条　この法律は、公布の日から起算して六月を超えない範囲内において政令で定める日〔平一四・三・三一、平一四・九・一〕から施行する。ただし、次の各号に掲げる規定は、当該各号に定める日から施行する。

一　第一条中地方自治法別表第一及び別表第二の改正規定並びに附則第十二条の規定　公布の日

二　第一条中地方自治法第百条、第百十八条第一項及び第二百五十二条の二十三第二号の改正規定　平成十四年四月一日

三　〔前略〕附則第十一条の規定　平成十五年一月一日

（直接請求に関する経過措置）

第二条　この法律の施行の日（以下「施行日」という。）前の直近の公職選挙法第二十二条の規定による選挙人名簿の登録が行われた日において選挙人名簿に登録されている者の総数が四十万を超える普通地方公共団体の選挙管理委員会は、その超える数に六分の一を乗じて得た数と四十万に三分の一を乗じて得た数とを合算して得た数を、この法律の施行後直ちに告示しなければならない。

（住民監査請求に関する経過措置）

第三条　第一条の規定による改正後の地方自治法第二百四十二条及び第二百五十二条の四十三の規定は、施行日以後に行われる同法第二百四十二条第一項の請求について適用し、施行日の前日までに行われた第一条の規定による改正前の地方自治法第二百四十二条の規定による同条第一項の請求については、なお従前の例による。

（住民訴訟に関する経過措置）

第四条　第一条の規定による改正後の地方自治法第二百四十二条の二、第二百四十二条の三及び第二百四十三条の二の規定は、施行日以後に提起される同法第二百四十二条の二第一項の訴訟について適用し、施行日の前日までに提起された第一条の規定による改正前の地方自治法第二百四十二条の二の規定による同条第一項の訴訟については、なお従前の例による。

（職員の賠償責任に関する経過措置）

第五条　施行日前の事実に基づき第一条の規定による改正後の地方自治法第二百四十三条の二第三項の規定により地方公共団体の職員の賠償責任に係る賠償を命ずることができる期間については、なお従前の例による。

（罰則に関する経過措置）

第十一条　附則第一条第三号に掲げる規定の施行前にした行為に対する罰則の適用については、なお従前の例による。

（その他の経過措置の政令への委任）

第十二条　この附則に規定するもののほか、この法律の施行に伴い必要な経過措置（罰則に関する経過措置を含む。）は、政令で定める。

附　則（平一四・三・三一法一一）（抄）

（施行期日）

第一条　この法律は、公布の日から起算して三月を超えない範囲内において政令で定める日〔平一四・六・一〕から施行する。〔ただし書略〕

（罰則に関する経過措置）

第二条　この法律の施行前にした行為に対する罰則の適用については、なお従前の例による。

附　則（平一四・三・三一法一五）（抄）

（施行期日）

第一条　この法律は、〔中略〕次の各号に掲げる規定は、当該各号に定める日から施行する。

一～五　〔略〕

六　次に掲げる規定　マンションの建替えの円滑化等に関する法律（平成十四年法律第七十八号）の施行の日

イ　〔前略〕附則〔中略〕第四十九条の規定

ロ　〔略〕

七～九　〔略〕

附　則（平一四・四・二四法二九）（抄）

（施行期日）

第一条　この法律は、公布の日から起算して一年を超えない範囲内において政令で定める日〔平一五・四・一〕から施行する。

附　則（平一四・四・二六法三二）（抄）

（施行期日）

第一条　この法律は、公布の日から起算して九月を超えない範囲内において政令で定める日〔平一五・一・六〕から施行する。

附　則（平一四・五・二九法四五）（抄）

（施行期日）

1　この法律は、公布の日から起算して一年を超えない範囲内において政令で定める日〔平一五・四・一〕から施行する。

附　則（平一四・五・二九法四八）（抄）

（施行期日）

第一条　この法律は、公布の日から起算して三月を超えない範囲内において政令で定める日〔平一四・七・一〕から施行する。

附　則（平一四・六・一二法六五）（抄）

改正　平一七・一〇・二一法一〇二

（施行期日）

第一条　この法律は、平成十五年一月六日から施行する。ただし、次の各号に掲げる規定は、当該各号に定める日から施行する。

一　〔略〕

二　〔前略〕附則〔中略〕第五十八条から第七十八条〔中略〕までの規定　この法律の施行の日（以下「施行日」という。）から起算して五年を超えない範囲内において政令で定める日〔平二〇・一・四〕

三　〔略〕

（地方自治法の一部改正に伴う経過措置）
第六十二条　附則第三条の規定によりなおその効力を有するものとされる旧社債等登録法の規定による登録社債等については、前条の規定による改正前の地方自治法第二百四十条第四項第三号の規定は、なおその効力を有する。

附　則（平一四・六・一九法七五）（抄）

（施行期日）
第一条　この法律は、平成十五年一月一日から施行する。〔ただし書略〕

附　則（平一四・六・一九法七八）（抄）

（施行期日）
第一条　この法律は、公布の日から起算して六月を超えない範囲内において政令で定める日〔平一四・一二・一八〕から施行する。

附　則（平一四・七・三法七九）（抄）

（施行期日）
第一条　この法律は、平成十四年八月一日から施行する。〔ただし書略〕

附　則（平一四・七・一二法八七）（抄）

（施行期日）
第一条　この法律は、公布の日から起算して六月を超えない範囲内において政令で定める日〔平一五・一・一〕から施行する。〔ただし書略〕

附　則（平一四・七・三一法九六）（抄）

（施行期日）
第一条　この法律は、公布の日から起算して三年を超えない範囲内において政令で定める日〔平一七・四・一〕から施行する。ただし、次の各号に掲げる規定は、当該各号に定める日から施行する。
一　〔前略〕附則〔中略〕第二十八条〔中略〕の規定　公布の日から起算して一年を超えない範囲内において政令で定める日〔平一五・七・三〇〕
二・三　〔略〕

附　則（平一四・七・三一法九八）（抄）

（施行期日）
第一条　この法律は、公社法の施行の日〔平一五・四・一〕から施行する。〔ただし書略〕

附　則（平一四・七・三一法一〇〇）（抄）

（施行期日）
第一条　この法律は、民間事業者による信書の送達に関する法律（平成十四年法律第九十九号）の施行の日〔平一五・四・一〕から施行する。

附　則（平一四・八・二法一〇二）（抄）

（施行期日）
第一条　この法律は、平成十四年十月一日から施行する。〔ただし書略〕

附　則（平一四・八・二法一〇三）（抄）

（施行期日）
第一条　この法律は、公布の日から起算して九月を超えない範囲内において政令で定める日〔平一五・五・一〕から施行する。〔ただし書略〕

附　則（平一四・一一・二二法一〇六）（抄）

（施行期日）
1　この法律は、公布の日の属する月の翌月の初日（公布の日が月の初日であるときは、その日）から施行する。〔ただし書略〕

附　則（平一四・一二・一一法一四〇）（抄）

（施行期日）
第一条　この法律は、公布の日から起算して六月を超えない範囲内において政令で定める日〔平一五・六・一〕から施行する。

附　則（平一四・一二・一三法一五二）（抄）

（施行期日）
第一条　この法律は、行政手続等における情報通信の技術の利用に関する法律（平成十四年法律第百五十一号）の施行の日〔平一五・二・三〕から施行する。〔ただし書略〕

附　則（平一四・一二・一八法一八二）（抄）

（施行期日）
第一条　この法律は、公布の日から施行する。ただし、次の各号に掲げる規定は、当該各号に定める日から施行する。
一　附則〔中略〕第十五条〔中略〕の規定　平成十五年十月一日
二　〔略〕

附　則（平一五・三・三一法八）（抄）

（施行期日）
第一条　この法律は、平成十五年四月一日から施行する。〔ただし書略〕

附　則（平一五・五・一六法四三）（抄）

（施行期日）
第一条　この法律は、公布の日から施行する。ただし、附則〔中略〕第二十九条〔中略〕の規定は、平成十六年四月一日から施行する。

附　則（平一五・五・三〇法五三）（抄）

（施行期日）
第一条　この法律は、公布の日から起算して三月を超えない範囲内において政令で定める日〔平一五・八・一〕から施行する。〔ただし書略〕

附　則（平一五・五・三〇法五五）（抄）

（施行期日）
第一条　この法律は、公布の日から起算して三月を超えない範囲内において政令で定める日〔平一五・八・二九〕から施行する。ただし、次の各号に掲げる規定は、当該各号に定める日から施行する。
一・二　〔略〕
三　〔前略〕附則〔中略〕第十六条〔中略〕の規定　公布の日から起算して九月を超えない範囲内において政令で定める日〔平一六・二・二七〕
四　〔略〕

附　則（平一五・六・一一法七三）（抄）

（施行期日）
第一条　この法律は、公布の日から起算して三月を超えない範囲内において政令で定める日〔平一五・七・一〕から施行する。ただし、〔中略〕附則第六条中地方自治法（昭和二十二年法律第六十七号）別表第一薬事法（昭和三十五年法律第百四十五号）の項の改正規定〔中略〕は薬事法及び採血及び供血あつせん業取締法の一部を改正する法律（平成十四年法律第九十六号）附則第一条第一号に定める日又はこの法律の施行の日のいずれか遅い日から〔中略〕施行する。

附　則（平一五・六・一一法七七）（抄）

（施行期日）

第一条　この法律は、公布の日から起算して一年を超えない範囲内において政令で定める日〔平一六・五・一五〕から施行する。

附　則（平一五・六・一三法八〇）（抄）

（施行期日）

1　この法律は、公布の日から施行する。〔ただし書略〕

附　則（平一五・六・一三法八一）（抄）

（施行期日）

第一条　この法律は、公布の日から起算して三月を超えない範囲内において政令で定める日〔平一五・九・二〕から施行する。

（経過措置）

第二条　この法律の施行の際現に改正前の地方自治法第二百四十四条の二第三項の規定に基づき管理を委託している公の施設については、この法律の施行の日から起算して三年を経過する日（その日前に改正後の地方自治法第二百四十四条の二第三項の規定に基づき当該公の施設の管理に係る指定をした場合には、当該指定の日）までの間は、なお従前の例による。

附　則（平一五・六・一八法九一）（抄）

（施行期日）

第一条　この法律は、平成十六年四月一日から施行する。〔ただし書略〕

附　則（平一五・六・一八法九三）（抄）

（施行期日）

第一条　この法律は、平成十五年十二月一日から施行する。〔ただし書略〕

附　則（平一五・六・二〇法一〇〇）（抄）

（施行期日）

第一条　この法律は、平成十六年七月一日から施行する。〔ただし書略〕

附　則（平一五・六・二〇法一〇一）（抄）

（施行期日）

第一条　この法律は、公布の日から起算して六月を超えない範囲内において政令で定める日〔平一五・一二・一九〕から施行する。

附　則（平一五・七・二四法一二五）（抄）

（施行期日）

第一条　この法律は、公布の日から起算して九月を超えない範囲内において政令で定める日〔平一六・一・二六〕から施行する。ただし、次の各号に掲げる規定は、それぞれ当該各号に定める日から施行する。

一・二　〔略〕

三　〔前略〕附則第二十一条〔中略〕の規定　公布の日から起算して一年を超えない範囲内において政令で定める日〔平一六・四・一〕

附　則（平一五・八・一法一三八）（抄）

（施行期日）

第一条　この法律は、公布の日から起算して九月を超えない範囲内において政令で定める日〔平一六・三・一〕から施行する。

附　則（平一五・一〇・一六法一四五）（抄）

（施行期日）

第一条　この法律は、公布の日から起算して二十日を経過した日から施行する。〔ただし書略〕

附　則（平一六・三・三一法一〇）（抄）

（施行期日）

第一条　この法律は、平成十六年四月一日から施行する。ただし、次の各号に掲げる規定は、当該各号に定める日から施行する。

一　〔前略〕附則第二条〔中略〕の規定　公布の日から起算して三月を超えない範囲内において政令で定める日〔平一六・四・一〕

二　〔略〕

附　則（平一六・三・三一法一四）（抄）

（施行期日）

第一条　この法律は、平成十六年四月一日から施行する。〔ただし書略〕

附　則（平一六・四・二八法四〇）（抄）

（施行期日）

第一条　この法律は、公布の日から起算して六月を超えない範囲内において政令で定める日〔平一六・一〇・二七〕から施行する。〔ただし書略〕

附　則（平一六・五・一二法四二）（抄）

（施行期日）

第一条　この法律は、平成十七年四月一日（以下「施行日」という。）から施行する。〔ただし書略〕

附　則（平一六・五・二六法五三）（抄）

（施行期日）

第一条　この法律は、平成十七年四月一日から施行する。〔ただし書略〕

附　則（平一六・五・二六法五七）（抄）

（施行期日）

第一条　この法律は、公布の日から起算して六月を超えない範囲内において政令で定める日〔平一六・一一・一〇〕から施行する。ただし、第六条第二項の改正規定、同条の次に一条を加える改正規定、第七条、第七条の二第三項、第八条第三項、第八条第七項及び第九条の三第六項の改正規定、第九十条に五項を加える改正規定、第九十一条第七項、第二百五十二条の二十六の二、第二百五十二条の二十六の七、第二百五十五条、第二百五十九条第四項及び第二百八十一条の五の改正規定並びに次条から附則第八条までの規定は、平成十七年四月一日から施行する。

附　則（平一六・五・二八法六一）（抄）

（施行期日）

第一条　この法律は、平成十七年四月一日から施行する。

附　則（平一六・五・二八法六三）（抄）

改正　平一九・五・三〇法六〇

（施行期日）

第一条　この法律は、公布の日から起算して五年を超えない範囲内において政令で定める日〔平二一・五・二一〕から施行する。ただし、次の各号に掲げる規定は、当該各号に定める日から施行する。

一　〔略〕
二　〔前略〕附則第五条の規定　公布の日から起算して四年六月を超えない範囲内において政令で定める日〔平二〇・七・一五〕
三　〔略〕

附　則（平一六・六・二法六六）（抄）

（施行期日）
第一条　この法律は、平成十七年四月一日から施行する。ただし、〔中略〕附則〔中略〕第十四条〔中略〕の規定は、平成十八年二月一日から施行する。

附　則（平一六・六・二法六七）（抄）

（施行期日）
第一条　この法律は、〔中略〕次の各号に掲げる規定は、当該各号に定める日から施行する。
一　〔略〕
二　第四条並びに附則第五条及び第六条の規定　公布の日

附　則（平一六・六・二法七一）（抄）

（施行期日）
第一条　この法律は、公布の日から起算して一年を超えない範囲内において政令で定める日〔平一七・四・一〕（以下「施行日」という。）から施行する。〔ただし書略〕

附　則（平一六・六・二法七六）（抄）

（施行期日）
第一条　この法律は、破産法（平成十六年法律第七十五号。次条第八項並びに附則第三条第八項、第五条第八項、第十六項及び第二十一項、第八条第三項並びに第十三条において「新破産法」という。）の施行の日〔平一七・一・一〕から施行する。〔ただし書略〕

附　則（平一六・六・九法八四）（抄）

（施行期日）
第一条　この法律は、公布の日から起算して一年を超えない範囲内において政令で定める日〔平一七・四・一〕から施行する。〔ただし書略〕

附　則（平一六・六・九法八五）（抄）

（施行期日）
第一条　この法律は、公布の日から起算して三月を超えない範囲内において政令で定める日〔平一六・八・一〕から施行する。〔ただし書略〕

附　則（平一六・六・九法八八）（抄）

（施行期日）
第一条　この法律は、公布の日から起算して五年を超えない範囲内において政令で定める日〔平二一・一・五〕（以下「施行日」という。）から施行する。〔ただし書略〕

附　則（平一六・六・一八法一一二）（抄）

（施行期日）
第一条　この法律は、公布の日から起算して三月を超えない範囲内において政令で定める日〔平一六・九・一七〕から施行する。

附　則（平一六・一一・一七法一四〇）（抄）

（施行期日）
第一条　この法律は、平成十七年一月一日から施行する。〔ただし書略〕

附　則（平一六・一二・一法一四七）（抄）

（施行期日）
第一条　この法律は、公布の日から起算して六月を超えない範囲内において政令で定める日〔平一七・四・一〕から施行する。

附　則（平一六・一二・一〇法一六四）（抄）

（施行期日）
第一条　この法律は、公布の日から起算して二十日を経過した日から施行する。〔ただし書略〕

附　則（平一六・一二・一〇法一六六）（抄）

（施行期日）
第一条　この法律は、平成十七年四月一日から施行する。

附　則（平一七・三・三一法二一）（抄）

（施行期日）
第一条　この法律は、平成十七年四月一日から施行する。ただし、次の各号に掲げる規定は、当該各号に定める日から施行する。
一～十九　〔略〕
二十　〔前略〕附則〔中略〕第六十五条（別表第一租税特別措置法（昭和三十二年法律第二十六号）の項第一号中「第三十一条の二第二項第十三号ハ及び第十四号ニ」を「第三十一条の二第二項第十四号ハ及び第十五号ニ」に改める部分及び「第六十二条の三第四項第十三号ハ及び第十四号ニ」を「第六十二条の三第四項第十四号ハ及び第十五号ニ」に改める部分並びに同項第二号中「第三十一条の二第二項第十四号ニ、第六十二条の三第四項第十四号ニ」を「第三十一条の二第二項第十五号ニ、第六十二条の三第四項第十五号ニ」に改める部分に限る。）の規定　民間事業者の能力を活用した市街地の整備を推進するための都市再生特別措置法等の一部を改正する法律（平成十七年法律第三十四号）附則第一条ただし書に規定する日〔平一七・四・二七〕
二十一～二十五　〔略〕

附　則（平一七・四・一法二五）（抄）

（施行期日）
第一条　この法律は、平成十七年四月一日から施行する。

附　則（平一七・四・二七法三四）（抄）

（施行期日）
第一条　この法律は、公布の日から起算して六月を超えない範囲内において政令で定める日〔平一七・一〇・二四〕から施行する。〔ただし書略〕

附　則（平一七・四・二七法三六）（抄）

（施行期日）
第一条　この法律は、公布の日から起算して六月を超えない範囲内において政令で定める日〔平一七・一〇・二〇〕から施行する。

附　則（平一七・五・一八法四二）（抄）

（施行期日）
第一条　この法律は、平成十七年十月一日から施行する。ただし、次の各号に掲げる規定は、当該各号に定める日から施行する。
一　〔略〕
二　〔前略〕附則第八条（「、保健所を設置する市又は特別区」を削る部分に限る。）〔中略〕の規定　平成十八年四月一日

附　則（平一七・六・一〇法五三）（抄）

（施行期日）

第一条　この法律は、公布の日から起算して三月を超えない範囲内において政令で定める日（平一七・九・一）から施行する。

附　則（平一七・六・一〇法五五）（抄）

（施行期日）

第一条　この法律は、公布の日から起算して一年三月を超えない範囲内において政令で定める日（平一八・三・二〇）から施行する。〔ただし書略〕

附　則（平一七・六・二九法七七）（抄）

（施行期日）

第一条　この法律は、平成十八年四月一日から施行する。〔ただし書略〕

附　則（平一七・七・二六法八七）（抄）

この法律は、会社法の施行の日（平一八・五・一）から施行する。〔ただし書略〕

附　則（平一七・一一・二法一〇四）（抄）

1　この法律は、平成十八年一月一日から施行する。〔ただし書略〕

附　則（平一七・一一・二法一〇五）（抄）

1　この法律は、公布の日から起算して一月を経過した日から施行する。

附　則（平一七・一一・七法一一三）（抄）

（施行期日）

第一条　この法律は、公布の日の属する月の翌月の初日（公布の日が月の初日であるときは、その日）から施行する。ただし、〔中略〕附則〔中略〕第十七条から第三十二条までの規定は、平成十八年四月一日から施行する。

（地方自治法の一部改正に伴う経過措置）

第十九条　前条の規定による改正後の地方自治法（以下この項において「新地方自治法」という。）第二百四条第二項の規定にかかわらず、普通地方公共団体は、切替日の前日に前条の規定による改正前の地方自治法第二百四条第二項の規定に基づく調整手当を支給する条例（以下この項において「調整手当条例」という。）を施行している場合で、当該普通地方公共団体が切替日の直近において新たに設置されたことその他のやむを得ない事情により切替日までに新地方自治法第二百四条第二項の規定に基づく地域手当を支給する条例を制定することができないときは、切替日から起算して六月を経過する日までの間に限り、当該調整手当条例で定めるところにより、調整手当を支給することができる。

2　前項の場合における当該普通地方公共団体に係る次に掲げる法律の規定の適用については、第一号及び第二号に掲げる法律の規定中「地域手当」とあるのは「調整手当」と、第三号に掲げる法律の規定中「地方自治法（昭和二十二年法律第六十七号）第二百四条第二項に規定する地域手当、特地勤務手当」とあるのは「一般職の職員の給与に関する法律等の一部を改正する法律（平成十七年法律第百十三号）附則第十九条第一項の規定により支給することができる調整手当又は地方自治法（昭和二十二年法律第六十七号）第二百四条第二項に規定する特地勤務手当」と、「又は」とあるのは「若しくは」とする。

一　前条の規定による改正後の市町村立学校職員給与負担法第一条

二　附則第二十五条の規定による改正後のへき地教育振興法（昭和二十九年法律第百四十三号）第五条の二第三項

三　附則第二十五条の規定による改正後の公立の義務教育諸学校等の教育職員の給与等に関する特別措置法（昭和四十六年法律第七十七号）第三条第三項第一号

附　則（平一七・一一・七法一二三）（抄）

（施行期日）

第一条　この法律は、平成十八年四月一日から施行する。ただし、次の各号に掲げる規定は、当該各号に定める日から施行する。

一　〔略〕

二　〔前略〕附則〔中略〕第九十二条〔中略〕の規定　平成十八年十月一日

三　〔略〕

附　則（平一八・三・三一法八）（抄）

（施行期日）

第一条　この法律は、平成十八年四月一日から施行する。ただし、次の各号に掲げる規定は、当該各号に定める日から施行する。

一　〔前略〕附則〔中略〕第十条の規定　平成十九年四月一日

二・三　〔略〕

附　則（平一八・三・三一法一〇）（抄）

（施行期日）

第一条　この法律は、平成十八年四月一日から施行する。〔ただし書略〕

附　則（平一八・三・三一法一九）（抄）

（施行期日）

第一条　この法律は、公布の日から起算して九月を超えない範囲内において政令で定める日（平一八・一〇・一）から施行する。〔ただし書略〕

附　則（平一八・三・三一法二〇）（抄）

（施行期日）

第一条　この法律は、平成十八年四月一日から施行する。

附　則（平一八・五・一九法四〇）（抄）

（施行期日）

第一条　この法律は、公布の日から起算して十月を超えない範囲内において政令で定める日（平一八・一〇・一）から施行する。ただし、次の各号に掲げる規定は、当該各号に定める日から施行する。

一　〔略〕

二　〔前略〕附則〔中略〕第十五条の規定　公布の日から起算して一年を超えない範囲内において政令で定める日（平一八・一一・一）

三・四　〔略〕

附　則（平一八・六・二法五〇）（抄）

改正　平二三・六・二四法七四

この法律は、一般社団・財団法人法の施行の日（平二〇・一二・一）から施行する。〔ただし書略〕

附　則（平一八・六・七法五三）（抄）

（施行期日）

第一条　この法律は、平成十九年四月一日から施行する。ただし、次の各号に掲げる規定は、当該各号に定める日から施行する。

一　第百九十五条第二項、第百九十六条第一項及び第二項、第百九十九条の三第一項及び第四項、第二百五十二条の十七、第二百五十二条の二十二第一項並びに第二百五十二条の二十三の改正規定並びに附則第四条、第六条、第八条から第十条まで〔中略〕の規定　公布の日

二　第九十六条第一項の改正規定、第百条の次に一条を加える改正規定並びに第百一条、第百二条第四項及び第五項、第百九条、第百九条の二、第百十条、第百二十一条、第百二十三条、第百三十条第三項、第百三十八条、第百七十九条第一項、第二百七条、第二百二十五条、第二百三十一条の二、第二百三十四条第三項及び第五項、第二百三十七条第三項、第二百三十八条第一項、第二百三十八条の二第二項、第二百三十八条の四、第二百三十八条の五、第二百六十三条の三並びに第三百十四条第一項の改正規定〔中略〕　公布の日から起算して一年を超えない範囲内において政令で定める日〔平一八・一一・二四、平一九・三・一〕

（助役に関する経過措置）

第二条　この法律の施行の際現に助役である者は、この法律の施行の日（以下「施行日」という。）に、この法律による改正後の地方自治法（以下「新法」という。）第百六十二条の規定により、副市町村長として選任されたものとみなす。この場合において、その選任されたものとみなされる者の任期は、新法第百六十三条の規定にかかわらず、施行日におけるこの法律による改正前の地方自治法（以下「旧法」という。）第百六十二条の規定により選任された助役としての任期の残任期間と同一の期間とする。

（出納長及び収入役に関する経過措置）

第三条　この法律の施行の際現に在職する出納長及び収入役は、その任期中に限り、なお従前の例により在職するものとする。

2　前項の場合においては、新法第百六十八条、第百七十条及び第百七十一条の規定は適用せず、旧法第十三条、第八十六条、第八十八条、第百六十八条から第百七十一条まで、第二百三十二条の四、第二百三十二条の六、第二百三十三条、第二百四十三条の二、第二百五十二条の二十八及び第二百五十六条の規定は、なおその効力を有する。この場合において、旧法第百六十八条第五項及び第六項中「事務吏員」とあり、並びに旧法第百七十条第五項中「吏員」とあるのは「普通地方公共団体の長の補助機関である職員」と、旧法第百六十九条第一項中「助役」とあるのは「副市町村長」と、旧法第百七十一条第二項中「出納員は吏員のうちから、その他の会計職員は吏員その他の職員」とあるのは「出納員その他の会計職員は、普通地方公共団体の長の補助機関である職員」とする。

第四条　この法律の公布の日から施行日の前日までの間に、出納長若しくは収入役の任期が満了する場合又は出納長若しくは収入役が欠けた場合においては、地方自治法第百六十八条第七項において準用する同法第百六十二条の規定にかかわらず、普通地方公共団体の長は、出納長又は収入役を選任しないことができる。この場合においては、副出納長若しくは副収入役又は同法第百七十条第五項に規定する吏員が出納長又は収入役の職務を代理するものとする。

（事務の引継ぎに関する経過措置）

第五条　出納長及び収入役（前条後段の規定により出納長又は収入役の職務を代理する副出納長若しくは副収入役又は吏員を含む。）から会計管理者への事務の引継ぎに関する事項は、政令で定める。

2　前項の政令には、正当の理由がなくて事務の引継ぎを拒んだ者に対し、十万円以下の過料を科する規定を設けることができる。

（監査委員の定数を定める条例に関する経過措置）

第六条　附則第一条第一号に掲げる規定の施行の際、現に旧法第百九十五条第二項の規定に基づいて制定されている監査委員の定数を三人と定める条例は、新法第百九十五条第二項ただし書の規定に基づいて制定されたものとみなす。

（賠償責任に関する経過措置）

第七条　この法律の施行前の事実並びに附則第三条第一項の規定によりなお従前の例によることとされる場合及び同条第二項の規定によりなおその効力を有することとされる場合におけるこの法律の施行後の事実に基づく地方公共団体の職員の賠償責任については、なお従前の例による。

（各大臣が講ずる措置に関する経過措置）

第八条　各大臣（地方自治法第二百四十五条の四第一項に規定する各大臣をいう。以下この条において同じ。）は、その担任する事務に関し新法第二百六十三条の三第五項に規定する施策（次項において「施策」という。）の立案をしようとするときは、新法第二百六十三条の三の改正規定の施行前においても、新法第二百六十三条の三第五項の規定の例によることができる。この場合において、同項の規定の例により講じた措置は、同項の規定の適用については、各大臣が同項の規定により講じたものとみなす。

2　前項の規定の適用がある場合を除き、各大臣が第二百六十三条の三の改正規定の施行の日から三十日以内に立案をする施策については、新法第二百六十三条の三第五項の規定は、適用しない。

（罰則に関する経過措置）

第九条　この法律の施行前にした行為に対する罰則の適用については、なお従前の例による。

（その他の経過措置の政令への委任）

第十条　この附則に規定するもののほか、この法律の施行に伴い必要な経過措置（罰則に関する経過措置を含む。）は、政令で定める。

附　則（平一八・六・一四法六六）（抄）

この法律は、平成十八年証券取引法改正法の施行の日〔平一九・九・三〇〕から施行する。〔ただし書略〕

附　則（平一八・六・一四法六九）（抄）

（施行期日）

第一条　この法律は、公布の日から起算して三年を超えない範囲内において政令で定める日〔平二一・六・一〕から施行する。ただし、次の各号に掲げる規定は、当該各号に定める日から施行する。

一～三　〔略〕

四　〔前略〕附則〔中略〕第二十六条〔中略〕の規定　公布の日から起算して一年を超えない範囲内において政令で定める日〔平一九・四・一〕

附　則（平一八・六・二一法八三）（抄）

（施行期日）
第一条　この法律は、平成十八年十月一日から施行する。ただし、次の各号に掲げる規定は、それぞれ当該各号に定める日から施行する。
一～三　〔略〕
四　〔前略〕附則〔中略〕第百二十三条〔中略〕の規定　平成二十年四月一日
五・六　〔略〕

附　則（平一八・六・二一法八四）（抄）

（施行期日）
第一条　この法律は、平成十九年四月一日から施行する。ただし、次の各号に掲げる規定は、当該各号に定める日から施行する。
一・二　〔略〕
三　〔前略〕附則第十八条の規定中地方自治法（昭和二十二年法律第六十七号）別表第一保健師助産師看護師法（昭和二十三年法律第二百三号）の項及び同表薬剤師法（昭和三十五年法律第百四十六号）の項の改正規定〔中略〕　平成二十年四月一日

附　則（平一八・六・二一法九一）（抄）

（施行期日）
第一条　この法律は、公布の日から起算して六月を超えない範囲内において政令で定める日〔平一八・一二・二〇〕から施行する。

附　則（平一八・一二・八法一〇六）（抄）

（施行期日）
第一条　この法律は、公布の日から起算して六月を超えない範囲内において政令で定める日〔平一九・六・一〕から施行する。ただし、〔中略〕附則第十三条〔中略〕の規定は、平成十九年四月一日から施行する。

附　則（平一八・一二・二〇法一一四）（抄）

（施行期日）
第一条　この法律は、公布の日から起算して二年を超えない範囲内において政令で定める日〔平二〇・一一・二八〕から施行する。〔ただし書略〕

附　則（平一八・一二・二〇法一一六）（抄）

（施行期日等）
第一条　この法律は、公布の日から起算して六月を超えない範囲内において政令で定める日〔平一九・一・二六〕から施行する。〔ただし書略〕
2　〔略〕

附　則（平一八・一二・二二法一一八）（抄）

（施行期日）
第一条　この法律は、公布の日から起算して三月を超えない範囲内において政令で定める日〔平一九・一・九〕から施行する。〔ただし書略〕

附　則（平一九・三・三〇法六）（抄）

（施行期日）
第一条　この法律は、平成十九年四月一日から施行する。ただし、次の各号に掲げる規定は、当該各号に定める日から施行する。
一～十三　〔略〕
十四　〔前略〕附則〔中略〕第百三十八条の規定　都市再生特別措置法等の一部を改正する法律（平成十九年法律第十九号）の施行の日〔平一九・九・二八〕
十五～十七　〔略〕

附　則（平一九・三・三一法一一）（抄）

1　この法律は、公布の日から施行する。

附　則（平一九・三・三一法一九）（抄）

（施行期日）
第一条　この法律は、公布の日から起算して六月を超えない範囲内において政令で定める日〔平一九・九・二八〕から施行する。〔ただし書略〕

附　則（平一九・三・三一法二二）（抄）
改正　平二三・六・二四法七四

（施行期日）
第一条　この法律は、平成十九年四月一日から施行する。ただし、次の各号に掲げる規定は、当該各号に定める日から施行する。
一　〔前略〕附則第九条から第十二条まで〔中略〕の規定　公布の日から起算して一年を超えない範囲内において政令で定める日〔平二〇・三・一〕
二～四　〔略〕

附　則（平一九・三・三一法二六）（抄）

（施行期日）
第一条　この法律は、平成十九年四月一日から施行する。

附　則（平一九・五・一六法四七）（抄）

（施行期日）
第一条　この法律は、平成二十年四月一日から施行する。〔ただし書略〕

附　則（平一九・五・一六法四八）（抄）

（施行期日）
第一条　この法律は、公布の日から起算して三月を超えない範囲内において政令で定める日〔平一九・八・一〕から施行する。

附　則（平一九・五・一八法五二）（抄）

（施行期日）
第一条　この法律は、公布の日から起算して三年を経過した日から施行する。〔ただし書略〕

附　則（平一九・五・二三法五五）（抄）

（施行期日）
第一条　この法律は、公布の日から起算して一年を超えない範囲内において政令で定める日〔平二〇・四・一〕から施行する。

附　則（平一九・六・一法七四）（抄）

（施行期日）
第一条　この法律は、平成二十年十月一日から施行する。〔ただし書略〕

（地方自治法の一部改正に伴う経過措置）
第四十二条　施行日前に転換前の法人が発行した短期商工債についての地方自治法の規定の適用については、当該短期商工債を同法第二百三十八条第二項に規定する短期社債等とみなす。

附　則（平一九・六・六法七七）（抄）

（施行期日）
第一条　この法律は、公布の日から起算して一年を超えない範囲内において政令で定める日〔平二〇・四・一〕から施行する。〔ただし書略〕

附　則（平一九・六・一五法八八）（抄）

（施行期日）
第一条　この法律は、公布の日から起算して一年を超えない範囲内において政令で定める日〔平二〇・六・一〕から施行する。〔ただし書略〕

附　則（平一九・六・二七法九七）（抄）

（施行期日）
第一条　この法律は、平成二十年四月一日から施行する。

附　則（平一九・六・二七法一〇二）（抄）

（施行期日）
第一条　この法律は、公布の日から起算して一年六月を超えない範囲内において政令で定める日〔平二〇・一二・一〕から施行する。

附　則（平一九・七・六法一〇八）（抄）

（施行期日）
第一条　この法律は、平成二十年十二月三十一日までの間において政令で定める日〔平二〇・一二・三一〕から施行する。〔ただし書略〕

附　則（平一九・七・六法一一〇）（抄）

（施行期日）
第一条　この法律は、平成二十年四月一日から施行する。〔ただし書略〕

附　則（平一九・一二・五法一二七）（抄）

（施行期日）
第一条　この法律は、平成二十年一月一日から施行する。ただし、次の各号に掲げる規定は、それぞれ当該各号に定める日から施行する。
一～三　〔略〕
四　〔前略〕附則第六条の規定　平成二十年四月一日

附　則（平一九・一二・二一法一三三）（抄）

（施行期日）
第一条　この法律は、公布の日から起算して六月を経過した日から施行する。〔ただし書略〕

附　則（平一九・一二・二八法一三五）（抄）

（施行期日）
第一条　この法律は、平成二十年一月一日から施行する。〔ただし書略〕

附　則（平二〇・四・一八法一五）（抄）

（施行期日）
第一条　この法律は、平成二十年七月一日から施行する。

附　則（平二〇・四・三〇法二二）（抄）

（施行期日）
第一条　この法律は、平成二十年四月一日から施行する。

附　則（平二〇・四・三〇法二三）（抄）

（施行期日）
第一条　この法律は、平成二十年四月一日から施行する。ただし、次の各号に掲げる規定は、当該各号に定める日から施行する。
一～四　〔略〕
五　次に掲げる規定　一般社団法人及び一般財団法人に関する法律（平成十八年法律第四十八号）の施行の日（平成二十年十二月一日）
イ　〔略〕
ロ　〔前略〕附則第九十七条〔中略〕の規定
ハ～ト　〔略〕
六～九　〔略〕

附　則（平二〇・四・三〇法二五）（抄）

（施行期日）
第一条　この法律は、平成二十年十月一日から施行する。

附　則（平二〇・五・二法三〇）（抄）

（施行期日）
第一条　この法律は、公布の日から起算して十日を経過した日から施行する。

附　則（平二〇・六・一一法六〇）（抄）

（施行期日）
第一条　この法律は、平成二十年九月一日から施行する。

附　則（平二〇・六・一八法六九）（抄）

（施行期日）
第一条　この法律は、公布の日から起算して三月を超えない範囲内において政令で定める日〔平二〇・九・一〕から施行する。

附　則（平二〇・六・一八法八〇）（抄）

（施行期日）
第一条　この法律は、公布の日から起算して六月を経過した日から施行する。〔ただし書略〕

附　則（平二〇・六・一八法八一）（抄）

（施行期日）
第一条　この法律は、公布の日から起算して三月を超えない範囲内において政令で定める日〔平二〇・九・一七〕から施行し、平成二十一年度において使用される検定教科用図書等及び教科用特定図書等から適用する。

附　則（平二〇・六・一八法八二）（抄）

（施行期日）
第一条　この法律は、平成二十一年四月一日から施行する。〔ただし書略〕

附　則（平二一・三・三一法一〇）（抄）

（施行期日）
第一条　この法律は、平成二十一年四月一日から施行する。〔ただし書略〕

附　則（平二一・三・三一法一三）（抄）

（施行期日）
第一条　この法律は、平成二十一年四月一日から施行する。ただし、次の各号に掲げる規定は、当該各号に定める日から施行する。
一～四　〔略〕
五　〔前略〕附則〔中略〕第九十一条（別表第一租税特別措置法（昭和三十二年法律第二十六号）の項第一号中「第七十条の四第三十項（第七十条の六第三十六項」を「第七十条の四第三十五項（第七十条の六第四十項」に改める部分及び同項第二号中「第七十条の四第三十項（第七十条の六第三十六項」を「第七十条の四第三十五項（第七十条の六第四十項」に、「第七十条の四第三十一項（第七十条の六第三十七項」を「第七十条の四第三十六項（第七十条の六第四十一項」に改める部分に限る。）の規定　農地法等の一部を改正する法律（平成二十一年法律第五十七号）の施行の日〔平二一・一二・一五〕

六～八　〔略〕

附　則（平二一・五・二九法四一）（抄）

（施行期日）

第一条　この法律は、公布の日から施行する。〔ただし書略〕

（地方自治法の一部改正等に伴う経過措置）

第四条　前条第一号の規定による改正後の地方自治法第二百四条第二項の規定にかかわらず、普通地方公共団体は、この法律の施行の日（以下この項において「施行日」という。）の前日に同号の規定による改正前の地方自治法第二百四条第二項の規定に基づく期末特別手当を支給する旨を定めた条例を施行している場合には、施行日から起算して三月を経過する日までの間に限り、当該条例で定めるところにより、当該期末特別手当を支給することができる。

2　前項の規定に基づき普通地方公共団体が期末特別手当を支給する場合における前条第四号の規定による改正後の地方公務員等共済組合法第二条第一項第六号の規定の適用については、同号中「政令で定める手当」とあるのは、「政令で定める手当及び一般職の職員の給与に関する法律等の一部を改正する法律（平成二十一年法律第四十一号）附則第四条第一項の規定に基づき支給する期末特別手当」とする。

附　則（平二一・六・三法四七）（抄）

（施行期日）

第一条　この法律は、公布の日から起算して一年を超えない範囲内において政令で定める日〔平二二・四・一〕から施行する。〔ただし書略〕

附　則（平二一・六・五法五〇）（抄）

（施行期日）

1　この法律は、消費者庁及び消費者委員会設置法（平成二十一年法律第四十八号）の施行の日〔平二一・九・一〕から施行する。

附　則（平二一・六・二四法五七）（抄）

（施行期日）

第一条　この法律は、公布の日から起算して六月を超えない範囲内において政令で定める日〔平二一・一二・一五〕から施行する。〔ただし書略〕

附　則（平二一・七・一五法七九）（抄）
改正　平二三・六・二四法七四

（施行期日）

第一条　この法律は、公布の日から起算して三年を超えない範囲内において政令で定める日〔平二四・七・九〕から施行する。ただし、次の各号に掲げる規定は、当該各号に定める日から施行する。

一～三　〔略〕

四　附則〔中略〕第四十二条の規定　公布の日から起算して二年六月を超えない範囲内において政令で定める日〔平二四・一・一三〕

五　〔略〕

附　則（平二一・一二・三法九六）（抄）

（施行期日）

第一条　この法律は、公布の日から起算して一月を超えない範囲内において政令で定める日〔平二一・一二・四〕から施行する。〔ただし書略〕

附　則（平二二・三・三一法五）（抄）

（施行期日）

第一条　この法律は、平成二十二年四月一日から施行する。

附　則（平二二・三・三一法一八）（抄）

（施行期日）

1　この法律は、平成二十二年四月一日から施行する。

附　則（平二二・三・三一法一九）（抄）

（施行期日）

第一条　この法律は、平成二十二年四月一日から施行する。〔ただし書略〕

附　則（平二二・五・一九法三四）（抄）

（施行期日）

第一条　この法律は、公布の日から起算して一年を超えない範囲内において政令で定める日〔平二三・四・一〕から施行する。〔ただし書略〕

附　則（平二二・五・一九法三五）（抄）

（施行期日）

第一条　この法律は、公布の日から施行する。〔ただし書略〕

附　則（平二二・六・四法四四）（抄）

（施行期日）

第一条　この法律は、公布の日から施行する。

附　則（平二二・一二・一〇法七一）（抄）

（施行期日）

第一条　この法律は、平成二十四年四月一日から施行する。ただし、次の各号に掲げる規定は、当該各号に定める日から施行する。

一・二　〔略〕

三　〔前略〕附則〔中略〕第四十二条〔中略〕の規定　平成二十四年四月一日までの間において政令で定める日〔平二四・四・一〕

附　則（平二三・三・三一法六）（抄）

（施行期日）

第一条　この法律は、平成二十三年四月一日から施行する。

附　則（平二三・三・三一法一四）（抄）

（施行期日）

第一条　この法律は、平成二十三年四月一日（この法律の公布の日が同月一日後となる場合には、公布の日）から施行する。

附　則（平二三・四・四法一六）（抄）

（施行期日）

第一条　この法律は、公布の日から起算して三月を超えない範囲内において政令で定める日〔平二三・七・一〕から施行する。ただし、次の各号に掲げる規定は、当該各号に定める日から施行する。

一　〔前略〕附則〔中略〕第十二条（地方自治法（昭和二十二年法律第六十七号）別表第一家畜伝染病予防法（昭和二十六年法律第百六十六号）の項の改正規定に限る。）〔中略〕の規定　公布の日

二・三　〔略〕

附　則（平二三・四・二二法二〇）（抄）

（施行期日）

第一条　この法律は、平成二十四年四月一日から施行する。〔ただし書略〕

附　則（平二三・四・二八法三二）（抄）

（施行期日）

第一条 この法律は、公布の日から起算して六月を超えない範囲内において政令で定める日〔平二三・一〇・二〇〕から施行する。

附 則（平二三・四・二九法三三）（抄）

（施行期日）

1 この法律は、公布の日から施行する。

附 則（平二三・五・二法三五）（抄）

（施行期日）

第一条 この法律は、公布の日から起算して三月を超えない範囲内において政令で定める日〔平二三・八・一〕から施行する。ただし、第九十六条第二項の改正規定は、公布の日から起算して一年を超えない範囲内において政令で定める日〔平二四・五・一〕から施行する。

（適用区分）

第二条 この法律による改正後の地方自治法（以下「新法」という。）第七十四条第六項（新法第七十五条第五項、第七十六条第四項、第八十条第四項、第八十一条第二項及び第八十六条第四項（これらの規定を新法第二百九十一条の六第一項において準用する場合を含む。）並びに第二百九十一条の六第一項及び第五項において準用する場合を含む。）の規定は、この法律の施行の際現にこの法律による改正前の地方自治法（以下この条において「旧法」という。）第七十四条第一項、第七十五条第一項、第七十六条第一項、第八十条第一項、第八十一条第一項及び第八十六条第一項（これらの規定を旧法第二百九十一条の六第一項において準用する場合を含む。）並びに第二百九十一条の六第二項の代表者である者については、適用しない。

（地方開発事業団等に係る経過措置）

第三条 この法律の施行の際現に設けられている全部事務組合、役場事務組合及び地方開発事業団については、なお従前の例による。

（罰則に関する経過措置）

第四条 この法律の施行前にした行為に対する罰則の適用については、なお従前の例による。

（政令への委任）

第五条 この附則に規定するもののほか、この法律の施行に伴い必要な経過措置（罰則に関する経過措置を含む。）は、政令で定める。

附 則（平二三・五・二法三七）（抄）

（施行期日）

第一条 この法律は、公布の日から施行する。ただし、次の各号に掲げる規定は、当該各号に定める日から施行する。

一 〔前略〕附則〔中略〕第二十五条〔中略〕の規定 公布の日から起算して三月を経過した日

二～四 〔略〕

附 則（平二三・五・二五法五三）

この法律は、新非訟事件手続法の施行の日〔平二五・一・一〕から施行する。

附 則（平二三・六・八法六四）（抄）

（施行期日）

第一条 この法律は、公布の日から施行する。

附 則（平二三・六・二二法七二）（抄）

（施行期日）

第一条 この法律は、平成二十四年四月一日から施行する。〔ただし書略〕

附 則（平二三・六・三〇法八二）（抄）

（施行期日）

第一条 この法律は、公布の日から施行する。ただし、次の各号に掲げる規定は、当該各号に定める日から施行する。

一～十 〔略〕

十一 〔前略〕附則〔中略〕第八十八条（別表第一租税特別措置法（昭和三十二年法律第二十六号）の項第二号に係る部分に限る。）の規定 総合特別区域法（平成二十三年法律第八十一号）の施行の日〔平二三・八・一〕

十二・十三 〔略〕

附 則（平二三・七・二二法八五）（抄）

（施行期日）

第一条 この法律は、公布の日から施行する。ただし、〔中略〕附則〔中略〕第四条の規定は、公布の日から起算して三月を超えない範囲内において政令で定める日〔平二三・一〇・一〕から施行する。

附 則（平二三・八・三〇法一〇五）（抄）

（施行期日）

第一条 この法律は、公布の日から施行する。ただし、次の各号に掲げる規定は、当該各号に定める日から施行する。

一 〔前略〕第十四条（地方自治法別表第一公営住宅法（昭和二十六年法律第百九十三号）の項及び道路法（昭和二十七年法律第百八十号）の項の改正規定に限る。）〔中略〕の規定 公布の日から起算して三月を経過した日

二 〔前略〕第十四条（地方自治法第二百五十二条の十九、第二百六十条並びに別表第一騒音規制法（昭和四十三年法律第九十八号）の項、都市計画法（昭和四十三年法律第百号）の項、都市再開発法（昭和四十四年法律第三十八号）の項、環境基本法（平成五年法律第九十一号）の項及び密集市街地における防災街区の整備の促進に関する法律（平成九年法律第四十九号）の項並びに別表第二都市再開発法（昭和四十四年法律第三十八号）の項、公有地の拡大の推進に関する法律（昭和四十七年法律第六十六号）の項、大都市地域における住宅及び住宅地の供給の促進に関する特別措置法（昭和五十年法律第六十七号）の項、密集市街地における防災街区の整備の促進に関する法律（平成九年法律第四十九号）の項及びマンションの建替えの円滑化等に関する法律（平成十四年法律第七十八号）の項の改正規定に限る。）〔中略〕並びに附則第十三条〔中略〕の規定 平成二十四年四月一日

三 第十四条（地方自治法別表第一社会福祉法（昭和二十六年法律第四十五号）の項及び薬事法（昭和三十五年法律第百四十五号）の項の改正規定に限る。）〔中略〕の規定 平成二十五年四月一日

四・五 〔略〕

六 第十四条（地方自治法別表第一地方財政法（昭和二十三年法律第百九号）の項の改正規定に限る。）〔中略〕の規定 公布の日から起算して一年を超えない範囲内において政令で定める日〔平二四・二・一〕

（地方自治法の一部改正に伴う経過措置）

第十三条 第十四条の規定（地方自治法第二百六十条の改正規定

に限る。以下この条において同じ。）の施行前に第十四条の規定による改正前の地方自治法第二百六十条第一項の規定による届出が行われた同項の規定による処分については、なお従前の例による。

附 則（平二三・八・三〇法一〇七）（抄）

（施行期日）

第一条 この法律は、平成二十三年十月一日から施行する。〔ただし書略〕

附 則（平二三・八・三〇法一一〇）（抄）

（施行期日）

第一条 この法律は、公布の日から施行する。〔ただし書略〕

附 則（平二四・三・三一法一六）（抄）

（施行期日）

第一条 この法律は、平成二十四年四月一日から施行する。〔ただし書略〕

附 則（平二四・三・三一法一八）（抄）

（施行期日）

第一条 この法律は、平成二十四年四月一日から施行する。〔ただし書略〕

附 則（平二四・三・三一法二四）（抄）

（施行期日）

第一条 この法律は、平成二十四年四月一日から施行する。〔ただし書略〕

附 則（平二四・五・一一法三二）（抄）

（施行期日）

第一条 この法律は、公布の日から起算して一年を超えない範囲内において政令で定める日〔平二五・四・一三〕から施行する。

附 則（平二四・八・二二法六七）（抄）

この法律は、子ども・子育て支援法の施行の日〔平二七・四・一〕から施行する。〔ただし書略〕

附 則（平二四・九・五法七二）（抄）

（施行期日）

第一条 この法律は、公布の日から施行する。ただし、第七十六条、第八十条、第八十一条、第八十六条、第百条第十四項及び第十五項の改正規定、同項の次に一項を加える改正規定、第百九条の改正規定、第百九条の二を削る改正規定、第百十条、第百十一条、第百二十七条第一項、第二百七条及び第二百五十条の二第一項の改正規定、第二編第十一章第二節第五款中第二百五十二条を第二百五十一条の六とし、同条の次に二条を加える改正規定、同章第三節第一款中第二百五十二条の六の次に一条を加える改正規定、第二百五十二条の七の次に一条を加える改正規定、第二百五十二条の八、第二百五十二条の十七の四、第二百五十五条の五及び第二百八十六条の改正規定、同条の次に一条を加える改正規定、第二百八十七条及び第二百八十七条の三の改正規定、同条を第二百八十七条の四とし、第二百八十七条の二を第二百八十七条の三とし、第二百八十七条の次に一条を加える改正規定、第二百八十八条から第二百九十条まで、第二百九十一条第一項、第二百九十一条の二第四項、第二百九十一条の四第四項、第二百九十一条の六、第二百九十一条の八第二項、第二百九十一条の十三及び第二百九十八条第一項の改正規定並びに別表第一地方教育行政の組織及び運営に関する法律（昭和三十一年法律第百六十二号）の項の改正規定並びに附則第三条、第六条〔中略〕の規定は、公布の日から起算して六月を超えない範囲内において政令で定める日〔平二五・三・一〕から施行する。

（経過措置）

第二条 この法律による改正前の地方自治法（以下「旧法」という。）第十六条第一項の規定によりこの法律の施行の日（以下「施行日」という。）前に条例の送付を受けた場合におけるこの法律による改正後の地方自治法（以下「新法」という。）第十六条第二項の規定の適用については、施行日を同項の条例の送付を受けた日とみなす。

第三条 附則第一条ただし書に規定する規定の施行の日（以下「一部施行日」という。）前の直近の公職選挙法（昭和二十五年法律第百号）第二十二条の規定による選挙人名簿の登録が行われた日において選挙人名簿に登録されている者の総数が八十万を超える普通地方公共団体の選挙管理委員会は、その八十万を超える数に八分の一を乗じて得た数と四十万に六分の一を乗じて得た数と四十万に三分の一を乗じて得た数とを合算して得た数を、附則第一条ただし書に規定する規定の施行後直ちに告示しなければならない。

第四条 新法第百七十六条第一項から第三項まで及び第百七十七条の規定は、施行日以後にされる普通地方公共団体の議会の議決について適用し、施行日前にされた普通地方公共団体の議会の議決については、なお従前の例による。

第五条 施行日から一部施行日の前日までの間における旧法第二百七条の規定の適用については、同条中「第百九条第六項（第百九条の二第五項及び第百十条第五項において準用する場合を含む。）」とあるのは「第百九条第六項（第百九条の二第五項及び第百十条第五項において準用する場合を含む。）及び第百十五条の二第二項」と、「第百九条第五項（第百九条の二第五項及び第百十条第五項において準用する場合を含む。）」とあるのは「第百九条第五項（第百九条の二第五項及び第百十条第五項において準用する場合を含む。）及び第百十五条の二第一項」とする。

第六条 新法第二百五十一条の七の規定は、一部施行日以後に行われる新法第二百四十五条の五第一項若しくは第四項の規定による是正の要求又は新法第二百四十五条の七第一項若しくは第四項の規定による指示に係る普通地方公共団体の不作為（新法第二百五十一条の七第一項に規定する不作為をいう。次項において同じ。）について適用する。

2 新法第二百五十二条の規定は、一部施行日以後に行われる新法第二百四十五条の五第三項の規定による是正の要求（新法第二百五十二条の十七の四第一項の規定による是正の要求を含む。）又は新法第二百四十五条の七第二項の規定による指示に係る市町村の不作為について適用する。

（政令への委任）

第七条 附則第二条から前条までに定めるもののほか、この法律の施行に伴い必要な経過措置は、政令で定める。

附 則（平二四・九・五法七七）（抄）

（施行期日）

第一条 この法律は、平成二十四年十月一日から施行する。〔ただし書略〕

附 則（平二四・一一・二六法一〇二）（抄）

（施行期日）

第一条　この法律は、社会保障の安定財源の確保等を図る税制の抜本的な改革を行うための消費税法の一部を改正する等の法律（平成二十四年法律第六十八号）附則第一条第二号に掲げる規定の施行の日〔平二六・一〇・一〕から施行する。〔ただし書略〕

附　則（平二五・三・三〇法三）（抄）

（施行期日）

第一条　この法律は、平成二十五年四月一日から施行する。ただし、次の各号に掲げる規定は、当該各号に定める日から施行する。

一・二　〔略〕

三　〔前略〕附則〔中略〕第十七条〔中略〕の規定　平成二十八年一月一日

四～九　〔略〕

附　則（平二五・三・三〇法八）（抄）

（施行期日）

第一条　この法律は、平成二十五年四月一日から施行する。〔ただし書略〕

附　則（平二五・四・一〇法九）（抄）

（施行期日）

1　この法律は、公布の日から施行する。

附　則（平二五・五・三一法二一）（抄）

（施行期日）

第一条　この法律は、公布の日から起算して一月を経過した日から施行する。

附　則（平二五・五・三一法二八）（抄）

この法律は、番号利用法の施行の日〔平二七・一〇・五〕から施行する。〔ただし書略〕

○行政手続における特定の個人を識別するための番号の利用等に関する法律の施行に伴う関係法律の整備等に関する法律

平二五・五・三一
法　二八

（地方自治法の一部改正に伴う経過措置）

第二〇条　この法律の施行の日から附則第三号に掲げる規定の施行の日（以下「第三号施行日」という。）の前日までの間における前条の規定による改正後の地方自治法別表第一行政手続における特定の個人を識別するための番号の利用等に関する法律（平成二十五年法律第二十七号）の項の適用については、同項中「、第十七条第一項及び第三項（同条第四項において準用する場合を含む。）並びに」とあるのは、「並びに」とする。

附　則（平二五・六・一二法三五）（抄）

改正　平二五・六・一二法五三

（施行期日）

第一条　この法律は、公布の日から起算して一月を超えない範囲内において政令で定める日〔平二五・七・一一〕から施行する。ただし、〔中略〕附則〔中略〕第七条（地方自治法（昭和二十二年法律第六十七号）別表第一河川法（昭和三十九年法律第百六十七号）の項第一号イの改正規定中「第十五条」の下に「、第十五条の二第一項」を加える部分及び「第二十五条まで」を「第二十三条の三まで、第二十四条、第二十五条」に改める部分に限る。）〔中略〕の規定は、公布の日から起算して六月を超えない範囲内において政令で定める日〔平二五・一二・一一〕から施行する。

附　則（平二五・六・一四法四四）（抄）

（施行期日）

第一条　この法律は、公布の日から施行する。〔ただし書略〕

附　則（平二五・六・一九法四七）（抄）

（施行期日）

第一条　この法律は、平成二十六年四月一日から施行する。〔ただし書略〕

附　則（平二五・六・二一法五四）（抄）

（施行期日）

第一条　この法律は、公布の日から施行する。ただし、次の各号に掲げる規定は、当該各号に定める日から施行する。

一　〔前略〕附則〔中略〕第六条〔中略〕の規定　公布の日から起算して六月を超えない範囲内において政令で定める日〔平二五・一〇・一〕

二～五　〔略〕

附　則（平二五・六・二一法五五）（抄）

（施行期日）

第一条　この法律は、公布の日から施行する。ただし、〔中略〕附則第五条から第十一条までの規定は、公布の日から起算して二月を超えない範囲内において政令で定める日〔平二五・八・二〇〕から施行する。

附　則（平二五・六・二一法五六）（抄）

（施行期日）

第一条　この法律は、公布の日から起算して六月を超えない範囲内において政令で定める日〔平二五・一二・二〇〕から施行する。

附　則（平二五・六・二一法六〇）（抄）

（施行期日）

第一条　この法律は、公布の日から起算して六月を超えない範囲内において政令で定める日〔平二五・一二・二〇〕から施行する。〔ただし書略〕

附　則（平二五・六・二八法六九）（抄）

（施行期日）

第一条　この法律は、公布の日から起算して一年を超えない範囲内において政令で定める日〔平二六・三・二〇〕から施行する。

附　則（平二五・六・二八法七〇）（抄）

（施行期日）

第一条　この法律は、公布の日から起算して二年を超えない範囲内において政令で定める日〔平二七・四・一〕から施行する。〔ただし書略〕

附　則（平二五・一一・二二法八一）（抄）

（施行期日）
第一条　この法律は、公布の日から起算して六月を超えない範囲内において政令で定める日〔平二六・五・二〕から施行する。

附　則（平二五・一一・二七法八四）（抄）

（施行期日）
第一条　この法律は、公布の日から起算して一年を超えない範囲内において政令で定める日〔平二六・一一・二五〕から施行する。〔ただし書略〕

附　則（平二五・一二・四法九〇）（抄）

（施行期日）
第一条　この法律は、平成二十六年四月一日から施行する。

附　則（平二五・一二・一三法一〇一）（抄）

（施行期日）
第一条　この法律は、公布の日から起算して六月を超えない範囲内において政令で定める日〔平二六・三・一〕から施行する。〔ただし書略〕

附　則（平二五・一二・一三法一〇二）（抄）

（施行期日）
第一条　この法律は、公布の日から起算して九月を超えない範囲内において政令で定める日〔平二六・四・一〕から施行する。〔ただし書略〕

附　則（平二五・一二・一三法一〇四）（抄）

（施行期日）
第一条　この法律は、平成二十六年七月一日から施行する。〔ただし書略〕

附　則（平二五・一二・一三法一〇五）（抄）

（施行期日）
第一条　この法律は、平成二十七年四月一日から施行する。〔ただし書略〕

附　則（平二五・一二・一三法一〇六）（抄）

（施行期日）
第一条　この法律は、平成二十六年十月一日から施行する。

附　則（平二五・一二・一三法一一一）（抄）

（施行期日）
第一条　この法律は、公布の日から起算して三年を超えない範囲内において政令で定める日〔平二八・一・一〕から施行する。〔ただし書略〕

附　則（平二六・三・三一法五）（抄）

（施行期日）
第一条　この法律は、平成二十六年四月一日から施行する。〔ただし書略〕

附　則（平二六・三・三一法一〇）（抄）

（施行期日）
第一条　この法律は、平成二十六年四月一日から施行する。〔ただし書略〕

附　則（平二六・四・二法一五）（抄）

（施行期日）
1　この法律は、公布の日から施行する。

附　則（平二六・四・一八法二二）（抄）

（施行期日）
第一条　この法律は、公布の日から起算して六月を超えない範囲内において、政令で定める日〔平二六・五・三〇〕から施行する。〔ただし書略〕

附　則（平二六・四・二三法二八）（抄）

（施行期日）
第一条　この法律は、平成二十七年四月一日から施行する。ただし、次の各号に掲げる規定は、当該各号に定める日から施行する。
一　〔略〕
二　〔前略〕附則〔中略〕第七条〔中略〕の規定　平成二十六年十月一日
三　〔略〕

附　則（平二六・五・一四法三四）（抄）

（施行期日）
第一条　この法律は、公布の日から起算して二年を超えない範囲内において政令で定める日〔平二八・四・一〕から施行する。〔ただし書略〕

附　則（平二六・五・三〇法四二）（抄）

（施行期日）
第一条　この法律は、公布の日から起算して二年を超えない範囲内において政令で定める日〔平二八・四・一〕から施行する。ただし、次の各号に掲げる規定は、当該各号に定める日から施行する。
一　目次の改正規定（次号に掲げる部分を除く。）、第二百五十一条及び第二編第十一章第二節第四款の款名の改正規定、第二百五十一条の三の次に一条を加える改正規定、第二百五十一条の四の改正規定、第二編第十一章第三節第四款を同節第六款とする改正規定、第二百五十二条の十四及び第二百五十二条の十六の改正規定、第二編第十一章第三節第三款を同節第四款とし、同款の次に一款を加える改正規定、第二百五十二条の七第三項及び第二百五十二条の七の二の改正規定、第二編第十一章第三節第二款を同節第三款とする改正規定、第二百五十二条の二を第二百五十二条の二の二とする改正規定、第二百五十二条の六及び第二百五十二条の六の二の改正規定並びに第二編第十一章第三節第一款を同節第二款とし、同款の前に一款を加える改正規定並びに附則第四条〔中略〕の規定　公布の日から起算して六月を超えない範囲内において政令で定める日〔平二六・一一・一〕
二　目次の改正規定（「第二節　中核市に関する特例　第三節　特例市に関する特例」を「第二節　中核市に関する特例」に改める部分に限る。）、第二百五十二条の二十二第一項の改正規定、第二編第十二章第三節を削る改正規定、第二百六十条の三十八を第二百六十条の四十とする改正規定及び第二百六十条の三十七の次に二条を加える改正規定並びに次条、附則第三条〔中略〕の規定　平成二十七年四月一日
三　〔略〕

（施行時特例市の事務に関する法令の立案に当たっての配慮）
第二条　政府は、前条第二号に掲げる規定の施行の際現にこの法律による改正前の地方自治法第二百五十二条の二十六の三第一項の特例市である市（地方自治法第二百五十二条の十九第一項の指定都市又は同法第二百五十二条の二十二第一項の中核市に指定された市を除く。以下「施行時特例市」という。）が処理する事務に関する法令の立案に当たっては、同号に掲げる規定の施行の際施行時特例市が処理することとされている事務を都

道府県が処理することとすることがないよう配慮しなければならない。

（中核市の指定の特例）

第三条　施行時特例市については、附則第一条第二号に掲げる規定の施行の日から起算して五年を経過する日までの間は、この法律による改正後の地方自治法第二百五十二条の二十二第一項の規定にかかわらず、人口二十万未満であっても、同項の中核市として指定することができる。

（政令への委任）

第四条　この附則に規定するもののほか、この法律の施行に伴い必要な経過措置（罰則に関する経過措置を含む。）は、政令で定める。

附　則（平二六・五・三〇法五〇）（抄）

（施行期日）

第一条　この法律は、平成二十七年一月一日から施行する。ただし、次の各号に掲げる規定は、当該各号に定める日から施行する。

一　〔略〕

二　〔前略〕附則第四条の規定　平成三十年四月一日

附　則（平二六・六・四法五一）（抄）

（施行期日）

第一条　この法律は、平成二十七年四月一日から施行する。〔ただし書略〕

附　則（平二六・六・一一法六一）（抄）

（施行期日）

第一条　この法律は、公布の日から起算して二月を超えない範囲内において政令で定める日〔平二六・八・一〇〕から施行する。ただし、〔中略〕附則第四条（地方自治法（昭和二十二年法律第六十七号）別表第一海岸法（昭和三十一年法律第百一号）の項第一号イの改正規定中「第十三条」の下に「、第十四条の五第一項」を、「同条第四項において準用する第十二条の二第二項及び第三項」の下に「、第二十一条の三第一項から第三項まで、同条第四項において準用する第十二条の二第二項及び第三項」を、「第五条第一項から第五項まで」の下に「、第十四条の五第一項」を加える部分及び同号ロの改正規定中「第十三条」の下に「、第十四条の五第一項」を、「同条第四項において準用する第十二条の二第二項及び第三項」の下に「、第二十一条の三第一項から第三項まで、同条第四項において準用する第十二条の二第二項及び第三項」を、「第五条第二項から第五項まで」の下に「、第十四条の五第一項」を加える部分に限る。）の規定は、公布の日から起算して六月を超えない範囲内において政令で定める日〔平二六・一二・一〇〕から施行する。

附　則（平二六・六・一三法六七）（抄）

（施行期日）

第一条　この法律は、独立行政法人通則法の一部を改正する法律（平成二十六年法律第六十六号。以下「通則法改正法」という。）の施行の日〔平二七・四・一〕から施行する。〔ただし書略〕

附　則（平二六・六・一三法六九）（抄）

（施行期日）

第一条　この法律は、行政不服審査法（平成二十六年法律第六十八号）の施行の日〔平二八・四・一〕から施行する。

（経過措置の原則）

第五条　行政庁の処分その他の行為又は不作為についての不服申立てであってこの法律の施行前にされた行政庁の処分その他の行為又はこの法律の施行前にされた申請に係る行政庁の不作為に係るものについては、この附則に特別の定めがある場合を除き、なお従前の例による。

（訴訟に関する経過措置）

第六条　この法律による改正前の法律の規定により不服申立てに対する行政庁の裁決、決定その他の行為を経た後でなければ訴えを提起できないこととされる事項であって、当該不服申立てを提起しないでこの法律の施行前にこれを提起すべき期間を経過したもの（当該不服申立てが他の不服申立てに対する行政庁の裁決、決定その他の行為を経た後でなければ提起できないとされる場合にあっては、当該他の不服申立てを提起しないでこの法律の施行前にこれを提起すべき期間を経過したものを含む。）の訴えの提起については、なお従前の例による。

2　この法律の規定による改正前の法律の規定（前条の規定によりなお従前の例によることとされる場合を含む。）により異議申立てが提起された処分その他の行為であって、この法律の規定による改正後の法律の規定により審査請求に対する裁決を経た後でなければ取消しの訴えを提起することができないこととされるものの取消しの訴えの提起については、なお従前の例による。

3　不服申立てに対する行政庁の裁決、決定その他の行為の取消しの訴えであって、この法律の施行前に提起されたものについては、なお従前の例による。

（地方自治法の一部改正に伴う経過措置）

第七条　第三十四条の規定による改正後の地方自治法の規定中異議の申出、審査の申立て又は審決の申請に関する部分は、この法律の施行後にされた地方公共団体の機関の処分その他の行為に係る異議の申出、審査の申立て又は審決の申請について適用し、この法律の施行前にされた地方公共団体の機関の処分その他の行為に係る異議の申出、審査の申立て又は審決の申請については、なお従前の例による。

（罰則に関する経過措置）

第九条　この法律の施行前にした行為並びに附則第五条及び前二条の規定によりなお従前の例によることとされる場合におけるこの法律の施行後にした行為に対する罰則の適用については、なお従前の例による。

（その他の経過措置の政令への委任）

第十条　附則第五条から前条までに定めるもののほか、この法律の施行に関し必要な経過措置（罰則に関する経過措置を含む。）は、政令で定める。

附　則（平二六・六・一三法七一）（抄）

（施行期日）

第一条　この法律は、公布の日から起算して六月を超えない範囲内において政令で定める日〔平二六・一二・一〕から施行する。ただし、次の各号に掲げる規定は、当該各号に定める日から施行する。

一　〔略〕

二　〔前略〕附則〔中略〕第七条〔中略〕の規定　公布の日から起算して二年を超えない範囲内において政令で定める日

〔平二八・四・一〕
三　〔略〕

附　則（平二六・六・二〇法七六）（抄）

（施行期日）
第一条　この法律は、平成二十七年四月一日から施行する。ただし、次の各号に掲げる規定は、当該各号に定める日から施行する。
一・二　〔略〕
三　附則第二十一条の規定　この法律の公布の日又は地方自治法の一部を改正する法律（平成二十六年法律第四十二号）の公布の日のいずれか遅い日〔平二六・六・二〇〕

（地方自治法の一部改正に伴う経過措置）
第七条　附則第二条第一項の場合においては、前条の規定による改正後の地方自治法第十三条第三項、第百二十一条第一項、第百八十条の二、第百八十条の五第六項及び第七項、第二百四条第一項、第二百五十二条の九第二項及び第四項、第二百五十二条の十並びに第二百五十二条の十一第一項の規定は適用せず、前条の規定による改正前の地方自治法第十三条第三項、第百二十一条第一項、第百八十条の二、第百八十条の五第六項及び第七項、第二百四条第一項、第二百五十二条の九第二項及び第四項、第二百五十二条の十並びに第二百五十二条の十一第一項の規定は、なおその効力を有する。

附　則（平二六・六・二五法八〇）（抄）

（施行期日）
第一条　この法律は、公布の日から起算して六月を超えない範囲内において政令で定める日〔平二六・一二・二四〕から施行する。

附　則（平二六・六・二五法八三）（抄）

（施行期日）
第一条　この法律は、公布の日又は平成二十六年四月一日のいずれか遅い日〔平二六・六・二五〕から施行する。ただし、次の各号に掲げる規定は、当該各号に定める日から施行する。
一・二　〔略〕
三　〔前略〕附則〔中略〕第四十四条〔中略〕の規定　平成二十七年四月一日
四～七　〔略〕

附　則（平二六・一一・二法一一五）（抄）

（施行期日）
第一条　この法律は、平成二十八年四月一日から施行する。〔ただし書略〕

附　則（平二六・一一・二七法一二二）（抄）

（施行期日）
第一条　この法律は、公布の日から起算して二十日を経過した日から施行する。

附　則（平二七・五・二〇法二二）（抄）

（施行期日）
第一条　この法律は、公布の日から起算して二月を超えない範囲内において政令で定める日〔平二七・七・一九〕から施行する。〔ただし書略〕

附　則（平二七・五・二九法三一）（抄）

（施行期日）
第一条　この法律は、平成三十年四月一日から施行する。〔ただし書略〕

附　則（平二七・六・一九法四三）（抄）

（施行期日）
第一条　この法律は、公布の日から起算して一年を経過した日から施行する。〔ただし書略〕

附　則（平二七・六・二四法四四）（抄）

（施行期日）
第一条　この法律は、平成二十八年四月一日から施行する。ただし、次の各号に掲げる規定は、当該各号に定める日から施行する。
一　〔略〕
二　〔前略〕附則第二十一条の規定　平成二十八年三月三十一日までの間において政令で定める日〔平二八・二・一〕

附　則（平二七・六・二六法五〇）（抄）

（施行期日）
第一条　この法律は、平成二十八年四月一日から施行する。ただし、次の各号に掲げる規定は、当該各号に定める日から施行する。
一～三　〔略〕
四　〔前略〕附則〔中略〕第九条（地方自治法（昭和二十二年法律第六十七号）別表第一租税特別措置法（昭和三十二年法律第二十六号）の項第一号の改正規定に限る。）の規定　公布の日から起算して二年を超えない範囲内において政令で定める日〔平二九・四・一〕
五　〔略〕

附　則（平二七・九・四法六三）（抄）

（施行期日）
第一条　この法律は、平成二十八年四月一日から施行する。〔ただし書略〕

附　則（平二八・二・三法八）（抄）

（施行期日）
第一条　この法律は、公職選挙法等の一部を改正する法律（平成二十七年法律第四十三号）の施行の日〔平二八・六・一九〕から施行する。

附　則（平二八・三・三一法一三）（抄）
最終改正　令二・三・三一法五

（施行期日）
第一条　この法律は、平成二十八年四月一日から施行する。ただし、次の各号に掲げる規定は、当該各号に定める日から施行する。
一～五の三　〔略〕
五の四　〔前略〕附則第三十五条（次号に掲げる改正規定を除く。）〔中略〕の規定　令和元年十月一日
五の四の二　〔略〕
五の五　〔前略〕附則第三十五条（地方自治法（昭和二十二年法律第六十七号）第二百八十二条の改正規定に限る。）、第三十六条〔中略〕の規定　令和二年四月一日
六～十五　〔略〕

（地方自治法の一部改正に伴う経過措置）
第三十六条　前条の規定による改正後の地方自治法（以下この条において「新地方自治法」という。）第二百八十二条の規定は、令和二年度以後に同条第一項の規定により特別区に対し交付すべき特別区財政調整交付金（同条第二項に規定する特別区財政

調整交付金をいう。次項及び第三項において同じ。）について適用し、令和元年度までに前条の規定による改正前の地方自治法第二百八十二条第一項の規定により特別区に対し交付する同条第二項に規定する特別区財政調整交付金については、なお従前の例による。

2　令和二年度における特別区財政調整交付金の交付に係る新地方自治法第二百八十二条第二項の規定の適用については、同項中「収入額（」とあるのは「収入額（令和元年十月一日から令和二年三月三十一日までに納付された法人の行う事業に対する事業税の収入額を含む。）（」と、「収入額に」とあるのは「収入額（令和元年十月一日から令和二年三月三十一日までに納付された法人の行う事業に対する事業税の収入額を含む。）に」と、「統計法（平成十九年法律第五十三号）第二条第四項に規定する基幹統計である事業所統計の最近に公表された結果による各市町村及び特別区の従業者数」とあるのは「各市町村の市町村民税の法人税割額及び同法第五条第二項第一号に掲げる税のうち同法第七百三十四条第二項（第二号に係る部分に限る。）の規定により都が課する都民税の法人税割額」とする。

3　令和三年度及び令和四年度における特別区財政調整交付金の交付に係る新地方自治法第二百八十二条第二項の規定の適用については、同項中「従業者数」とあるのは、「従業者数並びに市町村民税の法人税割額及び地方税法第五条第二項第一号に掲げる税のうち同法第七百三十四条第二項（第二号に係る部分に限る。）の規定により都が課する都民税の法人税割額」とする。

4　前二項の規定により読み替えられた新地方自治法第二百八十二条第二項に規定する市町村民税の法人税割額及び都民税の法人税割額は、総務省令で定めるところにより算定するものとする。

附　則（平二八・三・三一法一四）（抄）

（施行期日）

第一条　この法律は、平成二十八年四月一日から施行する。〔ただし書略〕

附　則（平二八・三・三一法一九）（抄）

（施行期日）

第一条　この法律は、平成二十八年四月一日から施行する。〔ただし書略〕

附　則（平二八・三・三一法二一）（抄）

（施行期日）

第一条　この法律は、平成二十九年四月一日から施行する。ただし、次の各号に掲げる規定は、当該各号に定める日から施行する。

一　〔略〕

二　〔前略〕附則〔中略〕第三十六条〔中略〕の規定　平成二十八年四月一日

附　則（平二八・四・一一法二四）（抄）

（施行期日）

第一条　この法律は、公布の日から施行する。ただし、〔中略〕附則第四条〔中略〕の規定は、公職選挙法等の一部を改正する法律（平成二十七年法律第四十三号）の施行の日〔平二八・六・一九〕から施行する。

附　則（平二八・五・二法三四）（抄）

（施行期日）

第一条　この法律は、公布の日から起算して三月を超えない範囲内において政令で定める日〔平二八・八・一〕から施行する。〔ただし書略〕

附　則（平二八・五・一八法三九）（抄）

（施行期日）

第一条　この法律は、公布の日から起算して一年を超えない範囲内において政令で定める日〔平二九・四・一〕から施行する。ただし、次の各号に掲げる規定は、当該各号に定める日から施行する。

一　〔前略〕附則第九条〔中略〕の規定　公布の日

二・三　〔略〕

附　則（平二八・六・七法七三）（抄）

（施行期日等）

第一条　この法律は、公布の日から起算して六月を超えない範囲内において政令で定める日〔平二八・一一・三〇〕から施行し、この法律の施行後に行われた国外犯罪行為による死亡又は障害について適用する。

附　則（平二八・一一・二法九四）（抄）

（施行期日）

第一条　この法律は、公布の日から起算して六月を超えない範囲内において政令で定める日〔平二九・六・一〕から施行する。〔ただし書略〕

附　則（平二八・一二・九法一〇一）（抄）

（施行期日）

第一条　この法律は、公布の日から起算して一年六月を超えない範囲内において政令で定める日〔平三〇・一・一〕（以下「施行日」という。）から施行する。〔ただし書略〕

附　則（平二八・一二・一六法一〇八）（抄）

最終改正　平三〇・七・六法七〇

（施行期日）

第一条　この法律は、環太平洋パートナーシップに関する包括的及び先進的な協定が日本国について効力を生ずる日（第三号において「発効日」という。）〔平三〇・一二・三〇〕から施行する。〔ただし書略〕

附　則（平二九・三・三一法四）（抄）

（施行期日）

第一条　この法律は、平成二十九年四月一日から施行する。〔ただし書略〕

附　則（平二九・四・二六法二五）（抄）

（施行期日）

第一条　この法律は、平成三十年四月一日から施行する。〔ただし書略〕

（地方自治法の一部改正に伴う経過措置）

第三条　第四条の規定による改正後の地方自治法第二百六条第二項及び第四項、第二百二十九条第二項及び第四項、第二百三十一条の三第七項及び第九項、第二百三十八条の七第二項及び第四項、第二百四十三条の二第十一項及び第十三項並びに第二百四十四条の四第二項及び第四項の規定は、地方公共団体の機関の処分についての審査請求であって施行日以後にされる地方公共団体の機関の処分に係るものについて適用し、地方公共団体の機関の処分についての審査請求であって施行日前にされた地方公共団体の機関の処分に係るものについては、なお従前の例による。

附　則（平二九・五・一七法二九）（抄）

改正　令二・三・三法二

（施行期日）

第一条　この法律は、令和二年四月一日から施行する。〔ただし書略〕

附　則（平二九・五・一九法三一）（抄）

（施行期日）

第一条　この法律は、公布の日から起算して三月を超えない範囲内において政令で定める日〔平二九・六・一九〕から施行する。

附　則（平二九・六・二法四五）（抄）

この法律は、民法改正法の施行の日〔平三二（令二）・四・一〕から施行する。〔ただし書略〕

○民法の一部を改正する法律の施行に伴う関係法律の整備等に関する法律

平二九・六・二
法　　四　五

（地方自治法の一部改正に伴う経過措置）

第百七条　施行日前に前条の規定による改正前の地方自治法第二百三十六条第四項又は第二百四十二条の二第八項若しくは第九項に規定する時効の中断の事由が生じた場合におけるその事由の効力については、なお従前の例による。

附　則（平二九・六・二法四六）（抄）

（施行期日）

第一条　この法律は、公布の日から起算して六月を超えない範囲内において政令で定める日〔平二九・一二・一〕から施行する。〔ただし書略〕

附　則（平二九・六・九法五四）（抄）

改正　令二・三・三法二

（施行期日）

第一条　この法律は、令和二年四月一日から施行する。ただし、次の各号に掲げる規定は、当該各号に定める日から施行する。

一　〔前略〕次条第三項、第四項、第七項及び第八項〔中略〕及び第七条の規定　公布の日

二　〔略〕

三　第一条中地方自治法第百九十六条及び第百九十九条の三の改正規定、同法第二百条の次に一条を加える改正規定並びに同法第二百三条の二第一項、第二百三十三条、第二百五十二条の七、第二百五十二条の十三、第二百五十二条の二十七第二項、第二百五十二条の三十三第二項及び第二百五十二条の三十六並びに附則第九条の改正規定〔中略〕並びに次条第二項〔中略〕の規定　平成三十年四月一日

（地方自治法の一部改正に伴う経過措置）

第二条　第一条の規定による改正後の地方自治法（以下この条において「新地方自治法」という。）第七十五条第五項、第百九十九条第十三項及び第二百五十二条の十一第五項の規定は、この法律の施行の日（以下「施行日」という。）以後に行われる監査の結果に関する報告の決定について適用する。

2　新地方自治法第二百三十三条第七項の規定は、前条第三号に掲げる規定の施行の日（以下「第三号施行日」という。）以後に地方自治法第二百三十三条第三項の規定による決算の認定に関する議案が否決される場合について適用する。

3　監査委員は、前条第一号に掲げる規定の施行の日（附則第五条第二項において「第一号施行日」という。）以後に第一条の規定による改正前の地方自治法（次項において「旧地方自治法」という。）第二百四十二条第一項の規定による請求があったときは、施行日前においても、新地方自治法第二百四十二条第三項の規定の例により、当該請求の要旨を当該普通地方公共団体の議会及び長に通知しなければならない。この場合において、当該通知は、施行日において同項の規定によりされたものとみなす。

4　地方自治法第二百九十二条において準用する前項の規定により一部事務組合の監査委員が一部事務組合の議会に通知することとされている同条において準用する旧地方自治法第二百四十二条第一項の規定による請求の要旨の議会への通知は、地方自治法第二百八十七条の二第二項に規定する特例一部事務組合（以下この項において「特例一部事務組合」という。）にあっては、新地方自治法第二百八十七条の二第六項の規定の例により、当該特例一部事務組合の監査委員が地方自治法第二百八十六条第一項に規定する構成団体（以下この項において「構成団体」という。）の長を通じて当該請求の要旨を全ての構成団体の議会に通知することにより行うものとする。

5　新地方自治法第二百四十二条第十項の規定は、施行日以後に同条第三項の規定によりその要旨が通知された同条第一項の規定による請求に係る行為又は怠る事実に関する損害賠償又は不当利得返還の請求権その他の権利の放棄に関する議決について適用する。

6　新地方自治法第二百四十三条の二第一項（第五条の規定による改正後の市町村の合併の特例に関する法律第四十七条において準用する場合を含む。）の規定は、新地方自治法第二百四十三条の二第一項に規定する普通地方公共団体の長等の同項の条例の施行の日以後の行為に基づく損害賠償責任について適用する。

7　普通地方公共団体の議会は、新地方自治法第二百四十三条の二第一項の条例の制定に関する議決をしようとするときは、施行日前においても、監査委員の意見を聴くことができる。

8　新地方自治法第二百五十二条の三十六第二項の規定による新地方自治法第二百五十二条の二十七第二項に規定する包括外部監査契約の締結については、新地方自治法第二百五十二条の三十六第二項の条例を定めた同条第一項第二号に掲げる市以外の市又は町村の長は、第三号施行日前においても、監査委員の意見を聴くとともに、議会の議決を経ることができる。

（政令への委任）

第七条　この附則に定めるもののほか、この法律の施行に伴い必要な経過措置（罰則に関する経過措置を含む。）は、政令で定める。

附　則（平二九・六・一六法六〇）（抄）

（施行期日）

第一条　この法律は、平成三十年四月一日から施行する。

一・二　〔略〕

二の二　附則第十八条の規定　畜産経営の安定に関する法律及

び独立行政法人農畜産業振興機構法の一部を改正する法律（平成二十九年法律第六十号）附則第一条第二号に掲げる規定の施行の日〔平三〇・一二・三〇〕

（調整規定）

第十八条　施行日が環太平洋パートナーシップ協定の締結に伴う関係法律の整備に関する法律の施行の日以後となる場合には、前条の規定は、適用しない。

附　則（平二九・六・一六法六一）（抄）

（施行期日）

第一条　この法律は、公布の日から起算して一年を超えない範囲内において政令で定める日〔平三〇・四・一〕から施行する。ただし、次の各号に掲げる規定は、当該各号に定める日から施行する。

一　〔略〕

二　〔前略〕附則第六条（地方自治法（昭和二十二年法律第六十七号）別表第一廃棄物の処理及び清掃に関する法律（昭和四十五年法律第百三十七号）の項の改正規定中「第十二条の五第八項」を「第十二条の五第九項」に改める部分に限る。）〔中略〕　公布の日から起算して三年を超えない範囲内において政令で定める日〔平三二（令二）・四・一〕

附　則（平二九・六・二三法七四）（抄）

（施行期日）

第一条　この法律は、平成三十年四月一日から施行する。〔ただし書略〕

附　則（平三〇・三・三一法六）（抄）

（施行期日）

第一条　この法律は、公布の日から起算して六月を超えない範囲内において政令で定める日〔平三〇・九・三〇〕から施行する。〔ただし書略〕

附　則（平三〇・三・三一法七）（抄）

（施行期日）

第一条　この法律は、平成三十年四月一日から施行する。〔ただし書略〕

附　則（平三〇・五・一八法二三）（抄）

（施行期日）

第一条　この法律は、公布の日から起算して六月を超えない範囲内において政令で定める日〔平三〇・一一・一六〕から施行する。〔ただし書略〕

附　則（平三〇・六・八法四四）（抄）

（施行期日）

第一条　この法律は、平成三十年十月一日から施行する。ただし、次の各号に掲げる規定は、当該各号に定める日から施行する。

一　〔前略〕附則第九条中地方自治法（昭和二十二年法律第六十七号）別表第一生活保護法（昭和二十五年法律第百四十四号）の項第一号の改正規定〔中略〕　公布の日

二～五　〔略〕

附　則（平三〇・六・一三法四六）（抄）

（施行期日）

第一条　この法律は、公布の日から起算して二年を超えない範囲内において政令で定める日〔令二・六・一〕から施行する。ただし、次の各号に掲げる規定は、当該各号に定める日から施行する。

一・二　〔略〕

三　〔前略〕附則〔中略〕第十五条〔中略〕の規定　公布の日から起算して三年を超えない範囲内において政令で定める日〔令三・六・一〕

附　則（平三〇・六・一三法四九）（抄）

（施行期日）

1　この法律は、公布の日から起算して六月を超えない範囲内において政令で定める日〔平三〇・一一・一五〕から施行する。ただし、〔中略〕附則第三項の規定は、公布の日から起算して一年を超えない範囲内において政令で定める日〔平三一・六・一〕から施行する。

附　則（平三〇・六・一五法五二）（抄）

（施行期日）

第一条　この法律は、平成三十一年四月一日から施行する。〔ただし書略〕

附　則（平三〇・六・一五法五三）（抄）

（施行期日）

第一条　この法律は、公布の日から起算して六月を超えない範囲内において政令で定める日〔平三〇・一二・一〕から施行する。〔ただし書略〕

附　則（平三〇・六・二七法六六）（抄）

（施行期日）

第一条　この法律は、公布の日から起算して一年を超えない範囲内において政令で定める日〔平三一・六・一〕から施行する。ただし、次の各号に掲げる規定は、当該各号に定める日から施行する。

一・二　〔略〕

三　〔前略〕附則第十四条（地方自治法（昭和二十二年法律第六十七号）別表第一不動産の鑑定評価に関する法律（昭和三十八年法律第百五十二号）の項の改正規定に限る。）〔中略〕の規定　平成三十一年一月一日

四　〔略〕

五　〔前略〕附則〔中略〕第十四条（第三号に掲げる改正規定を除く。）の規定　平成三十二年四月一日

附　則（平三〇・六・二七法六八）（抄）

（施行期日）

第一条　この法律は、公布の日から起算して三月を超えない範囲内において政令で定める日〔平三〇・九・一〕から施行する。

附　則（平三〇・七・二五法七八）（抄）

（施行期日）

第一条　この法律は、平成三十二年四月一日から施行する。〔ただし書略〕

附　則（平三〇・一二・一四法九五）（抄）

（施行期日）

第一条　この法律は、公布の日から起算して二年を超えない範囲内において政令で定める日〔令二・一二・一〕から施行する。〔ただし書略〕

附　則（平三〇・一二・一四法一〇二）（抄）

（施行期日）

第一条　この法律は、平成三十一年四月一日から施行する。〔ただし書略〕

附　則（平三一・三・二九法三）（抄）

改正　令二・三・三一法五

（施行期日）

第一条　この法律は、平成三十一年四月一日から施行する。ただし、〔中略〕附則第五条〔中略〕の規定は、令和六年一月一日から施行する。

附　則（平三一・三・二九法四）（抄）

改正　令二・三・三一法五

（施行期日）

第一条　この法律は、令和元年十月一日から施行する。ただし、次の各号に掲げる規定は、当該各号に定める日から施行する。

一　附則第二十四条の規定　公布の日

二　〔略〕

附　則（平三一・三・二九法六）（抄）

（施行期日）

第一条　この法律は、平成三十一年四月一日から施行する。〔ただし書略〕

附　則（平三一・四・二四法一四）（抄）

（施行期日）

第一条　この法律は、公布の日から施行する。〔ただし書略〕

附　則（令元・五・一五法一）（抄）

（施行期日）

第一条　この法律は、公布の日から施行する。〔ただし書略〕

附　則（令元・五・一七法七）（抄）

（施行期日）

第一条　この法律は、平成三十一年十月一日から施行する。〔ただし書略〕

附　則（令元・五・二四法一一）（抄）

（施行期日）

第一条　この法律は、平成三十一年四月一日から施行する。〔ただし書略〕

附　則（令元・五・二四法一二）（抄）

（施行期日）

第一条　この法律は、公布の日から起算して六月を超えない範囲内において政令で定める日〔令元・一一・一〕から施行する。ただし、次の各号に掲げる規定は、当該各号に定める日から施行する。

一　〔略〕

二　〔前略〕附則第十一条中地方自治法（昭和二十二年法律第六十七号）別表第一農地法（昭和二十七年法律第二百二十九号）の項第十四号の改正規定〔中略〕　公布の日から起算して一年三月を超えない範囲内において政令で定める日〔令二・四・一〕

附　則（令元・五・三一法一六）（抄）

（施行期日）

第一条　この法律は、公布の日から起算して九月を超えない範囲内において政令で定める日〔令元・一二・一六〕から施行する。〔ただし書略〕

附　則（令元・五・三一法一七）（抄）

（施行期日）

第一条　この法律は、公布の日から起算して二十日を経過した日から施行する。ただし、次の各号に掲げる規定は、当該各号に定める日から施行する。

一・二　〔略〕

三　〔前略〕の規定　公布の日から起算して三年を超えない範囲内において政令で定める日〔令三・九・一三〕

四　附則第五条（地方自治法（昭和二十二年法律第六十七号）別表第一戸籍法（昭和二十二年法律第二百二十四号）の項の改正規定を除く。）〔中略〕の規定　前号に掲げる規定の施行の日又は情報通信技術利用法改正法附則第一条第九号に掲げる規定の施行の日〔令和元年五月三一日から起算して三年を超えない範囲内において政令で定める日〕のいずれか遅い日

五　〔略〕

附　則（令元・六・七法二六）（抄）

（施行期日）

第一条　この法律は、公布の日から施行する。ただし、次の各号に掲げる規定は、当該各号に定める日から施行する。

一　〔前略〕附則第六条（別表第一健康増進法（平成十四年法律第百三号）の項の改正規定に限る。）〔中略〕の規定　公布の日から起算して三月を経過した日

二　〔略〕

三　〔前略〕附則〔中略〕第六条（第一号に掲げる改正規定を除く。）の規定　平成三十二年四月一日

四　〔略〕

附　則（令元・六・一四法三七）（抄）

（施行期日）

第一条　この法律は、公布の日から起算して三月を経過した日から施行する。ただし、次の各号に掲げる規定は、当該各号に定める日から施行する。

一　〔略〕

二　〔前略〕第四十一条（地方自治法第二百五十二条の二十八の改正規定を除く。）〔中略〕の規定　公布の日から起算して六月を経過した日

三・四　〔略〕

附　則（令元・一一・二七法五七）（抄）

（施行期日）

第一条　この法律は、令和二年四月一日から施行する。

附　則（令元・一二・四法六二）（抄）

（施行期日）

第一条　この法律は、公布の日から起算して一年を超えない範囲内において政令で定める日〔令二・一二・一〕から施行する。ただし、次の各号に掲げる規定は、当該各号に定める日から施行する。

一　〔略〕

二　〔前略〕附則第十一条中地方自治法（昭和二十二年法律第六十七号）別表第一肥料取締法（昭和二十五年法律第百二十七号）の項第三号イの改正規定　公布の日から起算して二年を超えない範囲内において政令で定める日〔令三・一二・一〕

附　則（令元・一二・四法六三）（抄）

（施行期日）

第一条　この法律は、公布の日から起算して一年を超えない範囲内において政令で定める日〔令二・九・一。ただし、改正法附則第十五条（地方自治法（昭和二十二年法律第六十七号）別表第一覚せい剤取締法（昭和二十六年法律第二百五十二号）の項の改正規定に限る。）の規定の施行期日は、令和二年四月一日

とする。〕から施行する。ただし、次の各号に掲げる規定は、当該各号に定める日から施行する。

一　〔略〕

二　〔前略〕附則〔中略〕第十六条〔中略〕の規定〔中略〕　公布の日から起算して二年を超えない範囲内において政令で定める日〔令三・八・一〕

三　〔略〕

附　則（令二・二・五法二）（抄）

（施行期日）

第一条　この法律は、公布の日から施行する。〔ただし書略〕

附　則（令二・三・三一法五）（抄）

（施行期日）

第一条　この法律は、令和二年四月一日から施行する。〔ただし書略〕

附　則（令二・三・三一法八）（抄）

（施行期日）

第一条　この法律は、令和二年四月一日から施行する。ただし、次の各号に掲げる規定は、当該各号に定める日から施行する。

一～四　〔略〕

五　次に掲げる規定　令和四年四月一日

イ　〔略〕

ロ　〔前略〕附則〔中略〕第百五十条（地方自治法（昭和二十二年法律第六十七号）第二百六十条の二第十六項の改正規定に限る。）〔中略〕の規定

ハ～チ　〔略〕

リ　〔前略〕附則〔中略〕第百五十条（地方自治法第二百六十条の二第十六項の改正規定を除く。）〔中略〕の規定

ヌ～ナ　〔略〕

六～十二　〔略〕

附　則（令二・三・三一法一二）（抄）

（施行期日）

1　この法律は、令和二年四月一日から施行する。ただし、次の各号に掲げる規定は、当該各号に定める日から施行する。

一・二　〔略〕

三　〔前略〕附則第三項の規定　公布の日から起算して六月を超えない範囲内において政令で定める日〔令二・九・二九〕

附　則（令二・四・三法一六）（抄）

（施行期日）

第一条　この法律は、公布の日から起算して三月を超えない範囲内において政令で定める日〔令二・七・一〕から施行する。〔ただし書略〕

附　則（令二・四・三〇法二六）（抄）

（施行期日）

第一条　この法律は、公布の日から施行する。ただし、次の各号に掲げる規定は、当該各号に定める日から施行する。

一　〔略〕

二　〔前略〕附則第六条の規定　令和三年四月一日

附　則（令二・五・二七法三一）（抄）

（施行期日）

第一条　この法律は、公布の日から起算して六月を超えない範囲内において政令で定める日〔令二・一一・二五〕から施行する。〔ただし書略〕

附　則（令二・五・二九法三三）（抄）

（施行期日）

第一条　この法律は、公布の日から起算して二年六月を超えない範囲内において政令で定める日〔令四・一一・一〕から施行する。〔ただし書略〕

附　則（令二・六・一〇法四一）（抄）

（施行期日）

第一条　この法律は、公布の日から起算して三月を経過した日から施行する。ただし、次の各号に掲げる規定は、当該各号に定める日から施行する。

一　〔略〕

二　〔前略〕附則第七条（地方自治法（昭和二十二年法律第六十七号）別表第一生活保護法（昭和二十五年法律第百四十四号）の項の改正規定に限る。）〔中略〕の規定　令和二年十月一日

三　〔略〕

四　〔前略〕附則〔中略〕第七条（地方自治法別表第一軌道法（大正十年法律第七十六号）の項の改正規定に限る。）の規定　令和四年四月一日

附　則（令二・六・二四法六二）（抄）

（施行期日）

第一条　この法律は、公布の日から起算して二年を超えない範囲内において政令で定める日〔令四・四・一〕から施行する。〔ただし書略〕

附　則（令二・一二・九法七五）（抄）

（施行期日）

第一条　この法律は、公布の日から施行する。

附　則（令三・二・三法五）（抄）

（施行期日）

第一条　この法律は、公布の日から起算して十日を経過した日から施行する。〔ただし書略〕

附　則（令三・三・三一法七）（抄）

（施行期日）

第一条　この法律は、令和三年四月一日から施行する。ただし、次の各号に掲げる規定は、当該各号に定める日から施行する。

一　〔略〕

二　〔前略〕第六条並びに附則第十九条第二項から第五項まで〔中略〕の規定　令和四年一月四日

三～十一　〔略〕

（地方自治法の一部改正に伴う経過措置）

第十九条　普通地方公共団体の長は、附則第一条第二号に掲げる規定の施行の日（以下この項及び次項において「第二号施行日」という。）前においても、第六条の規定による改正後の地方自治法（第三項において「新地方自治法」という。）第二百三十一条の二の三第一項の規定の例により、指定納付受託者（同項に規定する指定納付受託者をいう。以下この項において同じ。）の指定をすることができる。この場合において、その指定を受けた指定納付受託者は、第二号施行日において同条第一項の規定による指定を受けたものとみなす。

2　第二号施行日において現に第六条の規定による改正前の地方自治法（以下この条において「旧地方自治法」という。）第二百三十一条の二第六項の規定による指定を受けている者に対する同項及び同条第七項の規定の適用については、令和五年三月

三十一日までの間は、なお従前の例による。

3　前項の規定によりなお従前の例によることとされた旧地方自治法第二百三十一条の二第六項に規定する指定代理納付者（以下この条において「指定代理納付者」という。）が新地方自治法第二百三十一条の二の三第一項の規定による指定を受けたときは、当該指定代理納付者に係る指定は、その効力を失う。

4　前項の規定により指定代理納付者に係る指定が効力を失った日の前日までに旧地方自治法第二百三十一条の二第六項（第二項の規定によりなお従前の例によることとされる場合を含む。以下この項において同じ。）の承認があった場合において、当該指定代理納付者であった者が当該効力を失った日から同条第六項の指定する日までの間に当該承認に係る歳入を納付したときは、当該承認があった時に当該歳入の納付がされたものとみなす。

5　令和五年三月三十一日までに第二項の規定によりなお従前の例によることとされた旧地方自治法第二百三十一条の二第六項の承認があった場合において、当該承認に係る指定代理納付者であった者が令和五年四月一日から同項の指定する日までの間に当該承認に係る歳入を納付したとき（前項に規定するときを除く。）は、当該承認があった時に当該歳入の納付がされたものとみなす。

附　則（令三・三・三一法九）（抄）

（施行期日）

第一条　この法律は、令和三年四月一日から施行する。ただし、次の各号に掲げる規定は、当該各号に定める日から施行する。

一　〔前略〕附則第七条（地方自治法（昭和二十二年法律第六十七号）別表第一道路法（昭和二十七年法律第百八十号）の項第一号の改正規定に限る。）〔中略〕の規定　公布の日から起算して三月を超えない範囲内において政令で定める日〔令三・六・二〇〕

二・三　〔略〕

附　則（令三・五・一〇法三〇）（抄）

（施行期日）

第一条　この法律は、公布の日から起算して一月を超えない範囲内において政令で定める日〔令三・五・二〇〕から施行する。〔ただし書略〕

附　則（令三・五・一〇法三一）（抄）

（施行期日）

第一条　この法律は、公布の日から起算して六月を超えない範囲内において政令で定める日〔令三・一一・一〕から施行する。ただし、次の各号に掲げる規定は、当該各号に定める日から施行する。

一　〔略〕

二　〔前略〕附則第五条（地方自治法（昭和二十二年法律第六十七号）別表第一河川法（昭和三十九年法律第百六十七号）の項第一号の改正規定に限る。）〔中略〕の規定　公布の日から起算して三月を超えない範囲内において政令で定める日〔令三・七・一五〕

附　則（令三・五・一九法三六）（抄）

（施行期日）

第一条　この法律は、令和三年九月一日から施行する。〔ただし書略〕

附　則（令三・五・一九法三七）（抄）

（施行期日）

第一条　この法律は、令和三年九月一日から施行する。ただし、次の各号に掲げる規定は、当該各号に定める日から施行する。

一～八　〔略〕

九　附則第十七条〔中略〕の規定　情報通信技術の活用による行政手続等に係る関係者の利便性の向上並びに行政運営の簡素化及び効率化を図るための行政手続等における情報通信の技術の利用に関する法律等の一部を改正する法律（令和元年法律第十六号）附則第一条第十号に掲げる規定の施行の日〔令和元年五月三一日から起算して五年を超えない範囲内において政令で定める日〕

十　〔略〕

附　則（令三・五・一九法三九）（抄）

（施行期日）

第一条　この法律は、公布の日から起算して三年を超えない範囲内において政令で定める日〔令六・四・一〕から施行する。〔ただし書略〕

附　則（令三・五・二一法四三）（抄）

（施行期日）

第一条　この法律は、公布の日から起算して一年を超えない範囲内において政令で定める日〔令四・四・一〕から施行する。〔ただし書略〕

附　則（令三・五・二六法四四）（抄）

（施行期日）

第一条　この法律は、公布の日から起算して三月を経過した日から施行する。ただし、次の各号に掲げる規定は、当該各号に定める日から施行する。

一　〔略〕

二　第一条（地方自治法第二百六十条の二第一項の改正規定に限る。）の規定及び附則第三条の規定　公布の日から起算して六月を経過した日

三・四　〔略〕

五　第一条（地方自治法別表第一宅地建物取引業法（昭和二十七年法律第百七十六号）の項の改正規定に限る。）〔中略〕の規定　公布の日から起算して三年を超えない範囲内において政令で定める日〔令六・五・二五〕

（地方自治法の一部改正に伴う経過措置）

第三条　第一条の規定（附則第一条第二号に掲げる改正規定に限る。以下この条において同じ。）による改正後の地方自治法第二百六十条の二第一項の規定は、第一条の規定の施行の際現に地方自治法第二百六十条の二第二項の規定による申請をしている地縁による団体（第一条の規定による改正前の地方自治法第二百六十条の二第一項に規定する地縁による団体をいう。）についても適用があるものとする。

附　則（令三・五・二八法五〇）（抄）

（施行期日）

第一条　この法律は、令和四年四月一日から施行する。ただし、次の各号に掲げる規定は、当該各号に定める日から施行する。

一　〔略〕

二　〔前略〕附則〔中略〕第四条の規定　令和四年六月一日

附　則（令三・六・二法五四）（抄）

（施行期日）

第一条　この法律は、公布の日から起算して一年を超えない範囲内において政令で定める日〔令四・四・一〕から施行する。〔ただし書略〕

附　則（令三・六・一一法六三）（抄）

（施行期日）

第一条　この法律は、令和五年四月一日から施行する。〔ただし書略〕

附　則（令三・六・一八法八二）（抄）

（施行期日）

1　この法律は、公布の日から起算して五日を経過した日から施行する。

附　則（令四・三・三一法二）（抄）

（施行期日）

第一条　この法律は、令和四年四月一日から施行する。〔ただし書略〕

附　則（令四・三・三一法四）（抄）

（施行期日）

第一条　この法律は、令和四年四月一日から施行する。ただし、次の各号に掲げる規定は、当該各号に定める日から施行する。

一～三　〔略〕

四　次に掲げる規定　令和五年四月一日

イ・ロ　〔略〕

ハ　〔前略〕附則〔中略〕第八十六条（地方自治法（昭和二十二年法律第六十七号）別表第一の改正規定を除く。）〔中略〕の規定

五～七　〔略〕

八　〔前略〕附則〔中略〕第八十六条（地方自治法別表第一の改正規定に限る。）の規定　令和六年三月一日又は戸籍法の一部を改正する法律（令和元年法律第十七号）附則第一条第五号に掲げる規定の施行の日〔令和元年五月三一日から起算して五年を超えない範囲内において政令で定める日〕のいずれか遅い日

九～十一　〔略〕

附　則（令四・四・六法一六）（抄）

（施行期日）

第一条　この法律は、公布の日から施行する。〔ただし書略〕

附　則（令四・四・二七法三三）（抄）

（施行期日）

第一条　この法律は、公布の日から起算して一年を超えない範囲内において政令で定める日〔令五・三・二七〕から施行する。

附　則（令四・四・二七法三四）（抄）

（施行期日）

1　この法律は、公布の日から施行する。

附　則（令四・五・二法三七）（抄）

（施行期日）

第一条　この法律は、公布の日から起算して六月を超えない範囲内において政令で定める日〔令四・七・一〕から施行する。〔ただし書略〕

附　則（令四・五・二〇法四四）（抄）

（施行期日）

第一条　この法律は、公布の日から起算して三月を経過した日から施行する。ただし、次の各号に掲げる規定は、当該各号に定める日から施行する。

一・二　〔略〕

三　第一条（地方自治法第二百六十条の十八第三項の改正規定、同法第二百六十条の十九の次に一条を加える改正規定及び同法第二百六十条の二十八第一項の改正規定を除く。）〔中略〕の規定　令和五年四月一日

附　則（令四・五・二五法四八）（抄）

（施行期日）

第一条　この法律は、公布の日から起算して四年を超えない範囲内において政令で定める日から施行する。〔ただし書略〕

（地方自治法及び市町村の合併の特例に関する法律の一部改正に伴う経過措置）

第百一条　附則第三十六条の規定による改正後の地方自治法（次項において「新地方自治法」という。）第九条第十項の規定は、地方自治法第九条第九項の規定による訴えであって施行日以後に提起されたものに係る裁判所がする通知について適用し、同項の規定による訴えであって施行日前に提起されたものに係る裁判所がする通知については、なお従前の例による。

2　〔略〕

附　則（令四・五・二五法四九）（抄）

（施行期日）

第一条　この法律は、公布の日から起算して六月を超えない範囲内において政令で定める日〔令四・一〇・一〕から施行する。〔ただし書略〕

附　則（令四・五・二五法五二）（抄）

（施行期日）

第一条　この法律は、令和六年四月一日から施行する。〔ただし書略〕

附　則（令四・五・二七法五三）（抄）

（施行期日）

第一条　この法律は、公布の日から起算して六月を超えない範囲内において政令で定める日〔令四・一〇・一〕から施行する。〔ただし書略〕

附　則（令四・五・二七法五六）（抄）

（施行期日）

第一条　この法律は、公布の日から起算して一年を超えない範囲内において政令で定める日〔令五・四・一〕から施行する。〔ただし書略〕

附　則（令四・六・一七法六八）（抄）

（施行期日）

1　この法律は、刑法等一部改正法施行日〔令七・六・一〕から施行する。〔ただし書略〕

附　則（令四・一二・九法九六）（抄）

（施行期日）

第一条　この法律は、令和六年四月一日から施行する。ただし、次の各号に掲げる規定は、当該各号に定める日から施行する。

一　〔前略〕附則第十九条の規定（次号に掲げる改正規定を除く。）〔中略〕　公布の日

二　〔前略〕附則第十九条中地方自治法（昭和二十二年法律第六十七号）別表第一感染症の予防及び感染症の患者に対する医療に関する法律（平成十年法律第百十四号）の項の改正規定（「、第二項及び第七項」を「、第二項及び第八項」に、「から第六項まで並びに」を「から第七項まで、」に改める部

分に限る。）〔中略〕　公布の日から起算して十日を経過した日

三　〔前略〕附則〔中略〕第二十条の規定　令和五年四月一日

四　〔前略〕附則第二十一条中地方自治法別表第一予防接種法（昭和二十三年法律第六十八号）の項の改正規定〔中略〕　公布の日から起算して三年六月を超えない範囲内において政令で定める日

附　則（令四・一二・一六法一〇一）（抄）

（施行期日）

第一条　この法律は、公布の日から起算して三月を超えない範囲内において政令で定める日〔令五・三・一〕から施行する。ただし、第百一条の改正規定及び附則第六条の規定は、公布の日から施行する。

（経過措置）

第二条　この法律の施行前にこの法律による改正前の地方自治法第九十二条の二（同法第二百八十七条の二第七項、第二百九十二条及び第二百九十六条第三項において準用する場合を含む。）に規定する請負をする者及びその支配人に該当した者については、なお従前の例による。

（政令への委任）

第五条　この附則に定めるもののほか、この法律の施行に関し必要な経過措置は、政令で定める。

（政府の措置等）

第六条　政府は、事業主に対し、地方公共団体の議会の議員の選挙においてその雇用する労働者が容易に立候補をすることができるよう、地方公共団体の議会の議員の選挙における立候補に伴う休暇等に関する事項を就業規則に定めることその他の自主的な取組を促すものとする。

2　地方公共団体の議会の議員の選挙における労働者の立候補に伴う休暇等に関する法制度については、事業主の負担に配慮しつつ、かつ、他の公職の選挙における労働者の立候補に伴う休暇等に関する制度の在り方についての検討の状況も踏まえ、この法律による改正後の規定の施行の状況、前項の自主的な取組の状況等を勘案して、引き続き検討が加えられるものとする。

附　則（令四・一二・一六法一〇四）（抄）

（施行期日）

第一条　この法律は、令和六年四月一日から施行する。ただし、次の各号に掲げる規定は、当該各号に定める日から施行する。

一　〔略〕

二　〔前略〕附則〔中略〕第二十四条〔中略〕の規定　令和五年四月一日

三・四　〔略〕

附　則（令五・四・二八法一四）（抄）

（施行期日）

第一条　この法律は、公布の日から起算して六月を超えない範囲内において政令で定める日〔令五・九・一〕から施行する。〔ただし書略〕

附　則（令五・五・八法一九）（抄）

（施行期日）

第一条　この法律は、令和六年四月一日から施行する。ただし、第八十九条及び第九十四条の改正規定並びに次条第二項及び第四項（同条第二項に係る部分に限る。）〔中略〕の規定は、公布の日から施行する。

（経過措置）

第二条　この法律による改正後の地方自治法（以下この条において「新法」という。）第二百三十一条の二の三第二項の規定は、この法律の施行の日（以下この条において「施行日」という。）以後に地方自治法第二百三十一条の二の三第一項の規定による指定を受けた指定納付受託者（同項に規定する指定納付受託者をいう。以下この項において同じ。）について適用し、施行日前に同条第一項の規定による指定を受けた指定納付受託者については、なお従前の例による。

2　普通地方公共団体の長は、施行日前においても、新法第二百四十三条の二第一項の規定の例により、指定公金事務取扱者（同条第二項に規定する指定公金事務取扱者をいう。）の指定をすることができる。この場合において、その指定を受けた者は、施行日において同条第一項の規定による指定を受けたものとみなす。

3　普通地方公共団体の長は、令和八年三月三十一日までの間は、なお従前の例により、施行日の前日において現に公金の徴収又は収納に関する事務（以下この項において「従前の公金事務」という。）を行わせている者（新法第二百四十三条の二第一項の規定による指定を受けた者を除く。）に当該従前の公金事務を行わせることができる。

4　前二項の規定は、附則第七条の規定による改正後の地方公営企業法（昭和二十七年法律第二百九十二号）第三十三条の二の規定において新法第二百四十三条の二から第二百四十三条の二の六までの規定を準用する場合について準用する。

附　則（令五・五・八法二一）（抄）

（施行期日）

第一条　この法律は、令和七年四月一日から施行する。〔ただし書略〕

附　則（令五・五・一九法三一）（抄）

（施行期日）

第一条　この法律は、令和六年四月一日から施行する。〔ただし書略〕

附　則（令五・五・二六法三四）（抄）

（施行期日）

第一条　この法律は、公布の日から起算して一年を超えない範囲内において政令で定める日〔令六・四・一〕から施行する。〔ただし書略〕

附　則（令五・六・九法四八）（抄）

（施行期日）

第一条　この法律は、公布の日から起算して一年三月を超えない範囲内において政令で定める日〔令六・五・二七〕から施行する。ただし、次の各号に掲げる規定は、当該各号に定める日から施行する。

一　〔略〕

二　〔前略〕附則〔中略〕第二十二条〔中略〕の規定　公布の日から起算して一年六月を超えない範囲内において政令で定める日〔令六・一二・二〕

三・四　〔略〕

附　則（令五・六・一六法五八）（抄）

（施行期日）

第一条　この法律は、公布の日から施行する。ただし、次の各号

に掲げる規定は、当該各号に定める日から施行する。

一・二　〔略〕

三　〔前略〕附則〔中略〕第六条〔中略〕の規定　公布の日から起算して一年を超えない範囲内において政令で定める日〔令六・四・一〕

附　則（令五・六・一六法六三）（抄）

（施行期日）

第一条　この法律は、公布の日から起算して一年を超えない範囲内において政令で定める日〔令六・四・一〕から施行する。〔ただし書略〕

附　則（令五・一一・二四法七三）（抄）

（施行期日等）

第一条　この法律は、公布の日から施行する。ただし、次の各号に掲げる規定は、当該各号に定める日から施行する。

一　〔前略〕附則第五条の規定　令和六年四月一日

二　〔略〕

附　則（令五・一二・一三法八四）（抄）

（施行期日）

第一条　この法律は、公布の日から起算して一年を超えない範囲内において政令で定める日から施行する。ただし、次の各号に掲げる規定は、当該各号に定める日から施行する。

一　〔略〕

二　〔前略〕附則〔中略〕第十条の規定　公布の日から起算して二年を超えない範囲内において政令で定める日

附　則（令五・一二・二〇法八九）（抄）

（施行期日）

第一条　この法律は、公布の日から起算して十日を経過した日から施行する。〔ただし書略〕

附　則（令六・六・一二法四七）（抄）

（施行期日）

第一条　この法律は、令和六年十月一日から施行する。〔ただし書略〕

附　則（令六・六・一九法五六）（抄）

（施行期日）

第一条　この法律は、令和七年四月一日から施行する。〔ただし書略〕

附　則（令六・六・二一法五九）（抄）

（施行期日）

第一条　この法律は、公布の日から起算して二年を超えない範囲内において政令で定める日から施行する。〔ただし書略〕

附　則（令六・六・二六法六四）（抄）

（施行期日）

第一条　この法律は、令和八年一月一日から施行する。〔ただし書略〕

附　則（令六・六・二六法六五）（抄）

（施行期日）

第一条　この法律は、公布の日から起算して三月を経過した日から施行する。ただし、次の各号に掲げる規定は、当該各号に定める日から施行する。

一　次条及び附則第六条の規定　公布の日

二　第二編第十章の次に一章を加える改正規定（第二百四十条の六に係る部分に限る。）及び第二百八十七条の二第十項の改正規定（「第二百四十三条の二の七第二項」を「第二百四十三条の二の八第二項」に改める部分を除く。）　令和八年四月一日

三　第二百三十一条の四の見出し及び同条第一項、第二百四十二条の二第一項第四号ただし書並びに第二百四十三条の改正規定、第二百四十三条の二の八を第二百四十三条の二の九とし、第二百四十三条の二の七を第二百四十三条の二の八とし、第二百四十三条の二の六の次に一条を加える改正規定並びに第二百八十七条の二第十項の改正規定（「第二百四十三条の二の七第二項」を「第二百四十三条の二の八第二項」に改める部分に限る。）並びに附則第五条〔中略〕の規定　公布の日から起算して二年六月を超えない範囲内において政令で定める日

（機構指定納付受託者の指定に関する経過措置）

第二条　地方税共同機構（次項、第三項及び第五項において「機構」という。）は、前条第三号に掲げる規定の施行の日前においても、この法律による改正後の地方自治法（以下この条から附則第四条までにおいて「新法」という。）第二百四十三条の二の七第四項において準用する地方税法（昭和二十五年法律第二百二十六号）第七百四十七条の八第一項の規定の例により、機構指定納付受託者（同項に規定する機構指定納付受託者をいう。以下この項において同じ。）の指定をすることができる。この場合において、その指定を受けた機構指定納付受託者は、同日において新法第二百四十三条の二の七第四項において準用する地方税法第七百四十七条の八第一項の規定による指定を受けたものとみなす。

2　普通地方公共団体の長は、前項の規定による指定に関し必要があると認めるときは、機構に対し意見を述べることができる。

3　普通地方公共団体の長が前項の規定により意見を述べたときは、機構は、当該意見を尊重して必要な措置をとるようにしなければならない。

4　前三項の規定は、附則第十三条の規定による改正後の市町村の合併の特例に関する法律（平成十六年法律第五十九号）第四十七条の規定において新法第二百四十三条の二の七第四項の規定を準用する場合について準用する。この場合において、第二項中「普通地方公共団体」とあるのは「市町村の合併の特例に関する法律（平成十六年法律第五十九号）第二十六条第一項に規定する合併特例区（次項において「合併特例区」という。）」と、前項中「普通地方公共団体」とあるのは「合併特例区」と読み替えるものとする。

5　前各項の規定により機構の業務が行われる場合には、地方税法第八百二条第四号中「業務以外」とあるのは、「業務及び地方自治法の一部を改正する法律（令和六年法律第六十五号）附則第二条第一項から第三項までの規定（同条第四項において準用する場合を含む。）による業務以外」とする。

（新法第二百四十四条の五第二項の規定等の適用に関する経過措置）

第三条　この法律の施行の日から附則第一条第二号に掲げる規定の施行の日の前日までの間における新法第二百四十四条の五第二項の規定の適用については、同項中「をいう。次条第一項において同じ」とあるのは、「をいう」とする。

2　この法律の施行の日から附則第一条第二号に掲げる規定の施

行の日の前日までの間における附則第十二条の規定による改正後の地方独立行政法人法第二十四条の二の規定の適用については、同条中「及び第二百四十四条の六の規定」とあるのは「の規定」と、「準用する。この場合において、同条第三項中「執行機関」とあるのは、「業務を行う地方独立行政法人」と読み替えるものとする」とあるのは「準用する」とする。

（施行時特例市に関する経過措置）

第四条 地方自治法の一部を改正する法律（平成二十六年法律第四十二号）附則第二条に規定する施行時特例市に対する新法第二百五十二条の二十六の四第一項の規定の適用については、同項第一号中「又は中核市」とあるのは、「、中核市又は地方自治法の一部を改正する法律（平成二十六年法律第四十二号）附則第二条に規定する施行時特例市」とする。

（罰則に関する経過措置）

第五条 附則第一条第三号に掲げる規定の施行前にした行為に対する罰則の適用については、なお従前の例による。

（政令への委任）

第六条 この附則に定めるもののほか、この法律の施行に伴い必要な経過措置（罰則に関する経過措置を含む。）は、政令で定める。

附　則（令六・六・二六法六六）（抄）

（施行期日）

第一条 この法律は、公布の日から起算して二年を超えない範囲内において政令で定める日から施行する。〔ただし書略〕

○地方自治法施行令

昭二二・五・三
政令一六

最終改正　令六・六・一四政令二〇九

目次〔略〕

第一編　総則

（政令に定める法定受託事務）

第一条　政令に定める法定受託事務（地方自治法（昭和二十二年法律第六十七号）第二条第九項に規定する法定受託事務をいう。）で同条第十項の政令に示すものは、第一号法定受託事務（同条第九項第一号に規定する第一号法定受託事務をいう。第二百二十三条において同じ。）にあつては別表第一の上欄に掲げる政令についてそれぞれ同表の下欄に、第二号法定受託事務（同法第二条第九項第二号に規定する第二号法定受託事務をいう。第二百二十四条において同じ。）にあつては別表第二の上欄に掲げる政令についてそれぞれ同表の下欄に掲げるとおりである。

第二編　普通地方公共団体

第一章　総則

第一条の二　普通地方公共団体の設置があつた場合においては、従来当該普通地方公共団体の地域の属していた関係地方公共団体の長たる者又は長であつた者（地方自治法第百五十二条又は第二百五十二条の十七の八第一項の規定によりその職務を代理し若しくは行う者又はこれらの者であつた者を含む。）のうちからその協議により定めた者が、当該普通地方公共団体の長が選挙されるまでの間、その職務を行う。

② 前項の場合において協議が調わないときは、都道府県の設置にあつては総務大臣、市町村の設置にあつては都道府県知事は、同項に掲げる者のうちから当該普通地方公共団体の長の職務を行うべき者を定めなければならない。

③ 第一項の場合において関係地方公共団体が一であるときは、関係地方公共団体の長たる者又は長であつた者が当該普通地方公共団体の長の職務を行う。

第二条　普通地方公共団体の設置があつた場合においては、前条の規定により当該普通地方公共団体の長の職務を行う者は、予算が議会の議決を経て成立するまでの間、必要な収支につき暫定予算を調製し、これを執行するものとする。

第三条　普通地方公共団体の設置があつた場合においては、第一条の二の規定により当該普通地方公共団体の長の職務を行う者は、必要な事項につき条例又は規則が制定施行されるまでの間、従来その地域に施行された条例又は規則を当該普通地方公共団体の条例又は規則として当該地域に引き続き施行することができる。

第四条　普通地方公共団体の設置があつた場合においては、当該普通地方公共団体の選挙管理委員は、議会において選挙されるまでの間、従来その地域の属していた地方公共団体の選挙管理委員たる者又は選挙管理委員であつた者の互選により定めた者をもつてこれに充てるものとする。ただし、従来その地域の属していた地方公共団体の選挙管理委員たる者又は選挙管理委員であつた者の数が新たに設置された普通地方公共団体の選挙管理委員の定数を超えないときは、その者をもつてこれに充て、なお不足があるとき、又は従来その地域の属していた地方公共団体の選挙管理委員たる者若しくは選挙管理委員であつた者がないときは、第一条の二の規定による当該普通地方公共団体の長の職務を行う者において、従来その地域に属していた地方公共団体の選挙管理委員の補充員たる者又は補充員であつた者（これらの者がないときは、当該普通地方公共団体の議会の議員及び長の選挙権を有する者）のうちから選任した者をもつてこれに充てるものとする。

② 前項の規定による互選を行うべき場所及び日時は、第一条の二の規定による当該普通地方公共団体の長の職務を行う者において、あらかじめ関係人にこれを通知しなければならない。

第五条　普通地方公共団体の廃置分合があつた場合において、当該廃置分合により他の普通地方公共団体に属することとなつた地域があるときは、従来その地域においてその地域の属していた普通地方公共団体が処理していた事務は、当該他の普通地方公共団体が承継する。その地域により承継の区分を定めることが困難であるときは、都道府県の廃置分合にあつては総務大臣、市町村の廃置分合にあつては都道府県知事は、事務の分界を定め、又は承継すべき普通地方公共団体を指定するものとする。

② 前項の場合において、消滅した普通地方公共団体の収支は、消滅の日をもつて打ち切り、当該普通地方公共団体の長又はその職務を代理し、若しくは行う者であつた者がこれを決算する。

③ 前項の規定による決算は、事務を承継した各普通地方

公共団体の長において監査委員の審査に付し、その意見を付けて議会の認定に付さなければならない。

④　前項の規定による意見の決定は、監査委員の合議によるものとする。

⑤　第三項の普通地方公共団体の長は、同項の規定により議会の認定に付した決算の要領を住民に公表しなければならない。

⑥　第三項の普通地方公共団体の長は、同項の規定による決算の認定に関する議案が否決された場合において、当該議決を踏まえて必要と認める措置を講じたときは、速やかに、当該措置の内容を議会に報告するとともに、これを公表しなければならない。

第六条　普通地方公共団体の境界変更があつたため事務の分割を必要とするときは、その事務の承継については、都道府県にあつては総務大臣、市町村にあつては都道府県知事がこれを定める。

第七条　都道府県知事、地方自治法第二百五十二条の十九第一項の指定都市（以下「指定都市」という。）の市長又は港湾管理者の長（都道府県知事及び指定都市の市長を除く。）は、公有水面の埋立て（干拓を含む。以下同じ。）の竣功の認可をし、又は竣功の通知を受理した場合において、当該公有水面の埋立てにより造成されるべき土地の所属すべき市町村を定めるため同法第九条の三に規定する公有水面のみに係る市町村の境界変更又は公有水面のみに係る市町村の境界の裁定についてその手続中である旨の通報を総務大臣又は都道府県知事から受けているときは、当該認可をし、又は通知を受理した旨を直ちに総務大臣又は都道府県知事に通知しなければならない。

第八条から第九十条まで　削除〔昭三八・八政令二〇六〕

第二章　直接請求

第一節　条例の制定及び監査の請求

第九十一条　地方自治法第七十四条第一項の規定により普通地方公共団体の条例の制定又は改廃の請求をしようとする代表者（以下「条例制定又は改廃請求代表者」という。）は、その請求の要旨（千字以内）その他必要な事項を記載した条例制定又は改廃請求書を添え、当該普通地方公共団体の長に対し、文書をもつて条例制定又は改廃請求代表者証明書の交付を申請しなければならない。

②　前項の規定による申請があつたときは、当該普通地方公共団体の長は、直ちに市町村の選挙管理委員会に対し、条例制定又は改廃請求代表者が選挙人名簿に登録された者であるかどうかの確認を求め、その確認があつたときは、これに同項の証明書を交付し、かつ、その旨を告示しなければならない。

③　第一項の証明書の交付を受けた条例制定又は改廃請求代表者が二人以上ある場合において、その一部の条例制定又は改廃請求代表者が地方自治法第七十四条第六項各号のいずれかに該当するに至つたときは、他の条例制定又は改廃請求代表者は、当該証明書を添えて、当該証明書を交付した普通地方公共団体の長に届け出て、当該証明書に条例制定又は改廃請求代表者の変更に係る記載を受けなければならない。

④　市町村の選挙管理委員会は、第一項の証明書の交付を受けた条例制定又は改廃請求代表者が地方自治法第七十四条第六項各号のいずれかに該当することを知つたときは、直ちにその旨を当該証明書を交付した普通地方公共団体の長に通知しなければならない。

⑤　第一項の証明書を交付した普通地方公共団体の長は、第三項の届出又は前項の通知を受けた場合その他当該条例制定又は改廃請求代表者が地方自治法第七十四条第六項各号のいずれかに該当することを知つたときは、直ちにその旨を告示しなければならない。

第九十二条　条例制定又は改廃請求代表者は、条例制定又は改廃請求書又はその写し及び条例制定若しくは改廃請求代表者証明書又はその写しを付して、地方自治法第七十四条第一項に規定する選挙権を有する者（以下この編において「選挙権を有する者」という。）に対し、署名（盲人が公職選挙法施行令（昭和二十五年政令第八十九号）別表第一に定める点字で自己の氏名を記載することを含む。以下この節において同じ。）を求めなければならない。

②　条例制定又は改廃請求代表者は、選挙権を有する者に委任して、その者の属する市町村の選挙権を有する者について、前項の規定により署名を求めることができる。この場合においては、委任を受けた者は、条例制定若しくは改廃請求書又はその写し及び条例制定若しくは改廃請求代表者証明書又はその写し並びに署名を求めるための条例制定又は改廃請求代表者の委任状を付した条例制定又は改廃請求者署名簿を用いなければならない。

③　前二項の署名は、前条第二項の規定による告示があつた日から都道府県及び指定都市にあつては二箇月以内、指定都市以外の市町村にあつては一箇月以内でなければ求めることができない。ただし、地方自治法第七十四条第七項の規定により署名を求めることができないこととなつた区域においては、その期間は、同項の規定により署名を求めることができないこととなつた期間を除き、前条第二項の規定による告示があつた日から都道府県及び指定都市にあつては六十二日以内、指定都市以外の市

町村にあつては三十一日以内とする。

④　地方自治法第七十四条第七項に規定する政令で定める期間は、次の各号に掲げる選挙の区分に応じ、当該各号に定める日から当該選挙の期日までの間とする。

一　任期満了による選挙　任期満了の日前六十日に当たる日

二　衆議院の解散による選挙　解散の日の翌日

三　衆議院議員又は参議院議員の公職選挙法（昭和二十五年法律第百号）第三十三条の二第二項に規定する統一対象再選挙又は補欠選挙　当該選挙に係る選挙を行うべき事由が生じた旨の告示があつた日の翌日又は当該選挙を行うべき期日（同条第三項の規定によるものについては、参議院議員の任期満了の日）前六十日に当たる日のいずれか遅い日

四　都道府県の設置による都道府県の議会の議員の一般選挙又は長の選挙　地方自治法第六条の二の規定により都道府県が設置された日

五　都道府県の議会の議員の増員選挙　地方自治法第九十条第三項の規定による議員の定数の増加に係る同条第一項の条例の施行の日

六　市町村の設置による市町村の議会の議員の一般選挙又は長の選挙　地方自治法第七条の規定により市町村が設置された日

七　市町村の議会の議員の増員選挙　地方自治法第九十一条第三項の規定による議員の定数の増加に係る同条第一項の条例の施行の日（市町村の合併の特例に関する法律（平成十六年法律第五十九号）第八条第一項の規定の適用がある場合には、同法第二条第一項に規定する市町村の合併の日）

八　前各号に掲げる選挙以外の選挙　当該選挙に係る選挙を行うべき事由が生じた旨の告示があつた日の翌日

⑤　前項第三号又は第八号に規定する選挙を行うべき事由が生じた旨の告示があつた日とは、当該選挙に関し、公職選挙法第百九十九条の五第四項第四号から第六号までに規定する告示があつた日をいう。

第九十三条　条例制定又は改廃請求者署名簿は、都道府県に関する請求にあつては市町村ごとに、指定都市に関する請求にあつては区又は総合区ごとに、これを作製しなければならない。

第九十三条の二　都道府県又は指定都市に関する請求につき当該請求に係る区域の一部について第九十二条第三項ただし書の規定の適用がある場合には、条例制定又は改廃請求代表者は、条例制定又は改廃請求者署名簿が作製される区域ごとに同項の規定を適用したとしたならば当該区域における同項に規定する期間が満了することとなる日の翌日から十日を経過する日までに、当該区域に係る条例制定又は改廃請求者署名簿を市町村の選挙管理委員会に仮提出しなければならない。ただし、当該仮提出をすべき期間内に次条第一項の規定による提出をするときは、この限りでない。

②　前項の規定により仮提出された条例制定又は改廃請求者署名簿については、条例制定又は改廃請求代表者が次条第一項に規定する日までに同項の規定による提出をする旨を申し出たときは、その申出があつたことをもつて同項の規定による提出があつたものとみなす。

第九十四条　条例制定又は改廃請求者署名簿に署名した者の数が地方自治法第七十四条第五項の規定により告示された選挙権を有する者の総数の五十分の一以上の数となつたときは、条例制定又は改廃請求代表者は、第九十二条第三項の規定による期間満了の日（同項ただし書の規定が適用される場合には、当該請求に係る区域の全部について同項に規定する期間が満了する日をいう。）の翌日から都道府県又は指定都市に関する請求にあつては十日以内、指定都市以外の市町村に関する請求にあつては五日以内に、条例制定又は改廃請求者署名簿（署名簿が二冊以上に分れているときは、これらを一括したもの）を市町村の選挙管理委員会に提出しなければならない。

②　市町村の選挙管理委員会は、前項の規定による提出を受け、条例制定又は改廃請求者署名簿の署名の有効無効を決定する場合において、同一人に係る二以上の有効署名があるときは、その一を有効と決定しなければならない。

③　市町村の選挙管理委員会は、署名審査録を作製し、署名の効力の決定に関し、関係人の出頭及び証言を求めた次第並びに無効と決定した署名についての決定の次第その他必要な事項をこれに記載し、条例制定又は改廃請求者署名簿の署名の効力の確定するまでの間、これを保存しなければならない。

④　市町村の選挙管理委員会は、条例制定又は改廃請求者署名簿の仮提出又は提出が前条第一項の規定による期間又は第一項の規定による期間を経過してなされたものであるときは、これを却下しなければならない。

第九十五条　条例制定又は改廃請求者署名簿に署名した者は、条例制定又は改廃請求代表者が前条第一項の規定により条例制定又は改廃請求者署名簿を市町村の選挙管理委員会に提出するまでの間は、条例制定又は改廃請求代表者を通じて、当該署名簿の署名を取り消すことができる。

第九十五条の二　市町村の選挙管理委員会は、地方自治法第七十四条の二第一項の規定による署名簿の署名の証明

が終了したときは、直ちに条例制定又は改廃請求者署名簿に署名した者の総数及び有効署名の総数を告示し、かつ、公衆の見易い方法により掲示しなければならない。

第九十五条の三 市町村の選挙管理委員会は、地方自治法第七十四条の二第五項の規定による証明の修正をする場合においては、その修正が異議の決定に基く旨並びに異議の申出人の氏名及び異議の決定の年月日を条例制定又は改廃請求者署名簿に附記するとともに、署名審査録にその修正の次第を記載しなければならない。

第九十五条の四 市町村の選挙管理委員会は、地方自治法第七十四条の二第六項の規定により条例制定又は改廃請求者署名簿を条例制定又は改廃請求代表者に返付する場合においては、当該署名簿の末尾に、署名した者の総数並びに有効署名及び無効署名の総数を記載しなければならない。

第九十六条 地方自治法第七十四条第一項の規定による請求は、同法第七十四条の二第六項の規定により返付を受けた条例制定又は改廃請求者署名簿の署名の効力の決定に関し、条例制定若しくは改廃請求代表者において不服がないとき、又は条例制定若しくは改廃請求代表者においてした審査の申立て若しくは訴訟の裁決若しくは判決が確定したときは、その返付を受けた日又はその効力の確定した日から、都道府県又は指定都市に関する請求にあつては十日以内、指定都市以外の市町村に関する請求にあつては五日以内に、条例制定又は改廃請求書に同法第七十四条第五項の規定により告示された選挙権を有する者の総数の五十分の一以上の者の有効署名があることを証明する書面及び条例制定又は改廃請求者署名簿を添えてこれをしなければならない。

② 前項の規定による有効署名があることを証明する書面には、条例制定又は改廃請求者署名簿の署名の効力の決定に関する裁決書若しくは判決書又は地方自治法第七十四条の二第十項の規定による通知書があるときは、これを添えなければならない。

第九十七条 前条第一項の請求があつた場合において、条例制定又は改廃請求者署名簿の有効署名の総数が地方自治法第七十四条第五項の規定により告示された選挙権を有する者の総数の五十分の一の数に達しないとき、又は前条第一項の規定による期間を経過しているときは、普通地方公共団体の長は、これを却下しなければならない。

② 前条第一項の請求があつた場合において、その請求が適法な方式を欠いているときは、都道府県又は指定都市に関する請求にあつては五日以内、指定都市以外の市町村に関する請求にあつては三日以内の期限を付してこれを補正させなければならない。

第九十八条 第九十六条の請求を受理したときは、普通地方公共団体の長は、直ちにその旨を条例制定又は改廃請求代表者に通知するとともに、その者の住所氏名及び請求の要旨を告示し、且つ、公衆の見易いその他の方法により公表しなければならない。

② 普通地方公共団体の長は、地方自治法第七十四条第三項の規定による議会の審議の結果を条例制定又は改廃請求代表者に通知するとともに、これを告示し、かつ、公衆の見やすいその他の方法により公表しなければならない。

第九十八条の二 議会は、地方自治法第七十四条第四項の規定により意見を述べる機会を与えるときは、条例制定又は改廃請求代表者に対し、その日時、場所その他必要な事項を通知するとともに、これらの事項を告示し、かつ、公衆の見やすいその他の方法により公表しなければならない。

② 議会は、条例制定又は改廃請求代表者が複数であるときは、これらの者のうち地方自治法第七十四条第四項の規定により意見を述べる機会を与える条例制定又は改廃請求代表者の数を定めるものとする。

③ 議会は、前項の規定により意見を述べる機会を与える条例制定又は改廃請求代表者の数を定めたときは、第一項の通知に併せて、その旨を条例制定又は改廃請求代表者に通知しなければならない。

第九十八条の三 地方自治法第七十四条の二及び第七十四条の三の規定を指定都市に関する直接請求に適用する場合においては、市町村の選挙管理委員会に関する規定は、区及び総合区の選挙管理委員会に関する規定とみなす。ただし、同法第七十四条の二第十項の規定による送付については、市の選挙管理委員会を経由するものとする。

② この節の規定を指定都市に関する直接請求に適用する場合においては、市町村の選挙管理委員会に関する規定は区及び総合区の選挙管理委員会に関する規定とみなし、第九十二条第二項中「市町村の」とあるのは「区又は総合区の区域内において」とする。

第九十八条の四 普通地方公共団体の条例制定又は改廃請求書、条例制定又は改廃請求代表者証明書、条例制定又は改廃請求署名簿、条例制定又は改廃請求署名収集委任状、条例制定又は改廃請求署名審査録及び条例制定又は改廃請求署名収集証明書は、命令で定める様式によりこれを調製しなければならない。

第九十九条 第九十一条から第九十八条まで、第九十八条の三及び前条の規定は、地方自治法第七十五条第一項の規定による普通地方公共団体の事務の監査の請求について準用する。この場合において、次の表の上欄に掲げる規定中同表の中欄に掲げる字句は、それぞれ同表の下欄に掲げる字句に読み替えるものとする。

第九十一条第一項及び第二項	当該普通地方公共団体の長	監査委員
第九十一条第三項から第五項まで	地方自治法第七十四条第六項各号	地方自治法第七十五条第六項において準用する同法第七十四条第六項各号
	普通地方公共団体の長	監査委員
第九十二条第一項	地方自治法第七十四条第一項	地方自治法第七十五条第一項
第九十二条第三項ただし書及び第四項	地方自治法第七十四条第七項	地方自治法第七十五条第六項において準用する同法第七十四条第七項
第九十四条第一項	地方自治法第七十四条第五項	地方自治法第七十五条第六項において準用する同法第七十四条第五項
第九十五条の二	地方自治法第七十四条の二第一項	地方自治法第七十五条第六項において準用する同法第七十四条の二第一項
第九十五条の三	地方自治法第七十四条の二第五項	地方自治法第七十五条第六項において準用する同法第七十四条の二第五項
第九十五条の四	地方自治法第七十四条の二第六項	地方自治法第七十五条第六項において準用する同法第七十四条の二第六項
第九十六条第一項	地方自治法第七十四条第一項	地方自治法第七十五条第一項
	同法第七十四条の二第六項	同条第六項において準用する同法第七十四条の二第六項
	同法第七十四条第五項	同法第七十五条第六項において準用する同法第七十四条第五項
第九十六条第二項	地方自治法第七十四条の二第十項	地方自治法第七十五条第六項において準用する同法第七十四条の二第十項
第九十七条第一項	地方自治法第七十四条第五項	地方自治法第七十五条第六項において準用する同法第七十四条第五項
	普通地方公共団体の長	監査委員
第九十八条第一項	普通地方公共団体の長	監査委員
第九十八条第二項	普通地方公共団体の長	監査委員
	第七十四条第三項の規定による議会の審議	第七十五条第三項の規定による事務の監査
第九十八条の三第一項	地方自治法第七十四条の二及び第七十四条の三	地方自治法第七十五条第六項において準用する同法第七十四条の二及び第七十四条の三
第九十八条の三第一項ただし書	同法第七十四条の二第十項	同法第七十五条第六項において準用する同法第七十四条の二第十項

第二節　解散及び解職の請求

第百条　第九十一条から第九十七条まで、第九十八条第一項、第九十八条の三及び第九十八条の四の規定は、地方自治法第七十六条第一項の規定による普通地方公共団体の議会の解散の請求について準用する。この場合において、次の表の上欄に掲げる規定中同表の中欄に掲げる字句は、それぞれ同表の下欄に掲げる字句に読み替えるものとする。

第九十一条第一項	普通地方公共団体の長	普通地方公共団体

及び第二項		の選挙管理委員会
第九十一条第三項	地方自治法第七十四条第六項各号	地方自治法第七十六条第四項において準用する同法第七十四条第六項各号
	普通地方公共団体の長	普通地方公共団体の選挙管理委員会
第九十一条第四項	地方自治法第七十四条第六項各号	地方自治法第七十六条第四項において準用する同法第七十四条第六項各号
	知つたとき	知つたとき（当該請求が都道府県又は指定都市に関する場合に限る。）
	普通地方公共団体の長	普通地方公共団体の選挙管理委員会
第九十一条第五項	普通地方公共団体の長	普通地方公共団体の選挙管理委員会
	地方自治法第七十四条第六項各号	地方自治法第七十六条第四項において準用する同法第七十四条第六項各号
第九十二条第三項	地方自治法第七十四条	地方自治法第七十
及び第四項	第七項	六条第四項において準用する同法第七十四条第七項
第九十四条第一項	地方自治法第七十四条第五項	地方自治法第七十六条第四項において準用する同法第七十四条第五項
	五十分の一	三分の一（その総数が四十万を超え八十万以下の場合にあつてはその四十万を超える数に六分の一を乗じて得た数と四十万に三分の一を乗じて得た数とを合算して得た数、その総数が八十万を超える場合にあつてはその八十万を超える数に八分の一を乗じて得た数と四十万に六分の一を乗じて得た数と四十万に三分の一を乗じて得た数とを合算して得た数）
第九十五条の二	地方自治法第七十四条の二第一項	地方自治法第七十六条第四項において準用する同法第七十四条の二第一項
第九十五条の三	地方自治法第七十四条の二第五項	地方自治法第七十六条第四項において準用する同法第七十四条の二第五項
第九十五条の四	地方自治法第七十四条の二第六項	地方自治法第七十六条第四項において準用する同法第七十四条の二第六項
第九十六条第一項	地方自治法第七十四条第一項	地方自治法第七十六条第一項
	同法第七十四条の二第六項	同条第四項において準用する同法第七十四条の二第六項
	同法第七十四条第五項	同法第七十六条第四項において準用する同法第七十四条第五項
	五十分の一	三分の一（その総数が四十万を超え八十万以下の場合にあつてはその四十万を超える数に六分の一を乗じて得た数と四十万に三分の一を乗じて

		得た数とを合算して得た数、その総数が八十万を超える場合にあつてはその八十万を超える数に八分の一を乗じて得た数と四十万に六分の一を乗じて得た数と四十万に三分の一を乗じて得た数とを合算して得た数）
第九十六条第二項	地方自治法第七十四条の二第十項	地方自治法第七十六条第四項において準用する同法第七十四条の二第十項
第九十七条第一項	地方自治法第七十四条第五項	地方自治法第七十六条第四項において準用する同法第七十四条第五項
	五十分の一	三分の一（その総数が四十万を超え八十万以下の場合にあつてはその四十万を超える数に六分の一を乗じて得た数と四十万に三分の一を乗じて得た数とを合算して得た数、その総数が八十万を超え

		る場合にあつてはその八十万を超える数に八分の一を乗じて得た数と四十万に六分の一を乗じて得た数と四十万に三分の一を乗じて得た数とを合算して得た数）
	普通地方公共団体の長	普通地方公共団体の選挙管理委員会
第九十八条第一項	普通地方公共団体の長	普通地方公共団体の選挙管理委員会
第九十八条の三第一項	地方自治法第七十四条の二及び第七十四条の三	地方自治法第七十六条第四項において準用する同法第七十四条の二及び第七十四条の三
	同法第七十四条の二第十項	同法第七十六条第四項において準用する同法第七十四条の二第十項

第百条の二　普通地方公共団体の議会の解散の投票は、前条において準用する第九十八条第一項の規定による告示の日から六十日以内においてすみやかに行わなければならない。

②　前項の投票の期日は、都道府県に関する請求にあつては少くともその三十日前に、市町村に関する請求にあつては少くともその二十日前に、これを告示しなければならない。

第百一条　二以上の普通地方公共団体の議会の解散の請求があつたときは、解散の投票は一の投票を以て合併してこれを行うことを妨げない。

第百二条　普通地方公共団体の議会の議員がすべてなくなつたときは、解散の投票は、これを行わない。

第百三条　普通地方公共団体の議会の解散の投票の投票区及び開票区は、当該普通地方公共団体の議会の議員の選挙の投票区及び開票区による。

第百四条　普通地方公共団体の選挙管理委員会は、第百条において準用する第九十六条の規定による議会の解散請求書を受理したときは、二十日以内に議会から弁明の要旨（千字以内）その他必要な事項を記載した弁明書を徴さなければならない。

②　前項の解散請求書に記載した請求の要旨及び同項の弁明書に記載した弁明の要旨は、第百条の二第二項又は地方自治法第八十五条第一項において準用する公職選挙法第百十九条第三項の告示の際併せてこれを告示するとともに、投票所の入口その他公衆の見やすい場所を選び、原文のままこれを掲示しなければならない。ただし、前項の弁明書の提出がないときは、弁明の要旨については、この限りでない。

第百五条　地方自治法第八十五条第一項において準用する公職選挙法第二百二条及び第二百六条に規定する争訟については、異議の申出に対する決定はその申出を受けた日から十日以内、審査の申立てに対する裁決は審査の申立てを受理した日から二十日以内に、これをしなければならない。

第百六条　公職選挙法施行令第二十二条の二、第二十四条第一項及び第二項、第二十五条から第二十九条まで、第三十一条から第三十四条の二まで、第三十五条第一項（引き続き都道府県の区域内に住所を有することの確認に関する部分を除く。）及び第二項、第三十六条、第三十七条、第三十九条から第四十四条まで、第四十四条の二（在外選挙人名簿に関する部分を除く。）、第四十五条、第四十六条、第四十八条第一項から第四項まで、第四十八条の二、第四章の二（第四十八条の三（同令第四十九条の五第二項及び第九十三条第一項に関する部分に限る。）を除く。）、第四十九条の三、第四章の四、第五章（第五十条第五項（引き続き都道府県の区域内に住所を有することの確認に関する部分に限る。）及び第七項、第五十三条第一項（引き続き都道府県の区域内に住所を有することの確認に関する部分及び同令第五十九条の七第一項に規定する南極選挙人証の交付を受けた者に関する部分に限る。）、第五十五条第六項及び第七項、同条第八項及び第九項（公職選挙法第四十九条第七項及び第九項の規定による投票に関する部分に限る。）、第五十六条第一項及び第五項（衆議院比例代表選出議員の選挙に関する部分及び参議院比例代表選出議員の選挙に関する部分に限る。）、第五十九条の三第一項（在外投票に関する部分に限る。）、同条第五項（在外選挙人名簿に関する部分に限る。）、第五十九条の四第三項及び第四項（引き続き都道府県の区域内に住所を有することの確認に関する部分に限る。）、第五十九条の五（衆議院比例代表選出議員の選挙に関する部分及び参議院比例代表選出議員の選挙に関する部分に限る。）、第五十九条の五の四第三項、第六項及び第七項（引き続き都道府県の区域内に住所を有することの確認に関する部分に限る。）、第五十九条の六から第五十九条の八まで、第六十条第二項（同法第四十九条第七項から第九項までの規定による投票に関する部分に限る。）、第六十一条第一項（在外選挙人名簿に関する部分に限る。）、同条第四項、同条第五項（在外選挙人の不在者投票に関する部分に限る。）、第六十二条第二項並びに第六十三条第二項及び第三項（同法第四十九条第七項から第九項までの規定による投票に関する部分に限る。）を除く。）、第六十六条、第六十七条第一項から第六項まで、第六十八条、第六十九条（政党その他の政治団体に関する部分を除く。）、第七十条の二第一項（政党その他の政治団体に関する部分、候補者届出政党に関する部分、衆議院名簿届出政党等に関する部分及び参議院名簿届出政党等に関する部分を除く。）、第七十条の三、第七十条の四第一項本文、第二項本文及び第三項、第七十条の五第一項、第三項、第五項、第六項、第八項及び第十項、第七十条の六第一項、第三項、第五項、第六項、第八項、第十項、第十一項、第十三項及び第十五項、第七十条の七第一項本文、第二項本文、第三項、第四項本文、第五項本文及び第六項、第七十条の八、第七十一条（在外投票に関する部分を除く。）、第七十二条から第七十四条まで、第七十五条（在外選挙人名簿に関する部分を除く。）、第七十六条（在外投票に関する部分を除く。）、第七十七条、第七十八条第一項から第四項まで、第八十条から第八十二条まで、第八十三条の二から第八十五条まで、第八十六条第一項、第八十七条第一項、第十章、第百八条第一項及び第三項（衆議院比例代表選出議員の選挙に関する部分及び参議院比例代表選出議員の選挙に関する部分並びに推薦届出者に関する部分及び候補者届出政党に関する部分を除く。）、第百二十九条第一項、第百三十一条第一項、第二項（在外選挙人名簿に関する部分を除く。）及び第三項、第百三十一条の二、第百四十二条第一項（同法第四十九条第一項の規定による投票に関する部分に限る。）及び第二項、第百四十二条の二（同法第四十九条第七項及び第九項の規定による投票に関する部分を除く。）、第百四十二条の三並びに第百四十六条の規定は、普通地方公共団体の議会の解散の投票について準用する。この場合において、次の表の上欄に掲げる同令の規定中同表の中欄に掲げる字句は、それぞれ同表の下欄に掲げる字句に読み替えるものとする。

第二十二条の二	その抄本を用いて選挙された衆議院議員、参議院議員又は地方公共団体の議会の議員若しくは長の任期間	解散の投票の結果が確定するまでの間
第四十一条第四項	公職の候補者（公職の候補者たる参議院名簿登載者を含む。）の氏名若しくは衆議院名簿届出政党等若しくは参議院名簿届出政党等の名称若しくは略称又は公職の候補者に対して	賛否又は
第四十五条	当該選挙に係る衆議院議員、参議院議員又は地方公共団体の議会の議員若しくは長の任期間（当該選挙に用いなかつた投票用紙にあつては、次の各号に掲げる選挙の区分に応じ、当該各号に定める期間）	解散の投票の結果が確定するまでの間

第五十六条第一項及び第二項	当該選挙の公職の候補者一人の氏名	賛否
第五十六条第四項	公職の候補者一人の氏名	賛否
第五十六条第五項	公職の候補者の氏名	賛否
第五十九条の五	当該選挙の公職の候補者一人の氏名	賛否
第五十九条の五の二	公職の候補者一人の氏名	賛否
第六十九条	公職の候補者、候補者届出政党、衆議院名簿届出政党等又は参議院名簿届出政党等	普通地方公共団体の議会又はその解散請求代表者
第七十条の二第一項	公職の候補者の届出に係る者については当該公職の候補者の氏名	普通地方公共団体の議会の届出に係る者については当該普通地方公共団体の議会の名称、解散請求代表者の届出に係る者については当該解散請求代表者の氏名
第七十条の五第一項、第三項、第六項及び第八項並びに第七十条の六第一項、第三項、第六項、第八項、第十一項及び第十三項	二人	各々三人
	一人	各々二人
第七十二条	同一の公職の候補者（公職の候補者たる参議院名簿登載者を含む。）、同一の衆議院名簿届出政党等又は同一の参議院名簿届出政党等の得票数（参議院名簿届出政党等の得票数にあつては、当該参議院名簿届出政党等に係る各参議院名簿登載者（当該選挙の期日において公職の候補者たる者に限る。）の得票数を含むものをいう。）	賛否の投票数
第七十三条	各公職の候補者（公職の候補者たる参議院名簿登載者を含む。）、各衆議院名簿届出政党等又は各参議院名簿届出政党等の得票数（各参議院名簿届出政党等の得票数にあつては、当該参議院名簿届出政党等に係る各参議院名簿登載者（当該選挙の期日において公職の候補者たる者に限る。）の得票数を含むものをいう。）	賛否の投票数
第七十七条第一項	当該選挙に係る衆議院議員、参議院議員又は地方公共団体の議会の議員若しくは長の任期間	解散の投票の結果が確定するまでの間
第八十四条	各公職の候補者（公職の候補者たる参議院名簿登載者を含む。）、各衆議院名簿届出政党等又は各参議院名簿届出政党等の得票総数（各参議院名簿届出政党等の得票総数にあつては、当該参議院名簿届出政党等に係る各参議院名簿登載者（当該選挙の期日において公職の候補者たる者に限る。）の得票総数を含むものをいう。）	賛否の投票総数
第八十六条第一項	当該選挙に係る衆議院議員、参議院議員又は地方公共団体の議会の議員若しくは長の任期間	解散の投票の結果が確定するまでの間
第百八条第一項	設置者が公職の候補者	設置者が普通地方公共団体の議会
	当該公職の候補者の氏名	当該普通地方公共団体の議会の名称、設置者が解散請求代表者である

	場合には当該解散請求代表者の氏名

第百七条　普通地方公共団体の議会及びその解散請求代表者は、左に掲げる施設を使用して、演説会等を開催することができる。

一　学校（学校教育法（昭和二十二年法律第二十六号）第一条に規定する学校及び就学前の子どもに関する教育、保育等の総合的な提供の推進に関する法律（平成十八年法律第七十七号）第二条第七項に規定する幼保連携型認定こども園をいう。）及び公民館（社会教育法（昭和二十四年法律第二百七号）第二十一条に規定する公民館をいう。）

二　地方公共団体の管理に属する公会堂

三　前各号に掲げるものの外、市町村の選挙管理委員会の指定する施設

②　前項に規定する演説会等の開催のための施設は、学校にあつてはその授業、研究又は諸行事、その他の施設にあつては業務又は諸行事に支障がある場合においては、これを使用して演説会等を開催することができない。

③　第一項に規定する演説会等の開催のための施設の使用に要する費用の額は、その管理者において市町村の選挙管理委員会の承認を経てこれを定め、あらかじめ、公示しておかなければならない。

④　普通地方公共団体の議会及びその解散請求代表者は、演説会等を開催しようとする場合において、第一項各号の施設を使用しようとするときは、前項の規定による費用を、あらかじめ、その管理者に支払わなければならない。

第百八条　地方自治法第八十五条第一項の規定により、普通地方公共団体の議会の解散の投票に公職選挙法中普通地方公共団体の選挙に関する規定を準用する場合には、次の表の上欄に掲げる同法の規定中同表の中欄に掲げる字句は、それぞれ同表の下欄に掲げる字句に読み替えるものとする。

第三十七条第二項	有する者	有する者（当該解散の請求を受けている普通地方公共団体の議会の議員又はその解散請求代表者を除く。）
第三十八条第三項	公職の候補者	普通地方公共団体の議会の議員又はその解散請求代表者
第四十六条第一項	当該選挙の公職の候補者一人の氏名	賛否
第四十六条の二第一項	条例で	選挙管理委員会が
	投票用紙に氏名が印刷された公職の候補者のうちその投票しようとするもの一人に対して、投票用紙の記号を記載する欄	普通地方公共団体の議会の解散に賛成するときは投票用紙の賛成の記載欄に○の記号を、これに反対するときは反対の記載欄
第四十六条の二第二項	第四十八条第一項	地方自治法第八十五条第一項において準用する第四十八条第一項
	当該選挙の公職の候補者の氏名	賛否
	公職の候補者（公職の候補者たる参議院名簿登載者を含む。）一人の氏名	が指示する賛否
	公職の候補者一人に対して	の指示に従い賛成の記載欄又は反対の記載欄に
	第六十八条第一項第一号	同法第八十五条第一項において準用する第六十八条第一項第一号
	「公職の候補者の氏名」	「賛否をともに」
	公職の候補者に対して○の記号	賛成の記載欄及び反対の記載欄のいずれにも○の記号を
	公職の候補者の氏名のほか、他事を記載したもの。ただし、職業、身分、住所又は敬称の類を記入したものは、この限りでない。	賛否のほか、他事を記載したもの
	公職の候補者の氏名を自書しないもの	賛否を自書しないもの

条項	読み替えられる字句	読み替える字句
	公職の候補者の何人	賛否
	公職の候補者のいずれに対して○の記号	賛成の記載欄又は反対の記載欄のいずれに対して○の記号を記載したか
第四十八条第一項	当該選挙の公職の候補者の氏名	賛否
第四十八条第二項	公職の候補者（公職の候補者たる参議院名簿登載者を含む。）一人の氏名、一の衆議院名簿届出政党等の名称若しくは略称又は一の参議院名簿届出政党等の名称若しくは略称	賛否
第五十二条	被選挙人の氏名又は政党その他の政治団体の名称若しくは略称	賛否
第六十一条第二項	有する者	有する者（当該解散の請求を受けている普通地方公共団体の議会の議員又はその解散請求代表者を除く。）
第六十二条第一項	一人を定め	各々二人を定め
第六十二条第二項第一号	公職の候補者	普通地方公共団体の議会の解散請求代表者
第六十二条第十項	公職の候補者	普通地方公共団体の議会の議員又はその解散請求代表者
第六十八条第一項第四号	二人以上の公職の候補者の氏名を	賛否をともに
第六十八条第一項第六号及び第七号	公職の候補者の氏名	賛否
第六十八条第一項第八号	公職の候補者の何人を記載したか	賛否
第七十一条	当該選挙にかかる議員又は長の任期間	解散の投票の結果が確定するまでの間
第七十五条第三項	有する者	有する者（当該解散の請求を受けている普通地方公共団体の議会の議員又はその解散請求代表者を除く。）
第八十条第一項	各公職の候補者（公職の候補者たる参議院名簿登載者を含む。第三項において同じ。）、各衆議院名簿届出政党等又は各参議院名簿届出政党等の得票総数（各参議院名簿届出政党等の得票総数にあつては、当該参議院名簿届出政党等に係る各参議院名簿登載者（当該選挙の期日において公職の候補者たる者に限る。）の得票総数を含むものをいう。第三項において同じ。）	賛否の投票総数
第八十条第二項	各公職の候補者の得票総数	賛否の投票総数
第八十条第三項	各公職の候補者、各衆議院名簿届出政党等又は各参議院名簿届出政党等の得票総数	賛否の投票総数
第八十三条第二項	当該選挙に係る議員又は長の任期間	解散の投票の結果が確定するまでの間
第八十三条第三項	当該選挙にかかる議員又は長の任期間	解散の投票の結果が確定するまでの間
第百条第五項	前各項	地方自治法施行令第百二条の規定
第百二十七条	第百条第四項	地方自治法施行令第百二条
第百三十一条第一項第四号	参議院（選挙区選出）議員又は都道府県知事の選挙	都道府県の議会の解散の投票

	公職の候補者一人	都道府県の議会又はその解散請求代表者
第百三十一条第一項第五号	地方公共団体の議会の議員又は市町村長の選挙	市町村の議会の解散の投票
	公職の候補者一人	市町村の議会又はその解散請求代表者
第百三十二条	第百二十九条の規定にかかわらず、選挙の当日においても	普通地方公共団体の議会の解散の投票の当日は
第百三十八条第二項	特定の候補者の氏名若しくは政党その他の政治団体の名称	普通地方公共団体の議会の解散の賛否
第百三十八条の三	公職に就くべき者	普通地方公共団体の議会の解散の賛否
第百六十六条ただし書	第百六十一条の規定による個人演説会、政党演説会又は政党等演説会	地方自治法施行令第百七条の規定による演説会等
第百七十八条	第百条第一項から第四項まで	地方自治法施行令第百二条
	同条第五項	第百条第五項
第百九十九条の二第一項	公職の候補者又は公職の候補者となろうとする者（公職にある者を含む。以下この条において「公職の候補者等」という。）	普通地方公共団体の議会の議員又はその解散請求代表者（以下第百九十九条の四までにおいて「解散請求代表者等」という。）
	寄附を	寄附（当該投票に関するもの又は通常一般の社交の程度を超えるものに限る。以下この条において同じ。）を
	当該公職の候補者等	当該解散請求代表者等
第百九十九条の二第二項から第四項まで	公職の候補者等	解散請求代表者等
第百九十九条の三	公職の候補者又は公職の候補者となろうとする者（公職にある者を含む。）	解散請求代表者等
	団体は	団体は、当該投票に関し
第百九十九条の四	公職の候補者又は公職の候補者となろうとする者（公職にある者を含む。）	解散請求代表者等
	公職の候補者若しくは公職の候補者となろうとする者（公職にある者を含む。）	解散請求代表者等
第二百六条第一項	その当選	その解散の投票の結果
	第百一条の三第二項又は第百六条第二項の規定による告示の日	地方自治法第七十七条の規定による公表の日
第二百七条第二項	議員及び長の当選	解散の投票の結果
第二百九条第一項	当選	解散の投票の結果
第二百十九条第一項	おける当選	おける解散の投票の結果
第二百二十一条第三項第一号	公職の候補者	普通地方公共団体の議会の議員
第二百二十一条第三項第二号	選挙運動を総括主宰した者	普通地方公共団体の議会の解散請求代表者
第二百二十二条第三項	前条第三項各号に掲げる者	普通地方公共団体の議会の議員又はその解散請求代表者

第二百二十三条第三項	第二百二十一条第三項各号に掲げる者	普通地方公共団体の議会の議員又はその解散請求代表者
第二百二十六条第二項、第二百二十七条及び第二百二十八条第一項	被選挙人の氏名	賛否
第二百三十七条の二第一項	公職の候補者（公職の候補者たる参議院名簿登載者を含む。）の氏名若しくは衆議院名簿届出政党等若しくは参議院名簿届出政党等の名称若しくは略称又は公職の候補者に対して	賛否又は
	指示する	指示に従い
第二百三十七条の二第二項	公職の候補者（公職の候補者たる参議院名簿登載者を含む。）の氏名又は衆議院名簿届出政党等若しくは参議院名簿届出政党等の名称若しくは略称	賛否
第二百四十九条の二第五項	公職の候補者等	普通地方公共団体の議会の議員又はその解散請求代表者（第七項において「解散請求代表者等」という。）
第二百四十九条の二第七項	公職の候補者等	解散請求代表者等
第二百五十三条の二第一項及び第二百五十四条	当選人	普通地方公共団体の議会の議員若しくは議員であつた者又はその解散請求代表者
第二百五十五条第一項	公職の候補者（公職の候補者たる参議院名簿登載者を含む。以下この条及び次条において同じ。）一人の氏名、一の衆議院名簿届出政党等の名称若しくは略称又は一の参議院名簿届出政党等の名称若しくは略称	賛否
	公職の候補者の氏名、衆議院名簿届出政党等の名称若しくは略称又は参議院名簿届出政党等の名称若しくは略称	賛否
第二百五十五条第三項	公職の候補者一人の氏名、一の衆議院名簿届出政党等の名称若しくは略称又は一の参議院名簿届出政党等の名称若しくは略称	賛否
	公職の候補者の氏名、衆議院名簿届出政党等の名称若しくは略称又は参議院名簿届出政党等の名称若しくは略称	賛否

② 地方自治法第八十五条第一項の規定により、普通地方公共団体の議会の解散の投票に公職選挙法中普通地方公共団体の選挙に関する規定を準用する場合には、同法の規定中地方公共団体の議会の議員及び長の選挙に関する部分は普通地方公共団体の議会の解散の投票に関する規定、公職の候補者又は推薦届出者に関する部分は当該普通地方公共団体の議会又はその解散請求代表者に関する規定とみなす。

第百九条　地方自治法第八十五条第一項の規定により、普通地方公共団体の議会の解散の投票に公職選挙法中普通地方公共団体の選挙に関する規定を準用する場合には、同法第一条から第四条まで、第五条の二から第五条の十まで、第九条第一項、第十条、第十一条第三項、第十一条の二、第十二条第一項、第二項及び第四項、第十三条から第十八条まで、第二十条から第三十五条まで、第三十七条第三項及び第四項、第四十一条の二第一項（選挙区に関する部分に限る。）及び第五項（同法第四十六条第二項及び第三項、第百六十五条の二、第百七十五条第一項並びに第二百一条の十二第二項に関する部分に限る。）、第四十二条（在外選挙人名簿に関する部分に限る。）、第四十四条第三項（引き続き都道府県の区域内に住所を有することの確認に関する部分に限る。）、第四十六条第二項及び第三項、第四十六条の二第二項（同法第六十八条第一項第二号及び第五号、第八十六条の四並びに第百二十六条に関する部分に限る。）及び第三項（公職の候補者に関する部分に限る。）、第四十八条の二第五項（同法第四十六条第二項及び第三項に関する部分に限る。）、第四十九条第七項から第九項まで、第四十九条の二、第五十五条（在外選挙人名簿に関する部分に限る。）、第五十六条（在外選挙人名簿に関する部分に限る。）、第六十一条第三項及び第四項、第六十二条第二項第二号から第四号まで、第三項から第五項まで、第八項ただし書及び第九項ただし書、第六十八条第一項第二号、第三号、第五号及び第六号ただし書、第二項並びに第三項、第六十八条の二、第六十八条の三、第七十五条第二項、第七十七条第二項、第八十一条、第八十四条後段、第八十六条から第九十九条の二まで、第百条第一項から第四項まで及び第六項から第九項まで、第百一条から第百六条まで、第百八条、第十一章、第百二十六条、第百二十九条、第百三十条第一項第一号から第三号まで、第百三十一条第一項第一号から第三号まで及び第三項、第百三十六条の二第二項、第百三十九条ただし書、第百四十条の二（選挙運動のために使用される自動車又は船舶の上においてする連呼行為に関する部分に限る。）、第百四十一条から第百四十七条の二まで、第百四十八条第二項及び第三項、第百四十八条の二から第百五十一条の二まで、第百五十一条の五、第百五十二条、第百六十一条から第百六十四条の五まで、第百六十四条の七、第百六十五条の二、第百六十七条から第百七十二条の二まで、第百七十五条から第百七十七条まで、第百七十八条の二、第百七十八条の三、第百七十九条第一項及び第三項、第百七十九条の二から第百九十七条まで、第百九十七条の二第二項から第五項まで、第百九十九条の五、第十四章の二、第十四章の三、第二百四条、第二百五条第二項から第五項まで、第二百八条、第二百九条第二項、第二百九条の二から第二百十一条まで、第二百十三条（訴訟に関する部分を除く。）、第二百十六条、第二百十七条、第二百十九条第一項（行政事件訴訟法（昭和三十七年法律第百三十九号）第二十五条から第二十九条まで及び第三十一条に関する部分に限る。）及び第二項、第二百二十条第二項、第二百二十一条第三項第三号及び第四号、第二百二十三条の二、第二百二十四条の二、第二百二十四条の三、第二百三十五条の二第二号及び第三号、第二百三十五条の三、第二百三十五条の四第二号、第二百三十五条の六、第二百三十六条第一項及び第二項、第二百三十六条の二、第二百三十八条の二、第二百三十九条第二項、第二百三十九条の二第一項、第二百四十条第二項、第二百四十二条第二項、第二百四十三条第一項第二号から第九号まで及び第二項、第二百四十四条第一項第二号から第五号の二まで、第七号及び第八号並びに第二項、第二百四十六条、第二百四十七条、第二百四十九条の二第三項及び第六項、第二百四十九条の五、第二百五十一条から第二百五十一条の五まで、第二百五十二条の二、第二百五十二条の三、第二百五十四条の二、第二百五十五条第四項から第六項まで、第二百五十五条の二から第二百六十二条まで、第二百六十三条、第二百六十四条第一項第一号（公職選挙法第二百六十三条第五号の三、第六号、第十号及び第十一号に掲げる費用に関する部分に限る。）、第二項及び第三項、第二百六十六条から第二百六十八条まで、第二百六十九条の二、第二百七十条第一項（在外選挙人名簿及び在外投票に関する部分に限る。）、同条第二項（同法第四十九条第一項及び第四項の規定による投票に関する部分を除く。）、第二百七十条の二（同法第四十九条第七項及び第九項の規定による投票に関する部分に限る。）並びに第二百七十一条から第二百七十二条までの規定は、普通地方公共団体の議会の解散の投票については、準用しない。

第百九条の二　普通地方公共団体の議会の解散の請求に要する費用及びその請求に関連して生ずる費用（争訟のための費用を含む。）は、地方自治法及びこの政令の規定により当該普通地方公共団体の負担するものを除く外、普通地方公共団体の議会の議員若しくは議員であつた者又はその解散請求代表者の負担とする。

第百九条の三　普通地方公共団体の議会の解散の投票が地方自治法第八十五条第一項において準用する公職選挙法第二百二条、第二百三条、第二百六条又は第二百七条の規定による異議の申出、審査の申立て又は訴訟の結果無効となつた場合においては、選挙管理委員会は、当該異議の申出若しくは審査の申立てに対する決定若しくは裁決が確定した日又は当該訴訟につき同法第二百二十条第一項後段の規定による通知を受けた日から四十日以内に再投票に付さなければならない。

② 前項の再投票の期日は、都道府県に関する請求にあつては少くともその三十日前に、市町村に関する請求にあつては少くともその二十日前に、これを告示しなければならない。

③ 前項に定めるもののほか、第一項の再投票については、当該再投票を普通地方公共団体の議会の解散の投票とみなして、普通地方公共団体の議会の解散の投票に関する規定を適用する。

第百十条　第九十一条から第九十七条まで、第九十八条第一項、第九十八条の三及び第九十八条の四の規定は、地方自治法第八十条第一項の規定による普通地方公共団体の議会の議員の解職の請求について準用する。この場合において、次の表の上欄に掲げる規定中同表の中欄に掲げる字句は、それぞれ同表の下欄に掲げる字句に読み替えるものとする。

第九十一条第一項及び第二項	普通地方公共団体の長	普通地方公共団体の選挙管理委員会
第九十一条第三項	地方自治法第七十四条第六項各号	地方自治法第八十条第四項において準用する同法第七十四条第六項各号
	普通地方公共団体の長	普通地方公共団体の選挙管理委員会
第九十一条第四項	地方自治法第七十四条第六項各号	地方自治法第八十条第四項において準用する同法第七十四条第六項各号
	知つたとき	知つたとき（当該請求が都道府県又は指定都市に関する場合に限る。）
	普通地方公共団体の長	普通地方公共団体の選挙管理委員会
第九十一条第五項	普通地方公共団体の長	普通地方公共団体の選挙管理委員会
	地方自治法第七十四条第六項各号	地方自治法第八十条第四項において準用する同法第七十四条第六項各号
第九十二条第三項及び第四項	地方自治法第七十四条第七項	地方自治法第八十条第四項において準用する同法第七十四条第七項
第九十四条第一項	地方自治法第七十四条第五項	地方自治法第八十条第四項において準用する同法第七十四条第五項
	五十分の一	三分の一（その総数が四十万を超え八十万以下の場合にあつてはその四十万を超える数に六分の一を乗じて得た数と四十万に三分の一を乗じて得た数とを合算して得た数、その総数が八十万を超える場合にあつてはその八十万を超える数に八分の一を乗じて得た数と四十万に六分の一を乗じて得た数と四十万に三分の一を乗じて得た数とを合算して得た数）
第九十五条の二	地方自治法第七十四条の二第一項	地方自治法第八十条第四項において準用する同法第七十四条の二第一項
第九十五条の三	地方自治法第七十四条の二第五項	地方自治法第八十条第四項において準用する同法第七十四条の二第五項
第九十五条の四	地方自治法第七十四条の二第六項	地方自治法第八十条第四項において準用する同法第七十四条の二第六項
第九十六条第一項	地方自治法第七十四条第一項	地方自治法第八十条第一項
	同法第七十四条の二第六項	同条第四項において準用する同法第七十四条の二第六項
	同法第七十四条第五項	同法第八十条第四項において準用する同法第七十四条第五項
	五十分の一	三分の一（その総数が四十万を超え八十万以下の場合にあつてはその四十万を超える数に六分の一を乗じて得た数と四十万に三分の一を乗じて得た数とを合算して得た数、その総

		数が八十万を超える場合にあつてはその八十万を超える数に八分の一を乗じて得た数と四十万に六分の一を乗じて得た数と四十万に三分の一を乗じて得た数とを合算して得た数）
第九十六条第二項	地方自治法第七十四条の二第十項	地方自治法第八十条第四項において準用する同法第七十四条の二第十項
第九十七条第一項	地方自治法第七十四条第五項	地方自治法第八十条第四項において準用する同法第七十四条第五項
	五十分の一	三分の一（その総数が四十万を超え八十万以下の場合にあつてはその四十万を超える数に六分の一を乗じて得た数と四十万に三分の一を乗じて得た数とを合算して得た数、その総数が八十万を超える場合にあつてはその八十万を超える数に八分の一を乗じて得た数と四十万に六分の一を乗じて得た数と四十万に三分の一を乗じて得た数とを合算して得た数）
	普通地方公共団体の長	普通地方公共団体の選挙管理委員会
第九十八条第一項	普通地方公共団体の長	普通地方公共団体の選挙管理委員会
第九十八条の三第一項	地方自治法第七十四条の二及び第七十四条の三	地方自治法第八十条第四項において準用する同法第七十四条の二及び第七十四条の三
	同法第七十四条の二第十項	同法第八十条第四項において準用する同法第七十四条の二第十項

第百十一条　普通地方公共団体の議会の同一議員に対し二以上の解職の請求があつたときは、解職の投票は、一の投票を以て合併してこれを行うことを妨げない。

②　普通地方公共団体の議会の議員の解職の請求をしようとするときは、その解職請求代表者は、議員一人についてそれぞれ一の解職請求書及び解職請求者署名簿を作製して、これをしなければならない。

第百十二条　普通地方公共団体の議会の議員がその職を失い又は死亡したときは、解職の投票は、これを行わない。

第百十三条　第百条の二、第百三条から第百五条まで、第百七条、第百八条第二項、第百九条（公職選挙法第十二条第一項及び第四項、第十五条、第十五条の二第四項並びに第二百七十一条に関する部分を除く。）、第百九条の二及び第百九条の三の規定は、普通地方公共団体の議会の議員の解職の投票について準用する。この場合において、第百条の二第一項中「前条」とあり、及び第百四条第一項中「第百条」とあるのは、「第百十条」と読み替えるものとする。

第百十四条　公職選挙法施行令第二十二条の二、第二十四条第一項及び第二項、第二十五条から第二十九条まで、第三十一条から第三十四条の二まで、第三十五条第一項（引き続き都道府県の区域内に住所を有することの確認に関する部分を除く。）及び第二項、第三十六条、第三十七条、第三十九条から第四十四条まで、第四十四条の二（在外選挙人名簿に関する部分を除く。）、第四十五条、第四十六条、第四十八条第一項から第四項まで、第四十八条の二、第四章の二（第四十八条の三（同令第四十九条の五第二項及び第九十三条第一項に関する部分に限る。）を除く。）、第四十九条の三、第四章の四、第五章（第五十条第五項（引き続き都道府県の区域内に住所を有することの確認に関する部分に限る。）及び第七項、第五十三条第一項（引き続き都道府県の区域内に住所を有することの確認に関する部分及び同令第五十九条の七第一項に規定する南極選挙人証の交付を受けた者に関する部分に限る。）、第五十五条第六項及び第七項、同条第八項及び第九項（公職選挙法第四十九条第七項及び第九項の規定による投票に関する部分に限る。）、第五十六条第一項及び第五項（衆議院比例代表選出議員の選挙に関する部分及び参議院比例代表選出議員の選挙に関する部分に限る。）、第五十九条の三第一項（在外投票に関する部分に限る。）、同条第五項（在外選挙人名簿に関する部分に限る。）、第五十九条の四第三項及び第四項（引き続き都道府県の区域内に住所を有することの確認に関する部分に限る。）、第五十九条の五（衆議院比例代表選出議員の選挙に関する部分及び参議院比例代表選出議員の選挙に関する部分に限る。）、第五十九条の五の四第三項、第六項及び第七項（引き続き都道府県の区域内に住所を有することの確認に関する部分に限る。）、第五十九条の六から第五十九条の八まで、第六十条第二項（同法第四十九条第七項から第九項までの規定による投票に関する部分に限る。）、第六十一条第一項（在外選挙人名簿に関する部分に限る。）、同条第四項、同条第五項（在外選挙人の不在者投票に関する部分に限る。）、第六十二条第二項並びに第六十三条第二項及び第三項（同法第四十九条第七項から第九項までの規定による投票に関する部分に限る。）を除く。）、第六十六条、第六十七条第一項から第六項まで、第六十八条、第六十九条（政党その他の政治団体に関する部分を除く。）、第七十条の二第一項（政党その他の政治団体に関する部分、候補者届出政党に関する部分、衆議院名簿届出政党等に関する部分及び参議院名簿届出政党等に関する部分を除く。）、第七十条の三、第七十条の四第一項本文、第二項本文及び第三項、第七十条の五第一項、第三項、第五項、第六項、第八項及び第十項、第七十条の六第一項、第三項、第五項、第六項、第八項、第十項、第十一項、第十三項及び第十五項、第七十条の七第一項本文、第二項本文、第三項、第四項本文、第五項本文及び第六項、第七十条の八、第七十一条（在外投票に関する部分を除く。）、第七十二条から第七十四条まで、第七十五条（在外選挙人名簿に関する部分を除く。）、第七十六条（在外投票に関する部分を除く。）、第七十七条、第七十八条第一項から第四項まで、第八十条から第八十二条まで、第八十三条の二から第八十五条まで、第八十六条第一項、第八十七条第一項、第十章、第百八条第一項及び第三項（衆議院比例代表選出議員の選挙に関する部分及び参議院比例代表選出議員の選挙に関する部分並びに推薦届出者に関する部分及び候補者届出政党に関する部分を除く。）、第百二十九条第一項、第百三十一条第一項、第二項（在外選挙人名簿に関する部分を除く。）及び第三項、第百三十一条の二、第百四十二条第一項（同法第四十九条第一項の規定による投票に関する部分に限る。）及び第二項、第百四十二条の二（同法第四十九条第七項及び第九項の規定による投票に関する部分を除く。）、第百四十二条の三、第百四十四条並びに第百四十六条の規定は、普通地方公共団体の議会の議員の解職の投票について準用する。この場合において、次の表の上欄に掲げる同令の規定中同表の中欄に掲げる字句は、それぞれ同表の下欄に掲げる字句に読み替えるものとする。

第二十二条の二	その抄本を用いて選挙された衆議院議員、参議院議員又は地方公共団体の議会の議員若しくは長の任期間	解職の投票の結果が確定するまでの間
第四十一条第四項	公職の候補者（公職の候補者たる参議院名簿登載者を含む。）の氏名若しくは衆議院名簿届出政党等若しくは参議院名簿届出政党等の名称若しくは略称又は公職の候補者に対して	賛否又は
第四十五条	当該選挙に係る衆議院議員、参議院議員又は地方公共団体の議会の議員若しくは長の任期間（当該選挙に用いなかつた投票用紙にあつては、次の各号に掲げる選挙の区分に応じ、当該各号に定める期間）	解職の投票の結果が確定するまでの間
第五十六条第一項及び第二項	当該選挙の公職の候補者一人の氏名	賛否
第五十六条第四項	公職の候補者一人の氏名	賛否
第五十六条第五項	公職の候補者の氏名	賛否
第五十九条の五	当該選挙の公職の候補者一人の氏名	賛否
第五十九条の五の二	公職の候補者一人の氏名	賛否
第六十九条	公職の候補者、候補者届出政党、衆議院名簿届出政党等又は参議院名簿届出政党等	普通地方公共団体の議会の議員又はその解職請求代表者
第七十条の二第一	公職の候補者の届出に	普通地方公共団体

項	係る者については当該公職の候補者の氏名	の議会の議員の届出に係る者については当該議員の氏名、解職請求代表者の届出に係る者については当該解職請求代表者の氏名
第七十条の五第一項、第三項、第六項及び第八項並びに第七十条の六第一項、第三項、第六項、第八項、第十一項及び第十三項	二人	各々三人
	一人	各々二人
第七十二条	同一の公職の候補者（公職の候補者たる参議院名簿登載者を含む。）、同一の衆議院名簿届出政党等又は同一の参議院名簿届出政党等の得票数（参議院名簿届出政党等の得票数にあつては、当該参議院名簿届出政党等に係る各参議院名簿登載者（当該選挙の期日において公職の候補者たる者に限る。）の得票数を含むものをいう。）	賛否の投票数
第七十三条	各公職の候補者（公職の候補者たる参議院名簿登載者を含む。）、各衆議院名簿届出政党等又は各参議院名簿届出政党等の得票数（各参議院名簿届出政党等の得票数にあつては、当該参議院名簿届出政党等に係る各参議院名簿登載者（当該選挙の期日において公職の候補者たる者に限る。）の得票数を含むものをいう。）	賛否の投票数
第七十七条第一項	当該選挙に係る衆議院議員、参議院議員又は地方公共団体の議会の議員若しくは長の任期間	解職の投票の結果が確定するまでの間
第八十四条	各公職の候補者（公職の候補者たる参議院名簿登載者を含む。）、各衆議院名簿届出政党等又は各参議院名簿届出政党等の得票総数（各参議院名簿届出政党等の得票総数にあつては、当該参議院名簿届出政党等に係る各参議院名簿登載者（当該選挙の期日において公職の候補者たる者に限る。）の得票総数を含むものをいう。）	賛否の投票総数
第八十六条第一項	当該選挙に係る衆議院議員、参議院議員又は地方公共団体の議会の議員若しくは長の任期間	解職の投票の結果が確定するまでの間
第百八条第一項	設置者が公職の候補者である場合には当該公職の候補者の氏名	設置者の氏名

第百十五条　地方自治法第八十五条第一項の規定により、普通地方公共団体の議会の議員の解職の投票に公職選挙法中普通地方公共団体の選挙に関する規定を準用する場合には、次の表の上欄に掲げる同法の規定中同表の中欄に掲げる字句は、それぞれ同表の下欄に掲げる字句に読み替えるものとする。

第三十七条第二項	有する者	有する者（当該解職の請求を受けている普通地方公共団体の議会の議員又はその解職請求代表者を除く。）
第四十六条第一項	当該選挙の公職の候補者一人の氏名	賛否
第四十六条の二第一項	条例で	選挙管理委員会が
	投票用紙に氏名が印刷された公職の候補者の	普通地方公共団体の議会の議員の解

	うちその投票しようとするもの一人に対して、投票用紙の記号を記載する欄	職に賛成するときは投票用紙の賛成の記載欄に○の記号を、これに反対するときは反対の記載欄
第四十六条の二第二項	第四十八条第一項	地方自治法第八十五条第一項において準用する第四十八条第一項
	当該選挙の公職の候補者の氏名	賛否
	公職の候補者（公職の候補者たる参議院名簿登載者を含む。）一人の氏名	が指示する賛否
	公職の候補者一人に対して	の指示に従い賛成の記載欄又は反対の記載欄に
	第六十八条第一項第一号	同法第八十五条第一項において準用する第六十八条第一項第一号
	「公職の候補者の氏名」	「賛否をともに」
	公職の候補者に対して○の記号	賛成の記載欄及び反対の記載欄のいずれにも○の記号を

	公職の候補者の氏名のほか、他事を記載したもの。ただし、職業、身分、住所又は敬称の類を記入したものは、この限りでない。	賛否のほか、他事を記載したもの
	公職の候補者の氏名を自書しないもの	賛否を自書しないもの
	公職の候補者の何人	賛否
	公職の候補者のいずれに対して○の記号	賛成の記載欄又は反対の記載欄のいずれに対して○の記号を記載したか
第四十八条第一項	当該選挙の公職の候補者の氏名	賛否
第四十八条第二項	公職の候補者（公職の候補者たる参議院名簿登載者を含む。）一人の氏名、一の衆議院名簿届出政党等の名称若しくは略称又は一の参議院名簿届出政党等の名称若しくは略称	賛否
第五十二条	被選挙人の氏名又は政党その他の政治団体の名称若しくは略称	賛否
第六十一条第二項	有する者	有する者（当該解

		職の請求を受けている普通地方公共団体の議会の議員又はその解職請求代表者を除く。）
第六十二条第一項	一人を定め	各々二人を定め
第六十二条第二項第一号	公職の候補者	普通地方公共団体の議会の議員の解職請求代表者
第六十二条第十項	公職の候補者	解職の請求を受けている普通地方公共団体の議会の議員又はその解職請求代表者
第六十八条第一項第四号	二人以上の公職の候補者の氏名を	賛否をともに
第六十八条第一項第六号及び第七号	公職の候補者の氏名	賛否
第六十八条第一項第八号	公職の候補者の何人を記載したか	賛否
第七十一条	当該選挙にかかる議員又は長の任期間	解職の投票の結果が確定するまでの間
第七十五条第三項	有する者	有する者（当該解職の請求を受けている普通地方公共団体の議会の議員

		又はその解職請求代表者を除く。）
第八十条第一項	各公職の候補者（公職の候補者たる参議院名簿登載者を含む。第三項において同じ。）、各衆議院名簿届出政党等又は各参議院名簿届出政党等の得票総数（各参議院名簿届出政党等の得票総数にあつては、当該参議院名簿届出政党等に係る各参議院名簿登載者（当該選挙の期日において公職の候補者たる者に限る。）の得票総数を含むものをいう。第三項において同じ。）	賛否の投票総数
第八十条第二項	各公職の候補者の得票総数	賛否の投票総数
第八十条第三項	各公職の候補者、各衆議院名簿届出政党等又は各参議院名簿届出政党等の得票総数	賛否の投票総数
第八十三条第二項	当該選挙に係る議員又は長の任期間	解職の投票の結果が確定するまでの間
第八十三条第三項	当該選挙にかかる議員又は長の任期間	解職の投票の結果が確定するまでの間
第百条第五項	前各項	地方自治法施行令第百十二条の規定
第百二十七条	第百条第四項	地方自治法施行令第百十二条
第百三十一条第一項第五号	公職の候補者一人	普通地方公共団体の議会の議員又はその解職請求代表者
第百三十二条	第百二十九条の規定にかかわらず、選挙の当日においても	普通地方公共団体の議会の議員の解職の投票の当日は
第百三十八条第二項	特定の候補者の氏名若しくは政党その他の政治団体の名称	普通地方公共団体の議会の議員の解職の賛否
第百三十八条の三	公職に就くべき者	普通地方公共団体の議会の議員の解職の賛否
第百六十六条ただし書	第百六十一条の規定による個人演説会、政党演説会又は政党等演説会	地方自治法施行令第百十三条において準用する同令第百七条の規定による演説会等
第百七十八条	第百条第一項から第四項まで	地方自治法施行令第百十二条
	同条第五項	第百条第五項
第百九十九条の二第一項	公職の候補者又は公職の候補者となろうとする者（公職にある者を含む。以下この条において「公職の候補者等」という。）	解職の請求を受けている普通地方公共団体の議会の議員又はその解職請求代表者（以下第百九十九条の四までにおいて「解職請求代表者等」という。）
	寄附を	寄附（当該投票に関するもの又は通常一般の社交の程度を超えるものに限る。以下この条において同じ。）を
	当該公職の候補者等	当該解職請求代表者等
第百九十九条の二第二項から第四項まで	公職の候補者等	解職請求代表者等
第百九十九条の三	公職の候補者又は公職の候補者となろうとする者（公職にある者を含む。）	解職請求代表者等
	団体は	団体は、当該投票に関し
第百九十九条の四	公職の候補者又は公職	解職請求代表者等

	の候補者となろうとする者（公職にある者を含む。）	
	公職の候補者若しくは公職の候補者となろうとする者（公職にある者を含む。）	解職請求代表者等
第二百六条第一項	その当選	その解職の投票の結果
	第百一条の三第二項又は第百六条第二項の規定による告示の日	地方自治法第八十二条第一項の規定による公表の日
第二百七条第二項	議員及び長の当選	議員の解職の投票の結果
第二百九条第一項	当選	解職の投票の結果
第二百十九条第一項	おける当選	おける解職の投票の結果
第二百二十一条第三項第一号	公職の候補者	解職の請求を受けている普通地方公共団体の議会の議員
第二百二十一条第三項第二号	選挙運動を総括主宰した者	普通地方公共団体の議会の議員の解職請求代表者
第二百二十二条第三項	前条第三項各号に掲げる者	解職の請求を受けている普通地方公共団体の議会の議員又はその解職請求代表者
第二百二十三条第三項	第二百二十一条第三項各号に掲げる者	解職の請求を受けている普通地方公共団体の議会の議員又はその解職請求代表者
第二百二十六条第二項、第二百二十七条及び第二百二十八条第一項	被選挙人の氏名	賛否
第二百三十七条の二第一項	公職の候補者（公職の候補者たる参議院名簿登載者を含む。）の氏名若しくは衆議院名簿届出政党等若しくは参議院名簿届出政党等の名称若しくは略称又は公職の候補者に対して	賛否又は
	指示する	指示に従い
第二百三十七条の二第二項	公職の候補者（公職の候補者たる参議院名簿登載者を含む。）の氏名又は衆議院名簿届出政党等若しくは参議院名簿届出政党等の名称若しくは略称	賛否
第二百四十九条の二第五項	公職の候補者等	普通地方公共団体の議会の議員又はその解職請求代表者（第七項において「解職請求代表者等」という。）
第二百四十九条の二第七項	公職の候補者等	解職請求代表者等
第二百五十三条の二第一項及び第二百五十四条	当選人	普通地方公共団体の議会の議員若しくは議員であつた者又はその解職請求代表者
第二百五十五条第一項	公職の候補者（公職の候補者たる参議院名簿登載者を含む。以下この条及び次条において同じ。）一人の氏名、一の衆議院名簿届出政党等の名称若しくは略称又は一の参議院名簿届出政党等の名称若しくは略称	賛否
	公職の候補者の氏名、衆議院名簿届出政党等の名称若しくは略称又は参議院名簿届出政党等の名称若しくは略称	賛否
第二百五十五条第三項	公職の候補者一人の氏名、一の衆議院名簿届	賛否

自治令

	出政党等の名称若しくは略称又は一の参議院名簿届出政党等の名称若しくは略称	
	公職の候補者の氏名、衆議院名簿届出政党等の名称若しくは略称又は参議院名簿届出政党等の名称若しくは略称	賛否

② 公職選挙法第十二条第三項及び第百三十一条第一項第四号の規定は、第百十三条の規定にかかわらず、普通地方公共団体の議会の議員の解職の投票については、準用しない。

第百十六条 第九十一条から第九十七条まで、第九十八条第一項、第九十八条の三及び第九十八条の四の規定は、地方自治法第八十一条第一項の規定による普通地方公共団体の長の解職の請求について準用する。この場合において、次の表の上欄に掲げる規定中同表の中欄に掲げる字句は、それぞれ同表の下欄に掲げる字句に読み替えるものとする。

第九十一条第一項及び第二項	普通地方公共団体の長	普通地方公共団体の選挙管理委員会
第九十一条第三項	地方自治法第七十四条第六項各号	地方自治法第八十一条第二項において準用する同法第七十四条第六項各号
	普通地方公共団体の長	普通地方公共団体の選挙管理委員会
第九十一条第四項	地方自治法第七十四条第六項各号	地方自治法第八十一条第二項において準用する同法第七十四条第六項各号
	知つたとき	知つたとき（当該請求が都道府県又は指定都市に関する場合に限る。）
	普通地方公共団体の長	普通地方公共団体の選挙管理委員会
第九十一条第五項	普通地方公共団体の長	普通地方公共団体の選挙管理委員会
	地方自治法第七十四条第六項各号	地方自治法第八十一条第二項において準用する同法第七十四条第六項各号
第九十二条第三項及び第四項	地方自治法第七十四条第七項	地方自治法第八十一条第二項において準用する同法第七十四条第七項
第九十四条第一項	地方自治法第七十四条第五項	地方自治法第八十一条第二項において準用する同法第七十四条第五項
	五十分の一	三分の一（その総数が四十万を超え八十万以下の場合にあつてはその四十万を超える数に六分の一を乗じて得た数と四十万に三分の一を乗じて得た数とを合算して得た数、その総数が八十万を超える場合にあつてはその八十万を超える数に八分の一を乗じて得た数と四十万に六分の一を乗じて得た数と四十万に三分の一を乗じて得た数とを合算して得た数）
第九十五条の二	地方自治法第七十四条の二第一項	地方自治法第八十一条第二項において準用する同法第七十四条の二第一項
第九十五条の三	地方自治法第七十四条の二第五項	地方自治法第八十一条第二項において準用する同法第七十四条の二第五項
第九十五条の四	地方自治法第七十四条の二第六項	地方自治法第八十一条第二項におい

		て準用する同法第七十四条の二第六項
第九十六条第一項	地方自治法第七十四条第一項	地方自治法第八十一条第一項
	同法第七十四条の二第六項	同条第二項において準用する同法第七十四条の二第六項
	同法第七十四条第五項	同法第八十一条第二項において準用する同法第七十四条第五項
	五十分の一	三分の一（その総数が四十万を超え八十万以下の場合にあつてはその四十万を超える数に六分の一を乗じて得た数と四十万に三分の一を乗じて得た数とを合算して得た数、その総数が八十万を超える場合にあつてはその八十万を超える数に八分の一を乗じて得た数と四十万に六分の一を乗じて得た数と四十万に三分の一を乗じて得た数とを合算して得た数）
第九十六条第二項	地方自治法第七十四条の二第十項	地方自治法第八十一条第二項において準用する同法第七十四条の二第十項
第九十七条第一項	地方自治法第七十四条第五項	地方自治法第八十一条第二項において準用する同法第七十四条第五項
	五十分の一	三分の一（その総数が四十万を超え八十万以下の場合にあつてはその四十万を超える数に六分の一を乗じて得た数と四十万に三分の一を乗じて得た数とを合算して得た数、その総数が八十万を超える場合にあつてはその八十万を超える数に八分の一を乗じて得た数と四十万に六分の一を乗じて得た数と四十万に三分の一を乗じて得た数とを合算して得た数）
	普通地方公共団体の長	普通地方公共団体の選挙管理委員会
第九十八条第一項	普通地方公共団体の長	普通地方公共団体の選挙管理委員会
第九十八条の三第一項	地方自治法第七十四条の二及び第七十四条の三	地方自治法第八十一条第二項において準用する同法第七十四条の二及び第七十四条の三
	同法第七十四条の二第十項	同法第八十一条第二項において準用する同法第七十四条の二第十項

第百十六条の二　第百条の二、第百三条から第百五条まで、第百七条、第百八条第二項、第百九条、第百九条の二、第百九条の三、第百十一条及び第百十二条の規定は、普通地方公共団体の長の解職の投票について準用する。この場合において、第百条の二第一項中「前条」とあり、及び第百四条第一項中「第百条」とあるのは、「第百十六条」と読み替えるものとする。

第百十七条　公職選挙法施行令第二十二条の二、第二十四条第一項及び第二項、第二十五条から第二十九条まで、第三十一条から第三十四条の二まで、第三十五条第一項（引き続き都道府県の区域内に住所を有することの確認に関する部分を除く。）及び第二項、第三十六条、第三十七条、第三十九条から第四十四条まで、第四十四条の二（在外選挙人名簿に関する部分を除く。）、第四十五条、第四十六条、第四十八条第一項から第四項まで、第四十八条の二、第四章の二（第四十八条の三（同令第四十九条の五第二項及び第九十三条第一項に関する部分に限る。）を除く。）、第四十九条の三、第四章の四、第五章（第五十条第五項（引き続き都道府県の区域内に住所を有することの確認に関する部分に限る。）及び第七項、第五十三条第一項（引き続き都道府県の区域内に住所を有することの確認に関する部分及び同令第五十九条の七第一項に規定する南極選挙人証の交付を受けた者に関する部分に限る。）、第五十五条第六項及び第七項、同条第八項及び第九項（公職選挙法第四十九条第七項及び第九項の規定による投票に関する部分に限る。）、第五十六条第一項及び第五項（衆議院比例代表選出議員の選挙に関する部分及び参議院比例代表選出議員の選挙に関する部分に限る。）、第五十九条の三第一項（在外投票に関する部分に限る。）、同条第五項（在外選挙人名簿に関する部分に限る。）、第五十九条の四第三項及び第四項（引き続き都道府県の区域内に住所を有することの確認に関する部分に限る。）、第五十九条の五（衆議院比例代表選出議員の選挙に関する部分及び参議院比例代表選出議員の選挙に関する部分に限る。）、第五十九条の五の四第三項、第六項及び第七項（引き続き都道府県の区域内に住所を有することの確認に関する部分に限る。）、第五十九条の六から第五十九条の八まで、第六十条第二項（同法第四十九条第七項から第九項までの規定による投票に関する部分に限る。）、第六十一条第一項（在外選挙人名簿に関する部分に限る。）、同条第四項、同条第五項（在外選挙人の不在者投票に関する部分に限る。）、第六十二条第二項並びに第六十三条第二項及び第三項（同法第四十九条第七項から第九項までの規定による投票に関する部分に限る。）を除く。）、第六十六条、第六十七条第一項から第六項まで、第六十八条、第六十九条（政党その他の政治団体に関する部分を除く。）、第七十条の二第一項（政党その他の政治団体に関する部分、候補者届出政党に関する部分、衆議院名簿届出政党等に関する部分及び参議院名簿届出政党等に関する部分を除く。）、第七十条の三、第七十条の四第一項本文、第二項本文及び第三項、第七十条の五第一項、第三項、第五項、第六項、第八項及び第十項、第七十条の六第一項、第三項、第五項、第六項、第八項、第十項、第十一項、第十三項及び第十五項、第七十条の七第一項本文、第二項本文、第三項、第四項本文、第五項本文及び第六項、第七十条の八、第七十一条（在外投票に関する部分を除く。）、第七十二条から第七十四条まで、第七十五条（在外選挙人名簿に関する部分を除く。）、第七十六条（在外投票に関する部分を除く。）、第七十七条、第七十八条第一項から第四項まで、第八十条から第八十二条まで、第八十三条の二から第八十五条まで、第八十六条第一項、第八十七条第一項、第十章、第百八条第一項及び第三項（衆議院比例代表選出議員の選挙に関する部分及び参議院比例代表選出議員の選挙に関する部分並びに推薦届出者に関する部分及び候補者届出政党に関する部分を除く。）、第百二十九条第一項、第百三十一条第一項、第二項（在外選挙人名簿に関する部分を除く。）及び第三項、第百三十一条の二、第百四十二条第一項（同法第四十九条第一項の規定による投票に関する部分に限る。）及び第二項、第百四十二条の二（同法第四十九条第七項及び第九項の規定による投票に関する部分を除く。）、第百四十二条の三並びに第百四十六条の規定は、普通地方公共団体の長の解職の投票について準用する。この場合において、次の表の上欄に掲げる同令の規定中同表の中欄に掲げる字句は、それぞれ同表の下欄に掲げる字句に読み替えるものとする。

第二十二条の二	その抄本を用いて選挙された衆議院議員、参議院議員又は地方公共団体の議会の議員若しくは長の任期間	解職の投票の結果が確定するまでの間
第四十一条第四項	公職の候補者（公職の候補者たる参議院名簿登載者を含む。）の氏名若しくは衆議院名簿届出政党等若しくは参議院名簿届出政党等の名称若しくは略称又は公職の候補者に対して	賛否又は
第四十五条	当該選挙に係る衆議院議員、参議院議員又は地方公共団体の議会の議員若しくは長の任期間（当該選挙に用いなかつた投票用紙にあつては、次の各号に掲げる選挙の区分に応じ、当該各号に定める期間）	解職の投票の結果が確定するまでの間
第五十六条第一項及び第二項	当該選挙の公職の候補者一人の氏名	賛否
第五十六条第四項	公職の候補者一人の氏名	賛否

自治令

第五十六条第五項	公職の候補者の氏名	賛否
第五十九条の五	当該選挙の公職の候補者一人の氏名	賛否
第五十九条の五の二	公職の候補者一人の氏名	賛否
第六十九条	公職の候補者、候補者届出政党、衆議院名簿届出政党等又は参議院名簿届出政党等	普通地方公共団体の長又はその解職請求代表者
第七十条の二第一項	公職の候補者の届出に係る者については当該公職の候補者の氏名	普通地方公共団体の長の届出に係る者については当該普通地方公共団体の長の氏名、解職請求代表者の届出に係る者については当該解職請求代表者の氏名
第七十条の五第一項、第三項、第六項及び第八項並びに第七十条の六第一項、第三項、第六項、第八項、第十一項及び第十三項	二人	各々三人
	一人	各々二人
第七十二条	同一の公職の候補者（公職の候補者たる参議院名簿登載者を含む。）、同一の衆議院名簿届出政党等又は同一の参議院名簿届出政党等の得票数（参議院名簿届出政党等の得票数にあつては、当該参議院名簿届出政党等に係る各参議院名簿登載者（当該選挙の期日において公職の候補者たる者に限る。）の得票数を含むものをいう。）	賛否の投票数
第七十三条	各公職の候補者（公職の候補者たる参議院名簿登載者を含む。）、各衆議院名簿届出政党等又は各参議院名簿届出政党等の得票数（各参議院名簿届出政党等の得票数にあつては、当該参議院名簿届出政党等に係る各参議院名簿登載者（当該選挙の期日において公職の候補者たる者に限る。）の得票数を含むものをいう。）	賛否の投票数
第七十七条第一項	当該選挙に係る衆議院議員、参議院議員又は地方公共団体の議会の議員若しくは長の任期間	解職の投票の結果が確定するまでの間
第八十四条	各公職の候補者（公職の候補者たる参議院名簿登載者を含む。）、各衆議院名簿届出政党等又は各参議院名簿届出政党等の得票総数（各参議院名簿届出政党等の得票総数にあつては、当該参議院名簿届出政党等に係る各参議院名簿登載者（当該選挙の期日において公職の候補者たる者に限る。）の得票総数を含むものをいう。）	賛否の投票総数
第八十六条第一項	当該選挙に係る衆議院議員、参議院議員又は地方公共団体の議会の議員若しくは長の任期間	解職の投票の結果が確定するまでの間
第百八条第一項	設置者が公職の候補者	設置者
	である場合には当該公職の候補者の氏名	の氏名

第百十八条　地方自治法第八十五条第一項の規定により、普通地方公共団体の長の解職の投票に公職選挙法中普通地方公共団体の選挙に関する規定を準用する場合には、次の表の上欄に掲げる同法の規定中同表の中欄に掲げる字句は、それぞれ同表の下欄に掲げる字句に読み替えるものとする。

自治令

第三十七条第二項	有する者	有する者（当該解職の請求を受けている普通地方公共団体の長又はその解職請求代表者を除く。）
第四十六条第一項	当該選挙の公職の候補者一人の氏名	賛否
第四十六条の二第一項	条例で	選挙管理委員会が
	投票用紙に氏名が印刷された公職の候補者のうちその投票しようとするもの一人に対して、投票用紙の記号を記載する欄	普通地方公共団体の長の解職に賛成するときは投票用紙の賛成の記載欄に〇の記号を、これに反対するときは反対の記載欄
第四十六条の二第二項	第四十八条第一項	地方自治法第八十五条第一項において準用する第四十八条第一項
	当該選挙の公職の候補者の氏名	賛否
	公職の候補者（公職の候補者たる参議院名簿登載者を含む。）一人の氏名	が指示する賛否
	公職の候補者一人に対して	の指示に従い賛成の記載欄又は反対の記載欄に
	第六十八条第一項第一号	同法第八十五条第一項において準用する第六十八条第一項第一号
	「公職の候補者の氏名」	「賛否をともに」
	公職の候補者に対して〇の記号	賛成の記載欄及び反対の記載欄のいずれにも〇の記号を
	公職の候補者の氏名のほか、他事を記載したもの。ただし、職業、身分、住所又は敬称の類を記入したものは、この限りでない。	賛否のほか、他事を記載したもの
	公職の候補者の氏名を自書しないもの	賛否を自書しないもの
	公職の候補者の何人	賛否
	公職の候補者のいずれに対して〇の記号	賛成の記載欄又は反対の記載欄のいずれに対して〇の記号を記載したか
第四十八条第一項	当該選挙の公職の候補者の氏名	賛否
第四十八条第二項	公職の候補者（公職の候補者たる参議院名簿登載者を含む。）一人の氏名、一の衆議院名簿届出政党等の名称若しくは略称又は一の参議院名簿届出政党等の名称若しくは略称	賛否
第五十二条	被選挙人の氏名又は政党その他の政治団体の名称若しくは略称	賛否
第六十一条第二項	有する者	有する者（当該解職の請求を受けている普通地方公共団体の長又はその解職請求代表者を除く。）
第六十二条第一項	一人を定め	各々二人を定め
第六十二条第二項第一号	公職の候補者	普通地方公共団体の長の解職請求代表者
第六十二条第十項	公職の候補者	解職の請求を受けている普通地方公共団体の長又はその解職請求代表者
第六十八条第一項第四号	二人以上の公職の候補者の氏名を	賛否をともに
第六十八条第一項	公職の候補者の氏名	賛否

第六号及び第七号		
第六十八条第一項第八号	公職の候補者の何人を記載したか	賛否
第七十一条	当該選挙にかかる議員又は長の任期間	解職の投票の結果が確定するまでの間
第七十五条第三項	有する者	有する者（当該解職の請求を受けている普通地方公共団体の長又はその解職請求代表者を除く。）
第八十条第一項	各公職の候補者（公職の候補者たる参議院名簿登載者を含む。第三項において同じ。）、各衆議院名簿届出政党等又は各参議院名簿届出政党等の得票総数（各参議院名簿届出政党等の得票総数にあつては、当該参議院名簿届出政党等に係る各参議院名簿登載者（当該選挙の期日において公職の候補者たる者に限る。）の得票総数を含むものをいう。第三項において同じ。）	賛否の投票総数
第八十条第二項	各公職の候補者の得票総数	賛否の投票総数
第八十条第三項	各公職の候補者、各衆議院名簿届出政党等又は各参議院名簿届出政党等の得票総数	賛否の投票総数
第八十三条第二項	当該選挙に係る議員又は長の任期間	解職の投票の結果が確定するまでの間
第八十三条第三項	当該選挙にかかる議員又は長の任期間	解職の投票の結果が確定するまでの間
第百条第五項	前各項	地方自治法施行令第百十六条の二において準用する同令第百十二条の規定
第百二十七条	第百条第四項	地方自治法施行令第百十六条の二において準用する同令第百十二条
第百三十一条第一項第四号及び第五号	公職の候補者一人	普通地方公共団体の長又はその解職請求代表者
第百三十二条	第百二十九条の規定にかかわらず、選挙の当日においても	普通地方公共団体の長の解職の投票の当日は
第百三十八条第二項	特定の候補者の氏名若しくは政党その他の政治団体の名称	普通地方公共団体の長の解職の賛否
第百三十八条の三	公職に就くべき者	普通地方公共団体の長の解職の賛否
第百六十六条ただし書	第百六十一条の規定による個人演説会、政党演説会又は政党等演説会	地方自治法施行令第百十六条の二において準用する同令第百七条の規定による演説会等
第百七十八条	第百条第一項から第四項まで	地方自治法施行令第百十六条の二において準用する同令第百十二条
	同条第五項	第百条第五項
第百九十九条の二第一項	公職の候補者又は公職の候補者となろうとする者（公職にある者を含む。以下この条において「公職の候補者等」という。）	解職の請求を受けている普通地方公共団体の長又はその解職請求代表者（以下第百九十九条の四までにおいて「解職請求代表者等」という。）
	寄附を	寄附（当該投票に関するもの又は通常一般の社交の程度を超えるものに限る。以下この条において同じ。）を

	当該公職の候補者等	当該解職請求代表者等
第百九十九条の二第二項から第四項まで	公職の候補者等	解職請求代表者等
第百九十九条の三	公職の候補者又は公職の候補者となろうとする者（公職にある者を含む。）	解職請求代表者等
	団体は	団体は、当該投票に関し
第百九十九条の四	公職の候補者又は公職の候補者となろうとする者（公職にある者を含む。）	解職請求代表者等
	公職の候補者若しくは公職の候補者となろうとする者（公職にある者を含む。）	解職請求代表者等
第二百六条第一項	その当選	その解職の投票の結果
	第百一条の三第二項又は第百六条第二項の規定による告示の日	地方自治法第八十二条第二項の規定による公表の日
第二百七条第二項	議会の議員及び長の当選	長の解職の投票の結果
第二百九条第一項	当選	解職の投票の結果
第二百十九条第一項	における当選	における解職の投票の結果
第二百二十一条第三項第一号	公職の候補者	解職の請求を受けている普通地方公共団体の長
第二百二十一条第三項第二号	選挙運動を総括主宰した者	普通地方公共団体の長の解職請求代表者
第二百二十二条第三項	前条第三項各号に掲げる者	普通地方公共団体の長又はその解職請求代表者
第二百二十三条第三項	第二百二十一条第三項各号に掲げる者	普通地方公共団体の長又はその解職請求代表者
第二百二十六条第二項、第二百二十七条及び第二百二十八条第一項	被選挙人の氏名	賛否
第二百三十七条の二第一項	公職の候補者（公職の候補者たる参議院名簿登載者を含む。）の氏名若しくは政党等若しくは衆議院名簿届出政党等若しくは参議院名簿届出政党等の名称若しくは略称又は公職の候補者に対して	賛否又は
	指示する	指示に従い
第二百三十七条の二第二項	公職の候補者（公職の候補者たる参議院名簿登載者を含む。）の氏名又は衆議院名簿届出政党等若しくは参議院名簿届出政党等の名称若しくは略称	賛否
第二百四十九条の二第五項	公職の候補者等	普通地方公共団体の長又はその解職請求代表者（第七項において「解職請求代表者等」という。）
第二百四十九条の二第七項	公職の候補者等	解職請求代表者等
第二百五十三条の二第一項及び第二百五十四条	当選人	普通地方公共団体の長若しくは長であつた者又はその解職請求代表者
第二百五十五条第一項	公職の候補者（公職の候補者たる参議院名簿登載者を含む。以下この条及び次条において同じ。）一人の氏名、一の衆議院名簿届出政党等の名称若しくは略称又は一の参議院名簿届出政党等の名称若し	賛否

	くは略称	
	公職の候補者の氏名、衆議院名簿届出政党等の名称若しくは略称又は参議院名簿届出政党等の名称若しくは略称	賛否
第二百五十五条第三項	公職の候補者一人の氏名、一の衆議院名簿届出政党等の名称若しくは略称又は一の参議院名簿届出政党等の名称若しくは略称	賛否
	公職の候補者の氏名、衆議院名簿届出政党等の名称若しくは略称又は参議院名簿届出政党等の名称若しくは略称	賛否

第百十九条　削除〔昭二五・五政令一一三〕

第百二十条　地方自治法第八十五条第一項において準用する公職選挙法中普通地方公共団体の選挙に関する規定並びにこの政令第百条の二乃至第百九条の二、第百十一条乃至第百十五条及び第百十六条の二乃至第百十八条の規定は、地方自治法第八十五条第一項の規定により同法第七十六条第三項の規定による解散の投票並びに同法第八十条第三項及び第八十一条第二項の規定による解職の投票を同時に行う場合並びに同法第八十五条第二項の規定により普通地方公共団体の選挙とこれらの投票を同時に行う場合にこれを準用する。

第百二十一条　第九十一条から第九十八条まで、第九十八条の三及び第九十八条の四の規定は、地方自治法第八十六条第一項の規定による副知事若しくは副市町村長、指定都市の総合区長、選挙管理委員若しくは監査委員又は公安委員会の委員の解職の請求について準用する。この場合において、次の表の上欄に掲げる規定中同表の中欄に掲げる字句は、それぞれ同表の下欄に掲げる字句に読み替えるものとする。

第九十一条第三項から第五項まで	地方自治法第七十四条第六項各号	地方自治法第八十六条第四項において準用する同法第七十四条第六項各号
第九十二条第一項	地方自治法第七十四条第一項	地方自治法第八十六条第一項
第九十二条第三項及び第四項	地方自治法第七十四条第七項	地方自治法第八十六条第四項において準用する同法第七十四条第七項
第九十四条第一項	地方自治法第七十四条第五項	地方自治法第八十六条第四項において準用する同法第七十四条第五項
	五十分の一	三分の一（その総数が四十万を超え八十万以下の場合にあつてはその四十万を超える数に六分の一を乗じて得た数と四十万に三分の一を乗じて得た数とを合算して得た数、その総数が八十万を超える場合にあつてはその八十万を超える数に八分の一を乗じて得た数と四十万に六分の一を乗じて得た数と四十万に三分の一を乗じて得た数とを合算して得た数）
第九十五条の二	地方自治法第七十四条の二第一項	地方自治法第八十六条第四項において準用する同法第七十四条の二第一項
第九十五条の三	地方自治法第七十四条の二第五項	地方自治法第八十六条第四項において準用する同法第七十四条の二第五項
第九十五条の四	地方自治法第七十四条の二第六項	地方自治法第八十六条第四項において準用する同法第七十四条の二第六項
第九十六条第一項	地方自治法第七十四条第一項	地方自治法第八十六条第一項

	同法第七十四条の二第六項	同条第四項において準用する同法第七十四条の二第六項
	同法第七十四条第五項	同法第八十六条第四項において準用する同法第七十四条第五項
	五十分の一	三分の一（その総数が四十万を超え八十万以下の場合にあつてはその四十万を超える数に六分の一を乗じて得た数と四十万に三分の一を乗じて得た数とを合算して得た数、その総数が八十万を超える場合にあつてはその八十万を超える数に八分の一を乗じて得た数と四十万に六分の一を乗じて得た数と四十万に三分の一を乗じて得た数とを合算して得た数）
第九十六条第二項	地方自治法第七十四条の二第十項	地方自治法第八十六条第四項において準用する同法第七十四条の二第十項
第九十七条第一項	地方自治法第七十四条第五項	地方自治法第八十六条第四項において準用する同法第七十四条第五項
	五十分の一	三分の一（その総数が四十万を超え八十万以下の場合にあつてはその四十万を超える数に六分の一を乗じて得た数と四十万に三分の一を乗じて得た数とを合算して得た数、その総数が八十万を超える場合にあつてはその八十万を超える数に八分の一を乗じて得た数と四十万に六分の一を乗じて得た数と四十万に三分の一を乗じて得た数とを合算して得た数）
第九十八条第二項	地方自治法第七十四条第三項	地方自治法第八十六条第三項
第九十八条の三第一項	地方自治法第七十四条の二及び第七十四条の三	地方自治法第八十六条第四項において準用する同法第七十四条の二及び第七十四条の三
	同法第七十四条の二第十項	同法第八十六条第四項において準用する同法第七十四条の二第十項

第三章　議会

第百二十一条の二　地方自治法第九十二条の二に規定する政令で定める額は、三百万円とする。

第百二十一条の二の二　地方自治法第九十六条第一項第五号に規定する政令で定める基準は、契約の種類については、別表第三上欄に定めるものとし、その金額については、その予定価格の金額が同表下欄に定める金額を下らないこととする。

② 地方自治法第九十六条第一項第八号に規定する政令で定める基準は、財産の取得又は処分の種類については、別表第四上欄に定めるものとし、その金額については、その予定価格の金額が同表下欄に定める金額を下らないこととする。

第百二十一条の三　地方自治法第九十六条第二項に規定する議会の議決すべきものとすることが適当でないものとして政令で定めるものは、次のとおりとする。

一　武力攻撃事態等における国民の保護のための措置に関する法律（平成十六年法律第百十二号）第八条第一項（同法第百八十三条において準用する場合を含む。）、第十一条第四項（同法第百七十七条第三項において準用する場合を含む。）、第十二条第一項（同法第十八条第二項（同法第百八十三条において準用する場合を含む。）及び第百八十三条において準用する場合を含む。）、第十四条第一項及び第十五条第一項（これらの規定を同法第百八十三条において準用する場合を含む。）、第十六条第四項及び第五項（これらの規定を同法第百七十八条第三項において準用する場合を含む。）、第十七条第一項、第十八条第一項及び第二十条（これらの規定を同法第百八十三条において準用する場合を含む。）、第二十一条第二項及び第三項（これらの規定を同法第百七十九条第二項において準用する場合を含む。）、第二十六条及び第二十九条第二項（これらの規定を同法第百八十三条において準用する場合を含む。）、第五十四条第六項（同法第五十八条第六項（同法第百八十三条において準用する場合を含む。）及び第百八十三条において準用する場合を含む。）、第五十八条第一項から第三項まで、第五十九条第一項及び第六十一条第一項（これらの規定を同法第百八十三条において準用する場合を含む。）、第六十二条第四項（同条第五項及び同法第六十九条第二項（これらの規定を同法第百八十三条において準用する場合を含む。）並びに第百八十三条において準用する場合を含む。）、第六十三条、第六十四条第一項、第六十九条第一項、第七十五条第一項及び第二項、第七十六条第二項、第七十七条第三項、第八十一条第一項及び第四項、第八十五条第一項、第八十九条第二項、第九十六条第二項、第九十七条第四項、第六項及び第七項並びに第百二条第一項、第三項及び第四項（これらの規定を同法第百八十三条において準用する場合を含む。）並びに第百三条第一項（同条第五項（同法第百八十三条において準用する場合を含む。）及び同法第百八十三条において準用する場合を含む。）の規定、同法第百五条第十三項（同法第百八十三条において準用する場合を含む。）において準用する原子力災害対策特別措置法（平成十一年法律第百五十六号）第二十六条第二項及び第二十七条第二項の規定並びに武力攻撃事態等における国民の保護のための措置に関する法律第百七条第二項及び第三項並びに第百十九条第一項（これらの規定を同法第百八十三条において準用する場合を含む。）、第百二十九条、第百三十四条第二項及び第百三十九条から第百四十一条まで（これらの規定を同法第百八十三条において準用する場合を含む。）、第百四十二条、第百四十三条及び第百四十四条（これらの規定を同法第百八十三条において準用する場合を含む。）、第百四十五条並びに第百五十一条第一項並びに第百五十二条第一項及び第二項（これらの規定を同法第百八十三条において準用する場合を含む。）の規定により地方公共団体が処理することとされている事務に係る事件

二　災害救助法施行令（昭和二十二年政令第二百二十五号）第三条第二項の規定により同令第十八条に規定する都道府県等が処理することとされている事務に係る事件

第百二十一条の四　地方自治法第九十八条第一項に規定する労働委員会及び収用委員会の権限に属する事務で政令で定めるものは、労働組合法（昭和二十四年法律第百七十四号）の規定による労働争議のあっせん、調停及び仲裁その他労働委員会の権限に属する事務（その組織に関する事務及び庶務を除く。）並びに土地収用法（昭和二十六年法律第二百十九号）の規定による収用に関する裁決その他収用委員会の権限に属する事務（その組織に関する事務及び庶務を除く。）とする。

②　地方自治法第九十八条第一項に規定する議会の検査の対象とすることが適当でないものとして政令で定めるものは、当該検査に際して開示をすることにより、国の安全を害するおそれがある事項に関する事務（当該国の安全を害するおそれがある部分に限る。）及び個人の秘密を害することとなる事項に関する事務（当該個人の秘密を害することとなる部分に限る。）並びに土地収用法の規定による収用に関する裁決その他収用委員会の権限に属する事務とする。

③　第一項の規定は、地方自治法第九十八条第二項に規定する労働委員会及び収用委員会の権限に属する事務で政令で定めるものについて準用する。

④　第二項の規定は、地方自治法第九十八条第二項に規定する同項の監査の対象とすることが適当でないものとして政令で定めるものについて準用する。この場合において、第二項中「検査」とあるのは、「監査」と読み替えるものとする。

第百二十一条の五　前条第一項の規定は、地方自治法第百条第一項に規定する労働委員会及び収用委員会の権限に属する事務で政令で定めるものについて準用する。

②　前条第二項の規定は、地方自治法第百条第一項に規定する議会の調査の対象とすることが適当でないものとして政令で定めるものについて準用する。この場合において、前条第二項中「検査」とあるのは、「調査」と読み替えるものとする。

第四章　執行機関

第一節　普通地方公共団体の長及び補助機関並びに普通地方公共団体の長と他の執行機関との関係

第百二十二条　地方自治法第百四十二条に規定する当該普通地方公共団体が出資している法人で政令で定めるもの

は、当該普通地方公共団体が資本金、基本金その他これらに準ずるものの二分の一以上を出資している法人とする。

第百二十三条 普通地方公共団体の長の更迭があつた場合においては、前任者は、退職の日から都道府県知事にあつては三十日以内、市町村長にあつては二十日以内にその担任する事務を後任者に引き継がなければならない。

② 前項の場合において、特別の事情によりその担任する事務を後任者に引き継ぐことができないときは、これを副知事又は副市町村長（地方自治法第百五十二条第二項又は第三項の規定により普通地方公共団体の長の職務を代理すべき職員を含む。以下この項において同じ。）に引き継がなければならない。この場合においては、副知事又は副市町村長は、後任者に引き継ぐことができるようになつたときは、直ちにこれを後任者に引き継がなければならない。

第百二十四条 前条の規定による事務の引継ぎの場合においては、前任の普通地方公共団体の長は、書類、帳簿及び財産目録を調製し、処分未了若しくは未着手の事項又は将来企画すべき事項については、その処理の順序及び方法並びにこれに対する意見を記載しなければならない。

第百二十五条及び第百二十六条 削除〔平一八・一二政三六二〕

第百二十七条 副知事又は副市町村長の更迭があつた場合において、普通地方公共団体の長からその者に委任された事務があるときは、その者は、退職の日から副知事にあつては十五日以内、副市町村長にあつては十日以内にその事務を当該普通地方公共団体の長に引き継がなければならない。この場合においては、第百二十四条の規定を準用する。

第百二十八条 第百二十四条（前条において準用する場合を含む。）の規定により調製すべき書類、帳簿及び財産の目録は、現に調製してある目録又は台帳により引継ぎをする時の現況を確認することができる場合においては、その目録又は台帳をもつて代えることができる。

第百二十九条 削除〔平一八・一二政三六二〕

第百三十条 普通地方公共団体の廃置分合があつた場合において消滅した普通地方公共団体の長であつた者は、その担任する事務を、当該地域が新たに属した普通地方公共団体の長に引き継がなければならない。

② 第百二十三条、第百二十四条及び第百二十八条の規定は、前項の規定による事務の引継ぎについて準用する。

第百三十一条 正当な理由がなくて第百二十三条、第百二十四条、第百二十七条、第百二十八条及び前条の規定による事務の引継ぎをしない者に対しては、都道府県に係る事務の引継ぎにあつては総務大臣、市町村に係る事務の引継ぎにあつては都道府県知事は、十万円以下の過料を科することができる。

第百三十二条 地方自治法第百八十条の四第二項に規定する同条第一項の事務局等（以下「事務局等」という。）の組織、事務局等に属する職員の定数又はこれらの職員の身分取扱いで政令で定めるものは、次のとおりとする。

一 局部若しくは課（これらに準ずる組織及び局部又は課の長と同等又はこれら以上の職を含む。）又は地方駐在機関（その下部機構を除く。次号において同じ。）の新設に関する事項

二 地方駐在機関別の職員の定数の配置の基準に関する事項

三 職員の採用及び昇任の基準に関する事項

四 昇給の基準並びに扶養手当、在宅勤務等手当、特殊勤務手当、時間外勤務手当、宿日直手当、夜間勤務手当、休日勤務手当、勤勉手当及び旅費の支給の基準に関する事項

五 職員の意に反する休職の基準に関する事項

六 地方公務員法（昭和二十五年法律第二百六十一号）第二十二条の四第三項（同法第二十二条の五第三項において準用する場合を含む。）に規定する定年前再任用短時間勤務職員の任用、同法第二十八条の五第一項から第四項までの規定による異動期間の延長及び当該延長に係る職員の降任又は転任並びに同法第二十八条の七第一項又は第二項の規定による勤務延長の基準に関する事項

七 地方公務員法第三十五条の規定による職務専念義務の免除及び同法第三十八条第一項の規定による営利企業等の従事の許可（教育公務員特例法（昭和二十四年法律第一号）第十七条の規定の適用がある場合を除く。）の基準に関する事項

第二節 委員会及び委員

第一款 通則

第百三十三条 地方自治法第百八十条の五第六項に規定する当該普通地方公共団体が出資している法人で政令で定めるものは、当該普通地方公共団体が資本金、基本金その他これらに準ずるものの二分の一以上を出資している法人とする。

第百三十三条の二 地方自治法第百八十条の七ただし書の規定による事務は、公安委員会の権限に属する事務とする。

第二款 選挙管理委員会

第百三十四条 地方自治法第百八十二条第一項又は第二項の規定により、選挙管理委員又は補充員の選挙を行つた場合において、当選人で同一の政党その他の政治団体に

属するものが二人以上あるときは、その者の中から、得票数により、得票数が同じであるときはくじにより、委員又は補充員たるべき者を定めなければならない。

② 前項の規定により委員又は補充員たるべき者と定められなかつた当選人は、地方自治法第百十八条の規定の適用については、当初から選挙されなかつたものとみなす。

第百三十五条　地方自治法第百八十二条第三項の規定により当該補充員で選挙管理委員の補欠を行えば同一の政党その他の政治団体に属する委員の数が二人以上となるときは、その者は、その場合における同項の規定の適用については、これを補充員でないものとみなす。

② 補充員がすべて前項の規定に該当するときは、普通地方公共団体の議会は地方自治法第百八十二条第二項の規定にかかわらず、臨時に補充員の補欠選挙を行わなければならない。

第百三十六条　地方自治法第百八十九条第三項の規定により当該補充員を臨時に選挙管理委員に充てれば同一の政党その他の政治団体に属する委員の数が二人以上となるときは、その者は、その場合における同項の規定の適用については、これを補充員でない者とみなす。

② 前条第二項の規定は、補充員がすべて前項の規定に該当する場合にこれを準用する。

第百三十六条の二　第百三十四条第一項、第百三十五条第一項又は前条第一項の規定に該当する場合のほか、選挙管理委員又は補充員の中同一の政党その他の政治団体に属する者がそれぞれ二人以上となつた場合においては、選挙管理委員会は、くじにより、それらの者の中からそれぞれ選挙管理委員又は補充員の職を失うこととなる者を定めなければならない。

第百三十七条　選挙管理委員会が成立しないとき、委員会を招集する暇がないと認めるとき、又は地方自治法第百八十九条第二項の規定による除斥のため同条第三項の規定により臨時に補充員を委員に充ててもなお会議を開くことができないときは、委員長は、委員会の議決すべき事件を処分することができる。

② 前項の規定による処分については、委員長は、次の会議においてこれを委員会に報告し、その承認を求めなければならない。

第百三十八条及び第百三十九条　削除〔昭三一・七政令二五三〕

第百四十条　第百二十三条、第百二十四条、第百二十八条、第百三十条及び第百三十一条の規定は、選挙管理委員会の委員長にこれを準用する。この場合において、第百二十三条第一項中「都道府県知事にあつては三十日以内、市町村長にあつては二十日以内」とあるのは「十日以内」と、同条第二項中「副知事又は副市町村長」とあるのは「選挙管理委員の一人」と読み替えるものとする。

第三款　監査委員

第百四十条の二　地方自治法第百九十五条第二項に規定する政令で定める市は、人口二十五万以上の市とする。

第百四十条の三　地方自治法第百九十六条第二項に規定する当該普通地方公共団体の常勤の職員で政令で定めるものは、当該普通地方公共団体の常勤の職員（同条第四項に規定する監査委員を除くものとし、地方分権の推進を図るための関係法律の整備等に関する法律（平成十一年法律第八十七号）第一条の規定による改正前の地方自治法附則第八条の規定により官吏とされていた職員及び警察法（昭和二十九年法律第百六十二号）第五十六条第一項に規定する地方警務官を含む。）及び地方公務員法第二十二条の四第一項に規定する短時間勤務の職を占める職員とする。

第百四十条の四　地方自治法第百九十六条第五項に規定する政令で定める市は、人口二十五万以上の市とする。

第百四十条の五　第百二十一条の四第一項の規定は、地方自治法第百九十九条第二項に規定する労働委員会及び収用委員会の権限に属する事務で政令で定めるものについて準用する。

② 第百二十一条の四第二項の規定は、地方自治法第百九十九条第二項に規定する監査委員の監査の対象とすることが適当でないものとして政令で定めるものについて準用する。この場合において、第百二十一条の四第二項中「検査」とあるのは、「監査」と読み替えるものとする。

第百四十条の六　地方自治法第百九十九条第二項の規定による監査の実施に当たつては、同条第三項の規定によるほか、同条第二項に規定する事務の執行が法令の定めるところに従つて適正に行われているかどうかについて、適時に監査を行わなければならない。

第百四十条の七　地方自治法第百九十九条第七項後段に規定する当該普通地方公共団体が出資しているもので政令で定めるものは、当該普通地方公共団体が資本金、基本金その他これらに準ずるものの四分の一以上を出資している法人とする。

② 当該普通地方公共団体及び一又は二以上の第百五十二条第一項第二号に掲げる法人（同条第二項の規定により同号に掲げる法人とみなされる法人を含む。）が資本金、基本金その他これらに準ずるものの四分の一以上を出資している法人は、前項に規定する法人とみなす。

③ 地方自治法第百九十九条第七項後段に規定する当該普通地方公共団体が受益権を有する信託で政令で定めるも

のは、当該普通地方公共団体が受益権を有する不動産の信託とする。

第百四十一条　第百二十三条、第百二十四条、第百二十八条、第百三十条及び第百三十一条の規定は、監査委員にこれを準用する。ただし、第百二十三条第二項中「副知事又は副市町村長」とあるのは、「監査委員の一人」と読み替えるものとする。

第五章　財務

第一節　会計年度所属区分

（歳入の会計年度所属区分）

第百四十二条　歳入の会計年度所属は、次の区分による。

一　納期の一定している収入は、その納期の末日（民法（明治二十九年法律第八十九号）第百四十二条、地方自治法第四条の二第四項、地方税法（昭和二十五年法律第二百二十六号）第二十条の五又は当該期日が土曜日に当たる場合にその翌日をもつて納期の末日とする旨の法令、条例若しくは規則の規定の適用がないものとしたときの納期の末日をいう。次項において同じ。）の属する年度。ただし、地方税法第三百二十一条の三の規定により特別徴収の方法によつて徴収する市町村民税及び同法第四十一条第一項の規定によりこれとあわせて徴収する道府県民税（同法第三百二十一条の五の二の規定により納入するものを除く。）は、特別徴収義務者が同法第三百二十一条の五第一項又は第二項ただし書の規定による徴収をすべき月の属する年度

二　随時の収入で、納入通知書又は納税の告知に関する文書（以下本条において「通知書等」という。）を発するものは、当該通知書等を発した日の属する年度

三　随時の収入で、通知書等を発しないものは、これを領収した日の属する年度。ただし、地方交付税、地方譲与税、交付金、負担金、補助金、地方債その他これらに類する収入及び他の会計から繰り入れるべき収入は、その収入を計上した予算の属する年度

2　前項第一号の収入について、納期の末日の属する会計年度の末日（民法第百四十二条、地方自治法第四条の二第四項、地方税法第二十条の五又は納期の末日が土曜日に当たる場合にその翌日をもつて納期の末日とする旨の法令、条例若しくは規則の規定の適用があるときは、当該延長された日）までに申告がなかつたとき、又は通知書等を発しなかつたときは、当該収入は、申告があつた日又は通知書等を発した日の属する会計年度の歳入に組み入れるものとする。

3　普通地方公共団体の歳入に係る督促手数料、延滞金及び滞納処分費は、第一項の規定にかかわらず、当該歳入の属する会計年度の歳入に組み入れるものとする。

（歳出の会計年度所属区分）

第百四十三条　歳出の会計年度所属は、次の区分による。

一　地方債の元利償還金、年金、恩給の類は、その支払期日の属する年度

二　給与その他の給付（前号に掲げるものを除く。）は、これを支給すべき事実の生じた時の属する年度

三　地方公務員共済組合負担金及び社会保険料（労働保険料を除く。）並びに賃借料、光熱水費、電信電話料の類は、その支出の原因である事実の存した期間の属する年度。ただし、賃借料、光熱水費、電信電話料の類で、その支出の原因である事実の存した期間が二年度にわたるものについては、支払期限の属する年度

四　工事請負費、物件購入費、運賃の類及び補助費の類で相手方の行為の完了があつた後支出するものは、当該行為の履行があつた日の属する年度

五　前各号に掲げる経費以外の経費は、その支出負担行為をした日の属する年度

2　旅行の期間（外国旅行にあつては、その準備期間を含む。）が二年度にわたる場合における旅費は、当該二年度のうち前の年度の歳出予算から概算で支出することができるものとし、当該旅費の精算によつて生ずる返納金又は追給金は、その精算を行なつた日の属する年度の歳入又は歳出とするものとする。

第二節　予算

（予算に関する説明書）

第百四十四条　地方自治法第二百十一条第二項に規定する政令で定める予算に関する説明書は、次のとおりとする。

一　歳入歳出予算の各項の内容を明らかにした歳入歳出予算事項別明細書及び給与費の内訳を明らかにした給与費明細書

二　継続費についての前前年度末までの支出額、前年度末までの支出額又は支出額の見込み及び当該年度以降の支出予定額並びに事業の進行状況等に関する調書

三　債務負担行為で翌年度以降にわたるものについての前年度末までの支出額又は支出額の見込み及び当該年度以降の支出予定額等に関する調書

四　地方債の前前年度末における現在高並びに前年度末及び当該年度末における現在高の見込みに関する調書

五　その他予算の内容を明らかにするため必要な書類

2　前項第一号から第四号までに規定する書類の様式は、総務省令で定める様式を基準としなければならない。

（継続費）

第百四十五条　継続費の毎会計年度の年割額に係る歳出予算の経費の金額のうち、その年度内に支出を終わらなか

つたものは、当該継続費の継続年度の終わりまで逓次繰り越して使用することができる。この場合においては、普通地方公共団体の長は、翌年度の五月三十一日までに継続費繰越計算書を調製し、次の会議においてこれを議会に報告しなければならない。

2　普通地方公共団体の長は、継続費に係る継続年度（継続費に係る歳出予算の金額のうち法第二百二十条第三項ただし書の規定により翌年度に繰り越したものがある場合には、その繰り越された年度）が終了したときは、継続費精算報告書を調製し、地方自治法第二百三十三条第五項の書類の提出と併せてこれを議会に報告しなければならない。

3　継続費繰越計算書及び継続費精算報告書の様式は、総務省令で定める様式を基準としなければならない。

（繰越明許費）

第百四十六条　地方自治法第二百十三条の規定により翌年度に繰り越して使用しようとする歳出予算の経費については、当該経費に係る歳出に充てるために必要な金額を当該年度から翌年度に繰り越さなければならない。

2　普通地方公共団体の長は、繰越明許費に係る歳出予算の経費を翌年度に繰り越したときは、翌年度の五月三十一日までに繰越計算書を調製し、次の会議においてこれを議会に報告しなければならない。

3　繰越計算書の様式は、総務省令で定める様式を基準としなければならない。

（歳入歳出予算の款項の区分及び予算の調製の様式）

第百四十七条　歳入歳出予算の款項の区分は、総務省令で定める区分を基準としてこれを定めなければならない。

2　予算の調製の様式は、総務省令で定める様式を基準としなければならない。

（会計年度経過後の予算の補正の禁止）

第百四十八条　予算は、会計年度経過後においては、これを補正することができない。

（弾力条項の適用できない経費）

第百四十九条　地方自治法第二百十八条第四項に規定する政令で定める経費は、職員の給料とする。

（予算の執行及び事故繰越し）

第百五十条　普通地方公共団体の長は、次の各号に掲げる事項を予算の執行に関する手続として定めなければならない。

一　予算の計画的かつ効率的な執行を確保するため必要な計画を定めること。

二　定期又は臨時に歳出予算の配当を行なうこと。

三　歳入歳出予算の各項を目節に区分するとともに、当該目節の区分に従つて歳入歳出予算を執行すること。

2　前項第三号の目節の区分は、総務省令で定める区分を基準としてこれを定めなければならない。

3　第百四十六条の規定は、地方自治法第二百二十条第三項ただし書の規定による予算の繰越しについてこれを準用する。

（予算が成立したとき等の通知）

第百五十一条　普通地方公共団体の長は、予算が成立したとき、歳出予算を配当したとき、予備費を充当したとき、又は地方自治法第二百二十条第二項ただし書の規定により歳出予算の各項の経費の金額を流用したときは、直ちにこれを会計管理者に通知しなければならない。

（普通地方公共団体の長の調査等の対象となる法人等の範囲）

第百五十二条　地方自治法第二百二十一条第三項に規定する普通地方公共団体が出資している法人で政令で定めるものは、次に掲げる法人とする。

一　当該普通地方公共団体が設立した地方住宅供給公社、地方道路公社、土地開発公社及び地方独立行政法人

二　当該普通地方公共団体が資本金、基本金その他これらに準ずるものの二分の一以上を出資している一般社団法人及び一般財団法人並びに株式会社

三　当該普通地方公共団体が資本金、基本金その他これらに準ずるものの四分の一以上二分の一未満を出資している一般社団法人及び一般財団法人並びに株式会社のうち条例で定めるもの

2　当該普通地方公共団体及び一又は二以上の前項第二号に掲げる法人（この項の規定により同号に掲げる法人とみなされる法人を含む。）が資本金、基本金その他これらに準ずるものの二分の一以上を出資している一般社団法人及び一般財団法人並びに株式会社は、同号に掲げる法人とみなす。

3　当該普通地方公共団体及び一又は二以上の第一項第二号に掲げる法人（前項の規定により同号に掲げる法人とみなされる法人を含む。）が資本金、基本金その他これらに準ずるものの四分の一以上二分の一未満を出資している一般社団法人及び一般財団法人並びに株式会社は、第一項第三号に規定する一般社団法人及び一般財団法人並びに株式会社とみなす。

4　地方自治法第二百二十一条第三項に規定する普通地方公共団体がその者のために債務を負担している法人で政令で定めるものは、次に掲げる法人とする。

一　当該普通地方公共団体がその者のためにその資本金、基本金その他これらに準ずるものの二分の一に相当する額以上の額の債務を負担している一般社団法人及び一般財団法人並びに株式会社

二　当該普通地方公共団体がその者のためにその資本金、基本金その他これらに準ずるものの四分の一に相当する額以上二分の一に相当する額未満の額の債務を負担している一般社団法人及び一般財団法人並びに株式会社のうち条例で定めるもの

5　地方自治法第二百二十一条第三項に規定する普通地方公共団体が受益権を有する信託で政令で定めるものは、当該普通地方公共団体が受益権を有する不動産の信託とする。

第三節　収入

（**分担金を徴収することができない場合**）

第百五十三条　地方税法第七条の規定により不均一の課税をし、若しくは普通地方公共団体の一部に課税をし、又は同法第七百三条の規定により水利地益税を課し、若しくは同法第七百三条の二の規定により共同施設税を課するときは、同一の事件に関し分担金を徴収することができない。

（**歳入の調定及び納入の通知**）

第百五十四条　地方自治法第二百三十一条の規定による歳入の調定は、当該歳入について、所属年度、歳入科目、納入すべき金額、納入義務者等を誤つていないかどうかその他法令又は契約に違反する事実がないかどうかを調査してこれをしなければならない。

2　普通地方公共団体の歳入を収入するときは、地方交付税、地方譲与税、補助金、地方債、滞納処分費その他その性質上納入の通知を必要としない歳入を除き、納入の通知をしなければならない。

3　前項の規定による納入の通知は、所属年度、歳入科目、納入すべき金額、納期限、納入場所及び納入の請求の事由を記載した納入通知書でこれをしなければならない。ただし、その性質上納入通知書によりがたい歳入については、口頭、掲示その他の方法によつてこれをすることができる。

（**口座振替の方法による歳入の納付**）

第百五十五条　普通地方公共団体の歳入の納入義務者は、当該普通地方公共団体の指定金融機関若しくは指定代理金融機関又は収納代理金融機関若しくは収納事務取扱金融機関に預金口座を設けているときは、当該金融機関に請求して口座振替の方法により当該歳入を納付することができる。

（**証券をもつてする歳入の納付**）

第百五十六条　地方自治法第二百三十一条の二第三項の規定により普通地方公共団体の歳入の納付に使用することができる証券は、次に掲げる証券で納付金額を超えないものに限る。

一　持参人払式の小切手等（小切手その他金銭の支払を目的とする有価証券であつて小切手と同程度の支払の確実性があるものとして総務大臣が指定するものをいう。以下この号において同じ。）又は会計管理者若しくは指定金融機関、指定代理金融機関、収納代理金融機関若しくは収納事務取扱金融機関（以下この条において「会計管理者等」という。）を受取人とする小切手等で、手形交換所に加入している金融機関又は当該金融機関に手形交換を委託している金融機関を支払人とし、支払地が当該普通地方公共団体の長が定める区域内であつて、その権利の行使のため定められた期間内に支払のための提示又は支払の請求をすることができるもの

二　無記名式の国債若しくは地方債又は無記名式の国債若しくは地方債の利札で、支払期日の到来したもの

2　会計管理者等は、前項第一号に掲げる証券であつてもその支払が確実でないと認めるときは、その受領を拒絶することができる。

3　地方自治法第二百三十一条の二第四項前段に規定する場合においては、会計管理者等は、当該証券をもつて納付した者に対し、速やかに、当該証券について支払がなかつた旨及びその者の請求により当該証券を還付する旨を書面で通知しなければならない。

（**取立て及び納付の委託**）

第百五十七条　地方自治法第二百三十一条の二第五項の規定により取立て及び納付の委託を受けることができる証券は、前条第一項に規定する証券とする。

2　地方自治法第二百三十一条の二第五項の規定により取立て及び納付の委託を受ける場合において、その証券の取立てにつき費用を要するときは、会計管理者は、当該取立て及び納付の委託をしようとする者に、その費用の額に相当する金額をあわせて提供させなければならない。

3　地方自治法第二百三十一条の二第五項の規定により取立て及び納付の委託を受けた場合において、必要があると認めるときは、会計管理者は、確実と認める金融機関にその取立てを再委託することができる。

（**指定納付受託者等の要件**）

第百五十八条　地方自治法第二百三十一条の二の三第一項及び第二百三十一条の二の四に規定する政令で定める者は、次の各号に掲げる要件のいずれにも該当する者とする。

一　地方自治法第二百三十一条の二の三第一項に規定する納付事務（次号において「納付事務」という。）を適切かつ確実に遂行することができる財産的基礎を有すること。

二　その人的構成等に照らして、納付事務を適切かつ確実に遂行することができる知識及び経験を有し、かつ、十分な社会的信用を有すること。

（誤払金等の戻入）

第百五十九条　歳出の誤払い又は過渡しとなつた金額及び資金前渡又は概算払をした場合の精算残金を返納させるときは、収入の手続の例により、これを当該支出した経費に戻入しなければならない。

（過年度収入）

第百六十条　出納閉鎖後の収入は、これを現年度の歳入としなければならない。前条（第百七十三条の三第二項において準用する場合を含む。）の規定による戻入金で出納閉鎖後に係るものについても、また同様とする。

第四節　支出

（支出命令）

第百六十条の二　地方自治法第二百三十二条の四第一項に規定する政令で定めるところによる命令は、次のとおりとする。

一　当該支出負担行為に係る債務が確定した時以後に行う命令

二　当該支出負担行為に係る債務が確定する前に行う次に掲げる経費の支出に係る命令

イ　電気、ガス又は水の供給を受ける契約に基づき支払をする経費

ロ　電気通信役務の提供を受ける契約に基づき支払をする経費

ハ　イ及びロに掲げる経費のほか、二月以上の期間にわたり、物品を買い入れ若しくは借り入れ、役務の提供を受け、又は不動産を借り入れる契約で、単価又は一月当たりの対価の額が定められているもののうち普通地方公共団体の規則で定めるものに基づき支払をする経費

（資金前渡）

第百六十一条　次に掲げる経費については、当該普通地方公共団体の職員をして現金支払をさせるため、その資金を当該職員に前渡することができる。

一　外国において支払をする経費

二　遠隔の地又は交通不便の地域において支払をする経費

三　船舶に属する経費

四　給与その他の給付

五　地方債の元利償還金

六　諸払戻金及びこれに係る還付加算金

七　報償金その他これに類する経費

八　社会保険料

九　官公署に対して支払う経費

十　生活扶助費、生業扶助費その他これらに類する経費

十一　事業現場その他これに類する場所において支払を必要とする事務経費

十二　非常災害のため即時支払を必要とする経費

十三　電気、ガス又は水の供給を受ける契約に基づき支払をする経費

十四　電気通信役務の提供を受ける契約に基づき支払をする経費

十五　前二号に掲げる経費のほか、二月以上の期間にわたり、物品を買い入れ若しくは借り入れ、役務の提供を受け、又は不動産を借り入れる契約で、単価又は一月当たりの対価の額が定められているもののうち普通地方公共団体の規則で定めるものに基づき支払をする経費

十六　犯罪の捜査若しくは犯則の調査又は被収容者若しくは被疑者の護送に要する経費

十七　前各号に掲げるもののほか、経費の性質上現金支払をさせなければ事務の取扱いに支障を及ぼすような経費で普通地方公共団体の規則で定めるもの

2　歳入の誤納又は過納となつた金額を払い戻すため必要があるときは、前項の例により、その資金（当該払戻金に係る還付加算金を含む。）を前渡することができる。

3　前二項の規定による資金の前渡は、特に必要があるときは、他の普通地方公共団体の職員に対してもこれをすることができる。

（概算払）

第百六十二条　次の各号に掲げる経費については、概算払をすることができる。

一　旅費

二　官公署に対して支払う経費

三　補助金、負担金及び交付金

四　社会保険診療報酬支払基金又は国民健康保険団体連合会に対し支払う診療報酬

五　訴訟に要する経費

六　前各号に掲げるもののほか、経費の性質上概算をもつて支払をしなければ事務の取扱いに支障を及ぼすような経費で普通地方公共団体の規則で定めるもの

（前金払）

第百六十三条　次の各号に掲げる経費については、前金払をすることができる。

一　官公署に対して支払う経費

二　補助金、負担金、交付金及び委託費

三　前金で支払をしなければ契約しがたい請負、買入れ又は借入れに要する経費

四　土地又は家屋の買収又は収用によりその移転を必要とすることとなつた家屋又は物件の移転料
五　定期刊行物の代価、定額制供給に係る電燈電力料及び日本放送協会に対し支払う受信料
六　外国で研究又は調査に従事する者に支払う経費
七　運賃
八　前各号に掲げるもののほか、経費の性質上前金をもつて支払をしなければ事務の取扱いに支障を及ぼすような経費で普通地方公共団体の規則で定めるもの

（**繰替払**）

第百六十四条　次の各号に掲げる経費の支払については、会計管理者又は指定金融機関、指定代理金融機関、収納代理金融機関若しくは収納事務取扱金融機関をしてその収納に係る当該各号に掲げる現金を繰り替えて使用させることができる。
一　地方税の報奨金　当該地方税の収入金
二　競輪、競馬等の開催地において支払う報償金、勝者、勝馬等の的中投票券の払戻金及び投票券の買戻金　当該競輪、競馬等の投票券の発売代金
三　証紙取扱手数料　当該証紙の売りさばき代金
四　歳入の徴収又は収納の委託手数料　当該委託により徴収又は収納した収入金
五　前各号に掲げるもののほか、経費の性質上繰り替えて使用しなければ事務の取扱いに支障を及ぼすような経費で普通地方公共団体の規則で定めるもの　当該普通地方公共団体の規則で定める収入金

（**隔地払**）

第百六十五条　地方自治法第二百三十五条の規定により金融機関を指定している普通地方公共団体において、隔地の債権者に支払をするため必要があるときは、会計管理者は、支払場所を指定し、指定金融機関又は指定代理金融機関に必要な資金を交付して送金の手続をさせることができる。この場合においては、その旨を債権者に通知しなければならない。

2　指定金融機関又は指定代理金融機関は、前項の規定により資金の交付を受けた場合において、当該資金の交付の日から一年を経過した後は、債権者に対し支払をすることができない。この場合において、会計管理者は、債権者から支払の請求を受けたときは、その支払をしなければならない。

（**口座振替の方法による支出**）

第百六十五条の二　地方自治法第二百三十五条の規定により金融機関を指定している普通地方公共団体において、指定金融機関、指定代理金融機関その他普通地方公共団体の長が定める金融機関に預金口座を設けている債権者から申出があつたときは、会計管理者は、指定金融機関又は指定代理金融機関に通知して、口座振替の方法により支出をすることができる。

（**小切手の振出し及び公金振替書の交付**）

第百六十五条の三　地方自治法第二百三十二条の六第一項本文の規定による小切手の振出しは、各会計ごとに、受取人の氏名、支払金額、会計年度、番号その他必要な事項を記載してこれをしなければならない。ただし、受取人の氏名の記載は、普通地方公共団体の長が特に定める場合を除くほか、これを省略することができる。

2　会計管理者は、小切手を振り出したときは、これを指定金融機関又は指定代理金融機関に通知しなければならない。

3　職員に支給する給与（退職手当を除く。）に係る支出については、地方自治法第二百三十二条の六第一項本文の規定により小切手を振り出すことができない。

4　第一項の規定は、地方自治法第二百三十二条の六第一項本文の規定による公金振替書の交付についてこれを準用する。

5　指定金融機関を指定していない市町村の支出については、地方自治法第二百三十二条の六の規定は、これを適用しない。

（**小切手の償還**）

第百六十五条の四　会計管理者は、小切手の所持人から償還の請求を受けたときは、これを調査し、償還すべきものと認めるときは、その償還をしなければならない。

（**支払を終わらない資金の歳入への組入れ又は納付**）

第百六十五条の五　毎会計年度の小切手振出済金額のうち、翌年度の五月三十一日までに支払を終わらない金額に相当する資金は、決算上の剰余金とせず、これを繰り越し整理しなければならない。

2　前項の規定により繰り越した資金のうち、小切手の振出日付から一年を経過しまだ支払を終わらない金額に相当するものは、これを当該一年を経過した日の属する年度の歳入に組み入れなければならない。

3　第百六十五条第一項の規定により交付を受けた資金のうち、資金交付の日から一年を経過しまだ支払を終わらない金額に相当するものは、指定金融機関又は指定代理金融機関においてその送金を取り消し、これを当該取り消した日の属する年度の歳入に納付しなければならない。

（**誤納金又は過納金の戻出**）

第百六十五条の六　歳入の誤納又は過納となつた金額を払い戻すときは、支出の手続の例により、これを当該収入した歳入から戻出しなければならない。

（過年度支出）

第百六十五条の七　出納閉鎖後の支出は、これを現年度の歳出としなければならない。前条の規定による戻出金で出納閉鎖後に係るものについても、また同様とする。

第五節　決算

（決算）

第百六十六条　普通地方公共団体の決算は、歳入歳出予算についてこれを調製しなければならない。

2　地方自治法第二百三十三条第一項及び第五項に規定する政令で定める書類は、歳入歳出決算事項別明細書、実質収支に関する調書及び財産に関する調書とする。

3　決算の調製の様式及び前項に規定する書類の様式は、総務省令で定める様式を基準としなければならない。

（翌年度歳入の繰上充用）

第百六十六条の二　会計年度経過後にいたつて歳入が歳出に不足するときは、翌年度の歳入を繰り上げてこれに充てることができる。この場合においては、そのために必要な額を翌年度の歳入歳出予算に編入しなければならない。

第六節　契約

（指名競争入札）

第百六十七条　地方自治法第二百三十四条第二項の規定により指名競争入札によることができる場合は、次の各号に掲げる場合とする。

一　工事又は製造の請負、物件の売買その他の契約でその性質又は目的が一般競争入札に適しないものをするとき。

二　その性質又は目的により競争に加わるべき者の数が一般競争入札に付する必要がないと認められる程度に少数である契約をするとき。

三　一般競争入札に付することが不利と認められるとき。

（随意契約）

第百六十七条の二　地方自治法第二百三十四条第二項の規定により随意契約によることができる場合は、次に掲げる場合とする。

一　売買、貸借、請負その他の契約でその予定価格（貸借の契約にあつては、予定賃貸借料の年額又は総額）が別表第五上欄に掲げる契約の種類に応じ同表下欄に定める額の範囲内において普通地方公共団体の規則で定める額を超えないものをするとき。

二　不動産の買入れ又は借入れ、普通地方公共団体が必要とする物品の製造、修理、加工又は納入に使用させるため必要な物品の売払いその他の契約でその性質又は目的が競争入札に適しないものをするとき。

三　障害者の日常生活及び社会生活を総合的に支援するための法律（平成十七年法律第百二十三号）第五条第十一項に規定する障害者支援施設（以下この号において「障害者支援施設」という。）、同条第二十七項に規定する地域活動支援センター（以下この号において「地域活動支援センター」という。）、同条第一項に規定する障害福祉サービス事業（同条第七項に規定する生活介護、同条第十三項に規定する就労移行支援又は同条第十四項に規定する就労継続支援を行う事業に限る。以下この号において「障害福祉サービス事業」という。）を行う施設若しくは小規模作業所（障害者基本法（昭和四十五年法律第八十四号）第二条第一号に規定する障害者の地域社会における作業活動の場として同法第十八条第三項の規定により必要な費用の助成を受けている施設をいう。以下この号において同じ。）若しくはこれらに準ずる者として総務省令で定めるところにより普通地方公共団体の長の認定を受けた者若しくは生活困窮者自立支援法（平成二十五年法律第百五号）第十六条第三項に規定する認定生活困窮者就労訓練事業（以下この号において「認定生活困窮者就労訓練事業」という。）を行う施設でその施設に使用される者が主として同法第三条第一項に規定する生活困窮者（以下この号において「生活困窮者」という。）であるもの（当該施設において製作された物品を買い入れることが生活困窮者の自立の促進に資することにつき総務省令で定めるところにより普通地方公共団体の長の認定を受けたものに限る。）（以下この号において「障害者支援施設等」という。）において製作された物品を当該障害者支援施設等から普通地方公共団体の規則で定める手続により買い入れる契約、障害者支援施設、地域活動支援センター、障害福祉サービス事業を行う施設、小規模作業所、高年齢者等の雇用の安定等に関する法律（昭和四十六年法律第六十八号）第三十七条第一項に規定するシルバー人材センター連合若しくは同条第二項に規定するシルバー人材センター若しくはこれらに準ずる者として総務省令で定めるところにより普通地方公共団体の長の認定を受けた者から普通地方公共団体の規則で定める手続により役務の提供を受ける契約、母子及び父子並びに寡婦福祉法（昭和三十九年法律第百二十九号）第六条第六項に規定する母子・父子福祉団体若しくはこれに準ずる者として総務省令で定めるところにより普通地方公共団体の長の認定を受けた者（以下この号において「母子・父子福祉団体等」という。）が行う事業でその事業に使用される者が主として同項に規定する配偶者のない者で現に児童を扶養しているもの及び同条第四項に規定する寡婦であるものに係る役務の提供を当該母子・父子福祉団体等から普通地方公共団体の規則で定める手続により受ける契約又は認定生活困窮者就労訓練事業を行う施設（当該施設から役務の提供を受けることが生活困窮者の自立の促進に資することにつき総務省令で定めるところにより普通地方公共団体の長の認定を受けたものに限る。）が行う事業でその事業に使用される者が主として生活困窮者であるものに係る役務の提供を当該施設から普通地方公共団体の規則で定める手続により受ける契約をするとき。

四　新商品の生産により新たな事業分野の開拓を図る者として総務省令で定めるところにより普通地方公共団体の長の認定を受けた者が新商品として生産する物品を当該認定を受けた者から普通地方公共団体の規則で定める手続により買い入れ若しくは借り入れる契約又は新役務の提供により新たな事業分野の開拓を図る者として総務省令で定めるところにより普通地方公共団体の長の認定を受けた者から普通地方公共団体の規則で定める手続により新役務の提供を受ける契約をするとき。

五　緊急の必要により競争入札に付することができないとき。

六　競争入札に付することが不利と認められるとき。

七　時価に比して著しく有利な価格で契約を締結することができる見込みのあるとき。

八　競争入札に付し入札者がないとき、又は再度の入札に付し落札者がないとき。

九　落札者が契約を締結しないとき。

2　前項第八号の規定により随意契約による場合は、契約保証金及び履行期限を除くほか、最初競争入札に付するときに定めた予定価格その他の条件を変更することができない。

3　第一項第九号の規定により随意契約による場合は、落札金額の制限内でこれを行うものとし、かつ、履行期限を除くほか、最初競争入札に付するときに定めた条件を変更することができない。

4　前二項の場合においては、予定価格又は落札金額を分割して計算することができるときに限り、当該価格又は金額の制限内で数人に分割して契約を締結することができる。

（せり売り）

第百六十七条の三　地方自治法第二百三十四条第二項の規定によりせり売りによることができる場合は、動産の売払いで当該契約の性質がせり売りに適しているものをする場合とする。

（一般競争入札の参加者の資格）

第百六十七条の四　普通地方公共団体は、特別の理由がある場合を除くほか、一般競争入札に次の各号のいずれかに該当する者を参加させることができない。

一　当該入札に係る契約を締結する能力を有しない者

二　破産手続開始の決定を受けて復権を得ない者

三　暴力団員による不当な行為の防止等に関する法律（平成三年法律第七十七号）第三十二条第一項各号に掲げる者

2　普通地方公共団体は、一般競争入札に参加しようとする者が次の各号のいずれかに該当すると認められるときは、その者について三年以内の期間を定めて一般競争入札に参加させないことができる。その者を代理人、支配人その他の使用人又は入札代理人として使用する者についても、また同様とする。

一　契約の履行に当たり、故意に工事、製造その他の役務を粗雑に行い、又は物件の品質若しくは数量に関して不正の行為をしたとき。

二　競争入札又はせり売りにおいて、その公正な執行を妨げたとき又は公正な価格の成立を害し、若しくは不正の利益を得るために連合したとき。

三　落札者が契約を締結すること又は契約者が契約を履行することを妨げたとき。

四　地方自治法第二百三十四条の二第一項の規定による監督又は検査の実施に当たり職員の職務の執行を妨げたとき。

五　正当な理由がなくて契約を履行しなかつたとき。

六　契約により、契約の後に代価の額を確定する場合において、当該代価の請求を故意に虚偽の事実に基づき過大な額で行つたとき。

七　この項（この号を除く。）の規定により一般競争入札に参加できないこととされている者を契約の締結又は契約の履行に当たり代理人、支配人その他の使用人として使用したとき。

第百六十七条の五　普通地方公共団体の長は、前条に定めるもののほか、必要があるときは、一般競争入札に参加する者に必要な資格として、あらかじめ、契約の種類及び金額に応じ、工事、製造又は販売等の実績、従業員の数、資本の額その他の経営の規模及び状況を要件とする資格を定めることができる。

2　普通地方公共団体の長は、前項の規定により一般競争入札に参加する者に必要な資格を定めたときは、これを公示しなければならない。

第百六十七条の五の二　普通地方公共団体の長は、一般競争入札により契約を締結しようとする場合において、契約の性質又は目的により、当該入札を適正かつ合理的に行うため特に必要があると認めるときは、前条第一項の資格を有する者につき、更に、当該入札に参加する者の事業所の所在地又はその者の当該契約に係る工事等についての経験若しくは技術的適性の有無等に関する必要な資格を定め、当該資格を有する者により当該入札を行わせることができる。

（**一般競争入札の公告**）

第百六十七条の六　普通地方公共団体の長は、一般競争入札により契約を締結しようとするときは、入札に参加する者に必要な資格、入札の場所及び日時その他入札について必要な事項を公告しなければならない。

2　普通地方公共団体の長は、前項の公告において、入札に参加する者に必要な資格のない者のした入札及び入札に関する条件に違反した入札は無効とする旨を明らかにしておかなければならない。

（**一般競争入札の入札保証金**）

第百六十七条の七　普通地方公共団体は、一般競争入札により契約を締結しようとするときは、入札に参加しようとする者をして当該普通地方公共団体の規則で定める率又は額の入札保証金を納めさせなければならない。

2　前項の規定による入札保証金の納付は、国債、地方債その他普通地方公共団体の長が確実と認める担保の提供をもつて代えることができる。

（**一般競争入札の開札及び再度入札**）

第百六十七条の八　一般競争入札の開札は、第百六十七条の六第一項の規定により公告した入札の場所において、入札の終了後直ちに、入札者を立ち会わせてしなければならない。この場合において、入札者が立ち会わないときは、当該入札事務に関係のない職員を立ち会わせなければならない。

2　前項の規定にかかわらず、一般競争入札において、入札書に記載すべき事項を記録した電磁的記録（電子的方式、磁気的方式その他人の知覚によつては認識することができない方式で作られる記録であつて、電子計算機による情報処理の用に供されるものをいう。以下同じ。）を提出することにより行われる場合であつて、普通地方公共団体の長が入札事務の公正かつ適正な執行の確保に支障がないと認めるときは、入札者及び当該入札事務に関係のない職員を立ち会わせないことができる。

3　入札者は、その提出した入札書（当該入札書に記載すべき事項を記録した電磁的記録を含む。）の書換え、引換え又は撤回をすることができない。

4　普通地方公共団体の長は、第一項の規定により開札をした場合において、各人の入札のうち予定価格の制限の範囲内の価格の入札がないとき（第百六十七条の十第二項の規定により最低制限価格を設けた場合にあつては、予定価格の制限の範囲内の価格で最低制限価格以上の価格の入札がないとき）は、直ちに、再度の入札をすることができる。

（**一般競争入札のくじによる落札者の決定**）

第百六十七条の九　普通地方公共団体の長は、落札となるべき同価の入札をした者が二人以上あるときは、直ちに、当該入札者にくじを引かせて落札者を定めなければならない。この場合において、当該入札者のうちくじを引かない者があるときは、これに代えて、当該入札事務に関係のない職員にくじを引かせるものとする。

（**一般競争入札において最低価格の入札者以外の者を落札者とすることができる場合**）

第百六十七条の十　普通地方公共団体の長は、一般競争入札により工事又は製造その他についての請負の契約を締結しようとする場合において、予定価格の制限の範囲内で最低の価格をもつて申込みをした者の当該申込みに係る価格によつてはその者により当該契約の内容に適合した履行がされないおそれがあると認めるとき、又はその者と契約を締結することが公正な取引の秩序を乱すこととなるおそれがあつて著しく不適当であると認めるときは、その者を落札者とせず、予定価格の制限の範囲内の価格をもつて申込みをした他の者のうち、最低の価格をもつて申込みをした者を落札者とすることができる。

2　普通地方公共団体の長は、一般競争入札により工事又は製造その他についての請負の契約を締結しようとする場合において、当該契約の内容に適合した履行を確保するため特に必要があると認めるときは、あらかじめ最低制限価格を設けて、予定価格の制限の範囲内で最低の価格をもつて申込みをした者を落札者とせず、予定価格の制限の範囲内の価格で最低制限価格以上の価格をもつて申込みをした者のうち最低の価格をもつて申込みをした者を落札者とすることができる。

第百六十七条の十の二　普通地方公共団体の長は、一般競争入札により当該普通地方公共団体の支出の原因となる契約を締結しようとする場合において、当該契約がその性質又は目的から地方自治法第二百三十四条第三項本文又は前条の規定により難いものであるときは、これらの規定にかかわらず、予定価格の制限の範囲内の価格をもつて申込みをした者のうち、価格その他の条件が当該普通地方公共団体にとつて最も有利なものをもつて申込みをした者を落札者とすることができる。

2　普通地方公共団体の長は、前項の規定により工事又は製造その他についての請負の契約を締結しようとする場合において、落札者となるべき者の当該申込みに係る価格によつてはその者により当該契約の内容に適合した履行がされないおそれがあると認めるとき、又はその者と契約を締結することが公正な取引の秩序を乱すこととなるおそれがあつて著しく不適当であると認めるときは、同項の規定にかかわらず、その者を落札者とせず、予定価格の制限の範囲内の価格をもつて申込みをした他の者のうち、価格その他の条件が当該普通地方公共団体にとつて最も有利なものをもつて申込みをした者を落札者とすることができる。

3 普通地方公共団体の長は、前二項の規定により落札者を決定する一般競争入札（以下「総合評価一般競争入札」という。）を行おうとするときは、あらかじめ、当該総合評価一般競争入札に係る申込みのうち価格その他の条件が当該普通地方公共団体にとつて最も有利なものを決定するための基準（以下「落札者決定基準」という。）を定めなければならない。

4 普通地方公共団体の長は、落札者決定基準を定めようとするときは、総務省令で定めるところにより、あらかじめ、学識経験を有する者（次項において「学識経験者」という。）の意見を聴かなければならない。

5 普通地方公共団体の長は、前項の規定による意見の聴取において、併せて、当該落札者決定基準に基づいて落札者を決定しようとするときに改めて意見を聴く必要があるかどうかについて意見を聴くものとし、改めて意見を聴く必要があるとの意見が述べられた場合には、当該落札者を決定しようとするときに、あらかじめ、学識経験者の意見を聴かなければならない。

6 普通地方公共団体の長は、総合評価一般競争入札を行おうとする場合において、当該契約について第百六十七条の六第一項の規定により公告をするときは、同項の規定により公告をしなければならない事項及び同条第二項の規定により明らかにしておかなければならない事項のほか、総合評価一般競争入札の方法による旨及び当該総合評価一般競争入札に係る落札者決定基準についても、公告をしなければならない。

（**指名競争入札の参加者の資格**）

第百六十七条の十一　第百六十七条の四の規定は、指名競争入札の参加者の資格についてこれを準用する。

2 普通地方公共団体の長は、前項に定めるもののほか、指名競争入札に参加する者に必要な資格として、工事又は製造の請負、物件の買入れその他当該普通地方公共団体の長が定める契約について、あらかじめ、契約の種類及び金額に応じ、第百六十七条の五第一項に規定する事項を要件とする資格を定めなければならない。

3 第百六十七条の五第二項の規定は、前項の場合にこれを準用する。

（**指名競争入札の参加者の指名等**）

第百六十七条の十二　普通地方公共団体の長は、指名競争入札により契約を締結しようとするときは、当該入札に参加することができる資格を有する者のうちから、当該入札に参加させようとする者を指名しなければならない。

2 前項の場合においては、普通地方公共団体の長は、入札の場所及び日時その他入札について必要な事項をその指名する者に通知しなければならない。

3 第百六十七条の六第二項の規定は、前項の場合にこれを準用する。

4 普通地方公共団体の長は、次条において準用する第百六十七条の十の二第一項及び第二項の規定により落札者を決定する指名競争入札（以下「総合評価指名競争入札」という。）を行おうとする場合において、当該契約について第二項の規定により通知をするときは、同項の規定により通知をしなければならない事項及び前項において準用する第百六十七条の六第二項の規定により明らかにしておかなければならない事項のほか、総合評価指名競争入札の方法による旨及び当該総合評価指名競争入札に係る落札者決定基準についても、通知をしなければならない。

（**指名競争入札の入札保証金等**）

第百六十七条の十三　第百六十七条の七から第百六十七条の十まで及び第百六十七条の十の二（第六項を除く。）の規定は、指名競争入札の場合について準用する。

（**せり売りの手続**）

第百六十七条の十四　第百六十七条の四から第百六十七条の七までの規定は、せり売りの場合にこれを準用する。

（**監督又は検査の方法**）

第百六十七条の十五　地方自治法第二百三十四条の二第一項の規定による監督は、立会い、指示その他の方法によつて行なわなければならない。

2 地方自治法第二百三十四条の二第一項の規定による検査は、契約書、仕様書及び設計書その他の関係書類（当該関係書類に記載すべき事項を記録した電磁的記録を含む。）に基づいて行なわなければならない。

3 普通地方公共団体の長は、地方自治法第二百三十四条の二第一項に規定する契約について、契約の目的たる物件の給付の完了後相当の期間内に当該物件につき破損、変質、性能の低下その他の事故が生じたときは、取替え、補修その他必要な措置を講ずる旨の特約があり、当該給付の内容が担保されると認められるときは、同項の規定による検査の一部を省略することができる。

4　普通地方公共団体の長は、地方自治法第二百三十四条の二第一項に規定する契約について、特に専門的な知識又は技能を必要とすることその他の理由により当該普通地方公共団体の職員によつて監督又は検査を行なうことが困難であり、又は適当でないと認められるときは、当該普通地方公共団体の職員以外の者に委託して当該監督又は検査を行なわせることができる。

（**契約保証金**）

第百六十七条の十六　普通地方公共団体は、当該普通地方公共団体と契約を締結する者をして当該普通地方公共団体の規則で定める率又は額の契約保証金を納めさせなければならない。

2　第百六十七条の七第二項の規定は、前項の規定による契約保証金の納付についてこれを準用する。

（**長期継続契約を締結することができる契約**）

第百六十七条の十七　地方自治法第二百三十四条の三に規定する政令で定める契約は、翌年度以降にわたり物品を借り入れ又は役務の提供を受ける契約で、その契約の性質上翌年度以降にわたり契約を締結しなければ当該契約に係る事務の取扱いに支障を及ぼすようなもののうち、条例で定めるものとする。

第七節　現金及び有価証券

（**指定金融機関等**）

第百六十八条　都道府県は、地方自治法第二百三十五条第一項の規定により、議会の議決を経て、一の金融機関を指定して、当該都道府県の公金の収納及び支払の事務を取り扱わせなければならない。

2　市町村は、地方自治法第二百三十五条第二項の規定により、議会の議決を経て、一の金融機関を指定して、当該市町村の公金の収納及び支払の事務を取り扱わせることができる。

3　普通地方公共団体の長は、必要があると認めるときは、指定金融機関をして、その取り扱う収納及び支払の事務の一部を、当該普通地方公共団体の長が指定する金融機関に取り扱わせることができる。

4　普通地方公共団体の長は、必要があると認めるときは、指定金融機関をして、その取り扱う収納の事務の一部を、当該普通地方公共団体の長が指定する金融機関に取り扱わせることができる。

5　指定金融機関を指定していない市町村の長は、必要があると認めるときは、会計管理者をして、その取り扱う収納の事務の一部を、当該市町村の長が指定する金融機関に取り扱わせることができる。

6　第一項又は第二項の金融機関を指定金融機関と、第三項の金融機関を指定代理金融機関と、第四項の金融機関を収納代理金融機関と、前項の金融機関を収納事務取扱金融機関という。

7　普通地方公共団体の長は、指定代理金融機関又は収納代理金融機関を指定し、又はその取消しをしようとするときは、あらかじめ、指定金融機関の意見を聴かなければならない。

8　普通地方公共団体の長は、指定金融機関、指定代理金融機関、収納代理金融機関又は収納事務取扱金融機関を定め、又は変更したときは、これを告示しなければならない。

（**指定金融機関の責務**）

第百六十八条の二　指定金融機関は、指定代理金融機関及び収納代理金融機関の公金の収納又は支払の事務を総括する。

2　指定金融機関は、公金の収納又は支払の事務（指定代理金融機関及び収納代理金融機関において取り扱う事務を含む。）につき当該普通地方公共団体に対して責任を有する。

3　指定金融機関は、普通地方公共団体の長の定めるところにより担保を提供しなければならない。

（**指定金融機関等における公金の取扱い**）

第百六十八条の三　指定金融機関、指定代理金融機関、収納代理金融機関及び収納事務取扱金融機関は、納税通知書、納入通知書その他の納入に関する書類（当該書類に記載すべき事項を記録した電磁的記録を含む。）に基づかなければ、公金の収納をすることができない。

2　指定金融機関及び指定代理金融機関は、会計管理者の振り出した小切手又は会計管理者の通知に基づかなければ、公金の支払をすることができない。

3　指定金融機関、指定代理金融機関及び収納代理金融機関は、公金を収納したとき、又は公金の払込みを受けたときは、これを当該普通地方公共団体の預金口座に受け入れなければならない。この場合において、指定代理金融機関及び収納代理金融機関にあつては、会計管理者の定めるところにより、当該受け入れた公金を指定金融機関の当該普通地方公共団体の預金口座に振り替えなければならない。

4　収納事務取扱金融機関は、公金を収納したとき、又は公金の払込みを受けたときは、これを当該市町村の預金口座に受け入れなければならない。この場合において、収納事務取扱金融機関は、会計管理者の定めるところにより、当該受け入れた公金を会計管理者の定める収納事務取扱金融機関の当該市町村の預金口座に振り替えなければならない。

（指定金融機関等の検査）

第百六十八条の四 会計管理者は、指定金融機関、指定代理金融機関、収納代理金融機関及び収納事務取扱金融機関について、定期及び臨時に公金の収納又は支払の事務及び公金の預金の状況を検査しなければならない。

２ 会計管理者は、前項の検査をしたときは、その結果に基づき、指定金融機関、指定代理金融機関、収納代理金融機関及び収納事務取扱金融機関に対して必要な措置を講ずべきことを求めることができる。

３ 監査委員は、第一項の検査の結果について、会計管理者に対し報告を求めることができる。

（指定金融機関等に対する現金の払込み）

第百六十八条の五 指定金融機関を定めている普通地方公共団体において、会計管理者が現金（現金に代えて納付される証券を含む。）を直接収納したときは、速やかに、これを指定金融機関、指定代理金融機関又は収納代理金融機関に払い込まなければならない。

（歳計現金の保管）

第百六十八条の六 会計管理者は、歳計現金を指定金融機関その他の確実な金融機関への預金その他の最も確実かつ有利な方法によつて保管しなければならない。

（歳入歳出外現金及び保管有価証券）

第百六十八条の七 会計管理者は、普通地方公共団体が債権者として債務者に属する権利を代位して行うことにより受領すべき現金又は有価証券その他の現金又は有価証券で総務省令で定めるものを保管することができる。

２ 会計管理者は、普通地方公共団体の長の通知がなければ、歳入歳出外現金又は普通地方公共団体が保管する有価証券で当該普通地方公共団体の所有に属しないものの出納をすることができない。

３ 前項に定めるもののほか、歳入歳出外現金の出納及び保管は、歳計現金の出納及び保管の例により、これを行なわなければならない。

第八節 財産

第一款 公有財産

（行政財産である土地を貸し付けることができる堅固な工作物）

第百六十九条 地方自治法第二百三十八条の四第二項第一号に規定する政令で定める堅固な建物その他の土地に定着する工作物は、鉄骨造、コンクリート造、石造、れんが造その他これらに類する構造の土地に定着する工作物とする。

（行政財産である土地を貸し付けることができる法人）

第百六十九条の二 地方自治法第二百三十八条の四第二項第二号に規定する政令で定める法人は、次に掲げる法人とする。

一 特別の法律により設立された法人で国又は普通地方公共団体において出資しているもののうち、総務大臣が指定するもの

二 港務局、地方住宅供給公社、地方道路公社、土地開発公社及び地方独立行政法人並びに普通地方公共団体が資本金、基本金その他これらに準ずるものの二分の一以上を出資している一般社団法人及び一般財団法人並びに株式会社

三 公共団体又は公共的団体で法人格を有するもののうち、当該普通地方公共団体が行う事務と密接な関係を有する事業を行うもの

四 国家公務員共済組合及び国家公務員共済組合連合会並びに地方公務員共済組合、全国市町村職員共済組合連合会及び地方公務員共済組合連合会

（行政財産である庁舎等を貸し付けることができる場合）

第百六十九条の三 地方自治法第二百三十八条の四第二項第四号に規定する政令で定める場合は、同号に規定する庁舎等の床面積又は敷地のうち、当該普通地方公共団体の事務又は事業の遂行に関し現に使用され、又は使用されることが確実であると見込まれる部分以外の部分がある場合とする。

（行政財産である土地に地上権を設定することができる法人等）

第百六十九条の四 地方自治法第二百三十八条の四第二項第五号に規定する政令で定める法人は、次に掲げる法人とする。

一 独立行政法人鉄道建設・運輸施設整備支援機構、鉄道事業法（昭和六十一年法律第九十二号）第三条第一項の許可を受けた鉄道事業者及び軌道法（大正十年法律第七十六号）第三条の特許を受けた軌道経営者

二 独立行政法人日本高速道路保有・債務返済機構、高速道路株式会社法（平成十六年法律第九十九号）第一条に規定する会社及び地方道路公社

三 電気事業法（昭和三十九年法律第百七十号）第二条第一項第十七号に規定する電気事業者

四 ガス事業法（昭和二十九年法律第五十一号）第二条第十二項に規定するガス事業者

五 水道法（昭和三十二年法律第百七十七号）第三条第五項に規定する水道事業者

六 電気通信事業法（昭和五十九年法律第八十六号）第百二十条第一項に規定する認定電気通信事業者

２ 地方自治法第二百三十八条の四第二項第五号に規定す

る政令で定める施設は、次に掲げる施設とする。
一　軌道
二　電線路
三　ガスの導管
四　水道（工業用水道を含む。）の導管
五　下水道の排水管及び排水渠
六　電気通信線路
七　鉄道、道路及び前各号に掲げる施設の附属設備

（行政財産である土地に地役権を設定することができる法人等）

第百六十九条の五　地方自治法第二百三十八条の四第二項第六号に規定する政令で定める法人は、電気事業法第二条第一項第十七号に規定する電気事業者とする。
2　地方自治法第二百三十八条の四第二項第六号に規定する政令で定める施設は、電線路の附属設備とする。

（普通財産の信託）

第百六十九条の六　地方自治法第二百三十八条の五第二項に規定する政令で定める信託の目的は、次に掲げるものとする。
一　信託された土地に建物を建設し、又は信託された土地を造成し、かつ、当該土地（その土地の定着物を含む。以下この項において同じ。）の管理又は処分を行うこと。
二　前号に掲げる信託の目的により信託された土地の信託の期間の終了後に、当該土地の管理又は処分を行うこと。
三　信託された土地の処分を行うこと。
2　地方自治法第二百三十八条の五第三項に規定する政令で定める有価証券は、国債、地方債及び同法第二百三十八条第一項第六号に規定する社債とする。

（売払代金等の納付）

第百六十九条の七　普通財産の売払代金又は交換差金は、当該財産の引渡前にこれを納付させなければならない。
2　前項の規定にかかわらず、普通地方公共団体の長は、普通財産を譲渡する場合において、当該財産の譲渡を受ける者が当該売払代金又は交換差金を一時に納付することが困難であると認められるときは、確実な担保を徴し、かつ、利息を付して、五年以内の延納の特約をすることができる。ただし、次の各号に掲げる場合においては、延納期限を当該各号に掲げる期間以内とすることができる。
一　他の地方公共団体その他公共団体に譲渡する場合　十年
二　住宅又は宅地を現に使用している者に譲渡する場合　十年
三　分譲することを目的として取得し、造成し、又は建設した土地又は建物を譲渡する場合　二十年
四　公営住宅法（昭和二十六年法律第百九十三号）第四十四条第一項の規定により公営住宅又はその共同施設（これらの敷地を含む。）を譲渡する場合　三十年
3　前項の規定により延納の特約をしようとする場合において、普通財産の譲渡を受けた者が国又は他の地方公共団体であるときは、担保を徴しないことができる。

（有価証券の出納）

第百六十九条の八　第百六十八条の七第二項の規定は、公有財産に属する有価証券の出納についてこれを準用する。

第二款　物品

（物品の範囲から除かれる動産）

第百七十条　地方自治法第二百三十九条第一項に規定する政令で定める動産は、警察法第七十八条第一項の規定により都道府県警察が使用している国有財産及び国有の物品とする。

（関係職員の譲受けを制限しない物品）

第百七十条の二　地方自治法第二百三十九条第二項に規定する政令で定める物品は、次の各号に掲げる物品とする。
一　証紙その他その価格が法令の規定により一定している物品
二　売払いを目的とする物品又は不用の決定をした物品で普通地方公共団体の長が指定するもの

（物品の出納）

第百七十条の三　第百六十八条の七第二項の規定は、物品（基金に属する動産を含む。）の出納についてこれを準用する。

（物品の売払い）

第百七十条の四　物品は、売払いを目的とするもののほか、不用の決定をしたものでなければ、売り払うことができない。

（占有動産）

第百七十条の五　地方自治法第二百三十九条第五項に規定する政令で定める動産は、次の各号に掲げる動産とする。
一　普通地方公共団体が寄託を受けた動産
二　遺失物法（平成十八年法律第七十三号）第四条第一項若しくは第十三条第一項若しくは児童福祉法（昭和二十二年法律第百六十四号）第三十三条の二の二若しくは第三十三条の三の規定により保管する動産又は生活保護法（昭和二十五年法律第百四十四号）第七十六条第一項に規定する遺留動産

２ 占有動産は、法令に特別の定めがある場合を除くほか、会計管理者がこれを管理する。この場合においては、第百六十八条の七第二項の規定を準用する。

第三款 債権

（督促）

第百七十一条 普通地方公共団体の長は、債権（地方自治法第二百三十一条の三第一項に規定する歳入に係る債権を除く。）について、履行期限までに履行しない者があるときは、期限を指定してこれを督促しなければならない。

（強制執行等）

第百七十一条の二 普通地方公共団体の長は、債権（地方自治法第二百三十一条の三第三項に規定する分担金等に係る債権（第百七十一条の五及び第百七十一条の六第一項において「強制徴収により徴収する債権」という。）を除く。）について、同法第二百三十一条の三第一項又は前条の規定による督促をした後相当の期間を経過してもなお履行されないときは、次に掲げる措置をとらなければならない。ただし、第百七十一条の五の措置をとる場合又は第百七十一条の六の規定により履行期限を延長する場合その他特別の事情があると認める場合は、この限りでない。

一 担保の付されている債権（保証人の保証がある債権を含む。）については、当該債権の内容に従い、その担保を処分し、若しくは競売その他の担保権の実行の手続をとり、又は保証人に対して履行を請求すること。

二 債務名義のある債権（次号の措置により債務名義を取得したものを含む。）については、強制執行の手続をとること。

三 前二号に該当しない債権（第一号に該当する債権で同号の措置をとつてなお履行されないものを含む。）については、訴訟手続（非訟事件の手続を含む。）により履行を請求すること。

（履行期限の繰上げ）

第百七十一条の三 普通地方公共団体の長は、債権について履行期限を繰り上げることができる理由が生じたときは、遅滞なく、債務者に対し、履行期限を繰り上げる旨の通知をしなければならない。ただし、第百七十一条の六第一項各号の一に該当する場合その他特に支障があると認める場合は、この限りでない。

（債権の申出等）

第百七十一条の四 普通地方公共団体の長は、債権について、債務者が強制執行又は破産手続開始の決定を受けたこと等を知つた場合において、法令の規定により当該普通地方公共団体が債権者として配当の要求その他債権の申出をすることができるときは、直ちに、そのための措置をとらなければならない。

２ 前項に規定するもののほか、普通地方公共団体の長は、債権を保全するため必要があると認めるときは、債務者に対し、担保の提供（保証人の保証を含む。）を求め、又は仮差押え若しくは仮処分の手続をとる等必要な措置をとらなければならない。

（徴収停止）

第百七十一条の五 普通地方公共団体の長は、債権（強制徴収により徴収する債権を除く。）で履行期限後相当の期間を経過してもなお完全に履行されていないものについて、次の各号の一に該当し、これを履行させることが著しく困難又は不適当であると認めるときは、以後その保全及び取立てをしないことができる。

一 法人である債務者がその事業を休止し、将来その事業を再開する見込みが全くなく、かつ、差し押えることができる財産の価額が強制執行の費用をこえないと認められるとき。

二 債務者の所在が不明であり、かつ、差し押えることができる財産の価額が強制執行の費用をこえないと認められるときその他これに類するとき。

三 債権金額が少額で、取立てに要する費用に満たないと認められるとき。

（履行延期の特約等）

第百七十一条の六 普通地方公共団体の長は、債権（強制徴収により徴収する債権を除く。）について、次の各号の一に該当する場合においては、その履行期限を延長する特約又は処分をすることができる。この場合において、当該債権の金額を適宜分割して履行期限を定めることを妨げない。

一 債務者が無資力又はこれに近い状態にあるとき。

二 債務者が当該債務の全部を一時に履行することが困難であり、かつ、その現に有する資産の状況により、履行期限を延長することが徴収上有利であると認められるとき。

三 債務者について災害、盗難その他の事故が生じたことにより、債務者が当該債務の全部を一時に履行することが困難であるため、履行期限を延長することがやむを得ないと認められるとき。

四 損害賠償金又は不当利得による返還金に係る債権について、債務者が当該債務の全部を一時に履行することが困難であり、かつ、弁済につき特に誠意を有すると認められるとき。

五 貸付金に係る債権について、債務者が当該貸付金の使途に従つて第三者に貸付けを行なつた場合において、当該第三者に対する貸付金に関し、第一号から第三号までの一に該当する理由があることその他特別の事情により、当該第三者に対する貸付金の回収が著しく困難であるため、当該債務者がその債務の全部を一時に履行することが困難であるとき。

2　普通地方公共団体の長は、履行期限後においても、前項の規定により履行期限を延長する特約又は処分をすることができる。この場合においては、既に発生した履行の遅滞に係る損害賠償金その他の徴収金（次条において「損害賠償金等」という。）に係る債権は、徴収すべきものとする。

（免除）

第百七十一条の七　普通地方公共団体の長は、前条の規定により債務者が無資力又はこれに近い状態にあるため履行延期の特約又は処分をした債権について、当初の履行期限（当初の履行期限後に履行延期の特約又は処分をした場合は、最初に履行延期の特約又は処分をした日）から十年を経過した後において、なお、債務者が無資力又はこれに近い状態にあり、かつ、弁済することができる見込みがないと認められるときは、当該債権及びこれに係る損害賠償金等を免除することができる。

2　前項の規定は、前条第一項第五号に掲げる理由により履行延期の特約をした貸付金に係る債権で、同号に規定する第三者が無資力又はこれに近い状態にあることに基づいて当該履行延期の特約をしたものについて準用する。この場合における免除については、債務者が当該第三者に対する貸付金について免除することを条件としなければならない。

3　前二項の免除をする場合については、普通地方公共団体の議会の議決は、これを要しない。

第九節　住民による監査請求

（住民による監査請求）

第百七十二条　地方自治法第二百四十二条第一項の規定による必要な措置の請求は、その要旨を記載した文書をもつてこれをしなければならない。

2　前項の規定による請求書は、総務省令で定める様式によりこれを調製しなければならない。

第十節　雑則

（指定公金事務取扱者等の要件）

第百七十三条　地方自治法第二百四十三条の二第一項、第五項及び第六項（同条第七項の規定により適用する場合を含む。）に規定する政令で定める者は、次の各号に掲げる要件のいずれにも該当する者とする。

一　地方自治法第二百四十三条の二第一項に規定する公金事務（次号において「公金事務」という。）を適切かつ確実に遂行することができる財産的基礎を有すること。

二　その人的構成等に照らして、公金事務を適切かつ確実に遂行することができる知識及び経験を有し、かつ、十分な社会的信用を有すること。

（公金の徴収又は収納の委託）

第百七十三条の二　地方自治法第二百四十三条の二の四第一項に規定する政令で定めるものは、次に掲げる普通地方公共団体の歳入のうち、同法第二百四十三条の二第二項に規定する指定公金事務取扱者（次項において「指定公金事務取扱者」という。）が徴収することにより、その収入の確保及び住民の便益の増進に寄与すると普通地方公共団体の長が認めるものとする。

一　使用料

二　手数料

三　賃貸料

四　物品売払代金

五　寄附金

六　貸付金の元利償還金

七　第一号及び第二号に掲げる歳入に係る延滞金並びに第三号から前号までに掲げる歳入に係る遅延損害金

2　指定公金事務取扱者（歳入の徴収又は歳入等（地方自治法第二百三十一条の二の二に規定する歳入等をいう。以下この項において同じ。）の収納に関する事務の委託を受けた者に限る。）は、普通地方公共団体の規則の定めるところにより、その徴収した歳入又はその収納した歳入等を、その内容を示す計算書（当該計算書に記載すべき事項を記録した電磁的記録を含む。）を添えて、会計管理者又は指定金融機関、指定代理金融機関、収納代理金融機関若しくは収納事務取扱金融機関に払い込まなければならない。

（公金の支出の委託）

第百七十三条の三　地方自治法第二百四十三条の二の六第一項に規定する政令で定めるものは、第百六十一条第一項第一号から第十五号までに掲げる経費、貸付金及び同条第二項の規定によりその資金を前渡することができる払戻金（当該払戻金に係る還付加算金を含む。）とする。

2　第百五十九条の規定は、地方自治法第二百四十三条の二第一項の規定により歳出の支出に関する事務を委託した場合の精算残金を返納させるときについて準用する。

（普通地方公共団体の長等の損害賠償責任の一部免責の基準等）

第百七十三条の四　地方自治法第二百四十三条の二の七第一項に規定する政令で定める基準は、次の各号に掲げる同項に規定する普通地方公共団体の長等（以下この条において「普通地方公共団体の長等」という。）の区分に応じ、当該各号に定める額とする。

一　地方警務官（警察法第五十六条第一項に規定する地方警務官をいう。以下この項及び次項各号において同じ。）以外の普通地方公共団体の長等　普通地方公共団体から地方自治法第二百四十三条の二の七第一項の損害を賠償する責任（以下この条において「普通地方公共団体の長等の損害賠償責任」という。）の原因となつた行為を行つた日を含む会計年度において在職中に支給され、又は支給されるべき同法第二百三条の二第一項若しくは第四項又は第二百四条第一項若しくは第二項の規定による給与（扶養手当、住居手当、通勤手当、単身赴任手当、在宅勤務等手当又は寒冷地手当が支給されている場合には、これらの手当を除く。）の一会計年度当たりの額に相当する額として総務省令で定める方法により算定される額（次項第一号において「普通地方公共団体の長等の基準給与年額」という。）に、次に掲げる地方警務官以外の普通地方公共団体の長等の区分に応じ、それぞれ次に定める数を乗じて得た額

イ　普通地方公共団体の長　六

ロ　副知事若しくは副市町村長、指定都市の総合区長、教育委員会の教育長若しくは委員、公安委員会の委員、選挙管理委員会の委員又は監査委員　四

ハ　人事委員会の委員若しくは公平委員会の委員、労働委員会の委員、農業委員会の委員、収用委員会の委員、海区漁業調整委員会の委員、内水面漁場管理委員会の委員、固定資産評価審査委員会の委員、消防長又は地方公営企業の管理者　二

ニ　普通地方公共団体の職員（地方警務官並びにロ及びハに掲げる普通地方公共団体の職員を除く。）　一

二　地方警務官　国から普通地方公共団体の長等の損害賠償責任の原因となつた行為を行つた日を含む会計年度において在職中に支給され、又は支給されるべき一般職の職員の給与に関する法律（昭和二十五年法律第九十五号）その他の法律による給与（扶養手当、住居手当、通勤手当、単身赴任手当、在宅勤務等手当又は寒冷地手当が支給されている場合には、これらの手当を除く。）の一会計年度当たりの額に相当する額として総務省令で定める方法により算定される額（次項第二号において「地方警務官の基準給与年額」という。）に、次に掲げる地方警務官の区分に応じ、それぞれ次に定める数を乗じて得た額

イ　警視総監又は道府県警察本部長　二

ロ　イに掲げる地方警務官以外の地方警務官　一

2　地方自治法第二百四十三条の二の七第一項に規定する政令で定める額は、次の各号に掲げる普通地方公共団体の長等の区分に応じ、当該各号に定める額とする。

一　地方警務官以外の普通地方公共団体の長等　普通地方公共団体の長等の基準給与年額

二　地方警務官　地方警務官の基準給与年額

3　地方自治法第二百四十三条の二の七第一項の条例（第二号において「一部免責条例」という。）を定めている普通地方公共団体の長は、当該普通地方公共団体における普通地方公共団体の長等が同項の規定により普通地方公共団体の長等の損害賠償責任を免れたことを知つたときは、速やかに、次に掲げる事項を当該普通地方公共団体の議会に報告するとともに、当該事項を公表しなければならない。

一　当該普通地方公共団体の長等の損害賠償責任の原因となつた事実及び当該普通地方公共団体の長等が賠償の責任を負う額

二　当該普通地方公共団体の長等が賠償の責任を負う額から一部免責条例に基づき控除する額及びその算定の根拠

三　地方自治法第二百四十三条の二の七第一項の規定により当該普通地方公共団体の長等が賠償の責任を免れた額

4　前三項に定めるもののほか、地方自治法第二百四十三条の二の七第一項の規定による普通地方公共団体の長等の損害賠償責任の一部の免責に関し必要な事項は、総務省令で定める。

（法人の経営状況等を説明する書類）

第百七十三条の五　地方自治法第二百四十三条の三第二項に規定する政令で定めるその経営状況を説明する書類は、当該法人の毎事業年度の事業の計画及び決算に関する書類とする。

2　地方自治法第二百四十三条の三第三項に規定する政令で定める書類は、信託契約で定める計算期ごとの事業の計画及び実績に関する書類とする。

（普通地方公共団体の規則への委任）

第百七十三条の六　この政令及びこの政令に基づく総務省令に規定するものを除くほか、普通地方公共団体の財務に関し必要な事項は、当該普通地方公共団体の規則で定める。

第六章　国と普通地方公共団体との関係及び普通地方公共団体相互間の関係

第一節　国と普通地方公共団体との間並びに普通地方公共団体相互間及び普通地方公共団体の機関相互間の紛争処理

第一款　国地方係争処理委員会

（**専門委員**）

第百七十四条　国地方係争処理委員会（以下この節において「委員会」という。）に、地方自治法第二百五十条の十三第一項から第三項までの規定による審査の申出に係る事件に関し、専門の事項を調査させるため、専門委員を置くことができる。

2　専門委員は、学識経験のある者のうちから、委員長の推薦により、総務大臣が任命する。

3　専門委員は、当該専門の事項に関する調査が終了したときは、解任されるものとする。

4　専門委員は、非常勤とする。

（**庶務**）

第百七十四条の二　委員会の庶務は、総務省自治行政局行政課において処理する。

第二款　国地方係争処理委員会による審査の手続

（**審査申出書の記載事項**）

第百七十四条の三　地方自治法第二百五十条の十三第一項の文書には、次に掲げる事項を記載しなければならない。

一　審査の申出をする普通地方公共団体の長その他の執行機関及び相手方である国の行政庁

二　審査の申出に係る国の関与（地方自治法第二百五十条の七第二項に規定する国の関与をいう。以下この条において同じ。）

三　審査の申出に係る国の関与があつた年月日

四　審査の申出の趣旨及び理由

五　審査の申出の年月日

2　地方自治法第二百五十条の十三第二項の文書には、次に掲げる事項を記載しなければならない。

一　審査の申出に係る国の不作為（地方自治法第二百五十条の十三第二項に規定する国の不作為をいう。）に係る国の関与についての申請等（同法第二百五十条の二第一項に規定する申請等をいう。第百七十四条の七第二項第一号において同じ。）の内容及び年月日

二　前項第一号及び第五号に掲げる事項

3　地方自治法第二百五十条の十三第三項の文書には、次に掲げる事項を記載しなければならない。

一　審査の申出に係る協議の内容

二　第一項第一号及び第五号に掲げる事項

（**委員による証拠調べ等**）

第百七十四条の四　委員会は、必要があると認めるときは、委員会の委員に、地方自治法第二百五十条の十六第一項第一号の規定による陳述を聞かせ、同項第三号の規定による検証をさせ、同項第四号の規定による審尋をさせ、又は同条第二項の規定による陳述を聞かせることができる。

（**委員会の審査等に関し必要な事項**）

第百七十四条の五　前二条に規定するものを除くほか、委員会の審査及び勧告並びに調停に関し必要な事項は、委員会が定める。

第三款　自治紛争処理委員による調停、審査及び処理方策の提示の手続

（**調停**）

第百七十四条の六　地方自治法第二百五十一条の二第一項の規定により自治紛争処理委員による調停の申請をした当事者は、同項の文書の写しを添えて、直ちにその旨を他の当事者に通知しなければならない。

2　総務大臣又は都道府県知事は、地方自治法第二百五十一条の二第一項の規定により当事者の申請があつた場合において、事件を調停に付することが適当でないと認めるときは、その旨を当事者に通知しなければならない。

3　総務大臣又は都道府県知事は、地方自治法第二百五十一条の二第一項の規定により事件を自治紛争処理委員の調停に付したときは、直ちにその旨及び自治紛争処理委員の氏名を告示するとともに、当事者にこれを通知しなければならない。

4　総務大臣又は都道府県知事は、地方自治法第二百五十一条の二第二項の規定により調停の申請の取下げに同意したときは、その旨を他の当事者に通知しなければならない。

5　総務大臣又は都道府県知事は、それぞれその任命した自治紛争処理委員に対し、調停の経過について報告を求めることができる。

（**審査及び勧告**）

第百七十四条の七　地方自治法第二百五十一条の三第一項の文書には、次に掲げる事項を記載しなければならない。

一　申出をする市町村長その他の市町村の執行機関及び相手方である都道府県の行政庁

二　申出に係る都道府県の関与（地方自治法第二百五十一条第一項に規定する都道府県の関与をいう。以下この条において同じ。）

三　申出に係る都道府県の関与があつた年月日

四　申出の趣旨及び理由

五　申出の年月日

2　地方自治法第二百五十一条の三第二項の文書には、次に掲げる事項を記載しなければならない。
一　申出に係る都道府県の不作為（地方自治法第二百五十一条の三第二項に規定する都道府県の不作為をいう。）に係る都道府県の関与についての申請等の内容及び年月日
二　前項第一号及び第五号に掲げる事項
3　地方自治法第二百五十一条の三第三項の文書には、次に掲げる事項を記載しなければならない。
一　申出に係る協議の内容
二　第一項第一号及び第五号に掲げる事項
4　総務大臣は、地方自治法第二百五十一条の三第一項から第三項までの規定により事件を自治紛争処理委員の審査に付したときは、直ちにその旨及び自治紛争処理委員の氏名を告示するとともに、これらの規定による申出をした市町村長その他の市町村の執行機関及び相手方である都道府県の行政庁にこれを通知しなければならない。

（処理方策の提示）

第百七十四条の八　地方自治法第二百五十二条の二第七項の規定により処理方策（同法第二百五十一条の三の二第一項に規定する処理方策をいう。以下この条及び次条において同じ。）の提示を求める旨の申請をした普通地方公共団体は、同法第二百五十二条の二第七項の文書の写しを添えて、直ちにその旨を他の当事者である普通地方公共団体に通知しなければならない。
2　総務大臣又は都道府県知事は、地方自治法第二百五十一条の三の二第一項の規定により自治紛争処理委員に処理方策を定めさせることとしたときは、直ちにその旨及び自治紛争処理委員の氏名を告示するとともに、当事者である普通地方公共団体にこれを通知しなければならない。
3　総務大臣又は都道府県知事は、地方自治法第二百五十一条の三の二第二項の規定により処理方策の提示の申請の取下げに同意したときは、その旨を他の当事者である普通地方公共団体に通知しなければならない。
4　総務大臣又は都道府県知事は、それぞれその任命した自治紛争処理委員に対し、処理方策を定める経過について報告を求めることができる。

（総務省令への委任）

第百七十四条の九　前三条に規定するものを除くほか、総務大臣が任命する自治紛争処理委員の調停、審査及び勧告並びに処理方策の提示の手続の細目は、総務省令で定める。

第百七十四条の十から第百七十四条の十八まで　削除〔平一六・一〇政令三四五〕

第二節　普通地方公共団体相互間の協力

第一款　機関等の共同設置

（共同設置することができない委員会）

第百七十四条の十九　地方自治法第二百五十二条の七第一項ただし書の規定による委員会は、公安委員会とする。

（共同設置する機関の委員等の解職請求）

第百七十四条の二十　地方自治法第二百五十二条の十の規定による普通地方公共団体が共同設置する委員会の委員（教育委員会にあつては、教育長及び委員）又は委員の解職については、この政令に特別の定めがあるものを除くほか、当該委員会の委員（教育委員会にあつては、教育長及び委員）又は委員がそれぞれの普通地方公共団体に設置されているものとみなして、これらの機関の解職に関する法令の規定を適用する。

第百七十四条の二十一　普通地方公共団体が共同設置する委員会の委員（教育委員会にあつては、教育長及び委員）又は委員の解職の請求の手続が開始されたときは、普通地方公共団体の長は、直ちにその旨を当該機関を共同設置する他の普通地方公共団体の長及び当該機関に通知しなければならない。
2　前項の規定による通知があつたときは、通知を受けた他の普通地方公共団体の長は、直ちにその旨を告示しなければならない。

第百七十四条の二十二　普通地方公共団体が共同設置する委員会の委員（教育委員会にあつては、教育長及び委員）又は委員の解職の請求を受理したときは、普通地方公共団体の長は、解職の請求の要旨その他必要な事項を記載した書類を添えて、直ちにその旨を当該機関を共同設置する他の普通地方公共団体の長及び当該機関に通知しなければならない。
2　前項の規定による通知があつたときは、通知を受けた他の普通地方公共団体の長は、直ちにその旨及び解職の請求の要旨を告示しなければならない。

第百七十四条の二十三　前条第一項の規定により解職の請求を受理し、又はその旨の通知があつたときは、関係普通地方公共団体の長は、当該解職の請求をそれぞれ当該普通地方公共団体の議会に付議し、その結果を地方自治法第二百五十二条の九第四項又は第五項の規定により共同設置する委員会の委員（教育委員会にあつては、教育長及び委員）又は委員が属するものとみなされる普通地方公共団体（以下「規約で定める普通地方公共団体」という。）の長に通知しなければならない。
2　前項の規定による通知があつたときは、規約で定める普通地方公共団体の長は、解職が成立した旨又は解職が成立しなかつた旨を関係普通地方公共団体の長及び関係

者に通知するとともに、その旨を公表しなければならない。

3　普通地方公共団体が共同設置する委員会の委員（教育委員会にあつては、教育長及び委員）又は委員は、地方自治法第二百五十二条の十の規定により二の普通地方公共団体の共同設置する場合においてはすべての関係普通地方公共団体の議会において解職に同意する旨の議決があつたとき、又は三以上の普通地方公共団体の共同設置する場合においてはその半数を超える関係普通地方公共団体の議会において解職に同意する旨の議決があつたときは、その職を失う。

（議会事務局等の共同設置に関する準用）

第百七十四条の二十四　地方自治法第二百五十二条の八、第二百五十二条の九第三項及び第五項、第二百五十二条の十一第二項及び第四項並びに第二百五十二条の十二の規定は、同法第二百五十二条の七第一項に規定する議会事務局、同法第百五十六条第一項に規定する行政機関、同法第百五十八条第一項に規定する内部組織又は同法第二百五十二条の七第一項に規定する委員会事務局の共同設置について準用する。この場合において、同法第二百五十二条の八第四号中「共同設置する機関を組織する委員その他の構成員」とあるのは「共同設置する第二百五十二条の七第一項に規定する議会事務局、第百五十六条第一項に規定する行政機関、第百五十八条第一項に規定する内部組織又は第二百五十二条の七第一項に規定する委員会事務局の職員（次条第三項及び第五項において「議会事務局等の職員」という。）」と、同法第二百五十二条の九第三項及び第五項中「委員会の委員若しくは委員又は附属機関の委員その他の構成員」とあるのは「議会事務局等の職員」と、「長」とあるのは「議会の議長、長」と読み替えるものとする。

2　地方自治法第二百五十二条の八、第二百五十二条の九第二項及び第四項、第二百五十二条の十、第二百五十二条の十一第二項及び第四項並びに第二百五十二条の十二の規定は、普通地方公共団体の長、委員会又は委員の事務を補助する職員で当該普通地方公共団体の議会の同意を得て選任すべきもの（次項及び第四項において「議会同意選任職員」という。）の共同設置について準用する。

3　地方自治法第二百五十二条の八、第二百五十二条の九第三項及び第五項、第二百五十二条の十一第二項及び第四項並びに第二百五十二条の十二の規定は、普通地方公共団体の議会、長、委員会若しくは委員の事務を補助する職員（議会同意選任職員を除く。）、同法第百七十四条第一項に規定する専門委員又は同法第二百条の二第一項に規定する監査専門委員の共同設置について準用する。この場合において、同法第二百五十二条の九第三項及び第五項中「長」とあるのは、「議会の議長、長」と読み替えるものとする。

4　第百七十四条の二十から前条までの規定は、普通地方公共団体が共同設置する議会同意選任職員で、法律の定めるところにより選挙権を有する者の請求に基づき普通地方公共団体の議会の議決により解職することができるものの解職について準用する。

第二款　職員の派遣

（職員の派遣）

第百七十四条の二十五　恩給法（大正十二年法律第四十八号）第四十条ノ二の規定は、地方自治法第二百五十二条の十七第一項の規定に基づき派遣された職員で恩給法の規定の準用を受けるものの派遣を受けた普通地方公共団体に勤務する期間については、適用しない。

2　地方自治法第二百五十二条の十七第一項の規定に基づき派遣された職員に対する地方公務員法第三十六条第二項の規定の適用については、同条同項中「当該職員の属する地方公共団体の区域」とあるのは、「当該職員の派遣をした普通地方公共団体及び当該職員の派遣を受けた普通地方公共団体の区域」と読み替えるものとする。

3　前二項に規定するもののほか、地方自治法第二百五十二条の十七第一項の規定に基づき派遣された職員の身分取扱いに関して必要がある場合においては、当該職員の派遣をした普通地方公共団体及び当該職員の派遣を受けた普通地方公共団体の長又は委員会若しくは委員の協議により、当該職員の派遣をした普通地方公共団体の職員に関する法令の規定を適用せず、又は当該職員の派遣を受けた普通地方公共団体の職員に関する法令の規定を適用することができる。

第三節　条例による事務処理の特例

（再々審査請求への行政不服審査法施行令の規定の準用）

第百七十四条の二十五の二　地方自治法第二百五十二条の十七の四第五項の再々審査請求については、行政不服審査法施行令（平成二十七年政令第三百九十一号）第十九条の規定を準用する。

第七章　大都市等に関する特例

第一節　大都市に関する特例

（児童福祉に関する事務）

第百七十四条の二十六　地方自治法第二百五十二条の十九第一項の規定により、指定都市が処理する児童福祉に関する事務は、児童福祉法及び児童福祉法施行令（昭和二十三年政令第七十四号）、少年法（昭和二十三年法律第百六十八号）、児童虐待の防止等に関する法律（平成十二年法律第八十二号）並びに民間あっせん機関による養子縁組のあっせんに係る児童の保護等に関する法律（平成二十八年法律第百十号）の規定により、都道府県が処理することとされている事務（児童福祉法第十一条第一項第一号及び第二号イの規定による市町村相互間の連絡調整等、同項第三号の規定による広域的な対応が必要な業務、同条第二項の規定による助言、同法第十三条第三項第二号並びに同令第三条の二第二項から第七項まで、第十項及び第十一項の規定による同号の施設及び講習会（第百七十四条の四十九の二第一項第八号において「指定児童福祉司養成施設等」という。）の指定等、同法第十八条の六第一号及び第十八条の七第一項並びに同令第五条第二項から第七項までの規定による指定保育士養成施設（同号に規定する指定保育士養成施設をいう。第百七十四条の四十九の二第一項第九号において同じ。）の指定等、同法第十八条の八第二項の規定による保育士試験、同条第三項の規定による保育士試験委員の設置、同法第十八条の九、第十八条の十（同法第十八条の十一第二項において準用する場合を含む。）及び第十八条の十三から第十八条の十七まで並びに同令第七条、第九条、第十一条から第十三条まで及び第十五条の規定による指定試験機関（同法第十八条の九第一項に規定する指定試験機関をいう。第百七十四条の四十九の二第一項第十二号において同じ。）の指定等、同法第十八条の十八から第十八条の二十の二まで及び同令第十六条から第二十条までの規定による保育士（同法第十八条の四に規定する保育士をいう。第百七十四条の四十九の二第一項第十三号において同じ。）の登録等、同法第十八条の二十の三第一項の規定による報告の受理、同法第十八条の二十の四第二項の規定によるデータベースへの記録等、同法第二十一条の五の十の規定による協力その他市町村に対する必要な援助、同法第二十一条の五の十五第六項及び第七項（これらの規定を同法第二十一条の五の十六第四項において準用する場合を含む。）の規定による関係市町村長に対する通知等、同法第二十一条の五の二十一第一項（同法第二十四条の十四の二において準用する場合を含む。）の規定による都道府県知事による連絡調整又は援助、同法第二章第二節第三款（同法第二十四条の十九の二において準用する場合を含む。）及び第五節第三款の規定による業務管理体制の整備等に係る質問等、同法第三十三条の十八第五項及び第七項の規定による市町村長に対する通知、同法第三十三条の二十第一項に規定する市町村障害児福祉計画（第百七十四条の四十九の二第一項第二十五号において「市町村障害児福祉計画」という。）に係る同法第三十三条の二十第十一項及び第十二項の規定による意見等、同法第三十三条の二十二第一項に規定する都道府県障害児福祉計画（第百七十四条の四十九の二第一項第二十五号において「都道府県障害児福祉計画」という。）に係る同法第三十三条の二十二、第三十三条の二十三及び第三十三条の二十四第一項の規定による作成等、同法第三十三条の二十三の二第二項の規定による情報の提供、指定都市が行う同法第三十四条の三第一項に規定する障害児通所支援事業等（第八項及び第百七十四条の四十九の二第一項第二十六号において「障害児通所支援事業等」という。）、同法第六条の三第一項に規定する児童自立生活援助事業（第八項及び第百七十四条の四十九の二第一項第二十六号において「児童自立生活援助事業」という。）又は同法第六条の三第八項に規定する小規模住居型児童養育事業（第八項及び第百七十四条の四十九の二第一項第二十六号において「小規模住居型児童養育事業」という。）に係る同法第三十四条の五の規定による質問等及び同法第三十四条の六の規定による制限又は停止の命令、指定都市が行う同法第六条の三第十五項に規定する親子再統合支援事業（第八項及び第百七十四条の四十九の二第一項第二十二号において「親子再統合支援事業」という。）、同法第六条の三第十六項に規定する社会的養護自立支援拠点事業（第八項及び第百七十四条の四十九の二第一項第二十二号において「社会的養護自立支援拠点事業」という。）又は同法第六条の三第十七項に規定する意見表明等支援事業（第八項及び第百七十四条の四十九の二第一項第二十二号において「意見表明等支援事業」という。）に係る同法第三十四条の七の三の規定による質問等及び同法第三十四条の七の四の規定による制限又は停止の命令、指定都市が行う同法第六条の三第十八項に規定する妊産婦等生活援助事業（第八項及び第百七十四条の四十九の二第一項第二十七号において「妊産婦等生活援助事業」という。）に係る同法第三十四条の七の六の規定による質問等及び同法第三十四条の七の七の規定による制限又は停止の命令、指定都市が行う同法第六条の三第七項に規定する一時預かり事業（第八項及び第百七十四条の四十九の二第一項第二十八号において「一時預かり事業」という。）に係る同法第三十四条の十四の規定による質問等、指定都市が行う同法第六条の三第十三項に規定する病児保育事業（第八項及び第百七十四条の四十九の二第一項第二十九号において「病児保育事業」という。）に係る同法第三十四条の十八の二の規定による質問等、指定都市が設置する同法第七条第一項に規定する児童福祉施設（第八項において「児童福祉施設」という。）に係る同法第四十六条の規定による質問等及び同令第三十八条の規定による検査、同法第五十五条の規定による同法第五十一条第五号の費用の負担、同法第五十六条の四の二第四項の規定により送付された市町村整備計画の写しの受理、同法第五十六条の四の三第一項の規定による市町村整備計画の提出の経由、同法第五十六条の五の五第一項に規定する審査請求に対する裁決、同法第五十六条の七第三項の規定による支援、同法第五十七条の二第一項に規定する障害児通所給付費等の支給に係る同法第五十七条の三の三の規定による質問等、同法第五十七条の三の四第一項及び第四項並びに同令第四十四条の八及び第四十四条の十から第四十四条の十三までの規定による指定事務受託法人（同法第五十七条の三の四第一項に規定する指定事務受託法人をいう。第百七十四条の四十九の二第一項第四十一号において同じ。）の指定等並びに同法第五十九条の四第四項の規定による勧告等に関する事務を除く。）とする。この場合においては、第三項から第七項までにおいて特別の定めがあるものを除き、児童福祉法及び同令、少年法、児童虐待の防止等に関する法律並びに民間あっせん機関による養子縁組のあっせんに係る児童の保護等に関する法律中都道府県に関する規定（前段括弧内に掲げる事務に係る規定を除く。）は、指定都市に関する規定として指定都市に適用があるものとする。

2　指定都市の市長は、前項の規定により児童福祉法第十九条の二十第一項（同法第二十一条の二及び第二十四条の二十一において準用する場合を含む。）の規定による事務を管理し及び執行する場合においては、同法第十九条の二十第三項（同法第二十一条の二及び第二十四条の二十一において準用する場合を含む。）の意見の聴取に関し、社会保険診療報酬支払基金法（昭和二十三年法律第百二十九号）による社会保険診療報酬支払基金と契約を締結するものとする。

3　第一項の場合においては、指定都市は、第五項の規定によりその権限に属させられた事項を調査審議するため、児童福祉法第八条第三項の規定により児童福祉に関する審議会その他の合議制の機関を置くものとする。ただし、社会福祉法（昭和二十六年法律第四十五号）第十二条第一項の規定により同法第七条第一項に規定する地方社会福祉審議会（第五項において「地方社会福祉審議会」という。）に児童福祉に関する事項を調査審議させる指定都市にあつては、この限りでない。

4　第一項の場合においては、前項に規定する児童福祉に関する審議会その他の合議制の機関は、同項に定めるもののほか、児童、妊産婦及び知的障害者の福祉に関する事項を調査審議することができる。

5　第一項の場合においては、第三項に規定する児童福祉に関する審議会その他の合議制の機関及び同項ただし書に規定する指定都市に置かれる地方社会福祉審議会は、児童福祉法第八条第九項、第二十七条第六項、第三十三条の十五第三項、第三十五条第六項、第四十六条第四項及び第五十九条第五項の規定による権限を有するものとする。この場合においては、第三項に規定する児童福祉に関する審議会その他の合議制の機関及び同項ただし書に規定する指定都市に置かれる地方社会福祉審議会を同法第八条第二項に規定する都道府県児童福祉審議会とみなして、同法第三十三条の十二第一項及び第三項、第三十三条の十三並びに第三十三条の十五第一項、第二項及び第四項並びに児童虐待の防止等に関する法律第十三条の五の規定を適用する。

6　第一項の場合においては、児童福祉法第十条第二項及び第三項、第十八条第一項及び第三項、第五十五条（同法第五十一条第五号に係る部分を除く。）並びに第五十六条の八第六項の規定は、これを適用しない。

7　第一項の場合においては、児童福祉法第三条の三第二項中「市町村の行うこの法律に基づく児童の福祉に関する業務が適正かつ円滑に行われるよう、市町村に対する必要な助言及び適切な援助を行うとともに、児童」とあるのは「児童」と、「技術並びに各市町村の区域を超えた広域的な対応」とあるのは「技術」と、「第十一条第一項各号に掲げる業務」とあるのは「第十一条第一項第二号（イを除く。）に掲げる業務及び同項第三号に掲げる業務」と、同法第十一条第一項第三号中「広域的な対応が必要な業務並びに家庭」とあるのは「家庭」と、同法第十二条第三項中「前条第一項第一号に掲げる業務（市町村職員の研修を除く。）並びに同項第二号（イを除く。）」とあるのは「前条第一項第二号（イを除く。）」と、同法第十三条第二項中「、第二十七条第一項第三号の規定による里親への委託の状況及び市町村におけるこの法律による事務の実施状況」とあるのは「及び第二十七条第一項第三号の規定による里親への委託の状況」と、同条第八項中「行い、担当区域内の市町村長に協力を求めることができる」とあるのは「行う」と、同法第十八条第二項中「児童相談所長又は市町村長」とあるのは「児童相談所長」と、同法第二十一条の五の十五第一項（同法第二十一条の五の十六第四項において準用する場合を含む。）中「ごとに行う」とあるのは「ごとに行う。この場合において、指定都市の市長は、当該指定が次項に規定する特定障害児通所支援に係るものであるときは、あらかじめ、都道府県知事の同意を得なければならない」と、同法第二十一条の五の十五第八項（同法第二十一条の五の十六第四項において準用する場合を含む。）中「前項の意見を勘案し」とあるのは「第三十三条の二十第一項に規定する市町村障害児福祉計画との調整を図る見地から」と、同法第二十一条の五の十七第五項中「ものは」とあるのは「ものから」と、「又は同法」とあるのは「について同法第七十八条の五第二項の規定による事業の廃止若しくは休止の届出があつたとき、又は同法」と、「を廃止し、又は休止しようとするときは、内閣府令で定めるところにより、その廃止又は休止の日の一月前までに、その旨を当該指定を行つた都道府県知事に届け出なければならない。この場合において、当該」とあるのは「について同法第百十五条の十五第二項の規定による事業の廃止若しくは休止の」と、同法第二十一条の五の二十七第二項（同法第二十四条の十九の二において準用する場合を含む。）中「指定都市若しくは中核市の長」とあるのは「都道府県知事」と、「関係都道府県知事」とあるのは「関係指定都市の市長」と、同法第二十一条の五の二十七第三項及び第四項（これらの規定を同法第二十四条の十九の二において準用する場合を含む。）中「指定都市若しくは中核市の長」とあるのは「都道府県知事」と、同法第二十一条の五の二十八第五項（同法第二十四条の十九の二において準用する場合を含む。）中「指定都市若しくは中核市の長」とあるのは「都道府県知事」と、「関係都道府県知事」とあるのは「関係指定都市の市長」と、同法第二十四条の四第一項第二号中「以外の都道府県の区域内」とあるのは「の区域以外の区域」と、同法第二十四条の九第一項（同法第二十四条の十第四項において準用する場合を含む。）中「行う」とあるのは「行う。この場合において、指定都市の市長は、当該指定をしようとするときは、あらかじめ、都道府県知事の同意を得なければならない」と、同法第二十四条の十九第四項中「市町村」とあるのは「当該指定都市以外の市町村」と、同法第二十六条第一項第二号中「市町村」とあるのは「指定都市以外の市町村」と、同法第二十七条第一項第二号中「市町村」とあるのは「当該指定都市以外の市町村」と、同法第三十条第一項中「以内）に、市町村長を経て」とあるのは「以内）に」と、同条第二項中「以内に、市町村長を経て」とあるのは「以内に」に、「市町村長を経由し、都道府県知事」とあるのは「指定都市の市長」を「にかかわらず、市町村長を経由し」とあるのは「にかかわらず」と、同法第三十四条の三第二項から第四項まで及び第三十四条の四中「及び都道府県」とあるのは「、都道府県及び指定都市」と、同法第三十四条の五第一項及び第三十四条の六中「行う者」とあるのは「行う者（都道府県を除く。）」と、同法第三十四条の七の二第二項から第四項までの規定中「及び都道府県」とあるのは「、都道府県及び指定都市」と、同法第三十四条の七の三第一項及び第三十四条の七の四中「行う者」とあるのは「行う者（都道府県を除く。）」と、同法第三十四条の七の五第二項から第四項までの規定中「及び都道府県」とあるのは「、都道府県及び指定都市」と、同法第三十四条の七の六第一項及び第三十四条の七の七中「行う者」とあるのは「行う者（都道府県を除く。）」と、同法第三十四条の十八中「及び都道府県」とあるのは「、都道府県及び指定都市」と、同法第三十五条第三項中「市町村」とあるのは「指定都市以外の市町村」と、同条第八項中「第六十二条第二項第一号」とあるのは「第六十一条第二項第一号」と、「第六十二条第一項」とあるのは「第六十一条第一項」と、「都道府県子ども・子育て支援事業支援計画」とあるのは「市町村子ども・子育て支援事業計画」と、同条第十一項中「市町村」とあるのは「指定都市以外の市町村」と、同法第四十五条第一項、第二項及び第五項並びに第四十六条第一項、第三項及び第四項中「児童福祉施設」とあるのは「児童福祉施設（都道府県が設置するものを除く。）」と、同法第五十一条第三号中「費用（都道府県の設置する助産施設又は母子生活支援施設に係るものを除く。）」とあるのは「費用」と、同法第五十六条の八第三項中「市町村長を経由し、都道府県知事」とあるのは「指定都市の市長」と、児童福祉法施行令第一条の三第一号中「一又は二以上の市町村（特別区を含む。以下この号において同じ。）の区域であつて、児童相談所と市町村及び」とあるのは「指定都市の区域又は一若しくは二以上の当該指定都市の区（総合区を含む。）の区域であつて、児童相談所と」と、同令第三条第一項第三号中「法第十一条第一項第一号の規定による市町村相互間の連絡調整等、同項第三号の規定による広域的な対応が必要な業務、法」とあるのは「法」と、「都道府県の区域内の市町村（特別区を含み、地方自治法（昭和二十二年法律第六十七号）第二百五十二条の十九第一項の指定都市（以下「指定都市」という。）及び法第五十九条の四第一項の児童相談所設置市（以下「児童相談所設置市」という。）を除く。）の数を三十で除して得た数（その数に一に満たない端数があるときは、これを一に切り上げる。）」とあるのは「一」と、同令第三十八条中「児童福祉施設」とあるのは「児童福祉施設（都道府県が設置するものを除く。）」と、児童虐待の防止等に関する法律第十三条の二中「市町村」とあるのは「当該指定都市以外の市町村」とする。

8　指定都市がその事務を処理するに当たつては、地方自治法第二百五十二条の十九第二項の規定により、児童福祉法第三十四条の五第一項の規定による障害児通所支援事業等、児童自立生活援助事業又は小規模住居型児童養育事業についての都道府県知事の質問等に関する規定、同法第三十四条の六の規定による障害児通所支援事業等、児童自立生活援助事業又は小規模住居型児童養育事業の制限又は停止についての都道府県知事の命令に関する規定、同法第三十四条の七の三第一項の規定による親子再統合支援事業、社会的養護自立支援拠点事業又は意見表明等支援事業についての都道府県知事の質問等に関する規定、同法第三十四条の七の四の規定による親子再統合支援事業、社会的養護自立支援拠点事業又は意見表明等支援事業の制限又は停止についての都道府県知事の命令に関する規定、同法第三十四条の七の六第一項の規定による妊産婦等生活援助事業についての都道府県知事の質問等に関する規定、同法第三十四条の七の七の規定による妊産婦等生活援助事業の制限又は停止についての都道府県知事の命令に関する規定、同法第三十四条の十四第一項、第三項及び第四項の規定による一時預かり事業についての都道府県知事の質問等に関する規定、同法第三十四条の十八の二第一項及び第三項の規定による病児保育事業についての都道府県知事の質問等に関する規定、同法第四十六条第一項、第三項及び第四項の規定による児童福祉施設についての都道府県知事の質問等に関する規定並びに児童福祉法施行令第三十八条の規定による児童福祉施設についての都道府県知事の検査に関する規定は、これを適用しない。

（**民生委員に関する事務**）

第百七十四条の二十七　地方自治法第二百五十二条の十九第一項の規定により、指定都市が処理する民生委員に関する事務は、民生委員法（昭和二十三年法律第百九十八号）及び民生委員法施行令（昭和二十三年政令第二百二十六号）の規定により、都道府県が処理することとされている事務とする。この場合においては、次項において特別の定めがあるものを除き、同法及び同令中都道府県に関する規定は、指定都市に関する規定として指定都市に適用があるものとする。

2　前項の場合においては、民生委員法第七条第二項中「当該市町村長及び地方社会福祉審議会」とあるのは「地方社会福祉審議会」と、同法第二十条第一項中「都道府県知事が市町村長の意見をきいて定める区域」とあるのは「指定都市の市長が定める区域」と読み替えるものとする。

（**身体障害者の福祉に関する事務**）

第百七十四条の二十八　地方自治法第二百五十二条の十九第一項の規定により、指定都市が処理する身体障害者の福祉に関する事務は、身体障害者福祉法（昭和二十四年法律第二百八十三号）及び身体障害者福祉法施行令（昭和二十五年政令第七十八号）の規定により、都道府県が処理することとされている事務（同法第十条の規定による市町村相互間の連絡調整等、同法第十一条の規定による同法第九条第七項に規定する身体障害者更生相談所（以下この条及び第百七十四条の四十九の四において「身体障害者更生相談所」という。）の設置、同法第十一条の二第一項の規定による同法第九条第七項に規定する身体障害者福祉司（以下この条及び第百七十四条の四十九の四において「身体障害者福祉司」という。）の設置、同法第十二条第五号の規定による施設の指定、同法第十二条の三第二項の規定による相談援助の委託、指定都市が行う同法第二十六条第一項に規定する身体障害者生活訓練等事業等（以下この条及び第百七十四条の四十九の四において「身体障害者生活訓練等事業等」という。）に係る同法第三十九条の規定による質問等及び同法第四十条の規定による制限又は停止の命令並びに指定都市が設置する同法第五条第一項に規定する身体障害者社会参加支援施設（以下この条及び第百七十四条の四十九の四において「身体障害者社会参加支援施設」という。）に係る同法第四十一条の規定による事業の停止又は廃止の命令に関する事務を除く。）とする。この場合においては、第四項及び第五項において特別の定めがあるものを除き、同法及び同令中都道府県に関する規定（前段括弧内に掲げる事務に係る規定を除く。）は、指定都市に関する規定として指定都市に適用があるものとする。

2　前項の場合においては、指定都市は、身体障害者更生相談所を設けることができる。この場合においては、身体障害者福祉法第十条第一項第二号（イを除く。）及び第三項の規定は、当該指定都市に、同法第十一条第二項（同法第十条第一項第二号ロからニまでに掲げる業務並びに障害者の日常生活及び社会生活を総合的に支援するための法律第二十二条第二項及び第三項、第二十六条第一項、第七十四条並びに第七十六条第三項に規定する業務に係る部分に限る。）及び第三項並びに身体障害者福祉法施行令第二条の規定は、当該身体障害者更生相談所にこれを準用する。

3　第一項の場合においては、指定都市は、前項の規定により設置する身体障害者更生相談所に、身体障害者福祉司を置くことができる。この場合においては、身体障害者福祉法第十一条の二第三項（第一号を除く。）の規定は、当該身体障害者福祉司にこれを準用する。

4　第一項の場合においては、身体障害者福祉法第十六条第四項及び第三十七条の規定は、これを適用しない。

5　第一項の場合においては、身体障害者福祉法第二十六条及び第二十七条中「及び都道府県」とあるのは「、都道府県及び指定都市」と、同法第二十八条第二項及び第四項中「市町村」とあるのは「指定都市以外の市町村」と、同法第三十九条第一項及び第四十条中「身体障害者生活訓練等事業等を行う者」とあるのは「身体障害者生活訓練等事業等を行う者（都道府県を除く。）」と、身体障害者福祉法施行令第九条第四項中「他の都道府県の区域に」とあるのは「指定都市の区域から当該指定都市の区域外に、又は指定都市の区域外から指定都市の区域に」と、「都道府県知事」とあるのは「都道府県知事（新居住地が指定都市の区域にあるときは、当該指定都市の市長）」と、同条第六項中「都道府県知事は」とあるのは「都道府県知事又は指定都市の市長は」と、「都道府県知事に」とあるのは「都道府県知事（旧居住地が指定都市の区域にあつたときは、当該指定都市の市長）に」と、同令第二十八条第一項中「市町村」とあるのは「指定都市以外の市町村」と、同条第二項中「市町村長」とあるのは「市町村長（指定都市の市長を除く。）」と読み替えるものとする。

6　指定都市がその事務を処理するに当たつては、地方自治法第二百五十二条の十九第二項の規定により、身体障害者福祉法第三十九条第一項の規定による身体障害者生活訓練等事業等についての都道府県知事の質問等に関する規定及び同法第四十条の規定による身体障害者生活訓練等事業等の制限又は停止についての都道府県知事の命令に関する規定は、これを適用せず、同法第四十一条第一項の規定による身体障害者社会参加支援施設の事業の停止又は廃止についての都道府県知事の命令については、これらの命令に代えて厚生労働大臣の命令を受けるものとする。

（生活保護に関する事務）

第百七十四条の二十九　地方自治法第二百五十二条の十九第一項の規定により、指定都市が処理する生活保護に関する事務は、生活保護法及び生活保護法施行令（昭和二十五年政令第百四十八号）の規定により、都道府県が処理することとされている事務（同法第二十三条の規定による事務の監査等、指定都市の設置する保護施設に対する同法第四十四条第一項、第四十五条第一項及び第四十八条第三項の規定による報告の命令等、同法第六十四条に規定する審査請求に対する裁決並びに同法第八十一条の二の規定による援助に関する事務を除く。）とする。この場合においては、第四項及び第五項において特別の定めがあるものを除き、同法及び同令中都道府県に関する規定（前段括弧内に掲げる事務に係る規定を除く。）は、指定都市に関する規定として指定都市に適用があるものとする。

2　前項の規定は、特に必要がある場合において、都道府県知事が生活保護法第五十四条第一項（同法第五十四条の二第五項及び第五十五条第二項において準用する場合を含む。）の規定による事務を管理し及び執行することを妨げるものではない。

3　指定都市の市長は、第一項の規定により生活保護法第五十三条第一項の規定による事務を管理し及び執行する場合においては、同条第三項の規定による意見の聴取に関し、社会保険診療報酬支払基金法による社会保険診療報酬支払基金と契約を締結するものとする。

4　第一項の場合においては、生活保護法第四十三条第二項及び第七十三条の規定は、これを適用しない。

5　第一項の場合においては、生活保護法第三十九条第一項及び第二項中「保護施設」とあるのは「保護施設（都道府県が設置するものを除く。）」と、同条第三項中「保護施設の設置者」とあるのは「保護施設の設置者（都道府県を除く。）」と、同法第四十条第二項中「市町村」とあるのは「指定都市以外の市町村」と、同法第四十三条第一項及び第四十四条第一項中「保護施設」とあるのは「保護施設（都道府県が設置するものを除く。）」と、同法第四十六条第二項中「都道府県以外」とあるのは「都道府県及び指定都市以外」と、同法第四十八条第三項中「前項の指導」とあるのは「前項の指導（都道府県が設置する保護施設の長が行うものを除く。）」と読み替えるものとする。

6　指定都市がその事務を処理するに当たつては、地方自治法第二百五十二条の十九第二項の規定により、生活保護法第二十三条第一項及び第二項の規定による都道府県知事の事務の監査等に関する規定並びに同法第四十四条第一項及び第四十八条第三項の規定による保護施設についての都道府県知事の報告の命令等に関する規定は、これを適用せず、同法第四十五条第一項の規定による保護施設の設備又は運営の改善、事業の停止及び保護施設の廃止についての都道府県知事の命令については、これらの命令に代えて厚生労働大臣の命令を受けるものとする。

（行旅病人及び行旅死亡人の取扱いに関する事務）

第百七十四条の三十　地方自治法第二百五十二条の十九第一項の規定により、指定都市が処理する行旅病人及び行旅死亡人の取扱いに関する事務は、行旅病人死亡人等の引取及費用弁償に関する件（明治三十二年勅令第二百七十七号）の規定により、都道府県が処理することとされている事務とする。この場合においては、同令中都道府県に関する規定は、指定都市に関する規定として指定都市に適用があるものとする。

（社会福祉事業に関する事務）

第百七十四条の三十の二　地方自治法第二百五十二条の十九第一項の規定により、指定都市が処理する社会福祉事業に関する事務は、社会福祉法第七章及び第八章の規定により、都道府県が処理することとされている事務（指定都市が経営する社会福祉事業に係る同法第七十条の規定による検査及び調査に関する事務を除く。）とする。この場合においては、次項において特別の定めがあるものを除き、これらの章中都道府県に関する規定（前段括弧内に掲げる事務に係る規定を除く。）は、指定都市に関する規定として指定都市に適用があるものとする。

2　前項の場合においては、社会福祉法第六十二条第一項中「市町村」とあるのは「指定都市以外の市町村」と、同法第六十五条第一項及び第二項中「社会福祉施設」とあるのは「社会福祉施設（都道府県が設置するものを除く。）」と、同条第三項中「社会福祉施設の設置者」とあるのは「社会福祉施設の設置者（都道府県を除く。）」と、同法第六十七条第一項及び第六十八条の二第一項中「市町村」とあるのは「指定都市以外の市町村」と、同法第六十八条の五第一項及び第二項中「社会福祉住居施設」とあるのは「社会福祉住居施設（都道府県が設置するものを除く。）」と、同条第三項中「社会福祉住居施設の設置者」とあるのは「社会福祉住居施設の設置者（都道府県を除く。）」と、同法第六十九条第一項中「及び都道府県」とあるのは「、都道府県及び指定都市」と、同法第七十条中「社会福祉事業を経営する者」とあるのは「社会福祉事業を経営する者（都道府県を除く。）」と読み替えるものとする。

3　指定都市がその事務を処理するに当たつては、地方自治法第二百五十二条の十九第二項の規定により、社会福祉法第七十条の規定による社会福祉事業についての都道府県知事の検査及び調査に関する規定は、これを適用しない。

（知的障害者の福祉に関する事務）

第百七十四条の三十の三　地方自治法第二百五十二条の十九第一項の規定により、指定都市が処理する知的障害者の福祉に関する事務は、知的障害者福祉法（昭和三十五年法律第三十七号）及び知的障害者福祉法施行令（昭和三十五年政令第百三号）の規定により、都道府県が処理することとされている事務（同法第十一条の規定による市町村相互間の連絡調整等、同法第十二条第一項の規定による同法第九条第六項に規定する知的障害者更生相談所（以下この条及び第百七十四条の四十九の八において「知的障害者更生相談所」という。）の設置、同法第十三条第一項の規定による同法第九条第六項に規定する知的障害者福祉司（以下この条及び第百七十四条の四十九の八において「知的障害者福祉司」という。）の設置、同法第十四条第五号の規定による施設の指定及び同法第十五条の二第二項の規定による相談援助の委託に関する事務を除く。）とする。この場合においては、第四項において特別の定めがあるものを除き、同法及び同令中都道府県に関する規定（前段括弧内に掲げる事務に係る規定を除く。）は、指定都市に関する規定として指定都市に適用があるものとする。

2　前項の場合においては、指定都市は、知的障害者更生相談所を設けることができる。この場合においては、知的障害者福祉法第十一条第一項第二号（イを除く。）の規定は、当該指定都市に、同法第十二条第二項（同法第十一条第一項第二号ロ及びハに掲げる業務並びに障害者の日常生活及び社会生活を総合的に支援するための法律第二十二条第二項及び第三項並びに第二十六条第一項に規定する業務に係る部分に限る。）及び第三項並びに知的障害者福祉法施行令第一条の規定は、当該知的障害者更生相談所にこれを準用する。

3　第一項の場合においては、指定都市は、前項の規定により設置する知的障害者更生相談所に、知的障害者福祉司を置くことができる。この場合においては、知的障害者福祉法第十三条第三項（第一号を除く。）の規定は、当該知的障害者福祉司にこれを準用する。

4　第一項の場合においては、知的障害者福祉法第二十五条の規定は、これを適用しない。

（母子家庭及び父子家庭並びに寡婦の福祉に関する事務）

第百七十四条の三十一　地方自治法第二百五十二条の十九第一項の規定により、指定都市が処理する母子家庭及び父子家庭並びに寡婦の福祉に関する事務は、母子及び父子並びに寡婦福祉法及び母子及び父子並びに寡婦福祉法施行令（昭和三十九年政令第二百二十四号）の規定により、都道府県が処理することとされている事務（指定都市が行う同法第二十条に規定する母子家庭日常生活支援事業（第三項及び第百七十四条の四十九の九第一項において「母子家庭日常生活支援事業」という。）、同法第三十一条の七第四項に規定する父子家庭日常生活支援事業（第三項及び第百七十四条の四十九の九第一項において「父子家庭日常生活支援事業」という。）又は同法第三十三条第四項に規定する寡婦日常生活支援事業（第三項及び第百七十四条の四十九の九第一項において「寡婦日常生活支援事業」という。）に係る同法第二十二条（同法第三十一条の七第四項及び第三十三条第五項において準用する場合を含む。）の規定による質問等及び同法第二十三条（同法第三十一条の七第四項及び第三十三条第五項において準用する場合を含む。）の規定による制限又は停止の命令に関する事務を除く。）とする。この場合においては、同法及び同令中都道府県に関する規定（前段括弧内に掲げる事務に係る規定を除く。）は、次項において特別の定めがあるものを除き、指定都市に関する規定として指定都市に適用があるものとする。

2 前項の場合においては、母子及び父子並びに寡婦福祉法第二十条中「及び都道府県」とあるのは「、都道府県及び指定都市」と、同法第二十二条第一項及び第二十三条中「行う者」とあるのは「行う者（都道府県を除く。）」と、同法第三十一条の七第四項中「第二十一条から第二十四条までの規定は父子家庭日常生活支援事業を行う者」とあるのは「第二十一条及び第二十四条の規定は父子家庭日常生活支援事業を行う者について、第二十二条及び第二十三条の規定は父子家庭日常生活支援事業を行う者（都道府県を除く。）」と、同法第三十三条第五項中「第二十一条から第二十四条までの規定は、寡婦日常生活支援事業を行う者について」とあるのは「第二十一条及び第二十四条の規定は寡婦日常生活支援事業を行う者について、第二十二条及び第二十三条の規定は寡婦日常生活支援事業を行う者（都道府県を除く。）について、それぞれ」と、同法第四十条中「市町村」とあるのは「指定都市以外の市町村」と、母子及び父子並びに寡婦福祉法施行令第十三条（同令第三十一条の七及び第三十八条において準用する場合を含む。）中「児童福祉法第八条第二項に規定する都道府県児童福祉審議会（同条第一項ただし書に規定する都道府県」とあるのは「指定都市に置かれる児童福祉に関する審議会その他の合議制の機関（地方自治法施行令（昭和二十二年政令第十六号）第百七十四条の二十六第三項ただし書に規定する指定都市」と読み替えるものとする。

3 指定都市がその事務を処理するに当たつては、地方自治法第二百五十二条の十九第二項の規定により、母子及び父子並びに寡婦福祉法第二十二条第一項の規定による母子家庭日常生活支援事業についての都道府県知事の質問等に関する規定及び同法第二十三条の規定による母子家庭日常生活支援事業の制限又は停止についての都道府県知事の命令に関する規定、同法第三十一条の七第四項において準用する同法第二十二条第一項の規定による父子家庭日常生活支援事業についての都道府県知事の質問等に関する規定及び同法第三十一条の七第四項において準用する同法第二十三条の規定による父子家庭日常生活支援事業の制限又は停止についての都道府県知事の命令に関する規定並びに同法第三十三条第五項において準用する同法第二十二条第一項の規定による寡婦日常生活支援事業についての都道府県知事の質問等に関する規定及び同法第三十三条第五項において準用する同法第二十三条の規定による寡婦日常生活支援事業の制限又は停止についての都道府県知事の命令に関する規定は、これを適用しない。

（老人福祉に関する事務）

第百七十四条の三十一の二 地方自治法第二百五十二条の十九第一項の規定により、指定都市が処理する老人福祉に関する事務は、老人福祉法（昭和三十八年法律第百三十三号）及び老人福祉法施行令（昭和三十八年政令第二百四十七号）並びに地域における医療及び介護の総合的な確保の促進に関する法律（平成元年法律第六十四号。以下この条及び第百七十四条の四十九の十において「医療介護総合確保法」という。）第九条の規定により、都道府県が処理することとされている事務（老人福祉法第六条の二第一項及び第二項の規定による市町村相互間の連絡調整等、同法第七条の規定による社会福祉主事の設置、指定都市が行う同法第五条の二第一項に規定する老人居宅生活支援事業（以下この条及び第百七十四条の四十九の十において「老人居宅生活支援事業」という。）又は指定都市が設置する老人デイサービスセンター、老人短期入所施設若しくは老人介護支援センターに係る同法第十八条（第二項を除く。）及び第十八条の二の規定による質問等、指定都市が設置する養護老人ホーム又は特別養護老人ホームに係る同法第十八条（第一項を除く。）及び第十九条の規定による質問等、同法第二十条の八の規定による市町村老人福祉計画に関する意見等、同法第二十条の九の規定による都道府県老人福祉計画の作成等並びに同法第二十条の十第一項の規定による市町村に対する助言に関する事務を除く。）とする。この場合においては、次項及び第三項において特別の定めがあるものを除き、老人福祉法及び同令並びに医療介護総合確保法第九条中都道府県に関する規定（前段括弧内に掲げる事務に係る規定を除く。）は、指定都市に関する規定として指定都市に適用があるものとする。

2 前項の場合においては、老人福祉法第二十四条第一項の規定は、これを適用しない。

3 第一項の場合においては、老人福祉法第十四条、第十四条の三及び第十五条第二項中「及び都道府県」とあるのは「、都道府県及び指定都市」と、同条第三項中「市町村」とあるのは「指定都市以外の市町村」と、同条第五項及び同法第十六条第一項中「及び都道府県」とあるのは「、都道府県及び指定都市」と、同条第二項中「市町村」とあるのは「指定都市以外の市町村」と、同法第十七条第一項及び第二項第一号から第三号までの規定中「特別養護老人ホーム」とあるのは「特別養護老人ホーム（これらのうち都道府県が設置するものを除く。）」と、同項第四号中「養護老人ホーム」とあるのは「養護老人ホーム（都道府県が設置するものを除く。）」と、同条第三項中「特別養護老人ホームの設置者」とあるのは「特別養護老人ホームの設置者（都道府県を除く。）」と、同法第十八条第一項中「老人居宅生活支援事業を行う者」とあるのは「老人居宅生活支援事業を行う者（都道府県を除く。）」と、「老人介護支援センターの設置者」とあるのは「老人介護支援センターの設置者（都道府県を除く。）」と、同条第二項中「特別養護老人ホーム」とあるのは「特別養護老人ホーム（これらのうち都道府県が設置するものを除く。）」と、同法第十八条の二第一項中「認知症対応型老人共同生活援助事業を行う者」とあるのは「認知症対応型老人共同生活援助事業を行う者（都道府県を除く。）」と、同条第二項中「老人居宅生活支援事業を行う者」とあるのは「老人居宅生活支援事業を行う者（都道府県を除く。）」と、「老人介護支援センターの設置者」とあるのは「老人介護支援センターの設置者（都道府県を除く。）」と、同法第十九条第一項中「特別養護老人ホームの設置者」とあるのは「特別養護老人ホームの設置者（都道府県を除く。）」と読み替えるものとする。

4　指定都市がその事務を処理するに当たつては、地方自治法第二百五十二条の十九第二項の規定により、老人福祉法第十八条第一項の規定による老人居宅生活支援事業、老人デイサービスセンター、老人短期入所施設又は老人介護支援センターについての都道府県知事の質問等に関する規定、同条第二項の規定による養護老人ホーム又は特別養護老人ホームについての都道府県知事の質問等に関する規定、同法第十八条の二第一項の規定による認知症対応型老人共同生活援助事業の保全措置の改善についての都道府県知事の命令に関する規定、同条第二項の規定による老人居宅生活支援事業、老人デイサービスセンター、老人短期入所施設又は老人介護支援センターの事業の制限又は停止についての都道府県知事の命令に関する規定及び同法第十九条第一項の規定による養護老人ホーム又は特別養護老人ホームの施設の設備又は運営の改善についての都道府県知事の命令等に関する規定は、これを適用しない。

（母子保健に関する事務）

第百七十四条の三十一の三　地方自治法第二百五十二条の十九第一項の規定により、指定都市が処理する母子保健に関する事務は、母子保健法（昭和四十年法律第百四十一号）及び母子保健法施行令（昭和四十年政令第三百八十五号）の規定により、都道府県が処理することとされている事務とする。この場合においては、第三項において特別の定めがあるものを除き、同法及び同令中都道府県に関する規定は、指定都市に関する規定として指定都市に適用があるものとする。

2　指定都市の市長は、前項の規定により母子保健法第二十条第七項において準用する児童福祉法第十九条の二十第一項の規定による事務を管理し及び執行する場合においては、同条第三項の意見の聴取に関し、社会保険診療報酬支払基金法による社会保険診療報酬支払基金と契約を締結するものとする。

3　第一項の場合においては、母子保健法第八条の規定は、これを適用しない。

（介護保険に関する事務）

第百七十四条の三十一の四　地方自治法第二百五十二条の十九第一項の規定により、指定都市が処理する介護保険に関する事務は、介護保険法（平成九年法律第百二十三号）第四章第三節及び第四節並びに第五章第一節第三款、第二節、第五節、第六節及び第十節並びに同法第百五条及び第百十四条の八において準用する医療法（昭和二十三年法律第二百五号）第九条第二項、第十五条第三項及び第三十条並びに介護保険法施行令（平成十年政令第四百十二号）第四章第五節の規定により、都道府県が処理することとされている事務（介護保険法第六十九条の三十八の規定による報告の徴収等（当該都道府県知事の登録を受けている同法第七条第五項に規定する介護支援専門員に対するものに限る。）、同法第六十九条の三十九の規定による登録の消除、同法第七十条第六項、第八十六条第三項、第九十四条第六項及び第百七条第六項の規定による関係市町村長に対する意見の求め等、同法第七十条第七項及び第八項並びに第百十五条の二第四項及び第五項の規定による関係市町村長に対する通知等、同法第七十五条の二、第八十九条の二、第九十九条の二、第百十四条及び第百十五条の六の規定による都道府県知事による連絡調整又は援助等並びに同法第百十五条の三十五第五項及び第七項の規定による市町村長に対する通知に関する事務を除く。）とする。この場合においては、次項及び第三項において特別の定めがあるものを除き、介護保険法第四章第三節及び第四節並びに第五章第一節第三款、第二節、第五節、第六節及び第十節並びに同法第百五条及び第百十四条の八において準用する医療法第九条第二項、第十五条第三項及び第三十条並びに同令第四章第五節の規定中都道府県に関する規定（前段括弧内に掲げる事務に係る規定を除く。）は、指定都市に関する規定として指定都市に適用があるものとする。

2　前項の場合においては、介護保険法第七十条第十一項、第七十六条の二第五項、第七十七条第二項、第九十一条の二第五項、第九十二条第二項、第百条第三項、第百三条第五項、第百四条第二項、第百十四条の二第三項、第百十四条の五第五項、第百十四条の六第二項、第百十五条の八第五項、第百十五条の九第二項及び第百十五条の四十四の二第八項の規定は、適用しない。

3　第一項の場合においては、介護保険法第六十九条の三十八第一項中「その登録を受けている介護支援専門員及び当該都道府県」とあるのは「当該指定都市」と、同条第二項中「その登録を受けている介護支援専門員若しくは当該都道府県」とあるのは「当該指定都市」と、「若しくは第二項」とあるのは「又は第二項」と、「とき、又はその登録を受けている者で介護支援専門員証の交付を受けていないもの（以下この項において「介護支援専門員証未交付者」という。）が介護支援専門員として業務を行ったとき」とあるのは「とき」と、「又は当該介護支援専門員証未交付者に対し」とあるのは「に対し」と、同条第三項中「その登録を受けている介護支援専門員又は当該都道府県」とあるのは「当該指定都市」と、同条第四項中「他の都道府県知事の登録を受けている介護支援専門員に対して前二項」とあるのは「前二項」と、同法第七十条第一項中「ごとに行う」とあるのは「ごとに行う。この場合において、指定都市の市長は、当該指定が特定施設入居者生活介護に係るものであるときは、あらかじめ、都道府県知事の同意を得なければならない」と、同条第四項及び第五項中「第百十八条第二項第一号」とあるのは「第百十七条第二項第一号」と、「都道府県介護保険事業支援計画」とあるのは「市町村介護保険事業計画」と、同条第九項中「第六項又は前項の意見を勘案し」とあるのは「第百十七条第一項に規定する市町村介護保険事業計画との調整を図る見地から」と、同条第十項中「都道府県知事に対し、訪問介護、通所介護その他の厚生労働省令で定める居宅サービス（当該市町村の区域に所在する事業所が行うものに限る。）に係る第四十一条第一項本文の指定について、厚生労働省令で定めるところにより、当該市町村」とあるのは「当該指定都市」と、「必要な協議を求めることができる。この場合において、当該都道府県知事は、その求めに応じなければならない」とあるのは「、当該指定都市の区域に所在する事業所が行う居宅サービス（訪問介護、通所介護その他の厚生労働省令で定めるものに限る。以下この項において同じ。）につき第一項の申請があった場合において、厚生労働省令で定める基準に従って、第四十一条第一項本文の指定をしないこととし、又は同項本文の指定を行うに当たって、定期巡回・随時対応型訪問介護看護等の事業の適正な運営を確保するために必要と認める条件を付することができる」と、同項第一号中「居宅サービス（この項の規定により協議を行うものとされたものに限る。以下この号及び次項において同じ。）」とあるのは「居宅サービス」と、同法第七十八条中「事項を」とあるのは「事項を都道府県知事に届け出るとともに、これを」と、同法第七十八条の二第五項中「ものは」とあるのは「ものから」と、「又は障害者総合支援法」とあるのは「について同法第二十一条の五の二十第四項の規定による事業の廃止若しくは休止の届出があったとき、又は障害者総合支援法」と、「を廃止し、又は休止しようとするときは、厚生労働省令で定めるところにより、その廃止又は休止の日の一月前までに、その旨を当該指定を行った市町村長に届け出なければならない。この場合において、当該」とあるのは「について障害者総合支援法第四十六条第二項の規定による事業の廃止若しくは休止の」と、同法第九十三条中「事項を」とあるのは「事項を都道府県知事に届け出るとともに、これを」と、同法第九十四条第一項中「ならない」とあるのは「ならない。この場合において、指定都市の市長は、当該許可をしようとするときは、あらかじめ、都道府県知事の同意を得なければならない」と、同条第五項中「第百十八条第二項第一号」とあるのは「第百十七条第二項第一号」と、「都道府県介護保険事業支援計画」とあるのは「市町村介護保険事業計画」と、同法第百四条の二中「事項を」とあるのは「事項を都道府県知事に届け出るとともに、これを」と、同法第百七条第一項中「ならない」とあるのは「ならない。この場合において、指定都市の市長は、当該許可をしようとするときは、あらかじめ、都道府県知事の同意を得なければならない」と、同条第五項中「第百十八条第二項第一号」とあるのは「第百十七条第二項第一号」と、「都道府県介護保険事業支援計画」とあるのは「市町村介護保険事業計画」と、同法第百十四条の七中「事項を」とあるのは「事項を都道府県知事に届け出るとともに、これを」と、同法第百十五条の二第六項中「前項の意見を勘案し」とあるのは「第百十七条第一項に規定する市町村介護保険事業計画との調整を図る見地から」と、同法第百十五条の十中「事項を」とあるのは「事項を都道府県知事に届け出るとともに、これを」と、同法第百十五条の十二の二第五項中「ものは」とあるのは「ものから」と、「又は障害者総合支援法」とあるのは「について同法第二十一条の五の二十第四項の規定による事業の廃止若しくは休止の届出があったとき、又は障害者総合支援法」と、「を廃止し、又は休止しようとするときは、厚生労働省令で定めるところにより、その廃止又は休止の日の一月前までに、その旨を当該指定を行った市町村長に届け出なければならない。この場合において、当該」とあるのは「について障害者総合支援法第四十六条第二項の規定による事業の廃止若しくは休止の」と、同法第百十五条の三十三第二項中「指定を」とあるのは「指定若しくは許可を」と、同条第三項中「指定に」とあるのは「指定又は許可に」と、同法第百十五条の三十五第六項中「指定居宅サービス事業者若しくは指定介護予防サービス事業者又は指定介護老人福祉施設、介護老人保健施設若しくは介護医療院の開設者」とあり、及び「指定居宅サービス事業者、指定介護予防サービス事業者若しくは指定介護老人福祉施設」とあるのは「介護サービス事業者」と、「介護老人保健施設若しくは介護医療院の許可」とあるのは「許可」と、同法第百十五条の四十四の二第七項中「指定地域密着型サービス事業者、指定居宅介護支援事業者、指定地域密着型介護予防サービス事業者又は指定介護予防支援事業者」とあるのは「介護サービス事業者」と、「指定を」とあるのは「指定又は許可を」と、同条第九項中「指定地域密着型サービス事業者、指定居宅介護支援事業者、指定地域密着型介護予防サービス事業者又は指定介護予防支援事業者」とあるのは「介護サービス事業者」と、「指定を取り消し」とあるのは「指定若しくは許可を取り消し」と、「指定の」とあるのは「指定若しくは許可の」と、「指定をした」とあるのは「指定又は許可をした」と読み替えるものとする。

（障害者の自立支援に関する事務）

第百七十四条の三十二　地方自治法第二百五十二条の十九第一項の規定により、指定都市が処理する障害者の自立支援に関する事務は、障害者の日常生活及び社会生活を総合的に支援するための法律第二章第一節、第二節第三款及び第五款、第三節第一款及び第三款、第四節並びに第七節、第七十八条第一項、第四章、第九十三条第一号及び第二号（同項に関する部分に限る。）並びに第百十五条第一項及び第二項並びに障害者の日常生活及び社会生活を総合的に支援するための法律施行令（平成十八年政令第十号）第四十条の規定により、都道府県が処理することとされている事務（同法第十一条の二第一項及び第四項の規定による同条第一項に規定する指定事務受託法人の指定等、同法第三十六条第六項及び第七項（これらの規定を同法第四十一条第四項及び第五十一条の十九第二項（同法第五十一条の二十一第二項において準用する場合を含む。）において準用する場合を含む。）の規定による関係市町村長に対する通知等、同法第四十七条の二第一項（同法第五十一条の二十六第一項において準用する場合を含む。）の規定による都道府県知事による連絡調整又は援助、同法第五十一条の十一及び第七十四条第二項の規定による協力その他市町村に対する必要な援助、同法第七十六条の三第五項及び第七項の規定による市町村長に対する通知、同法第七十八条第一項の規定による意思疎通支援を行う者の派遣に係る市町村相互間の連絡調整、指定都市が行う同法第七十九条第一項各号に掲げる事業に係る同法第八十一条の規定による質問等、同法第八十二条第一項の規定による制限又は停止の命令及び同条第二項の規定による施設の設備又は運営の改善の命令等、指定都市が設置する同法第五条第十一項に規定する障害者支援施設（第四項及び第百七十四条の四十九の十二第一項において「障害者支援施設」という。）に係る同法第八十五条第一項の規定による質問等及び同法第八十六条第一項の規定による事業の停止又は廃止の命令並びに同法第七十八条第一項の規定による意思疎通支援を行う者の派遣に係る市町村相互間の連絡調整に係る同法第九十三条第二号の規定による費用の支弁に関する事務を除く。）とする。この場合においては、第三項において特別の定めがあるものを除き、同法及び同令中都道府県に関する規定（前段括弧内に掲げる事務に係る規定を除く。）は、指定都市に関する規定として指定都市に適用があるものとする。

2　指定都市の市長は、前項の規定により障害者の日常生活及び社会生活を総合的に支援するための法律第七十三条第一項の規定による事務を管理し及び執行する場合においては、同条第三項の意見の聴取に関し、社会保険診療報酬支払基金法による社会保険診療報酬支払基金と契約を締結するものとする。

3　第一項の場合においては、障害者の日常生活及び社会生活を総合的に支援するための法律第十一条第一項中「自立支援給付に関して」とあるのは「自立支援給付（障害者の日常生活及び社会生活を総合的に支援するための法律施行令第一条の二第三号に規定する精神通院医療に係る自立支援医療費の支給に限る。以下この条において同じ。）に関して」と、同条第二項中「、自立支援給付対象サービス等」とあるのは「、当該自立支援給付に係る自立支援給付対象サービス等」と、同法第三十六条第一項（同法第四十一条第四項において準用する場合を含む。）中「ごとに行う」とあるのは「ごとに行う。この場合において、指定都市の市長は、当該指定が次項に規定する特定障害福祉サービスに係るものであるときは、あらかじめ、都道府県知事の同意を得なければならない」と、同法第三十六条第八項（同法第四十一条第四項及び第五十一条の十九第二項（同法第五十一条の二十一第二項において準用する場合を含む。）において準用する場合を含む。）中「前項の意見を勘案し」とあるのは「第八十八条第一項に規定する市町村障害福祉計画との調整を図る見地から」と、同法第三十八条第一項（同法第四十一条第四項において準用する場合を含む。）中「行う」とあるのは「行う。この場合において、指定都市の市長は、当該指定をしようとするときは、あらかじめ、都道府県知事の同意を得なければならない」と、同法第四十一条の二第五項中「ものは」とあるのは「ものから」と、「又は同法」とあるのは「について同法第七十八条の五第二項の規定による事業の廃止若しくは休止の届出があったとき、又は同法」と、「を廃止し、又は休止しようとするときは、主務省令で定めるところにより、その廃止又は休止の日の一月前までに、その旨を当該指定を行った都道府県知事に届け出なければならない。この場合において、当該」とあるのは「について同法第百十五条の十五第二項の規定による事業の廃止若しくは休止の」と、同法第五十一条中「旨を」とあるのは「旨を都道府県知事に届け出るとともに、これを」と、同法第五十一条の三第二項及び第五十一条の四第五項中「指定都市若しくは中核市の長」とあるのは「都道府県知事」と、「関係都道府県知事」とあるのは「関係指定都市の市長」と、同法第五十一条の三第三項及び第四項並びに第五十一条の三十二第三項中「指定都市若しくは中核市の長」とあるのは「都道府県知事」と、同条第二項中「主務大臣」とあるのは「主務大臣又は都道府県知事」と、「以下この項及び次条第五項」とあるのは「次条第五項」と、「関係都道府県知事」とあるのは「関係指定都市の市長」と、「、都道府県知事が前項の権限を行うときは関係市町村長と、指定都市又は中核市の長が同項の権限を行うときは関係都道府県知事と密接な」とあるのは「密接な」と、同条第四項中「、都道府県知事又は指定都市若しくは中核市の長」とあるのは「又は都道府県知事」と、同法第五十一条の三十三第五項中「、都道府県知事又は指定都市若しくは中核市の長」とあるのは「又は都道府県知事」と、「関係都道府県知事」とあるのは「関係指定都市の市長」と、同法第七十三条第一項中「指定自立支援医療機関、療養介護医療を行う指定障害福祉サービス事業者等又は基準該当療養介護医療を行う基準該当事業所若しくは基準該当施設（以下この条において「公費負担医療機関」という。）」とあるのは「指定自立支援医療機関」と、「並びに自立支援医療費、療養介護医療費及び基準該当療養介護医療費（以下この条及び第七十五条において「自立支援医療費等」という。）」とあるのは「及び自立支援医療費」と、「公費負担医療機関が第五十八条第五項（第七十条第二項において準用する場合を含む。）」とあるのは「指定自立支援医療機関が第五十八条第五項」と、「自立支援医療費等の」とあるのは「自立支援医療費の」と、同条第三項及び第四項中「公費負担医療機関」とあるのは「指定自立支援医療機関」と、「自立支援医療費等」とあるのは「自立支援医療費」と、同法第七十九条第二項及び第四項中「及び都道府県」とあるのは「、都道府県及び指定都市」と、同法第八十条第一項中「障害福祉サービス事業」とあるのは「障害福祉サービス事業（都道府県が行うものを除く。次項において同じ。）」と、「福祉ホーム」とあるのは「福祉ホーム（いずれも都道府県が設置するものを除く。次項において同じ。）」と、同条第三項及び同法第八十一条第一項中「設置者」とあるのは「設置者（いずれも都道府県を除く。）」と、同法第八十二条第一項中「移動支援事業を行う者」とあるのは「移動支援事業を行う者（都道府県を除く。）」と、同条第二項中「福祉ホームの設置者」とあるのは「福祉ホームの設置者（いずれも都道府県を除く。）」と、同法第八十三条第三項中「市町村」とあるのは「指定都市以外の市町村」と、同法第八十四条第一項中「障害者支援施設」とあるのは「障害者支援施設（都道府県が設置するものを除く。次項において同じ。）」と、障害者の日常生活及び社会生活を総合的に支援するための法律施行令第四十三条の七第一項中「市町村」とあるのは「指定都市以外の市町村」と、同条第二項中「市町村長」とあるのは「市町村長（指定都市の市長を除く。）」と読み替えるものとする。

4　指定都市がその事務を処理するに当たつては、地方自治法第二百五十二条の十九第二項の規定により、障害者の日常生活及び社会生活を総合的に支援するための法律第八十一条第一項の規定による同法第七十九条第一項各号に掲げる事業についての都道府県知事の質問等に関する規定、同法第八十二条第一項の規定による同法第七十九条第一項各号に掲げる事業の制限又は停止についての都道府県知事の命令に関する規定、同法第八十二条第二項の規定による施設の設備又は運営の改善についての都道府県知事の命令等に関する規定、同法第八十五条第一項の規定による障害者支援施設についての都道府県知事の質問等に関する規定及び同法第八十六条第一項の規定による障害者支援施設の事業の停止又は廃止についての都道府県知事の命令に関する規定は、これを適用しない。

（生活困窮者の自立支援に関する事務）

第百七十四条の三十三　地方自治法第二百五十二条の十九第一項の規定により、指定都市が処理する生活困窮者の自立支援に関する事務は、生活困窮者自立支援法第十六条第一項から第三項まで及び第二十一条第二項の規定により、都道府県が処理することとされている事務とする。この場合においては、同法第十六条第一項から第三項まで及び第二十一条第二項の規定中都道府県に関する規定は、指定都市に関する規定として指定都市に適用があるものとする。

（食品衛生に関する事務）

第百七十四条の三十四　地方自治法第二百五十二条の十九第一項の規定により、指定都市が処理する食品衛生に関する事務は、食品衛生法（昭和二十二年法律第二百三十三号）及び食品衛生法施行令（昭和二十八年政令第二百二十九号）の規定により、都道府県が処理することとされている事務（同法第四十八条第六項第三号及び同令第十五条から第二十条までの規定による同号の養成施設（第百七十四条の四十九の十四第一項において「登録養成施設」という。）の登録等、同法第四十八条第六項第四号並びに同令第二十一条、第二十四条第三項、第二十五条、第二十六条、第二十八条から第三十条まで、第三十二条、第三十三条第一項及び第三十四条の規定による同号の講習会（第百七十四条の四十九の十四第一項において「登録講習会」という。）の登録等、同法第五十四条の規定による条例の制定並びに同令第九条第一項第一号及び同条第二項において準用する同令第十五条から第二十条までの規定による同号の養成施設の登録等に関する事務を除く。）とする。この場合においては、同法及び同令中都道府県に関する規定（前段括弧内に掲げる事務に係る規定を除く。）は、指定都市に関する規定として指定都市に適用があるものとする。

2　前項の場合においては、指定都市は、必要があると認めるときは、条例で、食品衛生法第五十四条の規定により都道府県の定めた基準に指定都市の区域における公衆衛生上必要な制限を付加する基準を定めることができる。この場合において、当該指定都市が定めた条例は、同法の規定の適用については、同法第五十四条の規定により都道府県が定めた条例とみなす。

（医療に関する事務）

第百七十四条の三十五　地方自治法第二百五十二条の十九第一項の規定により、指定都市が処理する医療に関する事務は、医療法第四章第一節から第三節まで並びに医療法施行令（昭和二十三年政令第三百二十六号）第三条の三、第四条第一項及び第二項並びに第四条の二の規定により、都道府県が処理することとされている事務（診療所及び助産所に係る同法第七条第一項及び第二項、第八条、第八条の二第二項、第九条、第十二条、第二十四条第一項、第二十四条の二、第二十五条第一項及び第二項、第二十五条の二、第二十七条、第二十八条、第二十九条第一項及び第二項並びに第三十条並びに同令第四条第一項及び第四条の二の規定による開設の許可等、診療所に係る同法第十五条第三項及び第十八条の規定による届出の受理等、病院及び診療所に係る同法第七条の二第三項から第六項までの規定による条例の制定等並びに同法第七条の三第一項、第二項、第四項及び第七項（これらの規定を同条第八項において準用する場合を含む。）の規定による書面の提出の求め等並びに同法第四条第一項に規定する地域医療支援病院に係る同法第十二条の二並びに第二十九条第三項及び第六項の規定による報告書の受理等、同法第二十四条第一項の規定による制限等の命令（同法第二十二条に掲げる施設に係るものに限る。）並びに同法第二十五条第一項及び第二項の規定による報告の徴収等（同法第二十二条に掲げる施設及び記録に係るものに限る。）に関する事務を除く。）とする。この場合においては、次項及び第三項において特別の定めがあるものを除き、同法及び同令中都道府県に関する規定（前段括弧内に掲げる事務に係る規定を除く。）は、指定都市に関する規定として指定都市に適用があるものとする。

2　前項の場合においては、医療法施行令第四条の四の規定は、適用しない。

3　第一項の場合においては、医療法第七条第一項中「ならない」とあるのは「ならない。この場合において、指定都市の市長は、病院の開設の許可をしようとするときは、あらかじめ、第三十条の四第一項に規定する医療計画（以下この条、次条及び第七条の三第一項において「医療計画」という。）の達成の推進のため、開設地の都道府県知事に協議し、その同意を求めなければならない」と、同条第二項中「同様とする」とあるのは「同様とする。この場合において、同項中「病院の開設」とあるのは、「病床数及び病床の種別の変更」とする」と、同条第三項中「ならない」とあるのは「ならない。この場合において、指定都市の市長は、当該許可をしようとするときは、あらかじめ、医療計画の達成の推進のため、当該診療所の所在地の都道府県知事に協議し、その同意を求めなければならない」と、同条第五項中「病院の開設」

とあるのは「第一項から第三項までの規定に基づき協議を受けた都道府県知事から、病院の開設」と、「許可には」とあるのは「許可に」と、「第三十条の四第一項に規定する医療計画（以下この条、次条及び第七条の三第一項において「医療計画」という。）」とあるのは「医療計画」と、「条件」とあるのは「条件を付するよう求めがあつたときは、当該求めがあつた条件」と、同条第六項中「都道府県が」とあるのは「指定都市の市長は、第一項から第三項までの規定に基づき協議を受けた都道府県知事から、当該都道府県知事の統括する都道府県が」と、「これらの許可には」とあるのは「当該指定都市の市長が行うこれらの許可に」と、「条件を付することができる」とあるのは「条件を付するよう求めがあつたときは、当該求めがあつた条件を付さなければならない」と、同法第七条の二第一項中「において、」とあるのは「において、前条第一項又は第二項の規定に基づき協議を受けた都道府県知事が、」と、「認める」とあるのは「認め、前条第一項又は第二項の同意をしなかつた」と、「前条第四項」とあるのは「同条第四項」と、「与えないことができる」とあるのは「与えてはならない」と、同条第二項中「において、」とあるのは「において、前条第三項の規定に基づき協議を受けた都道府県知事が、」と、「同条第八項」とあるのは「第三十条の四第八項」と、「認める」とあるのは「認め、前条第三項の同意をしなかつた」と、「前条第四項」とあるのは「同条第四項」と、「与えないことができる」とあるのは「与えてはならない」と、同条第五項中「許可を与えない処分をし」とあるのは「同意をしないこととし」と、同法第七条の三第一項中「があつた」とあるのは「について指定都市の市長から第七条第一項又は第二項の規定に基づき協議を受けた」と、同条第六項中「、第二項」とあるのは「、第一項の協議を受けた都道府県知事が、第二項」と、「認められない」とあるのは「認めず、第七条第一項又は第二項の同意をしなかつた」と、「与えないことができる」とあるのは「与えてはならない」と、同条第七項中「許可を与えない処分をしよう」とあるのは「同意をしないこと」と、同条第八項中「第六項中」とあるのは「第一項中「第七条第一項又は第二項」とあるのは「第七条第三項」と、第六項中「第七条第一項又は第二項」とあるのは「第七条第三項」と、」と、同法第二十七条の二第一項中「ときは、」とあるのは「場合には、都道府県知事に協議するものとし、当該都道府県知事から」と、「都道府県医療審議会の意見を聴いて、期限」とあるのは「期限」と、「勧告することができる」とあるのは「勧告するよう求めがあつたときは、当該期限を定めて、当該条件に従うべきことを勧告することができる。当該都道府県知事が、当該勧告の求めを行うときは、都道府県医療審議会の意見を聴くものとする」と、同条第二項中「ときは、」とあるのは「場合には、都道府県知事に協議するものとし、当該都道府県知事から」と、「都道府県医療審議会の意見を聴いて、期限」とあるのは「期限」と、「命ずることができる」とあるのは「命ずるよう求めがあつたときは、当該期限を定めて、当該勧告に係る措置をとるべきことを命ずることができる。当該都道府県知事が、当該命令の求めを行うときは、都道府県医療審議会の意見を聴くものとする」と、同条第三項中「場合において」とあるのは「場合であつて」と、「とき」とあるのは「場合には、都道府県知事に協議するものとし、当該都道府県知事からその旨を公表するよう求めがあつたとき」と、医療法施行令第三条の三及び第四条第二項中「ならない」とあるのは「ならない。この場合において、指定都市の市長は、遅滞なく、その旨を当該診療所所在地の都道府県知事に通知しなければならない」とする。

（精神保健及び精神障害者の福祉に関する事務）

第百七十四条の三十六　地方自治法第二百五十二条の十九第一項の規定により、指定都市が処理する精神保健及び精神障害者の福祉に関する事務は、精神保健及び精神障害者福祉に関する法律（昭和二十五年法律第百二十三号）及び精神保健及び精神障害者福祉に関する法律施行令（昭和二十五年政令第百五十五号）並びに発達障害者支援法（平成十六年法律第百六十七号）の規定により、都道府県が処理することとされている事務（精神保健及び精神障害者福祉に関する法律第十九条の七の規定による精神科病院の設置、同法第十九条の十一の規定による精神科救急医療の確保、同法第四十八条の三の規定による協力等及び同法第四十九条第三項の規定による技術的事項についての協力等並びに発達障害者支援法第十条第二項の規定による就労のための準備に係る措置に関する事務を除く。）とする。この場合においては、第四項から第六項までにおいて特別の定めがあるものを除き、精神保健及び精神障害者福祉に関する法律及び同令並びに発達障害者支援法中都道府県に関する規定（前段括弧内に掲げる事務に係る規定を除く。）は、指定都市に関する規定として指定都市に適用があるものとする。

2　前項の場合においては、指定都市は、条例で精神保健及び精神障害者福祉に関する法律第九条第一項に規定する地方精神保健福祉審議会（以下この条において「地方精神保健福祉審議会」という。）を置くことができ、又は精神医療審査会を置くものとする。

3　精神保健及び精神障害者福祉に関する法律第九条第二

項の規定は、前項の規定により指定都市に置かれる地方精神保健福祉審議会に、同法第十三条及び第十四条並びに精神保健及び精神障害者福祉に関する法律施行令第二条の規定は、同項の規定により指定都市に置かれる精神医療審査会にこれを準用する。この場合においては、同法第九条第二項及び第十三条第一項中「都道府県知事」とあるのは、「指定都市の市長」と読み替えるものとする。

4　第一項の場合においては、精神保健及び精神障害者福祉に関する法律第二十九条の四第一項に規定する措置入院者について同法第二十九条の五、第三十八条の二第一項、第三十八条の四及び第四十条の規定を適用するときは、これらの規定中「都道府県知事」とあるのは、「その入院措置を採った都道府県知事又は指定都市の市長」と読み替えるものとする。

5　第一項の場合においては、精神保健及び精神障害者福祉に関する法律施行令第五条、第六条の二、第八条第一項及び第三項、第九条第三項、第十条第三項並びに第十条の二第二項並びに発達障害者支援法第五条第五項の規定は、これを適用しない。

6　第一項の場合においては、精神保健及び精神障害者福祉に関する法律第十九条の九第二項（同法第三十三条の七において準用する場合を含む。）及び第五十三条第一項中「地方精神保健福祉審議会」とあるのは「指定都市に置かれる地方精神保健福祉審議会」と、同法第三十八条の三、第三十八条の五及び第五十三条第一項中「精神医療審査会」とあるのは「指定都市に置かれる精神医療審査会」と、精神保健及び精神障害者福祉に関する法律施行令第七条第二項中「市町村長を経由して、都道府県知事」とあるのは「指定都市の市長」と、同条第三項中「市町村長」とあるのは「指定都市の市長」と、同条第四項中「他の都道府県の区域に」とあるのは「指定都市の区域から当該指定都市の区域外に、又は指定都市の区域外から指定都市の区域に」と、「新居住地を管轄する市町村長を経由して」とあるのは「新居住地を管轄する市町村長を経由して（新居住地が指定都市の区域にあるときは、直接）」と、「都道府県知事」とあるのは「都道府県知事（新居住地が指定都市の区域にあるときは、当該指定都市の市長）」と、同条第五項中「都道府県知事は」とあるのは「都道府県知事又は指定都市の市長は」と、「旧居住地の都道府県知事」とあるのは「旧居住地の都道府県知事（旧居住地が指定都市の区域にあつたときは、当該指定都市の市長）」と、「新居住地を管轄する市町村長を経由して」とあるのは「新居住地を管轄する市町村長を経由して（新居住地が指定都市の区域にあるときは、直接）」と、同令第八条第二項中「その申請を受理した市町村長においてその者の」とあるのは「その者の」と読み替えるものとする。

（結核の予防に関する事務）

第百七十四条の三十七　地方自治法第二百五十二条の十九第一項の規定により、指定都市が処理する結核の予防に関する事務は、感染症の予防及び感染症の患者に対する医療に関する法律（平成十年法律第百十四号）及び感染症の予防及び感染症の患者に対する医療に関する法律施行令（平成十年政令第四百二十号）の規定により、都道府県が処理することとされている事務（同法第五十三条の二第三項の規定による定期の健康診断の実施の指示及び同法第五十八条第十七号に掲げる費用の支弁に関する事務を除く。）とする。この場合においては、第三項において特別の定めがあるものを除き、同法及び同令中都道府県に関する規定（前段括弧内に掲げる事務に係る規定を除く。）は、指定都市に関する規定として指定都市に適用があるものとする。

2　指定都市の市長は、前項の規定により感染症の予防及び感染症の患者に対する医療に関する法律第四十条第三項の規定による事務を管理し及び執行する場合においては、同条第五項の意見の聴取に関し、社会保険診療報酬支払基金法による社会保険診療報酬支払基金と契約を締結するものとする。

3　第一項の場合においては、感染症の予防及び感染症の患者に対する医療に関する法律第五十三条の七第一項中「保健所長（その場所が保健所設置市等の区域内であるときは、保健所長及び保健所設置市等の長）」とあるのは「保健所長」と、「都道府県知事」とあるのは「指定都市の市長」とする。

4　指定都市がその事務を処理するに当たつては、地方自治法第二百五十二条の十九第二項の規定により、感染症の予防及び感染症の患者に対する医療に関する法律第五十三条の二第三項の規定による都道府県知事の指示に関する部分は、これを適用しない。

（難病の患者に対する医療等に関する事務）

第百七十四条の三十八　地方自治法第二百五十二条の十九第一項の規定により、指定都市が処理する難病の患者に対する医療等に関する事務は、難病の患者に対する医療等に関する法律（平成二十六年法律第五十号）及び難病の患者に対する医療等に関する法律施行令（平成二十六年政令第三百五十八号）の規定により、都道府県が処理することとされている事務（同法第三十二条第一項の規定による同項に規定する難病対策地域協議会の設置に関する事務を除く。）とする。この場合においては、第三項において特別の定めがあるものを除き、同法及び同令中都道府県に関する規定（前段括弧内に掲げる事務に係る規定を除く。）は、指定都市に関する規定として指定都市に適用があるものとする。

２　指定都市の市長は、前項の規定により難病の患者に対する医療等に関する法律第二十五条第一項の規定による事務を管理し及び執行する場合には、同条第三項の規定による意見の聴取に関し、社会保険診療報酬支払基金法による社会保険診療報酬支払基金と契約を締結するものとする。

３　第一項の場合においては、難病の患者に対する医療等に関する法律第十一条第一項第二号中「都道府県以外の都道府県の区域内」とあるのは、「指定都市の区域外」とする。

（土地区画整理事業に関する事務）

第百七十四条の三十九　地方自治法第二百五十二条の十九第一項の規定により、指定都市が処理する土地区画整理事業に関する事務は、土地区画整理法（昭和二十九年法律第百十九号）及び土地区画整理法施行令（昭和三十年政令第四十七号）の規定により、都道府県が処理することとされている事務（同法第三条第四項若しくは第五項又は第三条の二若しくは第三条の三の規定により都道府県若しくは国土交通大臣又は独立行政法人都市再生機構若しくは地方住宅供給公社が施行する土地区画整理事業に係る事務並びに同法第四十一条第四項（同法第七十八条第四項及び第百十条第七項において準用する場合を含む。）の規定による滞納処分の認可、同法第三条第四項の規定により指定都市が施行する土地区画整理事業に係る同法第五十二条、第五十五条第十二項、第八十六条及び第九十七条の規定による認可並びに同法第五十五条第四項（同条第十三項において準用する場合を含む。）の規定による修正の要求並びに同法第百二十七条の二第一項の規定による審査請求の裁決で指定都市がした処分に係るものに関する事務を除く。）とする。この場合においては、次項及び第三項において特別の定めがあるものを除き、同法及び同令中都道府県に関する規定（前段括弧内に掲げる事務に係る規定を除く。）は、指定都市に関する規定として指定都市に適用があるものとする。

２　前項の場合においては、土地区画整理法第四条第一項後段、第十条第一項後段、第十一条第五項、第十三条第一項後段、第十四条第一項後段（同条第二項において準用する場合を含む。）及び第三項後段、第三十九条第一項後段、第四十五条第二項後段、第五十一条の二第一項後段（同法第五十一条の十一第二項において準用する場合を含む。）、第五十一条の十第一項後段、第五十一条の十三第一項後段、第五十五条第一項後段、第八十六条第二項並びに第九十七条第一項後段の規定は、適用しない。

３　第一項の場合においては、土地区画整理法第九条第三項、第二十一条第三項、第三十九条第四項及び第五十一条の九第三項中「国土交通大臣及び関係市町村長に」とあるのは「国土交通大臣に」と、同法第十一条第七項中「国土交通省令で定めるところにより、施行地区を管轄する市町村長を経由して」とあるのは「国土交通省令で定めるところにより」と、同法第二十条第一項中「施行地区となるべき区域（同項に規定する認可の申請にあつては、施行地区）を管轄する市町村長に、当該事業計画を二週間公衆の縦覧に供させなければならない」とあるのは「当該事業計画を二週間公衆の縦覧に供しなければならない」と、同法第二十九条第一項中「組合は、施行地区を管轄する市町村長を経由して」とあるのは「組合は」と、同法第五十一条の八第一項中「施行地区となるべき区域を管轄する市町村長に、当該規準及び事業計画を二週間公衆の縦覧に供させなければならない」とあるのは「当該規準及び事業計画を二週間公衆の縦覧に供しなければならない」と、同法第五十五条第三項から第五項までの規定中「都道府県都市計画審議会」とあるのは「市町村都市計画審議会」と、同条第四項及び同法第百三条第四項中「都道府県が」とあるのは「指定都市が」と、同法第七十五条中「区画整理会社は都道府県知事及び市町村長」とあるのは「区画整理会社は指定都市の市長」と、「国土交通大臣及び都道府県知事」とあるのは「国土交通大臣」と、同法第百三条第三項中「区画整理会社、市町村」とあるのは「区画整理会社」と、同法第百二十三条第一項中「都道府県知事は個人施行者、組合、区画整理会社又は市町村に対し、市町村長は」とあるのは「指定都市の市長は」と、土地区画整理法施行令第一条の二中「第九条第三項（法第十条第三項において準用する場合を含む。）、第二十一条第三項、第三十九条第四項、第五十一条の九第三項（法第五十一条の十第二項において準用する場合を含む。）」とあるのは「第四条第一項、第十条第一項、第十四条第一項若しくは第三項、第三十九条第一項、第五十一条の二第一項又は第五十一条の十第一項の規定による認可をした場合においては、遅滞なく、施行地区又は設計の概要を表示する図書を公衆の縦覧に供する旨、縦覧場所及び縦覧時間を公告した上で、その図書を公衆の縦覧に供し、法」と、同令第三条の二第二項中「都道府県都市計画審議会」とあるのは「市町村都市計画審議会」とする。

４　指定都市がその事務を処理するに当たつては、地方自治法第二百五十二条の十九第二項の規定により、土地区画整理法第五十五条第四項（同条第十三項において準用する場合を含む。）の規定による都道府県知事の修正の要求に関する規定並びに同法第八十六条第一項及び第九十七条第一項の規定による都道府県知事の認可に関する規定を適用せず、同法第五十二条第一項及び第五十五条第十二項の規定による都道府県知事の認可については、これらの認可に代えて国土交通大臣の認可を要するものとする。

（屋外広告物の規制に関する事務）

第百七十四条の四十　地方自治法第二百五十二条の十九第一項の規定により、指定都市が処理する屋外広告物の規制に関する事務は、屋外広告物法（昭和二十四年法律第百八十九号）の規定により、都道府県が処理することとされている事務とする。この場合においては、同法中都道府県に関する規定は、指定都市に関する規定として指定都市に適用があるものとする。

（関与の特例）

第百七十四条の四十一　指定都市がその事務を処理するに当たつては、地方自治法第二百五十二条の十九第二項の規定により、水道法施行令（昭和三十二年政令第三百三十六号）第十四条第一項の規定により都道府県知事が行うこととされている水道法第三十六条の規定による水道事業に関する都道府県知事の改善の指示等に関する規定は適用せず、又は同令第十四条第三項の規定により都道府県知事が行うこととされている同法第十条第一項の規定による都道府県知事の水道事業の変更の認可は要しないものとする。

（区会計管理者）

第百七十四条の四十二　指定都市の区（以下この章において、「区」という。）に区会計管理者一人を置く。

2　区会計管理者は、指定都市の市長の補助機関である職員のうちから、指定都市の市長がこれを命ずる。

3　指定都市の市長、副市長、会計管理者若しくは監査委員又は当該区の区長と親子、夫婦又は兄弟姉妹の関係にある者は、区会計管理者となることができない。

4　区会計管理者は、前項に規定する関係を生じたときは、その職を失う。

第百七十四条の四十三　区会計管理者は、指定都市の会計管理者の命を受け、当該区に係る会計事務をつかさどる。

2　指定都市の市長は、区会計管理者に事故がある場合において必要があるときは、当該指定都市の市長の補助機関である職員にその事務を代理させることができる。

3　指定都市の市長は、会計管理者の事務の一部を区会計管理者に委任させることができる。この場合においては、指定都市の市長は、直ちに、その旨を告示しなければならない。

（区出納員その他の区会計職員）

第百七十四条の四十四　区会計管理者の事務を補助させるため区出納員その他の区会計職員を置くことができる。

2　区出納員その他の区会計職員は、指定都市の市長の補助機関である職員のうちから、指定都市の市長がこれを命ずる。

3　区出納員は、区会計管理者の命を受けて現金の出納（小切手の振出しを含む。）若しくは保管又は物品の出納若しくは保管の事務をつかさどり、その他の区会計職員は、上司の命を受けて会計事務をつかさどる。

4　指定都市の市長は、区会計管理者をしてその事務の一部を区出納員に委任させ、又は当該区出納員をして更に当該委任を受けた事務の一部を区出納員以外の区会計職員に委任させることができる。この場合においては、指定都市の市長は、直ちに、その旨を告示しなければならない。

（区の選挙管理委員及び補充員）

第百七十四条の四十五　区の選挙管理委員及び補充員は、当該区の区域内において選挙権を有する者の中からこれを選挙しなければならない。

（区が新たに設置された場合の選挙管理委員会等の事務の管理の特例）

第百七十四条の四十六　区が新たに設置された場合においては、当該区の選挙管理委員会の委員が選挙されるまでの間は、法令の規定により区の選挙管理委員会又は区の選挙管理委員会の委員長が管理すべき事務は、それぞれ指定都市の選挙管理委員会又は指定都市の選挙管理委員会の委員長が管理するものとする。

（区の選挙管理委員会の指揮監督）

第百七十四条の四十七　指定都市の選挙管理委員会は、区の選挙管理委員会を指揮監督する。この場合においては、地方自治法第百五十四条の二の規定を準用する。

2　地方自治法及びこの政令に定めるものを除くほか、区の選挙管理委員会に関しては、指定都市の選挙管理委員会において必要な事項を定めることができる。

（市の選挙管理委員会に関する規定の準用）

第百七十四条の四十八　第百三十四条から第百三十七条まで及び第百四十条中市の選挙管理委員会に関する規定は、区の選挙管理委員会について準用する。この場合において、同条中「一人」とあるのは、「一人」と、第百三十条第一項中「普通地方公共団体の廃置分合があつた」とあるのは「区が廃止された」と、「消滅した普通地方公共団体の長」とあるのは「当該区の選挙管理委員会の委員長」と、「普通地方公共団体の長に」とあるのは「区又は総合区の選挙管理委員会の委員長（当該地域が属する市が廃置分合により消滅したときは、当該地域が新たに属した普通地方公共団体の選挙管理委員会の委員長）に」と、第百三十一条中「都道府県に係る事務の引継ぎにあつては総務大臣、市町村に係る事務の引継ぎにあつては都道府県知事」とあるのは「都道府県知事」と読み替えるものとする。

（総合区長の事務の引継ぎ）

第百七十四条の四十八の二　第百二十三条、第百二十四条、第百二十八条、第百三十条及び第百三十一条の規定は、総合区長について準用する。この場合において、第百二十三条第一項中「都道府県知事にあつては三十日以内、市町村長にあつては二十日以内にその担任する」とあるのは「十日以内に地方自治法第二百五十二条の二十の二第八項の規定により総合区長が執行することとされた」と、「引き継がなければならない」とあるのは「引き継がなければならない。ただし、市長から委任された事務があるときは、退職の日から十日以内に当該事務を市長に引き継がなければならない」と、同条第二項中「その担任する」とあるのは「同項本文に規定する」と、「副知事又は副市町村長（地方自治法第百五十二条第二項又は第三項の規定により普通地方公共団体の長の職務を代理すべき職員を含む。以下この項において同じ。）」とあるのは「地方自治法第二百五十二条の二十の二第六項の規定により総合区長の職務を代理すべき職員」と、「副知事又は副市町村長は」とあるのは「当該職員は」と、第百三十条第一項中「普通地方公共団体の廃置分合があつた」とあるのは「総合区が廃止された」と、「消滅した普通地方公共団体の長」とあるのは「当該総合区の総合区長」と、「当該地域が新たに属した普通地方公共団体の長」とあるのは「市長（当該地域が属する市が廃置分合により消滅したときは、当該地域が新たに属した普通地方公共団体の長）」と、同条第二項中「第百二十三条」とあるのは「第百二十三条第一項本文及び第二項」と、「及び」とあるのは「並びに」と、「準用する」とあるのは「準用する。この場合において、第百二十三条第一項本文中「十日」とあるのは、「十日（当該地域が属する市が廃置分合により消滅したときは、二十日）」と読み替えるものとする」と、第百三十一条中「都道府県に係る事務の引継ぎにあつては総務大臣、市町村に係る事務の引継ぎにあつては都道府県知事」とあるのは「都道府県知事」と読み替えるものとする。

（総合区長が任免する職員から除かれる者）

第百七十四条の四十八の三　地方自治法第二百五十二条の二十の二第九項の政令で定める職員は、総合区会計管理者及び総合区出納員その他の総合区会計職員とする。

（総合区が新たに設置された場合の総合区長の職務の特例）

第百七十四条の四十八の四　総合区が新たに設置された場合においては、総合区長が選任されるまでの間は、市長がその職務を行う。

（総合区会計管理者）

第百七十四条の四十八の五　総合区に総合区会計管理者一人を置く。

2　第百七十四条の四十二第二項から第四項まで及び第百七十四条の四十三の規定は、総合区会計管理者について準用する。この場合において、第百七十四条の四十二第三項中「区長」とあるのは、「総合区長」と読み替えるものとする。

（総合区出納員その他の総合区会計職員）

第百七十四条の四十八の六　総合区会計管理者の事務を補助させるため総合区出納員その他の総合区会計職員を置くことができる。

2　第百七十四条の四十四第二項から第四項までの規定は、総合区出納員その他の総合区会計職員について準用する。この場合において、同条第三項及び第四項中「区会計管理者」とあるのは、「総合区会計管理者」と読み替えるものとする。

（総合区の選挙管理委員会）

第百七十四条の四十八の七　第百三十四条から第百三十七条まで及び第百四十条中市の選挙管理委員会に関する規定並びに第百七十四条の四十五から第百七十四条の四十七までの規定は、総合区の選挙管理委員会について準用する。この場合において、第百四十条中「一人」とあるのは、「二人」と、第百三十条第一項中「普通地方公共団体の廃置分合があつた」とあるのは「総合区が廃止された」と、「消滅した普通地方公共団体の長」とあるのは「当該総合区の選挙管理委員会の委員長」と、「普通地方公共団体の長に」とあるのは「区又は総合区の選挙管理委員会の委員長（当該地域が属する市が廃置分合により消滅したときは、当該地域が新たに属した普通地方公共団体の選挙管理委員会の委員長）に」と、第百三十一条中「都道府県に係る事務の引継ぎにあつては総務大臣、市町村に係る事務の引継ぎにあつては都道府県知事」とあるのは「都道府県知事」と読み替えるものとする。

（指定都市と包括都道府県の間の協議に係る勧告等）

第百七十四条の四十八の八　総務大臣は、地方自治法第二百五十二条の二十一の三第四項の規定により勧告の求め（同条第二項に規定する勧告の求めをいう。以下この条において同じ。）の取下げに同意したときは、その旨を相手方である指定都市の市長又は包括都道府県（同法第二百五十二条の二十一の二第一項に規定する包括都道府県をいう。次項及び第五項において同じ。）の知事及び国の関係行政機関の長に通知しなければならない。

2　総務大臣は、地方自治法第二百五十二条の二十一の三第五項の規定により指定都市都道府県勧告調整委員に勧告の求めに係る総務大臣の勧告について意見を求めたときは、直ちにその旨及び指定都市都道府県勧告調整委員の氏名を告示するとともに、指定都市の市長及び包括都道府県の知事並びに国の関係行政機関の長にこれを通知しなければならない。

3　地方自治法第二百五十二条の二十一の四第一項の規定による勧告の求めがあつた事項に関する指定都市都道府県勧告調整委員の意見（以下この条において「勧告に関する意見」という。）は、勧告の求めがあつた日から九十日以内に述べなければならない。

4　指定都市都道府県勧告調整委員は、地方自治法第二百五十二条の二十一の四第一項の規定により総務大臣に勧告に関する意見を述べたときは、直ちにその旨及び当該勧告に関する意見を公表しなければならない。

5　指定都市都道府県勧告調整委員は、勧告に関する意見を述べるため必要があると認めるときは、指定都市の市長及び包括都道府県の知事並びに関係人の出頭及び陳述を求め、又は指定都市の市長及び包括都道府県の知事並びに関係人並びに勧告の求めに係る事件に関係のある者に対し、勧告に関する意見を述べるため必要な記録の提出を求めることができる。

6　地方自治法第二百五十二条の二十一の四第一項の規定による勧告に関する意見の決定並びに前項の規定による出頭、陳述及び記録の提出の求めについての決定は、指定都市都道府県勧告調整委員の合議によるものとする。

7　総務大臣は、指定都市都道府県勧告調整委員に対し、勧告に関する意見を述べる経過について報告を求めることができる。

（総務省令への委任）

第百七十四条の四十九　前条に規定するものを除くほか、地方自治法第二百五十二条の二十一の三第一項に規定する総務大臣の勧告の手続の細目は、総務省令で定める。

第二節　中核市に関する特例

（児童福祉に関する事務）

第百七十四条の四十九の二　地方自治法第二百五十二条の二十二第一項の規定により、同項の中核市（以下「中核市」という。）が処理する児童福祉に関する事務は、児童福祉法及び児童福祉法施行令の規定により、都道府県が処理することとされている事務（次に掲げる事務を除く。）とする。この場合においては、次項並びに第三項において準用する第百七十四条の二十六第三項、第四項、第五項前段及び第六項において特別の定めがあるものを除き、同法及び同令中都道府県に関する規定（次に掲げる事務に係る規定を除く。）は、中核市に関する規定として中核市に適用があるものとする。

一　児童福祉法第六条の三第一項第二号及び児童福祉法施行令第一条の二第二項第二号の規定による認定に関する事務

二　児童福祉法第六条の四第一号及び第二号の規定による研修に関する事務

三　児童福祉法第六条の四第三号の規定による里親の認定に関する事務

四　児童福祉法第十一条の規定による市町村相互間の連絡調整等に関する事務

五　児童福祉法第十二条第一項、第二項及び第四項の規定による児童相談所の設置等に関する事務

六　児童福祉法第十二条の四第二項の規定による条例の制定に関する事務

七　児童福祉法第十三条第一項の規定による児童福祉司の設置に関する事務

八　児童福祉法第十三条第三項第二号並びに児童福祉法施行令第三条の二第二項から第七項まで、第十項及び第十一項の規定による指定児童福祉司養成施設等の指定等に関する事務

九　児童福祉法第十八条の六第一号及び第十八条の七第一項並びに児童福祉法施行令第五条第二項から第七項までの規定による指定保育士養成施設の指定等に関する事務

十　児童福祉法第十八条の八第二項の規定による保育士試験に関する事務

十一　児童福祉法第十八条の八第三項の規定による保育士試験委員の設置に関する事務

十二　児童福祉法第十八条の九、第十八条の十（同法第十八条の十一第二項において準用する場合を含む。）及び第十八条の十三から第十八条の十七まで並びに児童福祉法施行令第七条、第九条、第十一条から第十三条まで及び第十五条の規定による指定試験機関の指定等に関する事務

十三　児童福祉法第十八条の十八から第十八条の二十の二まで及び児童福祉法施行令第十六条から第二十条までの規定による保育士の登録等に関する事務

十四　児童福祉法第十八条の二十の三第一項の規定による報告の受理に関する事務

自治令

十五　児童福祉法第十八条の二十の四第二項の規定によるデータベースへの記録等に関する事務
十六　児童福祉法第二十一条の五の十の規定による協力その他市町村に対する必要な援助及び同法第二十一条の五の二十一第一項の規定による都道府県知事による連絡調整又は援助に関する事務
十七　児童福祉法第二十一条の五の十五第六項及び第七項（これらの規定を同法第二十一条の五の十六第四項において準用する場合を含む。）の規定による関係市町村長に対する通知等に関する事務
十八　児童福祉法第二章第二節第三款（同法第二十四条の十九の二において準用する場合を含む。）及び第五節第三款の規定による業務管理体制の整備等に係る質問等に関する事務
十九　児童福祉法第二章第四節（第三款を除く。）、第五十七条の二から第五十七条の三の三まで及び第五十七条の四の規定による同法第五十条第六号の三に規定する障害児入所給付費等の支給等に関する事務
二十　児童福祉法第二十七条から第三十一条まで、第三十一条の二第一項、第二項及び第四項、第三十三条第二項、第九項及び第十一項並びに第三十三条の六の規定による措置等に関する事務
二十一　児童福祉法第三十三条の二第一項、第三十三条の八第二項並びに第四十七条第一項及び第二項の規定による縁組の承諾の許可に関する事務
二十二　児童福祉法第三十三条の六の二の規定による措置、同法第三十三条の六の三の規定による利用の勧奨、同法第三十四条の七の二第一項の規定による親子再統合支援事業、社会的養護自立支援拠点事業又は意見表明等支援事業の実施、同条第二項から第四項までの規定による届出、同法第三十四条の七の三の規定による質問等及び同法第三十四条の七の四の規定による制限又は停止の命令に関する事務
二十三　児童福祉法第二章第七節の規定による被措置児童等虐待の防止等に関する事務
二十四　児童福祉法第三十三条の十八の規定による同条第一項に規定する情報公表対象支援情報の報告の受理等（同法第二十一条の五の三第一項に規定する指定通所支援に係るもの及び同法第二十四条の二十六第二項に規定する指定障害児相談支援に係るもの（同法第三十三条の十八第五項又は第七項の規定による市町村長に対する通知を除く。）を除く。）に関する事務
二十五　市町村障害児福祉計画に係る児童福祉法第三十三条の二十第十一項及び第十二項の規定による意見等、都道府県障害児福祉計画に係る同法第三十三条の二十二、第三十三条の二十三及び第三十三条の二十四第一項の規定による作成等並びに同法第三十三条の二十三の二第二項の規定による情報の提供に関する事務
二十六　児童福祉法第三十四条の四の規定による届出並びに障害児通所支援事業等（中核市が行うものに限る。）、児童自立生活援助事業又は小規模住居型児童養育事業に係る同法第三十四条の五の規定による質問等及び同法第三十四条の六の規定による制限又は停止の命令に関する事務
二十七　中核市が行う妊産婦等生活援助事業に係る児童福祉法第三十四条の七の六の規定による質問等及び同法第三十四条の七の七の規定による制限又は停止の命令に関する事務
二十八　中核市が行う一時預かり事業に係る児童福祉法第三十四条の十四の規定による質問等に関する事務
二十九　中核市が行う病児保育事業に係る児童福祉法第三十四条の十八の二の規定による質問等に関する事務
三十　児童福祉法第三十四条の十九及び第三十四条の二十第二項の規定による養育里親名簿及び養子縁組里親名簿の作成等に関する事務
三十一　助産施設、母子生活支援施設及び保育所（以下この条において「特定児童福祉施設」という。）以外の児童福祉施設に係る児童福祉法第三十五条及び第五十八条第一項の規定による設置の認可等に関する事務
三十二　特定児童福祉施設以外の児童福祉施設に係る児童福祉法第四十五条第一項の規定による条例の制定に関する事務
三十三　特定児童福祉施設以外の児童福祉施設に係る児童福祉法第四十六条及び児童福祉法施行令第三十八条の規定による報告の徴収等並びに中核市が設置する特定児童福祉施設に係る同法第四十六条の規定による質問等及び同令第三十八条の規定による検査に関する事務
三十四　児童福祉法第五十条の規定による費用（同条第二号の費用のうち児童委員に要する費用及び同条第五号から第五号の三までの費用を除く。）の支弁に関する事務
三十五　児童福祉法第五十五条の規定による同法第五十一条第五号の費用の負担に関する事務
三十六　特定児童福祉施設以外の児童福祉施設に係る児童福祉法第五十六条の二及び第五十六条の三の規定による補助等に関する事務
三十七　児童福祉法第五十六条の四の二第四項の規定により送付された市町村整備計画の写しの受理に関する事務

三十八　児童福祉法第五十六条の四の三第一項の規定による市町村整備計画の提出の経由に関する事務
三十九　児童福祉法第五十六条の五の五第一項に規定する審査請求に対する裁決に関する事務
四十　児童福祉法第五十六条の七第三項の規定による支援に関する事務
四十一　児童福祉法第五十七条の三の四第一項及び第四項並びに児童福祉法施行令第四十四条の八及び第四十四条の十から第四十四条の十三までの規定による指定事務受託法人の指定等に関する事務
四十二　児童福祉法第五十九条第一項に規定する施設（同法第六条の三第九項から第十二項まで、第三十六条、第三十八条及び第三十九条第一項に規定する業務を目的とするものを除く。）に係る同法第五十九条の規定による質問等に関する事務
四十三　児童福祉法第五十九条の四第四項の規定による勧告等に関する事務
四十四　児童福祉法施行令第三十六条の規定による児童自立支援施設の設置に関する事務

2　前項の場合においては、児童福祉法第三条の三第二項中「市町村の行うこの法律に基づく児童の福祉に関する業務が適正かつ円滑に行われるよう、市町村に対する必要な助言及び適切な援助を行うとともに、児童」とあるのは「児童」と、「技術並びに各市町村の区域を超えた広域的な対応」とあるのは「技術」と、「第十一条第一項各号に掲げる業務の実施、小児慢性特定疾病医療費の支給、障害児入所給付費の支給、第二十七条第一項第三号の規定による委託又は入所の措置」とあるのは「小児慢性特定疾病医療費の支給」と、同法第二十一条の五の十五第一項（同法第二十一条の五の十六第四項において準用する場合を含む。）中「ごとに行う」とあるのは「ごとに行う。この場合において、中核市の市長は、当該指定が次項に規定する特定障害児通所支援に係るものであるときは、あらかじめ、都道府県知事の同意を得なければならない」と、同法第二十一条の五の十五第八項（同法第二十一条の五の十六第四項において準用する場合を含む。）中「前項の意見を勘案し」とあるのは「第三十三条の二十第一項に規定する市町村障害児福祉計画との調整を図る見地から」と、同法第二十一条の五の十七第五項中「ものは」とあるのは「ものから」と、「又は同法」とあるのは「について同法第七十八条の五第二項の規定による事業の廃止若しくは休止の届出があつたとき、又は同法」と、「を廃止し、又は休止しようとするときは、内閣府令で定めるところにより、その廃止又は休止の日の一月前までに、その旨を当該指定を行つた都道府県知事に届け出なければならない。この場合において、当該」とあるのは「について同法第百十五条の十五第二項の規定による事業の廃止若しくは休止の」と、同法第二十一条の五の二十七第二項中「指定都市若しくは中核市の長」とあるのは「都道府県知事」と、「関係都道府県知事」とあるのは「関係中核市の市長」と、同条第三項及び第四項中「指定都市若しくは中核市の長」とあるのは「都道府県知事」と、同法第二十一条の五の二十八第五項中「指定都市若しくは中核市の長」とあるのは「都道府県知事」と、「関係都道府県知事」とあるのは「関係中核市の市長」と、同法第三十三条の十八第一項中「指定障害児相談支援事業者並びに指定障害児入所施設等の設置者」とあるのは「、指定障害児相談支援事業者」と、「、指定障害児相談支援又は指定入所支援」とあるのは「又は指定障害児相談支援」と、同条第六項中「指定障害児通所支援事業者又は指定障害児入所施設の設置者」とあるのは「指定障害児通所支援事業者」と、「当該指定障害児通所支援事業者又は指定障害児入所施設」とあるのは「当該指定障害児通所支援事業者」と、同法第三十四条の三第二項から第四項までの規定中「及び都道府県」とあるのは「、都道府県及び中核市」と、同法第三十四条の五第一項中「、児童自立生活援助事業若しくは小規模住居型児童養育事業を行う者」とあり、及び同法第三十四条の六中「、児童自立生活援助事業又は小規模住居型児童養育事業を行う者」とあるのは「を行う者（都道府県を除く。）」と、同法第三十四条の七の五第二項から第四項までの規定中「及び都道府県」とあるのは「、都道府県及び中核市」と、同法第三十四条の七の六第一項及び第三十四条の七の七中「行う者」とあるのは「行う者（都道府県を除く。）」と、同法第三十四条の十八中「及び都道府県」とあるのは「、都道府県及び中核市」と、同法第三十五条第三項中「市町村」とあるのは「中核市以外の市町村」と、「児童福祉施設」とあるのは「助産施設、母子生活支援施設及び保育所」と、同条第四項中「児童福祉施設」とあるのは「助産施設、母子生活支援施設及び保育所」と、同条第八項中「第六十二条第二項第一号」とあるのは「第六十一条第二項第一号」と、「第六十二条第一項」とあるのは「第六十一条第一項」と、「都道府県子ども・子育て支援事業支援計画」とあるのは「市町村子ども・子育て支援事業計画」と、同条第十一項中「市町村」とあるのは「中核市以外の市町村」と、「児童福祉施設を」とあるのは「助産施設又は母子生活支援施設を」と、「（当該児童福祉施設が保育所である場合には三月前）」とあるのは「までに、保育所を廃止し、又は休止しようとするときは、その廃止又は休止の日の三月前」と、

同条第十二項中「児童福祉施設」とあるのは「助産施設、母子生活支援施設及び保育所」と、同法第四十五条第一項、第二項及び第五項の規定中「児童福祉施設」とあるのは「助産施設、母子生活支援施設及び保育所（これらのうち都道府県が設置するものを除く。）」と、同法第四十六条第一項中「児童福祉施設の設置者、児童福祉施設の長及び」とあるのは「助産施設、母子生活支援施設及び保育所（これらのうち都道府県が設置するものを除く。）の設置者、助産施設、母子生活支援施設及び保育所（これらのうち都道府県が設置するものを除く。）の長並びに」と、同条第三項及び第四項中「児童福祉施設」とあるのは「助産施設、母子生活支援施設及び保育所（これらのうち都道府県が設置するものを除く。）」と、同法第五十一条第三号中「費用（都道府県の設置する助産施設又は母子生活支援施設に係るものを除く。）」とあるのは「費用」と、同法第五十六条の二第一項各号列記以外の部分中「児童福祉施設」とあるのは「助産施設及び母子生活支援施設」と、「（保育所を除く。以下この条において同じ。）について」とあるのは「について」と、同項第一号中「児童福祉施設」とあるのは「助産施設及び母子生活支援施設」と、同項第二号中「その児童福祉施設」とあるのは「その助産施設及び母子生活支援施設」と、「同種の児童福祉施設」とあるのは「助産施設及び母子生活支援施設」と、同条第二項中「児童福祉施設」とあるのは「助産施設及び母子生活支援施設」と、同法第五十六条の八第三項中「にかかわらず、市町村長を経由し」とあるのは「にかかわらず」と、同法第五十八条第一項中「児童福祉施設」とあるのは「助産施設、母子生活支援施設又は保育所」と、同法第五十九条第一項中「若しくは第三十六条から第四十四条まで（第三十九条の二を除く。）」とあるのは「、第三十六条、第三十八条又は第三十九条第一項」と、「児童福祉施設」とあるのは「助産施設、母子生活支援施設若しくは保育所」と、児童福祉法施行令第三十八条中「児童福祉施設」とあるのは「助産施設、母子生活支援施設及び保育所（これらのうち都道府県が設置するものを除く。）」とする。

3　第百七十四条の二十六第二項から第四項まで、第五項前段、第六項及び第八項の規定は、中核市について準用する。この場合において、同条第二項中「前項」とあるのは「第百七十四条の四十九の二第一項」と、同条第三項中「第一項の場合」とあるのは「第百七十四条の四十九の二第一項の場合」と、同条第四項中「第一項」とあるのは「第百七十四条の四十九の二第一項」と、同条第五項前段中「第一項」とあるのは「第百七十四条の四十九の二第一項」と、「第二十七条第六項、第三十三条の十五第三項、第三十五条第六項」とあるのは「第三十五条第六項」と、同条第六項中「第一項の」とあるのは「第百七十四条の四十九の二第一項の」と、「第十条第二項及び第三項、第十八条第一項及び第三項」とあるのは「第十八条第一項」と、「並びに」とあるのは「及び」と、同条第八項中「第二百五十二条の十九第二項」とあるのは「第二百五十二条の二十二第二項」と、「児童福祉法第三十四条の五第一項の規定による障害児通所支援事業等、児童自立生活援助事業又は小規模住居型児童養育事業についての都道府県知事の質問等に関する規定、同法第三十四条の六の規定による障害児通所支援事業等、児童自立生活援助事業又は小規模住居型児童養育事業の制限又は停止についての都道府県知事の命令に関する規定、同法第三十四条の七の三第一項の規定による親子再統合支援事業、社会的養護自立支援拠点事業又は意見表明等支援事業についての都道府県知事の質問等に関する規定、同法第三十四条の七の四の規定による親子再統合支援事業、社会的養護自立支援拠点事業又は意見表明等支援事業の制限又は停止についての都道府県知事の命令に関する規定、同法」とあるのは「児童福祉法」と、「第四項の規定による児童福祉施設」とあるのは「第四項の規定による第百七十四条の四十九の二第一項第三十一号に規定する特定児童福祉施設」と、「第三十八条の規定による児童福祉施設」とあるのは「第三十八条の規定による同号に規定する特定児童福祉施設」と読み替えるものとする。

（民生委員に関する事務）

第百七十四条の四十九の三　地方自治法第二百五十二条の二十二第一項の規定により、中核市が処理する民生委員に関する事務は、民生委員法及び民生委員法施行令の規定により、都道府県が処理することとされている事務とする。この場合においては、次項において特別の定めがあるものを除き、同法及び同令中都道府県に関する規定は、中核市に関する規定として中核市に適用があるものとする。

2　前項の場合においては、民生委員法第七条第二項中「当該市町村長及び地方社会福祉審議会」とあるのは「地方社会福祉審議会」と、同法第二十条第一項中「都道府県知事が市町村長の意見をきいて定める区域」とあるのは「中核市の市長が定める区域」とする。

（身体障害者の福祉に関する事務）

第百七十四条の四十九の四　地方自治法第二百五十二条の二十二第一項の規定により、中核市が処理する身体障害者の福祉に関する事務は、身体障害者福祉法及び身体障害者福祉法施行令の規定により、都道府県が処理することとされている事務（同法第十条の規定による市町村相互間の連絡調整等、同法第十一条の規定による身体障害者更生相談所の設置、同法第十一条の二第一項の規定による身体障害者福祉司の設置、同法第十二条第五号の規定による施設の指定、同法第十二条の三第二項の規定による相談援助の委託、同法第二十条の規定による盲導犬の貸与等、中核市が行う身体障害者生活訓練等事業等に係る同法第三十九条の規定による質問等及び同法第四十条の規定による制限又は停止の命令並びに中核市が設置する身体障害者社会参加支援施設に係る同法第四十一条の規定による事業の停止又は廃止の命令に関する事務を除く。）とする。この場合においては、次項及び第三項において準用する第百七十四条の二十八第五項において特別の定めがあるものを除き、同法及び同令中都道府県に関する規定（前段括弧内に掲げる事務に係る規定を除く。）は、中核市に関する規定として中核市に適用があるものとする。

2　前項の場合においては、身体障害者福祉法第二十六条及び第二十七条中「及び都道府県」とあるのは「、都道府県及び中核市」と、同法第二十八条第二項及び第四項中「市町村」とあるのは「中核市以外の市町村」と、同法第三十九条第一項及び第四十条中「身体障害者生活訓練等事業等を行う者」とあるのは「身体障害者生活訓練等事業等を行う者（都道府県を除く。）」と、身体障害者福祉法施行令第九条第四項中「他の都道府県の区域に」とあるのは「中核市の区域から当該中核市の区域外に、又は中核市の区域外から中核市の区域に」と、「都道府県知事」とあるのは「都道府県知事（新居住地が中核市の区域にあるときは、当該中核市の市長）」と、同条第六項中「都道府県知事は」とあるのは「都道府県知事又は中核市の市長は」と、「都道府県知事に」とあるのは「都道府県知事（旧居住地が中核市の区域にあつたときは、当該中核市の市長）に」と、同令第二十八条第一項中「市町村」とあるのは「中核市以外の市町村」と、同条第二項中「市町村長」とあるのは「市町村長（中核市の市長を除く。）」とする。

3　第百七十四条の二十八第四項及び第六項の規定は、中核市について準用する。この場合において、同条第四項中「第一項」とあるのは「第百七十四条の四十九の四第一項」と、同条第六項中「第二百五十二条の十九第二項」とあるのは「第二百五十二条の二十二第二項」と読み替えるものとする。

（生活保護に関する事務）

第百七十四条の四十九の五　地方自治法第二百五十二条の二十二第一項の規定により、中核市が処理する生活保護に関する事務は、生活保護法及び生活保護法施行令の規定により、都道府県が処理することとされている事務（同法第二十三条の規定による事務の監査等、中核市の設置する保護施設に対する同法第四十四条第一項、第四十五条第一項及び第四十八条第三項の規定による報告の命令等、同法第六十四条に規定する審査請求に対する裁決並びに同法第八十一条の二の規定による援助に関する事務を除く。）とする。この場合においては、次項及び第三項において準用する第百七十四条の二十九第四項において特別の定めがあるものを除き、同法及び同令中都道府県に関する規定（前段括弧内に掲げる事務に係る規定を除く。）は、中核市に関する規定として中核市に適用があるものとする。

2　前項の場合においては、生活保護法第三十九条第一項及び第二項中「保護施設」とあるのは「保護施設（都道府県が設置するものを除く。）」と、同条第三項中「保護施設の設置者」とあるのは「保護施設の設置者（都道府県を除く。）」と、同法第四十条第二項中「市町村」とあるのは「中核市以外の市町村」と、同法第四十三条第一項及び第四十四条第一項中「保護施設」とあるのは「保護施設（都道府県が設置するものを除く。）」と、同法第四十六条第二項中「都道府県以外」とあるのは「都道府県及び中核市以外」と、同法第四十八条第三項中「前項の指導」とあるのは「前項の指導（都道府県が設置する保護施設の長が行うものを除く。）」とする。

3　第百七十四条の二十九第二項から第四項まで及び第六項の規定は、中核市について準用する。この場合において、同条第二項中「前項」とあるのは「第百七十四条の四十九の五第一項」と、同条第三項中「、第一項」とあるのは「、第百七十四条の四十九の五第一項」と、同条第四項中「第一項」とあるのは「第百七十四条の四十九の五第一項」と、同条第六項中「第二百五十二条の十九第二項」とあるのは「第二百五十二条の二十二第二項」と、「生活保護法第二十三条第一項及び第二項の規定による都道府県知事の事務の監査等に関する規定並びに同法」とあるのは「生活保護法」と読み替えるものとする。

（行旅病人及び行旅死亡人の取扱いに関する事務）

第百七十四条の四十九の六　地方自治法第二百五十二条の二十二第一項の規定により、中核市が処理する行旅病人及び行旅死亡人の取扱いに関する事務は、行旅病人死亡人等の引取及費用弁償に関する件の規定により、都道府県が処理することとされている事務とする。この場合においては、同令中都道府県に関する規定は、中核市に関する規定として中核市に適用があるものとする。

（社会福祉事業に関する事務）

第百七十四条の四十九の七　地方自治法第二百五十二条の二十二第一項の規定により、中核市が処理する社会福祉事業に関する事務は、社会福祉法第七章及び第八章の規定により、都道府県が処理することとされている事務（中核市が経営する社会福祉事業に係る同法第七十条の規定による検査及び調査に関する事務を除く。）とする。この場合においては、次項において特別の定めがあるものを除き、これらの章中都道府県に関する規定（前段括弧内に掲げる事務に係る規定を除く。）は、中核市に関する規定として中核市に適用があるものとする。

2　前項の場合においては、社会福祉法第六十二条第一項中「市町村」とあるのは「中核市以外の市町村」と、同法第六十五条第一項及び第二項中「社会福祉施設」とあるのは「社会福祉施設（都道府県が設置するものを除く。）」と、同条第三項中「社会福祉施設の設置者」とあるのは「社会福祉施設の設置者（都道府県を除く。）」と、同法第六十七条第一項及び第六十八条の二第一項中「市町村」とあるのは「中核市以外の市町村」と、同法第六十八条の五第一項及び第二項中「社会福祉住居施設」とあるのは「社会福祉住居施設（都道府県が設置するものを除く。）」と、同条第三項中「社会福祉住居施設の設置者」とあるのは「社会福祉住居施設の設置者（都道府県を除く。）」と、同法第六十九条第一項中「及び都道府県」とあるのは「、都道府県及び中核市」と、同法第七十条中「社会福祉事業を経営する者」とあるのは「社会福祉事業を経営する者（都道府県を除く。）」と読み替えるものとする。

3　中核市がその事務を処理するに当たつては、地方自治法第二百五十二条の二十二第二項の規定により、社会福祉法第七十条の規定による社会福祉事業についての都道府県知事の検査及び調査に関する規定は、これを適用しない。

（知的障害者の福祉に関する事務）

第百七十四条の四十九の八　地方自治法第二百五十二条の二十二第一項の規定により、中核市が処理する知的障害者の福祉に関する事務は、知的障害者福祉法及び知的障害者福祉法施行令の規定により、都道府県が処理することとされている事務（同法第十一条の規定による市町村相互間の連絡調整等、同法第十二条第一項の規定による知的障害者更生相談所の設置、同法第十三条第一項の規定による知的障害者福祉司の設置、同法第十四条第五号の規定による施設の指定及び同法第十五条の二第二項の規定による相談援助の委託に関する事務を除く。）とする。この場合においては、次項において準用する第百七十四条の三十の三第四項において特別の定めがあるものを除き、同法及び同令中都道府県に関する規定（前段括弧内に掲げる事務に係る規定を除く。）は、中核市に関する規定として中核市に適用があるものとする。

2　第百七十四条の三十の三第四項の規定は、中核市について準用する。この場合において、同項中「第一項」とあるのは、「第百七十四条の四十九の八第一項」と読み替えるものとする。

（母子家庭及び父子家庭並びに寡婦の福祉に関する事務）

第百七十四条の四十九の九　地方自治法第二百五十二条の二十二第一項の規定により、中核市が処理する母子家庭及び父子家庭並びに寡婦の福祉に関する事務は、母子及び父子並びに寡婦福祉法及び母子及び父子並びに寡婦福祉法施行令の規定により、都道府県が処理することとされている事務（中核市が行う母子家庭日常生活支援事業、父子家庭日常生活支援事業又は寡婦日常生活支援事業に係る同法第二十二条（同法第三十一条の七第四項及び第三十三条第五項において準用する場合を含む。）の規定による質問等及び同法第二十三条（同法第三十一条の七第四項及び第三十三条第五項において準用する場合を含む。）の規定による制限又は停止の命令に関する事務を除く。）とする。この場合においては、同法及び同令中都道府県に関する規定（前段括弧内に掲げる事務に係る規定を除く。）は、次項において特別の定めがあるものを除き、中核市に関する規定として中核市に適用があるものとする。

2　前項の場合においては、母子及び父子並びに寡婦福祉法第二十条中「及び都道府県」とあるのは「、都道府県及び中核市」と、同法第二十二条第一項及び第二十三条中「行う者」とあるのは「行う者（都道府県を除く。）」と、同法第三十一条の七第四項中「第二十一条から第二十四条までの規定は父子家庭日常生活支援事業を行う者」とあるのは「第二十一条及び第二十四条の規定は父子家庭日常生活支援事業を行う者について、第二十二条及び第二十三条の規定は父子家庭日常生活支援事業を行う者（都道府県を除く。）」と、同法第三十三条第五項中「第二十一条から第二十四条までの規定は、寡婦日常生活支援事業を行う者について」とあるのは「第二十一条及び第二十四条の規定は寡婦日常生活支援事業を行う者について、第二十二条及び第二十三条の規定は寡婦日常生活支援事業を行う者（都道府県を除く。）について、それぞれ」と、同法第四十条中「市町村」とあるのは「中核市以外の市町村」と、母子及び父子並びに寡婦福祉法施行令第十三条（同令第三十一条の七及び第三十八条において準用する場合を含む。）中「児童福祉法第八条第二項に規定する都道府県児童福祉審議会（同条第一項ただし書に規定する都道府県にあつては、社会福祉法第七条第一項に規定する地方社会福祉審議会）」とあるのは「中核市に置かれる児童福祉に関する審議会その他の合議制の機関（社会福祉法第十二条第一項の規定により地方社会福祉審議会（同法第七条第一項に規定する地方社会福祉審議会をいう。以下この条において同じ。）に児童福祉に関する事項を調査審議させる中核市にあつては、地方社会福祉審議会）」とする。

3　第百七十四条の三十一第三項の規定は、中核市について準用する。この場合において、同項中「第二百五十二条の十九第二項」とあるのは、「第二百五十二条の二十二第二項」と読み替えるものとする。

（**老人福祉に関する事務**）

第百七十四条の四十九の十　地方自治法第二百五十二条の二十二第一項の規定により、中核市が処理する老人福祉に関する事務は、老人福祉法及び老人福祉法施行令並びに医療介護総合確保法第九条の規定により、都道府県が処理することとされている事務（老人福祉法第六条の二第一項及び第二項の規定による市町村相互間の連絡調整等、同法第七条の規定による社会福祉主事の設置、中核市が行う老人居宅生活支援事業又は中核市が設置する老人デイサービスセンター、老人短期入所施設若しくは老人介護支援センターに係る同法第十八条（第二項を除く。）及び第十八条の二の規定による質問等、中核市が設置する養護老人ホーム又は特別養護老人ホームに係る同法第十八条（第一項を除く。）及び第十九条の規定による質問等、同法第二十条の八の規定による市町村老人福祉計画に関する意見等、同法第二十条の九の規定による都道府県老人福祉計画の作成等並びに同法第二十条の十第一項の規定による市町村に対する助言に関する事務を除く。）とする。この場合においては、次項及び第三項において準用する第百七十四条の三十一の二第二項において特別の定めがあるものを除き、老人福祉法及び同令並びに医療介護総合確保法第九条中都道府県に関する規定（前段括弧内に掲げる事務に係る規定を除く。）は、中核市に関する規定として中核市に適用があるものとする。

2　前項の場合においては、老人福祉法第十四条、第十四条の三及び第十五条第二項中「及び都道府県」とあるのは「、都道府県及び中核市」と、同条第三項中「市町村」とあるのは「中核市以外の市町村」と、同条第五項及び同法第十六条第一項中「及び都道府県」とあるのは「、都道府県及び中核市」と、同条第二項中「市町村」とあるのは「中核市以外の市町村」と、同法第十七条第一項及び第二項第一号から第三号までの規定中「特別養護老人ホーム」とあるのは「特別養護老人ホーム（これらのうち都道府県が設置するものを除く。）」と、同項第四号中「養護老人ホーム」とあるのは「養護老人ホーム（都道府県が設置するものを除く。）」と、同条第三項中「特別養護老人ホームの設置者」とあるのは「特別養護老人ホームの設置者（都道府県を除く。）」と、同法第十八条第一項中「老人居宅生活支援事業を行う者」とあるのは「老人居宅生活支援事業を行う者（都道府県を除く。）」と、「老人介護支援センターの設置者」とあるのは「老人介護支援センターの設置者（都道府県を除く。）」と、同条第二項中「特別養護老人ホーム」とあるのは「特別養護老人ホーム（これらのうち都道府県が設置するものを除く。）」と、同法第十八条の二第一項中「認知症対応型老人共同生活援助事業を行う者」とあるのは「認知症対応型老人共同生活援助事業を行う者（都道府県を除く。）」と、同条第二項中「老人居宅生活支援事業を行う者」とあるのは「老人居宅生活支援事業を行う者（都道府県を除く。）」と、「老人介護支援センターの設置者」とあるのは「老人介護支援センターの設置者（都道府県を除く。）」と、同法第十九条第一項中「特別養護老人ホームの設置者」とあるのは「特別養護老人ホームの設置者（都道府県を除く。）」とする。

3　第百七十四条の三十一の二第二項及び第四項の規定は、中核市について準用する。この場合において、同条第二項中「前項」とあるのは「第百七十四条の四十九の十第一項」と、同条第四項中「第二百五十二条の十九第二項」とあるのは「第二百五十二条の二十二第二項」と読み替えるものとする。

（**母子保健に関する事務**）

第百七十四条の四十九の十一　地方自治法第二百五十二条の二十二第一項の規定により、中核市が処理する母子保健に関する事務は、母子保健法及び母子保健法施行令の規定により、都道府県が処理することとされている事務とする。この場合においては、次項において準用する第百七十四条の三十一の三第三項において特別の定めがあるものを除き、同法及び同令中都道府県に関する規定は、中核市に関する規定として中核市に適用があるものとする。

2　第百七十四条の三十一の三第二項及び第三項の規定は、中核市について準用する。この場合において、同条第二項中「前項」とあり、同条第三項中「第一項」とあるのは、「第百七十四条の四十九の十一第一項」と読み替えるものとする。

（**介護保険に関する事務**）

第百七十四条の四十九の十一の二　地方自治法第二百五十二条の二十二第一項の規定により、中核市が処理する介護保険に関する事務は、介護保険法第四章第三節及び第四節並びに第五章第二節、第五節及び第六節並びに同法第百五条及び第百十四条の八において準用する医療法第九条第二項及び第三十条の規定により、都道府県が処理することとされている事務（介護保険法第七十条第六項、第八十六条第三項、第九十四条第六項及び第百七条第六項の規定による関係市町村長に対する意見の求め等、同法第七十条第七項及び第八項並びに第百十五条の二第四項及び第五項の規定による関係市町村長に対する通知等並びに同法第七十五条の二、第八十九条の二、第九十九条の二、第百十四条及び第百十五条の六の規定による都道府県知事による連絡調整又は援助等に関する事務を除く。）とする。この場合においては、次項及び第三項において特別の定めがあるものを除き、介護保険法第四章第三節及び第四節並びに第五章第二節及び第四節から第六節まで並びに同法第百五条及び第百十四条の八において準用する医療法第九条第二項及び第三十条の規定中都道府県に関する規定（前段括弧内に掲げる事務に係る規定を除く。）は、中核市に関する規定として中核市に適用があるものとする。

2　前項の場合においては、介護保険法第七十条第十一項、第七十六条の二第五項、第七十七条第二項、第九十一条の二第五項、第九十二条第二項、第百条第三項、第百三条第五項、第百四条第二項、第百十四条の二第三項、第百十四条の五第五項、第百十四条の六第二項、第百十五条の八第五項、第百十五条の九第二項、第百十五条の三十五第六項及び第百十五条の四十四の二第八項の規定は、適用しない。

3　第一項の場合においては、介護保険法第七十条第一項中「ごとに行う」とあるのは「ごとに行う。この場合において、中核市の市長は、当該指定が特定施設入居者生活介護に係るものであるときは、あらかじめ、都道府県知事の同意を得なければならない」と、同条第四項及び第五項中「第百十八条第二項第一号」とあるのは「第百十七条第二項第一号」と、「都道府県介護保険事業支援計画」とあるのは「市町村介護保険事業計画」と、同条第九項中「第六項又は前項の意見を勘案し」とあるのは「第百十七条第一項に規定する市町村介護保険事業計画との調整を図る見地から」と、同条第十項中「都道府県知事に対し、訪問介護、通所介護その他の厚生労働省令で定める居宅サービス（当該市町村の区域に所在する事業所が行うものに限る。）に係る第四十一条第一項本文の指定について、厚生労働省令で定めるところにより、当該市町村」とあるのは「当該中核市」と、「必要な協議を求めることができる。この場合において、当該都道府県知事は、その求めに応じなければならない」とあるのは「、当該中核市の区域に所在する事業所が行う居宅サービス（訪問介護、通所介護その他の厚生労働省令で定めるものに限る。以下この項において同じ。）につき第一項の申請があった場合において、厚生労働省令で定める基準に従って、第四十一条第一項本文の指定をしないこととし、又は同項本文の指定を行うに当たって、定期巡回・随時対応型訪問介護看護等の事業の適正な運営を確保するために必要と認める条件を付することができる」と、同項第一号中「居宅サービス（この項の規定により協議を行うものとされたものに限る。以下この号及び次項において同じ。）」とあるのは「居宅サービス」と、同法第七十八条中「事項を」とあるのは「事項を都道府県知事に届け出るとともに、これを」と、同法第七十八条の二の二第五項中「ものは」とあるのは「ものから」と、「又は障害者総合支援法」とあるのは「について同法第二十一条の五の二十第四項の規定による事業の廃止若しくは休止の届出があったとき、又は障害者総合支援法」と、「を廃止し、又は休止しようとするときは、厚生労働省令で定めるところにより、その廃止又は休止の日の一月前までに、その旨を当該指定を行った市町村長に届け出なければならない。この場合において、当該」とあるのは「について障害者総合支援法第四十六条第二項の規定による事業の廃止若しくは休止の」と、同法第九十三条中「事項を」とあるのは「事項を都道府県知事に届け出るとともに、これを」と、同法第九十四条第一項中「ならない」とあるのは「ならない。この場合において、中核市の市長は、当該許可をしようとするときは、あらかじめ、都道府県知事の同意を得なければならない」と、同条第五項中「第百十八条第二項第一号」とあるのは「第百十七条第二項第一号」と、「都道府県介護保険事業支援計画」とあるのは「市町村介護保険事業計画」と、同法第百四条の二中「事項を」とあるのは「事項を都道府県知事に届け出るとともに、これを」と、同法第百七条第一項中「ならない」とあるのは「ならない。この場合において、中核市の市長は、当該許可をしようとするときは、あらかじめ、都道府県知事の同意を得なければならない」と、同条第五項中「第百十八条第二項第一号」とあるのは「第百十七条第二項第一号」と、「都道府県介護保険事業支援計画」とあるのは「市町村介護保険事業計画」と、同法第百十四条の七中「事項を」とあるのは「事項を都道府県知事に届け出るとともに、これを」と、同法第百十五条の二第六項中「前項の意見を勘案し」とあるのは「第百十七条第一項に規定する市町村介護保険事業計画との調整を図る見地から」

と、同法第百十五条の十中「事項を」とあるのは「事項を都道府県知事に届け出るとともに、これを」と、同法第百十五条の十二の二第五項中「ものは」とあるのは「ものから」と、「又は障害者総合支援法第二十九条第一項に規定する指定障害福祉サービスの事業（当該指定に係る事業所において行うものに限る。）を廃止し」とあるのは「を廃止し」と、「ならない。この場合において、当該」とあるのは「について障害者総合支援法第四十六条第二項の規定による事業の廃止又は休止の届出があったときも」と、同法第百十五条の三十三第二項中「指定を」とあるのは「指定若しくは許可を」と、同条第三項中「指定に」とあるのは「指定又は許可に」と、同法第百十五条の三十五第五項中「指定地域密着型サービス事業者、指定居宅介護支援事業者、指定地域密着型介護予防サービス事業者又は指定介護予防支援事業者」とあるのは「介護サービス事業者」と、「指定を」とあるのは「指定又は許可を」と、同条第七項中「指定地域密着型サービス事業者、指定居宅介護支援事業者、指定地域密着型介護予防サービス事業者又は指定介護予防支援事業者」とあるのは「介護サービス事業者」と、「指定を取り消し」とあるのは「指定若しくは許可を取り消し」と、「指定の」とあるのは「指定若しくは許可の」と、「指定をした」とあるのは「指定又は許可をした」と、同法第百十五条の四十四の二第七項中「指定地域密着型サービス事業者、指定居宅介護支援事業者、指定地域密着型介護予防サービス事業者又は指定介護予防支援事業者」とあるのは「介護サービス事業者」と、「指定を」とあるのは「指定又は許可を」と、同条第九項中「指定地域密着型サービス事業者、指定居宅介護支援事業者、指定地域密着型介護予防サービス事業者又は指定介護予防支援事業者」とあるのは「介護サービス事業者」と、「指定を取り消し」とあるのは「指定若しくは許可を取り消し」と、「指定の」とあるのは「指定若しくは許可の」と、「指定をした」とあるのは「指定又は許可をした」と読み替えるものとする。

（障害者の自立支援に関する事務）

第百七十四条の四十九の十二　地方自治法第二百五十二条の二十二第一項の規定により、中核市が処理する障害者の自立支援に関する事務は、障害者の日常生活及び社会生活を総合的に支援するための法律第二章第二節第三款及び第五款、第三節第一款及び第三款、第四節並びに第七節、第七十八条第一項、第四章並びに第九十三条第二号（同項に関する部分に限る。）並びに障害者の日常生活及び社会生活を総合的に支援するための法律施行令第四十条の規定により、都道府県が処理することとされている事務（同法第三十六条第六項及び第七項（これらの規定を同法第四十一条第四項及び第五十一条の十九第二項（同法第五十一条の二十一第二項において準用する場合を含む。）において準用する場合を含む。）の規定による関係市町村長に対する通知等、同法第四十七条の二第一項（同法第五十一条の二十六第一項において準用する場合を含む。）の規定による都道府県知事による連絡調整又は援助、同法第五十一条の十一及び第七十四条第二項の規定による協力その他市町村に対する必要な援助、同法第五十二条、第五十三条、第五十四条第一項、第二項（同法第五十九条第一項の規定による指定自立支援医療機関の指定に関する部分を除く。）及び第三項、第五十六条、第五十七条、第五十八条第一項及び第五項並びに第七十三条第四項並びに同令第三十二条第一項、第三十三条第一項及び第三十五条第一号の規定による自立支援医療費の支給等、同法第七十六条の三第五項及び第七項の規定による市町村長に対する通知、同法第七十八条第一項の規定による意思疎通支援を行う者の派遣に係る市町村相互間の連絡調整、中核市が行う同法第七十九条第一項各号に掲げる事業に係る同法第八十一条の規定による質問等、同法第八十二条第一項の規定による制限又は停止の命令及び同条第二項の規定による施設の設備又は運営の改善の命令等、中核市が設置する障害者支援施設に係る同法第八十五条第一項の規定による質問等及び同法第八十六条第一項の規定による事業の停止又は廃止の命令並びに同法第七十八条第一項の規定による意思疎通支援を行う者の派遣に係る市町村相互間の連絡調整に係る同法第九十三条第二号の規定による費用の支弁に関する事務を除く。）とする。この場合においては、次項及び第三項において特別の定めがあるものを除き、同法及び同令中都道府県に関する規定（前段括弧内に掲げる事務に係る規定を除く。）は、中核市に関する規定として中核市に適用があるものとする。

2　前項の場合においては、障害者の日常生活及び社会生活を総合的に支援するための法律第三十六条第一項（同法第四十一条第四項において準用する場合を含む。）中「ごとに行う」とあるのは「ごとに行う。この場合において、中核市の市長は、当該指定が次項に規定する特定障害福祉サービスに係るものであるときは、あらかじめ、都道府県知事の同意を得なければならない」と、同法第三十六条第八項（同法第四十一条第四項及び第五十一条の十九第二項（同法第五十一条の二十一第二項において準用する場合を含む。）において準用する場合を含む。）中「前項の意見を勘案し」とあるのは「第八十八条第一項に規定する市町村障害福祉計画との調整を図る見地から」と、同法第三十八条第一項（同法第四十一条第四項において準用する場合を含む。）中「行う」とあるのは「行う。この場合において、中核市の市長は、当該指定をしようとするときは、あらかじめ、都道府県知事の同意を得なければならない」と、同法第四十一条の二第五項中「ものは」とあるのは「ものから」と、「又は同法」とあるのは「について同法第七十八条の五第二項の規定による事業の廃止若しくは休止の届出があったとき、又は同法」と、「を廃止し、又は休止しようとするときは、主務省令で定めるところにより、その廃止又は休止の日の一月前までに、その旨を当該指定を行った都道府県知事に届け出なければならない。この場合において、当該」とあるのは「について同法第百十五条の十五第二項の規定による事業の廃止若しくは休止の」と、同法第五十一条中「旨を」とあるのは「旨を都道府県知事に届け出るとともに、これを」と、同法第五十一条の三第二項及び第五十一条の四第五項中「指定都市若しくは中核市の長」とあるのは「都道府県知事」と、「関係都道府県知事」とあるのは「関係中核市の市長」と、同法第五十一条の三第三項及び第四項並びに第五十一条の三十二第三項中「指定都市若しくは中核市の長」とあるのは「都道府県知事」と、同条第二項中「主務大臣」とあるのは「主務大臣又は都道府県知事」と、「以下この項及び次条第五項」とあるのは「次条第五項」と、「「関係都道府県知事」とあるのは「「関係中核市の市長」と、「、都道府県知事が前項の権限を行うときは関係市町村長と、指定都市又は中核市の長が同項の権限を行うときは関係都道府県知事と密接な」とあるのは「密接な」と、同条第四項中「、都道府県知事又は指定都市若しくは中核市の長」とあるのは「又は都道府県知事」と、同法第五十一条の三十三第五項中「、都道府県知事又は指定都市若しくは中核市の長」とあるのは「又は都道府県知事」と、「関係都道府県知事」とあるのは「関係中核市の市長」と、同法第五十四条第二項中「医療機関（」とあるのは「医療機関（障害者の日常生活及び社会生活を総合的に支援するための法律施行令第一条の二第三号に規定する精神通院医療に係るものを除く。」と、同法第六十六条第一項中「自立支援医療の実施」とあるのは「自立支援医療（障害者の日常生活及び社会生活を総合的に支援するための法律施行令第一条の二第三号に規定する精神通院医療を除く。）の実施」と、同法第六十七条第一項中「自立支援医療を」とあるのは「自立支援医療（障害者の日常生活及び社会生活を総合的に支援するための法律施行令第一条の二第三号に規定する精神通院医療を除く。）を」と、同法第七十三条第一項中「指定自立支援医療機関、療養介護医療を行う指定障害福祉サービス事業者等又は基準該当療養介護医療を行う基準該当事業所若しくは基準該当施設（以下この条において「公費負担医療機関」という。）」とあるのは「指定自立支援医療機関」と、「並びに自立支援医療費、療養介護医療費及び基準該当療養介護医療費（以下この条及び第七十五条において「自立支援医療費等」という。）」とあるのは「及び自立支援医療費（障害者の日常生活及び社会生活を総合的に支援するための法律施行令第一条の二第三号に規定する精神通院医療に係るものを除く。以下この条において同じ。）」と、「公費負担医療機関が第五十八条第五項（第七十条第二項において準用する場合を含む。）」とあるのは「指定自立支援医療機関が第五十八条第五項」と、「自立支援医療費等の」とあるのは「自立支援医療費の」と、同条第三項中「公費負担医療機関」とあるのは「指定自立支援医療機関」と、「自立支援医療費等」とあるのは「自立支援医療費」と、同法第七十九条第二項及び第四項中「及び都道府県」とあるのは「、都道府県及び中核市」と、同法第八十条第一項中「障害福祉サービス事業」とあるのは「障害福祉サービス事業（都道府県が行うものを除く。次項において同じ。）」と、「福祉ホーム」とあるのは「福祉ホーム（いずれも都道府県が設置するものを除く。次項において同じ。）」と、同条第三項及び同法第八十一条第一項中「設置者」とあるのは「設置者（いずれも都道府県を除く。）」と、同法第八十二条第一項中「移動支援事業を行う者」とあるのは「移動支援事業を行う者（都道府県を除く。）」と、同条第二項中「福祉ホームの設置者」とあるのは「福祉ホームの設置者（いずれも都道府県を除く。）」と、同法第八十三条第三項中「市町村」とあるのは「中核市以外の市町村」と、同法第八十四条第一項中「障害者支援施設」とあるのは「障害者支援施設（都道府県が設置するものを除く。次項において同じ。）」と、障害者の日常生活及び社会生活を総合的に支援するための法律施行令第四十三条の七第一項中「市町村」とあるのは「中核市以外の市町村」と、同条第二項中「市町村長」とあるのは「市町村長（中核市の市長を除く。）」とする。

3　第百七十四条の三十二第二項及び第四項の規定は、中核市について準用する。この場合において、同条第二項中「前項」とあるのは「第百七十四条の四十九の十二第一項」と、同条第四項中「第二百五十二条の十九第二項」とあるのは「第二百五十二条の二十二第二項」と読み替えるものとする。

（生活困窮者の自立支援に関する事務）

第百七十四条の四十九の十三　地方自治法第二百五十二条の二十二第一項の規定により、中核市が処理する生活困窮者の自立支援に関する事務は、生活困窮者自立支援法第十六条第一項から第三項まで及び第二十一条第二項の規定により、都道府県が処理することとされている事務とする。この場合においては、同法第十六条第一項から第三項まで及び第二十一条第二項の規定中都道府県に関する規定は、中核市に関する規定として中核市に適用があるものとする。

（食品衛生に関する事務）

第百七十四条の四十九の十四　地方自治法第二百五十二条の二十二第一項の規定により、中核市が処理する食品衛生に関する事務は、食品衛生法及び食品衛生法施行令の規定により、都道府県が処理することとされている事務（同法第四十八条第六項第三号及び同令第十五条から第二十条までの規定による登録養成施設の登録等、同項第四号並びに同令第二十一条、第二十四条第三項、第二十五条、第二十六条、第二十八条から第三十条まで、第三十二条、第三十三条第一項及び第三十四条の規定による登録講習会の登録等、同法第五十四条の規定による条例の制定並びに同令第九条第一項第一号及び同条第二項において準用する同令第十五条から第二十条までの規定による同号の養成施設の登録等に関する事務を除く。）とする。この場合においては、同法及び同令中都道府県に関する規定（前段括弧内に掲げる事務に係る規定を除く。）は、中核市に関する規定として中核市に適用があるものとする。

2　第百七十四条の三十四第二項の規定は、中核市について準用する。この場合において、同項中「前項」とあるのは、「第百七十四条の四十九の十四第一項」と読み替えるものとする。

第百七十四条の四十九の十五　削除〔平二七・二政令四〇〕

（結核の予防に関する事務）

第百七十四条の四十九の十六　地方自治法第二百五十二条の二十二第一項の規定により、中核市が処理する結核の予防に関する事務は、感染症の予防及び感染症の患者に対する医療に関する法律及び感染症の予防及び感染症の患者に対する医療に関する法律施行令の規定により、都道府県が処理することとされている事務（同法第五十三条の二第三項の規定による定期の健康診断の実施の指示及び同法第五十八条第十七号に掲げる費用の支弁に関する事務を除く。）とする。この場合においては、次項において特別の定めがあるものを除き、同法及び同令中都道府県に関する規定（前段括弧内に掲げる事務に係る規定を除く。）は、中核市に関する規定として中核市に適用があるものとする。

2　前項の場合においては、感染症の予防及び感染症の患者に対する医療に関する法律第五十三条の七第一項中「保健所長（その場所が保健所設置市等の区域内であるときは、保健所長及び保健所設置市等の長）」とあるのは「保健所長」と、「都道府県知事」とあるのは「中核市の市長」とする。

3　第百七十四条の三十七第二項及び第四項の規定は、中核市について準用する。この場合において、同条第二項中「前項」とあるのは「第百七十四条の四十九の十六第一項」と、同条第四項中「第二百五十二条の十九第二項」とあるのは「第二百五十二条の二十二第二項」と読み替えるものとする。

第百七十四条の四十九の十七　削除〔平二三・一二政令三六二〕

（土地区画整理事業に関する事務）

第百七十四条の四十九の十八　地方自治法第二百五十二条の二十二第一項の規定により、中核市が処理する土地区画整理事業に関する事務は、土地区画整理法及び土地区画整理法施行令の規定により、都道府県が処理することとされている事務（同法第三条第四項若しくは第五項又は第三条の二若しくは第三条の三の規定により都道府県若しくは中核市若しくは国土交通大臣又は独立行政法人都市再生機構若しくは地方住宅供給公社が施行する土地区画整理事業に係る事務並びに同法第四十一条第四項（同法第七十八条第四項及び第百十条第七項において準用する場合を含む。）の規定による滞納処分の認可及び同法第百二十七条の二第一項の規定による審査請求の裁決で中核市がした処分に係るものに関する事務を除く。）とする。この場合においては、次項及び第三項において準用する第百七十四条の三十九第二項において特別の定めがあるものを除き、同法及び同令中都道府県に関する規定（前段括弧内に掲げる事務に係る規定を除く。）は、中核市に関する規定として中核市に適用があるものとする。

2　前項の場合においては、土地区画整理法第九条第三項、第二十一条第三項、第三十九条第四項及び第五十一条の九第三項中「国土交通大臣及び関係市町村長に」とあるのは「国土交通大臣に」と、同法第十一条第七項中「国土交通省令で定めるところにより、施行地区を管轄する市町村長を経由して」とあるのは「国土交通省令で定めるところにより」と、同法第二十条第一項中「施行地区となるべき区域（同項に規定する認可の申請にあっては、施行地区）を管轄する市町村長に、当該事業計画を二週間公衆の縦覧に供させなければならない」とあるのは「当該事業計画を二週間公衆の縦覧に供しなければならない」と、同法第二十九条第一項中「組合は、施行地区を管轄する市町村長を経由して」とあるのは「組合は」と、同法第五十一条の八第一項中「施行地区となるべき区域を管轄する市町村長に、当該規準及び事業計画を二週間公衆の縦覧に供させなければならない」とあるのは「当該規準及び事業計画を二週間公衆の縦覧に供しなければならない」と、同法第七十五条中「区画整理会社は都道府県知事及び市町村長」とあるのは「区画整理会社は中核市の市長」と、同法第百二十三条第一項中「都道府県知事は個人施行者、組合、区画整理会社又は市町村に対し、市町村長は」とあるのは「都道府県知事は中核市に対し、中核市の市長は」と、土地区画整理法施行令第一条の二中「第九条第三項（法第十条第三項において準用する場合を含む。）、第二十一条第三項、第三十九条第四項、第五十一条の九第三項（法第五十一条の十第二項において準用する場合を含む。）」とあるのは「第四条第一項、第十条第一項、第十四条第一項若しくは第三項、第三十九条第一項、第五十一条の二第一項又は第五十一条の十第一項の規定による認可をした場合においては、遅滞なく、施行地区又は設計の概要を表示する図書を公衆の縦覧に供する旨、縦覧場所及び縦覧時間を公告した上で、その図書を公衆の縦覧に供し、法」とする。

3　第百七十四条の三十九第二項の規定は、中核市について準用する。この場合において、同項中「前項」とあるのは「第百七十四条の四十九の十八第一項」と、「第五十五条第一項後段、第八十六条第二項」とあるのは「第八十六条第二項」と読み替えるものとする。

（屋外広告物の規制に関する事務）

第百七十四条の四十九の十九　地方自治法第二百五十二条の二十二第一項の規定により、中核市が処理する屋外広告物の規制に関する事務は、屋外広告物法の規定により、都道府県が処理することとされている事務とする。この場合においては、同法中都道府県に関する規定は、中核市に関する規定として中核市に適用があるものとする。

第百七十四条の四十九の二十　削除〔平二七・一政令三〇〕

第八章　外部監査契約に基づく監査

第一節　通則

（外部監査契約を締結できる者）

第百七十四条の四十九の二十一　地方自治法第二百五十二条の二十八第一項第三号に規定する政令で定める者は、次に掲げる期間を通算した期間が十年以上になる者又は会計検査、監査若しくは財務に関する行政事務に関する総務大臣の指定した研修を修了した者で次に掲げる期間を通算した期間が五年以上になるものとする。

一　会計検査院において会計検査に関する行政事務を管理し若しくは監督することを職務とする職又は会計検査に関する行政事務に関する高度の知識若しくは経験を必要とする事務を処理することを職務とする職として総務省令で定めるものに在職した期間

二　都道府県又は指定都市若しくは中核市の監査委員として在職した期間

三　都道府県又は指定都市若しくは中核市において監査に関する行政事務を管理し若しくは監督することを職務とする職又は監査に関する行政事務に関する高度の知識若しくは経験を必要とする事務を処理することを職務とする職として総務省令で定めるものに在職した期間（地方自治法第二百条第一項又は第二項の規定により置かれた事務局に属する職員として在職した期間に限る。）

四　都道府県又は指定都市若しくは中核市の会計管理者（地方自治法の一部を改正する法律（平成十八年法律第五十三号。第百七十四条の五十第一項第十一号において「平成十八年改正法」という。）による改正前の地方自治法第百六十八条第一項に規定する出納長又は同条第二項に規定する収入役を含む。次号において同じ。）として在職した期間

五　都道府県又は指定都市若しくは中核市において会計事務を管理し若しくは監督することを職務とする職又は会計事務に関する高度の知識若しくは経験を必要とする事務を処理することを職務とする職として総務省令で定めるものに在職した期間（会計管理者の権限に属する事務を処理させるための組織に属する職員として在職した期間に限る。）

六　都道府県又は指定都市若しくは中核市において予算の調製に関する事務を管理し若しくは監督することを職務とする職又は予算の調製に関する事務に関する高度の知識若しくは経験を必要とする事務を処理することを職務とする職として総務省令で定めるものに在職した期間（地方自治法第百五十八条の規定により設けられた予算に関する事務を分掌させるための組織で総務省令で定めるものに属する職員として在職した期間に限る。）

（外部監査契約を締結してはならない普通地方公共団体の職員であつた者の範囲）

第百七十四条の四十九の二十二　地方自治法第二百五十二条の二十八第三項第十号に規定する当該普通地方公共団体の職員で政令で定めるものは、当該普通地方公共団体の常勤の職員（地方分権の推進を図るための関係法律の整備等に関する法律第一条の規定による改正前の地方自

治法附則第八条の規定により官吏とされていた職員及び警察法第五十六条第一項に規定する地方警務官を含む。）及び地方公務員法第二十二条の四第一項に規定する短時間勤務の職を占める職員とする。

（地方自治法第二百五十二条の三十二第一項の規定による協議の手続）

第百七十四条の四十九の二十三　地方自治法第二百五十二条の三十第一項に規定する外部監査人（以下「外部監査人」という。）は、同法第二百五十二条の三十二第一項の規定により監査委員に協議をしようとするときは、あらかじめ、監査の事務を補助させようとする者の氏名及び住所、監査の事務を補助させることが必要である理由、監査の事務を補助させようとする期間その他総務省令で定める事項を記載した書面を監査委員に提出しなければならない。

第二節　包括外部監査契約に基づく監査

（包括外部監査契約の締結の手続等）

第百七十四条の四十九の二十四　地方自治法第二百五十二条の三十六第四項に規定する包括外部監査対象団体（次条において「包括外部監査対象団体」という。）の長は、同法第二百五十二条の三十六第一項又は第二項の規定により同法第二百五十二条の二十七第二項に規定する包括外部監査契約（以下この節において「包括外部監査契約」という。）を締結しようとするときは、同法第二百五十二条の三十六第五項各号に掲げる事項その他必要な事項を記載した契約書を作成しなければならない。

第百七十四条の四十九の二十五　包括外部監査対象団体の長は、地方自治法第二百五十二条の三十六第一項又は第二項の規定により包括外部監査契約を締結する際に、当該包括外部監査契約を締結しようとする相手方が同法第二百五十二条の二十八第一項各号のいずれかに該当する者であることを証する書面（同条第二項の規定により包括外部監査契約を締結しようとする場合には、税理士（税理士となる資格を有する者を含む。）であることを証する書面。次項において「包括外部監査契約を締結しようとする相手方の資格を証する書面」という。）その他総務省令で定める書面を徴さなければならない。

2　包括外部監査対象団体の長は、前項の規定により徴した包括外部監査契約を締結しようとする相手方の資格を証する書面又はその写しを、当該包括外部監査対象団体の規則で定める期間、一般の閲覧に供さなければならない。

（包括外部監査契約を締結しなければならない市）

第百七十四条の四十九の二十六　地方自治法第二百五十二条の三十六第一項第二号に規定する政令で定める市は、指定都市及び中核市とする。

（包括外部監査契約で定めるべき事項）

第百七十四条の四十九の二十七　地方自治法第二百五十二条の三十六第五項第三号に規定する包括外部監査契約に基づく監査のために必要な事項として政令で定めるものは、包括外部監査契約を締結した者に支払うべき監査に要する費用の支払方法とする。

（包括外部監査契約を締結したときに告示すべき事項）

第百七十四条の四十九の二十八　地方自治法第二百五十二条の三十六第六項に規定する政令で定める事項は、次に掲げる事項とする。

一　包括外部監査契約を締結した者の氏名及び住所

二　包括外部監査契約を締結した者に支払うべき監査に要する費用の支払方法

（地方自治法第二百五十二条の三十八第一項の規定による協議）

第百七十四条の四十九の二十九　地方自治法第二百五十二条の三十八第一項の規定による協議が調つたときは、監査委員は、当該協議が調つたことを証する書面を同法第二百五十二条の二十九に規定する包括外部監査人（以下「包括外部監査人」という。）に交付しなければならない。

第三節　個別外部監査契約に基づく監査

（事務の監査の請求に係る個別外部監査の請求の手続）

第百七十四条の四十九の三十　地方自治法第七十五条第一項の規定により普通地方公共団体の事務の監査の請求をしようとする代表者で、同法第二百五十二条の三十九第一項の規定により同法第七十五条第一項の請求に係る監査について監査委員の監査に代えて同法第二百五十二条の二十七第三項に規定する個別外部監査契約（以下「個別外部監査契約」という。）に基づく監査によることを求めようとするもの（第百七十四条の四十九の三十六において「事務の監査の請求に係る個別外部監査請求代表者」という。）は、第九十九条において準用する第九十一条第一項の規定により同項の証明書の交付を申請するときは、同項の請求書に、同項に規定する事項のほか当該請求書に係る請求に係る監査について監査委員の監査に代えて個別外部監査契約に基づく監査によることを求める旨及びその理由（千字以内）を総務省令で定めるところにより記載しなければならない。

2　監査委員は、前項の規定により監査委員の監査に代えて個別外部監査契約に基づく監査によることを求める旨及びその理由が記載された第九十九条において準用する第九十一条第一項の請求書（以下この条において「事務の監査の請求に係る個別外部監査請求書」という。）を添えて同項の申請があつたときは、同項の証明書に、当該証明書に係る請求に係る監査について監査委員の監査に代えて個別外部監査契約に基づく監査によることが求められている旨を総務省令で定めるところにより記載しなければならない。

3　監査委員は、事務の監査の請求に係る個別外部監査請求書を添えて第九十九条において準用する第九十一条第一項の申請があつた場合において、第九十九条において準用する第九十一条第二項の告示を行うときは、併せて当該告示に係る請求に係る監査について監査委員の監査に代えて個別外部監査契約に基づく監査によることが求められている旨を告示しなければならない。

4　地方自治法第二百五十二条の三十九第一項の規定による同法第七十五条第一項の請求に係る監査について監査委員の監査に代えて個別外部監査契約に基づく監査によることの求めは、第九十九条において準用する第九十六条第一項の請求を事務の監査の請求に係る個別外部監査請求書をもつてすることにより行うものとする。

（事務の監査の請求に係る監査について個別外部監査契約に基づく監査によることを求める理由等の告示等）

第百七十四条の四十九の三十一　監査委員は、地方自治法第二百五十二条の三十九第三項の規定により請求の要旨を公表するときは、併せて当該請求に係る監査について監査委員の監査に代えて個別外部監査契約に基づく監査によることが求められている旨及びその理由を告示し、かつ、公衆の見やすいその他の方法により公表しなければならない。

（地方自治法第二百五十二条の三十九第五項の個別外部監査契約の締結の手続等）

第百七十四条の四十九の三十二　普通地方公共団体の長は、地方自治法第二百五十二条の三十九第五項の規定により同項の個別外部監査契約を締結しようとするときは、同条第八項各号に掲げる事項その他必要な事項を記載した契約書を作成しなければならない。

第百七十四条の四十九の三十三　普通地方公共団体の長は、地方自治法第二百五十二条の三十九第五項の規定により同項の個別外部監査契約を締結する際に、当該個別外部監査契約を締結しようとする相手方が同法第二百五十二条の二十八第一項各号のいずれかに該当する者であることを証する書面（同条第二項の規定により同法第二百五十二条の三十九第五項の個別外部監査契約を締結しようとする場合にあつては、税理士（税理士となる資格を有する者を含む。）であることを証する書面。次項において「個別外部監査契約を締結しようとする相手方の資格を証する書面」という。）その他総務省令で定める書面を徴さなければならない。

2　普通地方公共団体の長は、前項の規定により徴した個別外部監査契約を締結しようとする相手方の資格を証する書面又はその写しを、当該普通地方公共団体の規則で定める期間、一般の閲覧に供さなければならない。

（地方自治法第二百五十二条の三十九第五項の個別外部監査契約で定めるべき事項）

第百七十四条の四十九の三十四　地方自治法第二百五十二条の三十九第八項第四号に規定する個別外部監査契約に基づく監査のために必要な事項として政令で定めるものは、同条第五項の個別外部監査契約を締結した者に支払うべき監査に要する費用の支払方法とする。

（地方自治法第二百五十二条の三十九第五項の個別外部監査契約を締結したときに告示すべき事項）

第百七十四条の四十九の三十五　地方自治法第二百五十二条の三十九第九項に規定する政令で定める事項は、次に掲げる事項とする。

一　個別外部監査契約を締結した者の氏名及び住所

二　個別外部監査契約を締結した者に支払うべき監査に要する費用の支払方法

三　個別外部監査契約が当該個別外部監査契約を締結した普通地方公共団体の包括外部監査人と締結されたものである場合には、その旨

（監査の結果の報告の告示等）

第百七十四条の四十九の三十六　監査委員は、地方自治法第二百五十二条の三十九第十二項の規定による事務の監査の結果を事務の監査の請求に係る個別外部監査請求代表者に通知するとともに、これを告示し、かつ、公衆の見やすいその他の方法により公表しなければならない。

（事務の監査の請求に係る個別外部監査の請求への包括外部監査契約に関する規定の準用）

第百七十四条の四十九の三十七　第百七十四条の四十九の二十九の規定は、地方自治法第二百五十二条の三十九第二項に規定する事務の監査の請求に係る個別外部監査の請求に係る事項についての同法第二百五十二条の二十九に規定する個別外部監査人（以下「個別外部監査人」という。）の監査について準用する。この場合において、第百七十四条の四十九の二十九中「地方自治法第二百五十二条の三十八第一項」とあるのは、「地方自治法第二百五十二条の三十九第十四項において準用する同法第二百五十二条の三十八第一項」と読み替えるものとする。

（議会からの個別外部監査の請求への事務の監査の請求に係る個別外部監査の請求に関する規定等の準用）

第百七十四条の四十九の三十八　第百七十四条の四十九の三十二から第百七十四条の四十九の三十五までの規定は、地方自治法第二百五十二条の四十第三項の規定によ

る通知があつた場合について準用する。この場合において、第百七十四条の四十九の三十二中「地方自治法第二百五十二条の三十九第五項」とあるのは「地方自治法第二百五十二条の四十第四項において準用する同法第二百五十二条の三十九第五項」と、「同条第八項各号」とあるのは「同法第二百五十二条の四十第四項において準用する同法第二百五十二条の三十九第八項各号」と、第百七十四条の四十九の三十三第一項中「地方自治法第二百五十二条の三十九第五項」とあるのは「地方自治法第二百五十二条の四十第四項において準用する同法第二百五十二条の三十九第五項」と、「同法第二百五十二条の三十九第五項」とあるのは「同法第二百五十二条の四十第四項において準用する同法第二百五十二条の三十九第五項」と、第百七十四条の四十九の三十四中「地方自治法第二百五十二条の三十九第八項第四号」とあるのは「地方自治法第二百五十二条の四十第四項において準用する同法第二百五十二条の三十九第八項第四号」と、「同条第五項」とあるのは「同法第二百五十二条の四十第四項において準用する同法第二百五十二条の三十九第五項」と、第百七十四条の四十九の三十五中「地方自治法第二百五十二条の三十九第九項」とあるのは「地方自治法第二百五十二条の四十第四項において準用する同法第二百五十二条の三十九第九項」と読み替えるものとする。

2　第百七十四条の四十九の二十九の規定は、地方自治法第二百五十二条の四十第二項に規定する議会からの個別外部監査の請求に係る事項についての個別外部監査人の監査について準用する。この場合において、第百七十四条の四十九の二十九中「地方自治法第二百五十二条の三十八第一項」とあるのは、「地方自治法第二百五十二条の四十第六項において準用する同法第二百五十二条の三十八第一項」と読み替えるものとする。

（長からの個別外部監査の要求への事務の監査の請求に係る個別外部監査の請求に関する規定等の準用）

第百七十四条の四十九の三十九　第百七十四条の四十九の三十二から第百七十四条の四十九の三十五までの規定は、地方自治法第二百五十二条の四十一第三項の規定による通知があつた場合について準用する。この場合において、第百七十四条の四十九の三十二中「地方自治法第二百五十二条の三十九第五項」とあるのは「地方自治法第二百五十二条の四十一第四項において準用する同法第二百五十二条の三十九第五項」と、「同条第八項各号」とあるのは「同法第二百五十二条の四十一第四項において準用する同法第二百五十二条の三十九第八項各号」と、第百七十四条の四十九の三十三第一項中「地方自治法第二百五十二条の三十九第五項」とあるのは「地方自治法第二百五十二条の四十一第四項において準用する同法第二百五十二条の三十九第五項」と、「同法第二百五十二条の三十九第五項」とあるのは「同法第二百五十二条の四十一第四項において準用する同法第二百五十二条の三十九第五項」と、第百七十四条の四十九の三十四中「地方自治法第二百五十二条の三十九第八項第四号」とあるのは「地方自治法第二百五十二条の四十一第四項において準用する同法第二百五十二条の三十九第八項第四号」と、「同条第五項」とあるのは「同法第二百五十二条の四十一第四項において準用する同法第二百五十二条の三十九第五項」と、第百七十四条の四十九の三十五中「地方自治法第二百五十二条の三十九第九項」とあるのは「地方自治法第二百五十二条の四十一第四項において準用する同法第二百五十二条の三十九第九項」と読み替えるものとする。

2　第百七十四条の四十九の二十九の規定は、地方自治法第二百五十二条の四十一第二項に規定する長からの個別外部監査の要求に係る事項についての個別外部監査人の監査について準用する。この場合において、第百七十四条の四十九の二十九中「地方自治法第二百五十二条の三十八第一項」とあるのは、「地方自治法第二百五十二条の四十一第六項において準用する同法第二百五十二条の三十八第一項」と読み替えるものとする。

（財政的援助を与えているもの等に係る個別外部監査の要求への事務の監査の請求に係る個別外部監査の請求に関する規定等の準用）

第百七十四条の四十九の四十　第百七十四条の四十九の三十二から第百七十四条の四十九の三十五までの規定は、地方自治法第二百五十二条の四十二第三項の規定による通知があつた場合について準用する。この場合において、第百七十四条の四十九の三十二中「地方自治法第二百五十二条の三十九第五項」とあるのは「地方自治法第二百五十二条の四十二第四項において準用する同法第二百五十二条の三十九第五項」と、「同条第八項各号」とあるのは「同法第二百五十二条の四十二第四項において準用する同法第二百五十二条の三十九第八項各号」と、第百七十四条の四十九の三十三第一項中「地方自治法第二百五十二条の三十九第五項」とあるのは「地方自治法第二百五十二条の四十二第四項において準用する同法第二百五十二条の三十九第五項」と、「同法第二百五十二条の三十九第五項」とあるのは「同法第二百五十二条の四十二第四項において準用する同法第二百五十二条の三十九第五項」と、第百七十四条の四十九の三十四中「地方自治法第二百五十二条の三十九第八項第四号」とあるのは「地方自治法第二百五十二条の四十二第四項において準用する同法第二百五十二条の三十九第八項第四号」と、「同条第五項」とあるのは「同法第二百五十二条の四十二第四項において準用する同法第二百五十二条の三十九第五項」と、第百七十四条の四十九の三十五中「地方自治法第二百五十二条の三十九第九項」とあるのは「地方自治法第二百五十二条の四十二第四項において準用する同法第二百五十二条の三十九第九項」と読み替えるものとする。

2　第百七十四条の四十九の二十九の規定は、地方自治法第二百五十二条の四十二第二項に規定する財政的援助を与えているもの等に係る個別外部監査の要求に係る事項についての個別外部監査人の監査について準用する。この場合において、第百七十四条の四十九の二十九中「地方自治法第二百五十二条の三十八第一項」とあるのは、「地方自治法第二百五十二条の四十二第六項において準用する同法第二百五十二条の三十八第一項」と読み替えるものとする。

（住民監査請求に係る個別外部監査の請求の手続）

第百七十四条の四十九の四十一　地方自治法第二百五十二条の四十三第一項の規定による同法第二百四十二条第一項の請求に係る監査について監査委員の監査に代えて個別外部監査契約に基づく監査によることの求めは、同項の規定による必要な措置の請求を第百七十二条第一項の文書で同項に規定する事項のほか当該文書に係る請求に係る監査について監査委員の監査に代えて個別外部監査契約に基づく監査によることを求める旨及びその理由を総務省令で定めるところにより記載したものをもつてすることにより行うものとする。

（住民監査請求に係る個別外部監査の請求への事務の監査の請求に係る個別外部監査の請求に関する規定等の準用）

第百七十四条の四十九の四十二　第百七十四条の四十九の三十二から第百七十四条の四十九の三十五までの規定は、地方自治法第二百五十二条の四十三第二項前段の規定による通知があつた場合について準用する。この場合において、第百七十四条の四十九の三十二中「地方自治法第二百五十二条の三十九第五項」とあるのは「地方自治法第二百五十二条の四十三第三項において準用する同法第二百五十二条の三十九第五項」と、「同条第八項各号」とあるのは「同法第二百五十二条の四十三第三項において準用する同法第二百五十二条の三十九第八項各号」と、第百七十四条の四十九の三十三第一項中「地方自治法第二百五十二条の三十九第五項」とあるのは「地方自治法第二百五十二条の四十三第三項において準用する同法第二百五十二条の三十九第五項」と、「同法第二百五十二条の三十九第五項」とあるのは「同法第二百五十二条の四十三第三項において準用する同法第二百五十二条の三十九第五項」と、第百七十四条の四十九の三十四中「地方自治法第二百五十二条の三十九第八項第四号」とあるのは「地方自治法第二百五十二条の四十三第三項において準用する同法第二百五十二条の三十九第八項第四号」と、「同条第五項」とあるのは「同法第二百五十二条の四十三第三項において準用する同法第二百五十二条の三十九第五項」と、第百七十四条の四十九の三十五中「地方自治法第二百五十二条の三十九第九項」とあるのは「地方自治法第二百五十二条の四十三第三項において準用する同法第二百五十二条の三十九第九項」と読み替えるものとする。

2　第百七十四条の四十九の二十九の規定は、地方自治法第二百五十二条の四十三第二項に規定する住民監査請求に係る個別外部監査の請求に係る事項についての個別外部監査人の監査について準用する。この場合において、第百七十四条の四十九の二十九中「地方自治法第二百五十二条の三十八第一項」とあるのは、「地方自治法第二百五十二条の四十三第六項において準用する同法第二百五十二条の三十八第一項」と読み替えるものとする。

第四節　雑則

（普通地方公共団体等への情報提供）

第百七十四条の四十九の四十三　総務大臣は、地方自治法第二百五十二条の二十七第一項に規定する外部監査契約（以下「外部監査契約」という。）の円滑な締結及び適正な履行に資するため、普通地方公共団体及び普通地方公共団体と外部監査契約を締結しようとする者又は外部監査契約を締結した者に対し、外部監査契約を締結した者に支払うべき監査に要する費用の額の算定方法その他外部監査契約の締結及び履行に関し必要な情報の提供を行うものとする。

第九章　恩給並びに都道府県又は市町村の退職年金及び退職一時金の基礎となるべき在職期間の通算

第百七十四条の五十　この章において「都道府県の職員」とは、都道府県の退職年金及び退職一時金に関する条例（以下この章において「退職年金条例」という。）の適用を受ける職員（都道府県の退職年金条例の適用を受ける市町村立学校職員給与負担法（昭和二十三年法律第百三十五号）第一条及び第二条に規定する職員を含む。）で次に掲げる者をいう。

一　知事、副知事及び地方自治法第百七十二条第一項に規定する職員
二　地方自治法第百三十八条第三項に規定する議会の事務局長及び書記
三　地方自治法第百九十一条第一項に規定する選挙管理委員会の書記
四　地方自治法第百九十五条第一項に規定する監査委員で常勤のもの及び同法第二百条第一項に規定する監査委員の事務を補助する書記
五　地方公務員法第九条の二第一項に規定する人事委員会の委員で常勤のもの及び同法第十二条第一項に規定する事務職員
六　地方教育行政の組織及び運営に関する法律（昭和三十一年法律第百六十二号）第十八条第一項に規定する職員
七　地方教育行政の組織及び運営に関する法律第三十一条第二項に規定する職員
八　学校教育法第一条に規定する学校の職員で次に掲げるもの
イ　大学の学長、教授、常時勤務に服することを要する講師及び助手
ロ　高等学校の校長、教諭、養護教諭、助教諭及び養護助教諭
ハ　中学校又は小学校の校長、教諭及び養護教諭並びに幼稚園の園長、教諭及び養護教諭
ニ　事務職員又は技術職員
九　特別区が連合して維持する消防の消防職員
十　漁業法（昭和二十四年法律第二百六十七号）第百三十七条第六項に規定する海区漁業調整委員会の書記、同法第百五十一条において準用する同法第百三十七条第六項の規定により置かれる連合海区漁業調整委員会の書記及び同法第百七十三条において準用する同法第百三十七条第六項の規定により置かれる内水面漁場管理委員会の書記
十一　平成十八年改正法による改正前の地方自治法第百六十八条第一項に規定する出納長
十二　地方自治法の一部を改正する法律（昭和二十七年法律第三百六号）による改正前の地方自治法第百六十八条第一項に規定する副出納長
十三　地方自治法の一部を改正する法律（昭和二十五年法律第百四十三号）による改正前の地方自治法第百三十八条第一項に規定する議会の書記長及び書記
十四　地方教育行政の組織及び運営に関する法律の一部を改正する法律（平成二十六年法律第七十六号）による改正前の地方教育行政の組織及び運営に関する法律第十六条第一項に規定する教育長
十五　旧教育委員会法（昭和二十三年法律第百七十号）第四十一条第一項に規定する教育長及び同法第四十五条第一項に規定する職員
十六　旧教育委員会法第六十六条第二項に規定する職員
十七　教育委員会法の一部を改正する法律（昭和二十五年法律第百六十八号）による改正前の旧教育委員会法第六十六条第四項に規定する職員
十八　学校教育法の一部を改正する法律（平成十七年法律第八十三号）による改正前の学校教育法第五十八条第一項に規定する助教授
十九　学校教育法等の一部を改正する法律（平成十八年法律第八十号）第一条の規定による改正前の学校教育法第一条に規定する盲学校、聾学校又は養護学校の校長、教諭及び養護教諭
二十　特別区が連合して維持していた警察の警察職員
二十一　農業委員会法の一部を改正する法律（昭和二十九年法律第百八十五号）による改正前の農業委員会法（昭和二十六年法律第八十八号）第三十四条において準用する同法第二十条第一項の規定により置かれた都道府県農業委員会の書記
二十二　旧農地調整法施行令（昭和二十一年勅令第三十八号）第三十一条において準用する同令第十八条第一項の規定により置かれた都道府県農地委員会の書記
二十三　農地調整法施行令の一部を改正する政令（昭和二十四年政令第二百二十四号）による改正前の旧農地調整法施行令第四十三条において準用する同令第三十三条第一項の規定により置かれた都道府県農地委員会の書記
二十四　旧食糧確保臨時措置法施行令（昭和二十三年政令第二百四十七号）第三十三条において準用する同令第三十条第一項の規定により置かれた都道府県農業調整委員会の書記

②　この章において「市町村の教育職員」とは、市町村の退職年金条例の適用を受ける学校教育法第一条に規定する大学、高等学校及び幼稚園の職員並びに市町村の教育事務に従事する職員で次に掲げる者をいう。
一　学校教育法第一条に規定する大学、高等学校及び幼稚園の職員で次に掲げるもの
イ　大学の学長、教授、常時勤務に服することを要する講師及び助手
ロ　高等学校の校長、教諭、養護教諭、助教諭及び養護助教諭
ハ　幼稚園の園長、教諭及び養護教諭
二　教育職員免許法（昭和二十四年法律第百四十七号）

第四条第二項に規定する普通免許状（教育職員免許法施行法（昭和二十四年法律第百四十八号）第一条第一項の表の第一号及び第六号から第九号までの上欄に掲げる教員の免許状を含む。次号において同じ。）を有する職員で次に掲げるもの

イ 地方教育行政の組織及び運営に関する法律第十八条第二項に規定する職員

ロ 地方教育行政の組織及び運営に関する法律第三十一条第一項に規定する学校の事務職員又は技術職員

ハ 地方教育行政の組織及び運営に関する法律第三十一条第二項に規定する職員

ニ 大学に関する教育に関する事務に従事する職員

三 学校教育法の一部を改正する法律（平成十七年法律第八十三号）による改正前の学校教育法第五十八条第一項に規定する助教授

四 教育職員免許法第四条第二項に規定する普通免許状を有する職員で次に掲げるもの

イ 地方教育行政の組織及び運営に関する法律の一部を改正する法律（平成二十六年法律第七十六号）による改正前の地方教育行政の組織及び運営に関する法律第十六条第一項に規定する教育長

ロ 旧教育委員会法第四十一条第一項に規定する教育長及び同法第四十五条第二項に規定する職員

ハ 旧教育委員会法第六十六条第一項に規定する学校の事務職員又は技術職員

ニ 旧教育委員会法第六十六条第二項に規定する職員

ホ 教育委員会法の一部を改正する法律（昭和二十五年法律第百六十八号）による改正前の旧教育委員会法第六十六条第四項に規定する職員

ヘ 旧教育委員会法第三条の規定により教育委員会が当該市町村に設置されるまでの間において、当該市町村の教育関係の部課又は学校以外の教育機関に属していた職員

③ この章において次の各号に掲げる用語の意義は、当該各号に定めるところによる。

一 公務員 恩給法第十九条に規定する公務員（同法同条に規定する公務員とみなされる者を含む。）をいう。

二 恩給 恩給法第二条第一項に規定する恩給をいう。

三 普通恩給 恩給法第二条第一項に規定する普通恩給をいう。

四 普通恩給権 普通恩給を受ける権利をいう。

五 最短恩給年限 普通恩給についての最短年限をいう。

六 一時恩給 恩給法第二条第一項に規定する一時恩給をいう。

七 一時恩給年限 一時恩給についての最短年限をいう。

八 扶助料 恩給法第二条第一項に規定する扶助料をいう。

九 扶助料権 扶助料を受ける権利をいう。

十 一時扶助料 恩給法第二条第一項に規定する一時扶助料をいう。

十一 退職年金 退職年金条例に規定する普通恩給に相当する給付をいう。

十二 退職年金権 退職年金を受ける権利をいう。

十三 最短年金年限 退職年金についての最短年限をいう。

十四 退職一時金 退職年金条例に規定する一時恩給に相当する給付をいう。

十五 最短一時金年限 退職一時金についての最短年限をいう。

十六 遺族年金 退職年金条例に規定する扶助料に相当する給付をいう。

十七 遺族年金権 遺族年金を受ける権利をいう。

十八 遺族一時金 退職年金条例に規定する一時扶助料に相当する給付をいう。

十九 教育職員 第一項第八号イからハまで、第十八号及び第十九号に掲げる職員をいう。

二十 準教育職員 学校教育法第一条に規定する高等学校の常時勤務に服することを要する講師並びに同条に規定する中学校、小学校又は幼稚園の助教諭、養護助教諭及び常時勤務に服することを要する講師並びに学校教育法等の一部を改正する法律（平成十八年法律第八十号）第一条の規定による改正前の学校教育法第一条に規定する盲学校、聾学校又は養護学校の助教諭、養護助教諭及び常時勤務に服することを要する講師をいう。

二十一 代用教員等 旧小学校令（明治三十三年勅令第三百四十四号）第四十二条に規定する代用教員、旧国民学校令（昭和十六年勅令第百四十八号）第十九条の規定により准訓導の職務を行う者及び旧幼稚園令（大正十五年勅令第七十四号）第十条の規定により保姆の代用とされる者であつたものに相当するものをいう。

第百七十四条の五十の二 地方自治法第二百五十二条の十八第一項但書及び附則第七条第一項但書に規定する政令で定める基準は、左の通りとする。

一 最短年金年限が十七年であること。

二 退職年金の年額が、在職期間が十七年の場合におい

ては、退職当時の給料年額の百五十分の五十に相当する金額であり、在職期間が十七年をこえる場合においては、当該金額にそのこえる年数一年につき退職当時の給料年額の百五十分の一に相当する金額を加えた金額であること。

第百七十四条の五十一　都道府県又は市町村は、公務員であつた者（普通恩給権、都道府県の退職年金権又は市町村の退職年金権を有する者を除く。以下次項において同じ。）で引き続いて当該都道府県の職員又は当該市町村の教育職員となつたものが退職（在職中の死亡を含む。以下本章において同じ。）した場合において、当該就職前の公務員としての在職期間、都道府県の職員としての在職期間及び市町村の教育職員としての在職期間（以下本章中「当該就職前の在職期間」という。）と当該就職後の在職期間とを合算して当該都道府県又は当該市町村の最短年金年限に達しないときは、当該就職後の在職期間に引き続く当該就職前の在職期間（以下本章中「接続在職期間」という。）を当該就職後の在職期間に通算するものとする。

②　都道府県又は市町村は、公務員であつた者で当該都道府県の職員又は当該市町村の教育職員となつたものが退職した場合において、当該就職前の在職期間と当該就職後の在職期間とを合算して当該都道府県又は当該市町村の最短年金年限に達するときは、当該就職前の在職期間を当該就職後の在職期間に通算するものとする。

③　都道府県又は市町村は、普通恩給権、都道府県の退職年金権又は市町村の退職年金権を有する公務員であつた者で当該都道府県の職員又は当該市町村の教育職員となつたものが退職した場合において、当該就職後の在職期間が一年以上であるとき（当該就職後の在職期間と接続在職期間とを合算して一年以上であるときを含む。以下次条第三項及び第百七十四条の五十三第三項において同じ。）は、当該就職前の在職期間を当該就職後の在職期間に通算するものとする。但し、当該就職前の在職期間と当該就職後の在職期間とを合算しても当該都道府県又は当該市町村の最短年金年限に達しないときは、この限りでない。

第百七十四条の五十二　都道府県又は市町村は、他の都道府県の職員若しくは市町村の教育職員又は都道府県の職員若しくは他の市町村の教育職員であつた者（普通恩給権、都道府県の退職年金権又は市町村の退職年金権を有する者を除く。以下次項において同じ。）で引き続いて当該都道府県の職員又は当該市町村の教育職員となつたものが退職した場合において、当該就職前の在職期間と当該就職後の在職期間とを合算して当該都道府県又は当該市町村の最短年金年限に達しないときは、接続在職期間を当該就職後の在職期間に通算するものとする。

②　都道府県又は市町村は、他の都道府県の職員若しくは市町村の教育職員又は都道府県の職員若しくは他の市町村の教育職員であつた者で当該都道府県の職員又は当該市町村の教育職員となつたものが退職した場合において、当該就職前の在職期間と当該就職後の在職期間とを合算して当該都道府県又は当該市町村の最短年金年限に達するときは、当該就職前の在職期間を当該就職後の在職期間に通算するものとする。

③　都道府県又は市町村は、普通恩給権、都道府県の退職年金権若しくは市町村の退職年金権を有する他の都道府県の職員若しくは市町村の教育職員又は都道府県の職員若しくは他の市町村の教育職員であつた者で当該都道府県の職員又は当該市町村の教育職員となつたものが退職した場合において、当該就職後の在職期間が一年以上であるときは、当該就職前の在職期間を当該就職後の在職期間に通算するものとする。但し、当該就職前の在職期間と当該就職後の在職期間とを合算しても当該都道府県又は当該市町村の最短年金年限に達しないときは、この限りでない。

第百七十四条の五十三　都道府県の職員又は市町村の教育職員であつた者（普通恩給権、都道府県の退職年金権又は市町村の退職年金権を有する者を除く。以下次項において同じ。）で引き続いて公務員となつたものが退職した場合において、当該就職前の在職期間と当該就職後の在職期間とを合算して最短恩給年限に達しないときは、接続在職期間を当該就職後の在職期間に通算する。

②　都道府県の職員又は市町村の教育職員であつた者で公務員となつたもの（公務員となり、公務員を退職し、更に公務員となつたものを含む。以下次項において同じ。）が退職した場合において、当該就職前の在職期間と当該就職後の在職期間とを合算して最短恩給年限に達するときは、当該就職前の在職期間を当該就職後の在職期間に通算する。

③　都道府県の退職年金権若しくは市町村の退職年金権を有する都道府県の職員又は市町村の教育職員であつた者（普通恩給権を有する者を除く。）で公務員となつたものが退職した場合において、当該就職後の在職期間が一年以上であるときは、当該就職前の在職期間を当該就職後の在職期間に通算する。但し、当該就職前の在職期間と当該就職後の在職期間とを合算しても最短恩給年限に達しないときは、この限りでない。

第百七十四条の五十四　都道府県又は市町村が当該都道府県の職員又は当該市町村の教育職員としての在職期間に

通算すべき公務員としての在職期間は、恩給の基礎となるべき在職期間によるものとする。

② 都道府県又は市町村は、当該都道府県の職員としての在職期間に通算すべき他の都道府県の職員若しくは市町村の教育職員としての在職期間又は当該市町村の教育職員としての在職期間に通算すべき都道府県の職員若しくは他の市町村の教育職員としての在職期間は、次条に規定する公務員としての在職期間に通算されるべき都道府県の職員又は市町村の教育職員としての在職期間の計算の例により計算するものとする。

③ 都道府県又は市町村は、当該都道府県の教育職員又は当該市町村の教育職員（第百七十四条の五十第二項第一号及び第三号に掲げる者に限る。以下次項まで並びに次条第一項第四号及び第二項において同じ。）としての在職期間に引き続く当該都道府県の準教育職員又は当該市町村の準教育職員としての在職期間の二分の一に相当する期間を当該都道府県の教育職員又は当該市町村の教育職員としての在職期間に通算することとしている場合においては、当該都道府県の教育職員若しくは準教育職員又は当該市町村の教育職員若しくは準教育職員としての在職期間に引き続く他の都道府県若しくは市町村又は都道府県若しくは他の市町村の準教育職員としての在職期間の二分の一に相当する期間（当該都道府県又は市町村が、当該都道府県の職員又は当該市町村の教育職員の退職年金の算定の基礎となるべき在職期間に、当該都道府県の教育職員又は当該市町村の教育職員としての在職期間に引き続く当該都道府県の準教育職員又は当該市町村の準教育職員としての在職期間の二分の一に相当する期間を通算することとするほか、当該二分の一に相当する期間を加えることとしている場合（次項において「当該都道府県等の準教育職員としての在職期間の二分の一に相当する期間を加えることとしている場合」という。）には、当該都道府県の職員又は当該市町村の教育職員の退職年金の算定の基礎となるべき在職期間については、当該他の都道府県若しくは市町村又は都道府県若しくは他の市町村の準教育職員としての在職期間の二分の一に相当する期間に当該二分の一に相当する期間を加えた期間）を当該都道府県の教育職員又は当該市町村の教育職員としての在職期間に通算するものとする。ただし、当該都道府県又は当該市町村と同様の措置を他の都道府県若しくは市町村又は都道府県若しくは他の市町村が講じていない場合は、この限りでない。

④ 前項に規定するもののほか、都道府県又は市町村は、当該都道府県等の準教育職員としての在職期間の二分の一に相当する期間を加えることとしている場合において、当該都道府県の職員又は当該市町村の教育職員の退職年金の算定の基礎となるべき在職期間に、当該都道府県の準教育職員又は当該市町村の準教育職員を退職した後において当該都道府県の教育職員又は当該市町村の教育職員となつた者のうち、当該都道府県の準教育職員又は当該市町村の準教育職員を入営、組織の改廃その他その者の事情によらないで引き続いて勤務することを困難とする理由（以下この項及び次条第二項において「入営等の理由」という。）により退職した者及び当該都道府県の教育職員又は当該市町村の教育職員となるため当該都道府県の準教育職員又は当該市町村の準教育職員を退職した者の当該都道府県の準教育職員又は当該市町村の準教育職員としての在職期間を加えることとしているときは、当該都道府県の職員又は当該市町村の教育職員の退職年金の算定の基礎となるべき在職期間については、他の都道府県若しくは市町村又は都道府県若しくは他の市町村の準教育職員を退職した後において当該都道府県の教育職員又は当該市町村の教育職員となつた者のうち、当該他の都道府県若しくは市町村又は都道府県若しくは他の市町村の準教育職員を入営等の理由により退職した者及び当該都道府県の教育職員又は当該市町村の教育職員となるため当該他の都道府県若しくは市町村又は都道府県若しくは他の市町村の準教育職員を退職した者の当該他の都道府県若しくは市町村の準教育職員若しくは他の市町村の準教育職員としての在職期間を当該都道府県の教育職員又は当該市町村の教育職員としての在職期間に通算するものとする。この場合においては、前項ただし書の規定を準用する。

⑤ 前二項に規定するもののほか、都道府県又は市町村は、当該都道府県の職員又は当該市町村の教育職員の退職年金の算定の基礎となるべき在職期間に、当該都道府県の教育職員（第百七十四条の五十第一項第八号ハに掲げる者に限る。以下この項及び次条第一項第六号において同じ。）又は当該市町村の教育職員（第百七十四条の五十第二項第一号ハに掲げる者に限る。以下この項及び次条第一項第六号において同じ。）を退職した者で、その後において当該都道府県の代用教員等又は当該市町村の代用教員等となり引き続き当該都道府県の教育職員又は当該市町村の教育職員となつたもの（当該都道府県の代用教員等又は当該市町村の代用教員等が引き続き当該都道府県の準教育職員（学校教育法第一条に規定する高等学校の常時勤務に服することを要する講師を除く。以下この項及び次条第一項第六号において同じ。）又は当該市町村の準教育職員（同法第一条に規定する幼稚園の助教諭、養護助教諭及び常時勤務に服することを要する

講師に限る。以下この項及び次条第一項第六号において同じ。）となり、更に引き続き当該都道府県の教育職員又は当該市町村の教育職員となつたものを含む。）に係る当該都道府県の代用教員等又は当該市町村の代用教員等としての在職期間が通算することとされている場合において、当該都道府県の職員又は当該市町村の教育職員の退職年金の算定の基礎となるべき在職期間については、他の都道府県の教育職員若しくは市町村の教育職員又は都道府県の教育職員若しくは他の市町村の教育職員を当該都道府県の教育職員又は当該市町村の教育職員と、他の都道府県の準教育職員若しくは市町村の準教育職員又は都道府県の準教育職員若しくは他の市町村の準教育職員を当該都道府県の準教育職員又は当該市町村の準教育職員と、他の都道府県若しくは市町村の代用教員等又は都道府県若しくは他の市町村の代用教員等を当該都道府県の代用教員等又は当該市町村の代用教員等とみなしたならば当該他の都道府県若しくは市町村の代用教員等又は都道府県若しくは他の市町村の代用教員等としての在職期間が当該都道府県の教育職員又は当該市町村の教育職員としての在職期間に通算されることとなるときは、当該他の都道府県若しくは市町村の代用教員等又は都道府県若しくは他の市町村の代用教員等としての在職期間を通算するものとする。この場合においては、第三項ただし書の規定を準用する。

第百七十四条の五十五　公務員としての在職期間に通算すべき都道府県の職員又は市町村の教育職員としての在職期間には、次の各号に掲げる在職期間が都道府県の職員又は市町村の教育職員としての在職期間に通算されることとなつている場合においては、これらの期間（当該都道府県又は当該市町村が、当該都道府県の職員又は当該市町村の教育職員の退職年金の算定の基礎となるべき在職期間に、第四号に掲げる期間を通算するほか、同号に掲げる期間に相当する期間を加算し、又は通算することとしている場合（次項において「当該都道府県等の準教育職員としての在職期間の二分の一に相当する期間の加算等をすることとしている場合」という。）には、普通恩給の算定の基礎となるべき公務員としての在職期間については、当該相当する期間を含む。）を含むものとする。

一　都道府県の職員であつた者で地方自治法の一部を改正する法律（昭和三十一年法律第百四十七号）附則第十項の規定により引き続いて指定都市の職員となつたものが、更に引き続いて都道府県の職員となつた場合における当該指定都市の職員としての在職期間

二　都の職員であつた者で引き続いて特別区の職員となつたものが、更に引き続いて都の職員となつた場合における当該特別区の職員としての在職期間

三　次に掲げる場合における旧日本住宅公団、旧愛知用水公団、旧農地開発機械公団、旧日本道路公団、旧首都高速道路公団、旧阪神高速道路公団、旧森林開発公団、旧原子燃料公社、旧公営企業金融公庫、旧労働福祉事業団又は旧雇用促進事業団（以下この号において「公団等」という。）の役員又は職員（以下この号において「役員等」という。）としての在職期間（当該在職期間と都道府県の職員としての在職期間（第百七十四条の五十一又は第百七十四条の五十二の規定により都道府県の職員としての在職期間に通算されるべき公務員又は他の都道府県の職員若しくは市町村の教育職員としての在職期間を含む。以下この号及び第五号において同じ。）又は市町村の教育職員としての在職期間（第百七十四条の五十一又は第百七十四条の五十二の規定により市町村の教育職員としての在職期間に通算されるべき公務員又は都道府県の職員若しくは他の市町村の教育職員としての在職期間を含む。以下この号において同じ。）とを合算して都道府県又は市町村の最短年金年限に達する場合に限る。）

イ　公団等の設立の際現に都道府県の職員又は市町村の教育職員であつた者が、公団等の設立の際又はその後において都道府県の職員としての在職期間又は市町村の教育職員としての在職期間が最短年金年限に達することなく引き続いて公団等の役員等となり、更に引き続いて都道府県の職員又は市町村の教育職員となつた場合

ロ　公団等の設立の際現に都道府県の職員又は市町村の教育職員であつた者が、引き続いて公務員となり、その公務員としての在職期間（第百七十四条の五十三の規定により公務員としての在職期間に通算されるべき都道府県の職員又は市町村の教育職員としての在職期間を含む。）が最短恩給年限に達することなく引き続いて公団等の役員等となり、更に引き続いて公務員となり、更に引き続いて都道府県の職員又は市町村の教育職員となつた場合

ハ　公団等の設立の際現に公務員であつた者が、引き続いて都道府県の職員又は市町村の教育職員となり、その都道府県の職員としての在職期間又は市町村の教育職員としての在職期間が最短年金年限に達することなく公団等の役員等となり、更に引き続いて都道府県の職員又は市町村の教育職員となつた場合

四　都道府県の教育職員又は市町村の教育職員としての

在職期間に引き続く当該都道府県の準教育職員又は当該市町村の準教育職員としての在職期間（前条第三項の規定により当該都道府県の教育職員としての在職期間又は当該市町村の教育職員としての在職期間に通算されるべき他の都道府県若しくは市町村又は都道府県若しくは他の市町村の準教育職員としての在職期間を含む。）の二分の一に相当する在職期間

五　旧国民医療法（昭和十七年法律第七十号）に規定する日本医療団に勤務していた者で日本医療団の業務の都道府県への引継ぎに伴い、引き続いて都道府県の職員となつたものの日本医療団の職員としての在職期間のうち昭和二十二年五月三日以後の期間（当該期間と都道府県の職員としての在職期間とを合算して都道府県の最短年金年限に達する場合に限る。）

六　都道府県の教育職員又は市町村の教育職員を退職した者が、その後において当該都道府県の代用教員等又は当該市町村の代用教員等となり引き続き当該都道府県の教育職員又は当該市町村の教育職員となつた場合（当該都道府県の代用教員等又は当該市町村の代用教員等が引き続き当該都道府県の準教育職員又は当該市町村の準教育職員となり、更に引き続き当該都道府県の教育職員又は当該市町村の教育職員となつた場合を含む。）における当該都道府県の代用教員等又は当該市町村の代用教員等としての在職期間（前条第五項の規定により当該都道府県の教育職員としての在職期間又は当該市町村の教育職員としての在職期間に通算されるべき他の都道府県若しくは市町村の代用教員等又は都道府県若しくは他の市町村の代用教員等としての在職期間を含む。）のうち昭和二十二年五月三日以後における期間

② 前項に規定するもののほか、普通恩給の算定の基礎となるべき公務員としての在職期間に通算すべき都道府県の職員又は市町村の教育職員としての在職期間には、都道府県の準教育職員又は市町村の準教育職員を退職した後において当該都道府県の教育職員又は当該市町村の教育職員となつた者のうち、当該都道府県の準教育職員又は当該市町村の準教育職員を入営等の理由により退職した者及び当該都道府県の教育職員又は当該市町村の教育職員となるため当該都道府県の準教育職員又は当該市町村の準教育職員を退職した者の当該都道府県の準教育職員又は当該市町村の準教育職員としての在職期間（前条第四項の規定により当該都道府県の教育職員としての在職期間又は当該市町村の教育職員としての在職期間に通算されるべき他の都道府県若しくは市町村又は都道府県若しくは他の市町村の準教育職員としての在職期間を含む。以下この項において「当該都道府県等の準教育職員としての在職期間」という。）が都道府県の職員又は市町村の教育職員の退職年金の算定の基礎となるべき在職期間に加えられ、又は通算されることとなつている場合（当該都道府県等の準教育職員としての在職期間の二分の一に相当する期間の加算等をすることとしている場合に限る。）においては、当該都道府県等の準教育職員としての在職期間を含むものとする。

③ 公務員としての在職期間に通算すべき第百七十四条の五十第一項第二十三号に規定する都道府県の職員としての在職期間は、昭和二十二年五月三日以後の在職期間に限る。

④ 前三項に規定するもののほか、公務員としての在職期間に通算すべき都道府県の職員又は市町村の教育職員としての在職期間は、恩給法第二十条第一項に規定する文官としての恩給の基礎となるべき在職期間の計算の例により計算する。

第百七十四条の五十六　都道府県又は市町村は、都道府県の退職年金権を有しない当該都道府県の職員であつた者又は市町村の退職年金権を有しない当該市町村の教育職員であつた者が引き続いて他の都道府県の職員、市町村の教育職員若しくは公務員又は都道府県の職員、他の市町村の教育職員若しくは公務員となつたときは、当該就職後の在職期間に接続する当該都道府県の職員としての在職期間（第百七十四条の五十一第一項又は第百七十四条の五十二第一項の規定により都道府県の職員としての在職期間に通算されるべき公務員又は都道府県の職員若しくは市町村の教育職員としての在職期間を含む。以下第百七十四条の五十八第一項及び第百七十四条の五十九において同じ。）又は当該市町村の教育職員としての在職期間（第百七十四条の五十一第一項又は第百七十四条の五十二第一項の規定により市町村の教育職員としての在職期間に通算されるべき公務員又は都道府県の職員若しくは市町村の教育職員としての在職期間を含む。以下第百七十四条の五十八第一項及び第百七十四条の五十九において同じ。）に係る退職一時金を支給しないものとする。

② 普通恩給権を有しない公務員であつた者が引き続いて都道府県の職員又は市町村の教育職員となつたときは、当該就職後の在職期間に接続する公務員としての在職期間（第百七十四条の五十三第一項の規定により公務員としての在職期間に通算されるべき都道府県の職員又は市町村の教育職員としての在職期間を含む。以下第百七十四条の五十八第一項及び第百七十四条の五十九において同じ。）に係る一時恩給は、これを支給しない。

第百七十四条の五十七　都道府県又は市町村は、当該都道府県の退職年金権を有する者又は当該市町村の退職年金権を有する者が他の都道府県の職員、市町村の教育職員若しくは公務員又は都道府県の職員、他の市町村の教育職員若しくは公務員となつた場合においては、当該就職の日の属する月の翌月から当該他の都道府県の職員、市町村の教育職員若しくは公務員又は当該都道府県の職員、他の市町村の教育職員若しくは公務員を退職した日の属する月までの間に係る退職年金の支給を停止し、その者について都道府県の退職年金権若しくは遺族年金権、市町村の退職年金権若しくは遺族年金権又は普通恩給権若しくは扶助料権が発生したときは、当該都道府県の退職年金権又は当該市町村の退職年金権を消滅させるものとする。

② 普通恩給権を有する公務員であつた者が都道府県の職員又は市町村の教育職員となつた場合においては、当該就職の日の属する月の翌月から当該都道府県の職員又は市町村の教育職員を退職した日の属する月までの間に係る普通恩給の支給は、これを停止する。

③ 月の末日に公務員、都道府県の職員又は市町村の教育職員を退職した者（普通恩給権、都道府県の退職年金権又は市町村の退職年金権を有する者に限る。）が、その月の翌月の初日に都道府県の職員若しくは市町村の教育職員に就職した場合、公務員、他の都道府県の職員若しくは市町村の教育職員に就職した場合又は公務員、都道府県の職員若しくは他の市町村の教育職員に就職した場合における普通恩給、都道府県の退職年金又は市町村の退職年金の支給の停止については、前二項の規定にかかわらず、当該就職した月から停止するものとする。

第百七十四条の五十八　都道府県又は市町村は、第百七十四条の五十一第二項又は第百七十四条の五十二第二項の場合において、左の各号に掲げる者に退職年金を支給するときは、当該各号に掲げる額の十五分の一に相当する額を減じた額をもつて退職年金の年額とするものとする。

一　公務員、他の都道府県の職員若しくは市町村の教育職員又は公務員、都道府県の職員若しくは他の市町村の教育職員であつた者で引き続いて当該都道府県の職員又は当該市町村の教育職員となつたもののうち、接続在職期間の直前に、これに引き続かない最短一時恩給年限以上の公務員としての在職期間でその年数一年を二月に換算した月数内に接続在職期間が始まるもの（以下本号中「前在職期間」という。）を有する者　換算月数と前在職期間が終る月の翌月から接続在職期間が始まる月までの月数との差月数を前在職期間に対して受けた一時恩給の額の算出の基礎となつた俸給月額の二分の一に乗じて得た額

二　公務員、他の都道府県の職員若しくは市町村の教育職員又は公務員、都道府県の職員若しくは他の市町村の教育職員であつた者で引き続いて当該都道府県の職員又は当該市町村の教育職員となつたもののうち、接続在職期間の直前に、これに引き続かない最短一時金年限以上の他の都道府県の職員としての在職期間若しくは市町村の教育職員としての在職期間又は都道府県の職員としての在職期間若しくは他の市町村の教育職員としての在職期間でその年数一年を二月に換算した月数内に接続在職期間が始まるもの（以下本号中「前在職期間」という。）を有する者　換算月数と前在職期間が終る月の翌月から接続在職期間が始まる月までの月数との差月数を前在職期間に対して受けた退職一時金の額の算出の基礎となつた給料月額の二分の一に乗じて得た額

三　公務員、他の都道府県の職員若しくは市町村の教育職員又は公務員、都道府県の職員若しくは他の市町村の教育職員であつた者で引き続くことなく当該都道府県の職員又は当該市町村の教育職員となつたもののうち、当該就職後の在職期間の直前に、最短一時恩給年限以上の公務員としての在職期間、最短一時金年限以上の他の都道府県の職員としての在職期間若しくは市町村の教育職員としての在職期間又は最短一時金年限以上の都道府県の職員としての在職期間若しくは他の市町村の教育職員としての在職期間でその年数一年を二月に換算した月数内に当該就職後の在職期間が始まるもの（以下本号中「前在職期間」という。）を有する者　換算月数と前在職期間が終る月の翌月から当該就職後の在職期間が始まる月までの月数との差月数を前在職期間に対して受けた一時恩給又は退職一時金の額の算出の基礎となつた俸給月額又は給料月額の二分の一に乗じて得た額

② 都道府県又は市町村は、第百七十四条の五十一第二項又は第百七十四条の五十二第二項の場合において、前項各号に掲げる者が在職中死亡したことにより遺族年金を支給するときは、当該各号に掲げる額の三十分の一に相当する額を減じた額をもつて遺族年金の年額とするものとする。

第百七十四条の五十九　第百七十四条の五十三第二項の場合において、左の各号に掲げる者に普通恩給を支給するときは、当該各号に掲げる額の十五分の一に相当する額を減じた額をもつて普通恩給の年額とする。

一　都道府県の職員又は市町村の教育職員であつた者で

引き続いて公務員となつたもののうち、接続在職期間の直前に、これに引き続かない最短一時恩給年限以上の公務員としての在職期間でその年数一年を二月に換算した月数内に接続在職期間が始まるもの（以下本号中「前在職期間」という。）を有する者　換算月数と前在職期間が終る月の翌月から接続在職期間が始まる月までの月数との差月数を前在職期間に対して受けた一時恩給の額の算出の基礎となつた俸給月額の二分の一に乗じて得た額

二　都道府県の職員又は市町村の教育職員であつた者で引き続いて公務員となつたもののうち、接続在職期間の直前に、これに引き続かない最短一時金年限以上の都道府県の職員としての在職期間又は市町村の教育職員としての在職期間でその年数一年を二月に換算した月数内に接続在職期間が始まるもの（以下本号中「前在職期間」という。）を有する者　換算月数と前在職期間が終る月の翌月から接続在職期間が始まる月までの月数との差月数を前在職期間に対して受けた退職一時金の額の算出の基礎となつた給料月額の二分の一に乗じて得た額

三　都道府県の職員又は市町村の教育職員であつた者で引き続くことなく公務員となつたもののうち、当該就職後の在職期間の直前に、最短一時金年限以上の都道府県の職員としての在職期間又は市町村の教育職員としての在職期間でその年数一年を二月に換算した月数内に当該就職後の在職期間が始まるもの（以下本号中「前在職期間」という。）を有する者　換算月数と前在職期間が終る月の翌月から当該就職後の在職期間が始まる月までの月数との差月数を前在職期間に対して受けた退職一時金の額の算出の基礎となつた給料月額の二分の一に乗じて得た額

第百七十四条の六十　都道府県又は市町村は、第百七十四条の五十一第三項又は第百七十四条の五十二第三項の場合において、普通恩給権を有する者に退職年金を支給するときは、その者の受ける普通恩給の年額に相当する額を減じた額をもつて退職年金の年額とするものとする。

②　都道府県又は市町村は、第百七十四条の五十一第三項又は第百七十四条の五十二第三項の場合において、普通恩給権を有する者が在職中死亡したことにより遺族年金を支給するときは、その者の遺族の受ける扶助料の年額に相当する額を減じた額をもつて遺族年金の年額とするものとする。

第百七十四条の六十一　都道府県又は市町村は、第百七十四条の五十一第三項又は第百七十四条の五十二第三項の場合において、当該都道府県又は当該市町村の最短年金年限に達しない者があるときは、その者の第百七十四条の五十一第三項又は第百七十四条の五十二第三項に規定する当該就職後の在職期間に係る退職一時金又は遺族一時金を支給しないものとする。ただし、当該就職後の在職期間に係る退職一時金又は遺族一時金を支給すべき相当の理由があるときは、この限りでない。

②　第百七十四条の五十三第三項の場合において、最短恩給年限に達しない者があるときは、その者の同条同項に規定する当該就職後の在職期間に係る一時恩給又は一時扶助料は、これを支給しない。

第百七十四条の六十二　都道府県又は市町村は、他の都道府県若しくは他の市町村の退職年金権を有する者又は都道府県若しくは他の市町村の退職年金権を有する者が当該都道府県の職員又は当該市町村の教育職員となつたとき、及びその者が退職したときは、すみやかにその旨をその者に退職年金を支給する他の都道府県若しくは市町村又は都道府県若しくは他の市町村に通知するものとする。

②　前項に規定する退職の通知をする場合においては、その者について当該都道府県の退職年金権若しくは遺族年金権又は当該市町村の退職年金権若しくは遺族年金権が発生しないときはその旨を、当該都道府県の退職年金権若しくは遺族年金権又は当該市町村の退職年金権若しくは遺族年金権が発生するときはその退職年金権又は遺族年金権の裁定をした旨をあわせて通知するものとする。

③　都道府県又は市町村は、普通恩給権を有する者が当該都道府県の職員又は当該市町村の教育職員となつたとき、及びその者が退職したときは、すみやかにその旨をその者の普通恩給権の裁定庁に通知するものとする。

第百七十四条の六十三　都道府県又は市町村の退職年金権を有する者が公務員となつたとき、及びその者が退職したときは、その者の任命権者は、すみやかにその旨をその者に退職年金を支給する都道府県又は市町村に通知しなければならない。

②　前項に規定する退職の通知をする場合において、その者について普通恩給権又は扶助料権が発生しないときは、あわせてその旨を通知しなければならない。

③　第百七十四条の五十三第三項の規定により在職期間を通算されるべき者について普通恩給権又は扶助料権の裁定をしたときは、その裁定庁は、すみやかにその旨をその者に退職年金を支給する都道府県又は市町村に通知しなければならない。

第百七十四条の六十四　都道府県又は市町村は、普通恩給権、他の都道府県の退職年金権若しくは市町村の退職年金権を有する者又は普通恩給権、都道府県の退職年金権

自治令

若しくは他の市町村の退職年金権を有する者が当該都道府県の職員又は当該市町村の教育職員となつたときは、その者に、すみやかにその旨を当該普通恩給権の裁定庁又は当該退職年金を支給する都道府県若しくは市町村に届け出させるものとする。

② 都道府県又は市町村の退職年金権を有する者が公務員となつたときは、その者は、すみやかにその旨を当該都道府県又は当該市町村に届け出なければならない。

第百七十四条の六十五　恩給法第二条第一項に規定する増加恩給又はこれに相当する都道府県若しくは市町村の退職年金条例に規定する給付を受ける権利を有するに至つた者の恩給の基礎となるべき在職期間と都道府県又は市町村の退職年金条例の規定による退職年金及び退職一時金の基礎となるべき在職期間の通算については、前十四条の規定に準じて、別に政令で定める。

第十章　補則

第百七十五条　削除〔昭三七・九政令三九一〕

第百七十六条　地方自治法第二百五十四条の公示の人口の調査期日以後において、都道府県又は郡（北海道にあつては支庁長の管轄区域本章中以下これに同じ。）の境界にわたつて市町村の廃置分合若しくは境界変更があつた場合、都道府県又は郡の境界にわたつて市町村の境界が確定した場合、従来地方公共団体の区域に属しなかつた地域を都道府県若しくは市町村の区域に編入した場合、郡の区域内において市の設置があつた場合若しくは町村が市となつた場合又は市が町村となつた場合においては当該区域に現住者がない場合を除く外、都道府県又は郡の区域の人口は、左の区分により都道府県知事の告示した人口による。

一　郡にあつては、地方自治法第二百五十四条又はこの政令第百七十七条の規定による町村の人口を集計したもの

二　都道府県にあつては、地方自治法第二百五十四条若しくはこの政令第百七十七条の規定による市町村の人口を集計したもの又は従来地方公共団体の区域に属しなかつた地域を都道府県の区域に編入したときは編入の日の現在により都道府県知事の調査した当該地域の人口を都道府県の人口に加えたもの

② 前項第一号の規定は、郡の区域をあらたに画し又はこれを変更した場合に、同項第二号の規定は、都道府県の廃置分合又は境界変更があつた場合にこれを準用する。

第百七十七条　地方自治法第二百五十四条の公示の人口の調査期日以後において、市町村の廃置分合若しくは境界変更があつた場合、従来地方公共団体の区域に属しなかつた地域を市町村の区域に編入した場合又は市町村の境界が確定した場合においては、当該区域に現住者がない場合を除く外、関係市町村の人口は、左の区分により都道府県知事の告示した人口による。

一　数市町村の全部の区域を以て一市町村を設置した場合又は一市町村若しくは数市町村の全部の区域を他の市町村の区域に編入した場合においては、関係市町村の官報で公示された最近の国勢調査若しくはこれに準ずる全国的な人口調査の結果による人口を集計したもの

二　前号以外の場合においては、当該市町村の官報で公示された最近の国勢調査若しくはこれに準ずる全国的な人口調査の結果による人口を廃置分合、境界変更又は境界確定のあつた日の現在により都道府県知事の調査した人口に比例して算出した当該区域の官報で公示された最近の国勢調査若しくはこれに準ずる全国的な人口調査の結果による人口若しくはその人口を集計したもの又はその人口を関係市町村の官報で公示された最近の国勢調査若しくはこれに準ずる全国的な人口調査の結果による人口に加え若しくは関係市町村の官報で公示された最近の国勢調査若しくはこれに準ずる全国的な人口調査の結果による人口から差し引いたもの

三　従来地方公共団体の区域に属しなかつた地域を市町村に編入したときは、編入の日の現在により都道府県知事の調査した当該区域の人口を関係市町村の官報で公示された最近の国勢調査若しくはこれに準ずる全国的な人口調査の結果による人口に加えたもの

四　従来地方公共団体の区域に属しなかつた地域を以て市町村を設置した場合においては、設置の日の現在により当該地域について都道府県知事の調査したもの

② 前項の規定は、指定都市の区若しくは総合区を新たに設け、又はこれらの区域を変更した場合にこれを準用する。

第百七十八条　郡の区域内において町村が市となつたときは、郡の区域も、また自ら変更する。

② 市が町村となつたときは、その町村の属すべき郡の区域は、都道府県知事が当該都道府県の議会の議決を経てこれを定め、総務大臣に届け出なければならない。

③ 前項の場合においては、総務大臣は、直ちにその旨を告示するとともに、これを国の関係行政機関の長に通知しなければならない。

④ 地方自治法第七条第八項の規定は、第二項の規定による処分にこれを準用する。

第百七十八条の二　地方自治法第二百五十五条の五第一項

に規定する審査請求（以下この条において「審査請求」という。）についての行政不服審査法（平成二十六年法律第六十八号）の規定の適用については、次の表の上欄に掲げる同法の規定中同表の中欄に掲げる字句は、それぞれ同表の下欄に掲げる字句とする。

第十一条第二項	第九条第一項の規定により指名された者（以下「審理員」という。）	自治紛争処理委員
第十三条第一項及び第二項、第二十五条第七項並びに第二十八条	審理員	自治紛争処理委員
第二十九条第一項	審理員	自治紛争処理委員
	指名された	任命された
第二十九条第二項及び第五項、第三十条、第三十一条、第三十二条第三項、第三十三条から第三十七条まで、第三十八条第一項から第三項まで及び第五項、第三十九条、第四十条並びに第四十一条第一項及び第二項	審理員	自治紛争処理委員
第四十一条第三項	審理員が	自治紛争処理委員が
	審理員意見書	自治紛争処理委員意見書
第四十二条	審理員は	自治紛争処理委員は
	審理員意見書	自治紛争処理委員意見書
第四十四条	行政不服審査会等から諮問に対する答申を受けたとき（前条第一項の規定による諮問を要しない場合（同項第二号又は第三号に該当する場合を除く。）にあっては審理員意見書が提出されたとき、同項第二号又は第三号に該当する場合にあっては同項第二号又は第三号に規定する議を経たとき）	自治紛争処理委員意見書が提出されたとき
第五十条第一項第四号	審理員意見書又は行政不服審査会等若しくは審議会等の答申書	自治紛争処理委員意見書
第五十条第二項	第四十三条第一項の規定による行政不服審査会等への諮問を要しない場合には、前項の裁決書には、審理員意見書	前項の裁決書には、自治紛争処理委員意見書

② 審査請求については、行政不服審査法施行令第一条及び第二条の規定は適用しないものとし、同令の他の規定の適用については、次の表の上欄に掲げる同令の規定中同表の中欄に掲げる字句は、それぞれ同表の下欄に掲げる字句とする。

第三条第二項	審理員	自治紛争処理委員
	指名されている	任命されている
第八条、第九条並びに第十三条第一項及び第二項	審理員	自治紛争処理委員
第十五条第一項第五号	若しくは特定意見聴取、法	、法
第十六条	審理員は	自治紛争処理委員は
	審理員意見書	自治紛争処理委員意見書

③ 審査請求に関しては、次に掲げる事項は、自治紛争処理委員の合議によるものとする。

一 第一項の規定により読み替えて適用する行政不服審査法（以下この項において「読替え後の行政不服審査法」という。）第十一条第二項の規定による総代の互選を命ずる決定

二 読替え後の行政不服審査法第十三条第一項の規定に

よる利害関係人（同項に規定する利害関係人をいう。次号において同じ。）が審査請求に参加することの許可についての決定

三　読替え後の行政不服審査法第十三条第二項の規定による利害関係人に審査請求への参加を求める決定

四　読替え後の行政不服審査法第三十一条第一項ただし書の規定による申立人（同項本文に規定する申立人をいう。次号において同じ。）に口頭意見陳述（同条第二項に規定する口頭意見陳述をいう。同号において同じ。）の機会を与えないことの決定

五　読替え後の行政不服審査法第三十一条第三項の規定による申立人が補佐人とともに口頭意見陳述に出頭することの許可についての決定

六　読替え後の行政不服審査法第三十二条第三項の規定による証拠書類若しくは証拠物又は書類その他の物件を提出すべき相当の期間の決定

七　読替え後の行政不服審査法第三十三条の規定による物件の提出要求及び提出された物件を留め置くことについての決定

八　読替え後の行政不服審査法第三十四条の規定による参考人の陳述及び鑑定の要求についての決定

九　読替え後の行政不服審査法第三十五条第一項の規定による必要な場所の検証についての決定

十　読替え後の行政不服審査法第三十七条第一項の規定による審理関係人（読替え後の行政不服審査法第二十八条に規定する審理関係人をいう。次号において同じ。）の意見の聴取を行うことの決定

十一　読替え後の行政不服審査法第三十七条第二項の規定による音声の送受信により通話をすることができる方法によつて審理関係人の意見の聴取を行うことの決定

十二　読替え後の行政不服審査法第三十七条第三項の規定による審理手続の終結の予定時期の決定又は変更

十三　読替え後の行政不服審査法第三十八条第一項の規定による閲覧又は交付の拒否の決定

十四　読替え後の行政不服審査法第三十八条第三項の規定による閲覧の日時及び場所の決定

十五　読替え後の行政不服審査法第三十八条第五項の規定による手数料の減免についての決定

十六　読替え後の行政不服審査法第三十九条の規定による審理手続の併合又は分離についての決定

十七　読替え後の行政不服審査法第四十条の規定による執行停止の意見書の提出についての決定

十八　読替え後の行政不服審査法第四十一条第一項及び第二項の規定による審理手続の終結についての決定

十九　読替え後の行政不服審査法第四十二条第一項の規定による同項に規定する自治紛争処理委員意見書の作成についての決定

二十　前項の規定により読み替えて適用する行政不服審査法施行令第八条の規定による映像と音声の送受信により相手の状態を相互に認識しながら通話をすることができる方法によつて審理を行うことの決定

第百七十八条の三　地方自治法第二百五十五条の五第一項に規定する審査の申立て又は審決の申請（以下この条において「審査の申立て等」という。）についての同法第二百五十八条第一項において準用する行政不服審査法（第九条を除く。）の規定の適用については、次の表の上欄に掲げる同法の規定中同表の中欄に掲げる字句は、それぞれ同表の下欄に掲げる字句とする。

第十一条第二項	第九条第一項の規定により指名された者（以下「審理員」という。）	自治紛争処理委員
第十三条第一項及び第二項	審理員	自治紛争処理委員
第二十五条第七項	審理員	自治紛争処理委員
	第四十条	地方自治法第二百五十八条第一項において準用する第四十条
第二十八条	審理員	自治紛争処理委員
第二十九条第一項	審理員	自治紛争処理委員
	指名された	任命された
第二十九条第二項及び第五項	審理員	自治紛争処理委員
第三十条第一項	前条第五項	地方自治法第二百五十八条第一項において準用する前条第五項
	審理員	自治紛争処理委員
第三十条第二項	第四十条	地方自治法第二百五十八条第一項において準用する第四十条

	審理員	自治紛争処理委員
第三十条第三項	審理員	自治紛争処理委員
第三十一条第一項	審理員	自治紛争処理委員
	第四十一条第二項第二号	地方自治法第二百五十八条第一項において準用する第四十一条第二項第二号
第三十一条第二項	前項本文	地方自治法第二百五十八条第一項において準用する前項本文
	審理員	自治紛争処理委員
第三十一条第三項から第五項まで	審理員	自治紛争処理委員
第三十二条第三項	前二項	地方自治法第二百五十八条第一項において準用する前二項
	審理員	自治紛争処理委員
第三十三条、第三十四条及び第三十五条第一項	審理員	自治紛争処理委員
第三十五条第二項	審理員	自治紛争処理委員
	前項	地方自治法第二百五十八条第一項において準用する前項
第三十六条	審理員	自治紛争処理委員
第三十七条第一項	審理員	自治紛争処理委員
	第三十一条	地方自治法第二百五十八条第一項において準用する第三十一条
第三十七条第二項	審理員	自治紛争処理委員
	前項	地方自治法第二百五十八条第一項において準用する前項
第三十七条第三項	審理員	自治紛争処理委員
	前二項	地方自治法第二百五十八条第一項において準用する前二項
	第三十一条	同条第一項において準用する第三十一条
	第四十一条第一項	同項において準用する第四十一条第一項
第三十八条第一項	第四十一条第一項	地方自治法第二百五十八条第一項において準用する第四十一条第一項
	審理員	自治紛争処理委員
	第二十九条第四項各号	同法第二百五十八条第一項において準用する第二十九条第四項各号
	第三十二条第一項	同法第二百五十八条第一項において準用する第三十二条第一項
	次項	同法第二百五十八条第一項において準用する次項
第三十八条第二項	審理員	自治紛争処理委員
	前項	地方自治法第二百五十八条第一項において準用する前項
	同項	同条第一項において準用する前項
第三十八条第三項	審理員	自治紛争処理委員

第三十八条第五項	第一項	地方自治法第二百五十八条第一項において準用する第一項
	審理員	自治紛争処理委員
	前項	地方自治法第二百五十八条第一項において準用する前項
第四十条及び第四十一条第一項	審理員	自治紛争処理委員
第四十一条第二項	前項	地方自治法第二百五十八条第一項において準用する前項
	審理員	自治紛争処理委員
第四十一条第二項第一号	第二十九条第二項	地方自治法第二百五十八条第一項において準用する第二十九条第二項
	第三十条第一項後段	地方自治法第二百五十八条第一項において準用する第三十条第一項後段
	第三十条第二項後段	地方自治法第二百五十八条第一項において準用する第三十条第二項後段
	第三十二条第三項	地方自治法第二百五十八条第一項において準用する第三十二条第三項
	第三十三条前段	地方自治法第二百五十八条第一項において準用する第三十三条前段
第四十一条第三項	審理員が	自治紛争処理委員が地方自治法第二百五十八条第一項において準用する
	次条第一項	同条第一項において準用する次条第一項
	審理員意見書	自治紛争処理委員意見書
	同条第二項及び第四十三条第二項	同法第二百五十八条第一項において準用する次条第二項
第四十二条	審理員は	自治紛争処理委員は
	審理員意見書	自治紛争処理委員意見書
第四十四条	行政不服審査会等から諮問に対する答申を受けたとき（前条第一項の規定による諮問を要しない場合（同項第二号又は第三号に該当する場合を除く。）にあっては審理員意見書が提出されたとき、同項第二号又は第三号に該当する場合にあっては同項第二号又は第三号に規定する議を経たとき）	自治紛争処理委員意見書が提出されたとき
第五十条第一項第四号	第一号	地方自治法第二百五十八条第一項において準用する第一号
	審理員意見書又は行政不服審査会等若しくは審議会等の答申書	自治紛争処理委員意見書
第五十条第二項	第四十三条第一項の規定による行政不服審査会等への諮問を要しない場合には、	地方自治法第二百五十八条第一項において準用する
	審理員意見書	自治紛争処理委員意見書

② 審査の申立て等については、第百七十八条の五において準用する行政不服審査法施行令第一条及び第二条の規

定は適用しないものとし、第百七十八条の五において準用する同令の他の規定の適用については、次の表の上欄に掲げる同令の規定中同表の中欄に掲げる字句は、それぞれ同表の下欄に掲げる字句とする。

第三条第二項	審理員	自治紛争処理委員
	指名されている	任命されている
第八条、第九条並びに第十三条第一項及び第二項	審理員	自治紛争処理委員
第十六条	審理員は	自治紛争処理委員は
	審理員意見書	自治紛争処理委員意見書

③　審査の申立て等に関しては、前条第三項（第十六号を除く。）の規定を準用する。

第百七十八条の四　前二条に規定するものを除くほか、地方自治法第二百五十五条の五第一項の規定による自治紛争処理委員の審理の手続の細目は、総務省令で定める。

第百七十八条の五　第百七十八条の三第二項及び同条第三項において準用する第百七十八条の二第三項第二十号に特別の定めがあるものを除くほか、地方自治法第二百五十八条第一項に規定する異議の申出、審査の申立て又は審決の申請については、行政不服審査法施行令第一章（第十五条第一項第一号及び第二項並びに第十七条を除く。）の規定を準用する。この場合において、同令第十五条第一項第五号中「若しくは特定意見聴取、法」とあるのは、「、法」と読み替えるものとする。

第百七十九条　地方自治法第二百六十条第一項の規定による処分で、旧耕地整理法（明治四十二年法律第三十号）による耕地整理、土地改良法（昭和二十四年法律第百九十五号）による土地改良事業（換地処分を伴うものに限る。）、土地区画整理法による土地区画整理事業又は大都市地域における住宅及び住宅地の供給の促進に関する特別措置法（昭和五十年法律第六十七号）による住宅街区整備事業の施行地区についてするものの効力は、住居表示に関する法律（昭和三十七年法律第百十九号）第二条第一号に規定する街区方式により住居を表示する場合を除き、旧耕地整理法第三十条第四項の規定による換地処分の認可の告示の日、土地改良法第五十四条第四項（同法第八十九条の二第十項、第九十六条及び第九十六条の四第一項において準用する場合を含む。）の規定による換地処分の公告があつた日の翌日又は土地区画整理法第百三条第四項（大都市地域における住宅及び住宅地の供給の促進に関する特別措置法第八十三条において準用する場合を含む。）の規定による換地処分の公告があつた日の翌日からそれぞれ生ずるものとする。

第百八十条　地方自治法第二百六十一条第二項の規定による通知を受理したときは、当該普通地方公共団体の長は、直ちにその旨を選挙管理委員会に通知しなければならない。

②　地方自治法第二百六十一条第二項の規定による市町村長に対する通知をしようとするときは、総務大臣は、関係のある都道府県知事を経なければならない。

③　前項の規定により関係のある都道府県知事が地方自治法第二百六十一条第二項の規定による市町村長に対する通知を受けたときは、直ちにその旨を都道府県の選挙管理委員会に通知しなければならない。

④　前項の規定による通知は、地方自治法第二百六十二条第一項において準用する公職選挙法第百十九条第二項及び第百二十条第三項の規定の適用については、これを同法第百二十条第一項の規定による届出とみなす。

第百八十一条　地方自治法第二百六十一条第三項の規定による賛否の投票の期日は、都道府県にあつては少くともその三十日前に、市町村にあつては少くともその二十日前に、これを告示しなければならない。

②　選挙管理委員会は、前項又は地方自治法第二百六十二条第一項において準用する公職選挙法第百十九条第三項の規定による告示の際併せて当該法律及びその要旨を告示するとともに、投票所の入口その他公衆の見易い場所を選び、これを掲示しなければならない。

第百八十二条　地方自治法第二百六十一条第三項の賛否の投票については、市町村の選挙管理委員会（指定都市においては、区（総合区を含む。第三項において同じ。）の選挙管理委員会）は、関係区域の選挙人名簿に登録された者で同一の政党その他の政治団体に属さないものの中から開票区ごとに三人以上五人以下の開票立会人を選任し、これを開票管理者に通知しなければならない。

②　前項の規定は、選挙立会人について準用する。この場合において、同項中「市町村の選挙管理委員会（指定都市においては、区（総合区を含む。第三項において同じ。）の選挙管理委員会）」とあるのは「当該投票に関する事務を管理する選挙管理委員会」と、「開票区ごとに三人」とあるのは「三人」と、「開票管理者」とあるのは「選挙長」と読み替えるものとする。

③　第一項の規定による市町村の選挙管理委員会の職務は、地方自治法第二百六十二条第一項において準用する

公職選挙法第十八条第二項の規定により数市町村の区域の全部又は一部を合わせて開票区が設けられた場合には関係市町村の選挙管理委員会が協議して定めた市町村の選挙管理委員会（その協議が調わないときは、都道府県の選挙管理委員会）が、同項の規定により指定都市の数区の区域の全部又は一部を合わせて開票区が設けられた場合には当該指定都市の選挙管理委員会が指定した区の選挙管理委員会が、それぞれ行う。

第百八十三条　地方自治法第二百六十一条第三項の賛否の投票の結果が判明したときは、選挙管理委員会は、直ちにこれを公表しなければならない。

②　地方自治法第二百六十一条第四項の規定による報告をするときは、都道府県知事を経由してこれをしなければならない。

第百八十四条　公職選挙法施行令第九条の二、第十条の二、第二十二条の二、第二十四条第一項及び第二項、第二十五条から第二十九条まで、第三十一条から第三十四条の二まで、第三十五条第一項（引き続き都道府県の区域内に住所を有することの確認に関する部分を除く。）及び第二項、第三十六条、第三十七条、第三十九条から第四十四条まで、第四十四条の二（在外選挙人名簿に関する部分を除く。）、第四十五条、第四十六条、第四十八条第一項から第四項まで、第四章の二（第四十八条の三（同令第四十九条の五第二項及び第九十三条第一項に関する部分に限る。）を除く。）、第四十九条の三、第四章の四、第五章（第五十条第五項（引き続き都道府県の区域内に住所を有することの確認に関する部分に限る。）及び第七項、第五十三条第一項（引き続き都道府県の区域内に住所を有することの確認に関する部分及び同令第五十九条の七第一項に規定する南極選挙人証の交付を受けた者に関する部分に限る。）、第五十五条第六項及び第七項、同条第八項及び第九項（公職選挙法第四十九条第七項及び第九項の規定による投票に関する部分に限る。）、第五十六条第一項及び第五項（衆議院比例代表選出議員の選挙に関する部分及び参議院比例代表選出議員の選挙に関する部分に限る。）、第五十九条の三第一項（在外投票に関する部分に限る。）、同条第五項（在外選挙人名簿に関する部分に限る。）、第五十九条の四第三項及び第四項（引き続き都道府県の区域内に住所を有することの確認に関する部分に限る。）、第五十九条の五（衆議院比例代表選出議員の選挙に関する部分及び参議院比例代表選出議員の選挙に関する部分に限る。）、第五十九条の五の四第三項、第六項及び第七項（引き続き都道府県の区域内に住所を有することの確認に関する部分に限る。）、第五十九条の六から第五十九条の八まで、第六十条第二項（同法第四十九条第七項から第九項までの規定による投票に関する部分に限る。）、第六十一条第一項（在外選挙人名簿に関する部分に限る。）、同条第四項、同条第五項（在外選挙人の不在者投票に関する部分に限る。）、第六十二条第二項並びに第六十三条第二項及び第三項（同法第四十九条第七項から第九項までの規定による投票に関する部分に限る。）を除く。）、第六十六条、第六十七条第一項から第六項まで、第六十八条、第七十条の三、第七十一条（在外投票に関する部分を除く。）、第七十二条から第七十四条まで、第七十五条（在外選挙人名簿に関する部分を除く。）、第七十六条（在外投票に関する部分を除く。）、第七十七条、第七十八条第一項から第四項まで、第八十条、第八十一条、第八十三条の二から第八十五条まで、第八十六条第一項、第八十七条第一項、第十章、第百二十九条第一項、第百三十一条第一項、第二項（在外選挙人名簿に関する部分を除く。）及び第三項、第百三十一条の二、第百四十二条第一項（同法第四十九条第一項の規定による投票に関する部分に限る。）及び第二項、第百四十二条の二（同法第四十九条第七項及び第九項の規定による投票に関する部分を除く。）、第百四十二条の三並びに第百四十六条の規定は、地方自治法第二百六十一条第三項の賛否の投票について準用する。この場合において、次の表の上欄に掲げる同令の規定中同表の中欄に掲げる字句は、それぞれ同表の下欄に掲げる字句に読み替えるものとする。

第二十二条の二	その抄本を用いて選挙された衆議院議員、参議院議員又は地方公共団体の議会の議員若しくは長の任期間	賛否の投票の結果が確定するまでの間
第四十一条第四項	公職の候補者（公職の候補者たる参議院名簿登載者を含む。）の氏名若しくは衆議院名簿届出政党等若しくは参議院名簿届出政党等の名称若しくは略称又は公職の候補者に対して	賛否又は
第四十五条	当該選挙に係る衆議院議員、参議院議員又は地方公共団体の議会の議員若しくは長の任期間（当該選挙に用いなかつた投票用紙にあつては、次の各号に掲げ	賛否の投票の結果が確定するまでの間

	る選挙の区分に応じ、当該各号に定める期間）	
第五十六条第一項及び第二項	当該選挙の公職の候補者一人の氏名	賛否
第五十六条第四項	公職の候補者一人の氏名	賛否
第五十六条第五項	公職の候補者の氏名	賛否
第五十九条の五	当該選挙の公職の候補者一人の氏名	賛否
第五十九条の五の二	公職の候補者一人の氏名	賛否
第七十二条	同一の公職の候補者（公職の候補者たる参議院名簿登載者を含む。）、同一の衆議院名簿届出政党等又は同一の参議院名簿届出政党等の得票数（参議院名簿届出政党等にあつては、当該参議院名簿届出政党等に係る各参議院名簿登載者（当該選挙の期日において公職の候補者たる者に限る。）の得票数を含むものをいう。）	賛否の投票数
第七十三条	各公職の候補者（公職の候補者たる参議院名簿登載者を含む。）、各衆議院名簿届出政党等又は各参議院名簿届出政党等の得票数（各参議院名簿届出政党等の得票数にあつては、当該参議院名簿届出政党等に係る各参議院名簿登載者（当該選挙の期日において公職の候補者たる者に限る。）の得票数を含むものをいう。）	賛否の投票数
第七十七条第一項	当該選挙に係る衆議院議員、参議院議員又は地方公共団体の議会の議員若しくは長の任期間	賛否の投票の結果が確定するまでの間
第八十四条	各公職の候補者（公職の候補者たる参議院名簿登載者を含む。）、各衆議院名簿届出政党等又は各参議院名簿届出政党等の得票総数（各参議院名簿届出政党等の得票総数にあつては、当該参議院名簿届出政党等に係る各参議院名簿登載者（当該選挙の期日において公職の候補者たる者に限る。）の得票総数を含むものをいう。）	賛否の投票総数
第八十六条第一項	当該選挙に係る衆議院議員、参議院議員又は地方公共団体の議会の議員若しくは長の任期間	賛否の投票の結果が確定するまでの間

第百八十五条 公職選挙法第二百六十三条第一号から第四号まで及び第五号の規定は、地方自治法第二百六十一条第三項の賛否の投票について準用する。

第百八十六条 地方自治法第二百六十二条第一項の規定により、同法第二百六十一条第三項の賛否の投票に公職選挙法中普通地方公共団体の選挙に関する規定を準用する場合には、次の表の上欄に掲げる同法の規定中同表の中欄に掲げる字句は、それぞれ同表の下欄に掲げる字句に読み替えるものとする。

第四十六条第一項	当該選挙の公職の候補者一人の氏名	賛否
第四十六条の二第一項	条例で	選挙管理委員会が
	投票用紙に氏名が印刷された公職の候補者のうちその投票しようとするもの一人に対して、投票用紙の記号を記載する欄	一の普通地方公共団体のみに適用される特別法に賛成するときは投票用紙の賛成の記載欄に〇の記号を、これに反対するときは反対の記載欄

第四十六条の二第二項	第四十八条第一項	地方自治法第二百六十二条第一項において準用する第四十八条第一項
	当該選挙の公職の候補者の氏名	賛否
	公職の候補者（公職の候補者たる参議院名簿登載者を含む。）一人の氏名	が指示する賛否
	公職の候補者一人に対して	の指示に従い賛成の記載欄又は反対の記載欄に
	第六十八条第一項第一号	同法第二百六十二条第一項において準用する第六十八条第一項第一号
	「公職の候補者の氏名」	「賛否をともに」
	公職の候補者に対して○の記号	賛成の記載欄及び反対の記載欄のいずれにも○の記号を
	公職の候補者の氏名のほか、他事を記載したもの。ただし、職業、身分、住所又は敬称の類を記入したものは、この限りでない。	賛否のほか、他事を記載したもの
	公職の候補者の氏名を自書しないもの	賛否を自書しないもの
	公職の候補者の何人	賛否
	公職の候補者のいずれに対して○の記号	賛成の記載欄又は反対の記載欄のいずれに対して○の記号を記載したか
第四十八条第一項	当該選挙の公職の候補者の氏名	賛否
第四十八条第二項	公職の候補者（公職の候補者たる参議院名簿登載者を含む。）一人の氏名、一の衆議院名簿届出政党等の名称若しくは略称又は一の参議院名簿届出政党等の名称若しくは略称	賛否
第五十二条	被選挙人の氏名又は政党その他の政治団体の名称若しくは略称	賛否
第六十二条第九項	第二項	地方自治法施行令第百八十二条第一項又は第三項
第六十八条第一項第四号	二人以上の公職の候補者の氏名を	賛否をともに
第六十八条第一項第六号及び第七号	公職の候補者の氏名	賛否
第六十八条第一項第八号	公職の候補者の何人を記載したか	賛否
第七十一条	当該選挙にかかる議員又は長の任期間	賛否の投票の結果が確定するまでの間
第七十六条	第六十二条（第八項を除く。）	地方自治法第二百六十二条第一項において準用する第六十二条第九項本文及び第十一項
第八十条第一項	各公職の候補者（公職の候補者たる参議院名簿登載者を含む。第三項において同じ。）、各衆議院名簿届出政党等又は各参議院名簿届出政党等の得票総数（各参議院名簿届出政党等の得票総数にあつては、当該参議院名簿届出政党等に係る各参議院名簿登載者（当該選挙の期日において公職の候補者たる者に限る。）の得票総数を含むものをいう。第三項において同じ。）	賛否の投票総数
第八十条第二項	各公職の候補者の得票総数	賛否の投票総数

第八十条第三項	各公職の候補者、各衆議院名簿届出政党等又は各参議院名簿届出政党等の得票総数	賛否の投票総数
第八十三条第二項	当該選挙に係る議員又は長の任期間	賛否の投票の結果が確定するまでの間
第八十三条第三項	当該選挙にかかる議員又は長の任期間	賛否の投票の結果が確定するまでの間
第百三十五条	第八十八条に掲げる者	投票管理者、開票管理者及び選挙長
第百三十八条第二項	特定の候補者の氏名若しくは政党その他の政治団体の名称	一の普通地方公共団体のみに適用される特別法についての賛否
第百三十八条の三	公職に就くべき者	一の普通地方公共団体のみに適用される特別法についての賛否
第二百六条第一項	当選	賛否の投票の結果
	第百一条の三第二項又は第百六条第二項の規定による告示の日	地方自治法施行令第百八十三条第一項の公表の日
第二百七条第二項	地方公共団体の議会の議員及び長の当選	賛否の投票の結果
第二百九条第一項	当選	賛否の投票の結果
第二百十九条第一項	おける当選	おける賛否の投票の結果
第二百二十六条第二項、第二百二十七条及び第二百二十八条第一項	被選挙人の氏名	賛否
第二百三十七条の二第一項	公職の候補者（公職の候補者たる参議院名簿登載者を含む。）の氏名若しくは衆議院名簿届出政党等若しくは参議院名簿届出政党等の名称若しくは略称又は公職の候補者に対して	賛否又は
	指示する	指示に従い
第二百三十七条の二第二項	公職の候補者（公職の候補者たる参議院名簿登載者を含む。）の氏名又は衆議院名簿届出政党等若しくは参議院名簿届出政党等の名称若しくは略称	賛否
第二百五十五条第一項	公職の候補者（公職の候補者たる参議院名簿登載者を含む。以下この条及び次条において同じ。）一人の氏名、一の衆議院名簿届出政党等の名称若しくは略称又は一の参議院名簿届出政党等の名称若しくは略称	賛否
	公職の候補者の氏名、衆議院名簿届出政党等の名称若しくは略称又は参議院名簿届出政党等の名称若しくは略称	賛否
第二百五十五条第三項	公職の候補者一人の氏名、一の衆議院名簿届出政党等の名称若しくは略称又は一の参議院名簿届出政党等の名称若しくは略称	賛否
	公職の候補者の氏名、衆議院名簿届出政党等の名称若しくは略称又は参議院名簿届出政党等の名称若しくは略称	賛否

② 地方自治法第二百六十二条第一項の規定により、同法第二百六十一条第三項の賛否の投票に公職選挙法中普通地方公共団体の選挙に関する規定を準用する場合には、同法の規定中地方公共団体の議会の議員及び長の選挙に関する部分は、地方自治法第二百六十一条第三項の賛否の投票に関する規定とみなす。

第百八十七条 地方自治法第二百六十二条第一項の規定に

より、同法第二百六十一条第三項の賛否の投票に公職選挙法中普通地方公共団体の選挙に関する規定を準用する場合には、同法第一条から第四条まで、第五条の二から第五条の十まで、第九条第一項、第十条、第十一条第三項、第十一条の二、第十二条第一項、第二項及び第四項、第十三条から第十六条まで、第二十条から第三十五条まで、第三十七条第三項及び第四項、第三十八条第三項、第四十一条の二第一項（選挙区に関する部分に限る。）及び第五項（同法第四十六条第二項及び第三項、第百六十五条の二、第百七十五条第一項並びに第二百一条の十二第二項に関する部分に限る。）、第四十二条（在外選挙人名簿に関する部分に限る。）、第四十四条第三項（引き続き都道府県の区域内に住所を有することの確認に関する部分に限る。）、第四十六条第二項及び第三項、第四十六条の二第二項（同法第六十八条第一項第二号及び第五号、第八十六条の四並びに第百二十六条に関する部分に限る。）及び第三項（公職の候補者に関する部分に限る。）、第四十八条の二第五項（同法第四十六条第二項及び第三項に関する部分に限る。）、第四十九条第七項から第九項まで、第四十九条の二、第五十五条（在外選挙人名簿に関する部分に限る。）、第五十六条（在外選挙人名簿に関する部分に限る。）、第六十一条第三項及び第四項、第六十二条第一項から第八項まで、第九項ただし書及び第十項、第六十八条第一項第二号、第三号、第五号及び第六号ただし書、第二項並びに第三項、第六十八条の二、第六十八条の三、第七十五条第二項、第七十六条（同法第六十二条第九項本文及び第十一項に関する部分を除く。）、第七十七条第二項、第八十一条、第八十四条後段、第九章、第九十五条から第百六条まで、第百八条、第十一章、第百二十六条、第百二十七条、第百二十九条から第百三十四条まで、第百三十六条の二第二項、第百三十七条の三、第百三十九条ただし書、第百四十条の二（選挙運動のために使用される自動車又は船舶の上においてする連呼行為に関する部分に限る。）、第百四十一条から第百四十七条の二まで、第百四十八条第二項及び第三項、第百四十八条の二から第百五十一条の二まで、第百五十一条の五、第百五十二条、第百六十一条から第百六十四条の五まで、第百六十四条の七、第百六十五条の二、第百六十七条から第百七十二条の二まで、第百七十五条から第百七十八条の三まで、第百七十九条第一項及び第三項、第百七十九条の二から第百九十七条まで、第百九十七条の二第二項から第五項まで、第百九十九条の二から第百九十九条の五まで、第十四章の二、第十四章の三、第二百四条、第二百五条第二項から第五項まで、第二百八条、第二百九条第二項、第二百九条の二から第二百十一条まで、第二百十六条、第二百十七条、第二百十九条第一項（行政事件訴訟法第二十五条から第二十九条まで及び第三十一条に関する部分に限る。）及び第二項、第二百二十条第二項、第二百二十一条第三項、第二百二十二条から第二百二十三条の二まで、第二百二十四条の二、第二百二十四条の三、第二百三十五条、第二百三十五条の二第二号及び第三号、第二百三十五条の三、第二百三十五条の四第二号、第二百三十五条の六、第二百三十六条第一項及び第二項、第二百三十六条の二、第二百三十八条の二、第二百三十九条第一項第二号及び第二項、第二百三十九条の二第一項、第二百四十条、第二百四十一条第一号、第二百四十二条、第二百四十三条第一項第二号から第九号まで及び第二項、第二百四十四条第一項第二号から第五号の二まで、第七号及び第八号並びに第二項、第二百四十五条から第二百四十七条まで、第二百四十九条の二から第二百四十九条の五まで、第二百五十一条から第二百五十二条の三まで、第二百五十三条の二から第二百五十四条の二まで、第二百五十五条第四項から第六項まで、第二百五十五条の二から第二百六十二条まで、第二百六十三条、第二百六十四条第一項から第三項まで、第二百六十六条から第二百六十八条まで、第二百六十九条の二、第二百七十条第一項（在外選挙人名簿及び在外投票に関する部分に限る。）、同条第二項（公職選挙法第四十九条第一項及び第四項の規定による投票に関する部分を除く。）、第二百七十条の二（同法第四十九条第七項及び第九項の規定による投票に関する部分に限る。）並びに第二百七十一条から第二百七十二条までの規定は、地方自治法第二百六十一条第三項の賛否の投票については、準用しない。

第百八十八条　地方自治法第八十五条第一項及び第二百六十二条第一項において準用する公職選挙法中普通地方公共団体の選挙に関する規定並びにこの政令第百条の二乃至第百九条の二、第百十一条乃至第百十五条、第百十六条の二乃至第百十八条及び第百八十条乃至前条の規定は、地方自治法第二百六十一条第三項の賛否の投票を普通地方公共団体の選挙又は同法第七十六条第三項の規定による解散の投票若しくは同法第八十条第三項及び第八十一条第二項の規定による解職の投票と同時に行う場合にこれを準用する。但し、同法第二百六十一条第三項の賛否の投票については、公職選挙法第六十二条第一項の規定並びに同法第七十六条中同法第六十二条第一項に関する部分は、この限りでない。

② 前項の場合においては、第百八十二条第一項の規定による通知は、公職選挙法第六十二条第一項の規定の準用については、これを同条第一項の規定による届出とみな

す。

第百八十八条の二　地方自治法第二百六十一条第三項の賛否の投票が同法第二百六十二条第一項において準用する公職選挙法第二百二条、第二百三条、第二百六条又は第二百七条の規定による異議の申出、審査の申立て又は訴訟の結果無効となつた場合においては、選挙管理委員会は、当該異議の申出若しくは審査の申立てに対する決定若しくは裁決が確定した日又は当該訴訟につき同法第二百二十条第一項後段の規定による通知を受けた日から四十日以内に再投票に付さなければならない。

② 前項の再投票の期日は、都道府県にあつては少くともその三十日前に、市町村にあつては少くともその二十日前に、これを告示しなければならない。

③ 前項に定めるもののほか、第一項の再投票については、当該再投票を地方自治法第二百六十一条第三項の賛否の投票とみなして、同法第二百六十一条第三項の賛否の投票に関する規定を適用する。

第百八十九条　削除〔平一一・一〇政令三二四〕

第百九十条　都の議会の解散の投票、議会の議員及び長の解職の投票並びに都に関する地方自治法第二百六十一条第三項の賛否の投票については、同法又はこの政令中特別の定があるものを除く外、市に関する規定は、特別区にこれを適用する。この場合においては、公職選挙法第二百六十六条及び公職選挙法施行令第百三十八条の規定を準用する。

② 指定都市における都道府県及び指定都市の議会の解散の投票、議会の議員及び長の解職の投票並びに当該都道府県及び指定都市に関する地方自治法第二百六十一条第三項の賛否の投票については、同法又はこの政令中特別の定めがあるものを除くほか、市に関する規定は、区及び総合区にこれを適用する。この場合においては、公職選挙法第二百六十九条並びに公職選挙法施行令第百四十一条の二及び第百四十一条の三の規定を準用する。

第三編　特別地方公共団体

第一章　削除〔昭三一・七政令二五三〕

第百九十一条から第二百八条まで　削除〔昭三一・七政令二五三〕

第二章　特別区

（特別区の廃置分合又は境界変更への普通地方公共団体の廃置分合又は境界変更に関する規定の準用）

第二百九条　第一条の二から第四条までの規定は、地方自治法第二百八十一条の四第一項又は第八項の規定により特別区の設置があつた場合について準用する。

2　第五条、第六条、第百三十条第一項、第百七十六条第一項及び第百七十七条第一項の規定中市に関する部分は、地方自治法第二百八十一条の四第一項、第三項、第八項又は第十項の規定により特別区の廃置分合又は境界変更があつた場合について準用する。

3　第百二十三条、第百二十四条及び第百二十八条の規定中市に関する部分は、前項において準用する第百三十条第一項の事務の引継ぎについて準用する。

4　第百三十一条の規定は、第二項において準用する第百三十条第一項並びに前項において準用する第百二十三条、第百二十四条及び第百二十八条の場合について準用する。

第二百十条から第二百十条の九まで　削除〔昭四九・六政令二〇三〕

（特別区財政調整交付金の総額）

第二百十条の十　地方自治法第二百八十二条第二項に規定する特別区財政調整交付金（以下「交付金」という。）の総額は、同項に規定する地方税法第五条第二項に掲げる税のうち同法第七百三十四条第一項及び第二項（第二号に係る部分に限る。）の規定により都が課するものの収入額と法人の行う事業に対する事業税の収入額（同法第七十二条の二十四の七第九項の規定により同法第七百三十四条第四項に規定する標準税率を超える税率で事業税を課する場合には、法人の行う事業に対する事業税の収入額に相当する額から当該額に地方税法施行令（昭和二十五年政令第二百四十五号）第五十七条の二の七第一項に規定する標準税率超過率を乗じて得た額を控除した額）に同法第七百三十四条第四項に規定する政令で定める率を乗じて得た額を統計法（平成十九年法律第五十三号）第二条第四項に規定する基幹統計である事業所統計の最近に公表された結果による各市町村及び特別区の従業者数で按分して得た額のうち特別区に係る額との合算額に条例で定める割合を乗じて得た額（次条第二項及び第三項において「交付金総額」という。）とする。

（交付金の種類）

第二百十条の十一　交付金の種類は、普通交付金及び特別交付金とする。

2　普通交付金の総額は、交付金総額に一定の割合（次項において「普通交付金に係る割合」という。）を乗じて得た額とする。

3　特別交付金の総額は、交付金総額に一から普通交付金に係る割合を控除して得た割合を乗じて得た額とする。

（交付金の交付）

第二百十条の十二　普通交付金は、地方自治法第二百八十

一条第二項の規定により特別区が処理することとされている事務の処理に要する経費につき、地方交付税法（昭和二十五年法律第二百十一号）第十一条から第十三条までに規定する算定方法におおむね準ずる算定方法により算定した財政需要額（次項及び第二百十条の十五において「基準財政需要額」という。）が、地方税法第七百三十六条第一項の規定により読み替えられた同法第一条第二項において準用する同法第五条第二項の規定により特別区が課する税（以下この項において「特別区が課する税」という。）、同法第七十一条の二十六第一項の規定により特別区に交付するものとされる利子割に係る交付金（以下この項において「利子割交付金」という。）、同法第七百三十四条第三項において準用する同法第七十一条の四十七第一項の規定により特別区に交付するものとされる配当割に係る交付金（以下この項において「配当割交付金」という。）、同法第七百三十四条第三項において準用する同法第七十一条の六十七第一項の規定により特別区に交付するものとされる株式等譲渡所得割に係る交付金（以下この項において「株式等譲渡所得割交付金」という。）、同法第七十二条の百十五第一項及び第二項の規定により特別区に交付するものとされる地方消費税に係る交付金（以下この項において「地方消費税交付金」という。）、同法第百三条の規定により特別区に交付するものとされるゴルフ場利用税に係る交付金（以下この項において「ゴルフ場利用税交付金」という。）並びに同法第百七十七条の六第一項の規定により特別区に交付するものとされる環境性能割に係る交付金（以下この項において「環境性能割交付金」という。）の収入額並びに地方揮発油譲与税法（昭和三十年法律第百十三号）、自動車重量譲与税法（昭和四十六年法律第九十号）、航空機燃料譲与税法（昭和四十七年法律第十三号）及び森林環境税及び森林環境譲与税に関する法律（平成三十一年法律第三号）の規定により特別区に譲与するものとされる地方揮発油譲与税、自動車重量譲与税、航空機燃料譲与税及び森林環境譲与税の額につき、特別区が課する税にあっては地方交付税法第十四条第二項に規定する基準税率に係る率を百分の八十五とし、利子割交付金にあっては同条第一項の利子割交付金の収入見込額の百分の七十五の率を百分の八十五とし、配当割交付金にあっては同項の配当割交付金の収入見込額の百分の七十五の率を百分の八十五とし、株式等譲渡所得割交付金にあっては同項の株式等譲渡所得割交付金の収入見込額の百分の七十五の率を百分の八十五とし、地方消費税交付金にあっては同項の地方消費税交付金の収入見込額の百分の七十五の率を百分の八十五とし、ゴルフ場利用税交付金にあっては同項のゴルフ場利用税交付金の収入見込額の百分の七十五の率を百分の八十五とし、環境性能割交付金にあっては同項の環境性能割交付金の収入見込額の百分の七十五の率を百分の八十五とし、同項及び同条第三項に規定する算定方法におおむね準ずる算定方法により算定した財政収入額（次項及び第二百十条の十五において「基準財政収入額」という。）を超える特別区に対して、次項に定めるところにより交付する。

2　各特別区に対して交付すべき普通交付金の額は、当該特別区の基準財政需要額が基準財政収入額を超える額（以下この項において「財源不足額」という。）とする。ただし、各特別区について算定した財源不足額の合算額（以下この章において「財源不足額合算額」という。）が普通交付金の総額を超える場合においては、次の式により算定した額とする。

$$\text{当該特別区の財源不足額}-\text{当該特別区の基準財政需要額}\times\frac{\text{財源不足額合算額}-\text{普通交付金の総額}}{\text{基準財政需要額が基準財政収入額を超える特別区の基準財政需要額の合算額}}$$

3　各年度において、普通交付金の総額が前項ただし書の規定により算定した各特別区に対して交付すべき普通交付金の合算額に満たない場合には、当該不足額は、当該年度の特別交付金の総額を減額してこれに充てるものとする。

4　特別交付金は、普通交付金の額の算定期日後に生じた災害等のため特別の財政需要があり、又は財政収入の減少があることその他特別の事情があると認められる特別区に対し、当該事情を考慮して交付する。

（特別交付金の額の変更）

第二百十条の十三　各年度において、普通交付金の総額が財源不足額合算額を超える場合においては、当該超過額は、当該年度の特別交付金の総額に加算するものとする。

（条例で定める割合の変更）

第二百十条の十四　普通交付金の総額が引き続き財源不足額合算額と著しく異なることとなる場合においては、地方自治法第二百八十二条第二項に規定する条例で定める割合の変更を行うものとする。

（報告）

第二百十条の十五　地方自治法第二百八十二条第三項の規定による報告は、同条第一項の条例に基づいて交付金を交付した後速やかに、特別区ごとの交付金の額、基準財政需要額及び基準財政収入額の算定方法その他交付金の交付に関する事項についてしなければならない。

（都区協議会）

第二百十条の十六　都区協議会は、地方自治法第二百八十二条の二第二項の規定による意見を述べるほか、都及び特別区の事務の処理について、都と特別区及び特別区相互の間の連絡調整を図るために必要な協議を行う。

2　都区協議会は、委員十六人をもつて組織する。

3　委員は、次に掲げる者をもつて充てる。

一　都知事

二　都知事が、その補助機関たる職員のうちから指名する者　七人

三　特別区の区長が特別区の区長の中から協議により指名する者　八人

4　特別区の区長である委員の任期は、二年とする。ただし、補欠の委員の任期は、前任者の残任期間とする。

5　都区協議会に会長を置き、委員の互選によつて定める。

6　会長は、都区協議会の事務を掌理し、都区協議会を代表する。

7　会長に事故があるとき、又は会長が欠けたときは、会長があらかじめ指定する委員がその職務を代理する。

8　都区協議会は、必要があると認めるときは、関係のある公の機関の長に対し、資料の提出、意見の開陳、説明その他必要な協力を求めることができる。

9　都区協議会の経費は、都及び特別区が支弁する。

10　前各項に定めるもののほか、都区協議会に関し必要な事項は、都区協議会が定める。

（特別区に係る建築基準法の適用の特例）

第二百十条の十七　建築基準法（昭和二十五年法律第二百一号）第九十七条の三第一項及び第四項の場合においては、同法第十二条第一項、第二項及び第四項、第十四条、第十六条、第十八条第一項、第二項及び第二十五項、第七十条第四項、第七十二条第二項、第七十三条第二項並びに第七十八条第一項中「建築主事を置く市町村」とあるのは、「特別区」とする。

第三章　地方公共団体の組合

第一節　一部事務組合

（代表理事等）

第二百十一条　地方自治法第二百八十七条の三第二項に規定する理事会（第三項及び第四項において「理事会」という。）に、代表理事一人を置く。

2　代表理事は、理事が互選する。

3　代表理事は、理事会に関する事務を処理し、理事会を代表する。

4　前三項に定めるもののほか、理事会の組織及び運営に関し必要な事項は、理事会が定める。

（通知すべき議決事件）

第二百十一条の二　地方自治法第二百八十七条の四に規定する一部事務組合の議会の議決すべき事件のうち政令で定める重要なものは、次に掲げる事件とする。

一　条例を設け、又は改廃すること。

二　予算を定めること。

三　決算を認定すること。

四　前三号に掲げる事件のほか、重要な事件として一部事務組合の規約で定める事件

（特例一部事務組合に関する読替え）

第二百十一条の三　地方自治法第二百九十二条の規定によりこの政令中都道府県、市又は町村に関する規定を特例一部事務組合（同法第二百八十七条の二第二項に規定する特例一部事務組合をいう。）に準用する場合には、第百二十一条の四第二項中「地方自治法第九十八条第一項に規定する議会」とあるのは「地方自治法第二百八十七条の二第七項において準用する同法第九十八条第一項に規定する特例一部事務組合の構成団体の議会」と、第百二十一条の五第二項中「地方自治法第百条第一項に規定する議会」とあるのは「地方自治法第二百八十七条の二第七項において準用する同法第百条第一項に規定する特例一部事務組合の構成団体の議会」と、第百七十四条の四十九の三十八第二項中「地方自治法第二百五十二条の四十第二項に規定する議会からの個別外部監査の請求」とあるのは「地方自治法第二百八十七条の二第十項において準用する同法第二百五十二条の四十第二項に規定する特例一部事務組合の構成団体の議会からの個別外部監査の請求」と読み替えるものとする。

第二節　広域連合

（広域連合の条例の制定又は改廃の請求への地方自治法等の規定の準用等）

第二百十二条　地方自治法第二百九十一条の六第一項の規定により、広域連合の条例の制定又は改廃の請求に同法第二編第五章（第七十五条第六項後段、第八十条第四項後段、第八十五条及び第八十六条第四項後段を除く。）の規定を準用する場合には、同法第七十四条第五項中「普通地方公共団体の選挙管理委員会」とあり、並びに同法第七十四条の二第七項及び第十項中「都道府県の選挙管理委員会」とあるのは、「広域連合の選挙管理委員会」と読み替えるものとする。

2　地方自治法第二百九十一条の六第一項の規定により、広域連合の条例の制定又は改廃の請求に同法第二編第五章（第七十五条第六項後段、第八十条第四項後段、第八

十五条及び第八十六条第四項後段を除く。）の規定を準用する場合には、同法第七十四条の二第八項、第七十五条第一項から第五項まで及び第六項前段、第七十六条から第七十九条まで、第八十条第一項から第三項まで及び第四項前段、第八十一条から第八十四条まで、第八十六条第一項から第三項まで及び第四項前段、第八十七条並びに第八十八条の規定は、広域連合の条例の制定又は改廃の請求については、準用しない。

第二百十二条の二　第九十一条から第九十八条まで、第九十八条の二、第九十八条の三第二項及び第九十八条の四の規定は、地方自治法第二百九十一条の六第一項において準用する同法第七十四条第一項の規定による広域連合の条例の制定又は改廃の請求について準用する。この場合において、次の表の上欄に掲げる規定中同表の中欄に掲げる字句は、それぞれ同表の下欄に掲げる字句に読み替えるものとする。

第九十一条第三項から第五項まで	地方自治法第七十四条第六項各号	地方自治法第二百九十一条の六第一項において準用する同法第七十四条第六項各号
第九十二条第一項	地方自治法第七十四条第一項に規定する選挙権を有する者（以下この編において「選挙権を有する者」という。）	地方自治法第二百九十一条の六第一項において準用する同法第七十四条第一項に規定する請求権を有する者（以下この編において「請求権を有する者」という。）
第九十二条第二項	選挙権を有する者	請求権を有する者
第九十二条第三項	都道府県及び指定都市にあつては二箇月以内、指定都市以外の市町村にあつては一箇月以内	二箇月以内
第九十二条第三項ただし書	地方自治法第七十四条第七項	地方自治法第二百九十一条の六第一項において準用する同法第七十四条第七項
	都道府県及び指定都市にあつては六十二日以内、指定都市以外の市町村にあつては三十一日以内	六十二日以内
第九十二条第四項	地方自治法第七十四条第七項	地方自治法第二百九十一条の六第一項において準用する同法第七十四条第七項
第九十三条	都道府県に関する請求にあつては市町村ごとに、指定都市に関する請求にあつては区又は総合区ごとに	市町村ごとに
第九十三条の二第一項	都道府県又は指定都市	広域連合
第九十四条第一項	地方自治法第七十四条第五項	地方自治法第二百九十一条の六第一項において準用する同法第七十四条第五項
	選挙権を有する者	請求権を有する者
	都道府県又は指定都市に関する請求にあつては十日以内、指定都市以外の市町村に関する請求にあつては五日以内	十日以内
第九十五条の二	地方自治法第七十四条の二第一項	地方自治法第二百九十一条の六第一項において準用する同法第七十四条の二第一項
第九十五条の三	地方自治法第七十四条の二第五項	地方自治法第二百九十一条の六第一項において準用する同法第七十四条の二第五項
第九十五条の四	地方自治法第七十四条の二第六項	地方自治法第二百九十一条の六第一項において準用する同法第七十四条の二第六項
第九十六条第一項	地方自治法第七十四条	地方自治法第二百

	第一項	九十一条の六第一項において準用する同法第七十四条第一項
	同法第七十四条の二第六項	同法第二百九十一条の六第一項において準用する同法第七十四条の二第六項
	、都道府県又は指定都市に関する請求にあつては十日以内、指定都市以外の市町村に関する請求にあつては五日以内	十日以内
	同法第七十四条第五項	同法第二百九十一条の六第一項において準用する同法第七十四条第五項
	選挙権を有する者	請求権を有する者
第九十六条第二項	地方自治法第七十四条の二第十項	地方自治法第二百九十一条の六第一項において準用する同法第七十四条の二第十項
第九十七条第一項	地方自治法第七十四条第五項	地方自治法第二百九十一条の六第一項において準用する同法第七十四条第五項
	選挙権を有する者	請求権を有する者
第九十七条第二項	都道府県又は指定都市に関する請求にあつては五日以内、指定都市以外の市町村に関する請求にあつては三日以内	五日以内
第九十八条第二項	地方自治法第七十四条第三項	地方自治法第二百九十一条の六第一項において準用する同法第七十四条第三項
第九十八条の二第一項及び第二項	地方自治法第七十四条第四項	地方自治法第二百九十一条の六第一項において準用する同法第七十四条第四項

（広域連合の事務監査の請求への地方自治法等の規定の準用等）

第二百十二条の三　地方自治法第二百九十一条の六第一項の規定により、広域連合の事務の監査の請求に同法第二編第五章（第七十五条第六項後段、第八十条第四項後段、第八十五条及び第八十六条第四項後段を除く。）の規定を準用する場合には、同法第七十五条第六項前段において準用する同法第七十四条第五項中「普通地方公共団体の選挙管理委員会」とあり、並びに同法第七十五条第六項前段において準用する同法第七十四条の二第七項及び第十項中「都道府県の選挙管理委員会」とあるのは、「広域連合の選挙管理委員会」と読み替えるものとする。

2　地方自治法第二百九十一条の六第一項の規定により、広域連合の事務の監査の請求に同法第二編第五章（第七十五条第六項後段、第八十条第四項後段、第八十五条及び第八十六条第四項後段を除く。）の規定を準用する場合には、同法第七十四条から第七十四条の四まで、第七十五条第六項前段（同法第七十四条から第七十四条の二第八項の準用に係る部分に限る。）、第七十六条から第七十九条まで、第八十条第一項から第三項まで及び第四項前段、第八十一条から第八十四条まで、第八十六条第一項から第三項まで及び第四項前段、第八十七条並びに第八十八条の規定は、広域連合の事務の監査の請求については、準用しない。

第二百十二条の四　第九十一条から第九十八条まで、第九十八条の三第二項及び第九十八条の四の規定は、地方自治法第二百九十一条の六第一項において準用する同法第七十五条第一項の規定による広域連合の事務の監査の請求について準用する。この場合において、次の表の上欄に掲げる規定中同表の中欄に掲げる字句は、それぞれ同表の下欄に掲げる字句に読み替えるものとする。

第九十一条第一項及び第二項	普通地方公共団体の長	広域連合の監査を行う機関
第九十一条第三項から第五項まで	地方自治法第七十四条第六項各号	地方自治法第二百九十一条の六第一項において準用する同法第七十五条第六項前段において準用する同法第

		七十四条第六項各号
第九十二条第一項	普通地方公共団体の長	広域連合の監査を行う機関
	地方自治法第七十四条第一項に規定する選挙権を有する者（以下この編において「選挙権を有する者」という。）	地方自治法第二百九十一条の六第一項において準用する同法第七十四条第一項に規定する請求権を有する者（以下この編において「請求権を有する者」という。）
第九十二条第二項	選挙権を有する者	請求権を有する者
第九十二条第三項	都道府県及び指定都市にあつては二箇月以内、指定都市以外の市町村にあつては一箇月以内	二箇月以内
第九十二条第三項ただし書	地方自治法第七十四条第七項	地方自治法第二百九十一条の六第一項において準用する同法第七十五条第六項前段において準用する同法第七十四条第七項
	都道府県及び指定都市にあつては六十二日以内、指定都市以外の市町村にあつては三十一日以内	六十二日以内
第九十二条第四項	地方自治法第七十四条第七項	地方自治法第二百九十一条の六第一項において準用する同法第七十五条第六項前段において準用する同法第七十四条第七項
第九十三条	都道府県に関する請求にあつては市町村ごとに、指定都市に関する請求にあつては区又は総合区ごとに	市町村ごとに
第九十三条の二第一項	都道府県又は指定都市	広域連合
第九十四条第一項	地方自治法第七十四条第五項	地方自治法第二百九十一条の六第一項において準用する同法第七十五条第六項前段において準用する同法第七十四条第五項
	選挙権を有する者	請求権を有する者
	都道府県又は指定都市に関する請求にあつては十日以内、指定都市以外の市町村に関する請求にあつては五日以内	十日以内
第九十五条の二	地方自治法第七十四条の二第一項	地方自治法第二百九十一条の六第一項において準用する同法第七十五条第六項前段において準用する同法第七十四条の二第一項
第九十五条の三	地方自治法第七十四条の二第五項	地方自治法第二百九十一条の六第一項において準用する同法第七十五条第六項前段において準用する同法第七十四条の二第五項
第九十五条の四	地方自治法第七十四条の二第六項	地方自治法第二百九十一条の六第一項において準用する同法第七十五条第六項前段において準用する同法第七十四条の二第六項
第九十六条第一項	地方自治法第七十四条第一項	地方自治法第二百九十一条の六第一項において準用する同法第七十五条第一項

自治令

	同法第七十四条の二第六項	同法第二百九十一条の六第一項において準用する同法第七十五条第六項前段において準用する同法第七十四条の二第六項
	、都道府県又は指定都市に関する請求にあつては十日以内、指定都市以外の市町村に関する請求にあつては五日以内	十日以内
	同法第七十四条第五項	同法第二百九十一条の六第一項において準用する同法第七十五条第六項前段において準用する同法第七十四条第五項
	選挙権を有する者	請求権を有する者
第九十六条第二項	地方自治法第七十四条の二第十項	地方自治法第二百九十一条の六第一項において準用する同法第七十五条第六項前段において準用する同法第七十四条の二第十項
第九十七条第一項	地方自治法第七十四条第五項	地方自治法第二百九十一条の六第一項において準用する同法第七十五条第六項前段において準用する同法第七十四条第五項
	選挙権を有する者	請求権を有する者
	普通地方公共団体の長	広域連合の監査を行う機関
第九十七条第二項	都道府県又は指定都市に関する請求にあつては五日以内、指定都市以外の市町村に関する請求にあつては三日以内	五日以内
第九十八条第一項	普通地方公共団体の長	広域連合の監査を行う機関
第九十八条第二項	普通地方公共団体の長	広域連合の監査を行う機関
	第七十四条第三項の規定による議会の審議	第二百九十一条の六第一項において準用する同法第七十五条第三項の規定による事務の監査

（広域連合の議会の解散の請求への地方自治法等の規定の準用等）

第二百十三条 地方自治法第二百九十一条の六第一項の規定により、広域連合の議会の解散の請求に同法第二編第五章（第七十五条第六項後段、第八十条第四項後段、第八十五条及び第八十六条第四項後段を除く。）の規定を準用する場合には、次の表の上欄に掲げる同法の規定中同表の中欄に掲げる字句は、それぞれ同表の下欄に掲げる字句に読み替えるものとする。

第七十六条第四項において準用する第七十四条第五項	五十分の一	三分の一（その総数が四十万を超え八十万以下の場合にはその四十万を超える数に六分の一を乗じて得た数と四十万に三分の一を乗じて得た数とを合算して得た数、その総数が八十万を超える場合にはその八十万を超える数に八分の一を乗じて得た数と四十万に六分の一を乗じて得た数と四十万に三分の一を乗じて得た数とを合算して得た数）
	普通地方公共団体の選挙管理委員会	広域連合の選挙管理委員会
第七十六条第四項	都道府県の選挙管理委	広域連合の選挙管

において準用する第七十四条の二第七項及び第十項	員会	理委員会
第七十六条第一項	普通地方公共団体の選挙管理委員会	広域連合の選挙管理委員会
第七十六条第三項	選挙人	広域連合の選挙人
第七十七条	普通地方公共団体の議会の議長	広域連合の議会の議長並びに広域連合を組織する地方公共団体の議会において当該広域連合の議会の議員を選挙する広域連合にあつては当該広域連合を組織する地方公共団体の議会の議長
	都道府県知事	広域連合の長（第二百九十一条の十三において準用する第二百八十七条の三第二項の規定により長に代えて理事会を置く広域連合にあつては、理事会。以下同じ。）
	市町村長	広域連合の長

2　地方自治法第二百九十一条の六第一項の規定により、広域連合の議会の解散の請求に同法第二編第五章（第七十五条第六項後段、第八十条第四項後段、第八十五条及び第八十六条第四項後段を除く。）の規定を準用する場合には、同法第七十四条から第七十四条の四まで、第七十五条第一項から第五項まで及び第六項前段、第七十六条第四項（同法第七十四条の二第八項の準用に係る部分に限る。）、第八十条第一項から第三項まで及び第四項前段、第八十一条から第八十四条まで、第八十六条第一項から第三項まで及び第四項前段、第八十七条並びに第八十八条の規定並びに広域連合を組織する地方公共団体の議会において当該広域連合の議会の議員を選挙する広域連合の議会の解散の請求にあつては同法第七十九条の規定は、広域連合の議会の解散の請求については、準用しない。

3　広域連合を組織する地方公共団体の議会において当該広域連合の議会の議員を選挙する広域連合に係る地方自治法第二百九十一条の六第一項において準用する同法第七十六条第一項の規定による広域連合の議会の解散の請求は、同条第三項の規定による解散の投票のあつた日から一年間は、することができない。

第二百十三条の二　第九十一条から第九十七条まで、第九十八条第一項、第九十八条の三第二項及び第九十八条の四の規定は、地方自治法第二百九十一条の六第一項において準用する同法第七十六条第一項の規定による広域連合の議会の解散の請求について準用する。この場合において、次の表の上欄に掲げる規定中同表の中欄に掲げる字句は、それぞれ同表の下欄に掲げる字句に読み替えるものとする。

第九十一条第一項及び第二項	普通地方公共団体の長	広域連合の選挙管理委員会
第九十一条第三項から第五項まで	地方自治法第七十四条第六項各号	地方自治法第二百九十一条の六第一項において準用する同法第七十六条第四項において準用する同法第七十四条第六項各号
	普通地方公共団体の長	広域連合の選挙管理委員会
第九十二条第一項	地方自治法第七十四条第一項に規定する選挙権を有する者（以下この編において「選挙権を有する者」という。）	地方自治法第二百九十一条の六第一項において準用する同法第七十六条第一項に規定する請求権を有する者（以下この編において「請求権を有する者」という。）
第九十二条第二項	選挙権を有する者	請求権を有する者
第九十二条第三項	都道府県及び指定都市にあつては二箇月以内、指定都市以外の市町村にあつては一箇月以内	二箇月以内
第九十二条第三項ただし書	地方自治法第七十四条第七項	地方自治法第二百九十一条の六第一

		項において準用する同法第七十六条第四項において準用する同法第七十四条第七項
	都道府県及び指定都市にあつては六十二日以内、指定都市以外の市町村にあつては三十一日以内	六十二日以内
第九十二条第四項	地方自治法第七十四条第七項	地方自治法第二百九十一条の六第一項において準用する同法第七十六条第四項において準用する同法第七十四条第七項
第九十三条	都道府県に関する請求にあつては市町村ごとに、指定都市に関する請求にあつては区又は総合区ごとに	市町村ごとに
第九十三条の二第一項	都道府県又は指定都市	広域連合
第九十四条第一項	地方自治法第七十四条第五項	地方自治法第二百九十一条の六第一項において準用する同法第七十六条第四項において準用する同法第七十四条第五項
	選挙権を有する者	請求権を有する者
	五十分の一	三分の一（その総数が四十万を超え八十万以下の場合にはその四十万を超える数に六分の一を乗じて得た数と四十万に三分の一を乗じて得た数とを合算して得た数、その総数が八十万を超える場合にはその八十万を超える数に八分の一を乗じて得た数と四十万に六分の一を乗じて得た数と四十万に三分の一を乗じて得た数とを合算して得た数）
	都道府県又は指定都市に関する請求にあつては十日以内、指定都市以外の市町村に関する請求にあつては五日以内	十日以内
第九十五条の二	地方自治法第七十四条の二第一項	地方自治法第二百九十一条の六第一項において準用する同法第七十六条第四項において準用する同法第七十四条の二第一項
第九十五条の三	地方自治法第七十四条の二第五項	地方自治法第二百九十一条の六第一項において準用する同法第七十六条第四項において準用する同法第七十四条の二第五項
第九十五条の四	地方自治法第七十四条の二第六項	地方自治法第二百九十一条の六第一項において準用する同法第七十六条第四項において準用する同法第七十四条の二第六項
第九十六条第一項	地方自治法第七十四条第一項	地方自治法第二百九十一条の六第一項において準用する同法第七十六条第一項
	同法第七十四条の二第六項	同法第二百九十一条の六第一項において準用する同法第七十六条第四項において準用する同法第七十四条の二第六項

	、都道府県又は指定都市に関する請求にあつては十日以内、指定都市以外の市町村に関する請求にあつては五日以内	十日以内
	同法第七十四条第五項	同法第二百九十一条の六第一項において準用する同法第七十六条第四項において準用する同法第七十四条第五項
	選挙権を有する者	請求権を有する者
	五十分の一	三分の一（その総数が四十万を超え八十万以下の場合にはその四十万を超える数に六分の一を乗じて得た数と四十万に三分の一を乗じて得た数とを合算して得た数、その総数が八十万を超える場合にはその八十万を超える数に八分の一を乗じて得た数と四十万に六分の一を乗じて得た数と四十万に三分の一を乗じて得た数とを合算して得た数）
第九十六条第二項	地方自治法第七十四条の二第十項	地方自治法第二百九十一条の六第一項において準用する同法第七十六条第四項において準用する同法第七十四条の二第十項
第九十七条第一項	地方自治法第七十四条第五項	地方自治法第二百九十一条の六第一項において準用する同法第七十六条第四項において準用する同法第七十四条第五項
	選挙権を有する者	請求権を有する者
	五十分の一	三分の一（その総数が四十万を超え八十万以下の場合にはその四十万を超える数に六分の一を乗じて得た数と四十万に三分の一を乗じて得た数とを合算して得た数、その総数が八十万を超える場合にはその八十万を超える数に八分の一を乗じて得た数と四十万に六分の一を乗じて得た数と四十万に三分の一を乗じて得た数とを合算して得た数）
	普通地方公共団体の長	広域連合の選挙管理委員会
第九十七条第二項	都道府県又は指定都市に関する請求にあつては五日以内、指定都市以外の市町村に関する請求にあつては三日以内	五日以内
第九十八条第一項	普通地方公共団体の長	広域連合の選挙管理委員会

（広域連合の議会の解散の投票の投票区等）

第二百十三条の三　広域連合の議会の解散の投票の投票区及び開票区は、当該広域連合の区域内の市町村の議会の議員の選挙の投票区及び開票区による。

（広域連合の議会の解散の投票への公職選挙法等の規定の準用等）

第二百十三条の四　第百条の二から第百二条まで、第百四条、第百五条、第百七条、第百九条の二及び第百九条の三の規定は、広域連合の議会の解散の投票について準用する。この場合において、次の表の上欄に掲げる規定中同表の中欄に掲げる字句は、それぞれ同表の下欄に掲げる字句に読み替えるものとする。

第百条の二第一項	前条	第二百十三条の二
第百条の二第二項	都道府県に関する請求にあつては少くともその三十日前に、市町村に関する請求にあつては少くともその二十日前に	少なくともその三十日前に
第百四条第一項	第百条	第二百十三条の二
第百五条及び第百九条の三第一項	地方自治法第八十五条第一項	地方自治法第二百九十一条の六第七項
第百九条の三第二項	都道府県に関する請求にあつては少くともその三十日前に、市町村に関する請求にあつては少くともその二十日前に	少なくともその三十日前に

第二百十三条の五 公職選挙法施行令第二十二条の二、第二十四条第一項及び第二項、第二十五条から第二十九条まで、第三十一条から第三十四条まで、第三十五条第一項（引き続き都道府県の区域内に住所を有することの確認に関する部分を除く。）及び第二項、第三十六条、第三十七条、第三十九条から第四十四条まで、第四十四条の二（在外選挙人名簿に関する部分を除く。）、第四十五条、第四十六条、第四十八条第一項から第四項まで、第四十八条の二、第四章の二（第四十八条の三（同令第四十九条の五第二項、第九十三条第一項及び第百四条に関する部分に限る。）を除く。）、第四十九条の三、第四章の四、第五章（第五十条第五項及び第七項、第五十三条第一項（引き続き都道府県の区域内に住所を有することの確認に関する部分及び同令第五十九条の七第一項に規定する南極選挙人証の交付を受けた者に関する部分に限る。）、第五十五条第六項及び第七項、同条第八項及び第九項（公職選挙法第四十九条第七項及び第九項の規定による投票に関する部分に限る。）、第五十六条第一項及び第五項（衆議院比例代表選出議員の選挙に関する部分及び参議院比例代表選出議員の選挙に関する部分に限る。）、第五十九条の三第一項（在外投票に関する部分に限る。）、同条第五項（在外選挙人名簿に関する部分に限る。）、第五十九条の四第三項、同条第四項（引き続き都道府県の区域内に住所を有することの確認に関する部分に限る。）、第五十九条の五（衆議院比例代表選出議員の選挙に関する部分及び参議院比例代表選出議員の選挙に関する部分に限る。）、第五十九条の五の四第三項、同条第六項及び第七項（引き続き都道府県の区域内に住所を有することの確認に関する部分に限る。）、第五十九条の六から第五十九条の八まで、第六十条第二項（同法第四十九条第七項から第九項までの規定による投票に関する部分に限る。）、第六十一条第一項（在外選挙人名簿に関する部分に限る。）、同条第四項、同条第五項（在外選挙人の不在者投票に関する部分に限る。）、第六十二条第二項並びに第六十三条第二項及び第三項（同法第四十九条第七項から第九項までの規定による投票に関する部分に限る。）を除く。）、第六十六条、第六十七条第一項から第六項まで、第六十八条、第六十九条（政党その他の政治団体に関する部分を除く。）、第七十条の二第一項（政党その他の政治団体に関する部分、候補者届出政党に関する部分、衆議院名簿届出政党等に関する部分及び参議院名簿届出政党等に関する部分を除く。）、第七十条の三、第七十条の四第一項本文、第二項本文及び第三項、第七十条の五第一項、第三項、第五項、第六項、第八項及び第十項、第七十条の六第一項、第三項、第五項、第六項、第八項、第十項、第十一項、第十三項及び第十五項、第七十条の七第一項本文、第二項本文、第三項、第四項本文、第五項本文及び第六項、第七十条の八、第七十一条（在外投票に関する部分を除く。）、第七十二条から第七十四条まで、第七十五条（在外選挙人名簿に関する部分を除く。）、第七十六条（在外投票に関する部分を除く。）、第七十七条、第七十八条第一項から第四項まで、第八十条から第八十二条まで、第八十三条の二から第八十五条まで、第八十六条第一項、第八十七条第一項、第百八条第一項及び第三項（衆議院比例代表選出議員の選挙に関する部分及び参議院比例代表選出議員の選挙に関する部分並びに推薦届出者に関する部分及び候補者届出政党に関する部分を除く。）、第百二十九条第一項、第百三十一条第一項、第二項（在外選挙人名簿に関する部分を除く。）及び第三項、第百三十一条の二、第百四十二条第一項（同法第四十九条第一項の規定による投票に関する部分に限る。）及び第二項、第百四十二条の二（同法第四十九条第七項及び第九項の規定による投票に関する部分を除く。）、第百四十二条の三並びに第百四十六条第二項の規定並びに都道府県の加入する広域連合にあつては同令第三十四条の二並びに第五十条第五項、第五十九条の四第三項及び第五十九条の五の四第三項（引き続き都道府県の区域内に住所を有することの確認に関する部分を除く。）の規定は、広域連合の議会の解散の投票について準用する。この場合において、次の表の上欄に掲げる同令の規定中同

表の中欄に掲げる字句は、それぞれ同表の下欄に掲げる字句に読み替えるものとする。

第二十二条の二	その抄本を用いて選挙された衆議院議員、参議院議員又は地方公共団体の議会の議員若しくは長の任期	解散の投票の結果が確定するまでの間
第三十五条第一項	により都道府県	により広域連合（都道府県の加入するものに限る。）を組織する都道府県
	規定する引き続き当該都道府県	規定する引き続き当該広域連合
第四十一条第四項	公職の候補者（公職の候補者たる参議院名簿登載者を含む。）の氏名若しくは衆議院名簿届出政党等若しくは参議院名簿届出政党等の名称若しくは略称又は公職の候補者に対して	賛否又は
第四十五条	当該選挙に係る衆議院議員、参議院議員又は地方公共団体の議会の議員若しくは長の任期間（当該選挙に用いなかつた投票用紙にあつては、次の各号に掲げる選挙の区分に応じ、当該各号に定める期間）	解散の投票の結果が確定するまでの間
第五十条第五項	当該選挙	当該広域連合を組織する都道府県の議会の議員及び長の選挙
第五十三条第一項	により当該	により当該広域連合（都道府県の加入するものに限る。）を組織する都道府県の議会の議員及び長の
第五十六条第一項及び第二項	当該選挙の公職の候補者一人の氏名	賛否
第五十六条第四項	公職の候補者一人の氏名	賛否
第五十六条第五項	公職の候補者の氏名	賛否
第五十九条の四第三項	当該選挙	当該広域連合を組織する都道府県の議会の議員及び長の選挙
第五十九条の四第四項	により当該	により当該広域連合（都道府県の加入するものに限る。）を組織する都道府県の議会の議員及び長の
第五十九条の五	当該選挙の公職の候補者一人の氏名	賛否
第五十九条の五の二	公職の候補者一人の氏名	賛否
第五十九条の五の四第三項	当該選挙	当該広域連合を組織する都道府県の議会の議員及び長の選挙
第五十九条の五の四第七項	により当該	により当該広域連合（都道府県の加入するものに限る。）を組織する都道府県の議会の議員及び長の
第六十九条	公職の候補者、候補者届出政党、衆議院名簿届出政党等又は参議院名簿届出政党等	広域連合の議会又はその解散請求代表者
第七十条の二第一項	公職の候補者の届出に係る者については当該公職の候補者の氏名	広域連合の議会の届出に係る者については当該広域連合の議会の名称、解散請求代表者の届出に係る者については当該解散請求代表者の氏名
第七十条の五第一項、第三項、第六項及び第八項並び	二人	各々三人
	一人	各々二人

に第七十条の六第一項、第三項、第六項、第八項、第十一項及び第十三項		
第七十二条	同一の公職の候補者（公職の候補者たる参議院名簿登載者を含む。）、同一の衆議院名簿届出政党等又は同一の参議院名簿届出政党等の得票数（参議院名簿届出政党等にあつては、当該参議院名簿届出政党等に係る各参議院名簿登載者（当該選挙の期日において公職の候補者たる者に限る。）の得票数を含むものをいう。）	賛否の投票数
第七十三条	各公職の候補者（公職の候補者たる参議院名簿登載者を含む。）、各衆議院名簿届出政党等又は各参議院名簿届出政党等の得票数（各参議院名簿届出政党等の得票数にあつては、当該参議院名簿届出政党等に係る各参議院名簿登載者（当該選挙の期日において公職の候補者たる者に限る。）の	賛否の投票数

	得票数を含むものをいう。）	
第七十七条第一項	当該選挙に係る衆議院議員、参議院議員又は地方公共団体の議会の議員若しくは長の任期間	解散の投票の結果が確定するまでの間
第八十四条	各公職の候補者（公職の候補者たる参議院名簿登載者を含む。）、各衆議院名簿届出政党等又は各参議院名簿届出政党等の得票総数（各参議院名簿届出政党等の得票総数にあつては、当該参議院名簿届出政党等に係る各参議院名簿登載者（当該選挙の期日において公職の候補者たる者に限る。）の得票総数を含むものをいう。）	賛否の投票総数
第八十六条第一項	当該選挙に係る衆議院議員、参議院議員又は地方公共団体の議会の議員若しくは長の任期間	解散の投票の結果が確定するまでの間
第百八条第一項	設置者が公職の候補者	設置者が広域連合の議会
	当該公職の候補者の氏	当該広域連合の議

	名	会の名称、設置者が解散請求代表者である場合には当該解散請求代表者の氏名

2　前項の規定により、広域連合の議会の解散の投票に公職選挙法施行令の規定を準用する場合には、同令の規定中都道府県の議会の議員及び長の選挙に関する部分は広域連合の議会の解散の投票に関する規定、都道府県の選挙管理委員会に関する部分（同令第五十五条第二項及び第四項第二号を除く。）は広域連合の選挙管理委員会に関する規定とみなす。

第二百十三条の六　地方自治法第二百九十一条の六第七項の規定により、広域連合の議会の解散の投票に公職選挙法中普通地方公共団体の選挙に関する規定を準用する場合には、次の表の上欄に掲げる同法の規定中同表の中欄に掲げる字句は、それぞれ同表の下欄に掲げる字句に読み替えるものとする。

第三十七条第二項	有する者	有する者（当該解散の請求を受けている広域連合の議会の議員又はその解散請求代表者を除く。）
第三十八条第三項	公職の候補者	広域連合の議会の議員又はその解散請求代表者
第四十四条第三項	により	により広域連合（都道府県の加入

		するものに限る。）を組織する
	、引き続き当該都道府県	、引き続き当該広域連合
第四十六条第一項	当該選挙の公職の候補者一人の氏名	賛否
第四十六条の二第一項	条例で	選挙管理委員会が
	投票用紙に氏名が印刷された公職の候補者のうちその投票しようとするもの一人に対して、投票用紙の記号を記載する欄	広域連合の議会の解散に賛成するときは投票用紙の賛成の記載欄に○の記号を、これに反対するときは反対の記載欄
第四十六条の二第二項	第四十八条第一項	地方自治法第二百九十一条の六第七項において準用する第四十八条第一項
	当該選挙の公職の候補者の氏名	賛否
	公職の候補者（公職の候補者たる参議院名簿登載者を含む。）一人の氏名	が指示する賛否
	公職の候補者一人に対して	の指示に従い賛成の記載欄又は反対
		の記載欄に
	第六十八条第一項第一号	同法第二百九十一条の六第七項において準用する第六十八条第一項第一号
	「公職の候補者の氏名」	「賛否をともに」
	公職の候補者に対して○の記号	賛成の記載欄及び反対の記載欄のいずれにも○の記号を
	公職の候補者の氏名のほか、他事を記載したもの。ただし、職業、身分、住所又は敬称の類を記入したものは、この限りでない。	賛否のほか、他事を記載したもの
	公職の候補者の氏名を自書しないもの	賛否を自書しないもの
	公職の候補者の何人	賛否
	公職の候補者のいずれに対して○の記号	賛成の記載欄又は反対の記載欄のいずれに対して○の記号を記載したか
第四十八条第一項	当該選挙の公職の候補者の氏名	賛否
第四十八条第二項	公職の候補者（公職の候補者たる参議院名簿登載者を含む。）一人の氏名、一の衆議院名簿届出政党等の名称若しくは略称又は一の参議院名簿届出政党等の名称若しくは略称	賛否
第五十二条	被選挙人の氏名又は政党その他の政治団体の名称若しくは略称	賛否
第六十一条第二項	有する者	有する者（当該解散の請求を受けている広域連合の議会の議員又はその解散請求代表者を除く。）
第六十二条第一項	一人を定め	各々二人を定め
第六十二条第二項第一号	公職の候補者	広域連合の議会の解散請求代表者
第六十二条第十項	公職の候補者	広域連合の議会の議員又はその解散請求代表者
第六十八条第一項第四号	二人以上の公職の候補者の氏名を	賛否をともに
第六十八条第一項第六号及び第七号	公職の候補者の氏名	賛否

第六十八条第一項第八号	公職の候補者の何人を記載したか	賛否
第七十一条	当該選挙にかかる議員又は長の任期間	解散の投票の結果が確定するまでの間
第七十五条第三項	有する者	有する者（当該解散の請求を受けている広域連合の議会の議員又はその解散請求代表者を除く。）
第八十条第一項	各公職の候補者（公職の候補者たる参議院名簿登載者を含む。第三項において同じ。）、各衆議院名簿届出政党等又は各参議院名簿届出政党等の得票総数（各参議院名簿届出政党等の得票総数にあつては、当該参議院名簿届出政党等に係る各参議院名簿登載者（当該選挙の期日において公職の候補者たる者に限る。）の得票総数を含むものをいう。第三項において同じ。）	賛否の投票総数
第八十条第二項	各公職の候補者の得票総数	賛否の投票総数
第八十条第三項	各公職の候補者、各衆議院名簿届出政党等又は各参議院名簿届出政党等の得票総数	賛否の投票総数
第八十三条第二項	当該選挙に係る議員又は長の任期間	解散の投票の結果が確定するまでの間
第八十三条第三項	当該選挙にかかる議員又は長の任期間	解散の投票の結果が確定するまでの間
第百条第五項	前各項	地方自治法施行令第二百十三条の四において準用する同令第百二条
第百三十一条第一項第四号	公職の候補者一人	広域連合の議会又はその解散請求代表者
第百三十二条	第百二十九条の規定にかかわらず、選挙の当日においても	広域連合の議会の解散の投票の当日は
第百三十八条第二項	特定の候補者の氏名若しくは政党その他の政治団体の名称	広域連合の議会の解散の賛否
第百三十八条の三	公職に就くべき者	広域連合の議会の解散の賛否
第百六十六条ただし書	第百六十一条の規定による個人演説会、政党	地方自治法施行令第二百十三条の四
	演説会又は政党等演説会	において準用する同令第百七条の規定による演説会等
第百七十八条	第百条第一項から第四項まで	地方自治法施行令第二百十三条の四において準用する同令第百二条
	同条第五項	第百条第五項
第百九十九条の二第一項	公職の候補者又は公職の候補者となろうとする者（公職にある者を含む。以下この条において「公職の候補者等」という。）	広域連合の議会の議員又はその解散請求代表者（以下第百九十九条の四までにおいて「解散請求代表者等」という。）
	寄附を	寄附（当該投票に関するもの又は通常一般の社交の程度を超えるものに限る。以下この条において同じ。）を
	当該公職の候補者等	当該解散請求代表者等
第百九十九条の二第二項から第四項まで	公職の候補者等	解散請求代表者等
第百九十九条の三	公職の候補者又は公職の候補者となろうとす	解散請求代表者等

	る者（公職にある者を含む。）	
	団体は	団体は、当該投票に関し
第百九十九条の四	公職の候補者又は公職の候補者となろうとする者（公職にある者を含む。）	解散請求代表者等
	公職の候補者若しくは公職の候補者となろうとする者（公職にある者を含む。）	解散請求代表者等
第二百六条第一項	その当選	その解散の投票の結果
	第百一条の三第二項又は第百六条第二項の規定による告示の日	地方自治法第二百九十一条の六第一項において準用する同法第七十七条の規定による公表の日
第二百七条第二項	議員及び長の当選	解散の投票の結果
第二百九条第一項	当選	解散の投票の結果
第二百十九条第一項	おける当選	おける解散の投票の結果
第二百二十一条第三項第一号	公職の候補者	広域連合の議会の議員
第二百二十一条第三項第二号	選挙運動を総括主宰した者	広域連合の議会の解散請求代表者
第二百二十二条第 た者	前条第三項各号に掲げる者	広域連合の議会の議員又はその解散請求代表者
第二百二十三条第三項	第二百二十一条第三項各号に掲げる者	広域連合の議会の議員又はその解散請求代表者
第二百二十六条第二項、第二百二十七条及び第二百二十八条第一項	被選挙人の氏名	賛否
第二百三十七条の二第一項	公職の候補者（公職の候補者たる参議院名簿登載者を含む。）の氏名若しくは衆議院名簿届出政党等若しくは参議院名簿届出政党等の名称若しくは略称又は公職の候補者に対して	賛否又は
	指示する	指示に従い
第二百三十七条の二第二項	公職の候補者（公職の候補者たる参議院名簿登載者を含む。）の氏名又は衆議院名簿届出政党等若しくは参議院名簿届出政党等の名称若しくは略称	賛否
第二百四十九条の二第五項	公職の候補者等	広域連合の議会の議員又はその解散請求代表者（第七項において「解散請求代表者等」という。）
第二百四十九条の二第七項	公職の候補者等	解散請求代表者等
第二百五十三条の二第一項及び第二百五十四条	当選人	広域連合の議会の議員若しくは議員であつた者又はその解散請求代表者
第二百五十五条第一項	公職の候補者（公職の候補者たる参議院名簿登載者を含む。以下この条及び次条において同じ。）一人の氏名、一の衆議院名簿届出政党等の名称若しくは略称又は一の参議院名簿届出政党等の名称若しくは略称	賛否
	公職の候補者の氏名、衆議院名簿届出政党等の名称若しくは略称又は参議院名簿届出政党等の名称若しくは略称	賛否
第二百五十五条第三項	公職の候補者一人の氏名、一の衆議院名簿届	賛否

自治令

出政党等の名称若しくは略称又は一の参議院名簿届出政党等の名称若しくは略称	
公職の候補者の氏名、衆議院名簿届出政党等の名称若しくは略称又は参議院名簿届出政党等の名称若しくは略称	賛否

２　地方自治法第二百九十一条の六第七項の規定により、広域連合の議会の解散の投票に公職選挙法中普通地方公共団体の選挙に関する規定を準用する場合には、同法の規定中都道府県の議会の議員及び長の選挙に関する部分は広域連合の議会の解散の投票に関する規定、公職の候補者又は推薦届出者に関する部分は広域連合の議会又はその解散請求代表者に関する規定、都道府県の選挙管理委員会に関する部分は広域連合の選挙管理委員会に関する規定とみなす。

第二百十三条の七　地方自治法第二百九十一条の六第七項の規定により、広域連合の議会の解散の投票に公職選挙法中普通地方公共団体の選挙に関する規定を準用する場合には、同法第一条から第四条まで、第五条の二から第五条の十まで、第九条、第十条、第十一条第三項、第十一条の二、第十二条第一項、第二項及び第四項、第十三条から第十八条まで、第二十条から第三十五条まで、第三十七条第三項及び第四項、第四十一条の二第一項（選挙区に関する部分に限る。）及び第五項（同法第四十六条第二項及び第三項、第百六十五条の二、第百七十五条第一項並びに第二百一条の十二第二項に関する部分に限る。）、第四十二条（在外選挙人名簿に関する部分に限る。）、第四十四条第三項（都道府県の加入する広域連合にあつては、引き続き都道府県の区域内に住所を有することの確認に関する部分に限る。）、第四十六条第二項及び第三項、第四十六条の二第二項（同法第六十八条第一項第二号及び第五号、第八十六条の四並びに第百二十六条に関する部分に限る。）及び第三項（公職の候補者に関する部分に限る。）、第四十八条の二第五項（同法第四十六条第二項及び第三項に関する部分に限る。）、第四十九条第七項から第九項まで、第四十九条の二、第五十五条（在外選挙人名簿に関する部分に限る。）、第五十六条（在外選挙人名簿に関する部分に限る。）、第六十一条第三項及び第四項、第六十二条第二項第二号から第四号まで、第三項から第五項まで、第八項ただし書及び第九項ただし書、第六十八条第一項第二号、第三号、第五号及び第六号ただし書、第二項並びに第三項、第六十八条の二、第六十八条の三、第七十五条第二項、第七十七条第二項、第八十一条、第八十四条後段、第八十六条から第九十九条の二まで、第百条第一項から第四項まで及び第六項から第九項まで、第百一条から第百六条まで、第百八条、第十一章、第十二章、第百二十九条、第百三十条第一項第一号から第三号まで、第百三十一条第一項第一号から第三号まで及び第五号並びに第三項、第百三十六条の二第二項、第百三十九条ただし書、第百四十条の二（選挙運動のために使用される自動車又は船舶の上においてする連呼行為に関する部分に限る。）、第百四十一条から第百四十八条の二まで、第百四十八条第二項及び第三項、第百四十八条の二から第百五十一条の二まで、第百五十一条の五、第百五十二条、第百六十一条から第百六十四条の五まで、第百六十四条の七、第百六十五条の二、第百六十七条から第百七十二条の二まで、第百七十五条から第百七十七条まで、第百七十八条の二、第百七十八条の三、第百七十九条第一項及び第三項、第百七十九条の二から第百九十七条まで、第百九十七条の二第二項から第五項まで、第百九十九条の五、第十四章の二、第十四章の三、第二百二条第二項、第二百四条、第二百五条第二項から第五項まで、第二百六条第二項、第二百八条、第二百九条第二項、第二百九条の二から第二百十一条まで、第二百十三条（訴訟に関する部分を除く。）、第二百十六条、第二百十七条、第二百十九条第一項（行政事件訴訟法第二十五条から第二十九条まで及び第三十一条に関する部分に限る。）及び第二項、第二百二十条第二項、第二百二十一条第三項第三号及び第四号、第二百二十三条の二、第二百二十四条の二、第二百二十四条の三、第二百三十五条の二第二号及び第三号、第二百三十五条の三、第二百三十五条の四第二号、第二百三十五条の六、第二百三十六条第一項及び第二項、第二百三十六条の二、第二百三十八条の二、第二百三十九条第二項、第二百三十九条の二第一項、第二百四十条第二項、第二百四十二条第二項、第二百四十三条第一項第二号から第九号まで及び第二項、第二百四十四条第一項第二号から第五号の二まで、第七号及び第八号並びに第二項、第二百四十六条、第二百四十七条、第二百四十九条の二第三項及び第六項、第二百四十九条の五、第二百五十一条から第二百五十一条の五まで、第二百五十二条の二、第二百五十二条の三、第二百五十四条の二、第二百五十五条第四項から第六項まで、第二百五十五条の二から第二百六十二条まで、第二百六十三条、第二百六十四条第一項第一号（公職選挙法第二百六十三条第五号の三、第六号、第十号及び第十一号に掲げる費用に関する部分に限る。）及び第二項から第四項まで、第二百六十六条から第二百六十八条まで、第二百六十九条の二、第二百七十条第一項（在外選挙人名簿及び在外投票に関する部分に限る。）、同条第二項（同法第四十九条第一項及び第四項の規定による投票に関する部分を除く。）、第二百七十条の二（同法第四十九条第七項及び第九項の規定による投票に関する部分に限る。）並びに第二百七十一条から第二百七十二条までの規定は、広域連合の議会の解散の投票については、準用しない。

（広域連合の議会の議員の解職の請求への地方自治法等の規定の準用等）

第二百十四条　地方自治法第二百九十一条の六第一項の規定により、広域連合の議会の議員の解職の請求に同法第二編第五章（第七十五条第六項後段、第八十条第四項後段、第八十五条及び第八十六条第四項後段を除く。）の規定を準用する場合には、次の表の上欄に掲げる同法の規定中同表の中欄に掲げる字句は、それぞれ同表の下欄に掲げる字句に読み替えるものとする。

第八十条第四項前段において準用する第七十四条第五項	五十分の一	三分の一（その総数が四十万を超え八十万以下の場合にはその四十万を超える数に六分の一を乗じて得た数と四十万に三分の一を乗じて得た数とを合算して得た数、その総数が八十万を超える場合にはその八十万を超える数に八分の一を乗じて得た数と四十万に六分の一を乗じて得た数と四十万に三分の一を乗じて得た数とを合算して得た数）
	普通地方公共団体の選挙管理委員会	広域連合の選挙管理委員会
第八十条第四項前段において準用する第七十四条の二第七項及び第十項	都道府県の選挙管理委員会	広域連合の選挙管理委員会
第八十条第一項	所属の選挙区	広域連合の選挙人の投票により当該広域連合の議会の議員を選挙する広域連合にあつては所属の選挙区、広域連合を組織する地方公共団体の議会において当該広域連合の議会の議員を選挙する広域連合にあつては当該議員を選挙した議会が置かれている地方公共団体の区域（以下この項及び第三項において「選挙区等」という。）
	普通地方公共団体の選挙管理委員会	広域連合の選挙管理委員会
	当該選挙区	当該選挙区等
	この場合において	広域連合の選挙人の投票により当該広域連合の議会の議員を選挙する広域連合において
第八十条第三項	当該選挙区	当該選挙区等
	選挙人	広域連合の選挙人
	この場合において	広域連合の選挙人の投票により当該広域連合の議会の議員を選挙する広域連合において
第八十二条第一項	普通地方公共団体の選挙管理委員会	広域連合の選挙管理委員会
	普通地方公共団体の議会の関係議員及び議長	広域連合の議会の関係議員及び議長並びに広域連合を組織する地方公共団体の議会において当該広域連合の議会の議員を選挙する広域連合にあ

		つては当該関係議員を選挙した議会の議長
	都道府県知事	広域連合の長（第二百九十一条の十三において準用する第二百八十七条の三第二項の規定により長に代えて理事会を置く広域連合にあつては、理事会。以下同じ。）
	市町村長	広域連合の長

2　地方自治法第二百九十一条の六第一項の規定により、広域連合の議会の議員の解職の請求に同法第二編第五章（第七十五条第六項後段、第八十条第四項後段、第八十五条及び第八十六条第四項後段を除く。）の規定を準用する場合には、同法第七十四条から第七十四条の四まで、第七十五条第一項から第五項まで及び第六項前段、第七十六条から第七十九条まで、第八十条第四項前段（同法第七十四条の二第八項の準用に係る部分に限る。）、第八十一条、第八十二条第二項、第八十六条第一項から第三項まで及び第四項前段、第八十七条並びに第八十八条の規定並びに広域連合を組織する地方公共団体の議会において当該広域連合の議会の議員を選挙する広域連合の議会の議員の解職の請求にあつては同法第八十四条ただし書の規定は、広域連合の議会の議員の解職の請求については、準用しない。

第二百十四条の二　第九十一条から第九十七条まで、第九十八条第一項、第九十八条の三第二項及び第九十八条の四の規定は、地方自治法第二百九十一条の六第一項において準用する同法第八十条第一項の規定による広域連合の議会の議員の解職の請求について準用する。この場合において、次の表の上欄に掲げる規定中同表の中欄に掲げる字句は、それぞれ同表の下欄に掲げる字句に読み替えるものとする。

第九十一条第一項及び第二項	普通地方公共団体の長	広域連合の選挙管理委員会
第九十一条第三項から第五項まで	地方自治法第七十四条第六項各号	地方自治法第二百九十一条の六第一項において準用する同法第八十条第四項前段において準用する同法第七十四条第六項各号
第九十二条第一項	普通地方公共団体の長	広域連合の選挙管理委員会
	地方自治法第七十四条第一項に規定する選挙権を有する者（以下この編において「選挙権を有する者」という。）	地方自治法第二百九十一条の六第一項において準用する同法第七十四条第一項に規定する請求権を有する者（以下この編において「請求権を有する者」という。）
第九十二条第二項	選挙権を有する者	請求権を有する者
第九十二条第三項	都道府県及び指定都市にあつては二箇月以内、指定都市以外の市町村にあつては一箇月以内	二箇月以内
第九十二条第三項ただし書	地方自治法第七十四条第七項	地方自治法第二百九十一条の六第一項において準用する同法第八十条第四項前段において準用する同法第七十四条第七項
	都道府県及び指定都市にあつては六十二日以内、指定都市以外の市町村にあつては三十一日以内	六十二日以内
第九十二条第四項	地方自治法第七十四条第七項	地方自治法第二百九十一条の六第一項において準用する同法第八十条第四項前段において準用する同法第七十四条第七項
第九十三条	都道府県に関する請求にあつては市町村ごとに、指定都市に関する請求にあつては区又は総合区ごとに	市町村ごとに

第九十三条の二第一項	都道府県又は指定都市	広域連合
第九十四条第一項	地方自治法第七十四条第五項	地方自治法第二百九十一条の六第一項において準用する同法第八十条第四項前段において準用する同法第七十四条第五項
	選挙権を有する者	請求権を有する者
	五十分の一	三分の一（その総数が四十万を超え八十万以下の場合にはその四十万を超える数に六分の一を乗じて得た数と四十万に三分の一を乗じて得た数とを合算して得た数、その総数が八十万を超える場合にはその八十万を超える数に八分の一を乗じて得た数と四十万に六分の一を乗じて得た数と四十万に三分の一を乗じて得た数とを合算して得た数）
	都道府県又は指定都市に関する請求にあつては十日以内、指定都市以外の市町村に関する請求にあつては五日以内	十日以内
第九十五条の二	地方自治法第七十四条の二第一項	地方自治法第二百九十一条の六第一項において準用する同法第八十条第四項前段において準用する同法第七十四条の二第一項
第九十五条の三	地方自治法第七十四条の二第五項	地方自治法第二百九十一条の六第一項において準用する同法第八十条第四項前段において準用する同法第七十四条の二第五項
第九十五条の四	地方自治法第七十四条の二第六項	地方自治法第二百九十一条の六第一項において準用する同法第八十条第四項前段において準用する同法第七十四条の二第六項
第九十六条第一項	地方自治法第七十四条第一項	地方自治法第二百九十一条の六第一項において準用する同法第八十条第
		一項
	同法第七十四条の二第六項	同法第二百九十一条の六第一項において準用する同法第八十条第四項前段において準用する同法第七十四条の二第六項
	、都道府県又は指定都市に関する請求にあつては十日以内、指定都市以外の市町村に関する請求にあつては五日以内	十日以内
	同法第七十四条第五項	同法第二百九十一条の六第一項において準用する同法第八十条第四項前段において準用する同法第七十四条第五項
	選挙権を有する者	請求権を有する者
	五十分の一	三分の一（その総数が四十万を超え八十万以下の場合にはその四十万を超える数に六分の一を乗じて得た数と四十万に三分の一を乗じて得た数

		とを合算して得た数、その総数が八十万を超える場合にはその八十万を超える数に八分の一を乗じて得た数と四十万に六分の一を乗じて得た数と四十万に三分の一を乗じて得た数とを合算して得た数）
第九十六条第二項	地方自治法第七十四条の二第十項	地方自治法第二百九十一条の六第一項において準用する同法第八十条第四項前段において準用する同法第七十四条の二第十項
第九十七条第一項	地方自治法第七十四条第五項	地方自治法第二百九十一条の六第一項において準用する同法第八十条第四項前段において準用する同法第七十四条第五項
	選挙権を有する者	請求権を有する者
	五十分の一	三分の一（その総数が四十万を超え八十万以下の場合にはその四十万を超える数に六分の一を乗じて得た数と四十万に三分の一を乗じて得た数とを合算して得た数、その総数が八十万を超える場合にはその八十万を超える数に八分の一を乗じて得た数と四十万に六分の一を乗じて得た数と四十万に三分の一を乗じて得た数とを合算して得た数）
	普通地方公共団体の長	広域連合の選挙管理委員会
第九十七条第二項	都道府県又は指定都市に関する請求にあつては五日以内、指定都市以外の市町村に関する請求にあつては三日以内	五日以内
第九十八条第一項	普通地方公共団体の長	広域連合の選挙管理委員会

（広域連合の議会の議員の解職の投票への公職選挙法等の規定の準用等）

第二百十四条の三　第百条の二、第百四条、第百五条、第百七条、第百九条の二、第百九条の三、第百十一条、第百十二条、第二百十三条の三、第二百十三条の五第二項、第二百十三条の六第二項及び第四項並びに第二百十三条の七（公職選挙法第十二条第一項及び第四項並びに第百三十一条第一項第五号に関する部分を除く。）の規定は、広域連合の議会の議員の解職の投票について準用する。この場合において、次の表の上欄に掲げる規定中同表の中欄に掲げる字句は、それぞれ同表の下欄に掲げる字句に読み替えるものとする。

第百条の二第一項	前条	第二百十四条の二
第百条の二第二項	都道府県に関する請求にあつては少くともその三十日前に、市町村に関する請求にあつては少くともその二十日前に	少なくともその三十日前に
第百四条第一項	第百条	第二百十四条の二
第百五条及び第百九条の三第一項	地方自治法第八十五条第一項	地方自治法第二百九十一条の六第七項
第百九条の三第二項	都道府県に関する請求にあつては少くともその三十日前に、市町村に関する請求にあつては少くともその二十日前に	少なくともその三十日前に

第二百十四条の四　公職選挙法施行令第二十二条の二、第二十四条第一項及び第二項、第二十五条から第二十九条

まで、第三十一条から第三十四条まで、第三十五条第一項（引き続き都道府県の区域内に住所を有することの確認に関する部分を除く。）及び第二項、第三十六条、第三十七条、第三十九条から第四十四条まで、第四十四条の二（在外選挙人名簿に関する部分を除く。）、第四十五条、第四十六条、第四十八条第一項から第四項まで、第四十八条の二、第四章の二（第四十八条の三（同令第四十九条の五第二項、第九十三条第一項及び第百四条に関する部分に限る。）を除く。）、第四十九条の三、第四章の四、第五章（第五十条第五項及び第七項、第五十三条第一項（引き続き都道府県の区域内に住所を有することの確認に関する部分及び同令第五十九条の七第一項に規定する南極選挙人証の交付を受けた者に関する部分に限る。）、第五十五条第六項及び第七項、同条第八項及び第九項（公職選挙法第四十九条第七項及び第九項の規定による投票に関する部分に限る。）、第五十六条第一項及び第五項（衆議院比例代表選出議員の選挙に関する部分及び参議院比例代表選出議員の選挙に関する部分に限る。）、第五十九条の三第一項（在外投票に関する部分に限る。）、同条第五項（在外選挙人名簿に関する部分に限る。）、第五十九条の四第三項、同条第四項（引き続き都道府県の区域内に住所を有することの確認に関する部分に限る。）、第五十九条の五（衆議院比例代表選出議員の選挙に関する部分及び参議院比例代表選出議員の選挙に関する部分に限る。）、第五十九条の五の四第三項、同条第六項及び第七項（引き続き都道府県の区域内に住所を有することの確認に関する部分に限る。）、第五十九条の六から第五十九条の八まで、第六十条第二項（同法第四十九条第七項から第九項までの規定による投票に関する部分に限る。）、第六十一条第一項（在外選挙人名簿に関する部分に限る。）、同条第四項、同条第五項（在外選挙人の不在者投票に関する部分に限る。）、第六十二条第二項並びに第六十三条第二項及び第三項（同法第四十九条第七項から第九項までの規定による投票に関する部分に限る。）を除く。）、第六十六条、第六十七条第一項から第六項まで、第六十八条、第六十九条（政党その他の政治団体に関する部分を除く。）、第七十条の二第一項（政党その他の政治団体に関する部分、候補者届出政党に関する部分、衆議院名簿届出政党等に関する部分及び参議院名簿届出政党等に関する部分を除く。）、第七十条の三、第七十条の四第一項本文、第二項本文及び第三項、第七十条の五第一項、第三項、第五項、第六項、第八項及び第十項、第七十条の六第一項、第三項、第五項、第六項、第八項、第十項、第十一項、第十三項及び第十五項、第七十条の七第一項本文、第二項本文、第三項、第四項本文、第五項本文及び第六項、第七十条の八、第七十一条（在外投票に関する部分を除く。）、第七十二条から第七十四条まで、第七十五条（在外選挙人名簿に関する部分を除く。）、第七十六条（在外投票に関する部分を除く。）、第七十七条、第七十八条第一項から第四項まで、第八十条から第八十二条まで、第八十三条の二から第八十五条まで、第八十六条第一項、第八十七条第一項、第百八条第一項及び第三項（衆議院比例代表選出議員の選挙に関する部分及び参議院比例代表選出議員の選挙に関する部分並びに推薦届出者に関する部分及び候補者届出政党に関する部分を除く。）、第百二十九条第一項、第百三十一条第一項、第二項（在外選挙人名簿に関する部分を除く。）及び第三項、第百三十一条の二、第百四十二条第一項（同法第四十九条第一項の規定による投票に関する部分に限る。）及び第二項、第百四十二条の二（同法第四十九条第七項及び第九項の規定による投票に関する部分を除く。）、第百四十二条の三並びに第百四十六条第二項の規定並びに都道府県の加入する広域連合にあつては同令第三十四条の二並びに第五十条第五項、第五十九条の四第三項及び第五十九条の五の四第三項（引き続き都道府県の区域内に住所を有することの確認に関する部分を除く。）の規定は、広域連合の議会の議員の解職の投票について準用する。この場合において、次の表の上欄に掲げる同令の規定中同表の中欄に掲げる字句は、それぞれ同表の下欄に掲げる字句に読み替えるものとする。

第二十二条の二	その抄本を用いて選挙された衆議院議員、参議院議員又は地方公共団体の議会の議員若しくは長の任期間	解職の投票の結果が確定するまでの間
第三十五条第一項	により都道府県	により広域連合（都道府県の加入するものに限る。）を組織する都道府県
	規定する引き続き当該都道府県	規定する引き続き当該広域連合
第四十一条第四項	公職の候補者（公職の候補者たる参議院名簿登載者を含む。）の氏名若しくは衆議院名簿届出政党等若しくは参議院名簿届出政党等の	賛否又は

	名称若しくは略称又は公職の候補者に対して	
第四十五条	当該選挙に係る衆議院議員、参議院議員又は地方公共団体の議会の議員若しくは長の任期間（当該選挙に用いなかつた投票用紙にあつては、次の各号に掲げる選挙の区分に応じ、当該各号に定める期間）	解職の投票の結果が確定するまでの間
第五十条第五項	当該選挙	当該広域連合を組織する都道府県の議会の議員及び長の選挙
第五十三条第一項	により当該	により当該広域連合（都道府県の加入するものに限る。）を組織する都道府県の議会の議員及び長の
第五十六条第一項及び第二項	当該選挙の公職の候補者一人の氏名	賛否
第五十六条第四項	公職の候補者一人の氏名	賛否
第五十六条第五項	公職の候補者の氏名	賛否
第五十九条の四第三項	当該選挙	当該広域連合を組織する都道府県の議会の議員及び長の選挙
第五十九条の四第四項	により当該	により当該広域連合（都道府県の加入するものに限る。）を組織する都道府県の議会の議員及び長の
第五十九条の五	当該選挙の公職の候補者一人の氏名	賛否
第五十九条の五の二	公職の候補者一人の氏名	賛否
第五十九条の五の四第三項	当該選挙	当該広域連合を組織する都道府県の議会の議員及び長の選挙
第五十九条の五の四第七項	により当該	により当該広域連合（都道府県の加入するものに限る。）を組織する都道府県の議会の議員及び長の
第六十九条	公職の候補者、候補者届出政党、衆議院名簿届出政党等又は参議院名簿届出政党等	広域連合の議会の議員又はその解職請求代表者
第七十条の二第一項	公職の候補者の届出に係る者については当該公職の候補者の氏名	広域連合の議会の議員の届出に係る者については当該議員の氏名、解職請求代表者の届出に係る者については当該解職請求代表者の氏名
第七十条の五第一項、第三項、第六項及び第八項並びに第七十条の六第一項、第三項、第六項、第八項、第十一項及び第十三項	二人	各々三人
	一人	各々二人
第七十二条	同一の公職の候補者（公職の候補者たる参議院名簿登載者を含む。）、同一の衆議院名簿届出政党等又は同一の参議院名簿届出政党等の得票数（参議院名簿届出政党等にあつては、当該参議院名簿届出政党等に係る各参議院名簿登載者（当該選挙の期日において公職の候補者たる者に限る。）の得票数を含むものをいう。）	賛否の投票数
第七十三条	各公職の候補者（公職の候補者たる参議院名簿	賛否の投票数

	簿登載者を含む。）、各衆議院名簿届出政党等又は各参議院名簿届出政党等の得票数（各参議院名簿届出政党等の得票数にあつては、当該参議院名簿届出政党等に係る各参議院名簿登載者（当該選挙の期日において公職の候補者たる者に限る。）の得票数を含むものをいう。）	
第七十七条第一項	当該選挙に係る衆議院議員、参議院議員又は地方公共団体の議会の議員若しくは長の任期間	解職の投票の結果が確定するまでの間
第八十四条	各公職の候補者（公職の候補者たる参議院名簿登載者を含む。）、各衆議院名簿届出政党等又は各参議院名簿届出政党等の得票総数（各参議院名簿届出政党等の得票総数にあつては、当該参議院名簿届出政党等に係る各参議院名簿登載者（当該選挙の期日において公職の候補者たる者に限る。）の得票総数を含むものをいう。）	賛否の投票総数
第八十六条第一項	当該選挙に係る衆議院議員、参議院議員又は地方公共団体の議会の議員若しくは長の任期間	解職の投票の結果が確定するまでの間
第百八条第一項	設置者が公職の候補者である場合には当該公職の候補者の氏名	設置者の氏名

第二百十四条の五　地方自治法第二百九十一条の六第七項の規定により、広域連合の議会の議員の解職の投票に公職選挙法中普通地方公共団体の選挙に関する規定を準用する場合には、次の表の上欄に掲げる同法の規定中同表の中欄に掲げる字句は、それぞれ同表の下欄に掲げる字句に読み替えるものとする。

第三十七条第二項	有する者	有する者（当該解職の請求を受けている広域連合の議会の議員又はその解職請求代表者を除く。）
第四十四条第三項	により	により広域連合（都道府県の加入するものに限る。）を組織する
	、引き続き当該都道府県	、引き続き当該広域連合
第四十六条第一項	当該選挙の公職の候補者一人の氏名	賛否
第四十六条の二第一項	条例で	選挙管理委員会が
	投票用紙に氏名が印刷された公職の候補者のうちその投票しようとするもの一人に対して、投票用紙の記号を記載する欄	広域連合の議会の議員の解職に賛成するときは投票用紙の賛成の記載欄に○の記号を、これに反対するときは反対の記載欄
第四十六条の二第二項	第四十八条第一項	地方自治法第二百九十一条の六第七項において準用する第四十八条第一項
	当該選挙の公職の候補者の氏名	賛否
	公職の候補者（公職の候補者たる参議院名簿登載者を含む。）一人の氏名	が指示する賛否
	公職の候補者一人に対して	の指示に従い賛成の記載欄又は反対の記載欄に
	第六十八条第一項第一号	同法第二百九十一条の六第七項において準用する第六十八条第一項第一

自治令

		号
	「公職の候補者の氏名」	「賛否をともに」
	公職の候補者に対して○の記号	賛成の記載欄及び反対の記載欄のいずれにも○の記号を
	公職の候補者の氏名のほか、他事を記載したもの。ただし、職業、身分、住所又は敬称の類を記入したものは、この限りでない。	賛否のほか、他事を記載したもの
	公職の候補者の氏名を自書しないもの	賛否を自書しないもの
	公職の候補者の何人	賛否
	公職の候補者のいずれに対して○の記号	賛成の記載欄又は反対の記載欄のいずれに対して○の記号を記載したか
第四十八条第一項	当該選挙の公職の候補者の氏名	賛否
第四十八条第二項	公職の候補者（公職の候補者たる参議院名簿登載者を含む。）一人の氏名、一の衆議院名簿届出政党等の名称若しくは略称又は一の参議院名簿届出政党等の名称若しくは略称	賛否
第五十二条	被選挙人の氏名又は政党その他の政治団体の名称若しくは略称	賛否
第六十一条第二項	有する者	有する者（当該解職の請求を受けている広域連合の議会の議員又はその解職請求代表者を除く。）
第六十二条第一項	一人を定め	各々二人を定め
第六十二条第二項第一号	公職の候補者	広域連合の議会の議員の解職請求代表者
第六十二条第十項	公職の候補者	解職の請求を受けている広域連合の議会の議員又はその解職請求代表者
第六十八条第一項第四号	二人以上の公職の候補者の氏名を	賛否をともに
第六十八条第一項第六号及び第七号	公職の候補者の氏名	賛否
第六十八条第一項第八号	公職の候補者の何人を記載したか	賛否
第七十一条	当該選挙にかかる議員又は長の任期間	解職の投票の結果が確定するまでの間
第七十五条第三項	有する者	有する者（当該解職の請求を受けている広域連合の議会の議員又はその解職請求代表者を除く。）
第八十条第一項	各公職の候補者（公職の候補者たる参議院名簿登載者を含む。第三項において同じ。）、各衆議院名簿届出政党等又は各参議院名簿届出政党等の得票総数（各参議院名簿届出政党等の得票総数にあつては、当該参議院名簿届出政党等に係る各参議院名簿登載者（当該選挙の期日において公職の候補者たる者に限る。）の得票総数を含むものをいう。第三項において同じ。）	賛否の投票総数
第八十条第二項	各公職の候補者の得票総数	賛否の投票総数
第八十条第三項	各公職の候補者、各衆議院名簿届出政党等又は各参議院名簿届出政党等の得票総数	賛否の投票総数

第八十三条第二項	当該選挙に係る議員又は長の任期間	解職の投票の結果が確定するまでの間
第八十三条第三項	当該選挙にかかる議員又は長の任期間	解職の投票の結果が確定するまでの間
第百条第五項	前各項	地方自治法施行令第二百十四条の三において準用する同令第百十二条
第百三十一条第一項第五号	公職の候補者一人	広域連合の議会の議員又はその解職請求代表者
第百三十二条	第百二十九条の規定にかかわらず、選挙の当日においても	広域連合の議会の議員の解職の投票の当日は
第百三十八条第二項	特定の候補者の氏名若しくは政党その他の政治団体の名称	広域連合の議会の議員の解職の賛否
第百三十八条の三	公職に就くべき者	広域連合の議会の議員の解職の賛否
第百六十六条ただし書	第百六十一条の規定による個人演説会、政党演説会又は政党等演説会	地方自治法施行令第二百十四条の三において準用する同令第百七条の規定による演説会等
第百七十八条	第百条第一項から第四項まで	地方自治法施行令第二百十四条の三において準用する同令第百十二条
	同条第五項	第百条第五項
第百九十九条の二第一項	公職の候補者又は公職の候補者となろうとする者（公職にある者を含む。以下この条において「公職の候補者等」という。）	解職の請求を受けている広域連合の議会の議員又はその解職請求代表者（以下第百九十九条の四までにおいて「解職請求代表者等」という。）
	寄附を	寄附（当該投票に関するもの又は通常一般の社交の程度を超えるものに限る。以下この条において同じ。）を
	当該公職の候補者等	当該解職請求代表者等
第百九十九条の二第二項から第四項まで	公職の候補者等	解職請求代表者等
第百九十九条の三	公職の候補者又は公職の候補者となろうとする者（公職にある者を含む。）	解職請求代表者等
	団体は	団体は、当該投票に関し
第百九十九条の四	公職の候補者又は公職の候補者となろうとする者（公職にある者を含む。）	解職請求代表者等
	公職の候補者若しくは公職の候補者となろうとする者（公職にある者を含む。）	解職請求代表者等
第二百六条第一項	その当選	その解職の投票の結果
	第百一条の三第二項又は第百六条第二項の規定による告示の日	地方自治法第二百九十一条の六第一項において準用する同法第八十二条第一項の規定による公表の日
第二百七条第二項	議員及び長の当選	議員の解職の投票の結果
第二百九条第一項	当選	解職の投票の結果
第二百十九条第一項	おける当選	おける解職の投票の結果
第二百二十一条第三項第一号	公職の候補者	解職の請求を受けている広域連合の議会の議員

第二百二十一条第三項第二号	選挙運動を総括主宰した者	広域連合の議会の議員の解職請求代表者
第二百二十二条第三項	前条第三項各号に掲げる者	解職の請求を受けている広域連合の議会の議員又はその解職請求代表者
第二百二十三条第三項	第二百二十一条第三項各号に掲げる者	解職の請求を受けている広域連合の議会の議員又はその解職請求代表者
第二百二十六条第二項、第二百二十七条及び第二百二十八条第一項	被選挙人の氏名	賛否
第二百三十七条の二第一項	公職の候補者（公職の候補者たる参議院名簿登載者を含む。）の氏名若しくは衆議院名簿届出政党等若しくは参議院名簿届出政党等の名称若しくは略称又は公職の候補者に対して	賛否又は
	指示する	指示に従い
第二百三十七条の二第二項	公職の候補者（公職の候補者たる参議院名簿登載者を含む。）の氏名又は衆議院名簿届出政党等若しくは参議院名簿届出政党等の名称若しくは略称	賛否
第二百四十九条の二第五項	公職の候補者等	広域連合の議会の議員又はその解職請求代表者（第七項において「解職請求代表者等」という。）
第二百四十九条の二第七項	公職の候補者等	解職請求代表者等
第二百五十三条の二第一項及び第二百五十四条	当選人	広域連合の議会の議員若しくは議員であつた者又はその解職請求代表者
第二百五十五条第一項	公職の候補者（公職の候補者たる参議院名簿登載者を含む。以下この条及び次条において同じ。）一人の氏名、一の衆議院名簿届出政党等の名称若しくは略称又は一の参議院名簿届出政党等の名称若しくは略称	賛否
	公職の候補者の氏名、衆議院名簿届出政党等の名称若しくは略称又は参議院名簿届出政党等の名称若しくは略称	賛否
第二百五十五条第三項	公職の候補者一人の氏名、一の衆議院名簿届出政党等の名称若しくは略称又は一の参議院名簿届出政党等の名称若しくは略称	賛否
	公職の候補者の氏名、衆議院名簿届出政党等の名称若しくは略称又は参議院名簿届出政党等の名称若しくは略称	賛否

2　公職選挙法第十二条第三項及び第百三十一条第一項第四号の規定は、第二百十四条の三の規定にかかわらず、広域連合の議会の議員の解職の投票については、準用しない。

（広域連合の長の解職の請求への地方自治法等の規定の準用等）

第二百十五条　地方自治法第二百九十一条の六第一項の規定により、広域連合の長（同法第二百九十一条の十三において準用する同法第二百八十七条の三第二項の規定により長に代えて理事会を置く広域連合にあつては、理事。以下この条から第二百十五条の五までにおいて同じ。）の解職の請求に同法第二編第五章（第七十五条第六項後段、第八十条第四項後段、第八十五条及び第八十六条第四項後段を除く。）の規定を準用する場合には、次の表の上欄に掲げる同法の規定中同表の中欄に掲げる字句は、それぞれ同表の下欄に掲げる字句に読み替えるものとする。

第八十一条第二項において準用する第七十四条第五項	五十分の一	三分の一（その総数が四十万を超え八十万以下の場合にはその四十万を超える数に六分の一を乗じて得た数と四十万に三分の一を乗じて得た数とを合算して得た数、その総数が八十万を超える場合にはその八十万を超える数に八分の一を乗じて得た数と四十万に六分の一を乗じて得た数と四十万に三分の一を乗じて得た数とを合算して得た数）
	普通地方公共団体の選挙管理委員会	広域連合の選挙管理委員会
第八十一条第二項において準用する第七十四条の二第七項及び第十項	都道府県の選挙管理委員会	広域連合の選挙管理委員会
第八十一条第二項において準用する第七十六条第三項	選挙人	広域連合の選挙人
第八十一条第一項	普通地方公共団体の選挙管理委員会	広域連合の選挙管理委員会
第八十二条第二項	前条第二項	第二百九十一条の六第一項において準用する第八十一条第二項において準用する第七十六条第三項
	普通地方公共団体の長及び議会の議長	広域連合の長（第二百九十一条の十三において準用する第二百八十七条の三第二項の規定により長に代えて理事会を置く広域連合にあつては、理事会）及び議会の議長並びに広域連合を組織する地方公共団体の長の投票により当該広域連合の長（第二百九十一条の十三において準用する第二百八十七条の三第二項の規定により長に代えて理事会を置く広域連合にあつては、理事）を選挙する広域連合にあつては当該広域連合を組織する地方公共団体の長

2　地方自治法第二百九十一条の六第一項の規定により、広域連合の長の解職の請求に同法第二編第五章（第七十五条第六項後段、第八十条第四項後段、第八十五条及び第八十六条第四項後段を除く。）の規定を準用する場合には、同法第七十四条から第七十四条の四まで、第七十五条第一項から第五項まで及び第六項前段、第七十六条から第七十九条まで、第八十条第一項から第三項まで及び第四項前段、第八十一条第二項（同法第七十四条の二第八項の準用に係る部分に限る。）、第八十二条第一項、第八十六条第一項から第三項まで及び第四項前段、第八十七条並びに第八十八条の規定並びに広域連合を組織する地方公共団体の長の投票により当該広域連合の長を選挙する広域連合の長の解職の請求にあつては同法第八十四条ただし書の規定は、広域連合の長の解職の請求については、準用しない。

第二百十五条の二　第九十一条から第九十七条まで、第九十八条第一項、第九十八条の三第二項及び第九十八条の四の規定は、地方自治法第二百九十一条の六第一項において準用する同法第八十一条第一項の規定による広域連合の長の解職の請求について準用する。この場合において、次の表の上欄に掲げる規定中同表の中欄に掲げる字句は、それぞれ同表の下欄に掲げる字句に読み替えるものとする。

第九十一条第一項及び第二項	普通地方公共団体の長	広域連合の選挙管理委員会
第九十一条第三項から第五項まで	地方自治法第七十四条第六項各号	地方自治法第二百九十一条の六第一

		項において準用する同法第八十一条第二項において準用する同法第七十四条第六項各号
	普通地方公共団体の長	広域連合の選挙管理委員会
第九十二条第一項	地方自治法第七十四条第一項に規定する選挙権を有する者（以下この編において「選挙権を有する者」という。）	地方自治法第二百九十一条の六第一項において準用する同法第七十四条第一項に規定する請求権を有する者（以下この編において「請求権を有する者」という。）
第九十二条第二項	選挙権を有する者	請求権を有する者
第九十二条第三項	都道府県及び指定都市にあつては二箇月以内、指定都市以外の市町村にあつては一箇月以内	二箇月以内
第九十二条第三項ただし書	地方自治法第七十四条第七項	地方自治法第二百九十一条の六第一項において準用する同法第八十一条第二項において準用する同法第七十四条第七項
	都道府県及び指定都市にあつては六十二日以内、指定都市以外の市町村にあつては三十一日以内	六十二日以内
第九十二条第四項	地方自治法第七十四条第七項	地方自治法第二百九十一条の六第一項において準用する同法第八十一条第二項において準用する同法第七十四条第七項
第九十三条	都道府県に関する請求にあつては市町村ごとに、指定都市に関する請求にあつては区又は総合区ごとに	市町村ごとに
第九十三条の二第一項	都道府県又は指定都市	広域連合
第九十四条第一項	地方自治法第七十四条第五項	地方自治法第二百九十一条の六第一項において準用する同法第八十一条第二項において準用する同法第七十四条第五項
	選挙権を有する者	請求権を有する者
	五十分の一	三分の一（その総数が四十万を超え八十万以下の場合にはその四十万を超える数に六分の一を乗じて得た数と四十万に三分の一を乗じて得た数とを合算して得た数、その総数が八十万を超える場合にはその八十万を超える数に八分の一を乗じて得た数と四十万に六分の一を乗じて得た数と四十万に三分の一を乗じて得た数とを合算して得た数）
	都道府県又は指定都市に関する請求にあつては十日以内、指定都市以外の市町村に関する請求にあつては五日以内	十日以内
第九十五条の二	地方自治法第七十四条の二第一項	地方自治法第二百九十一条の六第一項において準用する同法第八十一条第二項において準用する同法第七十四条の二第一項
第九十五条の三	地方自治法第七十四条	地方自治法第二百

	の二第五項	九十一条の六第一項において準用する同法第八十一条第二項において準用する同法第七十四条の二第五項
第九十五条の四	地方自治法第七十四条の二第六項	地方自治法第二百九十一条の六第一項において準用する同法第八十一条第二項において準用する同法第七十四条の二第六項
第九十六条第一項	地方自治法第七十四条第一項	地方自治法第二百九十一条の六第一項において準用する同法第八十一条第一項
	同法第七十四条の二第六項	同法第二百九十一条の六第一項において準用する同法第八十一条第二項において準用する同法第七十四条の二第六項
	、都道府県又は指定都市に関する請求にあつては十日以内、指定都市以外の市町村に関する請求にあつては五日以内	十日以内
	同法第七十四条第五項	同法第二百九十一条の六第一項において準用する同法第八十一条第二項において準用する同法第七十四条第五項
	選挙権を有する者	請求権を有する者
	五十分の一	三分の一（その総数が四十万を超え八十万以下の場合にはその四十万を超える数に六分の一を乗じて得た数と四十万に三分の一を乗じて得た数とを合算して得た数、その総数が八十万を超える場合にはその八十万を超える数に八分の一を乗じて得た数と四十万に六分の一を乗じて得た数と四十万に三分の一を乗じて得た数とを合算して得た数）
第九十六条第二項	地方自治法第七十四条の二第十項	地方自治法第二百九十一条の六第一項において準用する同法第八十一条第二項において準用する同法第七十四条の二第十項
第九十七条第一項	地方自治法第七十四条第五項	地方自治法第二百九十一条の六第一項において準用する同法第八十一条第二項において準用する同法第七十四条第五項
	選挙権を有する者	請求権を有する者
	五十分の一	三分の一（その総数が四十万を超え八十万以下の場合にはその四十万を超える数に六分の一を乗じて得た数と四十万に三分の一を乗じて得た数とを合算して得た数、その総数が八十万を超える場合にはその八十万を超える数に八分の一を乗じて得た数と四十万に六分の一を乗じて得た数と四十万に三分の一を乗じて得た数とを合算して得た数）

	普通地方公共団体の長	広域連合の選挙管理委員会
第九十七条第二項	都道府県又は指定都市に関する請求にあつては五日以内、指定都市以外の市町村に関する請求にあつては三日以内	五日以内
第九十八条第一項	普通地方公共団体の長	広域連合の選挙管理委員会

（広域連合の長の解職の投票への公職選挙法等の規定の準用等）

第二百十五条の三　第百条の二、第百四条、第百五条、第百七条、第百九条の二、第百九条の三、第百十一条、第百十二条、第二百十三条の三、第二百十三条の五第二項、第二百十三条の六第二項及び第二百十三条の七の規定は、広域連合の長の解職の投票について準用する。この場合において、次の表の上欄に掲げる規定中同表の中欄に掲げる字句は、それぞれ同表の下欄に掲げる字句に読み替えるものとする。

第百条の二第一項	前条	第二百十五条の二
第百条の二第二項	都道府県に関する請求にあつては少くともその三十日前に、市町村に関する請求にあつては少くともその二十日前に	少なくともその三十日前に
第百四条第一項	第百条	第二百十五条の二
第百五条及び第百九条の三第一項	地方自治法第八十五条第一項	地方自治法第二百九十一条の六第七項
第百九条の三第二項	都道府県に関する請求にあつては少くともその三十日前に、市町村に関する請求にあつては少くともその二十日前に	少なくともその三十日前に

第二百十五条の四　公職選挙法施行令第二十二条の二、第二十四条第一項及び第二項、第二十五条から第二十九条まで、第三十一条から第三十四条まで、第三十五条第一項（引き続き都道府県の区域内に住所を有することの確認に関する部分を除く。）及び第二項、第三十六条、第三十七条、第三十九条から第四十四条まで、第四十四条の二（在外選挙人名簿に関する部分を除く。）、第四十五条、第四十六条、第四十八条第一項から第四項まで、第四十八条の二、第四章の二（第四十八条の三（同令第四十九条の五第二項、第九十三条第一項及び第百四条に関する部分に限る。）を除く。）、第四十九条の三、第四章の四、第五章（第五十条第五項及び第七項、第五十三条第一項（引き続き都道府県の区域内に住所を有することの確認に関する部分及び同令第五十九条の七第一項に規定する南極選挙人証の交付を受けた者に関する部分に限る。）、第五十五条第六項及び第七項、同条第八項及び第九項（公職選挙法第四十九条第七項及び第九項の規定による投票に関する部分に限る。）、第五十六条第一項及び第五項（衆議院比例代表選出議員の選挙に関する部分及び参議院比例代表選出議員の選挙に関する部分に限る。）、第五十九条の三第一項（在外投票に関する部分に限る。）、同条第五項（在外選挙人名簿に関する部分に限る。）、第五十九条の四第三項、同条第四項（引き続き都道府県の区域内に住所を有することの確認に関する部分に限る。）、第五十九条の五（衆議院比例代表選出議員の選挙に関する部分及び参議院比例代表選出議員の選挙に関する部分に限る。）、第五十九条の五の四第三項、同条第六項及び第七項（引き続き都道府県の区域内に住所を有することの確認に関する部分に限る。）、第五十九条の六から第五十九条の八まで、第六十条第二項（同法第四十九条第七項から第九項までの規定による投票に関する部分に限る。）、第六十一条第一項（在外選挙人名簿に関する部分に限る。）、同条第四項、同条第五項（在外選挙人の不在者投票に関する部分に限る。）、第六十二条第二項並びに第六十三条第二項及び第三項（同法第四十九条第七項から第九項までの規定による投票に関する部分に限る。）を除く。）、第六十六条、第六十七条第一項から第六項まで、第六十八条、第六十九条（政党その他の政治団体に関する部分を除く。）、第七十条の二第一項（政党その他の政治団体に関する部分、候補者届出政党に関する部分、衆議院名簿届出政党等に関する部分及び参議院名簿届出政党等に関する部分を除く。）、第七十条の三、第七十条の四第一項本文、第二項本文及び第三項、第七十条の五第一項、第三項、第五項、第六項、第八項及び第十項、第七十条の六第一項、第三項、第五項、第六項、第八項、第十項、第十一項、第十三項及び第十五項、第七十条の七第一項本文、第二項本文、第三項、第四項本文、第五項本文及び第六項、第七十条の八、第七十一条（在外投

票に関する部分を除く。）、第七十二条から第七十四条まで、第七十五条（在外選挙人名簿に関する部分を除く。）、第七十六条、第七十八条第一項から第四項まで、第八十条から第八十二条まで、第八十三条の二から第八十五条まで、第八十六条第一項、第八十七条第一項、第百八条第一項及び第三項（衆議院比例代表選出議員の選挙に関する部分並びに参議院比例代表選出議員の選挙に関する部分並びに推薦届出者に関する部分及び候補者届出政党に関する部分を除く。）、第百二十九条第一項、第百三十一条第一項、第二項（在外選挙人名簿に関する部分を除く。）及び第三項、第百三十一条の二、第百四十二条第一項（同法第四十九条第一項の規定による投票に関する部分に限る。）及び第二項、第百四十二条の二（同法第四十九条第七項及び第九項の規定による投票に関する部分を除く。）、第百四十二条の三並びに第百四十六条第二項の規定並びに都道府県の加入する広域連合にあつては同令第三十四条の二並びに第五十条第五項、第五十九条の四第三項及び第五十九条の五の四第三項（引き続き都道府県の区域内に住所を有することの確認に関する部分を除く。）の規定は、広域連合の長の解職の投票について準用する。この場合において、次の表の上欄に掲げる同令の規定中同表の中欄に掲げる字句は、それぞれ同表の下欄に掲げる字句に読み替えるものとする。

第二十二条の二	その抄本を用いて選挙された衆議院議員、参議院議員又は地方公共団体の議会の議員若しくは長の任期間	解職の投票の結果が確定するまでの間

第三十五条第一項	により都道府県	により広域連合（都道府県の加入するものに限る。）を組織する都道府県
	規定する引き続き当該都道府県	規定する引き続き当該広域連合
第四十一条第四項	公職の候補者（公職の候補者たる参議院名簿登載者を含む。）の氏名若しくは衆議院名簿届出政党等若しくは参議院名簿届出政党等の名称若しくは略称又は公職の候補者に対して	賛否又は
第四十五条	当該選挙に係る衆議院議員、参議院議員又は地方公共団体の議会の議員若しくは長の任期間（当該選挙に用いなかつた投票用紙にあつては、次の各号に掲げる選挙の区分に応じ、当該各号に定める期間）	解職の投票の結果が確定するまでの間
第五十条第五項	当該選挙	当該広域連合を組織する都道府県の議会の議員及び長の選挙
第五十三条第一項	により当該	により当該広域連合（都道府県の加入するものに限る。）を組織する都道府県の議会の議員及び長の
第五十六条第一項及び第二項	当該選挙の公職の候補者一人の氏名	賛否
第五十六条第四項	公職の候補者一人の氏名	賛否
第五十六条第五項	公職の候補者の氏名	賛否
第五十九条の四第三項	当該選挙	当該広域連合を組織する都道府県の議会の議員及び長の選挙
第五十九条の四第四項	により当該	により当該広域連合（都道府県の加入するものに限る。）を組織する都道府県の議会の議員及び長の
第五十九条の五	当該選挙の公職の候補者一人の氏名	賛否
第五十九条の五の二	公職の候補者一人の氏名	賛否
第五十九条の五の四第三項	当該選挙	当該広域連合を組織する都道府県の議会の議員及び長

		の選挙
第五十九条の五の四第七項	により当該	により当該広域連合（都道府県の加入するものに限る。）を組織する都道府県の議会の議員及び長の
第六十九条	公職の候補者、候補者届出政党、衆議院名簿届出政党等又は参議院名簿届出政党等	広域連合の長（地方自治法第二百九十一条の十三において準用する同法第二百八十七条の三第二項の規定により長に代えて理事会を置く広域連合にあつては、理事。以下同じ。）又はその解職請求代表者
第七十条の二第一項	公職の候補者の届出に係る者については当該公職の候補者の氏名	広域連合の長の届出に係る者については当該広域連合の長の氏名、解職請求代表者の届出に係る者については当該解職請求代表者の氏名
第七十条の五第一項、第三項、第六項及び第八項並びに第七十条の六第一項、第三項、第六項、第八項、第十一項及び第十三項	二人	各々三人
	一人	各々二人
第七十二条	同一の公職の候補者（公職の候補者たる参議院名簿登載者を含む。）、同一の衆議院名簿届出政党等又は同一の参議院名簿届出政党等の得票数（参議院名簿届出政党等の得票数にあつては、当該参議院名簿届出政党等に係る各参議院名簿登載者（当該選挙の期日において公職の候補者たる者に限る。）の得票数を含むものをいう。）	賛否の投票数
第七十三条	各公職の候補者（公職の候補者たる参議院名簿登載者を含む。）、各衆議院名簿届出政党等又は各参議院名簿届出政党等の得票数（各参議院名簿届出政党等の得票数にあつては、当該参議院名簿届出政党等に係る各参議院名簿登載者（当該選挙の期日において公職の候補者たる者に限る。）の得票数を含むものをい	賛否の投票数
	う。）	
第七十七条第一項	当該選挙に係る衆議院議員、参議院議員又は地方公共団体の議会の議員若しくは長の任期間	解職の投票の結果が確定するまでの間
第八十四条	各公職の候補者（公職の候補者たる参議院名簿登載者を含む。）、各衆議院名簿届出政党等又は各参議院名簿届出政党等の得票総数（各参議院名簿届出政党等の得票総数にあつては、当該参議院名簿届出政党等に係る各参議院名簿登載者（当該選挙の期日において公職の候補者たる者に限る。）の得票総数を含むものをいう。）	賛否の投票総数
第八十六条第一項	当該選挙に係る衆議院議員、参議院議員又は地方公共団体の議会の議員若しくは長の任期間	解職の投票の結果が確定するまでの間
第百八条第一項	設置者が公職の候補者	設置者
	である場合には当該公職の候補者の氏名	の氏名

第二百十五条の五　地方自治法第二百九十一条の六第七項の規定により、広域連合の長の解職の投票に公職選挙法中普通地方公共団体の選挙に関する規定を準用する場合には、次の表の上欄に掲げる同法の規定中同表の中欄に掲げる字句は、それぞれ同表の下欄に掲げる字句に読み替えるものとする。

第三十七条第二項	有する者	有する者（当該解職の請求を受けている広域連合の長（地方自治法第二百九十一条の十三において準用する同法第二百八十七条の三第二項の規定により長に代えて理事会を置く広域連合にあつては、理事。以下同じ。）又はその解職請求代表者を除く。）
第四十四条第三項	により	により広域連合（都道府県の加入するものに限る。）を組織する
	、引き続き当該都道府県	、引き続き当該広域連合
第四十六条第一項	当該選挙の公職の候補者一人の氏名	賛否
第四十六条の二第一項	条例で	選挙管理委員会が
	投票用紙に氏名が印刷された公職の候補者のうちその投票しようとするもの一人に対して、投票用紙の記号を記載する欄	広域連合の長の解職に賛成するときは投票用紙の賛成の記載欄に○の記号を、これに反対するときは反対の記載欄
第四十六条の二第二項	第四十八条第一項	地方自治法第二百九十一条の六第七項において準用する第四十八条第一項
	当該選挙の公職の候補者の氏名	賛否
	公職の候補者（公職の候補者たる参議院名簿登載者を含む。）一人の氏名	が指示する賛否
	公職の候補者一人に対して	の指示に従い賛成の記載欄又は反対の記載欄に
	第六十八条第一項第一号	同法第二百九十一条の六第七項において準用する第六十八条第一項第一号
	「公職の候補者の氏名」	「賛否をともに」
	公職の候補者に対して○の記号	賛成の記載欄及び反対の記載欄のいずれにも○の記号を
	公職の候補者の氏名のほか、他事を記載したもの。ただし、職業、身分、住所又は敬称の類を記入したものは、この限りでない。	賛否のほか、他事を記載したもの
	公職の候補者の氏名を自書しないもの	賛否を自書しないもの
	公職の候補者の何人	賛否
	公職の候補者のいずれに対して○の記号	賛成の記載欄又は反対の記載欄のいずれに対して○の記号を記載したか
第四十八条第一項	当該選挙の公職の候補者の氏名	賛否
第四十八条第二項	公職の候補者（公職の候補者たる参議院名簿登載者を含む。）一人の氏名、一の衆議院名簿届出政党等の名称若しくは略称又は一の参議院名簿届出政党等の名称若しくは略称	賛否

第五十二条	被選挙人の氏名又は政党その他の政治団体の名称若しくは略称	賛否
第六十一条第二項	有する者	有する者（当該解職の請求を受けている広域連合の長又はその解職請求代表者を除く。）
第六十二条第一項	一人を定め	各々二人を定め
第六十二条第二項第一号	公職の候補者	広域連合の長の解職請求代表者
第六十二条第十項	公職の候補者	解職の請求を受けている広域連合の長又はその解職請求代表者
第六十八条第一項第四号	二人以上の公職の候補者の氏名を	賛否をともに
第六十八条第一項第六号及び第七号	公職の候補者の氏名	賛否
第六十八条第一項第八号	公職の候補者の何人を記載したか	賛否
第七十一条	当該選挙にかかる議員又は長の任期間	解職の投票の結果が確定するまでの間
第七十五条第三項	有する者	有する者（当該解職の請求を受けている広域連合の長又はその解職請求代表者を除く。）
第八十条第一項	各公職の候補者（公職の候補者たる参議院名簿登載者を含む。第三項において同じ。）、各衆議院名簿届出政党等又は各参議院名簿届出政党等の得票総数（各参議院名簿届出政党等の得票総数にあつては、当該参議院名簿届出政党等に係る各参議院名簿登載者（当該選挙の期日において公職の候補者たる者に限る。）の得票総数を含むものをいう。第三項において同じ。）	賛否の投票総数
第八十条第二項	各公職の候補者の得票総数	賛否の投票総数
第八十条第三項	各公職の候補者、各衆議院名簿届出政党等又は各参議院名簿届出政党等の得票総数	賛否の投票総数
第八十三条第二項	当該選挙に係る議員又は長の任期間	解職の投票の結果が確定するまでの間
第八十三条第三項	当該選挙にかかる議員又は長の任期間	解職の投票の結果が確定するまでの間
第百条第五項	前各項	地方自治法施行令第二百十五条の三において準用する同令第百十二条
第百三十一条第一項第四号	公職の候補者一人	広域連合の長又はその解職請求代表者
第百三十二条	第百二十九条の規定にかかわらず、選挙の当日においても	広域連合の長の解職の投票の当日は
第百三十八条第二項	特定の候補者の氏名若しくは政党その他の政治団体の名称	広域連合の長の解職の賛否
第百三十八条の三	公職に就くべき者	広域連合の長の解職の賛否
第百六十六条ただし書	第百六十一条の規定による個人演説会、政党演説会又は政党等演説会	地方自治法施行令第二百十五条の三において準用する同令第百七条の規定による演説会等
第百七十八条	第百条第一項から第四項まで	地方自治法施行令第二百十五条の三において準用する同令第百十二条
	同条第五項	第百条第五項

第百九十九条の二第一項	公職の候補者又は公職の候補者となろうとする者（公職にある者を含む。以下この条において「公職の候補者等」という。）	解職の請求を受けている広域連合の長又はその解職請求代表者（以下第百九十九条の四までにおいて「解職請求代表者等」という。）
	寄附を	寄附（当該投票に関するもの又は通常一般の社交の程度を超えるものに限る。以下この条において同じ。）を
	当該公職の候補者等	当該解職請求代表者等
第百九十九条の二第二項から第四項まで	公職の候補者等	解職請求代表者等
第百九十九条の三	公職の候補者又は公職の候補者となろうとする者（公職にある者を含む。）	解職請求代表者等
	団体は	団体は、当該投票に関し
第百九十九条の四	公職の候補者又は公職の候補者となろうとする者（公職にある者を含む。）	解職請求代表者等
	公職の候補者若しくは公職の候補者となろうとする者（公職にある者を含む。）	解職請求代表者等
第二百六条第一項	その当選	その解職の投票の結果
	第百一条の三第二項又は第百六条第二項の規定による告示の日	地方自治法第二百九十一条の六第一項において準用する同法第八十二条第二項の規定による公表の日
第二百七条第二項	議会の議員及び長の当選	長の解職の投票の結果
第二百九条第一項	当選	解職の投票の結果
第二百十九条第一項	おける当選	おける解職の投票の結果
第二百二十一条第三項第一号	公職の候補者	解職の請求を受けている広域連合の長
第二百二十一条第三項第二号	選挙運動を総括主宰した者	広域連合の長の解職請求代表者
第二百二十二条第三項	前条第三項各号に掲げる者	広域連合の長又はその解職請求代表者
第二百二十三条第三項	第二百二十一条第三項各号に掲げる者	広域連合の長又はその解職請求代表者
第二百二十六条第二項、第二百二十七条及び第二百二十八条第一項	被選挙人の氏名	賛否
第二百三十七条の二第一項	公職の候補者（公職の候補者たる参議院名簿登載者を含む。）の氏名若しくは衆議院名簿届出政党等若しくは参議院名簿届出政党等の名称若しくは略称又は公職の候補者に対して	賛否又は
	指示する	指示に従い
第二百三十七条の二第二項	公職の候補者（公職の候補者たる参議院名簿登載者を含む。）の氏名又は衆議院名簿届出政党等若しくは参議院名簿届出政党等の名称若しくは略称	賛否
第二百四十九条の二第五項	公職の候補者等	広域連合の長又はその解職請求代表者（第七項において「解職請求代表者等」という。）

第二百四十九条の二第七項	公職の候補者等	解職請求代表者等
第二百五十三条の二第一項及び第二百五十四条	当選人	広域連合の長若しくは長であった者又はその解職請求代表者
第二百五十五条第一項	公職の候補者（公職の候補者たる参議院名簿登載者を含む。以下この条及び次条において同じ。）一人の氏名、一の衆議院名簿届出政党等の名称若しくは略称又は一の参議院名簿届出政党等の名称若しくは略称	賛否
	公職の候補者の氏名、衆議院名簿届出政党等の名称若しくは略称又は参議院名簿届出政党等の名称若しくは略称	賛否
第二百五十五条第三項	公職の候補者一人の氏名、一の衆議院名簿届出政党等の名称若しくは略称又は一の参議院名簿届出政党等の名称若しくは略称	賛否
	公職の候補者の氏名、衆議院名簿届出政党等の名称若しくは略称又は参議院名簿届出政党等の名称若しくは略称	賛否

（同時投票を行う場合の公職選挙法等の規定の準用）

第二百十五条の六　地方自治法第二百九十一条の六第七項において準用する公職選挙法中普通地方公共団体の選挙に関する規定、同法第百十九条第一項、第百二十三条及び第百二十七条の規定、公職選挙法施行令第九十七条、第九十八条及び第百六条の規定並びに第二百十三条の三から第二百十三条の七まで、第二百十四条の三から第二百十四条の五まで及び第二百十五条の三から第二百十五条の五までの規定は、地方自治法第二百九十一条の六第七項の規定により同条第一項において準用する同法第七十六条第三項の規定による解散の投票並びに同法第八十条第三項及び第八十一条第二項の規定による解職の投票を同時に行う場合について準用する。

（解職の請求の対象となる広域連合の職員）

第二百十六条　地方自治法第二百九十一条の六第一項に規定する広域連合の職員で政令で定めるものは、副知事若しくは副市町村長若しくは監査委員に相当する者として当該広域連合の規約で定める者又は選挙管理委員とする。

（広域連合の職員の解職の請求への地方自治法等の規定の準用等）

第二百十六条の二　地方自治法第二百九十一条の六第一項の規定により、広域連合の職員の解職の請求に同法第二編第五章（第七十五条第六項後段、第八十条第四項後段、第八十五条及び第八十六条第四項後段を除く。）の規定を準用する場合には、同法第八十六条第四項前段において準用する同法第七十四条第五項中「五十分の一」とあるのは「三分の一（その総数が四十万を超え八十万以下の場合にはその四十万を超える数に六分の一を乗じて得た数と四十万に三分の一を乗じて得た数とを合算して得た数、その総数が八十万を超える場合にはその八十万を超える数に八分の一を乗じて得た数と四十万に六分の一を乗じて得た数と四十万に三分の一を乗じて得た数とを合算して得た数）」と、「普通地方公共団体の選挙管理委員会」とあるのは「広域連合の選挙管理委員会」と、同法第八十六条第四項前段において準用する同法第七十四条の二第七項及び第十項中「都道府県の選挙管理委員会」とあるのは「広域連合の選挙管理委員会」と読み替えるものとする。

2　地方自治法第二百九十一条の六第一項の規定により、広域連合の職員の解職の請求に同法第二編第五章（第七十五条第六項後段、第八十条第四項後段、第八十五条及び第八十六条第四項後段を除く。）の規定を準用する場合には、同法第七十四条から第七十四条の四まで、第七十五条第一項から第五項まで及び第六項前段、第七十六条から第七十九条まで、第八十条第一項から第三項まで及び第四項前段、第八十一条から第八十四条まで並びに第八十六条第四項前段（同法第七十四条の二第八項の準用に係る部分に限る。）の規定は、広域連合の職員の解職の請求については、準用しない。

第二百十六条の三　第九十一条から第九十八条まで、第九十八条の三第二項及び第九十八条の四の規定は、地方自治法第二百九十一条の六第一項において準用する同法第八十六条第一項の規定による広域連合の職員の解職の請求について準用する。この場合において、次の表の上欄に掲げる規定中同表の中欄に掲げる字句は、それぞれ同表の下欄に掲げる字句に読み替えるものとする。

第九十一条第三項から第五項まで	地方自治法第七十四条第六項各号	地方自治法第二百九十一条の六第一項において準用する同法第八十六条第四項前段において準用する同法第七十四条第六項各号
第九十二条第一項	地方自治法第七十四条第一項に規定する選挙権を有する者（以下この編において「選挙権を有する者」という。）	地方自治法第二百九十一条の六第一項において準用する同法第八十六条第一項に規定する請求権を有する者（以下この編において「請求権を有する者」という。）
第九十二条第二項	選挙権を有する者	請求権を有する者
第九十二条第三項	都道府県及び指定都市にあつては二箇月以内、指定都市以外の市町村にあつては一箇月以内	二箇月以内
第九十二条第三項ただし書	地方自治法第七十四条第七項	地方自治法第二百九十一条の六第一項において準用する同法第八十六条第四項前段において準用する同法第七十四条第七項
第九十二条第四項	都道府県及び指定都市にあつては六十二日以内、指定都市以外の市町村にあつては三十一日以内	六十二日以内
	地方自治法第七十四条第七項	地方自治法第二百九十一条の六第一項において準用する同法第八十六条第四項前段において準用する同法第七十四条第七項
第九十三条	都道府県に関する請求にあつては市町村ごとに、指定都市に関する請求にあつては区又は総合区ごとに	市町村ごとに
第九十三条の二第一項	都道府県又は指定都市	広域連合
第九十四条第一項	地方自治法第七十四条第五項	地方自治法第二百九十一条の六第一項において準用する同法第八十六条第四項前段において準用する同法第七十四条第五項
	選挙権を有する者	請求権を有する者
	五十分の一	三分の一（その総数が四十万を超え八十万以下の場合にはその四十万を超える数に六分の一を乗じて得た数と四十万に三分の一を乗じて得た数とを合算して得た数、その総数が八十万を超える場合にはその八十万を超える数に八分の一を乗じて得た数と四十万に六分の一を乗じて得た数と四十万に三分の一を乗じて得た数とを合算して得た数）
第九十五条の二	都道府県又は指定都市に関する請求にあつては十日以内、指定都市以外の市町村に関する請求にあつては五日以内	十日以内
	地方自治法第七十四条の二第一項	地方自治法第二百九十一条の六第一項において準用する同法第八十六条第四項前段において準用する同法第七十四条の二第一項

		項
第九十五条の三	地方自治法第七十四条の二第五項	地方自治法第二百九十一条の六第一項において準用する同法第八十六条第四項前段において準用する同法第七十四条の二第五項
第九十五条の四	地方自治法第七十四条の二第六項	地方自治法第二百九十一条の六第一項において準用する同法第八十六条第四項前段において準用する同法第七十四条の二第六項
第九十六条第一項	地方自治法第七十四条第一項	地方自治法第二百九十一条の六第一項において準用する同法第八十六条第一項
	同法第七十四条の二第六項	同法第二百九十一条の六第一項において準用する同法第八十六条第四項前段において準用する同法第七十四条の二第六項
	、都道府県又は指定都市に関する請求にあつては十日以内、指定都市以外の市町村に関する請求にあつては五日以内	十日以内
	同法第七十四条第五項	同法第二百九十一条の六第一項において準用する同法第八十六条第四項前段において準用する同法第七十四条第五項
	選挙権を有する者	請求権を有する者
	五十分の一	三分の一（その総数が四十万を超え八十万以下の場合にはその四十万を超える数に六分の一を乗じて得た数と四十万に三分の一を乗じて得た数とを合算して得た数、その総数が八十万を超える場合にはその八十万を超える数に八分の一を乗じて得た数と四十万に六分の一を乗じて得た数と四十万に三分の一を乗じて得た数とを合算して得た数）
第九十六条第二項	地方自治法第七十四条の二第十項	地方自治法第二百九十一条の六第一項において準用する同法第八十六条第四項前段において準用する同法第七十四条の二第十項
第九十七条第一項	地方自治法第七十四条第五項	地方自治法第二百九十一条の六第一項において準用する同法第八十六条第四項前段において準用する同法第七十四条第五項
	選挙権を有する者	請求権を有する者
	五十分の一	三分の一（その総数が四十万を超え八十万以下の場合にはその四十万を超える数に六分の一を乗じて得た数と四十万に三分の一を乗じて得た数とを合算して得た数、その総数が八十万を超える場合にはその八十万を超える数に八分の一を乗じて得た数

		と四十万に六分の一を乗じて得た数と四十万に三分の一を乗じて得た数とを合算して得た数）
第九十七条第二項	都道府県又は指定都市に関する請求にあつては五日以内、指定都市以外の市町村に関する請求にあつては三日以内	五日以内
第九十八条第二項	地方自治法第七十四条第三項	地方自治法第二百九十一条の六第一項において準用する同法第八十六条第三項

（広域連合の事務の監査の請求に係る個別外部監査の請求への地方自治法等の規定の準用等）

第二百十六条の四　地方自治法第二百九十一条の六第六項の規定により、個別外部監査契約に基づく監査によることが求められた広域連合の事務の監査の請求に係る事項についての個別外部監査人の監査に同法第二百五十二条の三十八第一項、第二項及び第四項から第六項までの規定を準用する場合においては、同条第二項及び第四項中「包括外部監査対象団体」とあるのは「個別外部監査契約を締結した広域連合」と、同条第六項中「前条第五項」とあるのは「第二百九十一条の六第一項において準用する次条第十二項」と、「包括外部監査対象団体」とあるのは「個別外部監査契約を締結した広域連合」と読み替えるものとする。

第二百十六条の五　第百七十四条の四十九の三十から第百七十四条の四十九の三十六までの規定は、地方自治法第二百九十一条の六第一項において準用する同法第二百五十二条の三十九第一項の規定により個別外部監査契約に基づく監査によることが求められた同法第七十五条第一項の規定による広域連合の事務の監査の請求について準用する。この場合において、次の表の上欄に掲げる規定中同表の中欄に掲げる字句は、それぞれ同表の下欄に掲げる字句に読み替えるものとする。

第百七十四条の四十九の三十	監査委員	広域連合の監査を行う機関
	第九十九条	第二百十二条の四
第百七十四条の四十九の三十一	監査委員	広域連合の監査を行う機関
	地方自治法第二百五十二条の三十九第三項	地方自治法第二百九十一条の六第一項
第百七十四条の四十九の三十二	地方自治法第二百五十二条の三十九第五項	地方自治法第二百九十一条の六第一項
	同条第八項各号	同項
第百七十四条の四十九の三十三第一項	地方自治法第二百五十二条の三十九第五項	地方自治法第二百九十一条の六第一項
	同法第二百五十二条の三十九第五項	同法第二百九十一条の六第一項
第百七十四条の四十九の三十四	地方自治法第二百五十二条の三十九第八項第四号	地方自治法第二百九十一条の六第一項
	同条第五項	同項
第百七十四条の四十九の三十五	地方自治法第二百五十二条の三十九第九項	地方自治法第二百九十一条の六第一項
第百七十四条の四十九の三十六	監査委員	広域連合の監査を行う機関
	地方自治法第二百五十二条の三十九第十二項	地方自治法第二百九十一条の六第一項

第二百十六条の六　第百七十四条の四十九の二十九の規定は、地方自治法第二百九十一条の六第一項において準用する同法第二百五十二条の三十九第一項の規定により個別外部監査契約に基づく監査によることが求められた同法第七十五条第一項の規定による広域連合の事務の監査の請求に係る事項についての個別外部監査人の監査について準用する。この場合において、第百七十四条の四十九の二十九中「地方自治法第二百五十二条の三十八第一項」とあるのは「地方自治法第二百九十一条の六第六項」と、「監査委員」とあるのは「広域連合の監査を行う機関」と読み替えるものとする。

（広域連合の規約の変更の要請の請求への地方自治法等の規定の準用等）

第二百十七条　地方自治法第二百九十一条の六第五項の規定により、広域連合の規約の変更の要請の請求に同法の規定を準用する場合においては、同法第七十四条第五項中「五十分の一」とあるのは「三分の一（その総数が四十万を超え八十万以下の場合にあつてはその四十万を超える数に六分の一を乗じて得た数と四十万に三分の一を乗じて得た数とを合算して得た数、その総数が八十万を超える場合にあつてはその八十万を超える数に八分の一を乗じて得た数と四十万に六分の一を乗じて得た数と四十万に三分の一を乗じて得た数とを合算して得た数）」と、「普通地方公共団体の選挙管理委員会」とあるのは「広域連合の選挙管理委員会」と、同法第七十四条の二第七項及び第十項中「都道府県の選挙管理委員会」とあるのは「広域連合の選挙管理委員会」と読み替えるものとする。

2　地方自治法第二百九十一条の六第五項の規定により、広域連合の規約の変更の要請の請求に同法の規定を準用する場合においては、同法第七十四条の二第八項の規定は、広域連合の規約の変更の要請の請求については、準用しない。

第二百十七条の二　第九十一条から第九十七条まで、第九十八条第一項、第九十八条の三第二項及び第九十八条の四の規定は、地方自治法第二百九十一条の六第二項の規定による広域連合の規約の変更の要請の請求について準用する。この場合において、次の表の上欄に掲げる規定中同表の中欄に掲げる字句は、それぞれ同表の下欄に掲げる字句に読み替えるものとする。

第九十一条第三項から第五項まで	地方自治法第七十四条第六項各号	地方自治法第二百九十一条の六第五項において準用する同法第七十四条第六項各号
第九十二条第一項	地方自治法第七十四条第一項に規定する選挙権を有する者（以下この編において「選挙権を有する者」という。）	地方自治法第二百九十一条の六第二項に規定する請求権を有する者（以下この編において「請求権を有する者」という。）
第九十二条第二項	選挙権を有する者	請求権を有する者
第九十二条第三項	都道府県及び指定都市にあつては二箇月以内、指定都市以外の市町村にあつては一箇月以内	二箇月以内
第九十二条第三項ただし書	地方自治法第七十四条第七項	地方自治法第二百九十一条の六第五項において準用する同法第七十四条第七項
	都道府県及び指定都市にあつては六十二日以内、指定都市以外の市町村にあつては三十一日以内	六十二日以内
第九十二条第四項	地方自治法第七十四条第七項	地方自治法第二百九十一条の六第五項において準用する同法第七十四条第七項
第九十三条	都道府県に関する請求にあつては市町村ごとに、指定都市に関する請求にあつては区又は総合区ごとに	市町村ごとに
第九十三条の二第一項	都道府県又は指定都市	広域連合
第九十四条第一項	地方自治法第七十四条第五項	地方自治法第二百九十一条の六第五項において準用する同法第七十四条第五項
	選挙権を有する者	請求権を有する者
	五十分の一	三分の一（その総数が四十万を超え八十万以下の場合にはその四十万を超える数に六分の一を乗じて得た数と四十万に三分の一を乗じて得た数とを合算して得た数、その総数が八十万を超える場合にはその八十万を超える数を

		超える数に八分の一を乗じて得た数と四十万に六分の一を乗じて得た数と四十万に三分の一を乗じて得た数とを合算して得た数）
	都道府県又は指定都市に関する請求にあつては十日以内、指定都市以外の市町村に関する請求にあつては五日以内	十日以内
第九十五条の二	地方自治法第七十四条の二第一項	地方自治法第二百九十一条の六第五項において準用する同法第七十四条の二第一項
第九十五条の三	地方自治法第七十四条の二第五項	地方自治法第二百九十一条の六第五項において準用する同法第七十四条の二第五項
第九十五条の四	地方自治法第七十四条の二第六項	地方自治法第二百九十一条の六第五項において準用する同法第七十四条の二第六項
第九十六条第一項	地方自治法第七十四条第一項	地方自治法第二百九十一条の六第二項
	同法第七十四条の二第六項	同条第五項において準用する同法第七十四条の二第六項
	、都道府県又は指定都市に関する請求にあつては十日以内、指定都市以外の市町村に関する請求にあつては五日以内	十日以内
	同法第七十四条第五項	同法第二百九十一条の六第五項において準用する同法第七十四条第五項
	選挙権を有する者	請求権を有する者
	五十分の一	三分の一（その総数が四十万を超え八十万以下の場合にはその四十万を超える数に六分の一を乗じて得た数と四十万に三分の一を乗じて得た数とを合算して得た数、その総数が八十万を超える場合にはその八十万を超える数に八分の一を乗じて得た数と四十万に六分の一を乗じて得た数と四十万に三分の一を乗じて得た数とを合算して得た数）
第九十六条第二項	地方自治法第七十四条の二第十項	地方自治法第二百九十一条の六第五項において準用する同法第七十四条の二第十項
第九十七条第一項	地方自治法第七十四条第五項	地方自治法第二百九十一条の六第五項において準用する同法第七十四条第五項
	選挙権を有する者	請求権を有する者
	五十分の一	三分の一（その総数が四十万を超え八十万以下の場合にはその四十万を超える数に六分の一を乗じて得た数と四十万に三分の一を乗じて得た数とを合算して得た数、その総数が八十万を超える場合にはその八十万を超える数に八分の

		一を乗じて得た数と四十万に六分の一を乗じて得た数と四十万に三分の一を乗じて得た数とを合算して得た数）
第九十七条第二項	都道府県又は指定都市に関する請求にあつては五日以内、指定都市以外の市町村に関する請求にあつては三日以内	五日以内

（一部事務組合に関する規定の準用）

第二百十七条の三 第二百十一条の規定は、地方自治法第二百九十一条の十三において準用する同法第二百八十七条の三第二項の規定により長に代えて理事会を置く広域連合について準用する。

第三節 雑則

（数都道府県にわたる広域連合に関する特例）

第二百十八条 総務大臣は、市町村及び特別区の広域連合で数都道府県にわたるものに係る地方自治法第二百八十四条第三項、第二百九十一条の三第一項本文及び第二百九十一条の十第一項の許可をしたときは直ちにその旨を告示するとともに、国の関係行政機関の長に通知し、同法第二百八十五条の二第一項の規定による勧告をしたときは直ちにその旨を国の関係行政機関の長に通知しなければならない。

（規約による特別の定め）

第二百十八条の二 市町村及び特別区の組合に関しては、第一条の二から第六条までの規定にかかわらず、規約で特別の定めをすることができる。

第四章 財産区

第二百十九条 地方自治法第二百九十六条の六第二項の規定により裁定を申請しようとする市町村若しくは特別区の長若しくは議会、財産区の議会若しくは総会又は財産区管理会は、紛争に係る事実その他必要な事項を記載した文書を以てこれをしなければならない。

第二百二十条 都道府県知事は、地方自治法第二百九十六条の六第二項の規定による裁定をしようとするときは、予め当事者の意見を聴かなければならない。

② 都道府県知事は、関係人の出頭を求め、又は当事者若しくは関係人に対し裁定のため必要な記録の提出を求めることができる。

③ 都道府県は、条例の定めるところにより、前項の規定により出頭した関係人の要した実費を弁償しなければならない。

第二百二十一条 裁定は、文書を以てこれをし、その理由を附けて当事者に交付しなければならない。財産区のある市町村の市町村長又は特別区の区長が当事者でない場合においては、これらの者に対しても、これを交付しなければならない。

第二百二十二条 前編第五章の規定は、財産区について準用する。ただし、条例で特別の定めを設けることができる。

第四編 補則

（事務の区分）

第二百二十三条 都道府県が第五条第一項後段、第六条、第百八十条第一項から第三項まで、第百八十一条、第百八十二条第二項において準用する同条第一項、同条第三項、第百八十三条並びに第百八十八条の二第一項及び第二項の規定により処理することとされている事務並びに第百八十四条において準用する公職選挙法施行令の規定及び第百八十八条の二第三項の規定により適用する地方自治法第二百六十一条第三項の賛否の投票に関する規定により処理することとされている事務は、第一号法定受託事務とする。

2 都が第二百九条第二項において準用する第五条第一項後段及び第六条の規定により処理することとされている事務は、第一号法定受託事務とする。

3 市町村が第百八十条第一項、第百八十一条、第百八十二条第一項（同条第二項において準用する場合を含む。）、第百八十三条第一項並びに第百八十八条の二第一項及び第二項の規定により処理することとされている事務並びに第百八十四条において準用する公職選挙法施行令の規定及び第百八十八条の二第三項の規定により適用する地方自治法第二百六十一条第三項の賛否の投票に関する規定により処理することとされている事務は、第一号法定受託事務とする。

第二百二十四条 市町村が第九十一条第二項及び第四項、第九十三条の二第一項、第九十四条第三項及び第四項並びに第九十五条の二の規定（第九十九条、第百条、第百十条、第百十六条及び第百二十一条において準用する場合を含む。）により処理することとされている事務（都道府県に対する請求に係るものに限る。）、第百条の二第二項、第百四条第二項、第百七条第一項第三号及び第三項並びに第百九条の三第一項及び第二項の規定（第百十三条及び第百十六条の二において準用する場合を含む。）並びに第百九条の三第三項（第百十三条及び第百十六条の二において準用する場合を含む。）において適用する普通地方公共団体の議会の解散の投票に関する規定により処理することとされている事務（都道府県に対する請求に係るものに限る。）並びに第百六条、第百十四条及び第百十七条において準用する公職選挙法施行令の規定により処理することとされている事務（都道府県に対する請求に係るものに限る。）は、第二号法定受託事務とする。

附　則（抄）

第一条　この政令は、公布の日から、これを施行する。

第二条　東京都制施行令、道府県制施行令、市制町村制施行令、昭和四年勅令第百八十九号（市制第六十五条の名誉職参事会員の定数に関する件）、昭和十八年勅令第四百四十六号（町村制を施行しない島の指定に関する件）及び昭和十九年勅令第百十九号（町又は字の区域等の変更に関する件）は、これを廃止する。但し、東京都制施行令第百二十四条乃至第百二十八条、第百三十一条、第百三十六条乃至第百四十四条、第百四十六条及び第百四十七条の規定は、なお、その効力を有する。

② 東京都官制、北海道庁官制、地方官官制、都庁府県等臨時職員等設置制及び地方世話部官制は、これを廃止する。但し、地方自治法附則において準用され又はよることとされている範囲内においては、なお、その効力を有する。

第三条　他の命令中に東京都制施行令、道府県制施行令、府県制施行令又は市制町村制施行令の規定を掲げている場合においては、この政令中これらの規定に相当する規定があるときは、命令で特別の規定を設ける場合を除く外、各〻この政令中のこれらの規定に相当する規定を指しているものとする。

第四条　削除〔令二・三政令六二〕

第五条　削除〔平一一・一〇政令三二二〕

第六条　地方自治法附則第十条第一項の事務のうち陸軍軍人軍属であつた者に関するもので樺太に関するものは北海道、朝鮮及び台湾に関するものは福岡県においてこれを処理しなければならない。

第七条　地方公共団体は、当分の間、公共工事の前払金保証事業に関する法律（昭和二十七年法律第百八十四号）第五条の規定に基づき登録を受けた保証事業会社の保証に係る公共工事に要する経費については、当該経費の三割（当該経費のうち総務省令で定めるものにつき当該割合によることが適当でないと認められる特別の事情があるときは、総務省令で定めるところにより、当該割合に三割以内の割合を加え、又は当該割合から一割以内の割合を減じて得た割合）を超えない範囲内に限り、前金払をすることができる。

第七条の二　当分の間、普通交付金の交付に係る第二百十条の十二第一項の規定の適用については、同項中「額に」とあるのは「額並びに道路交通法（昭和三十五年法律第百五号）附則第十六条第一項の規定により特別区に交付するものとされる交通安全対策特別交付金の額に」と、「利子割交付金にあつては同条第一項」とあるのは「同法附則第七条の二第二項に規定する百分の二十五の率を百分の十五とし、利子割交付金にあつては同法第十四条第一項」と、「ゴルフ場利用税交付金にあつては同項」とあるのは「同法附則第七条の三第二項に規定する百分の二十五の率を百分の十五とし、ゴルフ場利用税交付金にあつては同法第十四条第一項」と、「同条第三項」とあるのは「同条第三項並びに同法附則第六条の四、第七条の二第二項及び第七条の三第二項」とする。

第八条　地方自治法附則第二十条の五第一項に規定する政令で定める期間は、地方自治法の一部を改正する法律（昭和四十五年法律第一号）の施行の日から二年間とする。

別表第一 第一号法定受託事務（第一条関係）

備考 この表の下欄の用語の意義及び字句の意味は、上欄に掲げる政令における用語の意義及び字句の意味によるものとする。

政令	事務
砂防法施行規程（明治三十年勅令第三百八十二号）	この命令の規定により地方公共団体が処理することとされている事務のうち次に掲げるもの 一 第二条及び第六条から第八条までの規定により都道府県が処理することとされている事務 二 第七条及び第八条の規定により市町村が処理することとされている事務
公有水面埋立法施行令（大正十一年勅令第百九十四号）	第一条第一項（第三十条において準用する場合を含む。）及び第二項（第一条第四項において準用する場合を含む。）、第二条（第三十条において準用する場合を含む。）、第六条（第三十条において準用する場合を含む。）並びに第二十七条第二項（第三十一条において準用する場合を含む。）の規定により都道府県又は指定都市が処理することとされている事務
健康保険法施行令（大正十五年勅令第二百四十三号）	第六十一条第一項の規定により市町村（特別区を含む。）が処理することとされている事務
人口動態調査令（昭和二十一年勅令第四百四十七号）	第三条から第五条までの規定により市町村又は都道府県が処理することとされている事務
災害救助法施行令（昭和二十二年政令第二百二十五号）	この政令の規定により都道府県又は救助実施市（第一号において「都道府県等」という。）が処理することとされている事務のうち次に掲げるもの 一 第三条、第五条並びに第八条第二項第二号及び第三号の規定により都道府県等が処理することとされている事務 二 第十七条第一項及び第二項の規定により都道府県が処理することとされている事務
最高裁判所裁判官国民審査法施行令（昭和二十三年政令第百二十二号）	この政令の規定により地方公共団体が処理することとされている事務
予防接種法施行令（昭和二十三年政令第百九十七号）	一 第五条（臨時の予防接種に係る部分に限る。）の規定により都道府県が処理することとされている事務 二 第五条（臨時の予防接種に係る部分に限る。）及び第十六条（第二十三条において準用する場合を含む。）の規定により市町村が処理することとされている事務
検察審査会法施行令（昭和二十三年政令第三百五十四号）	第二条の規定により市町村が処理することとされている事務
土地改良法施行令（昭和二十四年政令第二百九十五号）	第五十一条の二、第七十二条第一項並びに第七十九条第一項、第三項及び第五項の規定により都道府県が処理することとされている事務
漁業法施行令（昭和二十五年政令第三十号）	第十条第一項、第二項、第四項及び第五項の規定により都道府県が処理することとされている事務
私立学校法施行令（昭和二十五年政令第三十一号）	第六条、第七条第二項及び第八条の規定により都道府県が処理することとされている事務並びに同項の規定により指定都市等が処理することとされている事務
公職選挙法施行令（昭和二十五年政令第八十九号）	この政令の規定により地方公共団体が処理することとされている事務のうち、次に掲げるもの 一 衆議院議員又は参議院議員の選挙に関し、都道府県が処理することとされている事務 二 都道府県が第十九条第三項及び第二十二条（これらの規定を第二十三条の十六において読み替えて準用する場合を含む。）の規定により処理することとされている事務、第二十三条の二第二項の規定により処理することとされている事務並びに第百十条の五第四項及び第五項の規定により処理することとされている事務（衆議院議員又は参議院議員の選挙における公職の候補者又は公職の候補者となろうとする者（公職にある者を含む。以下この号において「国の選挙の公職の候補者等」という。）及び法第百九十九条の五第一項に規定する後援団体で当該国の選挙の公職の候補者等に係るものの政治活動のために掲示される法第百四十三条第十六項第一号に規定する立札及び看板の類に係る事務に限る。） 三 都道府県、指定都市又は中核市が第五十九条の二第一号及び第二号並びに第五十九条の三の

政令	事務
	二第一項の規定により処理することとされている事務 四　衆議院議員又は参議院議員の選挙に関し、市町村が処理することとされている事務 五　選挙人名簿又は在外選挙人名簿に関し、市町村が処理することとされている事務 六　市町村が第五十九条の三第一項、第四項及び第五項、第五十九条の三の二第二項及び第四項から第六項まで並びに第五十九条の三の三第一項及び第三項の規定により処理することとされている事務
生活保護法施行令（昭和二十五年政令第百四十八号）	第一条第二項及び第三項の規定並びに第八条第二項及び第三項（これらの規定を第八条の二において準用する場合を含む。）の規定により都道府県、市及び福祉事務所を設置する町村が処理することとされている事務
精神保健及び精神障害者福祉に関する法律施行令（昭和二十五年政令第百五十五号）	第二条の二、第二条の二の二、第二条の二の三第三項及び第四項、第二条の二の四並びに第二条の二の五の規定により都道府県が処理することとされている事務
建築基準法施行令（昭和二十五年政令第三百三十八号）	第八条の二第一項（第八条の五第五項において準用する場合を含む。）の規定により都道府県が処理することとされている事務
公共土木施設災害復旧事業費国庫負担法施行令（昭和二十六年政令第百七号）	第五条第二項、第六条第三項（第七条第四項において準用する場合を含む。）、第六条の二第二項（第六条の三第二項において準用する場合を含む。）、第八条並びに第十二条第一項（同項第五号の規定中意見を付する事務に関する部分を除く。）、同条第二項及び第四項の規定により都道府県が処理することとされている事務
道路運送法施行令（昭和二十六年政令第二百五十号）	第三条第一項及び第六条第一項の規定により都道府県が処理することとされている事務
土地収用法施行令（昭和二十六年政令第三百四十二号）	この政令の規定により地方公共団体が処理することとされている事務のうち、次の各号に掲げるもの（法第十七条第一項各号に掲げる事業又は法第二十七条第二項若しくは第四項の規定により国土交通大臣の事業の認定を受けた事業に関するものに限る。） 一　都道府県が第一条の三、第一条の四、第一条の六、第一条の七、第一条の七の三、第一条の七の五第一項、第一条の九、第一条の十、第一条の十四、第五条第一項及び第三項並びに第六条の三の規定により処理することとされている事務 二　市町村が第五条第四項の規定により処理することとされている事務
漁船損害等補償法施行令（昭和二十七年政令第六十八号）	第五条第一項及び第三項並びに第七条第一項から第四項までの規定により都道府県が処理することとされている事務
戦傷病者戦没者遺族等援護法施行令（昭和二十七年政令第百四十三号）	第十一条及び第十二条の規定により都道府県が処理することとされている事務並びに第十一条の規定により市町村（特別区を含む。）が処理することとされている事務
物価統制令施行令（昭和二十七年政令第三百十九号）	第十一条第一項の規定により都道府県が処理することとされている事務
地方公営企業法施行令（昭和二十七年政令第四百三号）	第二十八条第一項及び第二項の規定により都道府県が処理することとされている事務（総務大臣への経由に係るものに限る。）
農地法施行令（昭和二十七年政令第四百四十五号）	この政令の規定により都道府県又は市町村が処理することとされている事務のうち、次の各号及び第三十八条第二項各号に掲げるもの以外のもの 一　第三条第二項の規定により市町村（指定市町村に限る。）が処理することとされている事務（同一の事業の目的に供するため四ヘクタールを超える農地を農地以外のものにする行為に係るものを除く。） 二　第九条第一項の規定により市町村が処理することとされている事務 三　第九条第三項（同条第九項において読み替えて準用する場合を含む。）の規定により都道府県が処理することとされている事務 四　第九条第七項の規定により指定市町村が処理することとされている事務 五　第十条第二項の規定により市町村（指定市町

自治令

政令	事務
	村に限る。）が処理することとされている事務（同一の事業の目的に供するため四ヘクタールを超える農地又はその農地と併せて採草放牧地について法第三条第一項本文に掲げる権利を取得する行為に係るものを除く。） 六　第二十二条第二項の規定により市町村が処理することとされている事務（意見を付する事務に限る。）
道路法施行令（昭和二十七年政令第四百七十九号）	この政令の規定により地方公共団体が処理することとされている事務のうち次に掲げるもの 一　都道府県、指定市又は法第十七条第二項の規定により都道府県の同意を得た市が指定区間外の国道の道路管理者として処理することとされている事務（第二十三条第八項（第二十六条第一項において読み替えて準用する場合を含む。）において読み替えて準用する第二十三条第一項及び第二項（これらの規定を第二十六条第一項において読み替えて準用する場合を含む。）の規定並びに第三十五条の四の規定により処理することとされているものを除く。） 二　指定市以外の市町村が法第十七条第四項の規定による歩道の新設等又は法第四十八条の二十二第一項の規定による歩行者利便増進改築等を行う者として国道に関し処理することとされている事務（第三十五条の四の規定により処理することとされているものを除く。） 三　都道府県が法第十七条第八項の規定による維持又は災害復旧に関する工事を行う者として国道に関し処理することとされている事務（第三十五条の四の規定により処理することとされているものを除く。）
中小漁業融資保証法施	第十二条第一項及び第三項の規定により都道府県が処理することとされている事務
行令（昭和二十八年政令第十六号）	
未帰還者留守家族等援護法施行令（昭和二十八年政令第二百十一号）	第四条の規定により都道府県が処理することとされている事務
食品衛生法施行令（昭和二十八年政令第二百二十九号）	第三十七条の規定により都道府県、保健所を設置する市又は特別区が処理することとされている事務
栄養士法施行令（昭和二十八年政令第二百三十一号）	第一条第二項及び第三項（第五条第五項及び第六条第七項において準用する場合を含む。）、第三条第四項、第四条第二項、第五条第二項、第六条第六項、第八条第二項及び第四項、第九条前段（第十二条第二項において準用する場合を含む。）並びに第十三条から第十五条までの規定により都道府県が処理することとされている事務
家畜伝染病予防法施行令（昭和二十八年政令第二百三十五号）	第五条第一項及び第二項（これらの規定を第七条において準用する場合を含む。）の規定により都道府県又は市町村が処理することとされている事務
狂犬病予防	一　第五条（法第六条第九項の規定による処分に
法施行令（昭和二十八年政令第二百三十六号）	係る部分を除く。次号において同じ。）及び第七条第四項の規定により都道府県が処理することとされている事務 二　第五条、第六条及び第七条第四項の規定により保健所を設置する市又は特別区が処理することとされている事務
軌道法に規定する国土交通大臣の権限に属する事務で都道府県が処理するもの等を定める政令（昭和二十八年政令第二百五十七号）	第一条第一項から第四項まで、同条第五項において準用する軌道法施行令第二条第一項及び第三条並びに第一条第七項から第十項までの規定により都道府県又は指定都市が処理することとされている事務
軌道法施行令（昭和二十八年政令第二百五十八号）	第一条第二項、第五条第一項、同条第二項において準用する第二条第一項及び第三条、第六条第一項及び第二項、同条第三項において準用する第二条第一項及び第三条、第七条から第八条まで、第十一条の二並びに第十六条の規定により都道府県又は指定都市が処理することとされている事務
小型漁船の総トン数の測度に関する政令（昭和二十八年政令第二百五十九号）	第一条第一項及び第三項の規定により都道府県が処理することとされている事務

船員法第百四条第一項の規定により市町村が処理する事務に関する政令（昭和二十八年政令第二百六十号）	第一項の規定により市町村が処理することとされている事務
信用保証協会法施行令（昭和二十八年政令第二百七十一号）	第六条第一項及び第二項の規定により都道府県又は市町村が処理することとされている事務
他の都府県又は他の都府県内の公共団体に砂防工事の費用を負担させる場合の手続に関する政令（昭和二十八年政令第三百十二号）	第一条第一項前段の規定により都府県が処理することとされている事務
死体解剖保存法施行令（昭和二十八年政令第三百八十一号）	第一条第一項、第三条第二項及び第五項並びに第四条の規定により都道府県が処理することとされている事務
医師法施行令（昭和二十八年政令第三百八十二号）	第三条、第五条第二項、第六条第一項、第八条第二項、第九条第二項及び第五項並びに第十条の規定により都道府県が処理することとされている事務
歯科医師法施行令（昭和二十八年政令第三百八十三号）	第三条、第五条第二項、第六条第一項、第八条第二項、第九条第二項及び第五項並びに第十条の規定により都道府県が処理することとされている事務
診療放射線技師法施行令（昭和二十八年政令第三百八十五号）	第一条の二、第一条の四第二項、第二条第一項、第三条第二項及び第四条第一項の規定により都道府県が処理することとされている事務
保健師助産師看護師法施行令（昭和二十八年政令第三百八十六号）	第一条の三第一項、第三条第五項、第四条第三項、第五条第二項、第六条第四項、第七条第六項及び第八条第五項の規定により都道府県が処理することとされている事務（第三条第五項、第四条第三項、第五条第二項、第六条第四項、第七条第六項及び第八条第五項の規定により処理することとされている事務にあつては、准看護師に係るものを除く。）
自衛隊法施行令（昭和二十九年政令第百七十九号）	第百十四条から第百二十条までの規定により都道府県又は市町村が処理することとされている事務、第百六十一条第二項の規定により河川法（昭和三十九年法律第百六十七号）第九条第二項に規定する指定区間内の一級河川及び同法第五条第一項に規定する二級河川に関して都道府県又は指定都市が処理することとされている事務並びに第百三十三条（第百四十四条において準用する場合を含む。）、第百三十四条、第百三十五条（第百四十四条において準用する場合を含む。）、第百三十七条第二項（第百四十四条において準用する場合を含む。）、第百三十九条第二項、第百四十条において準用する災害救助法施行令第八条第二項第二号及び第百四十一条第二項の規定により都道府県が処理することとされている事務
奄美群島振興開発特別措置法施行令（昭和二十九年政令第二百三十九号）	第二十六条及び第二十七条の規定により鹿児島県が処理することとされている事務
建設機械抵当法施行令（昭和二十九年政令第二百九十四号）	一　第三条第一項の規定により都道府県が処理する第四条から第十条までの事務 二　附則第二項及び附則第四項において準用する第十条の規定により都道府県が処理する事務
土地区画整理法施行令（昭和三十年政令第四十七号）	第一条の二の規定により市町村が処理することとされている事務（国土交通大臣、都道府県、独立行政法人都市再生機構又は地方住宅供給公社（市のみが設立したものを除く。）が施行する土地区画整理事業に係るものに限る。）
歯科技工士法施行令	第一条の二、第三条第二項、第四条第一項、第五条第二項、第六条第二項及び第五項並びに第七条

（昭和三十年政令第二百二十八号）	の規定により都道府県が処理することとされている事務
地方教育行政の組織及び運営に関する法律施行令（昭和三十一年政令第二百二十一号）	第十一条の規定により都道府県が処理することとされている事務
租税特別措置法施行令（昭和三十二年政令第四十三号）	一　第十九条第十一項及び第十二項第四号、第十九条の六第三項、第二十五条の四第二項及び第十七項、第三十八条の五第九項及び第十項第四号並びに第四十条の四第二項及び第三項の規定により都道府県が処理することとされている事務 二　第十九条第十一項及び第十二項第四号、第十九条の六第三項、第二十六条第二十二項（同条第三十二項において準用する場合を含む。）、第三十八条の五第九項及び第十項第四号、第四十条の六第四項、第六項、第十項、第十五項、第十八項第二号、第四十四項及び第五十一項第四号（第四十条の七第五十五項において準用する場合を含む。）、第四十条の七第二項、第五項、第九項、第十九項第二号及び第四十九項、第四十条の九第四項、第四十一条並びに第四十二条第一項の規定により市町村が処理することとされている事務
引揚者給付金等支給法施行令（昭和三十二年政令第百十二号）	第八条及び第九条の規定により都道府県が処理することとされている事務並びに第八条の規定により市町村（特別区を含む。）が処理することとされている事務
国土開発幹線自動車道建設法施行令（昭和三十二年政令第百五十一号）	第四条及び第五条第二項の規定により都道府県が処理することとされている事務
自然公園法施行令（昭和三十二年政令第二百九十八号）	附則第二項及び第三項の規定により都道府県が処理することとされている事務
国有提供施設等所在市町村助成交付金に関する法律施行令（昭和三十二年政令第三百二十一号）	第六条第一項及び第二項の規定により都道府県が処理することとされている事務
学校保健安全法施行令（昭和三十三年政令第百七十四号）	第十条第三項の規定により都道府県が処理することとされている事務
義務教育諸学校等の施設費の国庫負担等に関する法律施行令（昭和三十三年政令第百八十九号）	第二条第二項（同項後段の必要な意見を付する部分を除く。）の規定により都道府県が処理することとされている事務
臨床検査技師等に関する法律施行令（昭和三十三年政令第二百二十六号）	第一条、第三条第二項、第四条第一項、第五条第二項、第六条第二項及び第五項並びに第七条の規定により都道府県が処理することとされている事務
国民健康保険法施行令（昭和三十三年政令第三百六十二号）	第七条、第十五条第一項、第二十三条第二項及び第二十五条の規定により都道府県が処理することとされている事務
国民健康保険の国庫負担金等の算定に関する政令（昭和三十四年政令第四十一号）	第五条第十項及び第十一項の規定により都道府県が処理することとされている事務

未帰還者に関する特別措置法施行令（昭和三十四年政令第五十一号）	第一条の二及び第二条の規定により都道府県が処理することとされている事務
国民年金法施行令（昭和三十四年政令第百八十四号）	第一条の二の規定により市町村が処理することとされている事務
小売商業調整特別措置法施行令（昭和三十四年政令第二百四十二号）	第四条、第六条第一項、第九条第二項及び第十条の規定により都道府県が処理することとされている事務
医薬品、医療機器等の品質、有効性及び安全性の確保等に関する法律施行令（昭和三十六年政令第十一号）	一　第四条第二項及び第三項において読み替えて適用される同条第一項、第五条第二項並びに同条第四項及び第五項において読み替えて適用される同条第二項、第六条第二項及び第四項並びに同条第五項及び第六項において読み替えて適用される同条第二項及び第四項、第七条第一項並びに同条第二項及び第三項において読み替えて適用される同条第一項、第八条第二項及び第三項において読み替えて適用される同条第一項、第十一条第二項及び第三項において読み替えて適用される同条第一項、第十二条第二項並びに同条第四項及び第五項において読み替えて適用される同条第二項、第十三条第二項及び第四項並びに同条第五項及び第六項において読み替えて適用される同条第二項及び第四項、第十四条第一項並びに同条第二項及び第三項において読み替えて適用される同条第一項、第十五条第二項及び第三項において読み替えて適用される同条第一項、第十六条の三第二項において読み替えて適用される同条第一項、第十六条の四第二項及び同条第四項において読み替えて適用される同条第二項、第十六条の五第二項及び第四項並びに同条第五項において読み替えて適用される同条第二項及び第四項、第十六条の六第一項及び同条第二項において読み替えて適用される同条第一項、第十六条の七第二項において読み替えて適用される同条第一項、第十九条第二項及び第三項において読み替えて適用される同条第一項、第二十二条第三項において読み替えて適用される同条第一項（第七十二条第一項において準用する場合を含む。）、第二十三条、第二十四条第三項において読み替えて適用される同条第一項（第七十二条第一項において準用する場合を含む。）、第二十六条の二、第二十六条の四第六項において読み替えて適用される同条第二項、第二十六条の五第七項において読み替えて適用される同条第二項及び第四項、第二十六条の六第三項において読み替えて適用される同条第一項、第三十二条の三第三項において読み替えて適用される同条第一項、第三十二条の五、第三十二条の六第三項において読み替えて適用される同条第一項、第三十七条第二項において読み替えて適用される同条第一項、第三十七条の二第二項及び同条第四項において読み替えて適用される同条第二項、第三十七条の三第二項及び第四項並びに同条第五項において読み替えて適用される同条第二項及び第四項、第三十七条の四第一項及び同条第二項において読み替えて適用される同条第一項、第三十七条の五第二項において読み替えて適用される同条第一項、第三十七条の八第二項において読み替えて適用される同条第一項（第五十五条において準用する場合を含む。）、第三十七条の九第二項及び同条第四項において読み替えて適用される同条第二項（これらの規定を第五十五条において準用する場合を含む。）、第三十七条の十第二項及び第四項並びに同条第五項において読み替えて適用される同条第二項及び第四項（これらの規定を第五十五条において準用する場合を含む。）、第三十七条の十一第一項及び同条第二項において読み替えて適用される同条第一項（これらの規定を第五十五条において準用する場合を含む。）、第三十七条の十二第二項において読み替えて適用される同条第一項（第五十五条において準用する場合を含む。）、第四十三条の三第二項において読み替えて適用される同条第一項、第四十三条の四第二項及び同条第四項において読み替えて適用される同条第二項、第四十三条の五第二項及び第四項並びに同条第五項において読み替えて適用される同条第二項及び第四項、第四十三条の六第一項及び同条第二項において読み替えて適用される同条第一項、第四十三条の七第二項において読み替えて適用される同条第一項、第四十三条の十一第二項、第四十三条の十二第二項及び第四項、第四十三条の十三、第五十八条から第六十条まで、第六十一条第二項、第七十三条、第七十四条第一項、第七十四条の二第一項、第七十四条の三第一項、第七十四条の四第六項において読み替えて適用される同条第三項及び第四項並びに第八十条第一項から第四項までの規定により都道府県が処理することとされている事務

	二　第四条第二項において読み替えて適用される同条第一項、第五条第四項において読み替えて適用される同条第二項、第六条第五項において読み替えて適用される同条第二項及び第四項、第七条第二項において読み替えて適用される同条第一項、第八条第二項において読み替えて適用される同条第一項、第十一条第二項において読み替えて適用される同条第一項、第十二条第四項において読み替えて適用される同条第一項、第十三条第五項において読み替えて適用される同条第二項及び第四項、第十四条第二項において読み替えて適用される同条第一項、第十五条第二項において読み替えて適用される同条第一項、第十九条第二項において読み替えて適用される同条第一項、第七十四条の四第六項において読み替えて適用される同条第三項及び第四項並びに第八十条第一項の規定により保健所を設置する市又は特別区が処理することとされている事務
薬剤師法施行令（昭和三十六年政令第十三号）	第三条、第五条第二項、第六条第一項、第八条第二項、第九条第二項及び第五項並びに第十条の規定により都道府県が処理することとされている事務
車両制限令（昭和三十六年政令第二百六十五号）	この政令の規定により都道府県、指定市又は法第十七条第二項の規定により都道府県の同意を得た市が指定区間外の国道の道路管理者として処理することとされている事務
農業信用保証保険法施行令（昭和三十六年政令第三百四十八号）	第八条第一項及び第三項の規定により都道府県が処理することとされている事務
畜産経営の安定に関する法律施行令（昭和三十六年政令第三百八十七号）	第五条第一項から第三項まで及び第十六条第五項の規定により都道府県が処理することとされている事務
農業協同組合法施行令（昭和三十七年政令第二百七十一号）	第三十二条第五項ただし書の規定により都道府県が処理することとされている事務並びに第六十三条第一項、第三項及び第五項の規定により都道府県が処理することとされている事務（法第十条第一項第三号の事業を行う農業協同組合連合会に係るものに限る。）
電気用品安全法施行令（昭和三十七年政令第三百二十四号）	第五条第一項の規定により都道府県又は市が処理することとされている法第四十五条第一項、第四十六条第一項及び第四十六条の二第一項に規定する事務並びに第五条第二項の規定により都道府県又は市が処理することとされている事務
地方公務員等共済組合法施行令（昭和三十七年政令第三百五十二号）	第六十七条第一項及び第三項の規定により都道府県が処理することとされている事務
戦没者等の妻に対する特別給付金支給法施行令（昭和三十八年政令第百二十五号）	第一条第三項及び第四項、第二条並びに第三条の規定により都道府県が処理することとされている事務並びに第二条の規定により市町村（特別区を含む。）が処理することとされている事務
戦傷病者特別援護法施行令（昭和三十八年政令第三百五十八号）	第九条の二、第十三条及び附則第八条の規定により都道府県が処理することとされている事務
新住宅市街地開発法施行令（昭和三十八年政令第三百六十五号）	第十五条第二項の規定により市町村が処理することとされている事務（都道府県又は地方住宅供給公社（市のみが設立したものを除く。）が施行する新住宅市街地開発事業に係るものに限る。）
義務教育諸学校の教科用図書の無償措置に関する法律施行令（昭和三十九年政令第十四号）	第一条第二項、第二条、第四条、第五条第二項及び第六条第二項の規定により都道府県が処理することとされている事務並びに第一条第二項及び第二条の規定により市町村が処理することとされている事務
漁業災害補償法施行令（昭和三十	第一条第一項、第三項及び第五項並びに第七条第三項（第八条第三項、第九条第七項、第十五条第三項及び第十八条の五第四項において準用する場

自治令

九年政令第二百九十三号）	合を含む。）の規定により都道府県が処理することとされている事務
河川法施行令（昭和四十年政令第十四号）	この政令の規定により地方公共団体が処理することとされている事務のうち次に掲げるもの 一　第二条第一項又は第二項の規定により、指定区間内の一級河川に関して都道府県又は指定都市が処理することとされている事務 二　第九条の二第二項、第十条の四第三項、第十五条第一項及び第二項（第十五条の四第二項、第十六条の四第二項、第十六条の五第四項、第十六条の八第二項、第三十四条第二項及び第三十五条の二第二項において準用する場合を含む。）、第十五条の四第一項、第十六条の四第一項、第十六条の五第一項及び第二項、第十六条の六、第十六条の八第一項、第十六条の九第三項、第十六条の十第二項、第十六条の十一第一項、第十六条の十二、第十六条の十三、第二十二条第二項及び第四項、第三十四条第一項、第三十五条の二第一項、第三十八条の三第二項、第三十八条の八、第三十九条の三第二項、第三十九条の四、第三十九条の六、第三十九条の七並びに第四十三条第三項の規定により、二級河川に関して都道府県又は指定都市が処理することとされている事務
所得税法施行令（昭和四十年政令第九十六号）	第二百十七条の二第二項及び第三項の規定により都道府県が処理することとされている事務
法人税法施行令（昭和	第七十七条の四第二項及び第三項の規定により都道府県が処理することとされている事務
四十年政令第九十七号）	
戦没者等の遺族に対する特別弔慰金支給法施行令（昭和四十年政令第百八十三号）	第一条第三項及び第四項、第二条並びに第三条の規定により都道府県が処理することとされている事務並びに第二条の規定により市町村（特別区を含む。）が処理することとされている事務
理学療法士及び作業療法士法施行令（昭和四十年政令第三百二十七号）	第一条、第三条第二項、第四条第一項、第五条第二項、第六条第二項及び第五項並びに第七条の規定により都道府県が処理することとされている事務
戦傷病者等の妻に対する特別給付金支給法施行令（昭和四十一年政令第二百二十七号）	第二条第三項及び第四項、第三条並びに第四条の規定により都道府県が処理することとされている事務並びに第三条の規定により市町村（特別区を含む。）が処理することとされている事務
流通業務市街地の整備に関する法律施行令（昭和四十	第八条第二項の規定により市町村が処理することとされている事務（都道府県又は独立行政法人都市再生機構が施行する流通業務団地造成事業に係るものに限る。）
二年政令第三号）	
戦没者の父母等に対する特別給付金支給法施行令（昭和四十二年政令第百八十八号）	第一条第三項及び第四項、第二条並びに第三条の規定により都道府県が処理することとされている事務並びに第二条の規定により市町村（特別区を含む。）が処理することとされている事務
引揚者等に対する特別交付金の支給に関する法律施行令（昭和四十二年政令第二百二十六号）	第三条から第六条までの規定により地方公共団体が処理することとされている事務
地価公示法施行令（昭和四十四年政令第百八十号）	第一条第一項の規定により市町村（特別区を含む。）が処理することとされている事務
都市再開発法施行令（昭和四十四年政令第二百三十二号）	この政令の規定により市町村が処理することとされている事務のうち次に掲げるもの 一　第二条の二及び第五十条第二項に規定する事務（都道府県又は機構等（市のみが設立した地方住宅供給公社を除く。）が施行する市街地再開発事業に係るものに限る。） 二　第三条に規定する事務（機構等（市のみが設

	立した地方住宅供給公社を除く。）が施行する市街地再開発事業に係るものに限る。）
農薬取締法施行令（昭和四十六年政令第五十六号）	第四条第一項、第三項、第五項及び第六項の規定により都道府県が処理することとされている事務
視能訓練士法施行令（昭和四十六年政令第二百四十六号）	第一条、第三条第二項、第四条第一項、第五条第二項、第六条第二項及び第五項並びに第七条の規定により都道府県が処理することとされている事務
廃棄物の処理及び清掃に関する法律施行令（昭和四十六年政令第三百号）	第七条の四において読み替えて準用する第五条の五、第六条の七の二、第十三条及び第十六条の四の規定により都道府県が行うこととされている事務
沖縄の復帰に伴う国税関係法令の適用の特別措置等に関する政令（昭和四十七年政令第百五十一号）	第百十五条第一項の規定により沖縄県が処理することとされている事務
新都市基盤整備法施行令（昭和四十七年政令第四百三十一号）	第十九条の二において準用する土地区画整理法施行令第一条の二及び第三十四条第二項の規定により市町村が処理することとされている事務（都道府県が施行する新都市基盤整備事業に係るものに限る。）
生活関連物資等の買占め及び売惜しみに対する緊急措置に関する法律施行令（昭和四十八年政令第二百号）	第二条第一項及び第二項の規定により地方公共団体が処理することとされている事務
国民生活安定緊急措置法施行令（昭和四十九年政令第四号）	第四条第一項の規定により地方公共団体が処理することとされている事務
雇用保険法施行令（昭和五十年政令第二十五号）	第一条第一項の規定により都道府県が処理することとされている事務
租税特別措置法施行令の一部を改正する政令	附則第十一条第三項及び第五項において準用する租税特別措置法施行令第四十条の六第十五項第二号の規定により市町村が処理することとされている事務
（昭和五十年政令第六十号）	
文化財保護法施行令（昭和五十年政令第二百六十七号）	第五条第一項（第五号に係る部分を除く。）、第三項（第二号に係る部分を除く。）及び第四項の規定により都道府県又は市が処理することとされている事務並びに第六条第一項第一号及び第二項各号に掲げる事務のうち同条の規定により認定市町村が処理することとされているもの
大都市地域における住宅及び住宅地の供給の促進に関する特別措置法施行令（昭和五十年政令第三百六号）	第十四条において準用する土地区画整理法施行令第一条の二の規定により市町村が処理することとされている事務（都府県又は独立行政法人都市再生機構若しくは地方住宅供給公社（市のみが設立したものを除く。）が施行する住宅街区整備事業に係るものに限る。）
飼料の安全性の確保及び品質の改善に関する法律施行令（昭和五十一年政令第百九十八号）	この政令の規定により都道府県が処理することとされている事務のうち、次に掲げるもの（製造業者又は輸入業者に係るものに限る。） 一　第十一条第三項の規定により都道府県が処理することとされている法第五十五条第一項の規定による報告の徴取並びに法第五十六条第一項の規定による立入検査、質問及び収去（法第二章の規定の施行に関するものに限る。） 二　第十一条第四項の規定により都道府県が処理することとされている法第五十六条第七項の規定による公表及び第十一条第六項の規定による報告（前号に掲げる事務に係るものに限る。）

政令	事務
国勢調査令（昭和五十五年政令第九十八号）	一　第十一条の二第一項及び第二項、第十一条の三第二項及び第三項、第十二条第四項及び第五項、第十二条の二並びに第十五条第一項の規定により都道府県が行うこととされている事務 二　第六条第三項から第六項まで、第七条第一項、第八条第一項及び第二項、第十一条、第十一条の二第一項、第十一条の三第二項、第十二条第一項から第四項まで、第十二条の二第一項、第十三条第一項並びに第十五条第二項の規定により市町村が行うこととされている事務
労働金庫法施行令（昭和五十七年政令第四十六号）	第十一条第一項及び第二項の規定により都道府県が処理することとされている事務
鉄道線路の道路への敷設の許可手続を定める政令（昭和六十二年政令第七十八号）	第一条第一項及び第三項並びに第二条（申請に対する意見を付する事務に係る部分を除く。）の規定により都道府県又は指定都市が処理することとされている事務
肉用子牛生産安定等特別措置法施行令（昭和六十三年政令第三百四十七号）	第八条の規定により都道府県が処理することとされている事務
旅券法施行令（平成元年政令第百二十二号）	第六条第一項の規定により都道府県が処理することとされている事務
特定農地貸付けに関する農地法等の特例に関する法律施行令（平成元年政令第二百五十八号）	第四条の規定により市町村が処理することとされている事務
水産業協同組合法施行令（平成五年政令第三百二十八号）	第三条第二項及び第三項並びに第三十条第一項、第三項及び第五項の規定により都道府県が処理することとされている事務（法第十一条第一項第四号の事業を行う漁業協同組合、法第八十七条第一項第四号の事業を行う漁業協同組合連合会又は法第九十七条第一項第二号の事業を行う水産加工業協同組合連合会に係るものに限る。）
計量法施行令（平成五年政令第三百二十九号）	第三十条第一項、第三十一条、第三十二条、第三十五条、第三十六条及び第三十七条の規定により都道府県が処理することとされている事務
協同組織金融機関の優先出資に関する法律施行令（平成五年政令第三百九十八号）	第二十四条第一項及び第二項の規定により都道府県が処理することとされている事務
原子爆弾被爆者に対する援護に関する法律施行令（平成七年政令第二十六号）	第二条、第三条第一項及び第二項、第四条、第五条、第六条、第八条第一項、第三項及び第四項、第十一条から第十三条まで（第十二条及び第十三条の規定を第十六条において準用する場合を含む。）、第十五条並びに第二十二条第一項の規定により都道府県並びに広島市及び長崎市が処理することとされている事務
租税特別措置法施行令の一部を改正する政令（平成七年政令第百五十八号）	附則第二十八条第三項及び第十二項の規定により市町村が処理することとされている事務
中国残留邦人等の円滑な帰国の促進並びに永住帰国した中国残留邦人等及び特定配偶者の自立の支援に関する法律施行令（平成八年政令第十八号）	第八条第三項の規定により市町村（特別区を含む。）が処理することとされている事務、法第十四条第四項（法第十五条第三項又は改正法附則第四条第二項において準用する場合を含む。以下同じ。）においてその例によることとされる生活保護法施行令第一条第二項及び第三項の規定により都道府県、市及び社会福祉法に規定する福祉に関する事務所を設置する町村が処理することとされている事務並びに第二十二条第十二号の規定により読み替えて適用する道州制特別区域における広域行政の推進に関する法律（平成十八年法律第百十六号）第十二条第一項及び第二項の規定により読み替えて適用する生活保護法の規定（法第十四条第四項においてその例による場合に限る。）により道州制特別区域における広域行政の推進に関する法律に規定する特定広域団体が処理することとされている同法に規定する特定事務等

密集市街地における防災街区の整備の促進に関する法律施行令（平成九年政令第三百二十四号）	この政令の規定により市町村が処理することとされている事務のうち次に掲げるもの 一 第二十五条及び第五十三条第二項に規定する事務（都道府県、独立行政法人都市再生機構又は地方住宅供給公社（市のみが設立したものを除く。次号において同じ。）が施行する防災街区整備事業に係るものに限る。） 二 第二十六条に規定する事務（独立行政法人都市再生機構又は地方住宅供給公社が施行する防災街区整備事業に係るものに限る。）
出入国管理及び難民認定法施行令（平成十年政令第百七十八号）	第三条の規定により市町村が処理することとされている事務
大深度地下の公共的使用に関する特別措置法施行令（平成十二年政令第五百号）	この政令の規定により地方公共団体が処理することとされている事務のうち、次に掲げるもの（法第十一条第一項の事業に関するものに限る。） 一 都道府県が第八条第四項、第九条において準用する第八条第一項及び第三項並びに第十条及び第十一条において準用する土地収用法施行令第五条第一項及び第三項の規定により処理することとされている事務 二 市町村が第八条第一項及び第三項、同条第四項（第九条において準用する場合を含む。）並びに第十条及び第十一条において準用する土地収用法施行令第五条第四項の規定により処理することとされている事務
平和条約国籍離脱者等である戦没者遺族等に対する弔慰金等の支給に関する法律施行令（平成十三年政令第八号）	第五条及び第六条の規定により都道府県が処理することとされている事務並びに第五条の規定により市町村（特別区を含む。）が処理することとされている事務
原子爆弾被爆者に対する援護に関する法律施行令の一部を改正する政令（平成十四年政令第百四十八号）	附則第二条第一項の規定により都道府県並びに広島市及び長崎市が処理することとされている事務
独立行政法人水資源機構法施行令（平成十五年政令第三百二十九号）	第二十七条並びに第二十八条第二項ただし書及び第三項の規定により都道府県が処理することとされている事務
独立行政法人農業者年金基金法施行令（平成十五年政令第三百四十三号）	第三十六条第一項及び第三項の規定により都道府県が処理することとされている事務
武力攻撃事態等における国民の保護のための措置に関する法律施行令（平成十六年政令第二百七十五号）	この政令の規定により地方公共団体が処理することとされている事務（都道府県警察が処理することとされているものを除く。）
特定障害者に対する特別障害給付金の支給に関する法律施行令（平成十七年政令第五十六号）	第十一条の規定により市町村が処理することとされている事務
租税特別措置法施行令の一部を改正する政令（平成十七年政令第百三号）	附則第三十三条第三項及び第二十四項の規定により市町村が処理することとされている事務
前期高齢者交付金及び後期高齢者医療の国庫	第五条第一項及び第二項（これらの規定を第十二条において準用する場合を含む。）の規定により都道府県が処理することとされている事務

負担金の算定等に関する政令（平成十九年政令第三百二十五号）	
犯罪による収益の移転防止に関する法律施行令（平成二十年政令第二十号）	第二十二条第五項から第七項まで、第二十三条第四項及び第五項、第二十九条第六項から第八項まで並びに第三十条第三項から第五項までの規定により都道府県が処理することとされている事務
犯罪利用預金口座等に係る資金による被害回復分配金の支払等に関する法律施行令（平成二十年政令第百九十二号）	第三条第七項及び第八項並びに第四条第六項及び第七項の規定により都道府県が処理することとされている事務
障害のある児童及び生徒のための教科用特定図書等の普及の促進等に関する法律施行令（平成二十年政令第二百八十一号）	第一条第二項、第二条、第四条、第五条第二項及び第六条第二項の規定により都道府県が処理することとされている事務並びに第一条第二項及び第二条の規定により市町村が処理することとされている事務
統計法施行令（平成二十年政令第三百三十四号）	第四条第一項の規定により都道府県又は市町村が行うこととされている事務（統計調査員の設置に関する事務、都道府県知事に対する統計調査員の候補者の推薦に関する事務、統計調査員の身分を示す証票の交付に関する事務並びに統計調査員の報酬及び費用の交付に関する事務並びにこれらの事務に附帯する事務を除く。）
地域における歴史的風致の維持及び向上に関する法律施行令（平成二十年政令第三百三十七号）	第六条第一項各号に掲げる事務のうち、同条の規定により町村が処理することとされているもの
地方公共団体の財政の健全化に関する法律施行令（平成十九年政令第三百九十七号）	第二十二条第一項の規定により都道府県が処理することとされている事務
ハンセン病問題の解決の促進に関する法律第十九条に規定する援護に関する政令（平成二十一年政令第二十二号）	第二条第二項（同条第五項において準用する場合を含む。）、第六項、第七項、第九項、第十項及び第十三項並びに第三条の規定により都道府県が処理することとされている事務
日本国憲法の改正手続に関する法律施行令（平成二十二年政令第百三十五号）	この政令の規定により地方公共団体が処理することとされている事務
東日本大震災による被害を受けた公共土木施設の災害復旧事業等に係る工事の国等による代行に関する法律施行令（平成二十三年政令第百十四号）	第十三条において準用する第十二条第一項及び第四項の規定により県が処理することとされている事務（同項に規定する事務にあつては、海岸法施行令（昭和三十一年政令第三百三十二号）第一条の五第一項第一号、第十二号、第十五号、第十六号、第二十二号、第二十五号、第三十一号（海岸協力団体による届出の受理に係る部分を除く。）、第三十二号又は第三十五号に掲げる権限に係る事務を行つたときの通知に係るものに限る。）
日本国との平和条約に	第一条、第二条及び第四条から第六条までの規定により市町村が処理することとされている事務

基づき日本の国籍を離脱した者等の出入国管理に関する特例法施行令（平成二十三年政令第四百二十号）	
出入国管理及び難民認定法及び日本国との平和条約に基づき日本の国籍を離脱した者等の出入国管理に関する特例法の一部を改正する等の法律の施行に伴う関係政令の整備及び経過措置に関する政令（平成二十三年政令第四百二十一号）	第十六条、第十七条、第十九条において準用する出入国管理及び難民認定法施行令第三条、第二十二条第一項（第二十四条第四項において準用する場合を含む。）、第二十二条第二項から第四項まで、同条第五項において準用する日本国との平和条約に基づき日本の国籍を離脱した者等の出入国管理に関する特例法施行令第一条及び第二条、第二十三条第一項、同条第二項において準用する同令第一条及び第二条、第二十四条第一項から第三項まで、同条第五項において準用する同令第一条及び第二条並びに第二十六条において準用する同令第四条の規定により市町村が処理することとされている事務
新型インフルエンザ等対策特別措置法施行令（平成二十五年政令第百二十二号）	この政令の規定により地方公共団体が処理することとされている事務（第四条の規定によりその例によることとされる災害対策基本法施行令（昭和三十七年政令第二百八十八号）第二十条の二の規定により都道府県警察が処理することとされているもの及び第四条の三において準用する同令第二十八条第四項の規定により地方公共団体が処理することとされているものを除く。）
大規模災害からの復興に関する法律施行令（平成二十五年政令第二百三十七号）	第二十二条において準用する第二十一条第一項及び第四項の規定により都道府県が処理することとされている事務（同項に規定する事務にあつては、海岸法施行令第一条の五第一項第一号、第十二号、第十五号、第十六号、第二十二号、第二十五号、第三十一号（海岸協力団体による届出の受理に係る部分を除く。）、第三十二号又は第三十五号に掲げる権限に係る事務を行つたときの通知に係るものに限る。）
食品表示法第十五条の規定による権限の委任等に関する政令（平成二十七年政令第六十八号）	第七条第一項第三号（法第六条第八項の規定による業務の全部又は一部を停止すべきことの命令に係る部分を除く。）、第四号、第五号及び第六号（法第八条第七項の規定による委託に係る部分を除く。）の規定により都道府県、保健所を設置する市又は特別区が処理することとされている事務
行政手続における特定の個人を識別するための番号の利用等に関する法律施行令（平成二十六年政令第百五十五号）	附則第三条第一項において準用する法附則第三条第三項の規定及び附則第三条第一項において準用する法附則第三条第四項において準用する法第八条第一項の規定により市町村が処理することとされている事務
衆議院議員選挙区画定審議会設置法施行令（平成六年政令第四十号）	第四条の規定により都道府県が処理することとされている事務
民間公益活動を促進するための休眠預金等に係る資金の活用に関する法律施行令（平成二十九年政令第二十四号）	第四条第七項及び第八項並びに第五条第六項及び第七項の規定により都道府県が処理することとされている事務
農業保険法施行令（平成二十九年政令第二百六十三号）	第十八条の規定により都道府県が処理することとされている事務
都市農地の貸借の円滑化に関する法律施行令	第二条において読み替えて準用する特定農地貸付けに関する農地法等の特例に関する法律施行令第四条の規定により市町村（特別区を含む。）が処理することとされている事務

（平成三十年政令第二百三十四号）	
年金生活者支援給付金の支給に関する法律施行令（平成三十年政令第三百六十四号）	第十五条第一項の規定により市町村（特別区を含む。）が処理することとされている事務
特定患者等の郵便等を用いて行う投票方法の特例に関する法律施行令（令和三年政令第百七十五号）	この政令の規定及びこの政令の規定により準用し、又は読み替えて適用する公職選挙法施行令の規定により、衆議院議員又は参議院議員の選挙に関し、都道府県又は市町村が処理することとされている事務
都市鉄道等利便増進法施行令（平成十七年政令第二百二十一号）	第一条第二項及び第四項の規定により都道府県又は指定都市が処理することとされている事務
地域公共交通の活性化及び再生に関する法律	第一条第二項及び第四項の規定により都道府県又は指定都市が処理することとされている事務
施行令（平成十九年政令第二百九十七号）	
都市の低炭素化の促進に関する法律施行令（平成二十四年政令第二百八十六号）	第六条第二項及び第四項の規定により都道府県又は指定都市が処理することとされている事務
農林水産物及び食品の輸出の促進に関する法律施行令（令和二年政令第七十三号）	第十一条第一項の規定により都道府県又は指定市町村が処理することとされている事務（同一の事業の目的に供するため四ヘクタールを超える農地を農地以外のものにする行為又は同一の事業の目的に供するため四ヘクタールを超える農地若しくはその農地と併せて採草放牧地について農地法第三条第一項本文に規定する権利を取得する行為に係る法第三十七条第一項に規定する輸出事業計画に係るものに限る。）
森林環境税及び森林環境譲与税に関する法律施行令（令和四年政令第三百号）	第二条第一項の規定により都道府県が処理することとされている事務
預貯金者の意思に基づく個人番号	第三条第五項及び第六項並びに第四条第四項及び第五項の規定により都道府県が処理することとされている事務
の利用による預貯金口座の管理等に関する法律施行令（令和六年政令第二十号）	

別表第二 第二号法定受託事務（第一条関係）

備考 この表の下欄の用語の意義及び字句の意味は、上欄に掲げる政令における用語の意義及び字句の意味によるものとする。

政令	事務
母体保護法施行令（昭和二十四年政令第十六号）	第七条及び第九条の規定により保健所を設置する市又は特別区が処理することとされている事務
身体障害者福祉法施行令（昭和二十五年政令第七十八号）	第四条（第十条第二項において準用する場合を含む。）、第八条第一項、第九条第二項から第五項まで及び第十二条第一項の規定により市町村が処理することとされている事務
公職選挙法施行令（昭和二十五年政令第八十九号）	この政令の規定により、都道府県の議会の議員又は長の選挙に関し、市町村が処理することとされている事務
精神保健及び精神障害者福祉に関する法律施行令（昭和二十五年政令第百五十五号）	第五条、第六条の二、第七条第二項から第五項まで、第八条、第九条第三項、第十条第三項及び第十条の二第二項の規定により市町村が処理することとされている事務
土地収用法施行令（昭和二十六年政令第三百四十二号）	この政令の規定により地方公共団体が処理することとされている事務のうち、市町村が第五条第四項の規定により処理することとされている事務（法第十七条第二項に規定する事業（法第二十七条第二項又は第四項の規定により国土交通大臣の事業の認定を受けた事業を除く。）に関するものに限る。）
農地法施行令（昭和二十七年政令第四百四十五号）	この政令の規定により市町村が処理することとされている事務のうち、次に掲げるもの 一 第三条第二項の規定により市町村（指定市町村を除く。）が処理することとされている事務（同一の事業の目的に供するため四ヘクタールを超える農地を農地以外のものにする行為に係るものを除く。） 二 第十条第二項の規定により市町村（指定市町村を除く。）が処理することとされている事務（同一の事業の目的に供するため四ヘクタールを超える農地又はその農地と併せて採草放牧地について法第三条第一項本文に掲げる権利を取得する行為に係るものを除く。）
土地区画整理法施行令（昭和三十年政令第四十七号）	この政令の規定により市町村が処理することとされている事務のうち次に掲げるもの 一 第一条の二に規定する事務（個人施行者、組合、区画整理会社、市町村又は市のみが設立した地方住宅供給公社が施行する土地区画整理事業に係るものに限る。） 二 第三条に規定する事務（法第二十条第一項（法第三十九条第二項において準用する場合を含む。）又は第五十一条の八第一項（法第五十一条の十第二項において準用する場合を含む。）の規定に係るものに限る。） 三 第六条第三項及び第六十八条に規定する事務
首都圏の近郊整備地帯及び都市開発区域の整備に関する法律施行令（昭和三十四年政令第二百四十号）	第六条第二項の規定により市町村が処理することとされている事務（都県が施行する工業団地造成事業に係るものに限る。）
新住宅市街地開発法施行令（昭和三十八年政令第三百六十五号）	この政令の規定により市町村が処理することとされている事務のうち次に掲げるもの 一 第十三条の規定により処理することとされている事務 二 第十五条第二項の規定により処理することとされている事務（地方公共団体（都道府県を除く。）又は地方住宅供給公社（市のみが設立したものに限る。）が施行する新住宅市街地開発事業に係るものに限る。）
近畿圏の近郊整備区域及び都市開発区域の整備及び開発に関する法律施行令（昭和四十年政令第百五十七号）	第八条第二項の規定により市町村が処理することとされている事務（府県が施行する工業団地造成事業に係るものに限る。）
流通業務市街地の整備に関する法	第八条第二項の規定により市町村が処理することとされている事務（都道府県以外の地方公共団体が施行する流通業務団地造成事業に係るものに限

律施行令（昭和四十二年政令第三号）	る。）
都市再開発法施行令（昭和四十四年政令第二百三十二号）	この政令の規定により市町村が処理することとされている事務のうち次に掲げるもの 一　第二条の二及び第五十条第二項に規定する事務（個人施行者、組合、再開発会社、市町村又は市のみが設立した地方住宅供給公社が施行する市街地再開発事業に係るものに限る。） 二　第三条に規定する事務（組合、再開発会社及び市のみが設立した地方住宅供給公社が施行する市街地再開発事業に係るものに限る。） 三　第八条第三項に規定する事務
新都市基盤整備法施行令（昭和四十七年政令第四百三十一号）	第十九条の二において準用する土地区画整理法施行令第一条の二及び第三十四条第二項の規定により市町村が処理することとされている事務（市町村が施行する新都市基盤整備事業に係るものに限る。）
大都市地域における住宅及び住宅地の供給の促進に関する特別措置法施行令（昭和五十年政令第三百六号）	この政令の規定により市町村が処理することとされている事務のうち次に掲げるもの 一　第十四条において準用する土地区画整理法施行令第一条の二に規定する事務（個人施行者、住宅街区整備組合、市町村又は市のみが設立した地方住宅供給公社が施行する住宅街区整備事業に係るものに限る。） 二　第十七条において準用する土地区画整理法施行令第六条第三項及び第十九条において準用する同令第六十八条に規定する事務 三　第二十条において準用する土地区画整理法施行令第三条に規定する事務（法第五十一条において準用する土地区画整理法第二十条第一項（法第五十一条において準用する土地区画整理法第三十九条第二項において準用する場合を含む。）の規定に係るものに限る。） 四　第四十三条第二項に規定する事務
計量法施行令（平成五年政令第三百二十九号）	第四十一条第二項の規定により都道府県知事が法第百二十七条第一項、第二項及び第四項に規定する経済産業大臣の権限に属する事務を行うこととされている場合における同条第二項から第四項までの規定により特定市町村が処理することとされている事務
密集市街地における防災街区の整備の促進に関する法律施行令（平成九年政令第三百二十四号）	この政令の規定により市町村が処理することとされている事務のうち次に掲げるもの 一　第二十五条及び第五十三条第二項に規定する事務（個人施行者、事業組合、事業会社、市町村又は地方住宅供給公社（市のみが設立したものに限る。次号において同じ。）が施行する防災街区整備事業に係るものに限る。） 二　第二十六条に規定する事務（事業組合、事業会社又は地方住宅供給公社が施行する防災街区整備事業に係るものに限る。） 三　第二十八条において準用する都市再開発法施行令第八条第三項に規定する事務
大深度地下の公共的使用に関する特別措置法施行令（平成十二年政令第五百号）	この政令の規定により地方公共団体が処理することとされている事務のうち、市町村が第八条第一項及び第三項、同条第四項（第九条において準用する場合を含む。）並びに第十条及び第十一条において準用する土地収用法施行令第五条第四項の規定により処理することとされている事務（法第十一条第二項の事業に関するものに限る。）
地方公共団体の議会の議員及び長の選挙に係る電磁的記録式投票機を用いて行う投票方法等の特例に関する法律施行令（平成十四年政令第十九号）	この政令の規定及びこの政令の規定により読み替えて適用する公職選挙法施行令の規定により、都道府県の議会の議員又は長の選挙に関し、市町村が処理することとされている事務
マンションの建替え等の円滑化に関する法律施行令（平成十四年政令第三百六十七号）	第一条、第二条（第十五条において準用する場合を含む。）、第四条第四項（第二十九条及び第三十九条において準用する場合を含む。）、第二十五条第二項（第三十四条第二項及び第四十二条第二項において準用する場合を含む。）及び第三十六条の規定により町村が処理することとされている事務
統計法施行令（平成二十年政令第三百三十四号）	第四条第一項の規定により市町村が行うこととされている事務のうち、都道府県知事に対する統計調査員の候補者の推薦に関する事務、統計調査員の身分を示す証票の交付に関する事務並びに統計調査員の報酬及び費用の交付に関する事務並びにこれらの事務に附帯する事務
特定患者等の郵便等を用いて行う投票方法の	この政令の規定及びこの政令の規定により準用し、又は読み替えて適用する公職選挙法施行令の規定により、都道府県の議会の議員又は長の選挙に関し、市町村が処理することとされている事務

特例に関する法律施行令（令和三年政令第百七十五号）

別表第三（第百二十一条の二の二関係）

工事又は製造の請負	
都道府県	五〇〇、〇〇〇千円
指定都市	三〇〇、〇〇〇
市（指定都市を除く。次表において同じ。）	一五〇、〇〇〇
町村	五〇、〇〇〇

別表第四（第百二十一条の二の二関係）

不動産若しくは動産の買入れ若しくは売払い（土地については、その面積が都道府県にあつては一件二万平方メートル以上、指定都市にあつては一件一万平方メートル以上、市町村にあつては一件五千平方メートル以上のものに係るものに限る。）又は不動産の信託の受益権の買入れ若しくは売払い	
都道府県	七〇、〇〇〇千円
指定都市	四〇、〇〇〇
市	二〇、〇〇〇
町村	七、〇〇〇

別表第五（第百六十七条の二関係）

一　工事又は製造の請負	都道府県及び指定都市	二百五十万円
	市町村（指定都市を除く。以下この表において同じ。）	百三十万円
二　財産の買入れ	都道府県及び指定都市	百六十万円
	市町村	八十万円
三　物件の借入れ	都道府県及び指定都市	八十万円
	市町村	四十万円
四　財産の売払い	都道府県及び指定都市	五十万円
	市町村	三十万円
五　物件の貸付け		三十万円
六　前各号に掲げるもの以外のもの	都道府県及び指定都市	百万円
	市町村	五十万円

附　則（昭二三・七・三一政令二〇四）

第一条　この政令は、昭和二十三年八月一日から、これを施行する。

第二条　地方自治法の一部を改正する法律（昭和二十三年法律第百七十九号。以下昭和二十三年法律第百七十九号という。）附則第二条第二項の変更に係る区域の住民で選挙人名簿に登載されている者の総数の三分の一の数は、同項の市町村の選挙管理委員会において、選挙人名簿確定後直ちにこれを告示しなければならない。

第三条　地方自治法施行令第九十一条、第九十二条、第九十四条から第九十七条まで、第九十八条第一項及び第百四条第一項の規定は、昭和二十三年法律第百七十九号附則第二条第二項の規定による市町村の区域の変更の請求にこれを準用する。但し、第九十一条中「当該普通地方公共団体の長」とあるのは「当該市町村の選挙管理委員会」、第九十二条第一項中「地方自治法第七十四条第四項」とあるのは「昭和二十三年法律第百七十九号附則第二条」、同条第三項中「当該普通地方公共団体の長」とあるのは「当該市町村の長」、同条第四項中「一箇月」とあるのは「二十日」、第九十四条第一項中「地方自治法第七十四条第四項」とあるのは「地方自治法施行令の一部を改正する政令（昭和二十三年政令第二百四号）附則第二条」、第九十五条の二、第九十五条の三又は第九十五条の四中「地方自治法第七十四条の二第三項」、「地方自治法第七十四条の二第五項」又は「地方自治法第七十四条の二第六項」とあるのは「昭和二十三年法律第百七十九号附則第二条第十項」、第九十六条中「地方自治法第七十四条第一項」とあるのは「昭和二十三年法律第百七十九号附則第二条第二項」、「同法第七十四条の二第六項」とあるのは「昭和二十三年法律第百七十九号附則第二条第十項」、「同法第七十四条第四項」とあるのは「地方自治法施行令の一部を改正する政令（昭和二十三年政令第百七十九号）附則第二条」、「五十分の一」とあるのは「三分の一」、第九十七条第一項中「地方自治法第七十四条第四項」とあるのは「地方自治法施行令の一部を改正する政令（昭和二十三年政令第二百四号）附則第二条」、同条同項及び第九十八条第一項中「普通地方公共団体の長」とあるのは「当該市町村の選挙管理委員会」、第百四条第一項中「弁明の要旨」とあるのは「市町村の区域の変更の請求に関する意見の要旨」、「弁明書」とあるのは「意見書」と読み替えるものとする。

第四条　昭和二十三年法律第百七十九号附則第二条第四項の場合においては、前条において準用する地方自治法施行令第九十六条の請求を受理した市町村の選挙管理委員会は、前条において準用する地方自治法施行令第九十八条第一項の規定による手続をするとともに、直ちにその旨並びに市町村区域変更請求代表者の住所氏名及び請求の要旨を同法附則第二条第二項の規定による区域が属していた現に存する他の市町村の選挙管理委員会に通知し、あわせて選挙人名簿又はその抄本中関係部分を送付しなければならない。

②　前項の規定により通知を受けた市町村の選挙管理委員会は、その旨並びに市町村区域変更請求代表者の住所氏名及び請求の要旨を告示し、且つ、公衆の見やすいその他の方法により公表しなければならない。

③　昭和二十三年法律第百七十九号附則第二条第四項の場合においては、前条において準用する地方自治法施行令第百四条第一項の意見書を徴した市町村の選挙管理委員会は、直ちにこれを同法附則第二条第二項の規定による区域が属していた現に存する他の市町村の管理委員会に送付しなければならない。但し、意見書の提出がないときは、この限りでない。

第五条　昭和二十三年法律第百七十九号附則第二条第三項の投票の投票区及び開票区は、当該投票に関する事務を管理する市町村の選挙管理委員会がこれを設け、附則第六条の告示の際あわせてその区画を告示しなければならない。

第六条　附則第三条において準用する地方自治法施行令第九十六条の規定による市町村区域変更請求書に記載した請求の要旨及び同令第百四条第一項の規定による意見書に記載した意見の要旨は、昭和二十三年法律第百七十九号附則第二条第九項において準用する公職選挙法（昭和二十五年法律第百号）第三十三条第三項の告示の際あわせてこれを告示するとともに、投票所の入口その他公衆の見やすい場所を選び、原文のままこれを掲示しなければならない。但し、意見書の提出がないときは、意見の要旨については、この限りでない。

第七条　昭和二十三年法律第百七十九号附則第二条第三項の投票については、当該投票に関する事務を管理する市町村の選挙管理委員会は、関係区域の選挙人名簿に記載された者で同一の政党その他の団体に属さないもののうちから、開票区ごとに三人以上五人以下の開票立会人を選任し、これを開票管理者に通知しなければならない。

②　前項の規定は、選挙立会人にこれを準用する。

第八条　昭和二十三年法律第百七十九号附則第二条第三項の投票の結果が判明したときは、当該投票に関する事務を管理する市町村の選挙管理委員会は、直ちにこれを市町村区域変更請願代表者に通知し、且つ、これを公表するとともに、関係市町村長及び都道府県知事に報告しなければならない。その投票の結果が確定したときも、また、同様とする。

第八条の二　昭和二十三年法律第百七十九号附則第二条第十項の規定により、同条第二項の規定による請求者の署名に地方自治法（昭和二十二年法律第六十七号）第七十四条の二の規定を準用する場合においては、同条第一項中「二十日」とあるのは「十四日」、同条第二項中「七日」とあるのは「五日」、同条第五項中「十四日」とあるのは「十日」と読み替えるものとする。

第九条　公職選挙法施行令（昭和二十五年政令第八十九号）第二十三条、第二十四条第一項及び第二項、第二十五条乃至第二十九条、第三十一条乃至第四十六条、第四十八条、第五章、第六十七条第一項乃至第四項、第六十八条、第七十一条乃至第八十一条、第八十四条、第八十五条、第八十六条第一項並びに第八十七条の規定は、昭和二十三年法律第百七十九号附則第二条第三項の投票にこれを準用する。但し、第二十三条中「その名簿又は抄本を用いて選挙された衆議院議員、参議院議員、地方公共団体の議会の議員若しくは長又は教育委員会の委員の任期間」とあるのは「賛否の投票の結果の確定するまでの間」、第三十九条又は第四十一条第四項中「候補者一人の氏名」又は「候補者の氏名」とあるのは「賛否」、第四十五条中「当該選挙に係る衆議院議員、参議院議員、地方公共団体の議会の議員若しくは長又は教育委員会の委員の任期間」とあるのは「賛否の投票の結果の確定するまでの間」、第五十六条第一項、第三項若しくは第四項、第五十八条又は第五十九条第五項中「当該選挙の候補者一人の氏名」、「候補者一人の氏名」又は「候補者の氏名」とあるのは「賛否」、第七十二条又は第七十三条中「同一の候補者の得票数」又は「各候補者の得票数」とあるのは「賛否の投票数」、第七十七条第一項中「当該選挙に係る衆議院議員、参議院議員、地方公共団体の議会の議員若しくは長又は教育委員会の委員の任期間」とあるのは「賛否の投票の結果の確定するまでの間」、第八十四条中「各候補者の得票総数」とあるのは「賛否の投票総数」、第八十六条第一項中「当該選挙に係る衆議院議員、参議院議員、地方公共団体の議会の議員若しくは長又は教育委員会の委員の任期間」とあるのは「賛否の投票の結果の確定するまでの間」と読み替えるものとする。

②　昭和二十三年法律第百七十九号附則第二条第二項の規定による区域が属していた現に存する他の市町村の選挙管理委員会は、前項において準用する公職選挙法施行令第七十五条の規定により選挙人名簿又はその抄本中関係部分の返付があつたときは、直ちにこれを変更に係る区域の属する市町村の選挙管理委員会に返付しなければならない。

第十条　昭和二十三年法律第百七十九号附則第二条第十項の規定により、同条第三項の投票に公職選挙法中普通地方公共団体の選挙に関する規定を準用する場合においては、同法第四十六条第一項又は第四十八条第一項中「当該選挙の公職の候補者一人の氏名」又は「当該選挙の公職の候補者の氏名」若しくは「その候補者一人の氏名」とあるのは「賛否」、同法第六十二条第十項中「第二項」とあるのは「地方自治法施行令の一部を改正する政令（昭和二十三年政令第二百四号）附則第七条第一項」、同法第六十八条第一項第五号乃至第七号中「公職の候補者の氏名」又は「公職の候補者の何人を記載したか」とあるのは「賛否」、同法第七十一条中「当該選挙にかかる議員、長又は委員の任期間」とあるのは「賛否の投票の結果の確定するまでの間」、同法第七十六条中「第六十二条（開票立会人）」とあるのは「第六十二条第十項」、同法第八十条中「各公職の候補者の得票総数」とあるのは「賛否の投票総数」、同法第八十三条第二項及び第三項中「当該選挙にかかる議員、長又は委員の任期間」とあるのは「賛否の投票の結果の確定するまでの間」、同法第百三十五条中「第八十八条（立候補制限を受ける選挙事務関係者）」に掲げる者」とあるのは「投票管理者、開票管理者及び選挙長」、同法第二百六条第一項中「当選」とあるのは「賛否の投票の結果」、「第百一条第二項（当選人決定の告示）」又は第百六条第二項（当選人がない場合等の告示）の告示の日」とあるのは「地方自治法施行令の一部を改正する政令（昭和二十三年政令第二百四号）附則第八条の規定による公表の日」、同法第二百九条中「当選」とあるのは「賛否の投票の結果」、同法第二百六十三条中「国庫」とあるのは「関係市町村」と読み替えるものとする。

②　昭和二十三年法律第百七十九号附則第二条第十項の規定により、同条第三項の投票に公職選挙法中普通地方公共団体の選挙に関する規定を準用する場合においては、同法中衆議院議員、参議院議員、地方公共団体の議会の議員及び長並びに教育委員会の委員又は地方公共団体の議会の議員及び長並びに教育委員会の委員の選挙に関する規定は、昭和二十三年法律第百七十九号附則第二条第三項の投票に関する規定とみなす。

第十一条　昭和二十三年法律第百七十九号附則第二条第十項の規定により、同条第三項の投票に公職選挙法中普通地方公共団体の選挙に関する規定を準用する場合においては、同法第三条、第四条、第八条、第九条第一項、第十条、第十二条第一項、第二項、第四項及び第五項、第十三条乃至第十六条、第二十条乃至第三十二条、第三十三条第一項、第二項及び第四項乃至第七項、第三十四条、第三十五条、第三十七条第三項、第三十八条第三項、第六十一条第三項、第六十二条第一項乃至第九項及び第十項但書、第六十八条第一項第一号乃至第四号、第五号但書、第二項及び第三項、第七十五条第二項、第七十六条（第六十二条第十項本文に関する部分を除く。）、第七十七条第二項、第十一章、第十二章、第百二十九条乃至第百三十四条、第百三十八条第一項但書、第百四十一条乃至第百四十七条、第百四十九条乃至第百六十五条、第百六十七条乃至第百七十八条、第百七十九条第一項及び第三項、第百八十条乃至第百九十八条、第百九十九条第一号、第二百一条第三項、第二百二条第二項、第二百四条、第二百六条第二項、第二百八条、第二百十条乃至第二

自治令

百十二条、第二百十四条、第二百十六条、第二百十七条、第二百十九条、第二百二十条第二項、第二百四十三条第二号乃至第五号及び第七号乃至第九号、第二百四十四条第二号乃至第六号、第二百四十五条乃至第二百四十七条、第二百五十一条、第二百五十六条乃至第二百六十二条、第二百六十三条第五号乃至第十号及び第十二号、第二百六十四条乃至第二百六十八条、第二百七十一条、第二百七十二条並びに第二百七十三条第一項の規定は、昭和二十三年法律第百七十九号附則第二条第三項の投票については、これを準用しない。

附　則（昭二七・八・一五政令三四五）（抄）

1　この政令は、昭和二十七年九月一日から施行する。但し、第二百十条の六及び第二百十条の七の規定は、昭和二十七年度から適用する。

2　この政令施行の際改正前の地方自治法第二百八十三条において適用される改正前の同法第七条の規定により既にその申請がなされている特別区の境界変更の手続に関しては、改正後の地方自治法施行令第二百九条第一項から第五項までの規定にかかわらず、なお、従前の例による。

3　改正後の地方自治法施行の際現にその手続が開始されている特別区の区長の選挙により当選人と定められた者は、改正後の地方自治法第二百八十一条の二第一項の規定にかかわらず、なお、従前の例により区長の職に就き、且つ、在職するものとする。

4　この政令施行の際現に特別区に配属されている都の吏員は、改正後の地方自治法施行令第二百十条第一項及び第二百十条の二の規定により配属されたものとみなす。

5　改正後の地方自治法施行の際現にその職にある副収入役は、改正後の地方自治法第百六十八条第五項の規定にかかわらず、その者が選任された日から起算して四年以内に限り、なお、従前の例により在職するものとする。

6　改正後の地方自治法第二百八十一条第二項各号に掲げる事務で左に掲げるものは、昭和二十八年三月三十一日までに特別区に引き継がなければならない。

一　主として当該特別区の区域内の交通の用に供する道路の設置及び管理に関する事務

二　公共溝渠の管理に関する事務

附　則（昭二七・八・二九政令三六九）

1　この政令は、昭和二十七年九月一日から施行する。但し、衆議院議員の選挙に関しては、次の総選挙から施行する。

2　この政令施行の際現に選挙又は投票の期日が告示されている選挙又は投票に関しては、なお従前の例による。

3　この政令施行の際現にその手続が開始されている直接請求又は解職若しくは解任の請求については、なお従前の例による。

附　則（昭二八・三・三一政令五四）

この政令は、昭和二十八年四月一日から施行する。

附　則（昭二九・七・三一政令二二八）

この政令は、公布の日から施行する。

附　則（昭三〇・二・二八政令二三）

この政令は、昭和三十年三月一日から施行する。

附　則（昭三〇・一二・一政令三一四）

この政令は、公布の日から施行する。

附　則（昭三一・六・四政令一六三）

この政令は、公布の日から施行する。

附　則（昭三一・六・三〇政令二二一）（抄）

（施行期日）

1　この政令は、昭和三十一年十月一日から施行する。ただし、第一条（地方自治法施行令第二百十条の四第二号及び第二百十条の八の改正規定に係る部分を除く。）、第二条、第四条、第五条、第八条中文部省組織令第七条の改正規定に係る部分及び第十二条並びに附則第三項の規定は、公布の日から施行する。

附　則（昭三一・七・三一政令二五三）（抄）

（施行期日）

1　この政令は、地方自治法の一部を改正する法律（昭和三十一年法律第百四十七号。附則第一項ただし書に係る部分を除く。）の施行の日（昭和三十一年九月一日）から施行する。

（関係勅令の廃止）

2　五大都市行政監督特例（大正十五年勅令第二百十二号）は、廃止する。

（指定都市への事務引継に関する経過措置）

3　改正後の第百七十四条の二十六から第百七十四条の四十一までの規定により、地方自治法第二百五十二条の十九第一項の指定都市（以下「指定都市」という。）の区域内についてもっぱら指定都市又は指定都市の市長その他の機関（以下本項中「指定都市等」という。）のみが処理し、又は管理し、及び執行することとなる事務については、指定都市等は、昭和三十一年十一月一日から当該事務を処理し、又は管理し、及び執行するものとし、当該指定都市を包括する都道府県又は当該都道府県知事その他の当該都道府県の機関は、当該事務に係る書類、帳簿その他の物件で引継を必要とするものを同日までに指定都市等に引き継がなければならない。

4　地方自治法の一部を改正する法律（以下「改正法」という。）附則第十項に規定する政令で定める基準は、次の各号の一に掲げるものとする。

一　改正法附則第九項及び前項の規定による事務の引継に伴い、指定都市へ移管されることとなる都道府県の施設に勤務していること。

二　担当区域が指定都市の区域であること。

5　改正法附則第十一項に規定する手当（以下本条中「調整手当」という。）の支給に関する条例の基準は、次のとおりとする。

一　調整手当の額は、改正法附則第十項の規定により指定都市の職員となつた者が、指定都市の職員となつた際受けることとなつた給料の額と、従前その者が都道府県において受けていた給料の額との差額に相当する額とする。ただし、その者の給料の額が昭和三十一年四月一日以後において定期の昇給その他給料が増額されるべき通常の理由がないのにかかわらず増額されたものと認められる場合には、従前その者が都道府県において受けていた給料の額を仮に定めることができるものとすること。

二　調整手当が支給されることとなつた指定都市の職員について、指定都市の職員となつた日以後、降任、降給、減給、給料表間の異動、給料表の改訂等の理由に基き、その者の給料の額が減少した場合には、その者に対する調整手当の支給に関しては、これらの理由に基く給料の額の減少がなかつたものとすること。

三　調整手当が支給されることとなつた指定都市の職員について、指定都市の職員となつた日以後、昇任、昇給、給料表間の異動、給料表の改訂等の理由に基き、その者の給料の額が増加した場合には、その増加した日の前日においてその者の受けていた調整手当の額からその者の給料の増加した額に相当する額を控除して得た額を調整手当として支給するものとすること。

6　改正法附則第十二項の規定により都道府県の退職手当を受けようとする職員は、指定都市の職員となつた日から一月以内に、都道府県知事にその旨を申し出なければならない。この場合において、都道府県が当該職員に退職手当を支給したときは、都道府県知事は、指定都市の市長にその旨を通知するものとする。

7　昭和三十一年十一月一日において現に効力を有する都道府県知事その他の都道府県の機関が行つた許可、認可等の処分その他の行為又は同日において現にこれらの機関に対して行つている許可、認可等の申請その他の行為で、同日以後において指定都市の市長その他の機関が管理し、及び執行することとなる事務に係るものは、同日以後においては、指定都市の市長その他の機関の行つた許可、認可等の処分その他の行為又はこれらの機関に対して行つた許可、認可等の申請その他の行為とみなす。

8　改正法の施行の際現に効力を有する都道府県知事その他の都道府県の機関が指定都市又は指定都市の市長その他の機関に対して行つた許可、認可等の処分で、改正法施行の日以後においては主務大臣が行うこととなるものは、同日以後においては、主務大臣の行つた許可、認可等の処分とみなす。

9　都道府県は、昭和三十一年十月三十一日以前において母子福祉資金の貸付等に関する法律の規定により貸付金の貸付を受けた者であつて同年十一月一日現在において指定都市の区域内に住所を有するものに対して有する当該貸付金に係る債権を当該指定都市に譲渡するものとし、指定都市の市長は、遅滞なくその旨を貸付を受けた者に通知するものとする。この場合においては、当該貸付金は、同法第十三条の規定の適用については、指定都市が同条第一項の規定による国の貸付を受けて貸し付けたものとみなすものとし、同項の規定による指定都市に対する国の貸付金の額は厚生大臣が大蔵大臣と協議して定める額とする。

10　前項の場合における債権の譲渡価格及び支払条件は、厚生大臣が自治庁長官及び大蔵大臣と協議して定めるところによる。

（改正前の地方自治法第百五十五条第二項の市の区に関する経過措置）

11　改正前の地方自治法第百五十五条第二項の市の区及びその事務所又はその出張所は、それぞれ指定都市の区及びその事務所又はその出張所となるものとし、同項に基いて制定されている条例は、改正後の同法第二百五十二条の二十第一項及び第二項に基いて制定された条例とみなす。

12　改正前の地方自治法第百五十五条第二項の市の区の区長、助役、収入役、選挙管理委員又は補充員その他の職員は、それぞれ指定都市の区の長、助役、収入役、選挙管理委員又は補充員その他の相当の職員となるものとする。この場合において、選挙管理委員又は補充員の任期の計算については、当該市における選挙管理委員又は補充員としての期間を通算するものとする。

附　則（昭三一・一二・六政令三四九）

この政令は、公布の日から施行する。

附　則（昭三二・三・二〇政令二一）

（施行期日）

第一条　この政令は、公布の日から施行し、昭和三十一年九月一日（以下「適用日」という。）以後都道府県の職員若しくは公務員を退職した者又は都道府県の職員若しくは公務員として在職中死亡した者について適用する。

（従前の一時恩給等を受けた都道府県の職員に関する経過措置）

第二条　都道府県は、公務員又は他の都道府県の職員であつた者で引き続いて当該都道府県の職員となつたもののうち、当該就職後の在職期間に引き続く当該就職前の公務員としての在職期間及び都道府県の職員としての在職期間（以下「接続在職期間」という。）に対して適用日前に給付事由が発生した一時恩給（以下「従前の一時恩給」という。）若しくは退職一時金（以下「従前の退職一時金」という。）又は従前の一時恩給及び従前の退職一時金を受けた者について退職一時金又は遺族一時金を支給するときは、それぞれその受けた従前の一時恩給若しくは従前の退職一時金の額又は従前の一時恩給及び従前の退職一時金の額の合算額に相当する額を減じた額をもつて退職一時金又は遺族一時金の額とするものとする。

2　従前の一時恩給若しくは従前の退職一時金又は従前の一時恩給及び従前の退職一時金を受けた都道府県の職員について、この政令による改正後の地方自治法施行令（以下「新令」という。）中次の表の上欄に掲げる規定が適用される場合においては、同表の中欄に掲げる字句は、それぞれ当該下欄に掲げる字句とする。

第百七十四条の五十八第一項第一号	前在職期間に対して受けた一時恩給の額の算出の基礎となつた俸給月額の二分の一に乗じて得た額	前在職期間に対して受けるべき一時恩給の額の算出の基礎となるべき俸給月額の二分の一に乗じて得た額に、前在職期間に対して受けた従前の一時恩給若しくは従前の退職一時金の額又は従前の一時恩給及び従前の退職一時金の額の合算額を前在職期間に対して受けるべき一時恩給の額で除して得た数（以下「一時恩給修正率」という。）を乗じて得た額と接続在職期間に対して受けた従前の一時恩給若しくは従前の退職一時金の額又は従前の一時恩給及び従前の退職一時金の額の合算額との合計額

第百七十四条の五十八第一項第二号	前在職期間に対して受けた退職一時金の額の算出の基礎となつた給料月額の二分の一に乗じて得た額	前在職期間に対して受けるべき退職一時金の額の算出の基礎となるべき給料月額の二分の一に乗じて得た額に、前在職期間に対して受けた従前の退職一時金若しくは従前の一時恩給の額又は従前の退職一時金及び従前の一時恩給の額の合算額を前在職期間に対して受けるべき退職一時金の額で除して得た数（以下「退職一時金修正率」という。）を乗じて得た額と接続在職期間に対して受けた従前の一時恩給若しくは従前の退職一時金の額又は従前の一時恩給及び従前の退職一時金の額の合算額との合計額
第百七十四条の五十八第一項第三号	前在職期間に対して受けた一時恩給又は退職一時金の額の算出の基礎となつた俸給月額又は給料月額の二分の一に乗じて得た額	前在職期間に対して受けるべき一時恩給又は退職一時金の額の算出の基礎となるべき俸給月額又は給料月額の二分の一に乗じて得た額に一時恩給修正率又は退職一時金修正率を乗じて得た額

3　都道府県は、公務員又は他の都道府県の職員であつた者で引き続いて当該都道府県の職員となつたもののうち、接続在職期間に対して従前の一時恩給若しくは従前の退職一時金又は従前の一時恩給及び従前の退職一時金を受けた者（前項の規定の適用を受ける者を除く。）に退職年金を支給するときは、それぞれその受けた従前の一時恩給若しくは従前の退職一時金の額又は従前の一時恩給及び従前の退職一時金の額の合算額の十五分の一に相当する額を減じた額をもつて退職年金の年額とするものとする。

4　都道府県は、前項に規定する者が在職中死亡したことにより遺族年金を支給するときは、その接続在職期間に対して受けた従前の一時恩給若しくは従前の退職一時金の額又は従前の一時恩給及び従前の退職一時金の額の合算額の三十分の一に相当する額を減じた額をもつて遺族年金の年額とするものとする。

（従前の一時恩給等を受けた公務員に関する経過措置）

第三条　都道府県の職員であつた者で引き続いて公務員となつたもののうち、接続在職期間に対して従前の一時恩給若しくは従前の退職一時金又は従前の一時恩給及び従前の退職一時金の支給を受けた者について一時恩給又は一時扶助料を支給するときは、それぞれその受けた従前の一時恩給若しくは従前の退職一時金の額又は従前の一時恩給及び従前の退職一時金の額の合算額に相当する額を減じた額をもつて一時恩給又は一時扶助料の額とする。

2　従前の一時恩給若しくは従前の退職一時金又は従前の一時恩給及び従前の退職一時金を受けた公務員について、新令中次の表の上欄に掲げる規定が適用される場合においては、同表の中欄に掲げる字句は、それぞれ当該下欄に掲げる字句とする。

第百七十四条の五十九第一号	前在職期間に対して受けた一時恩給の額の算出の基礎となつた俸給月額の二分の一に乗じて得た額	前在職期間に対して受けるべき一時恩給の額の算出の基礎となるべき俸給月額の二分の一に乗じて得た額に一時恩給修正率を乗じて得た額と接続在職期間に対して受けた従前の一時恩給若しくは従前の退職一時金の額又は従前の一時恩給及び従前の退職一時金の額の合算額との合計額
第百七十四条の五十九第二号	前在職期間に対して受けた退職一時金の額の算出の基礎となつた給料月額の二分の一に乗じて得た額	前在職期間に対して受けるべき退職一時金の額の算出の基礎となるべき給料月額の二分の一に乗じて得た額に退職一時金修正率を乗じて得た額と接続在職期間に対して受けた従前の一時恩給若しくは従前の退職一時金の額又は従前の一時恩給及び従前の退職一時金の額の合算額との合計額
第百七十四条の五十九第三号	前在職期間に対して受けた退職一時金の額の算出の基礎となつた給料月額の二分の一に乗じて得た額	前在職期間に対して受けるべき退職一時金の額の算出の基礎となるべき給料月額の二分の一に乗じて得た額に退職一時金修正率を乗じて得た額

3　都道府県の職員であつた者で引き続いて公務員となつたもののうち、接続在職期間に対して従前の一時恩給若しくは従前の退職一時金又は従前の一時恩給及び従前の退職一時金を受けた者（前項の規定の適用を受ける者を除く。）に普通恩給を支給

するときは、それぞれその受けた従前の一時恩給若しくは従前の退職一時金の額又は従前の一時恩給及び従前の退職一時金の額の合算額の十五分の一に相当する額を減じた額をもつて普通恩給の年額とする。

（普通恩給権等を有する都道府県の職員に関する経過措置）

第四条　都道府県は、新令第八章の規定に従つて改正された都道府県の退職年金条例（以下「新条例」という。）の施行の際現に在職する普通恩給権又は他の都道府県の退職年金権を有する当該都道府県の職員については、その申出により同令同章の規定による在職期間の通算を選択することができるものとし、新条例の施行の日から起算して五十日以内に当該申出をさせるものとする。

２　前項の規定は、普通恩給権又は他の都道府県の退職年金権を有する都道府県の職員であつた者で、適用日以後新条例の施行の日の前日までに都道府県の職員を退職したもの又は適用日以後新条例の施行の日の前日までに都道府県の職員を退職した後死亡したもの（都道府県の職員として在職中死亡した者を含む。）の遺族について準用する。

第五条　普通恩給権を有する者で前条第一項の規定により在職期間の通算を選択する旨の申出をしたものに、新令第百七十四条の五十七第二項の規定を適用する場合においては、同令同条同項中「当該就職の日の属する月の翌月から」とあるのは、「地方自治法施行令の一部を改正する政令（昭和三十二年政令第二十一号）附則第四条第一項の規定により在職期間の通算を選択する旨の申出をした旨の通知を受けた日の属する月の翌月から」と、同令第百七十四条の六十二第三項及び第百七十四条の六十四第一項の規定を適用する場合においては、これらの規定中「当該都道府県の職員となつたとき」とあるのは、「地方自治法施行令の一部を改正する政令（昭和三十二年政令第二十一号）附則第四条第一項の規定により在職期間の通算を選択する旨の申出をしたとき」とする。

２　都道府県の退職年金権を有する者で前条第一項の規定により在職期間の通算を選択する旨の申出をしたものに、新令第百七十四条の五十七第一項の規定を適用する場合においては、同令同条同項中「当該就職の日の属する月の翌月から」とあるのは、「地方自治法施行令の一部を改正する政令（昭和三十二年政令第二十一号）附則第四条第一項の規定により在職期間の通算を選択する旨の申出をした旨の通知を受けた日の属する月の翌月から」と、同令第百七十四条の六十二第一項及び第百七十四条の六十四第一項の規定を適用する場合においては、これらの規定中「当該都道府県の職員となつたとき」とあるのは、「地方自治法施行令の一部を改正する政令（昭和三十二年政令第二十一号）附則第四条第一項の規定により在職期間の通算を選択する旨の申出をしたとき」とする。

（退職年金権を有する公務員に関する経過措置）

第六条　この政令の施行の際現に在職する都道府県の退職年金権を有する公務員は、その申出により新令第八章の規定による在職期間の通算を選択することができるものとし、この政令の施行の日から起算して九十日以内に当該申出をその者の任命権者にしなければならない。

２　前項の規定は、都道府県の退職年金権を有する公務員であつた者で、適用日以後この政令の施行の日の前日までに公務員を退職したもの又は適用日以後この政令の施行の日の前日までに公務員を退職した後死亡したもの（公務員として在職中死亡した者を含む。）の遺族について準用する。

第七条　前条第一項の規定により在職期間の通算を選択する旨の申出をしたものに、新令第百七十四条の五十七第一項の規定を適用する場合においては、同令同条同項中「当該就職の日の属する月の翌月から」とあるのは、「地方自治法施行令の一部を改正する政令（昭和三十二年政令第二十一号）附則第六条第一項の規定により在職期間の通算を選択する旨の申出をした旨の通知を受けた日の属する月の翌月から」と、同令第百七十四条の六十三第一項及び第百七十四条の六十四第二項の規定を適用する場合においては、これらの規定中「公務員となつたとき」とあるのは、「地方自治法施行令の一部を改正する政令（昭和三十二年政令第二十一号）附則第六条第一項の規定により在職期間の通算を選択する旨の申出をしたとき」とする。

（適用日前に普通恩給権等を有していた者の在職期間の通算に関する特例）

第八条　都道府県は、新令第八章の規定により公務員又は他の都道府県の職員としての在職期間を通算されるべき者で適用日前に普通恩給権を有することとなつたものについては、その者が適用日前において最短一時金年限以上の他の都道府県の職員としての在職期間を有していても、同令第百七十四条の五十一第三項及び第百七十四条の五十二第三項の規定にかかわらず、当該在職期間を当該都道府県の職員としての在職期間に通算しないものとする。

２　都道府県は、新令第八章の規定により公務員又は他の都道府県の職員としての在職期間を通算されるべき者で適用日前に他の都道府県の退職年金権を有することとなつたものについては、その者が適用日前において最短一時恩給年限以上の公務員としての在職期間又は最短一時金年限以上の当該他の都道府県以外の都道府県の職員としての在職期間を有していても、同令第百七十四条の五十一第三項及び第百七十四条の五十二第三項の規定にかかわらず、当該在職期間を当該都道府県の職員としての在職期間に通算しないものとする。

３　新令第八章の規定により公務員又は他の都道府県の職員としての在職期間を通算されるべき者で適用日前に都道府県の退職年金権を有することとなつたものについては、その者が適用日前において最短一時金年限以上の当該都道府県以外の都道府県の職員としての在職期間を有していても、同令第百七十四条の五十三第三項の規定にかかわらず、当該在職期間を公務員としての在職期間に通算しない。

（普通恩給等を受けた在職期間を有する都道府県の職員に関する経過措置）

第九条　都道府県は、新令第八章の規定により公務員又は他の都道府県の職員としての在職期間を通算されるべき者で、普通恩給又は他の都道府県の退職年金を受けた在職期間を有するものに退職年金を支給するときは、その受けた普通恩給又は退職年金の額（以下本条中「普通恩給等受給額」という。）に相当する額に達するまで退職年金の支給額から控除し、その者が死亡したことにより遺族年金を支給することとなるときは、普通恩給等受給額からすでに控除した額に相当する額を控除した額の二分の一に相当する額に達するまで遺族年金の支給額から控除するものとする。

2　都道府県は、新令第八章の規定により公務員又は他の都道府県の職員としての在職期間を通算されるべき者で、普通恩給又は他の都道府県の退職年金を受けた在職期間を有するものが当該都道府県の職員として在職中死亡したことにより遺族年金を支給するときは、その受けた普通恩給等受給額の二分の一に相当する額に達するまで遺族年金の支給額から控除するものとする。

（退職年金を受けた在職期間を有する公務員に関する経過措置）

第十条　新令第八章の規定により都道府県の職員としての在職期間を通算されるべき者で退職年金を受けた在職期間を有するものについて普通恩給権の裁定をしたときは、その裁定庁は、すみやかにその旨をその者に退職年金を支給する都道府県に通知しなければならない。

2　前項の通知を受けた都道府県は、当該普通恩給権を有することとなつた者に、その普通恩給の基礎となつた公務員又は他の都道府県の職員としての在職期間について支給した退職年金の額に相当する額を納付させるものとする。

3　前二項の規定は、新令第八章の規定により都道府県の職員としての在職期間を通算されるべき者で退職年金を受けた在職期間を有するものが公務員として在職中死亡した場合について準用する。この場合において、前項中「退職年金の額」とあるのは、「退職年金の額の二分の一の額」と読み替えるものとする。

（適用日以後新条例又はこの政令の施行の日の前日までに退職した者に関する経過措置）

第十一条　都道府県は、附則第四条第二項において準用する同条第一項の規定の適用がある場合を除き、適用日以後新条例の施行の日の前日までに都道府県の職員を退職した者又は適用日以後新条例の施行の日の前日までに都道府県の職員を退職した後死亡した者（都道府県の職員として在職中死亡した者を含む。）の遺族については、その申出により新令第八章の規定による在職期間の通算を選択しないことができるものとし、新条例の施行の日から起算して五十日以内に当該申出をさせるものとする。

2　附則第六条第二項において準用する同条第一項の規定の適用がある場合を除き、適用日以後この政令の施行の日の前日までに公務員を退職した者又は適用日以後この政令の施行の日の前日までに公務員を退職した後死亡した者（公務員として在職中死亡した者を含む。）の遺族は、その申出により新令第八章の規定による在職期間の通算を選択しないことができるものとし、この政令の施行の日から起算して九十日以内にその者の恩給の裁定庁に当該申出をしなければならない。

（在職期間の通算を選択しなかつた者に関する特例）

第十二条　附則第四条若しくは第六条の規定による在職期間の通算を選択する旨の申出をしなかつた者又は前条の規定による在職期間の通算を選択しない旨を申し出た者の在職期間の通算については、新令第八章の規定は適用せず、なお従前の例による。

附　則（昭三二・四・一〇政令六二）（抄）

（施行期日）

1　この政令は、地方税法の一部を改正する法律（昭和三十二年法律第六十号。附則第一条ただし書に係る部分を除く。）の施行の日（昭三二・四・一二）から施行する。〔ただし書略〕

附　則（昭三二・四・二七政令七九）（抄）

（施行期日）

1　この政令は、公布の日から施行する。

附　則（昭三二・六・三政令一二八）（抄）

（施行期日）

1　この政令は、公布の日から施行し、昭和三十二年四月二十五日から適用する。

附　則（昭三二・六・二一政令一五二）（抄）

（施行期日）

1　この政令は、公布の日から施行する。

附　則（昭三二・六・二八政令一六一）（抄）

1　この政令は、公布の日から施行する。

附　則（昭三二・一二・一二政令三三六）（抄）

（施行期日）

1　この政令は、昭和三十二年十二月十四日から施行する。

附　則（昭三三・五・二九政令一四五）（抄）

（施行期日）

1　この政令は、昭和三十三年六月一日から施行する。

附　則（昭三三・五・三一政令一五五）

（施行期日）

1　この政令は、昭和三十三年六月一日から施行し、改正後の第百四十七条の規定は、昭和三十二年度の歳入歳出の決算上生じた剰余金から適用する。

（指定都市の町又は字の区域に関する経過措置）

2　指定都市の区域内の町又は字に関し、この政令の施行前に改正前の第百七十九条第一項の規定により指定都市の議会に諮られ、この政令の施行の際まだ同項の規定による処分がされていないものについては、なお従前の例による。

附　則（昭三四・三・三一政令七二）（抄）

（施行期日）

1　この政令は、昭和三十四年四月一日から施行する。

附　則（昭三四・四・二八政令一五四）

（施行期日）

第一条　この政令は、公布の日から施行し、この政令による改正後の地方自治法施行令（以下「新令」という。）第八章並びに附則第二条、第三条、第八条、第九条及び第十二条の規定は、昭和三十四年三月三十一日（以下「適用日」という。）以後都道府県の職員、市町村の教育職員若しくは公務員を退職した者又は都道府県の職員、市町村の教育職員若しくは公務員として在職中死亡した者について適用する。

（従前の一時恩給等を受けた都道府県の職員等に関する経過措置）

第二条　都道府県又は市町村は、市町村の教育職員であつた者で引き続いて当該都道府県の職員となつたもの又は公務員、都道府県の職員若しくは他の市町村の教育職員であつた者で引き続いて当該市町村の教育職員となつたもののうち、当該就職後の在職期間に引き続く当該就職前の公務員としての在職期間、都道府県の職員としての在職期間及び市町村の教育職員としての在職期間（以下「接続在職期間」という。）に対して適用日前に給付事由が発生した一時恩給（以下「従前の一時恩給」という。）若しくは退職一時金（以下「従前の退職一時金」という。）又は従前の一時恩給及び従前の退職一時金を受けた者について退職一時金又は遺族一時金を支給するときは、それぞれその受けた従前の一時恩給若しくは従前の退職一時金の額又は従前の一時恩給及び従前の退職一時金の額の合算額に相当する額を減じた額をもつて退職一時金又は遺族一時金の額とするものとする。

2　従前の一時恩給若しくは従前の退職一時金又は従前の一時恩給及び従前の退職一時金を受けた都道府県の職員又は市町村の教育職員について、新令中次の表の上欄に掲げる規定が適用される場合においては、同表の中欄に掲げる字句は、それぞれ当該下欄に掲げる字句とする。

第百七十四条の五十八第一項第一号	前在職期間に対して受けた一時恩給の額の算出の基礎となつた俸給月額の二分の一に乗じて得た額	前在職期間に対して受けるべき一時恩給の額の算出の基礎となるべき俸給月額の二分の一に乗じて得た額に、前在職期間に対して受けた従前の一時恩給若しくは従前の退職一時金の額又は従前の一時恩給及び従前の退職一時金の額の合算額を前在職期間に対して受けるべき一時恩給の額で除して得た数（以下「一時恩給修正率」という。）を乗じて得た額と接続在職期間に対して受けた従前の一時恩給若しくは従前の退職一時金の額又は従前の一時恩給及び従前の退職一時金の額の合算額との合計額
第百七十四条の五十八第一項第二号	前在職期間に対して受けた退職一時金の額の算出の基礎となつた給料月額の二分の一に乗じて得た額	前在職期間に対して受けるべき退職一時金の額の算出基礎となるべき給料月額の二分の一に乗じて得た額に、前在職期間に対して受けた従前の退職一時金若しくは従前の一時恩給の額又は従前の退職一時金及び従前の一時恩給の額の合算額を前在職期間に対して受けるべき退職一時金の額で除して得た数（以下「退職一時金修正率」という。）を乗じて得た額と接続在職期間に対して受けた従前の一時恩給若しくは従前の退職一時金の額又は従前の一時恩給及び従前の退職一時金の額の合算額との合計額
第百七十四条の五十八第一項第三号	前在職期間に対して受けた一時恩給又は退職一時金の額の算出の基礎となつた俸給月額又は給料月額の二分の一に乗じて得た額	前在職期間に対して受けるべき一時恩給又は退職一時金の額の算出の基礎となるべき俸給月額又は給料月額の二分の一に乗じて得た額に一時恩給修正率又は退職一時金修正率を乗じて得た額

3　都道府県又は市町村は、市町村の教育職員であつた者で引き続いて当該都道府県の職員となつたもの又は公務員、都道府県の職員若しくは他の市町村の教育職員であつた者で引き続いて当該市町村の教育職員となつたもののうち、接続在職期間に対して従前の一時恩給若しくは従前の退職一時金又は従前の一時恩給及び従前の退職一時金を受けた者（前項の規定の適用を受ける者を除く。）に退職年金を支給するときは、それぞれその受けた従前の一時恩給若しくは従前の退職一時金の額又は従前の一時恩給及び従前の退職一時金の額の合算額の十五分の一に相当する額を減じた額をもつて退職年金の年額とするものとする。

4　都道府県又は市町村は、前項に規定する者が在職中死亡したことにより遺族年金を支給するときは、その接続在職期間に対して受けた従前の一時恩給若しくは従前の退職一時金の額又は従前の一時恩給及び従前の退職一時金の額の合算額の三十分の一に相当する額を減じた額をもつて遺族年金の年額とするものとする。

（従前の一時恩給等を受けた公務員に関する経過措置）

第三条　市町村の教育職員であつた者で引き続いて公務員となつたもののうち、接続在職期間に対して従前の一時恩給若しくは従前の退職一時金又は従前の一時恩給及び従前の退職一時金の支給を受けた者について一時恩給又は一時扶助料を支給するときは、それぞれその受けた従前の一時恩給若しくは従前の退職一時金の額又は従前の一時恩給及び従前の退職一時金の額の合算額に相当する額を減じた額をもつて一時恩給又は一時扶助料の額とする。

2　従前の一時恩給若しくは従前の退職一時金又は従前の一時恩給及び従前の退職一時金を受けた公務員について、新令中次の表の上欄に掲げる規定が適用される場合においては、同表の中欄に掲げる字句は、それぞれ当該下欄に掲げる字句とする。

第百七十四条の五十九第一号	前在職期間に対して受けた一時恩給の額の算出の基礎となつた俸給月額の二分の一に乗じて得た額	前在職期間に対して受けるべき一時恩給の額の算出の基礎となるべき俸給月額の二分の一に乗じて得た額に一時恩給修正率を乗じて得た額と接続在職期間に対して受けた従前の一時恩給若しくは従前の退職一時金の額又は従前の一時恩給及び従前の退職一時金の額の合算額との合計額
第百七十四条の五十九第二号	前在職期間に対して受けた退職一時金の額の算出の基礎となつた給料月額の二分の一に乗じて得た額	前在職期間に対して受けるべき退職一時金の額の算出の基礎となるべき給料月額の二分の一に乗じて得た額に退職一時金修正率を乗じて得た額と接続在職期間に対して受けた従前の一時恩給若しくは従前の退職一時金の額又は従前の一時恩給及び従前の退職一時金の額の合算額との合計額
第百七十四条の五十九第三号	前在職期間に対して受けた退職一時金の額の算出の基礎となつた給料月額の二分の一に乗じて得た額	前在職期間に対して受けるべき退職一時金の額の算出の基礎となるべき給料月額の二分の一に乗じて得た額に退職一時金修正率を乗じて得た額

3　市町村の教育職員であつた者で引き続いて公務員となつたもののうち、接続在職期間に対して従前の一時恩給若しくは従前の退職一時金又は従前の一時恩給及び従前の退職一時金を受けた者（前項の規定の適用を受ける者を除く。）に普通恩給を支給するときは、それぞれその受けた従前の一時恩給若しくは従前の退職一時金の額又は従前の一時恩給及び従前の退職一時金の額の合算額の十五分の一に相当する額を減じた額をもつて普通恩給の年額とする。

（市町村の退職年金権を有する都道府県の職員等に関する経過措置）

第四条　都道府県又は市町村は、新令第八章の規定に従つて改正された都道府県の退職年金条例（以下「都道府県の新条例」という。）又は市町村の退職年金条例（以下「市町村の新条例」という。）の施行の際現に在職する市町村の退職年金権を有する当該都道府県の職員又は普通恩給権、都道府県の退職年金権若しくは他の市町村の退職年金権を有する当該市町村の教育職員については、その申出により同令同章の規定による在職期間の通算を選択することができるようにするものとし、都道府県の新条例又は市町村の新条例の施行の日から起算して五十日以内に当該申出をさせるものとする。

2　前項の規定は、市町村の退職年金権を有する都道府県の職員であつた者又は普通恩給権、都道府県の退職年金権若しくは他の市町村の退職年金権を有する市町村の教育職員であつた者で、適用日以後都道府県の新条例若しくは市町村の新条例の施行の日の前日までに都道府県の職員若しくは市町村の教育職員を退職したもの又は適用日以後都道府県の新条例若しくは市町村の新条例の施行の日の前日までに都道府県の職員若しくは市町村の教育職員を退職した後死亡したもの（都道府県の職員又は市町村の教育職員として在職中死亡した者を含む。）の遺族について準用する。

第五条　市町村の退職年金権を有する都道府県の職員で前条第一項の規定により在職期間の通算を選択する旨の申出をしたものに、新令第百七十四条の五十七第一項の規定を適用する場合においては、同令同条同項中「当該就職の日の属する月の翌月から」とあるのは、「地方自治法施行令の一部を改正する政令（昭和三十四年政令第百五十四号）附則第四条第一項の規定により在職期間の通算を選択する旨の通知を受けた日の属する月の翌月から」と、同令第百七十四条の六十二第一項及び第百七十四条の六十四第一項の規定中「当該都道府県の職員又は市町村の教育職員となつたとき」とあるのは、「地方自治法施行令の一部を改正する政令（昭和三十四年政令第百五十四号）附則第四条第一項の規定により在職期間の通算を選択する旨の申出をしたとき」とする。

2　普通恩給権を有する市町村の教育職員で前条第一項の規定により在職期間の通算を選択する旨の申出をしたものに、新令第百七十四条の五十七第二項の規定を適用する場合においては、同令同条同項中「当該就職の日の属する月の翌月から」とあるのは、「地方自治法施行令の一部を改正する政令（昭和三十四年政令第百五十四号）附則第四条第一項の規定により在職期間の通算を選択する旨の申出をした旨の通知を受けた日の属する月の翌月から」と、同令第百七十四条の六十二第三項及び第百七十四条の六十四第一項の規定中「当該市町村の教育職員となつたとき」とあるのは、「地方自治法施行令の一部を改正する政令（昭和三十四年政令第百五十四号）附則第四条第一項の規定により在職期間の通算を選択する旨の申出をしたとき」とする。

3　都道府県の退職年金権又は他の市町村の退職年金権を有する市町村の教育職員で前条第一項の規定により在職期間の通算を選択する旨の申出をしたものに、新令第百七十四条の五十七第一項の規定を適用する場合においては、同令同条同項中「当該就職の日の属する月の翌月から」とあるのは、「地方自治法施行令の一部を改正する政令（昭和三十四年政令第百五十四号）附則第四条第一項の規定により在職期間の通算を選択する旨の申出をした旨の通知を受けた日の属する月の翌月から」と、同令第百七十四条の六十二第一項及び第百七十四条の六十四第一項の規定中「当該市町村の教育職員となつたとき」とあるのは、「地方自治法施行令の一部を改正する政令（昭和三十四年政令第百五十四号）附則第四条第一項の規定により在職期間の通算を選択する旨の申出をしたとき」とする。

（市町村の退職年金権を有する公務員に関する経過措置）

第六条　この政令の施行の際現に在職する市町村の退職年金権を有する公務員は、その申出により新令第八章の規定による在職期間の通算を選択することができるものとし、この政令の施行の日から起算して九十日以内に当該申出をその者の任命権者にしなければならない。

２　前項の規定は、市町村の退職年金権を有する公務員であつた者で、適用日以後この政令の施行の日の前日までに公務員を退職したもの又は適用日以後この政令の施行の日の前日までに公務員を退職した後死亡したもの（公務員として在職中死亡した者を含む。）の遺族について準用する。

第七条　前条第一項の規定により在職期間の通算を選択する旨の申出をした公務員に、新令第百七十四条の五十七第一項の規定を適用する場合においては、同令同条同項中「当該就職の日の属する月の翌月から」とあるのは、「地方自治法施行令の一部を改正する政令（昭和三十四年政令第百五十四号）附則第六条第一項の規定により在職期間の通算を選択する旨の申出をした旨の通知を受けた日の属する月の翌月から」と、同令第百七十四条の六十三第一項の規定を適用する場合においては、同令同条同項中「公務員となつたとき」とあるのは、「地方自治法施行令の一部を改正する政令（昭和三十四年政令第百五十四号）附則第六条第一項の規定により在職期間の通算を選択する旨の申出をしたとき」と、同令第百七十四条の六十四第二項の規定を適用する場合においては、同令同条同項中「公務員となつたとき」とあるのは、「地方自治法施行令の一部を改正する政令（昭和三十四年政令第百五十四号）附則第六条第一項の規定により在職期間の通算を選択する旨の申出をしたとき」とする。

（適用日前に市町村の退職年金権等を有していた者の在職期間の通算の特例）

第八条　都道府県は、新令第八章の規定により公務員又は他の都道府県の職員としての在職期間を通算されるべき者で適用日前に市町村の退職年金権を有することとなつたものについては、その者が適用日前において最短一時恩給年限以上の公務員としての在職期間又は最短一時金年限以上の他の都道府県の職員としての在職期間を有していても、同令第百七十四条の五十一第三項及び第百七十四条の五十二第三項の規定にかかわらず、当該在職期間を当該都道府県の職員としての在職期間に通算しないものとする。

２　都道府県は、新令第八章の規定により市町村の教育職員としての在職期間を通算されるべき者で適用日前に普通恩給権、他の都道府県の退職年金権又は市町村の退職年金権を有することとなつたものについては、その者が適用日前において最短一時金年限以上の市町村の教育職員としての在職期間を有していても、同令第百七十四条の五十二第三項の規定にかかわらず、当該在職期間を当該都道府県の職員としての在職期間に通算しないものとする。

３　市町村は、新令第八章の規定により公務員、都道府県の職員又は他の市町村の教育職員としての在職期間を通算されるべき者で適用日前に普通恩給権、都道府県の退職年金権又は他の市町村の退職年金権を有することとなつたものについては、その者が適用日前において最短一時恩給年限以上の公務員としての在職期間、最短一時金年限以上の都道府県の職員としての在職期間又は最短一時金年限以上の当該市町村以外の市町村の教育職員としての在職期間を有していても、同令第百七十四条の五十一第三項及び第百七十四条の五十二第三項の規定にかかわらず、当該在職期間を当該市町村の教育職員としての在職期間に通算しないものとする。

４　新令第八章の規定により市町村の教育職員としての在職期間を通算されるべき者で適用日前に普通恩給権、都道府県の退職年金権又は市町村の退職年金権を有することとなつたものについては、その者が適用日前において最短一時金年限以上の市町村の教育職員としての在職期間を有していても、同令第百七十四条の五十三第三項の規定にかかわらず、当該在職期間を公務員としての在職期間に通算しない。

（市町村の退職年金を受けた在職期間を有する都道府県の職員等に関する経過措置）

第九条　都道府県又は市町村は、新令第八章の規定により市町村の教育職員としての在職期間又は公務員、都道府県の職員若しくは他の市町村の教育職員としての在職期間を通算されるべき者で、市町村の退職年金又は普通恩給、都道府県の退職年金若しくは他の市町村の退職年金を受けた在職期間を有するものに退職年金を支給するときは、その受けた退職年金又は普通恩給の額（以下本条中「退職年金等受給額」という。）に相当する額に達するまで退職年金の支給額から控除し、その者が死亡したことにより遺族年金を支給することとなるときは、退職年金等受給額からすでに控除した額に相当する額を控除した額の二分の一に相当する額に達するまで遺族年金の支給額から控除するものとする。

２　都道府県又は市町村は、新令第八章の規定により市町村の教育職員としての在職期間又は公務員、都道府県の職員若しくは他の市町村の教育職員としての在職期間を通算されるべき者で、市町村の退職年金又は普通恩給、都道府県の退職年金若しくは他の市町村の退職年金を受けた在職期間を有するものが当該都道府県の職員又は当該市町村の教育職員として在職中死亡したことにより遺族年金を支給するときは、その受けた退職年金等受給額の二分の一に相当する額に達するまで遺族年金の支給額から控除するものとする。

（市町村の退職年金を受けた在職期間を有する公務員に関する経過措置）

第十条　新令第八章の規定により市町村の教育職員としての在職期間を通算されるべき者で市町村の退職年金を受けた在職期間を有するものについて普通恩給権の裁定をした裁定庁は、すみやかにその旨をその者に退職年金を支給する市町村に通知しなければならない。

２　前項の通知を受けた市町村は、当該普通恩給権を有することとなつた者に、その普通恩給の基礎となつた公務員、都道府県の職員又は他の市町村の教育職員としての在職期間について支給した退職年金の額に相当する額を納付させるものとする。

３　前二項の規定は、新令第八章の規定により市町村の教育職員としての在職期間を通算されるべき者で市町村の退職年金を受けた在職期間を有するものが公務員として在職中死亡した場合について準用する。この場合において、前項中「退職年金の額」とあるのは、「退職年金の額の二分の一の額」と読み替えるものとする。

（適用日以後都道府県の新条例若しくは市町村の新条例又はこの政令の施行の日の前日までに退職した者に関する経過措置）

第十一条　都道府県は、附則第四条第二項において準用する同条第一項の規定の適用がある場合を除き、適用日以後都道府県の新条例の施行の日の前日までに都道府県の職員を退職した者又は適用日以後都道府県の新条例の施行の日の前日までに都道府県の職員を退職した後死亡した者（都道府県の職員として在職中死亡した者を含む。）の遺族について、市町村は、附則第四条第二項において準用する同条第一項の適用がある場合を除き、適用日以後市町村の新条例の施行の日の前日までに市町村の教育職員を退職した者又は適用日以後市町村の新条例の施行の日の前日までに市町村の教育職員を退職した後死亡した者（市町村の教育職員としての在職中死亡した者を含む。）の遺族について、それぞれその申出により新令第八章の規定による在職期間の通算を選択しないことができるようにするものとし、当該申出は、都道府県の新条例又は市町村の新条例の施行の日から起算して五十日以内にさせるものとする。

2　附則第六条第二項において準用する同条第一項の規定の適用がある場合を除き、適用日以後この政令の施行の日の前日までに公務員を退職した者又は適用日以後この政令の施行の日の前日までに公務員を退職した後死亡した者（公務員として在職中死亡した者を含む。）の遺族は、その申出により新令第八章の規定による在職期間の通算を選択しないことができるものとし、この政令の施行の日から起算して九十日以内にその者の恩給の裁定庁に当該申出をしなければならない。

（在職期間の通算を選択しなかつた者に関する特例）

第十二条　附則第四条若しくは第六条の規定による在職期間の通算を選択する旨の申出をしなかつた者又は前条の規定による在職期間の通算を選択しない旨を申し出た者の在職期間の通算については、新令第八章の規定は適用せず、なお従前の例による。

（加算年を基礎とする退職年金又は遺族年金の年額の特例）

第十三条　都道府県又は市町村は、新令第八章の規定により公務員としての在職期間を通算されるべき者で、当該在職期間のうちに旧軍人、旧準軍人若しくは旧軍属（恩給法の一部を改正する法律（昭和二十八年法律第百五十五号。以下「法律第百五十五号」という。）附則第十条第一項に規定する旧軍人、旧準軍人若しくは旧軍属をいう。以下この項において同じ。）としての在職期間又は同法による廃止前の恩給法の特例に関する件（昭和二十一年勅令第六十八号）第二条第二項に規定する加算年を含むものに退職年金を支給するときは、その者の在職期間（旧軍人、旧準軍人又は旧軍属としての在職期間にあつては実在職期間とし、旧軍人以外の公務員（旧軍属を除く。）としての在職期間にあつては同項に規定する加算年を除いた在職期間とする。以下この条において同じ。）の年数に応じ、次の各号に定める率を退職年金の基礎となるべき給料年額に乗じて得た額（普通恩給権を有する者にあつては、当該普通恩給の年額に相当する額を減じた額）をもつて退職年金の年額とするものとする。

一　在職期間の年数が最短年金年限である場合にあつては、百五十分の五十

二　在職期間の年数が最短年金年限をこえる場合にあつては、百五十分の五十に最短年金年限をこえる年数一年につき百五十分の一を加えたもの

三　在職期間の年数が最短年金年限未満である場合にあつては、百五十分の五十から最短年金年限に不足する年数一年につき百五十分の二・五を減じたもの。ただし、百五十分の二十五を下らないものとする。

2　都道府県又は市町村は、前項に規定する者が在職中死亡したことにより遺族年金を支給するときは、同項各号に掲げる場合の区分に応じ、退職年金の基礎となるべき給料年額に当該各号に定める率を乗じて得た額を基礎として計算した遺族年金の年額に相当する額（扶助料権を有する遺族にあつては、当該扶助料の年額に相当する額を減じた額）をもつて遺族年金の年額とするものとする。

3　在職期間の年数が四十年未満の者で、六十歳以上のもの又は退職年金条例に規定する公務傷病年金又は傷病年金を受ける六十歳未満のものに支給する退職年金及び在職期間の年数が四十年未満の者の遺族で、六十歳以上のもの又は六十歳未満の妻若しくは子に支給する遺族年金（前項の規定の適用を受ける遺族年金を除く。）の年額の算定の基礎となる退職年金についての第一項の規定の適用に関しては、同項中「在職期間（旧軍人、旧準軍人又は旧軍属としての在職期間にあつては実在職期間とし、旧軍人以外の公務員（旧軍属を除く。）としての在職期間にあつては同項に規定する加算年を除いた在職期間とする。以下この条において同じ。）」とあるのは「在職期間」と、同項第二号中「最短年金年限をこえる年数」とあるのは「最短年金年限をこえ在職期間の年数が四十年に達するまでの年数」とし、同項第三号に定める率は、百五十分の五十とする。

4　在職期間の年数が四十年未満の者の遺族で、六十歳以上のもの又は六十歳未満の妻若しくは子に支給する遺族年金についての第二項の規定の適用に関しては、同項中「同項各号に掲げる」とあるのは「次項の規定によつて読み替えられた前項各号に掲げる」と、「当該各号に定める率」とあるのは「同項第一号又は第三号に掲げる場合にあつては百五十分の五十、同項第二号に掲げる場合にあつては次項の規定によつて読み替えられた同号に定める率」とする。

5　第三項に規定する退職年金及び遺族年金を除き、在職期間の年数が退職年金についての最短年金年限未満の者で五十五歳以上のものに支給する退職年金及び在職期間の年数が退職年金についての最短年金年限未満の者の遺族で五十五歳以上のものに支給する遺族年金（第二項の規定の適用を受ける遺族年金を除く。）の年額の算定の基礎となる退職年金についての第一項第三号の規定の適用に関しては、同号に定める率は、百五十分の五十とする。

6　第四項に規定する遺族年金を除き、在職期間の年数が退職年金についての最短年金年限未満の者の遺族で五十五歳以上のものに支給する遺族年金についての第二項の規定の適用に関しては、同項中「同項各号に掲げる場合の区分に応じ、退職年金の基礎となるべき給料年額に当該各号に定める率」とあるのは、「退職年金の基礎となるべき給料年額に百五十分の五十」とする。

（旧軍人の一時恩給を受けた者に支給する退職年金の額の特例）

第十四条　都道府県又は市町村は、新令第八章の規定により公務

員としての在職期間を通算されるべき者のうち、法律第百五十五号附則第十条又は第十一条の規定により旧軍人（恩給法の一部を改正する法律（昭和二十一年法律第三十一号）による改正前の恩給法第二十一条第一項に規定する軍人をいう。）の一時恩給を受けた者で昭和二十八年八月一日に都道府県の職員又は市町村の教育職員として在職していたものに退職年金を支給するときは、当該一時恩給の額の十五分の一に相当する額を減じた額をもつて退職年金の年額とするものとする。

（除算された実在職年の算入に伴う措置）

第十五条 都道府県又は市町村は、新令第八章の規定により公務員としての在職期間を通算されるべき者のうち、昭和三十一年九月一日から昭和三十五年六月三十日までの間に退職した都道府県の職員又は適用日から昭和三十五年六月三十日までの間に退職した市町村の教育職員で、法律第百五十五号附則第二十四条第一項又は第二十四条の二の規定により恩給の基礎となる在職年に算入されなかつた公務員としての在職期間をその者の公務員としての在職期間に算入することによつてその者の在職期間が最短年金年限に達することとなるもの又はその遺族については、昭和三十六年七月から退職年金又は遺族年金を支給し、これらの規定の適用を受けて計算された公務員としての在職期間を基礎とする退職年金又は遺族年金を受ける者については、同年七月分から、これらの規定により恩給の基礎となる在職年に算入されなかつた公務員としての在職期間を通算してその年額を改定するものとする。

2 前項の規定は、法律第百五十五号附則第二十四条の四第二項各号に掲げる者に相当する者については、適用しないものとする。

3 第一項の規定により新たに退職年金又は遺族年金を支給されることとなる者が、同一の都道府県の職員又は同一の市町村の教育職員に係る一時恩給、退職一時金又は遺族一時金で昭和二十八年八月一日以後に給付事由が発生したものを受けた者である場合においては、当該退職年金又は遺族年金の年額は、退職年金については当該一時恩給、退職一時金又は遺族一時金の額（その者が二以上のこれらのものを受けた者であるときは、その合算額とし、既に国庫又は都道府県若しくは市町村に返還されたものは、控除するものとする。）の十五分の一に相当する額を、遺族年金についてはこれらの金額の三十分の一に相当する額をそれぞれその年額から控除した額とするものとする。

附 則（昭三四・七・二四政令二六三）（抄）

1 この政令は、公布の日から施行する。

附 則（昭三四・一二・四政令三四四）（抄）

（施行期日）

1 この政令は、昭和三十四年十二月二十三日から施行する。

附 則（昭三五・五・一七政令一二八）（抄）

（施行期日）

1 この政令は、公布の日から施行する。

附 則（昭三五・六・三〇政令一八五）

この政令は、自治庁設置法の一部を改正する法律の施行の日（昭和三十五年七月一日）から施行する。

附 則（昭三六・四・三〇政令一一二）（抄）

（施行期日）

第一条 この政令は、地方税法の一部を改正する法律（昭和三十六年法律第七十四号。以下「改正法」という。）（同法附則第一条ただし書に係る部分を除く。）の施行の日（昭三六・五・一）から施行する。〔ただし書略〕

附 則（昭三六・六・一九政令二〇六）（抄）

（施行期日）

第一条 この政令は、公布の日から施行する。〔後略〕

附 則（昭三六・九・五政令三〇二）

この政令は、公布の日から施行する。ただし、第一条中地方自治法施行令第百七十四条の五十四第一項及び第百七十四条の五十五第一項の改正規定は、昭和三十六年十月一日から施行する。

附 則（昭三六・一一・二〇政令三七九）

この政令は、公布の日から施行する。

附 則（昭三七・四・二七政令一七二）（抄）

（施行期日）

1 この政令は、公布の日から施行する。

附 則（昭三七・五・二一政令二一〇）

この政令は、公布の日から施行する。

附 則（昭三七・七・二七政令三〇六）

（施行期日）

1 この政令は、昭和三十七年八月十日から施行する。

（選挙期日が公示されている選挙等に関する経過措置）

2 この政令の施行の際現にその選挙等又は投票の期日が公示され、又は告示されている選挙又は投票については、なお従前の例による。

（手続が開始されている直接請求等に関する経過措置）

3 この政令の施行の際現にその手続が開始されている直接請求又は解職の請求については、なお従前の例による。

（罰則に関する経過措置）

4 この政令の施行前にした行為及び前二項の規定により従前の例により行なわれる選挙若しくは投票又は直接請求若しくは解職の請求に関してこの政令の施行後にした行為に対する罰則の適用については、なお従前の例による。

附 則（昭三七・九・二九政令三九一）

1 この政令は、行政不服審査法（昭和三十七年法律第百六十号）の施行の日（昭和三十七年十月一日）から施行する。

2 この政令による改正後の規定は、この政令の施行前にされた行政庁の処分その他この政令の施行前に生じた事項についても適用する。ただし、この政令による改正前の規定によつて生じた効力を妨げない。

3 この政令の施行前に提起された訴願、審査の請求、異議の申立てその他の不服申立て（以下「訴願等」という。）については、この政令の施行後も、なお従前の例による。この政令の施行前にされた訴願等の裁決、決定その他の処分（以下「裁決等」という。）又はこの政令の施行前に提起された訴願等につきこの政令の施行後にされる裁決等にさらに不服がある場合の訴願等についても、同様とする。

4 前項に規定する訴願等で、この政令の施行後は行政不服審査法による不服申立てをすることができることとなる処分に係るものは、この政令による改正後の規定の適用については、同法による不服申立てとみなす。

附 則（昭三七・九・二九政令三九二）

この政令は、昭和三十七年十月一日から施行する。

附 則（昭三八・一・二八政令八）

この政令は、公布の日から施行する。

附　則（昭三八・七・一一政令二四七）（抄）

（施行期日）

第一条　この政令は、昭和三十八年八月一日から施行〔中略〕する。

附　則（昭三八・七・一一政令二四八）（抄）

（施行期日）

1　この政令は、昭和三十八年八月一日から施行する。

附　則（昭三八・七・一九政令二六六）（抄）

（施行期日）

1　この政令は、公布の日から施行する。

附　則（昭三八・八・一五政令三〇六）（抄）

（施行期日及び適用区分）

第一条　この政令中予算の調製に関する改正規定は昭和三十九年一月一日から、その他の規定は同年四月一日から施行する。ただし、改正後の地方自治法施行令（以下「新令」という。）の規定中予算の調製及び決算に係る部分は、昭和三十九年度の予算及び決算から適用する。

（地方自治法第百九十五条第三項ただし書の市を指定する政令の廃止）

第二条　地方自治法第百九十五条第三項ただし書の市を指定する政令（昭和三十三年政令第三十七号）は、廃止する。

（歳入の繰上充用に関する経過措置）

第三条　昭和三十八年度分に係る歳入の繰上充用については、なお従前の例による。

（指定金融機関等に関する経過措置）

第四条　この政令（予算の調製に関する改正規定を除く。以下同じ。）の施行の際現に改正前の地方自治法施行令（以下「旧令」という。）第百六十五条の規定による本金庫又は支金庫とされている銀行又はその他の者は、新令の規定による指定金融機関又は指定代理金融機関とみなす。

2　この政令の施行の際現に旧令第百六十六条第二項又は第三項の規定により普通地方公共団体に属する現金の収納の事務を取り扱つている銀行又はその他の者は、新令の規定による収納代理金融機関とみなす。

（債権に関する経過措置）

第五条　新令第百七十一条の規定は、この政令の施行前に履行期限が到来した債権についても、これを適用する。

2　新令第百七十一条の二の規定は、この政令の施行前に地方自治法の一部を改正する法律（昭和三十八年法律第九十九号）による改正前の地方自治法第二百二十五条第一項の規定により督促した債権についても、これを適用する。

3　前二項に定めるもののほか、新令第一編第五章第八節第三款の規定は、この政令の施行前に発生した債権についても、これを適用する。

附　則（昭三八・九・二〇政令三三二）

この政令は、昭和三十八年十月一日から施行する。

附　則（昭三八・一二・二七政令三九三）

この政令中予算の調製に関する規定に係る部分は昭和三十九年一月一日から、その他の規定に係る部分は同年四月一日から施行し、改正後の地方自治法施行令の規定中予算の調製に関する規定に係る部分は、昭和三十九年度の予算から適用する。

附　則（昭三九・七・一政令二二四）（抄）

（施行期日）

第一条　この政令は、公布の日から施行する。

附　則（昭三九・八・二五政令二七七）（抄）

（施行期日）

1　この政令は、公布の日から施行する。ただし、〔中略〕附則第六項（地方自治法施行令（昭和二十二年政令第十六号）第百六条、第百十四条、第百十七条及び第百八十四条を改める部分に限る。）〔中略〕の規定は昭和三十九年十二月一日から〔中略〕施行する。

附　則（昭三九・八・二七政令二七八）

この政令は、昭和三十九年九月一日から施行する。

附　則（昭三九・一一・一六政令三四七）（抄）

（施行期日）

1　この政令は、昭和四十年四月一日から施行する。

（旧東京都制施行令の効力）

2　地方自治法施行令附則第二条ただし書の規定によりなお効力を有する旧東京都制施行令第百四十六条及び第百四十七条の規定は、地方自治法第二百八十一条第二項第十三号から第二十号までに掲げる事務及び同法第二百八十一条の三第二項に規定する特別区の区長の権限に属する事務に関しては、その適用はないものとする。

（許認可等に関する経過措置）

3　昭和四十年四月一日において現に効力を有する都知事その他の都の機関が行なつた許可、認可等の処分その他の行為又は同日において現にこれらの機関に対して行なつている許可、認可等の申請その他の行為で、同日以後において特別区の区長その他の機関が管理し、及び執行することとなる事務に係るものは、同日以後においては、特別区の区長その他の機関が行なつた許可、認可等の処分その他の行為又はこれらの機関に対して行なつた許可、認可等の申請その他の行為とみなす。

附　則（昭三九・一一・三〇政令三五八）（抄）

1　この政令は、土地改良法の一部を改正する法律の施行の日（昭和三十九年十二月一日）から施行する。〔ただし書略〕

附　則（昭四〇・六・一〇政令一九八）（抄）

（施行期日）

1　この政令は、公布の日から施行する。

附　則（昭四〇・一二・二八政令三八五）（抄）

（施行期日）

第一条　この政令は、昭和四十一年一月一日から施行する。

附　則（昭四一・三・二九政令五九）

この政令は、昭和四十一年四月一日から施行する。

附　則（昭四一・六・一三政令一八二）

この政令は、公布の日から施行する。

附　則（昭四一・七・五政令二三九）（抄）

（施行期日）

第一条　この政令の規定は、次の各号に掲げる区分に従い、当該各号に定める日〔昭四二・四・一〕から施行する。

（地方自治法施行令の一部改正）

第十条〔略〕

2　前項の規定による改正後の地方自治法施行令第百四十五条第二項の規定は、昭和四十二年度の予算及び決算から適用する。

附　則（昭四一・八・一〇政令二八四）（抄）

1　この政令は、公布の日から施行する。

附　則（昭四一・八・一五政令二八六）（抄）

（施行期日）

第一条　この政令は、昭和四十一年九月三十日から施行する。

附　則（昭四一・九・二九政令三二八）

この政令は、昭和四十一年十月一日から施行する。

附　則（昭四一・一〇・二〇政令三五二）

この政令は、昭和四十二年一月一日から施行する。

附　則（昭四二・八・一政令二三五）（抄）

（施行期日）

1　この政令は、公布の日から施行する。

附　則（昭四二・九・三〇政令三一九）

この政令は、昭和四十二年十月一日から施行する。

附　則（昭四三・四・二七政令一〇七）（抄）

（施行期日）

第一条　この政令は、昭和四十三年七月一日から施行する。

（地方自治法施行令の一部改正）

第三条〔略〕

2　前項の規定による改正後の地方自治法施行令第二百十条の十三第一項の規定は、昭和四十三年度分の特別区財政調整交付金から適用する。

附　則（昭四三・一二・二七政令三四二）

この政令は、昭和四十四年一月一日から施行する。

附　則（昭四四・四・一四政令九四）

1　この政令は、昭和四十四年五月一日から施行する。

2　この政令の施行の際現にその手続が開始されている直接請求については、なお従前の例による。

附　則（昭四四・五・一六政令一一八）（抄）

（施行期日）

第一条　この政令は、昭和四十四年七月二十日から施行する。

附　則（昭四四・六・一二政令一五六）

1　この政令は、昭和四十五年四月一日から施行する。

2　特別徴収義務者が昭和四十五年四月中に地方税法（昭和二十五年法律第二百二十六号）第三百二十一条の五第一項の規定により徴収すべき特別徴収税額に係る市町村民税及び道府県民税については、改正後の地方自治法施行令第百四十二条第一項第一号の規定にかかわらず、なお従前の例による。

附　則（昭四四・六・一三政令一五八）（抄）

（施行期日）

第一条　この政令は、法の施行の日（昭和四十四年六月十四日）から施行する。

附　則（昭四四・八・二五政令二二八）（抄）

（施行期日）

第一条　この政令は、昭和四十四年九月一日から施行する。

附　則（昭四四・八・二六政令二三二）（抄）

（施行期日）

第一条　この政令は、公布の日から施行する。

附　則（昭四四・一二・一六政令二九五）（抄）

（施行期日等）

1　この政令は、公布の日から施行し、改正後の地方自治法施行令第百七十四条の五十五の規定は、昭和四十四年十月一日から適用する。

（琉球政府等の職員としての在職期間中に普通恩給等を受けた都道府県の職員等に関する経過措置）

2　都道府県又は市町村は、改正後の地方自治法施行令第八章の規定により、次に掲げる期間を都道府県の職員又は市町村の教育職員としての在職期間に通算されるべき者又はその遺族に退職年金又は遺族年金を支給する場合において、当該各号に掲げる期間中に支給を受けた普通恩給又は退職年金があるときは、その支給を受けた普通恩給又は退職年金の額の十五分の一（遺族年金にあつては、三十分の一）に相当する額をその年額から控除するものとする。

一　改正後の地方自治法施行令第百七十四条の五十五第一項第一号の二に規定する奄美群島の区域において琉球政府等の職員として在職した期間

二　恩給法等の一部を改正する法律（昭和四十四年法律第九十一号）附則第十三条第二項に規定する琉球諸島民政府職員としての在職期間

3　前項に規定する退職年金又は遺族年金について地方自治法施行令の一部を改正する政令（昭和三十二年政令第二十一号）附則第九条及び地方自治法施行令の一部を改正する政令（昭和三十四年政令第百五十四号）附則第九条の規定を適用する場合には、これらの規定中「その受けた退職年金又は普通恩給の額」とあるのは、「その受けた退職年金又は普通恩給の額（地方自治法施行令の一部を改正する政令（昭和四十四年政令第二百九十五号）附則第二項各号に掲げる期間中に受けた額を除く。）」とする。

附　則（昭四五・三・一二政令一四）

この政令は、公布の日から施行する。

附　則（昭四五・六・二九政令二〇二）（抄）

（施行期日）

第一条　この政令は、公布の日から施行する。

附　則（昭四五・七・六政令二一三）（抄）

（施行期日）

1　この政令は、公布の日から施行する。

附　則（昭四五・九・二九政令二八九）

この政令は、昭和四十五年十月一日から施行する。

附　則（昭四五・一二・二政令三三三）（抄）

（施行期日）

1　この政令は、建築基準法の一部を改正する法律（昭和四十五年法律第百九号。以下「改正法」という。）の施行の日（昭和四十六年一月一日）から施行する。

附　則（昭四六・三・三〇政令六二）（抄）

（施行期日）

第一条　この政令は、昭和四十六年四月一日から施行する。〔ただし書略〕

附　則（昭四六・七・三政令二四〇）（抄）

1　この政令は、公布の日から施行する。

3　前項の規定による改正後の地方自治法施行令第二百十条の十三第一項の規定は、昭和四十六年度分の特別区財政調整交付金から適用する。

附　則（昭四七・四・二八政令一一七）

この政令は、沖縄の復帰に伴う特別措置に関する法律（昭和四十六年法律第百二十九号）の施行の日（昭和四十七年五月十五日）から施行する。

附　則（昭四七・七・一七政令二八四）（抄）

（施行期日）
第一条　この政令は、昭和四十七年九月一日から施行する。〔ただし書略〕

附　則（昭四七・九・三〇政令三五五）（抄）

1　この政令は、昭和四十七年十月一日から施行する。

附　則（昭四七・一〇・三一政令三九〇）（抄）

（施行期日）
1　この政令は、昭和四十八年一月一日から施行する。

附　則（昭四七・一一・一七政令三九九）（抄）

（施行期日）
1　この政令は、土地改良法の一部を改正する法律（昭和四十七年法律第三十七号）の施行の日（昭和四十七年十一月二十二日）から施行する。

附　則（昭四八・一〇・一政令二九八）

この政令は、公布の日から施行する。

附　則（昭四九・六・一〇政令二〇三）（抄）

（施行期日）
第一条　この政令は、公布の日から施行する。ただし、第二百九条の七から第二百九条の十二までを削る改正規定、第二百十条から第二百十条の九まで及び第二百十条の十三第一項の改正規定、第二百十条の十九及び第二百十条の二十に係る改正規定、附則第四条及び第五条に係る改正規定、附則第六条の次に一条を加える改正規定並びに次条から附則第二十二条までの規定（以下「特別区に関する改正規定」という。）は、昭和五十年四月一日から施行する。

（旧東京都制施行令の効力）
第二条　地方自治法施行令附則第二条第一項ただし書の規定によりなおその効力を有することとされる旧東京都制施行令（昭和十八年勅令第五百九号）第百四十七条の規定は、法律又はこれに基づく政令により市に属する事務で地方自治法第二百八十一条第二項の規定により特別区が処理することとされているもの並びに同法第二百八十一条の三第一項の規定により特別区の区長が管理し、及び執行することとされている事務に関しては、その適用はないものとする。

（許認可等に関する経過措置）
第三条　特別区に関する改正規定の施行の際現に効力を有する都知事その他の都の機関が行つた許可、認可等の処分その他の行為又は特別区に関する改正規定の施行の際現にこれらの機関に対して行つている許可、認可等の申請その他の行為で、特別区に関する改正規定の施行の日以後において特別区の区長その他の機関が管理し、及び執行することとなる事務に係るものは、同日以後においては、特別区の区長その他の機関が行つた許可、認可等の処分その他の行為又はこれらの機関に対して行つた許可、認可等の申請その他の行為とみなす。

2　特別区に関する改正規定の施行の際特別区の存する区域において現に効力を有する建築基準法（昭和二十五年法律第二百一号）第七十条第一項に規定する建築協定については、都が同法第六十九条の規定に基づき制定した条例は、特別区に関する改正規定の施行の日以後特別区により同条の規定に基づく条例が制定施行されるまでの間は、当該特別区が同条の規定に基づき制定した条例としての効力を有するものとする。

（特別区に引き継がれた職員に関する経過措置）
第四条　特別区に関する改正規定の施行の日において地方自治法の一部を改正する法律（昭和四十九年法律第七十一号）附則第五条の規定により特別区に引き継がれた職員（以下この条において「特別区に引き継がれた職員」という。）で特別区に関する改正規定の施行の際現に休職を命ぜられているものの休職又は特別区に引き継がれた職員に対する同日前の事案に係る懲戒処分に関しては、なお従前の例による。この場合において、同日以後懲戒処分を行うこととなるときは、当該懲戒処分に係る者の任命権者が懲戒処分を行うものとする。

2　特別区に引き継がれた職員が特別区に関する改正規定の施行の際現に受けている地方公務員法（昭和二十五年法律第二百六十一号）第三十八条第一項の許可は、当該許可の有効期間の残余の期間（その期間が三月を超えるものにあつては、三月間）については、当該許可に係る者の任命権者が行つたものとみなす。

3　特別区に関する改正規定の施行の日前に、特別区に引き継がれた職員に対して行われた不利益処分に関する説明書の交付、不服申立て、審査及び審査の結果採るべき措置に関しては、なお従前の例による。

附　則（昭四九・六・一三政令二〇五）（抄）

（施行期日）
第一条　この政令は、〔中略〕昭和四十九年六月十五日から施行する。

附　則（昭四九・一二・二五政令三九四）（抄）

（施行期日）
1　この政令は、〔中略〕昭和五十年三月一日から施行する。

附　則（昭五〇・三・一四政令三三）（抄）

1　この政令は、昭和五十年四月一日から施行する。

附　則（昭五〇・九・二六政令二七七）（抄）

1　この政令は、昭和五十一年一月一日から施行する。

附　則（昭五〇・九・二七政令二八二）（抄）

1　この政令は、昭和五十年十月十四日から施行する。

2　この政令による改正後の〔中略〕地方自治法施行令（昭和二十二年政令第十六号）第百六条、第百八条第一項、第百九条、第百十四条、第百十五条第一項、第百十七条、第百十八条、第百八十四条、第百八十六条第一項及び第百八十七条〔中略〕の規定は、この政令の施行の日以後その期日を公示され又は告示される選挙又は投票について適用し、同日の前日までにその期日を公示され又は告示された選挙又は投票については、なお従前の例による。

附　則（昭五〇・一〇・二四政令三〇六）（抄）

（施行期日）
第一条　この政令は、法の施行の日（昭和五十年十一月一日）から施行する。

附　則（昭五〇・一一・二〇政令三二九）

1　この政令は、公布の日から施行する。

2　第一条の規定による改正後の地方自治法施行令第百七十四条の五十四及び第百七十四条の五十五並びに第二条の規定による改正後の地方自治法施行令の一部を改正する政令附則第十三条の規定は、昭和五十年八月分以後の月分の退職年金若しくは遺族年金又は普通恩給若しくは扶助料について適用する。

附　則（昭五一・三・三一政令五八）（抄）

（施行期日）
第一条　この政令は、昭和五十一年四月一日から施行する。〔た

だし書略〕

（地方自治法施行令の一部改正に伴う経過措置）

第十二条　第五条の規定による改正後の地方自治法施行令第二百十条の十三第一項の規定は、昭和五十一年度分の特別区財政調整交付金から適用する。

附　則（昭五一・六・三〇政令一八〇）

1　この政令は、昭和五十一年七月一日から施行する。

2　改正後の地方自治法施行令の一部を改正する政令附則第十三条の規定は、昭和五十一年七月分以後の月分の退職年金又は遺族年金について適用する。

附　則（昭五二・三・九政令二五）（抄）

（施行期日）

第一条　この政令は、昭和五十二年三月十五日から施行する。

附　則（昭五二・六・七政令一八二）

1　この政令は、昭和五十二年八月一日から施行する。

2　改正後の地方自治法施行令の一部を改正する政令附則第十三条第四項の規定は、昭和五十二年八月分以後の月分の退職年金又は遺族年金について適用する。

附　則（昭五二・七・二二政令二四〇）

1　この政令は、公布の日から施行する。

2　この政令の施行の際現に効力を有する地方自治法第九十六条第一項第五号の規定に基づく条例が改正後の地方自治法施行令第百二十一条の二第一項及び別表第一に規定する基準（以下「新令の基準」という。）に適合しないこととなる場合における同号に規定する契約に係る基準については、昭和五十二年十二月三十一日以前において新令の基準に従い当該条例の改正が行われるまでの間に限り、なお従前の例による。

附　則（昭五三・六・一政令二二一）

1　この政令は、昭和五十三年十月一日から施行する。

2　改正後の地方自治法施行令の一部を改正する政令附則第十三条の規定は、昭和五十三年十月分以後の月分の退職年金又は遺族年金について適用する。

附　則（昭五四・九・二六政令二五九）

1　この政令は、昭和五十四年十月一日から施行する。

2　第一条の規定による改正後の地方自治法施行令及び第二条の規定による改正後の地方自治法施行令の一部を改正する政令の規定は、昭和五十四年十月分以後の月分の退職年金若しくは遺族年金又は普通恩給若しくは扶助料について適用する。

附　則（昭五四・一二・二五政令三〇四）

この政令は、公布の日から施行する。

附　則（昭五五・五・三一政令一五三）

1　この政令は、昭和五十五年十二月一日から施行する。

2　改正後の地方自治法施行令の一部を改正する政令附則第十三条の規定は、昭和五十五年十二月分以後の月分の退職年金又は遺族年金について適用する。

附　則（昭五六・四・一四政令一二三）（抄）

（施行期日）

1　この政令は、公職選挙法の一部を改正する法律（昭和五十六年法律第二十号）の施行の日（昭和五十六年五月十八日）から施行する。

附　則（昭五六・八・三政令二六八）（抄）

（施行期日）

第一条　この政令は、昭和五十六年十月一日から施行する。

附　則（昭五七・一・七政令三）（抄）

（施行期日）

第一条　この政令は、昭和四十二年度以後における地方公務員等共済組合法の年金の額の改定等に関する法律等の一部を改正する法律（昭和五十六年法律第七十三号）第四条の規定の施行の日（昭和五十七年四月一日）から施行する。

附　則（昭五七・一・一六政令六）（抄）

（施行期日）

第一条　この政令は、昭和五十七年四月一日から施行する。

附　則（昭五七・七・二三政令二〇二）

この政令は、公布の日から施行する。

附　則（昭五七・九・一政令二四〇）

この政令は、昭和五十七年十月一日から施行する。

附　則（昭五七・一〇・一政令二八一）（抄）

（施行期日）

1　この政令は、土地区画整理法の一部を改正する法律（昭和五十七年法律第五十二号）の施行の日（昭和五十七年十月二日）から施行する。〔ただし書略〕

附　則（昭五七・一一・二四政令三〇三）

この政令は、昭和五十八年四月一日から施行する。

附　則（昭五八・一・二一政令六）（抄）

（施行期日）

第一条　この政令は、老人保健法の施行の日（昭和五十八年二月一日）から施行する。

附　則（昭五八・二・二二政令一六）（抄）

（施行期日等）

第一条　この政令は、公布の日から施行する。

第四条　第二条から第五条までの規定による改正後の地方自治法施行令〔中略〕の規定は、施行日以後にその期日を告示される投票、審査又は選挙について適用し、施行日の前日までにその期日を告示された投票、審査又は選挙については、なお従前の例による。

附　則（昭五八・三・八政令一九）

この政令は、公布の日から施行する。

附　則（昭五八・五・一六政令一〇五）（抄）

1　この政令は、公布の日から施行する。

3　第二条の規定による改正後の地方自治法施行令第二百十条の十三第一項の規定は、昭和五十八年度分の特別区財政調整交付金から適用する。

附　則（昭五八・七・一五政令一六一）（抄）

（施行期日）

第一条　この政令は、地方公務員等共済組合法の一部を改正する法律（昭和五十八年法律第五十九号。以下「昭和五十八年法律第五十九号」という。）の施行の日（昭和五十九年四月一日）から施行する。

附　則（昭五八・一一・二九政令二四二）（抄）

（施行期日）

第一条　この政令は、公布の日から施行する。

（改正後の地方自治法施行令等の適用区分）

第三条　第二条の規定による改正後の地方自治法施行令〔中略〕の規定は、施行日から起算して三月を経過した日以後その期日を告示される投票又は選挙について適用し、施行日から起算して三月を経過した日前にその期日を告示される投票又は選挙については、なお従前の例による。

附　則（昭五八・一二・一〇政令二五五）

この政令は、公布の日から施行する。〔ただし書略〕

附　則（昭五九・三・一三政令二六）

この政令は、公布の日から施行する。

附　則（昭五九・三・一六政令三二）（抄）

1　この政令は、昭和五十九年四月一日から施行する。

附　則（昭五九・三・一七政令三五）（抄）

（施行期日）

第一条　この政令は、国家公務員及び公共企業体職員に係る共済組合制度の統合等を図るための国家公務員共済組合法等の一部を改正する法律の施行の日（昭和五十九年四月一日）から施行する。

附　則（昭五九・四・二七政令一一六）

この政令は、昭和五十九年十月一日から施行する。

附　則（昭六〇・三・一五政令三一）（抄）

（施行期日）

第一条　この政令は、昭和六十年四月一日から施行する。

附　則（昭六〇・三・二六政令四一）

この政令は、公布の日から施行する。

附　則（昭六〇・七・一二政令二二五）（抄）

1　〔前略〕第十条の規定（地方自治法施行令第百七十四条の二十六第一項及び第三項の改正規定、同項の次に一項を加える改正規定並びに第百七十四条の二十七第二項、第百七十四条の三十一第二項及び第百七十四条の四十二第二号の改正規定に限る。）は、地方公共団体の事務に係る国の関与等の整理、合理化等に関する法律附則第一条第五号に定める日（昭和六十一年一月十二日）から施行する。

附　則（昭六〇・八・二政令二四六）

この政令は、浄化槽法の施行の日（昭和六十年十月一日）から施行する。

附　則（昭六一・三・二八政令三九）

この政令は、公布の日から施行する。

附　則（昭六一・三・三一政令八三）

この政令は、昭和六十一年四月一日から施行する。

附　則（昭六一・五・八政令一五〇）

この政令は、公布の日から施行する。

附　則（昭六一・五・三〇政令一八六）

この政令は、公布の日から施行する。

附　則（昭六二・一・一三政令四）（抄）

1　この政令は、昭和六十二年四月一日から施行する。

附　則（昭六二・三・二〇政令五四）（抄）

（施行期日）

第一条　この政令は、昭和六十二年四月一日から施行する。

附　則（昭六二・三・三一政令八五）

この政令は、公布の日から施行する。

附　則（昭六三・三・三一政令六七）

この政令は、公布の日から施行する。

附　則（昭六三・三・三一政令七七）（抄）

（施行期日）

第一条　この政令は、昭和六十三年四月一日から施行する。〔ただし書略〕

附　則（昭六三・四・八政令八七）（抄）

（施行期日）

1　この政令は、公布の日から施行する。

附　則（昭六三・七・二二政令二三二）（抄）

（施行期日）

第一条　この政令は、農用地開発公団法の一部を改正する法律（以下「改正法」という。）の施行の日（昭和六十三年七月二十三日）から施行する。

附　則（昭六三・一二・三〇政令三六三）（抄）

（施行期日）

第一条　この政令は、昭和六十四年四月一日から施行する。〔ただし書略〕

附　則（昭六三・一二・三〇政令三六五）

この政令は、昭和六十四年四月一日から施行する。

附　則（平元・三・二九政令七四）

この政令は、公布の日から施行する。

附　則（平二・一・二六政令九）

この政令は、平成二年二月一日から施行する。

附　則（平二・二・一七政令一五）

この政令は、へい獣処理場等に関する法律の一部を改正する法律の施行の日（平成二年五月一日）から施行する。

附　則（平二・三・三〇政令八二）

この政令は、公布の日から施行する。

附　則（平二・一一・九政令三三五）（抄）

（施行期日）

1　この政令は、大都市地域における住宅地等の供給の促進に関する特別措置法の一部を改正する法律（平成二年法律第六十二号）の施行の日（平成二年十一月二十日）から施行する。

附　則（平二・一二・七政令三四七）（抄）

この政令は、平成三年一月一日から施行する。ただし、〔中略〕第七条中地方自治法施行令第百七十四条の二十六第五項の改正規定（「並びに第五十五条」を「、第五十五条並びに第五十五条の二」に改める部分に限る。）、同条第六項の改正規定（「第五十一条第一号」を「第五十一条第一号の二」に改める部分に限る。）、同令第百七十四条の二十八第五項の改正規定（「第三十七条の二各号列記以外の部分」を「同法第三十七条の二第一項」に改める部分及び「同条第五号」を「同項第五号」に改める部分に限る。）及び同令第百七十四条の三十一の二第二項の改正規定（「第二十四条第一項」の下に「及び第二項」を加える部分に限る。）〔中略〕は、同年四月一日から施行する。

附　則（平三・三・二九政令五八）

この政令は、公布の日から施行する。

附　則（平三・四・二政令一〇三）（抄）

（施行期日）

第一条　この政令は、公布の日から施行する。

附　則（平三・九・二五政令三〇四）（抄）

（施行期日）

第一条　この政令は、平成三年十月一日から施行する。

附　則（平四・三・二七政令五三）

この政令は、公布の日から施行する。

附　則（平四・九・三〇政令三一一）（抄）

1　この政令は、平成五年四月一日から施行する。

附　則（平四・一二・一六政令三七八）（抄）

（施行期日）

1　〔前略〕地方自治法施行令（昭和二十二年政令第十六号）第百六条、第百十四条、第百十七条及び第百八十四条の改正規定（「第百四十七条第一項及び第二項」を「第百四十六条第一項及び第二項」に改める部分に限る。）は、次の総選挙から施行する。

附　則（平五・三・一二政令三四）

1　この政令は、公布の日から施行する。

2　この政令の施行の際現に効力を有する地方自治法第九十六条第一項第五号の規定に基づく条例が改正後の地方自治法施行令第百二十一条の二第一項及び別表第一に規定する基準（以下「新令の基準」という。）に適合しないこととなる場合における同号の契約に係る基準については、平成五年十月三十一日以前において新令の基準に従い当該条例の改正が行われるまでの間に限り、なお従前の例による。

附　則（平五・三・二六政令五七）

この政令は、公布の日から施行する。

附　則（平五・一二・一政令三七八）（抄）

この政令は、平成六年四月一日から施行する。〔ただし書略〕

附　則（平六・三・三〇政令八九）

この政令は、公布の日から施行する。

附　則（平六・七・一政令二二三）

この政令は、公布の日から施行する。

附　則（平六・七・八政令二二四）

この政令は、地方自治法の一部を改正する法律（平成六年法律第四十八号）附則第一項ただし書に規定する規定の施行の日から施行する。

附　則（平六・八・一七政令二六六）（抄）

（施行期日）

第一条　この政令は、平成六年十月一日から施行する。〔ただし書略〕

附　則（平六・九・二政令二八二）（抄）

（施行期日）

第一条　この政令は、平成六年十月一日から施行する。〔ただし書略〕

附　則（平六・九・一九政令三〇三）（抄）

（施行期日）

第一条　この政令は、行政手続法の施行の日（平成六年十月一日）から施行する。

附　則（平六・一一・一一政令三五一）

この政令は、公布の日から施行する。

附　則（平六・一一・二五政令三六九）（抄）

（施行期日）

第一条　この政令は、公職選挙法の一部を改正する法律（平成六年法律第二号）の施行の日から施行する。

（改正後の地方自治法施行令等の適用区分）

第五条　第二条から第五条までの規定による改正後の地方自治法施行令、最高裁判所国民審査法施行令、漁業法施行令及び農業委員会等に関する法律施行令の規定は、施行日以後にその期日を告示される投票、審査又は選挙について適用し、施行日の前日までにその期日を告示された投票、審査又は選挙については、なお従前の例による。

2　〔略〕

附　則（平六・一二・二政令三九七）

この政令は、地方自治法の一部を改正する法律（平成六年法律第四十八号）中〔中略〕第二編第十二章の改正規定並びに別表第二第一号（十一）の改正規定、同号（十二）の次に次のように加える改正規定（中核市に係る部分に限る。）、別表第四第一号（一の四）中「指定都市」の下に「及び中核市」を加え、同号中（一の四）を（一の五）とし、（一の三）を（一の四）とし、（一の二）の次に次のように加える改正規定（「指定都市」の下に「及び中核市」を加える部分に限る。）、同号（十七）の改正規定、同号（十九の三）の改正規定（「指定都市」の下に「及び中核市」を加える部分に限る。）、同号（十九の七）、（十九の九）、（十九の十一）、（二十一の二）及び（二十三）の改正規定、同号（二十三）の次に次のように加える改正規定、同表第三号（四）の改正規定並びに別表第七第二号の表の改正規定の施行の日（平成七年四月一日）から施行する。

附　則（平六・一二・二六政令四一一）（抄）

（施行期日）

第一条　この政令は、ガス事業法の一部を改正する法律（平成六年法律第四十二号）の施行の日（平成七年三月一日）から施行する。

附　則（平七・三・二九政令一〇二）（抄）

（施行期日）

1　この政令は、平成七年四月一日から施行する。

附　則（平七・三・三一政令一四一）

この政令は、公布の日から施行する。

附　則（平七・五・二四政令二一四）（抄）

（施行期日）

1　この政令は、都市再開発法等の一部を改正する法律の一部の施行の日（平成七年五月二十五日）から施行する。

附　則（平七・六・一四政令二三七）

1　この政令は、地方自治法の一部を改正する法律中地方自治法目次の改正規定（「第三章　地方公共団体の組合」を

「第三章　地方公共団体の組合
　第一節　総則
　第二節　一部事務組合
　第三節　広域連合
　第四節　全部事務組合
　第五節　役場事務組合
　第六節　雑則
」

に改める部分に限る。）及び第三編第三章の改正規定の施行の日（平成七年六月十五日）から施行する。

2　改正後の地方自治法施行令第百六条、第百八条、第百九条（同令第百十三条及び第百十六条の二において準用する場合を含む。）、第百十三条から第百十五条まで、第百十七条、第百十八条、第百八十六条及び第百八十七条の規定は、この政令の施行の日以後にその期日を告示される投票について適用し、同日の前日までにその期日を告示された投票については、なお従前の例による。

附　則（平七・一〇・一八政令三五九）（抄）

（施行期日）

第一条　この政令は、電気事業法の一部を改正する法律（以下「改正法」という。）の施行の日（平成七年十二月一日）から施行する。

附　則（平七・一二・二〇政令四一八）（抄）

（施行期日）
第一条　この政令は、公布の日から施行する。

附　則（平八・一・四政令一）

（施行期日）
1　この政令は、平成八年四月一日（次項において「施行日」という。）から施行する。

（経過措置）
2　この政令の施行の際精神保健及び精神障害者福祉に関する法律の規定により都道府県若しくは都道府県知事その他の都道府県の機関がした処分その他の行為で現にその効力を有するもの又は施行日前に同法の規定により都道府県知事に対してなされた申請、届出その他の行為（以下「申請等」という。）で、施行日以後において地方自治法第二百五十二条の十九第一項の指定都市（以下「指定都市」という。）又は指定都市の市長その他の機関が処理し又は管理し及び執行することとなる事務に係るものは、施行日以後においては、指定都市若しくは指定都市の市長その他の機関のした処分その他の行為又は指定都市の市長に対してなされた申請等とみなす。ただし、施行日前に精神保健及び精神障害者福祉に関する法律に基づき行われ、又は行われるべきであった措置に関する費用の支弁、負担及び徴収については、なお従前の例による。

附　則（平八・三・二五政令四七）

この政令は、平成八年四月一日から施行する。

附　則（平八・三・二七政令五〇）

この政令は、公布の日から施行する。

附　則（平八・八・二三政令二四八）（抄）

（施行期日）
1　この政令は、公営住宅法の一部を改正する法律の施行の日（平成八年八月三十日）から施行する。

附　則（平九・二・一九政令一七）（抄）

（施行期日）
第一条　この政令は、平成九年四月一日から施行する。

（地方自治法施行令の一部改正に伴う経過措置）
第三条　第三条の規定による改正後の地方自治法施行令（次項において「新地方自治法施行令」という。）第二百十条の十三第一項の規定は、平成九年度分の特別区財政調整交付金から適用する。
2　平成九年度分の特別区財政調整交付金に係る新地方自治法施行令第二百十条の十三第一項に規定する基準財政収入額の算定に限り、同項中「交通安全対策特別交付金の額」とあるのは「交通安全対策特別交付金の額並びに地方税法等の一部を改正する法律（平成六年法律第百十一号。以下この項において「地方税法等改正法」という。）附則第十四条第一項の規定により特別区に譲与するものとされる廃止前の消費譲与税に相当する額（以下この項において「消費譲与税相当額」という。）」と、「自動車取得税交付金の収入見込額の百分の七十五の率を百分の八十五とし」とあるのは「自動車取得税交付金の収入見込額の百分の七十五の率を百分の八十五とし、消費譲与税相当額にあつては地方税法等改正法附則第二十一条第一項の消費譲与税相当額の収入見込額の百分の七十五の率を百分の八十五とし」と、「同条第一項及び」とあるのは「地方交付税法第十四条第一項及び」と、「同法附則第七条」とあるのは「同法附則第七条並びに地方税法等改正法附則第二十一条」とする。

附　則（平九・三・一九政令三七）（抄）

（施行期日）
第一条　この政令は、平成九年四月一日から施行する。

（経過措置）
第二条　この政令の施行の際社会福祉事業法第七章の規定により都道府県知事がした処分その他の行為で現にその効力を有するもの又はこの政令の施行の日（以下この条において「施行日」という。）前に同章の規定により都道府県知事に対してなされた申請、届出その他の行為（以下この条において「申請等」という。）で、施行日以後において地方自治法第二百五十二条の十九第一項の指定都市又は同法第二百五十二条の二十二第一項の中核市の市長（以下この条において「指定都市等の市長」という。）が管理し及び執行することとなる事務に係るものは、施行日以後においては、指定都市等の市長のした処分その他の行為又は指定都市等の市長に対してなされた申請等とみなす。

附　則（平九・三・二六政令七一）

この政令は、公布の日から施行する。

附　則（平九・三・二八政令八四）（抄）

（施行期日）
第一条　この政令は、平成九年四月一日から施行する。

附　則（平九・九・二五政令二九一）（抄）

（施行期日）
第一条　この政令は、平成十年四月一日から施行する。

附　則（平九・一二・一九政令三六四）

この政令は、平成十年一月一日から施行する。

附　則（平一〇・一・三〇政令一六）（抄）

（施行期日）
第一条　この政令は、公職選挙法の一部を改正する法律（平成九年法律第百二十七号）の施行の日（平成十年六月一日）から施行する。

附　則（平一〇・二・一八政令二四）（抄）

（施行期日）
第一条　この政令は、平成十年四月一日から施行する。ただし、〔中略〕次条から附則第四条までの規定は、平成十一年四月一日から施行する。

附　則（平一〇・三・二七政令七四）

この政令は、公布の日から施行する。

附　則（平一〇・七・二三政令二六〇）

この政令は、地方自治法の一部を改正する法律（平成九年法律第六十七号）附則第一条第二号に掲げる規定の施行の日（平成十年十月一日）から施行する。

附　則（平一〇・一一・二六政令三七二）

この政令は、平成十一年四月一日から施行する。

附　則（平一〇・一二・一一政令三八八）（抄）

（施行期日）
第一条　この政令は、平成十一年五月一日から施行する。ただし、〔中略〕附則第六条中地方自治法施行令（昭和二十二年政令第十六号）第百六条の改正規定、同令第百九条の改正規定（「第三十七条第三項及び第四項」の下に「、第四十二条（在外選挙人名簿に関する部分に限る。）」を加える部分、「第四十六条の二」の下に「、第四十九条の二、第五十五条（在外選挙人名簿に関する部分に限る。）」、第五十六条（在外選挙人名簿に関する部分に限る。）」を加える部分、「第二百六十三条第五号の二」を「第二百六十三条第四号の二、第四号の三及び第五号の二」に改める部分（第四号の三に係る部分に限る。）及び「から第二百六十八条まで」の下に「、第二百六十九条の二、第二百七十条第一項（在外選挙人名簿及び在外投票に関する部分に限る。）及び第二項、第二百七十条の二（在外投票に関する部分に限る。）」を加える部分（第二百六十九条の二に係る部分、第二百七十条第二項中在外投票に関する部分に係る部分及び第二百七十条の二に係る部分に限る。）、同令第百十四条、第百十七条及び第百八十四条の改正規定、同令第百八十七条の改正規定（「第三十八条第三項」の下に「、第四十二条（在外選挙人名簿に関する部分に限る。）」を加える部分、「第四十六条の二」の下に「、第四十九条の二、第五十五条（在外選挙人名簿に関する部分に限る。）、第五十六条（在外選挙人名簿に関する部分に限る。）」を加える部分、「第二百六十三条第五号の二」を「第二百六十三条第四号の二、第四号の三及び第五号の二」に改める部分（第四号の三に係る部分に限る。）及び「から第二百六十八条まで」の下に「、第二百六十九条の二、第二百七十条第一項（在外選挙人名簿及び在外投票に関する部分に限る。）及び第二項、第二百七十条の二（在外投票に関する部分に限る。）」を加える部分（第二百六十九条の二に係る部分、第二百七十条第二項中在外投票に関する部分に係る部分及び第二百七十条の二に係る部分に限る。）、同令第二百十三条の五の改正規定、同令第二百十三条の七の改正規定（「第三十七条第三項及び第四項」の下に「、第四十二条（在外選挙人名簿に関する部分に限る。）」を加える部分、「第四十六条の二」の下に「、第四十九条の二、第五十五条（在外選挙人名簿に関する部分に限る。）、第五十六条（在外選挙人名簿に関する部分に限る。）」を加える部分、「第二百六十三条第五号の二」を「第二百六十三条第四号の二、第四号の三及び第五号の二」に改める部分（第四号の三に係る部分に限る。）及び「から第二百六十八条まで」の下に「、第二百六十九条の二、第二百七十条第一項（在外選挙人名簿及び在外投票に関する部分に限る。）及び第二項、第二百七十条の二（在外投票に関する部分に限る。）」を加える部分（第二百六十九条の二に係る部分、第二百七十条第二項中在外投票に関する部分に係る部分及び第二百七十条の二に係る部分に限る。）並びに同令第二百十四条の四及び第二百十五条の四の改正規定〔中略〕の規定は、平成十二年五月一日から施行する。

附　則（平一〇・一二・二八政令四二一）

この政令は、平成十一年四月一日から施行する。

附　則（平一一・一・一三政令五）

この政令は、建築基準法の一部を改正する法律の一部の施行の日（平成十一年五月一日）から施行する。

附　則（平一一・二・一七政令二五）

この政令は、公布の日から施行する。

附　則（平一一・三・二五政令四八）

この政令は、公布の日から施行する。

附　則（平一一・八・一八政令二五六）（抄）

（施行期日）

第一条　この政令は、都市基盤整備公団法（以下「公団法」という。）の一部の施行の日（平成十一年十月一日）から施行する。

附　則（平一一・九・二〇政令二七六）（抄）

（施行期日）

第一条　この政令は、雇用・能力開発機構法（以下「法」という。）の一部の施行の日（平成十一年十月一日）から施行する。

附　則（平一一・九・二九政令三〇六）（抄）

（施行期日）

第一条　この政令は、平成十一年十月一日から施行する。

（地方自治法施行令の一部改正に伴う経過措置）

第二条　この政令の施行の日（以下「施行日」という。）以後に改正後の緑資源公団法（昭和三十一年法律第八十五号。以下「新法」という。）附則第十三条第一項の規定により公団が旧農用地整備公団法（昭和四十九年法律第四十三号）附則第十九条第一項の業務のうち農用地開発公団法の一部を改正する法律（昭和六十三年法律第四十四号）による改正前の農用地開発公団法（以下「旧農用地開発公団法」という。）第十九条第一項第一号イ若しくはロの事業又は新法附則第十三条第一項の業務のうち旧農用地整備公団法第十九条第一項第一号イの事業を行う場合には、地方自治法施行令第百七十九条中「の事業」とあるのは「の事業若しくは同法附則第十三条第一項に規定する旧農用地整備公団法（昭和四十九年法律第四十三号）附則第十九条第一項の業務のうち農用地開発公団法の一部を改正する法律（昭和六十三年法律第四十四号）による改正前の農用地開発公団法第十九条第一項第一号イ若しくはロの事業若しくは緑資源公団法附則第十三条第一項の業務のうち旧農用地整備公団法第十九条第一項第一号イの事業」と、「並びに緑資源公団法第二十二条の四第二項」とあるのは「、緑資源公団法第二十二条の四第二項、同法附則第十三条第二項の規定によりなおその効力を有するものとされる旧農用地整備公団法附則第十九条第二項の規定によりなおその効力を有するものとされる農用地開発公団法の一部を改正する法律による改正前の農用地開発公団法第二十三条第二項並びに緑資源公団法附則第十三条第二項の規定によりなおその効力を有するものとされる旧農用地整備公団法第二十三条第二項」とする。

附　則（平一一・一〇・一政令三一二）（抄）

（施行期日）

第一条　この政令は、地方自治法等の一部を改正する法律（平成十年法律第五十四号。以下「法」という。）の施行の日（平成十二年四月一日。以下「施行日」という。）から施行する。〔ただし書略〕

（旧東京都制施行令の効力）

第二条　地方自治法施行令附則第二条第一項ただし書の規定によりなおその効力を有することとされる旧東京都制施行令（昭和十八年勅令第五百九号）第百四十七条の規定は、法律又はこれに基づく政令により市に属する事務で地方自治法（昭和二十二年法律第六十七号）第二百八十一条第二項の規定により特別区が処理することとされているもの並びに同法第二百八十一条の七第一項の規定により特別区の区長が管理し、及び執行することとされている事務に関しては、その適用はないものとする。

（地方自治法施行令の一部改正に伴う経過措置）

第三条　この政令の施行の際現に第一条の規定による改正前の地

方自治法施行令（以下「旧地方自治法施行令」という。）第二百九条第二項の規定により関係特別区の同意を得ている特別区の廃置分合又は境界変更の手続については、なお従前の例による。

2　この政令の施行の際現に旧地方自治法施行令第二百九条の二第一項の規定により関係市町村の申請がされている都内の市町村の区域の全部又は一部による特別区の設置の手続については、なお従前の例による。

3　この政令の施行の際現に旧地方自治法施行令第二百九条の三第一項の規定により関係市町村の申請がされている都内の市町村の廃置分合又は境界変更を伴う特別区の境界変更の手続については、なお従前の例による。

4　この政令の施行の際現に旧地方自治法施行令第二百九条の四第一項の規定により都並びに関係のある道府県及び市町村の申請がされている都と道府県との境界にわたる特別区の境界の変更の手続については、なお従前の例による。

5　この政令の施行の際現に旧地方自治法施行令第二百九条の五第一項の規定により関係特別区の申請がされている特別区の境界に関する争論又は同項の規定により職権により地方自治法第二百五十一条の規定による調停に付されている特別区の境界に関する争論については、なお従前の例による。

6　この政令の施行の際現に旧地方自治法施行令第二百九条の六第一項後段の規定により都並びに関係のある道府県及び市町村の同意を得ている公有水面のみに係る特別区の境界変更で都と道府県との境界にわたるものの手続については、なお従前の例による。

7　施行日前において旧地方自治法施行令第二百十条の十及び第二百十条の十四第一項の規定により都が納付させなければならないこととされていた納付金の納付については、なお従前の例による。

（都が設置した一般廃棄物処理施設に関する経過措置）

第十条　法附則第六条に規定する一般廃棄物処理施設（次条において「都設置一般廃棄物処理施設」という。）を都が施行日に特別区に譲渡した場合にあっては、特別区は、同条に規定する届出を行った都の地位を承継する。

第十一条　都設置一般廃棄物処理施設を都が施行日以後において引き続き保有している場合にあっては、当該都設置一般廃棄物処理施設を設置する都は、廃棄物の処理及び清掃に関する法律（昭和四十五年法律第百三十七号。以下この条及び次条において「廃棄物処理法」という。）第八条第一項の許可を受けたものとみなす。

2　前項の規定により廃棄物処理法第八条第一項の許可を受けたものとみなされた都が施行日後に都設置一般廃棄物処理施設を特別区に譲渡した場合にあっては、特別区は、当該許可を受けたものとみなされた都の地位に相当する廃棄物処理法第九条の三第一項の規定による届出に係る地位を承継したものとみなす。

（一般廃棄物に係る支障の除去等の措置に関する経過措置）

第十二条　都が講じた廃棄物処理法第十九条の四第一項に規定する支障の除去等の措置（法第十七条の規定による改正前の地方自治法の一部を改正する法律（昭和四十九年法律第七十一号）附則第二十四条の規定により読み替えて適用される法第十四条の規定による改正前の廃棄物処理法第二十三条の三の規定により読み替えて適用される廃棄物処理法第十九条の四第一項第一号に掲げる場合に限る。）に係る廃棄物処理法第十九条の五第二項の規定による費用の負担については、なお従前の例による。

（許認可等に関する経過措置）

第十三条　施行日前に法による改正前のそれぞれの法律若しくはこの政令による改正前のそれぞれの政令の規定により都知事その他の都の機関が行った許可等の処分その他の行為（以下この条において「処分等の行為」という。）又は施行日前に法による改正前のそれぞれの法律若しくはこの政令による改正前のそれぞれの政令の規定によりこれらの機関に対してされた許可等の申請その他の行為（以下この条において「申請等の行為」という。）で、施行日において特別区の区長その他の機関がこれらの行為に係る行政事務を行うこととなるものは、別段の定めがあるもののほか、施行日以後における法による改正後のそれぞれの法律又はこの政令による改正後のそれぞれの政令の適用については、法による改正後のそれぞれの法律若しくはこの政令による改正後のそれぞれの政令の相当規定によりされた処分等の行為又は申請等の行為とみなす。

2　施行日前に法による改正前のそれぞれの法律又はこの政令による改正前のそれぞれの政令の規定により都知事その他の機関に対し報告、届出その他の手続をしなければならない事項で、施行日前にその手続がされていないものについては、別段の定めがあるもののほか、これを、法による改正後のそれぞれの法律又はこの政令による改正後の政令の相当規定により特別区の区長その他の相当の機関に対して報告、届出その他の手続をしなければならない事項についてその手続がされていないものとみなして、法による改正後のそれぞれの法律又はこの政令による改正後のそれぞれの政令の規定を適用する。

（職員の引継ぎ）

第十四条　施行日の前日において現に都又は都知事若しくは都の委員会その他の機関が処理し、又は管理し、及び執行している事務で施行日以後法律又はこれに基づく政令により特別区又は特別区の区長若しくは特別区の委員会その他の機関が処理し、又は管理し、及び執行することとなるもの（次項において「特定事務」という。）に専ら従事していると認められる都の職員（以下この条において「特定都職員」という。）は、施行日において、都において正式任用されていた者にあっては引き続き当該特別区の相当の職員に正式任用され、都において条件付採用期間中であった者にあっては引き続き条件付きで当該特別区の相当の職員となるものとする。

2　施行日前に、地方自治法第二百五十二条の十七第一項の規定に基づき特別区の区長又は委員会若しくは委員が特定事務の処理又は管理及び執行のため派遣を求め、その求めに応じて六年以内の期間を定めて施行日から派遣することとされた特定都職員は、前項の規定にかかわらず、その派遣の期間が満了する日の翌日において、都において正式任用されていた者にあっては引き続き当該特別区の相当の職員に正式任用され、都において条件付採用期間中であった者にあっては引き続き条件付きで当該特別区の相当の職員となるものとする。

3　前二項の規定により引き続き条件付きで特別区の相当の職員となる者の当該特別区における条件付採用期間には、その者の都における条件付採用期間を通算するものとする。

4　特定都職員でその引継ぎについて第一項又は第二項の規定により難いものをいずれの特別区が引き継ぐかについては、都知事と各特別区の区長とが協議して定めるものとする。

（罰則に関する経過措置）

第十五条　この政令の施行前にした行為及びこの政令の附則において従前の例によることとされる場合におけるこの政令の施行後にした行為に対する罰則の適用については、なお従前の例による。

附　則（平一一・一〇・一四政令三二四）（抄）

（施行期日）

第一条　この政令は、平成十二年四月一日から施行する。ただし、次の各号に掲げる規定は、当該各号に定める日から施行する。

一　〔略〕

二　第一条中地方自治法施行令第九十二条第五項第四号の改正規定、第七条中公職選挙法施行令第八条第一項の改正規定及び附則第九条の規定　平成十五年一月一日

（地方自治法施行令の一部改正に伴う経過措置）

第二条　この政令の施行の際現に行われている第一条の規定による改正前の地方自治法施行令（以下「旧地方自治法施行令」という。）第百七十四条の四十九の十七の規定により中核市又は中核市の市長その他の機関に適用される都市計画法第三十四条第十号及び都市計画法施行令第三十六条第一項第三号ハの規定により開発審査会の議を経ることとされている手続のうちこの政令の施行の日（以下「施行日」という。）前に当該議を経たものについては、第一条の規定による改正後の地方自治法施行令（以下「新地方自治法施行令」という。）第百七十四条の四十九の十七第一項の規定にかかわらず、都市計画法第三十四条第十号の規定（開発審査会の議を経る部分に限る。）及び都市計画法施行令第三十六条第一項第三号ハの規定（開発審査会の議を経る部分に限る。）は、適用しない。

2　旧地方自治法施行令第百七十四条の四十九の十七の規定により中核市又は中核市の市長その他の機関に適用される地方分権の推進を図るための関係法律の整備等に関する法律第四百三十七条の規定による改正前の都市計画法（以下「旧都市計画法」という。）第二十九条、第三十五条の二第一項、第四十一条第二項ただし書、第四十二条第一項ただし書若しくは第四十三条第一項の規定に基づく処分又はこれらの規定に違反した者に対する旧都市計画法第八十一条第一項の規定に基づく監督処分に係る旧都市計画法第五十条第一項又は第四項の規定による審査請求又は再審査請求については、新地方自治法施行令第百七十四条の四十九の十七第一項の規定にかかわらず、なお従前の例による。

第三条　施行日前に旧地方自治法施行令第二百十九条第二項の規定によりされた承認又はこの政令の施行の際現に同項の規定によりされている承認の申請は、それぞれ新地方自治法施行令第二百十九条第二項の規定によりされた同意又は協議の申出とみなす。

第四条　新地方自治法施行令附則第二条第一項ただし書の規定によりなおその効力を有することとされる旧東京都制施行令（昭和十八年勅令第五百九号）第百四十七条の規定は、法律又はこれに基づく政令により市が処理することとされている事務で地方自治法第二百八十一条第二項の規定により特別区が処理することとされているものに関しては、その適用はないものとする。

附　則（平一一・一一・一〇政令三五二）（抄）

（施行期日）

第一条　この政令は、平成十二年四月一日から施行する。

附　則（平一一・一一・一二政令三五四）（抄）

（施行期日）

第一条　この政令は、平成十二年五月一日から施行する。〔ただし書略〕

附　則（平一一・一二・八政令三九三）（抄）

（施行期日）

第一条　この政令は、平成十二年四月一日から施行する。〔ただし書略〕

附　則（平一一・一二・一〇政令四〇一）

この政令は、鉄道事業法の一部を改正する法律附則第一条の政令で定める日（平成十二年三月一日）から施行する。

附　則（平一一・一二・二七政令四三一）（抄）

（施行期日）

第一条　この政令は、平成十二年三月二十一日から施行する。

附　則（平一二・一・二一政令一一）

この政令は、精神保健及び精神障害者福祉に関する法律等の一部を改正する法律の施行の日（平成十二年四月一日）から施行する。

附　則（平一二・二・一六政令三七）（抄）

（施行期日）

第一条　この政令は、平成十二年四月一日から施行する。

附　則（平一二・三・三政令五五）（抄）

1　この政令は、平成十二年四月一日から施行する。

附　則（平一二・三・二九政令一一七）

この政令は、公布の日から施行する。

附　則（平一二・三・三一政令一四四）（抄）

（施行期日）

第一条　この政令は、平成十二年四月一日から施行する。〔ただし書略〕

附　則（平一二・三・三一政令一四五）（抄）

（施行期日）

第一条　この政令は、平成十二年四月一日から施行する。〔ただし書略〕

附　則（平一二・三・三一政令一四八）（抄）

（施行期日）

第一条　この政令は、平成十二年四月一日から施行する。〔ただし書略〕

附　則（平一二・三・三一政令一六九）（抄）

（施行期日）

第一条　この政令は、〔中略〕公布の日から施行する。

附　則（平一二・三・三一政令一八九）（抄）

1　この政令は、平成十二年四月一日から施行する。

附　則（平一二・四・一九政令二〇一）

この政令は、平成十三年四月一日から施行する。

附　則（平一二・四・二八政令二一六）（抄）

（施行期日）

第一条　この政令は、大豆なたね交付金暫定措置法及び農産物価格安定法の一部を改正する法律の施行の日（平成十二年五月十日）から施行する。

附　則（平一二・五・一七政令二二三）（抄）

（施行期日）

第一条　この政令は、公布の日から施行する。〔ただし書略〕

（直接請求の署名を求めることができない期間に関する経過措置）

第三条　この政令の施行の日の前日までにこれを行うべき事由が生じた選挙に係る地方自治法第七十四条第五項（同法第七十五条第五項、第七十六条第四項、第八十条第四項、第八十一条第二項、第八十六条第四項（地方教育行政の組織及び運営に関する法律（昭和三十一年法律第百六十二号）第八条第二項において準用する場合を含む。）並びに第二百九十一条の六第一項及び第五項並びに市町村の合併の特例に関する法律（昭和四十年法律第六号）第四条の二第十三項において準用する場合を含む。）に規定する政令で定める期間については、なお従前の例による。

（罰則に関する経過措置）

第四条　この政令の施行前にした行為及び前条においてなお従前の例によることとされる場合におけるこの政令の施行後にした行為に対する罰則の適用については、なお従前の例による。

附　則（平一二・六・七政令三〇四）（抄）

1　この政令は、内閣法の一部を改正する法律（平成十一年法律第八十八号）の施行の日（平成十三年一月六日）から施行する。〔ただし書略〕

附　則（平一二・六・七政令三二四）

この政令は、公布の日から施行する。

附　則（平一二・六・二三政令三五六）（抄）

（施行期日）

第一条　この政令は、平成十二年六月三十日から施行する。

附　則（平一二・九・二二政令四三四）（抄）

（施行期日）

第一条　この政令は、〔中略〕平成十三年四月一日から施行する。

附　則（平一二・一〇・一二政令四四八）（抄）

（施行期日）

第一条　この政令は、平成十三年四月一日から施行する。〔ただし書略〕

附　則（平一二・一〇・一八政令四五七）（抄）

（施行期日）

第一条　この政令は、河川法の一部を改正する法律の施行の日（平成十二年十月二十日）から施行する。

附　則（平一二・一一・一〇政令四七二）（抄）

（施行期日）

1　この政令は、児童虐待の防止等に関する法律の施行の日（平成十二年十一月二十日）から施行する。

附　則（平一二・一一・二二政令四八五）

この政令は、公布の日から施行する。

附　則（平一二・一二・六政令五〇〇）（抄）

（施行期日）

第一条　この政令は、法の施行の日（平成十三年四月一日）から施行する。

附　則（平一二・一二・一三政令五〇八）（抄）

（施行期日）

第一条　この政令は、平成十三年一月一日から施行する。〔ただし書略〕

附　則（平一二・一二・二七政令五三六）（抄）

（施行期日）

第一条　この政令は、公布の日から施行する。

附　則（平一二・一二・二七政令五五〇）（抄）

1　この政令は、平成十三年四月一日から施行する。

附　則（平一三・一・一七政令八）（抄）

（施行期日）

1　この政令は、法の施行の日（平成十三年四月一日）から施行する。

附　則（平一三・二・二政令二三）（抄）

（施行期日）

第一条　この政令は、農地法の一部を改正する法律の施行の日（平成十三年三月一日）から施行する。

附　則（平一三・三・三〇政令九五）

この政令は、公布の日から施行する。

附　則（平一三・三・三〇政令九八）（抄）

（施行期日）

第一条　この政令は、都市計画法及び建築基準法の一部を改正する法律（以下「改正法」という。）の施行の日（平成十三年五月十八日。以下「施行日」という。）から施行する。

附　則（平一三・三・三〇政令一四一）（抄）

（施行期日）

第一条　この政令は、平成十三年四月一日から施行する。〔ただし書略〕

附　則（平一三・七・四政令二三六）（抄）

（施行期日）

第一条　この政令は、障害者等に係る欠格事由の適正化等を図るための医師法等の一部を改正する法律の施行の日（平成十三年七月十六日）から施行する。

附　則（平一三・九・五政令二八六）（抄）

（施行期日）

第一条　この政令は、平成十四年一月一日から施行する。

附　則（平一三・九・五政令二八七）（抄）

（施行期日）

第一条　この政令は、平成十四年四月一日から施行する。

附　則（平一三・九・一九政令三〇六）（抄）

（施行期日）

第一条　この政令は、〔中略〕次の各号に掲げる規定は、当該各号に定める日から施行する。

一　〔略〕

二　〔前略〕次条〔中略〕の規定　平成十三年十月一日

附　則（平一三・一〇・一九政令三三三）（抄）

（施行期日）

第一条　この政令は、平成十四年四月一日から施行する。

附　則（平一三・一一・七政令三四七）（抄）

（施行期日）

第一条　この政令は、公布の日から施行する。

附　則（平一三・一一・二六政令三六三）（抄）

（施行期日）
第一条　この政令は、平成十四年一月一日から施行する。

附　則（平一三・一一・三〇政令三七九）（抄）

（施行期日）
第一条　この政令は、平成十四年四月一日から施行する。

附　則（平一三・一一・三〇政令三八三）（抄）

（施行期日）
第一条　この政令は、小型船舶の登録等に関する法律（以下「法」という。）の施行の日（平成十四年四月一日）から施行する。

附　則（平一三・一二・一九政令四一三）（抄）

（施行期日）
第一条　この政令は、水道法の一部を改正する法律の施行の日（平成十四年四月一日）から施行する。

附　則（平一四・一・一七政令四）（抄）

（施行期日）
第一条　この政令は、保健婦助産婦看護婦法の一部を改正する法律の施行の日（平成十四年三月一日）から施行する。

附　則（平一四・一・三〇政令一九）（抄）

（施行期日）
第一条　この政令は、法の施行の日（平成十四年二月一日）から施行する。

（適用区分）
第二条　この政令の規定は、この政令の施行の日以後その期日を告示される地方公共団体の議会の議員又は長の選挙について適用する。

附　則（平一四・三・二五政令五五）

この政令は、公布の日から施行する。ただし、第百四十三条第一項第三号の改正規定は、平成十四年四月一日から施行する。

附　則（平一四・三・三〇政令九五）（抄）

（施行期日）
第一条　この政令〔中略〕は、平成十四年九月一日から施行する。

附　則（平一四・三・三一政令一〇一）（抄）

（施行期日）
第一条　この政令は、平成十四年四月一日から施行する。

附　則（平一四・三・三一政令一〇五）（抄）

（施行期日）
第一条　この政令は、平成十四年四月一日から施行する。ただし、次の各号に掲げる規定は、当該各号に定める日から施行する。
一〜四　〔略〕
五　〔前略〕附則〔中略〕第三十七条中地方自治法施行令（昭和二十二年政令第十六号）別表第一租税特別措置法施行令（昭和三十二年政令第四十三号）の項の改正規定（「第二十条の二第六項」を「第二十条の二第七項」に改める部分に限る。）　都市再開発法等の一部を改正する法律（平成十四年法律第十一号。以下「都市再開発法等改正法」という。）の施行の日〔平一四・六・一〕
六〜九　〔略〕

附　則（平一四・四・一政令一四八）（抄）

（施行期日）
第一条　この政令は、平成十四年六月一日から施行する。〔ただし書略〕

（経過措置）
第二条　この政令の施行の際現に被爆者健康手帳の交付を受けたことのある者であって国内に居住地及び現在地を有しないもの（以下この項において「非居住者」という。）がこの政令の施行の日以後最初にこの政令による改正後の第五条の届出をした場合において、当該届出を受理した都道府県知事（広島市又は長崎市にあっては、当該市の長とする。以下この項において同じ。）は、当該非居住者がこの政令の施行前最後に国内に有した居住地（居住地を有しなかったときは、その現在地）の都道府県知事（以下この項において「最後の居住地の都道府県知事」という。）にその旨を通知しなければならない。ただし、当該届出を受理した都道府県知事と最後の居住地の都道府県知事とが同一であるときは、この限りではない。
2　前項の規定により都道府県並びに広島市及び長崎市が処理することとされている事務は、地方自治法（昭和二十二年法律第六十七号）第二条第九項第一号に規定する第一号法定受託事務とする。

附　則（平一四・四・五政令一五七）（抄）

（施行期日）
第一条　この政令は、公布の日から施行する。

附　則（平一四・五・二九政令一八四）（抄）

（施行期日）
第一条　この政令は、土地収用法の一部を改正する法律の施行の日（平成十四年七月十日）から施行する。

附　則（平一四・五・三一政令一八八）

この政令は、都市再開発法等の一部を改正する法律の施行の日（平成十四年六月一日）から施行する。

附　則（平一四・六・五政令一九七）（抄）

（施行期日）
第一条　この政令は、平成十五年四月一日から施行する。

附　則（平一四・六・二五政令二三七）

この政令は、牛海綿状脳症対策特別措置法の施行の日（平成十四年七月四日）から施行する。

附　則（平一四・七・一二政令二五四）（抄）

（施行期日）
1　この政令は、平成十四年十月一日から施行する。

附　則（平一四・七・一二政令二五六）（抄）

（施行期日）
第一条　この政令は、平成十五年十一月二十九日から施行する。〔ただし書略〕

附　則（平一四・七・二六政令二六一）（抄）

（施行期日）
第一条　この政令は、法の施行の日〔平一五・一・六〕から施行する。

附　則（平一四・八・一政令二七一）（抄）

（施行期日）
第一条　この政令は、平成十四年八月一日から施行する。〔ただし書略〕

附　則（平一四・八・三〇政令二八二）（抄）

（施行期日）
第一条　この政令は、平成十四年十月一日から施行する。

附　則（平一四・一〇・二政令三〇七）（抄）

（施行期日）

第一条　この政令は、平成十五年一月一日から施行する。

附　則（平一四・一一・一三政令三三二）（抄）

（施行期日）

1　この政令は、平成十五年四月一日から施行する。

附　則（平一四・一二・一一政令三六七）（抄）

（施行期日）

第一条　この政令は、法の施行の日（平成十四年十二月十八日）から施行する。

附　則（平一四・一二・一八政令三八五）（抄）

（施行期日）

第一条　この政令は、平成十五年四月一日から施行する。

附　則（平一五・一・八政令三）（抄）

（施行期日）

第一条　この政令は、農薬取締法の一部を改正する法律の施行の日（平成十五年三月十日）から施行する。

附　則（平一五・一・二二政令一四）（抄）

（施行期日）

第一条　この政令は、平成十五年三月一日から施行する。

附　則（平一五・一・三一政令二八）（抄）

（施行期日）

第一条　この政令は、行政手続等における情報通信の技術の利用に関する法律の施行の日（平成十五年二月三日）から施行する。

附　則（平一五・三・三一政令一二八）（抄）

（施行期日）

第一条　この政令は、平成十五年四月一日から施行する。ただし、次の各号に掲げる規定は、当該各号に定める日から施行する。

一〜三　〔略〕

四　〔前略〕第二条中地方自治法施行令第二百十条の十二第一項の改正規定（「同法第一条第二項において地方税法施行令第三十五条の二十一の規定による読替えをして準用する」を削る部分を除く。）〔後略〕　平成十六年一月一日

五〜八　〔略〕

附　則（平一五・三・三一政令一三九）（抄）

（施行期日）

第一条　この政令は、平成十五年四月一日から施行する。〔ただし書略〕

附　則（平一五・三・三一政令一五〇）（抄）

（施行期日）

第一条　この政令は、平成十五年四月一日から施行する。

附　則（平一五・六・二〇政令二六九）（抄）

（施行期日）

第一条　この政令は、食品の安全性の確保のための農林水産省関係法律の整備等に関する法律の施行の日（平成十五年七月一日）から施行する。

附　則（平一五・六・二〇政令二七一）（抄）

（施行期日）

第一条　この政令は、飼料の安全性の確保及び品質の改善に関する法律の一部を改正する等の法律（以下「改正法」という。）の施行の日（平成十五年七月一日）から施行する。

附　則（平一五・六・二七政令二九三）（抄）

（施行期日）

第一条　この政令は、平成十五年十月一日から施行する。〔ただし書略〕

附　則（平一五・七・四政令三〇四）（抄）

（施行期日）

第一条　この政令は、公布の日から起算して十日を経過した日から施行する。

（この政令の失効）

第二条　この政令は、施行の日から起算して一年を経過した日に、その効力を失う。〔ただし書略〕

附　則（平一五・七・四政令三〇五）（抄）

（施行期日）

第一条　この政令は、公布の日から起算して十日を経過した日から施行する。

（この政令の失効）

第二条　この政令は、施行の日から起算して一年を経過した日に、その効力を失う。

附　則（平一五・七・二四政令三一七）（抄）

（施行期日）

第一条　この政令は、公職選挙法の一部を改正する法律（平成十五年法律第六十九号）の施行の日（平成十五年十二月一日）から施行する。〔ただし書略〕

附　則（平一五・七・二四政令三二九）（抄）

（施行期日）

第一条　この政令は、公布の日から施行する。ただし、附則第八条から第四十三条までの規定〔中略〕は、平成十五年十月一日から施行する。

附　則（平一五・七・三〇政令三四三）（抄）

（施行期日）

第一条　この政令は、公布の日から施行する。ただし、附則第十八条から第三十四条までの規定は、平成十五年十月一日から施行する。

附　則（平一五・八・一政令三五〇）（抄）

（施行期日）

第一条　この政令は、食品衛生法等の一部を改正する法律の施行の日（平成十五年八月二十九日）から施行する。

附　則（平一五・八・二九政令三七五）（抄）

（施行期日）

第一条　この政令は、平成十五年九月二日から施行する。

（経過措置）

第二条　改正後の第百五十二条第一項及び第二項の規定は、同条第一項各号に掲げる法人（同条第二項の規定により同条第一項第二号に掲げる法人とみなされる法人を含む。）のこの政令の施行の日前の直近に終了した事業年度（以下この条において「直近の事業年度」という。）以後の事業年度に係る地方自治法第二百四十三条の三第二項の規定による同項の書類の作成及び議会への提出（以下この条において「書類の作成等」という。）について適用し、当該法人の直近の事業年度前の事業年度に係る書類の作成等については、なお従前の例による。

附　則（平一五・九・一〇政令四〇四）（抄）

（施行期日）

1　この政令は、平成十五年十月一日から施行する。

附　則（平一五・九・二五政令四三八）（抄）

（施行期日）

第一条　この政令は、公布の日から施行する。ただし、附則〔中略〕第十一条から第三十三条までの規定は、平成十五年十月一日から施行する。

附　則（平一五・一〇・一政令四四五）（抄）

（施行期日）

第一条　この政令は、公職選挙法の一部を改正する法律（平成十五年法律第六十九号）附則第一条第二号に掲げる規定の施行の日（平成十六年四月一日）から施行する。〔ただし書略〕

附　則（平一五・一〇・一政令四四七）（抄）

（施行期日）

第一条　この政令は、平成十六年四月一日から施行する。〔ただし書略〕

附　則（平一五・一〇・一政令四四八）（抄）

（施行期日）

第一条　この政令は、平成十六年四月一日から施行する。

附　則（平一五・一〇・八政令四五四）（抄）

（施行期日）

1　この政令は、公布の日から施行する。

附　則（平一五・一〇・二二政令四五九）（抄）

（施行期日）

第一条　この政令は、感染症の予防及び感染症の患者に対する医療に関する法律及び検疫法の一部を改正する法律（平成十五年法律第百四十五号）の施行の日から施行する。

附　則（平一五・一二・三政令四七六）（抄）

この政令は、平成十六年四月一日から施行する。〔ただし書略〕

附　則（平一五・一二・三政令四八三）（抄）

（施行期日）

第一条　この政令は、平成十六年四月一日から施行する。

附　則（平一五・一二・三政令四八七）（抄）

（施行期日）

第一条　この政令は、平成十六年四月一日から施行する。

附　則（平一五・一二・一〇政令五〇五）（抄）

（施行期日）

第一条　この政令は、食品衛生法等の一部を改正する法律（以下「改正法」という。）附則第一条第三号に掲げる規定の施行の日（平成十六年二月二十七日）から施行する。

附　則（平一五・一二・一七政令五二〇）（抄）

（施行期日）

第一条　この政令は、平成十六年四月一日から施行する。

附　則（平一五・一二・一七政令五二一）

この政令は、平成十六年四月一日から施行する。

附　則（平一五・一二・一七政令五二三）（抄）

（施行期日）

第一条　この政令は、密集市街地における防災街区の整備の促進に関する法律等の一部を改正する法律の施行の日（平成十五年十二月十九日）から施行する。

附　則（平一五・一二・一九政令五三五）（抄）

（施行期日）

第一条　この政令は、薬事法及び採血及び供血あつせん業取締法の一部を改正する法律の施行の日（平成十七年四月一日）から施行する。〔ただし書略〕

附　則（平一五・一二・二五政令五三七）（抄）

（施行期日）

第一条　この政令は、公職選挙法の一部を改正する法律（平成十五年法律第百二十七号）の施行の日（平成十六年三月一日）から施行する。〔ただし書略〕

附　則（平一五・一二・二五政令五五六）（抄）

（施行期日）

第一条　この政令は、公布の日から施行する。ただし、附則第十条から第三十四条までの規定は、平成十六年四月一日から施行する。

附　則（平一六・二・二五政令二七）（抄）

（施行期日）

第一条　この政令は、公布の日から施行する。

附　則（平一六・三・一九政令四九）（抄）

（施行期日）

第一条　この政令は、公布の日から施行する。ただし、第一章〔中略〕の規定は、平成十六年四月一日から施行する。

附　則（平一六・三・二四政令五九）

この政令は、電気通信事業法及び日本電信電話株式会社等に関する法律の一部を改正する法律附則第一条第三号に掲げる規定の施行の日（平成十六年四月一日）から施行する。

附　則（平一六・三・三一政令一〇五）（抄）

（施行期日）

第一条　この政令は、平成十六年四月一日から施行する。〔ただし書略〕

附　則（平一六・三・三一政令一一一）（抄）

（施行期日）

第一条　この政令は、児童福祉法等の一部を改正する法律の施行の日（平成十六年四月一日）から施行する。

附　則（平一六・四・一政令一五六）（抄）

（施行期日）

第一条　この政令は、公布の日から施行する。

附　則（平一六・四・九政令一六〇）（抄）

最終改正　平一八・八・一八政令二七三

（施行期日）

第一条　この政令は、平成十六年七月一日から施行する。〔ただし書略〕

（地方自治法施行令の一部改正に伴う経過措置）

第十七条　この政令の施行前に都市公団により首都圏の近郊整備地帯及び都市開発区域の整備に関する法律（昭和三十三年法律第九十八号）第二条第五項の工業団地造成事業が施行された土地について附則第二十六条の規定による改正前の首都圏の近郊整備地帯及び都市開発区域の整備に関する法律施行令（昭和三十四年政令第二百四十号）第六条第二項の規定により市町村が処理することとされている事務及びこの政令の施行前に都市公団により近畿圏の近郊整備区域及び都市開発区域の整備及び開発に関する法律（昭和三十九年法律第百四十五号）第二条第四項の工業団地造成事業が施行された土地について附則第三十七条の規定による改正前の近畿圏の近郊整備区域及び都市開発区域の整備及び開発に関する法律施行令（昭和四十年政令第百五

十七号）第八条第二項の規定により市町村が処理することとされている事務については、それぞれ、前条の規定による改正前の地方自治法施行令別表第一首都圏の近郊整備地帯及び都市開発区域の整備に関する法律施行令（昭和三十四年政令第二百四十号）の項及び近畿圏の近郊整備区域及び都市開発区域の整備及び開発に関する法律施行令（昭和四十年政令第百五十七号）の項の規定は、この政令の施行後も、なおその効力を有する。

2　機構が法附則第十二条第一項の規定により施行する新住宅市街地開発法（昭和三十八年法律第百三十四号）第二条第一項の新住宅市街地開発事業に対する前条の規定による改正後の地方自治法施行令別表第一新住宅市街地開発法施行令（昭和三十八年政令第三百六十五号）の項の規定の適用については、同項中「又は」とあるのは、「、独立行政法人都市再生機構又は」とする。

附　則（平一六・七・三〇政令二五一）

この政令は、地方公務員法及び地方公共団体の一般職の任期付職員の採用に関する法律の一部を改正する法律の施行の日（平成十六年八月一日）から施行する。

附　則（平一六・九・一五政令二七五）（抄）

（施行期日）

第一条　この政令は、法の施行の日（平成十六年九月十七日）から施行する。

附　則（平一六・九・二九政令二九四）（抄）

この政令は、平成十六年十月一日から施行する。〔ただし書略〕

附　則（平一六・一〇・六政令三〇三）（抄）

（施行期日）

第一条　この政令は、結核予防法の一部を改正する法律の施行の日（平成十七年四月一日）から施行する。

附　則（平一六・一〇・二〇政令三一八）（抄）

（施行期日）

1　この政令は、破産法の施行の日（平成十七年一月一日）から施行する。

附　則（平一六・一一・八政令三四四）（抄）

（施行期日）

第一条　この政令は、地方自治法の一部を改正する法律の施行の日（平成十六年十一月十日）から施行する。ただし、第九十二条第五項及び第六項の改正規定、第百七十八条第四項の改正規定〔中略〕は、平成十七年四月一日から施行する。

附　則（平一六・一二・一政令三七三）（抄）

（施行期日）

第一条　この政令は、労働組合法の一部を改正する法律（以下「改正法」という。）の施行の日（平成十七年一月一日）から施行する。

附　則（平一六・一二・一七政令四〇二）

この政令は、児童福祉法の一部を改正する法律の施行の日（平成十七年一月一日）から施行する。

附　則（平一六・一二・二二政令四一二）

この政令は、児童福祉法の一部を改正する法律附則第一条第三号に掲げる規定の施行の日（平成十七年四月一日）から施行する。

附　則（平一六・一二・二七政令四二五）（抄）

（施行期日）

第一条　この政令は、金融機関等による顧客等の本人確認等に関する法律の一部を改正する法律の施行の日（平成十六年十二月三十日）から施行する。

附　則（平一六・一二・二八政令四二九）（抄）

（施行期日）

第一条　この政令は、法の施行の日（平成十六年十二月三十日）から施行する。

附　則（平一七・三・九政令三七）

この政令は、民法の一部を改正する法律の施行の日（平成十七年四月一日）から施行する。

附　則（平一七・三・一八政令五五）（抄）

（施行期日）

第一条　この政令は、平成十七年四月一日から施行する。

（地方自治法施行令の一部改正に伴う経過措置）

第四条　旧市町村の合併の特例に関する法律附則第二条第二項の規定によりなおその効力を有するものとされる同法第六条第二項の規定により定数が増加する場合において行う増員選挙については、前条の規定による改正前の地方自治法施行令第九十二条第五項第四号及び第七号の規定は、この政令の施行の日以後も、なおその効力を有する。

附　則（平一七・三・一八政令五六）（抄）

（施行期日）

第一条　この政令は、平成十七年四月一日から施行する。

附　則（平一七・三・三一政令九四）（抄）

（施行期日）

第一条　この政令は、平成十七年四月一日から施行する。〔ただし書略〕

附　則（平一七・三・三一政令一〇三）（抄）

（施行期日）

第一条　この政令は、平成十七年四月一日から施行する。ただし、次の各号に掲げる規定は、当該各号に定める日から施行する。

一～五　〔略〕

六　〔前略〕附則〔中略〕第三十八条（別表第一租税特別措置法施行令（昭和三十二年政令第四十三号）の項第一号中「第二十条の二第十項」を「第二十条の二第十一項」に、「第三十八条の四第二十項」を「第三十八条の四第二十一項」に改める部分に限る。）の規定　民間事業者の能力を活用した市街地の整備を推進するための都市再生特別措置法等の一部を改正する法律（平成十七年法律第三十四号）附則第一条ただし書に規定する日〔平一七・四・二七〕

七～十四　〔略〕

附　則（平一七・三・三一政令一〇六）（抄）

（施行期日）

1　この政令は、国の補助金等の整理及び合理化等に伴う義務教育費国庫負担法等の一部を改正する法律の施行の日（平成十七年四月一日）から施行する。

附　則（平一七・四・一政令一四三）（抄）

（施行期日）

第一条　この政令は、国の補助金等の整理及び合理化等に伴う国民健康保険法等の一部を改正する法律（以下「一部改正法」という。）の施行の日（平成十七年四月一日）から施行する。

附　則（平一七・四・一政令一五〇）（抄）

（施行期日）

第一条　この政令は、公布の日から施行する。

附　則（平一七・五・二七政令一九二）（抄）

（施行期日）

第一条　この政令は、建築物の安全性及び市街地の防災機能の確保等を図るための建築基準法等の一部を改正する法律（以下「改正法」という。）の施行の日（平成十七年六月一日。附則第四条において「施行日」という。）から施行する。

附　則（平一七・六・一政令二〇三）（抄）

この政令は、施行日（平成十七年十月一日）から施行する。〔ただし書略〕

附　則（平一七・六・二九政令二三〇）（抄）

（施行期日）

第一条　この政令は、平成十七年七月一日から施行する。

附　則（平一七・八・一五政令二七八）（抄）

（施行期日）

第一条　この政令は、公布の日から施行し、この政令による改正後の国民健康保険の国庫負担金及び被用者保険等保険者拠出金等の算定等に関する政令第四条の二の規定は、平成十七年度分の都道府県調整交付金から適用する。

附　則（平一七・一〇・二一政令三二二）

この政令は、民間事業者の能力を活用した市街地の整備を推進するための都市再生特別措置法等の一部を改正する法律の施行の日（平成十七年十月二十四日）から施行する。

附　則（平一七・一一・二四政令三五〇）（抄）

（施行期日）

第一条　この政令は、児童福祉法の一部を改正する法律附則第一条第四号に掲げる規定の施行の日（平成十八年四月一日）から施行する。

附　則（平一八・一・二五政令一〇）（抄）

（施行期日）

第一条　この政令は、平成十八年四月一日から施行する。〔ただし書略〕

附　則（平一八・一・二七政令一二）（抄）

（施行期日）

第一条　この政令は、平成十八年二月一日から施行する。

附　則（平一八・三・二七政令七〇）（抄）

（施行期日）

第一条　この政令は、臨床検査技師、衛生検査技師等に関する法律の一部を改正する法律（以下「平成十七年改正法」という。）の施行の日（平一八・四・一）から施行する。

（地方自治法施行令の一部改正に伴う経過措置）

第四条　附則第二条第一項の規定によりなお効力を有することとされた旧令第三条、第五条第二項、第六条第一項、第七条第二項、第八条第二項及び第五項並びに第九条の規定により都道府県が処理することとされている事務については、前条の規定による改正前の地方自治法施行令別表第一臨床検査技師、衛生検査技師等に関する法律施行令（昭和三十三年政令第二百二十六号）の項の規定は、なおその効力を有する。

附　則（平一八・三・三一政令一三五）（抄）

（施行期日）

第一条　この政令は、平成十八年四月一日から施行する。ただし、次の各号に掲げる規定は、当該各号に定める日から施行する。

一～六　〔略〕

七　〔前略〕附則〔中略〕第五十四条〔中略〕の規定　会社法（平成十七年法律第八十六号）の施行の日〔平一八・五・一〕

八～十　〔略〕

附　則（平一八・三・三一政令一五一）（抄）

（施行期日）

1　この政令は、平成十八年四月一日から施行する。

附　則（平一八・三・三一政令一五四）（抄）

（施行期日）

第一条　この政令は、平成十八年四月一日から施行する。〔ただし書略〕

附　則（平一八・三・三一政令一五五）（抄）

（施行期日）

第一条　この政令は、国の補助金等の整理及び合理化等に伴う児童手当法等の一部を改正する法律（以下「一部改正法」という。）の施行の日（平成十八年四月一日）から施行する。

（地方自治法施行令の一部改正に伴う経過措置）

第七条　一部改正法の施行前に作成された一部改正法第七条の規定による改正前の地域における公的介護施設等の計画的な整備等の促進に関する法律（平成元年法律第六十四号）第六条第一項に規定する施設生活環境改善計画に掲載された同条第二項第二号に掲げる施設に係る施設を設置する者又は施設において地域における公的介護施設等の計画的な整備等の促進に関する法律第二条第一項に規定する介護給付等対象サービス等を提供している者については、前条の規定による改正前の地方自治法施行令（以下「旧地方自治法施行令」という。）第百七十四条の三十一の二第一項及び第百七十四条の四十九の十第一項の規定は、この政令の施行後も、なおその効力を有する。この場合において、旧地方自治法施行令第百七十四条の三十一の二第一項及び第百七十四条の四十九の十第一項中「第六条、第七条及び第九条」とあるのは、「国の補助金等の整理及び合理化等に伴う児童手当法等の一部を改正する法律（平成十八年法律第二十号）第七条の規定による改正前の介護施設整備法第九条第二項」とする。

附　則（平一八・四・一九政令一七四）（抄）

この政令は、会社法の施行の日（平成十八年五月一日）から施行する。

附　則（平一八・四・二八政令一八七）（抄）

（施行期日）

第一条　この政令は、会社法の施行の日（平成十八年五月一日）から施行する。

附　則（平一八・六・二政令二〇八）（抄）

（施行期日）

第一条　この政令は、公布の日から起算して十日を経過した日から施行する。

（この政令の失効）

第二条　この政令は、施行の日から起算して一年を経過した日に、その効力を失う。ただし、その時までにした行為に対する罰則の適用及びその時までに第二条第一項において準用する法

第五十八条（第五号から第九号までを除く。）の規定により支弁する費用又は同項において準用する法第六十一条第二項若しくは第三項の規定により負担する負担金については、この政令は、その時以後も、なおその効力を有する。

附　則（平一八・六・八政令二一三）（抄）

（施行期日）

第一条　この政令は、公布の日から施行する。

附　則（平一八・八・三〇政令二八六）（抄）

（施行期日）

第一条　この政令は、平成十八年十月一日から施行する。

附　則（平一八・九・一五政令二九九）（抄）

1　この政令は、平成十八年十月一日から施行する。

附　則（平一八・九・二六政令三一九）（抄）

（施行期日）

第一条　この政令は、平成十八年十月一日から施行する。

（地方自治法施行令の一部改正に伴う経過措置）

第五条　施行日から障害者自立支援法附則第一条第三号に掲げる規定の施行の日の前日までの間は、第六条の規定による改正後の地方自治法施行令第百六十七条の二第一項第三号中「行う施設」とあるのは、「行う施設、同法附則第四十一条第一項、第四十八条若しくは第五十八条第一項の規定によりなお従前の例により運営をすることができることとされた同法附則第三十五条の規定による改正前の身体障害者福祉法（昭和二十四年法律第二百八十三号）第二十九条に規定する身体障害者更生施設、同法第三十一条に規定する身体障害者授産施設、障害者自立支援法附則第四十六条の規定による改正前の精神保健及び精神障害者福祉に関する法律（昭和二十五年法律第百二十三号）第五十条の二第三項に規定する精神障害者授産施設、同条第五項に規定する精神障害者福祉工場、障害者自立支援法附則第五十二条の規定による改正前の知的障害者福祉法（昭和三十五年法律第三十七号）第二十一条の六に規定する知的障害者更生施設若しくは同法第二十一条の七に規定する知的障害者授産施設」とする。

附　則（平一八・一〇・二七政令三三七）（抄）

（施行期日）

第一条　この政令は、平成十八年十一月一日から施行する。〔ただし書略〕

附　則（平一八・一一・一〇政令三五五）

この政令は、精神病院の用語の整理等のための関係法律の一部を改正する法律の施行の日（平成十八年十二月二十三日）から施行する。

附　則（平一八・一一・二二政令三六一）（抄）

（施行期日）

第一条　この政令は、平成十九年四月一日から施行する。ただし、第百五十七条の次に一条を加える改正規定、第百六十九条の三の改正規定、第二百二十条第一項の表第二百三十一条の二第三項及び第五項の項の次に一項を加える改正規定、同表第二百三十八条の五第三項及び第五項の項の改正規定、同条第二項の表の改正規定及び第二百二十四条第三項の表の改正規定（中略）は、平成十八年十一月二十四日から施行する。

（出納長及び収入役に関する経過措置）

第二条　地方自治法の一部を改正する法律（平成十八年法律第五十三号。以下「改正法」という。）附則第三条第一項の規定により出納長又は収入役として在職するものとされた者の解職の請求については、この政令による改正前の地方自治法施行令（以下「旧令」という。）第百二十一条の規定は、なおその効力を有する。

2　改正法附則第三条第一項の規定により出納長又は収入役として在職するものとされた者は、この政令による改正後の地方自治法施行令第百五十一条、第百五十六条、第百五十七条、第百五十八条、第百五十八条の二、第百六十四条から第百六十五条の五まで、第百六十八条、第百六十八条の三から第百六十八条の七まで、第百七十条の五、第百七十四条の四十四及び第百七十四条の四十五の規定の適用については、これらの規定に規定する会計管理者とみなす。

（事務の引継ぎに関する経過措置）

第三条　この政令の施行の日（以下この条において「施行日」という。）前に出納長又は収入役の更迭があった場合における施行日以後の事務の引継ぎについては、旧令第百二十四条第一項及び第二項前段、第百二十五条、第百二十八条並びに第百三十一条の規定は、なおその効力を有する。この場合において、旧令第百二十四条第一項中「前任者」とあるのは「その者」と、「後任者」とあるのは「当該普通地方公共団体の会計管理者（地方自治法の一部を改正する法律（平成十八年法律第五十三号）附則第三条第一項の規定により出納長又は収入役として在職するものとされた者がある場合にあつては、当該出納長又は収入役。次項において同じ。）」と、同条第二項前段中「後任者」とあるのは「会計管理者」と、「副出納長又は副収入役（地方自治法第百七十条第五項又は第六項の規定により出納長又は収入役の職務を代理すべき吏員を含む。以下この項において同じ。）」とあるのは「当該普通地方公共団体の長の補助機関である職員」とする。

第四条　改正法附則第三条第一項の規定により出納長又は収入役として在職するものとされた者の更迭があった場合においては、その者は、退職の日から出納長にあっては十五日以内、収入役にあっては十日以内にその担任する事務を当該普通地方公共団体の会計管理者に引き継がなければならない。

2　前項の場合において、特別の事情によりその担任する事務を会計管理者に引き継ぐことができないときは、これを当該普通地方公共団体の長の補助機関である職員に引き継がなければならない。

第五条　前条の規定による事務の引継ぎをする場合においては、引継ぎをする者において現金、書類、帳簿その他の物件の目録及び引継書を作成し、引継書に引継ぎの旨及び引継ぎの年月日を記載し、引継ぎをする者及び引継ぎを受ける者において引継書に連署し、現金、書類、帳簿その他の物件及びこれらの物件の目録とともに引継ぎをしなければならない。

2　前項の規定により作成すべき現金、書類、帳簿その他の物件についての目録は、現に作成してある目録により引継ぎをする時の現況を確認することができる場合においては、その目録をもって代えることができる。

第六条　正当な理由がなくて前二条の規定による事務の引継ぎをしない者に対しては、都道府県に係る事務の引継ぎにあっては総務大臣、市町村に係る事務の引継ぎにあっては都道府県知事は、十万円以下の過料を科することができる。

（過料に関する経過措置）

第七条　この政令の施行前にした行為に対する過料に関する規定の適用については、なお従前の例による。

附　則（平一八・一二・一五政令三八一）（抄）

（施行期日）

第一条　この政令は、平成十九年四月一日から施行する。

附　則（平一八・一二・一五政令三八二）（抄）

（施行期日）

第一条　この政令は、平成十九年四月一日から施行する。

（地方自治法施行令の一部改正に伴う経過措置）

第三条　第二条の規定による改正後の地方自治法施行令附則第七条の四の規定は、平成十九年度以後の年度分の特別区財政調整交付金について適用する。

附　則（平一九・一・一九政令九）（抄）

（施行期日）

第一条　この政令は、平成十九年四月一日から施行する。

附　則（平一九・二・九政令二一）（抄）

（施行期日）

第一条　この政令は、法の施行の日（平成十九年十二月十日）から施行する。

附　則（平一九・二・二三政令二九）（抄）

（施行期日）

第一条　この政令は、公職選挙法の一部を改正する法律（平成十八年法律第九十三号）附則第一条第二号に掲げる規定の施行の日（平成十九年三月一日）から施行する。

附　則（平一九・二・二三政令三三）（抄）

（施行期日）

第一条　この政令は、平成十九年三月一日から施行する。

附　則（平一九・三・二政令三九）

（施行期日）

第一条　この政令は、一般社団法人及び一般財団法人に関する法律の施行の日〔平二〇・一二・一〕から施行する。

附　則（平一九・三・九政令四四）（抄）

（施行期日）

第一条　この政令は、感染症の予防及び感染症の患者に対する医療に関する法律等の一部を改正する法律の施行の日（平成十九年六月一日）から施行する。ただし、〔中略〕第六条〔中略〕の規定は、平成十九年四月一日から施行する。

附　則（平一九・三・一六政令四九）（抄）

（施行期日）

第一条　この政令は、建築物の安全性の確保を図るための建築基準法等の一部を改正する法律（以下「改正法」という。）の施行の日（平成十九年六月二十日）から施行する。〔ただし書略〕

附　則（平一九・三・二二政令五五）（抄）

（施行期日）

第一条　この政令は、平成十九年四月一日から施行する。

附　則（平一九・三・二八政令六九）（抄）

（施行期日）

1　この政令は、平成十九年四月一日から施行する。

附　則（平一九・三・三〇政令九二）（抄）

（施行期日）

第一条　この政令は、平成十九年四月一日から施行する。ただし、次の各号に掲げる規定は、当該各号に定める日から施行する。

一～十　〔略〕

十一　〔前略〕附則〔中略〕第四十五条〔中略〕の規定　都市再生特別措置法等の一部を改正する法律（平成十九年法律第十九号）の施行の日

十二～十四　〔略〕

附　則（平一九・八・三政令二三五）（抄）

改正　平二四・七・二五政令二〇二

（施行期日）

第一条　この政令は、平成十九年十月一日から施行する。〔ただし書略〕

（地方自治法施行令の一部改正に伴う経過措置）

第十一条　この政令の施行の際現に存する旧郵便振替法第三十八条第二項第一号に規定する払出証書及び旧郵便為替法第二十条第一項に規定する郵便為替証書については、第九条の規定による改正前の地方自治法施行令第百五十六条第一項の規定は、なおその効力を有する。

2　郵政民営化法第百七条の規定の適用がある間における第九条の規定による改正後の地方自治法施行令第百六十八条の規定の適用については、同条第一項中「一の金融機関」とあるのは「一の金融機関（郵政民営化法（平成十七年法律第九十七号）第九十四条に規定する郵便貯金銀行を除く。）」と、同条第二項中「一の金融機関」とあるのは「一の金融機関（郵政民営化法第百八条第一号に規定する内閣総理大臣及び総務大臣が告示する区域にその主たる事務所が所在する市町村以外の市町村にあっては、同法第九十四条に規定する郵便貯金銀行を除く。）」とする。

附　則（平一九・九・二五政令三〇四）（抄）

（施行期日）

1　この政令は、都市再生特別措置法等の一部を改正する法律の施行の日（平成十九年九月二十八日）から施行する。

附　則（平一九・一二・二七政令三九二）（抄）

（施行期日）

第一条　この政令は、平成二十年四月一日から施行する。

附　則（平一九・一二・二八政令三九七）（抄）

（施行期日）

第一条　この政令は、平成二十一年四月一日から施行する。〔ただし書略〕

附　則（平一九・一二・二八政令四〇〇）（抄）

（施行期日）

第一条　この政令は、平成二十年一月一日から施行する。

附　則（平二〇・二・一政令二〇）（抄）

（施行期日）

第一条　この政令は、法附則第一条第一号に掲げる規定の施行の日（平成二十年三月一日）から施行する。

附　則（平二〇・二・八政令二四）（抄）

（施行期日）

第一条　この政令は、平成二十年三月一日から施行する。

附　則（平二〇・二・一四政令二五）（抄）

（施行期日）

第一条　この政令は、平成二十年三月一日から施行する。

（適用区分等）

第二条　この政令による改正後の地方自治法施行令（以下この条において「新令」という。）第百六十七条の四第二項の規定は、一般競争入札に参加しようとする者がこの政令の施行の日（以下「施行日」という。）以後の事実により同項各号のいずれかに該当すると認められるときについて適用し、施行日前の事実によりこの政令による改正前の地方自治法施行令（以下この条において「旧令」という。）第百六十七条の四第二項各号のいずれかに該当すると認められる者については、なお従前の例による。

２　旧令第百六十七条の十の二第四項の規定により普通地方公共団体の長が落札者決定基準に関し学識経験を有する者の意見を聴いた契約については、なお従前の例による。

３　施行日から障害者自立支援法（平成十七年法律第百二十三号）附則第一条第三号に掲げる規定の施行の日の前日までの間における新令第百六十七条の二第一項第三号の規定の適用については、同号中「障害福祉サービス事業を行う施設」とあるのは、「障害福祉サービス事業を行う施設、障害者自立支援法附則第四十一条第一項、第四十八条若しくは第五十八条第一項の規定によりなお従前の例により運営をすることができることとされた同法附則第三十五条の規定による改正前の身体障害者福祉法（昭和二十四年法律第二百八十三号）第二十九条に規定する身体障害者更生施設、同法第三十一条に規定する身体障害者授産施設、障害者自立支援法附則第四十六条の規定による改正前の精神保健及び精神障害者福祉に関する法律（昭和二十五年法律第百二十三号）第五十条の二第三項に規定する精神障害者授産施設、同条第五項に規定する精神障害者福祉工場、障害者自立支援法附則第五十二条の規定による改正前の知的障害者福祉法（昭和三十五年法律第三十七号）第二十一条の六に規定する知的障害者更生施設若しくは同法第二十一条の七に規定する知的障害者授産施設」とする。

附　則（平二〇・三・一九政令五二）（抄）

（施行期日）

第一条　この政令は、平成二十年四月一日から施行する。

附　則（平二〇・三・三一政令一一六）（抄）

（施行期日）

第一条　この政令は、平成二十年四月一日から施行する。

附　則（平二〇・三・三一政令一一七）

この政令は、平成二十年四月一日から施行する。

附　則（平二〇・三・三一政令一二七）（抄）

（施行期日）

第一条　この政令は、平成二十年四月一日から施行する。〔ただし書略〕

附　則（平二〇・四・三〇政令一五五）（抄）

（施行期日）

第一条　この政令は、公布の日から施行する。ただし、次の各号に掲げる規定は、当該各号に定める日から施行する。

一・二　〔略〕

三　〔前略〕附則〔中略〕第十六条から第十九条までの規定　一般社団法人及び一般財団法人に関する法律（平成十八年法律第四十八号）の施行の日（平成二十年十二月一日）

（地方自治法施行令の一部改正に伴う経過措置）

第十七条　附則第十三条第二項（寄附金控除の対象となる公益の増進に著しく寄与する法人に対する寄附金等に関する経過措置）の規定によりなおその効力を有するものとされる旧令第二百十七条第一項第三号（公益の増進に著しく寄与する法人の範囲）の規定により都道府県が処理することとされている事務については、前条の規定による改正前の地方自治法施行令別表第一所得税法施行令（昭和四十年政令第九十六号）の項の規定は、なおその効力を有する。

附　則（平二〇・四・三〇政令一五六）（抄）

（施行期日）

第一条　この政令は、公布の日から施行する。ただし、次の各号に掲げる規定は、当該各号に定める日から施行する。

一・二　〔略〕

三　〔前略〕附則〔中略〕第二十九条から第三十一条までの規定　一般社団法人及び一般財団法人に関する法律（平成十八年法律第四十八号）の施行の日（平成二十年十二月一日）

（地方自治法施行令の一部改正に伴う経過措置）

第三十条　附則第十二条第二項（公益の増進に著しく寄与する法人の範囲等に関する経過措置）の規定によりなおその効力を有するものとされる旧令第七十七条第一項第三号（公益の増進に著しく寄与する法人の範囲）の規定により都道府県が処理することとされている事務については、前条の規定による改正前の地方自治法施行令別表第一法人税法施行令（昭和四十年政令第九十七号）の項の規定は、なおその効力を有する。

附　則（平二〇・四・三〇政令一六一）（抄）

（施行期日）

第一条　この政令は、公布の日から施行する。ただし、次の各号に掲げる規定は、当該各号に定める日から施行する。

一～四　〔略〕

五　〔前略〕附則〔中略〕第六十四条並びに第六十五条の規定　一般社団法人及び一般財団法人に関する法律（平成十八年法律第四十八号）の施行の日（平成二十年十二月一日）

六・七　〔略〕

（地方自治法施行令の一部改正に伴う経過措置）

第六十五条　附則第五十七条第一項の規定によりなおその効力を有するものとされる旧令第四十条の三第一項第三号の規定により都道府県が処理することとされている事務については、前条の規定による改正前の地方自治法施行令別表第一租税特別措置法施行令（昭和三十二年政令第四十三号）の項第一号の規定は、なおその効力を有する。

附　則（平二〇・五・二政令一七五）（抄）

（施行期日）

第一条　この政令は、感染症の予防及び感染症の患者に対する医療に関する法律及び検疫法の一部を改正する法律の施行の日〔平二〇・五・一二〕から施行する。

附　則（平二〇・六・六政令一九二）（抄）

（施行期日）

第一条　この政令は、平成二十年六月二十一日から施行する。〔ただし書略〕

附　則（平二〇・七・四政令二一八）（抄）

（施行期日）

第一条　この政令は、刑事訴訟法等の一部を改正する法律（平成十六年法律第六十二号）附則第一条第二号に掲げる規定（同法

第三条中検察審査会法第一条第一項の改正規定を除く。）の施行の日（平成二十一年五月二十一日）から施行する。ただし、〔中略〕次条から附則第四条〔中略〕までの規定は、裁判員の参加する刑事裁判に関する法律等の一部を改正する法律（平成十九年法律第六十号）附則第一条第一号に掲げる規定の施行の日（平成二十年七月十五日）から施行する。

附　則（平二〇・七・一六政令二二六）

この政令は、平成二十年十月一日から施行する。ただし、第二十条及び第二十五条の規定は、公布の日から施行する。

附　則（平二〇・八・二〇政令二五四）（抄）

（施行期日）

第一条　この政令は、地方自治法の一部を改正する法律（以下「改正法」という。）の施行の日（平成二十年九月一日）から施行する。

附　則（平二〇・八・二九政令二七〇）（抄）

（施行期日）

第一条　この政令は、信用保証協会法の一部を改正する法律の施行の日（平成二十年九月一日）から施行する。

附　則（平二〇・九・一二政令二八一）（抄）

（施行期日）

第一条　この政令は、法の施行の日（平成二十年九月十七日）から施行し、平成二十一年度において使用される教科用特定図書等から適用する。

附　則（平二〇・九・一二政令二八三）（抄）

（施行期日）

第一条　この政令は、平成二十年十月一日から施行する。〔ただし書略〕

附　則（平二〇・一〇・二二政令三二四）

この政令は、公布の日から施行する。

附　則（平二〇・一〇・三一政令三三四）（抄）

（施行期日）

第一条　この政令は、法の施行の日（平成二十一年四月一日）から施行する。

附　則（平二〇・一〇・三一政令三三七）（抄）

（施行期日）

1　この政令は、法の施行の日（平成二十年十一月四日）から施行する。

附　則（平二一・二・一六政令二二）（抄）

（施行期日）

第一条　この政令は、平成二十一年四月一日から施行する。

附　則（平二一・三・一三政令三六）

この政令は、平成二十一年四月一日から施行する。

附　則（平二一・三・二五政令五三）（抄）

（施行期日）

1　この政令は、平成二十一年四月一日から施行する。

附　則（平二一・三・三一政令一〇〇）（抄）

（施行期日）

第一条　この政令は、平成二十一年四月一日から施行する。〔ただし書略〕

（地方自治法施行令の一部改正に伴う経過措置）

第十一条　前条の規定による改正後の地方自治法施行令（次項において「新地方自治法施行令」という。）第二百十条の十二第一項の規定は、平成二十一年度分の同項に規定する基準財政収入額の算定から適用し、平成二十年度以前の年度における同項に規定する基準財政収入額の算定については、なお従前の例による。

2　平成二十一年度における新地方自治法施行令第二百十条の十二第一項の規定の適用については、同項中「以下この項において「自動車取得税交付金」という。）」とあるのは「地方税法等の一部を改正する法律（平成二十一年法律第九号。以下この項において「地方税法等改正法」という。）第一条の規定による改正前の地方税法第六百九十九条の三十二第一項の規定により特別区に交付するものとされる自動車取得税に係る交付金を含む。以下この項において「自動車取得税交付金」という。）」と、「及び航空機燃料譲与税法（昭和四十七年法律第十三号）」とあるのは「、航空機燃料譲与税法（昭和四十七年法律第十三号）及び地方税法等改正法附則第十四条第二項の規定によりなお効力を有することとされる地方税法等改正法第三条の規定による改正前の地方道路譲与税法（昭和三十年法律第百十三号）」と、「及び航空機燃料譲与税の額」とあるのは「、航空機燃料譲与税及び地方道路譲与税の額」とする。

附　則（平二一・三・三一政令一〇八）（抄）

（施行期日）

第一条　この政令は、平成二十一年四月一日から施行する。ただし、次の各号に掲げる規定は、当該各号に定める日から施行する。

一～三　〔略〕

四　〔前略〕附則第四十六条中地方自治法施行令（昭和二十二年政令第十六号）別表第一租税特別措置法施行令（昭和三十二年政令第四十三号）の項第二号の改正規定（「第四十条の八第四項」を「第四十条の九第四項」に改める部分を除く。）　農地法等の一部を改正する法律（平成二十一年法律第五十七号）の施行の日〔平二一・一二・一五〕

五～七　〔略〕

附　則（平二一・五・二九政令一四二）（抄）

（施行期日）

第一条　この政令は、公布の日から施行する。

附　則（平二一・一〇・二二政令二四九）

この政令は、平成二十二年四月一日から施行する。ただし、第二条中地方自治法施行令第百七十四条の四十九の二第三項の改正規定は、公布の日から施行する。

附　則（平二一・一二・一一政令二八五）（抄）

（施行期日）

第一条　この政令は、農地法等の一部を改正する法律（以下「改正法」という。）の施行の日（平成二十一年十二月十五日）から施行する。〔ただし書略〕

附　則（平二二・二・一五政令一三）（抄）

（施行期日）

第一条　この政令は、自然公園法及び自然環境保全法の一部を改正する法律（以下「改正法」という。）の施行の日（平成二十二年四月一日）から施行する。

附　則（平二二・三・一七政令二九）（抄）

（施行期日）

第一条　この政令は、平成二十二年四月一日から施行する。

附　則（平二二・三・三一政令七一）（抄）

（施行期日）
1　この政令は、平成二十二年四月一日から施行する。

附　則（平二二・三・三一政令七八）（抄）

（施行期日）
第一条　この政令は、平成二十二年四月一日から施行する。

附　則（平二二・四・一政令九二）（抄）

（施行期日）
第一条　この政令は、公布の日から施行する。

附　則（平二二・五・一四政令一三五）（抄）

（施行期日）
第一条　この政令は、法の施行の日（平成二十二年五月十八日）から施行する。

附　則（平二二・一二・二二政令二四八）（抄）

（施行期日）
第一条　この政令は、廃棄物の処理及び清掃に関する法律の一部を改正する法律（以下「改正法」という。）の施行の日（平成二十三年四月一日）から施行する。

附　則（平二三・四・二七政令一一〇）

この政令は、公布の日から施行する。

附　則（平二三・四・二九政令一一四）（抄）

（施行期日）
1　この政令は、公布の日から施行する。

附　則（平二三・五・二七政令一五一）（抄）
改正　平二四・三・二八政令五九

（施行期日）
第一条　この政令は、平成二十三年六月一日から施行する。〔ただし書略〕

（地方自治法施行令の一部改正に伴う経過措置）
第四条　存続共済会に対する第二条の規定による改正後の地方自治法施行令第百六十九条の二第四号の規定の適用については、同号中「及び地方公務員共済組合連合会」とあるのは、「、地方公務員共済組合連合会及び地方公務員等共済組合法の一部を改正する法律（平成二十三年法律第五十六号）附則第二十三条第一項第三号に規定する存続共済会」とする。

附　則（平二三・六・八政令一六五）（抄）

（施行期日）
第一条　この政令は、公布の日から施行する。

附　則（平二三・六・一七政令一七〇）（抄）

（施行期日）
第一条　この政令は、家畜伝染病予防法の一部を改正する法律（以下「改正法」という。）の施行の日（平成二十三年七月一日）から施行する。〔ただし書略〕

附　則（平二三・六・三〇政令一九九）（抄）

（施行期日）
第一条　この政令は、公布の日から施行する。〔ただし書略〕

附　則（平二三・七・二九政令二三五）（抄）

（施行期日）
第一条　この政令は、地方自治法の一部を改正する法律の施行の日（平成二十三年八月一日）から施行する。

（地方自治法施行令の一部改正に伴う経過措置）
第二条　第一条の規定による改正後の地方自治法施行令（以下この条において「新令」という。）第九十一条第三項から第五項まで（これらの規定を新令第九十九条、第百条、第百十条、第百十六条、第百二十一条、第百二十二条の二、第百二十二条の四、第二百十三条の二、第二百十四条の二、第二百十五条の二、第二百十六条の三及び第二百十七条の二において準用する場合を含む。）、第百八条第一項、第百九条（新令第百十三条及び第百十六条の二において準用する場合を含む。）、第百十五条第一項、第百十八条、第二百十三条の六第一項、第二百十三条の七（新令第二百十四条の三及び第二百十五条の三において準用する場合を含む。）、第二百十四条の五第一項及び第二百十五条の五の規定は、この政令の施行の日以後に新令第九十一条第二項（新令第九十九条、第百条、第百十条、第百十六条、第百二十一条、第百二十二条の二、第百二十二条の四、第二百十三条の二、第二百十四条の二、第二百十五条の二、第二百十六条の三及び第二百十七条の二において準用する場合を含む。）の規定による告示が行われる直接請求について適用し、この政令の施行の日の前日までに第一条の規定による改正前の地方自治法施行令（以下この条において「旧令」という。）第九十一条第二項（旧令第九十九条、第百条、第百十条、第百十六条、第百二十一条、第百二十二条の二、第百二十二条の四、第二百十三条の二、第二百十四条の二、第二百十五条の二、第二百十六条の三及び第二百十七条の二において準用する場合を含む。）の規定による告示が行われた直接請求については、なお従前の例による。

附　則（平二三・八・五政令二五二）

この政令は、公布の日から施行する。

附　則（平二三・八・三〇政令二七二）（抄）

（施行期日）
第一条　この政令は、平成二十四年四月一日から施行する。

附　則（平二三・八・三〇政令二七八）

この政令は、公布の日から施行する。

附　則（平二三・九・二二政令二九六）

この政令は、平成二十三年十月一日から施行する。

附　則（平二三・九・三〇政令三〇五）（抄）

（施行期日）
第一条　この政令は、予防接種法及び新型インフルエンザ予防接種による健康被害の救済等に関する特別措置法の一部を改正する法律（平成二十三年法律第八十五号）附則第一条ただし書に規定する規定の施行の日（平成二十三年十月一日）から施行する。

附　則（平二三・一一・二四政令三四八）（抄）

（施行期日）
第一条　この政令は、地域の自主性及び自立性を高めるための改革の推進を図るための関係法律の整備に関する法律附則第一条第一号に掲げる規定の施行の日（平成二十三年十一月三十日）から施行する。ただし、〔中略〕次条の規定は、平成二十四年四月一日から施行する。

附　則（平二三・一一・二八政令三六一）（抄）

（施行期日）
第一条　この政令は、地域の自主性及び自立性を高めるための改革の推進を図るための関係法律の整備に関する法律附則第一条第一号に掲げる規定の施行の日（平成二十三年十一月三十日）から施行する。ただし、第一条（地方自治法施行令第百七十九条及び別表第一道路法施行令（昭和二十七年政令第四百七十九号）の項の改正規定を除く。）〔中略〕の規定は、平成二十四年四月一日から施行する。

附　則（平二三・一一・二八政令三六三）（抄）

（施行期日）

第一条　この政令は、地域の自主性及び自立性を高めるための改革の推進を図るための関係法律の整備に関する法律附則第一条第一号に掲げる規定の施行の日（平成二十三年十一月三十日）から施行する。ただし、〔中略〕附則第三条の規定は、平成二十四年四月一日から施行する。

附　則（平二三・一二・二政令三七六）（抄）

（施行期日）

第一条　この政令は、平成二十四年四月一日から施行する。〔ただし書略〕

（地方自治法施行令の一部改正に伴う経過措置）

第四条　平成三十年三月三十一日までの間における第七条の規定による改正後の地方自治法施行令第百七十四条の三十一の四及び第百七十四条の四十九の十一の二の規定の適用については、同令第百七十四条の三十一の四第一項中「第六節までの規定に」とあるのは「第六節まで並びに健康保険法等の一部を改正する法律（平成十八年法律第八十三号）附則第百三十条の二第一項の規定によりなおその効力を有するものとされた同法第二十六条の規定による改正前の介護保険法（以下「平成十八年旧介護保険法」という。）第四十八条第一項第三号及び第五章第五節第三款の規定に」と、「同法」とあるのは「介護保険法」と、「第百十五条の六第一項」とあるのは「第百十五条の六第一項並びに平成十八年旧介護保険法第百十一条の二第一項」と、「第六節までの規定中」とあるのは「第六節まで並びに平成十八年旧介護保険法第四十八条第一項第三号及び第五章第五節第三款の規定中」と、同条第二項中「第百十五条の三十五第六項」とあるのは「第百十五条の三十五第六項並びに平成十八年旧介護保険法第百十五条の三十五第六項」と、同条第三項中「読み替える」とあるのは「、平成十八年旧介護保険法第百十五条中「事項を」とあるのは「事項を都道府県知事に届け出るとともに、これを」と、平成十八年旧介護保険法第百十五条の三十五第五項及び第七項中「指定地域密着型サービス事業者、指定地域密着型介護予防サービス事業者又は指定介護予防支援事業者」とあるのは「介護サービス事業者」と読み替える」と、同令第百七十四条の四十九の十一の二第一項中「第六節まで」とあるのは「第六節まで並びに平成十八年旧介護保険法第四十八条第一項第三号及び第五章第五節第三款」と、「同法」とあるのは「介護保険法」と、「第百十五条の六第一項」とあるのは「第百十五条の六第一項並びに平成十八年旧介護保険法第百十一条の二第一項」と、同条第二項中「読み替える」とあるのは「、平成十八年旧介護保険法第百十五条中「事項を」とあるのは「事項を都道府県知事に届け出るとともに、これを」と、平成十八年旧介護保険法第百十五条の三十五第五項及び第七項中「指定地域密着型サービス事業者、指定地域密着型介護予防サービス事業者又は指定介護予防支援事業者」とあるのは「介護サービス事業者」と読み替える」とする。

附　則（平二三・一二・一六政令三九六）

この政令は、民法等の一部を改正する法律の施行の日（平成二十四年四月一日）から施行する。

附　則（平二三・一二・二一政令四〇七）（抄）

（施行期日）

第一条　この政令は、平成二十四年四月一日から施行する。ただし、〔中略〕第十一条〔中略〕の規定は、平成二十五年四月一日から施行する。

附　則（平二三・一二・二六政令四一〇）（抄）

（施行期日）

第一条　この政令は、公布の日から施行する。

附　則（平二三・一二・二六政令四二一）（抄）

（施行期日）

第一条　この政令は、改正法施行日（平成二十四年七月九日）から施行する。ただし、次の各号に掲げる規定は、当該各号に定める日から施行する。

一　第三条〔中略〕の規定　改正法附則第一条第四号に掲げる規定の施行の日（平成二十四年一月十三日）

二　〔略〕

三　第四条〔中略〕の規定　平成二十四年六月九日

四　〔略〕

附　則（平二三・一二・二六政令四二四）（抄）

（施行期日）

第一条　この政令は、平成二十四年四月一日から施行する。

附　則（平二四・二・三政令二六）（抄）

（施行期日）

第一条　この政令は、平成二十四年四月一日から施行する。〔ただし書略〕

（地方自治法施行令の一部改正に伴う経過措置）

第二条　第四条の規定の施行前に旧自立支援法の規定によりされた指定等の処分その他の行為（以下この項において「処分等の行為」という。）又は同条の規定の施行の際現に旧自立支援法の規定によりされている指定の申請及び辞退の届出（以下この項において「申請等の行為」という。）で、同条の規定の施行の日においてこれらの行為に係る行政事務を行うべき者が異なることとなるものは、同日以後における新自立支援法の適用については、新自立支援法の相当規定によりされた処分等の行為又は申請等の行為とみなす。

2　第四条の規定の施行前に旧自立支援法の規定により都道府県知事に対し届出その他の手続をしなければならない事項で、同条の規定の施行の日前にその手続がされていないものについては、これを、新自立支援法の相当規定により地方自治法（昭和二十二年法律第六十七号）第二百五十二条の十九第一項の指定都市又は同法第二百五十二条の二十二第一項の中核市に対して届出その他の手続をしなければならない事項についてその手続がされていないものとみなして、新自立支援法の規定を適用する。

附　則（平二四・三・二六政令五六）（抄）

（施行期日）

1　この政令は、改正法の施行の日（平成二十五年四月一日）から施行する。〔ただし書略〕

附　則（平二四・三・三〇政令九六）（抄）

（施行期日）

第一条　この政令は、平成二十四年四月一日から施行する。

附　則（平二四・三・三一政令一〇五）（抄）

（施行期日）

第一条　この政令は、平成二十四年四月一日から施行する。〔ただし書略〕

附　則（平二四・四・二五政令一三七）

この政令は、地方自治法の一部を改正する法律附則第一条ただし書に規定する規定の施行の日（平成二十四年五月一日）から施行する。

附　則（平二五・一・一八政令五）

この政令は、平成二十五年四月一日から施行する。

附　則（平二五・一・三〇政令一九）（抄）

（施行期日）

第一条　この政令は、平成二十五年七月一日から施行する。

附　則（平二五・二・六政令二八）（抄）

（施行期日）

第一条　この政令は、地方自治法の一部を改正する法律附則第一条ただし書に規定する規定の施行の日（平成二十五年三月一日）から施行する。

（地方自治法施行令の一部改正に伴う経過措置）

第二条　第一条の規定による改正後の地方自治法施行令（以下この条及び次条において「新令」という。）第九十二条、第九十三条の二第一項、第九十四条第一項（署名し印を押した者の総数の要件に関する部分を除く。）、第九十六条第一項（有効署名の総数の要件に関する部分を除く。）及び第九十七条第二項（これらの規定を新令第九十九条、第百条、第百十条、第百十六条、第百二十一条、第二百十二条の二、第二百十二条の四、第二百十三条の二、第二百十四条の二、第二百十五条の二、第二百十六条の三及び第二百十七条の二並びに第四条の規定による改正後の地方教育行政の組織及び運営に関する法律施行令第三条第一項において準用する場合を含む。）の規定は、この政令の施行の日以後に新令第九十一条第二項（新令第九十九条、第百条、第百十条、第百十六条、第百二十一条、第二百十二条の二、第二百十二条の四、第二百十三条の二、第二百十四条の二、第二百十五条の二、第二百十六条の三及び第二百十七条の二並びに第四条の規定による改正後の地方教育行政の組織及び運営に関する法律施行令第三条第一項において準用する場合を含む。）の規定による告示が行われる直接請求について適用し、この政令の施行の日の前日までに第一条の規定による改正前の地方自治法施行令（以下この項及び次条において「旧令」という。）第九十一条第二項（旧令第九十九条、第百条、第百十条、第百十六条、第百二十一条、第二百十二条の二、第二百十二条の四、第二百十三条の二、第二百十四条の二、第二百十五条の二、第二百十六条の三及び第二百十七条の二並びに第四条の規定による改正前の地方教育行政の組織及び運営に関する法律施行令第三条第一項において準用する場合を含む。）の規定による告示が行われた直接請求については、なお従前の例による。

2　附則第六条の規定による改正後の漁業法施行令（昭和二十五年政令第三十号）第二十二条において準用する新令第九十七条第二項の規定は、この政令の施行の日以後に附則第六条の規定による改正後の漁業法施行令第十条第三項の規定による告示が行われる直接請求について適用し、この政令の施行の日の前日までに附則第六条の規定による改正前の漁業法施行令第十条第三項の規定による告示が行われた直接請求については、なお従前の例による。

第三条　新令第百六条、第百八条第一項、第百九条（新令第百十三条及び第百十六条の二において準用する場合を含む。）、第百十四条、第百十五条第一項、第百十七条及び第百十八条（これらの規定を新令第百二十条及び第百八十八条第一項において準用する場合を含む。）、第百八十四条、第百八十六条第一項及び第百八十七条（これらの規定を新令第百八十八条第一項において準用する場合を含む。）並びに第二百十三条の五第一項、第二百十三条の六第一項、第二百十三条の七（新令第二百十四条の三及び第二百十五条の三において準用する場合を含む。）、第二百十四条の四、第二百十四条の五第一項、第二百十五条の四及び第二百十五条の五（これらの規定を新令第二百十五条の六において準用する場合を含む。）の規定は、この政令の施行の日以後に新令第百条の二第二項（新令第百二十条及び第百八十八条第一項において準用する場合を含む。）、第百十三条及び第百十六条の二（これらの規定を新令第百二十条及び第百八十八条第一項において準用する場合を含む。）、第百二十条、第百八十八条第一項並びに第二百十三条の四、第二百十四条の三及び第二百十五条の三（これらの規定を新令第二百十五条の六において準用する場合を含む。）において準用する場合を含む。）、第百九条の三第二項（新令第百十三条、第百十六条の二、第二百十三条の四、第二百十四条の三及び第二百十五条の三において準用する場合を含む。）、第百九条の三第二項（旧令第百十三条、第百十六条の二、第二百十三条の四、第二百十四条の三及び第二百十五条の三（これらの規定を旧令第二百十五条の六において準用する場合を含む。）において準用する場合を含む。）、第百八十一条第一項又は第百八十八条の二第二項の規定による期日の告示が行われる投票について適用し、この政令の施行の日の前日までに旧令第百条の二第二項（旧令第百十三条及び第百十六条の二（これらの規定を旧令第百二十条及び第百八十八条第一項において準用する場合を含む。）、第百二十条、第百八十八条第一項並びに第二百十三条の四、第二百十四条の三及び第二百十五条の三（これらの規定を旧令第二百十五条の六において準用する場合を含む。）において準用する場合を含む。）、第百九条の三第二項（旧令第百十三条、第百十六条の二、第二百十三条の四、第二百十四条の三及び第二百十五条の三において準用する場合を含む。）、第百八十一条第一項又は第百八十八条の二第二項の規定による期日の告示が行われた投票については、なお従前の例による。

（罰則に関する経過措置）

第五条　この政令の施行前にした行為並びに附則第二条第一項〔中略〕の規定によりなお従前の例によることとされる場合におけるこの政令の施行後にした行為に対する罰則の適用については、なお従前の例による。

附　則（平二五・二・一五政令三五）

（施行期日）

第一条　この政令は、平成二十五年四月一日から施行する。

（経過措置）

第二条　この政令の施行の際障害者の日常生活及び社会生活を総合的に支援するための法律（以下「法」という。）若しくは障害者の日常生活及び社会生活を総合的に支援するための法律施行令（以下「令」という。）の規定により都道府県知事がした処分その他の行為で現にその効力を有するもの又はこの政令の施行の日（以下「施行日」という。）前に法若しくは令の規定により都道府県知事に対してなされた申請その他の行為で、施行日以後において市町村長（特別区の区長を含む。以下同じ。）が処理し、又は管理し、及び執行することとなる事務に係るものは、施行日以後においては、市町村長のした処分その他の行為又は市町村長に対してなされた申請その他の行為とみなす。ただし、施行日前に法に基づき支給され、又は支給されるべきであった自立支援医療費の支給に関する費用の支弁、負担及び徴収については、なお従前の例による。

2 施行日前に法又は令の規定により都道府県知事に対し報告その他の手続をしなければならない事項についてその手続がされていないもので、施行日以後法又は令の規定により市町村長に対して行うべきこととなるものは、施行日以後においては、市町村長に対して報告その他の手続をしなければならない事項についてその手続がされていないものとみなす。

附 則（平二五・三・一三政令五四）（抄）

（施行期日）

第一条 この政令は、平成二十六年四月一日から施行する。

附 則（平二五・三・三〇政令一一四）（抄）

（施行期日）

第一条 この政令は、平成二十五年四月一日から施行する。〔ただし書略〕

附 則（平二五・四・一二政令一二二）（抄）

（施行期日）

第一条 この政令は、法の施行の日（平成二十五年四月十三日）から施行する。

附 則（平二五・四・二六政令一二九）（抄）

（施行期日）

1 この政令は、公布の日から起算して十日を経過した日から施行する。

附 則（平二五・五・三一政令一六九）（抄）

（施行期日）

第一条 この政令は、平成二十八年一月一日から施行する。ただし、次の各号に掲げる規定は、当該各号に定める日から施行する。

一 〔前略〕附則〔中略〕第二十一条の規定 平成二十五年六月一日

二〜五 〔略〕

附 則（平二五・六・一二政令一七三）（抄）

（施行期日）

第一条 この政令は、平成二十八年一月一日から施行する。〔ただし書略〕

附 則（平二五・七・五政令二一四）（抄）

（施行期日）

第一条 この政令は、水防法及び河川法の一部を改正する法律の施行の日（平成二十五年七月十一日）から施行する。

附 則（平二五・八・一九政令二三七）（抄）

（施行期日）

第一条 この政令は、法附則第一条ただし書に規定する規定の施行の日（平成二十五年八月二十日）から施行する。

附 則（平二五・九・二六政令二八五）（抄）

（施行期日）

第一条 この政令は、災害対策基本法等の一部を改正する法律附則第一条第一号に掲げる規定の施行の日（平成二十五年十月一日）から施行する。〔ただし書略〕

附 則（平二五・一一・七政令三〇七）

この政令は、平成二十六年四月一日から施行する。

附 則（平二五・一一・二七政令三一九）（抄）

（施行期日）

1 この政令は、平成二十六年四月一日から施行する。

附 則（平二六・一・一六政令八）（抄）

（施行期日）

第一条 この政令は、平成二十六年四月一日から施行する。

附 則（平二六・二・五政令二五）（抄）

（施行期日）

1 この政令は、薬事法及び薬剤師法の一部を改正する法律の施行の日（平成二十六年六月十二日）から施行する。

附 則（平二六・三・三一政令一三三）（抄）

（施行期日）

1 この政令は、平成二十六年四月一日から施行する。

附 則（平二六・三・三一政令一四五）（抄）

（施行期日）

第一条 この政令は、平成二十六年四月一日から施行する。〔ただし書略〕

附 則（平二六・四・一八政令一六四）

この政令は、平成二十六年七月一日から施行する。

附 則（平二六・六・二五政令二二五）（抄）

（施行期日）

1 この政令は、公布の日から施行する。

（地方自治法施行令の一部改正に伴う経過措置）

2 地域における医療及び介護の総合的な確保を推進するための関係法律の整備等に関する法律（以下この項及び次項において「医療介護総合確保推進法」という。）附則第三条第二項の規定によりなおその効力を有することとされた医療介護総合確保推進法第一条の規定による改正前の地域における公的介護施設等の計画的な整備等の促進に関する法律（平成元年法律第六十四号。次項において「旧介護施設整備法」という。）第七条の規定により都道府県が処理することとされている事務については、第二条の規定による改正前の地方自治法施行令（以下この項において「旧地方自治法施行令」という。）第百七十四条の三十一の二第一項及び第百七十四条の四十九の十第一項の規定は、この政令の施行後も、なおその効力を有する。この場合において、旧地方自治法施行令第百七十四条の三十一の二第一項中「地域における公的介護施設等の計画的な整備等の促進に関する法律」とあるのは「地域における医療及び介護の総合的な確保を推進するための関係法律の整備等に関する法律（平成二十六年法律第八十三号）附則第三条第二項の規定によりなおその効力を有することとされた同法第一条の規定による改正前の地域における公的介護施設等の計画的な整備等の促進に関する法律」と、「介護施設整備法」とあるのは「旧介護施設整備法」と、旧地方自治法施行令第百七十四条の四十九の十第一項中「介護施設整備法」とあるのは「旧介護施設整備法」とする。

附 則（平二六・七・一六政令二五六）（抄）

（施行期日）

1 この政令は、公布の日から起算して十日を経過した日から施行する。

附 則（平二六・七・三〇政令二六九）（抄）

（施行期日）

第一条 この政令は、改正法の施行の日（平成二十六年十一月二十五日）から施行する。

附　則（平二六・八・六政令二七一）（抄）

（施行期日）

1　この政令は、海岸法の一部を改正する法律の施行の日（平成二十六年八月十日）から施行する。

附　則（平二六・八・二〇政令二八三）（抄）

（施行期日）

1　この政令は、マンションの建替えの円滑化等に関する法律の一部を改正する法律の施行の日（平成二十六年十二月二十四日）から施行する。

附　則（平二六・八・二〇政令二八九）（抄）

（施行期日）

1　この政令は、平成二十六年十月一日から施行する。

附　則（平二六・九・三政令二九一）（抄）

（施行期日）

第一条　この政令は、平成二十七年四月一日から施行する。

附　則（平二六・九・三政令三〇〇）（抄）

（施行期日）

第一条　この政令は、子ども・子育て支援法の施行の日〔平二七・四・一〕から施行する。〔ただし書略〕

附　則（平二六・九・一九政令三〇八）（抄）

（施行期日）

1　この政令は、建設業法等の一部を改正する法律の施行の日（平成二十七年四月一日）から施行する。

附　則（平二六・九・二五政令三一三）（抄）

（施行期日）

1　この政令は、平成二十六年十月一日から施行する。〔ただし書略〕

附　則（平二六・一〇・二九政令三四五）（抄）

（施行期日）

第一条　この政令は、地方自治法の一部を改正する法律（平成二十六年法律第四十二号）附則第一条第一号に掲げる規定の施行の日（平成二十六年十一月一日）から施行する。

（経過措置）

第二条　この政令による改正後の地方自治法施行令（以下この条において「新令」という。）第百六十七条の四第二項第一号（新令第百六十七条の十一第一項及び第百六十七条の十四において準用する場合を含む。）の規定は、地方自治法第二百三十四条第一項の規定による一般競争入札、指名競争入札又はせり売り（次項において「一般競争入札等」という。）に参加しようとする者がこの政令の施行の日（以下この条において「施行日」という。）以後の事実により同号に該当すると認められるときについて適用し、施行日前の事実によりこの政令による改正前の地方自治法施行令（以下この項において「旧令」という。）第百六十七条の四第二項第一号（旧令第百六十七条の十一第一項及び第百六十七条の十四において準用する場合を含む。）に該当すると認められる者については、なお従前の例による。

2　新令第百六十七条の四第二項第六号（新令第百六十七条の十一第一項及び第百六十七条の十四において準用する場合を含む。）の規定は、一般競争入札等に参加しようとする者が施行日以後の事実により同号に該当すると認められるときについて適用する。

附　則（平二六・一一・一二政令三五七）（抄）

（施行期日）

第一条　この政令は、平成二十七年一月一日から施行する。〔ただし書略〕

附　則（平二六・一二・三政令三八三）（抄）

（施行期日）

1　この政令は、海岸法の一部を改正する法律附則第一条ただし書に規定する規定の施行の日（平成二十六年十二月十日）から施行する。〔ただし書略〕

附　則（平二六・一二・一九政令四〇五）（抄）

（施行期日）

第一条　この政令は、平成二十七年四月一日から施行する。〔ただし書略〕

附　則（平二六・一二・二四政令四一二）（抄）

（施行期日）

1　この政令は、子ども・子育て支援法の施行の日〔平二七・四・一〕から施行する。

附　則（平二七・一・九政令一）（抄）

（施行期日）

第一条　この政令は、平成二十八年四月一日から施行する。ただし、次の各号に掲げる規定は、当該各号に定める日から施行する。

一　〔前略〕附則第五条〔中略〕の規定　感染症の予防及び感染症の患者に対する医療に関する法律の一部を改正する法律（次号において「改正法」という。）附則第一条第二号に掲げる規定の施行の日〔平二六・一一・二一〕から起算して二月を経過した日〕

二　〔略〕

附　則（平二七・一・二一政令一一）（抄）

（施行期日）

第一条　この政令は、建築基準法の一部を改正する法律の施行の日（平成二十七年六月一日）から施行する。

附　則（平二七・一・三〇政令三〇）（抄）

（施行期日）

第一条　この政令は、地方自治法の一部を改正する法律（次条において「改正法」という。）の施行の日（平成二十八年四月一日）から施行する。ただし、第一条中地方自治法施行令〔中略〕第二編第八章第三節の節名を削る改正規定及び同令第百七十四条の四十九の二十の改正規定〔中略〕並びに次条〔中略〕の規定は、平成二十七年四月一日から施行する。

（地方自治法施行令の一部改正に伴う経過措置）

第二条　施行時特例市（改正法附則第二条に規定する施行時特例市をいう。以下同じ。）については、第一条の規定による改正前の地方自治法施行令第百七十四条の四十九の二十の規定は、なおその効力を有する。この場合において、同条第一項中「地方自治法第二百五十二条の二十六の三第一項の規定により、特例市が処理する土地区画整理事業に関する事務」とあるのは「地方自治法の一部を改正する法律（平成二十六年法律第四十二号）附則第二条に規定する施行時特例市（以下この条において「施行時特例市」という。）」と、「特例市若しくは」とあるのは「施行時特例市若しくは」と、「特例市がした」とあるのは「施行時特例市がした」と、「事務を除く。）」とあるのは

「事務を除く。）を処理するもの」と、「特例市に」とあるのは「施行時特例市に」と、同条第二項中「特例市の市長」とあるのは「地方自治法の一部を改正する法律（平成二十六年法律第四十二号）附則第二条に規定する施行時特例市（第百二十三条第一項において「施行時特例市」という。）の市長」と、「特例市に対し、特例市」とあるのは「施行時特例市に対し、施行時特例市」と、同条第三項中「特例市」とあるのは「施行時特例市」と、「第百七十四条の四十九の二十第一項」とあるのは「地方自治法施行令等の一部を改正する政令（平成二十七年政令第三十号）附則第二条の規定によりなおその効力を有するものとされた第百七十四条の四十九の二十第一項」とする。

附　則（平二七・二・四政令三八）（抄）

（施行期日）

第一条　この政令は、平成二十七年四月一日から施行する。

（地方自治法施行令の一部改正に伴う経過措置）

第三条　改正法附則第二条第一項の場合においては、第二条の規定による改正後の地方自治法施行令第百七十四条の二十、第百七十四条の二十一第一項、第百七十四条の二十二第一項並びに第百七十四条の二十三第一項及び第三項の規定は適用せず、第二条の規定による改正前の地方自治法施行令第百七十四条の二十、第百七十四条の二十一第一項、第百七十四条の二十二第一項並びに第百七十四条の二十三第一項及び第三項の規定は、なおその効力を有する。

附　則（平二七・二・四政令四〇）（抄）

（施行期日）

第一条　この政令は、平成二十七年四月一日から施行する。

附　則（平二七・二・一二政令四二）（抄）

この政令は、平成二十七年四月一日から施行する。〔ただし書略〕

附　則（平二七・三・六政令六八）（抄）

（施行期日）

第一条　この政令は、法の施行の日（平成二十七年四月一日）から施行する。

附　則（平二七・三・三一政令一二八）（抄）

（施行期日）

第一条　この政令は、平成二十七年四月一日から施行する。〔ただし書略〕

（地方自治法施行令の一部改正に伴う経過措置）

第五条　施行日から起算して一年を超えない期間内において、医療法第十八条の規定に基づく指定都市の条例が制定施行されるまでの間は、当該指定都市の属する都道府県が同条の規定に基づき条例で定める基準は、当該指定都市が同条の規定に基づき条例で定める基準とみなす。

2　施行日から起算して一年を超えない期間内において、医療法第二十一条の規定に基づく指定都市の条例が制定施行されるまでの間は、当該指定都市の属する都道府県が同条の規定に基づき条例で定める基準は、当該指定都市が同条の規定に基づき条例で定める基準とみなす。

附　則（平二七・三・三一政令一三八）（抄）

（施行期日）

第一条　この政令は、平成二十七年四月一日から施行する。〔ただし書略〕

附　則（平二七・八・七政令二八七）（抄）

（施行期日）

1　この政令は、公布の日から施行する。

附　則（平二七・八・二六政令二九七）（抄）

（施行期日）

1　この政令は、平成二十七年十月一日から施行する。

附　則（平二七・九・一八政令三三六）（抄）

（施行期日）

1　この政令は、公布の日から施行する。ただし、次の各号に掲げる規定は、当該各号に定める日から施行する。

一　〔前略〕次項の規定　行政手続における特定の個人を識別するための番号の利用等に関する法律の施行の日（平成二十七年十月五日）

二　〔略〕

附　則（平二七・一〇・三〇政令三六七）（抄）

（施行期日）

第一条　この政令は、公職選挙法の一部を改正する法律の施行の日〔平二七・一一・五〕から施行する。〔ただし書略〕

附　則（平二七・一一・二六政令三九二）（抄）

（施行期日）

第一条　この政令は、行政不服審査法の施行の日（平成二十八年四月一日）から施行する。

附　則（平二七・一二・一六政令四一六）

この政令は、公布の日から施行する。

附　則（平二七・一二・二四政令四四〇）（抄）

（施行期日）

第一条　この政令は、平成二十八年四月一日から施行する。

附　則（平二八・一・一五政令六）（抄）

（施行期日）

1　この政令は、建築基準法の一部を改正する法律附則第一条第三号に掲げる規定の施行の日（平成二十八年六月一日）から施行する。

附　則（平二八・一・二九政令二七）（抄）

（施行期日）

第一条　この政令は、平成二十八年四月一日から施行する。

附　則（平二八・二・三政令三四）（抄）

（施行期日）

1　この政令は、地域の自主性及び自立性を高めるための改革の推進を図るための関係法律の整備に関する法律附則第一条第二号に掲げる規定の施行の日（平成二十八年三月三十一日）から施行する。

附　則（平二八・二・一七政令四三）（抄）

（施行期日）

第一条　この政令は、改正法施行日（平成二十八年四月一日）から施行する。〔ただし書略〕

附　則（平二八・三・三一政令一三三）（抄）

最終改正　令元・六・二一政令三二

（施行期日）

第一条　この政令は、平成二十八年四月一日から施行する。ただし、次の各号に掲げる規定は、当該各号に定める日から施行する。

一～四　〔略〕

四の二　第六条（第四号の四に掲げる改正規定を除く。）及び

附則第十四条第四項の規定　平成三十一年四月一日

四の三　〔略〕

四の四　第六条中地方自治法施行令第二百十条の十の改正規定及び附則第十四条第一項から第三項までの規定　令和二年四月一日

五〜十三　〔略〕

（地方自治法施行令の一部改正に伴う経過措置）

第十四条　令和二年度における改正法附則第三十五条の規定による改正後の地方自治法（昭和二十二年法律第六十七号）第二百八十二条第一項の規定により特別区に対し交付すべき同条第二項に規定する特別区財政調整交付金（以下この条において「新特別区財政調整交付金」という。）の交付に係る第六条の規定による改正後の地方自治法施行令（次項及び第三項において「新地方自治法施行令」という。）第二百十条の十の規定の適用については、同条中「収入額（」とあるのは「収入額（令和元年十月一日から令和二年三月三十一日までの間に納付された法人の行う事業に対する事業税の収入額を含む。）（」と、「収入額に」とあるのは「収入額（令和元年十月一日から令和二年三月三十一日までに納付された法人の行う事業に対する事業税の収入額を含む。）に」と、「統計法（平成十九年法律第五十三号）第二条第四項に規定する基幹統計である事業所統計の最近に公表された結果による各市町村及び特別区の従業者数」とあるのは「地方税法等の一部を改正する等の法律（平成二十八年法律第十三号）附則第三十六条第二項の規定により読み替えられた地方自治法第二百八十二条第二項に規定する各市町村の市町村民税の法人税割額及び地方税法第五条第二項第一号に掲げる税のうち同法第七百三十四条第二項（第二号に係る部分に限る。）の規定により都が課する都民税の法人税割額」とする。

2　令和三年度における新特別区財政調整交付金の交付に係る新地方自治法施行令第二百十条の十の規定の適用については、同条中「額を統計法」とあるのは「額（以下この条において「事業税額」という。）の三分の一に相当する額を地方税法等の一部を改正する等の法律（平成二十八年法律第十三号）附則第三十六条第三項の規定により読み替えられた地方自治法（以下この条において「読替え後の地方自治法」という。）第二百八十二条第二項に規定する統計法」と、「従業者数」とあるのは「従業者数で、事業税額の三分の二に相当する額を読替え後の地方自治法第二百八十二条第二項に規定する市町村民税の法人税割額及び地方税法第五条第二項第一号に掲げる税のうち同法第七百三十四条第二項（第二号に係る部分に限る。）の規定により都が課する都民税の法人税割額」とする。

3　令和四年度における新特別区財政調整交付金の交付に係る新地方自治法施行令第二百十条の十の規定の適用については、同条中「額を統計法」とあるのは「額（以下この条において「事業税額」という。）の三分の二に相当する額を地方税法等の一部を改正する等の法律（平成二十八年法律第十三号）附則第三十六条第三項の規定により読み替えられた地方自治法（以下この条において「読替え後の地方自治法」という。）第二百八十二条第二項に規定する統計法」と、「従業者数」とあるのは「従業者数で、事業税額の三分の一に相当する額を読替え後の地方自治法第二百八十二条第二項に規定する市町村民税の法人税割額及び地方税法第五条第二項第一号に掲げる税のうち同法第七百三十四条第二項（第二号に係る部分に限る。）の規定により都が課する都民税の法人税割額」とする。

4　平成三十年度分までの改正法附則第三十五条の規定による改正前の地方自治法第二百八十二条第一項の規定により特別区に対し交付すべき同条第二項に規定する特別区財政調整交付金に係る第六条の規定による改正前の地方自治法施行令第二百十条の十二第一項に規定する基準財政収入額の算定については、なお従前の例による。

附　則（平二八・三・三一政令一四一）

この政令は、平成二十八年四月一日から施行する。

附　則（平二八・三・三一政令一五九）（抄）

（施行期日）

第一条　この政令は、平成二十八年四月一日から施行する。〔ただし書略〕

附　則（平二八・五・一八政令二二一）（抄）

（施行期日）

第一条　この政令は、公布の日から施行する。

附　則（平二八・五・二七政令二二七）（抄）

（施行期日）

第一条　この政令は、公職選挙法等の一部を改正する法律（平成二十七年法律第四十三号）の施行の日（平二八・六・一九）から施行する。〔ただし書略〕

附　則（平二八・五・二七政令二二八）（抄）

（施行期日）

1　この政令は、公布の日から施行する。

附　則（平二八・六・三政令二三四）

（施行期日）

1　この政令は、公布の日から施行する。

附　則（平二八・八・一八政令二八四）（抄）

（施行期日）

1　この政令は、平成二十八年十月一日から施行する。

附　則（平二八・一一・二八政令三六〇）（抄）

改正　令元・六・二一政令三三

（施行期日）

第一条　この政令は、公布の日から施行する。ただし、〔中略〕第四条〔中略〕及び附則第三条の規定は、令和二年四月一日から施行する。

（地方自治法施行令の一部改正に伴う経過措置）

第三条　第四条の規定による改正後の地方自治法施行令（以下この条において「新地方自治法施行令」という。）第二百十条の十二第一項の規定は、令和二年度分の地方税法等の一部を改正する等の法律（平成二十八年法律第十三号。以下この条において「地方税法等改正法」という。）附則第三十五条の規定による改正後の地方自治法第二百八十二条第一項の規定により特別区に対し交付すべき同条第二項に規定する特別区財政調整交付金に係る新地方自治法施行令第二百十条の十二第一項に規定する基準財政収入額の算定から適用し、令和元年度分までの地方税法等改正法附則第三十五条の規定による改正前の地方自治法第二百八十二条第一項の規定により特別区に対し交付すべき同条第二項に規定する特別区財政調整交付金に係る第四条の規定による改正前の地方自治法施行令第二百十条の十二第一項に規定する基準財政収入額の算定については、なお従前の例による。

附　則（平二九・一・二五政令七）（抄）

改正　平三〇・七・一一政令二〇六

（施行期日）

1　この政令は、環太平洋パートナーシップに関する包括的及び先進的な協定が日本国について効力を生ずる日〔平三〇・一二・二七〕から施行する。〔ただし書略〕

附　則（平二九・二・一七政令二四）（抄）

（施行期日）

1　この政令は、法（第五十一条及び第五十二条第一項を除く。）の施行の日〔平三〇・一・一〕から施行する。〔ただし書略〕

附　則（平二九・三・二三政令四〇）（抄）

（施行期日）

第一条　この政令は、第五号施行日（平成二十九年四月一日）から施行する。〔ただし書略〕

附　則（平二九・三・二九政令六三）（抄）

（施行期日）

第一条　この政令は、平成二十九年四月一日から施行する。

附　則（平二九・三・三一政令八二）

（施行期日）

第一条　この政令は、平成二十九年四月一日から施行する。

（経過措置）

第二条　この政令の施行の日（以下この条において「施行日」という。）前に医療法（昭和二十三年法律第二百五号）第七条第三項の規定によりされた許可、同条第五項の規定により付された条件、同法第二十七条の二第一項の規定によりされた勧告、同条第二項の規定によりされた命令若しくは医療法施行令（昭和二十三年政令第三百二十六号）第三条の三若しくは第四条第二項の規定によりされた届出又はこの政令の施行の際現にされている同法第七条第三項の許可の申請で、施行日においてこれらの行為に係る行政事務を行うべき者が異なることとなるものは、施行日以後におけるこの政令による改正後の地方自治法施行令第百七十四条の三十五の規定により読み替えて適用する医療法（以下この項及び第三項において「読替え後の医療法」という。）及び同条の規定により読み替えて適用する医療法施行令（以下この項及び次項において「読替え後の医療法施行令」という。）の規定の適用については、それぞれ読替え後の医療法第七条第三項の規定によりされた許可、同条第五項の規定により付された条件、読替え後の医療法第二十七条の二第一項の規定によりされた勧告、同条第二項の規定によりされた命令若しくは読替え後の医療法施行令第三条の三若しくは第四条第二項の規定によりされた届出又は読替え後の医療法第七条第三項の許可の申請とみなす。この場合において、読替え後の医療法施行令第三条の三後段及び第四条第二項後段の規定は、適用しない。

2　施行日前に医療法施行令第三条の三又は第四条第二項の規定により都道府県知事に対し届出をしなければならない事項で、施行日前にその届出がされていないものについては、これを、読替え後の医療法施行令第三条の三又は第四条第二項の規定により指定都市の市長に対して届出をしなければならない事項についてその届出がされていないものとみなして、これらの規定を適用する。

3　施行日から起算して一年を超えない期間内において、読替え後の医療法第二十一条第二項の規定に基づく指定都市の条例が制定施行されるまでの間は、当該指定都市の属する都道府県が医療法第二十一条第二項の規定に基づき条例で定める基準は、当該指定都市が読替え後の医療法第二十一条第二項の規定に基づき条例で定める基準とみなす。

附　則（平二九・三・三一政令九八）（抄）

（施行期日）

第一条　この政令は、平成二十九年四月一日から施行する。

附　則（平二九・三・三一政令一一四）（抄）

（施行期日）

第一条　この政令は、平成二十九年四月一日から施行する。〔ただし書略〕

附　則（平二九・三・三一政令一一九）（抄）

（施行期日）

1　この政令は、平成二十九年四月一日から施行する。

附　則（平二九・四・七政令一三一）（抄）

（施行期日）

第一条　この政令は、公職選挙法の一部を改正する法律（平成二十八年法律第二十五号）及び公職選挙法の一部を改正する法律（平成二十八年法律第九十三号）の施行の日（平成二十九年四月十日）から施行する。

附　則（平二九・五・三一政令一五三）（抄）

（施行期日）

第一条　この政令は、公職選挙法及び最高裁判所裁判官国民審査法の一部を改正する法律の施行の日（平成二十九年六月一日から）施行する。

附　則（平二九・七・一四政令一九〇）（抄）

（施行期日）

第一条　この政令は、衆議院議員選挙区画定審議会設置法及び公職選挙法の一部を改正する法律（平成二十八年法律第四十九号）附則第一条ただし書に規定する規定の施行の日〔平二九・七・一六〕から施行する。

附　則（平二九・九・一五政令二四一）（抄）

（施行期日）

1　この政令は、土地改良法等の一部を改正する法律の施行の日（平成二十九年九月二十五日）から施行する。

附　則（平二九・一〇・二五政令二六三）（抄）

（施行期日）

第一条　この政令は、平成三十年四月一日から施行する。

附　則（平二九・一〇・二七政令二七一）

この政令は、平成三十年四月一日から施行する。

附　則（平二九・一一・二七政令二九〇）（抄）

（施行期日）

第一条　この政令は、法の施行の日（平成三十年四月一日）から施行する。〔ただし書略〕

附　則（平二九・一二・一三政令三〇三）（抄）

（施行期日）

第一条　この政令は、平成三十年四月一日から施行する。〔ただし書略〕

附　則（平二九・一二・二〇政令三一三）

この政令は、児童福祉法及び児童虐待の防止等に関する法律の一部を改正する法律の施行の日（平成三十年四月二日）から施行する。

する。

附　則（平二九・一二・二七政令三二二）

（施行期日）

1　この政令は、公布の日から施行する。ただし、第百七十四条の三十九第三項の改正規定及び次項の規定は、平成三十年四月一日から施行する。

（経過措置）

2　この政令による改正後の地方自治法施行令第百七十四条の三十九第三項の規定は、地方自治法施行令第百七十四条の三十九第一項の規定により地方自治法第二百五十二条の十九第一項の指定都市（以下この項において「指定都市」という。）に適用があるものとされる土地区画整理法（昭和二十九年法律第百十九号）第五十五条第一項の規定による事業計画の縦覧の開始の日（以下この項において「縦覧開始日」という。）が前項ただし書に規定する規定の施行の日（以下この項において「一部施行日」という。）以後である土地区画整理事業に係る指定都市の事務の処理について適用し、縦覧開始日が一部施行日前である土地区画整理事業に係る指定都市の事務の処理についてはなお従前の例による。

附　則（平三〇・一・三一政令二三）（抄）

（施行期日）

1　この政令は、廃棄物の処理及び清掃に関する法律の一部を改正する法律（平成二十九年法律第六十一号）の施行の日（平成三十年四月一日）から施行する。

附　則（平三〇・三・一六政令四九）（抄）

（施行期日）

1　この政令は、平成三十年四月一日から施行する。

附　則（平三〇・三・二二政令五四）

この政令は、平成三十年四月一日から施行する。

附　則（平三〇・三・二二政令五五）（抄）

改正　令二・八・七政令二四三

（施行期日）

第一条　この政令は、平成三十年四月一日から施行する。〔ただし書略〕

（地方自治法施行令の適用に関する経過措置）

第五条　令和六年三月三十一日までの間における地方自治法施行令第百七十四条の三十一の四及び第百七十四条の四十九の十一の二の規定の適用については、同令第百七十四条の三十一の四第一項中「の規定により、都道府県が」とあるのは「並びに健康保険法等の一部を改正する法律（平成十八年法律第八十三号）附則第百三十条の二第一項の規定によりなおその効力を有するものとされた同法第二十六条の規定による改正前の介護保険法（以下この条及び第百七十四条の四十九の十一の二において「旧介護保険法」という。）第四十八条第一項第三号並びに第五章第五節第三款及び第十節並びに健康保険法等の一部を改正する法律の一部の施行に伴う関係政令の整理に関する政令（平成二十三年政令第三百七十五号）第一条の規定による改正前の介護保険法施行令（以下この項において「旧介護保険法施行令」という。）第四章第四節の規定により、都道府県が」と、「第百十五条の六」とあるのは「第百十五条の六並びに旧介護保険法第百十一条の二」と、「同法第百十五条の三十五第五項及び第七項」とあるのは「介護保険法第百十五条の三十五第五項及び第七項並びに旧介護保険法第百十五条の三十五第五項及び第七項」と、「同令」とあるのは「介護保険法施行令」と、「の規定中」とあるのは「並びに旧介護保険法第四十八条第一項第三号並びに第五章第五節第三款及び第十節並びに旧介護保険法施行令第四章第四節の規定中」と、同条第二項中「第百十五条の九第二項」とあるのは「第百十五条の九第二項及び第百十四条第二項並びに旧介護保険法第百十三条の二第五項」と、同条第三項中「読み替える」とあるのは「、旧介護保険法第百十五条中「事項を」とあるのは「事項を都道府県知事に届け出るとともに、これを」と、旧介護保険法第百十五条の三十五第六項中「指定居宅サービス事業者、指定居宅介護支援事業者若しくは指定介護予防サービス事業者又は指定介護老人福祉施設、介護老人保健施設若しくは指定介護療養型医療施設の開設者」とあり、及び「指定居宅サービス事業者、指定居宅介護支援事業者、指定介護予防サービス事業者、指定介護老人福祉施設若しくは指定介護療養型医療施設」とあるのは「介護サービス事業者」と、「介護老人保健施設の許可」とあるのは「許可」と読み替える」と、同令第百七十四条の四十九の十一の二第一項中「第三十条」とあるのは「第三十条並びに旧介護保険法第四十八条第一項第三号及び第五章第五節第三款」と、「第百十五条の六」とあるのは「第百十五条の六並びに旧介護保険法第百十一条の二」と、同条第二項中「第百十五条の三十五第六項」とあるのは「第百十五条の三十五第六項並びに旧介護保険法第百十三条の二第五項、第百十四条第二項及び第百十五条の三十五第六項」と、同条第三項中「読み替える」とあるのは「、旧介護保険法第百十五条中「事項を」とあるのは「事項を都道府県知事に届け出るとともに、これを」と、旧介護保険法第百十五条の三十五第五項中「指定地域密着型サービス事業者、指定地域密着型介護予防サービス事業者又は指定介護予防支援事業者」とあるのは「介護サービス事業者」と、「指定を」とあるのは「指定又は許可を」と、同条第七項中「指定地域密着型サービス事業者、指定地域密着型介護予防サービス事業者又は指定介護予防支援事業者」とあるのは「介護サービス事業者」と、「指定を取り消し」とあるのは「指定若しくは許可を取り消し」と、「指定の」とあるのは「指定若しくは許可の」と、「指定をした」とあるのは「指定又は許可をした」と読み替える」とする。

附　則（平三〇・三・二八政令六五）

（施行期日）

第一条　この政令は、平成三十年四月一日から施行する。

（経過措置）

第二条　この政令の施行の日（以下「施行日」という。）前に介護保険法（平成九年法律第百二十三号）第六十九条の三十八若しくは第百十五条の三十五第一項から第四項まで若しくは第六項の規定により都道府県知事がした処分その他の行為又は施行日前に同法第六十九条の三十八第一項若しくは第百十五条の三十五第一項の規定により都道府県知事に対してされた報告で、施行日以後において地方自治法第二百五十二条の十九第一項に規定する指定都市（以下「指定都市」という。）の市長が管理し、及び執行することとなる事務に係るものは、施行日以後においては、この政令による改正後の地方自治法施行令（第三項において「新令」という。）第百七十四条の三十一の四の規定により読み替えて適用する介護保険法（以下この項及び次項において「読替え後の介護保険法」という。）第六十九条の三十八若しくは第百十五条の三十五第二項から第四項まで若しくは第六項の規定により指定都市の市長がした処分その他の行為又は読替え後の介護保険法第六十九条の三十八第一項若しくは第百十五条の三十五第一項の規定により指定都市の市長に対してされた報告とみなす。

2　施行日前に介護保険法第六十九条の三十八第一項又は第百十五条の三十五第一項の規定により都道府県知事に対して報告しなければならない事項についてその報告がされていないもので、施行日以後において指定都市の市長に対してするべきこととなるものは、施行日以後においては、読替え後の介護保険法第六十九条の三十八第一項又は第百十五条の三十五第一項の規定により指定都市の市長に対して報告しなければならない事項についてその報告がされていないものとみなす。

3　施行日前に介護保険法施行令（平成十年政令第四百十二号）第三十七条の七第一項の規定により同項に規定する調査員養成研修の課程を修了した者は、新令第百七十四条の三十一の四第一項の規定により指定都市に適用があるものとされる介護保険法施行令第三十七条の七第一項の規定により同項に規定する調査員養成研修の課程を修了した者とみなす。

附　則（平三〇・三・三〇政令九二）（抄）

（施行期日）

1　この政令は、平成三十年四月一日から施行する。

（地方自治法施行令の一部改正に伴う経過措置）

2　第一条の規定による改正後の地方自治法施行令（以下この項において「新地方自治法施行令」という。）第五条第六項の規定は、この政令の施行の日（次項において「施行日」という。）以後に新地方自治法施行令第五条第三項の規定による決算の認定に関する議案が否決される場合について適用する。

附　則（平三〇・三・三一政令一二五）（抄）

（施行期日）

第一条　この政令は、平成三十年四月一日から施行する。〔ただし書略〕

附　則（平三〇・三・三一政令一四五）（抄）

（施行期日）

第一条　この政令は、平成三十年四月一日から施行する。ただし、次の各号に掲げる規定は、当該各号に定める日から施行する。

一〜十三　〔略〕

十四　〔前略〕附則〔中略〕第五十一条の規定　都市農地の貸借の円滑化に関する法律（平成三十年法律第六十八号）の施行の日〔平三〇・九・一〕

十五・十六　〔略〕

附　則（平三〇・五・三〇政令一七三）（抄）

（施行期日）

第一条　この政令は銀行法等の一部を改正する法律（以下「改正法」という。）の施行の日（平成三十年六月一日）から施行する。〔ただし書略〕

附　則（平三〇・五・三〇政令一七五）（抄）

（施行期日）

1　この政令は、医療法等の一部を改正する法律の施行の日（平成三十年六月一日）から施行する。

附　則（平三〇・六・八政令一八五）（抄）

（施行期日）

1　この政令は、公布の日から施行する。

附　則（平三〇・六・二七政令一八九）

この政令は、公布の日から施行する。

附　則（平三〇・七・二五政令二一六）

この政令は、公布の日から施行する。

附　則（平三〇・八・一政令二三四）（抄）

（施行期日）

1　この政令は、法の施行の日（平成三十年九月一日）から施行する。

附　則（平三〇・九・二八政令二八〇）（抄）

（施行期日）

第一条　この政令は、道路法等の一部を改正する法律の施行の日（平成三十年九月三十日）から施行する。

附　則（平三〇・九・二八政令二八四）（抄）

（施行期日）

1　この政令は、平成三十年十月一日から施行する。

附　則（平三〇・一〇・一七政令二九一）（抄）

改正　令元・六・二八政令四四

（施行期日）

第一条　この政令は、地域の自主性及び自立性を高めるための改革の推進を図るための関係法律の整備に関する法律の施行の日（令和元年六月一日）から施行する。ただし、〔中略〕附則第三条の規定は、令和二年四月一日から施行する。

附　則（平三〇・一〇・二四政令二九九）（抄）

（施行期日）

第一条　この政令は、公職選挙法の一部を改正する法律の施行の日〔平三〇・一〇・二五〕から施行する。

附　則（平三〇・一一・九政令三一一）（抄）

（施行期日）

1　この政令は、農業経営基盤強化促進法等の一部を改正する法律の施行の日（平成三十年十一月十六日）から施行する。〔ただし書略〕

附　則（平三〇・一二・二八政令三五九）（抄）

（施行期日）

1　この政令は、平成三十一年四月一日から施行する。

附　則（平三〇・一二・二八政令三六四）（抄）

改正　令元・六・二八政令四四

（施行期日）

第一条　この政令は、法の施行の日（令和元年十月一日）から施行する。

附　則（平三一・一・三〇政令一八）（抄）

（施行期日）

1　この政令は、平成三十一年四月一日から施行する。

附　則（平三一・三・一五政令三八）（抄）

（施行期日）

1　この政令は、平成三十一年四月一日から施行する。

附　則（平三一・三・二五政令五六）

この政令は、平成三十一年四月一日から施行する。

附　則（平三一・三・二九政令八八）（抄）

（施行期日）

第一条　この政令は、平成三十一年四月一日から施行する。

附　則（平三一・三・二九政令一〇二）（抄）

改正　令和元・六・二八政令四四

（施行期日）

第一条　この政令は、平成三十一年四月一日から施行する。ただし、次の各号に掲げる規定は、当該各号に定める日から施行する。

一　〔前略〕附則〔中略〕第四十四条〔中略〕の規定　令和元年六月一日

二〜十二　〔略〕

附　則（平三一・三・三〇政令一三二）（抄）

（施行期日）

第一条　この政令は、平成三十一年四月一日から施行する。〔ただし書略〕

附　則（令元・五・三一政令一五）（抄）

（施行期日）

第一条　この政令は、令和元年六月一日から施行する。

附　則（令元・九・一一政令九二）

この政令は、成年被後見人等の権利の制限に係る措置の適正化等を図るための関係法律の整備に関する法律の施行の日〔令元・九・一四〕から施行する。

附　則（令元・九・一一政令九七）（抄）

（施行期日）

1　この政令は、令和二年四月一日から施行する。

附　則（令元・一〇・九政令一二三）（抄）

（施行期日）

第一条　この政令は、食品衛生法等の一部を改正する法律（次条において「改正法」という。）附則第一条第三号に掲げる規定の施行の日（令和三年六月一日）から施行する。〔ただし書略〕

附　則（令元・一一・八政令一五六）（抄）

（施行期日）

第一条　この政令は、令和二年四月一日から施行する。〔ただし書略〕

附　則（令元・一一・一五政令一五九）

この政令は、令和二年四月一日から施行する。

附　則（令元・一二・一三政令一八三）（抄）

（施行期日）

第一条　この政令は、情報通信技術の活用による行政手続等に係る関係者の利便性の向上並びに行政運営の簡素化及び効率化を図るための行政手続等における情報通信の技術の利用に関する法律等の一部を改正する法律（次条において「改正法」という。）の施行の日（令和元年十二月十六日）から施行する。

附　則（令二・一・二八政令一一）（抄）

改正　令二・一・三一政令一三

（施行期日）

1　この政令は、公布の日から起算して四日を経過した日から施行する。

附　則（令二・二・一三政令二八）（抄）

（施行期日）

1　この政令は、公布の日の翌日から施行する。

附　則（令二・三・一一政令四二）（抄）

（施行期日）

1　この政令は、公布の日から起算して四日を経過した日から施行する。

附　則（令二・三・二六政令六〇）（抄）

（施行期日）

1　この政令は、公布の日の翌日から施行する。

附　則（令二・三・二七政令六一）（抄）

（施行期日）

1　この政令は、令和二年四月一日から施行する。

附　則（令二・三・二七政令六二）（抄）

（施行期日）

1　この政令は、令和二年四月一日から施行する。

附　則（令二・三・三一政令一〇九）（抄）

（施行期日）

第一条　この政令は、令和二年四月一日から施行する。〔ただし書略〕

附　則（令二・三・三一政令一二一）（抄）

（施行期日）

第一条　この政令は、令和二年四月一日から施行する。〔ただし書略〕

附　則（令二・六・二四政令二〇一）（抄）

（施行期日）

1　この政令は、家畜伝染病予防法の一部を改正する法律（令和二年法律第十六号）の施行の日（令和二年七月一日）から施行する。

附　則（令二・六・二六政令二〇七）（抄）

（施行期日）

第一条　この政令は、令和四年四月一日から施行する。

附　則（令二・七・八政令二一七）（抄）

（施行期日）

第一条　この政令は、改正法施行日（令和二年十二月一日）から施行する。〔ただし書略〕

（地方自治法施行令の一部改正に伴う経過措置）

第三条　改正法附則第十五条第二項の規定により在任するものとされた海区漁業調整委員会の委員に係る地方自治法（昭和二十二年法律第六十七号）第二百四十三条の二第一項に規定する政令で定める基準については、第七条の規定による改正後の地方自治法施行令第百七十三条第一項第一号の規定にかかわらず、なお従前の例による。

附　則（令二・七・二八政令二二八）（抄）

この政令は、医薬品、医療機器等の品質、有効性及び安全性の確保等に関する法律等の一部を改正する法律（以下「改正法」という。）の施行の日（令和二年九月一日）から施行する。〔ただし書略〕

附　則（令二・八・七政令二四三）（抄）

（施行期日）

1　この政令は、公布の日から施行する。

附　則（令二・八・二八政令二五四）（抄）

（施行期日）

1　この政令は、公布の日の翌日から施行する。

附　則（令二・九・四政令二六四）（抄）

改正　令三・三・三一政令一〇七

（施行期日）

第一条　この政令は、令和四年四月一日から施行する。〔ただし書略〕

附　則（令二・九・九政令二七一）

この政令は、令和二年十月一日から施行する。

附　則（令二・一一・二〇政令三二九）（抄）

（施行期日）

第一条　この政令は、道路法等の一部を改正する法律の施行の日（令和二年十一月二十五日）から施行する。

附　則（令二・一二・九政令三四六）

この政令は、公布の日から施行する。

附　則（令三・一・五政令一）（抄）

この政令は、医薬品、医療機器等の品質、有効性及び安全性の確保等に関する法律等の一部を改正する法律（以下「改正法」という。）附則第一条第二号に掲げる規定の施行の日（令和三年八月一日）から施行する。〔ただし書略〕

附　則（令三・二・三政令二五）（抄）

（施行期日）

第一条　この政令は、改正法の施行の日〔令和三年二月三日から起算して一〇日を経過した日〕から施行する。

附　則（令三・三・三一政令一〇七）（抄）

（施行期日）

第一条　この政令は、令和三年四月一日から施行する。ただし、次の各号に掲げる規定は、当該各号に定める日から施行する。

一・二　〔略〕

三　第四条〔中略〕の規定　令和四年一月四日

四〜七　〔略〕

附　則（令三・三・三一政令一一九）（抄）

（施行期日）

第一条　この政令は、令和三年四月一日から施行する。〔ただし書略〕

附　則（令三・六・一八政令一七四）（抄）

（施行期日）

第一条　この政令は、踏切道改良促進法等の一部を改正する法律附則第一条第一号に掲げる規定の施行の日（令和三年六月二十日）から施行する。

附　則（令三・六・一八政令一七五）（抄）

（施行期日）

1　この政令は、法の施行の日〔令和三年六月一八日から起算して五日を経過した日〕から施行する。

附　則（令三・六・二五政令一八二）（抄）

（施行期日）

1　この政令は、地域の自主性及び自立性を高めるための改革の推進を図るための関係法律の整備に関する法律の施行の日〔令和三年五月二六日から起算して三月を経過した日〕から施行する。

附　則（令三・七・二一政令二〇九）（抄）

（施行期日）

1　この政令は、令和五年四月一日から施行する。

附　則（令三・八・二五政令二三七）

この政令は、令和三年九月一日から施行する。

附　則（令三・九・一七政令二五八）（抄）

（施行期日）

1　この政令は、自然公園法の一部を改正する法律（令和三年法律第二十九号）の施行の日（令和四年四月一日）から施行する。

附　則（令三・九・二七政令二六五）（抄）

（施行期日）

1　この政令は、マンションの管理の適正化の推進に関する法律及びマンションの建替え等の円滑化に関する法律の一部を改正する法律（令和二年法律第六十二号）の施行の日（令和四年四月一日）から施行する。

附　則（令三・一二・二二政令三三七）（抄）

（施行期日）

第一条　この政令は、令和四年四月一日から施行する。

附　則（令四・二・九政令三九）（抄）

（施行期日）

1　この政令は、令和四年五月一日から施行する。

附　則（令四・二・二四政令四六）（抄）

（施行期日）

1　この政令は、公布の日から施行する。

附　則（令四・三・二五政令八四）（抄）

（施行期日）

第一条　この政令は、令和四年四月一日から施行する。

附　則（令四・三・三〇政令一二九）（抄）

（施行期日）

1　この政令は、令和五年四月一日から施行する。

附　則（令四・三・三一政令一三三）（抄）

（施行期日）

第一条　この政令は、令和四年四月一日から施行する。〔ただし書略〕

附　則（令四・三・三一政令一四八）（抄）

（施行期日）

第一条　この政令は、令和四年四月一日から施行する。〔ただし書略〕

附　則（令四・三・三一政令一五〇）（抄）

（施行期日）

1　この政令は、令和五年四月一日から施行する。〔ただし書略〕

附　則（令四・六・一〇政令二二一）

（施行期日）

1　この政令は、公布の日から施行する。

（経過措置）

2　この政令の施行前に締結された契約に係る地方自治法施行令附則第七条第二項に規定する経費についての同条第一項の規定の適用については、なお従前の例による。

附　則（令四・七・一政令二四五）（抄）

（施行期日）

1　この政令は、公布の日から施行する。

附　則（令四・八・一〇政令二七九）（抄）

（施行期日）

第一条　この政令は、農林水産物及び食品の輸出の促進に関する法律等の一部を改正する法律の施行の日（令和四年十月一日）から施行する。〔ただし書略〕

附　則（令四・九・九政令三〇〇）（抄）

（施行期日）

第一条　この政令は、令和六年一月一日から施行する。

附　則（令四・一〇・五政令三二三）（抄）

（施行期日）

第一条　この政令は、旅券法の一部を改正する法律の施行の日（令和五年三月二十七日）から施行する。

附　則（令四・一二・九政令三七七）（抄）

最終改正　令六・三・二九政令一一六

この政令は、公布の日から施行する。〔ただし書略〕

附　則（令五・二・一〇政令三三）（抄）

（施行期日）

第一条　この政令は、最高裁判所裁判官国民審査法の一部を改正する法律の施行の日（令和五年二月十七日）から施行する。

附　則（令五・三・一政令四二）

この政令は、地方自治法の一部を改正する法律（令和四年法律第百一号）の施行の日（令和五年三月一日）から施行する。

附　則（令五・三・二三政令七一）（抄）

（施行期日）

1　この政令は、令和五年四月一日から施行する。

附　則（令五・三・三〇政令一二六）（抄）

（施行期日）

第一条　この政令は、令和五年四月一日から施行する。

附　則（令五・三・三一政令一四五）（抄）

（施行期日）

第一条　この政令は、令和五年四月一日から施行する。〔ただし書略〕

附　則（令五・五・二六政令一九二）（抄）

（施行期日）

1　この政令は、令和六年四月一日から施行する。〔ただし書略〕

附　則（令五・八・一四政令二六一）（抄）

（施行期日）

第一条　この政令は、新型インフルエンザ等対策特別措置法及び内閣法の一部を改正する法律の施行の日（令和五年九月一日）から施行する。

附　則（令五・九・二九政令二九三）

この政令は、地域の自主性及び自立性を高めるための改革の推進を図るための関係法律の整備に関する法律附則第一条第三号に掲げる規定の施行の日（令和六年四月一日）から施行する。

附　則（令五・一一・二九政令三四〇）（抄）

（施行期日）

1　この政令は、全世代対応型の社会保障制度を構築するための健康保険法等の一部を改正する法律附則第一条第六号に掲げる規定の施行の日（令和六年三月一日）から施行する。

附　則（令六・一・一七政令八）（抄）

（施行期日）

1　この政令は、令和六年四月一日から施行する。

附　則（令六・一・一九政令一二）（抄）

（施行期日）

第一条　この政令は、令和六年四月一日から施行する。

（地方自治法施行令の一部改正に伴う経過措置）

第二条　普通地方公共団体の長は、令和八年三月三十一日までの間は、なお従前の例により、この政令の施行の日（以下「施行日」という。）の前日において第一条の規定による改正前の地方自治法施行令（次項及び附則第四条において「旧地方自治法施行令」という。）第百五十八条第一項、第百五十八条の二第一項又は第百六十五条の三第一項の規定により現に公金の徴収若しくは収納又は支出に関する事務（以下この項において「従前の公金事務」という。）を行わせている者（地方自治法の一部を改正する法律（次条及び附則第四条において「改正法」という。）による改正後の地方自治法（昭和二十二年法律第六十七号。次条及び附則第四条において「新地方自治法」という。）第二百四十三条の二第一項の規定による指定を受けた者を除く。）に当該従前の公金事務を行わせることができる。

2　地方自治法施行令の一部を改正する政令（令和四年政令第二百十一号）の施行の日から施行日の前日までの間に締結された契約に係る旧地方自治法施行令附則第七条第二項に規定する経費については、第一条の規定による改正後の地方自治法施行令附則第七条の規定にかかわらず、なお従前の例による。

附　則（令六・一・三一政令二〇）（抄）

（施行期日）

1　この政令は、法の施行の日（令和六年四月一日）から施行する。

附　則（令六・二・九政令二七）

この政令は、令和六年四月一日から施行する。

附　則（令六・二・二六政令四一）

この政令は、令和六年四月一日から施行する。

附　則（令六・三・三〇政令一三五）

この政令は、令和六年四月一日から施行する。

附　則（令六・三・三〇政令一六一）（抄）

（施行期日）

第一条　この政令は、令和六年四月一日から施行する。

附　則（令六・六・一四政令二〇九）（抄）

（施行期日）

1　この政令は、令和七年四月一日から施行する。

㊟ 次の法律の附則第六条により地方自治法施行令が改正されたが、公益信託に関する法律（令和六年法律第三十号）の施行の日から施行となるため、一部改正法の形式で掲載した。

○所得税法施行令の一部を改正する政令

令六・三・三〇
政令一四一

（地方自治法施行令の一部改正）

第六条 地方自治法施行令（昭和二十二年政令第十六号）の一部を次のように改正する。

別表第一所得税法施行令（昭和四十年政令第九十六号）の項を削る。

附 則（抄）

（施行期日）

第一条 この政令は、令和六年四月一日から施行する。ただし、次の各号に掲げる規定は、当該各号に定める日から施行する。

一 〔略〕

二 〔前略〕附則〔中略〕第六条、第七条〔中略〕の規定 公益信託に関する法律（令和六年法律第三十号）の施行の日〔令和六年五月二二日から起算して二年を超えない範囲内において政令で定める日〕

（地方自治法施行令の一部改正に伴う経過措置）

第七条 附則第四条の規定によりなおその効力を有するものとされる旧令第二百十七条の二第三項の規定により都道府県が処理することとされている事務については、前条の規定による改正前の地方自治法施行令別表第一所得税法施行令（昭和四十年政令第九十六号）の項の規定は、なおその効力を有する。

㊟ 次の法律の附則第一〇条により地方自治法施行令が改正されたが、公益信託に関する法律（令和六年法律第三十号）の施行の日から施行となるため、一部改正法の形式で掲載した。

○法人税法施行令等の一部を改正する政令

令六・三・三〇
政令一四二

（地方自治法施行令の一部改正）

第十条 地方自治法施行令（昭和二十二年政令第十六号）の一部を次のように改正する。

別表第一法人税法施行令（昭和四十年政令第九十七号）の項を削る。

附 則（抄）

（施行期日）

第一条 この政令は、令和六年四月一日から施行する。ただし、次の各号に掲げる規定は、当該各号に定める日から施行する。

一・二 〔略〕

三 〔前略〕附則〔中略〕第十条及び第十一条の規定 公益信託に関する法律（令和六年法律第三十号）の施行の日〔令和六年五月二二日から起算して二年を超えない範囲内において政令で定める日〕

（地方自治法施行令の一部改正に伴う経過措置）

第十一条 附則第四条の規定によりなおその効力を有するものとされる旧令第七十七条の四第三項の規定により都道府県が処理することとされている事務については、前条の規定による改正前の地方自治法施行令別表第一法人税法施行令（昭和四十年政令第九十七号）の項の規定は、なおその効力を有する。

㊟ 次の法律の附則第二五条により地方自治法施行令が改正されたが、公益信託に関する法律（令和六年法律第三十号）の施行の日から施行となるため、一部改正法の形式で掲載した。

○租税特別措置法施行令の一部を改正する政令

令六・三・三〇
政令一五一

（地方自治法施行令の一部改正）

第二十五条 地方自治法施行令（昭和二十二年政令第十六号）の一部を次のように改正する。

別表第一租税特別措置法施行令（昭和三十二年政令第四十三号）の項第一号中「第十七項、」を「第十七項並びに」に改め、「並びに第四十条の四第二項及び第三項」を削る。

附 則（抄）

（施行期日）

第一条 この政令は、令和六年四月一日から施行する。ただし、次の各号に掲げる規定は、当該各号に定める日から施行する。

一・二 〔略〕

三 〔前略〕附則〔中略〕第二十五条及び第二十六条の規定 公益信託に関する法律（令和六年法律第三十号）の施行の日〔令和六年五月二二日から起算して二年を超えない範囲内において政令で定める日〕

四〜六 〔略〕

（地方自治法施行令の一部改正に伴う経過措置）

第二十六条 附則第二十一条の規定によりなおその効力を有するものとされる旧令第四十条の四第三項の規定により都道府県が処理することとされている事務については、前条の規定による改正前の地方自治法施行令別表第一租税特別措置法施行令（昭和三十二年政令第四十三号）の項第一号の規定は、なおその効力を有する。

○地方公共団体の物品等又は特定役務の調達手続の特例を定める政令

平七・一一・一
政令三七二

最終改正 令六・一・一九政令一二

（趣旨）

第一条 この政令は、二千十二年三月三十日ジュネーブで作成された政府調達に関する協定を改正する議定書によって改正された千九百九十四年四月十五日マラケシュで作成された政府調達に関する協定（次条第四号イ及びロにおいて「改正協定」という。）、経済上の連携に関する日本国と欧州連合との間の協定（同条及び第五条第二項において「日欧協定」という。）その他の国際約束を実施するため、地方公共団体の締結する契約のうち国際約束の適用を受けるものの取扱いに関し、地方自治法施行令（昭和二十二年政令第十六号）及び地方公営企業法施行令（昭和二十七年政令第四百三号）の特例を設けるとともに必要な事項を定めるものとする。

（定義）

第二条 この政令において、次の各号に掲げる用語の意義は、それぞれ当該各号に定めるところによる。

一 特定地方公共団体 都道府県及び地方自治法第二百五十二条の十九第一項の指定都市をいう。

二 欧州連合等の供給者 物品等又は特定役務を提供し、又は提供しようとする次に掲げる者をいう。

イ 日欧協定第一・二条(q)に規定する欧州連合構成国の国民

ロ 日欧協定第八・二条(n)(i)に規定する法人

ハ 包括的な経済上の連携に関する日本国とグレートブリテン及び北アイルランド連合王国との間の協定（二及び第五条第二項において「日英協定」という。）第一・二条(r)に規定する締約国の国民（グレートブリテン及び北アイルランド連合王国（ニにおいて「英国」という。）の国民に限る。）

ニ 日英協定第八・二条(n)に規定する法人（英国の法人に限る。）

三 物品等 動産（現金及び有価証券を除く。）及び著作権法（昭和四十五年法律第四十八号）第二条第一項第十号の二に規定するプログラムをいう。

四 特定役務 次のイ又はロに掲げる地方公共団体の区分に応じ、それぞれイ又はロに定める役務をいう。

イ 特定地方公共団体 改正協定の附属書Ｉ日本国の付表５に掲げるサービス若しくは同附属書Ｉ日本国の付表６に掲げる建設サービス（次号及び第十一条第一項において「建設工事」という。）又は日欧協定の附属書十第二編第Ｂ節５(b)に掲げるサービスに係る役務

ロ 地方自治法第二百五十二条の二十二第一項の中核市（以下「中核市」という。） 改正協定の附属書Ｉ日本国の付表５に掲げるサービスに係る役務

五 調達契約 物品等又は特定役務の調達のため締結される契約（当該物品等又は当該特定役務以外の物品等又は役務の調達が付随するものを含み、民間資金等の活用による公共施設等の整備等の促進に関する法律（平成十一年法律第百十七号）第二条第二項に規定する特定事業（建設工事を除く。）にあっては、民間資金等の活用による公共施設等の整備等の促進に関する法律の一部を改正する法律（平成二十三年法律第五十七号）による改正前の同項に規定する特定事業を実施するため締結される契約に限る。）をいう。

六 一連の調達契約 特定の需要に係る一の物品等若しくは特定役務又は同一の種類の二以上の物品等若しくは特定役務の調達のため締結される二以上の調達契約をいう。

（適用範囲）

第三条 この政令は、特定地方公共団体又は中核市の締結する調達契約であって、当該調達契約に係る予定価格（物品等の借入れに係る調達契約又は一定期間継続して提供を受ける特定役務の調達契約にあっては、借入期間又は提供を受ける期間の定めが十二月以下の場合は当該期間における予定賃借料の総額又は特定役務の予定価格の総額とし、その他の場合は総務大臣の定めるところにより算定した額とする。）が総務大臣の定める区分に応じ総務大臣の定める額以上の額であるものについて適用する。ただし、次に掲げる調達契約については、この限りでない。

一 有償で譲渡（加工又は修理を加えた上でする譲渡を含む。）をする目的で取得する物品等若しくは当該物品等の譲渡（加工又は修理を加えた上でする譲渡を含む。）をするために直接に必要な特定役務（当該物品等の加工又は修理をするために直接に必要な特定役務を含む。）又は有償で譲渡をする製品の原材料として使用する目的で取得する物品等若しくは当該製品の生産をするために直接に必要な特定役務の調達契約

二 事業協同組合、事業協同小組合若しくは協同組合連合会又は商工組合若しくは商工組合連合会を相手方とする調達契約

三　中核市の経営する電気事業に係る調達契約

四　公共の安全と秩序の維持に密接に関連する調達契約であって、当該調達契約に係る特定地方公共団体又は中核市の行為を秘密にする必要があるもの

2　前項の予定価格は、一連の調達契約が締結される場合には、当該一連の調達契約により調達をすべき物品等又は特定役務の予定価格の合計額とする。

（競争入札の参加者の資格に関する公示）

第四条　特定地方公共団体の長は、この政令の規定が適用される調達契約（以下「特定調達契約」という。）の締結が見込まれるときは、地方自治法施行令第百六十七条の五第二項（同令第百六十七条の十一第三項において準用する場合を含む。）の規定による公示については、当該特定調達契約の締結が見込まれる年度ごとに、しなければならない。

（一般競争入札の参加者の資格に関する要件の制限等）

第五条　特定地方公共団体の長は、地方自治法施行令第百六十七条の五の二の規定にかかわらず、特定調達契約に係る一般競争入札に参加する者（当該特定地方公共団体の経営する鉄道事業又は軌道事業における運行上の安全に関連する特定調達契約に係る一般競争入札に参加する者にあっては、国内の供給者（物品等又は特定役務を提供し、又は提供しようとする者であって、国内に事業所を有するものをいう。）及び欧州連合等の供給者に限る。）につき、当該入札に参加する者の事業所の所在地に関する必要な資格を定めることができない。

2　中核市の長は、地方自治法施行令第百六十七条の五の二の規定により特定調達契約に係る一般競争入札に参加する者の事業所の所在地に関する必要な資格を定めた場合には、次の各号のいずれにも該当する場合を除き、欧州連合等の供給者が当該資格を有する者であるかどうかにかかわらず、欧州連合等の供給者を当該資格を有する者として取り扱わなければならない。

一　地方自治法施行令第百六十七条の五第一項の規定により当該入札に参加する者の経営の規模に関する必要な資格を定めた場合には、日欧協定の附属書十第二編第Ｂ節２の規定に関する注釈(f)又は日英協定の附属書十第二編第Ｂ節２の規定に関する注釈(f)の中小企業が当該資格を有する者に含まれる場合として総務大臣が定める場合に該当する場合

二　前号に掲げるもののほか、地方自治法施行令第百六十七条の四、第百六十七条の五第一項及び第百六十七条の五の二の規定により当該入札に参加する者に必要な資格を定めた理由及び当該資格の内容が、日欧協定の附属書十第二編第Ｂ節２の規定に関する注釈(f)又は日英協定の附属書十第二編第Ｂ節２の規定に関する注釈(f)の規定の適用のための要件として総務大臣が定める要件に適合する場合

（一般競争入札について公告をする事項）

第六条　特定地方公共団体の長は、特定調達契約について地方自治法施行令第百六十七条の六第一項の規定により公告をするときは、同項の規定により公告をしなければならない事項及び同条第二項の規定により明らかにしておかなければならない事項のほか、次に掲げる事項についても、公告をしなければならない。

一　競争入札に付する事項

二　契約条項を示す場所

三　入札保証金に関する事項

四　一連の調達契約にあっては、当該一連の調達契約のうちの一の契約による調達後において調達が予定される物品等又は特定役務の名称、数量及びその入札の公告の予定時期並びに当該一連の調達契約のうちの最初の契約に係る入札の公告の日付

五　競争入札に参加する者に必要な資格を有するかどうかの審査を申請する時期及び場所

六　第八条に規定する文書の交付に関する事項

七　落札者の決定の方法

（指名競争入札の公示等）

第七条　特定地方公共団体の長は、特定調達契約につき指名競争入札により契約を締結しようとするときは、前条の規定により一般競争入札について公告をするものとされている事項について、公示をしなければならない。

2　特定地方公共団体の長は、特定調達契約について地方自治法施行令第百六十七条の十二第二項の規定により通知するときは、同項の規定により通知しなければならない事項及び同条第三項において準用する同令第百六十七条の六第二項の規定により明らかにしなければならない事項のほか、次に掲げる事項を通知しなければならない。

一　前条第一号から第三号までに掲げる事項

二　一連の調達契約にあっては、前条第四号に掲げる事項

三　契約の手続において使用する言語

（入札説明書の交付）

第八条　特定地方公共団体の長は、特定調達契約につき一般競争入札又は指名競争入札により契約を締結しようとするときは、これらの競争入札に参加しようとする者に対し、その者の申請により、入札を行うため必要な事項として当該特定地方公共団体の規則で定める事項について説明する文書を交付するものとする。

（落札者の決定方法の制限）

第九条　地方自治法施行令第百六十七条の十第二項（同令第百六十七条の十三において準用する場合を含む。）の規定は、特定地方公共団体の締結する特定調達契約については、適用しない。

（複数落札入札制度による物品等又は特定役務の調達）

第十条　特定地方公共団体の長は、特定調達契約につき一般競争入札又は指名競争入札により契約を締結しようとする場合において、その需要数量が多いときは、その需要数量の範囲内でこれらの競争入札に参加する者の落札を希望する数量及びその単価を入札させ、予定価格を超えない単価の入札者のうち、低価の入札者から順次需要数量に達するまでの入札者をもって落札者とすることができる。

2　前項の場合において、最後の順位の落札者の入札数量が他の落札者の数量と合算して需要数量を超えるときは、その超える数量については、落札がなかったものとする。

3　第一項の規定による一般競争入札又は指名競争入札により落札者を定めた場合において、落札者のうち契約を結ばない者があるときは、その者の落札していた数量の範囲内で、まず前項に規定する最後の順位の落札者について同項の規定により落札がなかったものとされた数量の落札があったものとし、次に第九項の規定により落札者とならなかった者についてその者の入札数量の落札があったものとすることができる。

4　前項の場合において、第九項の規定により落札者とならなかった者が二人以上あるときは、同項の規定の例によりその順位を決定し、また、最後の順位に当たる者の入札数量について第二項に規定する場合に準ずべき場合があるときは、同項の規定の例による。

5　特定地方公共団体の長は、特定調達契約につき第一項の規定による一般競争入札により契約を締結しようとする場合において、当該特定調達契約について地方自治法施行令第百六十七条の六第一項の規定により公告をするときは、第六条の規定により公告をしなければならない事項のほか、次に掲げる事項についても、公告をしなければならない。

一　第一項の規定による一般競争入札の方法による旨

二　第二項の規定により入札数量の一部について落札がなかったものとすることがある旨

三　第十一項の規定により当該一般競争入札を取り消すことがある旨

四　端数の入札を制限する場合にはその旨

6　特定地方公共団体の長は、特定調達契約につき第一項の規定による指名競争入札により契約を締結しようとする場合において、当該特定調達契約について第七条第一項の規定により公示をするときは、同項の規定により公示をしなければならない事項のほか、次に掲げる事項についても、公示をしなければならない。

一　第一項の規定による指名競争入札の方法による旨

二　第二項の規定により入札数量の一部について落札がなかったものとすることがある旨

三　第十一項の規定により当該指名競争入札を取り消すことがある旨

四　端数の入札を制限する場合にはその旨

7　特定地方公共団体の長は、前項の場合において、その特定調達契約について地方自治法施行令第百六十七条の十二第二項の規定により通知するときは、第七条第二項の規定により通知しなければならない事項のほか、前項各号に掲げる事項を通知しなければならない。

8　第一項の規定による一般競争入札又は指名競争入札が二種類以上の物品等又は特定役務について行われるものである場合には、その入札は、物品等又は特定役務の種類の異なるごとにその単価及び数量について行わなければならない。

9　第一項の規定による一般競争入札又は指名競争入札に付した場合において、同価の入札をした者が二人以上あるときの落札者の決定については、入札数量の多い者を先順位の落札者とするものとし、入札数量が同一であるときは、地方自治法施行令第百六十七条の九の規定の例によりくじで先順位の落札者を定めるものとする。

10　第一項の規定による一般競争入札又は指名競争入札に付した場合において、落札数量が需要数量に達しないとき、又は落札者のうち契約を結ばない者があるときは、需要数量に達するまで、最低落札単価の制限内で、地方自治法施行令第百六十七条の二第一項（第九号に係る部分に限る。）、第三項及び第四項並びに地方公営企業法施行令第二十一条の十三第一項（第九号に係る部分に限る。）、第三項及び第四項の規定の例により、随意契約によることができる。

11　第一項の規定による一般競争入札又は指名競争入札に付する場合において、これらの競争入札に加わった者が五人に満たないときは、これらの競争入札を取り消すことができる。

12　前項の規定により一般競争入札又は指名競争入札を取り消した場合には、入札書は、そのままこれを入札者に送付しなければならない。

13　第十一項の規定により一般競争入札又は指名競争入札を取り消した場合には、地方自治法施行令第百六十七条の二第一項（第八号に係る部分に限る。）及び第二項並びに地方公営企業法施行令第二十一条の十三第一項（第八号に係る部分に限る。）及び第二項の規定は、適用しない。

（随意契約）

第十一条　特定地方公共団体の締結する特定調達契約については、地方自治法施行令第百六十七条の二第一項（第五号、第八号及び第九号に係る部分に限る。）若しくは地方公営企業法施行令第二十一条の十三第一項（第五号、第八号及び第九号に係る部分に限る。）又は前条第十項の規定によるほか、次に掲げる場合に該当するときに限り、地方自治法第二百三十四条第二項の規定により随意契約によることができる。

一　他の物品等若しくは特定役務をもって代替させることができない芸術品その他これに類するもの又は特許権等の排他的権利若しくは特殊な技術に係る物品等若しくは特定役務の調達をする場合において、当該調達の相手方が特定されているとき。

二　既に調達をした物品等（以下この号において「既調達物品等」という。）又は既に契約を締結した特定役務（以下この号において「既契約特定役務」という。）につき、交換部品その他既調達物品等に連接して使用する物品等の調達をする場合又は既契約特定役務に連接して提供を受ける同種の特定役務の調達をする場合であって、既調達物品等又は既契約特定役務の調達の相手方以外の者から調達をしたならば既調達物品等の使用又は既契約特定役務の便益を享受することに著しい支障が生ずるおそれがあるとき。

三　特定地方公共団体の委託に基づく試験研究の結果製造又は開発された試作品等（特定役務を含む。）の調達をする場合

四　既に契約を締結した建設工事（以下この号において「既契約工事」という。）についてその施工上予見し難い事由が生じたことにより既契約工事を完成するために施工しなければならなくなった追加の建設工事（以下この号において「追加工事」という。）で当該追加工事の契約に係る予定価格に相当する金額（この号に掲げる場合に該当し、かつ、随意契約の方法により契約を締結した既契約工事に係る追加工事がある場合には、当該追加工事の契約金額（当該追加工事が二以上ある場合には、それぞれの契約金額を合算した金額）を加えた額とする。）が既契約工事の契約金額の百分の五十以下であるものの調達をする場合であって、既契約工事の調達の相手方以外の者から調達をしたならば既契約工事の完成を確保する上で著しい支障が生ずるおそれがあるとき。

五　計画的に実施される施設の整備のために契約された建設工事（以下この号において「既契約工事」という。）に連接して当該施設の整備のために施工される同種の建設工事（以下この号において「同種工事」という。）の調達をする場合、又はこの号に掲げる場合に該当し、かつ、随意契約の方法により契約が締結された同種工事に連接して新たな同種工事の調達をする場合であって、既契約工事の調達の相手方以外の者から調達をすることが既契約工事の調達の相手方から調達をする場合に比して著しく不利と認められるとき。ただし、既契約工事の調達契約が第四条から第九条までの規定により締結されたものであり、かつ、既契約工事の入札に係る第六条の公告又は第七条第一項の公示においてこの号の規定により同種工事の調達をする場合があることが明らかにされている場合に限る。

六　建築物の設計を目的とする契約をする場合であって、当該契約の相手方が、総務大臣の定める要件を満たす審査手続により、当該建築物の設計に係る案の提出を行った者の中から最も優れた案を提出した者として特定されているとき。ただし、当該契約が、地方自治法施行令第百六十七条の二第一項第二号又は地方公営企業法施行令第二十一条の十三第一項第二号に規定するその性質又は目的が競争入札に適しないものに該当する場合に限る。

2　特定地方公共団体の締結する特定調達契約につき地方自治法施行令第百六十七条の二第一項（第八号及び第九号に係る部分に限る。）又は地方公営企業法施行令第二十一条の十三第一項（第八号及び第九号に係る部分に限る。）の規定により随意契約による場合には、地方自治法施行令第百六十七条の二第四項及び地方公営企業法施行令第二十一条の十三第四項の規定は、適用しない。

（落札者等の公示）

第十二条　特定地方公共団体の長は、特定調達契約につき、一般競争入札若しくは指名競争入札により落札者を決定したとき、又は随意契約の相手方を決定したときは、当該特定地方公共団体の規則で定めるところにより公示をしなければならない。

（一部事務組合等に関する特例）

第十三条　一部事務組合又は広域連合で特定地方公共団体又は中核市の加入するものについては、この政令の規定は、準用しない。

（特定地方公共団体等の規則への委任）

第十四条　この政令に規定するものを除くほか、特定調達契約について必要な事項は、特定地方公共団体又は中核

市の規則で定める。

附　則

（施行期日）

1　この政令は、協定が日本国について効力を生ずる日から施行する。

（経過措置）

2　この政令は、この政令の施行の日前において行われた公告その他の契約の申込みの誘引に係る契約で同日以後に締結されるものについては、適用しない。

3　この政令は、第十条第一項第六号に規定する契約であって、この政令の施行の日前に建築物の設計に係る案の提出の要請が行われたものであり、かつ、当該契約の相手方が当該案の提出を行った者の中から最も優れた案を提出した者として同日以後に特定されるものについては、適用しない。

附　則（平二六・三・一二政令五八）

（施行期日）

1　この政令は、二千十二年三月三十日ジュネーブで作成された政府調達に関する協定を改正する議定書が日本国について効力を生ずる日〔平二六・四・一六〕から施行する。

（経過措置）

2　改正後の地方公共団体の物品等又は特定役務の調達手続の特例を定める政令の規定は、この政令の施行の日前において行われた公告その他の契約の申込みの誘因に係る契約で同日以後に締結されるものに関する事務については、適用しない。

附　則（平三〇・一二・二一政令三四七）

（施行期日）

1　この政令は、経済上の連携に関する日本国と欧州連合との間の協定の効力発生の日〔平三一・二・一〕から施行する。

（経過措置）

2　この政令による改正後の地方公共団体の物品等又は特定役務の調達手続の特例を定める政令の規定は、この政令の施行の日前において行われた公告その他の契約の申込みの誘因に係る契約で同日以後に締結されるものについては、適用しない。

附　則（平三〇・一二・二七政令三五三）

（施行期日）

1　この政令は、経済上の連携に関する日本国と欧州連合との間の協定の効力発生の日〔平三一・二・一〕の翌日から起算して一年を経過した日から施行する。

（経過措置）

2　この政令による改正後の地方公共団体の物品等又は特定役務の調達手続の特例を定める政令の規定は、この政令の施行の日前において行われた公告その他の契約の申込みの誘因に係る契約で同日以後に締結されるものについては、適用しない。

附　則（令二・一二・二三政令三五七）

（施行期日）

1　この政令は、包括的な経済上の連携に関する日本国とグレートブリテン及び北アイルランド連合王国との間の協定の効力発生の日〔令三・一・一〕から施行する。

（経過措置）

2　この政令による改正後の地方公共団体の物品等又は特定役務の調達手続の特例を定める政令の規定は、この政令の施行の日前において行われた公告その他の契約の申込みの誘因に係る契約で同日以後に締結されるものについては、適用しない。

附　則（令六・一・一九政令一二）（抄）

（施行期日）

第一条　この政令は、令和六年四月一日から施行する。

○地方公共団体の物品等又は特定役務の調達手続の特例を定める政令第五条第二項第一号に規定する場合及び同項第二号に規定する総務大臣が定める要件を定める件

平三一・一・三一
総務省告示三四

地方公共団体の物品等又は特定役務の調達手続の特例を定める政令（平成七年政令第三百七十二号）第五条第二項第一号及び第二号の規定に基づき、同項第一号に規定する総務大臣が定める場合及び同項第二号に規定する総務大臣が定める要件を次のように定め、経済上の連携に関する日本国と欧州連合との間の協定〔平成三〇年一二月条約第一五号〕の効力発生の日から施行する。

一　地方公共団体の物品等又は特定役務の調達手続の特例を定める政令（以下「特例政令」という。）第五条第二項第一号に規定する総務大臣が定める場合は、中小企業基本法（昭和三十八年法律第百五十四号）第二条第一項に掲げる中小企業者の範囲を基本として地方自治法（昭和二十二年法律第六十七号）第二百五十二条の二十二第一項の中核市（以下「中核市」という。）の方針・計画（経済上の連携に関する日本国と欧州連合との間の協定の附属書十第二編第B節2の規定に関する注釈（f）に規定する現地の中小企業による調達手続への参加を奨励するための政策上の計画に当たるものをいう。以下同じ。）により定められた中小企業（以下「中核市が定める中小企業」という。）が地方自治法施行令（昭和二十二年政令第十六号）第百六十七条の五第一項の経営の規模に関する必要な資格を有する者に含まれる場合とする。

二　特例政令第五条第二項第二号に規定する総務大臣が定める要件は、次のとおりとする。

イ　地方自治法施行令第百六十七条の四、第百六十七条の五第一項及び第百六十七条の五の二の規定により必要な資格を定めた理由については、中核市が定める中小企業による調達手続への参加を奨励するためのものであること。

ロ　当該資格の内容については、中核市が定める中小企業の事業所の所在地が当該中核市又は当該中核市及びその周辺地域であること。

ハ　イ及びロに掲げる事項が中核市の方針・計画により明示されているものであること。

○地方公共団体の物品等又は特定役務の調達手続の特例を定める政令第三条第一項に規定する総務大臣の定める区分及び総務大臣の定める額を定める件

令六・一・二五
総務省告示一九

地方公共団体の物品等又は特定役務の調達手続の特例を定める政令（平成七年政令第三百七十二号）第三条第一項に規定する総務大臣の定める区分は、次の表の上欄に掲げる区分とし、同項に規定する総務大臣の定める額は、当該区分に応じ同表の下欄に定める額とし、令和六年四月一日から令和八年三月三十一日までの間に締結される調達契約について適用する。

区　分	額
物品等の調達契約	三千六百万円
特定役務のうち建設工事の調達契約	二十七億二千万円
特定役務のうち建築のためのサービス、エンジニアリング・サービスその他の技術的サービスの調達契約	二億七千万円
特定役務のうち右記以外の調達契約	三千六百万円

○地方公共団体の物品等又は特定役務の調達手続の特例を定める政令第三条第一項に規定するところにより算定した額を定める件

平七・一二・八
自治省告示二〇八

最終改正　平二六・三・一九総務省告示九七

地方公共団体の物品等又は特定役務の調達手続の特例を定める政令（平成七年政令第三百七十二号）第三条第一項に規定する総務大臣の定めるところにより算定した額は、次のとおりとする。

借入期間又は提供を受ける期間の定めがある場合は、予定賃借料の総額に見積残存価額（借り入れた物品等をその借入れの終了の時に買い入れるとした場合の予定価格）を加えて得た額又は特定役務の予定価格の総額とし、その他の場合は、一月当たりの予定賃借料又は特定役務の予定価格に四十八を乗じて得た額

附　則（平二六・三・一九総務省告示九七）

（施行期日）

1　この告示は、地方公共団体の物品等又は特定役務の調達手続の特例を定める政令の一部を改正する政令（平成二十六年政令第五十八号）の施行の日（平二六・四・一六）から施行する。

（経過措置）

2　改正後の地方公共団体の物品等又は特定役務の調達手続の特例を定める政令第三条第一項に規定する総務大臣の定めるところにより算定した額を定める件の規定は、この告示の施行の日前において行われた公告その他の契約の申込みの誘因に係る契約で同日以後に締結されるものについては、適用しない。

○地方公共団体の物品等又は特定役務の調達手続の特例を定める政令第十一条第一項第六号に規定する総務大臣の定める要件を定める件

平七・一二・八
自治省告示二〇九

最終改正　平二八・三・三〇総務省告示一一二

地方公共団体の物品等又は特定役務の調達手続の特例を定める政令（平成七年政令第三百七十二号）第十一条第一項第六号に規定する総務大臣の定める要件は、次のとおりとする。

一　複数の審査員の合議により審査されること。

二　次に掲げる者は建築物の設計に係る案の提出（以下「提案」という。）を行うことができないこと。

イ　審査員

ロ　審査員が自ら主宰し又は役員若しくは顧問として関係する法人その他の組織及び当該組織に所属する者

ハ　提案に関する事務を担当する特定地方公共団体の部局の職員

三　提案の要請を行うに際し、次に掲げる事項が公示されること。

イ　提案に係る建築物の設計の内容

ロ　提案を行う者に必要な資格

ハ　提案に係る質問を受け付ける場所

ニ　提案の場所及び日時

ホ　審査員の氏名

ヘ　審査を行う日

四　審査結果が理由を付して公表されること。

○地方公共団体の物品等又は特定役務の調達手続の特例を定める政令関係対応表

○略称　施行令――地方自治法施行令
特例政令――地方公共団体の物品等又は特定役務の調達手続の特例を定める政令

○通知・注釈中☆印は、平成七年一一月一日付け自治行第八三号自治省行政局長通知、平成二六年三月一二日付け総行行第四三号自治行政局長通知、平成二八年三月三〇日付け総行行第六三号総務省自治行政局行政課長通知及び令和二年一二月二四日付け総行行第三二七号総務省自治行政局行政課長通知において、各地方公共団体の財務規則で規定を要する事項としたものを表す。

地方自治法・地方自治法施行令（関係部分）

○地方自治法

（契約の締結）

第二百三十四条　売買、貸借、請負その他の契約は、一般競争入札、指名競争入札、随意契約又はせり売りの方法により締結するものとする。

2　前項の指名競争入札、随意契約又はせり売りは、政令で定める場合に該当するときに限り、これによることができる。

3　普通地方公共団体は、一般競争入札又は指名競争入札（以下この条において「競争入札」という。）に付する場合においては、政令の定めるところにより、契約の目的に応じ、予定価格の制限の範囲内で最高又は最低の価格をもつて申込みをした者を契約の相手方とするものとする。ただし、普通地方公共団体の支出の原因となる契約については、政令の定めるところにより、予定価格の制限の範囲内の価格をもつて申込みをした者のうち最低の価格をもつて申込みをした者以外の者を契約の相手方とすることができる。

4・5　（略）

6　競争入札に加わろうとする者に必要な資格、競争入札に

地方公共団体の物品等又は特定役務の調達手続の特例を定める政令（特例政令）

（趣旨）

第一条　この政令は、二千十二年三月三十日ジュネーブで作成された[1]政府調達に関する協定を改正する議定書によって改正された千九百九十四年四月十五日マラケシュで作成された政府調達に関する協定（次条第四号イ及びロにおいて「改正協定」という。）、経済上の連携に関する日本国と欧州連合との間の協定（同条及び第五条第二項において「日欧協定」という。）その他の国際約束を実施するため、地方公共団体の締結する契約のうち国際約束の適用を受けるもの[2]の取扱いに関し、地方自治法施行令（昭和二十二年政令第十六号）及び地方公営企業法施行令（昭和二十七年政令第四百三号）の特例を設けるとともに必要な事項を定めるものとする。

【参照条文】
【地方自治法施行令の特例――施行令一六七の二・一六七の五の2・一六七の五の二・一六七の六・一六七の一〇2・一六七の一一3・一六七の一三

通知・注釈

☆特例政令一条関係

1）○「二千十二年三月三十日ジュネーブで作成された政府調達に関する協定を改正する議定書によって改正された千九百九十四年四月十五日マラケシュで作成された政府調達に関する協定、経済上の連携に関する日本国と欧州連合との間の協定その他の国際約束を実施するため」とは、特例政令の制定動機を示したものであり、また、特例政令の適用に関し、疑義が生じた場合には協定、改正協定その他国際約束が解釈の指針となることを示したものである。

2）●特定調達契約については、一般競争入札又は指名競争入札により契約を締結しようとする場合はもとより、随意契約により契約を締結しようとする場合においても、内外無差別の原則に沿って、契約の相手方の適正な選定を行うべきである。（平七・一一・一通知）

おける公告又は指名の方法、随意契約及びせり売りの手続その他契約の締結の方法に関し必要な事項は、政令でこれを定める。

【参照条文】
② 【政令の定―施行令一六七～一六七の三　特例政令一一】
③ 【政令の定―施行令一六七の九～一六七の一〇の二・一六七の一三　特例政令九　【予定価格―特例政令三】
⑥ 【政令の定―施行令一六七の四～一六七の六・一六七の八・一六七の一一～一六七の一四　特例政令四～八・一二】

（定義）

第二条　この政令において、次の各号に掲げる用語の意義は、それぞれ当該各号に定めるところによる。
一　特定地方公共団体　都道府県及び地方自治法第二百五十二条の十九第一項の指定都市をいう。
二　欧州連合等の供給者　物品等又は特定役務を提供し、又は提供しようとする次に掲げる者をいう。
イ　日欧協定第一・二条(q)に規定する欧州連合構成国の国民
ロ　日欧協定第八・二条(n)(i)に規定する法人
ハ　包括的な経済上の連携に関する日本国とグレートブリテン及び北アイルランド連合王国との間の協定（ニ及び第五条第二項において「日英協定」という。）第一・二条(r)に規定する締約国の国民（グレートブリテン及び北アイルランド連合王国（ニにおいて「英国」という。）の国民に限る。）
ニ　日英協定第八・二条(n)に規定する法人（英国の法人に限る。）
三　物品等　動産（現金及び有価証券を除く。）及び著作権法（昭和四十五年法律第四十八号）第二条第一項第十号の二に規定するプログラムをいう。
四　特定役務　次のイ又はロに掲げる地方公共団体の区分に応じ、それぞれイ又はロに定める役務をいう。
イ　特定地方公共団体　改正協定の附属書Ⅰ日本国の付表5に掲げるサービス若しくは同附属書Ⅰ日本国の付表6に掲げる建設サービス（次号及び第十一条第一項において「建設工事」という。）又は日欧協定の附属書十第二編第B節5(b)に掲げるサービスに係る役務
ロ　地方自治法第二百五十二条の二十二第一項の中核市（以下「中核市」という。）　改正協定の附属書Ⅰ日本

✥ 特例政令二条関係

1) ●協定対象外の役務（附属書Ⅰ日本国の付表4（現行では付表5又6）に掲げられていないもの）を含んだ混合的な調達契約の場合において、主目的が協定対象外の役務の調達となったときは、特例政令に関しては適用対象外となるものである。（平七・一一・一通知）

2) ●調達に関する定義はないが、買入れ、製造及びこれに伴う供給（個別の発注に係るもの）、借入れ、役務の提供等、およそ考えられるあらゆる形態の調達を含む。（平七・一一・一通知）

3) ●「一連の調達契約」の判定に際しては、「同一の種類」か否かを、機能、性能又は規格等が同等であって特定地方公共団体の同一の需要を充たすものか否かによって判断すべきものである。（平七・一一・一通知）

●契約締結権限を各部局、出先機関の長等に委任している場合、特定地方公共団体の需要の判断は、各々の契約締結権者ごとになされるものであることから、これらの契約締結権者を通じて特定地方公共団体の需要を一のものとして「一連の調達契約」の取扱いをする必要はない。（平七・一一・一通知）

●「一連の調達契約」の判定は、通常、会計年度ごとに行うものである。（平七・一一・一通知）

地方自治法・地方自治法施行令（関係部分）

地方公共団体の物品等又は特定役務の調達手続の特例を定める政令（特例政令）

国の付表5に掲げるサービスに係る役務

五　調達契約[1]　物品等又は特定役務の調達[2]のため締結される契約（当該物品等又は当該特定役務以外の物品等又は役務の調達が付随するものを含み、民間資金等の活用による公共施設等の整備等の促進に関する法律（平成十一年法律第百十七号）第二条第二項に規定する特定事業（建設工事を除く。）にあっては、民間資金等の活用による公共施設等の整備等の促進に関する法律の一部を改正する法律（平成二十三年法律第五十七号）による改正前の同項に規定する特定事業を実施するため締結される契約に限る。）をいう。

六　一連[3]の調達契約　特定の需要に係る一の物品等若しくは特定役務又は同一の種類の二以上の物品等若しくは特定役務の調達のため締結される二以上の調達契約をいう。

【引用条文】
【法二五二の一九（指定都市の権能）1・二五二の二二（中核市の権能）1　【著作権法二（定義）1

【参照条文】
【物品―法二三九1　【動産―民法八六　【現金及び有価証券―法二三五の四

（適用範囲）

第三条　この政令は、特定地方公共団体[1]又は中核市の締結する調達契約であって、当該調達契約に係る予定価格[2]（物品等の借入れに係る調達契約又は一定期間継続して提供を受ける特定役務の調達契約にあっては、借入期間又は提供を受ける期間の定めが十二月以下の場合は当該期間における

通知・注釈

❖特例政令三条関係

1）●出資、出捐等に係る地方公社、財団法人、株式会社等（いわゆる第三セクター）に係る調達契約については特例政令は適用されない。（平七・一一・一通知）

2）●地方公共団体の調達契約には、物品等と役務の双方を包含する混合的なものも存するが、こうした調達契約においては、主目的である調達に着目し、全体を当

予定賃借料の総額又は特定役務の予定価格の総額とし、その[3]他の場合は総務大臣の定めるところにより算定した額とする。）が総務[4]大臣の定める区分に応じ総務大臣の定める額以上の額であるものについて適用する。ただし、次に掲げる調達契約については、この限りでない。

一　有償で譲渡（加工又は修理を加えた上でする譲渡を含む。）をする目的で取得する物品等若しくは当該物品等の譲渡（加工又は修理を加えた上でする譲渡を含む。）をするために直接に必要な特定役務（当該物品等の加工又は修理をするために直接に必要な特定役務を含む。）又は有償で譲渡をする製品の原材料として使用する目的で取得する物品等若しくは当該製品の生産をするために直接に必要な特定役務の調達契約

二　事業[5]協同組合、事業協同小組合若しくは協同組合連合会又は商工組合若しくは商工組合連合会を相手方とする調達契約

三　中核市の経営する電気[6]事業に係る調達契約

四　公共[7]の安全と秩序の維持に密接に関連する調達契約であって、当該調達契約に係る特定地方公共団体又は中核市の行為を秘密にする必要があるもの

2　前項の予定価格は、一連の調達契約が締結される場合には、当該一連の調達契約により調達をすべき物品等又は特定役務の予定価格の合計額とする。

【参照条文】

①【事業協同組合等――中小企業等協同組合法　中小企業団体の組織に関する法律　【電気事業――電気事業法二　【公共の安全と秩序の維持――警察法一・二1

②【一連の調達契約――特例政令二VI

該主目的に係る調達として扱い、当該契約の全体の予定価格（主目的以外の物品等及び役務に係る価額を含む。）により、適用基準額に達するか否かを判断すべきものである。（平七・一一・一通知）

●主目的が物品等又は協定の対象である役務の調達契約である場合には、適用基準額に達するかどうかの判断の前提である予定価格の積算に際し、協定対象外の役務に係る価額であっても予定価格に含めて算出すべきものである。（平七・一一・一通知）

●いわゆる単価契約を行った場合においては、単価に予定数量を乗ずることにより支出予定相当額を算出し、特例政令の適用基準額に達しているかどうかを判定すべきものである。（平七・一一・一通知）

3）●借入期間又は提供を受ける期間の定めがある場合は、予定賃借料の総額に見積残存価額（借り入れた物品等をその借入れの終了の時に買い入れるとした場合の予定価格）を加えて得た額又は特定役務の予定価格の総額とし、その他の場合は、一月当たりの予定賃借料又は特定役務の予定価格に四八を乗じて得た額とする。（平二六・三・一九総務省告示第九七号）

●調達契約に係る期間の定めが四八月に満たない場合（一二月は超える場合）であっても、告示の方法により算定した額を予定価格とみなす。（平七・一二・二二通知）

4）●適用基準額に関する総務大臣告示額は、協定上の適用基準額を特別引出権表示から邦貨換算額に変更するためのものであるので、特別引出権に係る利用し得る過去の一定期間の邦貨換算額をもとにした客観的な算定法により定める。（平七・一一・一通知）

5）●「事業協同組合、事業協同小組合若しくは協同組合連合会又は商工組合若しくは商工組合連合会」は、中小企業等協同組合法（昭和二四年法律第一八一号）及び中小企業団体の組織に関する法律（昭和三二年法律第一八五号）に基づく団体である。（平七・一一・一通知）

地方自治法・地方自治法施行令（関係部分）

○地方自治法施行令

（一般競争入札の参加者の資格）

第百六十七条の四　普通地方公共団体は、特別の理由がある場合を除くほか、一般競争入札に次の各号のいずれかに該当する者を参加させることができない。

一　当該入札に係る契約を締結する能力を有しない者

二　破産手続開始の決定を受けて復権を得ない者

三　暴力団員による不当な行為の防止等に関する法律（平成三年法律第七十七号）第三十二条第一項各号に掲げる者

2　普通地方公共団体は、一般競争入札に参加しようとする者が次の各号のいずれかに該当すると認められるときは、その者について三年以内の期間を定めて一般競争入札に参加させないことができる。その者を代理人、支配人その他の使用人又は入札代理人として使用する者についても、また同様とする。

地方公共団体の物品等又は特定役務の調達手続の特例を定める政令（特例政令）

通知・注釈

6）●特定地方公共団体の経営する電気事業に係る調達契約が適用対象とされた（平三〇・一二・二七通知）

7）○特例政令三条一項四号に該当する例としては、都道府県警察に係る調達契約であって、犯罪の予防、捜査、取締り等の観点から秘密を守る必要があるものが考えられる。

○特例政令三条一項四号は、当該行為を秘密にする必要がある場合のみならず、当該調達契約について適用除外にし、その結果、随意契約によるのでなければ特定地方公共団体の行為の秘密を守ることができない場合を含む。

○個別の調達契約が、該当するか否かは、特定地方公共団体が判断するものである。

一　契約の履行に当たり、故意に工事、製造その他の役務を粗雑に行い、又は物件の品質若しくは数量に関して不正の行為をしたとき。
二　競争入札又はせり売りにおいて、その公正な執行を妨げたとき又は公正な価格の成立を害し、若しくは不正の利益を得るために連合したとき。
三　落札者が契約を締結すること又は契約者が契約を履行することを妨げたとき。
四　地方自治法第二百三十四条の二第一項の規定による監督又は検査の実施に当たり職員の職務の執行を妨げたとき。
五　正当な理由がなくて契約を履行しなかつたとき。
六　契約により、契約の後に代価の額を確定する場合において、当該代価の請求を故意に虚偽の事実に基づき過大な額で行つたとき。
七　この項（この号を除く。）の規定により一般競争入札に参加できないこととされている者を契約の締結又は契約の履行に当たり代理人、支配人その他の使用人として使用したとき。

第百六十七条の五　普通地方公共団体の長は、前条に定めるもののほか、必要があるときは、一般競争入札に参加する者に必要な資格として、あらかじめ、契約の種類及び金額に応じ、工事、製造又は販売等の実績、従業員の数、資本の額その他の経営の規模及び状況を要件とする資格を定めることができる。
2　普通地方公共団体の長は、前項の規定により一般競争入札に参加する者に必要な資格を定めたときは、これを公示しなければならない。

（競争入札の参加者の資格に関する公示）
第四条　特定地方公共団体の長は、この政令の規定が適用される調達契約（以下「特定調達契約」という。）の締結が見込まれるときは、[1]地方自治法施行令第百六十七条の五第二項（同令第百六十七条の十一第三項において準用する場合を含む。）の規定による[2]公示については、当該特定調達契約の締結が見込まれる[3]年度ごとに、しなければならない。

【引用条文】
【施行令一六七の五２（一般競争入札の参加者の資格の

❖特例政令四条関係
1）☆●一般競争入札又は指名競争入札に参加する者に必要な資格を定めた場合において、特定調達契約の締結が見込まれるときは、知事（市長）の定めるところにより、随時に、一般競争入札又は指名競争入札に参加しようとする者の申請をまって、その者が当該資格を有するかどうかを審査し、資格を有すると認めた者又は資格がないと認めた者に対し、それぞれ必要な通知をしなければならない。（平七・一一・一通知）
☆●一般競争入札又は指名競争入札に参加する者の資格の審査の結果、一般競争入札又は指名競争入札に参加する者の資格がないと認めた者から請求があるとき

地方自治法・地方自治法施行令（関係部分）

地方公共団体の物品等又は特定役務の調達手続の特例を定める政令（特例政令）

公示）・一六七の一一3（指名競争入札の参加者の資格の公示）

通知・注釈

は、当該資格がないと認めた理由を書面により通知しなければならない。（平二六・三・一二通知）

☆●一般競争入札又は指名競争入札に参加する者の資格を審査したときは、当該資格を有する者の名簿を作成するものとする。（平七・一一・一通知）

☆●特定調達契約につき、一般競争入札の公告又は指名競争入札の公示をした後、当該公告又は公示に係る競争入札に参加しようとする者から競争入札に係る資格審査の申請があったときは、速やかに、その者が資格を有するかどうかについて審査を開始しなければならない。（平七・一一・一通知）

●一般競争入札の公告又は指名競争入札の公示後、当該競争入札に係る資格審査の申請があったときは、速やかに当該資格審査を終了するよう努めるべきである。（平七・一一・一通知）

☆●競争入札に係る資格審査の申請があった場合において、開札の日時までに資格の審査を終了することができないおそれがあると認められるときは、あらかじめ、その旨を当該申請を行った者に通知しなければならない。（平七・一一・一通知）

●開札の日時までに資格審査を終了することができないおそれがある場合には、事後において、速やかに当該資格審査を終了するよう努めるべきである。（平七・一一・一通知）

2

☆●特例政令四条の公示は、都道府県（市）報（これらに相当するものを含む。）によりしなければならない。（平七・一一・一通知）

☆●公示においては、次の事項を明らかにしなければならない。（平二六・三・一二通知）

(1) 調達する物品等又は役務の種類

(2) 競争入札参加資格の審査の申請の方法

(3) 競争入札参加資格の有効期間及び当該期間の更新

第百六十七条の五の二 普通地方公共団体の長は、一般競争

(一般競争入札の参加者の資格に関する要件の制限等)

手続

(4) 競争入札参加資格に関する文書を入手するための手段

※

○(平二六・三・一二通知中)(4)競争入札参加資格に関する文書を入手するための手段につき、「資格に関する文書」とは入札参加資格について記した書類、入札参加資格審査申請書等、入札参加資格者名簿に関する全ての書類を指し、「入手するための手段」とは、これらの書類を入手するための手段、例えば、これらの書類をホームページからダウンロードする場合には掲載ホームページのアドレス等であり、これらを当該公示に記載する必要がある。(平二六・四・七事務連絡)

●競争入札参加者の資格の公示においては、当該公示が地方公共団体の物品等又は特定役務の調達手続の特例を定める政令の適用対象となる調達契約に係るものである旨資格審査を申請しようとする者が容易に認識できるよう明示されたい。(平二六・三・一二通知)

3)

●指名競争入札による特定調達契約の締結が見込まれる際には、競争入札参加者の資格に係る公示は必ず年度ごとに行うこととなる。(平七・一一・一通知)

●特例政令四条の公示を行う時期に関しては、特定調達契約が締結される年度において入札手続開始以前に行えば足りるものであるが、競争入札参加予定者が早期に計画的に対処できるよう、できるだけ早期の公示に努めるべきである。(平七・一一・一通知)

※

●特定調達契約については、協定において、商標等を特定して競争入札に付することを禁止(ただし、「又はこれと同等のもの」等の文言を付加したうえ商標等に言及することは妨げない。)しており、入札手続の適切な運用に努めるべきである。(平七・一一・一通知)

❖特例政令五条関係

1)

●協定における内外無差別の原則はすべての特定調達

地方自治法・地方自治法施行令（関係部分）

入札により契約を締結しようとする場合において、契約の性質又は目的により、当該入札を適正かつ合理的に行うため特に必要があると認めるときは、前条第一項の資格を有する者につき、更に、当該入札に参加する者の事業所の所在地又はその者の当該契約に係る工事等についての経験若しくは技術的適性の有無等に関する必要な資格を定め、当該資格を有する者により当該入札を行わせることができる。

地方公共団体の物品等又は特定役務の調達手続の特例を定める政令（特例政令）

第五条　特定地方公共団体の長は、地方自治法施行令第百六十七条の五の二の規定にかかわらず、特定調達契約に係る一般競争入札に参加する者（当該特定地方公共団体の経営する鉄道事業又は軌道事業における運行上の安全に関連する特定調達契約に係る一般競争入札に参加する者にあっては、国内の供給者（物品等又は特定役務を提供し、又は提供しようとする者であって、国内に事業所を有するものをいう。）及び欧州連合等の供給者に限る。）につき、当該入札に参加する者の事業所の所在地に関する必要な資格を定めることができない。

2　中核市の長は、地方自治法施行令第百六十七条の五の二の規定により特定調達契約に係る一般競争入札に参加する者の事業所の所在地に関する必要な資格を定めた場合には、次の各号のいずれにも該当する場合を除き、欧州連合等の供給者が当該資格を有する者であるかどうかにかかわらず、欧州連合等の供給者を当該資格を有する者として取り扱わなければならない。

一　地方自治法施行令第百六十七条の五第一項の規定により当該入札に参加する者の経営の規模に関する必要な資格を定めた場合には、日欧協定の附属書十第二編第Ｂ節２の規定に関する注釈(f)又は日英協定の附属書十第二編第Ｂ節２の規定に関する注釈(f)の中小企業が当該資格を有する者に含まれる場合として総務大臣[2]が定める場合に該当する場合

二　前号に掲げるもののほか、地方自治法施行令第百六十七条の四、第百六十七条の五第一項及び第百六十七条の五の二の規定により当該入札に参加する者に必要な資格

通知・注釈

契約に適用される。特定調達契約に係る指名競争入札に参加する者についても、当該入札に参加する者の事業所の所在地に関する必要な資格を定めることができないこととなる。（平七・一一・一通知）

2）●当該中小企業の範囲が中小企業基本法（昭和三八年法律第一五四号）第二条第一項に掲げる中小企業者の範囲と異なる場合には、その客観性の確保について十分留意するものである。（平三一・一・三一通知）

3）●特例政令第五条第二項第二号に規定する総務大臣が定める要件は、次のとおりとする。

イ　地方自治法施行令第百六十七条の四、第百六十七条の五第一項及び第百六十七条の五の二の規定により必要な資格を定めた理由については、中核市が定める中小企業による調達手続への参加を奨励するためのものであること。

ロ　当該資格の内容については、中核市が定める中小企業の事業所の所在地が当該中核市又は当該中核市及びその周辺地域であること。

ハ　イ及びロに掲げる事項が中核市の方針・計画により明示されているものであること。（平三一・一・三一総務省告示第三四号）

●中小企業の事業所については、その詳細な定義（本店、支店、営業所等）を各中核市において定めることは差し支えないものである。（平三一・一・三一通知）

●当該方針・計画を策定した場合には、これを公表するとともに、中核市が行う調達において当該方針・計画を適用する場合には、当該調達に係る入札公告等においてその旨を明示すること。（平三一・一・三一通知）

●既に中核市が定めている中小企業振興計画や官公需についての中小企業者の受注の確保に関する法律（昭

（一般競争入札の公告）

第百六十七条の六　普通地方公共団体の長は、一般競争入札により契約を締結しようとするときは、入札に参加する者に必要な資格、入札の場所及び日時その他入札について必要な事項を公告しなければならない。

2　普通地方公共団体の長は、前項の公告において、入札に参加する者に必要な資格のない者のした入札及び入札に関する条件に違反した入札は無効とする旨を明らかにしておかなければならない。

を定めた理由及び当該資格の内容が、日欧協定の附属書十第二編第B節2の規定に関する注釈(f)又は日英協定の附属書十第二編第B節2の規定に関する注釈(f)の規定の適用のための要件として総務大臣が定める要件に適合する場合

【引用条文】

【施行令一六七の五の二（一般競争入札の参加者の資格）】【鉄道事業―鉄道事業法二】【軌道事業―軌道法

（一般競争入札について公告をする事項）

第六条　特定地方公共団体の長は、特定調達契約について地方自治法施行令第百六十七条の六第一項の規定により公告をするときは、同項の規定により公告をしなければならない事項及び同条第二項の規定により明らかにしておかなければならない事項のほか、次に掲げる事項についても、公告をしなければならない。

一　競争入札に付する事項

二　契約条項を示す場所

三　入札保証金に関する事項

四　一連の調達契約にあっては、当該一連の調達契約のうちの一の契約による調達後において調達が予定される物品等又は特定役務の名称、数量及びその入札の公告の予定時期並びに当該一連の調達契約のうちの最初の契約に係る入札の公告の日付

五　競争入札に参加する者に必要な資格を有するかどうかの審査を申請する時期及び場所

六　第八条に規定する文書の交付に関する事項

七　落札者の決定の方法

【引用条文】

和四一年法律第九七号）に基づく方針その他契約・入札に関する規程等において、本告示に定める各要件が明記されている場合には、これらの計画等をもって中核市の方針・計画とすることができるものである。（平三二・一・三二通知）

❖特例政令六条関係

1）☆●特例政令六条の公告は、一般競争入札の入札期日の前日から起算して少なくとも四〇日前（自主的措置により五〇日に延長）（一連の調達契約のうち最初の契約以外の契約に係る一般競争入札については、二四日前）に、都道府県（市）報によりしなければならない。（平七・一一・一通知）。また、「一連の契約のうち最初の契約以外の契約に係る一般競争入札については、二四日前」とあるのは、最初の契約に係る公告において最初の契約以外の契約に係る公告を少なくとも二四日前に行う旨規定した場合に限り行うことができる。（平二六・三・一一通知）

☆●急を要する場合においては、公告から入札期日までの期間を一〇日までに短縮することができる。（平七・一一・一通知）

☆●改正協定においては、次に掲げる場合には、それぞれの場合ごとに公告から入札期日までの期間を五日短縮することができることとされている。ただし、この場合においても、当該期日までの期間を一〇日未満とすることはできないこととされている。

①　入札公告を電子情報処理組織を使用して行う場合

②　入札説明書の配付を入札公告又は公示の日から電子情報処理組織を使用して行う場合

③　入札書の受領を電子情報処理組織を使用して行う

地方自治法・地方自治法施行令（関係部分）

地方公共団体の物品等又は特定役務の調達手続の特例を定める政令（特例政令）

【施行令一六七の六1・2（一般競争入札の公告）】
【特例政令八（入札説明書の交付）】

【参照条文】
【入札保証金――法二三四4　施行令一六七の七】
【一連の調達契約――特例政令二Ⅵ】【落札者の決定――法二三四3　施行令一六七の九～一六七の一〇の二　特例政令九】

通知・注釈

場合
　これらにかかわらず、改正協定においては、都道府県又は指定都市が商業上の物品及びサービスの調達を電子情報処理組織を使用して行う場合で、かつ、当該公告及び入札説明書の配付を電子情報処理組織を使用して行う場合は、公告から入札期日までの期間を一三日以上の期間とすることができるとされている。この場合において、当該商業上の物品又はサービスに係る入札書の受領を電子情報処理組織を使用して行う場合は、公告から入札期日までの期間を一〇日以上とすることができることとされている。（令二・一二・二四通知）

☆●再度公告入札の公告期間の短縮を可能とする旨の規定が財務規則に存する場合には、当該規定は、特定調達契約については適用しない。（平七・一一・一通知）

2）☆●一般競争入札の公告又は指名競争入札の公示において、当該公告又は公示に係る特定調達契約に関する事務を担当する部局の名称及び契約の手続において使用する言語を明らかにするほか、次の事項を、英語、フランス語又はスペイン語により、記載するものとする。（平七・一一・一通知）
(1) 調達をする物品等又は役務の名称及び数量
(2) 入札期日
(3) 公告又は公示に係る特定調達契約に関する事務を担当する部局の名称

●一般競争入札の公告又は指名競争入札の公示においては、当該公告又は公示が特定調達契約に係るものである旨を競争入札に参加しようとする者が容易に認識できるよう明示すべきである。（平七・一一・一通知）

3）●調達に係る納入期日の設定に当たっては、広く競争参加者を確保し、供給者の参加機会の増大を図るとい

（指名競争入札の公示等）

第七条 特定地方公共団体の長は、特定調達契約につき指名競争入札により契約を締結しようとするときは、前条の規定により一般競争入札について公告をするものとされている事項について、公示をしなければならない。

2 特定地方公共団体の長は、特定調達契約について地方自治法施行令第百六十七条の十二第二項の規定により通知するときは、同項の規定により通知しなければならない事項及び同条第三項において準用する同令第百六十七条の六第二項の規定により明らかにしなければならない事項のほか、次に掲げる事項を通知しなければならない。

一 前条第一号から第三号までに掲げる事項

二 一連の調達契約にあっては、前条第四号に掲げる事項

う協定の趣旨に沿って慎重に対処すべきである。（平七・一一・一通知）

※ ●協定第九条三の「調達予定の公示」及び「資格審査制度に係る公示」については、特例政令の規定上、競争入札の公告又は公示としては採用できない。（平七・一一・一通知）

※ ●一般競争入札の公告又は指名競争入札の公示後、当該公告事項又は公示事項に関して修正が必要となったときは、修正内容についても都道府県（市）報（これらに相当するものを含む。）に掲載することにより競争入札に参加しようとする者に周知すべきである。（平七・一一・一通知）

※ ●一般競争入札の公告、又は指名競争入札の公示後、当該公告事項又は公示事項に関して修正しようとする場合において、当初の公告又は公示に係る一般競争入札に参加しようとする者又は指名競争入札に参加しようとする者が判明しているときは、当該公告又は公示に係る事項を、これらの者に書面により送付する。（平二六・三・一二通知）

❖ 特例政令七条関係

1）☆●特例政令七条の規定による公示は、一般競争入札の公告の例（公告から入札期日までの期間及び都道府県（市）報によること）によりしなければならない。（平七・一一・一通知）

※ ☆●特定調達契約につき競争入札に係る資格審査の申請を行った者から入札書が資格審査の終了前に提出された場合においては、その者が開札の時において、一般競争入札の場合にあっては一般競争入札に参加する者に必要な資格を有すると認められることを、指名競争入札の場合にあっては追加で指名されていることを条件として、当該入札書を受理するものとする。（平七・一一・一通知）

※ ☆●特定調達契約につき郵便による入札を禁止してはならない。（平七・一一・一通知）

地方自治法・地方自治法施行令（関係部分）

（**一般競争入札の開札及び再度入札**）

第百六十七条の八　一般競争入札の開札は、第百六十七条の六第一項の規定により公告した入札の場所において、入札の終了後直ちに、入札者を立ち会わせてしなければならない。この場合において、入札者が立ち会わないときは、当該入札事務に関係のない職員を立ち会わせなければならない。

2　前項の規定にかかわらず、一般競争入札において、入札書に記載すべき事項を記録した電磁的記録（電子的方式、磁気的方式その他人の知覚によつては認識することができ

地方公共団体の物品等又は特定役務の調達手続の特例を定める政令（特例政令）

三　契約の手続において使用する言語

【引用条文】

【特例政令六（一般競争入札について公告をする事項）】

（**入札説明書の交付**）

第八条　特定地方公共団体の長は、特定調達契約につき一般競争入札又は指名競争入札により契約を締結しようとするときは、これらの競争入札に参加しようとする者に対し、その者の申請により、入札を行うため必要な事項として当該特定地方公共団体の規則で定める事項について説明する文書を交付するものとする。

通知・注釈

※●特定調達契約に関しては、昭和三八年一二月一九日付け自治丁行発第九三号行政課長通知中該当の部分は変更されるものである。（平七・一一・一通知）

◆特例政令八条関係

1）☆●特定地方公共団体の規則で定める事項は、次のものとする。（平二六・三・一二通知）

(1) 一般競争入札の公告事項又は指名競争入札の公示事項（入札説明書の交付に関する事項を除く。）

(2) 調達する物品等又は役務の仕様その他の明細

(3) 開札に立ち会う者に関する事項

(4) 契約に関する事務を担当する部局の名称及び所在地

(5) 契約の手続において使用する言語

(6) 電子情報処理組織を使用して契約の手続を行う場合においては、当該電子情報処理組織の使用に関する事項

(7) その他必要な事項

ない方式で作られる記録であつて、電子計算機による情報処理の用に供されるものをいう。以下同じ。）を提出することにより行われる場合であつて、普通地方公共団体の長が入札事務の公正かつ適正な執行の確保に支障がないと認めるときは、入札者及び当該入札事務に関係のない職員を立ち会わせないことができる。

3 入札者は、その提出した入札書（当該入札書に記載すべき事項を記録した電磁的記録を含む。）の書換え、引換え又は撤回をすることができない。

4 普通地方公共団体の長は、第一項の規定により開札をした場合において、各人の入札のうち予定価格の制限の範囲内の価格の入札がないとき（第百六十七条の十第二項の規定により最低制限価格を設けた場合にあつては、予定価格の制限の範囲内の価格で最低制限価格以上の価格の入札がないとき）は、直ちに、再度の入札をすることができる。

（一般競争入札のくじによる落札者の決定）

第百六十七条の九 普通地方公共団体の長は、落札となるべき同価の入札をした者が二人以上あるときは、直ちに、当該入札者にくじを引かせて落札者を定めなければならない。この場合において、当該入札者のうちくじを引かない者があるときは、これに代えて、当該入札事務に関係のない職員にくじを引かせるものとする。

（一般競争入札において最低価格の入札者以外の者を落札者とすることができる場合）

第百六十七条の十 普通地方公共団体の長は、一般競争入札により工事又は製造その他についての請負の契約を締結しようとする場合において、予定価格の制限の範囲内で最低の価格をもつて申込みをした者の当該申込みに係る価格によつてはその者により当該契約の内容に適合した履行がされないおそれがあると認めるとき、又はその者と契約を締

（落札者の決定方法の制限）

第九条 地方自治法施行令第百六十七条の十第二項[1]（同令第百六十七条の十三において準用する場合を含む。）の規定は、特定地方公共団体の締結する特定調達契約については、適用しない。

【引用条文】

⚜

特例政令九条関係

1）●工事又は製造の請負（現行令では工事又は製造その他の請負）をその内容とする特定調達契約については、最低制限価格を設定することができないこととなるが、施行令一六七条の一〇第一項に定めるいわゆる低入札価格調査制度に関しては、協定上も認められている。したがって、入札価格によっては契約の内容に適合した履行を確保できないおそれがあると認められ

地方自治法・地方自治法施行令（関係部分）

結することが公正な取引の秩序を乱すこととなるおそれがあつて著しく不適当であると認めるときは、その者を落札者とせず、予定価格の制限の範囲内の価格をもつて申込みをした他の者のうち、最低の価格をもつて申込みをした者を落札者とすることができる。

2　普通地方公共団体の長は、一般競争入札により工事又は製造その他についての請負の契約を締結しようとする場合において、当該契約の内容に適合した履行を確保するため特に必要があると認めるときは、あらかじめ最低制限価格を設けて、予定価格の制限の範囲内で最低の価格をもつて申込みをした者を落札者とせず、予定価格の制限の範囲内の価格で最低制限価格以上の価格をもつて申込みをした者のうち最低の価格をもつて申込みをした者を落札者とすることができる。

地方公共団体の物品等又は特定役務の調達手続の特例を定める政令（特例政令）

【施行令一六七の一〇（一般競争入札において最低価格の入札者以外の者を落札者とすることができる場合）2・一六七の一三（指名競争入札の入札保証金等）】

（**複数落札入札制度による物品等又は特定役務の調達**）

第十条　特定地方公共団体の長は、特定調達契約につき一般競争入札又は指名競争入札により契約を締結しようとする場合において、その需要数量が多いときは、その需要数量の範囲内でこれらの競争入札に参加する者の落札を希望する数量及びその単価を入札させ、予定価格を超えない単価の入札者のうち、低価の入札者から順次需要数量に達するまでの入札者をもって落札者とすることができる。

通知・注釈

るときは、この制度の適切な活用により対処すべきである。（平七・一一・一通知）

※☆●特定調達契約につき、競争入札により落札者を決定した場合において、落札者とされなかった入札者から請求があったときは、速やかに、落札者を決定したこと、落札者の氏名及び住所、落札金額並びに当該請求を行った入札者が落札者とされなかった理由（当該請求を行った入札者の入札が無効とされた場合にあっては、無効とされた理由）を、当該請求を行った入札者に書面により通知するものとする。（平七・一一・一通知）

※○協定の規定により、落札者とされなかった入札者から請求がない場合においても、落札者決定の通知自体は行うべきである。

※○落札者決定の通知は、通常は、開札に立ち会った入札者に、開札の場所において、口頭で通知することをもって足りる。

※○開札に立ち会わなかった入札者に対する通知、即時に落札決定できない場合における落札者決定後に行う通知についても、適宜、簡易迅速な方法をもって行うべきである。

❖特例政令一〇条関係

1）☆●複数落札入札制度は、「需要数量が多いとき」に用いられる方法であることから、通常の一般競争入札又は指名競争入札による調達の可能性などを十分に検討した上で運用する必要がある。（平二八・三・三〇通知）

※☆●当該競争入札における予定価格は、単価となることから、運用に当たっては、あらかじめ、特定地方公共団体の規則等において、これらの競争入札に付する

2 前項の場合において、最後の順位の落札者の入札数量が他の落札者の数量と合算して需要数量を超えるときは、その超える数量については、落札がなかったものとする。

3 第一項の規定による一般競争入札又は指名競争入札により落札者を定めた場合において、落札者のうち契約を結ばない者があるときは、その者の落札していた数量の範囲内で、まず前項に規定する最後の順位の落札者について同項の規定により落札がなかったものとされた数量の落札があったものとし、次に第九項の規定により落札者とならなかった者についてその者の入札数量の落札があったものとすることができる。

4 前項の場合において、第九項の規定により落札者とならなかった者が二人以上あるときは、同項の規定の例によりその順位を決定し、また、最後の順位に当たる者の入札数量について第二項に規定する場合に準ずべき場合があるときは、同項の規定の例による。

5 特定地方公共団体の長は、特定調達契約につき第一項の規定による一般競争入札により契約を締結しようとする場合において、当該特定調達契約について地方自治法施行令第百六十七条の六第一項の規定により公告をするときは、第六条の規定により公告をしなければならない事項のほか、次に掲げる事項についても、公告をしなければならない。

一 第一項の規定による一般競争入札の方法による旨

二 第二項の規定により入札数量の一部について落札がなかったものとすることがある旨

三 第十一項の規定により当該一般競争入札を取り消すことがある旨

四 端数の入札を制限する場合にはその旨

6 特定地方公共団体の長は、特定調達契約につき第一項の

場合の予定価格は、物品等又は特定役務の種類ごとの総価額を当該物品等又は特定役務の種類ごとの需要数量で除した金額とする旨を定めておく必要がある。（平二八・三・三〇通知）

地方自治法・地方自治法施行令（関係部分）	地方公共団体の物品等又は特定役務の調達手続の特例を定める政令（特例政令）	通知・注釈
	規定による指名競争入札により契約を締結しようとする場合において、当該特定調達契約について第七条第一項の規定により公示をするときは、同項の規定により公示をしなければならない事項のほか、次に掲げる事項についても、公示をしなければならない。 一　第一項の規定による指名競争入札の方法による旨 二　第二項の規定により入札数量の一部について落札がなかったものとすることがある旨 三　第十一項の規定により当該指名競争入札を取り消すことがある旨 四　端数の入札を制限する場合にはその旨 7　特定地方公共団体の長は、前項の場合において、その特定調達契約について地方自治法施行令第百六十七条の十二第二項の規定により通知するときは、第七条第二項の規定により通知しなければならない事項のほか、前項各号に掲げる事項を通知しなければならない。 8　第一項の規定による一般競争入札又は指名競争入札が二種類以上の物品等又は特定役務について行われるものである場合には、その入札は、物品等又は特定役務の種類の異なるごとにその単価及び数量について行わなければならない。 9　第一項の規定による一般競争入札又は指名競争入札に付した場合において、同価の入札をした者が二人以上あるときの落札者の決定については、入札数量の多い者を先順位の落札者とするものとし、入札数量が同一であるときは、地方自治法施行令第百六十七条の九の規定の例によりくじで先順位の落札者を定めるものとする。	

第百六十七条の十の二 普通地方公共団体の長は、一般競争

10 第一項の規定による一般競争入札又は指名競争入札に付した場合において、落札数量が需要数量に達しないとき、又は落札者のうち契約を結ばない者があるときは、需要数量に達するまで、最低落札単価の制限内で、地方自治法施行令第百六十七条の二第一項（第九号に係る部分に限る。）、第三項及び第四項並びに地方公営企業法施行令第二十一条の十三第一項（第九号に係る部分に限る。）、第三項及び第四項の規定の例により、随意契約によることができる。

11 第一項の規定による一般競争入札又は指名競争入札に付する場合において、これらの競争入札に加わった者が五人に満たないときは、これらの競争入札を取り消すことができる。

12 前項の規定により一般競争入札又は指名競争入札を取り消した場合には、入札書は、そのままこれを入札者に送付しなければならない。

13 第十一項の規定により一般競争入札又は指名競争入札を取り消した場合には、地方自治法施行令第百六十七条の二第一項（第八号に係る部分に限る。）及び第二項並びに地方公営企業法施行令第二十一条の十三第一項（第八号に係る部分に限る。）及び第二項の規定は、適用しない。

【引用条文】

【施行令一六七の二（随意契約）１Ⅷ・Ⅸ・２・３・４・一六七の六（一般競争入札の公告）・一六七の九（一般競争入札のくじによる落札者の決定）・一六七の一二（指名競争入札の参加者の指名等）２ 【特例政令六（一般競争入札について公告をする事項）・七（指名競争入札の公示等） 【公企令二一の一三（随意契約）１Ⅷ・Ⅸ・２・３・４

地方自治法・地方自治法施行令（関係部分）

入札により当該普通地方公共団体の支出の原因となる契約を締結しようとする場合において、当該契約がその性質又は目的から地方自治法第二百三十四条第三項本文又は前条の規定により難いものであるときは、これらの規定にかかわらず、予定価格の制限の範囲内の価格をもつて申込みをした者のうち、価格その他の条件が当該普通地方公共団体にとつて最も有利なものをもつて申込みをした者を落札者とすることができる。

2　普通地方公共団体の長は、前項の規定により工事又は製造その他についての請負の契約を締結しようとする場合において、落札者となるべき者の当該申込みに係る価格によつてはその者により当該契約の内容に適合した履行がされないおそれがあると認めるとき、又はその者と契約を締結することが公正な取引の秩序を乱すこととなるおそれがあつて著しく不適当であると認めるときは、同項の規定にかかわらず、その者を落札者とせず、予定価格の制限の範囲内の価格をもつて申込みをした他の者のうち、価格その他の条件が当該普通地方公共団体にとつて最も有利なものをもつて申込みをした者を落札者とすることができる。

3　普通地方公共団体の長は、前二項の規定により落札者を決定する一般競争入札（以下「総合評価一般競争入札」という。）を行おうとするときは、あらかじめ、当該総合評価一般競争入札に係る申込みのうち価格その他の条件が当該普通地方公共団体にとつて最も有利なものを決定するための基準（以下「落札者決定基準」という。）を定めなければならない。

4　普通地方公共団体の長は、落札者決定基準を定めようと

地方公共団体の物品等又は特定役務の調達手続の特例を定める政令（特例政令）

通知・注釈

するときは、総務省令で定めるところにより、あらかじめ、学識経験を有する者（次項において「学識経験者」という。）の意見を聴かなければならない。

5　普通地方公共団体の長は、前項の規定による意見の聴取において、併せて、当該落札者決定基準に基づいて落札者を決定しようとするときに改めて意見を聴く必要があるかどうかについて意見を聴くものとし、改めて意見を聴く必要があるとの意見が述べられた場合には、当該落札者を決定しようとするときに、あらかじめ、学識経験者の意見を聴かなければならない。

6　普通地方公共団体の長は、総合評価一般競争入札を行おうとする場合において、当該契約について第百六十七条の六第一項の規定により公告をするときは、同項の規定により公告をしなければならない事項及び同条第二項の規定により明らかにしておかなければならない事項のほか、総合評価一般競争入札の方法による旨及び当該総合評価一般競争入札に係る落札者決定基準についても、公告をしなければならない。

（**指名競争入札の参加者の資格**）

第百六十七条の十一　第百六十七条の四の規定は、指名競争入札の参加者の資格についてこれを準用する。

2　普通地方公共団体の長は、前項に定めるもののほか、指名競争入札に参加する者に必要な資格として、工事又は製造の請負、物件の買入れその他当該普通地方公共団体の長が定める契約について、あらかじめ、契約の種類及び金額に応じ、第百六十七条の五第一項に規定する事項を要件とする資格を定めなければならない。

3　第百六十七条の五第二項の規定は、前項の場合にこれを準用する。

（**指名競争入札の参加者の指名等**）

※　☆●指名競争入札に参加する者の資格が一般競争入札に参加する者の資格と同一である等のため、指名競争入札に参加する者の資格の審査及び名簿の作成を要しないと認められるときは、当該資格の審査及び名簿の作成は行わず、一般競争入札に参加する者の資格の審査及び名簿の作成をもって代えるものとする。（平七・一一・一通知）

※　☆●特定調達契約について施行令一六七条の一一第二

地方自治法・地方自治法施行令（関係部分）

第百六十七条の十二　普通地方公共団体の長は、指名競争入札により契約を締結しようとするときは、当該入札に参加することができる資格を有する者のうちから、当該入札に参加させようとする者を指名しなければならない。

2　前項の場合においては、普通地方公共団体の長は、入札の場所及び日時その他入札について必要な事項をその指名する者に通知しなければならない。

3　第百六十七条の六第二項の規定は、前項の場合にこれを準用する。

4　普通地方公共団体の長は、次条において準用する第百六十七条の十の二第一項及び第二項の規定により落札者を決定する指名競争入札（以下「総合評価指名競争入札」という。）を行おうとする場合において、当該契約について第二項の規定により通知をするときは、同項の規定により通知をしなければならない事項及び前項において準用する第百六十七条の六第二項の規定により明らかにしておかなければならない事項のほか、総合評価指名競争入札の方法による旨及び当該総合評価指名競争入札に係る落札者決定基準についても、通知をしなければならない。

（指名競争入札の入札保証金等）

第百六十七条の十三　第百六十七条の七から第百六十七条の十まで及び第百六十七条の十の二（第六項を除く。）の規定は、指名競争入札の場合について準用する。

（随意契約）

第百六十七条の二　地方自治法第二百三十四条第二項の規定により随意契約によることができる場合は、次に掲げる場合とする。

地方公共団体の物品等又は特定役務の調達手続の特例を定める政令（特例政令）

（随意契約）

第十一条　特定地方公共団体の締結する特定調達契約については、地方自治法施行令第百六十七条の二第一項（第五号、第八号及び第九号[1]に係る部分に限る。）若しくは地方

通知・注釈

項の規定により定めた資格を有する者のうちから指名競争入札に参加する者を指名する場合の基準を定めなければならない。（平七・一一・一通知）

※☆●指名競争入札の公示においては、指名基準に基づく指名競争入札において指名されるために必要な要件についても、公示するものとする。（平七・一一・一通知）

※☆●特定調達契約に係る指名の通知は、一般競争入札の公告の例（公告から入札期日までの期間）によりしなければならない。（平七・一一・一通知）

※☆●特定調達契約に係る指名競争入札の場合においては、公示後の資格の審査の結果資格を有すると認められた者のうちから、指名基準に基づき、当該入札において指名されるために必要な要件を満たしていると認められる者を指名するとともに、その指名する者に対し、入札について必要な事項を通知しなければならない。（平七・一一・一通知）

❖特例政令一一条関係

1）●特定調達契約について、施行令一六七条の二第一項第七号［現九号］の規定により随意契約によろうとする場合には、当該随意契約の相手方の選定に当たり、予定価格の制限の範囲内の価格をもって申込みをした

一 売買、貸借、請負その他の契約でその予定価格（貸借の契約にあつては、予定賃貸借料の年額又は総額）が別表第五上欄に掲げる契約の種類に応じ同表下欄に定める額の範囲内において普通地方公共団体の規則で定める額を超えないものをするとき。

二 不動産の買入れ又は借入れ、普通地方公共団体が必要とする物品の製造、修理、加工又は納入に使用させるため必要な物品の売払いその他の契約でその性質又は目的が競争入札に適しないものをするとき。

三 障害者の日常生活及び社会生活を総合的に支援するための法律（平成十七年法律第百二十三号）第五条第十一項に規定する障害者支援施設（以下この号において「障害者支援施設」という。）、同条第二十七項に規定する地域活動支援センター（以下この号において「地域活動支援センター」という。）、同条第一項に規定する障害福祉サービス事業（同条第七項に規定する生活介護、同条第十三項に規定する就労移行支援又は同条第十四項に規定する就労継続支援を行う事業に限る。以下この号において「障害福祉サービス事業」という。）を行う施設若しくは小規模作業所（障害者基本法（昭和四十五年法律第八十四号）第二条第一号に規定する障害者の地域社会における作業活動の場として同法第十八条第三項の規定により必要な費用の助成を受けている施設をいう。以下この号において同じ。）若しくはこれらに準ずる者として総務省令で定めるところにより普通地方公共団体の長の認定を受けた者若しくは生活困窮者自立支援法（平成二十五年法律第百五号）第十六条第三項に規定する認定生活困窮者就労訓練事業（以下この号において「認定生活困窮者就労訓練事業」という。）を行う施設でその施設に使用される者が主として同法第三条第一項に規定する

公営企業法施行令第二十一条の十三第一項（第五号、第八号及び第九号に係る部分に限る。）又は前条第十項の規定によるほか、次に掲げる場合に該当するときに限り、地方自治法第二百三十四条第二項の規定により随意[2]契約によることができる。

一 他の物品等若しくは特定役務をもって代替させることができない芸術品その他これに類するもの又は特許権等の排他的権利若しくは特殊な技術に係る物品等若しくは特定役務の調達をする場合において、当該調達の相手方が特定されているとき。

二 既に調達をした物品等（以下この号において「既調達物品等」という。）又は既に契約を締結した特定役務（以下この号において「既契約特定役務」という。）につき、交換部品その他既調達物品等に連接して使用する物品等の調達をする場合又は既契約特定役務に連接して提供を受ける同種の特定役務の調達をする場合であって、既調達物品等又は既契約特定役務の調達の相手方以外の者から調達をしたならば既調達物品等の使用又は既契約特定役務の便益を享受することに著しい支障が生ずるおそれがあるとき。

三 特定地方公共団体の委託に基づく試験研究の結果製造又は開発された試作品等（特定役務を含む。）の調達をする場合

四 既に契約を締結した建設工事（以下この号において「既契約工事」という。）についてその施工上予見し難い事由が生じたことにより既契約工事を完成するために施工しなければならなくなった追加の建設工事（以下この号において「追加工事」という。）で当該追加工事の契約に係る予定価格に相当する金額（この号に掲げる場合に該当し、かつ、随意契約の方法により契約を締結した

次順位者等から見積書等を徴すること等により、次順位者等の立場について配慮すべきである。（平七・一一・一通知）

2）●随意契約によることができる場合については、慎重に判断し、適正な運用を期すべきである。（平七・一一・一通知）

3）●建築物の設計に係る提案競技を経て契約の相手方が特定されることにより、随意契約が認められる場合において、当該特定に係る審査手続が満たすべき要件は、次に掲げるものとする。（平七・一二・八自治省告示第二〇九号）

(1) 複数の審査員の合議により審査されること。

(2) 手続の公正・透明性の確保のため、審査員等は提案を行うことができないこと。

(3) 提案の要請を行うに際し、提案に係る建築物の設計の内容等十分な提案を行うために必要な一定の事項が公示されること。

(4) 審査結果が理由を付して公表されること。

●告示の要件は、最小限満たすべきものを掲げたものであるので、各特定地方公共団体の事情に応じ、具体の審査手続において、その他の要件を付加することは差し支えない。（平七・一二・一二通知）

地方自治法・地方自治法施行令（関係部分）

生活困窮者（以下この号において「生活困窮者」という。）であるもの（当該施設において製作された物品を買い入れることが生活困窮者の自立の促進に資することにつき総務省令で定めるところにより普通地方公共団体の長の認定を受けたものに限る。）（以下この号において「障害者支援施設等」という。）において製作された物品を当該障害者支援施設等から普通地方公共団体の規則で定める手続により買い入れる契約、障害者支援施設、地域活動支援センター、障害福祉サービス事業を行う施設、小規模作業所、高年齢者等の雇用の安定等に関する法律（昭和四十六年法律第六十八号）第三十七条第一項に規定するシルバー人材センター連合若しくは同条第二項に規定するシルバー人材センター若しくはこれらに準ずる者として総務省令で定めるところにより普通地方公共団体の長の認定を受けた者から普通地方公共団体の規則で定める手続により役務の提供を受ける契約、母子及び父子並びに寡婦福祉法（昭和三十九年法律第百二十九号）第六条第六項に規定する母子・父子福祉団体若しくはこれに準ずる者として総務省令で定めるところにより普通地方公共団体の長の認定を受けた者（以下この号において「母子・父子福祉団体等」という。）が行う事業でその事業に使用される者が主として同項に規定する配偶者のない者で現に児童を扶養しているもの及び同条第四項に規定する寡婦であるものに係る役務の提供を当該母子・父子福祉団体等から普通地方公共団体の規則で定める手続により受ける契約又は認定生活困窮者就労訓練事業を行う施設（当該施設から役務の提供を受けること

地方公共団体の物品等又は特定役務の調達手続の特例を定める政令（特例政令）

既契約工事に係る追加工事がある場合には、当該追加工事の契約金額（当該追加工事が二以上ある場合には、それぞれの契約金額を合算した金額）を加えた額とする。）が既契約工事の契約金額の百分の五十以下であるものの調達をする場合であって、既契約工事の調達の相手方以外の者から調達をしたならば既契約工事の完成を確保する上で著しい支障が生ずるおそれがあるとき。

五　計画的に実施される施設の整備のために契約された建設工事（以下この号において「既契約工事」という。）に連接して当該施設の整備のために施工される同種の建設工事（以下この号において「同種工事」という。）の調達をする場合、又はこの号に掲げる場合に該当し、かつ、随意契約の方法により契約が締結された同種工事に連接して新たな同種工事の調達をする場合であって、既契約工事の調達の相手方以外の者から調達をすることが既契約工事の調達の相手方から調達をする場合に比して著しく不利と認められるとき。ただし、既契約工事の調達契約が第四条から第九条までの規定により締結されたものであり、かつ、既契約工事の入札に係る第六条の公告又は第七条第一項の公示においてこの号の規定により同種工事の調達をする場合があることが明らかにされている場合に限る。

六　建築物の設計を目的とする契約をする場合であって、当該契約の相手方が、総務大臣の定める要件を満たす審査手続により、当該建築物の設計に係る案の提出を行った者の中から最も優れた案を提出した者として特定されているとき。ただし、当該契約が、地方自治法施行令第

通知・注釈

が生活困窮者の自立の促進に資することにつき総務省令で定めるところにより普通地方公共団体の長の認定を受けたものに限る。）が行う事業でその事業に使用される者が主として生活困窮者であるものに係る役務の提供を当該施設から普通地方公共団体の規則で定める手続により受ける契約をするとき。

四　新商品の生産により新たな事業分野の開拓を図る者として総務省令で定めるところにより普通地方公共団体の長の認定を受けた者が新商品として生産する物品を当該認定を受けた者から普通地方公共団体の規則で定める手続により買い入れ若しくは借り入れる契約又は新役務の提供により新たな事業分野の開拓を図る者として総務省令で定めるところにより普通地方公共団体の長の認定を受けた者から普通地方公共団体の規則で定める手続により新役務の提供を受ける契約をするとき。

五　緊急の必要により競争入札に付することができないとき。

六　競争入札に付することが不利と認められるとき。

七　時価に比して著しく有利な価格で契約を締結することができる見込みのあるとき。

八　競争入札に付し入札者がないとき、又は再度の入札に付し落札者がないとき。

九　落札者が契約を締結しないとき。

2　前項第八号の規定により随意契約による場合は、契約保証金及び履行期限を除くほか、最初競争入札に付するときに定めた予定価格その他の条件を変更することができない。

3　第一項第九号の規定により随意契約による場合は、落札金額の制限内でこれを行うものとし、かつ、履行期限を除くほか、最初競争入札に付するときに定めた条件を変更す

百六十七条の二第一項第二号又は地方公営企業法施行令第二十一条の十三第一項第二号に規定するその性質又は目的が競争入札に適しないものに該当する場合に限る。

2　特定地方公共団体の締結する特定調達契約につき地方自治法施行令第百六十七条の二第一項（第八号及び第九号に係る部分に限る。）又は地方公営企業法施行令第二十一条の十三第一項（第八号及び第九号に係る部分に限る。）の規定により随意契約による場合には、地方自治法施行令第百六十七条の二第四項及び地方公営企業法施行令第二十一条の十三第四項の規定は、適用しない。

【引用条文】

①【法二三四（契約の締結）2　【施行令一六七の二1Ⅱ（性質又は目的が競争入札に適しない場合の随意契約）・Ⅴ（緊急の必要による随意契約）・Ⅷ（入札者又は落札者がない場合の随意契約）・Ⅸ（落札者が契約を締結しない場合の随意契約）　【特例政令四～九（特定調達契約に係る競争入札の手続）・一〇10（複数落札入札制度による物品等又は特定役務の調達）　【公企令二一の一三1Ⅱ・Ⅴ・Ⅷ・Ⅸ

②【施行令一六七の二4（数人に分割して行う随意契約）　【公企令二一の一三4

【参照条文】

①【特許権等――特許法　実用新案法　意匠法等

地方自治法・地方自治法施行令（関係部分）

ることができない。

4　前二項の場合においては、予定価格又は落札金額を分割して計算することができるときに限り、当該価格又は金額の制限内で数人に分割して契約を締結することができる。

地方公共団体の物品等又は特定役務の調達手続の特例を定める政令（特例政令）

（落札者等の公示）

第十二条　特定地方公共団体の長は、特定調達契約につき、一般競争入札若しくは指名競争入札により落札者を決定したとき、又は随意契約の相手方を決定したときは、当該特定地方公共団体の規則で定めるところにより公示をしなければならない。

（一部事務組合等に関する特例）

第十三条　一部事務組合又は広域連合で特定地方公共団体又は中核市の加入するものについては、この政令の規定は、準用しない。

通知・注釈

✤

1）特例政令一二条関係

☆●特定調達契約につき、競争入札により落札者を決定したとき又は随意契約の相手方を決定したときは、その日の翌日から起算して七二日以内に、都道府県（市）報により特例政令一一条〔現一二条〕の公示をしなければならない。（平七・一一・一通知）

☆●落札者等の公示においては、次の事項を記載するものとする。（平七・一一・一通知）

(1)　落札又は随意契約に係る物品等又は役務の名称及び数量

(2)　契約に関する事務を担当する部局の名称及び所在地

(3)　落札者又は随意契約の相手方を決定した日

(4)　落札者又は随意契約の相手方の氏名及び住所

(5)　落札金額又は随意契約に係る契約金額

(6)　契約の相手方を決定した手続

(7)　一般競争入札又は指名競争入札によることとした場合には、特例政令六条の公告又は特例政令七条の規定による公示を行った日

(8)　随意契約による場合にはその理由

(9)　その他必要な事項

✤

1）特例政令一三条関係

●一部事務組合及び広域連合については特定地方公共団体が加入するものであっても、これらに係る調達契約については特例政令は適用されない。（平七・一一・一通知）

【参照条文】
【組合に対する普通地方公共団体に関する規定の準用—法二九二】【中核市—法二五二の二二】

(特定地方公共団体等の規則への委任)

第十四条 この政令に規定するものを除くほか、特定調達契約[1]について必要な事項は、特定地方公共団体又は中核市の規則で定める。

附　則

(施行期日)

⚜ 特例政令一四条関係

1) ●規則で規定することを要する事項に関しては、各都道府県又は指定都市の財務(契約)規則の規定の体系、規定内容の詳細等に応じ、新たな特例的な財務(契約)規則を別途設ける方法、既存の財務(契約)規則に新たに章・節を設けて規定する方法等が考えられるところであるが、当該団体の判断により適宜決定すべきものである。(平七・一一・一通知)

●規則において規定を要する事項については、規定の整備がなされない場合には、協定に抵触することとなる事項も含まれるものである。(平七・一一・一通知)

※ ☆●特定調達契約につき、競争入札により落札者を決定したとき又は随意契約の相手方を決定したときは、当該契約の内容等必要な記録を作成し、保管するものとする。(平七・一一・一通知)

※ ●一般競争入札若しくは指名競争入札により落札者を決定したとき又は随意契約の相手方を決定したときは、当該契約の内容等必要な記録を作成し、保管することとされているが、電子情報処理組織を使用して契約手続を行う場合であっても同様である。なお、これらの記録については、少なくとも三年間保管する必要がある。(平二六・三・二通知)

※ ●特定調達契約に関しては、特定地方公共団体の規則のほか、その取扱いに係る要綱等内部的な取り決めの類についても、供給者の利便に資するため、適時に都道府県(市)報に掲載するよう努めるべきである。(平七・一一・一通知)

⚜ 特例政令附則関係

1) ○平成八年一月一日から効力を生じている。

地方自治法・地方自治法施行令（関係部分）

地方公共団体の物品等又は特定役務の調達手続の特例を定める政令（特例政令）

1　この政令は、協定が[1]日本国について効力を生ずる日から施行する。

（経過措置）

2　この政令は、この政令の施行の日前において行われた公告その他の契約の申込みの誘引に係る契約で同日以後に締結されるものについては、適用しない。

3　この政令は、第十条第一項第六号に規定する契約であって、この政令の施行の日前に建築物の設計に係る案の提出の要請が行われたものであり、かつ、当該契約の相手方が当該案の提出を行った者の中から最も優れた案を提出した者として同日以後に特定されるものについては、適用しない。

【引用条文】【特例政令一一1Ⅵ（提案競技方式を用いた随意契約）】

【参照条文】【契約の申込みの誘引――民法三編二章一節一款（契約の成立）】

附　則（平二六・三・一二政令五八）

（施行期日）

1　この政令は、二千十二年三月三十日ジュネーブで作成された政府調達に関する協定を改正する議定書が日本国について効力を生ずる日〔平二六・四・一六〕から施行する。

（経過措置）

2　改正後の地方公共団体の物品等又は特定役務の調達手続の特例を定める政令の規定は、この政令の施行の日前において行われた公告その他の契約の申込みの誘因に係る契約

通知・注釈

1）○平成二六年四月一六日から効力を生じている。

で同日以後に締結されるものについては、適用しない。

附　則（平三〇・一二・二一政令三四七）

（施行期日）

1　この政令は、経済上の連携に関する日本国と欧州連合との間の協定の効力発生の日〔平三一・二・一〕から施行する。

（経過措置）

2　この政令による改正後の地方公共団体の物品等又は特定役務の調達手続の特例を定める政令の規定は、この政令の施行の日前において行われた公告その他の契約の申込みの誘因に係る契約で同日以後に締結されるものについては、適用しない。

附　則（平三〇・一二・二七政令三五三）

（施行期日）

1　この政令は、経済上の連携に関する日本国と欧州連合との間の協定の効力発生の日〔平三一・二・一〕の翌日から起算して一年を経過した日から施行する。

（経過措置）

2　この政令による改正後の地方公共団体の物品等又は特定役務の調達手続の特例を定める政令の規定は、この政令の施行の日前において行われた公告その他の契約の申込みの誘因に係る契約で同日以後に締結されるものについては、適用しない。

附　則（令二・一二・二三政令三五七）

（施行期日）

1　この政令は、包括的な経済上の連携に関する日本国とグレートブリテン及び北アイルランド連合王国との間の協定の効力発生の日〔令三・一・一〕から施行する。

（経過措置）

2　この政令による改正後の地方公共団体の物品等又は特定

地方自治法・地方自治法施行令(関係部分)	地方公共団体の物品等又は特定役務の調達手続の特例を定める政令(特例政令)	通知・注釈
	役務の調達手続の特例を定める政令の規定は、この政令の施行の日前において行われた公告その他の契約の申込みの誘因に係る契約で同日以後に締結されるものについては、適用しない。	

○地方自治法施行規則

昭二二・五・三
内務令一九

最終改正 令六・三・三〇総務令三七

第一条 地方公共団体の議会の解散の投票、地方公共団体の議会の議員及び長の解職の投票並びに一の地方公共団体のみに適用される特別法に関する賛否の投票に用いる投票用紙は、別記様式に準じてこれを調製しなければならない。

第二条 地方自治法施行令（昭和二十二年政令第十六号）第百六条、第百十四条、第百十七条、第百八十四条、第二百十三条の五第一項、第二百十四条の四及び第二百十五条の四において準用する公職選挙法施行令（昭和二十五年政令第八十九号）第三十九条第二項、第五十三条第三項、第五十四条第二項又は第五十九条の五の四第八項の規定による点字投票である旨の表示は、公職選挙法施行規則（昭和二十五年総理府令第十三号）第七条の規定による様式に準じるものでなければならない。

第三条 地方自治法（昭和二十二年法律第六十七号）第八十五条第一項、第二百六十二条第一項及び第二百九十一条の六第七項において準用する公職選挙法（昭和二十五年法律第百号）第五十条第四項及び第五項並びに地方自治法施行令第百六条、第百十四条、第百十七条、第百八十四条、第二百十三条の五第一項、第二百十四条の四及び第二百十五条の四において準用する公職選挙法施行令第四十一条第四項の規定による投票用封筒は、公職選挙法施行規則第八条の規定による様式に準じて調製しなければならない。

第四条 地方自治法施行令第百六条、第百十四条、第百十七条、第百八十四条、第二百十三条の五第一項、第二百十四条の四及び第二百十五条の四において準用する公職選挙法施行令第五十二条の規定による宣誓書は、公職選挙法施行規則第九条の規定による様式に準じて作成しなければならない。

第五条 地方自治法施行令第百六条、第百十四条、第百十七条、第百八十四条、第二百十三条の五第一項、第二百十四条の四及び第二百十五条の四において準用する公職選挙法施行令第五十三条第一項及び第五十四条第一項の規定による不在者投票用封筒並びに同令第五十三条第二項の規定による不在者投票証明書及び入れるべき封筒は、公職選挙法施行規則第十条の規定による様式に準じて調製しなければならない。

第六条 地方自治法施行令第百六条、第百十四条、第百十七条、第百八十四条、第二百十三条の五第一項、第二百十四条の四及び第二百十五条の四において準用する公職選挙法施行令第五十九条の三の規定による郵便投票証明書の交付申請書又は郵便投票証明書は、公職選挙法施行規則第十条の三の規定による様式に準じて作成し、又は調製しなければならない。同条第二項の規定は、郵便投票証明書の交付を申請する場合に準用する。

第六条の二 地方自治法施行令第百六条、第百十四条、第百十七条、第百八十四条、第二百十三条の五第一項、第二百十四条の四及び第二百十五条の四において準用する公職選挙法施行令第五十九条の四第一項の規定による請求書は、公職選挙法施行規則第十条の四の規定による様式に準じて作成しなければならない。

第六条の三 地方自治法施行令第百六条、第百十四条、第百十七条、第百八十四条、第二百十三条の五第一項、第二百十四条の四及び第二百十五条の四において準用する公職選挙法施行令第五十九条の四第四項の規定による投票用封筒は、公職選挙法施行規則第十条の五の規定による様式に準じて調製しなければならない。

第六条の四 地方自治法施行令第百六条、第百十四条、第百十七条、第百八十四条、第二百十三条の五第一項、第二百十四条の四及び第二百十五条の四において準用する公職選挙法施行令第五十九条の五の四第五項の規定による請求書は、公職選挙法施行規則第十条の五の三の規定による様式に準じて作成しなければならない。

第六条の五 地方自治法施行令第百六条、第百十四条、第百十七条、第百八十四条、第二百十三条の五第一項、第二百十四条の四及び第二百十五条の四において準用する公職選挙法施行令第五十九条の五の四第七項の規定による投票用封筒は、公職選挙法施行規則第十条の五の四の規定による様式に準じて調製しなければならない。

第七条 地方自治法施行令第百六条、第百十四条、第百十七条、第二百十三条の五第一項、第二百十四条の四及び第二百十五条の四において準用する公職選挙法施行令第六十九条及び第八十二条の規定による開票立会人及び選挙立会人となるべき者の届出書及び承諾書は、公職選挙法施行規則第十一条の規定による様式に準じて作成しなければならない。

第八条 地方自治法第八十五条第一項、第二百六十二条第一項及び第二百九十一条の六第七項において準用する公職選挙法第五十四条、第七十条又は第八十三条の規定による投票録、開票録又は選挙録並びに地方自治法施行令第百六条、第百十四条、第百十七条、第百八十四条、第二百十三条の五第一項、第二百十四条の四及び第二百十五条の四において準用する公職選挙法施行令第六十一条の規定による不在者投票に関する調書は、公職選挙法施行規則第十四条の規定による様式に準じて調製しなければならない。

第九条 普通地方公共団体及び特別区の条例制定又は改廃請求書、条例制定又は改廃請求代表者証明書、条例制定又は改廃請求者署名簿、条例制定又は改廃請求署名収集委任状、条例制定又は改廃請求署名審査録及び条例制定又は改廃請求署名収集証明書は、別記様式のとおりとする。

２ 広域連合の条例制定又は改廃請求書、条例制定又は改廃請求代表者証明書、条例制定又は改廃請求者署名簿、条例制定又は改廃請求署名収集委任状、条例制定又は改廃請求署名審査録及び条例制定又は改廃請求署名収集証明書は、別記様式のとおりとする。

第十条 普通地方公共団体及び特別区の事務監査請求書、事務監査請求代表者証明書、事務監査請求者署名簿、事務監査請求署名収集委任状、事務監査請求署名審査録及び事務監査請求署名収集証明書は、前条第一項の別記様式の例によるものとする。

２ 広域連合の事務監査請求書、事務監査請求代表者証明書、事務監査請求者署名簿、事務監査請求署名収集委任状、事務監査請求署名審査録及び事務監査請求署名収集証明書は、前条第二項の別記様式の例によるものとする。

第十一条 普通地方公共団体及び特別区の議会の解散請求書、解散請求代表者証明書、解散請求者署名簿、解散請求署名収集委任状、解散請求署名審査録及び解散請求署名収集証明書は、第九条第一項の別記様式の例によるものとする。

2　広域連合の解散請求書、解散請求代表者証明書、解散請求者署名簿、解散請求署名収集委任状、解散請求署名審査録及び解散請求署名収集証明書は、第九条第二項の別記様式の例によるものとする。

第十二条　普通地方公共団体及び特別区の議会の議員、長、副知事、副市町村長、選挙管理委員、監査委員及び公安委員会の委員の解職請求書、解職請求代表者証明書、解職請求者署名簿、解職請求署名収集委任状、解職請求署名審査録及び解職請求署名収集証明書は、第九条第一項の別記様式の例によるものとする。

2　広域連合の議会の議員、長及び地方自治法施行令第二百十六条に規定する職員の解職請求書、解職請求代表者証明書、解職請求者署名簿、解職請求署名収集委任状、解職請求署名審査録及び解職請求署名収集証明書は、第九条第二項の別記様式の例によるものとする。

第十二条の二　広域連合の規約変更要請請求書、規約変更要請請求代表者証明書、規約変更要請請求者署名簿、規約変更要請請求署名収集委任状、規約変更要請請求署名審査録及び規約変更要請請求署名収集証明書は、第九条第二項の別記様式の例によるものとする。

第十二条の二の二　地方自治法第百二十三条第三項の総務省令で定める措置は、総務省関係法令に係る情報通信技術を活用した行政の推進等に関する法律施行規則（平成十五年総務省令第四十八号）第二条第二項第一号に規定する電子署名とする。

第十二条の二の三　地方自治法第百三十八条の二第一項の総務省令で定める電子情報処理組織（同項に規定する電子情報処理組織をいう。以下この条から第十二条の二の九までにおいて同じ。）は、議会等（同法第百五条の二に規定する議会等をいう。以下同じ。）の使用に係る電子計算機（同法第百三十八条の二第一項に規定する電子計算機をいう。以下この条から第十二条の二の六までにおいて同じ。）と、当該議会等に対して通知を行う者の使用に係る電子計算機であつて当該議会等の使用に係る電子計算機と電気通信回線を通じて通信できる機能を備えたものとを電気通信回線で接続した電子情報処理組織とする。

第十二条の二の四　地方自治法第百三十八条の二第一項の規定により電子情報処理組織を使用する方法により議会等に対して通知を行う者は、当該議会等の定めるところにより、当該議会等の指定する電子計算機に備えられたファイルに記録すべき事項又は当該通知を文書等（同項に規定する文書等をいう。第十二条の二の六において同じ。）により行うときに記載すべきこととされている事項を、当該議会等に対して通知を行う者の使用に係る電子計算機から入力して、通知を行わなければならない。

2　前項の規定により通知を行う者は、入力する事項についての情報に電子署名（総務省関係法令に係る情報通信技術を活用した行政の推進等に関する法律施行規則第二条第二項第一号に規定する電子署名をいう。以下この項において同じ。）を行い、当該電子署名を行つた者を確認するために必要な事項を証する電子証明書（同条第二項第二号イからハまでに掲げる電子証明書（議会等の使用に係る電子計算機から認証できるものに限る。）をいう。）と併せてこれを送信しなければならない。ただし、議会等の指定する方法により当該通知を行つた者を確認するための措置を講ずる場合は、この限りでない。

第十二条の二の五　地方自治法第百三十八条の二第二項の総務省令で定める電子情報処理組織は、議会等の使用に係る電子計算機と、当該議会等が行う通知を受ける者の使用に係る電子計算機であつて当該議会等の使用に係る電子計算機と電気通信回線を通じて通信できる機能を備えたものとを電気通信回線で接続した電子情報処理組織とする。

第十二条の二の六　議会等は、地方自治法第百三十八条の二第二項の規定により電子情報処理組織を使用する方法により通知を行うときは、当該通知を文書等により行うときに記載すべきこととされている事項を当該議会等の使用に係る電子計算機に備えられたファイルに記録しなければならない。

第十二条の二の七　地方自治法第百三十八条の二第二項ただし書に規定する総務省令で定める方式は、次の各号に掲げるいずれかの方式とする。

一　第十二条の二の五の電子情報処理組織を使用して行う識別番号及び暗証番号の入力

二　電子情報処理組織を使用する方法により通知を受けることを希望する旨の議会等の定めるところによる届出

第十二条の二の八　地方自治法第百三十八条の二第二項の規定により電子情報処理組織を使用する方法により国会に対して同法第九十九条の規定による通知を行う議会は、衆議院事務局又は参議院事務局がそれぞれ指定する方法により当該通知を行つた議会を確認するための措置を講じなければならない。

第十二条の二の九　第十二条の二の三から前条までに定めるもののほか、地方自治法第百三十八条の二第一項又は第二項の規定により電子情報処理組織を使用する方法により通知を行う場合に必要な事項は、議会等が定める。

第十二条の二の十　地方自治法第百五十条第四項の規定による報告書の様式は、別記のとおりとする。

第十二条の二の十一　地方自治法第二百三十一条の二の二第一号に規定する総務省令で定めるものは、歳入等（同条に規定する歳入等をいう。以下同じ。）の納付の通知に係る書面であつてバーコードの記載があるものとする。

2　地方自治法第二百三十一条の二の二第二号に規定する総務省令で定めるものは、次に掲げる事項の通知とする。

一　歳入等の納付の通知に係る書面の記載事項その他の当該歳入等を特定するために必要な事項

二　次に掲げるいずれかの事項

イ　クレジットカードの番号及び有効期限その他当該クレジットカードを使用する方法による決済に関し必要な事項

ロ　電子情報処理組織を使用して番号、記号その他の符号を通知する方法（イに規定する方法を除く。）による決済に関し必要な事項

第十二条の二の十二　地方自治法第二百三十一条の二の三第一項の規定による普通地方公共団体の長の指定を受けようとする者は、その名称、住所又は事務所の所在地その他当該普通地方公共団体の長が必要と認める事項を記載した申出書を当該普通地方公共団体の長に提出しなければならない。

2　普通地方公共団体の長は、前項の申出書の提出があつた場合

において、その申出につき指定をしたときはその旨を、指定をしないこととしたときはその旨及びその理由を、当該申出書を提出した者に通知するものとする。

3　前二項の規定は、地方自治法第二百四十三条の二第一項の規定による普通地方公共団体の長の指定について準用する。

第十二条の二の十三　指定納付受託者（地方自治法第二百三十一条の二の三第一項に規定する指定納付受託者をいう。以下同じ。）は、同法第二百三十一条の二の二（第一号に係る部分に限る。）の規定により歳入等を納付しようとする者の委託を受けたときは、当該歳入等を納付しようとする者に、当該委託を受けたことを証する書面を交付するものとする。

2　指定納付受託者は、地方自治法第二百三十一条の二の二（第二号に係る部分に限る。）の規定により歳入等を納付しようとする者の委託を受けたときは、当該歳入等を納付しようとする者に、その旨を電子情報処理組織を使用して通知するものとする。

3　前二項の指定納付受託者は、それぞれこれらの規定に規定する委託を受けた歳入等に係る第十二条の二の十一第二項第一号に掲げる事項が記載された書面又は当該事項が記録された電磁的記録を保存するものとする。

第十二条の二の十四　地方自治法第二百三十一条の二の三第二項に規定する総務省令で定める事項は、普通地方公共団体の長が同条第一項の規定による指定をした日とする。

2　地方自治法第二百四十三条の二第二項に規定する総務省令で定める事項は、普通地方公共団体の長が同条第一項の規定による指定をした日及び同項の規定による委託をした日とする。

第十二条の二の十五　指定納付受託者は、その名称、住所又は事務所の所在地を変更しようとするときは、地方自治法第二百三十一条の二の三第三項の規定により、普通地方公共団体の長が定める日までに、その旨を記載した届出書を当該普通地方公共団体の長に提出しなければならない。

2　前項の規定は、地方自治法第二百四十三条の二第三項の規定により指定公金事務取扱者（同条第二項に規定する指定公金事務取扱者をいう。以下同じ。）がその名称、住所又は事務所の所在地を変更しようとするときについて準用する。

第十二条の二の十六　指定納付受託者は、地方自治法第二百三十一条の二の五第二項の規定により、次に掲げる事項を普通地方公共団体の長に報告しなければならない。

一　報告の対象となつた期間並びに当該期間において地方自治法第二百三十一条の二の二の規定により歳入等を納付しようとする者の委託を受けた件数、合計額及び納付年月日

二　前号の期間において受けた同号の委託に係る次に掲げる事項

イ　第十二条の二の十一第二項第一号に掲げる事項

ロ　歳入等を納付しようとする者から地方自治法第二百三十一条の二の二の規定により委託を受けた年月日

第十二条の二の十七　普通地方公共団体の長は、指定納付受託者に対し、地方自治法第二百三十一条の二の六第二項の報告を求めるときは、報告すべき事項、報告の期限その他必要な事項を明示するものとする。

2　前項の規定は、指定公金事務取扱者に対し、地方自治法第二百四十三条の二の二第二項の報告を求めるときについて準用する。

第十二条の二の十八　普通地方公共団体の長は、地方自治法第二百三十一条の二の七第一項の規定による指定の取消しをしたときは、その旨及びその理由を当該指定の取消しを受けた者に通知するものとする。

2　前項の規定は、地方自治法第二百四十三条の二の三第一項の規定による指定の取消しをしたときについて準用する。

第十二条の二の十九　地方自治法第二百四十三条の二の四第二項（同法第二百四十三条の二の五第三項において準用する場合を含む。）の総務省令で定める方法は、口座振替の方法、同法第二百三十一条の二第一項の規定による証紙による収入の方法、同条第三項の規定による証券をもつてする方法及び資金決済に関する法律（平成二十一年法律第五十九号）第三条第五項に規定する第三者型前払式支払手段による取引その他これに類する為替取引とする。

第十二条の二の二十　地方自治法第二百四十三条の二の五第一項第二号の総務省令で定めるものは、次のとおりとする。

一　地方譲与税、地方交付税、国庫支出金その他の国又は他の普通地方公共団体から交付される歳入

二　繰入金その他の普通地方公共団体の他の会計から繰り入れる歳入及び繰越金

第十二条の二の二十一　普通地方公共団体の長は、地方自治法施行令第百六十七条の二第一項第三号の規定による認定をしようとするときは、あらかじめ、当該認定に必要な基準を定め、これを公表しなければならない。

2　普通地方公共団体の長は、前項の基準を定めようとするときは、あらかじめ、二人以上の学識経験を有する者（以下この条から第十二条の四までにおいて「学識経験者」という。）の意見を聴かなければならない。

3　普通地方公共団体の長は、第一項の基準に基づいて認定しようとするときは、あらかじめ、二人以上の学識経験者の意見を聴かなければならない。

第十二条の三　普通地方公共団体の長は、地方自治法施行令第百六十七条の二第一項第四号の規定により、新商品の生産又は新役務の提供（以下この条において「新商品の生産等」という。）により新たな事業分野の開拓を図る者を認定するときは、新商品の生産等により新たな事業分野の開拓を実施しようとする者（新商品の生産等により新たな事業分野の開拓を実施する法人を設立しようとする者を含む。）に当該新たな事業分野の開拓の実施に関する計画（以下本条において「実施計画」という。）を提出させ、その実施計画が次の各号のいずれにも適合するものであることについて確認するものとする。

一　当該新たな事業分野の開拓に係る新商品又は新役務（以下この条において「新商品等」という。）が、既に企業化されている商品若しくは役務とは通常の取引において若しくは社会通念上別個の範疇に属するもの又は既に企業化されている商品若しくは役務と同一の範疇に属するものであつても既存の商品若しくは役務とは著しく異なる使用価値を有し、実質的に別個の範疇に属するものであると認められること。

二　当該新たな事業分野の開拓に係る新商品等が、事業活動に係る技術の高度化若しくは経営の能率の向上又は住民生活の利便の増進に寄与するものと認められること。

三　第三項第四号に掲げる事項が新商品の生産等による新たな事業分野の開拓を確実に実施するために適切なものであること。

2　普通地方公共団体の長は、前項の規定により提出された実施計画（新役務の提供により新たな事業分野の開拓を実施しようとする者（新役務の提供により新たな事業分野の開拓を実施する法人を設立しようとする者を含む。）から提出された実施計画に限る。）を確認しようとするときは、あらかじめ、当該実施計画が前項各号のいずれにも適合するものかどうかについて、二人以上の学識経験者の意見を聴かなければならない。

3　実施計画には、次に掲げる事項を記載させなければならない。

一　新商品の生産等の目標
二　新商品等の内容
三　新商品の生産等の実施時期
四　新商品の生産等の実施方法並びに実施に必要な資金の額及びその調達方法

4　普通地方公共団体の長は、新商品の生産等により新たな事業分野の開拓を図る者として認定を受けた者が、第一項の規定により確認された実施計画を変更しようとするときは、当該変更後の実施計画が同項各号のいずれにも適合するものであることを確認しなければならない。

5　前項の規定により普通地方公共団体の長が新役務の提供により新たな事業分野の開拓を図る者として認定を受けた者に係る変更後の実施計画を確認しようとするときは、第二項の規定を準用する。

6　普通地方公共団体の長は、新商品の生産等により新たな事業分野の開拓を図る者として認定を受けた者が、第一項の規定により確認された実施計画（第四項の規定による変更の確認があつたときは、その変更後のもの）に従つて新たな事業分野の開拓を図るための事業を実施していないと認めるときは、その認定を取り消すものとする。

7　普通地方公共団体の長は、第一項の規定により新商品の生産等により新たな事業分野の開拓を図る者を認定する場合において、既に他の普通地方公共団体の長が同項の実施計画を提出させ確認しているときは、当該実施計画の写しをもつて同項の確認をすることができる。

8　前項の規定は、第四項の実施計画の変更について準用する。

第十二条の四　普通地方公共団体の長は、地方自治法施行令第百六十七条の十の二第四項及び第五項（これらの規定を同令第百六十七条の十三において準用する場合を含む。）の規定により学識経験者の意見を聴くときは、二人以上の学識経験者の意見を聴かなければならない。

第十二条の四の二　地方自治法第二百三十四条第五項の総務省令で定めるものは、総務省関係法令に係る情報通信技術を活用した行政の推進等に関する法律施行規則第二条第二項第一号に規定する電子署名とする。

第十二条の五　地方自治法施行令第百六十八条の七第一項に規定する現金又は有価証券で総務省令で定めるものは、次のとおりとする。

一　普通地方公共団体が債権者として債務者に属する権利を代位して行うことにより受領すべき現金又は有価証券
二　災害により被害を受けた者に対する見舞金に係る現金又は有価証券
三　公立学校（学校教育法（昭和二十二年法律第二十六号）第一条に規定する大学及び高等専門学校に限る。）における奨学を目的とする寄附金を原資として交付された現金又は有価証券

第十三条　地方自治法施行令第百七十二条第一項の規定による必要な措置請求書は、別記様式のとおりとする。

（基準給与年額の算定方法）

第十三条の二　地方自治法施行令第百七十三条の四第一項第一号に規定する総務省令で定める方法により算定される額（「普通地方公共団体の長等の基準給与年額」という。第三項において同じ。）は、次に掲げる額の合計額とする。

一　地方自治法第二百四十三条の二の七第一項の損害を賠償する責任の原因となつた事実が生じた日（以下この条において「普通地方公共団体の長等の基準日」という。）を含む月において支給され、又は支給されるべき地方自治法第二百三条の二第一項の規定による報酬又は同法第二百四条第一項の規定に基づく給料（以下この号において「報酬又は給料」という。）の額に十二を乗じて得た額（普通地方公共団体の長等（地方自治法第二百四十三条の二の七第一項に規定する普通地方公共団体の長等をいう。以下この項及び次項において同じ。）の任期が十二月に満たない場合にあつては、報酬又は給料の額を任期当たりの額に換算して得た額）
二　普通地方公共団体の長等の基準日を含む会計年度において支給され、又は支給されるべき期末手当、勤勉手当、任期付研究員業績手当又は特定任期付職員業績手当の額（以下この号において「期末手当等の額」という。）を一会計年度当たりの額に換算して得た額（普通地方公共団体の長等の任期が十二月に満たない場合にあつては、期末手当等の額を任期当たりの額に換算して得た額）
三　普通地方公共団体の長等の基準日を含む月において支給され、又は支給されるべき手当（扶養手当、住居手当、通勤手当、単身赴任手当、在宅勤務等手当又は寒冷地手当が支給されている場合にはこれらの手当及び前号に掲げる手当を除く。以下この号において「扶養手当等以外の手当」という。）の額に十二を乗じて得た額（普通地方公共団体の長等の任期が十二月に満たない場合にあつては、扶養手当等以外の手当の額を任期当たりの額に換算して得た額）

2　前項の報酬、給料又は手当の額には、普通地方公共団体の長等がその職責に関係する他の職を普通地方公共団体の長等の基準日時点において兼ねている場合におけるその者の報酬、給料又は手当を含むものとする。

3　普通地方公共団体の長等の基準日が二以上ある場合には、前二項の規定により計算した額が最も高い額を普通地方公共団体の長等の基準給与年額とする。

4　地方自治法施行令第百七十三条の四第一項第二号に規定する総務省令で定める方法により算定される額（「地方警務官の基準給与年額」という。第五項において同じ。）は、次に掲げる額の合計額とする。

一　普通地方公共団体の長等の基準日を含む月において支給され、又は支給されるべき一般職の職員の給与に関する法律（昭和二十五年法律第九十五号）の規定による俸給の額に十

二を乗じて得た額
二　普通地方公共団体の長等の基準日を含む会計年度において支給され、又は支給されるべき期末手当又は勤勉手当の額
三　普通地方公共団体の長等の基準日を含む月において支給され、又は支給されるべき手当（扶養手当、住居手当、通勤手当、単身赴任手当、在宅勤務等手当又は寒冷地手当が支給されている場合にはこれらの手当及び前号に掲げる手当を除く。）の額に十二を乗じて得た額

5　前項の俸給又は手当の額には、当該地方警務官がその職責に関係する他の職を普通地方公共団体の長等の基準日時点において兼ねている場合におけるその者の俸給又は手当を含むものとする。

6　普通地方公共団体の長等の基準日が二以上ある場合には、前二項の規定により計算した額が最も高い額を地方警務官の基準給与年額とする。

第十四条　予算の調製の様式は、別記のとおりとする。

第十五条　歳入歳出予算の款項の区分並びに目及び歳入予算に係る節の区分は、別記のとおりとする。

2　歳出予算に係る節の区分は、別記のとおり定めなければならない。

第十五条の二　予算に関する説明書の様式は、別記のとおりとする。

第十五条の三　継続費繰越計算書及び継続費精算報告書の様式は、別記のとおりとする。

第十五条の四　繰越明許費繰越計算書の様式は、別記のとおりとする。

第十五条の五　事故繰越し繰越計算書の様式は、別記のとおりとする。ただし、継続費に係る地方自治法第二百二十条第三項ただし書の規定による繰越しにあつては、第十五条の三の継続費繰越計算書の様式によるものとする。

第十六条　決算の調製の様式は、別記のとおりとする。

第十六条の二　歳入歳出決算事項別明細書、実質収支に関する調書及び財産に関する調書の様式は、別記のとおりとする。

第十七条　地方自治法第二百五十二条の十七の四第五項の再々審査請求については、行政不服審査法施行規則（平成二十八年総務省令第五号）第一条から第四条までの規定を準用する。

第十七条の二　地方自治法施行令第百七十四条の四十九の二十一第一号に規定する総務省令で定める職は、会計検査院において会計検査に関する行政事務を担当する係長以上の職又はその職務の複雑、困難及び責任の度がこれに相当する会計検査に関する行政事務を担当する専門的な職とする。

第十七条の三　地方自治法施行令第百七十四条の四十九の二十一第三号に規定する総務省令で定める職は、次の各号に掲げる普通地方公共団体の区分に応じ、当該各号に掲げる監査に関する行政事務を担当する職とする。
一　都道府県　監査に関する行政事務を担当する係長以上の職又はその職務の複雑、困難及び責任の度がこれに相当する監査に関する行政事務を担当する専門的な職
二　地方自治法第二百五十二条の十九第一項の指定都市（以下「指定都市」という。）　監査に関する行政事務を担当する係長以上の職又は監査に関する行政事務を担当する専門的な職で、その職務の複雑、困難及び責任の度が前号に掲げる職に相当するもの
三　中核市　監査に関する行政事務を担当する係長以上の職又は監査に関する行政事務を担当する専門的な職で、その職務の複雑、困難及び責任の度が第一号に掲げる職に相当するもの

第十七条の四　地方自治法施行令第百七十四条の四十九の二十一第五号に規定する総務省令で定める職は、次の各号に掲げる普通地方公共団体の区分に応じ、当該各号に掲げる会計事務を担当する職とする。
一　都道府県　会計事務を担当する係長以上の職又はその職務の複雑、困難及び責任の度がこれに相当する会計事務を担当する専門的な職
二　指定都市　会計事務を担当する係長以上の職又は会計事務を担当する専門的な職で、その職務の複雑、困難及び責任の度が前号に掲げる職に相当するもの
三　中核市　会計事務を担当する係長以上の職又は会計事務を担当する専門的な職で、その職務の複雑、困難及び責任の度が第一号に掲げる職に相当するもの

第十七条の五　地方自治法施行令第百七十四条の四十九の二十一第六号に規定する総務省令で定める職は、次の各号に掲げる普通地方公共団体の区分に応じ、当該各号に掲げる予算の調製に関する事務を担当する職とする。
一　都道府県　予算の調製に関する事務を担当する係長以上の職又はその職務の複雑、困難及び責任の度がこれに相当する予算の調製に関する事務を担当する専門的な職
二　指定都市　予算の調製に関する事務を担当する係長以上の職又は予算の調製に関する事務を担当する専門的な職で、その職務の複雑、困難及び責任の度が前号に掲げる職に相当するもの
三　中核市　予算の調製に関する事務を担当する係長以上の職又は予算の調製に関する事務を担当する専門的な職で、その職務の複雑、困難及び責任の度が第一号に掲げる職に相当するもの

第十七条の六　地方自治法施行令第百七十四条の四十九の二十一第六号に規定する総務省令で定める組織は、地方自治法第百五十八条の規定により設けられた予算の査定に関する事務を分掌させるための組織とする。

第十七条の七　地方自治法施行令第百七十四条の四十九の二十三に規定する総務省令で定める事項は、監査の事務を補助させようとする者の履歴に関する事項とする。

第十七条の八　地方自治法施行令第百七十四条の四十九の二十五第一項に規定する総務省令で定める書面は、次に掲げる書面とする。
一　地方自治法第二百五十二条の三十六第四項に規定する包括外部監査対象団体（第三号において「包括外部監査対象団体」という。）と同法第二百五十二条の二十七第二項に規定する包括外部監査契約を締結しようとする相手方（次号において「包括外部監査契約を締結しようとする相手方」という。）の履歴書
二　包括外部監査契約を締結しようとする相手方が地方自治法第二百五十二条の二十八第三項第一号から第五号までのいずれにも該当しない旨の当該包括外部監査契約を締結しようとする相手方の宣誓書

三　その他包括外部監査対象団体の長が必要と認める書面

第十七条の九　普通地方公共団体及び特別区の地方自治法施行令第百七十四条の四十九の三十第二項に規定する事務の監査の請求に係る個別外部監査請求書（以下この条において「事務の監査の請求に係る個別外部監査請求書」という。）並びに普通地方公共団体及び特別区の事務監査請求代表者証明書で同項の規定により当該証明書に係る請求に係る監査について監査委員の監査に代えて地方自治法第二百五十二条の二十七第三項に規定する個別外部監査契約（以下「個別外部監査契約」という。）に基づく監査によることが求められている旨が記載されたものは、別記様式のとおりとする。

2　広域連合の事務の監査の請求に係る個別外部監査請求書及び広域連合の事務監査請求代表者証明書で地方自治法施行令第二百十六条の五において準用する同令第百七十四条の四十九の三十第二項の規定により当該証明書に係る請求に係る監査について広域連合の監査を行う機関の監査に代えて個別外部監査契約に基づく監査によることが求められている旨が記載されたものは、別記様式のとおりとする。

第十七条の十　地方自治法施行令第百七十四条の四十九の三十三第一項に規定する総務省令で定める書面は、次に掲げる書面とする。

一　普通地方公共団体と地方自治法第二百五十二条の三十九第五項の個別外部監査契約を締結しようとする相手方（次号において「個別外部監査契約を締結しようとする相手方」という。）の履歴書

二　個別外部監査契約を締結しようとする相手方が地方自治法第二百五十二条の二十八第三項第一号から第五号までのいずれにも該当しない旨の当該個別外部監査契約を締結しようとする相手方の宣誓書

三　その他普通地方公共団体の長が必要と認める書面

第十七条の十一　前条の規定は、地方自治法第二百五十二条の四十第三項の規定による通知があつた場合について準用する。この場合において、前条中「地方自治法施行令第百七十四条の四十九の三十三第一項」とあるのは「地方自治法施行令第百七十四条の四十九の三十八第一項において準用する同令第百七十四条の四十九の三十三第一項」と、「地方自治法第二百五十二条の三十九第五項」とあるのは「地方自治法第二百五十二条の四十第四項において準用する同法第二百五十二条の三十九第五項」と読み替えるものとする。

第十七条の十二　第十七条の十の規定は、地方自治法第二百五十二条の四十一第三項の規定による通知があつた場合について準用する。この場合において、第十七条の十中「地方自治法施行令第百七十四条の四十九の三十三第一項」とあるのは「地方自治法施行令第百七十四条の四十九の三十九第一項において準用する同令第百七十四条の四十九の三十三第一項」と、「地方自治法第二百五十二条の三十九第五項」とあるのは「地方自治法第二百五十二条の四十一第四項において準用する同法第二百五十二条の三十九第五項」と読み替えるものとする。

第十七条の十三　第十七条の十の規定は、地方自治法第二百五十二条の四十二第三項の規定による通知があつた場合について準用する。この場合において、第十七条の十中「地方自治法施行令第百七十四条の四十九の三十三第一項」とあるのは「地方自治法施行令第百七十四条の四十九の四十第一項において準用する同令第百七十四条の四十九の三十三第一項」と、「地方自治法第二百五十二条の三十九第五項」とあるのは「地方自治法第二百五十二条の四十二第四項において準用する同法第二百五十二条の三十九第五項」と読み替えるものとする。

第十七条の十四　地方自治法施行令第百七十四条の四十九の四十一第一項の規定による必要な措置請求書で同令第百七十二条第一項の規定により当該請求書に係る請求に係る監査について監査委員の監査に代えて個別外部監査契約に基づく監査によることを求める旨及びその理由が記載されたものは、別記様式のとおりとする。

第十七条の十五　第十七条の十の規定は、地方自治法第二百五十二条の四十三第二項前段の規定による通知があつた場合について準用する。この場合において、第十七条の十中「地方自治法施行令第百七十四条の四十九の三十三第一項」とあるのは「地方自治法施行令第百七十四条の四十九の四十二第一項において準用する同令第百七十四条の四十九の三十三第一項」と、「地方自治法第二百五十二条の三十九第五項」とあるのは「地方自治法第二百五十二条の四十三第三項において準用する同法第二百五十二条の三十九第五項」と読み替えるものとする。

第十八条　地方自治法第二百六十条の二第二項に規定する申請は、同条第一項に規定する地縁による団体の代表者が、申請書に次に掲げる書類を添え、当該地縁による団体の区域を包括する市町村の長に対し行うものとする。

一　規約

二　認可を申請することについて総会で議決したことを証する書類

三　構成員の名簿

四　その区域の住民相互の連絡、環境の整備、集会施設の維持管理等良好な地域社会の維持及び形成に資する地域的な共同活動を現に行つていることを記載した書類

五　申請者が代表者であることを証する書類

2　前項の申請書の様式は、別記のとおりとする。

第十八条の二　地方自治法第二百六十条の三十九第四項において準用する同法第二百六十条の二第二項に規定する申請は、合併しようとする各認可地縁団体の代表者が、申請書に次に掲げる書類を添え、当該各認可地縁団体の区域を包括する市町村の長に対し行うものとする。

一　合併後存続する認可地縁団体又は合併により設立する認可地縁団体（以下「合併後の認可地縁団体」という。）の規約

二　地方自治法第二百六十条の三十九第三項の認可を申請することについて合併しようとする各認可地縁団体の総会で議決したことを証する書類

三　合併後の認可地縁団体の構成員の名簿

四　その区域の住民相互の連絡、環境の整備、集会施設の維持管理等良好な地域社会の維持及び形成に資する地域的な共同活動を行うことを目的とし、合併しようとする各認可地縁団体が連携して当該目的に資する活動を現に行つていることを記載した書類

五　合併しようとする各認可地縁団体の規約

六　申請者が合併しようとする各認可地縁団体の代表者であることを証する書類

2　前項の申請書の様式は、別記のとおりとする。

第十九条　地方自治法第二百六十条の二第十項（土地改良法（昭和二十四年法律第百九十五号）第七十六条の十三第四項及び森林組合法（昭和五十三年法律第三十六号）第百条の二十二第四項の規定により読み替えて適用される場合を含む。）に規定する告示は、次の各号に掲げる場合の区分に応じ、それぞれ当該各号の場合に該当する旨を明示した上で当該各号に定める事項について行うものとする。

一　地方自治法第二百六十条の二第一項の認可を行つた場合
イ　名称
ロ　規約に定める目的
ハ　区域
ニ　主たる事務所
ホ　代表者の氏名及び住所
ヘ　裁判所による代表者の職務執行の停止の有無並びに職務代行者の選任の有無（職務代行者が選任されている場合は、その氏名及び住所）
ト　代理人の有無（代理人がある場合は、その氏名及び住所）
チ　規約に解散の事由を定めたときは、その事由
リ　認可年月日

二　土地改良法第七十六条の十三第三項の通知があつた場合
イ　名称
ロ　規約に定める目的
ハ　区域
ニ　主たる事務所
ホ　代表者の氏名及び住所
ヘ　裁判所による代表者の職務執行の停止の有無並びに職務代行者の選任の有無（職務代行者が選任されている場合は、その氏名及び住所）
ト　代理人の有無（代理人がある場合は、その氏名及び住所）
チ　規約に解散の事由を定めたときは、その事由
リ　土地改良法第七十六条の十二第二項第五号の日又は同法第七十六条の十三第一項の認可を受けた日のいずれか遅い日

三　森林組合法第百条の二十二第三項の通知があつた場合
イ　名称
ロ　規約に定める目的
ハ　区域
ニ　主たる事務所
ホ　代表者の氏名及び住所
ヘ　裁判所による代表者の職務執行の停止の有無並びに職務代行者の選任の有無（職務代行者が選任されている場合は、その氏名及び住所）
ト　代理人の有無（代理人がある場合は、その氏名及び住所）
チ　規約に解散の事由を定めたときは、その事由
リ　森林組合法第百条の二十第二項第七号の日又は同法第百条の二十二第一項の認可を受けた日のいずれか遅い日

四　解散した場合（破産及び合併による場合を除く。）
イ　名称
ロ　区域
ハ　主たる事務所
ニ　清算人の氏名及び住所
ホ　解散事由
ヘ　解散年月日

五　清算結了の場合
イ　名称
ロ　区域
ハ　主たる事務所
ニ　清算人の氏名及び住所
ホ　清算結了年月日

六　前二号の場合並びに破産及び合併による場合を除くほか、地方自治法第二百六十条の二第十一項の規定により、告示された事項に変更があつたとして届出があつた場合
告示した事項のうち変更があつた事項及びその内容

2　前項の告示は、遅滞なく行わなければならない。

第二十条　地方自治法第二百六十条の二第十一項に規定する届出は、認可地縁団体の代表者が、届出書に告示された事項に変更があつた旨を証する書類を添え、当該認可地縁団体の区域を包括する市町村の長に対し行うものとする。

2　前項の届出書の様式は、別記のとおりとする。

第二十一条　地方自治法第二百六十条の二第十二項に規定する請求は、請求者の氏名及び住所、請求に係る団体の名称及び事務所の所在地を記載した証明書交付請求書を市町村長に提出することにより行うものとする。

2　市町村長は、第十九条及び第二十二条の二の四に掲げる事項を記載した台帳を作成し、前項の請求があつたときは、末尾に原本と相違ない旨を記載した台帳の写しを交付しなければならない。

3　前項の台帳の様式は、別記のとおりとする。

第二十二条　地方自治法第二百六十条の三第二項の規定による規約の変更の認可の申請は、申請書に、規約変更の内容及び理由を記載した書類並びに当該規約変更を総会で議決したことを証する書類を添付して行わなければならない。

2　前項の申請書の様式は、別記のとおりとする。

（電磁的方法）

第二十二条の二　地方自治法第二百六十条の十八第三項に規定する総務省令で定めるものは、次に掲げる方法とする。

一　電子情報処理組織を使用する方法のうちイ又はロに掲げるもの
イ　送信者の使用に係る電子計算機と受信者の使用に係る電子計算機とを接続する電気通信回線を通じて送信し、受信者の使用に係る電子計算機に備えられたファイルに記録する方法
ロ　送信者の使用に係る電子計算機に備えられたファイルに記録された情報の内容を電気通信回線を通じて情報の提供を受ける者の閲覧に供し、当該情報の提供を受ける者の使用に係る電子計算機に備えられたファイルに当該情報を記録する方法

二　磁気ディスクその他これに準ずる方法により一定の情報を確実に記録しておくことができる物をもつて調製するファイルに情報を記録したものを交付する方法

2　前項各号に掲げる方法は、受信者がファイルへの記録を出力することにより書面を作成することができるものでなければな

らない。

（電磁的方法による決議に係る構成員の承諾）

第二十二条の二の二　認可地縁団体の代表者は、地方自治法第二百六十条の十九の二第一項の規定により電磁的方法による決議をしようとするときは、あらかじめ、構成員に対し、その用いる電磁的方法の種類及び内容を示し、書面又は電磁的方法による承諾を得なければならない。

2　前項の電磁的方法の種類及び内容は、次に掲げる事項とする。

一　前条第一項各号に規定する電磁的方法のうち、送信者が使用するもの

二　ファイルへの記録の方式

3　第一項の規定による承諾を得た認可地縁団体の代表者は、構成員の全部又は一部から書面又は電磁的方法により電磁的方法による決議を拒む旨の申出があつたときは、地方自治法第二百六十条の十九の二第一項に規定する決議を電磁的方法によつてしてはならない。ただし、当該申出をしたすべての構成員が再び第一項の規定による承諾をした場合は、この限りでない。

第二十二条の二の三　地方自治法第二百六十条の四十一第三項の規定による届出は、届出書に同法第二百六十条の四十第二項の規定による公告及び催告をしたこと並びに異議を述べた債権者があるときは、同法第二百六十条の四十一第二項の規定によりその債権者に対し弁済し、若しくは相当の担保を供し、又はその債権者に弁済を受けさせることを目的として相当の財産を信託したこと又は合併をしてもその債権者を害するおそれがないことを証する書類を添えて行うものとする。

2　前項の届出書の様式は、別記のとおりとする。

第二十二条の二の四　地方自治法第二百六十条の四十四第一項に規定する総務省令で定める事項は、次に掲げる事項とする。

一　合併後の認可地縁団体の名称

二　合併後の認可地縁団体の規約に定める目的

三　合併後の認可地縁団体の区域

四　合併後の認可地縁団体の主たる事務所

五　合併後の認可地縁団体の代表者の氏名及び住所

六　合併後の認可地縁団体の裁判所による代表者の職務執行の停止の有無並びに職務代行者の選任の有無（職務代行者が選任されている場合は、その氏名及び住所）

七　合併後の認可地縁団体の代理人の有無（代理人がある場合は、その氏名及び住所）

八　合併後の認可地縁団体の規約に解散の事由を定めたときは、その事由

九　地方自治法第二百六十条の三十九第三項の認可の年月日

十　合併前の各認可地縁団体の名称

十一　合併により消滅する認可地縁団体の名称、区域及び主たる事務所

第二十二条の二の五　地方自治法第二百六十条の四十六第一項に規定する申請は、認可地縁団体の代表者が、申請書に次に掲げる書類を添え、当該認可地縁団体の区域を包括する市町村の長に対し行うものとする。

一　所有権の保存又は移転の登記をしようとする不動産（以下「申請不動産」という。）の登記事項証明書

二　申請不動産に関し、地方自治法第二百六十条の四十六第一項に規定する申請をすることについて総会で議決したことを証する書類

三　申請者が代表者であることを証する書類

四　地方自治法第二百六十条の四十六第一項各号に掲げる事項を疎明するに足りる資料

2　前項の申請書の様式は、別記のとおりとする。

第二十二条の三　地方自治法第二百六十条の四十六第二項に規定する公告は、次に掲げる事項について行うものとする。

一　地方自治法第二百六十条の四十六第一項の申請を行つた認可地縁団体の名称、区域及び主たる事務所

二　前条第二項に規定する申請書の様式に記載された申請不動産に関する事項

三　申請不動産の所有権の保存又は移転の登記をすることについて異議を述べることができる者の範囲は、申請不動産の表題部所有者若しくは所有権の登記名義人若しくはこれらの相続人又は申請不動産の所有権を有することを疎明する者（以下「登記関係者等」という。）である旨

四　異議を述べることができる期間及び方法に関する事項

2　前項の公告に係る登記関係者等が異議を述べようとするときは、異議を述べる旨及びその内容を記載した申出書に申請不動産の登記事項証明書、住民票の写しその他の市町村長が必要と認める書類を添えて行うものとする。

3　前項の申出書の様式は、別記のとおりとする。

第二十二条の四　地方自治法第二百六十条の四十六第四項に規定する証する情報の提供は、前条第一項第二号に掲げる申請不動産に関する事項その他必要な事項を記載した書面により行うものとする。

2　前項の書面の様式は、別記のとおりとする。

第二十二条の五　地方自治法第二百六十条の四十六第五項に規定する通知は、第二十二条の三第二項の規定による異議の内容その他必要な事項を記載した通知書により行うものとする。

2　前項の通知書の様式は、別記のとおりとする。

第二十二条の六　地方税法施行規則（昭和二十九年総理府令第二十三号）第七条の二第二項の規定は、法第二百八十二条第二項に規定する事業所統計の最近に公表された結果による各市町村（特別区を含む。）の従業者数について準用する。

第二十三条　この省令中市に関する規定は特別区に関する規定、市長に関する規定は特別区の区長に関する規定とみなす。

第二十三条の二　第十七条の十の規定は、地方自治法第二百九十一条の六第一項において準用する同法第二百五十二条の三十九第一項の規定により個別外部監査契約に基づく監査によることが求められた同法第二百九十一条の六第一項において準用する同法第七十五条第一項の規定による広域連合の事務の監査の請求について準用する。この場合において、第十七条の十中「地方自治法施行令第百七十四条の四十九の三十三第一項」とあるのは「地方自治法施行令第二百十六条の五」と、「地方自治法第二百五十二条の三十九第五項」とあるのは「地方自治法第二百九十一条の六」と読み替えるものとする。

附　則

第一条　この省令は、公布の日から、これを施行する。

第二条　東京都制施行規則、道府県制施行規則、市制町村制施行規則、明治三十五年内務省令第三号（道府県職員服務規律）、明治四十四年内務省令第十四号（市制第八十二条第一項の市の

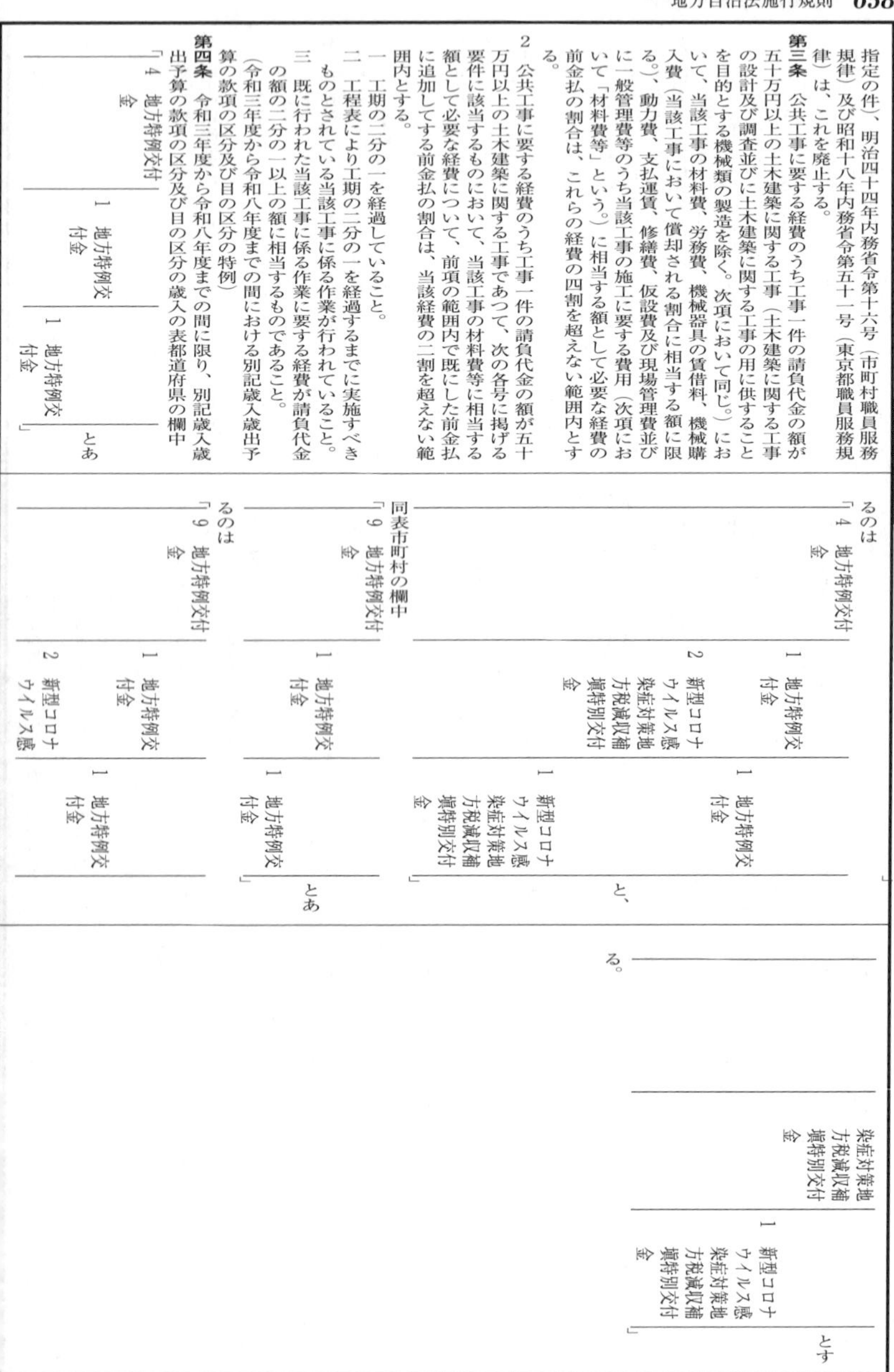

指定の件）、明治四十四年内務省令第十六号（市町村職員服務規律）及び昭和十八年内務省令第五十一号（東京都職員服務規律）は、これを廃止する。

第三条　公共工事に要する経費のうち工事一件の請負代金の額が五十万円以上の土木建築に関する工事（土木建築に関する工事の設計及び調査並びに土木建築に関する工事の用に供することを目的とする機械類の製造を除く。次項において同じ。）において、当該工事の材料費、労務費、機械器具の賃借料、機械購入費（当該工事において償却される割合に相当する額に限る。）、動力費、支払運賃、修繕費、仮設費及び現場管理費並びに一般管理費等のうち当該工事の施工に要する費用（次項において「材料費等」という。）に相当する額として必要な経費の前金払の割合は、これらの経費の四割を超えない範囲内とする。

2　公共工事に要する経費のうち工事一件の請負代金の額が五十万円以上の土木建築に関する工事であつて、次の各号に掲げる要件に該当するものにおいて、当該工事の材料費等に相当する額として必要な経費について、前項の範囲内で既にした前金払に追加してする前金払の割合は、当該経費の二割を超えない範囲内とする。

一　工期の二分の一を経過していること。

二　工程表により工期の二分の一を経過するまでに実施すべきものとされている当該工事に係る作業が行われていること。

三　既に行われた当該工事に係る作業に要する経費が請負代金の額の二分の一以上の額に相当するものであること。

（令和三年度から令和八年度までの間の款項の区分及び目の区分の特例）

第四条　令和三年度から令和八年度までの間に限り、別記歳入歳出予算の款項の区分及び目の区分の歳入の表都道府県の欄中

「
4　地方特例交付金	1　地方特例交付金	1　地方特例交付金

」とあるのは

「
4　地方特例交付金	1　地方特例交付金	1　地方特例交付金
	2　新型コロナウイルス感染症対策地方税減収補塡特別交付金	1　新型コロナウイルス感染症対策地方税減収補塡特別交付金

」と、

同表市町村の欄中

「
9　地方特例交付金	1　地方特例交付金	1　地方特例交付金

」とあるのは

「
9　地方特例交付金	1　地方特例交付金	1　地方特例交付金
	2　新型コロナウイルス感染症対策地方税減収補塡特別交付金	1　新型コロナウイルス感染症対策地方税減収補塡特別交付金

」とする。

る。

別記

投票用紙様式の一（第一条関係）

その一

表

折目

都（何道府県）（市）
（町）（村）の議会の
解散投票

都（道府県）
（市）（区）（町）
（村）選挙管
理委員会印

裏

折目

〇注　意

一　解散に賛成の人は賛成と書き、反対の人は反対と書くこと。

二　他のことは書かないこと。

備考

一　この様式は、地方自治法第八十五条第一項において準用する公職選挙法第四十六条第一項の規定による普通地方公共団体及び特別区の議会の解散の投票の場合の様式である。

二　用紙は、折りたたんだ場合においてなるべく外部から文字を透視することができない紙質のものを使用しなければならない。

三　投票用紙に押すべき都道府県の選挙管理委員会の印は、都道府県の選挙管理委員会の定めるところにより、都道府県の印又は市区町村の選挙管理委員会の印若しくは市区町村の印をもつてこれに代えてもさしつかえない。

四　地方自治法施行令第百六条において準用する公職選挙法施行令第五十一条の規定による請求に基づいて交付する投票用紙は、この様式及び公職選挙法施行規則第五条第二項の規定による様式に準じて調製するものとする。

五　地方自治法第二百六十二条第一項において準用する公職選挙法第四十六条第一項の規定による地方自治法第二百六十一条第三項の賛否の投票に用いる投票用紙は、この様式に準じて調製するものとする。

その二

表

折目

都（何道府県）（市）
（町）（村）の議会の
解散投票

都（道府県）
（市）（区）（町）
（村）選挙管
理委員会印

裏

折目

〇注　意

一　解散に賛成の人は賛成欄に〇を、反対の人は反対欄に〇をつけること。

二　〇のほかは何も書かないこと。

賛　成	反　対

備考

一　この様式は、地方自治法第八十五条第一項において準用する公職選挙法第四十六条の二第一項の規定による普通地方公共団体及び特別区の議会の解散の投票の場合の様式である。

二　用紙の紙質及び用紙に押すべき都道府県の選挙管理委員会の印については、投票用紙様式の一その一に準ずる。

三　地方自治法第二百六十二条第一項において準用する公職選挙法第四十六条の二第一項の規定による地方自治法第二百六十一条第三項の賛否の投票に用いる投票用紙は、この様式に準じて調製するものとする。

その三

表

折目

何広域連合の議会の
解散投票

広域連合選挙
管理委員会印

裏

○注意

一 解散に賛成の人は賛成と書き、反対の人は反対と書くこと。

二 他のことは書かないこと。

折目

備考

一 この様式は、地方自治法第二百九十一条の六第七項において準用する公職選挙法第四十六条第一項の規定による広域連合の議会の解散の投票の場合の様式である。

二 用紙は、折りたたんだ場合においてなるべく外部から文字を透視することができない紙質のものを使用しなければならない。

三 投票用紙に押すべき広域連合の選挙管理委員会の印は、広域連合の選挙管理委員会の定めるところにより、広域連合の印又は市区町村の選挙管理委員会の印若しくは市区町村の印をもつてこれに代えてもさしつかえない。

四 地方自治法施行令第二百十三条の五第一項において準用する公職選挙法施行令第五十一条の規定による請求に基づいて交付する投票用紙は、この様式及び公職選挙法施行規則第五条第二項の規定による様式に準じて調製するものとする。

その四

表

折目

何広域連合の議会の解散投票

広域連合選挙管理委員会印

裏

○注意

一 解散に賛成の人は賛成欄に○を、反対の人は反対欄に○をつけること。

二 ○のほかは何も書かないこと。

賛成	反対

折目

備考

一 この様式は、地方自治法第二百九十一条の六第七項において準用する公職選挙法第四十六条の二第一項の規定による広域連合の議会の解散の投票の場合の様式である。

二 用紙の紙質及び用紙に押すべき広域連合の選挙管理委員会の印については、投票用紙様式の一その三に準ずる。

投票用紙様式の二（第一条関係）

その一

表

折目

都（何道府県）（市）（町）（村）の議会の議員（都道府県知事）（市町村長）何某の解職投票

都（道府県）（市）（区）（町）（村）選挙管理委員会印

裏

○注意

一 解職に賛成の人は賛成と書き、反対の人は反対と書くこと。

二 他のことは書かないこと。

折目

備考

一 この様式は、地方自治法第八十五条第一項において準用する公職選挙法第四十六条第一項の規定による普通地方公共団体及び特別区の議会の議員及び長の解職の投票の場合の様式である。

二 用紙の紙質及び用紙に押すべき都道府県の選挙管理委員会の印並びに地方自治法施行令第百十四条及び第百十七条において準用する公職選挙法施行令第五十一条の規定による請求に基づいて交付する投票用紙の様式については、投票用紙様式の一その一に準ずる。

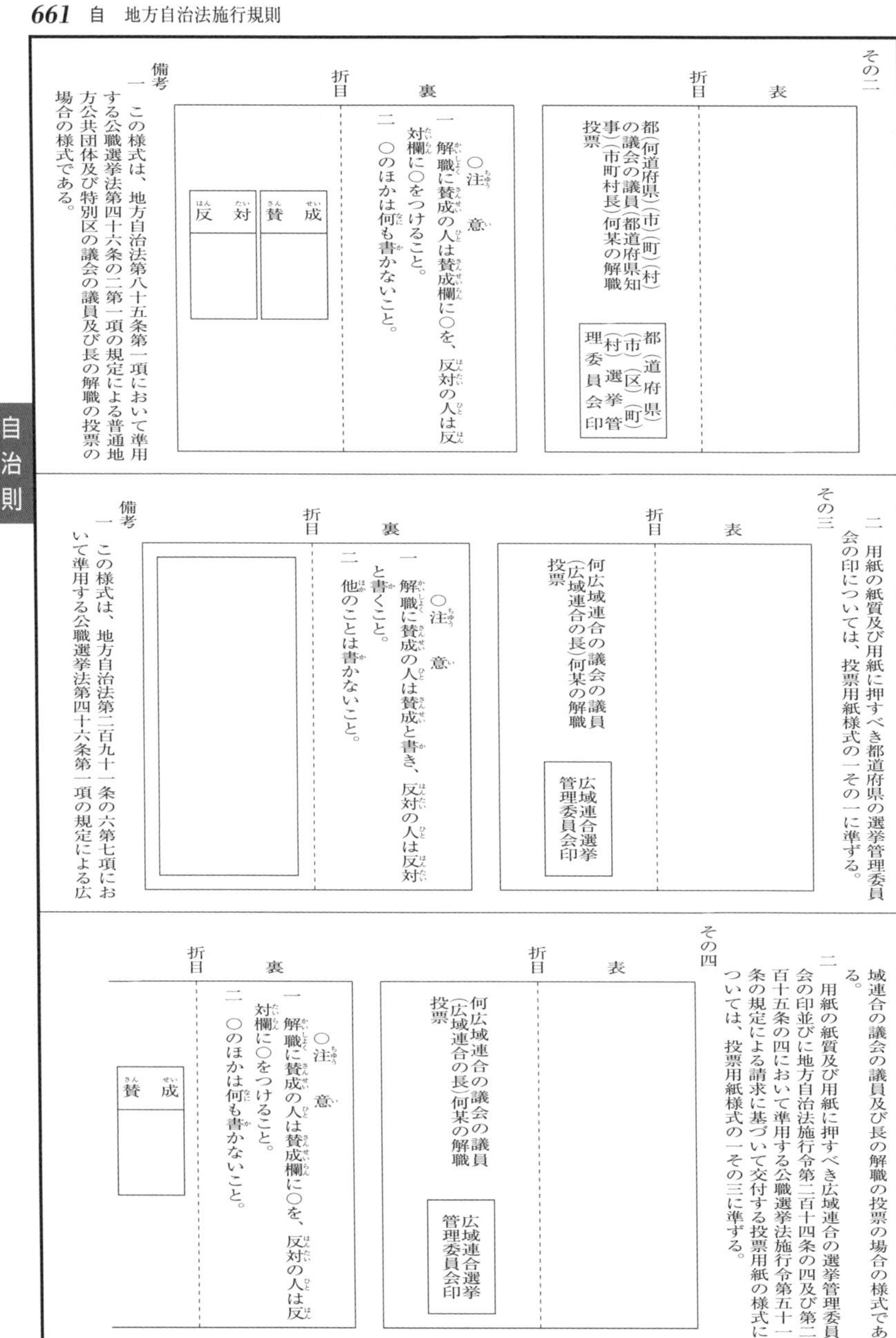

その二

表

都（何道府県）（市）（町）（村）の議会の議員（都道府県知事）（市町村長）何某の解職投票

都（道府県）（市）（区）（町）（村）選挙管理委員会印

折目

裏

〇注意

一 解職に賛成の人は賛成欄に〇を、反対の人は反対欄に〇をつけること。

二 〇のほかは何も書かないこと。

賛成	反対

折目

備考

一 この様式は、地方自治法第八十五条第一項において準用する公職選挙法第四十六条の二第一項の規定による普通地方公共団体及び特別区の議会の議員及び長の解職の投票の場合の様式である。

二 用紙の紙質及び用紙に押すべき都道府県の選挙管理委員会の印については、投票用紙様式の一その一に準ずる。

その三

表

何広域連合の議会の議員（広域連合の長）何某の解職投票

広域連合選挙管理委員会印

折目

裏

〇注意

一 解職に賛成の人は賛成と書き、反対の人は反対と書くこと。

二 他のことは書かないこと。

折目

備考

一 この様式は、地方自治法第二百九十一条の六第七項において準用する公職選挙法第四十六条第一項の規定による広域連合の議会の議員及び長の解職の投票の場合の様式である。

二 用紙の紙質及び用紙に押すべき広域連合の選挙管理委員会の印並びに地方自治法施行令第二百十四条の四及び第二百十五条の四において準用する公職選挙法施行令第五十一条の規定による請求に基づいて交付する投票用紙の様式については、投票用紙様式の一その三に準ずる。

その四

表

何広域連合の議会の議員（広域連合の長）何某の解職投票

広域連合選挙管理委員会印

折目

裏

〇注意

一 解職に賛成の人は賛成欄に〇を、反対の人は反対欄に〇をつけること。

二 〇のほかは何も書かないこと。

賛成

折目

反（はん）対（たい）

備考
一　この様式は、地方自治法第二百九十一条の六第七項において準用する公職選挙法第四十六条の二第一項の規定による広域連合の議会の議員及び長の解職の投票の場合の様式である。
二　用紙の紙質及び用紙に押すべき広域連合の選挙管理委員会の印については、投票用紙様式の一その三に準ずる。

都（何道府県）〔何郡（市）町（村）〕条例制定（改廃）請求書様式（第九条関係）

都（何道府県）〔何郡（市）町（村）〕条例制定（改廃）請求書

何条例制定（改廃）請求の要旨

一　請求の要旨（千字以内）
……………………

二　請求代表者

住所　　　　氏　　名
生年月日　　性別
（住所）　　（氏　　名）
（生年月日）（性別）

……………………

右のとおり地方自治法第七十四条第一項の規定により別紙条例案を添えて条例の制定（改廃）を請求いたします。

令和何年何月何日

〔都（何道府県）知事〕〔何郡（市）町（村）長〕あて

備考
一　本請求書又はその写は、都（何道府県）〔何郡（市）町（村）〕条例制定（改廃）請求者署名簿ごとにつづり込むものとすること。
二　氏名は自署（盲人が公職選挙法施行令別表第一に定める点字で自己の氏名を記載することを含む。）すること。

何広域連合条例制定（改廃）請求書様式（第九条関係）

何広域連合条例制定（改廃）請求書

何条例制定（改廃）請求の要旨

一　請求の要旨（千字以内）
……………………

二　請求代表者

住所　　　　氏　　名
生年月日　　性別
（住所）　　（氏　　名）
（生年月日）（性別）

……………………

右のとおり地方自治法第二百九十一条の六第一項において準用する同法第七十四条第一項の規定により別紙条例案を添えて条例の制定（改廃）を請求いたします。

令和何年何月何日

何広域連合の長　あて

備考
一　本請求書又はその写は、何広域連合条例制定（改廃）請求者署名簿ごとにつづり込むものとすること。
二　氏名は自署（盲人が公職選挙法施行令別表第一に定める点字で自己の氏名を記載することを含む。）すること。

都（何道府県）〔何郡（市）町（村）〕条例制定（改廃）請求代表者証明書様式（第九条関係）

都（何道府県）〔何郡（市）町（村）〕条例制定（改廃）請求代表者証明書

住所　　　　氏　　名
生年月日　　性別
（住所）　　（氏　　名）
（生年月日）（性別）

右の者は都（何道府県）〔何郡（市）町（村）〕条例制定（改廃）請求代表者であることを証明する。

令和何年何月何日

〔都（何道府県）知事〕〔何郡（市）町（村）長〕の長　　氏　　名印

備考　本証明書又はその写は都（何道府県）〔何郡（市）町（村）〕条例制定（改廃）請求者署名簿ごとにつづり込むものとすること。

何広域連合条例制定（改廃）請求代表者証明書様式（第九条関係）

何広域連合条例制定（改廃）請求代表者証明書

住所　　　　氏　　名
生年月日　　性別
（住所）　　（氏　　名）
（生年月日）（性別）

右の者は何広域連合条例制定（改廃）請求代表者であることを証明する。

令和何年何月何日

何広域連合の長　　氏　　名印

備考　本証明書又はその写は何広域連合条例制定（改廃）請求者署名簿ごとにつづり込むものとすること。

都（何道府県）〔何郡（市）町（村）〕条例制定（改廃）請求者署名簿様式（第九条関係）

（表紙）

令和何年何月何日 都（何道府県）〔何郡（市）町（村）〕条例制定（改廃）請求者署名簿 （第　　号） 署名収集者　氏　　名

署名の偽造、数の増減等を行った場合には罰則の適用があります（地方自治法第七十四条の四第二項）。 署名を行おうとする者が心身の故障等により署名することができない場合で、その者の委任を受けたとき以外は、代筆を行うことができません（同法第七十四条第八項）。これに違反した場合には罰則の適用があります（同法第七十四条の四第三項）。

有効無効	番号	署名年月日	住所	生年月日	氏名	代筆をした場合			備考
						代筆者の住所	代筆者の生年月日	代筆者の氏名	

備考
一　本署名簿を二冊以上作成したときは、各署名簿に通ずる一連番号を付さなければならない。
二　条例制定（改廃）請求書（写）及び条例制定（改廃）請求代表者証明書（写）又は条例制定（改廃）請求署名収集委任状は、これを表紙の次につづり込むものとする。
三　署名簿は、署名収集者（請求代表者又は請求代表者の委任を受けた者をいう。）ごとに作成するものとする。
四　地方自治法施行令第九十五条の三の規定による附記は、当該署名の備考欄に記入すること。
五　署名簿が二冊以上あるときは、地方自治法施行令第九十五条の四の規定による記載は、一連番号の最後の署名簿の末尾にこれをしなければならない。

何広域連合条例制定（改廃）請求者署名簿様式（第九条関係）
（表紙）

令和何年何月何日
何広域連合条例制定（改廃）請求者署名簿
（第　号）
署名収集者　氏　名

署名の偽造、数の増減等を行った場合には罰則の適用があります（地方自治法第二百九十一条の六第一項において準用する同法第七十四条の四第二項）。署名を行おうとする者が心身の故障等により署名簿に署名することができない場合で、その者の委任を受けたとき以外は、代筆を行うことができません（同法第二百九十一条の六第一項において準用する同法第七十四条第八項）。これに違反した場合には罰則の適用があります（同法第二百九十一条の六第一項において準用する同法第七十四条の四第三項）。

有効無効	番号	署名年月日	住所	生年月日	氏名	代筆をした場合			備考
						代筆者の住所	代筆者の生年月日	代筆者の氏名	

備考
一　本署名簿を二冊以上作成したときは、各署名簿に通ずる一連番号を付さなければならない。
二　条例制定（改廃）請求書（写）及び条例制定（改廃）請求代表者証明書（写）又は条例制定（改廃）請求署名収集委任状は、これを表紙の次につづり込むものとする。
三　署名簿は、署名収集者（請求代表者又は請求代表者の委任を受けた者をいう。）ごとに作成するものとする。
四　地方自治法施行令第二百十二条の二において準用する同令第九十五条の三の規定による附記は、当該署名の備考欄に記入すること。
五　署名簿が二冊以上あるときは、地方自治法施行令第二百十二条の二において準用する同令第九十五条の四の規定による記載は、一連番号の最後の署名簿の末尾にこれをしなければならない。

都（何道府県）（何郡（市）町（村））条例制定（改廃）請求署名収集委任状様式（第九条関係）

都（何道府県）（何郡（市）町（村））条例制定（改廃）
請求署名収集委任状
住所　都（何道府県）何郡（市）何町（村）大字何（町）
何番地
氏名
生年月日　何年何月何日
性別　男女
右の者に対し、都（何道府県）（何郡（市）町（村））条例制定（改廃）請求者署名簿に都（何道府県）（何郡（市）町（村））条例制定（改廃）の請求のための署名を求めることを委任する。
令和何年何月何日
都（何道府県）（何郡（市）町（村））条例制定（改廃）
請求代表者
住所　氏　名
生年月日　性別
（住所）　（氏　名）
（生年月日）　（性別）

備　考
一　請求代表者が二人以上あるときは、そのうち一人以上の住所、氏名、生年月日及び性別を記載すること。
二　氏名は自署（盲人が公職選挙法施行令別表第一に定める点字で自己の氏名を記載することを含む。）すること。

何広域連合条例制定（改廃）請求署名収集委任状様式（第九条関係）

何広域連合条例制定（改廃）請求署名収集委任状
住所　都（何道府県）何郡（市）何町（村）大字何（町）
何番地
氏名

生年月日　何年何月何日
性別　男女

右の者に対し、何広域連合条例制定（改廃）請求者署名簿に何広域連合条例制定（改廃）の請求のための署名を求めることを委任する。

令和何年何月何日

何広域連合条例制定（改廃）請求代表者
住所　　氏　　名
生年月日　性別
（住所）（氏　名）
（生年月日）（性別）

備　考
一　請求代表者が二人以上あるときは、そのうち一人以上の住所、氏名、生年月日及び性別を記載すること。
二　氏名は自署（盲人が公職選挙法施行令別表第一に定める点字で自己の氏名を記載することを含む。）すること。

都（何道府県）（何郡（市）町（村））条例制定（改廃）請求署名審査録様式（第九条関係）

都（何道府県）（何郡（市）町（村））条例制定（改廃）請求署名審査録

一　署名簿の受理　令和何年何月何日　都（何道府県）（何郡（市）町（村））何条例制定（改廃）請求者署名簿（何冊）請求代表者何某（外何名）
二　署名審査開始　令和何年何月何日
三　審査
(一)　署名簿の提出（仮提出）が地方自治法施行令第九十四条第一項（第九十三条の二）の期間を経過した後であつたので、何月何日却下した。
(二)　署名簿（第　号）に請求書（写）（請求代表者証明書（写））（請求署名収集委任状）が欠けているので、当該署名簿の署名を無効と決定した。
(三)　署名簿（第　号）の様式に署名年月日（住所）（生年月日）の欄がないので、当該署名簿を無効とした。
(四)　何番（署名簿第　号）の何某とある署名は、選挙人名簿に登録されていないので、無効と決定した。
(五)　何番（署名簿第　号）の何某とある署名は、ゴム印（活字等）でなされたものであるので無効と決定した。
(六)　何番（署名簿第　号）の何某とある署名は、何人であるかを確認し難いので、無効と決定した。
(七)　何番（署名簿第　号）の何某とある署名には、署名年月日（住所）（生年月日）がないので、無効と決定した。
(八)　何番（署名簿第　号）の何某とある署名は、何月何日何某の出頭及び証言を求めた結果、本人の自署（本人が公職選挙法施行令別表第一に定める点字で自己の氏名を記載したもの）でないと認められるので、何月何日無効と決定した。何某の証言内容は、次のとおりである。
(九)　、、、、、、、、
四　審査終了　令和何年何月何日
五　証明の修正
(一)　何月何日何某から何番（署名簿第　号）の何某とある署名は、詐偽（強迫）に基づく旨の申出があつたので、何月何日何某の証言を求めた結果、何某の申出を正当と認め、何月何日これを無効と決定した。申出及び証言の概略は、次のとおりである。
(二)　何月何日何某から何番（署名簿第　号）の何某とある署名の無効（有効）の決定について異議の申出があつたので、審査の結果、申出を正当と認め、何月何日これを有効（無効）と決定し、当該署名の備考欄にこの旨を記載した。審査の概略は次のとおりである。
(三)　、、、、、、、、、
六　署名簿の返付　令和何年何月何日　署名簿の末尾の記載は、有効署名数何々無効署名数何々総数何々である。

右は、何条例制定（改廃）請求者署名簿についての本選挙管理委員会の審査の次第である。

令和何年何月何日

何市（町）（村）選挙管理委員会
委員長　氏　　名
委　員　氏　　名
委　員　氏　　名
委　員　氏　　名
書　記　氏　　名

備　考　選挙管理委員会の委員長、委員及び書記の氏名は自署（盲人が公職選挙法施行令別表第一に定める点字で自己の氏名を記載することを含む。）すること。

何広域連合条例制定（改廃）請求署名審査録様式（第九条関係）

何広域連合条例制定（改廃）請求署名審査録

一　署名簿の受理　令和何年何月何日　何広域連合条例制定（改廃）請求者署名簿（何冊）請求代表者何某（外何名）
二　署名審査開始　令和何年何月何日
三　審査
(一)　署名簿の提出（仮提出）が地方自治法施行令第二百十二条の二において準用する同令第九十四条第一項（第九十三条の二）の期間を経過した後であつたので、何月何日却下した。
(二)　署名簿（第　号）に請求書（写）（請求代表者証明書（写））（請求署名収集委任状）が欠けているので、当該署名簿の署名を無効と決定した。
(三)　署名簿（第　号）の様式に署名年月日（住所）（生年月日）の欄がないので、当該署名簿を無効とした。
(四)　何番（署名簿第　号）の何某とある署名は、選挙人名簿に登録されていないので、無効と決定した。
(五)　何番（署名簿第　号）の何某とある署名は、ゴム印（活字等）でなされたものであるので無効と決定した。
(六)　何番（署名簿第　号）の何某とある署名は、何人であるかを確認し難いので、無効と決定した。
(七)　何番（署名簿第　号）の何某とある署名には、署名年月日（住所）（生年月日）がないので、無効と決定した。
(八)　何番（署名簿第　号）の何某とある署名は、何月何日何某の出頭及び証言を求めた結果、本人の自署（本人が公職選挙法施行令別表第一に定める点字で自己の氏名を記載したもの）でないと認められるので、何月何日無効と決定した。何某の証言内容は、次のとおりである。

(九) 、、、、、、、、、

四 審査終了 令和何年何月何日

五 証明の修正

(一) 何月何日何某から何番（署名簿第　号）の何某とある署名は、詐偽（強迫）に基づく旨の申出があったので、何月何日何某の証言を求めた結果、何某の申出を正当と認め、何月何日これを無効と決定した。申出及び証言の概略は、次のとおりである。

(二) 何月何日何某から何番（署名簿第　号）の何某とある署名の無効（有効）の決定について異議の申出があったので、審査の結果、申出を正当と認め、何月何日これを有効（無効）と決定し、当該署名の備考欄にこの旨を記載した。審査の概略は次のとおりである。

(三) 、、、、、、、、

六 署名簿の返付 令和何年何月何日 署名簿の末尾の記載は、有効署名数何々無効署名数何々総数何々である。

右は、何条例制定（改廃）請求者署名簿についての本選挙管理委員会の審査の次第である。

令和何年何月何日

何広域連合選挙管理委員会

委員長 氏　名
委　員 氏　名
委　員 氏　名
委　員 氏　名
書　記 氏　名

備　考 選挙管理委員会の委員長、委員及び書記の氏名は自署（盲人が公職選挙法施行令別表第一に定める点字で自己の氏名を記載することを含む。）すること。

都（何道府県）（何郡（市）町（村））条例制定（改廃）請求署名収集証明書様式（第九条関係）

都（何道府県）（何郡（市）町（村））条例制定（改廃）請求署名収集証明書

都（何道府県）（何郡（市）町（村））何条例制定（改廃）請求書に添えて提出する何条例制定（改廃）請求者署名簿には、地方自治法第七十四条第五項の規定により、令和何年何月何日付で告示された選挙権を有する者の総数の五十分の一（何万何千何百何十何人）により有効署名があることを証明します。

（なお、署名の効力の決定に関する裁決書（判決書）（地方自治法第七十四条の二第十項の規定による通知書）何通を添付します。）

令和何年何月何日

都（何道府県）（何郡（市）町（村））条例制定（改廃）請求代表者

住所　氏　名
生年月日　性別
（住所）（氏　名）
（生年月日）（性別）

何広域連合条例制定（改廃）請求署名収集証明書様式（第九条関係）

何広域連合条例制定（改廃）請求署名収集証明書

何広域連合何条例制定（改廃）請求書に添えて提出する何条例制定（改廃）請求者署名簿には、地方自治法第二百九十一条の六第一項において準用する同法第七十四条第五項の規定により、令和何年何月何日付で告示された請求権を有する者の総数の五十分の一（何万何千何百何十何人）により有効署名があることを証明します。

（なお、署名の効力の決定に関する裁決書（判決書）（地方自治法第二百九十一条の六第一項において準用する同法第七十四条の二第十項の規定による通知書）何通を添付します。）

令和何年何月何日

何広域連合条例制定（改廃）請求代表者

住所　氏　名
生年月日　性別
（住所）（氏　名）
（生年月日）（性別）

都（何道府県）（何郡（市）町（村））職員措置請求書様式（第十三条関係）

都（何道府県）（何郡（市）町（村））職員措置請求書

都（何道府県）知事（何委員会若しくは委員又は職員）（何郡（市）町（村）長（何委員会若しくは委員又は職員））に関する措置請求の要旨

一 請求の要旨……………………

二 請求者

住所　氏　名
（住所）（氏　名）

右地方自治法第二百四十二条第一項の規定により別紙事実証明書を添え必要な措置を請求します。

令和何年何月何日

都（何道府県）（何郡（市）町（村））監査委員あて

備考 氏名は自署（盲人が公職選挙法施行令別表第一に定める点字で自己の氏名を記載することを含む。）すること。

都（何道府県）（何郡（市）町（村））事務監査請求書様式（第十七条の九関係）

都（何道府県）（何郡（市）町（村））事務監査請求書

事務監査請求の要旨

一 請求の要旨（千字以内）……………………

二 監査委員の監査に代えて個別外部監査契約に基づく監査によることを求める理由（千字以内）……………………

三 請求代表者

住所　氏　名
生年月日　性別
（住所）（氏　名）
（生年月日）（性別）

右のとおり地方自治法第七十五条第一項の規定により事務の監査を請求いたします。併せて、同法第二百五十二条の三十九第一項の規定により、当該事務監査請求に係る監査について、監査委員の監査に代えて個別外部監査契約に基づく監査によることを求めます。

令和何年何月何日

〔都（何道府県）〕〔何郡（市）町（村）監査委員〕あて

備考

一　本請求書又はその写は、都（何道府県）〔何郡（市）町（村）〕事務監査請求者署名簿ごとにつづり込むものとすること。

二　氏名は自署（盲人が公職選挙法施行令別表第一に定める点字で自己の氏名を記載することを含む。）すること。

何広域連合事務監査請求書様式（第十七条の九関係）

何広域連合事務監査請求書

事務監査請求の要旨

一　請求の要旨（千字以内）……

二　監査を行う機関の監査に代えて個別外部監査契約に基づく監査によることを求める理由（千字以内）……

三　請求代表者

住所　氏　名

生年月日　性別

（住所）（氏　名）

（生年月日）（性別）

右のとおり地方自治法第二百九十一条の六第一項において準用する同法第七十五条第一項の規定により事務の監査を請求いたします。併せて、同法第二百九十一条の六第一項において準用する同法第二百五十二条の三十九第一項の規定により、当該事務監査請求に係る監査について、監査を行う機関の監査に代えて個別外部監査契約に基づく監査によることを求めます。

令和何年何月何日

何広域連合の監査を行う機関　あて

備考

一　本請求書又はその写は、何広域連合事務監査請求者署名簿ごとにつづり込むものとすること。

二　氏名は自署（盲人が公職選挙法施行令別表第一に定める点字で自己の氏名を記載することを含む。）すること。

都（何道府県）〔何郡（市）町（村）〕事務監査請求代表者証明書様式（第十七条の九関係）

都（何道府県）〔何郡（市）町（村）〕事務監査請求代表者証明書

住所　氏　名

生年月日　性別

（住所）（氏　名）

（生年月日）（性別）

右の者は都（何道府県）〔何郡（市）町（村）〕事務監査請求代表者であることを証明する。併せて、当該事務監査請求に係る監査について、監査委員の監査に代えて個別外部監査契約に基づく監査によることが求められていることを証明する。

令和何年何月何日

〔都（何道府県）〕〔何郡（市）町（村）監査委員〕　印

備考　本証明書又はその写は都（何道府県）〔何郡（市）町（村）〕事務監査請求者署名簿ごとにつづり込むものとすること。

何広域連合事務監査請求代表者証明書様式（第十七条の九関係）

何広域連合事務監査請求代表者証明書

住所　氏　名

生年月日　性別

（住所）（氏　名）

（生年月日）（性別）

右の者は何広域連合事務監査請求代表者であることを証明する。併せて、当該事務監査請求に係る監査について、監査を行う機関の監査に代えて個別外部監査契約に基づく監査によることが求められていることを証明する。

令和何年何月何日

何広域連合の監査を行う機関　印

備考　本証明書又はその写は何広域連合事務監査請求者署名簿ごとにつづり込むものとすること。

都（何道府県）〔何郡（市）町（村）〕職員措置請求書様式（第十七条の十四関係）

都（何道府県）〔何郡（市）町（村）〕職員措置請求書

都（何道府県）知事（何委員会若しくは委員又は職員）〔何郡（市）町（村）長（何委員会若しくは委員又は職員）〕に関する措置請求の要旨

一　請求の要旨……

二　監査委員の監査に代えて個別外部監査契約に基づく監査によることを求める理由……

三　請求者

住所　氏　名

（住所）（氏　名）

右地方自治法第二百四十二条第一項の規定により別紙事実証明書を添え必要な措置を請求します。併せて、同法第二百五十二条の四十三第一項の規定により、当該請求に係る監査について、監査委員の監査に代えて個別外部監査契約に基づく監査によることを求めます。

令和何年何月何日

都（何道府県）〔何郡（市）町（村）〕監査委員あて

備考　氏名は自署（盲人が公職選挙法施行令別表第一に定める点字で自己の氏名を記載することを含む。）すること。

［報告書様式（第十二条の二の十関係）］

何年度（普通地方公共団体名）内部統制評価報告書

〔何都（道府県）知事〕〔何都（道府県）何市（町村）長〕（氏名）は、地方自治法第150条第４項の規定による評価を行い、同項に規定する報告書を次のとおり作成しました。

1 【内部統制の整備及び運用に関する事項】
2 【評価手続】
3 【評価結果】
4 【不備の是正に関する事項】

何年何月何日　〔何都（道府県）知事〕〔何市（町村）長〕
氏　　名

備考
長がその他説明をすることが適当と判断した事項は追加して記載することができる。

予算の調製の様式（第十四条関係）

何年度（普通地方公共団体名）一般会計予算

何年度（普通地方公共団体名）の一般会計の予算は、次に定めるところによる。

（歳入歳出予算）
第１条 歳入歳出予算の総額は、歳入歳出それぞれ何千円と定める。
2 歳入歳出予算の款項の区分及び当該区分ごとの金額は、「第１表歳入歳出予算」による。

（継続費）
第２条 地方自治法（昭和22年法律第67号）第212条第１項の規定による継続費の経費の総額及び年割額は、「第２表継続費」による。

（繰越明許費）
第３条 地方自治法第213条第１項の規定により翌年度に繰り越して使用することができる経費は、「第３表繰越明許費」による。

（債務負担行為）
第４条 地方自治法第214条の規定により債務を負担する行為をすることができる事項、期間及び限度額は、「第４表債務負担行為」による。

（地方債）
第５条 地方自治法第230条第１項の規定により起こすことができる地方債の起債の目的、限度額、起債の方法、利率及び償還の方法は、「第５表地方債」による。

（一時借入金）
第６条 地方自治法第235条の３第２項の規定による一時借入金の借入れの最高額は、何千円と定める。

（歳出予算の流用）
第７条 地方自治法第220条第２項ただし書の規定により歳出予算の各項の経費の金額を流用することができる場合は、次のとおりと定める。
(1) 各項に計上した給料、職員手当及び共済費（賃金に係る共済費を除く。）に係る予算額に過不足を生じた場合における同一款内でのこれらの経費の各項の間の流用
(2) 何　々

何年何月何日　提出
〔何都（道府県）知事〕〔何都（道府県）何市（町村）長〕
氏　　名

備考
1 特別会計に属する予算（地方公営企業法の全部又は一部の適用を受ける事業に係るものを除く。）は、この様式に準じて、これを調製すること。ただし、国民健康保険事業、介護保険事業及び農業共済事業に係る特別会計については、必要に応じ、この様式を変更することができること。
2 補正予算又は暫定予算は、この様式に準じて、これを調製すること。

第1表　歳入歳出予算

歳　入

款	項	金　額
1　何　々		千円
	1　何　々	
	2　何　々	
2　何　々		
	1　何　々	
	2　何　々	
歳　入　合　計		

歳　出

款	項	金　額
1　何　々		千円
	1　何　々	
	2　何　々	
2　何　々		
	1　何　々	
	2　何　々	
歳　出　合　計		

第2表　継続費

款	項	事業名	総　額	年　度	年　割　額
1　何々	1　何々		千円		千円
2　何々	1　何々				

第3表　繰越明許費

款	項	事　業　名	金　額
1　何　々	1　何　々		千円
2　何　々	1　何　々		

備考　1　事業名の欄には、具体的な事業の名称を記載すること。
　　　2　金額の欄には、当該事業に係る金額を記載すること。

第4表 債務負担行為

事項	期間	限度額
		千円

備考 1 期間及び限度額の欄には、年度ごとに当該年度の限度額を記載すること。ただし、その性質上年度ごとの限度額の明らかでないものは、その総額を記載することができること。
2 限度額の金額表示の困難なものについては、当該欄に文言で記載することができること。

第5表 地方債

起債の目的	限度額	起債の方法	利率	償還の方法
	千円		%	
計				

備考 1 起債の目的の欄には、地方債資金によつて執行する事業の名称を記載すること。
2 利率の欄には、年利により記載すること。なお、利率見直し方式による借入れを行う場合は、文言で記載することができること。

歳入歳出予算の款項の区分及び目の区分（第十五条関係）

歳入					
都道府県			市町村		
款	項	目	款	項	目
1 都（道府県）税			1 市（町村）税		
	1 道府県民税			1 市町村民税	
		1 個人			1 個人
		2 法人			2 法人
		3 利子割			
	2 事業税			2 固定資産税	
		1 個人			1 固定資産税
		2 法人			2 国有資産等所在市町村交付金及び納付金
	3 地方消費税			3 軽自動車税	
		1 譲渡割			1 環境性能割
		2 貨物割			2 種別割
				4 市町村たばこ税	
	4 不動産取得税				1 市町村たばこ税
		1 不動産取得税		5 鉱産税	
	5 道府県たばこ税				1 鉱産税
		1 道府県たばこ税		6 特別土地保有税	
	6 ゴルフ場利用税				1 特別土地保有税
		1 ゴルフ場利用税		7 入湯税	
	7 軽油引取税				1 入湯税
		1 軽油引取税		8 事業所税	
	8 自動車税				1 事業所税
		1 環境性能割		9 都市計画税	
		2 種別割			1 都市計画税
	9 鉱区税			10 水利地益税	
		1 鉱区税			1 水利地益税

	10 固定資産税	
		1 固定資産税
		2 国有資産等所在都道府県交付金及び納付金
	11 狩猟税	
		1 狩猟税
	12 水利地益税	
		1 水利地益税
	13 何税	
		1 何税
	14 旧法による税	
		1 何税
2 地方消費税清算金		
	1 地方消費税清算金	
		1 地方消費税清算金
3 地方譲与税		
	1 特別法人事業譲与税	
		1 特別法人事業譲与税
	2 地方揮発油譲与税	
		1 地方揮発油譲与税
	3 石油ガス譲与税	
		1 石油ガス譲与税
	4 自動車重量譲与税	
		1 自動車重量譲与税
	5 森林環境譲与税	
		1 森林環境譲与税
4 地方特例交付金		
	1 地方特例交付金	
		1 地方特例交付金

	11 共同施設税	
		1 共同施設税
	12 何税	
		1 何税
	13 旧法による税	
		1 何税
2 地方譲与税		
	1 地方揮発油譲与税	
		1 地方揮発油譲与税
	2 自動車重量譲与税	
		1 自動車重量譲与税
	3 森林環境譲与税	
		1 森林環境譲与税
3 利子割交付金		
	1 利子割交付金	
		1 利子割交付金
4 配当割交付金		
	1 配当割交付金	
		1 配当割交付金
5 株式等譲渡所得割交付金		
	1 株式等譲渡所得割交付金	
		1 株式等譲渡所得割交付金
6 法人事業税交付金		
	1 法人事業税交付金	
		1 法人事業税交付金

			7 地方消費税交付金		
				1 地方消費税交付金	
					1 地方消費税交付金
			8 環境性能割交付金		
				1 環境性能割交付金	
					1 環境性能割交付金
			9 地方特例交付金		
				1 地方特例交付金	
					1 地方特例交付金
5 地方交付税			10 地方交付税		
	1 地方交付税			1 地方交付税	
		1 地方交付税			1 地方交付税
6 交通安全対策特別交付金			11 交通安全対策特別交付金		
	1 交通安全対策特別交付金			1 交通安全対策特別交付金	
		1 交通安全対策特別交付金			1 交通安全対策特別交付金
7 分担金及び負担金			12 分担金及び負担金		
	1 分担金			1 分担金	
		1 農林水産業費分担金			1 農林水産業費分担金
		2 何費分担金			2 何費分担金
	2 負担金			2 負担金	
		1 土木費負担金			1 土木費負担金
		2 何費負担金			2 何費負担金
8 使用料及び手数料			13 使用料及び手数料		
	1 使用料			1 使用料	
		1 民生使用料			1 民生使用料
		2 何使用料			2 何使用料
	2 手数料			2 手数料	
		1 総務手数料			1 総務手数料
		2 何手数料			2 何手数料
9 国庫支出金			14 国庫支出金		
	1 国庫負担金			1 国庫負担金	
		1 民生費国庫負担金			1 民生費国庫負担金
		2 何費国庫負担金			2 何費国庫負担金
	2 国庫補助金			2 国庫補助金	
		1 土木費国庫補助金			1 土木費国庫補助金
		2 何費国庫補助金			2 何費国庫補助金
	3 委託金			3 委託金	
		1 総務費委託金			1 総務費委託金
		2 何費委託金			2 何費委託金
			15 都（道府県）支出金		

				1 都（道府県）負担金	
					1 民生費都（道府県）負担金
					2 何費都（道府県）負担金
				2 都（道府県）補助金	
					1 土木費都（道府県）補助金
					2 何費都（道府県）補助金
				3 委託金	
					1 総務費委託金
					2 何費委託金
10 財産収入			16 財産収入		
	1 財産運用収入			1 財産運用収入	
		1 財産貸付収入			1 財産貸付収入
		2 利子及び配当金			2 利子及び配当金
	2 財産売払収入			2 財産売払収入	
		1 不動産売払収入			1 不動産売払収入
		2 物品売払収入			2 物品売払収入
		3 生産物売払収入			3 生産物売払収入
11 寄附金			17 寄附金		
	1 寄附金			1 寄附金	
		1 一般寄附金			1 一般寄附金
		2 何寄附金			2 何寄附金
12 繰入金			18 繰入金		
	1 特別会計繰入金			1 特別会計繰入金	
		1 何特別会計繰入金			1 何特別会計繰入金
	2 基金繰入金			2 基金繰入金	
		1 何基金繰入金			1 何基金繰入金
				3 財産区繰入金	
					1 何財産区繰入金
13 繰越金			19 繰越金		
	1 繰越金			1 繰越金	
		1 繰越金			1 繰越金
14 諸収入			20 諸収入		
	1 延滞金、加算金及び過料等			1 延滞金、加算金及び過料	
		1 延滞金			1 延滞金
		2 加算金			2 加算金
		3 過料等			3 過料
	2 都（道府県）預金利子			2 市（町村）預金利子	
		1 都（道府県）預金利子			1 市（町村）預金利子
	3 公営企業貸付金元利収入			3 公営企業貸付金元利収入	
		1 何公営企業貸付金元利収入			1 何公営企業貸付金元利収入
	4 貸付金元利収入			4 貸付金元利収入	
		1 何貸付金元利収入			1 何貸付金元利収入

自治則

	5 受託事業収入			5 受託事業収入	
		1 何受託事業収入			1 何受託事業収入
	6 収益事業収入			6 収益事業収入	
		1 宝くじ収入 2 何々			1 宝くじ収入 2 何々
	7 利子割精算金収入			7 雑入	
		1 利子割精算金収入			1 滞納処分費 2 弁償金 3 違約金及び延納利息 4 小切手未払資金組入れ 5 雑入
	8 雑入				
		1 滞納処分費 2 弁償金 3 違約金及び延納利息 4 小切手未払資金組入れ 5 雑入			
15 都（道府県）債			21 市（町村）債		
	1 都（道府県）債			1 市（町村）債	
		1 土木債 2 何債			1 土木債 2 何債

備考 1 航空機燃料譲与税法第1条の空港関係都道府県又は地方税法第485条の13第1項の規定の適用を受けることとなる都道府県にあつては、都道府県の欄の款の欄中「4 地方特例交付金」を「5 地方特例交付金」とし、以下順次1号ずつ繰り下げ、

「

3 地方譲与税			
	1 特別法人事業譲与税 2 地方揮発油譲与税 3 石油ガス譲与税 4 自動車重量譲与税 5 森林環境譲与税		
		1 特別法人事業譲与税 1 地方揮発油譲与税 1 石油ガス譲与税 1 自動車重量譲与税 1 森林環境譲与税	を

」

「

3 地方譲与税			
	1 特別法人事業譲与税 2 地方揮発油譲与税 3 石油ガス譲与税 4 自動車重量譲与税 5 森林環境譲与税 6 航空機燃料譲与税		
		1 特別法人事業譲与税 1 地方揮発油譲与税 1 石油ガス譲与税 1 自動車重量譲与税 1 森林環境譲与税 1 航空機燃料譲与税	と
4 市町村たばこ税都道府県交付金			
	1 市町村たばこ税都道府県交付金		
		1 市町村たばこ税都道府県交付金	

」

すること。

2　特別とん譲与税法第1条の開港所在市町村、航空機燃料譲与税法第1条の空港関係市町村、地方自治法第252条の19第1項の指定都市、道路法第7条第3項に規定する指定市、地方税法第103条に規定するゴルフ場所在市町村又は国有提供施設等所在市町村助成交付金に関する法律第1項の規定の適用を受けることとなる市町村にあつては、市町村の欄の款の欄中「9　地方特例交付金」を「13　地方特例交付金」とし、以下順次4号ずつ繰り下げ、

「

2　地方譲与税		
	1　地方揮発油譲与税	
		1　地方揮発油譲与税
	2　自動車重量譲与税	
		1　自動車重量譲与税
	3　森林環境譲与税	
		1　森林環境譲与税
3　利子割交付金		
	1　利子割交付金	
		1　利子割交付金
4　配当割交付金		
	1　配当割交付金	
		1　配当割交付金
5　株式等譲渡所得割交付金		
	1　株式等譲渡所得割交付金	
		1　株式等譲渡所得割交付金
6　法人事業税交付金		
	1　法人事業税交付金	
		1　法人事業税交付金
7　地方消費税交付金		
	1　地方消費税交付金	
		1　地方消費税交付金
8　環境性能割交付金		
	1　環境性能割交付金	
		1　環境性能割交付金

」を

「

2　地方譲与税		
	1　地方揮発油譲与税	
		1　地方揮発油譲与税
	2　自動車重量譲与税	
		1　自動車重量譲与税
	3　森林環境譲与税	
		1　森林環境譲与税
	4　特別とん譲与税	
		1　特別とん譲与税
	5　航空機燃料譲与税	
		1　航空機燃料譲与税
	6　石油ガス譲与税	
		1　石油ガス譲与税
3　利子割交付金		
	1　利子割交付金	
		1　利子割交付金
4　配当割交付金		
	1　配当割交付金	
		1　配当割交付金
5　株式等譲渡所得割交付金		
	1　株式等譲渡所得割交付金	

		1 株式等譲渡所得割交付金	
6 分離課税所得割交付金	1 分離課税所得割交付金	1 分離課税所得割交付金	と
7 法人事業税交付金	1 法人事業税交付金	1 法人事業税交付金	
8 地方消費税交付金	1 地方消費税交付金	1 地方消費税交付金	
9 ゴルフ場利用税交付金	1 ゴルフ場利用税交付金	1 ゴルフ場利用税交付金	
10 環境性能割交付金	1 環境性能割交付金	1 環境性能割交付金	
11 軽油引取税交付金	1 軽油引取税交付金	1 軽油引取税交付金 2 旧法による軽油引取税交付金	
12 国有提供施設等所在市町村助成交付金	1 国有提供施設等所在市町村助成交付金	1 国有提供施設等所在市町村助成交付金	」

すること。

3 国庫支出金等の過年度分については、雑入の項中に「過年度収入」の目を設けることができること。

4 1又は数箇の使用料又は手数料のみを証紙による収入の方法により歳入する市町村にあつては、12 使用料及び手数料の款中2 手数料の項の次に次のように項及び目を加えることができること。

3 証紙収入	1 証紙収入

5 特別会計に係る歳入予算の款項の区分及び目の区分については、普通地方公共団体の長が定めた区分によること。

歳			出		
都道府県			市町村		
款	項	目	款	項	目
1 議会費	1 議会費	1 議会費 ※ 2 事務局費	1 議会費	1 議会費	※ 1 議会費
2 総務費	1 総務管理費	※ 1 一般管理費 2 人事管理費 3 広報費 4 文書費 5 財政管理費 6 会計管理費	2 総務費	1 総務管理費	※ 1 一般管理費 2 文書広報費 3 財政管理費 4 会計管理費 5 財産管理費 6 企画費

		7 財産管理費			7 支所及び出張所費
		8 支庁及び地方事務所費			8 公平委員会費
		9 恩給及び退職年金費			9 恩給及び退職年金費
		10 諸費			
	2 企画費				
		1 企画総務費※			
		2 計画調査費			
	3 徴税費			2 徴税費	
		1 税務総務費※			1 税務総務費※
		2 賦課徴収費			2 賦課徴収費
	4 市町村振興費			3 戸籍住民基本台帳費	
		1 市町村連絡調整費※			1 戸籍住民基本台帳費※
		2 自治振興費			
	5 選挙費			4 選挙費	
		1 選挙管理委員会費※			1 選挙管理委員会費※
		2 選挙啓発費			2 選挙啓発費
		3 何選挙費			3 何選挙費
	6 防災費				
		1 防災総務費※			
		2 消防連絡調整費			
	7 統計調査費			5 統計調査費	
		1 統計調査総務費※			1 統計調査総務費※
		2 何統計費			2 何統計費
	8 人事委員会費				
		1 委員会費			
		2 事務局費※			
	9 監査委員費			6 監査委員費	
		1 委員費			1 監査委員費※
		2 事務局費※			
3 民生費			3 民生費		
	1 社会福祉費			1 社会福祉費	
		1 社会福祉総務費※			1 社会福祉総務費※
		2 障害者福祉費			2 社会福祉施設費
		3 老人福祉費			
		4 遺家族等援護費			
		5 国民健康保険連絡調整費			
		6 社会福祉施設費			
		7 老人福祉施設費			
	2 児童福祉費			2 児童福祉費	
		1 児童福祉総務費※			1 児童福祉総務費※

自治則

		2 児童措置費 3 母子福祉費 4 児童福祉施設費			2 児童措置費 3 母子福祉費 4 児童福祉施設費
	3 生活保護費	※ 1 生活保護総務費 2 扶助費 3 生活保護施設費		3 生活保護費	※ 1 生活保護総務費 2 扶助費 3 生活保護施設費
	4 災害救助費	1 救助費 2 備蓄費		4 災害救助費	1 災害救助費
4 衛生費			4 衛生費		
	1 公衆衛生費	※ 1 公衆衛生総務費 2 結核対策費 3 予防費 4 精神衛生費 5 衛生研究所費		1 保健衛生費	※ 1 保健衛生総務費 2 予防費 3 環境衛生費 4 診療所費
	2 環境衛生費	※ 1 環境衛生総務費 2 食品衛生指導費 3 環境衛生指導費		2 清掃費	※ 1 清掃総務費 2 塵芥処理費 3 し尿処理費
	3 保健所費	※ 1 保健所費			
	4 医薬費	※ 1 医薬総務費 2 医務費 3 保健師等指導管理費 4 薬務費			
5 労働費			5 労働費		
	1 労政費	※ 1 労政総務費 2 労働教育費 3 労働福祉費			
	2 職業訓練費	※ 1 職業訓練総務費 2 職業訓練校費			
	3 失業対策費	※ 1 失業対策総務費 2 一般失業対策事業費		1 失業対策費	※ 1 失業対策総務費 2 一般失業対策事業費
	4 労働委員会費	1 委員会費 ※ 2 事務局費		2 労働諸費	※ 1 労働諸費

6 農林水産業費			6 農林水産業費		
	1 農業費			1 農業費	
		※ 1 農業総務費			1 農業委員会費
		2 農業改良普及費			※ 2 農業総務費
		3 農業振興費			3 農業振興費
		4 農作物対策費			4 畜産業費
		5 肥料対策費			5 農地費
		6 植物防疫費			
		7 農業協同組合指導費			
		8 農業共済団体指導費			
		9 食糧管理費			
		10 農業試験場費			
		11 蚕業費			
	2 畜産業費				
		※ 1 畜産総務費			
		2 畜産振興費			
		3 家畜保健衛生費			
		4 畜産試験場費			
	3 農地費				
		※ 1 農地総務費			
		2 土地改良費			
		3 農地防災事業費			
		4 開墾及び開拓事業費			
		5 干拓事業費			
		6 農地調整費			
	4 林業費			2 林業費	
		※ 1 林業総務費			※ 1 林業総務費
		2 林業振興費			2 林業振興費
		3 森林病害虫防除費			
		4 造林費			
		5 林道費			
		6 治山費			
		7 林業試験場費			
		8 狩猟費			
	5 水産業費			3 水産業費	
		※ 1 水産業総務費			※ 1 水産業総務費
		2 水産業振興費			2 水産業振興費
		3 水産業協同組合指導費			3 漁港管理費
		4 漁業調整費			4 漁港建設費
		5 漁業取締費			
		6 水産試験場費			
		7 漁港管理費			
		8 漁港建設費			
7 商工費			7 商工費		

	1 商業費	※ 1 商業総務費 2 商業振興費 3 貿易振興費 4 物産あつ旋所費		1 商工費	※ 1 商工総務費 2 商工業振興費 3 観光費
	2 工鉱業費	※ 1 工鉱業総務費 2 中小企業振興費 3 銃砲火薬ガス等取締費 4 計量検定費 5 工業試験場費 6 鉱業振興費			
	3 観光費	※ 1 観光費			
8 土木費			8 土木費		
	1 土木管理費	※ 1 土木総務費 2 土木出張所費 3 建設業指導監督費 4 建築指導費		1 土木管理費	※ 1 土木総務費
	2 道路橋りよう費	※ 1 道路橋りよう総務費 2 道路維持費 3 道路新設改良費 4 橋りよう維持費 5 橋りよう新設改良費		2 道路橋りよう費	※ 1 道路橋りよう総務費 2 道路維持費 3 道路新設改良費 4 橋りよう維持費 5 橋りよう新設改良費
	3 河川海岸費	※ 1 河川総務費 2 河川改良費 3 砂防費 4 海岸保全費 5 水防費		3 河川費	※ 1 河川総務費
	4 港湾費	※ 1 港湾管理費 2 港湾建設費		4 港湾費	※ 1 港湾管理費 2 港湾建設費
	5 都市計画費	※ 1 都市計画総務費 2 土地区画整理費 3 街路事業費 4 公園費		5 都市計画費	※ 1 都市計画総務費 2 土地区画整理費 3 街路事業費 4 公共下水道費 5 都市下水路費 6 公園費

款	項	目	款	項	目
	6 住宅費			6 住宅費	
		※ 1 住宅管理費			※ 1 住宅管理費
		2 住宅建設費			2 住宅建設費
9 警察費			9 消防費		
	1 警察管理費			1 消防費	
		1 公安委員会費			※ 1 常備消防費
		※ 2 警察本部費			2 非常備消防費
		3 装備費			3 消防施設費
		4 警察施設費			4 水防費
		5 運転免許費			
		6 恩給及び退職年金費			
	2 警察活動費				
		1 一般警察活動費			
		2 刑事警察費			
		3 交通指導取締費			
10 教育費			10 教育費		
	1 教育総務費			1 教育総務費	
		1 教育委員会費			1 教育委員会費
		※ 2 事務局費			※ 2 事務局費
		3 教職員人事費			3 恩給及び退職年金費
		4 教育連絡調整費			
		5 教育研究所費			
		6 恩給及び退職年金費			
	2 小学校費			2 小学校費	
		※ 1 教職員費			※ 1 学校管理費
		2 教育振興費			2 教育振興費
					3 学校建設費
	3 中学校費			3 中学校費	
		※ 1 教職員費			※ 1 学校管理費
		2 教育振興費			2 教育振興費
					3 学校建設費
	4 高等学校費			4 高等学校費	
		※ 1 高等学校総務費			※ 1 高等学校総務費
		2 全日制高等学校管理費			2 全日制高等学校管理費
		3 定時制高等学校管理費			3 定時制高等学校管理費
		4 教育振興費			4 教育振興費
		5 学校建設費			5 学校建設費
		6 通信教育費			
	5 特別支援学校費			5 幼稚園費	
		※ 1 特別支援学校費			※ 1 幼稚園費
	6 社会教育費			6 社会教育費	
		※ 1 社会教育総務費			※ 1 社会教育総務費

自治則

		2 視聴覚教育費			2 公民館費
		3 文化財保護費			3 図書館費
		4 図書館費			
	7 保健体育費			7 保健体育費	
		※			※
		1 保健体育総務費			1 保健体育総務費
		2 体育振興費			2 体育施設費
		3 体育施設費			
11 災害復旧費			11 災害復旧費		
	1 農林水産施設災害復旧費			1 農林水産施設災害復旧費	
		1 何災害復旧費			1 何災害復旧費
	2 何施設災害復旧費			2 何施設災害復旧費	
		1 何災害復旧費			1 何災害復旧費
12 公債費			12 公債費		
	1 公債費			1 公債費	
		1 元金			1 元金
		2 利子			2 利子
		3 公債諸費			3 公債諸費
13 諸支出金			13 諸支出金		
	1 普通財産取得費			1 普通財産取得費	
		1 何取得費			1 何取得費
	2 公営企業貸付金			2 公営企業貸付金	
		1 何公営企業貸付金			1 何公営企業貸付金
	3 地方消費税清算金				
		1 地方消費税清算金			
	4 利子割交付金				
		1 利子割交付金			
	5 配当割交付金				
		1 配当割交付金			
	6 株式等譲渡所得割交付金				
		1 株式等譲渡所得割交付金			
	7 法人事業税交付金				
		1 法人事業税交付金			
	8 地方消費税交付金				
		1 地方消費税交付金			
	9 ゴルフ場利用税交付金				
		1 ゴルフ場利用税交付金			
	10 環境性能割交付金				
		1 環境性能割交付金			
	11 利子割精算金				

14 予　備　費	1 予　備　費	1 利子割精算金 1 予　備　費	14 予　備　費	1 予　備　費	1 予　備　費

備考 1　都、指定都市等行政権能の差のあるものについては、当該行政権能の差により必要な款又は項を設けることができること。

2　一般職の職員の給料、職員手当等（退職手当を除く。）及び共済費は、※印を付している目に計上すること。

3　2にかかわらず、事業費支弁の一般職の職員の給料、職員手当等（退職手当を除く。）及び共済費は、当該事業費の目に計上すること。

4　2にかかわらず、施設の一般職の職員に係る給料、職員手当等（退職手当を除く。）及び共済費は当該施設の目に計上することができること。

5　2にかかわらず、会計年度任用職員の給料、職員手当等（退職手当を除く。）及び共済費は、当該事業の目に計上することができること。

6　特別会計に係る歳出予算の款項の区分及び目の区分については、普通地方公共団体の長が定めた区分によること。

7　地方税法第485条の13第1項の市町村にあつては、13　諸支出金の款中2　公営企業貸付金の項の次に次のように項及び目を加えること。

3　市町村たばこ税都道府県交付金	1　市町村たばこ税都道府県交付金

歳入予算に係る節の区分（第十五条関係）

款の区分	節
都（道府県）税、市（町村）税	1　現年課税分 2　滞納繰越分 ただし、歳入予算の項の区分を地方消費税とするもの及び項の区分を軽自動車税とし目の区分を環境性能割とするものについては、目と同一とする。
地方消費税清算金 地方譲与税 利子割交付金 配当割交付金 株式等譲渡所得割交付金 地方消費税交付金 環境性能割交付金 地方特例交付金 地方交付税 交通安全対策特別交付金 繰入金 繰越金	目と同一とする。
その他の歳入科目	歳出予算の項の区分等に対応して普通地方公共団体の長が定めた節の区分による。

歳出予算に係る節の区分（第十五条関係）

節	説	明
1 報酬	議員報酬	
	委員報酬	執行機関である委員会の委員及び委員（常勤の者を除く。）に係る報酬
	非常勤職員報酬	その他の非常勤職員の報酬
2 給料	特別職給	知事、副知事、市町村長及び副市町村長並びに教育長、常勤の監査委員及び人事委員会の常勤の委員に係る報酬
	一般職給	
3 職員手当等	扶養手当	法律又はこれに基づく条例に基づく手当
	初任給調整手当	
	通勤手当	
	特殊勤務手当	
	特地勤務手当	
	何手当	
	児童手当	
4 共済費	地方公務員共済組合に対する負担金	
	報酬、給料及び賃金に係る社会保険料	
5 災害補償費	療養補償費	
	休業補償費	
	何補償費	
	葬祭料	
6 恩給及び退職年金	恩給	普通恩給、増加恩給及び扶助料
	退職年金	退職年金、通算退職年金、公務傷病年金及び遺族年金
7 報償費	報償金	報酬に掲げるもの以外のもの（謝礼金を含む。）
	賞賜金	
	買上金	
8 旅費	費用弁償	議員その他の非常勤職員の費用弁償及び関係人等に対する実費弁償
	普通旅費	
	特別旅費	
9 交際費		
10 需用費	消耗品費	文具、印紙の類で一度の使用でその効用を失うもの及び数会計年度にわたり使用される物品で備品の程度に至らない消耗器材
	燃料費	暖房、炊事等の庁用燃料及び自動車用燃料費
	食糧費	
	印刷製本費	
	光熱水費	電気、ガス、水道及び冷暖房使用料
	修繕料	備品の修繕若しくは備品又は船舶、航空機等の部分品の取替えの費用及び家屋等の小修繕で工事請負費に至らないもの
	賄材料費	
	飼料費	
	医薬材料費	
11 役務費	通信運搬費	郵便、電信電話料及び運搬料
	保管料	
	広告料	
	手数料	地方債事務取扱手数料
	筆耕翻訳料	筆耕、翻訳及び速記料
	火災保険料	
	自動車損害保険料	
12 委託料		試験、研究及び調査並びに映画等製作委託料
13 使用料及び賃借料		
14 工事請負費	何工事請負費	土地、工作物等の造成又は製造及び改造の工事並びに工作物等の移転及び除却の工事等に要する経費で契約によるもの

節	説明	備考
15 原材料費	工事材料費	
	加工用原料費	
16 公有財産購入費	権利購入費	
	土地購入費	
	家屋購入費	
	船舶、航空機等購入費	
17 備品購入費	庁用器具費	
	機械器具費	
	動物購入費	消耗品以外の動物
18 負担金、補助及び交付金	負担金	
	補助金	
	交付金	
19 扶助費	生活扶助費	
	何扶助費	
20 貸付金		
21 補償、補塡及び賠償金	補償金	
	補塡金	欠損補塡金及び繰上充用金
	賠償金	
22 償還金、利子及び割引料	償還金	地方債の元金償還金、税収入等の還付金
	小切手支払未済償還金	
	利子及び割引料	地方債及び一時借入金の利子並びに割引発行する地方債の割引料
	還付加算金	
23 投資及び出資金		債券及び株式の取得に要する経費並びに公益財団法人の定款に係る出えん金等
24 積立金		
25 寄附金		
26 公課費		
27 繰出金		他会計への繰出し

備考 1 節及びその説明により明らかでない経費については、当該経費の性質により類似の節に区分整理すること。
2 節の頭初の番号は、これを変更することができないこと。
3 歳出予算を配当するときは、款項目節のほか、必要に応じ節の説明により、これを行なうことができること。

予算に関する説明書様式（第十五条の二関係）

歳入歳出予算事項別明細書

1 総括

（歳入）

款	本年度予算額	前年度予算額	比較
1 何々 2 何々	千円	千円	千円
歳入合計			

（歳出）

款	本年度予算額	前年度予算額	比較	本年度予算額の財源内訳			
				特定財源			一般財源
				国（都道府県）支出金	地方債	その他	
1 何々 2 何々	千円	千円	千円	千円	千円	千円	千円
歳出合計							

備考 1 前年度予算額の欄には、前年度当初予算に係る金額を掲げること。
2 補正予算又は暫定予算は、この様式に準じてこれを調製すること。

2 歳入

（款）何々

（項）何々

目	本年度	前年度	比較	節		説明
				区分	金額	
1 何々	千円	千円	千円	何々	千円	
				何々		
2 何々				何々		
				何々		
計						

備考 1 前年度の欄には、前年度当初予算に係る金額を掲げること。
2 説明欄には、収入見込額の算出基礎、税（料）率その他参考となる事項を記載することができること。
3 補正予算又は暫定予算は、この様式に準じてこれを調製すること。

3 歳出

（款）何々

（項）何々

目	本年度	前年度	比較	本年度の財源内訳				節		説明
				特定財源			一般財源	区分	金額	
				国（都道府県）支出金	地方債	その他				
1 何々	千円	千円	千円	千円	千円	千円	千円	何々	千円	
								何々		
2 何々								何々		
								何々		
計										

備考 1 前年度の欄には、前年度当初予算に係る金額を掲げること。

2　説明欄には、予算を計上した目の内訳その他参考となる事項を記載することができること。
3　補正予算又は暫定予算は、この様式に準じてこれを調製すること。

給　与　費　明　細　書

1　特別職

区分		職員数	給与費							共済費	合計	備考
			報酬	給料	期末手当（千円）年間支給率	地域手当	寒冷地手当	その他の手当	計			
		（人）	（千円）	（千円）	（月分）	（千円）	（千円）	（千円）	（千円）	（千円）	（千円）	
本年度	長等											
	議員											
	その他の特別職											
	計											
前年度	長等											
	議員											
	その他の特別職											
	計											
比較	長等											
	議員											
	その他の特別職											
	計											

備考　1　長等とは知事（市町村長）及び副知事（副市町村長）をいい、その他の特別職とは長等及び議員以外の特別職をいう。
2　この表は、報酬又は給料をもつて支弁される特別職の職員で予算の積算の基礎となつたものについて記載すること。
3　給与費欄のその他の手当欄に記載した場合は、備考欄に当該手当の内容を具体的に記載すること。

2　一般職

⑴　総括

区分	職員数	給与費				共済費	合計	備考
		報酬	給料	職員手当	計			
	（人）	（千円）	（千円）	（千円）	（千円）	（千円）	（千円）	
本年度	（　　）							
前年度	（　　）							
比較	（　　）							

職員手当の内訳	区分	何手当（千円）	何手当（千円）	何手当（千円）	何手当（千円）	何手当（千円）	何手当（千円）		
	本年度								
	前年度								
	比較								

備考　1　この表は、報酬又は給料をもつて支弁される一般職の職員（事業費支弁に係る職員を含む。）で予算の積算の基礎となつたものについて記載すること。
2　(　)内は、短時間勤務職員について外書きすること。

⑵　給料及び職員手当の増減額の明細

区分	増減額（千円）	増減事由別内訳（千円）	説明	備考

給料		給与改定に伴う増減分			
		昇給に伴う増加分			
		その他の増減分			
職員手当		制度改正に伴う増減分			
		その他の増減分			

備考 1 増減額欄の金額は、「(1) 総括」の給料及び職員手当のそれぞれの比較金額と一致すること。
2 説明欄には、増減事由別内訳の金額の積算等を適宜記載するとともに、職員手当の制度改正に伴う増減分について当該手当の種類別の内訳を記載すること。

(3) 給料及び職員手当の状況
ア 職員1人当たり給与

区分		何々職	何々職		
年 月 日現在	平均給料月額(円)				
	平均給与月額(円)				
	平均年齢(歳)				
年 月 日現在	平均給料月額(円)				
	平均給与月額(円)				
	平均年齢(歳)				

イ 初任給

区分	何々職(円)	何々職(円)			国の制度			
					何々職(円)	何々職(円)		
高校卒								
大学卒								

ウ 級別職員数

区分	何々職			何々職				
	級	職員数(人)	構成比(%)	級	職員数(人)	構成比(%)		
年 月 日現在	何級	( )	( )	何級	( )	( )		
	何級	( )	( )	何級	( )	( )		
	計	( )	( )	計	( )	( )		
年 月 日現在	何級	( )	( )	何級	( )	( )		
	何級	( )	( )	何級	( )	( )		
	計	( )	( )	計	( )	( )		

(級別の基準となる職務)

区分	何級	何級		
何々職				

エ 昇給

区分			合計	代表的な職種			
				何々職	何々職		
本年度	職員数 (A)(人)						
	昇給に係る職員数 (B)(人)						
	号給数別内訳	2号給(人)					
		4号給(人)					
		6号給(人)					
		8号給(人)					
		何号給(人)					
	比率 (B)/(A) (%)						
前年度	職員数 (A)(人)						
	昇給に係る職員数 (B)(人)						
	号給数別内訳	2号給(人)					
		4号給(人)					
		6号給(人)					
		8号給(人)					
		何号給(人)					
	比率 (B)/(A) (%)						

オ 期末手当・勤勉手当

区分	支給期別支給率		支給率計(月分)	職制上の段階、職務の級等による加算措置	備考
	6月(月分)	12月(月分)			
本年度	( )	( )	( )		
前年度	( )	( )	( )		
国の制度	( )	( )	( )		

カ 定年退職及び応募認定退職に係る退職手当

区分	20年勤続の者(月分)	25年勤続の者(月分)	35年勤続の者(月分)	最高限度(月分)	その他の加算措置等	備考
支給率等						
国の制度(支給率等)						

キ 地域手当

支給対象地域					
支給率(%)					
支給対象職員数(人)					
国の指定基準に基づく支給率(%)					

ク 特殊勤務手当

区分	全職種	代表的な職権		
		何々職	何々職	
給料総額に対する比率 (%)				
支給対象職員の比率 (%) (年 月 日現在)				
代表的な特殊勤務手当の名称				

ケ その他の手当

区分	国の制度との異同	差異の内容
扶養手当		
住居手当		
通勤手当		

備考 1 「ア 職員1人当たり給与」、「イ 初任給」、「ウ 級別職員数」、「エ 昇給」及び「ク 特殊勤務手当」の何々職の区分は、給料表の区分によることとし、複数の職種について同一の給料表を適用している場合にあつては、原則としてそれぞれの職種の区分によること。

2 「ア 職員1人当たり給与」及び「ウ 級別職員数」は、予算調製時及びその1年前の数値により、「ク 特殊勤務手当」の支給対象職員の比率は予算調製時の数値により、それぞれ作成すること。

3 「ア 職員1人あたり給与」は、短時間勤務職員以外の職員について作成すること。

4 「ア 職員1人当たり給与」の平均給与月額は、期末手当、勤勉手当、退職手当及び寒冷地手当を除いて算定すること。

5 「イ 初任給」の国の制度の職種の区分は、原則として、当該会計において職員に適用される給料表に対応する俸給表が適用される国家公務員の職種の区分によること。

6 「ウ 級別職員数」の( )内には、短時間勤務職員について外書きすること。

7 「ウ 級別職員数」の「(級別の基準となる職務)」は、原則として、当該会計における最も代表的な職種の職員に適用される給料表に係る職種について作成すること。

8 「エ 昇給」の職員数欄には、短時間勤務職員以外の職員数を記載すること。

9 「オ 期末手当・勤勉手当」は、管理又は監督の地位にある職員以外の職員について作成するものとし、支給期別支給率欄及び支給率計欄には当該職員の標準的な支給率を、これらの欄の( )内には、再任用職員の標準的な支給率を、備考欄には、算定基礎に含まれる手当の種類について国の制度との異同等をそれぞれ記載すること。

10 「キ 地域手当」の支給対象地域欄には、支給率の区分及び国の指定基準に基づく支給率の区分により分別して記載すること。

継続費についての前前年度末までの支出額、前年度末までの支出額又は支出額の見込み及び当該年度以降の支出予定額並びに事業の進行状況等に関する調書

款	項	事業名	全体計画						前前年度末までの支出額	前年度末までの支出(見込)額	当該年度支出予定額	当該年度末までの支出予定額	翌年度以降支出予定額	継続費の総額に対する進捗率
			年度	年割額	左の財源内訳									
					特定財源			一般財源						
					国(都道府県)支出金	地方債	その他							
				千円	千円	千円	千円	千円	千円	千円	千円	千円	千円	%
1何々	1何々													
			計											
2何々	1何々													
			計											

債務負担行為で翌年度以降にわたるものについての前年度末までの支出額又は
支出額の見込み及び当該年度以降の支出予定額等に関する調書

事項	限度額	前年度末までの支出(見込)額		当該年度以降の支出予定額		左の財源内訳			
						特定財源			一般財源
		期間	金額	期間	金額	国（都道府県）支出金	地方債	その他	
	千円		千円		千円	千円	千円	千円	千円

備考　限度額の金額表示の困難なものについては、当該欄に文言で記載することができること。

地方債の前前年度末における現在高並びに前年度末及び当該年度末における現
在高の見込みに関する調書

区分	前前年度末現在高	前年度末現在高見込額	当該年度中増減見込み		当該年度末現在高見込額
			当該年度中起債見込額	当該年度中元金償還見込額	
	千円	千円	千円	千円	千円
1 普通債					
(1) 土木					
(2) 農林水産					
(3) 教育					
(4) 公営住宅					
(5) 何々					
2 災害復旧債					
(1) 土木					
(2) 農林水産					
(3) 公営住宅					
(4) 何々					
3 その他					
(1) 転貸債					
(2) 歳入欠かん債					
(3) 退職手当債					
(4) 何々					
合計					

備考　借替債で他の地方債の区分により区分することができないものについては、3　その他の項に借替債の区分を設けて記載すること。

継続費繰越計算書様式（第十五条の三関係）

何年度（普通地方公共団体名）継続費繰越計算書

款	項	事業名	継続費の総額	何年度継続費予算現額			支出済額及び支出見込額	残額	翌年度逓次繰越額	左の財源内訳			
										繰越金	特定財源		
				予算計上額	前年度逓次繰越額	計					国（都道府県）支出金	地方債	その他
1 何々	1 何々		円	円	円	円	円	円	円	円	円	円	円
2 何々	1 何々												

何年何月何日提出

〔何都（道府県）知事〕〔何都（道府県）何市（町村）長〕

氏　　　名

備考　1　支出済額及び支出見込額の欄には、当該年度の支出済額及び支出負担行為済みの金額で支出未済の金額を記載すること。
　2　左の財源内訳欄には、継続費の翌年度逓次繰越額に充てるべき翌年度における財源の予定を記載すること。したがつて、特定財源の欄には、当該年度における継続費の特定財源のうち調定未済又は調定済未納であつて翌年度に繰り越すものを計上すること。
　3　地方自治法第220条第3項ただし書の規定により継続費に係る歳出予算の金額を繰り越したものについては、「翌年度逓次繰越額」とあるのは「翌年度繰越額」と読み替えるものとすること。

継続費精算報告書様式（第十五条の三関係）

何年度（普通地方公共団体名）継続費精算報告書

款	項	事業名	年度	全体計画					実績					比較				
				年割額	左の財源内訳				支出済額	左の財源内訳				年割額と支出済額の差	左の財源内訳			
					特定財源			一般財源		特定財源			一般財源		特定財源			一般財源
					国（都道府県）支出金	地方債	その他			国（都道府県）支出金	地方債	その他			国（都道府県）支出金	地方債	その他	
1 何々	1 何々			円	円	円	円	円	円	円	円	円	円	円	円	円	円	円
			計															
2 何々	1 何々																	
			計															

何年何月何日提出

〔何都（道府県）知事〕〔何都（道府県）何市（町村）長〕

氏　　　名

繰越明許費繰越計算書様式（第十五条の四関係）

何年度（普通地方公共団体名）繰越明許費繰越計算書

款	項	事業名	金額	翌年度繰越額	左の財源内訳		
					既収入特定財源	未収入特定財源	一般財源
						何々	
1　何々	1　何々		円	円	円	円	円
2　何々	1　何々						

何年何月何日提出

〔何都（道府県）知事〕〔何都（道府県）何市（町村）長〕

氏　　　名

備考　未収入特定財源の欄には、調定未済額及び調定済未収入額を記載すること。

事故繰越し繰越計算書様式（第十五条の五関係）

何年度（普通地方公共団体名）事故繰越し繰越計算書

款	項	事業名	支出負担行為額	左の内訳		支出負担行為予定額	翌年度繰越額	左の財源内訳			説明
				支出済額	支出未済額			既収入特定財源	未収入特定財源	一般財源	
									何々		
1　何々	1　何々		円	円	円	円	円	円	円	円	

2 何々	1 何々										

何年何月何日提出

〔何都（道府県）知事〕〔何都（道府県）何市（町村）長〕

氏　　名

備考　説明の欄には、事故繰越しの理由を記載すること。

決算の調製の様式（第十六条関係）

何年度（普通地方公共団体名）歳入歳出決算書

歳　入

款	項	予算現額	調定額	収入済額	不納欠損額	収入未済額	予算現額と収入済額との比較
1 何々		円	円	円	円	円	円
	1 何々						
	2 何々						
2 何々							
	1 何々						
	2 何々						
歳入合計							

歳　出

款	項	予算現額	支出済額	翌年度繰越額	不用額	予算現額と支出済額との比較
1 何々		円	円	円	円	円
	1 何々					
	2 何々					
2 何々						
	1 何々					
	2 何々					
歳出合計						

歳入歳出差引残額　　円
うち基金繰入額　　円
又は
歳入歳出差引歳入不足額　　円
このため翌年度歳入繰上充用金　　円

何年何月何日提出

〔何都（道府県）知事〕〔何都（道府県）何市（町村）長〕

氏　　名

歳入歳出決算事項別明細書様式（第十六条の二関係）

何年度（普通地方公共団体名）歳入歳出決算事項別明細書

歳　入

款	項	目	予算現額				節		調定額	収入済額	不納欠損額	収入未済額	備考
			当初予算額	補正予算額	継続費及び繰越事業費繰越財源充当額	計	区分	金額					
1 何々			円	円	円	円		円	円	円	円	円	
	1 何々												
		1 何々											
							何々						
2 何々													
	1 何々												

		1 何々										
							何々					
歳入合計												

備考 歳入の予算現額欄のうち継続費及び繰越事業費繰越財源充当額については、未収入特定財源を当該特定財源の科目の項の当該欄にその他を繰越金の項の当該欄に記載すること。

歳出

款	項	目	予算現額							支出済額	翌年度繰越額			不用額	備考
			当初予算額	補正予算額	継続費及び繰越事業費繰越額	予備費支出及び流用増減	計	節			継続費逓次繰越	繰越明許費	事故繰越し		
								区分	金額						
1 何々			円	円	円	円	円		円	円	円	円	円	円	
	1 何々														
		1 何々													
								何々							
2 何々															
	1 何々														
		1 何々													
								何々							
歳出合計															

備考 前年度からの繰越事業費について不用額を生じたときは、その旨備考欄に記載しなければならない。

実質収支に関する調書様式（第十六条の二関係）

実質収支に関する調書

区分		金額
1 歳入総額		千円
2 歳出総額		
3 歳入歳出差引額		
4 翌年度へ繰り越すべき財源	(1) 継続費逓次繰越額	
	(2) 繰越明許費繰越額	
	(3) 事故繰越し繰越額	
	計	
5 実質収支額		
6 実質収支額のうち地方自治法第233条の2の規定による基金繰入額		

財産に関する調書様式（第十六条の二関係）

財産に関する調書

1 公有財産

(1) 土地及び建物

区分		土地（地積）			建物								
					木造（延面積）			非木造（延面積）			延面積計		
		前年度末現在高	決算年度中増減高	決算年度末現在高	前年度末現在高	決算年度中増減高	決算年度末現在高	前年度末現在高	決算年度中増減高	決算年度末現在高	前年度末現在高	決算年度中増減高	決算年度末現在高
本庁舎		㎡	㎡	㎡	㎡	㎡	㎡	㎡	㎡	㎡	㎡	㎡	㎡
その他の行政機関	警察（消防）施設												
	その他の施設												

公共用財産	学校												
	公営住宅												
	公園												
	その他の施設												
山林													
何々													
合計													

備考 1 この調書は、総括、行政財産及び普通財産に区分して作成すること。以下(5)までについて同じ。
2 道路及び橋りよう、河川及び海岸並びに港湾及び漁港については、この調書に記載することを要しないこと。

(2) 山林

土地の権利の区分	面積			立木の推定蓄積量		
	前年度末現在高	決算年度中増減高	決算年度末現在高	前年度末現在高	決算年度中増減高	決算年度末現在高
所有	㎡	㎡	㎡	㎡	㎡	㎡
分収						
その他の権原によるもの						
合計						

備考 面積の欄には、土地の権利の区分に対応する土地の面積を記載すること。

(3) 動産

区分	前年度末現在高	決算年度中増減高	決算年度末現在高
船舶	隻	隻	隻
	総トン	総トン	総トン
浮標	個	個	個
浮桟橋	個	個	個
浮ドック	個	個	個
航空機	機	機	機

(4) 物権

区分	前年度末現在高	決算年度中増減高	決算年度末現在高
地上権	㎡	㎡	㎡
地役権			
鉱業権			
何々			

(5) 無体財産権

区分	前年度末現在高	決算年度中増減高	決算年度末現在高
特許権	件	件	件
著作権			
何々			

(6) 有価証券

区分	前年度末現在額	決算年度中増減額	決算年度末現在額
株券	千円	千円	千円
社債券			
地方債証券			

国債証券			
何々			

(7) 出資による権利

区分	前年度末現在高	決算年度中増減高	決算年度末現在高
何々	千円	千円	千円

(8) 財産の信託の受益権

区分	前年度末現在高	決算年度中増減高	決算年度末現在高
何々	件	件	件

備考 財産の信託の類型ごとに区分して記載すること。

2 物品

区分	前年度末現在高	決算年度中増減高	決算年度末現在高
乗用車	台	台	台
何々			

備考 この調書は、重要な物品について必要に応じ記載すること。

3 債権

区分	前年度末現在額	決算年度中増減額	決算年度末現在額
何貸付金	千円	千円	千円
何々			

備考 この調書は、決算年度の歳入に係る債権以外の債権について記載すること。

4 基金

区分			前年度末現在高	決算年度中増減高	決算年度末現在高
不動産	土地	山林	㎡	㎡	㎡
		何々	㎡	㎡	㎡
	立木		㎡	㎡	㎡
	何々				
動産	何々				
有価証券			千円	千円	千円
現金			千円	千円	千円

備考 この調書は、基金の種類ごとに記載すること。

申請書様式（第十八条関係）

何年何月何日

何市(町)(村)長あて

認可を受けようとする地縁による
団体の名称及び主たる事務所の所在地
名称
所在地
代表者の氏名及び住所
氏名
住所

認 可 申 請 書

地方自治法第260条の2第1項の規定により、地域的な共同活動を円滑に行うため認可を受けたいので、別添書類を添えて申請します。

（別添書類）
1 規約
2 認可を申請することについて総会で議決したことを証する書類
3 構成員の名簿
4 良好な地域社会の維持及び形成に資する地域的な共同活動を現に行っていることを記載した書類
5 申請者が代表者であることを証する書類

申請書様式（第十八条の二関係）

何年何月何日

何市（町）（村）長あて

認可地縁団体甲
合併しようとする認可地縁団体の
名称及び主たる事務所の所在地
名 称
所在地
代表者の氏名及び住所
氏 名
住 所
認可地縁団体乙
合併しようとする認可地縁団体の
名称及び主たる事務所の所在地
名 称
所在地
代表者の氏名及び住所
氏 名
住 所

認 可 申 請 書

地方自治法第260条の39第3項の規定により、合併の認可を受けたいので、下記のとおり申請します。

記

○ 合併後存続する認可地縁団体又は合併により設立する認可地縁団体（以下「合併後の認可地縁団体」という。）に関する事項
・合併後の認可地縁団体の名称及び主たる事務所の所在地
名 称
所在地
・合併後の認可地縁団体の代表者の氏名及び住所
氏 名
住 所
・合併により消滅する認可地縁団体の名称
名 称

（別添書類）
1 合併後の認可地縁団体の規約

2 地方自治法第260条の39第3項の認可を申請することについて合併しようとする各認可地縁団体の総会で議決したことを証する書類
3 合併後の認可地縁団体の構成員の名簿
4 良好な地域社会の維持及び形成に資する地域的な共同活動を行うことを目的とし、合併しようとする各認可地縁団体が連携して当該目的に資する活動を現に行っていることを記載した書類
5 合併しようとする各認可地縁団体の規約
6 申請者が合併しようとする各認可地縁団体の代表者であることを証する書類

届出書様式（第二十条関係）

何年何月何日

何市(町)(村)長あて

地縁による団体の名称及び主たる事務所の所在地
名 称
所在地
代表者の氏名及び住所
氏 名
住 所

告 示 事 項 変 更 届 出 書

下記事項について変更があつたので、地方自治法第260条の2第11項の規定により、告示された事項に変更があつた旨を証する書類を添えて届け出ます。

記

1 変更があつた事項及びその内容

2 変更の年月日

3 変更の理由

台帳様式（第二十一条関係）

地　縁　団　体　台　帳（何市（町）（村））

枚数	名　称		
		年　月　日認可 年　月　日告示	
		年　月　日認可 年　月　日告示	
	主たる事務所		
		年　月　日 年　月　日告示	
		年　月　日 年　月　日告示	
		年　月　日 年　月　日告示	
	代表者に関する事項	年　月　日 原　因 告示年月日	年　月　日 原　因 告示年月日
		年　月　日 年　月　日告示	年　月　日 年　月　日告示
		年　月　日 年　月　日告示	年　月　日 年　月　日告示
		年　月　日 年　月　日告示	年　月　日 年　月　日告示

代表者に関する事項	年　月　日 原　因 告示年月日	年　月　日 原　因 告示年月日
	年　月　日 年　月　日告示	年　月　日 年　月　日告示
	年　月　日 年　月　日告示	年　月　日 年　月　日告示
	年　月　日 年　月　日告示	年　月　日 年　月　日告示
	年　月　日 年　月　日告示	年　月　日 年　月　日告示
	年　月　日 年　月　日告示	年　月　日 年　月　日告示
	年　月　日 年　月　日告示	年　月　日 年　月　日告示
認可年月日		年　月　日
台帳を起こした年月日		年　月　日

名称等欄　　丁

名称	
規約に定める目的	

目的欄　　丁

名称		
区　　域		

区域欄　　丁

名称		
その他の事項		

その他欄　　丁

申請書様式（第二十二条関係）

何年何月何日

何市(町)(村)長あて

地縁による団体の名称及び主たる事務所の所在地
　名　称
　所在地
代表者の氏名及び住所
　氏　名
　住　所

規　約　変　更　認　可　申　請　書

地方自治法第260条の3第2項の規約の変更の認可を受けたいので、別添書類を添えて申請します。

（別添書類）
1　規約変更の内容及び理由を記載した書類

2　規約変更を総会で議決したことを証する書類

届出書様式（第二十二条の二の三関係）

何年何月何日

何市(町)(村)長あて

認可地縁団体甲
　合併しようとする認可地縁団体の名称及び主たる事務所の所在地
　　名　称
　　所在地
　代表者の氏名及び住所
　　氏　名
　　住　所
認可地縁団体乙
　合併しようとする認可地縁団体の名称及び主たる事務所の所在地
　　名　称

所在地
代表者の氏名及び住所
氏 名
住 所

合併に係る債権者保護手続終了届出書

地方自治法第260条の40並びに第260条の41第1項及び第2項の規定による手続が終了したので、同条第3項の規定により、別添書類を添えて届け出ます。

(別添書類)
・ 地方自治法第260条の40第2項の規定による公告及び催告をしたこと並びに異議を述べた債権者があるときは、同法第260条の41第2項の規定によりその債権者に対し弁済し、若しくは相当の担保を供し、又はその債権者に弁済を受けさせることを目的として相当の財産を信託したこと又は合併をしてもその債権者を害するおそれがないことを証する書類

申請書様式(第二十二条の二の五関係)

何年何月何日

何市(町)(村)長あて

認可地縁団体の名称及び主たる事務所の所在地
名 称
所在地
代表者の氏名及び住所
氏 名
住 所

所有不動産の登記移転等に係る公告申請書

地方自治法第260条の46第1項の規定により、当認可地縁団体が所有する下記不動産について所有権の保存又は移転の登記をするため公告をしてほしいので、別添書類を添えて申請します。

記

○ 申請不動産(所有権の保存又は移転の登記をしようとする不動産)に関する事項

・建物

名　　　称	延 床 面 積	所　在　地

・土地

地　　　目	面　　　積	所　在　地

・表題部所有者又は所有権の登記名義人の氏名又は名称及び住所
氏名又は名称
住　　　所

（別添書類）
1　申請不動産の登記事項証明書
2　申請不動産に関し、地方自治法第260条の46第１項に規定する申請をすることについて総会で議決したことを証する書類
3　申請者が代表者であることを証する書類
4　地方自治法第260条の46第１項各号に掲げる事項を疎明するに足りる資料

申出書様式（第二十二条の三関係）

何年何月何日

何市(町)(村)長あて

異議を述べる者の氏名及び住所
氏　名
住　所

申請不動産の登記移転等に係る異議申出書

地方自治法第260条の46第２項の規定による公告に基づき、当該公告を求める申請を行った認可地縁団体が申請不動産の所有権の保存又は移転の登記をすることについて、下記のとおり異議を述べる旨、申し出ます。

記

1　公告に関する事項
(1)　申請を行った認可地縁団体の名称
(2)　申請不動産に関する事項
・建物

名　　称	延　床　面　積	所　在　地

・土地

地　　目	面　　積	所　在　地

・表題部所有者又は所有権の登記名義人の氏名又は名称及び住所
氏名又は名称
住　　所
(3)　公告期間

2　異議を述べる登記関係者等の別
□　申請不動産の表題部所有者又は所有権の登記名義人
□　申請不動産の表題部所有者又は所有権の登記名義人の相続人
□　申請不動産の所有権を有することを疎明する者

3　異議の内容（異議を述べる理由等）

（別添書類）
□　申請不動産の登記事項証明書
□　住民票の写し
□　その他の市町村長が必要と認める書類（　　　　）

(注)　この異議申出書に記載された事項については、その後の当事者間での協議等を円滑にするため認可地縁団体に通知されます。

情報提供様式（第二十二条の四関係）

第　号
何年何月何日

(申請団体) 御中
認可地縁団体の名称及び主たる事務所の所在地
名　称
所在地
代表者の氏名及び住所
氏　名
住　所

何市(町)(村)長

公告結果（承諾）の情報提供について

地方自治法第260条の46第1項の規定により、　年　月　日付け文書をもって申請のあった不動産については、同条第2項の規定により公告をした結果、登記関係者等が同項の期間内に異議を述べなかったため、同条第3項の規定により、貴認可地縁団体が当該不動産の所有権の保存又は移転の登記をすることについて登記関係者の承諾があったものとみなすこととなりましたので、同条第4項に規定する証する情報を提供します。

1　公告に関する事項
(1)　申請を行った認可地縁団体の名称
(2)　申請不動産に関する事項
・建物

名　　称	延床面積	所　在　地

・土地

地　　目	面　　積	所　在　地

・表題部所有者又は所有権の登記名義人の氏名又は名称及び住所
氏名又は名称
住　　所
(3)　公告期間

2　公告の結果
1の公告については、1(3)の公告期間内に異議の申出はありませんでした。

通知書様式（第二十二条の五関係）

第　号
何年何月何日

（申請団体）御中
認可地縁団体の名称及び主たる事務所の所在地
名　称
所在地
代表者の氏名及び住所
氏　名
住　所

何市(町)(村)長

公告結果（異議申出あり）通知書

地方自治法第260条の46第１項の規定により、　年　月　日付け文書をもって申請のあった不動産については、同条第２項の規定により公告をした結果、登記関係者等による異議の申出がありましたことを、同条第５項の規定に基づき通知します。

１　公告に関する事項
⑴　申請を行った認可地縁団体の名称
⑵　申請不動産に関する事項
・建物

名　　称	延床面積	所　在　地

・土地

地　　目	面　　積	所　在　地

・表題部所有者又は所有権の登記名義人の氏名又は名称及び住所
氏名又は名称
住　　所
⑶　公告期間

２　異議の内容等
⑴　異議を述べた登記関係者等
氏名
住所
登記関係者等の別
⑵　異議を述べた年月日
⑶　異議を述べた理由等

附 則（昭二七・八・一九総府令五八）

この府令は、昭和二十七年九月一日から施行する。

附 則（昭二七・九・一総府令六四）

この府令は、公布の日から、施行する。但し、第二条の改正規定は、自治庁設置法（昭和二十七年法律第二百六十一号）施行の日（昭和二十七年八月一日）から適用する。

附 則（昭二九・六・二五総府令三七）

1 この府令による別記の地方公共団体歳入歳出予算様式（以下この附則において「予算様式」という。）中の歳出その一 予算科目及び説明種目の概目の表の改正規定は、都道府県の欄にあつては昭和二十九年七月一日から、市町村の欄にあつては昭和三十年四月一日から、その他の改正規定は、公布の日から施行する。但し、予算様式歳出その一 予算科目及び説明種目の概目の表の市町村の欄の改正規定以外の予算様式に係る改正規定は、昭和二十九年度分の地方公共団体の予算から、別記の地方公共団体歳入歳出決算様式の改正規定は昭和二十八年度分の地方公共団体の歳入歳出決算から適用する。

2 昭和二十九年度分に限り、改正後の予算様式のうち、歳入の表都道府県の欄の目の欄中

「一 道府県民税
二 事業税
三 不動産取得税
四 道府県たばこ消費税
五 娯楽施設利用税
六 遊興飲食税
七 自動車税
八 鉱区税
九 狩猟者税
一〇 何税」は

「一 道府県民税
二 事業税
三 不動産取得税
四 道府県たばこ消費税
五 入場税
六 娯楽施設利用税
七 遊興飲食税
八 自動車税
九 鉱区税
一〇 狩猟者税
一一 何税」と、

款項目の欄中

「二 地方譲与税	一 入場譲与税	一 入場譲与税」は

「二 地方譲与税	一 入場譲与税	一 入場譲与税
	二 揮発油譲与税	一 揮発油譲与税」と

読み替えるものとする。

附 則（昭三〇・一二・二三総府令六三）

1 この府令は、公布の日から施行し、昭和三十年度分の地方公共団体の予算から適用する。

2 昭和三十年度に限り、改正後の（別記）中地方公共団体歳入歳出予算様式のうち予算科目及び説明種目の概目の歳入の表の都道府県の欄の款項目の欄中

「三 地方交付税	一 地方交付税	一 地方交付税」とあるの

は

「三 地方交付税	一 地方交付税	一 地方交付税
四 臨時地方財政特別交付金	一 臨時地方財政特別交付金	一 臨時地方財政特別交付金
五 たばこ専売特別地方配付金	一 たばこ専売特別地方配付金	一 たばこ専売特別地方配付金」と、

款の欄中

「四 公営企業及び財産収入
五 分担金及び負担金
六 使用料及び手数料
七 国庫支出金
八 寄附金
九 繰入金
一〇 繰越金
一一 雑収入
一二 都（道府県）債」とあるのは

「六 公営企業及び財産収入
七 分担金及び負担金
八 使用料及び手数料
九 国庫支出金
一〇 寄附金
一一 繰入金
一二 繰越金
一三 雑収入
一四 都（道府県）債」と、

同表の市町村の欄の款項目の欄中

「三 地方交付税	一 地方交付税	一 地方交付税」とあるのは

「三 地方交付税	一 地方交付税	一 地方交付税
四 臨時地方財政特別交付金	一 臨時地方財政特別交付金	一 臨時地方財政特別交付金」と、

款の欄中

「四 公営企業及び財産収入
五 分担金及び負担金
六 夫役及び現品
七 使用料及び手数料
八 国庫支出金
九 都（道府県）支出金
一〇 寄附金
一一 繰入金
一二 繰越金
一三 雑収入
一四 市（町村）債」とあるのは

「五　公営企業及び財産収入
六　分担金及び負担金
七　夫役及び現品
八　使用料及び手数料
九　国庫支出金
一〇　都（道府県）支出金
一一　寄附金
一二　繰入金
一三　繰越金
一四　雑収入
一五　市（町村）債　」
と読み替えるものとする。

附　則（昭三一・五・八総府令三三）

この府令は、公布の日から施行する。

附　則（昭三一・一二・六総府令八九）

この府令は、公布の日から施行する。ただし、地方公共団体歳入歳出予算様式に関する部分は、昭和三十二年度分から適用し、繰越計算書様式及び地方公共団体歳入歳出決算様式に関する部分は、昭和三十一年度分から適用する。

附　則（昭三三・三・一一総府令一一）

この府令は、公布の日から施行し、昭和三十二年度分の地方公共団体の予算から適用する。

附　則（昭三三・五・三一総府令四六）

この府令は、昭和三十三年六月一日から施行し、地方公共団体歳入歳出予算様式に関する部分は昭和三十三年度分から、地方公共団体歳入歳出決算様式に関する部分は昭和三十二年度分から適用する。

附　則（昭三六・四・三〇自治令九）（抄）

（施行期日）

1　この省令は、（中略）昭和三十六年五月一日から施行する。

附　則（昭三七・九・二九自治令二二）

この省令は、昭和三十七年十月一日から施行する。

附　則（昭三八・四・一自治令一二）（抄）

（施行期日）

1　この省令は、（中略）狩猟法の一部を改正する法律（昭和三十八年法律第二十三号）の施行の日（昭三八・六・一五）から施行する。

附　則（昭三八・九・四自治令二六）

1　この省令中予算に関する改正規定は昭和三十九年一月一日から、その他の改正規定は同年四月一日から施行する。ただし、改正後の地方自治法施行規則（以下「新規則」という。）の規定中予算及び決算に係る部分は、昭和三十九年度の予算及び決算から適用する。

2　新規則別記予算に関する説明書様式歳入歳出予算事項別明細書中前年度予算額又は前年度の欄は、昭和三十九年度に限り、記載を省略することができる。

附　則（昭三八・一二・二七自治令三五）

（施行期日）

1　この省令は、公布の日から施行する。

（経過措置）

2　改正後の地方自治法施行規則（以下「新規則」という。）第十八条第一項の規定の適用については、昭和三十八年十二月三十一日までの間は、同項の表中「第百四十七条第二項」とあるのは「第百五十九条の二」とし、新規則第十八条第二項の規定の適用については、昭和三十九年三月三十一日までの間は、同項中「第百七十二条第一項」とあるのは「第百七十一条の三」と、「必要な措置請求書」とあるのは「理事長、理事若しくは監事又は事業団の職員の違法又は不当な行為の制限又は禁止に関する措置請求書」とし、新規則別記措置請求書様式の適用については、昭和三十九年三月三十一日までの間は、同様式中「地方自治法第三百十四条第一項において準用する第二百四十二条第一項」とあるのは「地方自治法の一部を改正する法律（昭和三十八年法律第九十九号）附則第十五条第一項において準用する地方自治法第二百四十三条の二第一項」とする。

附　則（昭四〇・五・一〇自治令一五）

この省令は、公布の日から施行する。

附　則（昭四一・二・一五自治令二）（抄）

（施行期日）

1　この省令は、公布の日から施行する。

附　則（昭四一・五・三〇自治令一一）（抄）

（施行期日）

1　この省令は、公布の日から施行する。ただし、娯楽施設利用税及び電気ガス税に関する改正規定は、昭和四十一年六月一日から、料理飲食等消費税に関する改正規定は、昭和四十一年八月一日から施行する。

附　則（昭四一・七・五自治令一四）（抄）

（施行期日）

1　この省令（中略）は同年（昭和四十二年）四月一日から施行する。

2　改正後の地方公営企業法施行規則（以下「新規則」という。）の規定中予算及び決算に関する部分は、昭和四十二年度の予算及び決算から適用し、昭和四十一年度分以前の予算及び決算については、なお従前の例による。

（特例適用の報告の様式）

3　地方公営企業法施行令の一部を改正する政令（昭和四十一年政令第二百三十九号。以下「一部改正令」という。）附則第五条において準用される一部改正令による改正後の地方公営企業法施行令第二十八条第三項の規定による報告の様式は、新規則別表第二十一号に定める様式に準ずるものとする。

5　前項の規定による改正後の地方自治法施行規則第十五条の五の規定及び別記継続費繰越計算書様式は、昭和四十二年度の予算及び決算から適用する。

附　則（昭四一・八・一七自治令一九）（抄）

1　この省令は、昭和四十一年九月三十日から施行する。

附　則（昭四三・一一・一自治令三一）

この省令は、公布の日から施行する。

附　則（昭四四・四・一四自治令一〇）

1　この省令は、昭和四十四年五月一日から施行する。

2　この省令の施行の際現にその手続が開始されている直接請求については、なお従前の例による。

附　則（昭四四・一二・五自治令三二）

この省令は、公布の日から施行する。

附　則（昭四六・一・二三自治令一）（抄）

（施行期日）

1　この省令は、昭和四十六年一月二十四日から施行する。

附　則（昭四六・七・五自治令一三）（抄）

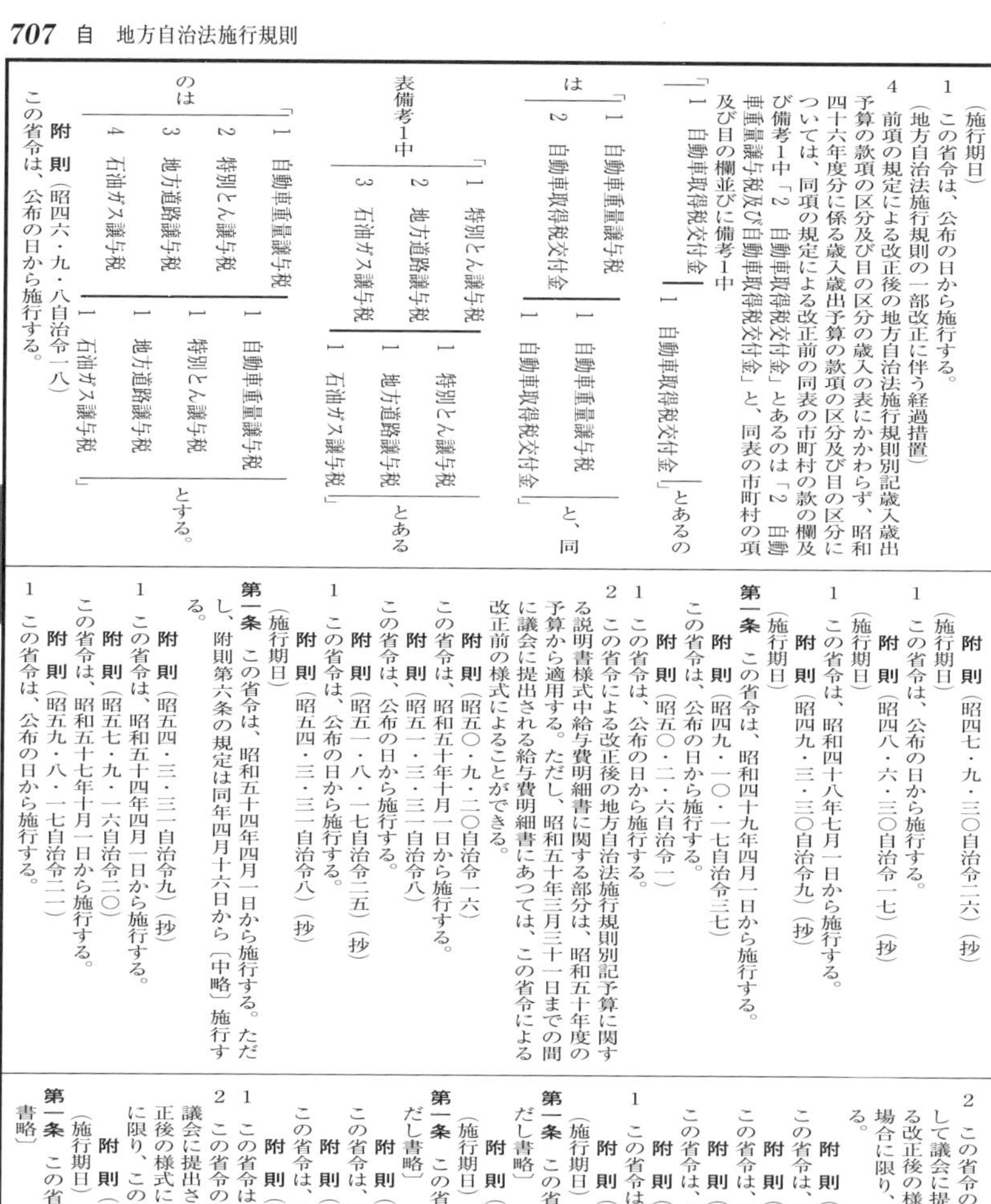

（施行期日）

1　この省令は、公布の日から施行する。

（地方自治法施行規則の一部改正に伴う経過措置）

4　前項の規定による改正後の地方自治法施行規則別記歳入歳出予算の款項の区分及び目の区分の歳入の表にかかわらず、昭和四十六年度分に係る歳入歳出予算の款項の区分及び目の区分については、同項の規定による改正前の同表の市町村の款の欄及び備考1中「2　自動車取得税交付金」とあるのは「2　自動車重量譲与税及び自動車取得税交付金」と、同表の市町村の項及び目の欄並びに備考1中

「1　自動車取得税交付金	1　自動車取得税交付金」

とあるのは

「1　自動車重量譲与税	1　自動車重量譲与税
2　自動車取得税交付金	1　自動車取得税交付金」

と、同表備考1中

「1　特別とん譲与税	1　特別とん譲与税
2　地方道路譲与税	1　地方道路譲与税
3　石油ガス譲与税	1　石油ガス譲与税」

とあるのは

「1　自動車重量譲与税	1　自動車重量譲与税
2　特別とん譲与税	1　特別とん譲与税
3　地方道路譲与税	1　地方道路譲与税
4　石油ガス譲与税	1　石油ガス譲与税」

とする。

附　則（昭四六・九・八自治令一八）

この省令は、公布の日から施行する。

附　則（昭四七・九・三〇自治令二六）（抄）

（施行期日）

1　この省令は、公布の日から施行する。

附　則（昭四八・六・三〇自治令一七）（抄）

（施行期日）

1　この省令は、昭和四十八年七月一日から施行する。

附　則（昭四九・三・三〇自治令九）（抄）

（施行期日）

第一条　この省令は、昭和四十九年四月一日から施行する。

附　則（昭四九・一〇・一七自治令三七）

この省令は、公布の日から施行する。

附　則（昭五〇・二・六自治令一）

1　この省令は、公布の日から施行する。

2　この省令による改正後の地方自治法施行規則別記予算に関する説明書様式中給与費明細書に関する部分は、昭和五十年度の予算から適用する。ただし、昭和五十年三月三十一日までの間に議会に提出される給与費明細書にあつては、この省令による改正前の様式によることができる。

附　則（昭五〇・九・二〇自治令一六）

この省令は、昭和五十年十月一日から施行する。

附　則（昭五一・三・三一自治令八）

この省令は、公布の日から施行する。

附　則（昭五一・八・一七自治令二五）（抄）

1　この省令は、公布の日から施行する。

附　則（昭五四・三・三一自治令八）（抄）

（施行期日）

第一条　この省令は、昭和五十四年四月一日から施行する。ただし、附則第六条の規定は同年四月十六日から〔中略〕施行する。

附　則（昭五四・三・三一自治令九）（抄）

1　この省令は、昭和五十四年四月一日から施行する。

附　則（昭五七・九・一六自治令二〇）

この省令は、昭和五十七年十月一日から施行する。

附　則（昭五九・八・一七自治令二一）

1　この省令は、公布の日から施行する。

2　この省令の施行の日以降において昭和五十九年度の予算に関して議会に提出される給与費明細書については、この省令による改正後の様式によることができないやむを得ない事情がある場合に限り、この省令による改正前の様式によることができる。

附　則（昭六〇・八・二二自治令二二）

この省令は、公布の日から施行する。

附　則（昭六一・一・二八自治令一）

この省令は、公布の日から施行する。

附　則（昭六一・五・三〇自治令一二）

この省令は、公布の日から施行する。

附　則（昭六二・三・三自治令三）（抄）

1　この省令は、公布の日から施行する。

附　則（昭六二・一二・二八自治令三七）（抄）

（施行期日）

第一条　この省令は、昭和六十三年四月一日から施行する。〔ただし書略〕

附　則（昭六三・一二・三〇自治令三七）（抄）

（施行期日）

第一条　この省令は、昭和六十四年四月一日から施行する。〔ただし書略〕

附　則（平元・三・三一自治令一二）

この省令は、平成元年四月一日から施行する。

附　則（平二・二・二一自治令二）

この省令は、公布の日から施行する。

附　則（平二・一二・二六自治令三三）

1　この省令は、公布の日から施行する。

2　この省令の施行の日以降において平成二年度の予算に関して議会に提出される給与費明細書については、この省令による改正後の様式によることができないやむを得ない事情がある場合に限り、この省令による改正前の様式によることができる。

附　則（平三・三・三〇自治令九）（抄）

（施行期日）

第一条　この省令は、平成三年四月一日から施行する。〔ただし書略〕

附　則（平三・四・二自治令一一）（抄）

（施行期日）

1　この省令は、公布の日から施行する。

附　則（平三・一二・二四自治令三〇）

1　この省令は、公布の日から施行する。

2　この省令の施行の日以降において平成三年度の予算に関して議会に提出される給与費明細書については、この省令による改正後の様式によることができないやむを得ない事情がある場合に限り、この省令による改正前の様式によることができる。

附　則（平六・七・八自治令二八）

この省令は、地方自治法の一部を改正する法律（平成六年法律第四十八号）附則第一項ただし書に規定する規定の施行の日〔平六・七・一九〕から施行する。

附　則（平六・一一・二五自治令四一）（抄）

1　この省令は、公職選挙法の一部を改正する法律（平成六年法律第二号）の施行の日から施行する。

附　則（平七・六・二〇自治令二一）（抄）

（施行期日）

第一条　この省令は、公布の日から施行する。

（経過措置）

第二条　改正後の地方自治法施行規則の規定は、この省令の施行の際現にその手続が開始されている直接請求については、適用しない。

附　則（平七・一二・二〇自治令三六）（抄）

1　この省令は、公布の施行の日から施行する。

附　則（平九・三・三一自治令一八）

この省令は、平成九年四月一日から施行する。ただし、第二条の規定は、平成十年四月一日から施行する。

附　則（平九・九・三〇自治令三九）

この省令は、公布の日から施行する。

附　則（平九・一二・一九自治令四二）

この省令は、平成十年一月一日から施行する。

附　則（平一〇・一・三〇自治令一）（抄）

1　この省令は、公職選挙法の一部を改正する法律（平成九年法律第百二十七号）の施行の日（平成十年六月一日）から施行する。

附　則（平一〇・八・五自治令三四）

この省令は、地方自治法の一部を改正する法律（平成九年法律第六十七号）附則第一条第二号に掲げる規定の施行の日（平成十年十月一日）から施行する。

附　則（平一〇・一二・一八自治令四六）

この省令は、平成十一年四月一日から施行する。

附　則（平一一・二・一七自治令四）

この省令は、公布の日から施行する。

附　則（平一一・三・三一自治令一五）

（施行期日）

1　この省令は、公布の日から施行する。

附　則（平一二・三・三一自治令二二）

この省令は、平成十二年四月一日から施行する。

附　則（平一二・四・一八自治令三三）

この省令は、公布の日から施行する。

附　則（平一二・九・一四自治令四四）

この省令は、内閣法の一部を改正する法律（平成十一年法律第八十八号）の施行の日（平成十三年一月六日）から施行する。

附　則（平一三・一・一一総務令五）

この省令は、公布の日から施行し、平成十三年度の予算から適用する。ただし、この省令による改正後の別記予算の調整の様式第5表は、平成十二年度の予算から適用する。

附　則（平一四・二・二八総務令一九）

（施行期日）

1　この省令は、保健婦助産婦看護婦法の一部を改正する法律の施行の日（平成十四年三月一日）から施行する。

（地方自治法施行規則の一部改正に伴う経過措置）

2　この省令の施行の際現に第一条の規定による改正前の地方自治法施行規則別記歳入歳出予算の款項の区分及び目の区分を基準として議会に提出し、又は議会の議決を経ている予算及びこれに関する説明書は、同条の規定による改正後の地方自治法施行規則別記歳入歳出予算の款項の区分及び目の区分を基準として定められたものとみなす。

附　則（平一四・三・三〇総務令四一）（抄）

（施行期日）

第一条　この省令〔中略〕は、平成十四年九月一日から施行する。

（経過措置）

第二条　第二条の規定の施行の日前に地方自治法施行令等の一部を改正する政令（平成十四年政令第九十五号）第二条（市町村の合併の特例に関する法律施行令（以下この条において「合特令」という。）第二条第四項及び第五項の改正規定（「第七十四条第五項」を「第七十四条第六項」に改める部分に限る。）並びに同令第四条第一項の改正規定（「第七十四条第四項」を「第七十四条第五項」に改める部分に限る。）を除く。）の規定による改正前の合特令第一条第二項又は第一条の四第四項の規定によりされた告示に係る請求代表者証明書又は同一請求代表者証明書に係る請求に係る署名簿、署名収集委任状、署名審査録及び署名収集証明書（以下この項において「署名簿等」という。）のうち第二条の規定の施行の日前に同条の規定による改正前の合特規則の規定により作成されたものについては、同条の規定の施行後は、同条の規定による改正後の合特規則の規定により作成された署名簿等とみなす。

2　前項の規定により第二条の規定による改正後の合特規則の規定により作成されたものとみなされた署名簿及び署名収集証明書並びに第三条の規定の施行の日前に地方自治法施行令等の一部を改正する政令第二条（合特令第二条第四項及び第五項の改正規定（「第七十四条第五項」を「第七十四条第六項」に改める部分に限る。）並びに同令第四条第一項の改正規定（「第七十四条第四項」を「第七十四条第五項」に改める部分に限る。）に限る。）の規定による改正前の合特令第一条第二項（同令第九条の二において準用する場合を含む。）又は第一条の四第四項の規定によりされた告示に係る請求代表者証明書若しくは同一請求代表者証明書又は投票実施請求代表者証明書に係る請求に係る署名簿及び署名収集証明書のうち第三条の規定の施行の日前に同条の規定による改正前の合特規則の規定により作成されたものについては、同条の規定の施行後は、同条の規定による改正後の合特規則の規定により作成された署名簿及び署名収集証明書とみなす。

附　則（平一五・三・二四総務令四九）（抄）

（施行期日）

第一条　この省令は、公布の日から施行する。

附　則（平一五・八・二九総務令一一一）

この省令は、地方自治法の一部を改正する法律の施行の日（平成十五年九月二日）から施行する。

附　則（平一五・一二・二五総務令一四五）

この省令は、平成十六年一月一日から施行する。

附　則（平一六・四・一総務令七八）

この省令は、公布の日から施行する。

附　則（平一六・七・三〇総務令一一一）

この省令は、平成十六年八月一日から施行する。

附　則（平一六・一一・八総務令一三一）

この省令は、地方自治法施行令の一部を改正する政令（平成十六年政令第三百四十四号）の施行の日（平成十六年十一月十日）から施行する。

附　則（平一七・四・一三総務令七五）

（施行期日）

第一条　この省令は、公布の日から施行する。

（経過措置）

第二条　この省令の施行前にこの省令による改正前の地方自治法施行規則第十二条の三の二第一項各号のいずれにも適合するものであると普通地方公共団体の長が確認した同項に規定する実施計画は、この省令による改正後の地方自治法施行規則第十二条の三の二第一項各号のいずれにも適合するものであると普通地方公共団体の長が確認した同項に規定する実施計画とみなす。

附　則（平一七・一二・二八総務令一六九）

1　この省令は、公布の日から施行する。

2　この省令の施行の日以降において、平成十七年度及び平成十八年度の予算に関して議会に提出される給与費明細書については、この省令による改正後の様式によることができないやむを得ない事情がある場合に限り、この省令による改正前の様式によることができる。

附　則（平一八・一一・二二総務令一三九）

改正　平一九・一・三一総務令四

（施行期日）

第一条　この省令は、平成十九年四月一日から施行する。ただし、第一条中地方自治法施行規則第十二条の二の二の改正規定及び同令第十二条の四の次に一条を加える改正規定は、平成十八年十一月二十四日から施行する。

（出納長及び収入役に関する経過措置）

第二条　地方自治法の一部を改正する法律（平成十八年法律第五十三号）附則第三条第一項の規定により出納長又は収入役がなお従前の例により在職する場合においては、第一条の規定による改正前の地方自治法施行規則（以下「旧規則」という。）第十二条第一項の規定、別記歳出予算に係る節の区分の表及び別記予算に関する説明書様式給与費明細書の1の備考1〔中略〕は、なおその効力を有する。この場合において、旧規則第十二条第一項、別記歳出予算に係る節の区分の表及び別記予算に関する説明書様式給与費明細書の1の備考1中「助役」とあるのは、「副市町村長」とする。

附　則（平一九・一・三一総務令四）（抄）

改正　平二〇・一〇・二一総務令一一六

（施行期日）

第一条　この省令は、平成十九年四月一日から施行する。

（平成十九年度から平成二十一年度における別記歳入歳出予算の款項の区分及び目の区分の特例）

第二条　平成十九年度から平成二十一年度までの各年度においては、別記歳入歳出予算の款項の区分及び目の区分の歳入の表都道府県の欄中

「4　地方特例交付金	1　地方特例交付金	1　地方特例交付金」

とあるのは

「4　地方特例交付金	1　地方特例交付金	1　地方特例交付金
	2　特別交付金	1　特別交付金」

と、同表市町村の欄中

「8　地方特例交付金	1　地方特例交付金	1　地方特例交付金」

とあるのは

「8　地方特例交付金	1　地方特例交付金	1　地方特例交付金
	2　特別交付金	1　特別交付金」

とする。

附　則（平一九・二・二三総務令一四）（抄）

1　この省令は、公職選挙法の一部を改正する法律（平成十八年法律第九十三号）附則第一条第二号に掲げる規定の施行の日（平成十九年三月一日）から施行する。

附　則（平一九・三・一三総務令二七）

この省令は、公布の日から施行する。

附　則（平二〇・二・一四総務令一二）

この省令は、平成二十年三月一日から施行する。

附　則（平二〇・七・一八総務令八六）（抄）

（施行期日等）

第一条　この省令は、平成二十年十月一日から施行し、平成二十一年度分の地方法人特別譲与税から適用する。ただし、附則第四条の規定は、平成二十一年四月一日から施行する。

附　則（平二〇・一〇・二二総務令一一六）（抄）

（施行期日）

第一条　この省令は、公布の日から施行する。

附　則（平二〇・一一・六総務令一一八）

（施行期日）

第一条　この省令は、平成二十一年四月一日から施行する。ただし、第十九条、第二十二条、別記歳出予算に係る節の区分（第十五条関係）、別記申請書様式（第十八条関係）、別記届出様式（第二十条関係）、別記台帳様式（第二十一条関係）及び別記申請書様式（第二十二条関係）の改正規定並びに附則第二条の規定は、平成二十年十二月一日から施行する。

（経過措置）

第二条　この省令の施行の日の前日までに、この省令による改正前の地方自治法施行規則（以下「旧規則」という。）の規定に基づく申請、届出その他の手続及び旧規則別記台帳様式（第二十一条関係）により調製されている台帳については、この省令による改正後の地方自治法施行規則中の相当する規定に基づくものとみなす。

附　則（平二一・三・三一総務令三六）（抄）

（施行期日）

第一条　この省令は、平成二十一年四月一日から施行する。〔ただし書略〕

附　則（平二一・三・三一総務令三九）

この省令は、平成二十一年四月一日から施行する。

附　則（平二一・五・二九総務令五四）

1　この省令は、公布の日から施行する。

2　この省令の施行の日以降において、平成二十一年度及び平成二十二年度の予算に関して議会に提出される給与費明細書については、この省令による改正後の様式によることができないやむを得ない事情がある場合に限り、この省令による改正前の様式によることができる。

附　則（平二二・三・三一総務令三五）

この省令は、平成二十二年四月一日から施行する。

附　則（平二三・四・二七総務令四三）

この省令は、公布の日から施行する。

附　則（平二三・七・二九総務令一一一）

この省令は、地方自治法の一部を改正する法律の施行の日（平成二十三年八月一日）から施行する。

附　則（平二三・一二・二六総務令一六九）（抄）

（施行期日）

第一条　この省令は、公布の日から施行する。

附　則（平二四・三・三一総務令三〇）

（施行期日）

第一条　この省令は、児童手当法の一部を改正する法律の施行の日（平成二十四年四月一日）から施行する。

（経過措置）

第二条　平成二十四年三月までの間に、平成二十二年度等における子ども手当の支給に関する法律（平成二十二年法律第十九号）第十六条第一項の規定により読み替えて適用される同法第七条第一項及び平成二十三年度における子ども手当の支給等に関する特別措置法（平成二十三年法律第百七号）第十六条第一項の規定により読み替えて適用される同法第七条第一項の規定により支給すべき子ども手当に関しては、地方自治法施行規則別記歳出予算に係る節の区分の表説明の欄中「児童手当」とあるのは「子ども手当」と読み替えるものとする。

附　則（平二五・二・六総務令五）（抄）

（施行期日）

第一条　この省令は、地方自治法施行令等の一部を改正する政令（以下「改正令」という。）の施行の日（平成二十五年三月一日）から施行する。

（地方自治法施行規則の一部改正に伴う経過措置）

第二条　第一条の規定による改正後の地方自治法施行規則第九条から第十二条の二までの規定並びに同令別記都（何道府県）〔何郡（市）町（村）〕条例制定（改廃）請求書様式、別記何広域連合条例制定（改廃）請求書様式、別記都（何道府県）〔何郡（市）町（村）〕条例制定（改廃）請求代表者証明書様式、別記何広域連合条例制定（改廃）請求代表者証明書様式、別記都（何道府県）〔何郡（市）町（村）〕条例制定（改廃）請求署名収集委任状様式、別記何広域連合条例制定（改廃）請求署名収集委任状様式、別記都（何道府県）〔何郡（市）町（村）〕条例制定（改廃）請求署名収集証明書様式、別記何広域連合条例制定（改廃）請求署名収集証明書様式、別記都（何道府県）〔何郡（市）町（村）〕事務監査請求書様式、別記何広域連合事務監査請求書様式、別記都（何道府県）〔何郡（市）町（村）〕事務監査請求代表者証明書様式及び別記何広域連合事務監査請求代表者証明書様式は、この省令の施行の日以後に改正令第一条の規定による改正後の地方自治法施行令（以下この条及び次条において「新令」という。）第九十一条第二項（新令第九十九条、第百条、第百十条、第百十六条、第百二十一条、第二百十二条の二、第二百十二条の四、第二百十三条の二、第二百十四条の二、第二百十五条の二、第二百十六条の三及び第二百十七条の二において準用する場合を含む。）の規定による告示が行われる直接請求について適用し、この省令の施行の日の前日までに改正令第一条の規定による改正前の地方自治法施行令（以下この条及び次条において「旧令」という。）第九十一条第二項（旧令第九十九条、第百条、第百十条、第百十六条、第百二十一条、第二百十二条の二、第二百十二条の四、第二百十三条の二、第二百十四条の二、第二百十五条の二、第二百十六条の三及び第二百十七条の二において準用する場合を含む。）の規定による告示が行われた直接請求については、なお従前の例による。

第三条　第一条の規定による改正後の地方自治法施行規則別記投票用紙様式の一及び別記投票用紙様式の二は、この省令の施行の日以後に新令第百条の二第二項（新令第百十三条及び第百十六条の二（これらの規定を新令第百二十条及び第百八十八条第一項において準用する場合を含む。）、第百二十条、第百八十八条第一項並びに第二百十三条の四、第二百十四条の三及び第二百十五条の三（これらの規定を新令第二百十五条の六において準用する場合を含む。）において準用する場合を含む。）、第百九条の三第二項（新令第百十三条、第百十六条の二、第二百十三条の四、第二百十四条の三及び第二百十五条の三において準用する場合を含む。）、第百八十一条第一項又は第百八十八条の二第二項の規定による期日の告示が行われる投票について適用し、この省令の施行の日の前日までに旧令第百条の二第二項（旧令第百十三条及び第百十六条の二（これらの規定を旧令第百二十条及び第百八十八条第一項において準用する場合を含む。）、第百二十条、第百八十八条第一項並びに第二百十三条の四、第二百十四条の三及び第二百十五条の三（これらの規定を旧令第二百十五条の六において準用する場合を含む。）において準用する場合を含む。）、第百九条の三第二項（旧令第百十三条、第百十六条の二、第二百十三条の四、第二百十四条の三及び第二百十五条の三において準用する場合を含む。）、第百八十一条第一項又は第百八十八条の二第二項の規定による期日の告示が行われた投票については、なお従前の例による。

附　則（平二六・三・三一総務令三九）

この省令は、平成二十六年四月一日から施行する。

附　則（平二七・一・三〇総務令三）（抄）

（施行期日）

1　この省令は、平成二十七年四月一日から施行する。〔ただし書略〕

附　則（平二七・三・九総務令一三）

（施行期日）

第一条　この省令は、平成二十七年四月一日から施行する。

（経過措置）

第二条　地方教育行政の組織及び運営に関する法律の一部を改正する法律（平成二十六年法律第七十六号）附則第二条第一項の規定により教育長がなお従前の例により在職する場合においては、この省令の規定による改正前の地方自治法施行規則別記歳出予算に係る節の区分の表は、なおその効力を有する。

附　則（平二七・九・一六総務令七六）（抄）

（施行期日）

第一条　この省令は、行政手続における特定の個人を識別するための番号の利用等に関する法律（以下この条及び次条第一項において「番号利用法」という。）附則第一条第四号に掲げる規定の施行の日（平成二十八年一月一日）から施行する。〔ただし書略〕

附　則（平二七・一二・一六総務令一〇三）

この省令は、公布の日から施行する。

附　則（平二八・二・一二総務令八）

この省令は、行政不服審査法（平成二十六年法律第六十八号）の施行の日（平成二十八年四月一日）から施行する。

附　則（平二八・三・三一総務令三九）（抄）

最終改正　令元・七・五総務令一三

（施行期日）

第一条　この省令は、令和元年十月一日から施行する。〔ただし書略〕

附　則（平二八・五・二七総務令六一）

この省令は、公布の日から施行し、改正後の地方自治法施行規則の規定は、平成二十八年四月一日から適用する。

附　則（平二九・三・二七総務令一三）

この省令は、平成二十九年四月一日から施行する。

附　則（平二九・三・三一総務令二六）（抄）

（施行期日）

第一条　この省令は、平成二十九年四月一日から施行する。〔ただし書略〕

附　則（平三〇・三・一九総務令一〇）

この省令は、平成三十年四月一日から施行する。

附　則（平三〇・三・二九総務令一三）

この省令は、平成三十年四月一日から施行する。

附　則（平三一・三・二九総務令三七）

この省令は、平成三十一年四月一日から施行する。ただし、予算に関する説明書様式（第十五条の二関係）給与費明細書の改正規定は、公布の日から施行する。

附　則（平三一・三・二九総務令三八）（抄）

（施行期日）

第一条　この省令は、平成三十一年四月一日から施行する。〔ただし書略〕

附　則（平三一・三・二九総務令三九）（抄）

改正　令元・七・五総務令一三

（施行期日）

第一条　この省令は、令和元年十月一日から施行する。ただし、次の各号に掲げる規定は、当該各号に定める日から施行する。

一　第二条の規定　公布の日

二～六　〔略〕

（地方自治法施行規則の一部改正に伴う経過措置）

第七条　平成二十八年地方税法等改正法附則第三十六条第四項に規定する市町村民税の法人税割額及び都民税の法人税割額は、毎年度、地方自治法第二百三十三条第一項の規定により調製された市町村の決算に係る市町村民税の法人税割額のうち標準税率をもって算定された額で当該年度の前年度前三年度内の各年度に係るものを合算したものの三分の一の数値を乗じて得た額及び同項の規定により調製された都の決算に係る都民税の法人税割額（地方税法第五条第二項第一号に掲げる税のうち同法第七百三十四条第二項（第二号に係る部分に限る。）の規定により都が課する都民税の法人税割額をいう。）のうち標準税率をもって算定された額で当該年度前三年度内の各年度に係るものを合算したものの三分の一の数値を乗じて得た額とする。

附　則（平三一・三・二九総務令四〇）（抄）

改正　令二・三・三一総務令二一

（施行期日等）

第一条　この省令は、平成三十一年四月一日から施行し、令和元年度分の森林環境譲与税から適用する。

附　則（令元・五・三一総務令一一）

この省令は、令和元年十月一日から施行する。

附　則（令元・九・一一総務令四一）

この省令は、成年被後見人等の権利の制限に係る措置の適正化等を図るための関係法律の整備に関する法律の施行の日〔令元・九・一四〕から施行する。

附　則（令元・一二・一三総務令六四）

この省令は、情報通信技術の活用による行政手続等に係る関係者の利便性の向上並びに行政運営の簡素化及び効率化を図るための行政手続等における情報通信の技術の利用に関する法律等の一部を改正する法律の施行の日〔令元・一二・一六〕から施行する。

附　則（令二・三・二七総務令一四）

この省令は、令和二年四月一日から施行する。

附　則（令二・三・三〇総務令一七）

この省令は、令和二年四月一日から施行する。

附　則（令二・三・三一総務令二一）（抄）

（施行期日）

第一条　この省令は、令和二年四月一日から施行する。〔ただし書略〕

附　則（令二・九・一八総務令九〇）

この省令は、公布の日から施行する。

附　則（令二・一二・二八総務令一三一）

（施行期日）

第一条　この省令は、令和三年一月一日から施行する。

（経過措置）

第二条　この省令の施行の際現にあるこの省令による改正前の様式（次項において「旧様式」という。）により使用されている書類は、この省令による改正後の様式によるものとみなす。

2　この省令の施行の際現にある旧様式による用紙については、当分の間、これを取り繕って使用することができる。

附　則（令三・一・二九総務令四）

この省令は、公布の日から施行する。

附　則（令三・三・一九総務令二五）

この省令は、令和三年四月一日から施行する。

附　則（令三・三・三一総務令三四）（抄）

（施行期日）

第一条　この省令は、令和三年四月一日から施行する。ただし、次の各号に掲げる規定は、当該各号に定める日から施行する。

一　〔略〕

二　第四条（地方自治法施行規則附則第四条の改正規定を除く。）〔中略〕の規定　令和四年一月四日

三・四　〔略〕

五　〔前略〕第四条中地方自治法施行規則附則第四条の改正規定〔中略〕　産業競争力強化法等の一部を改正する等の法律（令和三年法律第七十号）附則第一条第二号に掲げる規定の施行の日〔令三・六・一六〕

六・七　〔略〕

附　則（令三・八・二五総務令八一）

（施行期日）

第一条　この省令は、令和三年九月一日から施行する。

（経過措置）

第二条　この省令の施行の際現にあるこの省令による改正前の様式（次項において「旧様式」という。）により使用されている書類は、この省令による改正後の様式によるものとみなす。

2　この省令の施行の際現にある旧様式による用紙については、当分の間、これを取り繕って使用することができる。

附　則（令三・八・三一総務令九一）

（施行期日）

1　この省令は、令和三年十一月二十六日から施行する。ただし、電磁的方法に関する改正規定は、令和三年九月一日から施行する。

（経過措置）

2　地域の自主性及び自立性を高めるための改革の推進を図るための関係法律の整備に関する法律による改正前の地方自治法第二百六十条の二第一項の規定により認可を受けた認可地縁団体に係るこの省令による改正後の地方自治法施行規則第二十二条の二の二第二号の書類は、この省令による改正前の地方自治法施行規則第十八条第四号に規定する保有資産目録又は保有予定資産目録に申請不動産の記載があるときは、当該目録をもってこれに代えることができる。

附　則（令四・六・一〇総務令四一）

（施行期日）

1　この省令は、公布の日から施行する。

（経過措置）

2　この省令の施行前に締結された契約に係る地方自治法施行規則附則第三条第二項に規定する経費についての同条第一項の規定の適用については、なお従前の例による。

附　則（令四・八・一二総務令五四）

この省令は、令和四年八月二十日から施行する。

附　則（令四・一二・二八総務令八二）

（施行期日）

第一条　この省令は、公布の日から施行する。

（経過措置）

第二条　この省令の施行の際現にあるこの省令による改正前の様式（次項において「旧様式」という。）により使用されている書類は、この省令による改正後の様式によるものとみなす。

2　この省令の施行の際現にある旧様式による用紙については、当分の間、これを取り繕って使用することができる。

附　則（令五・三・一〇総務令一二）

（施行期日）

第一条　この省令は、令和五年四月一日から施行する。ただし、土地改良法の規定による認可地縁団体への組織変更に関する改正規定は、土地改良法の一部を改正する法律附則第一条ただし書に規定する規定の施行の日から施行する。

（経過措置）

第二条　この省令の施行の際現にあるこの省令による改正前の様式（次項において「旧様式」という。）により使用されている書類は、この省令による改正後の様式によるものとみなす。

2　この省令の施行の際現にある旧様式による用紙については、当分の間、これを取り繕って使用することができる。

附　則（令五・三・三一総務令三六）（抄）

（施行期日）

第一条　この省令は、令和五年四月一日から施行する。〔ただし書略〕

附　則（令六・一・一九総務令二）

（施行期日）

1　この省令は、令和六年四月一日から施行する。

（経過措置）

2　地方自治法施行規則の一部を改正する省令（令和四年総務省令第四十一号）の施行の日からこの省令の施行の日の前日までの間に締結された契約に係る第一条の規定による改正前の地方自治法施行規則附則第三条第二項に規定する経費については、第一条の規定による改正後の地方自治法施行規則附則第三条第一項の規定にかかわらず、なお従前の例による。

附　則（令六・二・九総務令一〇）

この省令は、令和六年四月一日から施行する。

附　則（令六・三・三〇総務令三七）（抄）

（施行期日）

第一条　この省令は、令和六年四月一日から施行する。〔ただし書略〕

○地方自治法施行規程

昭二二・五・三
政令一九

最終改正 平三〇・三・三〇政令九二

第一条 地方公共団体の事務所の現に在る位置は、地方自治法（昭和二十二年法律第六十七号）第四条の条例で定めたものとみなす。

第二条 地方自治法施行の際現に効力を有する東京都令（警視庁令を含む。）、北海道庁令、北海道庁支庁令及び府県令中法律をもつて規定すべき事項以外の事項で都道府県知事の権限に属するものを規定するものは、同法第十五条第一項の都道府県の規則と同一の効力を有するものとする。

第三条 官吏の任用叙級に関する規定は、都道府県の職員については、準用しない。

第四条 都道府県知事は、職員のうちから、小作主事を命ずるものとする。

2 小作主事は、民事調停法（昭和二十六年法律第二百二十二号）第二十七条及び第二十八条（第三十条において準用する場合を含む。）に規定する事務をつかさどる。

第五条 前条及び他の法令に特別の定めのあるものを除くほか、都道府県の職員の職の設置については、規則で定める。

第六条 地方自治法の一部を改正する法律（昭和二十二年法律第百六十九号）による改正前の地方自治法附則第六条に掲げる者は、同法施行の際現にある級及び現に受ける号俸に相当する給料をもつて、同条に掲げる職に任用されたものとする。

2 地方自治法施行の際現に都道府県の有給吏員である者は、別に辞令を発せられないときは、その所掌（休職中のものにあつては休職となつた際の所掌）に従い事務吏員又は技術吏員に任用され、三級に叙せられたものとする。

第七条 地方自治法施行の際現に臨時物資需給調整法の規定に基づく命令の施行に関する事務に従事する職員で地方事務官又は地方技官を兼ねているものは、別に辞令を発せられないときは、都道府県の吏員に併任され官吏の級別と同一の級に叙せられたものとする。

第八条 副知事及び都道府県の専門委員については、官吏の分限に関する規定を準用しない。

第九条 都道府県に都道府県職員委員会を置く。

2 都道府県職員委員会は、都道府県の副知事、専門委員及び監査専門委員の懲戒の審査及び議決に関する事務をつかさどる。

3 前二項に定めるものを除くほか、都道府県職員委員会に関して必要な事項は、都道府県の規則で定める。

第十条 都道府県の職員の服務に関しては、従前の東京都職員服務紀律又は道府県職員服務紀律の例による。ただし、専門委員及び監査専門委員は、営業を行い、若しくは家族に営業を行わせ、又は給料若しくは報酬を受ける他の事務を行うことを妨げない。

第十一条 都道府県の職員の休暇及び休日等については、官吏の休暇及び休日等に関する規定を準用する。ただし、都道府県知事は、特に必要と認めるときは、これを変更することができる。

第十二条 都道府県の専門委員は、次に掲げる事由があつた場合には、懲戒の処分を受ける。

一 職務上の義務に違反し、又は職務を怠つたとき。

二 職務の内外を問わず公職上の信用を失うべき行為があつたとき。

2 懲戒の処分は、免職、五百円以下の過怠金及び譴（けん）責とする。

3 免職及び過怠金の処分は、都道府県職員委員会の議決を経なければならない。

4 懲戒に付せられるべき事件が刑事裁判所に係属している間は、同一事件に対して懲戒のための委員会を開くことができない。懲戒に関する委員会の議決前、懲戒に付すべき者に対し、刑事訴追が始まつたときは、事件の判決の終わるまで、その開会を停止する。

第十三条 都道府県の専門委員の職にある者が刑事事件に関して起訴されたときは、都道府県知事は、その者の職務の執行を停止することができる。

2 前項の規定による職務執行の停止期間中においては、報酬の三分の二を減額するものとする。

第十四条 市町村又は特別区の職員の服務に関しては、従前の市町村職員服務紀律の例による。ただし、専門委員及び監査専門委員は、営業を行い、若しくは家族に営業を行わせ、又は給料若しくは報酬を受ける他の事務を行うことを妨げない。

第十五条 第十二条の規定は、市町村又は特別区の職員の懲戒について準用する。この場合において、同条第三項中「都道府県職員委員会」とあるのは、「市町村又は特別区の職員懲戒審査委員会」と読み替えるものとする。

第十六条 市町村及び特別区に職員懲戒審査委員会を置く。

2 市又は特別区の職員懲戒審査委員会は、委員五人をもつて組織する。

3 委員は、市又は特別区の職員のうちから二人及び学識経験を有する者のうちから三人を市長又は特別区の区長において議会の同意を得て選任する。委員長は、委員が互選する。

4 町村の職員懲戒審査委員会は、委員三人をもつて組織する。

5 委員は、町村の職員のうちから一人及び学識経験を有する者のうちから二人を町村長において議会の同意を得て選任する。委員長は、委員が互選する。

6 職員懲戒審査委員会の委員長は、庶務を整理させるため必要があると認めるときは市町村又は特別区の職員のうちから、市町村長又は特別区の区長の同意を得て、書記を置くことができる。

7 前各項に定めるものを除くほか、職員懲戒審査委員会に関し必要な事項は、市町村又は特別区の規則で定める。

第十七条 第十三条の規定は、市町村又は特別区の専門委員について準用する。この場合において、同条第一項中「都道府県知事」とあるのは、「市町村長又は特別区の区長」と読み替えるものとする。

第十八条 第十三条の規定は、都道府県の選挙管理委員について準用する。

第十九条 第十三条の規定は、市町村又は特別区の選挙管理委員について準用する。この場合において、同条第一項中「都道府県知事」とあるのは、「市町村長又は特別区の区長」と読み替えるものとする。

第二十条　第十三条の規定は、都道府県の監査委員について準用する。この場合において、同条第二項中「報酬」とあるのは、「報酬又は給料」と読み替えるものとする。

第二十一条　第十三条の規定は、市町村又は特別区の監査委員について準用する。この場合において、同条第一項中「都道府県知事」とあるのは「市町村長又は特別区の区長」と、同条第二項中「報酬」とあるのは「報酬又は給料」と読み替えるものとする。

第二十二条　第十二条及び第十三条の規定は、都道府県の監査専門委員について準用する。この場合において、同条第一項中「都道府県知事」とあるのは、「都道府県の代表監査委員」と読み替えるものとする。

第二十三条　第十三条の規定は、市町村又は特別区の監査専門委員について準用する。この場合において、同条第一項中「都道府県知事」とあるのは、「市町村又は特別区の代表監査委員」と読み替えるものとする。

第二十四条　法律又は政令に特別の定めがあるものを除くほか、従前の東京都官制、北海道庁官制又は地方官官制の規定によりした手続その他の行為は、地方自治法又はこれに基づく命令中の相当する規定によりした手続その他の行為とみなす。

第二十五条　地方自治法の規定による人口は、同法第二百五十四条の規定にかかわらず、当分の間、北海道庁根室支庁管内歯舞村及び島根県隠岐支庁管内五箇村については、なお従前の例により算定するものとする。

附　則

この政令は、公布の日から、これを施行する。

附　則（昭二四・一〇・二八政令三五八）

1　この政令は、昭和二十四年十一月一日から施行する。

2　この政令施行の際、現に通商産業省の職員で通商産業局の分室に勤務するもの又は運輸省の職員で陸運局の分室に勤務するものは、別に辞令を発せられないときは、同級及び同俸給で、改正後の地方自治法施行規程第七十条第五項又は第六項の職員に、それぞれ任ぜられたものとする。

附　則（昭二五・一・二〇政令六）

この政令は、公布の日から施行し、道路運送法施行令の一部を改正する政令（昭和二十四年政令第四百九号）施行の日（昭和二十四年十二月二十七日）から適用する。

附　則（昭二五・三・一〇政令二九）

1　この政令中、地方自治法施行規程第六十九条第五号、第七十一条第一項及び第七十二条の改正規定は、昭和二十五年七月一日から、その他の規定は、同年四月一日から施行する。

2　地方自治法施行規程第七十条の改正規定施行の際現に商工資材事務所に勤務する職員は、同条第五項の改正規定にかかわらず、昭和二十五年六月三十日までの間に限り、なお、地方事務官、地方技官、雇員又は傭人として在職することができる。

附　則（昭二五・四・一三政令八一）

1　この政令は、公布の日から施行し、昭和二十五年四月一日から適用する。

2　改正後の地方自治法施行規程第七十条第四項の規定適用の際現に陸運事務所に勤務する職員で同項の規定による定員をこえる者は、同項の規定にかかわらず、昭和二十五年六月三十日までの間に限り、なお、地方事務官、地方技官、雇員又は傭人として在職することができる。

附　則（昭二六・四・一六政令一〇六）

1　この政令は、公布の日から施行し、昭和二十六年四月一日から適用する。

2　改正後の地方自治法施行規程第七十条第四項の規定適用の際現に陸運事務所に勤務する職員で同項の規定による定員をこえる者は、同項の規定にかかわらず、昭和二十六年六月三十日までの間に限り、なお、地方事務官、地方技官、雇員又は傭人として在職することができる。

附　則（昭二六・六・一八政令二二二）

この政令は、昭和二十六年七月一日から施行する。

附　則（昭二六・一二・二六政令三九三）

1　この政令は、昭和二十七年一月一日から施行する。

2　昭和二十七年六月三十日までの間は、改正後の地方自治法施行規程第七十条第一項から第四項までの規定による定員をこえる員数の職員を、定員の外に置くことができる。

附　則（昭二七・五・九政令一三九）

この政令は、公布の日から施行し、昭和二十七年四月一日から適用する。

附　則（昭二七・六・二五政令二〇三）

1　この政令は、昭和二十七年七月一日から施行する。

2　昭和二十七年十二月三十一日までの間は、改正後の地方自治法施行規程第七十条第四項の規定による定員をこえる員数の職員を定員の外に置くことができる。

附　則（昭二八・三・二六政令四一）

この政令は、昭和二十八年四月一日から施行する。

附　則（昭二八・一〇・三一政令三三七）

この政令は、昭和二十八年十一月一日から施行する。

附　則（昭三一・九・一政令二八二）

1　この政令は、昭和三十一年十月一日から施行する。

2　都道府県職員委員会に関する政令（昭和二十四年政令第七号）は、廃止する。

附　則（昭三二・四・一〇政令六一）

この政令は、公布の日から施行する。

附　則（昭三三・五・一政令一〇二）

1　この政令は、公布の日から施行し、昭和三十三年四月一日から適用する。

2　改正後の地方自治法施行規程第七十条第一項の規定にかかわらず、同項に規定する定員は、昭和三十三年六月三十日までの間は、五千七百四十人とする。

附　則（昭三四・三・三一政令八八）

1　この政令は、昭和三十四年四月一日から施行する。

2　この政令の施行の日から国民年金法の公布の日の前日までの間は、改正後の地方自治法施行規程第六十九条第二号中「船員保険特別会計法並びに国民年金法の施行」とあるのは、「船員保険特別会計法の施行並びに国民年金制度実施の準備」と読み替えるものとする。

附　則（昭三四・六・一政令二〇六）

この政令は、公布の日から施行する。

附　則（昭三六・四・一二政令一〇〇）（抄）

1　この政令は、公布の日から施行し、附則第三項から第五項までの規定を除き、昭和三十六年度の予算から適用する。

附　則（昭三七・九・二九政令三八五）

この政令は、昭和三十七年十月一日から施行する。

附 則（昭三九・九・一政令二九〇）（抄）

1 この政令は、道路交通に関する条約の実施に伴う道路運送車両法の特例等に関する法律の施行の日（昭和三十九年九月六日）から施行する。

附 則（昭四二・一二・一八政令三六三）（抄）

1 この政令は、昭和四十三年二月一日から施行する。

附 則（昭四四・五・一六政令一二三）

1 この政令は、公布の日から施行する。

2 改正後の地方自治法施行規程第七十条第一項の規定にかかわらず、同項に規定する定員は、昭和四十四年九月三十日までの間は、一万四千四百九十七人とする。

附 則（昭四五・四・一七政令七三）

1 この政令は、公布の日から施行する。

2 改正後の地方自治法施行規程第七十条の規定にかかわらず、昭和四十五年四月一日から同年九月三十日までの間の同条第一項に規定する定員は一万四千三百五十人とし、同年四月一日から同年六月三十日までの間の同条第三項に規定する定員は二千二百三十三人とする。

附 則（昭四五・七・二五政令二二四）（抄）

（施行期日）

1 この政令は、公布の日から施行する。

附 則（昭四六・三・三一政令八二）

この政令は、昭和四十六年四月一日から施行する。

附 則（昭四六・九・二七政令三〇五）

この政令は、公布の日から施行する。

附 則（昭四七・三・三一政令四七）

この政令は、昭和四十七年四月一日から施行する。

附 則（昭四七・四・二八政令一一八）（抄）

1 この政令は、公布の日から施行し、昭和四十七年度の予算から適用する。

附 則（昭四七・五・一政令一四八）

1 この政令は、公布の日から施行する。ただし、第七十条第一項の改正規定は、昭和四十七年五月十五日から施行する。

2 改正後の第七十条第二項及び第三項の規定にかかわらず、これらの規定に規定する定員は、この政令の公布の日から昭和四十七年五月十四日までの間は、同条第二項に規定する定員にあつては二千二百十二人とし、同条第三項に規定する定員にあつては二千四百三十三人とする。

附 則（昭四八・五・三一政令一四四）

この政令は、昭和四十八年六月一日から施行する。

附 則（昭四九・九・二政令三一五）

この政令は、公布の日から施行する。

附 則（昭五〇・三・一〇政令二六）

この政令は、雇用保険法の施行の日（昭和五十年四月一日）から施行する。

附 則（昭五〇・一二・九政令三四八）

この政令は、公布の日から施行する。

附 則（昭五一・一一・三〇政令三〇〇）

この政令は、昭和五十一年十二月一日から施行する。

附 則（昭五三・一・二七政令一四）

この政令は、公布の日から施行する。

附 則（昭五三・八・一八政令三〇九）

この政令は、公布の日から施行する。

附 則（昭五五・一・二五政令三）

この政令は、公布の日から施行する。

附 則（昭五五・一二・一二政令三二六）

この政令は、公布の日から施行する。

附 則（昭五六・一一・三〇政令三三二）

この政令は、公布の日から施行する。

附 則（昭五七・九・七政令二四四）

この政令は、公布の日から施行する。

附 則（昭五九・三・一三政令二七）

この政令は、公布の日から施行する。

附 則（昭五九・九・七政令二六八）（抄）

（施行期日）

第一条 この政令は、健康保険法等の一部を改正する法律の施行の日（昭和五十九年十月一日）から施行する。

附 則（昭五九・九・二一政令二七四）

この政令は、公布の日から施行する。

附 則（昭五九・一一・二四政令三三一）

この政令は、道路運送法等の一部を改正する法律の施行の日（昭和六十年四月一日）から施行する。

附 則（昭六〇・九・二一政令二六六）

この政令は、公布の日から施行する。

附 則（昭六一・九・二七政令三〇八）

この政令は、公布の日から施行する。

附 則（昭六二・九・二九政令三二四）

この政令は、公布の日から施行する。

附 則（昭六三・四・八政令一〇七）

1 この政令は、公布の日から施行し、改正後の地方自治法施行規程の規定は、昭和六十三年四月一日から適用する。

2 改正後の第七十条第一項の規定にかかわらず、同項に規定する定員は、昭和六十三年十二月三十一日までの間は、一万六千一人とする。

附 則（昭六三・一二・二二政令三四八）

この政令は、昭和六十四年一月一日から施行する。

附 則（平元・五・二九政令一三九）

1 この政令は、公布の日から施行し、改正後の地方自治法施行規程の規定は、平成元年四月一日から適用する。

2 改正後の第七十条第一項の規定にかかわらず、同項に規定する定員は、平成元年九月三十日までの間は一万六千七十六人とし、同年十月一日から同年十二月三十一日までの間は一万六千六十人とする。

附 則（平二・六・八政令一五四）

1 この政令は、公布の日から施行し、改正後の第七十条第一項及び次項の規定は、平成二年四月一日から適用する。

2 改正後の第七十条第一項の規定にかかわらず、同項に規定する定員は、平成二年九月三十日までの間は一万六千百三十六人とし、同年十月一日から同年十二月三十一日までの間は一万六千百十人とする

附 則（平三・四・二政令一〇三）（抄）

（施行期日）

第一条 この政令は、公布の日から施行する。

附 則（平三・四・一二政令一二一）

1 この政令は、公布の日から施行し、改正後の第七十条第一項及び次項の規定は、平成三年四月一日から適用する。

2 改正後の第七十条第一項の規定にかかわらず、同項に規定する定員は、平成三年九月三十日までの間は一万六千百八十四人とし、同年十月一日から同年十二月三十一日までの間は一万六千百五十八人とする。

附　則（平四・四・一〇政令一一八）

1 この政令は、公布の日から施行し、改正後の第七十条第一項及び次項の規定は、平成四年四月一日から適用する。

2 改正後の第七十条第一項の規定にかかわらず、同項に規定する定員は、平成四年九月三十日までの間は一万六千二百四十二人とし、同年十月一日から同年十二月三十一日までの間は一万六千二百十六人とする。

附　則（平五・四・一政令一一二）

1 この政令は、公布の日から施行し、改正後の第七十条第一項及び第二項の規定並びに次項の規定は、平成五年四月一日から適用する。

2 改正後の第七十条第一項の規定にかかわらず、同項に規定する定員は、平成五年九月三十日までの間は一万六千二百九十九人とし、同年十月一日から同年十二月三十一日までの間は一万六千二百七十人とする。

附　則（平六・六・二四政令一六六）

1 この政令は、公布の日から施行し、改正後の第七十条第一項の規定及び次項の規定は、平成六年四月一日から適用する。

2 改正後の第七十条第一項の規定にかかわらず、同項に規定する定員は、平成六年九月三十日までの間は一万六千三百五十八人とし、同年十月一日から同年十二月三十一日までの間は一万六千三百二十九人とする。

附　則（平七・三・二七政令八三）

1 この政令は、平成七年四月一日から施行する。

2 改正後の第七十条第一項の規定にかかわらず、同項に規定する定員は、平成七年九月三十日までの間は一万六千四百九人とし、同年十月一日から同年十二月三十一日までの間は一万六千三百八十人とする。

附　則（平八・五・一一政令一二七）

1 この政令は、公布の日から施行し、改正後の第七十条第一項及び第二項の規定並びに次項の規定は、平成八年四月一日から適用する。

2 改正後の第七十条第一項の規定にかかわらず、同項に規定する定員は、平成八年九月三十日までの間は一万六千四百八十八人とし、同年十月一日から同年十二月三十一日までの間は一万六千四百五十九人とする。

附　則（平九・四・一政令一三三）

1 この政令は、公布の日から施行し、改正後の第七十条第一項及び第二項の規定並びに次項の規定は、平成九年四月一日から適用する。

2 改正後の第七十条第一項の規定にかかわらず、同項に規定する定員は、平成九年九月三十日までの間は一万六千五百三十人とし、同年十月一日から同年十二月三十一日までの間は一万六千五百三人とする。

附　則（平一〇・四・九政令一三四）

1 この政令は、公布の日から施行し、改正後の第七十条第一項の規定及び次項の規定は、平成十年四月一日から適用する。

2 改正後の第七十条第一項の規定にかかわらず、同項に規定する定員は、平成十年九月三十日までの間は一万六千五百五十八人とし、同年十月一日から同年十二月三十一日までの間は一万六千五百三十人とする。

附　則（平一一・三・三一政令九三）

1 この政令は、平成十一年四月一日から施行する。

2 改正後の第七十条第一項の規定にかかわらず、同項に規定する定員は、平成十一年九月三十日までの間は一万六千五百八十四人とし、同年十月一日から同年十二月三十一日までの間は一万六千五百五十八人とする。

附　則（平一一・一〇・一四政令三二四）（抄）

（施行期日）

第一条　この政令は、平成十二年四月一日から施行する。〔ただし書略〕

附　則（平一八・一一・二二政令三六一）（抄）

（施行期日）

第一条　この政令は、平成十九年四月一日から施行する。〔ただし書略〕

附　則（平三〇・三・三〇政令九二）（抄）

（施行期日）

1 この政令は、平成三十年四月一日から施行する。

○地方自治法第二百五十二条の十九第一項の指定都市の指定に関する政令

昭三一・七・三一
政令二五四

最終改正　平二三・一〇・二一政令三二三

地方自治法第二百五十二条の十九第一項の指定都市を次のとおり指定する。

大阪市　名古屋市　京都市　横浜市　神戸市　北九州市　札幌市　川崎市　福岡市　広島市　仙台市　千葉市　さいたま市　静岡市　堺市　新潟市　浜松市　岡山市　相模原市　熊本市

附　則

1　この政令は、地方自治法の一部を改正する法律（昭和三十一年法律第百四十七号。附則第一項ただし書に係る部分を除く。）の施行の日（昭和三十一年九月一日）から施行する。

2　地方自治法第百五十五条第二項の市の指定に関する政令（昭和二十二年政令第十七号）は、廃止する。

附　則（昭三八・一・二八政令一〇）

この政令は、昭和三十八年四月一日から施行する。

附　則（昭四六・八・二八政令二七六）（抄）

（施行期日）

1　この政令は、昭和四十七年四月一日から施行する。

附　則（昭五四・九・四政令二三七）（抄）

（施行期日）

1　この政令は、昭和五十五年四月一日から施行する。

附　則（昭六三・九・六政令二六一）（抄）

（施行期日）

1　この政令は、昭和六十四年四月一日から施行する。

附　則（平三・一〇・一八政令三二四）（抄）

（施行期日）

1　この政令は、平成四年四月一日から施行する。

附　則（平一四・一〇・三〇政令三一九）（抄）

（施行期日）

1　この政令は、平成十五年四月一日から施行する。

附　則（平一六・一〇・二七政令三三二）（抄）

（施行期日）

1　この政令は、平成十七年四月一日から施行する。

附　則（平一七・一〇・二六政令三二三）（抄）

（施行期日）

1　この政令は、平成十八年四月一日から施行する。

附　則（平一八・一〇・二七政令三三八）（抄）

（施行期日）

第一条　この政令は、平成十九年四月一日から施行する。

附　則（平二〇・一〇・一六政令三一五）（抄）

（施行期日）

第一条　この政令は、平成二十一年四月一日から施行する。

附　則（平二一・一〇・二八政令二五一）（抄）

（施行期日）

第一条　この政令は、平成二十二年四月一日から施行する。

附　則（平二三・一〇・二一政令三二三）（抄）

（施行期日）

第一条　この政令は、平成二十四年四月一日から施行する。

○地方自治法第二百五十二条の二十二第一項の中核市の指定に関する政令

平七・一二・八
政令四〇八

最終改正　令二・一〇・一四政令三〇七

地方自治法第二百五十二条の二十二第一項の中核市を次のとおり指定する。

宇都宮市　金沢市　岐阜市　姫路市　鹿児島市　秋田市　郡山市　和歌山市　長崎市　大分市　豊田市　福山市　高知市　宮崎市　いわき市　長野市　豊橋市　高松市　旭川市　松山市　横須賀市　奈良市　倉敷市　川越市　船橋市　岡崎市　高槻市　東大阪市　富山市　函館市　下関市　青森市　盛岡市　柏市　西宮市　久留米市　前橋市　大津市　尼崎市　高崎市　豊中市　那覇市　枚方市　八王子市　越谷市　呉市　佐世保市　八戸市　福島市　川口市　八尾市　明石市　鳥取市　松江市　山形市　福井市　甲府市　寝屋川市　水戸市　吹田市　松本市　一宮市

附　則（抄）

（施行期日）

1　この政令は、平成八年四月一日から施行する。

附　則（平八・九・二六政令二八九）（抄）

（施行期日）

1　この政令は、平成九年四月一日から施行する。

附　則（平九・一〇・一政令三〇六）（抄）

（施行期日）

1　この政令は、平成十年四月一日から施行する。

附　則（平一〇・一〇・二三政令三四三）（抄）

（施行期日）

1　この政令は、平成十一年四月一日から施行する。

附　則（平一一・一〇・一政令三一三）（抄）

（施行期日）

1　この政令は、平成十二年四月一日から施行する。

附　則（平一二・一〇・一二政令四四七）（抄）

（施行期日）

第一条　この政令は、平成十三年四月一日から施行する。

附　則（平一三・一〇・五政令三二五）（抄）

（施行期日）

第一条　この政令は、平成十四年四月一日から施行する。

附　則（平一四・一一・一政令三三七）（抄）

（施行期日）

第一条　この政令は、平成十五年四月一日から施行する。

附　則（平一六・一〇・二七政令三三二）（抄）

（施行期日）

1　この政令は、平成十七年四月一日から施行する。

附　則（平一六・一〇・二七政令三三三）（抄）

（施行期日）

第一条　この政令は、平成十七年四月一日から施行する。

附　則（平一七・三・二五政令七三）

この政令は、平成十七年四月一日から施行する。

附　則（平一七・六・八政令二〇四）（抄）

（施行期日）

第一条　この政令は、平成十七年十月一日から施行する。

附　則（平一七・一〇・二六政令三二三）（抄）

（施行期日）

第一条　この政令は、平成十八年四月一日から施行する。

附　則（平一八・五・一九政令一九九）（抄）

（施行期日）

第一条　この政令は、平成十八年十月一日から施行する。

附　則（平一八・一〇・二七政令三三八）（抄）

（施行期日）

第一条　この政令は、平成十九年四月一日から施行する。

附　則（平一九・一一・二一政令三三九）（抄）

（施行期日）

第一条　この政令は、平成二十年四月一日から施行する。

附　則（平二〇・一〇・一六政令三一五）（抄）

（施行期日）

第一条　この政令は、平成二十一年四月一日から施行する。

附　則（平二〇・一〇・一六政令三一六）（抄）

（施行期日）

第一条　この政令は、平成二十一年四月一日から施行する。

附　則（平二一・一〇・二八政令二五一）（抄）

（施行期日）

第一条　この政令は、平成二十二年四月一日から施行する。

附　則（平二二・一〇・二〇政令二一三）（抄）

（施行期日）

第一条　この政令は、平成二十三年四月一日から施行する。

附　則（平二三・一〇・二一政令三二三）（抄）

（施行期日）

第一条　この政令は、平成二十四年四月一日から施行する。

附　則（平二三・一〇・二一政令三二四）（抄）

（施行期日）

第一条　この政令は、平成二十四年四月一日から施行する。

附　則（平二四・一〇・二四政令二六四）

この政令は、平成二十五年四月一日から施行する。

附　則（平二五・一一・二九政令三二〇）（抄）

（施行期日）

1　この政令は、平成二十六年四月一日から施行する。

附　則（平二六・五・三〇政令一九六）（抄）

（施行期日）

1　この政令は、平成二十七年四月一日から施行する。

附　則（平二六・一〇・三一政令三五一）（抄）

（施行期日）

1　この政令は、平成二十七年四月一日から施行する。

附　則（平二七・一二・二政令三九九）（抄）

（施行期日）

第一条　この政令は、平成二十八年四月一日から施行する。

附　則（平二八・六・一五政令二三七）

この政令は、平成二十九年一月一日から施行する。

附　則（平二九・一一・二七政令二八六）（抄）

（施行期日）

1　この政令は、平成三十年四月一日から施行する。

附　則（平三〇・一〇・三一政令三〇四）

この政令は、平成三十一年四月一日から施行する。

附　則（令元・一一・一三政令一五七）（抄）

（施行期日）

1　この政令は、令和二年四月一日から施行する。

附　則（令二・一〇・一四政令三〇七）

この政令は、令和三年四月一日から施行する。

○指定都市又は中核市の指定があつた場合における必要な事項を定める政令

昭三八・一・二八
政令一一

最終改正 令五・三・三〇政令一二六

目次〔略〕

第一章 指定都市関係

（職員の引継ぎ）

第一条 地方自治法第二百五十二条の十九第一項の指定都市（以下「指定都市」という。）の指定があつた場合においては、当該指定の日（以下「指定日」という。）の前日において現に都道府県が処理している事務で指定日以後法律又はこれに基づく政令の規定により当該指定都市が処理することとなるものに専ら従事していると認められる都道府県の職員は、指定日において、都道府県において正式任用されていた者にあつては引き続き当該指定都市の相当の職員に正式任用され、都道府県において条件附採用期間中であつた者にあつては引き続き条件附きで当該指定都市の相当の職員となるものとする。この場合において、その者の当該指定都市における条件附採用の期間には、その者の都道府県における条件附採用の期間を通算するものとする。

（許可、認可等の効力）

第二条 指定都市の指定があつた場合においては、その指定の際現に効力を有する都道府県知事又は都道府県の委員会その他の機関（以下「都道府県知事等」という。）が行つた許可、認可等の処分その他の行為又は現に都道府県知事等に対して行つている許可、認可等の申請その他の行為で、指定日以後法律又はこれに基づく政令の規定により当該指定都市の市長又は指定都市の委員会その他の機関（以下「指定都市の市長等」という。）が管理し、及び執行することとなる事務に係るものは、指定日以後においては、当該指定都市の市長等の行つた許可、認可等の処分その他の行為又は当該指定都市の市長等に対して行つた許可、認可等の申請その他の行為とみなす。

2 指定都市の指定があつた場合においては、その指定の際現に効力を有する都道府県知事等が当該指定都市又は土地開発公社に対して行つた許可、認可等の処分で、指定日以後法律又はこれに基づく政令の規定により各大臣（内閣府設置法（平成十一年法律第八十九号）第四条第三項若しくはデジタル庁設置法（令和三年法律第三十六号）第四条第二項に規定する事務を分担管理する大臣たる内閣総理大臣又は国家行政組織法（昭和二十三年法律第百二十号）第五条第一項に規定する各省大臣をいう。以下この項において同じ。）が行うこととなるものは、指定日以後においては、各大臣の行つた許可、認可等の処分とみなす。

（母子福祉資金、父子福祉資金及び寡婦福祉資金の貸付け等の取扱い）

第三条 指定都市の指定があつた場合においては、都道府県は、指定日の前日以前において母子及び父子並びに寡婦福祉法（昭和三十九年法律第百二十九号）の規定により貸付金の貸付けを受けた者であつて指定日において現に当該指定都市の区域内に住所を有するものに対して有する当該貸付金に係る債権を当該指定都市に譲渡するものとし、当該指定都市の市長は、遅滞なくその旨を貸付けを受けた者に通知するものとする。この場合においては、当該貸付金は、同法第三十七条の規定の適用については、当該指定都市が同条第一項の規定による国の貸付けを受けて貸し付けたものとみなすものとし、同項の規定による当該指定都市に対する国の貸付金の額は、内閣総理大臣が財務大臣と協議して定める額とする。

2 前項の場合における債権の譲渡価格及び支払条件は、内閣総理大臣が総務大臣及び財務大臣と協議して定めるところによる。

（農業委員会に関する経過措置）

第四条 指定都市の指定があつた場合においては、当該指定都市の区（総合区を含む。以下この条において同じ。）に置かれる農業委員会の委員が最初に任命されるまでの間は、法令の規定により区の農業委員会が処理する事務は、当該指定都市の市長が行うものとし、従前の農業委員会の職員は、引き続き区の農業委員会の職員となるものとする。

2 指定都市の指定があつた場合において、当該指定都市の区に置かれる農業委員会の区域をその区域とすることとなるときは、当該指定された市に設置されていた農業委員会は、当該指定都市の区の農業委員会となつて存続するものとし、従前の農業委員会の委員、農地利用最適化推進委員及び職員は、引き続きその存続する農業委員会の委員、農地利用最適化推進委員及び職員となるものとする。

第五条 削除〔平一二政令二四二〕

（個人の寄附金控除の特例に関する経過措置）

第六条 指定都市の指定があつた場合において、租税特別措置法（昭和三十二年法律第二十六号）第四十一条の十八第一項第四号に掲げる団体（当該指定都市の議会の議員若しくは市長の職にある者又は公職の候補者若しくは公職の候補者となろうとする者に係るものに限る。）に該当するもの又は公職の候補者に該当する者があるときは、同項の規定は、指定日以後にされるこれらのものに対する寄附について適用する。

2 前項の「公職の候補者」とは、当該指定都市の議会の議員又は市長の職の候補者として公職選挙法（昭和二十五年法律第百号）第八十六条の四の規定により届出のあつた者をいう。

（注視区域の指定等に関する経過措置）

第七条 指定都市の指定があつた場合においては、その指定の際現に効力を有する都道府県知事が国土利用計画法（昭和四十九年法律第九十二号）第二十七条の三第一項の規定により行つた注視区域の指定又は同法第二十七条の六第一項の規定により行つた監視区域の指定及び同法第二十七条の七第二項の規定により定めた都道府県の規則で、当該指定都市の区域に係るものは、当該指定都市の長が注視区域の指定を行うまでの間又は監視区域の指定を行い及び当該規則を定めるまでの間は、当該指定都市の長が行つた注視区域の指定又は当該指定都市の長が行つた監視区域の指定及び当該指定都市の長が定めた規則とみなす。

第二章　中核市関係

（中核市についての準用）

第八条　第一条から第三条までの規定は、地方自治法第二百五十二条の二十二第一項の中核市の指定があつた場合について準用する。

附　則

この政令は、公布の日から施行する。

附　則（昭四六・八・二八政令二七七）

この政令は、公布の日から施行する。

附　則（昭四六・九・二七政令三一〇）（抄）

（施行期日）

第一条　この政令は、昭和四十六年十月一日から施行する。〔ただし書略〕

附　則（昭五四・九・四政令二三八）

この政令は、公布の日から施行する。

附　則（昭五七・一・一六政令六）（抄）

（施行期日）

第一条　この政令は、昭和五十七年四月一日から施行する。

附　則（昭六三・九・六政令二六二）

この政令は、公布の日から施行する。

附　則（平四・三・三一政令八七）（抄）

（施行期日）

第一条　この政令は、平成四年四月一日から施行する。〔ただし書略〕

附　則（平五・一二・一政令三七八）（抄）

1　この政令は、平成六年四月一日から施行する。〔ただし書略〕

附　則（平六・一二・二一政令三九七）（抄）

この政令は、〔中略〕平成七年四月一日〔中略〕から施行する。

附　則（平一〇・八・二六政令二八四）（抄）

（施行期日）

第一条　この政令は、国土利用計画法の一部を改正する法律（平成十年法律第八十六号）の施行の日（平成十年九月一日）から施行する。

附　則（平一一・一〇・一四政令三二四）（抄）

（施行期日）

第一条　この政令は、平成十二年四月一日から施行する。〔ただし書略〕

附　則（平一二・五・三一政令二四二）（抄）

（施行期日）

第一条　この政令は、大規模小売店舗立地法の施行の日（平成十二年六月一日）から施行する。

附　則（平一二・六・七政令三〇四）（抄）

1　この政令は、内閣法の一部を改正する法律（平成十一年法律第八十八号）の施行の日（平成十三年一月六日）から施行する。〔ただし書略〕

附　則（平一五・三・三一政令一三九）（抄）

（施行期日）

第一条　この政令は、平成十五年四月一日から施行する。〔ただし書略〕

附　則（平一五・三・三一政令一五〇）（抄）

（施行期日）

第一条　この政令は、平成十五年四月一日から施行する。

附　則（平二六・九・二五政令三一三）（抄）

（施行期日）

1　この政令は、平成二十六年十月一日から施行する。〔ただし書略〕

附　則（平二七・一・三〇政令三〇）（抄）

（施行期日）

第一条　この政令は、地方自治法の一部を改正する法律（次条において「改正法」という。）の施行の日（平成二十八年四月一日）から施行する。ただし、〔中略〕第十八条（指定都市、中核市又は特例市の指定があつた場合における必要な事項を定める政令第四条第一項の改正規定を除く。）〔中略〕の規定は、平成二十七年四月一日から施行する。

附　則（平二八・一・二九政令二七）（抄）

（施行期日）

第一条　この政令は、平成二十八年四月一日から施行する。

附　則（令三・七・二政令一九五）（抄）

（施行期日）

1　この政令は、令和三年九月一日から施行する。〔ただし書略〕

附　則（令五・三・三〇政令一二六）（抄）

（施行期日）

第一条　この政令は、令和五年四月一日から施行する。

○国地方係争処理委員会の審査の手続に関する規則

平一三・三・一六
国地方係争処理委員会規則

最終改正　平二二・一一・一〇国地方係争処理委員会規則

第一章　総則

（趣旨）

第一条　国地方係争処理委員会（以下「委員会」という。）が行う審査の手続については、地方自治法（昭和二十二年法律第六十七号。以下「法」という。）及び地方自治法施行令（昭和二十二年政令第十六号。以下「令」という。）に定めるもののほか、この規則の定めるところによる。

第二章　委員

（職務の執行）

第二条　委員は、何人からも指示を受けず、良心に従い、かつ、法令に基づいてその職務を執行しなければならない。

（委員の回避）

第三条　委員は、法第二百五十条の九第十六項に規定する場合には、委員長の許可を得て、回避することができる。

第三章　国の関与に関する審査の申出があった場合の審査

第一節　審査の手続

（審査の開始）

第四条　委員会は、法第二百五十条の十三に規定する国の関与に関する審査の申出があった場合には、速やかに審査のための手続を開始しなければならない。

（審査申出書の補正）

第五条　審査申出書が令第百七十四条の三の規定に違反する場合には、委員長は、相当の期間を定め、その期間内に不備を補正すべきことを命じなければならない。

（答弁書の提出）

第六条　委員長は、法第二百五十条の十三に規定する国の関与に関する審査の申出が適法に行われた場合には、審査申出書の写しを相手方である国の行政庁に送付し、相当の期間を定めて答弁書の提出を求めることができる。

2　答弁書は、正副二通を提出しなければならない。

3　委員長は、相手方である国の行政庁から答弁書の提出があった場合は、その副本を当該審査の申出を行った普通地方公共団体の長その他の執行機関に送付しなければならない。

（反論書の提出）

第七条　審査の申出を行った普通地方公共団体の長その他の執行機関は、前条第三項の規定により答弁書の副本の送付を受けたときは、これに対する反論書を提出することができる。この場合において、委員長が、反論書を提出すべき相当の期間を定めたときは、その期間内にこれを提出しなければならない。

（審査期日）

第八条　委員会の審査期日は、委員長がこれを定める。

2　委員会は、審査の申出を行った普通地方公共団体の長その他の執行機関及び相手方である国の行政庁（以下「当事者」という。）に出席を求める場合には、委員会の審査期日及び場所並びに出席を求める旨を記載した通知書を送付しなければならない。

3　委員長は、必要があると認めるときは、委員会の審査期日及び場所を変更することができる。

4　前項の場合において、当事者の出席する予定がないときを除き、委員会は、その審査期日及び場所を、当該当事者に通知しなければならない。

（関係行政機関の参加）

第九条　法第二百五十条の十五第一項に規定する当事者又は関係行政機関による関係行政機関の審査手続への参加の申立ては、参加理由を記載した書面をもって行うものとする。

2　委員会は、前項の申立てにより関係行政機関の参加を認めたときは、その旨を当事者、当該関係行政機関及び法第二百五十条の十六第一項に規定する参加行政機関に通知しなければならない。

3　委員会は、法第二百五十条の十五第一項の規定に基づき、関係行政機関を職権で審査手続に参加させる場合には前項の規定を準用する。

4　前条第二項及び第四項の規定は、関係行政機関について準用する。

（代理人の選任及び解任の届出）

第十条　当事者及び参加行政機関（以下「当事者等」という。）は、代理人を選任したときは、書面をもってその者の氏名及び職業を委員会に届け出なければならない。解任したときも、同様とする。

（当事者等が作成した書面の送付）

第十一条　当事者等は、委員会に提出したすべての書面を、遅滞なく、その他の当事者等に送付しなければならない。

2　前項の規定による書面の送付を受けた当事者等は、当該書面を受領した旨を記載した書面を委員会に提出しなければならない。

第二節　当事者等が審査に出席する場合の手続

（審査の公開）

第十二条　当事者等が出席する審査は、公開する。ただし、公開することにより、公正かつ中立な審議に著しい支障を及ぼすおそれがあると認めるときその他委員会が必要と認めるときは、公開しないことができる。

（秩序の維持）

第十三条　審査期日における秩序の維持は、委員長が行う。

2　委員長は、当事者等が行う陳述が既になした陳述と重複し、又は審査に係る事案と関係のない事項にわたるときその他特に必要と認めるときは、これを制限することができる。

3　委員長は、前項に定めるもののほか、審査手続の円滑な進行を確保するために必要な措置をとることができる。

（出席者の発言）

第十四条　審査に出席した者が発言しようとするときは、委員長の許可を受けなければならない。

2　審査に出席した者の陳述は、事案の範囲を超えてはならない。

（釈明及び発問）

第十五条 委員長及び委員は、事実関係を明らかにするため、当事者等に対し、発問し、又は立証を促すことができる。

2 当事者等は、他の当事者等の陳述の趣旨が明らかでないときは、委員長に発問を求め、又は委員長の許可を得て直接に相手方に発問することができる。

第三節 証拠調べ

（証拠調べの申立て）

第十六条 法第二百五十条の十六第一項に規定する証拠調べの申立ては文書で行わなければならない。

（証拠調べの申立ての期限）

第十七条 委員会は、証拠申立てができる期限を定めて、当事者等に通知するものとする。

（証拠調べの申立ての採否）

第十八条 委員会は、法第二百五十条の十六第一項に規定する証拠調べの申立てがあった場合にはその採否について、同項の規定により職権で証拠調べを行う場合にはその決定について、当事者等に通知するものとする。

（参考人の陳述の申立て）

第十九条 法第二百五十条の十六第一項第一号に基づく参考人の陳述の申立ては、陳述を求めようとする事項を明示して行わなければならない。

（鑑定の申立て）

第二十条 法第二百五十条の十六第一項第一号に基づく鑑定の申立ては、鑑定を求めようとする事項を明示して行わなければならない。

（呼出状）

第二十一条 委員会は、参考人又は鑑定人に出席を求めるときには、次に掲げる事項を記載した呼出状によって行わなければならない。

一 事案の要旨
二 出席すべき日時及び場所
三 陳述又は鑑定を求めようとする事項
四 その他必要と認める事項

（参考人の審尋）

第二十二条 参考人の審尋については、委員会が特に必要と認める場合には、当事者等を立ち会わせることができる。この場合においては、当事者等は、委員長の許可を得て、参考人を審尋することができる。

（書類その他の物件の提出の申立て）

第二十三条 当事者等が、法第二百五十条の十六第一項第二号に規定する書類その他の物件の提出の申立てを行うときは、文書又は口頭により、次に掲げる事項を明示して行わなければならない。

一 書類その他の物件の表示
二 書類その他の物件の所在及び所持人
三 証明しようとする事実

（留置物の還付）

第二十四条 留置物で留置の必要がなくなったものは、速やかにこれを還付しなければならない。

（検証の申立て）

第二十五条 法第二百五十条の十六第一項第三号に基づく検証の申立ては、検証の場所及び目的を明示して行わなければならない。

2 検証については、委員会が特に必要と認める場合には、当事者等を立ち会わせることができる。

（当事者等の職員の審尋）

第二十六条 第十九条、第二十一条及び第二十二条の規定は、法第二百五十条の十六第一項第四号に規定する当事者等の職員の審尋についても適用する。

（証拠の提出）

第二十七条 当事者等は、法第二百五十条の十六第二項に規定する証拠の提出について、委員会が証拠を提出すべき相当の期間を定めたときは、その期間内にこれを提出しなければならない。

（委員による証拠調べ）

第二十八条 委員会は、令第百七十四条の四の規定により委員に証拠調べを行わせるときは、委員会の審査期日外においてもこれを行わせることができる。

（閲覧）

第二十九条 当事者等は、委員会に対し、他の当事者等から提出された書類その他の物件の閲覧を求めることができる。この場合において、委員会は、正当な理由があるときでなければ、その閲覧を拒むことができない。

2 委員会は、前項の規定による閲覧について、日時及び場所を指定することができる。

第四節 審査の申出の取下げ

（当事者等への通知）

第三十条 委員会は、法第二百五十条の十七の規定による審査の申出の取下げが行われた場合には、速やかにその旨を他の当事者等に通知しなければならない。

第五節 電子情報処理組織による提出等の手続等

（電子情報処理組織による提出等の手続の方式等）

第三十一条 この規則に規定する提出、送付、申立て及び届出の手続（以下この条及び次条において「提出等の手続」という。）のうち、書面等（第六条第一項に規定する答弁書、第七条に規定する反論書、第八条第二項に規定する通知書、第九条第一項、第十条及び第十一条に規定する書面並びに第十六条及び第二十三条に規定する文書をいう。以下同じ。）により行うこととしているものについては、この規則の規定にかかわらず、電子情報処理組織（行政手続等における情報通信の技術の利用に関する法律（平成十四年法律第百五十一号）第三条第一項に規定する電子情報処理組織をいう。以下同じ。）を使用して行うことができる。

2 前項の規定により電子情報処理組織を使用して提出等の手続を行う者は、当該提出等の手続を書面等により行うときに記載すべきこととされている事項を、その手続を行う者の使用に係る電子計算機から入力して行わなければならない。

3 第一項の規定により電子情報処理組織を使用して提出等の手続を行う者は、入力する事項についての情報に電子署名（総務省関係法令に係る行政手続等における情報通信の技術の利用に関する法律施行規則（平成十五年総務省令第四十八号）第二条第二項第一号に規定する電子署名をいう。）を行い、当該電子署名を行った者を確認するために必要な事項を証する電子証明書（同項第二号に規定する電子証明書をいう。）と併せてこれを送信しなければならない。

（電子情報処理組織による提出等の手続の効果等）

第三十二条　前条第一項の規定により行われた提出等の手続については、書面等により行われたものとみなして、この規則の規定を適用する。

2　前条第一項の規定により第六条第一項に規定する答弁書の提出が行われた場合においては、答弁書の正副二通が提出されたものとみなす。

3　前条第一項の規定により行われた提出等の手続は、その相手方の使用に係る電子計算機に備えられたファイルへの記録がされた時に当該相手方に到達したものとみなす。

（審査の申出が電子情報処理組織を使用して行われた場合における特例）

第三十三条　法第二百五十条の十三第一項から第三項までに規定する国の関与に関する審査の申出が電子情報処理組織を使用して行われた場合には、審査申出書に記載すべきこととされている事項についての情報を電子情報処理組織を使用して相手方である国の行政庁に送信することをもって第六条第一項に規定する審査申出書の写しの送付に代えることができる。

2　第三十一条第三項の規定は、前項の規定により電子情報処理組織を使用して送信する場合について準用する。

附　則

この規則は、平成十三年三月十六日から施行する。

○自治紛争処理委員の調停、審査及び処理方策の提示の手続に関する省令

平二一・二・二六
総務令一四

最終改正　令元・一二・一三総務令六四

目次〔略〕

第一章　総則

（趣旨）

第一条　総務大臣が任命する自治紛争処理委員（以下「自治紛争処理委員」という。）が行う調停、審査及び処理方策の提示（地方自治法（昭和二十二年法律第六十七号。以下「法」という。）第二百五十一条の三の二第一項に規定する処理方策をいう。以下同じ。）の手続については、法及び地方自治法施行令（昭和二十二年政令第十六号。以下「令」という。）に定めるもののほか、この省令の定めるところによる。

第二章　自治紛争処理委員

（職務の執行）

第二条　自治紛争処理委員は、何人からも指示を受けず、良心に従い、かつ、法令に基づいてその職務を執行しなければならない。

（代表自治紛争処理委員）

第三条　自治紛争処理委員は、代表自治紛争処理委員を互選しなければならない。

2　代表自治紛争処理委員は、自治紛争処理委員の会議を主宰し、自治紛争処理委員を代表する。

3　自治紛争処理委員の会議は、代表自治紛争処理委員がこれを招集する。

4　代表自治紛争処理委員に事故があるときは、代表自治紛争処理委員の指定する自治紛争処理委員がその職務を代理する。

（異動）

第四条　法第二百五十一条第五項並びに第六項により準用する法第二百五十条の九第八項、第九項（第二号を除く。）、第十項及び第十一項の規定により自治紛争処理委員の欠員を生じた場合においては、法第二百五十一条第二項に定める資格を有する者のうちから、総務大臣が自治紛争処理委員を任命することができる。

2　前項の規定により自治紛争処理委員の中に異動があった場合においても、既に行った調停、審査及び勧告並びに処理方策の提示の手続は、影響は受けないものとする。

第三章　都道府県又は都道府県の機関が当事者となる普通地方公共団体相互の間又は普通地方公共団体の機関相互の間の紛争の調停

第一節　調停の手続

（申請書）

第五条　法第二百五十一条の二第一項の文書には、次に掲げる事項を記載しなければならない。

一　紛争の当事者

二　調停を求める事項（当事者の主張の要点を含む。）

三　紛争の経過

四　申請の年月日

五　前各号に掲げるもののほか、調停を行うについて参考となる事項

（調停の期日及び場所）

第六条　自治紛争処理委員の調停の期日及び場所は、代表自治紛争処理委員がこれを定める。

2　代表自治紛争処理委員は、必要があると認めるときは、自治紛争処理委員の調停の期日及び場所を変更することができる。

（代理人の選任及び解任の届出）

第七条　当事者は、代理人を選任したときは、書面をもってその者の氏名及び職業を自治紛争処理委員に届け出なければならない。解任したときも、同様とする。

第二節　当事者が調停に出席する場合の手続

（調停の公開）

第八条　当事者が出席する調停は、自治紛争処理委員が公開とすることを相当と認める場合に限り公開する。

（秩序の維持）

第九条　調停の期日における秩序の維持は、代表自治紛争処理委員が行う。

2　代表自治紛争処理委員は、前項に定めるもののほか、調停手続の円滑な進行を確保するために必要な措置をとることができる。

第三節　情報の収集

（参考人の陳述等）

第十条　自治紛争処理委員は、調停を行うため必要があると認めるときは、事件の参考人に陳述若しくは意見を求め、又は鑑定人に鑑定を依頼することができる。

（自治紛争処理委員による情報の収集）

第十一条　自治紛争処理委員は、法第二百五十一条の二第九項及び前条の規定により情報の収集を行うときは、自治紛争処理委員の調停の期日外においてもこれを行うことができる。

第十二条　削除

第四節　自治紛争処理委員の合議

（合議）

第十三条　次に掲げる事項は、自治紛争処理委員の合議によるものとする。

一　第八条の規定による当事者が出席する調停の公開の決定

二　第十条の規定による参考人による陳述又は鑑定人による鑑定の依頼の決定

第四章　都道府県の関与に関する審査の申出があった場合の審査

第一節　審査の手続

（審査の開始）

第十四条　自治紛争処理委員は、法第二百五十一条の三第一項から第三項までに規定する都道府県の関与に関する審査の申出に係る事件が審査に付されたのち、速やかに審査のための手続を開始しなければならない。

（文書の補正）

第十五条　法第二百五十一条の三第一項から第三項までに規定する文書（以下「審査申出書」という。）がそれぞれ令第百七十四条の七第一項から第三項までの規定に違反する場合には、代表自治紛争処理委員は、相当の期間を定め、その期間内に不備を補正すべきことを命じなければならない。

（答弁書の提出）

第十六条　代表自治紛争処理委員は、法第二百五十一条の三第一項から第三項までに規定する都道府県の関与に関する審査の申出に係る事件が審査に付された場合には、審査申出書の写しを相手方である都道府県の行政庁に送付し、相当の期間を定めて答弁書の提出を求めることができる。

2　答弁書は、正副二通を提出しなければならない。

3　代表自治紛争処理委員は、相手方である都道府県の行政庁から答弁書の提出があった場合は、その副本を当該審査の申出を行った市町村長その他の市町村の執行機関に送付しなければならない。

（反論書の提出）

第十七条　審査の申出を行った市町村長その他の市町村の執行機関は、前条第三項の規定により答弁書の副本の送付を受けたときは、これに対する反論書を提出することができる。この場合において、代表自治紛争処理委員が、反論書を提出すべき相当の期間を定めたときは、その期間内にこれを提出しなければならない。

（審査の期日及び場所）

第十八条　自治紛争処理委員の審査の期日及び場所は、代表自治紛争処理委員がこれを定める。

2　自治紛争処理委員は、審査の申出を行った市町村長その他の市町村の執行機関及び相手方である都道府県の行政庁（以下「当事者」という。）に出席を求める場合には、自治紛争処理委員の審査の期日及び場所並びに出席を求める旨を記載した通知書を送付しなければならない。

3　代表自治紛争処理委員は、必要があると認めるときは、自治紛争処理委員の審査の期日及び場所を変更することができる。

4　前項の場合において、当事者の出席する予定がないときを除き、自治紛争処理委員は、その審査の期日及び場所を、当該当事者に通知しなければならない。

（関係行政機関の参加）

第十九条　法第二百五十一条の三第五項から第七項までにおいて準用する法第二百五十条の十五第一項に規定する当事者又は関係行政機関による関係行政機関の審査手続への参加の申立ては、参加理由を記載した書面をもって行うものとする。

2　自治紛争処理委員は、前項の申立てにより関係行政機関の参加を認めたときは、その旨を当事者、当該関係行政機関及び法第二百五十一条の三第五項から第七項までにおいて準用する法第二百五十条の十六第一項に規定する参加行政機関に通知しなければならない。

3　自治紛争処理委員が法第二百五十一条の三第五項から第七項までにおいて準用する法第二百五十条の十五第一項の規定に基づき関係行政機関を職権で審査手続に参加させる場合には、前項の規定を準用する。

4　前条第二項及び第四項の規定は、参加行政機関について準用する。

（代理人の選任及び解任の届出）

第二十条　当事者及び参加行政機関（以下「当事者等」という。）は、代理人を選任したときは、書面をもってその者の氏名及び職業を自治紛争処理委員に届け出なければならない。解任したときも、同様とする。

（当事者等が作成した書面の送付）

第二十一条　当事者等は、自治紛争処理委員に提出したすべての書面を、遅滞なく、その他の当事者等に送付しなければならない。
2　前項の規定による書面の送付を受けた当事者等は、当該書面を受領した旨を記載した書面を自治紛争処理委員に提出しなければならない。

第二節　当事者等が審査に出席する場合の手続

（審査の公開）
第二十二条　当事者等が出席する審査は、自治紛争処理委員が公開とすることを相当と認める場合に限り公開する。
（秩序の維持）
第二十三条　審査期日における秩序の維持は、代表自治紛争処理委員が行う。
2　代表自治紛争処理委員は、当事者等が行う陳述が既になした陳述と重複し、又は審査に係る事案と関係のない事項にわたるときその他特に必要と認めるときは、これを制限することができる。
3　代表自治紛争処理委員は、前二項に定めるもののほか、審査手続の円滑な進行を確保するために必要な措置をとることができる。
（出席者の発言）
第二十四条　審査に出席した者が発言しようとするときは、代表自治紛争処理委員の許可を受けなければならない。
2　審査に出席した者の陳述は、事案の範囲を超えてはならない。
（釈明及び発問）
第二十五条　自治紛争処理委員は、事実関係を明らかにするため、当事者等に対し、発問し、又は立証を促すことができる。
2　当事者等は、他の当事者等の陳述の趣旨が明らかでないときは、代表自治紛争処理委員に発問を求め、又は代表自治紛争処理委員の許可を得て直接に相手方に発問することができる。

第三節　証拠調べ

（証拠調べの申立て）
第二十六条　法第二百五十一条の三第五項から第七項までにおいて準用する法第二百五十条の十六第一項に規定する証拠調べの申立ては文書で行わなければならない。
（証拠調べの申立ての期限）
第二十七条　自治紛争処理委員は、証拠調べの申立てができる期限を定めて、当事者等に通知するものとする。
（証拠調べの申立ての採否）
第二十八条　自治紛争処理委員は、法第二百五十一条の三第五項から第七項までにおいて準用する法第二百五十条の十六第一項に規定する証拠調べの申立てがあった場合にはその採否について、同項の規定により職権で証拠調べを行う場合にはその決定について、当事者等に通知するものとする。
（参考人の陳述の申立て）
第二十九条　法第二百五十一条の三第五項から第七項までにおいて準用する法第二百五十条の十六第一項第一号に基づく参考人の陳述の申立ては、陳述を求めようとする事項を明示して行わなければならない。
（鑑定の申立て）
第三十条　法第二百五十一条の三第五項から第七項までにおいて準用する法第二百五十条の十六第一項第一号に基づく鑑定の申立ては、鑑定を求めようとする事項を明示して行わなければならない。
（呼出状）
第三十一条　自治紛争処理委員は、参考人又は鑑定人に出席を求めるときには、次に掲げる事項を記載した呼出状によって行わなければならない。
一　事案の要旨
二　出席すべき日時及び場所
三　陳述又は鑑定を求めようとする事項
四　その他必要と認める事項
（参考人の審尋）
第三十二条　参考人の審尋については、自治紛争処理委員が特に必要と認める場合には、当事者等を立ち会わせることができる。この場合においては、当事者等は、代表自治紛争処理委員の許可を得て、参考人を審尋することができる。
（書類その他の物件の提出要求等の申立て）
第三十三条　当事者等が、法第二百五十一条の三第五項から第七項までにおいて準用する法第二百五十条の十六第一項第二号に規定する書類その他の物件の提出要求及び留置の申立てを行うときは、次に掲げる事項を明示して行わなければならない。
一　書類その他の物件の表示
二　書類その他の物件の所在及び所持人
三　証明しようとする事実
（留め置いた物件の還付）
第三十四条　法第二百五十一条の三第五項から第七項までにおいて準用する法第二百五十条の十六第一項第二号の規定により留め置いた物件で留め置く必要がなくなったものは、速やかにこれを還付しなければならない。
（検証の申立て）
第三十五条　法第二百五十一条の三第五項から第七項までにおいて準用する法第二百五十条の十六第一項第三号に基づく検証の申立ては、検証の場所及び目的を明示して行わなければならない。
2　検証については、自治紛争処理委員が特に必要と認める場合には、当事者等を立ち会わせることができる。
（当事者等の職員の審尋）

第三十六条　第二十九条、第三十一条及び第三十二条の規定は、法第二百五十一条の三第五項から第七項までにおいて準用する法第二百五十条の十六第一項第四号に規定する当事者等の職員の審尋についても適用する。

（証拠の提出）

第三十七条　当事者等は、法第二百五十一条の三第五項から第七項までにおいて準用する法第二百五十条の十六第二項に規定する証拠の提出について、自治紛争処理委員が証拠を提出すべき相当の期間を定めたときは、その期間内にこれを提出しなければならない。

（自治紛争処理委員による証拠調べ）

第三十八条　自治紛争処理委員は、法第二百五十一条の三第五項から第七項までにおいて準用する法第二百五十条の十六の規定により証拠調べを行うときは、自治紛争処理委員の審査期日外においてもこれを行うことができる。

（閲覧）

第三十九条　当事者等は、自治紛争処理委員に対し、他の当事者等から提出された書類その他の物件の閲覧を求めることができる。この場合において、自治紛争処理委員は、正当な理由があるときでなければ、その閲覧を拒むことができない。

2　自治紛争処理委員は、前項の規定による閲覧について、日時及び場所を指定することができる。

第四節　審査の申出の取下げ

（当事者等への通知）

第四十条　自治紛争処理委員は、法第二百五十一条の三第五項から第七項までにおいて準用する法第二百五十条の十七の規定による審査の申出の取下げが行われた場合には、速やかにその旨を他の当事者等に通知しなければならない。

第五節　自治紛争処理委員の合議

（合議）

第四十一条　次に掲げる事項は、自治紛争処理委員の合議によるものとする。

一　第十四条の規定による審査の手続の開始
二　第十八条第二項の規定による当事者に出席を求める決定（第十九条第四項の規定により準用して行う決定を含む。）
三　第二十二条の規定による当事者等が出席する審査の公開の決定
四　第二十七条の規定による証拠調べの申立ての期限の決定
五　第三十一条の規定による参考人又は鑑定人に出席を求める決定（第三十六条の規定により準用して行う決定を含む。）
六　第三十二条の規定による参考人の審尋について当事者等の立ち会いを認める決定（第三十六条の規定により準用して行う決定を含む。）
七　第三十五条第二項の規定による検証について当事者等の立ち会いを認める決定
八　第三十七条の規定による証拠を提出すべき相当の期間の決定
九　第三十九条の規定による閲覧拒否の決定又は閲覧の日時及び場所の指定

第五章　都道府県が当事者となる連携協約を締結した普通地方公共団体相互の間の紛争に係る処理方策の提示

第一節　処理方策の提示の手続

（申請書）

第四十二条　法第二百五十二条の二第七項の文書には、次に掲げる事項を記載しなければならない。

一　紛争の当事者
二　処理方策の提示を求める事項（当事者の主張の要点を含む。）
三　紛争の経過
四　申請の年月日
五　前各号に掲げるもののほか、処理方策の提示を行うについて参考となる事項

（処理方策を定めるための審議の期日及び場所）

第四十三条　処理方策を定めるための審議の期日及び場所は、代表自治紛争処理委員がこれを定める。

2　代表自治紛争処理委員は、必要があると認めるときは、処理方策を定めるための審議の期日及び場所を変更することができる。

（代理人の選任及び解任の届出）

第四十四条　当事者は、代理人を選任したときは、書面をもってその者の氏名及び職業を自治紛争処理委員に届け出なければならない。解任したときも、同様とする。

第二節　当事者が処理方策を定めるための審議に出席する場合の手続

（処理方策を定めるための審議の公開）

第四十五条　当事者が出席する処理方策を定めるための審議は、自治紛争処理委員が公開とすることを相当と認める場合に限り公開する。

（秩序の維持）

第四十六条　処理方策を定めるための審議の期日における秩序の維持は、代表自治紛争処理委員が行う。

2　代表自治紛争処理委員は、前項に定めるもののほか、処理方策の提示の手続の円滑な進行を確保するために必要な措置をとることができる。

第三節　情報の収集

（参考人の陳述等）

第四十七条　自治紛争処理委員は、処理方策の提示を行うため必要があると認めるときは、事件の参考人に陳述若しくは意見を求め、又は鑑定人に鑑定を依頼することができる。

（自治紛争処理委員による情報の収集）

第四十八条　自治紛争処理委員は、法第二百五十一条の三の二第四項及び前条の規定により情報の収集を行うときは、処理方策を定めるための審議の期日外においてもこれを行うことができる。

第四節　自治紛争処理委員の合議

（合議）

第四十九条　次に掲げる事項は、自治紛争処理委員の合議によるものとする。

一　第四十五条の規定による当事者が出席する処理方策を定めるための審議の公開の決定
二　第四十七条の規定による参考人による陳述又は鑑定人による鑑定の依頼の決定

第六章　電子情報処理組織による提出等の手続等

（電子情報処理組織による提出等の手続の方式等）

第五十条　この省令に規定する提出、送付、申立て及び届出の手続（以下この条及び次条において「提出等の手続」という。）のうち、書面等（第七条に規定する書面、第十六条第一項に規定する答弁書、第十七条に規定する反論書、第十八条第二項に規定する通知書、第十九条第一項、第二十条及び第二十一条に規定する書面、第二十六条及び第三十三条に規定する文書並びに第四十四条に規定する書面をいう。以下同じ。）により行う

ことととしているものについては、この省令の規定にかかわらず、電子情報処理組織（情報通信技術を活用した行政の推進等に関する法律（平成十四年法律第百五十一号）第六条第一項に規定する電子情報処理組織をいう。以下同じ。）を使用して行うことができる。

2　前項の規定により電子情報処理組織を使用して提出等の手続を行う者は、当該提出等の手続を書面等により行うときに記載すべきこととされている事項を、その手続を行う者の使用に係る電子計算機から入力して行わなければならない。

3　第一項の規定により電子情報処理組織を使用して提出等の手続を行う者は、入力する事項についての情報に電子署名（総務省関係法令に係る情報通信技術を活用した行政の推進等に関する法律施行規則（平成十五年総務省令第四十八号）第二条第二項第一号に規定する電子署名をいう。）を行い、当該電子署名を行った者を確認するために必要な事項を証する電子証明書（同項第二号に規定する電子証明書をいう。）と併せてこれを送信しなければならない。

（電子情報処理組織による提出等の手続の効果等）

第五十一条　前条第一項の規定により行われた提出等の手続については、書面等により行われたものとみなして、この省令の規定を適用する。

2　前条第一項の規定により第十六条第一項に規定する答弁書の提出が行われた場合においては、答弁書の正副二通が提出されたものとみなす。

3　前条第一項の規定により行われた提出等の手続は、その相手方の使用に係る電子計算機に備えられたファイルへの記録がされた時に当該相手方に到達したものとみなす。

（審査の申出が電子情報処理組織を使用して行われた場合における特例）

第五十二条　法第二百五十一条の三第一項から第三項までに規定する都道府県の関与に関する審査の申出が電子情報処理組織を使用して行われた場合には、審査申出書に記載すべきこととされている事項についての情報を電子情報処理組織を使用して相手方である都道府県の行政庁に送信することをもって第十六条第一項に規定する審査申出書の写しの送付に代えることができる。

2　第五十条第三項の規定は、前項の規定により電子情報処理組織を使用して送信する場合について準用する。

附　則

この省令は、公布の日から施行する。

附　則（平二二・九・二四総務令八七）

この省令は、公布の日から施行する。

附　則（平二六・一〇・二九総務令八二）（抄）

（施行期日）

1　この省令は、地方自治法の一部を改正する法律（平成二十六年法律第四十二号）附則第一条第一号に掲げる規定の施行の日（平成二十六年十一月一日）から施行する。

附　則（平二七・一・三〇総務令三）（抄）

（施行期日）

1　この省令は、平成二十七年四月一日から施行する。〔ただし書略〕

附　則（平二八・二・一二総務令七）（抄）

（施行期日）

第一条　この省令は、行政不服審査法の施行の日（平成二十八年四月一日）から施行する。

附　則（令元・一二・一三総務令六四）

この省令は、情報通信技術の活用による行政手続等に係る関係者の利便性の向上並びに行政運営の簡素化及び効率化を図るための行政手続等における情報通信の技術の利用に関する法律等の一部を改正する法律の施行の日（令元・一二・一六）から施行する。

○地方自治法第二百五十五条の五第一項の規定による自治紛争処理委員の審理等の手続に関する省令

平二八・二・一二
総　務　令　七

目次〔略〕

第一章　総則

（趣旨）

第一条　地方自治法（昭和二十二年法律第六十七号。以下「法」という。）第二百五十五条の五第一項に規定する自治紛争処理委員（以下「自治紛争処理委員」という。）の審理等の手続については、法及び地方自治法施行令（昭和二十二年政令第十六号。第六条第一項及び第二十三条第十四号において「令」という。）に定めるもののほか、この省令の定めるところによる。

第二章　自治紛争処理委員

（職務の執行）

第二条　自治紛争処理委員は、何人からも指示を受けず、良心に従い、かつ、法令に基づいてその職務を執行しなければならない。

（代表自治紛争処理委員）

第三条　自治紛争処理委員は、代表自治紛争処理委員を互選しなければならない。

2　代表自治紛争処理委員は、自治紛争処理委員の会議を主宰し、自治紛争処理委員を代表する。

3　自治紛争処理委員の会議は、代表自治紛争処理委員がこれを招集する。

4　代表自治紛争処理委員に事故があるときは、代表自治紛争処理委員の指定する自治紛争処理委員がその職務を代理する。

（異動）
第四条　法第二百五十一条第五項並びに第六項により準用する法第二百五十条の九第八項、第九項（第二号を除く。）、第十項及び第十一項の規定により自治紛争処理委員の欠員を生じた場合においては、法第二百五十一条第二項に定める資格を有する者のうちから、総務大臣又は都道府県知事が自治紛争処理委員を任命することができる。
2　前項の規定により自治紛争処理委員の中に異動があった場合においても、既に行った審理の手続は、影響は受けないものとする。

第三章　法第二百五十五条の五第一項に規定する審査請求があった場合の審理

（審理の期日及び場所）
第五条　自治紛争処理委員の審理の期日及び場所は、代表自治紛争処理委員がこれを定める。
2　自治紛争処理委員は、審査請求人及び処分庁（以下「当事者」という。）に出席を求める場合には、自治紛争処理委員の審理の期日及び場所並びに出席を求める旨を記載した通知書を送付しなければならない。
3　代表自治紛争処理委員は、必要があると認めるときは、自治紛争処理委員の審理の期日及び場所を変更することができる。
4　前項の場合において、当事者の出席する予定がないときを除き、自治紛争処理委員は、その審理の期日及び場所を、当該当事者に通知しなければならない。

（利害関係人の参加）
第六条　令第百七十八条の二第一項の規定により読み替えて適用する行政不服審査法（平成二十六年法律第六十八号。以下「読替え後の行政不服審査法」という。）第十三条第一項の規定による、利害関係人の法第二百五十五条の五第一項に規定する審査請求（以下「審査請求」という。）への参加は、参加理由を記載した書面をもって行うものとする。
2　自治紛争処理委員は、読替え後の行政不服審査法第十三条第一項の規定により利害関係人の参加を許可したときは、その旨を当事者、当該利害関係人及び同条第四項に規定する参加人に通知しなければならない。
3　自治紛争処理委員が、読替え後の行政不服審査法第十三条第二項の規定に基づき利害関係人に対して審査請求への参加を求める場合には、前項の規定を準用する。
4　前条第二項及び第四項の規定は、参加人について準用する。

（審理の公開）
第七条　審理関係人（読替え後の行政不服審査法第二十八条に規定する審理関係人をいう。以下同じ。）が出席する審理は、自治紛争処理委員が公開とすることを相当と認める場合に限り公開する。

（秩序の維持）
第八条　審理期日における秩序の維持は、代表自治紛争処理委員が行う。
2　代表自治紛争処理委員は、審理関係人が行う陳述が既になした陳述と重複し、又は審査請求に係る事件と関係のない事項にわたるときその他特に必要と認めるときは、これを制限することができる。
3　代表自治紛争処理委員は、前二項に定めるもののほか、審理手続の円滑な進行を確保するために必要な措置をとることができる。

（出席者の発言）
第九条　審理に出席した者が発言しようとするときは、代表自治紛争処理委員の許可を受けなければならない。
2　審理に出席した者の陳述は、事件の範囲を超えてはならない。

（釈明及び発問）
第十条　自治紛争処理委員は、事実関係を明らかにするため、審理関係人に対し、発問し、又は立証を促すことができる。
2　審理関係人は、他の審理関係人の陳述の趣旨が明らかでないときは、代表自治紛争処理委員に発問を求め、又は代表自治紛争処理委員の許可を得て直接に相手方に発問することができる。

（審理関係人への通知）
第十一条　自治紛争処理委員は、行政不服審査法第二十七条の規定による審査請求の取下げが行われた場合には、速やかにその旨を他の審理関係人に通知しなければならない。

（物件の提出要求等の申立て）
第十二条　読替え後の行政不服審査法第三十三条の規定による物件の提出要求、読替え後の行政不服審査法第三十四条の規定による参考人の陳述及び鑑定の要求並びに読替え後の行政不服審査法第三十五条第一項の規定による検証（以下「物件の提出要求等」という。）の申立ては文書で行わなければならない。

（物件の提出要求等の申立ての期限）
第十三条　自治紛争処理委員は、物件の提出要求等の申立てができる期限を定めて、審理関係人に通知するものとする。

（物件の提出要求等の申立ての採否）
第十四条　自治紛争処理委員は、物件の提出要求等の申立てがあった場合にはその採否について、読替え後の行政不服審査法第三十三条、第三十四条及び第三十五条第一項の規定により職権で物件の提出要求等を行う場合にはその決定について、審理関係人に通知するものとする。

（書類その他の物件の提出要求の申立て）
第十五条　審理関係人が、読替え後の行政不服審査法第三十三条に規定する物件の提出要求の申立てを行うときは、次に掲げる事項を明示して行わなければならない。
一　書類その他の物件の表示
二　書類その他の物件の所在及び所持人
三　証明しようとする事実

（参考人の陳述の申立て）
第十六条　読替え後の行政不服審査法第三十四条に基づく参考人の陳述の申立ては、陳述を求めようとする事項を明示して行わなければならない。

（鑑定の申立て）
第十七条　読替え後の行政不服審査法第三十四条に基づく鑑定の申立ては、鑑定を求めようとする事項を明示して行わなければならない。

（呼出状）
第十八条　自治紛争処理委員は、参考人又は鑑定人に出席を求めるときには、次に掲げる事項を記載した呼出状によって行わなければならない。
一 事件の要旨
二 出席すべき日時及び場所
三 陳述又は鑑定を求めようとする事項
四 その他必要と認める事項

（参考人の審尋）
第十九条 参考人の審尋については、自治紛争処理委員が特に必要と認める場合には、審理関係人を立ち会わせることができる。この場合においては、審理関係人は、代表自治紛争処理委員の許可を得て、参考人を審尋することができる。

（検証の申立て）
第二十条 読替え後の行政不服審査法第三十五条第一項に基づく検証の申立ては、検証の場所及び目的を明示して行わなければならない。
2 検証については、読替え後の行政不服審査法第三十五条第二項に規定するもののほか、自治紛争処理委員が特に必要と認める場合には、審理関係人を立ち会わせることができる。

（自治紛争処理委員による物件の提出要求等）
第二十一条 自治紛争処理委員は、物件の提出要求等を行うときは、自治紛争処理委員の審理期日外においてもこれを行うことができる。

（合議）
第二十二条 次に掲げる事項は、自治紛争処理委員の合議によるものとする。
一 第五条第二項の規定による当事者に出席を求める決定（第六条第四項の規定により準用して行う決定を含む。）
二 第七条の規定による審理関係人が出席する審理の公開の決定
三 第十三条の規定による物件の提出要求等の申立ての期限の決定
四 第十八条の規定による参考人又は鑑定人に出席を求める決定
五 第十九条の規定による参考人の審尋について審理関係人の立会いを認める決定
六 第二十条第二項の規定による検証について審理関係人の立会いを認める決定

（代表自治紛争処理委員が行う事項）
第二十三条 次に掲げる事項は、代表自治紛争処理委員が行うものとする。
一 読替え後の行政不服審査法第二十九条第一項の規定による処分庁への審査請求書又は審査請求録取書の写しの送付
二 読替え後の行政不服審査法第二十九条第二項の規定による処分庁に対する弁明書の提出の求め
三 読替え後の行政不服審査法第二十九条第五項の規定による審査請求人及び参加人への弁明書の送付
四 読替え後の行政不服審査法第三十条第一項の規定による反論書を提出すべき期間の決定
五 読替え後の行政不服審査法第三十条第二項の規定による意見書を提出すべき期間の決定
六 読替え後の行政不服審査法第三十条第三項の規定による参加人及び処分庁への反論書の送付並びに審査請求人及び処分庁への意見書の送付
七 読替え後の行政不服審査法第三十一条第二項の規定による口頭意見陳述の期日及び場所の指定
八 読替え後の行政不服審査法第三十一条第四項の規定による申立人の陳述の制限
九 読替え後の行政不服審査法第三十一条第五項の規定による申立人の発問の許可
十 読替え後の行政不服審査法第三十五条第二項の規定による検証の日時及び場所の決定
十一 読替え後の行政不服審査法第三十八条第二項の規定による提出書類等の提出人からの意見聴取
十二 読替え後の行政不服審査法第三十八条第二項ただし書の規定による提出書類等の提出人の意見を聴かないことの決定
十三 読替え後の行政不服審査法第四十一条第三項の規定による自治紛争処理委員意見書及び事件記録を審査庁に提出する予定時期の決定
十四 令第百七十八条の二第二項の規定により読み替えて適用する行政不服審査法施行令（平成二十七年政令第三百九十一号）第九条の規定による通話者及び通話先の場所の確認
十五 次条の規定により読み替えて適用する行政不服審査法施行規則（平成二十八年総務省令第五号。次号において「読替え後の行政不服審査法施行規則」という。）第一条の規定による場所の指定
十六 読替え後の行政不服審査法施行規則第四条第三号の規定による自治紛争処理委員意見書とともに提出する書類の決定

（行政不服審査法施行規則の規定の適用に関する読替え）
第二十四条 審査請求についての行政不服審査法施行規則の規定の適用については、同令第一条及び第四条中「審理員」とあるのは、「自治紛争処理委員」とする。

第四章 法第二百五十五条の五第一項に規定する審査の申立て、審決の申請等があった場合の審理

（審査の申立て等への審査請求に関する規定の準用）
第二十五条 第三章の規定（前条の規定を除く。）は、法第二百五十五条の五第一項に規定する審査の申立て又は審決の申請（次条において「審査の申立て等」という。）について準用する。

（審査の申立て等への行政不服審査法施行規則の規定の準用等）
第二十六条 審査の申立て等についての次条において準用する行政不服審査法施行規則の規定の適用については、同令第一条及び第四条中「審理員」とあるのは、「自治紛争処理委員」とする。
第二十七条 前条に特別の定めがあるものを除くほか、法第二百五十八条第一項に規定する異議の申出、審査の申立て又は審決の申請については、行政不服審査法施行規則第一条から第四条までの規定を準用する。

附 則（抄）
（施行期日）

第一条　この省令は、行政不服審査法の施行の日（平成二十八年四月一日）から施行する。

○地方自治法第二百五十二条の二十一の三第一項に規定する総務大臣の勧告の手続に関する省令

平二七・一・三〇
総　務　令　四

改正　令元・一二・一三総務令六四

（趣旨）

第一条　地方自治法（昭和二十二年法律第六十七号。以下「法」という。）第二百五十二条の二十一の三第一項の規定による勧告の求め（以下「勧告の求め」という。）に関する総務大臣の勧告の手続については、法及び地方自治法施行令（昭和二十二年政令第十六号。以下「令」という。）に定めるもののほか、この省令の定めるところによる。

（申請書）

第二条　法第二百五十二条の二十一の三第一項の文書には、次に掲げる事項を記載しなければならない。

一　指定都市の市長及び当該指定都市を包括する都道府県（以下「包括都道府県」という。）の知事

二　総務大臣の勧告を求める事項（指定都市の市長及び包括都道府県の知事の主張の要点を含む。）

三　指定都市都道府県調整会議における協議の経過

四　申請の年月日

五　前各号に掲げるもののほか、総務大臣が勧告を行うについて参考となる事項

（指定都市都道府県勧告調整委員の職務の執行）

第三条　指定都市都道府県勧告調整委員は、何人からも指示を受けず、良心に従い、かつ、法令に基づいてその職務を執行しなければならない。

（代表指定都市都道府県勧告調整委員）

第四条　指定都市都道府県勧告調整委員は、代表指定都市都道府県勧告調整委員を互選しなければならない。

2　代表指定都市都道府県勧告調整委員は、法第二百五十二条の二十一の四第一項の規定による勧告の求めがあった事項に関する指定都市都道府県勧告調整委員の意見（以下「勧告に関する意見」という。）を述べるための審議を行う会議（以下単に「会議」という。）を主宰し、指定都市都道府県勧告調整委員を代表する。

3　代表指定都市都道府県勧告調整委員に事故があるときは、代表指定都市都道府県勧告調整委員の指定する指定都市都道府県勧告調整委員がその職務を代理する。

（指定都市都道府県勧告調整委員の異動）

第五条　法第二百五十二条の二十一の四第五項の規定並びに同条第六項の規定により準用する法第二百五十条の九第八項、第九項（第二号を除く。）、第十項及び第十一項の規定により指定都市都道府県勧告調整委員に欠員を生じた場合においては、法第二百五十二条の二十一の四第二項に定める資格を有する者のうちから、総務大臣が指定都市都道府県勧告調整委員を任命することができる。

2　前項の規定により指定都市都道府県勧告調整委員の中に異動があった場合においても、既に行った勧告に関する意見を述べる手続は、影響を受けないものとする。

（会議の招集）

第六条　会議は、代表指定都市都道府県勧告調整委員がこれを招集する。

2　会議の期日及び場所は、代表指定都市都道府県勧告調整委員がこれを定める。

3　代表指定都市都道府県勧告調整委員は、必要があると認めるときは、会議の期日及び場所を変更することができる。

（会議の秩序の維持）

第七条　会議の期日における秩序の維持は、代表指定都市都道府県勧告調整委員が行う。

2　代表指定都市都道府県勧告調整委員は、前項に定めるもののほか、勧告に関する意見を述べる手続の円滑な進行を確保するために必要な措置をとることができる。

（会議の公開）

第八条　指定都市の市長又は包括都道府県の知事が出席する会議は、指定都市都道府県勧告調整委員が公開とすることを相当と認める場合に限り公開する。

（参考人の陳述等）

第九条　指定都市都道府県勧告調整委員は、勧告に関する意見を述べるため必要があると認めるときは、事件の参考人に陳述若しくは意見を求め、又は鑑定人に鑑定を依頼することができる。

（指定都市都道府県勧告調整委員による情報の収集）

第十条　指定都市都道府県勧告調整委員は、令第百七十四条の四十八の八第五項及び前条の規定により情報の収集を行うときは、会議の期日外においてもこれを行うことができる。

（指定都市都道府県勧告調整委員の合議）

第十一条　次に掲げる事項は、指定都市都道府県勧告調整委員の合議によるものとする。

一　第八条の規定による会議の公開の決定

二　第九条の規定による参考人による陳述又は鑑定人による鑑定の依頼の決定

（代理人の選任及び解任の届出）

第十二条　指定都市の市長又は包括都道府県の知事は、代理人を選任したときは、書面をもってその者の氏名及び職業を指定都市都道府県勧告調整委員に届け出なければならない。解任したときも、同様とする。

（電子情報処理組織による届出の方式等）

第十三条　前条の規定による届出（以下単に「届出」という。）については、同条の規定にかかわらず、電子情報処理組織（情報通信技術を活用した行政の推進等に関する法律（平成十四年法律第百五十一号）第六条第一項に規定する電子情報処理組織をいう。以下同じ。）を使用して行うことができる。

2　前項の規定により電子情報処理組織を使用して届出を行う者は、当該届出を書面により行うときに記載すべきこととされている事項を、その届出を行う者の使用に係る電子計算機から入力して行わなければならない。

3　第一項の規定により電子情報処理組織を使用して届出を行う者は、入力する事項についての情報に電子署名（総務省関係法令に係る情報通信技術を活用した行政の推進等に関する法律施行規則（平成十五年総務省令第四十八号）第二条第二項第一号に規定する電子署名をいう。）を行い、当該電子署名を行った者を確認するために必要な事項を証する電子証明書（同条第二項第二号に規定する電子証明書をいう。）と併せてこれを送信しなければならない。

（電子情報処理組織による届出の効果等）

第十四条　前条第一項の規定により行われた届出については、書面により行われたものとみなして、この省令の規定を適用する。

2　前条第一項の規定により行われた届出は、その相手方の使用に係る電子計算機に備えられたファイルへの記録がされた時に当該相手方に到達したものとみなす。

附　則（抄）

（施行期日）

1　この省令は、平成二十八年四月一日から施行する。

附　則（令元・一二・一三総務令六四）

この省令は、情報通信技術の活用による行政手続等に係る関係者の利便性の向上並びに行政運営の簡素化及び効率化を図るための行政手続等における情報通信の技術の利用に関する法律等の一部を改正する法律の施行の日〔令元・一二・一六〕から施行する。

○普通地方公共団体に対する国の関与等に関する訴訟規則

平一二・二・八
最高裁規四

改正　平二五・二・一二最高裁規一

（訴状の記載事項及び添付書類）

第一条　地方自治法（昭和二十二年法律第六十七号）第二百四十五条の八（代執行等）第三項（同条第十二項において準用する場合を含む。）、第二百五十一条の五（国の関与に関する訴えの提起）第一項、第二百五十一条の六（都道府県の関与に関する訴えの提起）第一項、第二百五十一条の七（普通地方公共団体の不作為に関する国の訴えの提起）第一項並びに第二百五十二条（市町村の不作為に関する都道府県の訴えの提起）第二項及び第三項の規定による訴え（以下「国の関与等の訴え」という。）を提起するには、民事訴訟に関する法令の規定中訴えに関する規定によるほか、訴状には、請求の根拠となる法令を記載し、証拠となるべき文書の写しを添付しなければならない。

（主張及び証拠の申出の時期）

第二条　国の関与等の訴えにおいては、主張及び証拠の申出は、すべて最初にすべき口頭弁論の期日においてしなければならない。ただし、裁判所が許可したときは、この限りでない。

（上告理由書等の提出期間）

第三条　国の関与等の訴えに係る判決に対する上告については、上告理由書及び上告受理申立て理由書の提出期間は、十日とする。

附　則（抄）

1　この規則は、平成十二年四月一日から施行する。

附　則（平二五・二・一二最高裁規一）

この規則は、地方自治法の一部を改正する法律（平成二十四年法律第七十二号）附則第一条ただし書に規定する規定の施行の日

（平二五・三・一）から施行する。

○地方公共団体の議会の解散に関する特例法

昭四〇・六・三
法　一　一　八

（この法律の趣旨）

第一条　この法律は、地方公共団体の議会の解散の請求に関する世論の動向にかんがみ、当該議会が自らすすんでその解散によ る選挙によつてあらたに当該地方公共団体の住民の意思をきく方途を講ずるため、地方公共団体の議会の解散について、地方自治法（昭和二十二年法律第六十七号）の特例を定めるものとする。

（議会の解散）

第二条　地方公共団体の議会は、当該議会の解散の議決をすることができる。

2　前項の規定による解散の議決については、議員数の四分の三以上の者が出席し、その五分の四以上の者の同意がなければならない。

3　第一項の議決があつたときは、当該地方公共団体の議会は、その時において解散するものとする。

附　則

1　この法律は、公布の日から施行する。

2　地方公共団体の議会の議決による解散に関する制度については、この法律の施行の日から起算して一年以内に検討を加え、その結果に基づいて必要な措置が講ぜられるものとする。

○大都市地域における特別区の設置に関する法律

平二四・九・五
法　八　〇

改正　平二六・五・三〇法四二

（目的）

第一条　この法律は、道府県の区域内において関係市町村を廃止し、特別区を設けるための手続並びに特別区と道府県の事務の分担並びに税源の配分及び財政の調整に関する意見の申出に係る措置について定めることにより、地域の実情に応じた大都市制度の特例を設けることを目的とする。

（定義）

第二条　この法律において「関係市町村」とは、人口（地方自治法（昭和二十二年法律第六十七号）第二百五十四条に規定する人口によるものとする。以下この項において同じ。）二百万以上の指定都市（同法第二百五十二条の十九第一項の指定都市をいう。以下同じ。）又は一の指定都市及び当該指定都市に隣接する同一道府県の区域内の一以上の市町村（当該市町村が指定都市である場合にあっては、当該指定都市に隣接する同一道府県の区域内のものを含む。）であって、その総人口が二百万以上のものをいう。

2　この法律において「関係道府県」とは、関係市町村を包括する道府県をいう。

3　この法律（第十二条及び第十三条を除く。）において「特別区の設置」とは、関係市町村を廃止し、当該関係市町村の区域の全部を分けて定める区域をその区域として、特別区を設けることをいう。

（道府県の区域内における特別区の設置の特例）

第三条　地方自治法第二百八十一条第一項の規定にかかわらず、総務大臣は、この法律の定めるところにより、道府県の区域内において、特別区の設置を行うことができる。

（特別区設置協議会の設置）

第四条 特別区の設置を申請しようとする関係市町村及び関係道府県は、地方自治法第二百五十二条の二の二第一項の規定により、特別区の設置に関する協定書（以下「特別区設置協定書」という。）の作成その他特別区の設置に関する協議を行う協議会（以下「特別区設置協議会」という。）を置くものとする。

2 特別区設置協議会の会長及び委員は、地方自治法第二百五十二条の三第二項の規定にかかわらず、規約の定めるところにより、関係市町村若しくは関係道府県の議会の議員若しくは長その他の職員又は学識経験を有する者の中から、これを選任する。

（特別区設置協定書の作成）

第五条 特別区設置協定書は、次に掲げる事項について、作成するものとする。

一 特別区の設置の日
二 特別区の名称及び区域
三 特別区の設置に伴う財産処分に関する事項
四 特別区の議会の議員の定数
五 特別区とこれを包括する道府県の事務の分担に関する事項
六 特別区とこれを包括する道府県の税源の配分及び財政の調整に関する事項
七 関係市町村及び関係道府県の職員の移管に関する事項
八 前各号に掲げるもののほか、特別区の設置に関し必要な事項

2 関係市町村の長及び関係道府県の知事は、特別区設置協議会が特別区設置協定書に前項第五号及び第六号に掲げる事項のうち政府が法制上の措置その他の措置を講ずる必要があるものを記載しようとするときは、共同して、あらかじめ総務大臣に協議しなければならない。

3 前項の規定による協議の申出があったときは、総務大臣並びに関係市町村の長及び関係道府県の知事は、誠実に協議を行うとともに、速やかに当該協議が調うよう努めなければならない。

4 特別区設置協議会は、特別区設置協定書を作成しようとするときは、あらかじめ、その内容について総務大臣に報告しなければならない。

5 総務大臣は、前項の規定による報告を受けたときは、遅滞なく、当該特別区設置協定書の内容について検討し、特別区設置協議会並びに関係市町村の長及び関係道府県の知事に意見を述べるものとする。

6 特別区設置協議会は、特別区設置協定書を作成したときは、これを全ての関係市町村の長及び関係道府県の知事に送付しなければならない。

（特別区設置協定書についての議会の承認）

第六条 関係市町村の長及び関係道府県の知事は、前条第六項の規定により特別区設置協定書の送付を受けたときは、同条第五項の意見を添えて、当該特別区設置協定書を速やかにそれぞれの議会に付議して、その承認を求めなければならない。

2 関係市町村の長及び関係道府県の知事は、前項の規定による議会の審議の結果を、速やかに、特別区設置協議会並びに他の関係市町村の長及び関係道府県の知事に通知しなければならない。

3 特別区設置協議会は、前項の規定により全ての関係市町村の長及び関係道府県の知事から当該関係市町村及び関係道府県の議会が特別区設置協定書を承認した旨の通知を受けたときは、直ちに、全ての関係市町村の長及び関係道府県の知事から同項の規定による通知を受けた日（次条第一項において「基準日」という。）を関係市町村の選挙管理委員会及び総務大臣に通知するとともに、当該特別区設置協定書を公表しなければならない。

（関係市町村における選挙人の投票）

第七条 前条第三項の規定による通知を受けた関係市町村の選挙管理委員会は、基準日から六十日以内に、特別区の設置について選挙人の投票に付さなければならない。

2 関係市町村の長は、前項の規定による投票に際し、選挙人の理解を促進するよう、特別区設置協定書の内容について分かりやすい説明をしなければならない。

3 関係市町村の選挙管理委員会は、第一項の規定による投票に際し、当該関係市町村の議会の議員から申出があったときは、当該投票に関する当該議員の意見を公報に掲載し、選挙人に配布しなければならない。

4 前項の場合において、二人以上の議員は、関係市町村の選挙管理委員会に対し、当該議員が共同で表明する意見を掲載するよう申し出ることができる。

5 関係市町村の選挙管理委員会は、第一項の規定による投票の結果が判明したときは、直ちにこれを全ての関係市町村の長及び関係道府県の知事に通知するとともに、公表しなければならない。その投票の結果が確定したときも、同様とする。

6 政令で特別の定めをするものを除くほか、公職選挙法（昭和二十五年法律第百号）中普通地方公共団体の選挙に関する規定は、第一項の規定による投票について準用する。

7 第一項の規定による投票は、普通地方公共団体の選挙と同時にこれを行うことができる。

（特別区の設置の申請）

第八条 関係市町村及び関係道府県は、全ての関係市町村の前条第一項の規定による投票においてそれぞれその有効投票の総数の過半数の賛成があったときは、共同して、総務大臣に対し、特別区の設置を申請することができる。ただし、指定都市以外の関係市町村にあっては、当該関係市町村に隣接する指定都市が特別区の設置を申請する場合でなければ、当該申請を行うことができない。

2 前項の規定による申請は、特別区設置協定書を添えてしなければならない。

（特別区の設置の処分）

第九条 特別区の設置は、前条第一項の規定による申請に基づき、総務大臣がこれを定めることができる。

2 前項の規定による処分をしたときは、総務大臣は、直ちにその旨を告示するとともに、これを国の関係行政機関の長に通知しなければならない。

3 第一項の規定による処分は、前項の規定による告示によりその効力を生ずる。

4 関係市町村は、第二項の規定による告示があったときは、直ちに特別区設置協定書に定められた特別区の議会の議員の定数を告示しなければならない。

5 前項の規定により告示された特別区の議会の議員の定数は、地方自治法第二百八十三条第一項の規定により適用される同法

第九十一条第一項の規定に基づく当該特別区の条例により定められたものとみなす。

6　政府は、前条第一項の規定による申請があった場合において、特別区設置協定書の内容を踏まえて新たな措置を講ずる必要があると認めるときは、当該申請があった日から六月を目途に必要な法制上の措置その他の措置を講ずるものとする。

（特別区を包括する道府県に対する法令の適用）

第十条　特別区を包括する道府県は、地方自治法その他の法令の規定の適用については、法律又はこれに基づく政令に特別の定めがあるものを除くほか、都とみなす。

（事務の分担等に関する意見の申出に係る措置）

第十一条　一の道府県の区域内の全ての特別区及び当該道府県は、共同して、特別区とこれを包括する道府県の事務の分担並びに税源の配分及び財政の調整の在り方に関し、政府に対し意見を申し出ることができる。

2　前項の規定による申出については、当該特別区及び道府県の議会の議決を経なければならない。

3　政府は、第一項の規定による申出を受けた日から六月を目途に当該意見を踏まえた新たな措置を講ずる必要の有無について判断し、必要があると認めるときは、当該意見の趣旨を尊重し、速やかに必要な法制上の措置その他の措置を講ずるものとする。

（特別区を包括する道府県における特別区の設置の特例）

第十二条　地方自治法第二百八十一条の四第八項の規定は、特別区を包括する道府県における特別区の設置については、適用しない。

第十三条　特別区を包括する道府県の区域内における当該特別区に隣接する一の市町村の区域の全部による二以上の特別区の設置については、第四条から第九条まで（第八条第一項ただし書を除く。）の規定を準用する。この場合において、第四条第一項中「関係市町村及び関係道府県」とあるのは「特別区に隣接する同一道府県の区域内の市町村（以下「特定市町村」という。）及び当該市町村を包括する道府県（以下「特定道府県」という。）」と、同条第二項中「関係市町村若しくは関係道府県」とあるのは「特定市町村若しくは特定道府県」と、第五条から第九条までの規定中「関係市町村」とあるのは「特定市町村」と、「関係道府県」とあるのは「特定道府県」と読み替えるものとする。

2　特別区を包括する道府県の区域内における当該特別区に隣接する一の市町村の区域の全部による一の特別区の設置については、第四条から第六条まで、第八条（第一項ただし書を除く。）及び第九条の規定を準用する。この場合において、第四条第一項中「関係市町村及び関係道府県」とあるのは「特別区に隣接する同一道府県の区域内の市町村（以下「特定市町村」という。）及び当該市町村を包括する道府県（以下「特定道府県」という。）」と、同条第二項、第五条並びに第六条第一項及び第二項中「関係市町村」とあるのは「特定市町村」と、「関係道府県」とあるのは「特定道府県」と、同条第三項中「関係市町村の長及び関係道府県の知事」とあるのは「特定市町村の長及び特定道府県の知事」と、「関係市町村及び関係道府県」とあるのは「特定市町村及び特定道府県」と、「関係市町村の選挙管理委員会及び総務大臣」とあるのは「総務大臣」と、第八条第一項中「関係市町村及び関係道府県」とあるのは「特定市町村及び特定道府県」と、「全ての関係市町村の前条第一項の規定による投票においてそれぞれその有効投票の総数の過半数の賛成があったとき」とあるのは「当該特定市町村及び特定道府県の議会が特別区設置協定書を承認したとき」と、第九条第四項中「関係市町村」とあるのは「特定市町村」と読み替えるものとする。

（政令への委任）

第十四条　この法律に定めるもののほか、この法律の実施のための手続その他この法律の施行に関し必要な事項は、政令で定める。

附　則（抄）

（施行期日）

第一条　この法律は、公布の日から起算して六月を超えない範囲内において政令で定める日〔平二五・三・一。第四条から第六条までの規定の施行期日は平二四・九・二一〕から施行する。

附　則（平二六・五・三〇法四二）（抄）

（施行期日）

第一条　この法律は、公布の日から起算して二年を超えない範囲内において政令で定める日〔平二八・四・一〕から施行する。ただし、次の各号に掲げる規定は、当該各号に定める日から施行する。

一　〔前略〕附則〔中略〕第十四条〔中略〕の規定　公布の日から起算して六月を超えない範囲内において政令で定める日〔平二六・一一・一〕

二・三　〔略〕

○大都市地域における特別区の設置に関する法律施行令

平二五・二・二七
政令四二

最終改正 令五・二・一〇政令三三

目次〔略〕

第一章 特別区の設置についての投票

（特別区設置協議会による特別区設置協定書の要旨の送付）

第一条 特別区設置協議会は、大都市地域における特別区の設置に関する法律（以下「法」という。）第五条第六項の規定により関係市町村の長に特別区設置協定書を送付する場合においては、当該特別区設置協定書の要旨を作成し、併せてこれを送付しなければならない。

（関係市町村の長による特別区設置協定書等の送付等）

第二条 関係市町村の長は、法第五条第六項の規定により特別区設置協定書の送付を受けた場合においては、前条の規定により送付を受けた要旨と併せて、これを当該関係市町村の選挙管理委員会に送付しなければならない。

2 法第六条第三項の規定により通知を受けた選挙管理委員会は、前項の規定により送付を受けた特別区設置協定書の内容及び要旨を告示し、かつ、関係市町村の事務所その他適当な場所において、当該特別区設置協定書を公衆の閲覧に供し、及び投票所の入口その他公衆の見やすい場所を選び、当該要旨を掲示しなければならない。

（特別区の設置についての投票の期日）

第三条 全ての関係市町村の法第七条第一項の規定による投票は、同項に規定する期間内の同一の期日に行わなければならない。

2 特別区設置協議会は、法第六条第二項の規定により全ての関係市町村の長及び関係道府県の知事から当該関係市町村及び関係道府県の議会が特別区設置協定書を承認した旨の通知を受けたときは、関係市町村の数が一である場合を除き、直ちに基準日（同条第三項に規定する基準日をいう。次項及び第四項において同じ。）を関係道府県の選挙管理委員会に通知しなければならない。

3 関係市町村の数が一である場合を除き、全ての関係市町村の選挙管理委員会は、基準日から七日以内に、協議により第一項の投票の期日を定め、直ちに、関係道府県の選挙管理委員会に報告しなければならない。

4 前項の場合において、関係道府県の選挙管理委員会は、基準日から七日以内に同項の規定による報告がなかったときは、速やかに、第一項の投票の期日を定め、全ての関係市町村の選挙管理委員会に通知しなければならない。

5 法第七条第一項の規定による投票の期日は、少なくともその二十日前に告示しなければならない。

（特別区の設置についての投票の投票権等）

第四条 市町村の議会の議員及び長の選挙権を有する者は、法第七条第一項の規定による投票の投票権を有する。

2 法第七条第一項の規定による投票には、公職選挙法（昭和二十五年法律第百号）に規定する選挙人名簿を用いる。

（公職選挙法の規定のうち準用しないもの）

第五条 法第七条第六項の規定により同条第一項の規定による投票について公職選挙法中普通地方公共団体の選挙に関する規定を準用する場合には、同法第一条から第四条まで、第五条の二から第五条の十まで、第二章、第十二条第一項、第二項及び第四項、第十三条から第十六条まで、第十八条第一項ただし書、第十九条第一項から第三項まで、第二十条から第三十条まで、第四章の二、第五章、第三十五条、第三十六条ただし書、第三十七条第三項及び第四項、第三十八条第三項、第四十条第二項（市町村の議会の議員及び長の選挙以外の選挙に関する部分に限る。）、第四十一条の二第一項（選挙区に関する部分に限る。）及び第五項（同項の表次条第一項ただし書、第四十四条第一項、第四十五条第一項、第四十六条第一項から第三項まで、第四十六条の二第一項及び第四十八条第二項の項（同法第四十六条第二項及び第三項に係る部分に限る。）、第百三十二条及び第百六十五条の二の項及び第二百一条の十二第二項の項に係る部分に限る。）、第四十四条第三項、第四十六条第二項及び第三項、第四十六条の二第二項（同法第六十八条第一項第二号及び第五号、第八十六条の四並びに第百二十六条に関する部分に限る。）及び第三項（公職の候補者に関する部分に限る。）、第四十八条の二第五項（同項の表第四十六条第一項から第三項まで及び前条第二項の項（同法第四十六条第二項及び第三項に係る部分に限る。）に係る部分に限る。）、第四十九条第七項から第九項まで、第四十九条の二、第五十七条第二項、第六十一条第三項及び第四項、第六十二条第一項から第八項まで、第九項ただし書及び第十項、第六十八条第一項第二号、第三号、第五号及び第六号ただし書、第二項並びに第三項、第六十八条の二、第六十八条の三、第七十二条、第七十三条（同法第五十七条第二項に関する部分に限る。）、第七十五条第二項、第七十六条（同法第六十二条第一項から第七項まで、第九項ただし書及び第十項に関する部分に限る。）、第七十七条第二項、第八十一条、第八十四条後段、第八十六条から第百六条まで、第百八条、第十一章、第十二章、第百二十九条から第百三十四条まで、第百三十六条の二第二項、第百三十九条ただし書、第百四十一条から第百四十七条の二まで、第百四十八条第二項及び第三項、第百四十八条の二から第百五十一条の二まで、第百五十一条の五、第百五十二条、第百六十一条から第百六十四条の五まで、第百六十四条の七、第百六十五条の二、第百六十六条ただし書、第百六十七条から第百七十二条の二まで、第百七十五条第一項ただし書及び第三項から第十項まで、第百七十六条から第百七十八条の三まで、第百七十九条第一項及び第三項、第百七十九条の二から第百九十七条まで、第百九十七条の二第二項から第五項まで、第十四章の二、第十四章の三、第二百四条、第二百五条第二項から第五項まで、第二百八条、第二百九条の二から第二百十一条まで、第二百十四条、第二百十七条、第二百十九条第二項、第二百二十条第二項、第三項後段及び第四項、第二百二十一条第三項、第二百二十二条第三項、第二百二十三条、第二百二十三条の二、第二百二十四条の二、第二百二十四条の三、第二百三十四条（同法第二百二十一条第三項、第二百二十二条第三項及び第二百二十三条に関する部分に限る。）、第二百三十五条、第二百三十五条の二第一号（同法第二百一条の十五に関する部分に限る。）、第二号及び第三号、第二百三十五条の三、第二百三十五条の四第二号、第二百三十五条の六、第二百三十六条第一項及び第二項、第二百三十六条の二、第二百三十八条の二、第二百三十九条第一項第二号及び第二項、第二百三十九条の二第一項、第二百四十条、第二百四十一条第一号、第二百四十二条、第二百四十三条第一項第二号から第九号まで及び第二項、第二百四十四条第一項第二号から第五号の二まで、第七号及び第八号並びに第二項、第二百四十五条から第二百四十七条まで、第二百四十九条の二から第二百四十九条の五まで、第二百五十条（同法第二百四十八条及び第二百四十九条に関する部分を除く。）、第二百五十一条から第二百五十二条の三まで、第二百五十三条の二から第二百五十四条の二まで、第二百五十五条第四項から第六項まで、第二百五十五条の二から第二百六十三条まで、第二百六十四条第二項から第四項まで、第二百六十六条から第二百六十八条まで、第二百六十九条後段、第二百六十九条の二、第二百七十条第一項ただし書、第二百七十一条から第二百七十一条の五まで並びに第二百七十五条の規定は、準用しない。

（公職選挙法を準用する場合の読替え）

第六条　法第七条第六項の規定により同条第一項の規定による投票に公職選挙法中普通地方公共団体の選挙に関する規定を準用する場合には、次の表の上欄に掲げる同法の規定中同表の中欄に掲げる字句は、それぞれ同表の下欄に掲げる字句に読み替えるものとする。

第五条	選挙に関する事務	大都市地域における特別区の設置に関する法律（平成二十四年法律第八十号）第七条第一項の規定による同法第二条第三項に規定する特別区の設置（以下「特別区の設置」という。）についての投票（以下「特別区の設置についての投票」という。）に関する事務
第六条第一項	衆議院（比例代表選出）議員又は参議院（比例代表選出）議員の選挙については中央選挙管理会が管理し、衆議院（小選挙区選出）議員、参議院（選挙区選出）議員、都道府県の議会の議員又は都道府県知事の選挙については都道府県の選挙管理委員会が管理し、市町村の議会の議員又は市町村長の選挙については市町村	市町村
	選挙が	特別区の設置についての投票が
	選挙に際しては	特別区の設置についての投票に際しては
	選挙違反	投票違反
	選挙に関し	特別区の設置についての投票に関し
第十二条第三項	都道府県知事及び市町村長	特別区の設置についての投票
	、選挙する	行う
第四十六条第一項	衆議院（比例代表選出）議員又は参議院（比例代表選出）議員の選挙以外の選挙の	特別区の設置についての投票における
	当該選挙の公職の候補者一人の氏名	賛否
第四十六条の二第一項	地方公共団体の議会の議員又は長の選挙の	特別区の設置についての投票における
	条例で	選挙管理委員会が
	投票用紙に氏名が印刷された公職の候補者のうちその投票しようとするもの一人に対して、投票用紙の記号を記載する欄	特別区の設置に賛成するときは投票用紙の賛成の記載欄に○の記号を、これに反対するときは投票用紙の反対の記載欄
第四十六条の二第二項	第四十八条第一項	大都市地域における特別区の設置に関する法律第七条第六項において準用する第四十八条第一項
	当該選挙の公職の候補者の氏名	賛否
	公職の候補者（公職の候補者たる参議院名簿登載者を含む。）一人の氏名	が指示する賛否

	公職の候補者一人に対して	の指示に従い賛成の記載欄又は反対の記載欄に
	第六十八条第一項第一号	同法第七条第六項において準用する第六十八条第一項第一号
	「公職の候補者の氏名」	「賛否をともに」
	公職の候補者に対して〇の記号	賛成の記載欄及び反対の記載欄のいずれにも〇の記号を
	公職の候補者の氏名のほか、他事を記載したもの。ただし、職業、身分、住所又は敬称の類を記入したものは、この限りでない。	賛否のほか、他事を記載したもの
	公職の候補者の氏名を自書しないもの	賛否を自書しないもの
	公職の候補者の何人	賛否
	公職の候補者のいずれに対して〇の記号	賛成の記載欄又は反対の記載欄のいずれに対して〇の記号を記載したか
第四十八条第一項	当該選挙の公職の候補者の氏名（衆議院比例代表選出議員の選挙の投票にあっては衆議院名簿届出政党等の名称及び略称、参議院比例代表選出議員の選挙の投票にあっては公職の候補者たる参議院名簿登載者の氏名又は参議院名簿届出政党等の名称及び略称）	賛否
第四十八条第二項	公職の候補者（公職の候補者たる参議院名簿登載者を含む。）一人の氏名、一の衆議院名簿届出政党等の名称若しくは略称又は一の参議院名簿届出政党等の名称若しくは略称	賛否
第五十二条	被選挙人の氏名又は政党その他の政治団体の名称若しくは略称	賛否
第六十二条第九項	第二項の規定による開票立会人が三人に達しないとき又は開票立会人が選挙の期日	開票立会人が特別区の設置についての投票の期日
	選挙の期日以後	当該期日以後
第六十八条第一項第四号	二人以上の公職の候補者の氏名を	賛否をともに
第六十八条第一項第六号及び第七号	公職の候補者の氏名	賛否
第六十八条第一項第八号	公職の候補者の何人を記載したか	賛否
第七十一条	当該選挙にかかる議員又は長の任期間	特別区の設置についての投票の結果が確定するまでの間
第七十六条	第六十二条（第八項を除く。）	大都市地域における特別区の設置に関する法律第七条第六項において準用する第六十二条第九項本文及び第十一項
	選挙会及び選挙分会	選挙会
	達しないとき又は」とあるのは「達しないとき、」と、「選挙の期日	特別区の設置についての投票の期日
	選挙の期日以後	当該期日以後
	選挙の選挙権	特別区の設置についての投票の投票権
第八十条第一項	選挙長（衆議院比例代表選出議員若しくは参議院比例代表選出議員の選挙又は参議院合同選挙区選挙における選挙分会長を除く。）又は選挙分会長	選挙長

	選挙会又は選挙分会	選挙会
	各公職の候補者（公職の候補者たる参議院名簿登載者を含む。第三項において同じ。）、各衆議院名簿届出政党等又は各参議院名簿届出政党等の得票総数（各参議院名簿届出政党等の得票総数にあつては、当該参議院名簿届出政党等に係る各参議院名簿登載者（当該選挙の期日において公職の候補者たる者に限る。）の得票総数を含むものをいう。第三項において同じ。）	賛成又は反対の投票のそれぞれの総数
第八十条第二項	各公職の候補者の得票総数	賛成又は反対の投票のそれぞれの総数
第八十三条第二項	書類（衆議院比例代表選出議員の選挙にあつては第八十一条第一項の規定による報告に関する書類、参議院比例代表選出議員の選挙にあつては同条第四項において準用する同条第一項の規定による報告に関する書類、参議院合同選挙区選挙にあつては同条第五項において準用する同条第一項の規定による報告に関する書類）	書類
	当該選挙に関する事務を管理する選挙管理委員会（衆議院比例代表選出議員又は参議院比例代表選出議員の選挙の選挙会に関するものについては中央選挙管理会、参議院合同選挙区選挙の選挙会に関するものについては当該選挙に関する事務を管理する参議院合同選挙区選挙管理委員会、選挙分会に関するものについては当該都道府県の選挙管理委員会）	市町村の選挙管理委員会
	当該選挙に係る議員又は長の任期間	特別区の設置についての投票の結果が確定するまでの間
第八十三条第三項	当該選挙に関する事務を管理する	市町村の
	当該選挙にかかる議員又は長の任期間	特別区の設置についての投票の結果が確定するまでの間
第百七条	選挙若しくは当選	特別区の設置についての投票又は特別区の設置についての投票における賛否の結果
	若しくは第二百十条第一項の規定による訴訟が提起されなかつたこと、当該訴訟についての訴えを却下し若しくは訴状を却下する裁判が確定したこと若しくは当該訴訟が取り下げられたことにより当選が無効となつたとき又は第二百五十一条の規定により当選が無効となつたときは、当該選挙に関する事務を管理する選挙管理委員会（衆議院比例代表選出議員又は参議院比例代表選出議員の選挙については中央選挙管理会、参議院合同選挙区選挙については当該選挙に関する事務を管理する参議院合同選挙区選挙管理委員会）	は、市町村の選挙管理委員会
第百三十五条、第百三十六条、第百三十六条の二第一項及び第百三十七条から第百三十七条	選挙運動	投票運動

の三まで		
第百三十八条第二項	選挙運動	投票運動
	特定の候補者の氏名若しくは政党その他の政治団体の名称	特別区の設置についての賛否
第百三十八条の三	選挙に関し、公職に就くべき者（衆議院比例代表選出議員の選挙にあつては政党その他の政治団体に係る公職に就くべき者又はその数、参議院比例代表選出議員の選挙にあつては政党その他の政治団体に係る公職に就くべき者又はその数若しくは公職に就くべき順位）	特別区の設置についての投票に関し、特別区の設置についての賛否
第百三十九条及び第百四十条	選挙運動	投票運動
第百四十条の二第一項	、選挙運動	、投票運動
	場合並びに午前八時から午後八時までの間に限り、次条の規定により選挙運動のために使用される自動車又は船舶の上においてする場合	場合
第百四十条の二第二項	選挙運動	投票運動
第百四十八条第一項及び第百五十一条の三	選挙運動	投票運動
	選挙に	特別区の設置についての投票に
	選挙の公正	特別区の設置についての投票の公正
第百六十四条の六及び第百六十六条	選挙運動	投票運動
第百七十五条第一項	各選挙につき、その選挙の当日、衆議院（比例代表選出）議員の選挙にあつては投票所内の投票の記載をする場所に衆議院名簿届出政党等の名称及び略称の掲示並びに投票所内のその他の適当な箇所に衆議院名簿届出政党等の名称及び略称並びに衆議院名簿登載者の氏名及び当選人となるべき順位の掲示を、参議院（比例代表選出）議員の選挙にあつては投票所内の投票の記載をする場所その他適当な箇所に参議院名簿届出政党等の名称及び略称並びに参議院名簿登載者の氏名（第八十六条の三第一項後段の規定により優先的に当選人となるべき候補者としてその氏名及び当選人となるべき順位が参議院名簿に記載されている者である参議院名簿登載者にあつては、氏名及び当選人となるべき順位。次項において同じ。）の掲示を、その他の選挙にあつては公職の候補者の氏名及び党派別（衆議院小選挙区選出議員の選挙にあつては、当該候補者に係る候補者届出政党の名称。以下この条において同じ。）	特別区の設置についての投票の当日、おいて、大都市地域における特別区の設置に関する法律第四条に規定する特別区設置協定書（次項において「特別区設置協定書」という。）を閲覧に供し、及びその要旨
第百七十五条第二項	各選挙（当該市町村の全部又は一部の区域が含まれる区域を区域として行われるものに限る。）につき、当該選挙の期日の公示又は	特別区の設置についての投票の期日の
	選挙の期日の前日	当該期日の前日
	、衆議院（比例代表選	おいて、特別区設置協

	出）議員の選挙にあつては衆議院名簿届出政党等の名称及び略称の掲示を、参議院（比例代表選出）議員の選挙にあつては参議院名簿届出政党等の名称及び略称並びに参議院名簿登載者の氏名の掲示を、その他の選挙にあつては公職の候補者の氏名及び党派別	定書を閲覧に供し、及びその要旨
第百九十七条の二第一項	衆議院（比例代表選出）議員の選挙以外の選挙	特別区の設置についての投票
	選挙運動（衆議院小選挙区選出議員の選挙において候補者届出政党が行うもの及び参議院比例代表選出議員の選挙において参議院名簿届出政党等が行うものを除く。以下この項及び次項において同じ。）	投票運動
	選挙運動の	投票運動の
	当該選挙に関する事務を管理する選挙管理委員会（参議院比例代表選出議員の選挙については中央選挙管理会、参議院合同選挙区選挙については当該選挙に関する事務を管理する参議院合同選挙区選挙管理委員会）	市町村の選挙管理委員会
第二百二条第一項	地方公共団体の議会の議員及び長の選挙	特別区の設置についての投票
	その選挙	その特別区の設置についての投票
	選挙人又は公職の候補者	選挙人
	当該選挙の	当該特別区の設置についての投票の
	当該選挙に関する事務を管理する	市町村の
第二百六条第一項	地方公共団体の議会の議員又は長の選挙	特別区の設置についての投票
	当選	特別区の設置についての投票における賛否の結果
	選挙人又は公職の候補者	選挙人
	第百一条の三第二項又は第百六条第二項の規定による告示の日	大都市地域における特別区の設置に関する法律第七条第五項前段の規定による公表の日
	当該選挙に関する事務を管理する	市町村の
第二百七条第二項	地方公共団体の議会の議員及び長の当選	特別区の設置についての投票における賛否の結果
第二百九条第一項	当選	特別区の設置についての投票における賛否の結果
	その選挙	その特別区の設置についての投票
第二百十六条第一項	、第二十七条	から第二十七条まで
	第四十五条第一項及び第二項	第四十五条
	及び第四十四条	、第二十五条第七項及び第四十四条
	公職選挙法	大都市地域における特別区の設置に関する法律（平成二十四年法律第八十号）第七条第六項において準用する公職選挙法（昭和二十五年法律第百号）
	第三十条第三項	第二十五条第七項中「とき、又は審理員から第四十条に規定する執行停止をすべき旨の

		意見書が提出されたとき」とあるのは「とき」と、同法第三十条第三項
第二百十六条第二項	、第二十七条	から第二十七条まで
	第四十五条第一項及び第二項	第四十五条
	及び第四十四条	、第二十五条第七項及び第四十四条
	当該選挙に関する事務を管理する	市町村の
	公職選挙法	大都市地域における特別区の設置に関する法律（平成二十四年法律第八十号）第七条第六項において準用する公職選挙法（昭和二十五年法律第百号）
	第二十九条第一項中	第二十五条第七項中「とき、又は審理員から第四十条に規定する執行停止をすべき旨の意見書が提出されたとき」とあるのは「とき」と、同法第二十九条第一項中
第二百十九条第一項	、第二十五条から第二十九条まで、第三十一条及び第三十四条	及び第三十四条
	選挙の効力	特別区の設置についての投票の効力
	第二百七条若しくは第二百八条	第二百七条
	選挙における当選	特別区の設置についての投票における賛否の結果
	請求、第二百十条第二項の規定により公職の候補者であつた者の当選の効力を争う数個の請求、第二百十一条の規定により公職の候補者等であつた者の当選の効力若しくは立候補の資格を争う数個の請求	請求
第二百二十一条第一項第一号及び第二号	当選	賛成又は反対の投票
	選挙運動者	投票運動者
第二百二十一条第一項第三号	選挙運動を	投票運動を
	選挙運動者	投票運動者
第二百二十一条第一項第五号	選挙運動者	投票運動者
第二百二十一条第二項	選挙長若しくは選挙分会長	選挙長
	選挙事務	特別区の設置についての投票の事務
	選挙に関し	特別区の設置についての投票に関し
第二百二十二条第一項第一号及び第二号	公職の候補者又は公職の候補者となろうとする者のため多数の	多数の
	選挙運動者	投票運動者
第二百二十四条	前四条	大都市地域における特別区の設置に関する法律第七条第六項において準用する第二百二十一条及び第二百二十二条
第二百二十五条第一号	、公職の候補者、公職の候補者となろうとする者、選挙運動者又は当選人	又は投票運動者
第二百二十五条第三号	、公職の候補者、公職の候補者となろうとする者、選挙運動者若しくは当選人	若しくは投票運動者
	、公職の候補者、公職の候補者となろうとする者、選挙運動者又は	又は投票運動者

	当選人	
第二百二十六条第一項	選挙に関し	特別区の設置についての投票に関し
	選挙長若しくは選挙分会長	選挙長
	公職の候補者若しくは選挙運動者	投票運動者
	選挙事務所	投票運動のための事務所
	選挙の自由	特別区の設置についての投票の自由
第二百二十六条第二項	選挙長若しくは選挙分会長	選挙長
	被選挙人の氏名（衆議院比例代表選出議員の選挙にあつては政党その他の政治団体の名称又は略称、参議院比例代表選出議員の選挙にあつては被選挙人の氏名又は政党その他の政治団体の名称若しくは略称）	賛否
第二百二十七条	選挙長若しくは選挙分会長	選挙長
	選挙事務	特別区の設置についての投票の事務
	被選挙人の氏名（衆議院比例代表選出議員の選挙にあつては政党その他の政治団体の名称又は略称、参議院比例代表選出議員の選挙にあつては被選挙人の氏名又は政党その他の政治団体の名称若しくは略称）	賛否
第二百二十八条第一項	被選挙人の氏名（衆議院比例代表選出議員の選挙にあつては政党その他の政治団体の名称又は略称、参議院比例代表選出議員の選挙にあつては被選挙人の氏名又は政党その他の政治団体の名称若しくは略称）	賛否
第二百三十五条の五	当選	賛成又は反対の投票
第二百三十七条第四項	選挙長若しくは選挙分会長	選挙長
	選挙事務	特別区の設置についての投票の事務
第二百三十七条の二第一項	公職の候補者（公職の候補者たる参議院名簿登載者を含む。）の氏名若しくは衆議院名簿届出政党等若しくは参議院名簿届出政党等の名称若しくは略称又は公職の候補者に対して	賛否又は
	指示する	指示に従い
第二百三十七条の二第二項	公職の候補者（公職の候補者たる参議院名簿登載者を含む。）の氏名又は衆議院名簿届出政党等若しくは参議院名簿届出政党等の名称若しくは略称	賛否
第二百三十九条第一項第一号	第百二十九条、第百三十七条	第百三十七条
	選挙運動	投票運動
第二百三十九条の二第二項	第百三十六条の二	第百三十六条の二第一項
	選挙運動又は行為	投票運動
第二百四十一条第二号	選挙運動	投票運動
第二百五十五条第一項	公職の候補者（公職の候補者たる参議院名簿登載者を含む。以下この条及び次条において同じ。）一人の氏名、	賛否

	一の衆議院名簿届出政党等の名称若しくは略称又は一の参議院名簿届出政党等の名称若しくは略称	
	公職の候補者の氏名、衆議院名簿届出政党等の名称若しくは略称又は参議院名簿届出政党等の名称若しくは略称	賛否
第二百五十五条第三項	公職の候補者一人の氏名、一の衆議院名簿届出政党等の名称若しくは略称又は一の参議院名簿届出政党等の名称若しくは略称	賛否
	公職の候補者の氏名、衆議院名簿届出政党等の名称若しくは略称又は参議院名簿届出政党等の名称若しくは略称	賛否
第二百六十四条第一項	地方公共団体の議会の議員又は長の選挙	特別区の設置についての投票
	当該地方公共団体	市町村
第二百六十九条	衆議院議員、参議院議員、都道府県の議会の議員及び長の選挙並びに指定都市の議会の議員及び長の選挙	指定都市における特別区の設置についての投票

（開票立会人等の選任）

第七条　法第七条第一項の規定による投票については、関係市町村の選挙管理委員会（地方自治法（昭和二十二年法律第六十七号）第二百五十二条の十九第一項の指定都市にあっては、区又は総合区の選挙管理委員会）は、開票区ごとに、当該開票区の区域の全部又は一部をその区域に含む市町村の選挙人名簿に登録された者で同一の政党その他の政治団体に属さないものの中から、本人の承諾を得て、開票区ごとに三人以上五人以下の開票立会人を選任し、開票管理者に通知しなければならない。

2　前項の規定は、選挙立会人について準用する。この場合において、同項中「開票区ごとに、当該開票区の区域の全部又は一部をその区域に含む市町村の選挙人名簿に登録された者」とあるのは「当該関係市町村の議会の議員及び長の選挙権を有する者」と、「開票区ごとに三人」とあるのは「三人」と、「開票管理者」とあるのは「選挙長」と読み替えるものとする。

（公職選挙法施行令の準用）

第八条　公職選挙法施行令（昭和二十五年政令第八十九号）第二十二条の二、第二十四条第一項及び第二項、第二十五条から第二十六条の三まで、第二十六条の四（市町村の議会の議員及び長の選挙に関する部分に限る。）、第二十六条の五から第二十八条まで、第三十一条から第三十四条まで、第三十五条第一項（市町村の議会の議員及び長の選挙に関する部分に限る。）及び第二項、第三十六条、第三十七条、第三十九条から第四十四条まで、第四十四条の二（在外選挙人名簿に関する部分を除く。）、第四十五条、第四十六条第一項及び第四十八条第一項（これらの規定中市町村の議会の議員及び長の選挙に関する部分に限る。）、第四章の二（第四十八条の三（同条の表第四十九条の五第二項の項、第九十三条第一項の項及び第百四条の項に係る部分に限る。）を除く。）、第四十九条の三、第四章の四、第五十条（第五項及び第七項を除く。）、第五十一条、第五十二条、第五十三条第一項（市町村の議会の議員及び長の選挙に関する部分に限る。）及び第二項から第四項まで、第五十四条、第五十五条（第六項及び第七項に係る部分を除く。）、第五十六条から第五十八条まで、第五十九条の二、第五十九条の三の二第一項、第五十九条の四第一項及び第二項、同条第四項（市町村の議会の議員及び長の選挙に関する部分に限る。）、第五十九条の五から第五十九条の五の三まで、第五十九条の五の四第一項、第二項、第四項及び第五項、同条第六項及び第七項（これらの規定中市町村の議会の議員及び長の選挙に関する部分に限る。）並びに第八項から第十五項まで、第六十条、第六十一条第一項（在外選挙人名簿に関する部分を除く。）、第二項及び第三項、同条第五項（同条第四項に関する部分を除く。）、第六十二条第一項、第六十三条第一項及び第二項、同条第三項（公職選挙法第四十九条第七項から第九項までの規定による投票に関する部分を除く。）及び第四項、第六十四条、第六十五条、第六十七条第一項及び第二項、第六十八条、第七十条の二第一項、第七十一条から第七十三条まで、第七十四条から第七十六条まで（これらの規定中市町村の議会の議員及び長の選挙に関する部分に限る。）、第七十七条第一項、第七十八条第一項（市町村の議会の議員及び長の選挙に関する部分に限る。）、第八十条及び第八十一条（これらの規定中市町村の議会の議員及び長の選挙に関する部分に限る。）、第八十三条の二から第八十四条まで、第八十五条（市町村の議会の議員及び長の選挙に関する部分に限る。）、第八十六条第一項、第八十七条第一項（市町村の議会の議員及び長の選挙に関する部分に限る。）、第百二十五条の四、第百二十九条第一項、第百二十九条の八、第百三十一条（第一項後段を除く。）、第百四十一条の二第一項、第百四十一条の三、第百四十二条第一項（同法第四十九条第七項から第九項までの規定による投票に関する部分を除く。）及び第二項、第百四十二条の二（第一項第七号に係る部分を除く。）、第百四十二条の三、第百四十五条並びに別表第一の規定は、法第七条第一項の規定による投票について準用する。この場合において、次の表の上欄に掲げる同令の規定中同表の中欄に掲げる字句は、それぞれ同表の下欄に掲げる字句に読み替えるものとする。

第二十二条の二	その抄本を用いて選挙された衆議院議員、参	大都市地域における特別区の設置に関する法

	議院議員又は地方公共団体の議会の議員若しくは長の任期間	律（平成二十四年法律第八十号）第七条第一項の規定による同法第二条第三項に規定する特別区の設置についての投票（以下「特別区の設置についての投票」という。）の結果が確定するまでの間
第四十一条第四項	公職の候補者（公職の候補者たる参議院名簿登載者を含む。）の氏名若しくは衆議院名簿届出政党等若しくは参議院名簿届出政党等の名称若しくは略称又は公職の候補者に対して	賛否又は
第四十五条	書類（当該選挙	書類（特別区の設置についての投票
	当該選挙に係る衆議院議員、参議院議員又は地方公共団体の議会の議員若しくは長の任期間（当該選挙に用いなかつた投票用紙にあつては、次の各号に掲げる選挙の区分に応じ、当該各号に定める期間）	特別区の設置についての投票の結果が確定するまでの間
第五十六条第一項	選挙の期日の公示又は	特別区の設置についての投票の期日の
	選挙の期日の前日	当該期日の前日
	当該選挙の公職の候補者一人の氏名（衆議院比例代表選出議員の選挙にあつては一の衆議院名簿届出政党等の法第八十六条の二第一項の規定による届出に係る名称又は略称、参議院比例代表選出議員の選挙にあつては公職の候補者たる参議院名簿登載者一人の氏名又は一の参議院名簿届出政党等の法第八十六条の三第一項の規定による届出に係る名称若しくは略称。次項及び第四項において同じ。）	賛否
第五十六条第二項	当該選挙の公職の候補者一人の氏名	賛否
第五十六条第四項	公職の候補者一人の氏名	賛否
第五十六条第五項	公職の候補者の氏名（衆議院比例代表選出議員の選挙にあつては衆議院名簿届出政党等の法第八十六条の二第一項の規定による届出に係る名称又は略称、参議院比例代表選出議員の選挙にあつては公職の候補者たる参議院名簿登載者の氏名又は参議院名簿届出政党等の法第八十六条の三第一項の規定による届出に係る名称若しくは略称）	賛否
第五十九条の五	選挙の期日の公示又は	特別区の設置についての投票の期日の
	当該選挙の公職の候補者一人の氏名（衆議院比例代表選出議員の選挙にあつては一の衆議院名簿届出政党等の法第八十六条の二第一項の規定による届出に係る名称又は略称、参議院比例代表選出議員の選挙にあつては公職の候補者たる参議院名簿登載者一人の氏名又は一の参議院名簿届出政党等の法第八十六条の三第一項の規定による届出に係る名称若しくは略称。次条において同じ。）	賛否
第五十九条の五の二	公職の候補者一人の氏名	賛否

第六十八条	市町村又は都道府県	市町村
	第六十六条若しくは前条第一項若しくは第三項	前条第一項
第七十条の二第一項	法第六十二条第二項若しくは第四項の規定により開票立会人が定まつた場合又は同条第八項若しくは第九項	大都市地域における特別区の設置に関する法律第七条第六項において準用する法第六十二条第九項本文又は大都市地域における特別区の設置に関する法律施行令第七条第一項
	並びに公職の候補者の届出に係る者については当該公職の候補者の氏名及び当該公職の候補者の属する政党その他の政治団体の名称、候補者届出政党の届出に係る者については当該候補者届出政党の名称、衆議院名簿届出政党等の届出に係る者については当該衆議院名簿届出政党等の名称及び略称、参議院名簿届出政党等の届出に係る者については当該参議院名簿届出政党等の名称及び略称、市町村の選挙管理委員会の選任に係る者については	並びに
第七十二条	同一の公職の候補者（公職の候補者たる参議院名簿登載者を含む。）、同一の衆議院名簿届出政党等又は同一の参議院名簿届出政党等の得票数（参議院名簿届出政党等の得票数にあつては、当該参議院名簿届出政党等に係る各参議院名簿登載者（当該選挙の期日において公職の候補者たる者に限る。）の得票数を含むものをいう。）	賛成又は反対のそれぞれの投票数
第七十三条	各公職の候補者（公職の候補者たる参議院名簿登載者を含む。）、各衆議院名簿届出政党等又は各参議院名簿届出政党等の得票数（各参議院名簿届出政党等の得票数にあつては、当該参議院名簿届出政党等に係る各参議院名簿登載者（当該選挙の期日において公職の候補者たる者に限る。）の得票数を含むものをいう。）	賛成又は反対のそれぞれの投票数
第七十七条第一項	当該選挙に係る衆議院議員、参議院議員又は地方公共団体の議会の議員若しくは長の任期間	特別区の設置についての投票の結果が確定するまでの間
第八十四条	選挙長又は選挙分会長	選挙長
	法第八十条又は第八十一条第二項若しくは第三項（同条第二項及び第三項の規定を同条第四項において準用する場合を含む。）	大都市地域における特別区の設置に関する法律第七条第六項において準用する法第八十条
	各公職の候補者（公職の候補者たる参議院名簿登載者を含む。）、各衆議院名簿届出政党等又は各参議院名簿届出政党等の得票総数（各参議院名簿届出政党等の得票総数にあつては、当該参議院名簿届出政党等に係る各参議院名簿登載者（当該選挙の期日において公職の候補者たる者に限る。）の得票総数を含むものをいう。）	賛成又は反対のそれぞれの投票総数
	選挙会場又は選挙分会場	選挙会場
第八十六条第一項	当該選挙に関する事務を管理する選挙管理委員会	市町村の選挙管理委員会

	員会（衆議院比例代表選出議員又は参議院比例代表選出議員の選挙については中央選挙管理会、参議院合同選挙区選挙については当該選挙に関する事務を管理する参議院合同選挙区選挙管理委員会）	
	当該選挙に係る衆議院議員、参議院議員又は地方公共団体の議会の議員若しくは長の任期間	特別区の設置についての投票の結果が確定するまでの間
第百二十九条第一項各号	選挙運動	投票運動
第百二十九条の八第二項	「公職選挙法	「大都市地域における特別区の設置に関する法律（平成二十四年法律第八十号）第七条第六項において準用する公職選挙法
	当該選挙に関する事務を管理する	市町村の
	（公職選挙法	（大都市地域における特別区の設置に関する法律第七条第六項において準用する公職選挙法

（再投票）

第九条　法第七条第一項の規定による投票が同条第六項において準用する公職選挙法第二百二条、第二百三条、第二百六条又は第二百七条の規定による異議の申出、審査の申立て又は訴訟の結果その全部又は一部が無効となった場合においては、関係市町村の選挙管理委員会は、当該異議の申出若しくは審査の申立てに対する決定若しくは裁決が確定した日又は当該訴訟につき同法第二百二十条第一項後段の規定による通知を受けた日から四十日以内に再投票に付さなければならない。

2　前項の再投票の期日は、少なくともその二十日前に告示しなければならない。

3　第一項の再投票については、前項に定めるもののほか、法第七条第六項において準用する公職選挙法中普通地方公共団体の選挙に関する規定及び第四条から前条までの規定並びに公職選挙法第七十二条、第八十条第三項及び第二百七十一条の二並びに公職選挙法施行令第百三十条（市町村の議会の議員及び長の選挙に関する部分に限る。）、第百三十一条第一項前段、同条第二項（在外選挙人名簿に関する部分を除く。）及び第三項並びに第百三十二条の十（市町村の議会の議員及び長の選挙に関する部分に限る。）の規定を準用する。この場合において、同法第八十条第三項中「選挙長又は選挙分会長」とあるのは「選挙長」と、「各公職の候補者、各衆議院名簿届出政党等又は各参議院名簿届出政党等の得票総数」とあるのは「賛成又は反対のそれぞれの投票総数」と読み替えるものとする。

第百三十一条第一項	選挙の一部が無効となったことにより法第百九条又は第百十条の規定により再選挙が行われるべき	一部の区域について大都市地域における特別区の設置に関する法律第七条第六項において準用する法第五十七条の規定による投票が行われる
	当該再選挙	当該投票
第百三十一条第二項	再選挙	投票
	選挙人名簿又は第二十三条の十六において準用する第十九条第一項若しくは第二項の規定による移送若しくは引継ぎを受けた在外選挙人名簿	選挙人名簿
	関係部分又は在外選挙人名簿若しくはその中の関係部分	関係部分
第百三十一条第三項	再選挙	投票
第百四十五条	選挙人名簿、在外選挙人名簿、投票録、開票録、選挙録、当選証書	投票録、開票録、選挙録

（特別区設置協定書についての議会の承認があった旨の通知）

第十条　関係道府県の知事は、当該関係道府県の議会が特別区設置協定書を承認し、かつ、全ての関係市町村の長から法第六条第二項の規定による通知を受けたときは、直ちに、その旨を選挙管理委員会に通知しなければならない。

（関係市町村の議会の議員の意見を掲載した公報の発行手続等）

第十一条　公職選挙法第百六十八条第一項、第百六十九条第三項、第六項及び第七項、第百七十条第一項本文及び第二項、第百七十一条、第百七十二条並びに第二百六十四条第三項の規定は、法第七条第三項の規定により配布する公報について準用する。この場合において、次の表の上欄に掲げる公職選挙法の規定中同表の中欄に掲げる字句は、それぞれ同表の下欄に掲げる字句に読み替えるものとする。

条項	読み替えられる字句	読み替える字句
第百六十八条第一項	衆議院（小選挙区選出）議員、参議院（選挙区選出）議員又は都道府県知事の選挙において公職の候補者が選挙公報に氏名、経歴、政見等	大都市地域における特別区の設置に関する法律（平成二十四年法律第八十号）第七条第三項の規定により市町村の議会の議員が同項の規定により配布する公報（以下単に「公報」という。）に意見
	その掲載文（衆議院小選挙区選出議員又は参議院選挙区選出議員の選挙にあつては、その掲載文及び写真。次条第一項において同じ。）	その掲載文
	当該選挙の期日の公示又は告示があつた日から二日間（衆議院小選挙区選出議員の選挙にあつては、当該選挙の期日の公示又は告示があつた日）	大都市地域における特別区の設置に関する法律施行令第三条第五項の規定による告示（同令第九条第一項の規定による再投票（投票の一部無効による再投票を除く。）にあつては、同条第二項の規定による告示）があつた日から二日間
	選挙に関する事務を管理する選挙管理委員会（参議院合同選挙区選挙については、当該選挙に関する事務を管理する参議院合同選挙区選挙管理委員会）	市町村の選挙管理委員会
	申請しなければ	申出をしなければ
第百六十九条第三項	都道府県	市町村
	申請又は前二項の掲載文の写しの送付	申出
	掲載文又はその写し	掲載文
	選挙公報	公報
	衆議院（比例代表選出）議員の選挙にあつては当該選挙区における当該衆議院名簿届出政党等の衆議院名簿登載者の数、参議院（比例代表選出）議員の選挙にあつては参議院名簿登載者	二人以上の当該市町村の議会の議員が共同で表明する意見については、当該意見を共同で表明する議員
	総務省令で	当該市町村の選挙管理委員会が
第百六十九条第六項	衆議院（小選挙区選出）議員、参議院（選挙区選出）議員若しくは都道府県知事の選挙について一の用紙に二人以上の公職の候補者の氏名、経歴、政見、写真等を掲載する場合、衆議院（比例代表選出）議員の選挙について一の用紙に二以上の衆議院名簿届出政党等の名称及び略称、政見、衆議院名簿登載者の氏名、経歴及び当選人となるべき順位等を掲載する場合又は参議院（比例代表選出）議員の選挙について一の用紙に二以上の参議院名簿届出政党等の名称及び略称、政見、参議院名簿登載者の氏名、経歴及び写真等	一の用紙に二以上の意見
	、都道府県	、市町村
第百六十九条第七項	前条第一項の申請	前条第一項の申出
	公職の候補者若しくはその代理人又は同条第二項若しくは第三項の申請をした衆議院名簿届出政党等若しくは参議院名簿届出政党等の代表者若しくは	市町村の議会の議員又は
第百七十条第一項	選挙公報	公報
	都道府県	市町村
	市町村の選挙管理委員会	当該市町村の選挙管理委員会（地方自治法第

		二百五十二条の十九第一項の指定都市にあっては、当該指定都市の区又は総合区の選挙管理委員会。次項において同じ。）
	当該選挙	大都市地域における特別区の設置に関する法律第七条第一項の投票（大都市地域における特別区の設置に関する法律施行令第九条第一項の規定による再投票（投票の一部無効による再投票を除く。）を行う場合にあっては、当該再投票）
	選挙の	投票の
第百七十条第二項	選挙公報	公報
	あるときは、あらかじめ、都道府県の選挙管理委員会に届け出て	あるときは
第百七十二条	選挙公報	公報
	当該選挙に関する事務を管理する選挙管理委員会（衆議院比例代表選出議員又は参議院比例代表選出議員の選挙については中央選挙管理会、参議院合同選挙区選挙については当該選挙に関する事務を管理する参議院合同選挙区選挙管理委員会）	市町村の選挙管理委員会
第二百六十四条第三項	第百四十一条第八項の規定による選挙運動用自動車の使用に要する費用、第百四十二条第十一項の規定によるビラの作成に要する費用、第百四十三条第十五項の規定によるポスターの作成に要する費用、第百四十四条の二第八項及び第百四十四条の四の規定による掲示場の設置に要する費用並びに第百七十二条の二の規定による選挙公報	公報
	当該地方公共団体	市町村

（特別区を包括する道府県における特別区の設置についての投票への準用）

第十二条 前各条（第三条第一項から第四項までを除く。）の規定は、法第十三条第一項の規定による投票について準用する。この場合において、第一条中「関係市町村」とあるのは「特定市町村（法第十三条第一項において読み替えて準用する法第四条第一項に規定する特定市町村をいう。以下同じ。）」と、第二条中「関係市町村」とあるのは「特定市町村」と、第六条の表中「第七条第一項の規定による同法第二条第三項に規定する特別区の設置（以下「特別区の設置」という。）についての投票」とあるのは「第十三条第一項において準用する同法第七条第一項の規定による投票」と、「第七条第六項」とあるのは「第十三条第一項において準用する同法第七条第六項」と、「第七条第五項前段」とあるのは「第十三条第一項において準用する同法第七条第五項前段」と、第七条中「関係市町村」とあるのは「特定市町村」と、第八条の表中「第七条第一項の規定による同法第二条第三項に規定する特別区の設置についての投票」とあるのは「第十三条第一項において準用する同法第七条第一項の規定による投票」と、「第七条第六項」とあるのは「第十三条第一項において準用する同法第七条第六項」と、「大都市地域における特別区の設置に関する法律施行令第七条第一項」とあるのは「大都市地域における特別区の設置に関する法律施行令第十二条において準用する同令第七条第一項」と、第九条第一項中「関係市町村」とあるのは「特定市町村」と、第十条中「関係道府県の知事」とあるのは「特定道府県（法第十三条第一項において読み替えて準用する法第四条第一項に規定する特定道府県をいう。）の知事」と、「当該関係道府県」とあるのは「当該特定道府県」と、「全ての関係市町村」とあるのは「特定市町村」と、前条の表中「第七条第三項」とあるのは「第十三条第一項において準用する同法第七条第三項」と、「第三条第五項」とあるのは「第十二条において準用する同令第三条第五項」と、「第九条第一項」とあるのは「第十二条において準用する同令第九条第一項」と、「第七条第一項」とあるのは「第十三条第一項において準用する同法第七条第一項」と読み替えるものとする。

第二章 特別区の設置があった場合における特例

（職務執行者の選任）

第十三条 法第二条第三項に規定する特別区の設置（第二十五条を除き、以下「特別区の設置」という。）があった場合においては、従来当該特別区の地域の属していた関係市町村（以下「旧所属市町村」という。）の長であった者（地方自治法第百五十二条又は第二百五十二条の十七の八第一項の規定により旧所属市町村の長の職務を代理し又は行う者であった者を含む。以下「旧所属市町村の長であった者」という。）が、当該特別区の区長が選挙されるまでの間、その職務を行う。

2 前項の場合において旧所属市町村が二以上あるときは、旧所属市町村の長であった者のうちからその協議により定めた者が当該特別区の区長の職務を行う。

3 前項の場合において協議が調わないときは、関係道府県の知事は、旧所属市町村の長であった者のうちから当該特別区の区長の職務を行うべき者を定めなければならない。

（暫定予算の調製等）

第十四条 特別区の設置があった場合においては、前条の規定により当該特別区の区長の職務を行う者（以下「職務執行者」という。）は、予算が議会の議決を経て成立するまでの間、必要な収支につき暫定予算を調製し、執行するものとする。

（条例等に関する暫定措置）

第十五条 特別区の設置があった場合においては、職務執行者は、必要な事項につき条例又は規則が制定施行されるまでの間、従来その地域に施行された条例又は規則を当該特別区の条例又は規則として当該地域に引き続き施行することができる。

（選挙管理委員の選任）

第十六条 特別区の設置があった場合においては、当該特別区の選挙管理委員は、議会において選挙されるまでの間、旧所属市町村の選挙管理委員であった者をもって充てるものとする。

2 前項の場合において旧所属市町村が二以上あるときは、旧所属市町村の選挙管理委員であった者の互選により定めた者をもってこれに充てるものとする。

3 前二項の場合において、旧所属市町村の選挙管理委員であった者の数が当該特別区の選挙管理委員の定数に満たないときは、職務執行者において、旧所属市町村の選挙管理委員の補充員であった者（補充員であった者がないときは、当該特別区の議会の議員及び長の選挙権を有する者）のうちから選任した者をもってその不足する数の選挙管理委員に充てるものとする。

4 第二項の規定による互選を行うべき場所及び日時は、職務執行者において、あらかじめ関係人に通知しなければならない。

（特別区の議会の議員の選挙区及び定数に関する特例）

第十七条 特別区設置協議会は、特別区設置協定書に、法第五条第一項第八号に掲げる事項として、特別区の議会の議員の選挙区及び各選挙区において選挙すべき議員の定数を定めることができる。

2 関係市町村は、前項の規定により特別区設置協定書に特別区の議会の議員の選挙区及び各選挙区において選挙すべき議員の定数が定められた場合において、法第九条第二項の規定による告示があったときは、直ちにこれらを告示しなければならない。

3 前項の規定により告示された特別区の議会の議員の選挙区及び各選挙区において選挙すべき議員の定数は、当該特別区の条例により設けられ、及び定められたものとみなす。

（財産処分）

第十八条 特別区の設置があった場合において必要となる関係市町村及び関係道府県の財産処分については、特別区設置協定書の定めるところによる。

（事務の承継）

第十九条 特別区の設置があった場合においては、従来その地域において旧所属市町村が処理していた事務は、法律若しくはこれに基づく政令又は特別区設置協定書の定めるところにより当該特別区又はこれを包括する道府県が承継し、従来その地域において関係道府県が処理していた事務の一部は、法律若しくはこれに基づく政令又は特別区設置協定書の定めるところにより当該特別区が承継する。

（決算の処理）

第二十条 前条の場合において、旧所属市町村の収支は、その廃止の日をもって打ち切り、旧所属市町村の長であった者が決算する。

2 前項の規定による決算は、前条の規定により事務を承継した特別区の区長又は同条の規定により事務を承継した道府県の知事において監査委員の審査に付し、その意見を付けて議会の認定に付さなければならない。

3 前項の規定による意見の決定は、監査委員の合議によるものとする。

4 第二項の特別区の区長又は道府県の知事は、同項の規定により議会の認定に付した決算の要領を住民に公表しなければならない。

5 二項の特別区の区長又は道府県の知事は、同項の規定による決算の認定に関する議案が否決された場合において、当該議決を踏まえて必要と認める措置を講じたときは、速やかに、当該措置の内容を議会に報告するとともに、これを公表しなければならない。

（事務の引継ぎ）

第二十一条 特別区の設置があった場合において、旧所属市町村の長であった者及び関係道府県の知事は、当該特別区の設置の日から二十日以内に、その担任する事務を、第十九条の規定により当該事務を承継した特別区の区長若しくは職務執行者又は同条の規定により事務を承継した道府県の知事に引き継がなければならない。

2 前項の場合において、特別の事情によりその担任する事務を特別区の区長若しくは職務執行者又は当該特別区を包括する道府県の知事に引き継ぐことができないときは、これを地方自治法第百五十二条の規定により当該特別区の区長若しくは職務執行者又は当該道府県の知事の職務を代理すべき職員（以下この項において「職務を代理すべき職員」という。）に引き継がなければならない。この場合においては、当該事務を引き継いだ職務を代理すべき職員は、当該特別区の区長若しくは職務執行者又は当該道府県の知事に当該事務を引き継ぐことができるようになったときは、直ちにこれを当該特別区の区長若しくは職務執行者又は当該道府県の知事に引き継がなければならない。

3 前二項の規定により旧所属市町村の長であった者及び関係道府県の知事の担任する事務の引継ぎを受けた職務執行者は、当該特別区の区長が選挙されたときは、直ちにこれを当該特別区の区長に引き継がなければならない。

第二十二条 前条第一項及び第二項の規定による事務の引継ぎの場合においては、旧所属市町村の長であった者又は関係道府県の知事は、書類、帳簿及び財産目録を調製し、処分未了若しくは未着手の事項又は将来企画すべき事項については、その処理の順序及び方法並びにこれに対する意見を記載しなければならない。

２　前項の規定により調製すべき書類、帳簿及び財産の目録は、現に調製してある目録又は台帳により引継ぎをする時の現況を確認することができる場合においては、その目録又は台帳をもって代えることができる。

（特別区が新たに設置された場合の人口の告示）

第二十三条　地方自治法施行令（昭和二十二年政令第十六号）第百七十六条第一項（第二号を除く。）及び第百七十七条第一項（第三号及び第四号を除く。）の規定は、特別区の設置があった場合について準用する。

（地方教育行政の組織及び運営に関する法律施行令の特例）

第二十四条　特別区の設置があった場合における地方教育行政の組織及び運営に関する法律施行令（昭和三十一年政令第二百二十一号）第十九条第一項及び第二十一条第一項の規定の適用については、同令第十九条第一項中「地方自治法施行令第一条の二」とあるのは「大都市地域における特別区の設置に関する法律施行令（平成二十五年政令第四十二号）第十三条」と、同令第二十一条第一項中「市町村に係るものを、二十日以内に当該市町村の教育委員会に」とあるのは「特別区に係るものについては当該特別区の教育委員会に、当該特別区を包括する道府県に係るものについては当該道府県の教育委員会に、二十日以内に」とする。

（特別区を包括する道府県における特別区の設置への準用）

第二十五条　第十三条第一項、第十四条、第十五条、第十六条第一項及び第三項並びに第十七条から前条までの規定は、法第十三条第一項の規定による特別区を包括する道府県の区域内における当該特別区に隣接する一の市町村の区域の全部による二以上の特別区の設置について準用する。この場合において、第十三条第一項中「関係市町村」とあるのは「特定市町村（法第十三条第一項において読み替えて準用する法第四条第一項に規定する特定市町村をいう。以下同じ。）」と、第十七条第二項中「関係市町村」とあるのは「特定市町村」と、第十八条中「関係市町村及び関係道府県」とあるのは「特定市町村及び特定道府県（法第十三条第一項において読み替えて準用する法第四条第一項に規定する特定道府県をいう。以下同じ。）」と、第十九条、第二十一条第一項及び第三項並びに第二十二条第一項中「関係道府県」とあるのは「特定道府県」と、第二十三条中「第三号」とあるのは「第一号、第三号」と読み替えるものとする。

２　第十三条第一項、第十四条、第十五条、第十六条第一項及び第三項並びに第十七条から前条までの規定は、法第十三条第二項の規定による特別区を包括する道府県の区域内における当該特別区に隣接する一の市町村の区域の全部による一の特別区の設置について準用する。この場合において、第十三条第一項中「関係市町村」とあるのは「特定市町村（法第十三条第二項において読み替えて準用する法第四条第一項に規定する特定市町村をいう。以下同じ。）」と、第十七条第二項中「関係市町村」とあるのは「特定市町村」と、第十八条中「関係市町村及び関係道府県」とあるのは「特定市町村及び特定道府県（法第十三条第二項において読み替えて準用する法第四条第一項に規定する特定道府県をいう。以下同じ。）」と、第十九条、第二十一条第一項及び第三項並びに第二十二条第一項中「関係道府県」とあるのは「特定道府県」と、第二十三条中「第三号」とあるのは「第一号、第三号」と読み替えるものとする。

附　則

この政令は、法（第四条から第六条までの規定を除く。）の施行の日（平成二十五年三月一日）から施行する。

附　則（平二七・一一・二六政令三九二）（抄）

（施行期日）

第一条　この政令は、行政不服審査法の施行の日（平成二十八年四月一日）から施行する。

（経過措置の原則）

第二条　行政庁の処分その他の行為又は不作為についての不服申立てであってこの政令の施行前にされた行政庁の処分その他の行為又はこの政令の施行前にされた申請に係る行政庁の不作為に係るものについては、この附則に特別の定めがある場合を除き、なお従前の例による。

（大都市地域における特別区の設置に関する法律施行令の一部改正に伴う経過措置）

第六条　第十七条の規定による改正後の大都市地域における特別区の設置に関する法律施行令第六条及び第八条の規定は、施行日以後にその期日を告示される大都市地域における特別区の設置に関する法律（平成二十四年法律第八十号）第七条第一項の規定による投票（以下この条において「特別区の設置についての投票」という。）に係る不服申立てについて適用し、施行日前にその期日を告示された特別区の設置についての投票に係る不服申立てについては、なお従前の例による。

附　則（平三〇・三・三〇政令九二）（抄）

（施行期日）

１　この政令は、平成三十年四月一日から施行する。

（大都市地域における特別区の設置に関する法律施行令の一部改正に伴う経過措置）

３　第五条の規定による改正後の大都市地域における特別区の設置に関する法律施行令第二十条第五項の規定は、施行日以後に大都市地域における特別区の設置に関する法律施行令第二十条第二項の規定による決算の認定に関する議案が否決される場合について適用する。

附　則（平三〇・一〇・二四政令二九九）（抄）

（施行期日）

第一条　この政令は、公職選挙法の一部を改正する法律の施行の日〔平三〇・一〇・二五〕から施行する。

附　則（令元・五・三一政令一五）（抄）

（施行期日）

第一条　この政令は、令和元年六月一日から施行する。

附　則（令元・一二・一三政令一八三）（抄）

（施行期日）

第一条　この政令は、情報通信技術の活用による行政手続等に係る関係者の利便性の向上並びに行政運営の簡素化及び効率化を図るための行政手続等における情報通信の技術の利用に関する法律等の一部を改正する法律（次条において「改正法」という。）の施行の日（令和元年十二月十六日）から施行する。

附　則（令五・二・一〇政令三三）（抄）

（施行期日）

第一条　この政令は、最高裁判所裁判官国民審査法の一部を改正する法律の施行の日（令和五年二月十七日）から施行する。

○市町村の合併の特例に関する法律

平一六・五・二六
法　　　五　九

最終改正　令六・六・二六法六五

目次〔略〕

第一章　総則

（目的）

第一条　この法律は、地方分権の進展並びに経済社会生活圏の広域化及び少子高齢化等の経済社会情勢の変化に対応した市町村の行政体制の整備及び確立のため、当分の間の措置として、市町村の合併について関係法律の特例その他の必要な措置を講ずることにより、自主的な市町村の合併の円滑化並びに合併市町村の円滑な運営の確保及び均衡ある発展を図り、もって合併市町村が地域における行政を自主的かつ総合的に実施する役割を広く担うことができるようにすることを目的とする。

（定義）

第二条　この法律において「市町村の合併」とは、二以上の市町村の区域の全部若しくは一部をもって市町村を置き、又は市町村の区域の全部若しくは一部を他の市町村に編入することで市町村の数の減少を伴うものをいう。

2　この法律において「合併市町村」とは、市町村の合併により設置され、又は他の市町村の区域の全部若しくは一部を編入した市町村をいう。

3　この法律において「合併関係市町村」とは、市町村の合併によりその区域の全部又は一部が合併市町村の区域の一部となる市町村をいう。

（合併協議会の設置）

第三条　市町村の合併をしようとする市町村は、地方自治法（昭和二十二年法律第六十七号）第二百五十二条の二の二第一項の規定により、合併市町村の円滑な運営の確保及び均衡ある発展を図るための基本的な計画（以下「合併市町村基本計画」という。）の作成その他市町村の合併に関する協議を行う協議会（以下「合併協議会」という。）を置くものとする。

2　合併協議会の会長は、地方自治法第二百五十二条の三第二項の規定にかかわらず、規約の定めるところにより、関係市町村の議会の議員若しくは長その他の職員又は学識経験を有する者の中から、これを選任する。

3　合併協議会の委員は、地方自治法第二百五十二条の三第二項の規定にかかわらず、規約の定めるところにより、関係市町村の議会の議員又は長その他の職員をもって充てる。

4　次条第十八項又は第五条第二十七項の規定により置かれる合併協議会には、前項に定めるもののほか、地方自治法第二百五十二条の三第二項の規定にかかわらず、規約の定めるところにより、次条第一項又は第五条第一項の代表者を委員として加えることができる。

5　合併協議会には、前二項に定めるもののほか、地方自治法第二百五十二条の三第二項の規定にかかわらず、規約の定めるところにより、学識経験を有する者を委員として加えることができる。

（合併協議会設置の請求）

第四条　選挙権を有する者（市町村の議会の議員及び長の選挙権を有する者（公職選挙法（昭和二十五年法律第百号）第二十二条第一項又は第三項の規定による選挙人名簿の登録が行われた日において選挙人名簿に登録されている者をいう。）をいう。以下同じ。）は、政令で定めるところにより、その総数の五十分の一以上の者の連署をもって、その代表者から、市町村の長に対し、当該市町村が行うべき市町村の合併の相手方となる市町村（以下この条及び第五条の二第一項において「合併対象市町村」という。）の名称を示し、合併協議会を置くよう請求することができる。

2　前項の規定による請求があったときは、当該請求があった市町村（以下この条及び第五条の二第一項において「合併請求市町村」という。）の長は、直ちに、請求の要旨を公表するとともに、合併対象市町村の長に対し、これを通知し、当該請求に基づく合併協議会に係る地方自治法第二百五十二条の二の二第一項の協議（以下この条において「合併協議会設置協議」という。）について議会に付議するか否かの意見を求めなければならない。この場合において、合併請求市町村の長は、当該意見を求めた旨を合併請求市町村を包括する都道府県の知事に報告しなければならない。

3　合併対象市町村の長は、前項の意見を求められた日から九十日以内に、合併請求市町村の長に対し、合併協議会設置協議について議会に付議するか否かを回答しなければならない。

4　合併請求市町村の長は、すべての合併対象市町村の長から前項の規定による回答を受理したときは、直ちに、その結果を合併対象市町村の長及び第一項の代表者に通知するとともに、これを公表し、かつ、合併請求市町村を包括する都道府県の知事に報告しなければならない。

5　前項のすべての回答が合併協議会設置協議について議会に付議する旨のものであった場合には、合併請求市町村の長にあっては同項の規定による合併対象市町村の長への通知を発した日から六十日以内に、合併対象市町村の長にあっては同項の規定による通知を受けた日から六十日以内に、それぞれ議会を招集し、合併協議会設置協議について議会に付議しなければならない。この場合において、合併請求市町村の長は、その意見を付けなければならない。

6　合併請求市町村の議会は、前項の規定により付議された事件の審議を行うに当たっては、政令で定めるところにより、第一項の代表者に意見を述べる機会を与えなければならない。

7　合併対象市町村の長は、第五項の規定による議会の審議の結果を合併請求市町村の長に速やかに通知しなければならない。

8　合併請求市町村の長は、合併請求市町村における第五項の規定による議会の審議の結果及び前項の規定により通知を受けた合併対象市町村における議会の審議の結果を、合併対象市町村の長及び第一項の代表者に通知するとともに、これを公表し、かつ、合併請求市町村を包括する都道府県の知事に報告しなければならない。

9　第五項の規定による議会の審議により、合併協議会設置協議について、合併請求市町村の議会がこれを否決し、かつ、すべての合併対象市町村の議会がこれを可決した場合には、合併請求市町村の長は、合併請求市町村の議会が否決した日又はすべての合併対象市町村の長から第七項の規定による通知を受けた日のうちいずれか遅い日（以下この条において「基準日」という。）以後直ちに、基準日を合併対象市町村の長及び第一項の代表者に通知するとともに、これを公表し、かつ、合併請求市町村を包括する都道府県の知事に報告しなければならない。

10　前項に規定する場合には、合併請求市町村の長は、基準日から十日以内に限り、選挙管理委員会に対し、合併協議会設置協議について選挙人の投票に付するよう請求することができる。この場合において、合併請求市町村の長は、当該請求を行った日から三日以内に、その旨を合併対象市町村の長及び第一項の代表者に通知するとともに、これを公表し、かつ、合併請求市町村を包括する都道府県の知事に報告しなければならない。

11　第九項に規定する場合において、基準日から十三日以内に前項後段の規定による公表がなかったときは、選挙権を有する者は、政令で定めるところにより、その総数の六分の一以上の者の連署をもって、その代表者から、合併請求市町村の選挙管理委員会に対し、合併協議会設置協議について選挙人の投票に付するよう請求することができる。

12　前項の規定による請求があったときは、合併請求市町村の選挙管理委員会は、直ちに、その旨を公表するとともに、第一項の代表者及び合併請求市町村の長に対し、これを通知しなければならない。

13　前項の規定により通知を受けた合併請求市町村の長は、直ちに、その旨を合併対象市町村の長に通知するとともに、合併請求市町村を包括する都道府県の知事に報告しなければならない。

14　第十項前段又は第十一項の規定による請求があったときは、合併請求市町村の選挙管理委員会は、政令で定めるところにより、合併協議会設置協議について選挙人の投票に付さなければならない。

15　合併請求市町村の選挙管理委員会は、前項の規定による投票の結果が判明したときは、これを第一項の代表者（第十一項の規定による請求があった場合には、第一項及び第十一項の代表者）及び合併請求市町村の長に通知するとともに、公表しなければならない。その投票の結果が確定したときも、また、同様とする。

16　前項の規定により通知を受けた合併請求市町村の長は、その結果を合併対象市町村の長に通知するとともに、合併請求市町村を包括する都道府県の知事に報告しなければならない。

17　第十四項の規定による投票において、合併協議会設置協議について有効投票の総数の過半数の賛成があったときは、合併協議会設置協議について合併請求市町村の議会が可決したものとみなす。

18　合併請求市町村及びすべての合併対象市町村の議会が合併協議会設置協議について可決した（前項の規定により可決したものとみなされた場合を含む。）場合には、合併請求市町村及びすべての合併対象市町村は、合併協議会設置協議により規約を定め、合併協議会を置くものとする。

19　前項の規定により合併協議会が置かれた場合には、合併請求市町村の長は、その旨及び当該合併協議会の規約を第一項の代表者（第十一項の規定による請求があった場合には、第一項及び第十一項の代表者）に通知しなければならない。

20　合併請求市町村を包括する都道府県と合併対象市町村を包括する都道府県が異なる場合には、合併請求市町村を包括する都道府県の知事は、第二項後段、第四項、第八項、第九項、第十項後段、第十三項及び第十六項の規定による報告を受けたときは、その内容を合併対象市町村を包括する都道府県の知事に通知しなければならない。

第五条　合併協議会を構成すべき関係市町村（以下この条及び次条第二項において「同一請求関係市町村」という。）の選挙権を有する者は、政令で定めるところにより、他の同一請求関係市町村の選挙権を有する者がこの項の規定により行う合併協議会の設置の請求と同一の内容であることを明らかにして、その総数の五十分の一以上の者の連署をもって、その代表者から、同一請求関係市町村の長に対し、当該同一請求関係市町村が行うべき市町村の合併の相手方となる他の同一請求関係市町村の名称を示し、合併協議会を置くよう請求することができる。

2　前項の規定による請求を行う場合には、全ての同一請求関係市町村の同項の代表者は、あらかじめ、政令で定めるところにより、これらの者が代表者となるべき同項の規定による合併協議会の設置の請求が同一の内容であることについて、同一請求関係市町村を包括する都道府県の知事の確認を得なければならない。

3　第一項の規定による請求があったときは、当該請求があった同一請求関係市町村の長は、直ちに、当該請求の要旨を公表するとともに、当該同一請求関係市町村を包括する都道府県の知事に対し、これを報告しなければならない。

4　同一請求関係市町村を包括する都道府県の知事は、全ての同一請求関係市町村の長から前項の規定による報告を受けたときは、その旨を全ての同一請求関係市町村の長に通知しなければならない。

5　前項の規定により通知を受けた同一請求関係市町村の長は、直ちに、その旨を第一項の代表者に通知するとともに、これを公表しなければならない。

6　第四項の規定により通知を受けた同一請求関係市町村の長は、当該通知を受けた日から六十日以内に、それぞれ議会を招集し、第一項の規定による請求に基づく合併協議会に係る地方自治法第二百五十二条の二の二第一項の協議（以下この条において「同一請求に基づく合併協議会設置協議」という。）について、議会にその意見を付して付議しなければならない。

7　同一請求関係市町村の議会は、前項の規定により付議された事件の審議を行うに当たっては、政令で定めるところにより、第一項の代表者に意見を述べる機会を与えなければならない。

8　同一請求関係市町村の長は、第六項の規定による議会の審議の結果を、速やかに、第一項の代表者に通知するとともに、これを公表し、かつ、当該同一請求関係市町村を包括する都道府県の知事に報告しなければならない。

9　同一請求関係市町村を包括する都道府県の知事は、すべての同一請求関係市町村の長から前項の規定による報告を受けたときは、直ちに、その結果及びすべての同一請求関係市町村の長から同項の規定による報告を受けた日（以下この条において「基準日」という。）をすべての同一請求関係市町村の長に通知しなければならない。

10 前項の規定により通知を受けた同一請求関係市町村の長は、直ちに、その旨を第一項の代表者に通知するとともに、これを公表しなければならない。

11 第六項の規定による議会の審議により、その議会が同一請求に基づく合併協議会設置協議について否決した同一請求関係市町村（以下この条において「合併協議会設置協議否決市町村」という。）の長は、基準日から十日以内に限り、選挙管理委員会に対し、同一請求に基づく合併協議会設置協議について選挙人の投票に付するよう請求することができる。この場合において、当該合併協議会設置協議否決市町村の長は、当該請求を行った日から三日以内に、その旨を第一項の代表者に通知するとともに、これを公表し、かつ、当該請求を行った日から三日以内に到達するように、当該合併協議会設置協議否決市町村を包括する都道府県の知事に報告しなければならない。

12 合併協議会設置協議否決市町村を包括する都道府県の知事は、基準日の翌日から起算して十三日を経過した日以後速やかに、すべての合併協議会設置協議否決市町村に係る前項後段の規定による報告の有無をすべての同一請求関係市町村の長に通知しなければならない。

13 前項の規定により通知を受けた同一請求関係市町村の長は、直ちに、その旨を第一項の代表者に通知するとともに、これを公表しなければならない。

14 第十二項の規定による通知がすべての合併協議会設置協議否決市町村の長から第十一項後段の規定による報告があった旨のものであった場合には、合併協議会設置協議否決市町村の長は、直ちに、その旨を選挙管理委員会に通知しなければならない。

15 合併協議会設置協議否決市町村において、基準日から十三日以内に第十一項後段の規定による公表がなかったときは、選挙権を有する者は、政令で定めるところにより、その総数の六分の一以上の者の連署をもって、その代表者から、当該合併協議会設置協議否決市町村の選挙管理委員会に対し、同一請求に基づく合併協議会設置協議について選挙人の投票に付するよう請求することができる。

16 前項の規定による請求があったときは、合併協議会設置協議否決市町村の選挙管理委員会は、直ちに、その旨を公表するとともに、第一項の代表者及び当該合併協議会設置協議否決市町村の長に対し、これを通知しなければならない。

17 前項の規定により通知を受けた合併協議会設置協議否決市町村の長は、直ちに、その旨を当該合併協議会設置協議否決市町村を包括する都道府県の知事に報告しなければならない。

18 合併協議会設置協議否決市町村を包括する都道府県の知事は、第十一項後段の規定による報告をしなかったすべての合併協議会設置協議否決市町村の長から前項の規定による報告を受けたときは、直ちに、その旨をすべての同一請求関係市町村の長に通知しなければならない。

19 前項の規定により通知を受けた合併協議会設置協議否決市町村の長は、直ちに、その旨を第一項の代表者（第十五項の規定による請求があった場合には、第一項及び第十五項の代表者）及び選挙管理委員会に通知するとともに、これを公表しなければならない。

20 第十八項の規定により通知を受けた合併協議会設置協議否決市町村以外の同一請求関係市町村の長は、その旨を第一項の代表者に通知するとともに、これを公表しなければならない。

21 第十四項又は第十九項の規定による通知があったときは、合併協議会設置協議否決市町村の選挙管理委員会は、政令で定めるところにより、同一請求に基づく合併協議会設置協議について選挙人の投票に付さなければならない。

22 合併協議会設置協議否決市町村の選挙管理委員会は、前項の投票の結果が判明したときは、これを第一項の代表者（第十五項の規定による請求があった場合には、第一項及び第十五項の代表者）及び当該合併協議会設置協議否決市町村の長に通知するとともに、公表しなければならない。その投票の結果が確定したときも、また、同様とする。

23 前項の規定により通知を受けた合併協議会設置協議否決市町村の長は、その結果を当該合併協議会設置協議否決市町村を包括する都道府県の知事に報告しなければならない。

24 合併協議会設置協議否決市町村を包括する都道府県の知事は、すべての合併協議会設置協議否決市町村の長から前項の規定による報告を受けたときは、その結果をすべての同一請求関係市町村の長に通知しなければならない。

25 前項の規定により通知を受けた同一請求関係市町村の長は、その結果を第一項の代表者（第十五項の規定による請求があった場合には、第一項及び第十五項の代表者）に通知するとともに、これを公表しなければならない。

26 第二十一項の規定による投票において、同一請求に基づく合併協議会設置協議について有効投票の総数の過半数の賛成があったときは、同一請求に基づく合併協議会設置協議について合併協議会設置協議否決市町村の議会が可決したものとみなす。

27 すべての同一請求関係市町村の議会が同一請求に基づく合併協議会設置協議について可決した（前項の規定により可決したものとみなされた場合を含む。）場合には、すべての同一請求関係市町村は、当該同一請求に基づく合併協議会設置協議により規約を定め、合併協議会を置くものとする。

28 前項の規定により合併協議会が置かれた場合には、同一請求関係市町村の長は、その旨及び当該合併協議会の規約を第一項の代表者（第十五項の規定による請求があった場合には、第一項及び第十五項の代表者）に通知しなければならない。

29 すべての同一請求関係市町村が一の都道府県の区域に属さない場合における措置その他第一項の規定による合併協議会の設置の請求に関し必要な事項は、政令で定める。

30 地方自治法第七十四条第五項の規定は前条第一項若しくはこの条第一項の選挙権を有する者の総数の五十分の一の数又は前条第十一項若しくはこの条第十五項の選挙権を有する者の総数の六分の一の数について、同法第七十四条第六項の規定は前条第一項若しくは第十一項又はこの条第一項若しくは第十五項の代表者について、同法第七十四条第七項から第九項まで、第七十四条の二第一項から第六項まで、第八項及び第十項から第十三項まで並びに第七十四条の三第一項から第三項までの規定は前条第一項若しくは第十一項又はこの条第一項若しくは第十五項の規定による請求者の署名について、それぞれ準用する。この場合において、同法第七十四条第六項第一号中「されている者（都道府県に係る請求にあつては、同法第九条第三項の規定により当該都道府県の議会の議員及び長の選挙権を有するものとされた者（同法第十一条第一項若しくは第二百五十二条又は政治資金規正法（昭和二十三年法律第百九十四号）第二十八条の規定により選挙権を有しなくなつた旨の表示をされている者を除く。）を除く。」とあるのは「されている者」と、同項第三号中「、都道府県である場合には当該都道府県の区域内の市町村並びに第二百五十二条の十九第一項に規定する指定都市（以下この号において「指定都市」という。）の区及び総合区を含み、」とあるのは「第二百五十二条の十九第一項に規定する」と、同法第七十四条の二第十項中「審査の申立てに対する裁決又は判決」とあるのは「判決」と、「当該都道府県の選挙管理委員会又は当該裁判所」とあるのは「当該裁判所」と、「裁決書又は判決書」とあるのは「判決書」と、同条第十一項中「争訟については、審査の申立てに対する裁決は審査の申立てを受理した日から二十日以内にこれをするものとし、訴訟の判決は」とあるのは「訴訟の判決は、」と、同条第十二項中「第八項及び第九項」とあるのは「第八項」と、「当該決定又は裁決」とあるのは「当該決定」と、「地方裁判所又は高等裁判所」とあるのは「地方裁判所」と、同条第十三項中「第八項及び第九項」とあるのは「第八項」と読み替えるものとする。

31　民事訴訟法（平成八年法律第百九号）第二編第四章第二節の規定は、前項において準用する地方自治法第七十四条の三第三項の規定により市町村の選挙管理委員会が署名の効力を決定するため関係人の出頭及び証言を請求する場合について準用する。ただし、過料、罰金、拘留又は勾引に関する規定は、この限りでない。

32　政令で特別の定めをするものを除くほか、公職選挙法中普通地方公共団体の選挙に関する規定（罰則を含む。）は、前条第十四項又はこの条第二十一項の規定による投票について準用する。

33　前項の投票は、政令で定めるところにより、普通地方公共団体の選挙と同時にこれを行うことができる。

（地方自治法第百二条の二第一項の議会に関する特例）

第五条の二　合併請求市町村又は合併対象市町村の議会が地方自治法第百二条の二第一項の議会である場合における第四条第五項の規定の適用については、同項中「六十日以内に」とあるのは、「六十日以内に、それぞれ議会を招集し」とする。

2　同一請求関係市町村の議会が地方自治法第百二条の二第一項の議会である場合における前条第六項の規定の適用については、同項中「六十日以内に」とあるのは、「六十日以内に、それぞれ議会を招集し」とする。

（合併市町村基本計画の作成及び変更）

第六条　合併市町村基本計画は、おおむね次に掲げる事項について、政令で定めるところにより、作成するものとする。

一　合併市町村の円滑な運営の確保及び均衡ある発展を図るための基本方針

二　合併市町村又は合併市町村を包括する都道府県が実施する合併市町村の円滑な運営の確保及び均衡ある発展に特に資する事業に関する事項

三　公共的施設の統合整備に関する事項

四　合併市町村の財政計画

2　合併市町村基本計画は、合併市町村の円滑な運営を確保し、均衡ある発展を図ることを目的とし、合併市町村の一体性の確立及び住民の福祉の向上等を図るよう適切に配慮されたものでなければならない。

3　合併協議会は、合併市町村基本計画を作成し、又は変更しようとするときは、あらかじめ、合併関係市町村を包括する都道府県の知事に協議しなければならない。

4　合併協議会は、前項の規定により合併市町村基本計画を作成し、又は変更したときは、直ちに、これを公表するとともに、総務大臣及び合併関係市町村を包括する都道府県の知事に送付しなければならない。

5　第四条第十八項又は第五条第二十七項の規定により合併協議会が置かれた場合には、当該合併協議会は、その設置の日から六月以内に、合併市町村基本計画の作成その他市町村の合併に関する協議の状況を、第四条第一項又は第五条第一項の代表者に通知するとともに、これを公表しなければならない。

6　合併市町村は、その議会の議決を経て合併市町村基本計画を変更することができる。

7　前項の場合においては、合併市町村の長は、あらかじめ、当該合併市町村を包括する都道府県の知事に協議しなければならない。

8　第六項の規定により合併市町村基本計画を変更しようとする合併市町村の長は、当該合併市町村に第二十二条第一項に規定する地域審議会が置かれている場合、第二十四条第一項に規定する合併に係る地域自治区が設けられている場合又は合併特例区が設けられている場合においては、あらかじめ、当該地域審議会、当該合併に係る地域自治区の地域協議会（地方自治法第二百二条の五第一項に規定する地域協議会をいう。）又は当該合併特例区の合併特例区協議会の意見を聴かなければならない。

9　第四項の規定は、第六項の規定により合併市町村が合併市町村基本計画を変更した場合について準用する。

第二章　地方自治法の特例等

（市となるべき要件の特例）

第七条　地方自治法第七条第一項又は第三項の規定に基づき市の区域の全部を含む区域をもって市を設置する処分のうち市町村の合併に係るものについては、当該処分により設置されるべき当該普通地方公共団体が同法第八条第一項各号に掲げる要件のいずれかを備えていない場合であっても、同項各号に掲げる要件を備えているものとみなす。

（議会の議員の定数に関する特例）

第八条　他の市町村の区域の全部又は一部を編入した合併市町村にあっては、地方自治法第九十一条の規定にかかわらず、合併関係市町村の協議により、その編入をする合併関係市町村の議会の議員の残任期間に相当する期間に限り、その区域の全部又は一部が編入されることとなる合併関係市町村ごとに、当該編入されることとなる合併関係市町村の当該編入される区域の人口（同法第二百五十四条に規定する人口によるものとする。第十六条第二項を除き、以下同じ。）を当該編入をする合併関係市町村の人口で除して得た数を当該編入をする合併関係市町村の議会の議員の定数（以下この項において「旧定数」という。）に乗じて得た数（〇・五人以上一人未満の端数があるときはその端数は切り捨て、〇・五人以上一人未満の端数があるときはその端数は一人とする。ただし、その区域の全部が編入されることとなる合併関係市町村においてその数が〇・五人未満のときも一人とする。）の合計数を旧定数に加えた数（以下この条及び次条第一項において「編入合併特例定数」という。）をもってその議会の議員の定数とすることができる。ただし、議員がすべてなくなったときは、第四項の規定により編入合併特例定数をもってその議会の議員の定数とする場合を除き、その定数は、同法第九十一条の規定による定数に復帰するものとする。

2　前項の場合においては、公職選挙法第十五条第六項及び第八項の規定にかかわらず、編入された合併関係市町村ごとにその編入された区域により選挙区が設けられるものとし、かつ、当該選挙区において選挙すべき議会の議員の定数は、編入された合併関係市町村ごとに前項の規定により算定した数とする。

3　第一項の規定により定数が増加する場合において行う選挙に対する公職選挙法の規定の適用については、同法第十八条第一項中「第十五条第六項」とあるのは「第十五条第六項若しくは市町村の合併の特例に関する法律第八条第二項」と、同法第百十一条第三項中「地方自治法第九十条第三項又は第九十一条第三項」とあるのは「市町村の合併の特例に関する法律第八条第一項」と、「当該条例施行の日」とあるのは「市町村の合併（同法第二条第一項に規定する市町村の合併をいう。）の日」とする。

4　他の市町村の区域の全部又は一部を編入した合併市町村が、第一項の規定により編入合併特例定数をもってその議会の議員の定数とする場合においては、地方自治法第九十一条の規定にかかわらず、合併関係市町村の協議により、市町村の合併後最初に行われる一般選挙により選出される議会の議員の任期に相当する期間についても、編入合併特例定数をもってその議会の議員の定数とすることができる。ただし、その任期の満了すべき日前に議員がすべてなくなったときは、その定数は、同条の規定による定数に復帰するものとする。

5　第二項の規定は、前項の場合について準用する。

6　第四項の規定により定数が増加する場合において行う選挙に対する公職選挙法の規定の適用については、同法第十八条第一項中「第十五条第六項」とあるのは、「第十五条第六項若しくは市町村の合併の特例に関する法律第八条第五項において準用する同条第二項」とする。

7　第一項又は第四項の協議については、合併関係市町村の議会の議決を経るものとし、その協議が成立したときは、合併関係市町村は、直ちにその内容を告示しなければならない。

（議会の議員の在任に関する特例）

第九条　市町村の合併に際し、合併関係市町村の議会の議員で当該合併市町村の議会の議員の被選挙権を有することとなるものは、合併関係市町村の協議により、次に掲げる期間に限り、引き続き合併市町村の議会の議員として在任することができる。この場合において、市町村の合併の際に当該合併市町村の議会の議員である者の数が地方自治法第九十一条の規定による定数を超えるときは、同条の規定にかかわらず、当該数をもって当該合併市町村の議会の議員の定数とし、議員に欠員が生じ、又は議員がすべてなくなったときは、これに応じて、その定数は、同条の規定による定数に至るまで減少するものとする。ただし、第三項において準用する前条第四項の規定により編入合併特例定数をもってその議会の議員の定数とする場合において議員がすべてなくなったときは、この限りでない。

一　新たに設置された合併市町村にあっては、市町村の合併後二年を超えない範囲で当該協議で定める期間

二　他の市町村の区域の全部又は一部を編入した合併市町村にあっては、その編入をする合併関係市町村の議会の議員の残任期間に相当する期間

2　前項の規定は、前条第一項の協議が成立した場合には適用しない。

3　前条第四項から第六項までの規定は、市町村の合併に際し、その区域の全部又は一部が編入されることとなる合併関係市町村の議会の議員で当該合併市町村の議会の議員の被選挙権を有することとなるものが、第一項の規定により引き続き合併市町村の議会の議員として在任することとした場合について準用する。

4　第一項又は前項において準用する前条第四項の協議については、合併関係市町村の議会の議決を経るものとし、その協議が成立したときは、合併関係市町村は、直ちにその内容を告示しなければならない。

第十条及び第十一条　削除

（職員の身分取扱い）

第十二条　合併関係市町村は、その協議により、市町村の合併の際現にその職に在る合併関係市町村の一般職の職員が引き続き合併市町村の職員としての身分を保有するように措置しなければならない。

2　合併市町村は、職員の任免、給与その他の身分取扱いに関しては、職員のすべてに通じて公正に処理しなければならない。

（一部事務組合等に関する特例）

第十三条　市町村の合併によりその区域の全部が新たに設置される合併市町村の区域の一部となり、又はその区域の全部が他の合併関係市町村（以下この項において「編入をする市町村」という。）に編入される合併関係市町村のうちに地方自治法第二百八十四条第二項又は第三項の規定により合併関係市町村以外の地方公共団体（以下この項及び次条第四項第一号において「他の地方公共団体」という。）と一部事務組合又は広域連合（これらのうち当該編入をする市町村の加入していないものに限る。）を組織しているものがある場合においては、当該一部事務組合又は当該広域連合は、すべての合併関係市町村及び当該他の地方公共団体の協議により、当該一部事務組合若しくは当該広域連合を組織する地方公共団体の数を減少し若しくは共同処理し若しくは処理する事務を変更し、又は当該一部事務組合若しくは当該広域連合の規約を変更して、市町村の合併の日において当該一部事務組合又は当該広域連合を当該合併市町村及び当該他の地方公共団体が組織する一部事務組合又は広域連合とすることができる。この場合においては、同法第二百八十六条第一項本文又は第二百九十一条の三第一項本文の規定の例により、総務大臣又は都道府県知事の許可を受けなければならない。

2　地方自治法第二百九十条又は第二百九十一条の三第二項、第五項及び第六項並びに第二百九十一条の十一並びに第二百九十三条第一項の規定は、前項の場合について準用する。

第十四条　市町村の合併（当該市町村の合併によりすべての合併関係市町村の区域の全部が一の合併市町村の区域の全部となるものに限る。以下この条において同じ。）の日の前日において、当該市町村の合併に係るすべての合併関係市町村が地方自

治法第二百八十四条第二項又は第三項の規定により合併関係市町村以外の地方公共団体（以下この項において「他の地方公共団体」という。）と同一の一部事務組合又は広域連合を組織している場合においては、同法第二百八十六条第一項本文又は第二百九十一条の三第一項本文の規定にかかわらず、当該市町村の合併の日から当該一部事務組合又は当該広域連合の規約が変更される日（当該市町村の合併の日から起算して六月を経過する日までの間に当該規約の変更が行われない場合にあっては、当該六月を経過する日）までの間に限り、当該一部事務組合又は当該広域連合を当該合併市町村及び当該他の地方公共団体が組織する一部事務組合又は広域連合とみなし、当該一部事務組合又は当該広域連合は、当該合併市町村の区域における事務について、従前の例により行うものとする。

2　前項の場合における議員の定数に関する一部事務組合又は広域連合の規約の規定の適用については、当該規約において当該一部事務組合又は当該広域連合を組織する市町村について定められた議員の定数がすべての市町村について、同一の数である場合にあっては当該同一の数が、同一の数でない場合にあっては当該規約において合併関係市町村について定められた議員の定数を合算して得た数が、当該規約に当該合併市町村の議員の定数として定められているものとみなす。

3　第一項の場合における経費の分賦金に関する一部事務組合又は広域連合の規約の規定の適用については、当該規約において当該一部事務組合又は当該広域連合を組織するすべての市町村が均等に経費を負担するものと定められている場合にあっては当該規約に当該合併市町村及び当該一部事務組合又は当該広域連合を組織する合併関係市町村以外の市町村が均等に経費を負担するものと定められているものとみなし、その他の場合にあっては当該規約において合併関係市町村について定められた経費の分賦金の額を合算して得た額が当該合併市町村の経費の分賦金の額として定められているものとみなす。

4　前三項の規定は、次に掲げる場合には、適用しない。

一　前条第一項の規定により市町村の合併の日において当該一部事務組合又は当該広域連合を当該合併市町村及び当該他の地方公共団体が組織する一部事務組合又は広域連合とする場合

二　次条第二項の規定により通知を受けた日の翌日から起算して三十日を経過する日（その日が市町村の合併の日以後の日である場合にあっては、当該市町村の合併の日の前日）又は市町村の合併の日から起算して三十日前の日のうちいずれか遅い日までに当該一部事務組合又は当該広域連合を組織する地方公共団体から当該一部事務組合の管理者（地方自治法第二百八十七条の三第二項の規定により管理者に代えて理事会を置く同法第二百八十五条の一部事務組合にあっては、理事会。次項及び次条において同じ。）又は当該広域連合の長（同法第二百九十一条の十三において準用する同法第二百八十七条の三第二項の規定により長に代えて理事会を置く広域連合にあっては、理事会。次項及び次条において同じ。）に第一項の規定の適用について異議の申出があった場合

三　市町村の合併の日前に地方自治法第二百八十六条第一項本文又は第二百九十一条の三第一項本文の規定により当該一部事務組合又は当該広域連合を組織する地方公共団体の数の減少に係る当該一部事務組合又は当該広域連合の規約の変更であって合併関係市町村に係るものが行われた場合

5　前項第二号の異議の申出があった場合には、一部事務組合の管理者又は広域連合の長は、直ちに、その旨を当該一部事務組合又は当該広域連合を組織する地方公共団体（当該異議の申出をした地方公共団体を除く。）の長に通知しなければならない。

6　第二項及び第三項に定めるもののほか、第一項の場合における一部事務組合又は広域連合の規約の規定の適用関係その他必要な事項は、政令で定める。

第十五条　合併関係市町村の長は、地方自治法第二百八十四条第二項又は第三項の規定により合併関係市町村以外の地方公共団体（次項において「他の地方公共団体」という。）と一部事務組合又は広域連合を組織している場合において、市町村の合併について同法第七条第一項又は第三項の規定による申請を行ったときは、直ちに、その旨を当該一部事務組合の管理者又は当該広域連合の長に通知しなければならない。

2　前項の規定により通知を受けた一部事務組合の管理者又は広域連合の長は、直ちに、その旨を当該一部事務組合又は当該広域連合を組織する他の地方公共団体の長に通知しなければならない。

（地方税に関する特例）

第十六条　合併市町村は、合併関係市町村の相互の間に地方税の賦課に関し著しい不均衡があるため、又は市町村の合併により承継した財産の価格若しくは負債の額について合併関係市町村相互の間において著しい差異があるため、その全区域にわたって均一の課税をすることが著しく衡平を欠くと認められる場合においては、市町村の合併が行われた日の属する年度及びこれに続く五年度に限り、その衡平を欠く程度を限度として課税をしないこと又は不均一の課税をすることができる。

2　合併関係市町村のいずれもが市町村の合併が行われた日の前日において地方税法（昭和二十五年法律第二百二十六号）第七百一条の三十一第一項第一号イ及びロに掲げる市以外の市又は町村であり、かつ、その人口（同号ハに規定する人口をいう。以下この項において同じ。）が三十万未満である場合であって、当該市町村の合併が行われた日において合併市町村が人口三十万以上の市であるときは、当該合併市町村に対する同号ハの規定による指定は、当該市町村の合併が行われた日から起算して五年を経過する日までの間は行わないものとする。ただし、当該合併市町村の人口が、当該市町村の合併が行われた日の前日における合併関係市町村の人口の状況を勘案して政令で定めるところにより算定した人口以上となった場合は、この限りでない。

3　合併関係市町村のいずれかが市町村の合併が行われた日の前日において特定市町村（首都圏整備法（昭和三十一年法律第八十三号）第二条第一項に規定する首都圏、近畿圏整備法（昭和三十八年法律第百二十九号）第二条第一項に規定する近畿圏又は中部圏開発整備法（昭和四十一年法律第百二号）第二条第一項に規定する中部圏内にある地方自治法第二百五十二条の十九第一項の指定都市（以下この項及び第二十一条第一項において「指定都市」という。）及びその区域の全部又は一部が首都圏整備法第二条第三項に規定する既成市街地若しくは同条第四項に規定する近郊整備地帯、近畿圏整備法第二条第三項に規定する

既成都市区域若しくは同条第四項に規定する近郊整備区域又は中部圏開発整備法第二条第三項に規定する都市整備区域内にある指定都市以外の市町村をいう。以下この項において同じ。）である場合であって、当該市町村の合併が行われた日において合併市町村が市であるときは、当該市町村の合併が行われた日の属する年（当該市町村の合併が行われた日が一月一日である場合にあっては、当該日の属する年の前年。以下この項において同じ。）の翌年の一月一日において特定市町村である市である合併市町村の区域内に所在する市街化区域農地（地方税法附則第十九条の二第一項に規定する市街化区域農地をいう。以下この項において同じ。）で当該市町村の合併が行われた日の前日において合併関係市町村（特定市町村である市を除く。）の区域内に所在する市街化区域農地であったもの（以下この項において「特例対象市街化区域農地」という。）に対して課する当該市町村の合併が行われた日の属する年の翌年の一月一日を賦課期日とする年度から五年度分（当該特例対象市街化区域農地が、一月一日において当該合併市町村以外の市町村の区域内に所在することとなった場合にあっては、同日を賦課期日とする年度の前年度までの各年度分）の固定資産税又は都市計画税については、当該特例対象市街化区域農地を同法附則第二十九条の七第一項の規定の適用を受ける市街化区域農地とみなして、同法の規定を適用する。

（地方交付税の額の算定の特例）

第十七条 国が地方交付税法（昭和二十五年法律第二百十一号）に定めるところにより合併市町村に対して毎年度交付すべき地方交付税の額は、当該市町村の合併が行われた日の属する年度及びこれに続く五年度については、同法及びこれに基づく総務省令で定めるところにより、合併関係市町村が当該年度の四月一日においてなお当該市町村の合併の前の区域をもって存続した場合に算定される額の合算額を下らないように算定した額とし、その後五年度については、当該合算額に総務省令で定める率を乗じた額を下らないように算定した額とする。

（地方債についての配慮）

第十八条 合併市町村又は合併市町村を包括する都道府県が合併市町村基本計画を達成するために行う事業に要する経費に充てるために起こす地方債については、法令の範囲内において、資金事情及び当該合併市町村又は当該合併市町村を包括する都道府県の財政状況が許す限り、特別の配慮をするものとする。

（災害復旧事業費の国庫負担等の特例）

第十九条 国は、合併市町村が市町村の合併が行われた日の属する年及びこれに続く五年以内に生じた災害その他の事由に対する国の財政援助に関し市町村の合併により不利益を受ける結果となるような場合においては、公共土木施設災害復旧事業費国庫負担法（昭和二十六年法律第九十七号）、激甚災害に対処するための特別の財政援助等に関する法律（昭和三十七年法律第百五十号）その他政令で定める法律及びこれに基づく命令の規定にかかわらず、当該市町村の合併が行われなかったものとして当該合併市町村が不利益とならないように措置しなければならない。

（流域下水道に関する特例）

第二十条 市町村の合併により、当該市町村の合併前に下水道法（昭和三十三年法律第七十九号）第二十五条の二十三第一項の事業計画に係る流域下水道（同法第二条第四号に規定する流域下水道をいう。以下この条において同じ。）により下水を排除され、又は排除されることとなる区域の全部が合併市町村の区域の全部又は一部となる場合において、当該流域下水道を管理する都道府県（同法第二十五条の二十二第二項の規定により当該流域下水道の管理を市町村が行う場合にあっては、同項の協議に係る都道府県）及び全ての合併関係市町村の協議が成立したときは、当該市町村の合併が行われた日から移行日（当該市町村の合併が行われた日から起算して十年を経過する日の属する年度の末日までの範囲内において当該協議により定める日をいう。以下この条において同じ。）までの間、当該事業計画（当該市町村の合併が行われた日から移行日までの間に同法第二十五条の二十三第七項において準用する同条第一項の規定により変更したときは、その変更後のもの）に係る下水道を流域下水道とみなして、同法の規定を適用する。

2 前項に規定する都道府県及び合併市町村は、協議により、当該市町村の合併が行われた日から起算して十年を経過する日の属する年度の末日までの範囲内において移行日を変更することができる。

3 第一項に規定する都道府県（下水道法第二十五条の二十二第二項の規定により当該流域下水道の管理を市町村が行う場合にあっては、当該市町村）は、前二項の規定により移行日を定め、又は変更したときは、速やかに、その旨を国土交通大臣に報告しなければならない。

（都道府県の議会の議員の選挙区に関する特例）

第二十一条 市町村の合併に際して都道府県の議会の議員の選挙区に関して必要があるときは、都道府県は、公職選挙法第十五条第一項から第三項までの規定にかかわらず、条例の定めるところにより、市町村の合併が行われた日から次の一般選挙により選挙される当該都道府県の議会の議員の任期が終わる日までの間に限り、なお従前の選挙区によることとし、又は合併市町村の区域が従前属していた選挙区の区域（指定都市である合併市町村にあっては、指定都市であった合併関係市町村以外の合併関係市町村の区域の全部又は一部を含むこととなる当該合併市町村の区（総合区を含む。以下この項において同じ。）の区域が従前属していた選挙区の区域及びその区域の全部又は一部が当該区の区域に含まれることとなる合併関係市町村の区域が従前属していた選挙区の区域。次項において同じ。）を合わせて一選挙区を設けることができる。

2 前項の規定により合併市町村の区域が従前属していた選挙区の区域を合わせて一選挙区を設けた場合において、当該選挙区において選挙すべき都道府県の議会の議員の数は、公職選挙法第十五条第八項の規定にかかわらず、条例の定めるところにより、それぞれ従前の選挙区が存続するものとみなして配分した都道府県の議会の議員の数の合計数とする。

3 第一項の規定により従前の選挙区によることとした場合においては、公職選挙法第十八条第一項の規定にかかわらず、選挙区の区域により市町村の区域を分けて数開票区を設けるものとする。

（地域審議会）

第二十二条 合併関係市町村の協議により、期間を定めて合併市町村に、合併関係市町村の区域であった区域ごとに、当該合併市町村が処理する当該区域に係る事務に関し合併市町村の長の諮問に応じて審議し又は必要と認める事項につき合併市町村の長に意見を述べる審議会（次項において「地域審議会」という。）を置くことができる。

2　地域審議会の構成員の定数、任期、任免その他の地域審議会の組織及び運営に関し必要な事項については、合併関係市町村の協議により定めるものとする。

3　前二項の協議については、合併関係市町村の議会の議決を経るものとし、その協議が成立したときは、合併関係市町村は、直ちにその内容を告示しなければならない。

4　合併市町村は、第二項の協議により定められた事項を変更しようとするときは、条例でこれを定めなければならない。

（地域自治区の設置手続等の特例）

第二十三条　市町村の合併に際しては、地方自治法第二百二条の四第一項の規定にかかわらず、合併関係市町村の協議で定める期間に限り、合併市町村の区域の一部の区域に、一又は二以上の合併関係市町村の区域であった区域をその区域とする同項に規定する地域自治区（以下「合併関係市町村の区域による地域自治区」という。）を設けることができる。

2　市町村の合併に際し、合併市町村の区域の全部又は一部の区域に、合併関係市町村の区域による地域自治区を設ける場合においては、地方自治法第二百二条の四から第二百二条の八までの規定により条例で定めるものとされている事項については、合併関係市町村の協議により定めるものとする。

3　前二項の協議については、合併関係市町村の議会の議決を経るものとし、その協議が成立したときは、合併関係市町村は、直ちにその内容を告示しなければならない。

4　合併市町村は、第一項及び第二項の協議により定められた事項を変更しようとするときは、条例でこれを定めなければならない。

（地域自治区の区長）

第二十四条　市町村の合併に際して設ける合併関係市町村の区域による地域自治区（以下この条及び次条において「合併に係る地域自治区」という。）において、当該合併に係る地域自治区の区域における事務を効果的に処理するため特に必要があると認めるときは、合併関係市町村の協議により、期間を定めて合併に係る地域自治区の事務所の長に代えて区長を置くことができる。

2　区長は、地域の行政運営に関し優れた識見を有する者のうちから、合併市町村の長が選任する。

3　区長の任期は、二年以内において合併関係市町村の協議で定める期間とする。

4　第一項及び前項の協議については、合併関係市町村の議会の議決を経るものとし、その協議が成立したときは、合併関係市町村は、直ちにその内容を告示しなければならない。

5　合併市町村は、第一項及び第三項の協議により定められた事項を変更しようとするときは、条例でこれを定めなければならない。

6　次の各号のいずれかに該当する者は、区長となることができない。

一　破産手続開始の決定を受けて復権を得ない者

二　禁錮以上の刑に処せられ、その執行を終わるまで又はその執行を受けることがなくなるまでの者

7　合併市町村の長は、区長が心身の故障のため職務の遂行に堪えないと認める場合その他区長がその職に必要な適格性を欠くと認める場合には、これを罷免することができる。

8　合併市町村の長は、区長に職務上の義務違反その他区長たるに適しない非行があると認める場合には、これに対し懲戒処分として戒告、減給、停職又は免職の処分をすることができる。

9　区長は、前二項の規定による場合を除くほか、その意に反して罷免され、又は懲戒処分を受けることがない。

10　区長は、第六項各号のいずれかに該当するに至ったときは、その職を失う。

11　合併に係る地域自治区の事務所の職員のうち区長があらかじめ指定する者は、区長に事故があるとき、又は区長が欠けたときは、その職務を代理する。

12　区長は、合併市町村の円滑な運営と均衡ある発展に資するよう、合併市町村の長その他の機関及び合併に係る地域自治区の区域内の公共的団体等との緊密な連携を図りつつ、担任する事務を処理するものとする。

13　地方自治法第百六十五条第二項及び第百七十五条第二項並びに地方公務員法（昭和二十五年法律第二百六十一号）第三十四条の規定は、区長について準用する。この場合において、地方自治法第百六十五条第二項中「副知事又は副市町村長」とあるのは「区長（市町村の合併の特例に関する法律第二十四条第一項に規定する区長をいう。以下同じ。）」と、「普通地方公共団体の長に」とあるのは「合併市町村（同法第二条第二項に規定する合併市町村をいう。以下同じ。）の長に」と、「普通地方公共団体の長の」とあるのは「合併市町村の長の」と、同法第百七十五条第二項中「前項に規定する機関の長」とあるのは「区長」と、「普通地方公共団体」とあるのは「合併市町村」と読み替えるものとする。

14　第一項に規定する区長の職は、地方公務員法第三条の特別職とする。

（住居表示に関する特例）

第二十五条　合併に係る地域自治区の区域における住居表示に関する法律（昭和三十七年法律第百十九号）第二条に規定する住居を表示するには、同条に定めるもののほか、当該合併に係る地域自治区の名称を冠するものとする。第二十三条第一項の規定により設けられた合併に係る地域自治区の同項に規定する期間の満了に際し、当該合併に係る地域自治区の区域をその区域として引き続き設けられた合併関係市町村の区域による地域自治区の区域における同法第二条に規定する住居の表示についても、同様とする。

第三章　合併特例区

（合併特例区）

第二十六条　合併市町村において市町村の合併後の一定期間、合併関係市町村の区域であった地域の住民の意見を反映しつつその地域を単位として一定の事務を処理することにより、当該事務の効果的な処理又は当該地域の住民の生活の利便性の向上等が図られ、もって合併市町村の一体性の円滑な確立に資すると認めるときは、合併関係市町村の協議により、期間を定めて、合併市町村の区域の全部又は一部の区域に、一又は二以上の合併関係市町村の区域であった区域をその区域として、合併特例区を設けることができる。

2 前項の協議については、合併関係市町村の議会の議決を経なければならない。

第二十七条 合併特例区は、地方自治法第一条の三第一項の特別地方公共団体とする。

（合併特例区の設置）

第二十八条 合併関係市町村は、第二十六条の規定に基づき合併特例区を設けようとするときは、同条第一項の協議により規約を定め、都道府県知事（すべての合併関係市町村が一の都道府県の区域に属さない場合における市町村の合併に際して合併特例区を設けようとするときは、総務大臣。次項並びに第三十二条第四項及び第五項において同じ。）の認可を受けなければならない。

2 都道府県知事は、前項の規定に基づく認可を行う場合は、地方自治法第七条第一項又は第三項の規定に基づく処分に併せて行わなければならない。

3 合併関係市町村は、第一項の認可を受けたときは、速やかにその旨及び規約を告示しなければならない。

4 合併特例区は、市町村の合併が行われた日に成立する。

（合併特例区の設置に伴う権利の承継）

第二十九条 合併特例区が成立する際現に合併関係市町村が有する権利のうち、合併特例区の運営に必要なものとして当該合併関係市町村の協議により定めるものは、当該合併特例区の成立の時において当該合併特例区が承継するものとすることができる。

2 前項の協議については、合併関係市町村の議会の議決を経なければならない。

（合併特例区の権能）

第三十条 合併特例区は、合併関係市町村において処理されていた事務であって市町村の合併後の一定期間当該合併関係市町村の区域であった地域を単位として処理することが当該事務の効果的な処理に資するもの及び合併関係市町村の区域であった地域の住民の生活の利便性の向上等のため市町村の合併後の一定期間当該合併特例区が処理することが特に必要と認められる事務のうち、規約で定めるものを処理する。

（合併特例区の規約）

第三十一条 合併特例区の規約には、次に掲げる事項につき規定を設けなければならない。

一 合併特例区の名称
二 合併特例区の区域
三 合併特例区の設置期間
四 合併特例区の処理する事務
五 地方自治法第二百四十四条第一項に規定する公の施設（以下「公の施設」という。）の設置及び管理を行う場合にあっては、当該公の施設の名称及び所在地
六 合併特例区の事務所の位置
七 合併特例区の長の任期
八 合併特例区協議会の構成員の合併市町村の長による選任及び解任の方法並びに任期
九 合併特例区協議会の会長及び副会長の選任及び解任の方法
十 合併特例区協議会の組織及び運営に関する事項

2 前項第三号の設置期間は、当該合併特例区が同項第四号の事務を処理することが適当と認められる期間を勘案して定めるものとする。ただし、当該設置期間は、五年を超えることができない。

（合併特例区の規約の変更）

第三十二条 合併特例区の規約の変更は、合併市町村と合併特例区との協議によって定める。

2 前項の協議については、合併市町村にあっては、議会の議決を経なければならない。

3 第一項の協議については、合併特例区にあっては、合併特例区協議会の同意を得なければならない。

4 合併特例区の規約を変更しようとするときは、合併市町村は、都道府県知事の認可を受けなければならない。ただし、前条第一項第一号、第六号又は第九号に掲げる事項その他政令で定める事項のみに係る合併特例区の規約を変更しようとするときは、この限りでない。

5 合併市町村は、前項ただし書に規定する事項のみに係る合併特例区の規約を変更したときは、直ちに都道府県知事にその旨を届け出なければならない。

6 合併市町村は、第四項の認可を受けたとき又は前項の届出をしたときは、速やかにその旨を告示しなければならない。

（合併特例区の長）

第三十三条 合併特例区の長は、市町村長の被選挙権を有する者のうちから、合併市町村の長が選任する。

2 合併特例区の長の任期は、二年以内において規約で定める期間とする。

3 合併特例区の長は、第六項において準用する地方自治法第百四十一条第二項の規定及び同法第百六十六条第二項において準用する同法第百四十一条第二項の規定にかかわらず、合併市町村の副市町村長と兼ねることができる。

4 合併特例区の長は、第六項において準用する地方自治法第百四十一条第二項の規定にかかわらず、当該合併特例区の区域を所管区域とする同法第百五十五条第一項に規定する支所若しくは出張所、同法第二百五十二条の二十第一項に規定する区の事務所若しくはその出張所又は同法第二百五十二条の二十の二第一項に規定する総合区の事務所若しくはその出張所の長と兼ねることができる。

5 合併市町村の長は、合併特例区の長が心身の故障のため職務の遂行に堪えないと認める場合その他合併特例区の長がその職に必要な適格性を欠くと認める場合には、これを罷免することができる。

6 地方自治法第百四十一条、第百四十二条、第百四十三条第一項前段、第百六十五条第二項、第二百四条、第二百四条の二及び第二百五条並びに地方公務員法第三十四条の規定は、合併特例区の長について準用する。この場合において、地方自治法第百四十一条、第百四十二条及び第百四十三条第一項前段中「普通地方公共団体」とあるのは「合併特例区」と、同法第百六十五条第二項中「副知事又は副市町村長」とあるのは「合併特例区の長」と、「普通地方公共団体」とあるのは「合併市町村」と、同法第二百四条第一項中「普通地方公共団体」とあるのは「合併特例区」と、同条第二項中「普通地方公共団体」とあるのは「合併特例区」と、「条例」とあるのは「合併特例区規則」と、同条第三項中「条例」とあるのは「合併特例区規則」と、同法第二百四条の二中「普通地方公共団体」とあるのは「合併特例区」と、「条例」とあるのは「合併特例区規則」と読

み替えるものとする。

7　第一項に規定する合併特例区の長の職は、地方公務員法第三条の特別職とする。

（合併特例区の長の権限）

第三十四条　合併特例区の長は、合併特例区を代表し、その事務を総理する。

2　合併特例区の職員のうち、合併特例区の長があらかじめ指定する者は、合併特例区の長に事故があるとき又は合併特例区の長が欠けたときは、その職務を代理する。

3　合併特例区の長は、その権限の一部を当該合併特例区の職員に委任し、又はこれにその職務の一部を臨時に代理させることができる。

4　合併特例区の長は、合併特例区の職員を指揮監督する。

5　合併特例区の長は、法令、合併市町村の条例又は合併特例区の規約に違反しない限りにおいて、その権限に属する事務に関し、合併特例区規則を制定することができる。

（合併特例区規則の公布）

第三十五条　合併特例区の長は、前条第五項の規定により第五十三条及び第五十四条第一項に規定する合併特例区規則を制定した場合には、その日から二十日以内にこれを公布しなければならない。

2　地方自治法第十六条第三項及び第四項の規定は、前項の規定による合併特例区規則の公布について準用する。この場合において、同条第三項中「条例」とあるのは「合併特例区規則」と、同条第四項中「普通地方公共団体」とあるのは「合併特例区」と、「条例」とあるのは「合併特例区規則」と読み替えるものとする。

（合併特例区協議会の設置及び構成員）

第三十六条　合併特例区に、合併特例区協議会を置く。

2　合併特例区協議会の構成員は、合併特例区の区域内に住所を有する者で合併市町村の議会の議員の被選挙権を有するもののうちから、規約で定める方法により合併市町村の長が選任する。

3　前項の方法は、合併特例区協議会の構成員の構成が、合併特例区の区域内に住所を有する者の多様な意見が適切に反映されるものとなるように配慮して定めなければならない。

4　合併特例区協議会の構成員の任期は、二年以内において規約で定める期間とする。

5　合併特例区協議会の構成員が当該合併特例区の区域内に住所を有しない者であるとき、合併市町村の議会の議員の被選挙権を有しない者であるとき、又は第七項において準用する地方自治法第九十二条の二の規定に該当するときは、その職を失う。

6　合併特例区協議会の構成員には、次項において準用する地方自治法第二百三条の二第一項の規定にかかわらず、報酬を支給しないこととすることができる。

7　地方自治法第九十二条の二、第二百三条の二第一項から第三項まで及び第五項並びに第二百四条の二の規定は、合併特例区協議会の構成員について準用する。この場合において、同法第九十二条の二中「普通地方公共団体」とあるのは「合併特例区」と、「議会の議員」とあるのは「合併特例区協議会（市町村の合併の特例に関する法律第三十六条第一項に規定する合併特例区協議会をいう。以下同じ。）の構成員」と、「議会の適正な」とあるのは「合併特例区協議会の適正な」と、同法第二百三条の二第一項中「普通地方公共団体」とあるのは「合併特例区」と、同条第二項中「条例」とあるのは「合併特例区規則」と、同条第五項中「、費用弁償、期末手当及び勤勉手当」とあるのは「及び費用弁償」と、「条例」とあるのは「合併特例区規則」と、同法第二百四条の二中「普通地方公共団体」とあるのは「合併特例区」と、「条例」とあるのは「合併特例区規則」と読み替えるものとする。

（合併特例区協議会の会長及び副会長）

第三十七条　合併特例区協議会に、会長及び副会長を置く。

2　合併特例区協議会の会長及び副会長の選任及び解任の方法は、規約で定める。

3　合併特例区協議会の会長及び副会長の任期は、合併特例区協議会の構成員の任期による。

4　合併特例区協議会の会長は、合併特例区協議会の事務を掌理し、合併特例区協議会を代表する。

5　合併特例区協議会の副会長は、合併特例区協議会の会長に事故があるとき又は合併特例区協議会の会長が欠けたときは、その職務を代理する。

（合併特例区協議会の権限）

第三十八条　合併特例区協議会は、この法律の規定によりその権限に属させられた事項を処理するほか、合併特例区が処理する事務及び地域振興等に関する施策の実施その他の合併市町村が処理する事務であって当該合併特例区の区域に係るものに関し、合併市町村の長その他の機関若しくは合併特例区の長により諮問された事項又は必要と認める事項について、審議し、合併市町村の長その他の機関又は合併特例区の長に意見を述べることができる。

2　合併市町村の長は、規約で定める合併市町村の施策に関する重要事項であって合併特例区の区域に係るものを決定し、又は変更しようとする場合においては、あらかじめ、合併特例区協議会の意見を聴かなければならない。

3　合併市町村の長その他の機関又は合併特例区の長は、前二項の意見を勘案し、必要があると認めるときは、適切な措置を講じなければならない。

4　この法律又はこれに基づく政令に定めるものを除くほか、合併特例区は、合併特例区の長と合併特例区協議会との協議により、合併特例区に関する事項につき合併特例区協議会の同意を要するものを定めることができる。

（合併特例区協議会の組織及び運営）

第三十九条　この法律に定めるもののほか、合併特例区協議会の構成員の定数その他の合併特例区協議会の組織及び運営に関し必要な事項は、規約で定める。

（合併特例区の職員）

第四十条　合併特例区の職員は、合併市町村の長の補助機関たる職員のうちから、当該合併市町村の長の同意を得て、合併特例区の長が命ずる。

（合併特例区の休日）

第四十一条　合併特例区に対する地方自治法第四条の二の規定の適用については、同条第一項、第二項第三号及び第四項中「条例」とあるのは、「合併特例区規則」とする。

（合併特例区の予算）

第四十二条　合併特例区の長は、毎会計年度予算を作成しなければならない。
2　合併特例区の長は、予算の作成後に生じた事由に基づいて、既定の予算に追加その他の変更を加える必要が生じたときは、補正予算を作成することができる。
3　合併特例区の長は、必要に応じて、一会計年度のうちの一定期間に係る暫定予算を作成することができる。
4　前項の暫定予算は、当該会計年度の予算を作成したときは、その効力を失うものとし、その暫定予算に基づく支出又は債務の負担があるときは、その支出又は債務の負担は、当該会計年度の予算に基づく支出又は債務の負担とみなす。
5　合併特例区の長は、第一項から第三項までの規定により予算を作成したときは、合併特例区協議会の同意を得なければならない。
6　合併特例区の長は、前項の規定により合併特例区協議会の同意を得たときは、直ちに当該同意を得た予算について合併市町村の長の承認を求めなければならない。
7　合併特例区の長は、前項の規定により合併市町村の長の承認を受けたときは、直ちに当該承認を受けた予算の要領を公表しなければならない。

（長期借入金等の禁止）
第四十三条　合併特例区は、長期借入金及び債券発行をすることができない。

（合併特例区の会計事務）
第四十四条　合併特例区の会計事務は、合併特例区の長が行う。ただし、合併特例区の長は、必要があるときは、金融機関を指定して、現金の出納事務を取り扱わせることができる。

（合併特例区の決算）
第四十五条　合併特例区の長は、毎会計年度、政令で定めるところにより、決算を調製し、出納の閉鎖後三月以内に、証書類その他政令で定める書類と併せて、合併市町村の監査委員の審査に付さなければならない。
2　合併特例区の長は、前項の規定により合併市町村の監査委員の審査に付した決算を合併市町村の監査委員の意見を付けて合併特例区協議会の認定に付さなければならない。
3　前項の規定による意見の決定は、合併市町村の監査委員の合議によるものとする。
4　合併特例区の長は、第二項の規定により決算を合併特例区協議会の認定に付するに当たっては、事業報告書その他政令で定める書類を併せて提出しなければならない。
5　合併特例区の長は、決算をその認定に関する合併特例区協議会の決定、第二項の規定による監査委員の意見及び前項に規定する書類と併せて、合併市町村の長に報告するとともに、当該決算の要領を公表しなければならない。
6　合併市町村の長は、前項の規定により決算の報告を受けたときは、速やかに当該合併市町村の議会に報告しなければならない。
7　合併特例区の長は、合併特例区協議会が第二項の規定による決算の認定をしない旨の決定をした場合において、当該決定を踏まえて必要と認める措置を講じたときは、速やかに、当該措置の内容を合併特例区協議会に報告した上で、合併市町村の長に報告するとともに、当該措置の内容を公表しなければならない。
8　第六項の規定は、合併市町村の長が前項の規定により同項の措置の内容の報告を受けたときについて準用する。

（合併特例区に対する財源措置）
第四十六条　合併市町村は、合併特例区の運営について必要と認める予算上の措置を講ずるものとする。

（地方自治法の財務に関する規定の準用）
第四十七条　地方自治法第二百八条から第二百十条まで、第二百十二条から第二百十四条まで、第二百十五条（第五号を除く。）、第二百十六条、第二百二十条、第二百二十一条第二項及び第三項、第二百二十五条から第二百二十七条まで、第二百二十八条第一項前段、第二百三十一条、第二百三十一条の二第三項から第五項まで、第二百三十一条の二の二から第二百三十一条の二の七まで、第二百三十二条第一項、第二百三十二条の二、第二百三十二条の五、第二百三十二条の六、第二百三十三条の二本文、第二百三十四条から第二百三十四条の三まで、第二百三十五条の二第一項及び第二項、第二百三十五条の三から第二百三十八条まで、第二百三十八条の三から第二百三十八条の六まで、第二百三十九条から第二百四十二条の二まで、第二百四十二条の三（第三項を除く。）、第二百四十三条の二の二から第二百四十三条の二の七まで、第二百四十三条の二の八第一項から第五項まで、第七項から第十項まで及び第十四項、第二百四十三条の三並びに第二百四十三条の五の規定は、合併特例区の財務について準用する。この場合において、同法第二百九条第二項、第二百二十八条第一項前段、第二百三十七条第二項、第二百四十一条第一項、第二項及び第八項、第二百四十三条の二の七第一項及び第二項並びに第二百四十三条の三第一項中「条例」とあるのは、「合併特例区規則」と読み替えるものとするほか、必要な技術的読替えは、政令で定める。

（合併特例区の公の施設）
第四十八条　合併特例区は、規約で定める公の施設を設けることができる。
2　公の施設の管理に関する事項は、合併特例区規則で定めなければならない。
3　地方自治法第二百四十四条第二項及び第三項、第二百四十四条の二第二項から第十一項まで及び第二百四十四条の三の規定は、合併特例区の公の施設について準用する。この場合において、同法第二百四十四条第二項及び第三項中「普通地方公共団体」とあるのは「合併特例区」と、「住民」とあるのは「その区域内に住所を有する者」と、同法第二百四十四条の二第二項中「普通地方公共団体」とあるのは「合併特例区」と、「条例」とあるのは「合併市町村の条例」と、「議会」とあるのは「合併特例区協議会」と、「出席議員」とあるのは「出席構成員」と、「ならない」とあるのは「ならない。この場合において、合併特例区は、合併市町村の議会において出席議員の三分の二以上の者の同意を得てする当該合併市町村の長の承認を受けなければならない」と、同条第三項中「普通地方公共団体」とあるのは「合併特例区」と、「条例」とあるのは「合併特例区規則」と、同条第四項中「条例」とあるのは「合併特例区規則」と、同条第六項中「普通地方公共団体」とあるのは「合併特例区」と、「議会の議決を経なければ」とあるのは「合併特例区協議会の同意を得なければ」と、同条第七項及び第八項中「普通地方公共団体」とあるのは「合併特例区」と、同条第九項中「条例」とあるのは「合併特例区規則」と、「普通地方公共団体」とあるのは「合併特例区」と、同条第十項及び第十一項中「普通地方公共団体」とあるのは「合併特例区」と、同法第二百四十四条の三第一項中「普通地方公共団体は」とあるのは「合併特例区は」と、同条第二項中「普通地方公共団体は」とあるのは「合併特例区は」と、「住民」とあるのは「区域内に住所を有する者」と、同条第三項中「関係普通地方公共団体の議会の議決を経なければ」とあるのは「関係普通地方公共団体にあつては議会の議決を経なければならず、合併特例区にあつては合併特例区協議会の同意を得なければ」と読み替えるものとする。

4 前項において準用する地方自治法第二百四十四条の二第三項に規定する指定管理者がした公の施設を利用する権利に関する処分に不服がある者は、合併特例区の長に対して審査請求をすることができる。

5 前項の規定により合併特例区の長が審査庁となる場合における行政不服審査法（平成二十六年法律第六十八号）の規定の適用については、同法第四十三条第一項中「審査庁が主任の大臣又は宮内庁長官若しくは内閣府設置法第四十九条第一項若しくは第二項若しくは国家行政組織法第三条第二項に規定する庁の長である場合にあっては行政不服審査会に、審査庁が地方公共団体の長（地方公共団体の組合にあっては、長、管理者又は理事会）である場合にあっては第八十一条第一項又は第二項の機関に、それぞれ」とあるのは「合併市町村（市町村の合併の特例に関する法律（平成十六年法律第五十九号）第二条第二項に規定する合併市町村をいう。以下同じ。）の第八十一条第一項又は第二項の機関に」と、同項第四号中「行政不服審査会又は第八十一条第一項若しくは第二項の機関（以下「行政不服審査会等」という。）」とあるのは「合併市町村の第八十一条第一項又は第二項の機関」と、「行政不服審査会等に」とあるのは「当該機関に」と、同項第五号、第四十四条並びに第五十条第一項第四号及び第二項中「行政不服審査会等」とあるのは「合併市町村の第八十一条第一項又は第二項の機関」と、第八十一条第一項及び第二項中「規定により」とあるのは「規定（市町村の合併の特例に関する法律の規定により読み替えて適用する場合を含む。）により」とする。

（合併特例区の財産の処分等の制限）

第四十九条 合併特例区は、次に掲げる場合には、合併市町村の長の承認を受けなければならない。

一 合併市町村の条例で定める場合を除くほか、財産（地方自治法第二百三十七条第一項に規定する財産をいう。以下この項において同じ。）を交換し、出資の目的とし、若しくは支払手段として使用し、又は適正な対価なくしてこれを譲渡し、若しくは貸し付ける場合

二 不動産を信託する場合

三 前二号に掲げる場合を除くほか、その種類及び金額について政令で定める基準に従い合併市町村の条例で定める財産の取得又は処分をする場合

2 合併特例区は、次に掲げる場合には、合併特例区協議会の同意を得た上で、合併市町村の長の承認を受けなければならない。

一 負担付きの寄附又は贈与を受ける場合

二 法律若しくはこれに基づく政令又は合併特例区規則に特別の定めがある場合を除くほか、その権利を放棄する場合

三 合併市町村の条例で定める重要な公の施設につき合併市町村の条例で定める長期かつ独占的な利用をさせる場合

四 合併特例区がその当事者である審査請求その他の不服申立て、訴えの提起（合併特例区の長の処分又は裁決（行政事件訴訟法（昭和三十七年法律第百三十九号）第三条第二項に規定する処分又は同条第三項に規定する裁決をいう。以下この号において同じ。）に係る同法第十一条第一項（同法第三十八条第一項（同法第四十三条第二項において準用する場合を含む。）又は同法第四十三条第一項において準用する場合を含む。）の規定による合併特例区を被告とする訴訟（以下この号において「合併特例区を被告とする訴訟」という。）に係るものを除く。）、和解（合併特例区の長の処分又は裁決に係る合併特例区を被告とする訴訟に係るものを除く。）、あっせん、調停及び仲裁に関する行為を行う場合

3 合併市町村の長は、前二項の承認をしようとするときは、あらかじめ、当該合併市町村の議会の議決を経なければならない。

（報告等）

第五十条 合併市町村の長は、必要があるときは、合併特例区に事務の報告をさせ、書類及び帳簿を提出させ及び実地について事務を視察することができる。

2 合併市町村の長は、合併特例区の事務の処理が法令の規定に違反していると認めるとき又は著しく適正を欠き、かつ、明らかに公益を害していると認めるときは、当該合併特例区に対し、当該事務の処理について違反の是正又は改善のため講ずべき措置に関し、必要な指示をすることができる。

（合併特例区の監査）

第五十一条 合併市町村の監査委員は、毎会計年度少なくとも一回以上期日を定めて合併特例区の事務を監査するものとする。

2 合併市町村の監査委員は、監査の結果に関する報告を合併特例区の長及び合併特例区協議会並びに当該合併市町村の長に提出するとともに、これを公表しなければならない。

3 合併市町村の監査委員は、監査の結果に基づいて必要があると認めるときは、当該合併特例区の組織及び運営の合理化に資するため、前項の規定による監査の結果に関する報告に添えてその意見を提出することができる。この場合において、合併市町村の監査委員は、当該意見の内容を公表しなければならない。

4 合併市町村の監査委員は、第二項の規定による監査の結果に関する報告のうち、合併特例区の長又は合併特例区協議会において特に措置を講ずる必要があると認める事項については、その者に対し、理由を付して、必要な措置を講ずべきことを勧告することができる。この場合において、合併市町村の監査委員は、当該勧告の内容を公表しなければならない。

5 第二項の規定による監査の結果に関する報告の決定、第三項の規定による意見の決定又は前項の規定による勧告の決定は、合併市町村の監査委員の合議によるものとする。

6 合併市町村の監査委員は、第二項の規定による監査の結果に関する報告の決定について、各監査委員の意見が一致しないことにより、前項の合議により決定することができない事項がある場合には、その旨及び当該事項についての各監査委員の意見

を合併特例区の長及び合併特例区協議会並びに当該合併市町村の長に提出するとともに、これらを公表しなければならない。

7　合併市町村の監査委員から第二項の規定による監査の結果に関する報告の提出があった場合において、当該監査の結果に関する報告の提出を受けた合併特例区の長又は合併特例区協議会は、当該監査の結果に基づき、又は当該監査の結果を参考として措置（次項に規定する措置を除く。以下この項において同じ。）を講じたときは、当該措置の内容を合併市町村の監査委員に通知しなければならない。この場合において、合併市町村の監査委員は、当該措置の内容を公表しなければならない。

8　合併市町村の監査委員から第四項の規定による勧告を受けた合併特例区の長又は合併特例区協議会は、当該勧告に基づき必要な措置を講ずるとともに、当該措置の内容を当該合併市町村の監査委員に通知しなければならない。この場合において、当該合併市町村の監査委員は、当該措置の内容を公表しなければならない。

9　合併市町村の長は、第二項の規定により監査の結果に関する報告の提出を受けたとき、第三項の規定により意見の提出を受けたとき、及び第六項の規定により意見の提出を受けたときは、これを当該合併市町村の議会に報告しなければならない。

（合併特例区の解散）

第五十二条　合併特例区は、設置期間の満了により解散する。この場合において、当該合併特例区を設けている合併市町村は、当該合併特例区に属する一切の権利義務を承継する。

2　合併特例区は、前項の場合のほか、当該合併特例区を設けている合併市町村に係る市町村の廃置分合又は境界変更があった場合（政令で定める場合に限る。）に解散する。この場合における合併特例区の権利義務の承継については、政令で定める。

（合併特例区協議会の同意を要する合併特例区規則）

第五十三条　合併特例区の長は、第三十五条第二項において読み替えて準用する地方自治法第十六条第三項、第四十一条において読み替えて適用する同法第四条の二第一項、第二項第三号及び第四項並びに第四十七条において読み替えて準用する同法第二百九条第二項、第二百三十七条第二項及び第二百四十三条の三第一項の合併特例区規則を定めようとするときは、合併特例区協議会の同意を得なければならない。

（合併特例区協議会の同意及び合併市町村の長の承認を要する合併特例区規則）

第五十四条　合併特例区の長は、第四十八条第二項、第四十九条第二項第二号、第三十三条第六項において読み替えて準用する地方自治法第二百四条第二項及び第三項並びに第二百四条の二、第三十六条第七項において読み替えて準用する同法第二百三条の二第二項及び第五項並びに第二百四条の二、第四十七条において読み替えて準用する同法第二百二十八条第一項前段、第二百四十一条第一項及び第八項並びに第二百四十三条の二の七第一項並びに第四十八条第三項において読み替えて準用する同法第二百四十四条の二第三項及び第九項の合併特例区規則を定めようとするときは、合併特例区協議会の同意を得なければならない。

2　前項に規定する合併特例区規則は、合併市町村の長の承認を受けなければ、その効力を生じない。

3　合併市町村の長は、前項の承認をしようとするときは、あらかじめ、当該合併市町村の議会の議決を経なければならない。

（住居表示に関する特例）

第五十五条　合併特例区の区域における住居表示に関する法律第二条に規定する住居を表示するには、同条に定めるもののほか、当該合併特例区の名称を冠するものとする。

2　合併特例区の設置期間の満了に際し、当該合併特例区の区域をその区域として引き続き設けられた合併関係市町村の区域による地域自治区の区域における住居表示に関する法律第二条に規定する住居を表示するには、同条に定めるもののほか、当該合併関係市町村の区域による地域自治区の名称を冠するものとする。

（合併特例区が設けられている場合の地域自治区の特例）

第五十六条　合併特例区を設ける合併市町村において地方自治法第二百二条の四第一項に規定する地域自治区を設ける場合においては、同項の規定にかかわらず、合併特例区を設ける区域については、同項に規定する地域自治区を設けないことができる。

（地方公務員法の適用に関する特例）

第五十六条の二　合併特例区の職員に対する地方公務員法第三章第六節の二及び第五章の規定の適用については、同法第三十八条の二第一項中「人事委員会を置かない地方公共団体においては、地方公共団体の規則」とあるのは「合併市町村（市町村の合併の特例に関する法律（平成十六年法律第五十九号）第二条第二項に規定する合併市町村をいう。以下同じ。）の人事委員会規則（人事委員会を置かない合併市町村においては、合併市町村の規則）をいう」と、同条第七項中「人事委員会規則」とあるのは「合併市町村の人事委員会規則」と、「人事委員会又は」とあるのは「合併市町村の人事委員会又は」と、同条第八項中「地方公共団体は」とあるのは「合併市町村は」と、「その組織」とあるのは「その合併特例区の組織」と、同法第三十八条の三、第三十八条の四及び第三十八条の五第一項中「人事委員会」とあるのは「合併市町村の人事委員会」と、同法第三十八条の六第一項中「地方公共団体は」とあるのは「合併特例区又は合併市町村は」と、同条第二項中「地方公共団体」とあるのは「合併市町村」と、同法第六十条第七号中「条例を定めている地方公共団体」とあるのは「合併市町村が条例を定めている場合における当該合併特例区」とするほか、必要な技術的読替えは、政令で定める。

（政令への委任）

第五十七条　この章に定めるもののほか、合併特例区に関し必要な事項は、政令で定める。

第四章　補則

（国、都道府県等の協力等）

第五十八条　国は、都道府県及び市町村に対し、これらの求めに応じ、市町村の合併に関する助言、情報の提供その他の措置を講ずるものとする。

2　国及び都道府県は、合併市町村の円滑な運営の確保及び均衡ある発展に資するため必要な措置を講ずるよう努めなければならない。

3　都道府県は、市町村に対し、その求めに応じ、市町村の合併に関する助言、情報の提供その他の措置を講ずるものとする。

4　都道府県は、市町村の合併をしようとする市町村の求めに応じ、市町村相互間における必要な調整を行うものとする。

5 公共的団体は、合併市町村の円滑な運営の確保及び均衡ある発展に資するため必要な措置を講ずるよう努めなければならない。

6 合併関係市町村の区域内の公共的団体等は、市町村の合併に際しては、合併市町村の一体性の確立に資するため、その統合整備を図るよう努めなければならない。

（特別区に関する特例）

第五十九条 この法律中市に関する規定（第十六条第二項及び第十七条の規定を除く。）は、特別区に適用する。

第五章 罰則

第六十条 第四条第一項若しくは第五条第一項の規定による合併協議会の設置の請求者の署名又は第四条第十一項若しくは第五条第十五項の規定による選挙人の投票の請求者の署名に関し、次の各号に掲げる行為をした者は、四年以下の懲役若しくは禁錮又は百万円以下の罰金に処する。

一 署名権者又は署名運動者に対し、暴行若しくは威力を加え、又はこれをかどわかしたとき。

二 交通若しくは集会の便を妨げ、又は演説を妨害し、その他偽計詐術等不正の方法をもって署名の自由を妨害したとき。

三 署名権者若しくは署名運動者又はその関係のある社寺、学校、会社、組合、市町村等に対する用水、小作、債権、寄附その他特殊の利害関係を利用して署名権者又は署名運動者を威迫したとき。

2 第四条第一項若しくは第五条第一項の規定による合併協議会の設置の請求者の署名若しくは第四条第十一項若しくは第五条第十五項の規定による選挙人の投票の請求者の署名を偽造し若しくはその数を増減した者又は署名簿その他の合併協議会の設置の請求若しくは選挙人の投票の請求に必要な関係書類を抑留し、損ない若しくは奪取した者は、三年以下の懲役若しくは禁錮又は五十万円以下の罰金に処する。

3 第四条第一項若しくは第五条第一項の規定による合併協議会の設置の請求者の署名又は第四条第十一項若しくは第五条第十五項の規定による選挙人の投票の請求者の署名に関し、選挙権を有する者の委任を受けずに又は選挙権を有する者が心身の故障その他の事由により請求者の署名簿に署名することができないときでないのに、同条第三十項において準用する地方自治法第七十四条第七項の規定により委任を受けた者（次項において「氏名代筆者」という。）として請求者の氏名を請求者の署名簿に記載した者は、三年以下の懲役若しくは禁錮又は五十万円以下の罰金に処する。

4 選挙権を有する者が心身の故障その他の事由により第四条第一項若しくは第五条第一項の規定による合併協議会の設置の請求者の署名簿又は第四条第十一項若しくは第五条第十五項の規定による選挙人の投票の請求者の署名簿に署名することができない場合において、当該選挙権を有する者の委任を受けて請求者の氏名を請求者の署名簿に記載した者が、当該署名簿に氏名代筆者としての署名をせず又は虚偽の署名をしたときは、三年以下の懲役若しくは禁錮又は五十万円以下の罰金に処する。

5 第四条第一項若しくは第五条第一項の規定による合併協議会の設置の請求者の署名又は第四条第十一項若しくは第五条第十五項の規定による選挙人の投票の請求者の署名に関し、次に掲げる者が、その地位を利用して署名運動をしたときは、二年以下の禁錮又は三十万円以下の罰金に処する。

一 国若しくは地方公共団体の公務員又は行政執行法人（独立行政法人通則法（平成十一年法律第百三号）第二条第四項に規定する行政執行法人をいう。）若しくは特定地方独立行政法人（地方独立行政法人法（平成十五年法律第百十八号）第二条第二項に規定する特定地方独立行政法人をいう。）の役員若しくは職員

二 沖縄振興開発金融公庫の役員又は職員

6 第四条第一項若しくは第五条第一項の規定による合併協議会の設置の請求又は第四条第十一項若しくは第五条第十五項の規定による選挙人の投票の請求に関し、政令で定める請求書及び請求代表者証明書を付していない署名簿、政令で定める署名を求めるための請求代表者の委任状を付していない署名簿その他法令の定める所定の手続によらない署名簿を用いて署名を求めた者又は政令で定める署名を求めることができる期間外の時期に署名を求めた者は、三十万円以下の罰金に処する。

第六十一条 第五条第三十項において準用する地方自治法第七十四条の三第三項の規定により出頭及び証言の請求を受けた関係人が、正当の理由がないのに、市町村の選挙管理委員会に出頭せず又は証言を拒んだときは、六月以下の禁錮又は三十万円以下の罰金に処する。

2 第五条第三十一項において準用する民事訴訟法第二編第四章第二節の規定により宣誓した関係人が虚偽の陳述をしたときは、三月以上五年以下の禁錮に処する。

3 前項の罪を犯した者が市町村の選挙管理委員会が署名の効力を決定する前に自白したときは、その刑を減軽し又は免除することができる。

第六十二条 第二十四条第十三項において準用する地方公務員法第三十四条第一項又は第二項の規定に違反して秘密を漏らした区長は、一年以下の懲役又は五十万円以下の罰金に処する。

2 第三十三条第六項において準用する地方公務員法第三十四条第一項又は第二項の規定に違反して秘密を漏らした合併特例区の長は、一年以下の懲役又は五十万円以下の罰金に処する。

附 則（抄）

（施行期日）

第一条 この法律は、平成十七年四月一日から施行する。

（失効）

第二条 この法律は、令和十二年三月三十一日限り、その効力を失う。ただし、同日までに行われた市町村の合併については、同日後もなおその効力を有する。

2 この法律の失効前にした行為に対する罰則の適用については、この法律は、前項の規定にかかわらず、同項に規定する日後も、なおその効力を有する。

（適用）

第三条 この法律は、この法律の施行の日以後に行われる地方自治法第七条第一項又は第三項の規定による申請に係る市町村の合併について適用する。

（合併協議会に関する経過措置）

第四条 この法律の施行の際現に旧市町村の合併の特例に関する法律（昭和四十年法律第六号）第三条の規定により置かれている合併協議会は、第三条の規定により置かれた合併協議会とみ

なす。

（合併協議会設置の請求に関する経過措置）

第五条 この法律の施行の際現にその手続が開始されている旧市町村の合併の特例に関する法律第四条又は第四条の二（これらの規定に基づく政令を含む。）の規定による請求、手続その他の行為は、それぞれ、第四条又は第五条（これらの規定に基づく政令を含む。）の規定による請求、手続その他の行為とみなす。

（市町村の合併に関する協議に関する経過措置）

第六条 この法律の施行の日以後に地方自治法第七条第一項又は第三項の規定により市町村の合併に係る申請を行う合併関係市町村において、この法律の施行前に成立した旧市町村の合併の特例に関する法律第五条の四第一項、第五条の五第一項若しくは第二項、第五条の六第一項若しくは第三項、第六条第一項、第二項若しくは第五項、第七条第一項若しくは同条第三項において準用する同法第六条第五項又は第八条第一項の規定に基づく協議は、それぞれ、第二十二条第一項、第二十三条第一項若しくは第二項、第二十四条第一項若しくは第三項、第八条第一項、第二項若しくは第五項、第九条第一項若しくは同条第三項において準用する第八条第五項又は第十一条第一項の規定に基づく協議とみなし、この法律の施行前に行われた旧市町村の合併の特例に関する法律第五条の四第三項、第五条の五第三項、第五条の六第四項若しくは第六条第八項、同法第七条第四項において準用する同法第六条第八項又は同法第八条第四項において準用する同法第六条第八項の規定による告示は、それぞれ、第二十二条第三項、第二十三条第三項、第二十四条第四項、第八条第八項、第九条第四項又は第十一条第四項の規定による告示とみなす。

2　この法律の施行の日以後に地方自治法第七条第一項又は第三項の規定により市町村の合併に係る申請を行う合併関係市町村において、この法律の施行前に成立した旧市町村の合併の特例に関する法律第五条の八第一項、第五条の十一第一項、第九条第一項、第九条の二第一項又は第十四条第一項の規定に基づく協議は、それぞれ、第二十六条第一項、第二十九条第一項、第十二条第一項、第十三条第一項又は第二十条第一項の規定に基づく協議とみなす。

（その他の経過措置の政令への委任）

第七条 この附則に規定するもののほか、この法律の施行に伴い必要な経過措置は、政令で定める。

附　則（平二二・三・三一法一〇）（抄）

（施行期日）

第一条 この法律は、平成二十二年四月一日から施行する。ただし、附則第二条第一項の改正規定は、公布の日から施行する。

（適用区分）

第二条 この法律による改正後の市町村の合併の特例に関する法律（以下「新法」という。）第七条の規定は、平成二十二年四月一日以後に行われる市町村の合併について適用し、同日前に行われた市町村の合併については、なお従前の例による。

（経過措置）

第三条 新法第十七条の規定は、平成二十二年四月一日以後に行われる市町村の合併に係る合併市町村に交付すべき地方交付税の額の算定について適用し、同日前に行われた市町村の合併に係る合併市町村に交付すべき地方交付税の額の算定については、この法律による改正前の市町村の合併の特例等に関する法律（以下「旧法」という。）第十七条の規定は、なおその効力を有する。

第四条 この法律の施行前に旧法第六十一条第二十三項の規定により合併協議会が置かれた場合及び次条の規定によりなおその効力を有することとされる同項の規定により合併協議会が置かれた場合においては、旧法第六条第六項の規定は、なおその効力を有する。

第五条 この法律の施行前に旧法第六十一条第一項の規定による勧告がされた場合においては、同条第二項から第二十八項までの規定は、なおその効力を有する。

第六条 この法律の施行前に旧法第六十三条第一項に規定する申請があった場合においては、同条の規定は、なおその効力を有する。この場合において、同条第二項中「市町村の合併の特例等に関する法律第三条第一項」とあるのは「市町村の合併の特例に関する法律第三条第一項」と、「市町村の合併の特例等に関する法律第六十条第一項に規定する市町村合併推進審議会の委員」とあるのは「平成二十二年三月三十一日において市町村の合併の特例等に関する法律の一部を改正する法律（平成二十二年法律第十号）による改正前の市町村の合併の特例等に関する法律第六十条第一項に規定する市町村合併推進審議会の委員であった者」とする。

（罰則の適用に関する経過措置）

第七条 この法律の施行前にした行為及び附則第五条の規定によりなおその効力を有することとされる場合におけるこの法律の施行後にした行為に対する罰則の適用については、なお従前の例による。

附　則（平二三・五・二法三五）（抄）

（施行期日）

第一条 この法律は、公布の日から起算して三月を超えない範囲内において政令で定める日〔平二三・八・一〕から施行する。〔ただし書略〕

（市町村の合併の特例に関する法律の一部改正に伴う経過措置）

第四十五条 前条の規定による改正後の市町村の合併の特例に関する法律第五条第三十項において準用する新法第七十四条第六項の規定は、この法律の施行の際現に前条の規定による改正前の市町村の合併の特例に関する法律（以下この条において「旧合併特例法」という。）第四条第一項若しくは第十一項又は第五条第一項若しくは第十五項の代表者である者については、適用しない。

2　前条の規定の施行前に旧合併特例法第八条第八項の規定による同条第一項の協議に係る告示がなされた合併市町村（旧合併特例法第二条第二項に規定する合併市町村をいう。）の議会の議員の定数については、なお従前の例による。

附　則（平二八・二・三法八）（抄）

（施行期日）

第一条 この法律は、公職選挙法等の一部を改正する法律（平成二十七年法律第四十三号）の施行の日〔平二八・六・一九〕から施行する。

附　則（平二八・四・一一法二四）（抄）

（施行期日）

第一条　この法律は、公布の日から施行する。ただし、〔中略〕附則第四条から第七条まで〔中略〕の規定は、公職選挙法等の一部を改正する法律（平成二十七年法律第四十三号）の施行の日〔平二八・六・一九〕から施行する。

附　則（平二八・一二・二法九四）（抄）

（施行期日）

第一条　この法律は、公布の日から起算して六月を超えない範囲内において政令で定める日〔平二九・六・一〕から施行する。〔ただし書略〕

附　則（平二九・四・二六法二五）（抄）

（施行期日）

第一条　この法律は、平成三十年四月一日から施行する。〔ただし書略〕

（処分、申請等に関する経過措置）

第七条　この法律（附則第一条各号に掲げる規定については、当該各規定。以下この条において同じ。）の施行の日前にこの法律による改正前のそれぞれの法律の規定によりされた認定等の処分その他の行為（以下この項において「処分等の行為」という。）又はこの法律の施行の際現にこの法律による改正前のそれぞれの法律の規定によりされている認定等の申請その他の行為（以下この項において「申請等の行為」という。）で、この法律の施行の日においてこれらの行為に係る行政事務を行うべき者が異なることとなるものは、附則第二条から前条までの規定又は次条の規定に基づく政令に定めるものを除き、この法律の施行の日以後におけるこの法律による改正後のそれぞれの法律の適用については、この法律による改正後のそれぞれの法律の相当規定によりされた処分等の行為又は申請等の行為とみなす。

2　この法律の施行の日前にこの法律による改正前のそれぞれの法律の規定により国又は地方公共団体の機関に対し、報告、届出、提出その他の手続をしなければならない事項で、この法律の施行の日前にその手続がされていないものについては、附則第二条から前条までの規定又は次条の規定に基づく政令に定めるもののほか、これを、この法律による改正後のそれぞれの法律の相当規定により国又は地方公共団体の相当の機関に対して報告、届出、提出その他の手続をしなければならない事項についてその手続がされていないものとみなして、この法律による改正後のそれぞれの法律の規定を適用する。

附　則（平二九・五・一七法二九）（抄）

改正　令二・三・三一法一

（施行期日）

第一条　この法律は、令和二年四月一日から施行する。ただし、〔中略〕附則第四条の規定は、公布の日から施行する。

（政令への委任）

第四条　前二条及び附則第十七条に定めるもののほか、この法律の施行に関し必要な経過措置は、政令で定める。

附　則（平二九・六・九法五四）（抄）

改正　令二・三・三一法一

（施行期日）

第一条　この法律は、令和二年四月一日から施行する。ただし、次の各号に掲げる規定は、当該各号に定める日から施行する。

一　第四条（第三号に掲げる改正規定を除く。）の規定〔中略〕並びに附則第五条第二項〔中略〕の規定　公布の日

二　〔略〕

三　〔前略〕第四条中市町村の合併の特例に関する法律第四十五条の改正規定並びに〔中略〕附則〔中略〕第五条第一項〔中略〕の規定　平成三十年四月一日

（市町村の合併の特例に関する法律の一部改正に伴う経過措置）

第五条　第四条の規定による改正後の市町村の合併の特例に関する法律第四十五条第七項及び第八項の規定は、第三号施行日以後に市町村の合併の特例に関する法律第三十六条第一項に規定する合併特例区協議会が同法第四十五条第二項の規定による決算の認定をしない旨の決定をする場合について適用する。

2　第四条の規定による改正後の市町村の合併の特例に関する法律第五十一条第五項の規定は、第一号施行日以後に監査の結果に関する報告が提出される場合について適用する。

第六条　第五条の規定による改正後の市町村の合併の特例に関する法律第五十一条第六項の規定は、施行日以後に行われる監査の結果に関する報告の決定について適用する。

附　則（令元・六・一四法三七）（抄）

（施行期日）

第一条　この法律は、公布の日から起算して三月を経過した日から施行する。ただし、次の各号に掲げる規定は、当該各号に定める日から施行する。

一　〔略〕

二　〔前略〕第四十八条〔中略〕の規定　公布の日から起算して六月を経過した日〔令元・一二・一四〕

三・四　〔略〕

附　則（令二・三・三一法一一）（抄）

（施行期日）

第一条　この法律は、公布の日から施行する。

附　則（令三・三・三一法七）（抄）

（施行期日）

第一条　この法律は、令和三年四月一日から施行する。ただし、次の各号に掲げる規定は、当該各号に定める日から施行する。

一　〔略〕

二　〔前略〕附則〔中略〕第二十四条から第二十八条までの規定　令和四年一月四日

三〜十一　〔略〕

（市町村の合併の特例に関する法律の一部改正に伴う経過措置）

第二十五条　令和五年三月三十一日までの間における前条の規定による改正後の市町村の合併の特例に関する法律第四十七条の規定の適用については、同条中「第二百四十三条の五」とあるのは、「第二百四十三条の五並びに地方税法等の一部を改正する法律（令和三年法律第七号）附則第十九条第二項の規定によりなお従前の例によることとされた同法第六条の規定による改正前の地方自治法第二百三十一条の二第六項及び第七項」とする。

附　則（令三・五・一〇法三一）（抄）

（施行期日）

第一条　この法律は、公布の日から起算して六月を超えない範囲内において政令で定める日〔令三・一一・一〕から施行する。〔ただし書略〕

附　則（令四・一二・一六法一〇一）（抄）

（施行期日）

第一条　この法律は、公布の日から起算して三月を超えない範囲内において政令で定める日（令五・三・一）から施行する。〔ただし書略〕

附　則（令五・五・八法一九）（抄）

（施行期日）

第一条　この法律は、令和六年四月一日から施行する。〔ただし書略〕

㊟　次の法律の附則第一〇〇条により市町村の合併の特例に関する法律が改正されたが、公布の日から起算して四年を超えない範囲内において政令で定める日から施行となるため、一部改正法の形式で掲載した。

○民事訴訟法等の一部を改正する法律

令四・五・二五
法　四　八

（市町村の合併の特例に関する法律の一部改正）

第百条　市町村の合併の特例に関する法律（平成十六年法律第五十九号）の一部を次のように改正する。

第五条第三十項中「裁決書又は判決書」を「直ちに裁決書の写し又は」に、「判決書」を「直ちに」に改め、同条第三十一項中「の規定は」を「の規定（過料、罰金、拘留又は勾引に関する規定を除く。）は」に改め、同項ただし書を削り、同項に後段として次のように加える。

この場合において、民事訴訟法第二百五条第二項中「、最高裁判所規則で」とあるのは「、選挙管理委員会が」と、「最高裁判所規則で定める電子情報処理組織を使用してファイルに記録し、又は当該書面に記載すべき事項に係る電磁的記録を記録した記録媒体を提出する」とあるのは「電磁的方法（電子情報処理組織を使用する方法その他の情報通信の技術を利用する方法をいう。）により提供する」と、同条第三項中「ファイルに記録された事項若しくは同項の記録媒体に記録された」とあるのは「提供された」と読み替えるものとする。

附　則（抄）

（施行期日）

第一条　この法律は、公布の日から起算して四年を超えない範囲内において政令で定める日から施行する。〔ただし書略〕

（地方自治法及び市町村の合併の特例に関する法律の一部改正に伴う経過措置）

第百一条　〔略〕

2　新地方自治法第七十四条の二第十項（前条の規定による改正後の市町村の合併の特例に関する法律第五条第三十項において準用する場合を含む。）の規定は、地方自治法第七十四条の二第八項（市町村の合併の特例に関する法律第五条第三十項において準用する場合を含む。）及び第九項の規定による訴えであって施行日以後に提起されたものに係る裁判所がする送付について適用し、これらの規定による訴えであって施行日前に提起されたものに係る裁判所がする送付については、なお従前の例による。

㊟　次の法律の第一七一条により市町村の合併の特例に関する法律が改正されたが、刑法等一部改正法施行日〔令七・六・一〕から施行となるため、一部改正法の形式で掲載した。

○刑法等の一部を改正する法律の施行に伴う関係法律の整理等に関する法律

令四・六・一七
法　六　八

（市町村の合併の特例に関する法律の一部改正）

第百七十一条　市町村の合併の特例に関する法律（平成十六年法律第五十九号）の一部を次のように改正する。

第二十四条第六項第二号中「禁錮」を「拘禁刑」に改める。

第六十条第一項中「懲役若しくは禁錮」を「拘禁刑」に改め、同条第二項から第四項までの規定中「懲役若しくは禁錮」を「拘禁刑」に改め、同条第五項中「禁錮」を「拘禁刑」に改める。

第六十一条第一項及び第二項中「禁錮」を「拘禁刑」に改める。

第六十二条中「懲役」を「拘禁刑」に改める。

附　則（抄）

（施行期日）

1　この法律は、刑法等一部改正法施行日〔令七・六・一〕から施行する。〔ただし書略〕

㊟　次の法律の附則第一三条により市町村の合併の特例に関する法律が改正されたが、公布の日から起算して二年六月を超えない範囲内において政令で定める日から施行となるため、一部改正法の形式で掲載した。

○地方自治法の一部を改正する法律

令六・六・二六
法　六　五

（市町村の合併の特例に関する法律の一部改正）

第十三条　市町村の合併の特例に関する法律の一部を次のように改正する。

第四十七条中「第二百四十三条の二の七まで、第二百四十三条の二の八第一項」を「第二百四十三条の二の八まで、第二百四十三条の二の九第一項」に、「第二百四十三条の二の七第一項」を「第二百四十三条の二の七第六項、第二百四十三条の二の八第一項」に改める。

第五十四条第一項中「第二百四十三条の二の七第一項」を「第二百四十三条の二の八第一項」に改める。

附　則（抄）

（施行期日）

第一条　この法律は、公布の日から起算して三月を経過した日から施行する。ただし、次の各号に掲げる規定は、当該各号に定める日から施行する。

一・二　〔略〕

三　〔前略〕附則〔中略〕第十三条の規定　公布の日から起算して二年六月を超えない範囲内において政令で定める日

○市町村の合併の特例に関する法律施行令

平一七・三・一八
政令　五　五

最終改正　令六・二・九政令二七

目次〔略〕

第一章　合併協議会設置の請求

（代表者証明書の交付等）

第一条　市町村の合併の特例に関する法律（以下「法」という。）第四条第一項の規定により合併協議会を置くよう請求しようとする代表者（以下「請求代表者」という。）は、合併対象市町村の名称及び請求の内容その他必要な事項を記載した書面（以下「合併協議会設置請求書」という。）を添えて、その者の属する市町村の長に対し、請求代表者であることを証明する書面（以下「代表者証明書」という。）の交付を文書で申請しなければならない。

2　前項の規定による申請があったときは、当該市町村の長は、直ちに、市町村の選挙管理委員会に対し、請求代表者が選挙人名簿に登録された者であるかどうかの確認を求め、その確認があったときは、その者に代表者証明書を交付し、かつ、その旨を告示しなければならない。

3　代表者証明書の交付を受けた請求代表者が二人以上ある場合において、その一部の請求代表者が法第五条第三十項において準用する地方自治法（昭和二十二年法律第六十七号）第七十四条第六項各号のいずれかに該当するに至ったときは、他の請求代表者は、当該代表者証明書を添えて、当該市町村の長に届け出て、当該代表者証明書に請求代表者の変更に係る記載を受けなければならない。

4　市町村の選挙管理委員会は、代表者証明書の交付を受けた請求代表者が法第五条第三十項において準用する地方自治法第七十四条第六項各号のいずれかに該当することを知ったときは、直ちにその旨を当該市町村の長に通知しなければならない。

5　当該市町村の長は、第三項の届出又は前項の通知を受けた場合その他当該請求代表者が法第五条第三十項において準用する地方自治法第七十四条第六項各号のいずれかに該当することを知ったときは、直ちにその旨を告示しなければならない。

（署名の収集の方法等）

第二条　請求代表者は、署名簿（地方自治法第二百五十二条の十九第一項の指定都市（以下「指定都市」という。）における請求にあっては、区（総合区を含む。以下同じ。）ごとに作成したもの）に合併協議会設置請求書又はその写し及び代表者証明書又はその写しを付して、法第四条第一項に規定する選挙権を有する者（次項及び第四条第一項において「選挙権を有する者」という。）に対し、署名（目が見えない者が公職選挙法施行令（昭和二十五年政令第八十九号）別表第一に定める点字で自己の氏名を記載することを含む。以下同じ。）を求めなければならない。

2　請求代表者は、選挙権を有する者に委任して、前項の署名簿に署名（指定都市における請求にあっては、委任を受けた者の属する区の選挙権を有する者について同項の署名簿に署名）を求めることができる。この場合においては、委任を受けた者は、合併協議会設置請求書又はその写し及び代表者証明書又はその写し並びに署名を求めるための請求代表者の委任状（以下「署名収集委任状」という。）を付した署名簿を用いなければならない。

3　前二項の規定による署名は、前条第二項の規定による告示があった日から一月以内でなければ、これを求めることができない。ただし、法第五条第三十項において準用する地方自治法第七十四条第七項の規定により署名を求めることができないこととなった区域においては、その期間は、同項の規定により署名を求めることができないこととなった期間を除き、前条第二項の規定による告示があった日から三十一日以内とする。

4　法第五条第三十項において準用する地方自治法第七十四条第七項に規定する政令で定める期間は、地方自治法施行令（昭和二十二年政令第十六号）第九十二条第四項に規定する期間とする。

（署名簿の仮提出）

第三条　請求代表者は、指定都市における請求につき当該請求に係る区域の一部について前条第三項ただし書の規定の適用がある場合には、署名簿が作成される区域ごとに同項に規定する期間が満了する日の翌日から五日を経過する日までに、当該区域に係る署名簿を区の選挙管理委員会に仮提出しなければならない。ただし、当該仮提出をすべき期間内に次条第一項の規定による提出をするときは、この限りでない。

2　前項の規定により仮提出された署名簿については、請求代表者が次条第一項の規定により署名簿を提出すべき日までに同項の規定による提出をする旨を申し出たときは、その申出があったことをもって同項の規定による提出があったものとみなす。

（署名簿の提出及び審査等）

第四条　請求代表者は、署名簿に署名をした者の数が法第五条第三十項において準用する地方自治法第七十四条第五項の規定により告示された選挙権を有する者の総数の五十分の一以上の数になったときは、第二条第三項に規定する期間が満了する日（指定都市における請求につき当該請求に係る区域の一部について同項ただし書の規定が適用される場合には、当該請求に係る区域の全部について同項に規定する期間が満了する日）の翌日から五日を経過する日までに、署名簿（署名簿が二冊以上に分かれているときは、これを一括したもの）を市町村の選挙管理委員会に提出しなければならない。

2　市町村の選挙管理委員会は、前項の規定による提出を受け、署名簿の署名の有効無効を決定する場合において、同一人に係る二以上の有効であると認められる署名があるときは、その一を有効と決定しなければならない。

3　市町村の選挙管理委員会は、署名審査録（署名の効力の決定に関し、関係人の出頭及び証言を求めた次第並びに無効と決定した署名（以下「無効署名」という。）についての決定の次第その他必要な事項を記載したものをいう。以下同じ。）を作成し、署名簿の署名の効力が確定するまでの間、これを保存しなければならない。

4　市町村の選挙管理委員会は、前条第一項の規定による仮提出が同項に規定する期間の経過後にされたものであるとき、又は第一項の規定による提出が同項に規定する期間の経過後にされたものであるときは、当該仮提出又は提出を却下しなければならない。

（署名の取消し）

第五条　署名簿に署名をした者は、請求代表者が前条第一項の規定により署名簿を市町村の選挙管理委員会に提出するまでの間は、請求代表者を通じて、署名簿の署名を取り消すことができる。

（署名をした者の総数等の告示）

第六条　市町村の選挙管理委員会は、法第四条第一項の規定による請求をする者（以下「請求者」という。）の署名について、法第五条第三十項において準用する地方自治法第七十四条の二第一項の規定による証明が終了したときは、直ちに、署名簿に署名をした者の総数及び有効と決定した署名（以下「有効署名」という。）の総数を告示しなければならない。

（署名の証明の修正に関する記載）

第七条　市町村の選挙管理委員会は、請求者の署名について法第五条第三十項において準用する地方自治法第七十四条の二第五項の規定による証明の修正をする場合においては、その修正が異議の決定に基づく旨並びに異議の申出人の氏名及び異議の決定の年月日を署名簿に付記するとともに、署名審査録にその修正の次第を記載しなければならない。

（署名簿の返付をする場合の署名簿への記載）

第八条　市町村の選挙管理委員会は、請求者の署名について法第五条第三十項において準用する地方自治法第七十四条の二第六項の規定により署名簿を請求代表者に返付する場合においては、当該署名簿の末尾に、署名をした者の総数並びに有効署名及び無効署名の総数を記載しなければならない。

（署名収集証明書）

第九条　請求代表者は、法第五条第三十項において準用する地方自治法第七十四条の二第六項の規定により返付を受けた署名簿の署名の効力の決定に関し、不服がないとき、又はその提起した訴訟の判決が確定したときは、その返付を受けた日又はその効力が確定した日から五日以内に限り、法第四条第一項の規定による請求をすることができる。この場合においては、合併協議会設置請求書に第四条第一項の五十分の一以上の数の有効署名があることを証明する書面（以下「署名収集証明書」という。）及び署名簿を添えて、請求をしなければならない。

2　署名収集証明書には、署名簿の署名の効力の決定に関する判決書又は法第五条第三十項において準用する地方自治法第七十四条の二第十項の規定による通知に係る書面があるときは、これを添えなければならない。

（請求の却下及び補正）

第十条　市町村の長は、前条第一項の規定により法第四条第一項の規定による請求があった場合において、署名簿の有効署名の総数が第四条第一項の五十分の一の数に達しないとき、又は前条第一項に規定する期間を経過しているときにあっては当該請求を却下し、その請求が適法な方式を欠いているときにあっては三日以内の期限を付して当該請求を補正させなければならない。

（請求を受理した旨の通知等）

第十一条　合併請求市町村の長は、法第四条第一項の規定による請求を受理したときは、直ちに、その旨を請求代表者に通知するとともに、その者の住所及び氏名、合併対象市町村の名称並びに請求の内容を告示しなければならない。

（請求代表者の意見陳述の機会）

第十二条　議会は、法第四条第六項の規定により意見を述べる機会を与えるときは、請求代表者に対し、その日時、場所その他必要な事項を通知するとともに、これらの事項を告示しなければならない。

2　議会は、請求代表者が複数であるときは、これらの者のうち法第四条第六項の規定により意見を述べる機会を与える請求代表者の数を定めるものとする。

3　議会は、前項の規定により意見を述べる機会を与える請求代表者の数を定めたときは、第一項の通知に併せて、その旨を請求代表者に通知しなければならない。

（投票実施請求代表者証明書の交付等）

第十三条　法第四条第十一項の規定により合併協議会設置協議について選挙人の投票に付するよう請求しようとする代表者（以下「投票実施請求代表者」という。）は、同条第九項に規定する基準日から二十日以内に、その請求の内容その他必要な事項を記載した書面（以下「投票実施請求書」という。）を添えて、その者の属する市町村の選挙管理委員会に対し、投票実施請求代表者であることを証明する書面（以下「投票実施請求代表者証明書」という。）の交付を文書で申請しなければならない。

2　前項の規定による申請があったときは、当該市町村の選挙管理委員会は、直ちに、投票実施請求代表者が選挙人名簿に登録された者であることの確認を行い、その者に投票実施請求代表者証明書を交付し、かつ、その旨を告示しなければならない。

3　投票実施請求代表者証明書の交付を受けた投票実施請求代表者が二人以上ある場合において、その一部の投票実施請求代表者が法第五条第三十項において準用する地方自治法第七十四条第六項各号のいずれかに該当するに至ったときは、他の投票実施請求代表者は、当該投票実施請求代表者証明書を添えて、当該市町村の選挙管理委員会に届け出て、当該投票実施請求代表者証明書に投票実施請求代表者の変更に係る記載を受けなければならない。

4　当該市町村の選挙管理委員会は、前項の届出を受けた場合その他投票実施請求代表者証明書の交付を受けた投票実施請求代表者が法第五条第三十項において準用する地方自治法第七十四条第六項各号のいずれかに該当することを知ったときは、直ちにその旨を告示しなければならない。

（準用）

第十四条　第二条から第十条までの規定は、法第四条第十一項の規定による投票の請求について準用する。この場合において、これらの規定中「請求代表者」とあるのは「投票実施請求代表者」と、「合併協議会設置請求書」とあるのは「投票実施請求書」と、「代表者証明書」とあるのは「投票実施請求代表者証明書」と、第四条第一項、第九条第一項及び第十条中「五十分の一」とあるのは「六分の一」と、同条中「長」とあるのは「選挙管理委員会」と読み替えるものとする。

（合併協議会設置協議についての投票の請求を受理した旨の通知等）

第十五条　合併請求市町村の選挙管理委員会は、法第四条第十一項の規定による投票の請求を受理したときは、直ちに、その旨を投票実施請求代表者に通知するとともに、その者の住所及び氏名、合併対象市町村の名称並びに請求の内容を告示しなければならない。

（合併請求市町村の長による合併協議会設置協議の内容についての通知等）

第十六条　合併請求市町村の長は、法第四条第十項の規定による請求を行う場合又は同条第十二項の規定による通知を受けた場合においては、当該請求又は通知に係る合併協議会設置協議の内容を選挙管理委員会に通知しなければならない。

2　前項の規定により通知を受けた選挙管理委員会は、合併協議会設置協議の内容（法第四条第十二項の規定による通知をした場合にあっては、合併協議会設置協議の内容及び投票実施請求書に記載された請求の内容）を告示し、かつ、投票所の入口その他公衆の見やすい場所を選び、これを掲示しなければならない。

（合併協議会設置協議についての投票の期日）

第十七条　法第四条第十四項の規定による投票は、同条第十項又は第十二項の規定による公表があった日から四十日以内に行わなければならない。

2　前項の投票の期日は、少なくともその十日前に告示しなければならない。

（合併協議会設置協議についての投票の投票権等）

第十八条　市町村の議会の議員及び長の選挙権を有する者は、法第四条第十四項の規定による投票に投票権を有する。

2　法第四条第十四項の規定による投票には、公職選挙法（昭和二十五年法律第百号）に規定する選挙人名簿を用いる。

（公職選挙法の規定のうち準用しないもの）

第十九条　法第五条第三十二項の規定により法第四条第十四項の規定による投票について公職選挙法中普通地方公共団体の選挙に関する規定を準用する場合には、同法第一条から第四条まで、第五条の二から第五条の十まで、第二章、第十二条第一項、第二項及び第四項、第十三条から第十六条まで、第十八条第一項ただし書、第十九条第一項から第三項まで、第二十条から第三十条まで、第四章の二、第五章、第三十五条、第三十六条ただし書、第三十七条第三項及び第四項、第四十条第二項（市町村の議会の議員及び長の選挙以外の選挙に関する部分に限る。）、第四十一条の二第一項（選挙区に関する部分に限る。）及び第五項（同項の表次条第一項ただし書、第四十四条第一項、第四十五条第一項、第四十六条第一項から第三項まで、第四十六条の二第一項及び第四十八条第二項の項（同法第四十六条第二項及び第三項に係る部分に限る。）、第百三十二条及び第百六十五条の二の項及び第二百一条の十二第二項の項に係る部分に限る。）、第四十四条第三項、第四十六条第二項及び第三項、第四十六条の二第二項（同法第六十八条第一項第二号及び第五号、第八十六条の四並びに第百二十六条に関する部分に限る。）及び第三項（公職の候補者に関する部分に限る。）、第四十八条の二第五項（同項の表第四十六条第一項から第三項まで及び前条第二項の項（同法第四十六条第二項及び第三項に係る部分に限る。）に係る部分に限る。）、第四十九条第七項から第九項まで、第四十九条の二、第五十七条第二項、第六十一条第三項及び第四項、第六十二条第一項から第八項まで及び第九項ただし書、第六十八条第一項第二号、第三号、第五号及び第六号ただし書、第二項並びに第三項、第六十八条の二、第六十八条の三、第七十二条、第七十三条（同法第五十七条第二項に関する部分に限る。）、第七十五条第二項、第七十六条（同法第六十二条第一項から第七項まで及び第九項ただし書に関する部分に限る。）、第七十七条第二項、第八十条第三項、第八十一条、第八十四条後段、第八十六条から第百六条まで、第百八条、第十一章、第十二章、第百二十九条から第百三十四条まで、第百三十六条の二第二項、第百三十九条ただし書、第百四十一条から第百四十七条の二まで、第百四十八条第二項及び第三項、第百四十八条の二から第百五十一条の二まで、第百五十一条の五、第百五十二条、第百六十一条から第百六十四条の五まで、第百六十四条の七、第百六十五条の二、第百六十六条ただし書、第百六十七条から第百七十二条の二まで、第百七十五条第一項ただし書及び第三項から第十項まで、第百七十六条から第百七十八条の三まで、第百七十九条第一項及び第三項、第百七十九条の二から第百九十七条まで、第百九十七条の二第二項から第五項まで、第百九十九条の二から第百九十九条の五まで、第十四章の二、第十四章の三、第二百四条、第二百五条第二項から第五項まで、第二百八条、第二百九条第二項、第二百九条の二から第二百十一条まで、第二百十四条、第二百十七条、第二百十九条第二項、第二百二十条第二項、第三項後段及び第四項、第二百二十一条第三項、第二百二十二条第三項、第二百二十三条第三項、第二百二十三条の二、第二百二十四条の二、第二百二十四条の三、第二百三十四条（同法第二百二十一条第三項、第二百二十二条第三項及び第二百二十三条第三項に関する部分に限る。）、第二百三十五条、第二百三十五条の二第一号（同法第二百一条の十五に関する部分に限る。）、第二号及び第三号、第二百三十五条の三、第二百三十五条の四第二号、第二百三十五条の六、第二百三十六条第一項及び第二項、第二百三十六条の二、第二百三十八条の二、第二百三十九条第一項第二号及び第二項、第二百三十九条の二第一項、第二百四十条、第二百四十一条第一号、第二百四十二条、第二百四十三条第一項第二号から第九号まで及び第二項、第二百四十四条第一項第二号から第五号の二まで、第七号及び第八号並びに第二項、第二百四十五条から第二百四十七条まで、第二百四十九条の二から第二百四十九条の五まで、第二百五十条（同法第二百四十八条及び第二百四十九条に関する部分を除く。）、第二百五十一条から第二百五十二条の三まで、第二百五十三条の二から第二百五十四条の二まで、第二百五十五条第四項から第六項まで、第二百五十五条の二から第二百六十四条まで、第二百六十六条第一項後段及び第二項、第二百六十七条、第二百六十八条、第二百六十九条後段、第二百六十九条の二、第二百七十条第一項ただし書、第二百七十一条から第二百七十一条の五まで並びに第二百七十五条の規定は、準用しない。

（公職選挙法を準用する場合の読替え）

第二十条　法第五条第三十二項の規定により法第四条第十四項の規定による投票に公職選挙法中普通地方公共団体の選挙に関する規定を準用する場合には、次の表の上欄に掲げる同法の規定中同表の中欄に掲げる字句は、それぞれ同表の下欄に掲げる字句に読み替えるものとする。

第五条	選挙に関する事務	市町村の合併の特例に関する法律（平成十六年法律第五十九号）第四条第十四項の規定による同条第二項に規定する合併協議会設置協議（以下「合併協議会設置協議」という。）についての投票（以下「合併協議会設置協議についての投票」という。）に関する事務
	衆議院（比例代表選出）議員又は参議院（比例代表選出）議員の選挙については中央選挙管理会が管理し、衆議院（小選挙区選出）議員、参議院（選挙区選出）議員、都道府県の議会の議員又は都道府県知事の選挙については都道府県の選挙管理委員会が管理し、市町村の議会の議員又は市町村長の選挙については市町村	市町村
第六条第一項	選挙が	合併協議会設置協議についての投票が
	選挙に際しては	合併協議会設置協議についての投票に際して

		は
	選挙違反	投票違反
	選挙に関し	合併協議会設置協議についての投票に関し
第十二条第三項	都道府県知事及び市町村長	合併協議会設置協議についての投票
	、選挙する	行う
第三十七条第二項	有する者	有する者（当該合併協議会設置協議についての投票の投票実施請求代表者を除く。）
第三十八条第三項	選挙の公職の候補者	合併協議会設置協議についての投票の投票実施請求代表者
第四十六条第一項	衆議院（比例代表選出）議員又は参議院（比例代表選出）議員の選挙以外の選挙の	合併協議会設置協議についての投票における
	当該選挙の公職の候補者一人の氏名	賛否
第四十六条の二第一項	地方公共団体の議会の議員又は長の選挙の	合併協議会設置協議についての投票における
	条例で	選挙管理委員会が
	投票用紙に氏名が印刷された公職の候補者のうちその投票しようとするもの一人に対して、投票用紙の記号を記載する欄	合併協議会設置協議に賛成するときは投票用紙の賛成の記載欄に〇の記号を、これに反対するときは投票用紙の反対の記載欄
第四十六条の二第二項	第四十八条第一項	市町村の合併の特例に関する法律第五条第三十二項において準用する第四十八条第一項
	当該選挙の公職の候補者の氏名	賛否
	公職の候補者（公職の候補者たる参議院名簿登載者を含む。）一人の氏名	が指示する賛否
	公職の候補者一人に対して	の指示に従い賛成の記載欄又は反対の記載欄に
	第六十八条第一項第一号	同法第五条第三十二項において準用する第六十八条第一項第一号
	「公職の候補者の氏名」	「賛否をともに」
	公職の候補者に対して〇の記号	賛成の記載欄及び反対の記載欄のいずれにも〇の記号を
	公職の候補者の氏名のほか、他事を記載したもの。ただし、職業、身分、住所又は敬称の類を記入したものは、この限りでない。	賛否のほか、他事を記載したもの
	公職の候補者の氏名を自書しないもの	賛否を自書しないもの
	公職の候補者の何人	賛否
	公職の候補者のいずれに対して〇の記号	賛成の記載欄又は反対の記載欄のいずれに対して〇の記号を記載したか
第四十八条第一項	当該選挙の公職の候補者の氏名（衆議院比例代表選出議員の選挙の投票にあつては衆議院名簿届出政党等の名称及び略称、参議院比例代表選出議員の選挙の投票にあつては公職の候補者たる参議院名簿登載者の氏名又は参議院名簿届出政党等の名称及び略称）	賛否
第四十八条第二項	公職の候補者（公職の候補者たる参議院名簿登載者を含む。）一人の氏名、一の衆議院名簿届出政党等の名称若しくは略称又は一の参	賛否

	議院名簿届出政党等の名称若しくは略称	
第五十二条	被選挙人の氏名又は政党その他の政治団体の名称若しくは略称	賛否
第六十一条第二項	有する者	有する者（当該合併協議会設置協議についての投票の投票実施請求代表者を除く。）
第六十二条第九項	第二項の規定による開票立会人が三人に達しないとき又は開票立会人が選挙の期日	開票立会人が合併協議会設置協議についての投票の期日
	選挙の期日以後	当該期日以後
第六十二条第十項	選挙の公職の候補者	合併協議会設置協議についての投票の投票実施請求代表者
第六十八条第一項第四号	二人以上の公職の候補者の氏名を	賛否をともに
第六十八条第一項第六号及び第七号	公職の候補者の氏名	賛否
第六十八条第一項第八号	公職の候補者の何人を記載したか	賛否
第七十一条	当該選挙にかかる議員又は長の任期間	合併協議会設置協議についての投票の結果が確定するまでの間
第七十五条第三項	有する者	有する者（当該合併協議会設置協議についての投票の投票実施請求代表者を除く。）
第七十六条	第六十二条（第八項を除く。）	市町村の合併の特例に関する法律第五条第三十二項において準用する第六十二条第九項本文、第十項及び第十一項
	選挙会及び選挙分会	選挙会
	達しないとき又は」とあるのは「達しないとき、」と、「選挙の期日	合併協議会設置協議についての投票の期日
	選挙の期日以後	当該期日以後
第八十条第一項	選挙長（衆議院比例代表選出議員若しくは参議院比例代表選出議員の選挙又は参議院合同選挙区選挙における選挙長を除く。）又は選挙分会長	選挙長
	選挙会又は選挙分会	選挙会
	各公職の候補者（公職の候補者たる参議院名簿登載者を含む。第三項において同じ。）、各衆議院名簿届出政党等又は各参議院名簿届出政党等の得票総数（各参議院名簿届出政党等の得票総数にあつては、当該参議院名簿届出政党等に係る各参議院名簿登載者（当該選挙の期日において公職の候補者たる者に限る。）の得票総数を含むものをいう。第三項において同じ。）	賛成又は反対の投票のそれぞれの総数
第八十条第二項	各公職の候補者の得票総数	賛成又は反対の投票のそれぞれの総数
第八十三条第二項	書類（衆議院比例代表選出議員の選挙にあつては第八十一条第一項の規定による報告に関する書類、参議院比例代表選出議員の選挙にあつては同条第四項において準用する同条第一項の規定による報告に関する書類、参議院合同選挙区選挙にあつては同条第五項において準用する同条第一項の規定による報告に関する書類）	書類
	当該選挙に関する事務	市町村の選挙管理委員

	を管理する選挙管理委員会（衆議院比例代表選出議員又は参議院比例代表選出議員の選挙の選挙会に関するものについては中央選挙管理会、参議院合同選挙区選挙の選挙会に関するものについては当該選挙に関する事務を管理する参議院合同選挙区選挙管理委員会、選挙分会に関するものについては当該都道府県の選挙管理委員会）	会
	当該選挙に係る議員又は長の任期間	合併協議会設置協議についての投票の結果が確定するまでの間
第八十三条第三項	当該選挙に関する事務を管理する	市町村の
	当該選挙にかかる議員又は長の任期間	合併協議会設置協議についての投票の結果が確定するまでの間
第百七条	選挙若しくは当選	合併協議会設置協議についての投票又は合併協議会設置協議についての投票における賛否の結果
	若しくは第二百十条第一項の規定による訴訟が提起されなかつたこと、当該訴訟についての訴えを却下し若しくは訴状を却下する裁判が確定したこと若しくは当該訴訟が取り下げられたことにより当選が無効となつたとき又は第二百五十一条の規定により当選が無効となつたときは、当該選挙に関する事務を管理する選挙管理委員会（衆議院比例代表選出議員又は参議院比例代表選出議員の選挙については中央選挙管理会、参議院合同選挙区選挙については当該選挙に関する事務を管理する参議院合同選挙区選挙管理委員会）	は、市町村の選挙管理委員会
第百三十五条、第百三十六条、第百三十六条の二第一項及び第百三十七条から第百三十七条の三まで	選挙運動	投票運動
第百三十八条第二項	選挙運動	投票運動
	特定の候補者の氏名若しくは政党その他の政治団体の名称	合併協議会設置協議についての賛否
第百三十八条の三	選挙に関し、公職に就くべき者（衆議院比例代表選出議員の選挙にあつては政党その他の政治団体に係る公職に就くべき者又はその数、参議院比例代表選出議員の選挙にあつては政党その他の政治団体に係る公職に就くべき者又はその数若しくは公職に就くべき順位）	合併協議会設置協議についての投票に関し、合併協議会設置協議についての賛否
第百三十九条及び第百四十条	選挙運動	投票運動
第百四十条の二第一項	選挙運動	投票運動
	場合並びに午前八時から午後八時までの間に限り、次条の規定により選挙運動のために使用される自動車又は船舶の上においてする場合	場合
第百四十条の二第二項	選挙運動	投票運動
第百四十八条	選挙運動	投票運動

第一項及び第百五十一条の三	選挙に	合併協議会設置協議についての投票に
	選挙の公正	合併協議会設置協議についての投票の公正
第百六十四条の六及び第百六十六条	選挙運動	投票運動
第百七十五条第一項	各選挙につき、その選挙の当日、衆議院（比例代表選出）議員の選挙にあつては投票所内の投票の記載をする場所に衆議院名簿届出政党等の名称及び略称の掲示並びに投票所内のその他の適当な箇所に衆議院名簿届出政党等の名称及び略称並びに衆議院名簿登載者の氏名及び当選人となるべき順位の掲示を、参議院（比例代表選出）議員の選挙にあつては投票所内の投票の記載をする場所その他適当な箇所に参議院名簿届出政党等の名称及び略称並びに参議院名簿登載者の氏名（第八十六条の三第一項後段の規定により優先的に当選人となるべき候補者としてその氏名及び当選人となるべき順位が参議院名簿に記載されている者である参議院名簿登載者にあつては、氏名及び当選人となるべき順位。次項において同じ。）の掲示を、その他の選挙にあつては	合併協議会設置協議についての投票の当日、
	公職の候補者の氏名及び党派別（衆議院小選挙区選出議員の選挙にあつては、当該候補者に係る候補者届出政党の名称。以下この条において同じ。）	合併協議会設置協議の内容
第百七十五条第二項	各選挙（当該市町村の全部又は一部の区域が含まれる区域を区域として行われるものに限る。）につき、当該選挙の期日の公示又は	合併協議会設置協議についての投票の期日の
	選挙の期日の前日	当該期日の前日
	衆議院（比例代表選出）議員の選挙にあつては衆議院名簿届出政党等の名称及び略称の掲示を、参議院（比例代表選出）議員の選挙にあつては参議院名簿届出政党等の名称及び略称並びに参議院名簿登載者の氏名の掲示を、その他の選挙にあつては公職の候補者の氏名及び党派別	合併協議会設置協議の内容
第百九十七条の二第一項	衆議院（比例代表選出）議員の選挙以外の選挙	合併協議会設置協議についての投票
	選挙運動（衆議院小選挙区選出議員の選挙において候補者届出政党が行うもの及び参議院比例代表選出議員の選挙において参議院名簿届出政党等が行うものを除く。以下この項及び次項において同じ。）	投票運動
	選挙運動の	投票運動の
	当該選挙に関する事務を管理する選挙管理委員会（参議院比例代表選出議員の選挙については中央選挙管理会、参議院合同選挙区選挙については当該選挙に関する事務を管理する参議院合同選挙区選挙管理委員会）	市町村の選挙管理委員会

第二百二条第一項	地方公共団体の議会の議員及び長の選挙	合併協議会設置協議についての投票
	その選挙	その合併協議会設置協議についての投票
	公職の候補者	投票実施請求代表者
	当該選挙の	当該合併協議会設置協議についての投票の
	当該選挙に関する事務を管理する	市町村の
第二百六条第一項	地方公共団体の議会の議員又は長の選挙	合併協議会設置協議についての投票
	当選	合併協議会設置協議についての投票における賛否の結果
	公職の候補者	投票実施請求代表者
	第百一条の三第二項又は第百六条第二項の規定による告示の日	市町村の合併の特例に関する法律第四条第十五項前段の規定による公表の日
	当該選挙に関する事務を管理する	市町村の
第二百七条第二項	地方公共団体の議会の議員及び長の当選	合併協議会設置協議についての投票における賛否の結果
第二百九条第一項	当選	合併協議会設置協議についての投票における賛否の結果
	その選挙	その合併協議会設置協議についての投票
第二百十六条第一項	、第二十七条及び第四十四条	から第二十七条まで、第二十五条第七項及び第四十四条
	公職選挙法	市町村の合併の特例に関する法律（平成十六年法律第五十九号）第五条第三十二項において準用する公職選挙法（昭和二十五年法律第百号）
	第三十条第三項	第二十五条第七項中「とき、又は審理員から第四十条に規定する執行停止をすべき旨の意見書が提出されたとき」とあるのは「とき」と、同法第三十条第三項
第二百十六条第二項	、第二十七条	から第二十七条まで
	第四十五条第一項及び第二項	第四十五条
	及び第四十四条	、第二十五条第七項及び第四十四条
	当該選挙に関する事務を管理する	市町村又は特別区の
	公職選挙法	市町村の合併の特例に関する法律（平成十六年法律第五十九号）第五条第三十二項において準用する公職選挙法（昭和二十五年法律第百号）
	第二十九条第一項中	第二十五条第七項中「とき、又は審理員から第四十条に規定する執行停止をすべき旨の意見書が提出されたとき」とあるのは「とき」と、同法第二十九条第一項中
第二百十九条第一項	、第二十五条から第二十九条まで、第三十一条及び第三十四条	及び第三十四条
	選挙の効力	合併協議会設置協議についての投票の効力
	第二百七条若しくは第二百八条	第二百七条
	選挙における当選	合併協議会設置協議についての投票における賛否の結果

	請求、第二百十条第二項の規定により公職の候補者であつた者の当選の効力を争う数個の請求、第二百十一条の規定により公職の候補者等であつた者の当選の効力若しくは立候補の資格を争う数個の請求	請求
第二百二十一条第一項第一号及び第二号	当選	賛成又は反対の投票
	選挙運動者	投票運動者
第二百二十一条第一項第三号	選挙運動を	投票運動を
	選挙運動者	投票運動者
第二百二十一条第一項第五号	選挙運動者	投票運動者
第二百二十一条第二項	選挙長若しくは選挙分会長	選挙長
	選挙事務	合併協議会設置協議についての投票の事務
	選挙に関し	合併協議会設置協議についての投票に関し
第二百二十二条第一項第一号及び第二号	公職の候補者又は公職の候補者となろうとする者のため多数の	多数の
	選挙運動者	投票運動者
第二百二十三条第一項第一号	公職の候補者	投票実施請求代表者
	又は当選を辞させる目的をもつて当選人に対し第二百二十一条第一項第一号	第二百二十一条第一項第一号
第二百二十三条第一項第二号	公職の候補者	投票実施請求代表者
	、当選を辞したこと又は	又は
	又は当選人であつた者に対し	に対し
第二百二十三条第二項	選挙長若しくは選挙分会長	選挙長
	選挙事務	合併協議会設置協議についての投票の事務
	選挙に関し	合併協議会設置協議についての投票に関し
第二百二十四条	前四条	市町村の合併の特例に関する法律第五条第三十二項において準用する第二百二十一条から第二百二十三条まで
第二百二十五条第一号	公職の候補者	投票実施請求代表者
	、選挙運動者又は当選人	又は投票運動者
第二百二十五条第三号	公職の候補者	投票実施請求代表者
	、選挙運動者若しくは当選人	若しくは投票運動者
	、選挙運動者又は当選人	又は投票運動者
第二百二十六条第一項	選挙に関し	合併協議会設置協議についての投票に関し
	選挙長若しくは選挙分会長	選挙長
	公職の候補者若しくは選挙運動者	投票実施請求代表者若しくは投票運動者
	選挙事務所	投票運動のための事務所
	選挙の自由	合併協議会設置協議についての投票の自由
第二百二十六条第二項	選挙長若しくは選挙分会長	選挙長
	被選挙人の氏名（衆議院比例代表選出議員の選挙にあつては政党その他の政治団体の名称	賛否

	又は略称、参議院比例代表選出議員の選挙にあつては被選挙人の氏名又は政党その他の政治団体の名称若しくは略称）	
第二百二十七条	選挙長若しくは選挙分会長	選挙長
	選挙事務	合併協議会設置協議についての投票の事務
	被選挙人の氏名（衆議院比例代表選出議員の選挙にあつては政党その他の政治団体の名称又は略称、参議院比例代表選出議員の選挙にあつては被選挙人の氏名又は政党その他の政治団体の名称若しくは略称）	賛否
第二百二十八条第一項	被選挙人の氏名（衆議院比例代表選出議員の選挙にあつては政党その他の政治団体の名称又は略称、参議院比例代表選出議員の選挙にあつては被選挙人の氏名又は政党その他の政治団体の名称若しくは略称）	賛否
第二百三十五条の五	当選	賛成又は反対の投票
第二百三十七条第四項	選挙長若しくは選挙分会長	選挙長
	選挙事務	合併協議会設置協議についての投票の事務
第二百三十七条の二第一項	公職の候補者（公職の候補者たる参議院名簿登載者を含む。）の氏名若しくは衆議院名簿届出政党等若しくは参議院名簿届出政党等の名称若しくは略称又は公職の候補者に対して	賛否又は
	指示する	指示に従い
第二百三十七条の二第二項	公職の候補者（公職の候補者たる参議院名簿登載者を含む。）の氏名又は衆議院名簿届出政党等若しくは参議院名簿届出政党等の名称若しくは略称	賛否
第二百三十九条第一項第一号	第二百二十九条、第百三十七条	第百三十七条
	選挙運動	投票運動
第二百三十九条の二第二項	第百三十六条の二	第百三十六条の二第一項
	選挙運動又は行為	投票運動
第二百四十一条第二号	選挙運動	投票運動
第二百五十五条第一項	公職の候補者（公職の候補者たる参議院名簿登載者を含む。以下この条及び次条において同じ。）一人の氏名、一の衆議院名簿届出政党等の名称若しくは略称又は一の参議院名簿届出政党等の名称若しくは略称	賛否
	公職の候補者の氏名、衆議院名簿届出政党等の名称若しくは略称又は参議院名簿届出政党等の名称若しくは略称	賛否
第二百五十五条第三項	公職の候補者一人の氏名、一の衆議院名簿届出政党等の名称若しくは略称又は一の参議院名簿届出政党等の名称若しくは略称	賛否
	公職の候補者の氏名、衆議院名簿届出政党等の名称若しくは略称又は参議院名簿届出政党	賛否

	等の名称若しくは略称	
第二百六十九条	衆議院議員、参議院議員、都道府県の議会の議員及び長の選挙並びに指定都市の議会の議員及び長の選挙	指定都市における合併協議会設置協議についての投票

（開票立会人等の選任）

第二十一条　法第四条第十四項の規定による投票については、市町村の選挙管理委員会（法第五条第三十二項において準用する公職選挙法第十八条第二項の規定により指定都市の数区の区域の全部又は一部を合わせて開票区が設けられた場合には、当該指定都市の選挙管理委員会が指定した区の選挙管理委員会）は、開票区ごとに、当該開票区の区域の全部又は一部をその区域に含む市町村の選挙人名簿に登録された者で同一の政党その他の政治団体に属さないものの中から、本人の承諾を得て、開票区ごとに三人以上五人以下の開票立会人を選任し、これを開票管理者に通知しなければならない。

2　前項の規定は、選挙立会人について準用する。この場合において、同項中「市町村の選挙管理委員会（法第五条第三十二項において準用する公職選挙法第十八条第二項の規定により指定都市の数区の区域の全部又は一部を合わせて開票区が設けられた場合には、当該指定都市の選挙管理委員会が指定した区の選挙管理委員会）」とあるのは「市町村の選挙管理委員会」と、「開票区ごとに、当該開票区の区域の全部又は一部をその区域に含む市町村の選挙人名簿に登録された者」とあるのは「当該市町村の議会の議員及び長の選挙権を有する者」と、「開票区ごとに三人」とあるのは「三人」と、「開票管理者」とあるのは「選挙長」と読み替えるものとする。

（公職選挙法施行令の準用）

第二十二条　公職選挙法施行令第九条の二、第十条の二第一項及び第三項から第五項まで、第二十二条の二、第二十四条第一項及び第二項、第二十五条から第二十六条の三まで、第二十六条の四（市町村の議会の議員及び長の選挙に関する部分に限る。）、第二十六条の五から第二十八条まで、第三十一条から第三十四条まで、第三十五条第一項（市町村の議会の議員及び長の選挙に関する部分に限る。）及び第二項、第三十六条、第三十七条、第三十九条から第四十四条まで、第四十四条の二（在外選挙人名簿に関する部分を除く。）、第四十五条、第四十六条第四項、第四十八条第四項、第四章の二（第四十八条の三（同条の表第四十九条の五第二項の項、第九十三条第一項の項及び第百四条の項に係る部分に限る。）並びに第四十九条第二項、第三項及び第六項から第八項までを除く。）、第四十九条の三、第四章の四（第四十九条の十二第二項、第三項及び第六項から第八項までを除く。）、第五十条（第五項及び第七項を除く。）、第五十一条、第五十二条、第五十三条第一項（市町村の議会の議員及び長の選挙に関する部分に限る。）及び第二項から第四項まで、第五十四条、第五十五条（第六項及び第七項に係る部分を除く。）、第五十六条から第五十八条まで、第五十九条の二、第五十九条の三の二第一項、第五十九条の四第一項及び第二項、同条第四項（市町村の議会の議員及び長の選挙に関する部分に限る。）、第五十九条の五から第五十九条の五の三まで、第五十九条の五の四第一項、第二項、第四項及び第五項、同条第六項及び第七項（これらの規定中市町村の議会の議員及び長の選挙に関する部分に限る。）並びに第八項から第十五項まで、第六十条、第六十一条第一項（在外選挙人名簿に関する部分を除く。）、第二項及び第三項、同条第五項（同条第四項に関する部分を除く。）、第六十二条第一項、第六十三条第一項及び第二項、同条第三項（公職選挙法第四十九条第七項から第九項までの規定による投票に関する部分を除く。）及び第四項、第六十四条、第六十五条、第六十六条第二項、第六十七条第一項、第二項、第五項及び第六項、第六十八条、第七十条の二第一項、第七十一条から第七十三条まで、第七十四条から第七十六条まで（これらの規定中市町村の議会の議員及び長の選挙に関する部分に限る。）、第七十七条第一項及び第三項、第七十八条第四項、第八十条及び第八十一条（これらの規定中市町村の議会の議員及び長の選挙に関する部分に限る。）、第八十三条の二から第八十四条まで第八十五条（市町村の議会の議員及び長の選挙に関する部分に限る。）、第八十六条第一項、第八十七条第一項（市町村の議会の議員及び長の選挙に関する部分に限る。）、第百二十五条の四、第百二十九条第一項、第百二十九条の八、第百三十一条（第一項後段を除く。）、第百三十八条、第百四十一条の二第一項、第百四十一条の三、第百四十二条第一項（同法第四十九条第七項から第九項までの規定による投票に関する部分を除く。）及び第二項、第百四十二条の二（第一項第十一号及び第十二号に係る部分を除く。）、第百四十二条の三、第百四十五条、第百四十六条第二項並びに別表第一の規定は、法第四条第十四項の規定による投票について準用する。この場合において、次の表の上欄に掲げる同令の規定中同表の中欄に掲げる字句は、それぞれ同表の下欄に掲げる字句に読み替えるものとする。

第二十二条の二	その抄本を用いて選挙された衆議院議員、参議院議員又は地方公共団体の議会の議員若しくは長の任期間	市町村の合併の特例に関する法律（平成十六年法律第五十九号）第四条第十四項の規定による同条第二項に規定する合併協議会設置協議についての投票（以下「合併協議会設置協議についての投票」という。）の結果が確定するまでの間
第四十一条第四項	公職の候補者（公職の候補者たる参議院名簿登載者を含む。）の氏名若しくは衆議院名簿届出政党等若しくは参議院名簿届出政党等の名称若しくは略称又は公職の候補者に対して	賛否又は
第四十五条	書類（当該選挙	書類（合併協議会設置

		協議についての投票
	当該選挙に係る衆議院議員、参議院議員又は地方公共団体の議会の議員若しくは長の任期間（当該選挙に用いなかつた投票用紙にあつては、次の各号に掲げる選挙の区分に応じ、当該各号に定める期間）	合併協議会設置協議についての投票の結果が確定するまでの間
第五十六条第一項	選挙の期日の公示又は	合併協議会設置協議についての投票の期日の
	選挙の期日の前日	当該期日の前日
	当該選挙の公職の候補者一人の氏名（衆議院比例代表選出議員の選挙にあつては一の衆議院名簿届出政党等の法第八十六条の二第一項の規定による届出に係る名称又は略称、参議院比例代表選出議員の選挙にあつては公職の候補者たる参議院名簿登載者一人の氏名又は一の参議院名簿届出政党等の法第八十六条の三第一項の規定による届出に係る名称若しくは略称。次項及び第四項において同じ。）	賛否
第五十六条第二項	当該選挙の公職の候補者一人の氏名	賛否
第五十六条第四項	公職の候補者一人の氏名	賛否
第五十六条第五項	公職の候補者の氏名（衆議院比例代表選出議員の選挙にあつては衆議院名簿届出政党等の法第八十六条の二第一項の規定による届出に係る名称又は略称、参議院比例代表選出議員の選挙にあつては公職の候補者たる参議院名簿登載者の氏名又は参議院名簿届出政党等の法第八十六条の三第一項の規定による届出に係る名称若しくは略称）	賛否
第五十九条の五	選挙の期日の公示又は	合併協議会設置協議についての投票の期日の
	当該選挙の公職の候補者一人の氏名（衆議院比例代表選出議員の選挙にあつては一の衆議院名簿届出政党等の法第八十六条の二第一項の規定による届出に係る名称又は略称、参議院比例代表選出議員の選挙にあつては公職の候補者たる参議院名簿登載者一人の氏名又は一の参議院名簿届出政党等の法第八十六条の三第一項の規定による届出に係る名称若しくは略称。次条において同じ。）	賛否
第五十九条の五の二	公職の候補者一人の氏名	賛否
第六十六条第二項	当該選挙	指定都市の議会の議員及び長
第六十七条第一項	当該選挙	市町村の議会の議員及び長
第六十七条第五項	当該選挙	指定都市の議会の議員及び長
第六十八条	市町村又は都道府県	市町村
	第六十六条若しくは前条第一項、第三項若しくは第五項	第六十六条第二項若しくは前条第一項若しくは第五項
第七十条の二第一項	法第六十二条第二項若しくは第四項の規定により開票立会人が定まつた場合又は同条第八項若しくは第九項	市町村の合併の特例に関する法律第五条第三十二項において準用する法第六十二条第九項本文又は市町村の合併

		の特例に関する法律施行令第二十一条第一項
	並びに公職の候補者の届出に係る者については当該公職の候補者の氏名及び当該公職の候補者の属する政党その他の政治団体の名称、候補者届出政党の届出に係る者については当該候補者届出政党の名称、衆議院名簿届出政党等の届出に係る者については当該衆議院名簿届出政党等の名称及び略称、参議院名簿届出政党等の届出に係る者については当該参議院名簿届出政党等の名称及び略称、市町村の選挙管理委員会の選任に係る者については	並びに
第七十二条	同一の公職の候補者（公職の候補者たる参議院名簿登載者を含む。）、同一の衆議院名簿届出政党等又は同一の参議院名簿届出政党等の得票数（参議院名簿届出政党等の得票数にあつては、当該参議院名簿届出政党等に係る各参議院名簿登載者	賛成又は反対のそれぞれの投票数

	（当該選挙の期日において公職の候補者たる者に限る。）の得票数を含むものをいう。）	
第七十三条	各公職の候補者（公職の候補者たる参議院名簿登載者を含む。）、各衆議院名簿届出政党等又は各参議院名簿届出政党等の得票数（各参議院名簿届出政党等の得票数にあつては、当該参議院名簿届出政党等に係る各参議院名簿登載者（当該選挙の期日において公職の候補者たる者に限る。）の得票数を含むものをいう。）	賛成又は反対のそれぞれの投票数
第七十七条第一項	当該選挙に係る衆議院議員、参議院議員又は地方公共団体の議会の議員若しくは長の任期	合併協議会設置協議についての投票の結果が確定するまでの間
	間	
第八十四条	選挙長又は選挙分会長	選挙長
	法第八十条又は第八十一条第二項若しくは第三項（同条第二項及び第三項の規定を同条第四項において準用する場合を含む。）	市町村の合併の特例に関する法律第五条第三十二項において準用する法第八十条

	各公職の候補者（公職の候補者たる参議院名簿登載者を含む。）、各衆議院名簿届出政党等又は各参議院名簿届出政党等の得票総数（各参議院名簿届出政党等の得票総数にあつては、当該参議院名簿届出政党等に係る各参議院名簿登載者（当該選挙の期日において公職の候補者たる者に限る。）の得票総数を含むものをいう。）	賛成又は反対のそれぞれの投票総数
	選挙会場又は選挙分会場	選挙会場
第八十六条第一項	当該選挙に関する事務を管理する選挙管理委員会（衆議院比例代表選出議員又は参議院比例代表選出議員の選挙については中央選挙管理会、参議院合同選挙区選挙については当該選挙に関する事務を管理する参議院合同選挙区選挙管理委員会）	市町村の選挙管理委員会
	当該選挙に係る衆議院議員、参議院議員又は地方公共団体の議会の	合併協議会設置協議についての投票の結果が確定するまでの間

	議員若しくは長の任期間	
第百二十九条第一項	選挙運動	投票運動
第百二十九条の八第二項	「公職選挙法	「市町村の合併の特例に関する法律（平成十六年法律第五十九号）第五条第三十二項において準用する公職選挙法
	当該選挙に関する事務を管理する	市町村又は特別区の
	（公職選挙法	（市町村の合併の特例に関する法律第五条第三十二項において準用する公職選挙法
第百三十一条第一項	選挙の一部が無効となつたことにより法第百九条又は第百十条の規定により再選挙が行われるべき	一部の区域について市町村の合併の特例に関する法律第五条第三十二項において準用する法第五十七条の規定による投票が行われる
	再選挙	投票
第百三十一条第二項	再選挙	投票
	選挙人名簿又は第二十三条の十六において準用する第十九条第一項若しくは第二項の規定による移送若しくは引継ぎを受けた在外選挙人名簿	選挙人名簿
	関係部分又は在外選挙人名簿若しくはその中の関係部分	関係部分
第百三十一条第三項	再選挙	投票
第百四十五条	選挙人名簿、在外選挙人名簿、投票録、開票録、選挙録、当選証書	投票録、開票録、選挙録

（再投票）

第二十三条　法第四条第十四項の規定による投票が法第五条第三十二項において準用する公職選挙法第二百二条、第二百三条、第二百六条又は第二百七条の規定による異議の申出、審査の申立て又は訴訟の結果その全部又は一部が無効となつた場合においては、市町村の選挙管理委員会は、当該異議の申出若しくは審査の申立てに対する決定若しくは裁決が確定した日又は当該訴訟につき同法第二百二十条第一項後段の規定による通知を受けた日から三十日以内に再投票に付さなければならない。

2　前項の再投票の期日は、少なくともその十日前に告示しなければならない。

3　第一項の再投票については、前項に定めるもののほか、法第五条第三十二項において準用する公職選挙法中普通地方公共団体の選挙に関する規定及び第十八条から前条までの規定並びに公職選挙法第七十二条、第八十条第三項及び第二百七十一条の二並びに公職選挙法施行令第百三十条（市町村の議会の議員及び長の選挙に関する部分に限る。）、第百三十一条第一項前段、同条第二項（在外選挙人名簿に関する部分を除く。）及び第三項並びに第百三十二条の十（市町村の議会の議員及び長の選挙に関する部分に限る。）の規定を準用する。この場合において、公職選挙法第八十条第三項中「選挙長又は選挙分会長」とあるのは「選挙長」と、「各公職の候補者、各衆議院名簿届出政党等又は各参議院名簿届出政党等の得票総数」とあるのは「賛成又は反対のそれぞれの投票総数」と読み替えるものとする。

（合併協議会設置協議に関する請求があった旨の通知）

第二十四条　合併請求市町村を包括する都道府県の知事は、法第四条第十項又は第十三項の規定による報告を受けたときは、直ちに、その旨を選挙管理委員会に通知しなければならない。

（合併協議会設置同一請求書の作成）

第二十五条　法第五条第一項の規定により合併協議会を置くよう請求しようとする代表者（以下「同一請求代表者」という。）は、同一請求関係市町村の名称及び請求の内容並びにこれらが他の同一請求関係市町村の同一請求代表者が行う合併協議会の設置の請求に係る同一請求関係市町村の名称及び請求の内容と同一である旨その他必要な事項を記載した書面（以下「合併協議会設置同一請求書」という。）を作成しなければならない。

（請求が同一の内容であることの確認）

第二十六条　法第五条第二項の規定による確認の申請は、すべての同一請求関係市町村に係る合併協議会設置同一請求書を添えて、すべての同一請求代表者が連署した一の文書をもってしなければならない。

2　前項の申請を受けた同一請求関係市町村を包括する都道府県の知事は、当該申請に係るすべての合併協議会設置同一請求書に記載された同一請求関係市町村の名称及び請求の内容が同一であることの確認をしたときは、すべての合併協議会設置同一請求書に、すべての合併協議会の設置の請求が同一の内容であることの確認をした旨を記載し、かつ、記名押印して、それぞれの同一請求代表者に対し、これを返付しなければならない。

3　前項の規定により同一請求代表者に対し合併協議会設置同一請求書を返付した同一請求関係市町村を包括する都道府県の知事は、直ちに、合併協議会設置同一請求書を返付した旨及びその年月日を当該同一請求代表者の属する同一請求関係市町村の長に通知しなければならない。

（同一請求代表者証明書の交付等）

第二十七条　同一請求代表者は、前条第二項の規定により合併協議会設置同一請求書の返付を受けた日から七日以内に、当該合併協議会設置同一請求書を添えて、その者の属する同一請求関係市町村の長に対し、同一請求代表者であることを証明する書面（以下「同一請求代表者証明書」という。）の交付を文書で申請しなければならない。

2　前項の規定による申請があったときは、当該同一請求関係市町村の長は、直ちに、市町村の選挙管理委員会に対し、同一請求代表者が選挙人名簿に登録された者であるかどうかの確認を求め、その確認があったときは、その旨を当該同一請求関係市町村を包括する都道府県の知事に報告しなければならない。

3　同一請求関係市町村を包括する都道府県の知事は、すべての同一請求関係市町村の長から前項の規定による報告を受けたときは、その旨をすべての同一請求関係市町村の長に通知しなければならない。

4　同一請求関係市町村の長は、前項の規定による通知を受けたときは、同一請求代表者に対し、同一請求代表者証明書を交付するとともに、その旨を告示し、かつ、当該同一請求関係市町村を包括する都道府県の知事に対し、これらを報告しなければならない。

5　一の同一請求関係市町村において同一請求代表者証明書の交付を受けた同一請求代表者が二人以上ある場合において、その一部の同一請求代表者が法第五条第三十項において準用する地方自治法第七十四条第六項各号のいずれかに該当するに至ったときは、他の同一請求代表者は、当該同一請求代表者証明書を添えて、当該同一請求代表者証明書を交付した同一請求関係市町村の長に届け出て、当該同一請求代表者証明書に同一請求代表者の変更に係る記載を受けなければならない。

（準用）

第二十八条　第一条第四項及び第五項並びに第二条から第十一条までの規定は法第五条第一項の規定による請求について、第十二条の規定は法第五条第七項の規定により意見を述べる機会を与えるときについて準用する。この場合において、これらの規定中「代表者証明書」とあるのは「同一請求代表者証明書」と、「請求代表者」とあるのは「同一請求代表者」と、「合併協議会設置請求書」とあるのは「合併協議会設置同一請求書」と、第二条第三項中「前条第二項」とあるのは「第二十七条第四項」と、第十一条中「合併請求市町村」とあり、及び「合併対象市町村」とあるのは「同一請求関係市町村」と読み替えるものとする。

第二十九条　第十三条から第十五条までの規定は、法第五条第十五項の規定による投票の請求について準用する。この場合において、第十三条第一項中「同条第九項」とあるのは「法第五条第九項」と、第十五条中「合併請求市町村」とあるのは「合併協議会設置協議否決市町村」と、「合併対象市町村」とあるのは「同一請求関係市町村」と読み替えるものとする。

（合併協議会設置協議否決市町村の長による同一請求に基づく合併協議会設置協議の内容についての通知等）

第三十条　合併協議会設置協議否決市町村の長は、法第五条第十四項又は第十九項の規定による通知を行う場合においては、当該通知に係る同一請求に基づく合併協議会設置協議（同条第六項に規定する同一請求に基づく合併協議会設置協議をいう。以下同じ。）の内容を選挙管理委員会に通知しなければならない。

2　前項の規定により通知を受けた選挙管理委員会は、同一請求に基づく合併協議会設置協議の内容（法第五条第十九項の規定による通知を受けた場合にあっては、同一請求に基づく合併協議会設置協議の内容及び前条において準用する第十三条第一項の投票実施請求書に記載された請求の内容）を告示し、かつ、投票所の入口その他公衆の見やすい場所を選び、これを掲示しなければならない。

（同一請求に基づく合併協議会設置協議についての投票の期日）

第三十一条　すべての合併協議会設置協議否決市町村の法第五条第二十一項の規定による投票は、同条第十三項又は第十九項の規定による合併協議会設置協議否決市町村の長の公表があった日のうち最も遅い日（以下この条において「投票基準日」という。）から四十日以内の同一の期日に行わなければならない。

2　合併協議会設置協議否決市町村の数が一である場合を除き、すべての合併協議会設置協議否決市町村の選挙管理委員会は、投票基準日から七日以内に、協議により前項の投票の期日を定め、直ちに、これを合併協議会設置協議否決市町村を包括する都道府県の選挙管理委員会に報告しなければならない。

3　前項の場合において、合併協議会設置協議否決市町村を包括する都道府県の選挙管理委員会は、投票基準日から七日以内に同項の規定による報告がなかったときは、速やかに、第一項の投票の期日を定め、これをすべての合併協議会設置協議否決市町村の選挙管理委員会に通知しなければならない。

4　第一項の投票の期日は、少なくともその十日前に告示しなければならない。

（準用）

第三十二条　第十八条から第二十三条までの規定は、法第五条第二十一項の規定による投票について準用する。この場合において、第二十条中「第四条第十四項の規定による同条第二項に規定する合併協議会設置協議」とあるのは「第五条第二十一項の規定による同条第六項に規定する同一請求に基づく合併協議会設置協議」と、「第四条第十五項前段」とあるのは「第五条第二十二項前段」と、第二十二条中「第四条第十四項の規定による同条第二項に規定する合併協議会設置協議」とあるのは「第五条第二十一項の規定による同条第六項に規定する同一請求に基づく合併協議会設置協議」と読み替えるものとする。

（同一請求に基づく合併協議会設置協議に関する請求があった旨の通知）

第三十三条　合併協議会設置協議否決市町村を包括する都道府県の知事は、すべての合併協議会設置協議否決市町村の長から法第五条第十一項後段の規定による報告を受けたとき、又は同項後段の規定による報告をしなかったすべての合併協議会設置協議否決市町村の長から同条第十七項の規定による報告を受けたときは、直ちに、その旨を当該都道府県の選挙管理委員会に通知しなければならない。

（すべての同一請求関係市町村が一の都道府県の区域に属さない場合における法の読替え）

第三十四条　すべての同一請求関係市町村が一の都道府県の区域に属さない場合における法第五条の規定の適用については、同条第二項中「同一請求関係市町村を包括する都道府県の知事」とあるのは「同一請求関係市町村が属するいずれか一の都道府県の知事」と、同条第三項中「当該同一請求関係市町村を包括する都道府県の知事」とあるのは「前項の確認をした都道府県の知事（以下「代表都道府県知事」という。）」と、同条第四項、第八項及び第九項中「同一請求関係市町村を包括する都道府県の知事」とあるのは「代表都道府県知事」と、同条第十一項、第十二項、第十七項、第十八項、第二十三項及び第二十四項中「合併協議会設置協議否決市町村を包括する都道府県の知事」とあるのは「代表都道府県知事」とする。

（すべての同一請求関係市町村が一の都道府県の区域に属さない場合におけるこの政令の読替え）

第三十五条　すべての同一請求関係市町村が一の都道府県の区域に属さない場合における第二十六条、第二十七条、第三十一条及び第三十三条の規定の適用については、第二十六条第二項中「同一請求関係市町村を包括する都道府県の知事」とあるのは「都道府県知事」と、「これを返付しなければならない」とあるのは「これを返付しなければならない。この場合において、当該申請を受けた都道府県知事は、当該確認について、あらかじめ、同一請求関係市町村が属する他の都道府県のすべての知事に協議し、その同意を得なければならない」と、同条第三項中「同一請求関係市町村を包括する都道府県の知事」とあるのは「代表都道府県知事（第三十四条の規定により読み替えて適用する法第五条第三項に規定する代表都道府県知事をいう。以下同じ。）」と、第二十七条第二項から第四項までの規定中「同一請求関係市町村を包括する都道府県の知事」とあるのは「代表都道府県知事」と、第三十一条第二項及び第三項中「合併協議会設置協議否決市町村を包括する」とあるのは「代表都道府県知事の統括する」と、第三十三条中「合併協議会設置協議否決市町村を包括する都道府県の知事」とあるのは「代表都道府県知事」と、「当該都道府県」とあるのは「合併協議会設置協議否決市町村が属する都道府県」とする。

（すべての同一請求関係市町村が一の都道府県の区域に属さない場合における通知等の経由）

第三十六条　第三十四条の規定により読み替えて適用する法第五条第三項、第八項、第十一項、第十七項及び第二十三項の規定並びに前条の規定により読み替えて適用する第二十七条第二項及び第四項の規定による同一請求関係市町村の長又は合併協議会設置協議否決市町村の長から代表都道府県知事に対する報告並びに第三十四条の規定により読み替えて適用する法第五条第四項、第九項、第十二項、第十八項及び第二十四項の規定並びに前条の規定により読み替えて適用する第二十六条第三項及び第二十七条第三項の規定による代表都道府県知事から同一請求関係市町村の長への通知は、当該都道府県の区域に属さない同一請求関係市町村又は合併協議会設置協議否決市町村については、それぞれ当該同一請求関係市町村又は当該合併協議会設置協議否決市町村が属する他の都道府県の知事を経由して行わなければならない。

2　前条の規定により読み替えて適用する第三十一条第二項の規定による合併協議会設置協議否決市町村の選挙管理委員会から代表都道府県知事の統括する都道府県の選挙管理委員会への報告及び前条の規定により読み替えて適用する第三十一条第三項の規定による代表都道府県知事の統括する都道府県の選挙管理委員会から合併協議会設置協議否決市町村の選挙管理委員会への通知は、当該都道府県の区域に属さない合併協議会設置協議否決市町村については、それぞれ当該合併協議会設置協議否決市町村が属する他の都道府県の選挙管理委員会を経由して行わなければならない。

3　前条の規定により読み替えて適用する第三十三条の規定による代表都道府県知事から合併協議会設置協議否決市町村が属する都道府県の選挙管理委員会への通知は、代表都道府県知事の統括する都道府県と合併協議会設置協議否決市町村が属する都道府県が異なる場合については、当該合併協議会設置協議否決市町村が属する都道府県の知事を経由して行わなければならない。

第二章　地方自治法の特例等

（合併市町村において事業所税の特例が適用されない場合の人口）

第三十七条　法第十六条第二項ただし書に規定する政令で定めるところにより算定した人口は、三十万を第一号に規定する人口で除して得た数値に第二号に規定する人口を乗じて得た人口とする。

一　合併関係市町村の人口（市町村の合併が行われた日（以下この号において「合併期日」という。）前の直近において官報で公示された国勢調査の結果による当該合併関係市町村の人口又は合併期日前の直近の一月一日現在において住民基本台帳法（昭和四十二年法律第八十一号）に基づき当該合併関係市町村の住民基本台帳に記載されている者の数をいう。ただし、合併関係市町村のうち、その区域の一部が合併市町村の区域の一部となったものにあっては、合併期日前の直近において官報で公示された国勢調査の結果による当該合併関係市町村の人口又は合併期日前の直近の一月一日現在において同法に基づき当該合併関係市町村の住民基本台帳に記載されている者の数を合併期日の現在により都道府県知事の調査した人口に比例して算出した当該合併関係市町村の当該合併市町村の区域の一部となった区域の合併期日前の直近において官報で公示された国勢調査の結果による人口又は合併期日前の直近の一月一日現在において同法に基づき住民基本台帳に記載されている者の数をいう。次号において同じ。）のうち最も多いもの

二　合併関係市町村の人口を合算した人口

（災害復旧事業費の国庫負担等に関する法律の指定）

第三十八条　法第十九条に規定する政令で定める法律は、次に掲げる法律とする。

一　農林水産業施設災害復旧事業費国庫補助の暫定措置に関する法律（昭和二十五年法律第百六十九号）

二　公営住宅法（昭和二十六年法律第百九十三号）

三　東日本大震災に対処するための特別の財政援助及び助成に関する法律（平成二十三年法律第四十号）

（従前の選挙区による場合又は一選挙区を設けた場合における合併市町村の人口の告示）

第三十九条　法第二十一条第一項の規定により都道府県の議会の議員の選挙区が従前の選挙区によることとされた後、国勢調査又はこれに準ずる全国的な人口調査が行われ、その結果が官報

で公示された場合においては、都道府県知事は、当該官報で公示された合併市町村の人口を都道府県知事が当該国勢調査又はこれに準ずる全国的な人口調査が行われた時において調査した当該市町村のそれぞれの選挙区に属する区域の人口にあん分して得た人口をその区域ごとに告示しなければならない。

2 法第二十一条第一項の規定により合併市町村の区域が従前属していた選挙区の区域を合わせて都道府県の議会の議員の選挙区が設けられた後、国勢調査又はこれに準ずる全国的な人口調査が行われ、その結果が官報で公示された場合においては、都道府県知事は、当該市町村の区域が従前属していたそれぞれの選挙区の区域ごとの人口を前項の規定に準じて算定し、その区域ごとに告示しなければならない。

第三章 合併特例区

（認可を要しない合併特例区の規約の変更）

第四十条 法第三十二条第四項ただし書に規定する政令で定める事項は、法第三十一条第一項第四号及び第十号に掲げる事項のうち、軽微なものとして総務大臣が定めるものとする。

（合併特例区の長の兼業が禁止されない法人）

第四十一条 地方自治法施行令第百二十二条の規定は、法第三十三条第六項において読み替えて準用する地方自治法第百四十二条に規定する合併特例区が出資している法人で政令で定めるものについて準用する。この場合において、同令第百二十二条中「普通地方公共団体」とあるのは、「合併特例区」と読み替えるものとする。

（合併特例区協議会の構成員に係る請負の対価の総額の上限額）

第四十一条の二 地方自治法施行令第百二十一条の二の規定は、法第三十六条第七項において読み替えて準用する地方自治法第九十二条の二に規定する政令で定める額について準用する。

（合併特例区の出納取扱金融機関等）

第四十二条 合併特例区の長は、法第四十四条ただし書の規定により金融機関に現金の出納事務を取り扱わせる場合には、当該出納事務のうち収納及び支払の事務又は収納の事務のみを取り扱わせることができる。

2 合併特例区の長は、出納取扱金融機関（前項の現金の収納及び支払の事務を取り扱う金融機関をいう。以下同じ。）又は収納取扱金融機関（同項の現金の収納の事務のみを取り扱う金融機関をいう。以下同じ。）を定め、又は変更した場合は、これを告示しなければならない。

3 地方自治法施行令第百六十八条の二第三項、第百六十八条の三第一項及び第二項並びに第百六十八条の四の規定は、合併特例区の出納取扱金融機関及び収納取扱金融機関について準用する。この場合において、次の表の上欄に掲げる同令の規定中同表の中欄に掲げる字句は、それぞれ同表の下欄に掲げる字句に読み替えるものとする。

上欄	中欄	下欄
第百六十八条の二第三項	指定金融機関	出納取扱金融機関又は収納取扱金融機関
	普通地方公共団体	合併特例区
第百六十八条の三第一項	指定金融機関、指定代理金融機関及び収納事務取扱金融機関	出納取扱金融機関及び収納取扱金融機関
第百六十八条の三第二項	指定金融機関及び指定代理金融機関	出納取扱金融機関
	会計管理者	合併特例区の長
第百六十八条の四第一項及び第二項	会計管理者	合併特例区の長
	指定金融機関、指定代理金融機関、収納代理金融機関及び収納事務取扱金融機関	出納取扱金融機関及び収納取扱金融機関
第百六十八条の四第三項	監査委員	合併市町村の監査委員
	会計管理者	合併特例区の長

（合併特例区の決算）

第四十三条 合併特例区の決算は、歳入歳出予算についてこれを調製しなければならない。

2 法第四十五条第一項及び第四項に規定する政令で定める書類は、歳入歳出決算事項別明細書、実質収支に関する調書及び財産に関する調書とする。

3 決算の調製の様式及び前項に規定する書類の様式は、総務省令で定める。

（地方自治法の財務に関する規定を準用する場合の技術的読替え）

第四十四条 法第四十七条の規定により合併特例区の財務について同条に規定する地方自治法の規定を準用する場合には、同法（第二百四十二条第十項及び第二百四十三条の二の七第一項を除く。）の規定中「普通地方公共団体」とあるのは、「合併特例区」と読み替えるほか、次の表の上欄に掲げる同法の規定中同表の中欄に掲げる字句は、それぞれ同表の下欄に掲げる字句に読み替えるものとする。

上欄	中欄	下欄
第二百二十六条	市町村	合併特例区
第二百三十一条の二第三項	第二百三十五条	市町村の合併の特例に関する法律（平成十六年法律第五十九号）第四十四条ただし書
第二百三十一条の二第五項	第二百三十五条	市町村の合併の特例に関する法律第四十四条ただし書
	市町村	合併特例区

第二百三十一条の二の六第二項及び第三項	、この条及び第二百三十一条の四	及びこの条
第二百三十二条の六第一項	第二百三十五条	市町村の合併の特例に関する法律第四十四条ただし書
第二百三十二条の六第一項ただし書	会計管理者	合併特例区の長
第二百三十二条の六第二項	会計管理者	合併特例区の長
第二百三十五条の二第一項	監査委員	合併市町村（市町村の合併の特例に関する法律第二条第二項に規定する合併市町村をいう。以下同じ。）の監査委員
第二百三十五条の二第二項	監査委員	合併市町村の監査委員
	前条	市町村の合併の特例に関する法律第四十四条ただし書
第二百三十七条第二項	議会の議決	合併特例区協議会（市町村の合併の特例に関する法律第三十六条第一項に規定する合併特例区協議会をいう。以下同じ。）の同意
第二百三十七条第三項	議会の議決	合併特例区協議会の同意
第二百三十八条の四第九項	長又は委員会	長
第二百三十八条の五第三項	指定金融機関	出納取扱金融機関
第二百三十八条の六第一項	市町村の住民	合併特例区の区域内に住所を有する者
	市町村の議会の議決を経なければならない	合併特例区の合併特例区協議会の同意を得なければならない。この場合において、合併特例区は、合併市町村の議会の議決を経てする当該合併市町村の長の承認を受けなければならない
第二百三十八条の六第二項	市町村長	合併特例区の長
	議会の議決を経て、これを許可することができる	合併特例区協議会の同意を得て、これを許可することができる。この場合において、合併特例区は、合併市町村の議会の議決を経てする当該合併市町村の長の承認を受けなければならない
第二百三十九条第一項	保管する動産（政令で定める動産を除く。）	保管する動産
第二百四十一条第五項	監査委員	合併市町村の監査委員
	第二百三十三条第五項	市町村の合併の特例に関する法律第四十五条第四項
	議会	合併特例区協議会
第二百四十一条第六項	監査委員	合併市町村の監査委員
第二百四十二条第一項	住民	区域内に住所を有する者
	若しくは委員会若しくは委員又は	又は
	監査委員	合併市町村の監査委員
第二百四十二条第三項	監査委員	合併市町村の監査委員
	議会及び長	長
第二百四十二条第四項	監査委員	合併市町村の監査委員
	長その他の執行機関	長
第二百四十二条第五項	監査委員	合併市町村の監査委員
	議会、長その他の執行機関	長、合併特例区協議会

第二百四十二条第六項及び第七項	監査委員	合併市町村の監査委員
第二百四十二条第八項	監査委員	合併市町村の監査委員
	長その他の執行機関	長
第二百四十二条第九項	監査委員	合併市町村の監査委員
	議会、長その他の執行機関	合併特例区の長、合併特例区協議会
第二百四十二条第十項	普通地方公共団体の議会	合併特例区
	関する議決をしようとする	ついて、市町村の合併の特例に関する法律第四十九条第二項（第二号に係る部分に限る。）及び第三項の規定により、合併特例区協議会の同意を得た上で、合併市町村の議会の議決を経てする合併市町村の長の承認を受けようとする
	監査委員	合併市町村の監査委員
	聴かなければ	聴き、当該意見を合併特例区協議会及び合併市町村の長に報告しなければならないものとし、合併市町村の長は、当該権利の放棄について、同項の規定により合併市町村の議会の議決を経ようとするときは、あらかじめ当該意見を合併市町村の議会に報告しなければ
第二百四十二条第十一項	監査委員	合併市町村の監査委員
第二百四十二条の二第一項	住民	区域内に住所を有する者
	監査委員	合併市町村の監査委員
	の議会、長その他の執行機関	の長、合併特例区協議会
	若しくは議会、長その他の執行機関	若しくは合併特例区の長、合併特例区協議会
第二百四十二条の二第一項第一号及び第三号	執行機関	合併特例区の長
第二百四十二条の二第一項第四号	執行機関	長
第二百四十二条の二第二項第一号	監査委員	合併市町村の監査委員
第二百四十二条の二第二項第二号	監査委員	合併市町村の監査委員
	議会、長その他の執行機関	合併特例区の長、合併特例区協議会
第二百四十二条の二第二項第三号	監査委員	合併市町村の監査委員
第二百四十二条の二第二項第四号	監査委員	合併市町村の監査委員
	議会、長その他の執行機関	合併特例区の長、合併特例区協議会
第二百四十二条の二第四項	他の住民	区域内に住所を有する他の者
第二百四十二条の二第七項	執行機関	長
第二百四十二条の三第五項	執行機関	長
	代表監査委員	合併市町村の代表監査委員
第二百四十三条の二第八項及び第九項	会計管理者	合併特例区の長
第二百四十三条の二第十項	監査委員	合併市町村の監査委員
	会計管理者	合併特例区の長
第二百四十三条の二の五第	住民	合併特例区の区域内に住所を有する者

一項第一号		
第二百四十三条の二の六第三項	規則	合併特例区規則
	会計管理者	合併特例区の長
第二百四十三条の二の七第一項	普通地方公共団体は	合併特例区の長は
	普通地方公共団体の長若しくは委員会の委員若しくは委員又は当該普通地方公共団体の	合併特例区の長又は
	普通地方公共団体の長等	合併特例区の長等
	普通地方公共団体に	合併特例区に
第二百四十三条の二の七第二項	議会	長
	関する議決をしようとする	ついて、市町村の合併の特例に関する法律第五十四条第一項の規定により合併特例区協議会の同意を得た上で、同条第二項及び第三項の規定により合併市町村の議会の議決を経てする合併市町村の長の承認を受けようとする
	監査委員	合併市町村の監査委員
	聴かなければ	聴き、当該意見を合併特例区協議会及び合併市町村の長に報告しなければならないものとし、合併市町村の長は、当該合併特例区規則の制定又は改廃について、同項の規定により合併市町村の議会の議決を経ようとするときは、あらかじめ当該意見を合併市町村の議会に報告しなければ
第二百四十三条の二の七第三項	監査委員	合併市町村の監査委員
第二百四十三条の二の八第一項	会計管理者若しくは会計管理者の事務	合併特例区の長の会計事務
	規則	合併特例区規則
第二百四十三条の二の八第三項及び第四項	監査委員	合併市町村の監査委員
第二百四十三条の二の八第八項	監査委員が	合併市町村の監査委員が
	議会の	合併特例区協議会の
	得て	得た上で、合併市町村の議会の議決を経てする合併市町村の長の承認を受けて
	あらかじめ監査委員	合併特例区の長は、あらかじめ合併市町村の監査委員
	その意見を付けて議会に付議しなければ	当該意見を合併特例区協議会及び合併市町村の長に報告しなければならないものとし、合併市町村の長は、当該賠償責任の全部又は一部の免除について、合併市町村の議会の議決を経ようとするときは、あらかじめ当該意見を合併市町村の議会に報告しなければ
第二百四十三条の二の八第九項	監査委員	合併市町村の監査委員
第二百四十三条の三第一項	財産、地方債及び一時借入金	財産及び一時借入金
	住民	合併特例区の区域内に住所を有する者
第二百四十三条の三第二項及び第三項	次の議会	速やかに合併特例区協議会

（合併特例区の財産の処分等に関する基準）

第四十五条　法第四十九条第一項第三号に規定する政令で定める基準は、別表の上欄に定める財産の取得又は処分をする場合については、その予定価格の金額が、同表の中欄に定める合併特例区の区分に従い、それぞれ同表の下欄に定める金額を下らないこととする。

（合併特例区の財産の処分等に係る合併特例区協議会の同意）

第四十六条 合併特例区の長は、不動産若しくは動産の買入れ若しくは売払い（土地については、その面積が一件五千平方メートル以上のものに係るものに限る。）又は不動産の信託の受益権の買入れ若しくは売払いをする場合であって、その予定価格の金額が七百万円を下らないときは、あらかじめ、合併特例区協議会の同意を得なければならない。

（合併特例区の解散）

第四十七条 法第五十二条第二項に規定する政令で定める場合は、次の各号に掲げる区分に応じ、当該各号に定める場合とする。

一 市町村の廃置分合 合併特例区を設けている合併市町村に係る市町村の合併に伴い、当該合併特例区の区域を包含する新たな合併特例区（次項及び次条第二項において「新合併特例区」という。）が設けられた場合

二 市町村の境界変更 合併特例区を設けている合併市町村に係る市町村の境界変更に伴い、当該合併特例区の区域の全部が他の市町村に編入された場合

2 法第五十二条第二項の規定により合併特例区が解散する場合（前項第一号に規定する場合に限る。）において、新合併特例区を設ける合併市町村は、当該解散する合併特例区に属する一切の権利義務を承継する。ただし、当該解散する合併特例区が有する権利のうち、当該合併市町村に係る合併関係市町村の協議により定めるものは、当該新合併特例区の成立の時において当該新合併特例区が承継するものとすることができる。

3 前項ただし書の協議については、合併関係市町村の議会の議決を経なければならない。

4 第二項ただし書の協議については、解散する合併特例区を設けている合併関係市町村にあっては、あらかじめ、当該合併特例区の合併特例区協議会の意見を聴かなければならない。

5 法第五十二条第二項の規定により合併特例区が解散する場合（第一項第二号に規定する場合に限る。）において、当該解散する合併特例区に属する権利義務の承継については、当該解散する合併特例区を設けている合併市町村と当該解散する合併特例区の区域の全部を編入する市町村との協議によって定める。

6 前項の協議については、関係市町村の議会の議決を経なければならない。

7 第五項の協議については、解散する合併特例区を設けている合併市町村にあっては、あらかじめ、当該合併特例区が有する権利の承継について当該合併特例区の合併特例区協議会の意見を聴かなければならない。

（解散した合併特例区の決算）

第四十八条 法第五十二条の規定により合併特例区が解散した場合には、当該解散した合併特例区の収支は、当該解散の日をもって打ち切り、当該合併特例区の長であった者又は法第三十四条第二項の規定により当該合併特例区の長の職務を代理した者が決算する。

2 前項の規定による決算は、当該合併特例区を設けていた合併市町村（前条第一項第一号に規定する場合には、新合併特例区を設けている合併市町村。次項において同じ。）の長において監査委員の審査に付し、その意見を付けて議会に報告し、かつ、その要領を住民に公表しなければならない。

3 前項の規定による意見の決定は、当該合併特例区を設けていた合併市町村の監査委員の合議によるものとする。

（合併特例区の長の職務を行う者）

第四十九条 新たに設置された合併市町村において合併特例区が設けられた場合においては、合併関係市町村の長であった者（地方自治法第百五十二条又は第二百五十二条の十七の八第一項の規定によりその職務を代理した者又は行った者を含む。）のうちから合併関係市町村の協議により定めた者が、当該合併特例区の長が選任されるまでの間、その職務を行う。この場合において、当該職務を行う者に対して支給する給与その他の給付は、合併関係市町村の協議により定めるものとする。

2 前項の協議については、合併関係市町村の議会の議決を経るものとし、その協議が成立したときは、合併関係市町村は、直ちに、その内容を告示しなければならない。

3 第一項の規定により合併特例区の長の職務を行う者は、必要な収支につき暫定予算を作成し、当該合併特例区の長が選任されるまでの間、法第四十二条第五項に規定する合併特例区協議会の同意及び同条第六項に規定する合併市町村の長の承認を得ないで、これを執行することができる。

4 第一項の規定により合併特例区の長の職務を行う者は、法第四十八条第二項、法第四十一条において読み替えて適用する地方自治法第四条の二第一項、第二項第三号及び第四項、法第四十七条において読み替えて準用する地方自治法第二百九条第二項、第二百二十八条第一項前段並びに第二百四十一条第一項、第二項及び第八項並びに法第四十八条第三項において読み替えて準用する地方自治法第二百四十四条の二第三項、第四項及び第九項の合併特例区規則が施行されるまでの間、従来当該合併特例区の区域に係る合併関係市町村に施行された同法第四条の二第一項、第二項第三号及び第四項、第二百九条第二項、第二百二十八条第一項前段、第二百四十一条第一項、第二項及び第八項並びに第二百四十四条の二第一項（公の施設の管理に関する部分に限る。）、第三項、第四項及び第九項の条例を当該合併特例区の合併特例区規則として当該区域に引き続き施行することができる。

（地方自治法施行令の財務に関する規定の準用）

第五十条 地方自治法施行令第百四十二条第一項及び第二項、第百四十三条、第百四十五条から第百四十八条まで、第百五十条、第百五十二条（第一項第一号に係る部分を除く。）、第百五十四条から第百六十条まで、第百六十一条から第百六十五条の七まで、第百六十六条の二から第百六十七条の十七まで、第百六十八条の六、第百六十八条の七第一項及び第三項、第百六十九条から第百六十九条の七まで、第百七十条の二、第百七十条の四、第百七十条の五第一項及び第二項前段、第百七十一条から第百七十一条の六まで、第百七十一条の七第一項及び第二項並びに第百七十二条から第百七十三条の六までの規定は、合併特例区の財務について準用する。この場合において、これらの規定（同令第百六十九条の二第一号、第百七十三条の四及び第百七十三条の六の規定を除く。）中「普通地方公共団体」とあるのは、「合併特例区」と読み替えるほか、次の表の上欄に掲げる同令の規定中同表の中欄に掲げる字句は、それぞれ同表の

下欄に掲げる字句に読み替えるものとする。

第百四十五条第一項	次の会議においてこれを議会	速やかに合併特例区協議会（市町村の合併の特例に関する法律（平成十六年法律第五十九号）第三十六条第一項に規定する合併特例区協議会をいう。以下同じ。）
第百四十五条第二項	地方自治法第二百三十三条第五項	市町村の合併の特例に関する法律第四十五条第四項
	議会	合併特例区協議会
第百四十六条第二項	次の会議においてこれを議会	速やかに合併特例区協議会
第百五十二条第一項、第四項及び第五項	地方自治法第二百二十一条第三項	市町村の合併の特例に関する法律第四十七条において準用する地方自治法第二百二十一条第三項
第百五十五条	指定金融機関若しくは指定代理金融機関又は収納代理金融機関若しくは収納事務取扱金融機関	出納取扱金融機関（市町村の合併の特例に関する法律施行令第四十二条第二項に規定する出納取扱金融機関をいう。以下同じ。）又は収納取扱金融機関（同項に規定する収納取扱金融機関をいう。以下同じ。）
第百五十六条第一項第一号	会計管理者若しくは指定金融機関、指定代理金融機関、収納代理金融機関若しくは収納事務取扱金融機関（以下この条において「会計管理者等	合併特例区の長、出納取扱金融機関若しくは収納取扱金融機関（以下この条において「合併特例区の長等
第百五十六条第二項及び第三項	会計管理者等	合併特例区の長等
第百五十七条第二項及び第三項	会計管理者	合併特例区の長
第百六十一条第一項第十五号及び第十七号	規則	合併特例区規則
第百六十一条第三項	他の	他の普通地方公共団体又は
第百六十二条第六号及び第百六十三条第八号	規則	合併特例区規則
第百六十四条	会計管理者又は指定金融機関、指定代理金融機関、収納代理金融機関若しくは収納事務取扱金融機関	合併特例区の長又は出納取扱金融機関若しくは収納取扱金融機関
第百六十四条第五号	規則	合併特例区規則
第百六十五条第一項	地方自治法第二百三十五条	市町村の合併の特例に関する法律第四十四条ただし書
	会計管理者	合併特例区の長
	指定金融機関又は指定代理金融機関	出納取扱金融機関
第百六十五条第二項	指定金融機関又は指定代理金融機関	出納取扱金融機関
	会計管理者	合併特例区の長
第百六十五条の二	地方自治法第二百三十五条	市町村の合併の特例に関する法律第四十四条ただし書
	指定金融機関、指定代理金融機関	出納取扱金融機関
	会計管理者	合併特例区の長
	指定金融機関又は指定代理金融機関	出納取扱金融機関
第百六十五条の三第二項	会計管理者	合併特例区の長
	指定金融機関又は指定代理金融機関	出納取扱金融機関

第百六十五条の三第三項	職員	合併特例区の長及び合併特例区協議会の構成員
第百六十五条の三第五項	指定金融機関	出納取扱金融機関
	市町村	合併特例区
第百六十五条の四	会計管理者	合併特例区の長
第百六十五条の五第三項	指定金融機関又は指定代理金融機関	出納取扱金融機関
第百六十七条の二第一項第一号、第三号及び第四号、第百六十七条の七第一項並びに第百六十七条の十六第一項	規則	合併特例区規則
第百六十七条の十七	条例で定めるものとする	合併特例区協議会の同意を得た合併特例区規則で定めるものとする。この場合において、当該合併特例区規則は、合併市町村（市町村の合併の特例に関する法律第二条第二項に規定する合併市町村をいう。以下同じ。）の議会の議決を経てする当該合併市町村の長の承認を受けなければ、その効力を生じない
第百六十八条の六	会計管理者	合併特例区の長
	指定金融機関	出納取扱金融機関
第百六十八条の七第一項	会計管理者	合併特例区の長
第百六十九条の二第二号	及び地方独立行政法人	、地方独立行政法人及び普通地方公共団体
第百六十九条の二第三号	が行う	又は当該合併特例区を設けている合併市町村が行う
第百七十条の五第二項前段	会計管理者	合併特例区の長
第百七十一条	債権（地方自治法第二百三十一条の三第一項に規定する歳入に係る債権を除く。）	債権
第百七十一条の二	債権（地方自治法第二百三十一条の三第三項に規定する分担金等に係る債権（第百七十一条の五及び第百七十一条の六第一項において「強制徴収により徴収する債権」という。）を除く。）	債権
	同法第二百三十一条の三第一項又は前条	前条
第百七十一条の五及び第百七十一条の六第一項	債権（強制徴収により徴収する債権を除く。）	債権
第百七十三条の二第一項	住民	合併特例区の区域内に住所を有する者
第百七十三条の二第二項	規則	合併特例区規則
	会計管理者又は指定金融機関、指定代理金融機関、収納代理金融機関若しくは収納事務取扱金融機関	合併特例区の長又は出納取扱金融機関若しくは収納取扱金融機関
第百七十三条の四第一項	次の	合併特例区又は合併市町村から同項の損害を賠償する責任（第三項及び第四項において「合併特例区の長等の損害賠償責任」という。）の原因となつた行為を行つた日を含む会計年度において在職中に支給され、又は支給されるべき同法第二百三条の二第一項若しくは第四項又は第二百

		四条第一項若しくは第二項の規定による給与（扶養手当、住居手当、通勤手当、単身赴任手当、在宅勤務等手当又は寒冷地手当が支給されている場合には、これらの手当を除く。）の一会計年度当たりの額に相当する額として総務省令で定める方法により算定される額（次項において「合併特例区の長等の基準給与年額」という。）に、次の
	同項	市町村の合併の特例に関する法律第四十七条において準用する地方自治法第二百四十三条の二の七第一項
	普通地方公共団体の長等（	合併特例区の長等（
	普通地方公共団体の長等」	合併特例区の長等」
	当該各号に定める	それぞれ次に定める数を乗じて得た
第百七十三条の四第一項第一号	地方警務官（警察法第五十六条第一項に規定する地方警務官をいう。以下この項及び次項各号において同じ。）以外の普通地方公共団体の長等　普通地方公共団体から地方自治法第二百四十三条の二の七第一項の損害を賠償する責任（以下この条において「普通地方公共団体の長等の損害賠償責任」という。）の原因となつた行為を行つた日を含む会計年度において在職中に支給され、又は支給されるべき同法第二百三条の二第一項若しくは第四項又は第二百四条第一項若しくは第二項の規定による給与（扶養手当、住居手当、通勤手当、単身赴任手当、在宅勤務等手当又は寒冷地手当が支給されている場合には、これらの手当を除く。）の一会計年度当たりの額に相当する額として総務省令で定める方法により算定される額（次項第一号において「普通地方公共団体の長等の基準給与年額」という。）に、次に掲げる地方警務官以外の普通地方公共団体の長等の区分に応じ、それぞれ次に定める数を乗じて得た額	合併特例区の長　二
第百七十三条の四第一項第二号	地方警務官　国から普通地方公共団体の長等の損害賠償責任の原因となつた行為を行つた日を含む会計年度において在職中に支給され、又は支給されるべき一般職の職員の給与に関する法律（昭和二十五年法律第九十五号）その他の法律による給与（扶養手当、住居手当、通勤手当、単身赴任手当、在宅勤務等手当又は寒冷地手当が支給されている場合には、これらの手当を除く。）の一会計年度当たりの額に相当する額として総務省令で定める方法により算定される額（次項第二号において「地方警務官の基準給与年額」という。）に、次に掲げる地方警務官の区分に応じ、それぞれ次に定める数を乗じて得た額	合併特例区の職員　一
第百七十三条	次の各号に掲げる普通	合併特例区の長等の基

の四第二項	地方公共団体の長等の区分に応じ、当該各号に定める額	準給与年額
第百七十三条の四第三項	地方自治法第二百四十三条の二の七第一項の条例	市町村の合併の特例に関する法律第四十七条において準用する地方自治法第二百四十三条の二の七第一項の合併特例区規則
	「一部免責条例	「一部免責合併特例区規則
	普通地方公共団体の長は	合併特例区の長は
	普通地方公共団体における普通地方公共団体の長等	合併特例区における合併特例区の長等
	普通地方公共団体の長等の損害賠償責任を	合併特例区の長等の損害賠償責任を
	普通地方公共団体の議会	合併特例区の合併特例区協議会並びに合併市町村の議会及び長
第百七十三条の四第三項第一号	普通地方公共団体の長等の損害賠償責任	合併特例区の長等の損害賠償責任
	普通地方公共団体の長等が	合併特例区の長等が
第百七十三条の四第三項第二号	普通地方公共団体の長等	合併特例区の長等
	一部免責条例	一部免責合併特例区規則
第百七十三条の四第三項第三号	普通地方公共団体の長等	合併特例区の長等
第百七十三条の四第四項	普通地方公共団体の長等の損害賠償責任	合併特例区の長等の損害賠償責任
第百七十三条の六	普通地方公共団体の規則	合併特例区規則
別表第五第一号	都道府県及び指定都市	指定都市の区域内の合併特例区
	市町村（指定都市を除く。以下この表において同じ。）	市町村（指定都市を除く。以下この表において同じ。）の区域内の合併特例区
別表第五第二号から第四号まで及び第六号	都道府県及び指定都市	指定都市の区域内の合併特例区
	市町村	市町村の区域内の合併特例区

2　法第三十五条の規定は、前項の規定により読み替えて準用する地方自治法施行令第百六十七条の十七に規定する合併特例区規則を制定した場合について準用する。

第四章　補則

（特別区に関する特例）

第五十一条　この政令中市に関する規定（第三十七条の規定を除く。）は、特別区についても適用する。

（指定都市に対する適用関係）

第五十二条　指定都市における請求について法第五条第三十項の規定により地方自治法第七十四条の二及び第七十四条の三の規定を準用する場合には、同法第七十四条の二第一項中「市町村の選挙管理委員会に」とあるのは「区（総合区を含む。以下この条及び次条において同じ。）の選挙管理委員会に」と、「市町村の選挙管理委員会は」とあるのは「区の選挙管理委員会は」と、同条第二項から第六項まで並びに同法第七十四条の三第二項及び第三項中「市町村の選挙管理委員会」とあるのは「区の選挙管理委員会」と、同法第七十四条の二第十項中「市町村の選挙管理委員会に」とあるのは「市の選挙管理委員会を経て区の選挙管理委員会に」と、「市町村の選挙管理委員会は」とあるのは「区の選挙管理委員会は」と読み替えるものとする。

2　指定都市における請求及び投票についてこの政令の規定を適用する場合には、第一条第二項中「市町村の選挙管理委員会」とあるのは「区（総合区を含む。以下同じ。）の選挙管理委員会」と、第四条から第八条までの規定（これらの規定を第十四条（第二十九条において準用する場合を含む。）及び第二十八条において準用する場合を含む。）、第十三条（第二十九条において準用する場合を含む。）において準用する第十条、第二十一条第一項（同条第二項（第三十二条において準用する場合を含む。）及び第三十二条において準用する場合を含む。）及び第二十七条第二項の規定中「市町村の選挙管理委員会」とあるのは「区の選挙管理委員会」と、第十五条（第二十九条において準用する場合を含む。）中「選挙管理委員会」とあるのは「区の選挙管理委員会」とする。

（公表の方法）

第五十三条　法第四条第四項、第八項から第十項まで、第十二項及び第十五項並びに第五条第五項、第八項、第十項、第十一項、第十三項、第十六項、第十九項、第二十項、第二十二項及び第二十五項の規定による公表は、告示及び公衆に見やすいその他の方法により行うものとする。

（合併協議会設置請求書等の様式）
第五十四条 合併協議会設置請求書、代表者証明書、署名簿、署名収集委任状、署名審査録、署名収集証明書、投票実施請求書、投票実施請求代表者証明書、合併協議会設置同一請求書及び同一請求代表者証明書の様式は、総務省令で定める。

附 則（抄）

（施行期日）
第一条 この政令は、平成十七年四月一日から施行する。

（市町村の合併の特例に関する法律施行令の失効に伴う経過措置）
第二条 旧市町村の合併の特例に関する法律（昭和四十年法律第六号）附則第二条第二項、第六項又は第九項の規定によりなおその効力を有するものとされる同法第五条の十四第四項ただし書、第五条の十五第六項、第五条の二十七第一項及び第四項、第五条の二十九、第五条の三十一第一項、第五条の三十四第二項、第五条の三十九、第十条第二項、第十三条並びに第十五条の規定（以下この条において「旧合併特例法関係規定」という。）に基づく旧市町村の合併の特例に関する法律施行令（昭和四十年政令第五十二号）の規定は、この政令の施行の日以後も、旧合併特例法関係規定が効力を有する限りにおいて、なおその効力を有する。

附 則（平二二・三・三一政令七一）

（施行期日）
1 この政令は、平成二十二年四月一日から施行する。

（市町村の合併の特例等に関する法律施行令の一部改正に伴う経過措置）
2 市町村の合併の特例等に関する法律の一部を改正する法律（以下「改正法」という。）附則第五条の規定によりなおその効力を有するものとされる改正法による改正前の市町村の合併の特例等に関する法律（平成十六年法律第五十九号。次項において「旧法」という。）第六十一条第二項から第二十八項までの規定の適用については、第一条の規定による改正前の市町村の合併の特例等に関する法律施行令（次項において「旧令」という。）第五十二条から第五十五条まで、第五十八条及び第五十九条の規定は、なおその効力を有する。
3 改正法附則第六条の規定によりなおその効力を有するものとされる旧法第六十三条の規定の適用については、旧令第五十六条の規定は、なおその効力を有する。

附 則（平二三・七・二九政令二三五）（抄）

（施行期日）
第一条 この政令は、地方自治法の一部を改正する法律の施行の日（平成二十三年八月一日）から施行する。

（市町村の合併の特例に関する法律施行令の一部改正に伴う経過措置）
第三条 第十八条の規定による改正後の市町村の合併の特例に関する法律施行令（以下この条において「新令」という。）第一条第三項並びに同条第四項及び第五項（これらの規定を新令第二十八条において準用する場合を含む。）、第十三条第三項及び第四項（これらの規定を新令第二十九条において準用する場合を含む。）、第十九条及び第二十条（これらの規定を新令第三十二条において準用する場合を含む。）並びに第二十七条第五項の規定は、この政令の施行の日以後に新令第一条第二項、第十三条第二項（新令第二十九条において準用する場合を含む。）又は第二十七条第四項の規定による告示が行われる直接請求について適用し、この政令の施行の日の前日までに第十八条の規定による改正前の市町村の合併の特例に関する法律施行令（以下この条において「旧令」という。）第一条第二項、第十三条第二項（旧令第二十九条において準用する場合を含む。）又は第二十七条第四項の規定による告示が行われた直接請求については、なお従前の例による。

附 則（平二五・二・六政令二八）（抄）

（施行期日）
第一条 この政令は、地方自治法の一部を改正する法律附則第一条ただし書に規定する規定の施行の日（平成二十五年三月一日）から施行する。

（市町村の合併の特例に関する法律施行令の一部改正に伴う経過措置）
第四条 第七条の規定による改正後の市町村の合併の特例に関する法律施行令（以下この条において「新令」という。）第二条（新令第十四条（新令第二十九条において準用する場合を含む。）及び第二十八条において準用する場合を含む。）の規定は、この政令の施行の日以後に新令第一条第二項、第十三条第二項（新令第二十九条において準用する場合を含む。）又は第二十七条第四項の規定による告示が行われる直接請求について適用し、この政令の施行の日の前日までに第七条の規定による改正前の市町村の合併の特例に関する法律施行令（以下この条において「旧令」という。）第一条第二項、第十三条第二項（旧令第二十九条において準用する場合を含む。）又は第二十七条第四項の規定による告示が行われた直接請求については、なお従前の例による。

（罰則に関する経過措置）
第五条 この政令の施行前にした行為〔中略〕及び前条の規定によりなお従前の例によることとされる場合におけるこの政令の施行後にした行為に対する罰則の適用については、なお従前の例による。

附 則（平二七・一〇・三〇政令三六七）（抄）

（施行期日）
第一条 この政令は、公職選挙法の一部を改正する法律の施行の日〔平二七・一一・五〕から施行する。〔ただし書略〕

附 則（平二七・一一・二六政令三九二）（抄）

（施行期日）
第一条 この政令は、行政不服審査法の施行の日（平成二十八年四月一日）から施行する。

（市町村の合併の特例に関する法律施行令の一部改正に伴う経過措置）
第五条 第十五条の規定による改正後の市町村の合併の特例に関する法律施行令（以下この条において「新合併特例法施行令」という。）第二十条及び第二十二条の規定（これらの規定を新合併特例法施行令第三十二条において読み替えて準用する場合を含む。）は、施行日以後にその期日を告示される市町村の合併の特例に関する法律（平成十六年法律第五十九号）第四条第十四項又は第五条第二十一項の規定による投票（以下この条において「合併協議会設置協議についての投票」という。）に係る不服申立てについて適用し、施行日前にその期日を告示された合併協議会設置協議についての投票に係る不服申立てについては、なお従前の例による。

附　則（平二八・五・二七政令二二七）（抄）

（施行期日）

第一条　この政令は、公職選挙法等の一部を改正する法律（平成二十七年法律第四十三号）の施行の日（平二八・六・一九）から施行する。〔ただし書略〕

附　則（平二九・四・七政令一三一）（抄）

（施行期日）

第一条　この政令は、公職選挙法の一部を改正する法律（平成二十八年法律第二十五号）及び公職選挙法の一部を改正する法律（平成二十八年法律第九十三号）の施行の日（平成二十九年四月十日）から施行する。

附　則（平二九・七・一四政令一九〇）（抄）

（施行期日）

第一条　この政令は、衆議院議員選挙区画定審議会設置法及び公職選挙法の一部を改正する法律（平成二十八年法律第四十九号）附則第一条ただし書に規定する規定の施行の日（平二九・七・一六）から施行する。

附　則（平三〇・三・三〇政令九二）（抄）

（施行期日）

1　この政令は、平成三十年四月一日から施行する。

附　則（平三〇・一〇・二四政令二九九）（抄）

（施行期日）

第一条　この政令は、公職選挙法の一部を改正する法律の施行の日（平三〇・一〇・二五）から施行する。

附　則（令元・五・三一政令一五）（抄）

（施行期日）

第一条　この政令は、令和元年六月一日から施行する。

附　則（令元・一一・八政令一五六）（抄）

改正　令二・三・三一政令一三六

（施行期日）

第一条　この政令は、令和二年四月一日から施行する。ただし、次条第一項及び第三項の規定は、公布の日から施行する。

（市町村の合併の特例に関する法律施行令の一部改正に伴う経過措置）

第二条　市町村の合併の特例に関する法律（以下この条において「合併特例法」という。）第二条第二項に規定する合併市町村の監査委員（第三項において「合併市町村の監査委員」という。）は、前条ただし書に規定する規定の施行の日以後に市町村の合併の特例に関する法律施行令第四十四条の規定により読み替えられた合併特例法第四十七条において準用する地方自治法等の一部を改正する法律（以下この項において「改正法」という。）第一条の規定による改正前の地方自治法第二百四十二条第一項の規定による請求があったときは、この政令の施行の日（以下この条において「施行日」という。）前においても、第五条の規定による改正後の市町村の合併の特例に関する法律施行令（以下この条において「新合併特例法施行令」という。）第四十四条の規定により読み替えられた準用新地方自治法（改正法第五条の規定による改正後の合併特例法（第三項において「新合併特例法」という。）第四十七条において準用する改正法第一条の規定による改正後の地方自治法をいう。以下この条において同じ。）第二百四十二条第三項の規定の例により、当該請求の要旨を合併特例法第二十六条第一項に規定する合併特例区（第三項において「合併特例区」という。）の長に通知しなければならない。この場合において、当該通知は、施行日において新合併特例法施行令第四十四条の規定により読み替えられた準用新地方自治法第二百四十二条第三項の規定によりされたものとみなす。

2　新合併特例法施行令第四十四条の規定により読み替えられた準用新地方自治法第二百四十二条第十項の規定は、施行日以後に同条第三項の規定によりその要旨が通知された同条第一項の規定による請求に係る行為又は怠る事実に関する損害賠償又は不当利得返還の請求権その他の権利の放棄に関する合併特例法第三十六条第一項に規定する合併特例区協議会（次項において「合併特例区協議会」という。）の同意及び合併特例法第二条第二項に規定する合併市町村の議会の議決を経てする当該合併市町村の長の承認について適用する。

3　合併特例区の長は、新合併特例法第四十七条及び新合併特例法施行令第四十四条の規定により読み替えられた準用新地方自治法第二百四十三条の二第一項の合併特例区規則の制定について、合併特例区協議会の同意を得た上で、合併特例法第二条第二項に規定する合併市町村の議会の議決を経てする当該合併市町村の長の承認を受けようとするときは、施行日前においても、合併市町村の監査委員の意見を聴くことができる。

附　則（令元・一二・一三政令一八三）（抄）

（施行期日）

第一条　この政令は、情報通信技術の活用による行政手続等に係る関係者の利便性の向上並びに行政運営の簡素化及び効率化を図るための行政手続等における情報通信の技術の利用に関する法律等の一部を改正する法律（次において「改正法」という。）の施行の日（令和元年十二月十六日）から施行する。

附　則（令二・三・二七政令六一）（抄）

改正　令二・三・三一政令一三六

（施行期日）

1　この政令は、令和二年四月一日から施行する。

附　則（令三・三・三一政令一〇七）（抄）

（施行期日）

第一条　この政令は、令和三年四月一日から施行する。ただし、次の各号に掲げる規定は、当該各号に定める日から施行する。

一・二　〔略〕

三　〔前略〕附則第九条〔中略〕の規定　令和四年一月四日

四～七　〔略〕

附　則（令三・八・二五政令二三七）

この政令は、令和三年九月一日から施行する。

附　則（令四・二・二四政令四六）（抄）

（施行期日）

1　この政令は、公布の日から施行する。

附　則（令五・二・一〇政令三三）（抄）

（施行期日）

第一条　この政令は、最高裁判所裁判官国民審査法の一部を改正する法律の施行の日（令和五年二月十七日）から施行する。

附　則（令五・三・一政令四二）

この政令は、地方自治法の一部を改正する法律（令和四年法律第百一号）の施行の日（令和五年三月一日）から施行する。

附　則（令六・一・一九政令一二）（抄）

（施行期日）

第一条　この政令は、令和六年四月一日から施行する。

（市町村の合併の特例に関する法律施行令の一部改正に伴う経過措置）

第四条　市町村の合併の特例に関する法律（平成十六年法律第五十九号）第二十六条第一項に規定する合併特例区の長は、令和八年三月三十一日までの間は、なお従前の例により、施行日の前日において第十条の規定による改正前の市町村の合併の特例に関する法律施行令第五十条第一項において準用する旧地方自治法施行令第百五十八条第一項、第百五十八条の二第一項（第一号、第二号及び第五号に係る部分を除く。）又は第百六十五条の三第一項の規定により現に公金の徴収若しくは収納又は支出に関する事務（以下この条において「従前の公金事務」という。）を行わせている者（改正法附則第十七条の規定による改正後の市町村の合併の特例に関する法律第四十七条において準用する新地方自治法第二百四十三条の二第一項の規定による指定を受けた者を除く。）に当該従前の公金事務を行わせることができる。

附　則（令六・二・九政令二七）

この政令は、令和六年四月一日から施行する。

別表（第四十五条関係）

不動産若しくは動産の買入れ若しくは売払い（土地については、その面積が指定都市の区域内の合併特例区にあっては一件一万平方メートル以上、市町村（指定都市を除く。）の区域内の合併特例区にあっては一件五千平方メートル以上のものに係るものに限る。）又は不動産の信託の受益権の買入れ若しくは売払い	指定都市の区域内の合併特例区	四千万円
	市（指定都市を除く。）の区域内の合併特例区	二千万円
	町村の区域内の合併特例区	七百万円

○市町村の合併の特例に関する法律施行規則

平一七・三・二八
総務令四三

最終改正　令六・一・一九総務令二

（合併協議会設置請求書等の様式）

第一条　市町村の合併の特例に関する法律（平成十六年法律第五十九号。以下「法」という。）第四条第一項の規定による請求に係る市町村の合併の特例に関する法律施行令（平成十七年政令第五十五号。以下「令」という。）第一条第一項に規定する合併協議会設置請求書及び同項に規定する代表者証明書は、それぞれ第一号様式及び第二号様式に準じて作成しなければならない。

2　法第四条第一項の規定による請求に係る署名簿、令第二条第二項に規定する署名収集委任状、令第四条第三項に規定する署名審査録及び令第九条第一項に規定する署名収集証明書は、それぞれ第三号様式、第四号様式、第六号様式及び第七号様式に準じて作成しなければならない。

（投票実施請求書等の様式）

第二条　法第四条第十一項の規定による投票の請求に係る令第十三条第一項に規定する投票実施請求書及び投票実施請求代表者証明書は、それぞれ第八号様式及び第九号様式に準じて作成しなければならない。

2　法第四条第十一項の規定による投票の請求に係る署名簿、令第十四条において準用する令第二条第二項に規定する署名収集委任状、令第十四条において準用する令第四条第三項に規定する署名審査録及び令第十四条において準用する令第九条第一項に規定する署名収集証明書は、それぞれ第三号様式、第四号様式、第六号様式及び第七号様式に準じて作成しなければならない。この場合において、第三号様式、第四号様式、第六号様式及び第七号様式中「合併協議会設置の請求」とあるのは「合併協議会設置協議についての投票の請求」と、「合併協議会設置請求書」とあるのは「投票実施請求書」と、「代表者証明書」とあるのは「投票実施請求代表者証明書」と、「請求代表者」とあるのは「投票実施請求代表者」と、第三号様式中「第七条」とあるのは「第十四条において準用する同令第七条」と、「第八条」とあるのは「第十四条において準用する同令第八条」と、第六号様式中「第四条第一項（第三条第一項）」とあるのは「第十四条において準用する同令第四条第一項（第三条第一項）」と、第七号様式中「五十分の一」とあるのは「六分の一」とする。

（投票用紙の様式）

第三条 法第四条第十四項の規定による投票に用いる投票用紙は、第十号様式に準じて調製しなければならない。

（点字投票である旨の表示）

第四条 令第二十二条において準用する公職選挙法施行令（昭和二十五年政令第八十九号）第三十九条第二項、第五十三条第三項、第五十四条第二項又は第五十九条の五の四第八項の規定による点字投票である旨の表示は、公職選挙法施行規則（昭和二十五年総理府令第十三号）第七条の規定による様式に準じるものでなければならない。

（仮投票用封筒の様式）

第五条 法第五条第三十二項において準用する公職選挙法（昭和二十五年法律第百号）第五十条第四項及び第五項並びに令第二十二条において準用する公職選挙法施行令第四十一条第四項の規定による投票用封筒は、公職選挙法施行規則第八条の規定による様式に準じて調製しなければならない。

（不在者投票の事由に該当する旨の宣誓書の様式）

第六条 令第二十二条において準用する公職選挙法施行令第五十二条の規定による宣誓書は、公職選挙法施行規則第九条の規定による様式に準じて作成しなければならない。

（不在者投票用封筒並びに不在者投票証明書及び証明書用封筒の様式）

第七条 令第二十二条において準用する公職選挙法施行令第五十三条第一項及び第五十四条第一項の規定による不在者投票用封筒並びに同令第五十三条第二項の規定による不在者投票証明書及びこれを入れるべき封筒は、公職選挙法施行規則第十条の規定による様式に準じて調製しなければならない。

（郵便等による不在者投票における投票用紙及び投票用封筒の請求書の様式）

第八条 令第二十二条において準用する公職選挙法施行令第五十九条の四第一項の規定による請求書は、公職選挙法施行規則第十条の四の規定による様式に準じて作成しなければならない。

（郵便等による不在者投票における投票用封筒の様式）

第九条 令第二十二条において準用する公職選挙法施行令第五十九条の四第四項の規定による投票用封筒は、公職選挙法施行規則第十条の五の規定による様式に準じて調製しなければならない。

（特定国外派遣隊員の不在者投票における投票用紙及び投票用封筒の請求書の様式）

第九条の二 令第二十二条において準用する公職選挙法施行令第五十九条の五の四第五項の規定による請求書は、公職選挙法施行規則第十条の五の三の規定による様式に準じて作成しなければならない。

（特定国外派遣隊員の不在者投票における投票用封筒の様式）

第九条の三 令第二十二条において準用する公職選挙法施行令第五十九条の五の四第七項の規定による投票用封筒は、公職選挙法施行規則第十条の五の四の規定による様式に準じて調製しなければならない。

（投票録、開票録、選挙録及び不在者投票に関する調書の様式）

第十条 法第五条第三十二項において準用する公職選挙法第五十四条、第七十条又は第八十三条の規定による投票録、開票録又は選挙録及び令第二十二条において準用する公職選挙法施行令第六十一条の規定による不在者投票に関する調書は、公職選挙法施行規則第十四条の規定による様式に準じて調製しなければならない。

（合併協議会設置同一請求書等の様式）

第十一条 法第五条第一項の規定による請求に係る令第二十五条に規定する合併協議会設置同一請求書及び令第二十七条第一項に規定する同一請求代表者証明書は、それぞれ第十一号様式及び第十二号様式に準じて作成しなければならない。

2 法第五条第一項の規定による請求に係る署名簿、令第二十八条において準用する令第二条第二項に規定する署名収集委任状、令第二十八条において準用する令第四条第三項に規定する署名審査録及び令第二十八条において準用する令第九条第一項に規定する署名収集証明書は、それぞれ第三号様式、第四号様式、第六号様式及び第七号様式に準じて作成しなければならない。この場合において、第三号様式、第四号様式、第六号様式及び第七号様式中「合併対象市町村」とあるのは「同一請求関係市町村」と、「合併協議会設置の請求」とあるのは「同一請求に基づく合併協議会設置の請求」と、「合併協議会設置請求書」とあるのは「合併協議会設置同一請求書」と、「代表者証明書」とあるのは「同一請求代表者証明書」と、「請求代表者」とあるのは「同一請求代表者」と、第三号様式中「第七条」とあるのは「第二十八条において準用する同令第七条」と、「第八条」とあるのは「第二十八条において準用する同令第八条」と、第四号様式中「二人以上」とあるのは「一の同一請求関係市町村において二人以上」と、第六号様式中「第四条第一項（第三条第一項）」とあるのは「第二十八条において準用する同令第四条第一項（第三条第一項）」とする。

（同一請求に基づく合併協議会設置協議についての投票の請求に係る投票実施請求書等の様式）

第十二条 法第五条第十五項の規定による投票の請求に係る令第二十九条において準用する令第十三条第一項に規定する投票実施請求書及び投票実施請求代表者証明書は、それぞれ第八号様式及び第九号様式に準じて作成しなければならない。この場合において、第八号様式及び第九号様式中「合併協議会設置協議」とあるのは「同一請求に基づく合併協議会設置協議」と、「合併対象市町村」とあるのは「同一請求関係市町村」と読み替えるものとする。

2 法第五条第十五項の規定による投票の請求に係る署名簿、令第二十九条において準用する令第十四条において準用する令第二条第二項に規定する署名収集委任状、令第二十九条において準用する令第十四条において準用する令第四条第三項に規定する署名審査録及び令第二十九条において準用する令第十四条において準用する令第九条第一項に規定する署名収集証明書は、それぞれ第三号様式、第四号様式、第六号様式及び第七号様式に準じて作成しなければならない。この場合において、第三号様式、第四号様式、第六号様式及び第七号様式中「合併対象市町村」とあるのは「同一請求関係市町村」と、「合併協議会設置の請求」とあるのは「同一請求に基づく合併協議会設置協議についての投票の請求」と、「合併協議会設置請求書」とあるのは「投票実施請求書」と、「代表者証明書」とあるのは「投票実施請求代表者証明書」と、「請求代表者」とあるのは「投票実施請求代表者」と、第三号様式中「第七条」とあるのは「第二十九条において準用する同令第十四条において準用する同令第七条」と、「第八条」とあるのは「第二十九条において準用する同令第十四条において準用する同令第八条」と、第六号様式中「第四条第一項（第三条第一項）」とあるのは「第二十九条において準用する同令第十四条において準用する同令第四条第一項（第三条第一項）」と、第七号様式中「五十分の一」とあるのは「六分の一」と読み替えるものとする。

（準用）

第十三条　第三条から第十条までの規定は、法第五条第二十一項の規定による投票について準用する。

（合併特例区に係る決算の調製等の様式）

第十四条　令第四十三条第三項に規定する決算の調製の様式及び同条第二項の規定による書類の様式は、地方自治法施行規則（昭和二十二年内務省令第二十九号）第十六条の規定による決算の調製の様式並びに同規則第十六条の二の規定による歳入歳出決算事項別明細書、実質収支に関する調書及び財産に関する調書の様式に準じるものでなければならない。

（合併特例区に係る指定納付受託者に対する納付の委託の要件）

第十四条の二　地方自治法施行規則第十二条の二の十一第一項の規定は、法第四十七条において準用する地方自治法（昭和二十二年法律第六十七号）第二百三十一条の二の二第一号に規定する総務省令で定めるものについて準用する。

2　地方自治法施行規則第十二条の二の十一第二項の規定は、法第四十七条において準用する地方自治法第二百三十一条の二の二第二号に規定する総務省令で定めるものについて準用する。この場合において、同項第一号中「の納付」とあるのは、「（市町村の合併の特例に関する法律（平成十六年法律第五十九号）第四十七条において準用する地方自治法第二百三十一条の二の二に規定する歳入等をいう。以下この号において同じ。）の納付」と読み替えるものとする。

（合併特例区に係る指定納付受託者及び指定公金事務取扱者の指定）

第十四条の三　地方自治法施行規則第十二条の二の十二第一項及び第二項の規定は、法第四十七条において準用する地方自治法第二百三十一条の二の三第一項の規定による指定について準用する。この場合において、同令第十二条の二の十二第一項及び第二項中「普通地方公共団体」とあるのは、「合併特例区」と読み替えるものとする。

2　地方自治法施行規則第十二条の二の十二第一項及び第二項の規定は、法第四十七条において準用する地方自治法第二百四十三条の二第一項の規定による指定について準用する。この場合において、同令第十二条の二の十二第一項中「地方自治法第二百三十一条の二の三第一項」とあるのは「市町村の合併の特例に関する法律（平成十六年法律第五十九号）第四十七条において準用する地方自治法第二百四十三条の二第一項」と、同令第十二条の二の十二第一項及び第二項中「普通地方公共団体」とあるのは「合併特例区」と読み替えるものとする。

（合併特例区に係る指定納付受託者が納付の委託を受けた場合の書面の交付等）

第十四条の四　地方自治法施行規則第十二条の二の十三の規定は、法第四十七条において準用する地方自治法第二百三十一条の二の二の規定による委託を受けた指定納付受託者（同法第二百三十一条の二の三第一項に規定する指定納付受託者をいう。）について準用する。この場合において、同令第十二条の二の十三第一項中「地方自治法第二百三十一条の二の三第一項に規定する指定納付受託者をいう。以下」とあるのは「市町村の合併の特例に関する法律（平成十六年法律第五十九号）第四十七条において準用する地方自治法第二百三十一条の二の三第一項に規定する指定納付受託者をいう。以下この条において」と、「により歳入等」とあるのは「により歳入等（同条に規定する歳入等をいう。以下この条において同じ。）」と、同条第三項中「第十二条の二の十一第二項第一号に掲げる」とあるのは「当該歳入等の納付の通知に係る書面の記載事項その他の当該歳入等を特定するために必要な」と読み替えるものとする。

（合併特例区に係る指定納付受託者及び指定公金事務取扱者を指定した場合の告示）

第十四条の五　地方自治法施行規則第十二条の二の十四第一項の規定は、法第四十七条において準用する地方自治法第二百三十一条の二の三第二項に規定する総務省令で定める事項について準用する。この場合において、同令第十二条の二の十四第一項中「普通地方公共団体」とあるのは、「合併特例区」と読み替えるものとする。

2　地方自治法施行規則第十二条の二の十四第二項の規定は、法第四十七条において準用する地方自治法第二百四十三条の二第二項に規定する総務省令で定める事項について準用する。この場合において、同令第十二条の二の十四第二項中「普通地方公共団体」とあるのは、「合併特例区」と読み替えるものとする。

（合併特例区に係る指定納付受託者及び指定公金事務取扱者による届出）

第十四条の六　地方自治法施行規則第十二条の二の十五第一項の規定は、法第四十七条において準用する地方自治法第二百三十一条の二の三第三項の規定による届出について準用する。この場合において、同令第十二条の二の十五第一項中「指定納付受託者」とあるのは「指定納付受託者（市町村の合併の特例に関する法律（平成十六年法律第五十九号）第四十七条において準用する地方自治法第二百三十一条の二の三第一項に規定する指定納付受託者をいう。）」と、「普通地方公共団体」とあるのは「合併特例区」と読み替えるものとする。

2　地方自治法施行規則第十二条の二の十五第一項の規定は、法第四十七条において準用する地方自治法第二百四十三条の二第三項の規定により指定公金事務取扱者（法第四十七条において準用する地方自治法第二百四十三条の二第二項に規定する指定公金事務取扱者をいう。以下同じ。）がその名称、住所又は事務所の所在地を変更しようとするときについて準用する。この場合において、同令第十二条の二の十五第一項中「指定納付受託者」とあるのは「指定公金事務取扱者（市町村の合併の特例に関する法律（平成十六年法律第五十九号）第四十七条において準用する地方自治法第二百四十三条の二第二項に規定する指定公金事務取扱者をいう。）」と、「普通地方公共団体」とあるのは「合併特例区」と読み替えるものとする。

（合併特例区に係る指定納付受託者が納付の委託を受けた場合の報告）

第十四条の七　地方自治法施行規則第十二条の二の十六の規定は、法第四十七条において準用する地方自治法第二百三十一条の二の五第二項の規定による報告について準用する。この場合において、同令第十二条の二の十六中「指定納付受託者」とあるのは「指定納付受託者（市町村の合併の特例に関する法律（平成十六年法律第五十九号）第四十七条において準用する地方自治法第二百三十一条の二の三第一項に規定する指定納付受託者をいう。）」と、「普通地方公共団体」とあるのは「合併特例区」と、同条第一号中「地方自治法」とあるのは「市町村の合併の特例に関する法律第四十七条において準用する地方自治法」と、「歳入等」とあるのは「歳入等（同条に規定する歳入等をいう。次号において同じ。）」と、同条第二号イ中「第十二条の二の十一第二項第一号に掲げる」とあるのは「歳入等の納付の通知に係る書面の記載事項その他の当該歳入等を特定するために必要な」と、同号ロ中「地方自治法」とあるのは「市町村の合併の特例に関する法律第四十七条において準用する地方自治法」と読み替えるものとする。

（合併特例区に係る指定納付受託者及び指定公金事務取扱者に対する報告の徴収）

第十四条の八　地方自治法施行規則第十二条の二の十七第一項の規定は、法第四十七条において準用する地方自治法第二百三十一条の二の六第二項の規定により報告をさせる場合について準用する。この場合において、同令第十二条の二の十七第一項中「普通地方公共団体」とあるのは「合併特例区」と、「指定納付受託者」とあるのは「指定納付受託者（市町村の合併の特例に関する法律（平成十六年法律第五十九号）第四十七条において準用する地方自治法第二百三十一条の二の三第一項に規定する指定納付受託者をいう。）」と読み替えるものとする。

2　地方自治法施行規則第十二条の二の十七第一項の規定は、指定公金事務取扱者に対し、法第四十七条において準用する地方自治法第二百四十三条の二の二第二項の報告を求めるときについて準用する。この場合において、同令第十二条の二の十七第一項中「普通地方公共団体」とあるのは「合併特例区」と、「指定納付受託者」とあるのは「指定公金事務取扱者（市町村の合併の特例に関する法律（平成十六年法律第五十九号）第四十七条において準用する地方自治法第二百四十三条の二第二項に規定する指定公金事務取扱者をいう。）」と読み替えるものとする。

（合併特例区に係る指定納付受託者及び指定公金事務取扱者の指定の取消し）

第十四条の九　地方自治法施行規則第十二条の二の十八第一項の規定は、法第四十七条において準用する地方自治法第二百三十一条の二の七第一項の規定による指定の取消しについて準用する。この場合において、同令第十二条の二の十八第一項中「普通地方公共団体」とあるのは、「合併特例区」と読み替えるものとする。

2　地方自治法施行規則第十二条の二の十八第一項の規定は、指定公金事務取扱者に対し、法第四十七条において準用する地方自治法第二百四十三条の二の三第一項の規定による指定の取消しをしたときについて準用する。この場合において、同令第十二条の二の十八第一項中「普通地方公共団体」とあるのは「合併特例区」と、「地方自治法第二百三十一条の二の七第一項」とあるのは「市町村の合併の特例に関する法律（平成十六年法律第五十九号）第四十七条において準用する地方自治法第二百四十三条の二の三第一項」と読み替えるものとする。

（合併特例区に係る納入義務者からの歳入の納付の方法）

第十四条の十　地方自治法施行規則第十二条の二の十九の規定は、法第四十七条において準用する地方自治法第二百四十三条の二の四第二項の総務省令で定める方法について準用する。

（合併特例区に係る収納の委託に適さない歳入等）

第十四条の十一　地方自治法施行規則第十二条の二の二十の規定は、法第四十七条において準用する地方自治法第二百四十三条の二の五第一項第二号の総務省令で定めるものについて準用する。この場合において、同令第十二条の二の二十中「普通地方公共団体」とあるのは、「合併特例区」と読み替えるものとする。

（合併特例区の契約に係る電子署名）

第十五条　地方自治法施行規則第十二条の四の二の規定は、法第四十七条において準用する地方自治法第二百三十四条第五項の総務省令で定めるものについて準用する。

（合併特例区に係る継続費繰越計算書の様式及び継続費精算報告書の様式）

第十六条　令第五十条第一項において準用する地方自治法施行令（昭和二十二年政令第十六号）第百四十五条第三項の規定による継続費繰越計算書及び継続費精算報告書の様式は、地方自治法施行規則第十五条の三の規定による様式に準じるものでなければならない。

（合併特例区に係る繰越明許費繰越計算書の様式）

第十七条　令第五十条第一項において準用する地方自治法施行令第百四十六条第三項の規定による繰越明許費繰越計算書の様式は、地方自治法施行規則第十五条の四の規定による様式に準じるものでなければならない。

（合併特例区に係る事故繰越し繰越計算書の様式）

第十八条　令第五十条第一項において準用する地方自治法施行令第百五十条第三項において準用する同令第百四十六条第三項の規定による事故繰越し繰越計算書の様式は、地方自治法施行規則第十五条の五本文の規定による様式に準じるものでなければならない。ただし、継続費に係る法第四十七条において準用する地方自治法第二百二十条第三項ただし書の規定による繰越しにあっては、地方自治法施行規則第十五条の三の継続費繰越計算書の様式に準じるものでなければならない。

（合併特例区に係る歳入歳出予算の款項の区分及び目節の区分）

第十九条　令第五十条第一項において準用する地方自治法施行令第百四十七条第一項及び第百五十条第二項の規定による総務省令で定める区分は、地方自治法施行規則第十五条の規定に定めるところによらなければならない。

（合併特例区に係る予算の調製の様式）

第二十条　令第五十条第一項において準用する地方自治法施行令第百四十七条第二項の規定による予算の調製の様式は、地方自治法施行規則第十四条の規定による様式に準じるものでなければならない。

（障害者支援施設等に準ずる者の認定）

第二十一条　地方自治法施行規則第十二条の二の二十一の規定は、令第五十条第一項において準用する地方自治法施行令第百六十七条の二第一項第三号の規定による認定をしようとする場合について準用する。この場合において、地方自治法施行規則第十二条の二の二十一中「普通地方公共団体」とあるのは、「合併特例区」と読み替えるものとする。

（新商品の生産により新たな事業分野の開拓を図る者の認定）

第二十二条　地方自治法施行規則第十二条の三の規定は、令第五十条第一項において準用する地方自治法施行令第百六十七条の二第一項第四号の規定により新商品の生産により新たな事業分野の開拓を図る者を認定する場合について準用する。この場合において、地方自治法施行規則第十二条の三第一項、第三項及び第四項中「普通地方公共団体」とあるのは、「合併特例区」と読み替えるものとする。

（学識経験者への意見の聴取）

第二十三条　地方自治法施行規則第十二条の四の規定は、令第五十条第一項において準用する地方自治法施行令第百六十七条の十の二第四項（令第五十条第一項において準用する地方自治法施行令第百六十七条の十三において準用する場合を含む。）の規定により学識経験を有する者の意見を聴く場合について準用する。この場合において、同規則第十二条の四中「普通地方公共団体」とあるのは、「合併特例区」と読み替えるものとする。

（合併特例区に係る歳入歳出外現金及び有価証券）

第二十四条　地方自治法施行規則第十二条の五第一号及び第二号の規定は、令第五十条第一項において準用する地方自治法施行令第百六十八条の七第一項の総務省令で定めるものについて準用する。この場合において、同規則第十二条の五第一号中「普通地方公共団体」とあるのは、「合併特例区」と読み替えるものとする。

（合併特例区に係る措置請求書の様式）

第二十五条　令第五十条第一項において準用する地方自治法施行令第百七十二条第一項の規定による必要な措置請求書の様式は、第十三号様式のとおりとする。

（合併特例区に係る基準給与年額の算定方法）

第二十六条　地方自治法施行規則第十三条の二第一項から第三項までの規定は、令第五十条第一項において準用する地方自治法施行令第百七十三条の四第一項に規定する総務省令で定める方法により算定される額について準用する。この場合において、次の表の上欄に掲げる地方自治法施行規則の規定中同表の中欄に掲げる字句は、それぞれ同表の下欄に掲げる字句に読み替えるものとする。

第十三条の二第一項	普通地方公共団体の長等の基準給与年額	合併特例区の長等の基準給与年額
第十三条の二第一項第一号	普通地方公共団体の長等の基準日	合併特例区の長等の基準日
	普通地方公共団体の長等（地方自治法第二百四十三条の二の七第一項に規定する普通地方公共団体の長等をいう。以下この項及び次項において同じ。）	合併特例区の長等（市町村の合併の特例に関する法律（平成十六年法律第五十九号）第四十七条において準用する地方自治法第二百四十三条の二の七第一項に規定する合併特例区の長等をいう。以下この項及び次項において同じ。）
第十三条の二第一項第二号及び第三号	普通地方公共団体の長等の基準日	合併特例区の長等の基準日
	普通地方公共団体の長等の任期	合併特例区の長等の任期
第十三条の二第二項	普通地方公共団体の長等が	合併特例区の長等が
	普通地方公共団体の長等の基準日	合併特例区の長等の基準日
第十三条の二第三項	普通地方公共団体の長等の基準日	合併特例区の長等の基準日
	普通地方公共団体の長等の基準給与年額	合併特例区の長等の基準給与年額

附　則（抄）

（施行期日）

第一条　この省令は、平成十七年四月一日から施行する。

附　則（平二二・三・三一総務令三六）

（施行期日）

1　この省令は、平成二十二年四月一日から施行する。

（市町村の合併の特例等に関する法律施行規則の一部改正に伴う経過措置）

2　市町村の合併の特例等に関する法律の一部を改正する法律（以下「改正法」という。）附則第五条の規定によりなおその効力を有するものとされる改正法による改正前の市町村の合併の特例等に関する法律（平成十六年法律第五十九号。次項において「旧法」という。）第六十一条第十一項の規定及び市町村の合併の特例等に関する法律の一部を改正する法律の施行に伴う関係政令の整理に関する政令（以下この項において「改正令」という。）附則第二項の規定によりなおその効力を有するものとされる改正令第一条の規定による改正前の市町村の合併の特例等に関する法律施行令（平成十七年政令第五十五号）第五十二条の規定の適用については、第一条の規定による改正前の市町村の合併の特例等に関する法律施行規則（次項において「旧規則」という。）第二十五条の規定は、なおその効力を有する。

3 改正法附則第五条の規定によりなおその効力を有するものとされる旧法第六十一条第十七項の規定の適用については、旧規則第二十六条の規定は、なおその効力を有する。

附 則（平二五・二・六総務令五）（抄）

（施行期日）

第一条 この省令は、地方自治法施行令等の一部を改正する政令（以下「改正令」という。）の施行の日（平成二十五年三月一日）から施行する。

（市町村の合併の特例に関する法律施行規則の一部改正に伴う経過措置）

第四条 第二条の規定による改正後の市町村の合併の特例に関する法律施行規則第一条第二項、第二条第二項、第十一条第二項及び第十二条第二項の規定並びに同令第一号様式、第二号様式、第四号様式、第五号様式、第七号様式から第九号様式まで及び第十一号様式から第十三号様式までの様式は、この省令の施行の日以後に改正令第七条の規定による改正後の市町村の合併の特例に関する法律施行令（以下この条において「新令」という。）第一条第二項、第十三条第二項（新令第二十九条において準用する場合を含む。）又は第二十七条第四項の規定による告示が行われる直接請求について適用し、この省令の施行の日の前日までに改正令第七条の規定による改正前の市町村の合併の特例に関する法律施行令（以下この条において「旧令」という。）第一条第二項、第十三条第二項（旧令第二十九条において準用する場合を含む。）又は第二十七条第四項の規定による告示が行われた直接請求については、なお従前の例による。

附 則（平三〇・三・二九総務令一三）

この省令は、平成三十年四月一日から施行する。

附 則（令二・三・二七総務令一四）

この省令は、令和二年四月一日から施行する。

附 則（令二・一二・二八総務令一三一）

（施行期日）

第一条 この省令は、令和三年一月一日から施行する。

（経過措置）

第二条 この省令の施行の際現にあるこの省令による改正前の様式（次項において「旧様式」という。）により使用されている書類は、この省令による改正後の様式によるものとみなす。

2 この省令の施行の際現にある旧様式による用紙については、当分の間、これを取り繕って使用することができる。

附 則（令三・三・三一総務令三四）（抄）

（施行期日）

第一条 この省令は、令和三年四月一日から施行する。ただし、次の各号に掲げる規定は、当該各号に定める日から施行する。

一 〔略〕

二 〔前略〕附則第十条の規定 令和四年一月四日

三〜七 〔略〕

附 則（令三・八・二五総務令八一）

（施行期日）

第一条 この省令は、令和三年九月一日から施行する。

（経過措置）

第二条 この省令の施行の際現にあるこの省令による改正前の様式（次項において「旧様式」という。）により使用されている書類は、この省令による改正後の様式によるものとみなす。

2 この省令の施行の際現にある旧様式による用紙については、当分の間、これを取り繕って使用することができる。

附 則（令四・一二・二八総務令八二）

（施行期日）

第一条 この省令は、公布の日から施行する。

（経過措置）

第二条 この省令の施行の際現にあるこの省令による改正前の様式（次項において「旧様式」という。）により使用されている書類は、この省令による改正後の様式によるものとみなす。

2 この省令の施行の際現にある旧様式による用紙については、当分の間、これを取り繕って使用することができる。

附 則（令六・一・一九総務令二）（抄）

（施行期日）

1 この省令は、令和六年四月一日から施行する。

第一号様式

合併協議会設置請求書

市町村の合併の特例に関する法律（平成十六年法律第五十九号。以下「法」という。）第四条第一項の規定による請求

一 合併対象市町村の名称

何郡（市）何町（村）

（何郡（市）何町（村））

二 請求の内容（千字以内）……

……

三 請求代表者

住所 氏 名

生年月日 性別

（住所）（氏 名）

（生年月日）（性別）

右のとおり法第四条第一項の規定により合併協議会を置くよう請求いたします。

令和何年何月何日

何郡（市）何町（村）長 あて

備 考

一 本請求書又はその写しは、署名簿ごとに綴り込むものとすること。

二 氏名は自署（目が見えない者が公職選挙法施行令（昭和二十五年政令第八十九号）別表第一に定める点字で自己の氏名を記載することを含む。）すること。

第二号様式

合併協議会設置の請求に係る代表者証明書

住所 氏 名

生年月日 性別

（住所）（氏 名）

（生年月日）（性別）

右の者は何郡（市）何町（村）を合併対象市町村とする合併協議会設置の請求に係る請求代表者であることを証明する。

令和何年何月何日

何郡（市）何町（村）長　　　　氏　　　　名　印

備考

本証明書又はその写しは署名簿ごとに綴り込むものとすること。

第三号様式（表紙）

令和何年何月何日

何郡（市）何町（村）を合併対象市町村とする合併協議会設置の請求に係る請求者の署名簿

（第　号）

署名収集者　氏　名

署名の偽造、数の増減等を行った場合には罰則の適用があります（市町村の合併の特例に関する法律（平成十六年法律第五十九号。以下「法」という。）第六十条第二項）。署名を行おうとする者が心身の故障等により署名簿に署名することができない場合で、その者の委任を受けたとき以外は、代筆を行うことができません（法第五条第三十項において準用する地方自治法第七十四条第八項）。これに違反した場合には罰則の適用があります（法第六十条第三項）。

有効無効番号	署名年月日	住所	生年月日	氏名	代筆をした場合 代筆者の住所	代筆者の生年月日	代筆者の氏名	備考

備考

一　この様式は、法第四条第一項の規定による請求に係る署名簿の様式である。

二　本署名簿を二冊以上作成したときは、各署名簿に通ずる一連番号を付さなければならない。

三　合併協議会設置請求書（写し）及び代表者証明書（写し）又は署名収集委任状は、これを表紙の次に綴り込むものとする。

四　署名簿は、署名収集者（請求代表者又は請求代表者の委任を受けた者をいう。）ごとに作成するものとする。

五　市町村の合併の特例に関する法律施行令（平成十七年政令第五十五号）第七条の規定による付記は、当該署名の備考欄に記入すること。

六　署名簿が二冊以上あるときは、市町村の合併の特例に関する法律施行令第八条の規定による記載は、一連番号の最後の署名簿の末尾にこれをしなければならない。

第四号様式

何郡（市）何町（村）を合併対象市町村とする合併協議会設置の請求に係る署名収集委任状

一　住所　都（何道府県）何郡（市）何町（村）大字何（町）何番地

二　受任者　氏　名

三　生年月日　何年何月何日

四　性別　男女

右の者に対し、署名簿に何郡（市）何町（村）を合併対象市町村とする合併協議会設置の請求のための署名を求めることを委任する。

令和何年何月何日

請求代表者

住所　　　氏　　名

生年月日　性別

（住所）　（氏　　名）

（生年月日）（性別）

備考

一　この様式は、市町村の合併の特例に関する法律（平成十六年法律第五十九号）第四条第一項の規定による請求に係る署名収集委任状の様式である。

二　請求代表者が二人以上あるときは、そのうち一人以上の住所、氏名、生年月日及び性別を記載すること。

三　氏名は自署（目が見えない者が公職選挙法施行令（昭和二十五年政令第八十九号）別表第一に定める点字で自己の氏名を記載することを含む。）すること。

第五号様式　削除

第六号様式

何郡（市）何町（村）を合併対象市町村とする合併協議会設置の請求に係る署名審査録

一　署名簿の受理　令和何年何月何日　署名簿（何冊）　請求代表者何某（外何名）

二　署名審査開始　令和何年何月何日

三　審査

(一)　署名簿の提出（仮提出）が市町村の合併の特例に関する法律施行令（平成十七年政令第五十五号）第四条第一項（第三条第一項）の期間の経過後であったので、何月何日却下した。

(二)　署名簿（第　号）に合併協議会設置請求書（写し）〔代表者証明書（写し）〕（署名収集委任状）が欠けているので、当該署名簿の署名を無効と決定した。

(三)　署名簿（第　号）の様式に署名年月日（住所）（生年月日）の欄がないので、当該署名簿を無効とした。

(四)　何番（署名簿第　号）の何某とある署名は、選挙人名簿に登録されていないので、無効と決定した。

(五)　何番（署名簿第　号）の何某とある署名は、ゴム印（活字等）でなされたものであるので無効と決定した。

(六)　何番（署名簿第　号）の何某とある署名は、何人であるかを確認し難いので、無効と決定した。

(七)　何番（署名簿第　号）の何某とある署名には、署名年月日（住所）（生年月日）がないので、無効と決定した。

(八) 何番（署名簿第　号）の何某とある署名は、何月何日何某の出頭及び証言を求めた結果、本人の自署（本人が公職選挙法施行令（昭和二十五年政令第八十九号）別表第一に定める点字で自己の氏名を記載したもの）でないと認められるので、何月何日無効と決定した。何某の証言内容は、次のとおりである。

(九) 、、、、、、、、

四 審査終了　令和何年何月何日

五 証明の修正

(一) 何月何日何某から何番（署名簿第　号）の何某とある署名は、詐偽（強迫）に基づく旨の申出があったので、何月何日何某の証言を求めた結果、何某の申出を正当と認め、何月何日これを無効と決定した。申出及び証言の概略は、次のとおりである。

(二) 何月何日何某から何番（署名簿第　号）の何某とある署名の無効（有効）の決定について異議の申出があったので、審査の結果、申出を正当と認め、何月何日これを有効（無効）と決定し、当該署名の備考欄にこの旨を記載した。審査の概略は、次のとおりである。

(三) 、、、、、、、、

六 署名簿の返付　令和何年何月何日　署名簿の末尾の記載は、有効署名数何々無効署名数何々総数何々である。

右は、何郡（市）何町（村）を合併対象市町村とする合併協議会設置の請求に係る請求者の署名簿についての本選挙管理委員会の審査の次第である。

令和何年何月何日

何市（町）（村）選挙管理委員会

委員長 氏 名

委 員 氏 名

委 員 氏 名

委 員 氏 名

書 記 氏 名

備 考

一 この様式は、市町村の合併の特例に関する法律（平成十六年法律第五十九号）第四条第一項の規定による請求に係る署名審査録の様式である。

二 選挙管理委員会の委員長、委員及び書記の氏名は自署（目が見えない者が公職選挙法施行令（昭和二十五年政令第八十九号）別表第一に定める点字で自己の氏名を記載することを含む。）すること。

第七号様式

何郡（市）何町（村）を合併対象市町村とする合併協議会設置の請求に係る署名収集証明書

合併協議会設置請求書に添えて提出する署名簿には、市町村の合併の特例に関する法律（平成十六年法律第五十九号。以下「法」という。）第五条第三十項において準用する地方自治法（昭和二十二年法律第六十七号）第七十四条第五項の規定により、令和何年何月何日付で告示された選挙権を有する者の総数の五十分の一（何万何千何百何十何人）により有効署名があることを証明します。

〔なお、署名の効力の決定に関する判決書（法第五条第三十項において準用する地方自治法第七十四条の二第十項の規定による通知に係る書面）何通を添付します。〕

令和何年何月何日

請求代表者　住所　氏　名

生年月日　性別

（住所）（氏　名）

（生年月日）（性別）

備 考

この様式は、法第四条第一項の規定による請求に係る署名収集証明書の様式である。

第八号様式

投票実施請求書

市町村の合併の特例に関する法律（平成十六年法律第五十九号。以下「法」という。）第四条第十一項の規定による合併協議会設置協議についての選挙人の投票の請求

一 投票に付する合併協議会設置協議

令和何年何月何日否決　議案第何号

二 協議に係る合併対象市町村の名称

何郡（市）何町（村）

（何郡（市）何町（村））

三 請求の内容（千字以内）…………

…………

四 投票実施請求代表者

住所　氏　名

生年月日　性別

（住所）（氏　名）

（生年月日）（性別）

右のとおり法第四条第十一項の規定により別紙合併協議会設置協議に係る合併協議会の規約案を添えて合併協議会設置協議について選挙人の投票に付するよう請求いたします。

令和何年何月何日

何郡（市）何町（村）選挙管理委員会　あて

備 考

一 本請求書又はその写しは、署名簿ごとに綴り込むものとすること。

二 氏名は自署（目が見えない者が公職選挙法施行令（昭和二十五年政令第八十九号）別表第一に定める点字で自己の氏名を記載することを含む。）すること。

第九号様式

投票実施請求代表者証明書

住所　氏　名

生年月日　性別

（住所）（氏　名）

（生年月日）（性別）

右の者は何郡（市）何町（村）を合併対象市町村とする合併協議会設置協議についての投票に係る投票実施請求代表者であることを証明する。

令和何年何月何日

何郡（市）何町（村）選挙管理委員会委員長

氏　　名　印

備考
本証明書又はその写しは署名簿ごとに綴り込むものとすること。

第十号様式
その一

表

何郡（市）何町（村）を合併対象市町村とする合併協議会設置協議についての投票

（市）（区）町（村）選挙管理委員会印

折目

裏

〇注意

一　合併協議会設置協議について賛成の人は賛成と書き、反対の人は反対と書くこと。

二　他のことは書かないこと。

折目

備考

一　この様式は、市町村の合併の特例に関する法律（平成十六年法律第五十九号。以下「法」という。）第五条第三十二項において準用する公職選挙法（昭和二十五年法律第百号）第四十六条第一項の規定による投票の場合の様式である。

二　用紙は、折りたたんだ場合においてなるべく外部から文字を透視することができない紙質のものを使用しなければならない。

三　投票用紙に押すべき市区町村の選挙管理委員会の印は、市区町村の選挙管理委員会の定めるところにより、市区町村の印をもってこれに代えても差し支えない。

四　市町村の合併の特例に関する法律施行令（平成十七年政令第五十五号）第二十二条において準用する公職選挙法施行令（昭和二十五年政令第八十九号）第五十一条の規定による請求に基づいて交付する投票用紙は、この様式及び公職選挙法施行規則（昭和二十五年総理府令第十三号）第五条第二項の規定による様式に準じて調製するものとする。

その二

表

何郡（市）何町（村）を合併対象市町村とする合併協議会設置協議についての投票

（市）（区）町（村）選挙管理委員会印

折目

裏

折目

○注意

一 合併協議会設置協議について賛成の人は賛成欄に○を、反対の人は反対欄に○をつけること。

二 ○のほかは何も書かないこと。

賛成	反対

備考

一 この様式は、法第五条第三十二項において準用する公職選挙法第四十六条の二第一項の規定による投票の場合の様式である。

二 用紙の紙質及び用紙に押すべき市区町村選挙管理委員会の印については、その一に準ずる。

第十一号様式

合併協議会設置同一請求書

市町村の合併の特例に関する法律（平成十六年法律第五十九号。以下「法」という。）第五条第一項の規定による合併協議会設置の請求

一 同一請求関係市町村の名称

何郡（市）何町（村）

（何郡（市）何町（村））……

二 請求の内容（千字以内）……

三 一及び二の事項については、次に掲げる他の同一請求関係市町村の同一請求代表者が行う合併協議会の設置の請求に係る同一請求関係市町村の名称及び請求の内容と同一です。

何郡（市）何町（村）同一請求代表者

住所　氏　名

生年月日　性別

（住所）（氏　名）

（生年月日）（性別）

（何郡（市）何町（村）同一請求代表者）

住所　氏　名

生年月日　性別

（住所）（氏　名）

（生年月日）（性別）

右のとおり法第五条第一項の規定により合併協議会を置くよう請求いたします。

令和何年何月何日

何郡（市）何町（村）長 あて

何郡（市）何町（村）同一請求代表者

住所　氏　名　印

生年月日　性別

（住所）（氏　名）（印）

（生年月日）（性別）

都道府県知事確認欄

備考

一 本請求書又はその写しは、署名簿ごとに綴り込むものとすること。

二 氏名は自署（目が見えない者が公職選挙法施行令（昭和二十五年政令第八十九号）別表第一に定める点字で自己の氏名を記載することを含む。）すること。

第十二号様式

同一請求代表者証明書

住所　氏　名

生年月日　性別

（住所）（氏　名）

（生年月日）（性別）

右の者は何郡（市）何町（村）を同一請求関係市町村とする同一請求に基づく合併協議会設置の請求に係る同一請求代表者であることを証明する。

令和何年何月何日

何郡（市）何町（村）長　氏　名　印

備考

本証明書又はその写しは署名簿ごとに綴り込むものとすること。

第十三号様式

何合併特例区の長（職員）措置請求書

何合併特例区の長（職員）に関する措置請求の要旨

一 請求の要旨……

二 請求者

住所　氏　名

生年月日　性別

（住所）（氏　名）

（生年月日）（性別）

右のとおり市町村の合併の特例に関する法律（平成十六年法律第五十九号）第四十七条において準用する地方自治法（昭和二十二年法律第六十七号）第二百四十二条第一項の規定により別紙事実証明書を添え必要な措置を請求します。

令和何年何月何日

何市〔何郡何町（村）〕監査委員あて

備考

氏名は自署（目が見えない者が公職選挙法施行令（昭和二

十五年政令第八十九号）別表第一に定める点字で自己の氏名を記載することを含む。）すること。

○国と地方の協議の場に関する法律

平二三・五・二
法　　三　八

最終改正　平二七・九・一一法六六

（目的）

第一条　国と地方の協議の場（以下「協議の場」という。）は、地方自治に影響を及ぼす国の政策の企画及び立案並びに実施について、関係各大臣並びに都道府県知事、都道府県議会の議長、市長、市議会の議長、町村長及び町村議会の議長の全国的連合組織の代表者が協議を行い、もって内閣府設置法（平成十一年法律第八十九号）第四条第一項第十二号の改革の推進並びに国及び地方公共団体の政策の効果的かつ効率的な推進を図ることを目的とする。

（構成及び運営）

第二条　協議の場は、次に掲げる者をもって構成する。

一　内閣官房長官
二　内閣府設置法第九条第一項の規定により置かれた特命担当大臣のうち、同法第四条第一項第十二号の改革に関する事務を掌理する職にある者
三　総務大臣
四　財務大臣
五　前各号に掲げる者のほか、国務大臣のうちから内閣総理大臣が指定する者
六　都道府県知事の全国的連合組織（地方自治法（昭和二十二年法律第六十七号）第二百六十三条の三第一項に規定する全国的連合組織で同項の規定による届出をしたものをいう。以下同じ。）を代表する者　一人
七　都道府県議会の議長の全国的連合組織を代表する者　一人
八　市長の全国的連合組織を代表する者　一人
九　市議会の議長の全国的連合組織を代表する者　一人
十　町村長の全国的連合組織を代表する者　一人
十一　町村議会の議長の全国的連合組織を代表する者　一人

2　協議の場に、議長、議長代行及び副議長を置く。
3　議長及び議長代行は、第一項第一号から第五号までに掲げる者のうちから、内閣総理大臣が指定する者をもって充てる。
4　副議長は、第一項第六号から第十一号までに掲げる者が互選した者をもって充てる。
5　議長は、協議の場を主宰するほか、この法律の規定によりその権限に属させられた事項を処理するものとする。
6　議長代行は、議長に事故があるとき又は議長の委任を受けたときは、その職務を代行する。
7　副議長は、議長及び議長代行を補佐し、議長及び議長代行に事故があるときは、その職務を代行する。
8　議長は、必要があると認めるときは、国務大臣又は全国的連合組織の指定する地方公共団体の長若しくは議会の議長であって議員（第一項各号に掲げる者をいう。以下同じ。）でないものを、議案を限って、臨時に協議の場に参加させることができる。
9　副議長は、必要があると認めるときは、議長に対し、全国的連合組織の指定する地方公共団体の長又は議会の議長であって議員でないものを、議案を限って、臨時に協議の場に参加させるよう求めることができる。
10　内閣総理大臣は、いつでも協議の場に出席し発言することができる。

（協議の対象）

第三条　協議の場において協議の対象となる事項は、次に掲げる事項のうち重要なものとする。

一　国と地方公共団体との役割分担に関する事項
二　地方行政、地方財政、地方税制その他の地方自治に関する事項
三　経済財政政策、社会保障に関する政策、教育に関する政策、社会資本整備に関する政策その他の国の政策に関する事項のうち、地方自治に影響を及ぼすと考えられるもの

（招集等）

第四条　内閣総理大臣は、毎年度、議長が協議の場に諮って定める回数、協議の場を招集する。ただし、内閣総理大臣は、協議

の必要があると認めるときは、臨時に協議の場を招集することができる。

2　前項の協議の場の招集は、協議すべき具体的事項を示してしなければならない。

3　議員は、前条に規定する事項について協議する必要があると思料するときは、内閣総理大臣に対し、協議すべき具体的事項を示して、協議の場の招集を求めることができる。

（分科会）

第五条　議長は、協議の場における協議に資するため、分科会を開催し、特定の事項に関する調査及び検討を行わせることができる。

2　議員（議長である議員を除く。）は、協議の場における協議に資するため必要があると思料するときは、議長に対し、前項の分科会の開催を求めることができる。

3　第一項の分科会の開催、構成及び運営に関し必要な事項は、議長が協議の場に諮って定める。

（資料提出の要求等）

第六条　議長は、協議の場における協議又は分科会における調査及び検討のため必要があると認めるときは、関係行政機関の長並びに関係地方公共団体の長及び議会の議長に対し、資料の提出、意見の開陳、説明その他必要な協力を求めることができる。

2　前項に定めるもののほか、議長は、協議の場における協議又は分科会における調査及び検討のため特に必要があると認めるときは、協議の対象となる事項に関し識見を有する者に対し、必要な協力を依頼することができる。

（国会への報告）

第七条　議長は、協議の場の終了後遅滞なく、協議の場における協議の概要を記載した報告書を作成し、国会に提出しなければならない。

2　前項の報告書の作成に関し必要な事項は、議長が協議の場に諮って定める。

（協議の結果の尊重）

第八条　協議の場において協議が調った事項については、議員及び第二条第八項の規定により協議の場に参加した者は、その協議の結果を尊重しなければならない。

（経費の負担）

第九条　協議の場の運営に要する経費は、政府及び全国的連合組織の負担とする。

（雑則）

第十条　この法律に定めるもののほか、協議の場の運営に関し必要な事項は、議長が協議の場に諮って定める。

附　則

この法律は、公布の日から施行する。

附　則（平二七・九・一一法六六）（抄）

（施行期日）

第一条　この法律は、平成二十八年四月一日から施行する。〔ただし書略〕

○地方教育行政の組織及び運営に関する法律

昭三一・六・三〇
法　一　六　二

最終改正　令五・五・八法一九

目次〔略〕

第一章　総則

（この法律の趣旨）

第一条　この法律は、教育委員会の設置、学校その他の教育機関の職員の身分取扱その他地方公共団体における教育行政の組織及び運営の基本を定めることを目的とする。

（基本理念）

第一条の二　地方公共団体における教育行政は、教育基本法（平成十八年法律第百二十号）の趣旨にのつとり、教育の機会均等、教育水準の維持向上及び地域の実情に応じた教育の振興が図られるよう、国との適切な役割分担及び相互の協力の下、公正かつ適正に行われなければならない。

（大綱の策定等）

第一条の三　地方公共団体の長は、教育基本法第十七条第一項に規定する基本的な方針を参酌し、その地域の実情に応じ、当該地方公共団体の教育、学術及び文化の振興に関する総合的な施策の大綱（以下単に「大綱」という。）を定めるものとする。

2　地方公共団体の長は、大綱を定め、又はこれを変更しようとするときは、あらかじめ、次条第一項の総合教育会議において協議するものとする。

3　地方公共団体の長は、大綱を定め、又はこれを変更したときは、遅滞なく、これを公表しなければならない。

4　第一項の規定は、地方公共団体の長に対し、第二十一条に規定する事務を管理し、又は執行する権限を与えるものと解釈してはならない。

（総合教育会議）

第一条の四　地方公共団体の長は、大綱の策定に関する協議及び次に掲げる事項についての協議並びにこれらに関する次項各号に掲げる構成員の事務の調整を行うため、総合教育会議を設けるものとする。

一　教育を行うための諸条件の整備その他の地域の実情に応じた教育、学術及び文化の振興を図るため重点的に講ずべき施策

二　児童、生徒等の生命又は身体に現に被害が生じ、又はまさに被害が生ずるおそれがあると見込まれる場合等の緊急の場合に講ずべき措置

2　総合教育会議は、次に掲げる者をもつて構成する。

一　地方公共団体の長

二　教育委員会

3　総合教育会議は、地方公共団体の長が招集する。

4　教育委員会は、その権限に属する事務に関して協議する必要があると思料するときは、地方公共団体の長に対し、協議すべき具体的事項を示して、総合教育会議の招集を求めることができる。

5　総合教育会議は、第一項の協議を行うに当たつて必要があると認めるときは、関係者又は学識経験を有する者から、当該協議すべき事項に関して意見を聴くことができる。

6　総合教育会議は、公開する。ただし、個人の秘密を保つため必要があると認めるとき、又は会議の公正が害されるおそれがあると認めるときその他公益上必要があると認めるときは、この限りでない。

7　地方公共団体の長は、総合教育会議の終了後、遅滞なく、総合教育会議の定めるところにより、その議事録を作成し、これを公表するよう努めなければならない。

8　総合教育会議においてその構成員の事務の調整が行われた事項については、当該構成員は、その調整の結果を尊重しなければならない。

9　前各項に定めるもののほか、総合教育会議の運営に関し必要な事項は、総合教育会議が定める。

第二章　教育委員会の設置及び組織

第一節　教育委員会の設置、教育長及び委員並びに会議

（設置）

第二条　都道府県、市（特別区を含む。以下同じ。）町村及び第二十一条に規定する事務の全部又は一部を処理する地方公共団体の組合に教育委員会を置く。

（組織）

第三条　教育委員会は、教育長及び四人の委員をもつて組織する。ただし、条例で定めるところにより、都道府県若しくは市又は地方公共団体の組合のうち都道府県若しくは市が加入するものの教育委員会にあつては教育長及び五人以上の委員、町村又は地方公共団体の組合のうち町村のみが加入するものの教育委員会にあつては教育長及び二人以上の委員をもつて組織することができる。

（任命）

第四条　教育長は、当該地方公共団体の長の被選挙権を有する者で、人格が高潔で、教育行政に関し識見を有するもののうちから、地方公共団体の長が、議会の同意を得て、任命する。

2　委員は、当該地方公共団体の長の被選挙権を有する者で、人格が高潔で、教育、学術及び文化（以下単に「教育」という。）に関し識見を有するもののうちから、地方公共団体の長が、議会の同意を得て、任命する。

3　次の各号のいずれかに該当する者は、教育長又は委員となることができない。

一　破産手続開始の決定を受けて復権を得ない者

二　禁錮以上の刑に処せられた者

4　教育長及び委員の任命については、そのうち委員の定数に一を加えた数の二分の一以上の者が同一の政党に所属することとなつてはならない。

5　地方公共団体の長は、第二項の規定による委員の任命に当たつては、委員の年齢、性別、職業等に著しい偏りが生じないように配慮するとともに、委員のうちに保護者（親権を行う者及び未成年後見人をいう。第四十七条の五第二項第二号及び第五項において同じ。）である者が含まれるようにしなければならない。

ない。

（任期）

第五条　教育長の任期は三年とし、委員の任期は四年とする。ただし、補欠の教育長又は委員の任期は、前任者の残任期間とする。

２　教育長及び委員は、再任されることができる。

（兼職禁止）

第六条　教育長及び委員は、地方公共団体の議会の議員若しくは長、地方公共団体に執行機関として置かれる委員会の委員（教育委員会にあつては、教育長及び委員）若しくは地方公共団体の常勤の職員若しくは地方公務員法（昭和二十五年法律第二百六十一号）第二十二条の四第一項に規定する短時間勤務の職を占める職員と兼ねることができない。

（罷免）

第七条　地方公共団体の長は、教育長若しくは委員が心身の故障のため職務の遂行に堪えないと認める場合又は職務上の義務違反その他教育長若しくは委員たるに適しない非行があると認める場合においては、当該地方公共団体の議会の同意を得て、その教育長又は委員を罷免することができる。

２　地方公共団体の長は、教育長及び委員のうち委員の定数に一を加えた数の二分の一から一を減じた数（その数に一人未満の端数があるときは、これを切り上げて得た数）の者が既に所属している政党に新たに所属するに至つた教育長又は委員があるときは、その教育長又は委員を直ちに罷免するものとする。

３　地方公共団体の長は、教育長及び委員のうち委員の定数に一を加えた数の二分の一以上の者が同一の政党に所属することとなつた場合（前項の規定に該当する場合を除く。）には、同一の政党に所属する教育長及び委員の数が委員の定数に一を加えた数の二分の一から一を減じた数（その数に一人未満の端数があるときは、これを切り上げて得た数）になるように、当該地方公共団体の議会の同意を得て、教育長又は委員を罷免するものとする。ただし、政党所属関係について異動のなかつた教育長又は委員を罷免することはできない。

４　教育長及び委員は、前三項の場合を除き、その意に反して罷免されることがない。

（解職請求）

第八条　地方公共団体の長の選挙権を有する者は、政令で定めるところにより、その総数の三分の一（その総数が四十万を超え八十万以下の場合にあつてはその四十万を超える数に六分の一を乗じて得た数と四十万に三分の一を乗じて得た数とを合算して得た数、その総数が八十万を超える場合にあつてはその八十万を超える数に八分の一を乗じて得た数と四十万に六分の一を乗じて得た数と四十万に三分の一を乗じて得た数とを合算して得た数）以上の者の連署をもつて、その代表者から、当該地方公共団体の長に対し、教育長又は委員の解職を請求することができる。

２　地方自治法（昭和二十二年法律第六十七号）第八十六条第二項、第三項及び第四項前段、第八十七条並びに第八十八条第二項の規定は、前項の規定による教育長又は委員の解職の請求について準用する。この場合において、同法第八十七条第一項中「前条第一項に掲げる職に在る者」とあるのは「教育委員会の教育長又は委員」と、同法第八十八条第二項中「第八十六条第一項の規定による選挙管理委員若しくは監査委員又は公安委員会の委員の解職の請求」とあるのは「地方教育行政の組織及び運営に関する法律（昭和三十一年法律第百六十二号）第八条第一項の規定による教育委員会の教育長又は委員の解職の請求」と読み替えるものとする。

（失職）

第九条　教育長及び委員は、前条第二項において準用する地方自治法第八十七条の規定によりその職を失う場合のほか、次の各号のいずれかに該当する場合においては、その職を失う。

一　第四条第三項各号のいずれかに該当するに至つた場合

二　前号に掲げる場合のほか、当該地方公共団体の長の被選挙権を有する者でなくなつた場合

２　地方自治法第百四十三条第一項後段及び第二項の規定は、前項第二号に掲げる場合における地方公共団体の長の被選挙権の有無の決定及びその決定に関する争訟について準用する。

（辞職）

第十条　教育長及び委員は、当該地方公共団体の長及び教育委員会の同意を得て、辞職することができる。

（服務等）

第十一条　教育長は、職務上知ることができた秘密を漏らしてはならない。その職を退いた後も、また、同様とする。

２　教育長又は教育長であつた者が法令による証人、鑑定人等となり、職務上の秘密に属する事項を発表する場合においては、教育委員会の許可を受けなければならない。

３　前項の許可は、法律に特別の定めがある場合を除き、これを拒むことができない。

４　教育長は、常勤とする。

５　教育長は、法律又は条例に特別の定めがある場合を除くほか、その勤務時間及び職務上の注意力の全てをその職責遂行のために用い、当該地方公共団体がなすべき責を有する職務にのみ従事しなければならない。

６　教育長は、政党その他の政治的団体の役員となり、又は積極的に政治運動をしてはならない。

７　教育長は、教育委員会の許可を受けなければ、営利を目的とする私企業を営むことを目的とする会社その他の団体の役員その他人事委員会規則（人事委員会を置かない地方公共団体においては、地方公共団体の規則）で定める地位を兼ね、若しくは自ら営利を目的とする私企業を営み、又は報酬を得ていかなる事業若しくは事務にも従事してはならない。

８　教育長は、その職務の遂行に当たつては、自らが当該地方公共団体の教育行政の運営について負う重要な責任を自覚するとともに、第一条の二に規定する基本理念及び大綱に則して、かつ、児童、生徒等の教育を受ける権利の保障に万全を期して当該地方公共団体の教育行政の運営が行われるよう意を用いなければならない。

第十二条　前条第一項から第三項まで、第六項及び第八項の規定は、委員の服務について準用する。

２　委員は、非常勤とする。

（教育長）

第十三条　教育長は、教育委員会の会務を総理し、教育委員会を代表する。

２　教育長に事故があるとき、又は教育長が欠けたときは、あらかじめその指名する委員がその職務を行う。

（会議）

第十四条　教育委員会の会議は、教育長が招集する。

2　教育長は、委員の定数の三分の一以上の委員から会議に付議すべき事件を示して会議の招集を請求された場合には、遅滞なく、これを招集しなければならない。

3　教育委員会は、教育長及び在任委員の過半数が出席しなければ、会議を開き、議決をすることができない。ただし、第六項の規定による除斥のため過半数に達しないとき、又は同一の事件につき再度招集しても、なお過半数に達しないときは、この限りでない。

4　教育委員会の会議の議事は、第七項ただし書の発議に係るものを除き、出席者の過半数で決し、可否同数のときは、教育長の決するところによる。

5　教育長に事故があり、又は教育長が欠けた場合の前項の規定の適用については、前条第二項の規定により教育長の職務を行う者は、教育長とみなす。

6　教育委員会の教育長及び委員は、自己、配偶者若しくは三親等以内の親族の一身上に関する事件又は自己若しくはこれらの者の従事する業務に直接の利害関係のある事件については、その議事に参与することができない。ただし、教育委員会の同意があるときは、会議に出席し、発言することができる。

7　教育委員会の会議は、公開する。ただし、人事に関する事件その他の事件について、教育長又は委員の発議により、出席者の三分の二以上の多数で議決したときは、これを公開しないことができる。

8　前項ただし書の教育長又は委員の発議は、討論を行わないでその可否を決しなければならない。

9　教育長は、教育委員会の会議の終了後、遅滞なく、教育委員会規則で定めるところにより、その議事録を作成し、これを公表するよう努めなければならない。

（教育委員会規則の制定等）

第十五条　教育委員会は、法令又は条例に違反しない限りにおいて、その権限に属する事務に関し、教育委員会規則を制定することができる。

2　教育委員会規則その他教育委員会の定める規程で公表を要するものの公布に関し必要な事項は、教育委員会規則で定める。

（教育委員会の議事運営）

第十六条　この法律に定めるもののほか、教育委員会の会議その他教育委員会の議事の運営に関し必要な事項は、教育委員会規則で定める。

第二節　事務局

（事務局）

第十七条　教育委員会の権限に属する事務を処理させるため、教育委員会に事務局を置く。

2　教育委員会の事務局の内部組織は、教育委員会規則で定める。

（指導主事その他の職員）

第十八条　都道府県に置かれる教育委員会（以下「都道府県委員会」という。）の事務局に、指導主事、事務職員及び技術職員を置くほか、所要の職員を置く。

2　市町村に置かれる教育委員会（以下「市町村委員会」という。）の事務局に、前項の規定に準じて指導主事その他の職員を置く。

3　指導主事は、上司の命を受け、学校（学校教育法（昭和二十二年法律第二十六号）第一条に規定する学校及び就学前の子どもに関する教育、保育等の総合的な提供の推進に関する法律（平成十八年法律第七十七号）第二条第七項に規定する幼保連携型認定こども園（以下「幼保連携型認定こども園」という。）をいう。以下同じ。）における教育課程、学習指導その他学校教育に関する専門的事項の指導に関する事務に従事する。

4　指導主事は、教育に関し識見を有し、かつ、学校における教育課程、学習指導その他学校教育に関する専門的事項について教養と経験がある者でなければならない。指導主事は、大学以外の公立学校（地方公共団体が設置する学校をいう。以下同じ。）の教員（教育公務員特例法（昭和二十四年法律第一号）第二条第二項に規定する教員をいう。以下同じ。）をもつて充てることができる。

5　事務職員は、上司の命を受け、事務に従事する。

6　技術職員は、上司の命を受け、技術に従事する。

7　第一項及び第二項の職員は、教育委員会が任命する。

8　教育委員会は、事務局の職員のうち所掌事務に係る教育行政に関する相談に関する事務を行う職員を指定するものとする。

9　前各項に定めるもののほか、教育委員会の事務局に置かれる職員に関し必要な事項は、政令で定める。

（事務局職員の定数）

第十九条　前条第一項及び第二項に規定する事務局の職員の定数は、当該地方公共団体の条例で定める。ただし、臨時又は非常勤の職員については、この限りでない。

（事務局職員の身分取扱い）

第二十条　第十八条第一項及び第二項に規定する事務局の職員の任免、人事評価、給与、懲戒、服務、退職管理その他の身分取扱いに関する事項は、この法律及び教育公務員特例法に特別の定めがあるものを除き、地方公務員法の定めるところによる。

第三章　教育委員会及び地方公共団体の長の職務権限

（教育委員会の職務権限）

第二十一条　教育委員会は、当該地方公共団体が処理する教育に関する事務で、次に掲げるものを管理し、及び執行する。

一　教育委員会の所管に属する第三十条に規定する学校その他の教育機関（以下「学校その他の教育機関」という。）の設置、管理及び廃止に関すること。

二　教育委員会の所管に属する学校その他の教育機関の用に供する財産（以下「教育財産」という。）の管理に関すること。

三　教育委員会及び教育委員会の所管に属する学校その他の教育機関の職員の任免その他の人事に関すること。

四　学齢生徒及び学齢児童の就学並びに生徒、児童及び幼児の入学、転学及び退学に関すること。

五　教育委員会の所管に属する学校の組織編制、教育課程、学習指導、生徒指導及び職業指導に関すること。

六　教科書その他の教材の取扱いに関すること。

七　校舎その他の施設及び教具その他の設備の整備に関すること。

八　校長、教員その他の教育関係職員の研修に関すること。
九　校長、教員その他の教育関係職員並びに生徒、児童及び幼児の保健、安全、厚生及び福利に関すること。
十　教育委員会の所管に属する学校その他の教育機関の環境衛生に関すること。
十一　学校給食に関すること。
十二　青少年教育、女性教育及び公民館の事業その他社会教育に関すること。
十三　スポーツに関すること。
十四　文化財の保護に関すること。
十五　ユネスコ活動に関すること。
十六　教育に関する法人に関すること。
十七　教育に係る調査及び基幹統計その他の統計に関すること。
十八　所掌事務に係る広報及び所掌事務に係る教育行政に関する相談に関すること。
十九　前各号に掲げるもののほか、当該地方公共団体の区域内における教育に関する事務に関すること。

（長の職務権限）
第二十二条　地方公共団体の長は、大綱の策定に関する事務のほか、次に掲げる教育に関する事務を管理し、及び執行する。
一　大学に関すること。
二　幼保連携型認定こども園に関すること。
三　私立学校に関すること。
四　教育財産を取得し、及び処分すること。
五　教育委員会の所掌に係る事項に関する契約を結ぶこと。
六　前号に掲げるもののほか、教育委員会の所掌に係る事項に関する予算を執行すること。

（職務権限の特例）
第二十三条　前二条の規定にかかわらず、地方公共団体は、前条各号に掲げるもののほか、条例の定めるところにより、当該地方公共団体の長が、次の各号に掲げる教育に関する事務のいずれか又は全てを管理し、及び執行することとすることができる。
一　図書館、博物館、公民館その他の社会教育に関する教育機関のうち当該条例で定めるもの（以下「特定社会教育機関」という。）の設置、管理及び廃止に関すること（第二十一条第七号から第九号まで及び第十二号に掲げる事務のうち、特定社会教育機関のみに係るものを含む。）。
二　スポーツに関すること（学校における体育に関することを除く。）。
三　文化に関すること（次号に掲げるものを除く。）。
四　文化財の保護に関すること。
2　地方公共団体の議会は、前項の条例の制定又は改廃の議決をする前に、当該地方公共団体の教育委員会の意見を聴かなければならない。

（事務処理の法令準拠）
第二十四条　教育委員会及び地方公共団体の長は、それぞれ前三条の事務を管理し、及び執行するに当たつては、法令、条例、地方公共団体の規則並びに地方公共団体の機関の定める規則及び規程に基づかなければならない。

（事務の委任等）
第二十五条　教育委員会は、教育委員会規則で定めるところにより、その権限に属する事務の一部を教育長に委任し、又は教育長をして臨時に代理させることができる。
2　前項の規定にかかわらず、次に掲げる事務は、教育長に委任することができない。
一　教育に関する事務の管理及び執行の基本的な方針に関すること。
二　教育委員会規則その他教育委員会の定める規程の制定又は改廃に関すること。
三　教育委員会の所管に属する学校その他の教育機関の設置及び廃止に関すること。
四　教育委員会及び教育委員会の所管に属する学校その他の教育機関の職員の任免その他の人事に関すること。
五　次条の規定による点検及び評価に関すること。
六　第二十七条及び第二十九条に規定する意見の申出に関すること。
3　教育長は、教育委員会規則で定めるところにより、第一項の規定により委任された事務又は臨時に代理した事務の管理及び執行の状況を教育委員会に報告しなければならない。
4　教育長は、第一項の規定により委任された事務その他その権限に属する事務の一部を事務局の職員若しくは教育委員会の所管に属する学校その他の教育機関の職員（以下この項及び次条第一項において「事務局職員等」という。）に委任し、又は事務局職員等をして臨時に代理させることができる。

（教育に関する事務の管理及び執行の状況の点検及び評価等）
第二十六条　教育委員会は、毎年、その権限に属する事務（前条第一項の規定により教育長に委任された事務その他教育長の権限に属する事務（同条第四項の規定により事務局職員等に委任された事務を含む。）を含む。）の管理及び執行の状況について点検及び評価を行い、その結果に関する報告書を作成し、これを議会に提出するとともに、公表しなければならない。
2　教育委員会は、前項の点検及び評価を行うに当たつては、教育に関し学識経験を有する者の知見の活用を図るものとする。

（幼保連携型認定こども園に関する意見聴取）
第二十七条　地方公共団体の長は、当該地方公共団体が設置する幼保連携型認定こども園に関する事務のうち、幼保連携型認定こども園における教育課程に関する基本的事項の策定その他の当該地方公共団体の教育委員会の権限に属する事務と密接な関連を有するものとして当該地方公共団体の規則で定めるものの実施に当たつては、当該教育委員会の意見を聴かなければならない。
2　地方公共団体の長は、前項の規則を制定し、又は改廃しようとするときは、あらかじめ、当該地方公共団体の教育委員会の意見を聴かなければならない。

（幼保連携型認定こども園に関する意見の陳述）
第二十七条の二　教育委員会は、当該地方公共団体が設置する幼保連携型認定こども園に関する事務の管理及び執行について、その職務に関して必要と認めるときは、当該地方公共団体の長に対し、意見を述べることができる。

（幼保連携型認定こども園に関する資料の提供等）
第二十七条の三　教育委員会は、前二条の規定による権限を行うため必要があるときは、当該地方公共団体の長に対し、必要な資料の提供その他の協力を求めることができる。

（幼保連携型認定こども園に関する事務に係る教育委員会の助言又は援助）

第二十七条の四　地方公共団体の長は、第二十二条第二号に掲げる幼保連携型認定こども園に関する事務を管理し、及び執行するに当たり、必要と認めるときは、当該地方公共団体の教育委員会に対し、学校教育に関する専門的事項について助言又は援助を求めることができる。

（私立学校に関する事務に係る都道府県委員会の助言又は援助）

第二十七条の五　都道府県知事は、第二十二条第三号に掲げる私立学校に関する事務を管理し、及び執行するに当たり、必要と認めるときは、当該都道府県委員会に対し、学校教育に関する専門的事項について助言又は援助を求めることができる。

（教育財産の管理等）

第二十八条　教育財産は、地方公共団体の長の総括の下に、教育委員会が管理するものとする。

2　地方公共団体の長は、教育委員会の申出をまつて、教育財産の取得を行うものとする。

3　地方公共団体の長は、教育財産を取得したときは、すみやかに教育委員会に引き継がなければならない。

（教育委員会の意見聴取）

第二十九条　地方公共団体の長は、歳入歳出予算のうち教育に関する事務に係る部分その他特に教育に関する事務について定める議会の議決を経るべき事件の議案を作成する場合においては、教育委員会の意見をきかなければならない。

第四章　教育機関

第一節　通則

（教育機関の設置）

第三十条　地方公共団体は、法律で定めるところにより、学校、図書館、博物館、公民館その他の教育機関を設置するほか、条例で、教育に関する専門的、技術的事項の研究又は教育関係職員の研修、保健若しくは福利厚生に関する施設その他の必要な教育機関を設置することができる。

（教育機関の職員）

第三十一条　前条に規定する学校に、法律で定めるところにより、学長、校長、園長、教員、事務職員、技術職員その他の所要の職員を置く。

2　前条に規定する学校以外の教育機関に、法律又は条例で定めるところにより、事務職員、技術職員その他の所要の職員を置く。

3　前二項に規定する職員の定数は、この法律に特別の定がある場合を除き、当該地方公共団体の条例で定めなければならない。ただし、臨時又は非常勤の職員については、この限りでない。

（教育機関の所管）

第三十二条　学校その他の教育機関のうち、大学及び幼保連携型認定こども園は地方公共団体の長が、その他のものは教育委員会が所管する。ただし、特定社会教育機関並びに第二十三条第一項第二号から第四号までに掲げる事務のうち同項の条例の定めるところにより地方公共団体の長が管理し、及び執行することとされたもののみに係る教育機関は、地方公共団体の長が所管する。

（学校等の管理）

第三十三条　教育委員会は、法令又は条例に違反しない限りにおいて、その所管に属する学校その他の教育機関の施設、設備、組織編制、教育課程、教材の取扱いその他の管理運営の基本的事項について、必要な教育委員会規則を定めるものとする。この場合において、当該教育委員会規則で定めようとする事項のうち、その実施のためには新たに予算を伴うこととなるものについては、教育委員会は、あらかじめ当該地方公共団体の長に協議しなければならない。

2　前項の場合において、教育委員会は、学校における教科書以外の教材の使用について、あらかじめ、教育委員会に届け出させ、又は教育委員会の承認を受けさせることとする定めを設けるものとする。

3　第二十三条第一項の条例の定めるところにより同項第一号に掲げる事務を管理し、及び執行することとされた地方公共団体の長は、法令又は条例に違反しない限りにおいて、特定社会教育機関の施設、設備、組織編制その他の管理運営の基本的事項について、必要な地方公共団体の規則を定めるものとする。この場合において、当該地方公共団体の長は、あらかじめ当該地方公共団体の教育委員会に協議しなければならない。

（教育機関の職員の任命）

第三十四条　教育委員会の所管に属する学校その他の教育機関の校長、園長、教員、事務職員、技術職員その他の職員は、この法律に特別の定めがある場合を除き、教育委員会が任命する。

（職員の身分取扱い）

第三十五条　第三十一条第一項又は第二項に規定する職員の任免、人事評価、給与、懲戒、服務、退職管理その他の身分取扱いに関する事項は、この法律及び他の法律に特別の定めがある場合を除き、地方公務員法の定めるところによる。

（所属職員の進退に関する意見の申出）

第三十六条　学校その他の教育機関の長は、この法律及び教育公務員特例法に特別の定がある場合を除き、その所属の職員の任免その他の進退に関する意見を任命権者に対して申し出ることができる。この場合において、大学附置の学校の校長にあつては、学長を経由するものとする。

第二節　市町村立学校の教職員

（任命権者）

第三十七条　市町村立学校職員給与負担法（昭和二十三年法律第百三十五号）第一条及び第二条に規定する職員（以下「県費負担教職員」という。）の任命権は、都道府県委員会に属する。

2　前項の都道府県委員会の権限に属する事務に係る第二十五条第二項の規定の適用については、同項第四号中「職員」とあるのは、「職員並びに第三十七条第一項に規定する県費負担教職員」とする。

（市町村委員会の内申）

第三十八条　都道府県委員会は、市町村委員会の内申をまつて、県費負担教職員の任免その他の進退を行うものとする。

2　前項の規定にかかわらず、都道府県委員会は、同項の内申が県費負担教職員の転任（地方自治法第二百五十二条の七第一項の規定により教育委員会を共同設置する一の市町村の県費負担教職員を免職し、引き続いて当該教育委員会を共同設置する他の市町村の県費負担教職員に採用する場合を含む。以下この項において同じ。）に係るものであるときは、当該内申に基づき、その転任を行うものとする。ただし、次の各号のいずれかに該当するときは、この限りでない。

一　都道府県内の教職員の適正な配置と円滑な交流の観点から、一の市町村（地方自治法第二百五十二条の七第一項の規定により教育委員会を共同設置する場合における当該教育委員会を共同設置する他の市町村を含む。以下この号において同じ。）における県費負担教職員の標準的な在職期間その他の都道府県委員会が定める県費負担教職員の任用に関する基準に従い、一の市町村の県費負担教職員を免職し、引き続いて当該都道府県内の他の市町村の県費負担教職員に採用する必要がある場合

二　前号に掲げる場合のほか、やむを得ない事情により当該内申に係る転任を行うことが困難である場合

3　市町村委員会は、次条の規定による校長の意見の申出があつた県費負担教職員について第一項又は前項の内申を行うときは、当該校長の意見を付するものとする。

（校長の所属教職員の進退に関する意見の申出）

第三十九条　市町村立学校職員給与負担法第一条及び第二条に規定する学校の校長は、所属の県費負担教職員の任免その他の進退に関する意見を市町村委員会に申し出ることができる。

（県費負担教職員の任用等）

第四十条　第三十七条の場合において、都道府県委員会（この条に掲げる一の市町村に係る県費負担教職員の免職に関する事務を行う者及びこの条に掲げる他の市町村に係る県費負担教職員の採用に関する事務を行う者の一方又は双方が第五十五条第一項又は第六十一条第一項の規定により当該事務を行うこととされた市町村委員会である場合にあつては、当該一の市町村に係る県費負担教職員の免職に関する事務を行う教育委員会及び当該他の市町村に係る県費負担教職員の採用に関する事務を行う教育委員会）は、地方公務員法第二十七条第二項及び第二十八条第一項の規定にかかわらず、一の市町村の県費負担教職員を免職し、引き続いて当該都道府県内の他の市町村の県費負担教職員に採用することができるものとする。この場合において、当該県費負担教職員が当該免職された市町村において同法第二十二条（同法第二十二条の二第七項及び教育公務員特例法第十二条第一項の規定において読み替えて適用する場合を含む。）の規定により正式任用になつていた者であるときは、当該県費負担教職員の当該他の市町村における採用については、地方公務員法第二十二条の規定は、適用しない。

（県費負担教職員の定数）

第四十一条　県費負担教職員の定数は、都道府県の条例で定める。ただし、臨時又は非常勤の職員については、この限りでない。

2　県費負担教職員の市町村別の学校の種類ごとの定数は、前項の規定により定められた定数の範囲内で、都道府県委員会が、当該市町村における児童又は生徒の実態、当該市町村が設置する学校の学級編制に係る事情等を総合的に勘案して定める。

3　前項の場合において、都道府県委員会は、あらかじめ、市町村委員会の意見を聴き、その意見を十分に尊重しなければならない。

（県費負担教職員の給与、勤務時間その他の勤務条件）

第四十二条　県費負担教職員の給与、勤務時間その他の勤務条件については、地方公務員法第二十四条第五項の規定により条例で定めるものとされている事項は、都道府県の条例で定める。

（服務の監督）

第四十三条　市町村委員会は、県費負担教職員の服務を監督する。

2　県費負担教職員は、その職務を遂行するに当つて、法令、当該市町村の条例及び規則並びに当該市町村委員会の定める教育委員会規則及び規程（前条又は次項の規定によつて都道府県が制定する条例を含む。）に従い、かつ、市町村委員会その他職務上の上司の職務上の命令に忠実に従わなければならない。

3　県費負担教職員の任免、分限又は懲戒に関して、地方公務員法の規定により条例で定めるものとされている事項は、都道府県の条例で定める。

4　都道府県委員会は、県費負担教職員の任免その他の進退を適切に行うため、市町村委員会の行う県費負担教職員の服務の監督又は前条若しくは前項の規定により都道府県が制定する条例の実施について、技術的な基準を設けることができる。

（人事評価）

第四十四条　県費負担教職員の人事評価は、地方公務員法第二十三条の二第一項の規定にかかわらず、都道府県委員会の計画の下に、市町村委員会が行うものとする。

（研修）

第四十五条　県費負担教職員の研修は、地方公務員法第三十九条第二項の規定にかかわらず、市町村委員会も行うことができる。

2　市町村委員会は、都道府県委員会が行う県費負担教職員の研修に協力しなければならない。

第四十六条　削除

（地方公務員法の適用の特例）

第四十七条　この法律に特別の定めがあるもののほか、県費負担教職員に対して地方公務員法を適用する場合においては、同法中次の表の上欄に掲げる規定の中欄に掲げる字句は、それぞれ同表の下欄に掲げる字句とする。

規定	読み替えられる字句	読み替える字句
第十六条各号列記以外の部分	職員	職員（第二号の場合にあつては、都道府県教育委員会又は地方教育行政の組織及び運営に関する法律第五十五条第一項若しくは第六十一条第一項の規定により同法第三十七条第一項に規定する県費負担教職員の任用に関する事務を行うこととされた市町村教育委員会の任命に係る職員及び懲戒免職の処分を受けた当時属していた地方公共団体の職

		員）
第十六条第二号	当該地方公共団体において	都道府県教育委員会（地方教育行政の組織及び運営に関する法律第五十五条第一項又は第六十一条第一項の規定により同法第三十七条第一項に規定する県費負担教職員の懲戒に関する事務を行うこととされた市町村教育委員会を含む。）により
第二十二条の四第一項	当該任命権者の属する地方公共団体	市町村
	短時間勤務の職（	当該市町村を包括する都道府県の区域内の市町村の短時間勤務の職（
第二十六条の二第一項及び第二十六条の三第一項	任命権者	市町村教育委員会
第二十九条第一項第一号	この法律若しくは第五十七条に規定する特例を定めた法律	この法律、第五十七条に規定する特例を定めた法律若しくは地方教育行政の組織及び運営に関する法律
第三十四条第二項	任命権者	市町村教育委員会
第三十七条	地方公共団体	都道府県及び市町村
第三十八条、第三十八条の二第六項第六号、第三十八条の三（見出しを含む。）、第三十八条の四（見出しを含む。）並びに第三十八条の五の見出し及び同条第一項	任命権者	市町村教育委員会

2　前項に定めるもののほか、県費負担教職員に対して地方公務員法の規定を適用する場合における技術的読替は、政令で定める。

（県費負担教職員の免職及び都道府県の職への採用）

第四十七条の二　都道府県委員会は、地方公務員法第二十七条第二項及び第二十八条第一項の規定にかかわらず、その任命に係る市町村の県費負担教職員（教諭、養護教諭、栄養教諭、助教諭及び養護助教諭並びに講師（同法第二十二条の二第一項各号に掲げる者を除く。）に限る。）で次の各号のいずれにも該当するもの（同法第二十八条第一項各号又は第二項各号のいずれかに該当する者を除く。）を免職し、引き続いて当該都道府県の常時勤務を要する職（指導主事並びに校長、園長及び教員の職を除く。）に採用することができる。

一　児童又は生徒に対する指導が不適切であること。

二　研修等必要な措置が講じられたとしてもなお児童又は生徒に対する指導を適切に行うことができないと認められること。

2　事実の確認の方法その他前項の県費負担教職員が同項各号に該当するかどうかを判断するための手続に関し必要な事項は、都道府県の教育委員会規則で定めるものとする。

3　都道府県委員会は、第一項の規定による採用に当たつては、公務の能率的な運営を確保する見地から、同項の県費負担教職員の適性、知識等について十分に考慮するものとする。

4　第四十条後段の規定は、第一項の場合について準用する。この場合において、同条後段中「当該他の市町村」とあるのは、「当該都道府県」と読み替えるものとする。

（初任者研修に係る非常勤講師の派遣）

第四十七条の三　市（地方自治法第二百五十二条の十九第一項の指定都市（以下「指定都市」という。）を除く。以下この条において同じ。）町村の教育委員会は、都道府県委員会が教育公務員特例法第二十三条第一項の初任者研修を実施する場合において、市町村の設置する小学校、中学校、義務教育学校、高等学校、中等教育学校（後期課程に定時制の課程（学校教育法第四条第一項に規定する定時制の課程をいう。以下同じ。）のみを置くものに限る。）又は特別支援学校に非常勤の講師（地方公務員法第二十二条の四第一項に規定する短時間勤務の職を占める者を除く。以下この条及び第六十一条第一項において同じ。）（高等学校にあつては、定時制の課程の授業を担任する非常勤の講師に限る。）を勤務させる必要があると認めるときは、都道府県委員会に対し、当該都道府県委員会の事務局の非常勤の職員の派遣を求めることができる。

2　前項の規定による求めに応じて派遣される職員（第四項において「派遣職員」という。）は、派遣を受けた市町村の職員の身分を併せ有することとなるものとし、その報酬、職務を行うために要する費用の弁償、期末手当及び勤勉手当（地方公務員法第二十二条の二第一項第二号に掲げる者にあつては、給料、手当及び旅費）は、当該職員の派遣をした都道府県の負担とする。

3　市町村の教育委員会は、第一項の規定に基づき派遣された非常勤の講師の服務を監督する。

4　前項に規定するもののほか、派遣職員の身分取扱いに関しては、当該職員の派遣をした都道府県の非常勤の講師に関する定めの適用があるものとする。

第三節　共同学校事務室

第四十七条の四　教育委員会は、教育委員会規則で定めるところにより、その所管に属する学校のうちその指定する二以上の学校に係る事務（学校教育法第三十七条第十四項（同法第二十八条、第四十九条、第四十九条の八、第六十二条、第七十条第一項及び第八十二条において準用する場合を含む。）の規定により事務職員がつかさどる事務その他の事務であつて共同処理することが当該事務の効果的な処理に資するものとして政令で定めるものに限る。）を当該学校の事務職員が共同処理するための組織として、当該指定する二以上の学校のうちいずれか一の学校に、共同学校事務室を置くことができる。

2　共同学校事務室に、室長及び所要の職員を置く。

3　室長は、共同学校事務室の室務をつかさどる。

4　共同学校事務室の室長及び職員は、第一項の規定による指定を受けた学校であつて、当該共同学校事務室がその事務を共同処理する学校の事務職員をもつて充てる。ただし、当該事務職員をもつて室長に充てることが困難であるときその他特別の事情があるときは、当該事務職員以外の者をもつて室長に充てることができる。

5　前三項に定めるもののほか、共同学校事務室の室長及び職員に関し必要な事項は、政令で定める。

第四節　学校運営協議会

第四十七条の五　教育委員会は、教育委員会規則で定めるところにより、その所管に属する学校ごとに、当該学校の運営及び当該運営への必要な支援に関して協議する機関として、学校運営協議会を置くように努めなければならない。ただし、二以上の学校の運営に関し相互に密接な連携を図る必要がある場合として文部科学省令で定める場合には、二以上の学校について一の学校運営協議会を置くことができる。

2　学校運営協議会の委員は、次に掲げる者について、教育委員会が任命する。

一　対象学校（当該学校運営協議会が、その運営及び当該運営への必要な支援に関して協議する学校をいう。以下この条において同じ。）の所在する地域の住民

二　対象学校に在籍する生徒、児童又は幼児の保護者

三　社会教育法（昭和二十四年法律第二百七号）第九条の七第一項に規定する地域学校協働活動推進員その他の対象学校の運営に資する活動を行う者

四　その他当該教育委員会が必要と認める者

3　対象学校の校長は、前項の委員の任命に関する意見を教育委員会に申し出ることができる。

4　対象学校の校長は、当該対象学校の運営に関して、教育課程の編成その他教育委員会規則で定める事項について基本的な方針を作成し、当該対象学校の学校運営協議会の承認を得なければならない。

5　学校運営協議会は、前項に規定する基本的な方針に基づく対象学校の運営及び当該運営への必要な支援に関し、対象学校の所在する地域の住民、対象学校に在籍する生徒、児童又は幼児の保護者その他の関係者の理解を深めるとともに、対象学校とこれらの者との連携及び協力の推進に資するため、対象学校の運営及び当該運営への必要な支援に関する協議の結果に関する情報を積極的に提供するよう努めるものとする。

6　学校運営協議会は、対象学校の運営に関する事項（次項に規定する事項を除く。）について、教育委員会又は校長に対して、意見を述べることができる。

7　学校運営協議会は、対象学校の職員の採用その他の任用に関して教育委員会規則で定める事項について、当該職員の任命権者に対して意見を述べることができる。この場合において、当該職員が県費負担教職員（第五十五条第一項又は第六十一条第一項の規定により市町村委員会がその任用に関する事務を行う職員を除く。）であるときは、市町村委員会を経由するものとする。

8　対象学校の職員の任命権者は、当該職員の任用に当たつては、前項の規定により述べられた意見を尊重するものとする。

9　教育委員会は、学校運営協議会の運営が適正を欠くことにより、対象学校の運営に現に支障が生じ、又は生ずるおそれがあると認められる場合においては、当該学校運営協議会の適正な運営を確保するために必要な措置を講じなければならない。

10　学校運営協議会の委員の任免の手続及び任期、学校運営協議会の議事の手続その他学校運営協議会の運営に関し必要な事項については、教育委員会規則で定める。

第五章　文部科学大臣及び教育委員会相互間の関係等

（文部科学大臣又は都道府県委員会の指導、助言及び援助）

第四十八条　地方自治法第二百四十五条の四第一項の規定によるほか、文部科学大臣は都道府県又は市町村に対し、都道府県委員会は市町村に対し、都道府県又は市町村の教育に関する事務の適正な処理を図るため、必要な指導、助言又は援助を行うことができる。

2　前項の指導、助言又は援助を例示すると、おおむね次のとおりである。

一　学校その他の教育機関の設置及び管理並びに整備に関し、指導及び助言を与えること。

二　学校の組織編制、教育課程、学習指導、生徒指導、職業指導、教科書その他の教材の取扱いその他学校運営に関し、指導及び助言を与えること。

三　学校における保健及び安全並びに学校給食に関し、指導及び助言を与えること。

四　教育委員会の委員及び校長、教員その他の教育関係職員の研究集会、講習会その他研修に関し、指導及び助言を与え、又はこれらを主催すること。

五　生徒及び児童の就学に関する事務に関し、指導及び助言を与えること。

六　青少年教育、女性教育及び公民館の事業その他社会教育の振興並びに芸術の普及及び向上に関し、指導及び助言を与えること。

七　スポーツの振興に関し、指導及び助言を与えること。

八　指導主事、社会教育主事その他の職員を派遣すること。

九　教育及び教育行政に関する資料、手引書等を作成し、利用に供すること。

十　教育に係る調査及び統計並びに広報及び教育行政に関する相談に関し、指導及び助言を与えること。

十一　教育委員会の組織及び運営に関し、指導及び助言を与えること。

3　文部科学大臣は、都道府県委員会に対し、第一項の規定による市町村に対する指導、助言又は援助に関し、必要な指示をすることができる。

4　地方自治法第二百四十五条の四第三項の規定によるほか、都道府県知事又は都道府県委員会は文部科学大臣に対し、市町村長又は市町村委員会は文部科学大臣又は都道府県委員会に対

し、教育に関する事務の処理について必要な指導、助言又は援助を求めることができる。

（是正の要求の方式）

第四十九条 文部科学大臣は、都道府県委員会又は市町村委員会の教育に関する事務の管理及び執行が法令の規定に違反するものがある場合又は当該事務の管理及び執行を怠るものがある場合において、児童、生徒等の教育を受ける機会が妨げられていることその他の教育を受ける権利が侵害されていることが明らかであるとして地方自治法第二百四十五条の五第一項若しくは第四項の規定による求め又は同条第二項の指示を行うときは、当該教育委員会が講ずべき措置の内容を示して行うものとする。

（文部科学大臣の指示）

第五十条 文部科学大臣は、都道府県委員会又は市町村委員会の教育に関する事務の管理及び執行が法令の規定に違反するものがある場合又は当該事務の管理及び執行を怠るものがある場合において、児童、生徒等の生命又は身体に現に被害が生じ、又はまさに被害が生ずるおそれがあると見込まれ、その被害の拡大又は発生を防止するため、緊急の必要があるときは、当該教育委員会に対し、当該違反を是正し、又は当該怠る事務の管理及び執行を改めるべきことを指示することができる。ただし、他の措置によつては、その是正を図ることが困難である場合に限る。

（文部科学大臣の通知）

第五十条の二 文部科学大臣は、第四十九条に規定する求め若しくは指示又は前条の規定による指示を行つたときは、遅滞なく、当該地方公共団体（第四十九条に規定する指示を行つたときにあつては、当該指示に係る市町村）の長及び議会に対して、その旨を通知するものとする。

（文部科学大臣及び教育委員会相互間の関係）

第五十一条 文部科学大臣は都道府県委員会又は市町村委員会相互の間の、都道府県委員会は市町村委員会相互の間の連絡調整を図り、並びに教育委員会は、相互の間の連絡を密にし、及び文部科学大臣又は他の教育委員会と協力し、教職員の適正な配置と円滑な交流及び教職員の勤務能率の増進を図り、もつてそれぞれその所掌する教育に関する事務の適正な執行と管理に努めなければならない。

第五十二条 削除

（調査）

第五十三条 文部科学大臣又は都道府県委員会は、第四十八条第一項及び第五十一条の規定による権限を行うため必要があるときは、地方公共団体の長又は教育委員会が管理し、及び執行する教育に関する事務について、必要な調査を行うことができる。

2 文部科学大臣は、前項の調査に関し、都道府県委員会に対し、市町村長又は市町村委員会が管理し、及び執行する教育に関する事務について、その特に指定する事項の調査を行うよう指示をすることができる。

（資料及び報告）

第五十四条 教育行政機関は、的確な調査、統計その他の資料に基いて、その所掌する事務の適切かつ合理的な処理に努めなければならない。

2 文部科学大臣は地方公共団体の長又は教育委員会に対し、都道府県委員会は市町村長又は市町村委員会に対し、それぞれ都道府県又は市町村の区域内の教育に関する事務に関し、必要な調査、統計その他の資料又は報告の提出を求めることができる。

（幼保連携型認定こども園に係る事務の処理に関する指導、助言及び援助等）

第五十四条の二 地方公共団体の長が管理し、及び執行する当該地方公共団体が設置する幼保連携型認定こども園に関する事務に係る第四十八条から第五十条の二まで、第五十三条及び前条第二項の規定の適用については、これらの規定（第四十八条第四項を除く。）中「都道府県委員会」とあるのは「都道府県知事」と、第四十八条第四項中「都道府県委員会に」とあるのは「都道府県知事に」と、第四十九条及び第五十条中「市町村委員会」とあるのは「市町村長」と、「当該教育委員会」とあるのは「当該地方公共団体の長」と、第五十条の二中「長及び議会」とあるのは「議会」と、第五十三条第一項中「第四十八条第一項及び第五十一条」とあるのは「第四十八条第一項」と、「地方公共団体の長又は教育委員会」とあるのは「地方公共団体の長」と、同条第二項中「市町村長又は市町村委員会」とあるのは「市町村長」と、前条第二項中「地方公共団体の長又は教育委員会」とあるのは「地方公共団体の長」と、「市町村長又は市町村委員会」とあるのは「市町村長」とする。

（職務権限の特例に係る事務の処理に関する指導、助言及び援助等）

第五十四条の三 第二十三条第一項の条例の定めるところにより都道府県知事が管理し、及び執行する事務に係る第四十八条、第五十三条及び第五十四条第二項の規定の適用については、これらの規定（第四十八条第四項を除く。）中「都道府県委員会」とあるのは「都道府県知事」と、第四十八条第四項中「都道府県委員会に」とあるのは「都道府県知事に」と、第五十三条第一項中「第四十八条第一項及び第五十一条」とあるのは「第四十八条第一項」とする。

（条例による事務処理の特例）

第五十五条 都道府県は、都道府県委員会の権限に属する事務の一部を、条例の定めるところにより、市町村が処理することとすることができる。この場合においては、当該市町村が処理することとされた事務は、当該市町村の教育委員会が管理し及び執行するものとする。

2 前項の条例を制定し又は改廃する場合においては、都道府県知事は、あらかじめ、当該都道府県委員会の権限に属する事務の一部を処理し又は処理することとなる市町村の長に協議しなければならない。

3 市町村長は、前項の規定による協議を受けたときは、当該市町村委員会に通知するとともに、その意見を踏まえて当該協議に応じなければならない。ただし、第二十三条第一項の条例の定めるところにより、当該市町村委員会が、当該市町村が処理し又は処理することとする事務の全てを管理し、及び執行しない場合は、この限りでない。

4 都道府県の議会は、第一項の条例の制定又は改廃の議決をする前に、当該都道府県委員会の意見を聴かなければならない。

5 第一項の規定により都道府県委員会の権限に属する事務（都道府県の教育委員会規則に基づくものに限る。）の一部を市町村が処理し又は処理することとする場合であつて、同項の条例の定めるところにより教育委員会規則に委任して当該事務の範囲を定める場合には、都道府県委員会は、当該教育委員会規則を制定し又は改廃しようとするときは、あらかじめ、当該事務を処理し又は処理することとなる市町村委員会に協議しなければならない。この場合において、当該事務が第二十三条第一項の条例の定めるところにより当該市町村の長が処理し又は処理することとなるものであるときは、当該協議を受けた市町村委員会は、当該市町村長に通知するとともに、その意見を踏まえて当該協議に応じなければならない。

6 市町村の長は、その議会の議決を経て、都道府県知事に対し、第一項の規定により当該都道府県委員会の権限に属する事務の一部を当該市町村が処理することとするよう要請することができる。

7 前項の規定による要請があつたときは、都道府県知事は、速やかに、当該都道府県委員会に通知するとともに、その意見を踏まえて当該市町村の長と協議しなければならない。

8 市町村の議会は、第六項の議決をする前に、当該市町村委員会の意見を聴かなければならない。ただし、第二十三条第一項の条例の定めるところにより、当該市町村委員会が、第六項の要請に係る事務の全てを管理し、及び執行しない場合は、この限りでない。

9 地方自治法第二百五十二条の十七の三並びに第二百五十二条の十七の四第一項及び第三項から第七項までの規定は、第一項の条例の定めるところにより、都道府県委員会の権限に属する事務の一部を市町村が処理する場合について準用する。この場合において、これらの規定中「規則」とあるのは「教育委員会規則」と、「都道府県知事」とあるのは「都道府県教育委員会」と、「市町村長」とあるのは「市町村教育委員会（地方教育行政の組織及び運営に関する法律（昭和三十一年法律第百六十二号）第二十三条第一項の条例の定めるところにより当該市町村の長が管理し、及び執行する事務については、市町村長）」と読み替えるものとする。

10 第二十三条第一項の条例の定めるところにより都道府県知事が管理し、及び執行する事務については、当該事務を都道府県委員会が管理し、及び執行する事務とみなして、第一項から第三項まで及び第六項から前項までの規定を適用する。この場合において、第七項中「速やかに、当該都道府県委員会に通知するとともに、その意見を踏まえて」とあるのは「速やかに、」と、前項中「これらの規定中「規則」とあるのは「教育委員会規則」と、「都道府県知事」とあるのは「都道府県教育委員会」と」とあるのは「同条第四項中」とする。

（市町村の教育行政の体制の整備及び充実）

第五十五条の二 市町村は、近隣の市町村と協力して地域における教育の振興を図るため、地方自治法第二百五十二条の七第一項の規定による教育委員会の共同設置その他の連携を進め、地域における教育行政の体制の整備及び充実に努めるものとする。

2 文部科学大臣及び都道府県委員会は、市町村の教育行政の体制の整備及び充実に資するため、必要な助言、情報の提供その他の援助を行うよう努めなければならない。

第六章 雑則

（抗告訴訟等の取扱い）

第五十六条 教育委員会は、教育委員会若しくはその権限に属する事務の委任を受けた行政庁の処分（行政事件訴訟法（昭和三十七年法律第百三十九号）第三条第二項に規定する処分をいう。以下この条において同じ。）若しくは裁決（同条第三項に規定する裁決をいう。以下この条において同じ。）又は教育委員会の所管に属する学校その他の教育機関の職員の処分若しくは裁決に係る同法第十一条第一項（同法第三十八条第一項（同法第四十三条第二項において準用する場合を含む。）又は同法第四十三条第一項において準用する場合を含む。）の規定による地方公共団体を被告とする訴訟について、当該地方公共団体を代表する。

（保健所との関係）

第五十七条 教育委員会は、健康診断その他学校における保健に関し、政令で定めるところにより、保健所を設置する地方公共団体の長に対し、保健所の協力を求めるものとする。

2 保健所は、学校の環境衛生の維持、保健衛生に関する資料の提供その他学校における保健に関し、政令で定めるところにより、教育委員会に助言と援助を与えるものとする。

第五十八条 削除

（中核市に関する特例）

第五十九条 地方自治法第二百五十二条の二十二第一項の中核市（以下「中核市」という。）の県費負担教職員の研修は、第四十五条及び地方公務員法第三十九条第二項の規定にかかわらず、教育公務員特例法第四章の定めるところにより、当該中核市の教育委員会が行う。

2 前項の規定にかかわらず、中核市の県費負担教職員の研修は、都道府県委員会も行うことができる。

（組合に関する特例）

第六十条 地方公共団体が第二十一条に規定する事務の全部を処理する組合を設ける場合においては、当該組合を組織する地方公共団体には教育委員会を置かず、当該組合に教育委員会を置くものとする。

2 地方公共団体が第二十一条に規定する事務の一部を処理する組合を設ける場合において、当該組合を組織する地方公共団体のうち、第二十三条第一項の条例の定めるところにより、その自ら処理する第二十一条に規定する事務の全てをその長が管理し、及び執行することとしたものには、教育委員会を置かない。

3 第二十一条に規定する事務の一部を処理する組合のうち、第二十三条第一項の条例の定めるところにより、その処理する第二十一条に規定する事務の全てをその管理者（地方自治法第二百八十七条の三第二項の規定により管理者に代えて理事会を置く同法第二百八十五条の一部事務組合にあつては、理事会）又は長（同法第二百九十一条の十三において準用する同法第二百八十七条の三第二項の規定により長に代えて理事会を置く広域連合にあつては、理事会。第八項及び第十項において同じ。）が管理し、及び執行するものとしたものには、教育委員会を置かない。

4 地方公共団体が第二十一条に規定する事務の全部又は一部を処理する組合を設けようとする場合において、当該地方公共団体に教育委員会が置かれているときは、当該地方公共団体の議会は、地方自治法第二百九十条又は第二百九十一条の十一の議決をする前に、当該教育委員会の意見を聴かなければならない。ただし、第二十三条第一項の条例の定めるところにより、当該地方公共団体の教育委員会が、当該組合が処理することとなる第二十一条に規定する事務を管理し、及び執行していないときは、この限りでない。

5　総務大臣又は都道府県知事は、第二十一条に規定する事務の全部又は一部を処理する地方公共団体の組合の設置について、地方自治法第二百八十四条第二項の許可の処分又は同条第二項若しくは第三項の許可の処分をする前に、総務大臣にあつては文部科学大臣、都道府県知事にあつては当該都道府県委員会の意見を聴かなければならない。ただし、第二十三条第一項の条例の定めるところにより、当該都道府県委員会が、当該組合（当該都道府県が加入しないものに限る。）が処理することとなる第二十一条に規定する事務を管理し、及び執行していないときは、都道府県委員会の意見を聴くことを要しない。

6　第二十一条に規定する事務の一部を処理する地方公共団体の組合に置かれる教育委員会の教育長又は委員は、第六条の規定にかかわらず、その組合を組織する地方公共団体の教育委員会の教育長又は委員と兼ねることができる。

7　地方自治法第二百九十一条の二第二項の条例の定めるところにより、都道府県が、都道府県委員会の権限に属する事務のうち都道府県の加入しない広域連合の事務に関連するものを当該広域連合において処理することとする場合については、同条第三項の規定にかかわらず、第五十五条第二項から第五項まで及び第九項の規定を準用する。

8　地方自治法第二百九十一条の二第五項の規定により、都道府県の加入しない広域連合の長が、都道府県に対し、当該広域連合の事務に密接に関連する都道府県委員会の権限に属する事務の一部を当該広域連合が処理することとするよう要請する場合については、第五十五条第八項の規定を準用する。この場合において、当該要請があつたときは、都道府県知事は、速やかに、当該都道府県委員会に通知しなければならない。

9　地方自治法第二百九十一条の二第二項の条例の定めるところにより、都道府県が、第二十三条第一項の条例の定めるところにより都道府県知事が管理し、及び執行する事務のうち都道府県の加入しない広域連合の事務に関連するものを当該広域連合において処理することとする場合については、同法第二百九十一条の二第三項の規定にかかわらず、第五十五条第二項、第三項及び第九項の規定を準用する。この場合において、同項中「これらの規定中「規則」とあるのは「教育委員会規則」と、「都道府県知事」とあるのは「都道府県教育委員会」と、」とあるのは、「同条第四項中」と読み替えるものとする。

10　地方自治法第二百九十一条の二第五項の規定により、都道府県の加入しない広域連合の長が、都道府県に対し、当該広域連合の事務に密接に関連する第二十三条第一項の条例の定めるところにより都道府県知事が管理し、及び執行する事務の一部を当該広域連合が処理することとするよう要請する場合については、第五十五条第八項の規定を準用する。

11　前各項に定めるもののほか、第二十一条に規定する事務の全部又は一部を処理する地方公共団体の組合の設置、解散その他の事項については、地方自治法第三編第三章の規定によるほか、政令で特別の定めをすることができる。

（中等教育学校を設置する市町村に関する特例）

第六十一条　市（指定都市を除く。以下この項において同じ。）町村の設置する中等教育学校（後期課程に定時制の課程のみを置くものを除く。以下この条において同じ。）の県費負担教職員の任免、給与（非常勤の講師にあつては、報酬、職務を行うために要する費用の弁償、期末手当及び勤勉手当の額）の決定、休職及び懲戒に関する事務は、第三十七条第一項の規定にかかわらず、当該市町村の教育委員会が行う。

2　市（指定都市及び中核市を除く。以下この条において同じ。）町村が設置する中等教育学校の県費負担教職員の研修は、第四十五条及び地方公務員法第三十九条第二項の規定にかかわらず、教育公務員特例法第四章の定めるところにより、当該市町村の教育委員会が行う。

3　前項の規定にかかわらず、市町村が設置する中等教育学校の県費負担教職員の研修は、都道府県委員会も行うことができる。

（政令への委任）

第六十二条　この法律に定めるもののほか、市町村の廃置分合があつた場合及び指定都市の指定があつた場合におけるこの法律の規定の適用の特例その他この法律の施行に関し必要な事項は、政令で定める。

（事務の区分）

第六十三条　都道府県が第四十八条第一項（第五十四条の二及び第五十四条の三の規定により読み替えて適用する場合を含む。）の規定により処理することとされている事務（市町村が処理する事務が地方自治法第二条第八項に規定する自治事務又は同条第九項第二号に規定する第二号法定受託事務である場合においては、第四十八条第三項（第五十四条の二及び第五十四条の三の規定により読み替えて適用する場合を含む。）に規定する文部科学大臣の指示を受けて行うものに限る。）、第五十三条第二項（第五十四条の二及び第五十四条の三の規定により読み替えて適用する場合を含む。）の規定により処理することとされている事務、第六十条第五項の規定により処理することとされている事務（都道府県委員会の意見を聴くことに係るものに限る。）並びに第五十五条第九項（同条第十項により読み替えて適用する場合並びに第六十条第七項において準用する場合及び同条第九項において読み替えて準用する場合を含む。）において準用する同法第二百五十二条の十七の三第二項及び第三項並びに第二百五十二条の十七の四第一項及び第三項の規定により処理することとされている事務は、同法第二条第九項第一号に規定する第一号法定受託事務とする。

附　則（抄）

（施行期日）

第一条　この法律は、昭和三十一年十月一日から施行する。ただし、第二章、第五十八条第三項、第六十条第一項及び第四項並びに附則第二条から第十三条まで及び第二十五条の規定（以下「教育委員会の設置関係規定」という。）は、公布の日から施行する。

附　則（平二四・八・二二法六七）（抄）

最終改正　平二六・六・二〇法七六

この法律は、子ども・子育て支援法の施行の日〔平二七・四・一〕から施行する。ただし、次の各号に掲げる規定は、当該各号に定める日から施行する。

一　第二十五条〔中略〕の規定　公布の日

二～五　〔略〕

○子ども・子育て支援法及び就学前の子どもに関する教育、保育等の総合的な提供の推進に関する法律の一部を改正する法律の施行に伴う関係法律の整備等に関する法律

平二四・八・二二
法　六　七

（地方教育行政の組織及び運営に関する法律の一部改正に伴う経過措置）

第二十五条　前条の規定による改正後の地方教育行政の組織及び運営に関する法律第二十七条第一項の規則の制定は、施行日前においても行うことができる。この場合において、地方公共団体の長は、当該規則を制定しようとするときは、あらかじめ、当該地方公共団体の教育委員会の意見を聴かなければならない。

附　則（平二六・五・一四法三四）（抄）

（施行期日）

第一条　この法律は、公布の日から起算して二年を超えない範囲内において政令で定める日〔平二八・四・一〕から施行する。〔ただし書略〕

（地方教育行政の組織及び運営に関する法律の一部改正に伴う経過措置）

第十五条　前条の規定による改正前の地方教育行政の組織及び運営に関する法律第四十六条の規定により施行日前の直近の勤務成績の評定が行われた日から起算して一年を経過する日までの間は、前条の規定による改正後の地方教育行政の組織及び運営に関する法律第四十四条の規定にかかわらず、同条に規定する市町村委員会は、なお従前の例により、勤務成績の評定を行うことができる。

附　則（平二六・六・二〇法七六）（抄）

（施行期日）

第一条　この法律は、平成二十七年四月一日から施行する。ただし、次の各号に掲げる規定は、当該各号に定める日から施行する。

一　附則第三条及び第二十二条の規定　公布の日

二　附則第二十条の規定　この法律の公布の日又は地方公務員法及び地方独立行政法人法の一部を改正する法律（平成二十六年法律第三十四号）の公布の日のいずれか遅い日

三　〔略〕

（旧教育長に関する経過措置）

第二条　この法律の施行の際現に在職するこの法律による改正前の地方教育行政の組織及び運営に関する法律（以下この条において「旧法」という。）第十六条第一項の教育委員会の教育長（以下「旧教育長」という。）は、その教育委員会の委員（以下単に「委員」という。）としての任期中に限り、なお従前の例により在職するものとする。

2　前項の場合においては、この法律による改正後の地方教育行政の組織及び運営に関する法律（以下「新法」という。）第二章（第二条を除く。）、第二十五条、第二十六条、第三十四条、第三十七条、第三十八条及び第六十条第六項の規定は適用せず、旧法第二章（第二条を除く。）、第二十六条、第二十七条、第三十四条、第三十七条、第三十八条及び第六十条第六項の規定は、なおその効力を有する。この場合において、旧法第十一条第六項中「基本理念」とあるのは「基本理念及び大綱」と、「則して」とあるのは「則して、かつ、児童、生徒等の教育を受ける権利の保障に万全を期して」と、旧法第六十条第六項中「第二十三条」とあるのは「第二十一条」とする。

3　前項の場合においては、旧教育長の委員としての任期が満了する日（当該満了する日前に旧教育長が欠けた場合にあっては、当該欠けた日。附則第五条において同じ。）において旧法第十二条第一項の教育委員会の委員長である者の当該委員長としての任期は、同条第二項の規定にかかわらず、その日に満了する。

（新教育長の任命に関する経過措置）

第三条　新法第四条第一項の規定による新法第十三条第一項の教育長（附則第五条において「新教育長」という。）の任命のために必要な行為は、この法律の施行の日（以下「施行日」という。）前においても行うことができる。

（新たに任命される委員の任期の特例）

第四条　施行日から四年を経過するまでの間に任命される委員の任期は、新法第五条第一項の規定にかかわらず、当該委員の任期の満了の期日が特定の年に偏ることのないよう、一年以上四年以内で当該地方公共団体の長が定めるものとする。

（新教育長が任命されるまでの間の経過措置）

第五条　施行日（附則第二条第一項の場合にあっては、旧教育長の委員としての任期が満了する日）以後最初に新法第四条第一項の規定により新教育長が任命されるまでの間は、地方公共団体の長は、委員のうちから、新教育長の職務を行う者を指名することができる。

（政令への委任）

第二十二条　この附則に規定するもののほか、この法律の施行に関し必要な経過措置は、政令で定める。

附　則（平三〇・六・八法四二）（抄）

（施行期日）

第一条　この法律は、平成三十一年四月一日から施行する。

（罰則に関する経過措置）

第二条　この法律の施行前にした行為に対する罰則の適用については、なお従前の例による。

（政令への委任）

第三条　前条に定めるもののほか、この法律の施行に関し必要な経過措置は、政令で定める。

附　則（令四・五・一八法四〇）（抄）

（施行期日）

第一条　この法律は、令和四年七月一日から施行する。ただし、次の各号に掲げる規定は、当該各号に定める日から施行する。

一　〔略〕

二　〔前略〕附則第六条の規定　令和五年四月一日

附　則（令五・五・八法一九）（抄）

（施行期日）

第一条　この法律は、令和六年四月一日から施行する。〔ただし書略〕

㊟　次の法律の第二一五条により地方教育行政の組織及び運営に関する法律が改正されたが、刑法等一部改正法施行日〔令七・六・一〕から施行となるため、一部改正法の形式で掲載した。

○刑法等の一部を改正する法律の施行に伴う関係法律の整理等に関する法律

令四・六・一七
法　六八

（宗教法人法等の一部改正）

第二百十五条　次に掲げる法律の規定中「禁錮」を「拘禁刑」に改める。

一　〔略〕

二　地方教育行政の組織及び運営に関する法律（昭和三十一年法律第百六十二号）第四条第三項第二号

三・四　〔略〕

附　則　（抄）

（施行期日）

1　この法律は、刑法等一部改正法施行日〔令七・六・一〕から施行する。〔ただし書略〕

○地方教育行政の組織及び運営に関する法律施行令

昭三一・六・三〇
政令　二二一

最終改正　令四・八・三一政令二八三

目次〔略〕

第一章　教育委員会の教育長及び委員

（委員の定数の増加に伴い新たに任命される委員の任期の特例）

第一条　地方公共団体が、地方教育行政の組織及び運営に関する法律（以下「法」という。）第三条ただし書の条例の定めるところにより教育委員会の委員の定数を増加する場合においては、当該定数の増加に伴い新たに任命される委員の任期は、法第五条第一項本文の規定にかかわらず、当該教育委員会の委員の任期の満了の期日が特定の年に偏ることのないよう、一年以上四年以内で当該地方公共団体の長が定めるものとする。

第二条　削除

（解職請求の手続）

第三条　地方自治法施行令（昭和二十二年政令第十六号）第九十一条から第九十八条まで及び第九十八条の三の規定は、教育委員会の教育長又は委員の解職の請求について準用する。この場合において、これらの規定中「条例制定又は改廃請求代表者」とあるのは「教育長又は委員の解職請求代表者」と、「条例制定又は改廃請求書」とあるのは「教育長又は委員の解職請求書」と、「条例制定又は改廃請求代表者証明書」とあるのは「教育長又は委員の解職請求代表者証明書」と、「条例制定又は改廃請求者署名簿」とあるのは「教育長又は委員の解職請求者署名簿」と読み替えるほか、次の表の上欄に掲げる規定の中欄に掲げる字句は、それぞれ当該下欄に掲げる字句に読み替えるものとする。

規定	読み替えられる字句	読み替える字句
第九十一条第一項	地方自治法第七十四条第一項	地方教育行政の組織及び運営に関する法律（昭和三十一年法律第百六十二号）第八条第一項
	条例の制定又は改廃の請求	教育委員会の教育長又は委員の解職の請求
第九十二条第一項及び第二項	条例制定若しくは改廃請求書	教育長若しくは委員の解職請求書
	条例制定若しくは改廃請求代表者証明書	教育長若しくは委員の解職請求代表者証明書
第九十四条第一項	五十分の一	三分の一（その総数が四十万を超え八十万以下の場合にあつてはその四十万を超える数に六分の一を乗じて得た数と四十万に三分の一を乗じて得た数とを合算して得た数、その総数が八十万を超える場合にあつてはその八十万を超える数に八分の一を乗じて得た数と四十万に六分の一を乗じて得た数と四十万に三分の一を乗じて得た数とを合算して得た数）

第九十六条第一項	地方自治法第七十四条第一項の規定による請求は、同法	地方教育行政の組織及び運営に関する法律第八条第一項の規定による請求は、地方自治法
	条例制定若しくは改廃請求代表者	教育長若しくは委員の解職請求代表者
	五十分の一	三分の一（その総数が四十万を超え八十万以下の場合にあつてはその四十万を超える数に六分の一を乗じて得た数と四十万に三分の一を乗じて得た数とを合算して得た数、その総数が八十万を超える場合にあつてはその八十万を超える数に八分の一を乗じて得た数と四十万に六分の一を乗じて得た数と四十万に三分の一を乗じて得た数とを合算して得た数）
第九十七条第一項	五十分の一	三分の一（その総数が四十万を超え八十万以下の場合にあつてはその四十万を超える数に六分の一を乗じて得た数と四十万に三分の一を乗じて得た数とを合算して得た数、その総数が八十万を超える場合にあつてはその八十万を超える数に八分の一を乗じて得た数と四十万に六分の一を乗じて得た数と四十万に三分の一を乗じて得た数とを合算して得た数）

2　教育長又は委員の解職請求書、教育長又は委員の解職請求代表者証明書、教育長又は委員の解職請求署名簿、教育長又は委員の解職請求署名収集委任状、教育長又は委員の解職請求署名審査録及び教育長又は委員の解職請求署名収集証明書は、地方自治法施行令第九十八条の四の規定に基づく命令で定める様式に準じて作成しなければならない。

第二章　事務局職員

（指導主事）

第四条　教育委員会は、法第十八条第四項後段の規定により指導主事に大学以外の公立学校（地方公共団体が設置する学校をいう。以下同じ。）の教員（教育公務員特例法（昭和二十四年法律第一号）第二条第二項に規定する教員をいう。以下同じ。）をもつて充てようとする場合において、当該教員が他の教育委員会（就学前の子どもに関する教育、保育等の総合的な提供の推進に関する法律（平成十八年法律第七十七号）第二条第七項に規定する幼保連携型認定こども園の教員にあつては、当該教員が属する地方公共団体の長）の任命に係る者であるときは、当該任命権者の同意を得なければならない。

2　都道府県に置かれる教育委員会（以下「都道府県委員会」という。）が法第三十七条第一項に規定する県費負担教職員（以下「県費負担教職員」という。）である教員を指導主事に充てようとする場合においては、当該教員が属する市（特別区を含む。以下同じ。）町村の教育委員会の同意を得なければならない。

第五条　法第十八条第四項後段の規定により指導主事に充てられた教員は、その充てられた期間中、当該公立学校の教員の職を保有するが、教員の職務に従事しない。

（職員の職の設置）

第六条　法令に特別の定があるものを除き、教育委員会の事務局に置かれる職員の職の設置については、教育委員会規則で定める。

第三章　県費負担教職員に対する地方公務員法の適用

（地方公務員法の技術的読替え）

第七条　法第四十七条第一項に定めるもののほか、県費負担教職員に対して地方公務員法（昭和二十五年法律第二百六十一号）の規定を適用する場合においては、同法中次の表の上欄に掲げる規定の中欄に掲げる字句は、それぞれ当該下欄に掲げる字句とする。

規定	読み替えられる字句	読み替える字句
第五条第一項及び第十四条	地方公共団体	都道府県及び市町村
第十七条第二項	人事委員会（競争試験等を行う公平委員会を含む。以下この節において同じ。）を置く地方公共団体においては、人事委員会	都道府県の人事委員会
第十七条の二第一項	人事委員会を置く地方公共団体	任命権者の属する地方公共団体に人事委員会が置かれている場合

第十七条の二第一項ただし書	人事委員会規則（競争試験等を行う公平委員会を置く地方公共団体においては、公平委員会規則。以下この節において同じ。）	任命権者の属する地方公共団体の人事委員会規則
第十七条の二第二項	人事委員会を置かない地方公共団体	任命権者の属する地方公共団体に人事委員会が置かれていない場合
第十七条の二第三項	人事委員会（人事委員会を置かない地方公共団体	任命権者の属する地方公共団体の人事委員会（任命権者の属する地方公共団体に人事委員会が置かれていない場合
第二十一条第一項	人事委員会を置く地方公共団体における採用試験	採用試験
	人事委員会は	任命権者の属する地方公共団体の人事委員会は
第二十一条第三項	人事委員会	任命権者の属する地方公共団体の人事委員会
第二十一条第四項	人事委員会規則	任命権者の属する地方公共団体の人事委員会規則
	人事委員会は	任命権者の属する地方公共団体の人事委員会は
第二十一条第五項	人事委員会規則	任命権者の属する地方公共団体の人事委員会規則
第二十一条の四第一項	人事委員会規則	任命権者の属する地方公共団体の人事委員会規則
	人事委員会を置かない地方公共団体	任命権者の属する地方公共団体に人事委員会が置かれていない場合
第二十一条の四第二項	人事委員会は	任命権者の属する地方公共団体の人事委員会は
第二十二条	人事委員会規則（人事委員会を置かない地方公共団体	任命権者の属する地方公共団体の人事委員会規則（任命権者の属する地方公共団体に人事委員会が置かれていない場合
	地方公共団体の	任命権者の属する地方公共団体の
第二十二条の三第一項	人事委員会を置く地方公共団体	任命権者の属する地方公共団体に人事委員会が置かれている場合
	人事委員会規則	任命権者の属する地方公共団体の人事委員会規則
	人事委員会の	任命権者の属する地方公共団体の人事委員会の
第二十二条の三第二項及び第三項	人事委員会	任命権者の属する地方公共団体の人事委員会
第二十二条の三第四項	人事委員会を置かない地方公共団体	任命権者の属する地方公共団体に人事委員会が置かれていない場合
	地方公共団体の	任命権者の属する地方公共団体の
第二十三条の二第二項	任命権者	都道府県教育委員会
第二十三条の二第三項	任命権者が地方公共団体の長及び議会の議長以外の者であるとき	都道府県教育委員会
	地方公共団体の長に	都道府県知事に
第二十三条の四	人事委員会	都道府県の人事委員会
	任命権者	都道府県教育委員会
第二十六条	人事委員会	都道府県の人事委員会
	地方公共団体の議会及び長	都道府県の議会及び知事
第三十九条第四項	人事委員会	研修実施者（教育公務員特例法（昭和二十四年法律第一号）第二十条第一項に規定する研修実施者をいう。）

		以下この項において同じ。）の属する地方公共団体の人事委員会
	任命権者	研修実施者
第四十六条、第四十九条第四項、第四十九条の二第一項及び第五十一条の二	人事委員会	任命権者の属する地方公共団体の人事委員会
第五十八条の三第一項	任命権者	都道府県教育委員会
	地方公共団体の長	都道府県知事
第五十八条の三第二項	地方公共団体の長	都道府県知事
附則第二十項	人事委員会規則	任命権者の属する地方公共団体の人事委員会規則

第三章の二　共同学校事務室

（法第四十七条の四第一項の政令で定める事務）

第七条の二　法第四十七条の四第一項の政令で定める事務は、次に掲げるものとする。

一　当該共同学校事務室がその事務を共同処理する学校（以下「対象学校」という。）において使用する教材、教具その他の備品の共同購入に関する事務

二　対象学校の教職員の給与及び旅費の支給に関する事務

三　前二号に掲げるもののほか、対象学校の運営の状況又は当該対象学校の所在する地域の状況に照らして、共同学校事務室において共同処理することが当該事務の効果的な処理に資するものとして教育委員会規則で定める事務

（共同学校事務室の室長及び職員）

第七条の三　市町村の教育委員会は、法第四十七条の四第四項の規定により共同学校事務室の室長及び職員に対象学校の事務職員をもつて充てようとする場合において、当該事務職員が県費負担教職員であるときは、その任命権者の同意を得なければならない。同項ただし書に規定する場合において、当該事務職員以外の者をもつて室長に充てるときも、同様とする。

第四章　教育委員会と保健所との関係

（保健所の協力を求める事項）

第八条　法第五十七条第一項の規定により教育委員会が地方公共団体の長に対し保健所の協力を求める事項は、次のとおりとする。

一　学校（学校教育法（昭和二十二年法律第二十六号）第一条に規定する学校をいう。以下同じ。）の職員に対し、衛生思想の普及及び向上に関し、指導を行うこと。

二　学校における保健に関し、エックス線検査その他文部科学大臣と厚生労働大臣とが協議して定める試験又は検査を行うこと。

三　修学旅行、校外実習その他学校以外の場所で行う教育において、学校の生徒、児童又は幼児の用に供する施設及び設備並びに食品の衛生に関すること。

（保健所が助言又は援助を与える事項）

第九条　法第五十七条第二項の規定により保健所が教育委員会に助言を与える事項は、次のとおりとする。

一　飲料水及び用水並びに給水施設の衛生に関すること。

二　汚物の処理及びその施設並びに下水の衛生に関すること。

三　ねずみ族及びこん虫の駆除に関すること。

四　食品並びにその調理、貯蔵、摂取等の用に供される施設及び設備の衛生に関すること。

五　前各号に掲げるもののほか、校地、校舎及び寄宿舎並びにこれらの附属設備の衛生に関すること。

2　前項各号に掲げる事項について、教育委員会に助言を与えるため必要があるときは、保健所は、文部科学大臣が厚生労働大臣と協議して定めるところにより、学校におけるその状況を調査することができる。

3　法第五十七条第二項の規定により保健所が教育委員会に援助を与える事項は、次のとおりとする。

一　学校給食に関し、参考資料を提供し、又は技術援助を供与すること。

二　感染症又は中毒事故の発生に関する情報を提供すること。

三　保健衛生に関する参考資料を貸与し、又は提供すること。

四　保健衛生に関する講習会、講演会その他の催しに学校の職員の参加の機会を供与すること。

（細目）

第十条　この章に定めるもののほか、法第五十七条の規定による教育委員会に対する保健所の協力又は助言若しくは援助に関し必要な事項は、文部科学大臣と厚生労働大臣とが協議して定める。

第五章　教育組合

（文部科学大臣又は都道府県委員会の意見の聴取）

第十一条　総務大臣又は都道府県知事は、法第二十一条に規定する事務の全部又は一部を処理する地方公共団体の組合（以下「教育組合」という。）について地方自治法（昭和二十二年法律第六十七号）第二百八十六条第一項の規定又は同項、第二百九十一条の三第一項若しくは第二百九十一条の十第一項の規定により許可の処分をする場合においては、あらかじめ、総務大臣にあつては文部科学大臣、都道府県知事にあつては当該都道府県委員会の意見を聴かなければならない。ただし、法第二十三条第一項の条例の定めるところにより、当該都道府県委員会が、当該教育組合（当該都道府県が加入しないものに限る。）が処理し又は処理することとなる法第二十一条に規定する事務の全てを管理し、及び執行しないこととされているときは、当該都道府県委員会の意見を聴くことを要しない。

（関係地方公共団体の教育委員会の意見の聴取）

第十二条　教育組合のうち法第二十一条に規定する事務の一部を

処理するものについて関係地方公共団体が地方自治法第二百八十六条若しくは第二百八十八条の協議又は同法第二百九十一条の三第一項若しくは第三項若しくは第二百九十一条の十第一項の協議を行う場合においては、当該関係地方公共団体の議会は、同法第二百九十条又は第二百九十一条の十一の議決をする前に、当該関係地方公共団体の教育委員会の意見を聴かなければならない。ただし、法第二十三条第一項の条例の定めるところにより、当該関係地方公共団体の教育委員会が、当該教育組合が処理し又は処理することとなる法第二十一条に規定する事務の全てを管理し、及び執行しないこととされているときは、この限りでない。

（解散の届出）

第十三条　教育組合のうち地方自治法第二百八十四条第一項の一部事務組合（次条第二項及び第十五条において「一部事務組合」という。）であるものを解散しようとするときは、同法第二百八十八条の規定により総務大臣又は都道府県知事に届出をするほか、総務大臣に届出をする場合にあつては文部科学大臣、都道府県知事に届出をする場合にあつては都道府県委員会に届出をしなければならない。ただし、法第二十三条第一項の条例の定めるところにより、当該都道府県委員会が、当該教育組合（当該都道府県が加入しないものに限る。）が処理する法第二十一条に規定する事務を管理し、及び執行しないこととされているときは、当該都道府県委員会に届出をすることを要しない。

（教育組合の教育長及び委員の任命資格に関する特例等）

第十四条　教育組合（選挙人の投票によりその管理者又は長（地方自治法第二百九十一条の十三において準用する同法第二百八十七条の三第二項の規定により長に代えて理事会を置く広域連合にあつては、理事）を選挙するものを除く。以下この項において「長を公選としない教育組合」という。）の教育委員会の教育長及び委員の任命資格に関する法第四条第一項及び第二項並びに第九条第一項第二号及び第二項の規定の適用については、これらの規定中「地方公共団体の長の」とあるのは、都道府県の加入する長を公選としない教育組合にあつては「地方公共団体の組合を組織する都道府県の知事の」と、都道府県の加入しない長を公選としない教育組合にあつては「地方公共団体の組合を組織する市町村の長の」とする。

2　法第九条第二項において準用する地方自治法第百四十三条第一項後段の規定により地方公共団体の選挙管理委員会が処理するものとされている事務は、教育組合のうち一部事務組合であるもの（選挙人の投票によりその管理者を選挙するものを除く。）にあつては、当該教育組合の規約で定める地方公共団体（都道府県の加入する教育組合にあつては、都道府県に限る。）の選挙管理委員会が処理するものとする。この場合において、関係地方公共団体の選挙管理委員会は、これに協力しなければならない。

（教育組合の教育長又は委員の解職請求に関する特例）

第十五条　教育組合の教育委員会の教育長又は委員の解職の請求に関する法第八条第一項の規定の適用については、同項中「地方公共団体の長の選挙権を有する者」とあるのは、「地方公共団体の組合を組織する地方公共団体の長の選挙権を有する者（当該組合が地方自治法第二百八十四条第一項の広域連合である場合にあつては、当該広域連合の区域内に住所を有する者に限る。）」とする。

2　教育組合のうち一部事務組合であるもの（選挙管理委員会を置くものに限る。）又は教育組合のうち地方自治法第二百八十四条第一項の広域連合であるものの教育委員会の教育長又は委員の解職の請求について、法第八条第二項の規定により地方自治法第八十六条第四項前段の規定を準用する場合においては、同項前段中「第七十四条の二」とあるのは「第七十四条の二（第八項を除く。）」と、「準用する。」とあるのは「準用する。この場合において、第七十四条第六項第一号中「に係る」とあるのは「の加入する地方公共団体の組合に係る」と、「の他の市町村の区域内」とあるのは「の他の市町村の区域内（当該組合が広域連合である場合にあつては、当該広域連合の区域内に限る。以下この号において同じ。）」と、同項第三号中「普通地方公共団体（当該普通地方公共団体が、都道府県である場合には当該都道府県）」とあるのは「地方公共団体の組合（当該組合」と、「（以下この号において「指定都市」という。）の区及び総合区を含み、指定都市である場合には当該市の区及び総合区を含む」とあるのは「の区及び総合区を含む」」と、第七十四条の二第七項及び第十項中「都道府県の選挙管理委員会」とあるのは「地方公共団体の組合の選挙管理委員会」と読み替えるものとする。」と読み替えるものとする。

3　教育組合のうち一部事務組合であるもの（選挙管理委員会を置くものを除く。）の教育委員会の教育長又は委員の解職の請求について、法第八条第二項の規定により地方自治法第八十六条第四項前段の規定を準用する場合においては、同項前段中「第七十四条の二」とあるのは「第七十四条の二（第七項を除く。）」と、「準用する。」とあるのは「準用する。この場合において、第七十四条第六項第一号中「に係る」とあるのは「の加入する一部事務組合に係る」と、同項第三号中「普通地方公共団体（当該普通地方公共団体が、都道府県である場合には当該都道府県）」とあるのは「一部事務組合」と、「（以下この号において「指定都市」という。）の区及び総合区を含み、指定都市である場合には当該市の区及び総合区を含む。」」とあるのは「の区及び総合区」と読み替えるものとする。」と読み替えるものとする。

4　第三条第一項の規定により、教育組合の教育委員会の教育長又は委員の解職の請求について地方自治法施行令第九十二条第三項、第九十三条、第九十三条の二第一項、第九十四条第一項、第九十六条第一項及び第九十七条第二項の規定を準用する場合においては、当該教育組合は、都道府県とみなす。

5　第三条第一項の規定にかかわらず、教育組合の教育委員会の教育長又は委員の解職の請求については、地方自治法施行令第九十八条の三第一項の規定は、準用しない。

（教育組合に都道府県等が加入した場合における県費負担教職員に対する処分の効力等）

第十六条　市（地方自治法第二百五十二条の十九第一項の指定都市（以下「指定都市」という。）を除く。以下この条において同じ。）町村のみが加入する教育組合に新たに都道府県又は指定都市が加入した場合においては、都道府県委員会が当該加入に係る教育組合の県費負担教職員に対し行つた任免、給与の決定、休職又は懲戒の処分で当該加入の日において現に効力を有するものは、同日以後においては、当該加入に係る教育組合の教育委員会が行つた処分とみなす。

2 市町村のみが加入する教育組合に新たに都道府県が加入した場合においては、当該加入に係る教育組合の職員であつて当該加入の日前において県費負担教職員（中等教育学校（後期課程に定時制の課程（学校教育法第四条第一項に規定する定時制の課程をいう。）のみを置くものを除く。）の職員であるものを除く。以下この条及び第二十三条において同じ。）であつた者に対し、同日前の事案について同日以後に当該加入に係る教育組合の教育委員会が懲戒処分を行うときは、従前の例により行うものとする。

3 都道府県が教育組合を脱退して当該教育組合が市町村のみが加入するものとなつた場合においては、当該教育組合の教育委員会が当該教育組合の職員であつて当該脱退により県費負担教職員となることとなる者に対し行つた任免、給与の決定、休職又は懲戒の処分で当該脱退の日において現に効力を有するものは、同日以後においては、都道府県委員会が行つた処分とみなす。

4 前項に規定する場合においては、当該教育組合の職員であつて当該脱退により県費負担教職員となつた者に対し、当該脱退の日前の事案について同日以後に都道府県委員会が懲戒処分を行うときは、従前の例により行うものとする。

5 指定都市が教育組合（都道府県が加入するものを除く。）を脱退して当該教育組合が市町村のみが加入するものとなつた場合においては、当該教育組合の教育委員会が当該教育組合の県費負担教職員に対し行つた任免、給与の決定、休職又は懲戒の処分で当該脱退の日において現に効力を有するものは、同日以後においては、都道府県委員会が行つた処分とみなす。

6 第一項、第三項又は前項の処分に期間が付されているときは、当該期間は、当該処分が行われた日（起算日が別に定められている処分については、当該起算日）から起算するものとする。

（教育組合に都道府県等が加入した場合等における不利益処分に関する経過措置）

第十七条 前条第一項、第三項又は第五項に規定する場合においては、当該各項に規定する職員に対し当該各項の都道府県又は指定都市の加入又は脱退の日前に行われた不利益処分に関する説明書の交付、審査請求、審査及び審査の結果執るべき措置に関しては、なお従前の例による。

（最初に任命される委員の任期）

第十八条 教育組合の措置後最初に任命される教育委員会の委員の任期は、法第五条第一項本文の規定にかかわらず、その定数が四人の場合にあつては、一人は四年、一人は三年、一人は二年、一人は一年とし、法第三条ただし書の条例の定めるところによりその定数を五人以上とする場合にあつては、次の各号に掲げる数（その数に一未満の端数があるときは、これを一に切り上げるものとする。）に相当する人数について、それぞれ当該各号に定める年数とし、同条ただし書の条例の定めるところによりその定数を三人とする場合にあつては、一人は四年、一人は三年、一人は二年とし、同条ただし書の条例の定めるところによりその定数を二人とする場合にあつては、一人は四年、一人は二年とする。この場合において、各委員の任期は、当該教育組合の管理者又は長（地方自治法第二百八十七条の三第二項（同法第二百九十一条の十三において準用する場合を含む。）の規定により管理者又は長に代えて理事会を置く教育組合にあつては、理事会）が定める。

一 委員の定数に四分の一を乗じて得た数　四年

二 委員の定数から二を減じて得た数に四分の一を乗じて得た数　三年

三 委員の定数から一を減じて得た数に四分の一を乗じて得た数　二年

四 委員の定数から三を減じて得た数に四分の一を乗じて得た数　一年

第六章 市町村の廃置分合があつた場合における特例

（最初の教育長及び委員の選任等）

第十九条 市町村の設置があつた場合においては、法第四条第一項及び第四項の規定にかかわらず、地方自治法施行令第一条の二の規定による市町村の長の職務を行う者（次項において「市町村長職務執行者」という。）が、従来その地域の属していた市町村の教育委員会の教育長であつた者で当該新たに設置された市町村の設置に伴い教育長の職を失うこととなつたもののうちから、当該市町村の教育委員会の教育長を臨時に選任するものとし、当該市町村において選任することができる者がいないときは、教育長を当該市町村の長の被選挙権を有する者のうちから選任するものとする。

2 市町村の設置があつた場合においては、法第四条第二項、第四項及び第五項の規定にかかわらず、市町村長職務執行者が、従来その地域の属していた市町村の教育委員会の委員であつた者で当該新たに設置された市町村の設置に伴い委員の職を失うこととなつたもののうちから、当該市町村の教育委員会の委員を臨時に選任するものとし、当該市町村において選任することができる者の数が当該市町村の教育委員会の委員の定数に満たないときは、その不足する数の委員を当該市町村の長の被選挙権を有する者のうちから選任するものとする。

3 第一項の規定により選任された教育長及び前項の規定により選任された委員は、法第五条の規定にかかわらず、当該市町村の設置後最初に行われる市町村の長の選挙後最初に招集される議会の会期の末日まで在任するものとする。

（最初に任命される委員の任期）

第二十条 市町村の設置後最初に法第四条（第一項を除く。）の規定により任命される教育委員会の委員の任期については、第十八条（後段を除く。）の規定を準用する。この場合において、各委員の任期は、当該市町村の長が定める。

（事務引継）

第二十一条 市町村の設置があつた場合においては、従前当該市町村の地域が属していた関係市町村の教育委員会（関係市町村の教育委員会がなくなつた場合にあつては、その教育長であつた者。以下次項において同じ。）は、当該教育委員会の管理し、及び執行していた事務で当該新たに設置された市町村に係るものを、二十日以内に当該市町村の教育委員会に引き継がなければならない。

2 前項の規定による事務の引継の場合においては、当該関係市町村の教育委員会は、書類、帳簿及び財産目録を作成し、処分未了若しくは未着手の事項又は将来企画すべき事項については、その処理の順序及び方法並びにこれらの事項に対する意見を記載しなければならない。

3　前二項に定めるもののほか、市町村の設置があつた場合における教育委員会の事務の引継に関し必要な事項は、都道府県委員会が定める。

第七章　指定都市の指定があつた場合における特例

（県費負担教職員に対する処分の効力）

第二十二条　指定都市の指定があつた場合においては、都道府県委員会が当該指定に係る市の県費負担教職員に対し行つた任免、給与の決定、休職又は懲戒の処分で当該指定の日（以下この条及び次条において「指定日」という。）において現に効力を有するものは、指定日以後においては、当該指定都市の教育委員会が行つた処分とみなす。この場合において、当該処分に期間が付されているときは、当該期間は、当該処分が行われた日（起算日が別に定められている処分については、当該起算日）から起算するものとする。

（不利益処分に関する経過措置）

第二十三条　指定都市の指定があつた場合においては、指定日前に当該指定に係る市の県費負担教職員に対し行われた不利益処分に関する説明書の交付、審査請求、審査及び審査の結果執るべき措置に関しては、なお従前の例による。

第八章　雑則

（事務の区分）

第二十四条　第十一条の規定により都道府県が処理することとされている事務は、地方自治法第二条第九項第一号に規定する第一号法定受託事務とする。

附　則

（施行期日）

第一条　この政令は、昭和三十一年十月一日から施行する。ただし、第一章、第二章、第五章及び第六章並びに附則（第九条を除く。）の規定は、公布の日から施行する。

（教育委員会法施行令の廃止）

第二条　教育委員会法施行令（昭和二十三年政令第二百三十九号）は、昭和三十一年九月三十日限り廃止する。ただし、同令第一章及び第三章の規定は、この政令の公布の日から失効する。

（委員の経過措置）

第三条　法附則第七条の規定により教育委員会の委員の選挙を行つた場合において、選挙された委員の数が法附則第三条第一項に規定する旧委員の数と合せても法第三条に規定する定数に満たないとき、又は昭和三十一年九月三十日までの間において当該選挙された委員が欠け、当該定数に満たないこととなつたときは、地方公共団体の長が法附則第五条の規定の例によりその不足する数の委員を任命するものとする。

第四条　町村は、第一条の規定にかかわらず、法附則第一条に規定する教育委員会の設置関係規定（以下「設置関係規定」という。）の施行後最初に法第四条の規定により教育委員会の委員を任命すべき時期においても、委員の定数を三人とし、又は五人とすることができる。

（最初の会議の招集）

第五条　設置関係規定の施行後最初に招集すべき教育委員会の会議は、法第十三条第一項の規定にかかわらず、法附則第三条第一項に規定する旧委員会（以下「旧委員会」という。）の委員長であつた委員が招集する。

（教育委員会規則等の経過措置）

第六条　教育委員会法（昭和二十三年法律第百七十号。以下「旧法」という。）の規定のうち設置関係規定の施行により効力を失うこととなるものに基く条例及び教育委員会規則その他教育委員会が定めた規程で、設置関係規定の施行の際現に効力を有するものは、設置関係規定に抵触しない限り、法の各相当規定に基いて制定された条例及び教育委員会規則その他教育委員会が定めた規程とみなす。

（教育委員会の処分等の経過措置）

第七条　設置関係規定の施行の際、旧委員会が法令の規定に基いて行つた処分で現に効力を有するものは、それぞれ法附則第三条第一項に規定する新委員会（以下「新委員会」という。）が当該法令の規定に基いて行つた処分とみなす。この場合において、当該処分に期間がつけられているときは、当該期間は、当該処分が行われた日から起算するものとする。

第八条　設置関係規定の施行の際、法令の規定に基いて旧委員会に対してされている認可その他の処分の申請、届出その他の行為は、当該法令の規定に基いて新委員会に対してされた行為とみなす。

第九条　昭和三十一年九月三十日までの間において、新委員会が旧法その他の法令の規定に基いて行つた処分及び旧法その他の法令の規定に基いて当該新委員会に対してされている認可その他の処分の申請、届出その他の行為は、法附則第二十一条及び第二十二条の規定の適用については、それぞれ旧委員会が行つた処分及び旧委員会に対してされた行為とみなす。

（学校組合に関する経過措置）

第十条　設置関係規定の施行の際、現に旧法第四条第一項に規定する教育に関する事務の一部を共同処理する市町村の組合（以下「学校組合」という。）において旧委員会が管理し、及び執行するものとされている事務に相当する事務を管理し、及び執行する執行機関（以下「学校組合執行機関」という。）の職にある者又は当該学校組合執行機関を構成する職員の職にある者は、引き続き新委員会の委員となり、昭和三十一年九月三十日までの間（これらの者の任期が同日までに満了する場合にあつては、その任期が満了する日までの間）、在任するものとする。この場合において、当該学校組合執行機関が地方公共団体の長が管理し、及び執行するものとされている事務をもあわせて管理し、及び執行しているときは、当該学校組合執行機関の職にある者又は当該学校組合執行機関を構成する職員の職にある者は、引き続き当該事務を管理し、及び執行する機関（以下「管理機関」という。）の職又は当該管理機関を構成する職員の職を兼ねることができる。

2　法附則第三条第一項後段及び第二項の規定は、前項前段の規定により新委員会の委員として在任することとなる者の数が法第三条に規定する定数をこえる場合及び学校組合の新委員会における委員長の選挙について準用する。

第十一条　前条第一項前段の規定により新委員会の委員として在任することとなる者の数が法第三条に規定する定数に満たない場合又は学校組合における新委員会の委員が設置関係規定の施行の日から昭和三十一年九月三十日までの間において欠け、同条に規定する定数に満たないこととなつた場合においては、学校組合の管理機関が法附則第五条の規定の例によりその不足する数の委員を任命するものとする。

第十二条　附則第十条第一項前段の規定により新委員会の委員として在任することとなる者のうち、設置関係規定の施行の際現に地方自治法第二百八十七条第三項の規定により当該学校組合を組織する市町村の議会の議員、長その他の職員と兼ねている者の当該兼職については、なお、従前の例による。

第十三条　法附則第十条から第十二条までの規定は、設置関係規定の施行に伴う学校組合の経過措置について準用する。この場合において、法附則第十条及び第十一条中「現に在任する教育長」とあるのは「現に在任する学校組合執行機関の補助職員であつて旧法の教育長に相当する職にあるもの」と、「旧公選委員」とあるのは「地方教育行政の組織及び運営に関する法律施行令（昭和三十一年政令第二百二十一号）附則第十条第一項前段の規定により新委員会の委員として在任することとなる者」と、法附則第十二条中「旧委員会の事務局の職員」とあるのは「学校組合執行機関の補助職員（旧法の教育長に相当する職にある者を除く。）」と読み替えるものとする。

第十四条　学校組合の条例及び学校組合執行機関が定めた規則その他の規程で設置関係規定の施行の際現に効力を有するもののうち、設置関係規定及び旧法（設置関係規定に抵触して失効する部分を除く。以下この条において同じ。）その他の法令の規定に基いて定めることとされている事項に相当する事項を定めているものは、設置関係規定に抵触しない限り、それぞれ設置関係規定及び旧法その他の法令の各相当規定に基いて学校組合が定めた条例及び学校組合の新委員会が定めた教育委員会規則その他の規程とみなす。

第十五条　附則第七条及び第八条の規定は、設置関係規定の施行の際、学校組合執行機関が法令の規定に基いて行つた処分で現に効力を有するもの及び法令の規定に基いて学校組合執行機関に対してされている認可その他の処分の申請、届出その他の行為について準用する。

（奄美群島における教育委員会に関する経過措置）

第十六条　設置関係規定の施行の際現に奄美群島（奄美群島の復帰に伴う法令の適用の暫定措置等に関する法律（昭和二十八年法律第二百六十七号）第一条に規定する区域をいう。）内の市町村に置かれている旧委員会の委員のうち、奄美群島の復帰に伴う文部省関係法令の適用の暫定措置等に関する政令（昭和二十八年政令第四百九号）第二条第一項の規定により旧法第七条第三項の規定による委員とみなされた者であつて、法附則第三条第一項の規定により新委員会の委員となつたものの当該市町村長との兼職については、昭和三十一年九月三十日までの間、なお、従前の例による。

2　設置関係規定の施行の際現に奄美群島の復帰に伴う文部省関係法令の適用の暫定措置等に関する政令第三条の規定により三人の委員で組織する旧委員会が設置されている村の新委員会の委員の定数については、昭和三十一年九月三十日までの間、なお、従前の例による。

公務員法関係

爾俸爾禄　なんじの俸、なんじの禄は
民膏民脂　民の膏　民の脂なり
下民易虐　下民は虐げやすく
上天難欺　上天は欺き難し
――二本松城趾「戒石銘」より――

後蜀の君主孟昶の作。北宋の大宗が選んで地方官に与え、地方庁の前の石に刻ましめたと伝えられる。わが国では二本松城主丹羽高寛が諸士登城口の石に刻した。旧内務省にも掲げていたことがある。

▽細目次△

○地方公務員法

昭二五・一二・一三
法 二 六 一

最終改正 令四・六・一七法六八

目次〔略〕

第一章 総則

（この法律の目的）

第一条 この法律は、地方公共団体の人事機関並びに地方公務員の任用、人事評価、給与、勤務時間その他の勤務条件、休業、分限及び懲戒、服務、退職管理、研修、福祉及び利益の保護並びに団体等人事行政に関する根本基準を確立することにより、地方公共団体の行政の民主的かつ能率的な運営並びに特定地方独立行政法人の事務及び事業の確実な実施を保障し、もつて地方自治の本旨の実現に資することを目的とする。

【参照条文】
【地方公共団体―自治法一の二・一の三・二 【地方公務員―法三・四 自治法一七二 【地方自治の本旨―憲法九二 自治法一 【地公法を読み替えて適用される職員―地教法四七 地教令七
※ 自治法 公企法 地公労法 地教法 教特法 地独法等

（この法律の効力）

第二条 地方公務員（地方公共団体のすべての公務員をいう。）に関する従前の法令又は条例、地方公共団体の規則若しくは地方公共団体の機関の定める規程の規定がこの法律の規定に抵触する場合には、この法律の規定が、優先する。

【参照条文】
【条例・規則―自治法一四～一六

（一般職に属する地方公務員及び特別職に属する地方公務員）

第三条 地方公務員（地方公共団体及び特定地方独立行政法人（地方独立行政法人法（平成十五年法律第百十八号）第二条第二項に規定する特定地方独立行政法人をいう。以下同じ。）の全ての公務員をいう。以下同じ。）の職は、一般職と特別職とに分ける。

2 一般職[1]は、特別職に属する職以外の一切の職とする。

3 特別職[2]は、次に掲げる職とする。

一 就任について公選又は地方公共団体の議会の選挙、議決若しくは同意によることを必要とする職

一の二 地方公営企業の管理者及び企業団の企業長の職

二 法令又は条例、地方公共団体の規則若しくは地方公共団体の機関の定める規程により設けられた委員及び委員会（審議会その他これに準ずるものを含む。）の構成員の職で臨時[3]又は非常勤のもの

二の二 都道府県労働委員会の委員の職で常勤のもの

三 臨時又は非常勤の顧問、参与、調査員、嘱託員及びこれらの者に準ずる者の職（専門的な知識経験又は識見を有する者が就く職であつて、当該知識経験又は識見に基づき、助言、調査、診断その他総務省令で定める事務を行うものに限る。）

三の二 投票管理者、開票管理者、選挙長、選挙分会長、審査分会長、国民投票分会長、投票立会人、開票立会人、選挙立会人、審査分会立会人、国民投票分会立会人その他総務省令で定める者の職

四 地方公共団体の長、議会の議長その他地方公共団体の機関の長の秘書の職で条例で指定するもの

五 非常勤の消防団員及び水防団員の職

六 特定地方独立行政法人の役員

【参照条文】
③【公選によるもの＝【議会の議員・地方公共団体の長―自治法一七・一三九 【特別区の区長―自治法二八三・一三九 【農業委員会の委員の一部―農委法四・八 【議会の選挙によるもの＝【選挙管理委員―自治法一八二
【議会の同意によるもの＝【副知事・副市町村長―自治法一六二 【監査委員―自治法一九六 【人事、公平委員会の委員―法九の二 【公安委員会の委員―警察法三九 【教育委員会の委員―地教法四 【農業委員会の委員―農委法四 【固定資産評価員―地税法四〇四 【固定資産評価審査委員会の委員―地税法四二三 【収用委員会の委員―収用法五二
【法令に基づく委員＝【農業共済保険審査会の委員―農業保険法二二二 【漁業調整委員会の委員―漁業法一三四 【海区漁業調整委員会の委員―漁業法一三八 【水防協議会の委員―水防法三四 【公民館運営審議会の委員―社教法三〇 【社会教育委員―社教法一五 【国民健康保険運営協議会の委員―国保法一一 【児童委員―児福法一六 【児童福祉審議会の委員―児福法九 【民生委員推薦会の委員―民委法八 【建築審査会の委員―建基法七九
【臨時又は非常勤の顧問等＝【専門委員―自治法一七四
【消防団員＝消組法二二

地公法

【水防団員＝水防法六
【特定地方独立行政法人の役員—地独法四七
【実　例】
1・2）●臨時又は非常勤の学校医の職は、特別職に該当する。（昭二六・二・六行実）
●一般職の職員を引き続き特別職の秘書に任用する場合には、その者が一般職を退職することが必要である。（昭二六・三・一三行実）
●民生委員は、非常勤特別職の地方公務員である。（昭二六・三・一四、同二六・八・二七行実）
●法第三条第三項に掲げる職員の職は、恒久的でない職または常時勤務することを必要としない職であり、かつ職業的公務員の職でない点において一般職に属する職と異なるものと解せられる。（昭三五・七・二八行実）
●国の指定統計調査事務に従事する統計調査員のうち、地方公共団体の長の任命に係るものは特別職の地方公務員である。（昭三五・九・一九行実）
●スポーツ振興法第一九条に規定する体育指導委員は特別職に該当する。（昭四二・二・二〇行実）
●明るく正しい選挙推進協議会委員は地方公務員に該当しない。（昭四三・六・二〇行実）
3）●本条における「臨時の職」とは職自体が恒久ではなく臨時であるものをいい、その限定されている存続期間の具体的長短は問わない。（昭二八・七・三行実）

（この法律の適用を受ける地方公務員）
第四条　この法律の規定は、一般職に属するすべての地方公務員（以下「職員」という。）に適用する。
2　この法律の規定は、法律に特別の定がある場合を除く外、特別職に属する地方公務員には適用しない。
【参照条文】
②【特別の定—法九の二12　警察法四二1　公企法七の二11等
【実　例】
※●地公法第一二条第二項の規定により人事委員会の委員長が、事務局長の職を兼ねた場合、委員の職は特別職であるが、事務局長の職は一般職に属するから事務局長たる地位について、地方公務員法の適用がある。（昭二六・一二・二四行実）
※●特別職たる者に、一般職たる者の行なう事務の取扱を兼ねて行なわせている場合は、一般職に属する地方公務員として同時に地方公務員法の全面的適用をも受けるものである。（昭二六・五・一〇行実）
※●公選法第三七条、第六一条および第七五条に規定する投票管理者、開票管理者および選挙長は、参議院全国選出（現行法では、衆議院及び参議院比例代表選出）議員の選挙に係る選挙長を除いて、本法第二条に規定する地方公務員である。（昭二七・九・一〇行実）

（人事委員会及び公平委員会並びに職員に関する条例の制定）
第五条　地方公共団体は、法律に特別の定[1]がある場合を除く外、[2]この法律に定める根本基準に従い、条例[4]で、人事委員会又は公平委員会の設置、職員に適用される基準の実施その他職員に関する事項[3]について必要な規定を定めるものとする。但し、その条例[4]は、この法律の精神に反するものであつてはならない。
2　第七条第一項又は第二項の規定により人事委員会を置く地方公共団体においては、前項の条例を制定し、又は改廃しようとするときは、当該地方公共団体の議会において、人事委員会の意見を聞[5]かなければならない。
【参照条文】
②【人事委員会の設置—法七1・2　【公平委員会の設置—法七3　【人事委員会の権限—法八
※国公法三・二三
【実　例】
1）●第一項中「法律に特別の定がある場合」とは、法律が条例以外のものをもつて定めるべき旨を規定している場合を指すものと解する。（昭二六・一一・二〇行実）
●第一項中「法律に特別の定がある場合」の法律とは、地方公務員法を含むすべての法律を指すものと解する。（昭二六・一二・二七行実）
2）●法第五条第一項の「この法律」の中には地方公務員に適用される特例法は含まれない。（昭二七・一一・二四行実）
3）●第五条第一項中「その他職員に関する事項」とは、職員の定数等の組織上の事項に関するものを除く外、職員（の人事行政）に関する事項全般に及ぶものと解する。（昭二八・四・七行実）
4）●表彰の均衡と公正を保持するため、知事、教育委員会、人事委員会、監査委員、選挙管理委員会等の各事務部局の職員に共通する「職員の表彰に関する条例」（仮称）を設けることは適当と解する。（昭二七・二・二八行実）
5）●職員定数条例の制定、改廃については、議会において本条の規定による人事委員会の意見を聞く必要はない。（昭二六・一〇・二〇行実）
●法第八条第一項第三号の規定による人事委員会の意見に基づいて条例を制定、改廃する場合であつても、議会において、あらためて人事委員会の意見を聞かなければならない。（昭二七・七・七行実）
●法第五条に基づき職員に適用される基準の実施その他職員に関する事項についての条例を制定する場合、同条第二項により議会において人事委員会の意見のあるなしにかかわらずこれを聞かずに議決したときは、瑕疵ある行政行為として解してさしつかえない。（昭二七・七・七行実）

●教育長の給与に関する条例を制定、改廃しようとするときは、議会は、人事委員会の意見を聞かなければならない。（昭二八・二・二三行実）
●都道府県において、市町村立学校職員の給与、勤務時間その他の勤務条件に関する条例を制定、改廃しようとするときは、当該都道府県の議会は人事委員会の意見を聞かなければならない。（昭三一・九・一七、同三一・一一・一六行実）
●県費負担教職員の任免、分限、懲戒、給与、勤務時間その他の勤務条件に関する条例に対し、人事委員会は地方公務員法第五条第二項の職務権限を有する。（昭三一・一一・一六行実）
●職員の給与に関する条例を自治法第一七九条第一項に基づき専決処分することはできると解するが、この場合には、知事が人事委員会の意見を聞くことが適当である。（昭三八・一一・一八行実）

第二章　人事機関

（任命権者）

第六条　地方公共団体の長、議会の議長、選挙管理委員会、代表監査委員、教育委員会、人事委員会及び公平委員会並びに警視総監、道府県警察本部長、市町村の消防長（特別区が連合して維持する消防の消防長を含む。）その他法令又は条例に基づく任命権者は、法律に特別の定めがある場合を除くほか、この法律並びにこれに基づく条例、地方公共団体の規則及び地方公共団体の機関の定める規程に従い、それぞれ職員の任命、人事評価（任用、給与、分限その他の人事管理の基礎とするために、職員がその職務を遂行するに当たり発揮した能力及び挙げた業績を把握した上で行われる勤務成績の評価をいう。以下同じ。）、休職、免職及び懲戒等を行う権限を有するものとする。

2　前項の任命権者は、同項に規定する権限の一部をその補助機関たる上級の地方公務員に委任することができる。

【参照条文】

①【任命権者＝【地方公共団体の長—自治法一七二2　【都道府県労働委員会職員—労組法一九の一二　同法施行令二〇・二一　【議長—自治法一三八5　【選挙管理委員会—自治法一九三　【監査委員（代表監査委員）—自治法二〇〇5　【教育委員会—地教法二一Ⅲ　【人事、公平委員会—法一二7　【警視総監・警察本部長—警察法五五3　【消防長—消組法一五1　【地方公営企業の管理者—公企法一五1　【農業委員会—農委法二六3　【海区漁業調整委員会—漁業法一三八　【内水面漁場管理委員会—漁業法一七二　【特別の定—教特法四〜六・九・一〇・一一・一五　地教法三四・三七　警察法五五3　消組法一五

※　国公法五五

【実　例】

1）●任命権の複委任はできない。（昭二七・一・二五行実）

（人事委員会又は公平委員会の設置）

第七条　都道府県及び地方自治法（昭和二十二年法律第六十七号）第二百五十二条の十九第一項の指定都市は、条例で人事委員会を置くものとする。

2　前項の指定都市以外の市で人口（官報で公示された最近の国勢調査又はこれに準ずる人口調査の結果による人口をいう。以下同じ。）十五万以上のもの及び特別区は、条例で人事委員会又は公平委員会を置くものとする。

3　人口十五万未満の市、町、村及び地方公共団体の組合は、条例で公平委員会を置くものとする。

4　公平委員会を置く地方公共団体は、議会の議決を経て定める規約により、公平委員会を置く他の地方公共団体と共同して公平委員会を置き、又は他の地方公共団体の人事委員会に委託して次条第二項に規定する公平委員会の事務を処理させることができる。

【参照条文】

【人事、公平委員会—自治法一八〇の五・二〇二の二　【委員会の共同設置—自治法二五二の七〜二五二の一三　【事務の委託—自治法二五二の一四〜二五二の一六　【事務の代替執行—自治法二五二の一六の二〜二五二の一六の四　【特別区—自治法二八一　【地方公共団体の組合—自治法二八四

【実　例】

●(1)　A町、B村及びC村が共同して公平委員会を設置している場合においてA町及びB村がいわゆる合体合併した場合は、当該公平委員会は消滅するものと解する。

(2)　A町がB村をいわゆる吸収合併した場合は、A町及びC村の共同設置した機関として存続するものと解する。

(3)　町村合併により公平委員会が消滅するとすれば、当該公平委員会において審理中の当該事案は地方自治法施行令第五条の規定により承継されるものと解する。（昭三一・八・二九行実）

●法第七条第四項の規定に基づき、県人事委員会に公平委員会の事務を委託している町村が、合併関係町村となり町村合併をした場合、旧委託町村及び合併町村と県人事委員会の公平事務委託関係は次の事例の場合存続しない。

(1)　委託村A、委託していないB町を廃し、その区域をもってB町を置いた場合

(2)　委託村Cを廃し、その区域の一部を委託してい

ないD町に編入した場合
(3) 委託村C、委託していないE町を廃し、Cの区域の一部及びEの区域をもってE町を置いた場合
(4) 委託村G、委託村Hを廃し、その区域をもってI町を置いた場合（昭三一・一一・一四行実）

●事案係属中であっても、共同設置の公平委員会の事務は、関係町村の議会の議決があれば県人事委員会に委託することができる。（昭三二・一・七行実）

●公平委員会の事務を受託した場合において、受託前から係属中の事案については、改めて不服申立書を提出させる必要はない。（昭四二・三・一七行実）

●事務委託をした町村公平委員会に登録されていた職員団体は、受託した県人事委員会に登録されたものとして取り扱ってさしつかえないが、町村の登録条例に適合していた職員団体が県の登録条例に適合しないときは、第五三条第六項の規定を適用して処理すべきである。（昭四二・七・三一行実）

（**人事委員会又は公平委員会の権限**）

第八条 人事委員会は、次に掲げる事務を処理する。

一 人事行政に関する事項について調査し、人事記録に関することを管理し、及びその他人事に関する統計報告を作成すること。

二 人事評価、給与、勤務時間その他の勤務条件、研修、厚生福利制度その他職員に関する制度について絶えず研究を行い、その成果を地方公共団体の議会若しくは長又は任命権者に[1]提出すること。

三 人事機関及び職員に関する条例の制定又は改廃に関し、地方公共団体の議会及び長に意見を[2]申し出ること。

四 人事行政の運営に関し、任命権者に勧告[3]すること。

五 給与、勤務時間その他の勤務条件に関し講ずべき措置について地方公共団体の議会及び長に勧告すること。

六 職員の競争試験及び選考並びにこれらに関する事務を行うこと。

七 削除

八 職員の給与がこの法律及びこれに基く条例に適合して行われることを確保するため必要な範囲において、職員に対する給与の支払を監理[4]すること。

九 職員の給与、勤務時間その他の勤務条件に関する措置の要求を審査[5]し、判定し、及び必要な措置を執ること。

十 職員に対する不利益な処分についての審査請求に対する裁決をすること。

十一 前二号に掲げるものを除くほか、職員の苦情を処理すること。

十二 前各号に掲げるものを除く外、法律又は条例に基きその権限に属せしめられた事務

2 公平委員会は、次に掲げる事務を処理する。

一 職員の給与、勤務時間その他の勤務条件に関する措置の要求を審査[5]し、判定し、及び必要な措置を執ること。

二 職員に対する不利益な処分についての審査請求に対する裁決をすること。

三 前二号に掲げるものを除くほか、職員の苦情を処理すること。

四 前三号に掲げるものを除くほか、法律に基づきその権限に属せしめられた事務

3 人事委員会は、第一項第一号、第二号、第六号、第八号及び第十二号に掲げる事務で人事委員会規則で定めるものを当該地方公共団体の他の機関又は人事委員会の事務局長に委任[6]することができる。

4 人事委員会又は公平委員会は、第一項第十一号又は第二項第三号に掲げる事務を委員又は事務局長に委任することができる。

5 人事委員会又は公平委員会は、法律又は条例に基づきその権限に属せしめられた事務に関し、人事委員会規則又は公平委員会規則を制定することができる。

6 人事委員会又は公平委員会は、法律又は条例に基くその権限の行使に関し必要があるときは、証人を喚問し、又は書類若しくはその写の提出を求める[7]ことができる。

7 人事委員会又は公平委員会は、人事行政に関する技術的及び専門的な知識、資料その他の便宜の授受のため、国若しくは他の地方公共団体の機関又は特定地方独立行政法人との間に協定を結ぶことができる。

8 第一項第九号及び第十号又は第二項第一号及び第二号の規定により人事委員会又は公平委員会に属せしめられた権限に基く人事委員会又は公平委員会の決定（判定を含む。）及び処分は、人事委員会規則又は公平委員会規則で定める手続により、人事委員会又は公平委員会によってのみ審査される。

9 前項の規定は、法律問題につき裁判所に出訴する権利に影響を及ぼすものではない。

【参照条文】【人事・公平委員会の決定及び処分の審査―憲七六 裁判所法三】【出訴する権利―憲三二・七六 裁判所法三】【本条の特例―公企法三九1 ⑦・⑧ ※ 国公法三3・4】

【実 例】

1・2）●給料以外の給与についての調査研究の結果を

議会及び長に報告または勧告する場合は、法第八条第一項第二号または第三号の規定によるのが相当である。（昭二六・一二・一九行実）

2・3）●人事委員会が職員の給与に関し、法第八条第一項第三号あるいは第四号の規定に基づき意見の申出あるいは勧告をなす場合は、同法第二四条第三項の制約を受ける。（昭二六・一一・三〇行実）

3）●地公法の中で勧告のことを規定してあるのは給与（第二六条）、研修（第三九条）、勤務成績の評定（第四〇条）及び勤務条件の措置の要求審査の結果に基づく必要な措置（第四七条）であるが、第八条第一項第四号にいう「人事行政の運営に関し」とは、これらのことだけに限られないが、職員の任用とか配置換（不利益処分の審査の請求のない場合）とかの個々の問題であつてその性質が一般的でないものについて勧告することは、法の趣旨とするところではないものと解する。（昭二七・三・三行実）

4）●人事委員会は職員に対する給与の支払を監理することができるが、この場合の監理は給与の支払のみについてであつて、任命権者の給与決定の枠内にまで入つて監理することはできない。（昭二七・九・三〇行実）

5）●恩給を受ける権利その他恩給給与額の決定についての異議は、自治法第二〇六条第一項の規定によるべきもので、公平委員会に対する審査の請求はできない。（昭三三・三・一六行実）

6）●(1)　準立法的又は準司法的権限の行使を除く軽易な事件については、合議制の趣旨に反しない限り、必ずしも人事委員会の委員長の専決を許さない趣旨ではない。

(2)　委員会は、法律又は条例に規定された事項以外に、委員会の一般的運営について包括的な規則を定める権限はない。

(3)　人事委員会は、法第八条第一項第九号及び第十号並びに第四項に掲げるものを除き、その他の権限は事務局長に委任することはできるが、委員長には委任できない。（昭二六・八・一五行実）

●事務局長は、人事委員会から委任された権限を再委任することはできない。（昭二七・一・二五行実）

●人事委員会がその処分に関する行政訴訟において当事者となり、訴訟代理人を選任して当該訴訟を遂行することは、法第八条第三項による委任しうる職務と解してよい。（昭三一・一一・二〇行実）

7）●委員会は、検察庁その他の官公署、民間の会社、工場からも書類の提出を求める権限を有する。（昭二八・六・二六行実）

※●人事委員会は、その事務処理に伴う必要な予算執行の権限は有せず、人事委員会は、単に長に対しその必要な経費支出命令を事実上要求し得るに過ぎず、事務処理上においてはこの支出命令はすべて長の部課により発せられるものと解せられる。（昭二六・八・一五行実）

※●人事委員会の判定について不服があつても、任命権者その他地方公共団体の機関から出訴することはできないが、同判定につき職員から出訴し、原判定が取り消された場合は、地方公共団体は控訴することはできる。（昭二七・一・九行実）

※●県費負担教職員についての人事委員会の権限は、都道府県の条例で定めるべきこととされている事項および都道府県教育委員会の権限とされている事項についてのみ及ぶものと解する。（昭三一・一一・一六行実）

（抗告訴訟の取扱い）

第八条の二　人事委員会又は公平委員会は、人事委員会又は公平委員会の行政事件訴訟法（昭和三十七年法律第百三十九号）第三条第二項に規定する処分又は同条第三項に規定する裁決に係る同法第十一条第一項（同法第三十八条第一項において準用する場合を含む。）の規定による地方公共団体を被告とする訴訟について、当該地方公共団体を代表する。

（公平委員会の権限の特例等）

第九条　公平委員会を置く地方公共団体は、条例で定めるところにより、公平委員会が、第八条第二項各号に掲げる事務のほか、職員の競争試験及び選考並びにこれらに関する事務を行うこととすることができる。

2　前項の規定により同項に規定する事務を行うこととされた公平委員会（以下「競争試験等を行う公平委員会」という。）を置く地方公共団体に対する第七条第四項の規定の適用については、同項中「公平委員会を置く地方公共団体」とあるのは「競争試験等を行う公平委員会（第九条第二項に規定する競争試験等を行う公平委員会をいう。以下この項において同じ。）を置く地方公共団体」と、「、公平委員会」とあるのは「、競争試験等を行う公平委員会」と、「公平委員会を置き、又は他の地方公共団体の人事委員会に委託して次条第二項に規定する公平委員会の事務を処理させる」とあるのは「競争試験等を行う公平委員会を置く」とする。

3　競争試験等を行う公平委員会は、第一項に規定する事務で公平委員会規則で定めるものを当該地方公共団体の他の機関又は競争試験等を行う公平委員会の事務局長に委任することができる。

（人事委員会又は公平委員会の委員）

第九条の二　人事委員会又は公平委員会は、三人の委員をもつて組織する。

2　委員は、人格が高潔で、地方自治の本旨及び民主的で能率的な事務の処理に理解があり、かつ、人事行政に関し識見を有する者のうちから、議会の同意を得て、地方公共団体の長が選任する。

3　第十六条第一号、第二号若しくは第四号のいずれかに該当する者又は第六十条から第六十三条までに規定する罪を犯し、刑に処せられた者は、委員となることができない。

4　委員の選任については、そのうちの二人が、同一の政党に属する者となることとなつてはならない。

5　委員のうち二人以上が同一の政党に属することとなつた場合には、これらの者のうち一人を除く他の者は、地方公共団体の長が議会の同意を得て罷免するものとする。ただし、政党所属関係について異動のなかつた者を罷免することはできない。

6　地方公共団体の長は、委員が心身の故障のため職務の遂行に堪えないと認めるとき、又は委員に職務上の義務違反その他委員たるに適しない非行があると認めるときは、議会の同意を得て、これを罷免することができる。この場合においては、議会の常任委員会又は特別委員会において公聴会を開かなければならない。

7　委員は、前二項の規定による場合を除くほか、その意に反して罷免されることがない。

8　委員は、第十六条第一号、第三号又は第四号のいずれかに該当するに至つたときは、その職を失う。

9　委員は、地方公共団体の議会の議員及び当該地方公共団体の地方公務員（第七条第四項の規定により公平委員会の事務の処理の委託を受けた地方公共団体の人事委員会の委員については、他の地方公共団体に公平委員会の事務の処理を委託した地方公共団体の地方公務員を含む。）の職（執行機関の附属機関の委員その他の構成員の職を除く。）を兼ねることができない。

10　委員の任期は、四年とする。ただし、補欠委員の任期は、前任者の残任期間とする。

11　人事委員会の委員は、常勤又は非常勤とし、公平委員会の委員は、非常勤とする。

12　第三十条から第三十八条までの規定は常勤の人事委員会の委員の服務について、第三十条から第三十四条まで、第三十六条及び第三十七条の規定は非常勤の人事委員会の委員及び公平委員会の委員の服務について、それぞれ準用する。

【参照条文】
④・⑤【政党―政資法三2
⑥【常任委員会―自治法一〇九　【特別委員会―自治法一〇九　【公聴会―自治法一一五の二
※　国公法五～八

【実　例】
※　●公平委員を民生委員推薦委員会の委員として選任することはできない。（昭二六・八・三行実）

※　●公平委員会の委員は政党人であることを法律上認めながら、他方政治的行為の制限を加えることは矛盾するように考えられるが、公平委員会の営む公平機能については、その公正の確保が特に必要であり、委員がその職務を行なうに当つては、いやしくも一党一派に偏するようなことがあつてはならないので、その服務については法第三六条の規定が準用されているのである。なお、公平委員会の委員は、たんなる政党人であることを認められてはいるが、政党に属する者が委員となることが原則であるというのではなく、また、一般職の職員でも、たんに政党に属することは認められているものである。（昭二七・三・一三行実）

※　●人事委員会の委員の任期の起算日は、選任発令の日からであつて、前委員の任期満了した日の翌日からではない。（昭三〇・一〇・一行実）

※　●公平委員会の委員が全員総辞職した場合、法附則第五項の適用はない。（昭三八・五・一一行実）

（人事委員会又は公平委員会の委員長）

第十条　人事委員会又は公平委員会は、委員のうちから委員長を選挙しなければならない。

2　委員長は、委員会に関する事務を処理し、委員会を代表する。

3　委員長に事故があるとき、又は委員長が欠けたときは、委員長の指定する委員が、その職務を代理する。

【参照条文】
【委員会の事務―法八

（人事委員会又は公平委員会の議事）

第十一条　人事委員会又は公平委員会は、三人の委員が出席しなければ会議を開くことができない。

2　人事委員会又は公平委員会は、会議を開かなければ公務の運営又は職員の福祉若しくは利益の保護に著しい支障が生ずると認められる十分な理由があるときは、前項の規定にかかわらず、二人の委員が出席すれば会議を開くことができる。

3　人事委員会又は公平委員会の議事は、出席委員の過半数で決する。

4　人事委員会又は公平委員会の議事は、議事録として記録して置かなければならない。

5　前各項に定めるものを除くほか、人事委員会又は公平委員会の議事に関し必要な事項は、人事委員会又は公平委員会が定める。

【参照条文】
①・②【人事、公平委員会の委員の数―法九の二1

【実例】

●人事委員会又は公平委員会の委員と配偶者、同居の親族又は四親等以内の血族もしくは三親等以内の姻族の関係にある者に係る事案については、委員は委員会議から除斥する等の規定を委員会規則に設けることは、人事委員会又は公平委員会の委員について規定する法第九条の趣旨及び委員会の議事について規定する同法第十一条の規定に鑑みれば、同委員を同会議から除斥することが許されないことは明瞭である。（昭二六・六・二〇行実）

●人事委員会の委員の会議において、傍聴人を取締ることは、法第十一条第四項に規定する「人事委員……の議事に関し必要な事項」に含まれるものであるから、法第八条第四項の規定に基づき所要の人事委員会規則を制定することはできるものである。（昭二六・一一・二〇行実）

※●人事委員会がその処分に関する行政訴訟において当事者となり、訴訟代理人を選任して当該訴訟を遂行することは、法第八条第三項による委任しうる職務と解してよい。（昭三一・一一・二〇行実）

※●委員会の会議で決定すべき事項を、会議を招集することなく、持ち回りによつて決定することはできない。（昭三四・三・二七行実）

（人事委員会及び公平委員会の事務局又は事務職員）

第十二条　人事委員会に事務局を置き、事務局に事務局長その他の事務職員[1]を置く。

2　人事委員会は、第九条の二第九項の規定にかかわらず、委員[2]に事務局長の職を兼ねさせることができる。

3　事務局長は、人事委員会の指揮監督を受け、事務局の局務を掌理する。

4　第七条第二項の規定により人事委員会を置く地方公共団体は、第一項の規定にかかわらず、事務局を置かないで事務職員を置くことができる。

5　公平委員会に、事務職員を置く。

6　競争試験等を行う公平委員会を置く地方公共団体は、前項の規定にかかわらず、事務局を置き、事務局に事務局長その他の事務職員を置くことができる。

7　第一項及び第四項又は前二項の事務職員は、人事委員会又は公平委員会がそれぞれ任免[3]する。

8　第一項の事務局の組織は、人事委員会が定める。

9　第一項及び第四項から第六項までの事務職員の定数は、条例で定める。

10　第二項及び第三項の規定は第六項の事務局について準用する。この場合において、第二項及び第三項中「人事委員会」とあるのは「競争試験等を行う公平委員会」と、第八項中「第一項の事務局」とあるのは「第六項の事務局」と、「人事委員会」とあるのは「競争試験等を行う公平委員会」と読み替えるものとする。

【参照条文】

【事務職員―自治法一七二1】【職員の兼職、事務従事等―自治法一八〇の三】【組織等に関する長の総合調整権―自治法一八〇の四】

【実例】

1）●人事委員会事務局に特別職の臨時または非常勤の嘱託員を置くことができると解され、その法的根拠は、法第十二条であり、定数を条例で定める必要がない。（昭三七・八・六行実）

2）●人事委員会の事務局長が人事委員会の委員に任命され事務局長を兼務する場合「人事委員会委員の給料額及び報酬並びにその支給方法に関する条例」による特別職としての委員の給料を支給せず、一般職としての給与を支給することは差支えないが、特別職としての給料又は報酬の支給については、特別職の職員の給与に関する法律第十四条の規定を参考として条例で調整措置を講ずることが適当である。（昭三〇・九・一四行実）

●第二項の規定により、人事委員会の委員である者が事務局長を兼ねている場合任期満了により委員の職を退くときは、当然に事務局長の職も退くこととなる。従つて、引き続きこの者を事務局長に任用しておくためには、あらためて採用を発令する必要がある。（昭三六・七・六行実）

●現行公務員制度は、職につくことと公務員の身分をもつことを不可分としているので、地方公務員法第十二条第二項により、人事委員会の委員が事務局長の職を兼ねた場合は、一般職に関する地方公務員法の適用をも受けるものである。（昭四三・一〇・二二行実）

3）●法第十二条第六項によると公平委員会事務職員は公平委員会が任免することになつているが公平委員長のみの了承のもとに行われた任用は違法である。（昭三八・九・九行実）

※●公平委員会には事務職員のみを置く旨規定してあるが共同設置の場合、事務局を設置しても違法ではないが、一般的にはその必要がないものと解される。（昭二六・八・二三行実）

●公平委員会に事務局を置くことは、法律の予想するところではない。（昭四〇・一〇・六行実）

第三章　職員に適用される基準

第一節　通則

（平等取扱いの原則）

第十三条　全て国民は、この法律の適用について、平等に取り扱われなければならず、人種、信条、性別、社会的身分若しくは門地によつて、又は第十六条第四号に該当

地公法

する場合を除くほか、政治的意見若しくは政治的所属関係によつて、差別されてはならない。

【参照条文】
【平等取扱―法一八の二　憲法一四　【罰則―法六〇Ⅰ
※　国公法二七　労基法三　労組法五　職安法三

【実例・判例・注釈】
1）●「すべて国民」には、外国人は含まない。（昭二六・八・一五行実）
●本件勧奨退職制度は、行政職の男子と女子とで退職勧奨年齢を一〇歳も異にするものであつて、その区別について合理的な理由があると認めるに足りる証拠はないから、前記制度は、もつぱら女子であることのみを理由として差別的取扱いをするものであつて、地方公務員法第一三条に反し違法なものであるといわなければならない。（平一三・一・一五地裁判）
●地方公共団体が、公権力行使等地方公務員（住民の権利義務を直接形成し、その範囲を確定するなどの公権力の行使に当たる行為を行い、若しくは地方公共団体の重要な施策に関する決定を行い、又はこれらに参画することを職務とする地方公務員）の職とこれに昇任するのに必要な職務経験を積むべき職とを包含する一体的な管理職の任用制度を構築した上で、日本国民である職員に限って管理職に昇任することができることとするのは、合理的な理由に基づく区別であり、労働基準法三条にも、憲法一四条一項にも違反しない。
　地方公共団体は、管理職に昇任すればいずれは公権力行使等地方公務員に就任することのあることを前提とする一体的な管理職の任用制度を設けていたから、地方公共団体が管理職昇任の資格要件として日本の国籍を有することを定めたことは、労働基準法三条にも、憲法一四条一項にも違反しない。（平一七・一・二六最高裁）
参考　地方公務員の中でも、管理職は、地方公共団体の公権力を行使し、又は公の意思の形成に参画するなど地方公共団体の行う統治作用に関わる蓋然性の高い職であるから、地方公務員に採用された外国人が日本国籍を有する者と同様当然に管理職に任用される権利を保障されているとすることは、国民主権の原理に照らして問題があるといわざるを得ない。しかしながら、公権力を行使することなく、公の意思の形成に参画する蓋然性も少ない管理職を含めてすべての管理職について、国民主権の原理によって外国人をこれに任用することは一切禁じられていると解することは相当でなく、職務の内容、権限と統治作用との関わり方及びその程度によって、外国人を任用することが許されない管理職とそれが許される管理職とを分別して考える必要がある。後者の管理職については、わが国に在住する外国人をこれに任用することは、国民主権の原理に反するものではなく、したがって、憲法第二二条第一項、第一四条第一項の規定による保障が及ぶものと解するのが相当である。（平九・一一・二六東京高二審（上告））
○合理的差別＝地方公務員制度において、例えば、政治的行為の制限について一般職員または教育公務員もしくは企業職員を差別していること、職員の勤労基本権について警察職員、消防職員または企業職員を差別していることなどは合理的な差別であると解されている。

（情勢適応の原則）
第十四条　地方公共団体は、この法律に基いて定められた給与、勤務時間その他の勤務条件が社会一般の情勢に適応するように、随時、適当な措置を講じなければならない。
2　人事委員会は、随時、前項の規定により講ずべき措置について地方公共団体の議会及び長に勧告することができる。

【参照条文】
【給与、勤務時間その他の勤務条件の根本基準―法二四～二六の三　【措置要求―法四六・四七・四八
※　国公法二八

【通　知】
●情勢適応の原則は、地方公共団体が職員の給与、勤務時間等の勤務条件が社会一般の情勢に適応するように必要な措置を講ずる義務があることを明らかにしたものであり、給料表に関する人事委員会の勧告（第二六条）あるいは勤務条件に関する措置の要求の審査の結果に基づく人事委員会又は公平委員会の措置等（第四七条）の場合のみならず、この法律の運営にあたつて常に考慮されなければならない。（昭二六・一・一〇通知）

第二節　任用

（任用の根本基準）
第十五条　職員の任用は、この法律の定めるところにより、受験成績、人事評価その他の能力の実証[2]に基づいて行わなければならない。

【参照条文】
【任用―法一七１・二二の二・二二の三１・４　【人事評価―法二三～二三の四　地教法四四　教特法五の二　【罰則―法六一Ⅱ
※　国公法三三１

【注　釈】
1）○任用とは、任命権者が特定の人を特定の職員の職につけることをいうのであつて、正式任用は、採用、昇任、降任または転任のいずれか一の方法によ

つて行なわれ、例外的に本法第二二条の三第一項又は第四項の規定によつて臨時的任用の方法によつて行なわれる。

2) ○その他の能力の実証とは、教員、医師、薬剤師、看護婦、保健婦、自動車運転手など法律に基づく免許制度がある場合に、その免許を有すること、あるいはタイピスト養成機関を卒業したこと、特定の職務に関して、一定の勤務経歴を有すること、一定の学歴を有することなど公務遂行能力を有すると認めるに足る客観的な事実があることをいう。

（定義）

第十五条の二 この法律において、次の各号に掲げる用語の意義は、当該各号に定めるところによる。

一 採用 職員以外の者を職員の職に任命すること（臨時的任用を除く。）をいう。

二 昇任 職員をその職員が現に任命されている職より上位の職制上の段階に属する職員の職に任命することをいう。

三 降任 職員をその職員が現に任命されている職より下位の職制上の段階に属する職員の職に任命することをいう。

四 転任 職員をその職員が現に任命されている職以外の職員の職に任命することであつて前二号に定めるものに該当しないものをいう。

五 標準職務遂行能力 職制上の段階の標準的な職（職員の職に限る。以下同じ。）の職務を遂行する上で発揮することが求められる能力として任命権者が定めるものをいう。

2 前項第五号の標準的な職は、職制上の段階及び職務の種類に応じ、任命権者が定める。

3 地方公共団体の長及び議会の議長以外の任命権者は、標準職務遂行能力及び第一項第五号の標準的な職を定めようとするときは、あらかじめ、地方公共団体の長に協議しなければならない。

【参照条文】

【受験の資格―法一九 【選考による採用―法二一の二 【昇任の方法―法二一の三 【降任及び転任の方法―法二一の五

※ 国公法三四 教特法一〇

㊟ 次条中、点線の左側は、令和四年六月一七日から起算して三年を超えない範囲内において政令で定める日〔令七・六・一〕から施行となる。

（欠格条項）

第十六条 次の各号のいずれかに該当する者は、条例で定める場合を除くほか、職員となり、又は競争試験若しくは選考を受けることができない。

一 禁錮（拘禁刑）以上の刑に処せられ、その執行を終わるまで又はその執行を受けることがなくなるまでの者

二 当該地方公共団体において懲戒免職の処分を受け、当該処分の日から二年を経過しない者

三 人事委員会又は公平委員会の委員の職にあつて、第六十条から第六十三条までに規定する罪を犯し、刑に処せられた者

四 日本国憲法施行の日以後において、日本国憲法又はその下に成立した政府を暴力で破壊することを主張する政党その他の団体を結成し、又はこれに加入した者

【参照条文】

【競争試験及び選考―法一八 【失職―法二八4 【禁錮以上の刑―刑法九・一一～一三 【懲戒免職―法二九・附9 【政党その他の団体―政資法三 破壊活動防止法四3

※ 国公法三八

【実例・判例】

1) ●懲戒免職の処分を受け、二年を経過しない者であつても、当該処分を受けた地方公共団体以外の地方公共団体の職員となることはさしつかえない。（昭二六・二・一行実）

※ ●一 欠格者の採用は当然無効である。

二 この間のその者の行なつた行為は、事実上の公務員の理論により有効である。（瑕疵ある行政行為の解釈）

三 この間の給料は、その間労務の提供があるので返還の必要はない。

四 退職手当は支給しない。

五 共済組合に対する本人の掛金中、長期の分については、共済組合から本人に返還する（相当の利子をつけ）。短期の分については、医療給付があつたものとして、相殺し、返還しない。

六 異動通知の方法としては、「無効宣言」に類する「採用自体が無効であるので登庁の要なし」とするような通知書で足りる。（昭四一・三・三一行実）

※ ●地公法二八条四項、一六条一号は、禁錮以上の刑に処せられた者が地方公務員として公務に従事する場合には、その者の公務に対する住民の信頼が損なわれるのみならず、当該地方公共団体の公務一般に対する住民の信頼も損なわれるおそれがあるため、かかる者を公務の執行から排除することにより公務に対する住民の信頼を確保することを目的としているものである。

※ ●地公法二八条四項、一六条二号（現行法では一号）に基づく失職の効果は禁錮以上の刑に処せられ

たことにより発生するものであつて、任命権者による行政処分により発生するものではないから、行政処分における公正な手続の要請はこれを考慮する余地がない。（平元・一・一七最裁判）

（任命の方法）

第十七条　職員の職[1]に欠員を生じた場合においては、任命権者は、採用、昇任、降任又は転任のいずれかの方法により、職員を任命[2]することができる。

２　人事委員会（競争試験等を行う公平委員会を含む。以下この節において同じ。）を置く地方公共団体においては、人事委員会は、前項の任命の方法のうちのいずれによるべきかについての一般的基準を定めることができる。

【参照条文】

【任命権者―法六　【人事委員会―法七〜一二　【試験機関―法一八

※　国公法三五・三六　教特法三1・一一・一五　警察法五五　消組法一五

【実例・法制意見・判例】

１）●警察官の階級中、警視、警部、警部補、巡査部長、巡査は、本条の「職員の職」に該当する。（昭二九・九・四行実）

２）●一般職に属する国家公務員の任命又は免職の効力は、任命権者の任命又は免職の意思表示が相手方の了知し得べき状態に置かれたときに発生する。（昭二五・一一・一八法制意見）

●定数条例に定める職員の定数に欠員のない場合には、併任することは、できないものと解する。（昭三一・七・一八行実）

※　●同一地方公共団体内の機関相互の人事交流における発令形式については従来前の勤務機関の退職の発令をまつて、新しい勤務機関では新任の発令をしてきたが、人事の交流の円滑化その他服務の宣誓等の関係よりして国で行なつている出向の形式をとり発令して差し支えない。（昭二六・八・二行実）

※　●人事院規則八―一二に規定されているような「配置換」及び「併任」については、本条第一項に規定する「昇任、降任又は転任」に含まれるものと解されるので、条例で当該制度を創設する必要はない。（昭二七・九・三〇行実）

※　●組織上の名称を用いて補職することは、地方自治法施行規程第一八条の規定とは無関係であつて、さしつかえないものと解する。（昭二七・一一・一一行実）

※　●本法第二二条第二項の臨時的任用の場合を除き、一般職に属する職員の任用について任期を限つて採用することは、労働基準法第一四条の規定に違反しないかぎり、できる場合があるものと解する。（昭二七・一一・二四行実）

※　●公務員が辞職を申し出ても、免職の発令をしない限り、その身分は存続するが、特別の理由のない限り、相当期間内に辞職を承認すべきものと解する。（昭二八・九・二四行実）

※　●恒久の職員の職への職員の任用は、特別の事情がない限り、その期間を限定せずして行われるべきものである。（昭二九・三・一行実）

※　●同一地方公共団体内においては任命権者を異にする異動にあたり、送出機関においては出向を命じ、受入機関側においては転任の場合と同様の発令形式をとることとしてさしつかえない。その際職員の意思にかかわらず、任命権者間の了解により任命権の発動として処理してさしつかえないが、当該異動が降任となる場合においては、地公法第二八条第一項に違反してはならない。（昭二九・五・二七行実）

※　●市町村の職員を研修生として無給の県事務吏員に任命してさしつかえない。この場合その職員は、条例定数外として取り扱つてさしつかえない。（昭二九・六・二九行実）

※　●教育職員の場合、臨時免許状の有効期間の満了と同時に、当該教育職員としての地位を失うものと解される。（昭二九・一一・九行実）

※　●職員を採用する際に身元保証人を置き身元保証書を提出させることは、職員の任用上の制限とならず、かつ、身分上の差別待遇とならない限りさしつかえない。なお、身元保証ニ関スル法律にてい触してはならない。（昭三〇・六・一六、同三三・八・五行実）

※　●特別の事情のあるものを除き、恒久的な職について、雇用期間を限定して職員を任用することは適当でない。（昭三一・二・一八行実）

※　●地方公営企業法の適用を受ける企業職員の職の設置については、同法第一〇条に規定する企業管理規程をもつて定めることが適当である。（昭三三・一一・六行実）

※　●条例定数をこえた任用行為は、当然に無効とはいえないが、取消しうべき行為に該当するので、条例定数をこえる当該任用行為は直ちに取り消すべきである。（昭四二・一〇・九行実）

※　●企業局から知事部局への出向について、当該職員の同意は必要でない。（昭四二・一一・九行実）

※　●社会教育法第一五条第二項第二号に規定する社会教育委員に外国人を委嘱することは適当でない。（昭四四・六・一六行実）

※　●⑴従事する職務は、一般の学校給食調理業務で、⑵一日の勤務時間は、常勤の学校給食調理員の勤務時間よりも短く、かつ、一週間の勤務時間は、常勤の学校給食調理員の勤務時間の四分の三以下であり、⑶主として学校給食が実施される期間のみ職務に従事し、⑷給与は、職務に従事した日又は時間に応じて支払われる、いわゆるパートタイム職員は、一般的には一般職に属する非常勤職員と解される。

（昭五九・一二・三行実）

※●いわゆる採用内定の通知は、単に採用発令の手続を支障なく行うための事実上の行為にすぎなく、採用内定の取消しは行訴法第三条第二項にいう行政庁の処分その他公権力の行使にあたる行為には該当せず抗告訴訟の対象とはならない。（昭五七・五・二七最裁判）

※●転任処分は、他に特段の事情の認められない限り、不利益を伴うものでなく、その取消しを求める法律上の利益はない。（昭六一・一〇・二三最裁判）

※●任用期間を限つて任用された職員は、期限の経過をもつて当然退職する。（昭六二・六・一八最裁判）

（採用の方法）

第十七条の二　人事委員会を置く地方公共団体においては、職員の採用は、競争試験によるものとする。ただし、人事委員会規則（競争試験等を行う公平委員会を置く地方公共団体においては、公平委員会規則。以下この節において同じ。）で定める場合には、選考（競争試験以外の能力の実証に基づく試験をいう。以下同じ。）によることを妨げない。

２　人事委員会を置かない地方公共団体においては、職員の採用は、競争試験又は選考によるものとする。

３　人事委員会（人事委員会を置かない地方公共団体においては、任命権者とする。以下この節において「人事委員会等」という。）は、正式任用になつてある職に就いていた職員が、職制若しくは定数の改廃又は予算の減少に基づく廃職又は過員によりその職を離れた後において、再びその職に復する場合における資格要件、採用手続及び採用の際における身分に関し必要な事項を定めることができる。

【参照条文】
※国公法三六　教特法三1・一一・一五

（試験機関）

第十八条　採用のための競争試験（以下「採用試験」という。）又は選考は、人事委員会等が行うものとする。ただし、人事委員会等は、他の地方公共団体の機関との協定によりこれと共同して、又は国若しくは他の地方公共団体の機関との協定によりこれらの機関に委託して、採用試験又は選考を行うことができる。

【参照条文】
【事務の委託—自治法二五二の一四～二五二の一六】
【採用候補者名簿—法二一】
※国公法四二・四八

【実　例】
※●職員の採用又は昇任につき人事委員会が選考を行なう場合、その選考は、職務遂行能力を有するかどうかを選考の基準に基づいて判定するものであり、選考の基準に含まれない事由に基づいて、選考を裁量によつて左右することは許されない。（昭二八・九・七行実）

※●人事委員会を置かない地方公共団体の任命権者が当該地方公共団体の他の任命権者との協議により、これと共同して又はこれに委託して競争試験又は選考を行なうことはさしつかえない。（昭三六・六・三行実）

（採用試験の公開平等）

第十八条の二　採用試験は、人事委員会等の定める受験の資格を有する全ての国民に対して平等の条件で公開されなければならない。

【参照条文】
※国公法四六

（受験の阻害及び情報提供の禁止）

第十八条の三　試験機関に属する者その他職員は、受験を阻害し、又は受験に不当な影響を与える目的をもつて特別若しくは秘密の情報を提供してはならない。

【参照条文】
※国公法四一　罰則—法六一Ⅲ

（受験の資格要件）

第十九条　人事委員会等は、受験者に必要な資格として職務の遂行上必要であつて最少かつ適当な限度の客観的かつ画一的な要件を定めるものとする。

【参照条文】
【採用試験—法一八】【平等取扱—法一三　憲法一四】
【欠格条項—法一六】
※国公法四四・四七

【実　例】
※●一般の警察吏員の職については男性、看護婦の職については女性にそれぞれ限り、また、特にへき遠の地に勤務する職員の職については当該地域の近辺に居住する者に限り、それぞれ受験できることとする等、当該職の職務の遂行上必要な最少かつ適当の限度の客観的かつ画一的要件と認められる限り、性別又は住所地により受験資格を限定することはさしつかえないものと解される。（昭二八・六・二六行実）

※●昇任試験を行なうにあたり、人事委員会の指定した職に、一定年数勤務に服した者でなければならない等の受験資格を定めることは、地方公務員法第一九条第二項の規定に違反しない限りさしつかえない

ものと解される。（昭二八・八・二八行実）

（採用試験の目的及び方法）

第二十条 採用試験は、受験者が、当該採用試験に係る職の属する職制上の段階の標準的な職に係る標準職務遂行能力及び当該採用試験に係る職についての適性を有するかどうかを正確に判定することをもつてその目的とする。

2 採用試験は、筆記試験その他の人事委員会等が定める方法により行うものとする。

【参照条文】

※ 国公法四五・四五の二・四五の三

（採用候補者名簿の作成及びこれによる採用）

第二十一条 人事委員会を置く地方公共団体における採用試験による職員の採用については、人事委員会は、試験ごとに採用候補者名簿を作成するものとする。

2 採用候補者名簿には、採用試験において合格点以上を得た者の氏名及び得点を記載するものとする。

3 採用候補者名簿による職員の採用は、任命権者が、人事委員会の提示する当該名簿に記載された者の中から行うものとする。

4 採用候補者名簿に記載された者の数が採用すべき者の数よりも少ない場合その他の人事委員会規則で定める場合には、人事委員会は、他の最も適当な採用候補者名簿に記載された者を加えて提示することを妨げない。

5 前各項に定めるものを除くほか、採用候補者名簿の作成及びこれによる採用の方法に関し必要な事項は、人事委員会規則で定めなければならない。

【参照条文】

※ 国公法五〇～五三・五六

【実例】

1）●任用候補者名簿の作成については性別によつて差別することはできないものと解する。（昭二八・六・三行実）

※ ●任用欠格者が誤つて任用候補者名簿に登載された場合、当該任用は当然無効であるが、そのため他の者の任用の効力が失われるものではない。（昭二六・八・一五行実）

（選考による採用）

第二十一条の二 選考は、当該選考に係る職の属する職制上の段階の標準的な職に係る標準職務遂行能力及び当該選考に係る職についての適性を有するかどうかを正確に判定することをもつてその目的とする。

2 選考による職員の採用は、任命権者が、人事委員会等の行う選考に合格した者の中から行うものとする。

3 人事委員会等は、その定める職員の職について前条第一項に規定する採用候補者名簿がなく、かつ、人事行政の運営上必要であると認める場合においては、その職の採用試験又は選考に相当する国又は他の地方公共団体の採用試験又は選考に合格した者を、その職の選考に合格した者とみなすことができる。

【参照条文】

【定義―法一五の二】

※ 国公法五七

（昇任の方法）

第二十一条の三 職員の昇任は、任命権者が、職員の受験成績、人事評価その他の能力の実証に基づき、任命しようとする職の属する職制上の段階の標準的な職に係る標準職務遂行能力及び当該任命しようとする職についての適性を有すると認められる者の中から行うものとする。

【参照条文】

【定義―法一五の二】

※ 国公法五八Ⅰ　教特法三Ⅰ・一一・一五

（昇任試験又は選考の実施）

第二十一条の四 任命権者が職員を人事委員会規則で定める職（人事委員会を置かない地方公共団体においては、任命権者が定める職）に昇任させる場合には、当該職について昇任のための競争試験（以下「昇任試験」という。）又は選考が行われなければならない。

2 人事委員会は、前項の人事委員会規則を定めようとするときは、あらかじめ、任命権者の意見を聴くものとする。

3 昇任試験は、人事委員会等の指定する職に正式に任用された職員に限り、受験することができる。

4 第十八条から第二十一条までの規定は、第一項の規定による職員の昇任試験を実施する場合について準用する。この場合において、第十八条の二中「定める受験の資格を有する全ての国民」とあるのは「指定する職に正式に任用された全ての職員」と、第二十一条中「職員の採用」とあるのは「職員の昇任」と、「採用候補者名簿」とあるのは「昇任候補者名簿」と、同条第四項中「採用すべき」とあるのは「昇任させるべき」と、同条第五項中「採用の方法」とあるのは「昇任の方法」と読み替えるものとする。

5 第十八条並びに第二十一条の二第一項及び第二項の規定は、第一項の規定による職員の昇任のための選考を実施する場合について準用する。この場合において、同条

地公法

第二項中「職員の採用」とあるのは、「職員の昇任」と読み替えるものとする。

【参照条文】
【定義―法一五の二

（降任及び転任の方法）

第二十一条の五　任命権者は、職員を降任させる場合には、当該職員の人事評価その他の能力の実証に基づき、任命しようとする職の属する職制上の段階の標準的な職に係る標準職務遂行能力及び当該任命しようとする職についての適性を有すると認められる職に任命するものとする。

2　職員の転任は、任命権者が、職員の人事評価その他の能力の実証に基づき、任命しようとする職の属する職制上の段階の標準的な職に係る標準職務遂行能力及び当該任命しようとする職についての適性を有すると認められる者の中から行うものとする。

【参照条文】
【定義―法一五の二
※　国公法五八１２　教特法四・五

（条件付採用）

第二十二条　職員の採用は、全て条件付のものとし、当該職員がその職において六月の期間を勤務し、その間その職務を良好な成績で遂行したときに、正式のものとなるものとする。この場合において、人事委員会等は、人事委員会規則（人事委員会を置かない地方公共団体においては、地方公共団体の規則。第二十二条の四第一項及び第二十二条の五第一項において同じ。）で定めるところにより、条件付採用の期間を一年を超えない範囲内で延長することができる。

【参照条文】
【※条件附採用職員・臨時的任用職員の分限等―法二九の二　【臨時の職―法三　自治法一七二３
※　地教法四〇　教特法一二　国公法五九・六〇

【実例・判例】
1）●法第二二条第一項に規定する条件附採用期間は、労基法第二一条第四号に規定する「試の使用期間」と解すべきであるので、条件附期間中の地方公務員が一四日を超えて引き続き使用されるに至つた場合においては、労基法第二一条ただし書の規定により、労基法第二〇条の適用がある。（昭三八・一一・四行実）
※　●町村合併による新町の発足により従前の旧町村の正式職員であつた者が新たに新町の職員として任命された場合に、条件附任用に関する同条第一項がこれに適用されて条件附採用となり、身分保障を失うに至るというように解すべきではない。（昭三五・七・二一最裁判）

（会計年度任用職員の採用の方法等）

第二十二条の二　次に掲げる職員（以下この条において「会計年度任用職員」という。）の採用は、第十七条の二第一項及び第二項の規定にかかわらず、競争試験又は選考によるものとする。

一　一会計年度を超えない範囲内で置かれる非常勤の職（第二十二条の四第一項に規定する短時間勤務の職を除く。）（次号において「会計年度任用の職」という。）を占める職員であつて、その一週間当たりの通常の勤務時間が常時勤務を要する職を占める職員の一週間当たりの通常の勤務時間に比し短い時間であるもの

二　会計年度任用の職を占める職員であつて、その一週間当たりの通常の勤務時間が常時勤務を要する職を占める職員の一週間当たりの通常の勤務時間と同一の時間であるもの

2　会計年度任用職員の任期は、その採用の日から同日の属する会計年度の末日までの期間の範囲内で任命権者が定める。

3　任命権者は、前二項の規定により会計年度任用職員を採用する場合には、当該会計年度任用職員にその任期を明示しなければならない。

4　任命権者は、会計年度任用職員の任期が第二項に規定する期間に満たない場合には、当該会計年度任用職員の勤務実績を考慮した上で、当該期間の範囲内において、その任期を更新することができる。

5　第三項の規定は、前項の規定により任期を更新する場合について準用する。

6　任命権者は、会計年度任用職員の採用又は任期の更新に当たつては、職務の遂行に必要かつ十分な任期を定めるものとし、必要以上に短い任期を定めることにより、採用又は任期の更新を反復して行うことのないよう配慮しなければならない。

7　会計年度任用職員に対する前条の規定の適用については、同条中「六月」とあるのは、「一月」とする。

（臨時的任用）

第二十二条の三　人事委員会を置く地方公共団体においては、任命権者は、人事委員会規則で定めるところにより、常時勤務を要する職に欠員を生じた場合において、緊急のとき、臨時の職に関するとき、又は採用候補者名簿（第二十一条の四第四項において読み替えて準用する第二十一条第一項に規定する昇任候補者名簿を含む。）がないときは、人事委員会の承認を得て、六月を超えな

い期間で臨時的任用を行うことができる。この場合において、任命権者は、人事委員会の承認を得て、当該臨時的任用を六月を超えない期間で更新することができるが、再度更新することはできない。

2 前項の場合において、人事委員会は、臨時的に任用される者の資格要件を定めることができる。

3 人事委員会は、前二項の規定に違反する臨時的任用を取り消すことができる。

4 人事委員会を置かない地方公共団体においては、任命権者は、地方公共団体の規則で定めるところにより、常時勤務を要する職に欠員を生じた場合において、緊急のとき、又は臨時の職に関するときは、六月を超えない期間で臨時的任用を行うことができる。この場合において、任命権者は、当該臨時的任用を六月を超えない期間で更新することができるが、再度更新することはできない。

5 臨時的任用は、正式任用に際して、いかなる優先権をも与えるものではない。

6 前各項に定めるもののほか、臨時的に任用された職員に対しては、この法律を適用する。

（定年前再任用短時間勤務職員の任用）

第二十二条の四 任命権者は、当該任命権者の属する地方公共団体の条例年齢以上退職者（条例で定める年齢に達した日以後に退職（臨時的に任用される職員その他の法律により任期を定めて任用される職員及び非常勤職員が退職する場合を除く。）をした者をいう。以下同じ。）を、条例で定めるところにより、従前の勤務実績その他の人事委員会規則で定める情報に基づく選考により、短時間勤務の職（当該職を占める職員の一週間当たりの通常の勤務時間が、常時勤務を要する職でその職務が当該短時間勤務の職と同種の職を占める職員の一週間当たりの通常の勤務時間に比し短い時間である職をいう。以下同じ。）に採用することができる。ただし、条例年齢以上退職者がその者を採用しようとする短時間勤務の職に係る定年退職日相当日（短時間勤務の職を占める職員が、常時勤務を要する職でその職務が当該短時間勤務の職と同種の職を占めているものとした場合における第二十八条の六第一項に規定する定年退職日をいう。第三項及び第四項において同じ。）を経過した者であるときは、この限りでない。

2 前項の条例で定める年齢は、国の職員につき定められている国家公務員法（昭和二十二年法律第百二十号）第六十条の二第一項に規定する年齢を基準として定めるものとする。

3 第一項の規定により採用された職員（以下この条及び第二十九条第三項において「定年前再任用短時間勤務職員」という。）の任期は、採用の日から定年退職日相当日までとする。

4 任命権者は、条例年齢以上退職者のうちその者を採用しようとする短時間勤務の職に係る定年退職日相当日を経過していない者以外の者を当該短時間勤務の職に採用することができず、定年前再任用短時間勤務職員のうち当該定年前再任用短時間勤務職員を昇任し、降任し、又は転任しようとする短時間勤務の職に係る定年退職日相当日を経過していない定年前再任用短時間勤務職員以外の職員を当該短時間勤務の職に昇任し、降任し、又は転任することができない。

5 任命権者は、定年前再任用短時間勤務職員を、常時勤務を要する職に昇任し、降任し、又は転任することができない。

6 第一項の規定による採用については、第二十二条の規定は、適用しない。

【参照条文】
※ 国公法六〇の二

第二十二条の五 地方公共団体の組合を組織する地方公共団体の任命権者は、前条第一項本文の規定によるほか、当該地方公共団体の組合の条例年齢以上退職者を、条例で定めるところにより、従前の勤務実績その他の人事委員会規則で定める情報に基づく選考により、短時間勤務の職に採用することができる。

2 地方公共団体の組合の任命権者は、前条第一項本文の規定によるほか、当該地方公共団体の組合を組織する地方公共団体の条例年齢以上退職者を、条例で定めるところにより、従前の勤務実績その他の地方公共団体の規則（競争試験等を行う公平委員会を置く地方公共団体の組合においては、公平委員会規則）で定める情報に基づく選考により、短時間勤務の職に採用することができる。

3 前二項の場合においては、前条第一項ただし書及び第三項から第六項までの規定を準用する。

第三節 人事評価

（人事評価の根本基準）

第二十三条 職員の人事評価は、公正に行われなければならない。

2 任命権者は、人事評価を任用、給与、分限その他の人事管理の基礎として活用するものとする。

【参照条文】
【任命権者―法六】 【任用の根本基準―法一五】 【昇

任の方法―法二一の三　【降任及び転任の方法―法二一の五　【給与等の根本基準―法二四　【降任、免職、休職等―法二八

※　国公法七〇の二

（**人事評価の実施**）

第二十三条の二　職員の執務については、その任命権者は、定期的に人事評価を行わなければならない。

2　人事評価の基準及び方法に関する事項その他人事評価に関し必要な事項は、任命権者が定める。

3　前項の場合において、任命権者が地方公共団体の長及び議会の議長以外の者であるときは、同項に規定する事項について、あらかじめ、地方公共団体の長に協議しなければならない。

【参照条文】

※　地教法四四　教特法五の二　国公法七〇の三

（**人事評価に基づく措置**）

第二十三条の三　任命権者は、前条第一項の人事評価の結果に応じた措置を講じなければならない。

【参照条文】

※　国公法七〇の四

（**人事評価に関する勧告**）

第二十三条の四　人事委員会は、人事評価の実施に関し、任命権者に勧告することができる。

第四節　給与、勤務時間その他の勤務条件

（**給与、勤務時間その他の勤務条件の根本基準**）

第二十四条　職員の給与は、その職務と責任に応ずるものでなければならない。

2　職員の給与は、生計費並びに国及び他の地方公共団体の職員並びに民間事業の従事者の給与その他の事情を考慮して定められなければならない。

3　職員は、他の職員の職を兼ねる場合においても、これに対して給与を受けてはならない。[1]

4　職員の勤務時間その他職員の給与以外の勤務条件を定めるに当つては、国及び他の地方公共団体の職員との間に権衡を失しないように適当な考慮が払われなければならない。

5　職員の給与[2]、勤務時間[3]その他の勤務条件[4]は、条例で定める。

【参照条文】

【給与―自治法二〇四～二〇四の二　【本条の特例―公企法三九1

※　公企法三八　地教法四二　教特法一三　国公法六二・一〇六　労基法二四～二八・三二～四一の二　地独法五三1Ⅰ

【実例・判例】

1）●一般職の職員が特別職の職を兼ねた場合、その給与を支給しても本条第四項には該当しないが、重複給与はさけるべきである。なお、その特別職が、その職員の職務の性質上当然に兼ねるべきものである場合には、特別職としての報酬を別に受けることは適当でない。（昭二六・三・一二行実）

●一般知事部局と企業部局との間に期末手当等の支給額に差がある場合、双方兼務（併任）の職員（通常の給与は一般部局の方から受けている）に対してその差額に相当する部分を企業局から支給することは、当該支給額がすでに一般部局の方から受けた期末手当等の額の算出の基礎となつた在職期間、勤務期間等を基礎として決定されるものである場合においては、重複給与となる。（昭二九・五・六行実）

●職員に対し表彰を行ない、あわせて支給する記念品、褒賞金は、地方自治法第二〇四条の二に言うところの給与その他の給付に含まないと解する。（昭三一・一一・二〇行実）

●市職員が他会計の（組合立伝染病隔離病舎組合又は森林組合）事務を兼務している場合に、給料月額を事務分量に按分し双方より支給してさしつかえない。（昭三六・六・九行実）

2）●本法第二二条（現行第二二条の三）の規定に基づく臨時的任用職員の給与については、他の職員と同様に給与に関する条例を適用すべきものであるが、同条例中に特別の定めをしてさしつかえない。（昭三六・六・五行実）

●退職手当の支給を受けた後において給与改訂が行なわれた場合において、その差額金については、請求がなくても支給できる。（昭四三・一・二九行実）

●勤勉手当の一律支給を、成績によつてその額に差をつけて支給する方法に改めても、労働慣行を無視したことにはならない。（昭四三・六・二二行実）

3）●自治法施行規程第二九条（現一一条）に規定する都道府県庁の執務時間は、法第二四条第六項中職員の勤務時間に関する部分が当該都道府県に適用された後においては、同項に規定する職員の勤務時間とは全く別のものであるから、法第二四条第六項の規定が適用された後といえども同項の規定によることなく依然として地方自治法施行規程第二九条の規程によるべきものである。（昭二六・五・一行実）

4）●通信教育の面接授業に参加する期間日数を年次有給休暇以外の特別休暇とすることは、法第三九条の研修であればさしつかえない。（昭二七・八・二六行実）

●職員から請願のため特別休暇を請求されたときは、労基法第七条の規定の趣旨からみても、任命権者は、拒むことができる。（昭三五・七・二八行実）

※ ●地方公共団体は、その職員に給与を支給すべきであるが、職員が公務員としての地位に基づいて有する給与請求権の支分権である具体的給与の請求権を放棄することができないとはいえない。（昭二八・七・二七行実）

※ ●非常勤職員の報酬を日額をもつて定めるか月額をもつて定めるかは、その者の職務内容および勤務態様等を考慮して具体的実情に応じて自主的に判断すべきものである。（昭三一・七・三一行実）

※ ●一般的には、職員が講演等を依頼されて所属の長の許可を得て行なつた場合に当該職員に対して支出する講師謝礼金は、その職員の職務外のものとして行なわれた場合に贈られる謝礼金であつても、職務上のものとして行なわれた場合に車代等のいわゆる実費を弁償する意味で贈られる謝礼金であつても、いずれも給与とは認められないから、報償費より支出することはさしつかえない。（昭三四・五・一三行実）

●最高裁における上告棄却の決定により一審判決による有罪が確定し、町長の当選が無効とされた場合、給料等については、当選の日にさかのぼつて返還を求め得るが、町に対するその間の労務の提供があるので両者を等価とみなして相殺することができる。（昭四三・五・一七行実）

※ ●労働基準法第三九条の規定に基づく年次有給休暇は、その請求権が同法第一一五条に規定する時効によつて消滅しない限り翌年に繰り越し得る。（昭二八・八・一五行実）

※ ●(1) 労働者が休暇の時季指定をしたときは、使用者が時季変更権の行使をしないかぎり、年次有給休暇が成立し、当該労働日における就労義務が消滅するのであつて、労働者による「休暇の請求」や、これに対する使用者の「承認」の観念を容れる余地はない。

(2) 年次有給休暇の利用目的は労基法の関知しないところであり、休暇をどのように利用するかは、使用者の干渉を許さない労働者の自由である。（昭四八・三・二最裁判）

（給与に関する条例及び給与の支給）

第二十五条 職員の給与[1]は、前条第五項の規定による給与に関する条例に基づいて支給されなければならず、また、これに基づかずには、いかなる金銭又は有価物も職員に[2]支給してはならない。

2 職員の給与は、法律又は条例[3]により特に認められた場合を除き、通貨で、直接[4]職員に、その全額[5]を支払わなければならない。

3 給与に関する条例[6]には、次に掲げる事項を規定するものとする。

一 給料表

二 等級別基準職務表

三 昇給の基準に関する事項

四 時間外勤務手当、夜間勤務手当及び休日勤務手当に関する事項

五 前号に規定するものを除くほか、地方自治法第二百四条第二項に規定する手当を支給する場合には、当該手当に関する事項

六 非常勤の職その他勤務条件の特別な職があるときは、これらについて行う給与の調整に関する事項

七 前各号に規定するものを除くほか、給与の支給方法及び支給条件に関する事項

4 前項第一号の給料表には、職員の職務の複雑、困難及び責任の度に基づく等級ごとに明確な給料額の幅を定めていなければならない。

5 第三項第二号の等級別基準職務表には、職員の職務を前項の等級ごとに分類する際に基準となるべき職務の内容を定めていなければならない。

【参照条文】

【報酬・給与に関する条例―自治法二〇三～二〇四の二 【本条の特例―公企法三九1 地独法五三1Ⅰ

※ 国公法六三～六五 労基法二四1

【実例・通知・判例】

1) ●職務の遂行上必要な被服等の支給は本条第一項の給与に含まれない。（昭二七・九・三行実）

2) ●職員の表彰の副賞として金品を授与することは本条第一項の規定に反しない。（昭二七・二・二八行実）

3) ●地方公務員法第二五条第二項の規定に基づく条例は、次の要件を満たす給与の口座振込については必要としない。

①給与の口座振込は、職員の意思に基づいているものであること。

②職員が指定する本人名義の預金又は貯金の口座に振り込まれること。

③振り込まれた給与の全額が、所定の給与支払日に払い出し得る状況にあること。（昭五〇・四・八通知）

4) ●公務員の給与は、労働基準法第二四条の規定により直接本人に支払うことになつているが、この場合委任状により受任者に一括して支払うことはできない。（昭二七・一二・二六行実）

5) ●前月中に生じた給与の減額事由に基づき減額すべき給与額は、著しく遅延しない限り、翌月分以降の給与から減額することができる。（昭四一・一二・五行実）

6) ●給料の特別調整額（管理職手当）は、労基法第三七条に規定する深夜の割増賃金に相当する額を含む

よう定めることが適当である。（昭二八・三・二〇行実）

●職員の給与、勤務時間その他の勤務条件に関する事項を全面的に規則で定めるよう条例で委任することはできない。（昭二七・一一・一八行実）

●超過勤務手当、休日給および夜勤手当の額は、労働基準法第三七条に規定する基準を下回ることはできないものと解する。（昭二九・三・二三行実）

●結核性疾患のため校長としての身分を保有したまま休職にされた校長に対しては、管理職手当を支給することはできない。（昭三五・二・二四文部省委初一〇九）

●給料の特別調整額の支給を受けるものと指定された職に本務として在職する職員が、併任又は兼務を命ぜられた特別調整額の支給を受けない職の職務に従事した場合、当該職員に対して超過勤務手当を支給することはできない。（昭三六・八・二一行実）

●定期昇給は、絶対的な権利または義務ではない。（昭三八・一一・二行実）

●一般にPTA、同窓会など任意団体の事務は法第三五条に規定する「地方公共団体がなすべき責を有する職務」には含まれないと解されるので、地方公共団体の職員が正規の勤務時間外に当該任意団体の事務に従事してもこれに対し時間外勤務手当を支給することはできない。また、地方公共団体の職員でないかぎり、給与は支給できない。（昭三九・一・二〇行実）

●一般行政事務に従事する職員の給与と単純な労務に雇用される職員との給料を同一の給料表で定めることは適当でない。（昭四一・一〇・二六行実）

※●給与条例の定期昇給に関する規定は、要件をみたした職員に対して昇給に関する処分についての実体上又は手続上の権利を与えたものとは解されない。（昭五五・七・一〇最裁判）

（給料表に関する報告及び勧告）

第二十六条　人事委員会は、毎年少くとも一回、給料表が適当であるかどうかについて、地方公共団体の議会及び長に同時に報告するものとする。給与を決定する諸条件の変化により、給料表に定める給料額を増減することが適当であると認めるときは、あわせて適当な勧告をすることができる。

【参照条文】【給料表―法二五　【本条の特例―公企法三九1　地独法1Ⅰ

※　国公法六七

【実　例】

1）●(1)　本法第二六条後段の勧告は、給料水準を全般的に改定する必要がある場合ならびに同条前段の規定により同一の職務の級における給料の幅を改定する必要がある場合にも行なうことができる。

(2)　給料以外の給与についての調査研究の結果を議会及び長に報告又は勧告する場合は、地方公務員法第八条第一項第二号又は第三号の規定によるのが相当である。（昭二六・一二・一九行実）

（修学部分休業）

第二十六条の二　任命権者は、職員（臨時的に任用される職員その他の法律により任期を定めて任用される職員及び非常勤職員を除く。以下この条及び次条において同じ。）が申請した場合において、公務の運営に支障がなく、かつ、当該職員の公務に関する能力の向上に資すると認めるときは、条例で定めるところにより、当該職員が、大学その他の条例で定める教育施設における修学のため、当該修学に必要と認められる期間として条例で定める期間中、一週間の勤務時間の一部について勤務しないこと（以下この条において「修学部分休業」という。）を承認することができる。

2　前項の規定による承認は、修学部分休業をしている職員が休職又は停職の処分を受けた場合には、その効力を失う。

3　職員が第一項の規定による承認を受けて勤務しない場合には、条例で定めるところにより、減額して給与を支給するものとする。

4　前三項に定めるもののほか、修学部分休業に関し必要な事項は、条例で定める。

【参照条文】【本条の特例―公企法三九1

（高齢者部分休業）

第二十六条の三　任命権者は、高年齢として条例で定める年齢に達した職員が申請した場合において、公務の運営に支障がないと認めるときは、条例で定めるところにより、当該職員が当該条例で定める年齢に達した日以後の日で当該申請において示した日から当該職員に係る定年退職日（第二十八条の六第一項に規定する定年退職日をいう。）までの期間中、一週間の勤務時間の一部について勤務しないこと（次項において「高齢者部分休業」という。）を承認することができる。

2　前条第二項から第四項までの規定は、高齢者部分休業について準用する。

【参照条文】【本条の特例―公企法三九1

第四節の二　休業

（休業の種類）

第二十六条の四　職員の休業は、自己啓発等休業、配偶者同行休業、育児休業及び大学院修学休業とする。

2　育児休業及び大学院修学休業については、別に法律で定めるところによる。

【参照条文】
【育児休業―地方公務員の育児休業等に関する法律】
【大学院修学休業―教特法二六～二八】

（自己啓発等休業）

第二十六条の五　任命権者は、職員（臨時的に任用される職員その他の法律により任期を定めて任用される職員及び非常勤職員を除く。以下この条及び次条（第八項及び第九項を除く。）において同じ。）が申請した場合において、公務の運営に支障がなく、かつ、当該職員の公務に関する能力の向上に資すると認めるときは、条例で定めるところにより、当該職員が、三年を超えない範囲内において条例で定める期間、大学等課程の履修（大学その他の条例で定める教育施設の課程の履修をいう。第五項において同じ。）又は国際貢献活動（国際協力の促進に資する外国における奉仕活動（当該奉仕活動を行うために必要な国内における訓練その他の準備行為を含む。）のうち職員として参加することが適当であると認められるものとして条例で定めるものに参加することをいう。第五項において同じ。）のための休業（以下この条において「自己啓発等休業」という。）をすることを承認することができる。

2　自己啓発等休業をしている職員は、自己啓発等休業を開始した時就いていた職又は自己啓発等休業の期間中に異動した職を保有するが、職務に従事しない。

3　自己啓発等休業をしている期間については、給与を支給しない。

4　自己啓発等休業の承認は、当該自己啓発等休業をしている職員が休職又は停職の処分を受けた場合には、その効力を失う。

5　任命権者は、自己啓発等休業をしている職員が当該自己啓発等休業の承認に係る大学等課程の履修又は国際貢献活動を取りやめたことその他条例で定める事由に該当すると認めるときは、当該自己啓発等休業の承認を取り消すものとする。

6　前各項に定めるもののほか、自己啓発等休業に関し必要な事項は、条例で定める。

【参照条文】
【本条の特例―公企法三九1】

（配偶者同行休業）

第二十六条の六　任命権者は、職員が申請した場合において、公務の運営に支障がないと認めるときは、条例で定めるところにより、当該申請をした職員の勤務成績その他の事情を考慮した上で、当該職員が、三年を超えない範囲内において条例で定める期間、配偶者同行休業（職員が、外国での勤務その他の条例で定める事由により外国に住所又は居所を定めて滞在するその配偶者（届出をしないが事実上婚姻関係と同様の事情にある者を含む。第五項及び第六項において同じ。）と、当該住所又は居所において生活を共にするための休業をいう。以下この条において同じ。）をすることを承認することができる。

2　配偶者同行休業をしている職員は、当該配偶者同行休業を開始した日から引き続き配偶者同行休業をしようとする期間が前項の条例で定める期間を超えない範囲内において、条例で定めるところにより、任命権者に対し、配偶者同行休業の期間の延長を申請することができる。

3　配偶者同行休業の期間の延長は、条例で定める特別の事情がある場合を除き、一回に限るものとする。

4　第一項の規定は、配偶者同行休業の期間の延長の承認について準用する。

5　配偶者同行休業の承認は、当該配偶者同行休業をしている職員が休職若しくは停職の処分を受けた場合又は当該配偶者同行休業に係る配偶者が死亡し、若しくは当該職員の配偶者でなくなつた場合には、その効力を失う。

6　任命権者は、配偶者同行休業をしている職員が当該配偶者同行休業に係る配偶者と生活を共にしなくなつたことその他条例で定める事由に該当すると認めるときは、当該配偶者同行休業の承認を取り消すものとする。

7　任命権者は、第一項又は第二項の規定による申請があつた場合において、当該申請に係る期間（以下この項及び次項において「申請期間」という。）について職員の配置換えその他の方法によつて当該申請をした職員の業務を処理することが困難であると認めるときは、条例で定めるところにより、当該業務を処理するため、次の各号に掲げる任用のいずれかを行うことができる。この場合において、第二号に掲げる任用は、申請期間について一年を超えて行うことができない。

一　申請期間を任用の期間（以下この条において「任期」という。）の限度として行う任期を定めた採用

二　申請期間を任期の限度として行う臨時的任用

8　任命権者は、条例で定めるところにより、前項の規定により任期を定めて採用された職員の任期が申請期間に満たない場合には、当該申請期間の範囲内において、そ

の任期を更新することができる。

9　任命権者は、第七項の規定により任期を定めて採用された職員を、任期を定めて採用した趣旨に反しない場合に限り、その任期中、他の職に任用することができる。

10　第七項の規定に基づき臨時的任用を行う場合には、第二十二条の三第一項から第四項までの規定は、適用しない。

11　前条第二項、第三項及び第六項の規定は、配偶者同行休業について準用する。

【参照条文】
【本条の特例─公企法三九1

第五節　分限及び懲戒

（**分限及び懲戒の基準**）

第二十七条　全て職員の分限及び懲戒については、公正でなければならない。

2　職員は、この法律で定める事由による場合でなければ、[1]その意に反して、降任[2]され、又は免職されず、この法律又は条例で定める事由による場合でなければ、その意に反して、休職[3]され、又は降給[4]されることがない。

3　職員は、この法律で定める事由による場合でなければ、懲戒処分を受けることがない。

【参照条文】
【分限─法二八　【懲戒─法二九　【身分の保障─憲法七八　国公法七五　裁判所法四八　会検法八　教特法五・六　【特例─地教法四〇・四七の二
※　国公法七四・七五　【本条第二項の適用除外─法二九の二

【実例・判例】

1）●「意に反して」とは、「同意を要しないで一方的に」という意味と解する。（昭二八・一〇・二三行実）

2）●降任（降格）に伴い給料の下がることは「降給」ではない。（昭二八・一一・二三行実）

3）●廃職又は過員を休職事由とすることは分限制度の趣旨にかんがみ、適当でない。（昭三四・七・二四行実）

●次の事由を休職の事由として条例で定めることは適当でない。
(1)　刑事起訴になるまでの間を休職にすること。
(2)　運転手が免許停止を受けた場合、その期間を休職にすること。（昭四四・四・二二行実）

4）●教員から指導主事及び社会教育主事以外の事務局職員に転ずる場合において、職務の級は変らなくても職務と責任の変更により「号」（給料）が下がる場合は、本条第二項の「降給」には該当しない。（昭二八・一〇・六行実）

●第二項の規定に基づき、条例で降給の事由を定めるにあたつては、職員の身分保障の趣旨よりして、できるだけ明確に規定するとともに当該事由は職員個々について処分を行なう必要があるものに限られるべきものと解する。なお、赤字財政の再建を行なうため経費の節減を図る場合を降給の事由として条例で規定すること自体は法律的には不可能ではないが、全職員について、給料を一律に下げる場合は、給与条例の改正等の方法により行なうことが適当と思料される。（昭三〇・一〇・一二行実）

※　●公務員の退職願の撤回は、免職辞令の交付があるまでは、原則として自由であるが、辞令交付前においても、これを撤回することが信義に反すると認められるような特段の事情がある場合には許されない。（昭三四・六・二六最裁判）

（**降任、免職、休職等**）

第二十八条　職員が、次の各号に掲げる場合のいずれかに該当するときは、その意に反して、これを降任し、又は免職することができる。

一　人事評価又は勤務の状況を示す事実に照らして、勤務実績がよくない場合
二　心身の故障のため、職務の遂行に支障があり、又はこれに堪えない場合
三　前二号に規定する場合のほか、その職に必要な適格性を欠く場合
四　職制若しくは[1]定数の改廃又は予算の減少により廃職又は過員を生じた[2]場合

2　職員が、次の各号に掲げる場合のいずれかに該当するときは、その意に反して、これを休職[3]することができる。

一　心身の故障のため、長期の休養を要する場合[4]
二　刑事事件に関し起訴された場合[5]

3　職員の意に反する降任、免職、休職及び降給の手続及び効果は、法律に特別の定めがある場合を除くほか、条例で定めなければならない。

4　職員は、第十六条各号（第二号を除く。）のいずれかに該当するに至つたとき[6]は、条例に特別の定めがある場合を除くほか、その職を失う。

【参照条文】
【※不利益処分の審査請求─法四九～五一の二　【人事評価の根本基準─法二三　【定数─自治法一七二3等　【刑事事件の起訴─刑訴法二四七・二五六　【特例─地教法四七の二　【本条第一項ないし第三項の適用除外─法二九の二
※　国公法七六～八一　人規一一─四

【実例・判例】

1）●休職者を、その市町村職員の定数外として取り扱うことはできる。（昭二七・一一・一三行実）
●第一項第四号にいう「定数」とは、法令の根拠に基づいて決定された職員数を指すものと解され、また「予算の減少」とは、必ずしも予算の絶対額の積極的減少のみを指すものではなく、予算の絶対額における減少はなくても当該予算額算定の基礎が変更されそのため当初予算額によつて支弁されるべき職員数又は事業量若しくは事務量の減少を余儀なくされ、廃職又は過員を生ずるに至つたような場合をも含むものと解される。（昭二八・六・八行実）

2）●法第二八条第一項第四号の規定による処分に際して具体的に何人を対象とするかについての一般的合理的基準としては、同項第一号から第三号までに規定する事項が考えられるものではあるが、法的には、法の原則規定にてい触しない限りにおいて任命権者の裁量を許すものであつて、その範囲内では、当不当の問題は別として、違法の問題は生じないと解される。（昭二七・五・七行実）

3）●休職を命ぜられて休職中の職員から自発的に退職の願出があつた場合、これに対し依願退職を発令することはさしつかえない。この場合、復職を命ずることなく、休職のまま、退職させてさしつかえない。（昭二七・一〇・二四行実）
●法上における休職は、第二七条第二項または第二八条第二項各号の場合に限られるもので、設問（母親を看病するという他動的理由）の場合休職を命ずることはできない。（昭二八・一〇・二九行実）
●分限休職と分限降任の二つの処分を併せ行うことは可能である。（昭四三・三・九行実）

4）●労働基準法第五一条（病者の就業禁止）の規定により業務につくことを禁止しなければならない場合の取扱いについては、国が人事院規則一〇—四（職員の保健及び安全保持）第一六条第二項（現行＝第二四条第二項）の規定により業務につくことを禁止する場合の取扱いに準じて取り扱うことが適当であると解するが、本条第二項第一号に該当する場合には、休職発令することは差支えない。（昭三五・二・一五行実）

5）●職員が採用される以前に刑事事件に関し起訴されており、採用後に起訴の事実を知つた場合でも休職処分にすることができる。（昭三七・六・一四行実）
●職員団体のための専従休職者が刑事事件に関し起訴された場合、休職処分を行なうことができる。（昭三八・九・二〇行実）

6）●職員が第四項の規定に該当する場合においては、判決確定の日をもつて失職する旨通知することが適当であり、かつ、書面で通知する場合においても、その通知書の日付は、必ずしも判決確定の日付による必要はないものと解する。（昭二八・一二・一〇行実）

※●処分説明書の交付は、法第四九条の規定により義務づけられたものであつて、分限処分の効果とは無関係であり、当該処分は、「その旨を記載した書面」を交付することによつてその効力を生ずるものと解する。（昭二七・九・二〇行実）

※●過去に遡つて免職処分を行うことはできない。（昭二七・九・三〇行実）

※●交通事故を起こし有罪となつた職員について、平素の勤務成績を勘案し、情状により失職しないものとする旨の規定を条例に設けることは、一般的には、適切なものとは考えられない。（昭三四・一・八行実）

※●課長が法第二八条により休職処分をうけたときも休職されたとき占めていた職を保有する。また、課長を休職処分にしたとき後任者の課長を別に発令することができる。（昭三六・一二・二一行実）

※●地方公務員が禁錮以上の刑に処せられた場合には、任命権者による何らの処分も必要とせず法律上当然に失職し、執行猶予期間満了後に初めて失職の通知がなされたものだとしても失職の効力に影響はない。（昭六二・七・八大阪高裁判、平元・一一・一七最裁判）

（管理監督職勤務上限年齢による降任等）

第二十八条の二　任命権者は、管理監督職（地方自治法第二百四条第二項に規定する管理職手当を支給される職員の職及びこれに準ずる職であつて条例で定める職をいう。以下この節において同じ。）を占める職員でその占める管理監督職に係る管理監督職勤務上限年齢に達している職員について、異動期間（当該管理監督職勤務上限年齢に達した日の翌日から同日以後における最初の四月一日までの間をいう。以下この節において同じ。）（第二十八条の五第一項から第四項までの規定により延長された期間を含む。以下この項において同じ。）に、管理監督職以外の職又は管理監督職勤務上限年齢が当該職員の年齢を超える管理監督職（以下この項及び第四項において「他の職」という。）への降任又は転任（降給を伴う転任に限る。）をするものとする。ただし、異動期間に、この法律の他の規定により当該職員について他の職への昇任、降任若しくは転任をした場合又は第二十八条の七第一項の規定により当該職員を管理監督職を占めたまま引き続き勤務させることとした場合は、この限りでない。

2　前項の管理監督職勤務上限年齢は、条例で定めるものとする。

3　管理監督職及び管理監督職勤務上限年齢を定めるに当たつては、国及び他の地方公共団体の職員との間に権衡を失しないように適当な考慮が払われなければならない。

4　第一項本文の規定による他の職への降任又は転任（以下この節及び第四十九条第一項ただし書において「他の職への降任等」という。）を行うに当たつて任命権者が遵守すべき基準に関する事項その他の他の職への降任等に関し必要な事項は、条例で定める。

【参照条文】
※　国公法八一の二

（**管理監督職への任用の制限**）

第二十八条の三　任命権者は、採用し、昇任し、降任し、又は転任しようとする管理監督職に係る管理監督職勤務上限年齢に達している者を、その者が当該管理監督職を占めているものとした場合における異動期間の末日の翌日（他の職への降任等をされた職員にあつては、当該他の職への降任等をされた日）以後、当該管理監督職に採用し、昇任し、降任し、又は転任することができない。

【参照条文】
※　国公法八一の三

（**適用除外**）

第二十八条の四　前二条の規定は、臨時的に任用される職員その他の法律により任期を定めて任用される職員には適用しない。

【参照条文】
※　国公法八一の四

（**管理監督職勤務上限年齢による降任等及び管理監督職への任用の制限の特例**）

第二十八条の五　任命権者は、他の職への降任等をすべき管理監督職を占める職員について、次に掲げる事由があると認めるときは、条例で定めるところにより、当該職員が占める管理監督職に係る異動期間の末日の翌日から起算して一年を超えない期間内（当該期間内に次条第一項に規定する定年退職日（以下この項及び次項において「定年退職日」という。）がある職員にあつては、当該異動期間の末日の翌日から定年退職日までの期間内。第三項において同じ。）で当該異動期間を延長し、引き続き当該管理監督職を占める職員に、当該管理監督職を占めたまま勤務をさせることができる。

一　当該職員の職務の遂行上の特別の事情を勘案して、当該職員の他の職への降任等により公務の運営に著しい支障が生ずると認められる事由として条例で定める事由

二　当該職員の職務の特殊性を勘案して、当該職員の他の職への降任等により、当該管理監督職の欠員の補充が困難となることにより公務の運営に著しい支障が生ずると認められる事由として条例で定める事由

2　任命権者は、前項又はこの項の規定により異動期間（これらの規定により延長された期間を含む。）が延長された管理監督職を占める職員について、前項各号に掲げる事由が引き続きあると認めるときは、条例で定めるところにより、延長された当該異動期間の末日の翌日から起算して一年を超えない期間内（当該期間内に定年退職日がある職員にあつては、延長された当該異動期間の末日の翌日から定年退職日までの期間内。第四項において同じ。）で延長された当該異動期間を更に延長することができる。ただし、更に延長される当該異動期間の末日は、当該職員が占める管理監督職に係る異動期間の末日の翌日から起算して三年を超えることができない。

3　任命権者は、第一項の規定により異動期間を延長することができる場合を除き、他の職への降任等をすべき特定管理監督職群（職務の内容が相互に類似する複数の管理監督職であつて、これらの欠員を容易に補充することができない年齢別構成その他の特別の事情がある管理監督職として人事委員会規則（人事委員会を置かない地方公共団体においては、地方公共団体の規則）で定める管理監督職をいう。以下この項において同じ。）に属する管理監督職を占める職員について、当該職員の他の職への降任等により、当該特定管理監督職群に属する管理監督職の欠員の補充が困難となることにより公務の運営に著しい支障が生ずると認められる事由として条例で定める事由があると認めるときは、条例で定めるところにより、当該職員が占める管理監督職に係る異動期間の末日の翌日から起算して一年を超えない期間内で当該異動期間を延長し、引き続き当該管理監督職を占めている職員に当該管理監督職を占めたまま勤務をさせ、又は当該職員を当該管理監督職が属する特定管理監督職群の他の管理監督職に降任し、若しくは転任することができる。

4　任命権者は、第一項若しくは第二項の規定により異動期間（これらの規定により延長された期間を含む。）が延長された管理監督職を占める職員について前項に規定する事由があると認めるとき（第二項の規定により延長された当該異動期間を更に延長することができるときを除く。）、又は前項若しくはこの項の規定により異動期間（前三項又はこの項の規定により延長された期間を含む。）が延長された管理監督職を占める職員について前項に規定する事由が引き続きあると認めるときは、条例で定めるところにより、延長された当該異動期間の末日

の翌日から起算して一年を超えない期間内で延長された当該異動期間を更に延長することができる。

5 前各項に定めるもののほか、これらの規定による異動期間（これらの規定により延長された期間を含む。）の延長及び当該延長に係る職員の降任又は転任に関し必要な事項は、条例で定める。

【参照条文】
※ 国公法八一の五

（定年による退職）

第二十八条の六 職員は、定年に達したときは、定年に達した日以後における最初の三月三十一日までの間において、条例で定める日（次条第一項及び第二項ただし書において「定年退職日」という。）に退職する。

2 前項の定年は、国の職員につき定められている定年を基準として条例で定めるものとする。

3 前項の場合において、地方公共団体における当該職員に関しその職務と責任に特殊性があること又は欠員の補充が困難であることにより国の職員につき定められている定年を基準として定めることが実情に即さないと認められるときは、当該職員の定年については、条例で別の定めをすることができる。この場合においては、国及び他の地方公共団体の職員との間に権衡を失しないように適当な考慮が払われなければならない。

4 前三項の規定は、臨時的に任用される職員その他の法律により任期を定めて任用される職員及び非常勤職員には適用しない。

【参照条文】
【臨時的に任用される職員その他の法律により任期を定めて任用される職員―法二二、女子教職員の出産に際しての補助教職員の確保に関する法律三、地方公務員の育児休業等に関する法律六、教特法八1
【特例―教特法八2
※ 国公法八一の六

（定年による退職の特例）

第二十八条の七 任命権者は、定年に達した職員が前条第一項の規定により退職すべきこととなる場合において、次に掲げる事由があると認めるときは、同項の規定にかかわらず、条例で定めるところにより、当該職員に係る定年退職日の翌日から起算して一年を超えない範囲内で期限を定め、当該職員を当該定年退職日において従事している職務に従事させるため、引き続き勤務させることができる。ただし、第二十八条の五第一項から第四項までの規定により異動期間（これらの規定により延長された期間を含む。）を延長した職員であつて、定年退職日において管理監督職を占めている職員については、同条第一項又は第二項の規定により当該定年退職日まで当該異動期間を延長した場合に限るものとし、当該期限は、当該職員が占めている管理監督職に係る異動期間の末日の翌日から起算して三年を超えることができない。

一 前条第一項の規定により退職すべきこととなる職員の職務の遂行上の特別の事情を勘案して、当該職員の退職により公務の運営に著しい支障が生ずると認められる事由として条例で定める事由

二 前条第一項の規定により退職すべきこととなる職員の職務の特殊性を勘案して、当該職員の退職により、当該職員が占める職の欠員の補充が困難となることにより公務の運営に著しい支障が生ずると認められる事由として条例で定める事由

2 任命権者は、前項の期限又はこの項の規定により延長された期限が到来する場合において、前項各号に掲げる事由が引き続きあると認めるときは、条例で定めるところにより、これらの期限の翌日から起算して一年を超えない範囲内で期限を延長することができる。ただし、当該期限は、当該職員に係る定年退職日（同項ただし書に規定する職員にあつては、当該職員が占めている管理監督職に係る異動期間の末日）の翌日から起算して三年を超えることができない。

3 前二項に定めるもののほか、これらの規定による勤務に関し必要な事項は、条例で定める。

【参照条文】
【任命権者―法六　地教法三四・三七
※ 国公法八一の七

（懲戒）

第二十九条 職員が次の各号のいずれかに該当する場合には、当該職員に対し、懲戒処分として戒告、減給、停職又は免職の処分をすることができる。

一 この法律若しくは第五十七条に規定する特例を定めた法律又はこれらに基づく条例、地方公共団体の規則若しくは地方公共団体の機関の定める規程に違反した場合

二 職務上の義務に違反し、又は職務を怠つた場合

三 全体の奉仕者たるにふさわしくない非行のあつた場合

2 職員が、任命権者の要請に応じ当該地方公共団体の特別職に属する地方公務員、他の地方公共団体若しくは特定地方独立行政法人の地方公務員、国家公務員又は地方公社（地方住宅供給公社、地方道路公社及び土地開発公

社をいう。）その他その業務が地方公共団体若しくは国の事務若しくは事業と密接な関連を有する法人のうち条例で定めるものに使用される者（以下この項において「特別職地方公務員等」という。）となるため退職し、引き続き特別職地方公務員等として在職した後、引き続いて当該退職を前提として職員として採用された場合（一の特別職地方公務員等として在職した後、引き続き一以上の特別職地方公務員等として在職し、引き続いて当該退職を前提として職員として採用された場合を含む。）において、当該退職までの引き続く職員としての在職期間（当該退職前に同様の退職（以下この項において「先の退職」という。）、特別職地方公務員等としての在職及び職員としての採用がある場合には、当該先の退職までの引き続く職員としての在職期間を含む。次項において「要請に応じた退職前の在職期間」という。）中に前項各号のいずれかに該当したときは、当該職員に対し同項に規定する懲戒処分を行うことができる。

3　定年前再任用短時間勤務職員（第二十二条の四第一項の規定により採用された職員に限る。以下この項において同じ。）が、条例年齢以上退職者となつた日までの引き続く職員としての在職期間（要請に応じた退職前の在職期間を含む。）又は第二十二条の四第一項の規定によりかつて採用されて定年前再任用短時間勤務職員として在職していた期間中に第一項各号のいずれかに該当したときは、当該職員に対し同項に規定する懲戒処分を行うことができる。

4　職員の懲戒の手続及び効果は、法律に特別の定めがある場合を除くほか、条例[2]で定めなければならない。

【参照条文】

【※不利益処分の審査請求―法四九～五一の二　【職務上の義務―法三〇～三五　【全体の奉仕者―憲法一五2　【特別の定―教特法九1・一〇　地教法三八・四〇・四三　【特例―地教法四七

※　国公法八二～八五　人規一二―〇

【実例・判例】

1）●懲戒処分そのものを消滅させることはできない。（昭二六・八・二七行実）

●依願免職後に、在職中の窃盗行為が発覚したとしても、その故をもつて依願免職という行政行為を変更することはできない。（昭二六・一一・一六行実）

●事件が取調中に処分保留になつた公務員に対して、地公法第二九条による懲戒処分に付することはさしつかえない。事件の取調が完了し、それぞれの処分の決定が明らかになるまで待つ必要はない。（昭二六・一二・二〇行実）

●検事拘留により取調中の職員であつても、地方公務員法第二九条の規定により懲戒処分をすることはできるものと解する。（昭二八・八・二二行実）

●一つの事件につき職員を懲戒処分する場合例えば最初の一ヶ月を停職処分としてその後二ヶ月間を減給処分とすることはできないものと解する。（昭二九・四・一五行実）

●懲戒処分をした職員にさらに民法上又は地方自治法上損害の賠償を行なわせることができる。（昭二九・四・一五行実）

●懲戒免職の場合、日付を遡つて発令することはできないものと解する。（昭二九・五・六行実）

●訓告が懲戒処分としての制裁的実質をそなえないものである限り、行ないうる。（昭三四・二・一九行実）

●給与の支給を受けることなく兼務している職に関しても減給処分を行ない得る。（昭三一・三・二〇行実）

●県費負担教職員を他の市町村に在職していた当時の懲戒事由に基づき現在在職中の市町村の教育委員会の内申により懲戒にすることができる。（昭三二・五・八行実）

●死亡した職員を懲戒免職することはできない。（昭四〇・一・二八行実）

●同一事由について懲戒処分と併せて分限処分を行うことは可能である。（昭四二・六・一五行実）

●地方公務員につき地公法所定の懲戒事由がある場合に、懲戒処分を行うかどうか、懲戒処分を行うときにいかなる処分を選ぶかは、平素から庁内の事情に通暁し、職員の指揮監督の衝に当たる懲戒権者の裁量に任されているものというべきである。すなわち、懲戒権者は、懲戒事由に該当すると認められる行為の原因、動機、性質、態様、結果、影響等のほか、当該公務員の右行為の前後における態度、懲戒処分等の処分歴、選択する処分が他の公務員及び社会に与える影響等、諸般の事情を総合的に考慮して、懲戒処分をすべきかどうか、また、懲戒処分をする場合にいかなる処分を選択すべきかを、その裁量的判断によつて決定することができるものと解すべきである。したがつて、裁判所が右の処分の適否を審査するに当たつては、懲戒権者と同一の立場に立つて懲戒処分をすべきであつたかどうか又はいかなる処分を選択すべきであつたかについて判断し、その結果と懲戒処分とを比較してその軽重を論ずべきものではなく、懲戒権者の懲戒権の行使に基づく処分が社会観念上著しく妥当を欠き、裁量権の範囲を逸脱しこれを濫用したと認められる場合に限り、違法であると判断すべきものである（平二・一・一八最裁判）

2）●懲戒処分について、条例で、これを執行猶予することができるような規定を設けることはできない。（昭二七・一一・一八行実）

●本条第二項の規定に基づく条例が制定されていな

い場合には、同条第一項の規定により懲戒処分を行なうことはできない。（昭三七・二・六行実）

（**適用除外**）

第二十九条の二　次に掲げる職員及びこれに対する処分については、第二十七条第二項、第二十八条第一項から第三項まで、第四十九条第一項及び第二項並びに行政不服審査法（平成二十六年法律第六十八号）の規定を適用しない。

一　条件附採用期間中の職員

二　臨時的に任用された職員

2　前項各号に掲げる職員の分限については、条例で必要な事項を定めることができる。

【参照条文】
①【条件附採用・臨時的任用―法二二・二二の三】
※　国公法五九・六〇・八一　人規一一―四

【実　例】
※　●条件附採用期間中の職員の休職制度については、地方公務員法第二二条第一項の規定の趣旨に反しない限り設けてもさしつかえない。（昭二八・一〇・二二行実）

第六節　服務

（**服務の根本基準**）

第三十条　すべて職員は、全体の奉仕者として公共の利益のために勤務し、且つ、職務の遂行に当つては、全力を挙げてこれに専念しなければならない。

【参照条文】【全体の奉仕者―憲法一五2】【職務に専念する義務―法三五】
※　国公法九六

（**服務の宣誓**）

第三十一条　職員は、条例の定めるところにより、服務の宣誓をしなければならない。

【参照条文】
※　国公法九七

（**法令等及び上司の職務上の命令に従う義務**）

第三十二条　職員は、その職務を遂行するに当つて、法令、条例、地方公共団体の規則及び地方公共団体の機関の定める規程に従い、且つ、上司の職務上の命令に忠実に従わなければならない。

【参照条文】【特例―地教法四三2】
※　国公法九八1

【実　例】
※　●宿日直を命ずる場合は、労働基準法第四一条及び同法施行規則第二三条の規定によつて行政官庁（市町村長）の許可を必要とするのであるが、許可を得ないで行なわれた宿日直勤務の命令による場合でも職員は宿日直勤務する義務が発生するものと解する。（昭三一・九・九行実）

※　●職員に対して、宿日直の勤務を命令する場合においては、労働基準法第四一条第三号及び同法施行規則第二三条並びに本法第五八条第三項の規定に基づき、行政官庁（労働基準監督署又は人事委員会）の許可を要することになつているが、当該手続を経ないで職員に宿日直の勤務を命令し、職員がその命令を拒否した場合でも、その職員に対して本条の上司の職務上の命令に従わなかつたものとして懲戒処分を行なうことができる。（昭三三・五・一行実）

※　●教育行政上の必要に基づいて計画された講習会に出席することを命ぜられながら出席しないことは、職務命令違反となる。（昭三三・一〇・二四行実）

※　●職務の遂行上必要があると認められる限り名札の佩用について職務命令を発することができる。（昭三九・一〇・一行実）

（**信用失墜行為の禁止**）

第三十三条　職員は、その職の信用を傷つけ、又は職員の職全体の不名誉となるような行為をしてはならない。

【参照条文】
※　国公法九九

（**秘密を守る義務**）[1]

第三十四条　職員は、職務上知り得た秘密[1]を漏らしてはならない。その職を退いた後も、また、同様とする。

2　[2]法令による証人、鑑定人等となり、職務上の秘密に属する事項を発表する場合においては、任命権者（退職者については、その退職した職又はこれに相当する職に係る任命権者）の許可[3]を受けなければならない。

3　前項の許可は、法律に特別の定がある場合を除く外、拒むことができない。

【参照条文】
①・②※【罰則―法六〇Ⅱ】
②【証人―民訴一九一～二〇五　刑訴法一四四～一六四　議院証人法五】【鑑定人―民訴二一二～二一八　刑訴法一六五～一七三】【任命権者―法六】
※　国公法一〇〇

【実例・判例】
1）●「秘密」とは、一般的に了知されていない事実であつて、それを一般に了知せしめることが一定の利益の侵害になると客観的に考えられるものをいい、本条第一項の「職務上知り得た秘密」とは、職務執

地公法

行上知り得た秘密を、第二項の「職務上の秘密」とは、職員の職務上の所管に属する秘密を指す。（昭三〇・二・一八行実）

●職員の履歴書等の人事記録は、一般には秘密に属する事項と考えられる。（昭三七・八・一〇行実）

2）●法第三四条第二項に規定する「法令」とは、民事訴訟法（第一九〇条以下）、刑事訴訟法（第一四三条以下）、議院における証人の宣誓及び証言等に関する法律（第一条以下）、地方自治法（第一〇〇条）、国家公務員法（第一七条）等を指すものであつて、人事院規則は含まれない。（昭四八・七・一八行実）

3）●人事委員会の権限によつて行なわれる調査、審理に関して、職員が秘密に属する事項を発表する場合には、国家公務員法第一〇〇条第四項の人事院の権限に相当するものは、人事委員会には与えられていないので許可を必要とする。（昭二六・一一・三〇行実）

※●国家公務員法第一〇〇条第一項にいう「秘密」であるためには、国家機関が単にある事項につき形式的に秘扱の指定をしただけでは足りず、右「秘密」とは、非公知の事項であつて、実質的にもそれを秘密として保護するに価すると認められるものをいうと解する。（昭五二・一二・一九最裁判）

（職務に専念する義務）

第三十五条　職員は、法律又は条例に特別の定がある場合を除く外、その勤務時間及び職務上の注意力のすべてをその職責遂行のために用い、当該地方公共団体がなすべき責を有する職務に[1]のみ従事しなければならない。

【参照条文】【特別の定―法二八2・二九1・五五8・五五の二　労基法三四・三五・三九・六五～六八　労働安全衛生法六八　教特法二一　災害救助法七・八　災害対策基本法三一　自治法二五二の一七

※　国公法一〇一

【実　例】

1）●休日休暇に関する事項を規定した条例は、本条に規定する「条例に特別の定がある場合」に該当する。本条の職務に専念する義務は、当該職員に割り振られた勤務時間以外においてはない。（昭二六・一二・一二行実）

●勤務時間中に、本法第四六条の規定による勤務条件の措置に関し要求すること、本法第四九条の二の規定による不利益処分の不服申立をすること及び以上の場合の審理に出頭すること（職務上の義務に属するものを除く。）は、法律又は条例に特別の定めがない限り、法的には職務に専念する義務に関する規定にてい触するものと解する。（昭二七・二・二九行実）

※●市町村の職務専念義務の特例条例において、職免の承認を与える者の規定中「任命権者又はその委任を受けた者」とあるが、県費負担教職員の場合、承認権者は市町村教委である。（昭四四・五・一五行実）

※●職務専念義務免除事由に該当しない限り、欠勤を承認することはできない。（昭四三・七・二行実）

（政治的行為の制限）

第三十六条　職員は、政党その他の政治的団体の結成に関与し、若しくはこれらの[1]団体の役員となつてはならず、又はこれらの団体の構成員となるように、若しくはならないように勧誘運動をしてはならない。

2　[2]職員は、特定の政党その他の政治的団体又は特定の内閣若しくは地方公共団体の[3]執行機関を支持し、又はこれに反対する目的をもつて、あるいは[4]公の選挙又は投票において特定の人又は事件を支持し、又はこれに反対する目的をもつて、次に掲げる[5]政治的行為をしてはならない。ただし、当該職員の属する地方公共団体の区[6]域（当該職員が都道府県の支庁若しくは地方事務所又は地方自治法第二百五十二条の十九第一項の指定都市の区若しくは総合区に勤務する者であるときは、当該支庁若しくは地方事務所又は区若しくは総合区の所管区域）外において、第一号から第三号まで及び第五号に掲げる政治的行為をすることができる。

一　公の選挙又は投票において投票をするように、又はしないように[7]勧誘運動をすること。

二　署名運動を企画し、又は主宰する等これに積極的に関与すること。

三　寄附金その他の金品の募集に関与すること。

四　文書又は図画を地方公共団体又は特定地方独立行政法人の庁舎（特定地方独立行政法人にあつては、事務所。以下この号において同じ。）、施設等に掲示し、又は掲示させ、その[8]他地方公共団体又は特定地方独立行政法人の庁舎、施設、資材又は資金を利用し、又は利用させること。

五　前各号に定めるものを除く外、条例で定める政治的行為

3　何人も前二項に規定する政治的行為を行うよう職員に求め、職員をそそのかし、若しくはあおつてはならず、又は職員が前二項に規定する政治的行為をなし、若しくはなさないことに対する代償若しくは報復として、任用、職務、給与その他職員の地位に関してなんらかの利益若しくは不利益を与え、与えようと企て、若しくは約束してはならない。

4　職員は、前項に規定する違法な行為に応じなかつたことの故をもつて不利益な取扱を受けることはない。

5 本条の規定は、職員の政治的中立性を保障することにより、地方公共団体の行政及び特定地方独立行政法人の業務の公正な運営を確保するとともに職員の利益を保護することを目的とするものであるという趣旨において解釈され、及び運用されなければならない。

【参照条文】【政党その他の政治的団体―政資法三】【教育公務員の政治的行為の制限―教特法一八 義務教育諸学校における教育の政治的中立の確保に関する臨時措置法 【公務員の選挙運動の制限等―選挙法一三六・一三六の二・一三七・二三九の二 【本条の特例―公企法三九2

※ 国公法一〇二 人規一四―七

【実例】

1)●一項にいう「団体の役員」には、当該団体の定款、規約等組織を定めたものに役員として規定されているもののほか、事実上これらと同様な役割をもつ構成員が含まれるものと解される。(昭二七・一・二六行実)

2)●職員団体の業務にもつぱら従事する職員も第二項各号に掲げる政治的行為の制限を受ける。(昭二六・三・九行実)

3)●第二項に規定する「特定の執行機関を支持し、又はこれに反対する」とは、単に特定の執行機関が存在するように又は存在しないように影響を与えるのみではなく、特定の執行機関が成立するように又は成立しないように影響を与えることも含む。(昭三〇・四・一九行実)

4)●第二項の「公の選挙」には、土地改良区総代の選挙は含まれないものと解する。(昭四一・四・一八行実)

5)●職員が単に法律の制定自体に反対する目的をもつて、署名運動を企画し又は主宰する等これに積極的に関与した場合は、特定の政党又は内閣等の字句を使用した場合でも、本条第二項にてい触しない。(昭二七・七・二九行実)

6)●法第三六条第二項但し書の区域における支庁若しくは地方事務所とは、地方自治法第一五五条にいう支庁若しくは地方事務所に限定され、同法第一五六条にいう行政機関は含まれない。(昭四二・六・一七行実)

7)●職員が特定候補者の依頼により勤務時間外に選挙事務所において無給にて経理事務の手伝をした場合の行為は、単なる労務の提供であつて、第二項第一号の「特定の人を支持し、公の選挙において投票するように勧誘運動をした」者ではない。(昭二六・四・一二行実)

●選挙公報に推薦人として名を連ねる行為は本条第三項の勧誘運動に該当する。(昭三七・七・一一行実)

8)●第二項第四号の規定中「地方公共団体の庁舎、施設」の「施設」には「公営住宅」は含まれ、公職選挙法第一四五条第一項ただし書の規定の特別規定である。(昭三三・八・二行実)

※●第一項及び第二項に規定する政治的行為の制限は、個々の職員の行為を対象としているものであるから、職員組合自体の行為は直接にはこれと無関係であるが、その場合、当該行為が同時に職員個々の行為となるものである場合においては当該職員が当該制限を受ける。(昭二六・四・二行実)

(争議行為等の禁止)

第三十七条 職員は[1]、地方公共団体の機関が代表する使用者としての住民に対して同盟罷業、怠業その他の争議行[2]為をし、又は地方公共団体の機関の活動能率を低下させる怠業的行為をしてはならない。又、何人も、このような違法な行為を企て、又はその遂行を共謀し、そそのかし、若しくはあおつてはならない。

2 職員で前項の規定に違反する行為をしたものは、その行為の開始とともに、地方公共団体に対し、法令又は条例、地方公共団体の規則若しくは地方公共団体の機関の定める規程に基いて保有する任命上又は雇用上の権利をもつて対抗することができなくなるものとする。

【参照条文】
①【同盟罷業、怠業その他の争議行為―憲法二八 労調法六・七 【罰則―法六二の二 【本条の特例―公企法三九1
②【法令―法二七〜二九の二・四九の二等
※ 国公法九八2・3 地公労法一一 行労法一七

【実例・判例】

1)●組合の役員中争議行為を企て、又はその遂行を共謀し、そそのかし、若しくはあおつた者は、本条にてい触すると解する。(昭二八・九・二四行実)

2)●ハンスト及びビラの配布等の宣伝活動は、勤務時間の内外を問わず、地方公共団体の業務の正常な運営を阻害するものである場合においては、争議行為に該当すると解される。(昭二八・九・二四行実)

●いわゆる一斉休暇闘争とは、労働者がその所属の事業場において、その業務の正常な運営の阻害を目的として、全員一斉に休暇届を提出して職場を放棄・離脱するものと解するときは、その実質は、年次休暇に名を藉りた同盟罷業にほかならない。(昭四八・三・二最裁判)

●地公法第三七条第一項の争議行為禁止の合憲性、地方公務員も憲法第二八条の勤労者として同条による労働基本権の保障を受けるが、地方公共団体の住民全体の奉仕者として、実質的にはこれに対して労務提供義務を負うという特殊な地位を有し、かつ、その労務の内容は、公務の遂行すなわち直接公共の利益のための活動の一環をなすという公共的性質を有するものであつて、地方公務員が争議行為に及ぶことは、右のようなその地位の特殊性と職務の公共性と相容れず、また、そのために公務の停廃を生じ、地方住民全体ないしは国民全体の共同利益に重大な影響を及ぼすか、又はそのおそれがある点において、国家公務員の場合と選ぶところはない。そして、地方公務員の勤務条件が、法律及び地方公共団体の議会の制定する条例によつて定められ、また、その給与が地方公共団体の税収等の財源によつてまかなわれるところから、専ら当該地方公共団体における政治的、財政的、社会的その他諸般の合理的な配慮によつて決定されるべきものである点においても、地方公務員は国家公務員と同様の立場に置かれており、したがつてこの場合には、私企業における労働者の場合のように団体交渉による労働条件の決定という方式が当然には妥当せず、争議権も、団体交渉の裏づけとしての本来の機能を発揮する余地に乏しく、かえつて議会における民主的な手続によつてされるべき勤務条件の決定に対して不当な圧力を加え、これをゆがめるおそれがあることも、前記大法廷判決（昭四八・四・二五最裁判）が国家公務員の場合について指摘するとおりである。それ故、地方公務員の労働基本権は、地方公務員を含む地方住民全体ないしは国民全体の共同利益のために、これと調和するように制限されることも、やむをえないところといわなければならない。（昭五一・五・二一最裁判）

（営利企業への従事等の制限）

第三十八条　職員は、任命権者の許可を受けなければ、商業、工業又は金融業その他営利を目的とする私企業（以下この項及び次条第一項において「営利企業」という。）を営むこと[1]を目的とする会社その他の団体の役員その他人事委員会規則（人事委員会を置かない地方公共団体においては、地方公共団体の規則）で定める地位を兼ね、若しくは自ら営利企業を営み[2]、又は報酬を得ていかなる事業若しくは事務にも従事[3]してはならない。ただし、非常勤職員（短時間勤務の職を占める職員及び第二十二条の二第一項第二号に掲げる職員を除く。）については、この限りでない。

2　人事委員会は、人事委員会規則により前項の場合における任命権者の許可の基準を定めることができる。

【参照条文】

※　教特法一七　地教法四七　国公法一〇三・一〇四

【実　例】

1）●「営利を目的とする私企業を営むことを目的とする」とは、商業・工業又は金融業等を営むことを目的とするという意味であり、「いかなる事業若しくは事務」とは、すべての事業及び事務を含むものである。（昭二六・五・一四行実）

2）●第一項の営利を目的とする私企業には営利を目的とする限り農業も含まれる。（昭二六・五・一四行実）

3）●職員が寺院の住職等の職を兼ね、葬儀、法要等を営む際布施その他の名目により事実上当該職員の収入がある場合においても、当該職員の収入は一般的には「報酬」とは考えられないので、第一項の「報酬を得て事業に従事する」ものとは解しがたい。（昭二六・六・二〇行実）

※　●地方公務員法上、職員が特別職を兼ね、その職務に従事することは、「職務に専念する義務」（第三五条）と「営利企業等の従事制限」（第三八条）の問題であつて、その特別職が、法令等により職員の職と兼ねえないものでない限り、これらの規定に従えば許される。（昭二六・三・一二行実）

※　●本条の規定は、勤務時間内は勿論、勤務時間外においても職員に適用されるものと解される。（昭二六・一二・一二行実）

※　●刑事休職中の職員も営利企業に従事する場合許可が必要である。（昭四三・七・一一行実）

第六節の二　退職管理

（再就職者による依頼等の規制）

第三十八条の二　職員（臨時的に任用された職員、条件付採用期間中の職員及び非常勤職員（短時間勤務の職を占める職員を除く。）を除く。以下この節、第六十条及び第六十三条において同じ。）であつた者であつて離職後に営利企業等（営利企業及び営利企業以外の法人（国、国際機関、地方公共団体、独立行政法人通則法（平成十一年法律第百三号）第二条第四項に規定する行政執行法人及び特定地方独立行政法人を除く。）をいう。以下同じ。）の地位に就いている者（退職手当通算予定職員であつた者であつて引き続いて退職手当通算法人の地位に就いている者及び公益的法人等への一般職の地方公務員の派遣等に関する法律（平成十二年法律第五十号）第十条第二項に規定する退職派遣者を除く。以下「再就職者」という。）は、離職前五年間に在職していた地方公共団体の執行機関の組織（当該執行機関（当該執行機関の附属機関を含む。）の補助機関及び当該執行機関の管理に属する機関の総体をいう。第三十八条の七において同じ。）若しくは議会の事務局（事務局を置かない場合には、これに準ずる組織。同条において同じ。）若しくは特定地方独立行政法人（以下「地方公共団体の執行機関の組織等」という。）の職員若しくは特定地方独立行政法人の役員（以下「役職員」という。）又はこれらに類する者として人事委員会規則（人事委員会を置かない地方公共団体においては、地方公共団体の規則。以下この条（第七項を除く。）、第三十八条の七、第六十条及び第六十四条において同じ。）で定めるものに対し、当該地方公共団体若しくは当該特定地方独立行政法人と当該営利企業等若しくはその子法人（国家公務員法第百六条の二第一項に規定する子法人の例を基準として人事委員会規則で定めるものをいう。以下同じ。）との間で締結される売買、貸借、請負その他の契約又は当該営利企業等若しくはその子法人に対して行われる行政手続法（平成五年法律第八十八号）第二条第二号に規定する処分に関する事務（以下「契約等事務」という。）であつて離職前五年間の職務に属するものに関し、離職後二年間、職務上の行為をするように、又はしないように要求し、又は依頼してはならない。

2　前項の「退職手当通算法人」とは、地方独立行政法人法第二条第一項に規定する地方独立行政法人その他の業務が地方公共団体又は国の事務又は事業と密接な関連を有する法人のうち人事委員会規則で定めるもの（退職手当（これに相当する給付を含む。）に関する規程において、職員が任命権者又はその委任を受けた者の要請に応じ、引き続いて当該法人の役員又は当該法人に使用される者となつた場合に、職員としての勤続期間を当該法人の役員又は当該法人に使用される者としての勤続期間に通算することと定められており、かつ、当該地方公共団体の条例において、当該法人の役員又は当該法人に使用される者として在職した後引き続いて再び職員となつた者の当該法人の役員又は当該法人に使用される者としての勤続期間を当該職員となつた者の職員としての勤続期間に通算することと定められている法人に限る。）をいう。

3　第一項の「退職手当通算予定職員」とは、任命権者又はその委任を受けた者の要請に応じ、引き続いて退職手当通算法人（前項に規定する退職手当通算法人をいう。以下同じ。）の役員又は退職手当通算法人に使用される者となるため退職することとなる職員であつて、当該退職手当通算法人に在職した後、特別の事情がない限り引き続いて選考による採用が予定されている者のうち人事委員会規則で定めるものをいう。

4　第一項の規定によるもののほか、再就職者のうち、地方自治法第百五十八条第一項に規定する普通地方公共団体の長の直近下位の内部組織の長又はこれに準ずる職であつて人事委員会規則で定めるものに離職した日の五年前の日より前に就いていた者は、当該職に就いていた時に在職していた地方公共団体の執行機関の組織等の役職員又はこれに類する者として人事委員会規則で定めるものに対し、契約等事務であつて離職した日の五年前の日より前の職務（当該職に就いていたときの職務に限る。）に属するものに関し、離職後二年間、職務上の行為をするように、又はしないように要求し、又は依頼してはならない。

5　第一項及び前項の規定によるもののほか、再就職者は、在職していた地方公共団体の執行機関の組織等の役職員又はこれに類する者として人事委員会規則で定めるものに対し、当該地方公共団体若しくは当該特定地方独立行政法人と営利企業等（当該再就職者が現にその地位に就いているものに限る。）若しくはその子法人との間の契約であつて当該地方公共団体若しくは当該特定地方独立行政法人においてその締結について自らが決定したもの又は当該地方公共団体若しくは当該特定地方独立行政法人による当該営利企業等若しくはその子法人に対する行政手続法第二条第二号に規定する処分であつて自らが決定したものに関し、職務上の行為をするように、又はしないように要求し、又は依頼してはならない。

6　第一項及び前二項の規定（第八項の規定に基づく条例が定められているときは、当該条例の規定を含む。）は、次に掲げる場合には適用しない。

一　試験、検査、検定その他の行政上の事務であつて、法律の規定に基づく行政庁による指定若しくは登録その他の処分（以下「指定等」という。）を受けた者が行う当該指定等に係るもの若しくは行政庁から委託を受けた者が行う当該委託に係るものを遂行するために必要な場合、又は地方公共団体若しくは国の事務若しくは事業と密接な関連を有する業務として人事委員会規則で定めるものを行うために必要な場合

二　行政庁に対する権利若しくは義務を定めている法令の規定若しくは地方公共団体若しくは特定地方独立行政法人との間で締結された契約に基づき、権利を行使し、若しくは義務を履行する場合、行政庁の処分により課された義務を履行する場合又はこれらに類する場合として人事委員会規則で定める場合

三　行政手続法第二条第三号に規定する申請又は同条第七号に規定する届出を行う場合

四　地方自治法第二百三十四条第一項に規定する一般競争入札若しくはせり売りの手続又は特定地方独立行政法人が公告して申込みをさせることによる競争の手続に従い、売買、貸借、請負その他の契約を締結するために必要な場合

五　法令の規定により又は慣行として公にされ、又は公にすることが予定されている情報の提供を求める場合（一定の日以降に公にすることが予定されている情報を同日前に開示するよう求める場合を除く。）

地公法

六　再就職者が役職員（これに類する者を含む。以下この号において同じ。）に対し、契約等事務に関し、職務上の行為をするように、又はしないように要求し、又は依頼することにより公務の公正性の確保に支障が生じないと認められる場合として人事委員会規則で定める場合において、人事委員会規則で定める手続により任命権者の承認を得て、再就職者が当該承認に係る役職員に対し、当該承認に係る契約等事務に関し、職務上の行為をするように、又はしないように要求し、又は依頼する場合

7　職員は、前項各号に掲げる場合を除き、再就職者から第一項、第四項又は第五項の規定（次項の規定に基づく条例が定められているときは、当該条例の規定を含む。）により禁止される要求又は依頼を受けたとき（地方独立行政法人法第五十条の二において準用する第一項、第四項又は第五項の規定（同条において準用する次項の規定に基づく条例が定められているときは、当該条例の規定を含む。）により禁止される要求又は依頼を受けたときを含む。）は、人事委員会規則又は公平委員会規則で定めるところにより、人事委員会又は公平委員会にその旨を届け出なければならない。

8　地方公共団体は、その組織の規模その他の事情に照らして必要があると認めるときは、再就職者のうち、国家行政組織法（昭和二十三年法律第百二十号）第二十一条第一項に規定する部長又は課長の職に相当する職として人事委員会規則で定めるものに離職した日の五年前の日より前に就いていた者について、当該職に就いていた時に在職していた地方公共団体の執行機関の組織等の役職員又はこれに類する者として人事委員会規則で定めるものに対し、契約等事務であつて離職した日の五年前の日より前の職務（当該職に就いていたときの職務に限る。）に属するものに関し、離職後二年間、職務上の行為をするように、又はしないように要求し、又は依頼してはならないことを条例により定めることができる。

【参照条文】
※　国公法一〇六の四

（違反行為の疑いに係る任命権者の報告）

第三十八条の三　任命権者は、職員又は職員であつた者に前条の規定（同条第八項の規定に基づく条例が定められているときは、当該条例の規定を含む。）に違反する行為（以下「規制違反行為」という。）を行つた疑いがあると思料するときは、その旨を人事委員会又は公平委員会に報告しなければならない。

【参照条文】
※　国公法一〇六の一六

（任命権者による調査）

第三十八条の四　任命権者は、職員又は職員であつた者に規制違反行為を行つた疑いがあると思料して当該規制違反行為に関して調査を行おうとするときは、人事委員会又は公平委員会にその旨を通知しなければならない。

2　人事委員会又は公平委員会は、任命権者が行う前項の調査の経過について、報告を求め、又は意見を述べることができる。

3　任命権者は、第一項の調査を終了したときは、遅滞なく、人事委員会又は公平委員会に対し、当該調査の結果を報告しなければならない。

【参照条文】
※　国公法一〇六の一七

（任命権者に対する調査の要求等）

第三十八条の五　人事委員会又は公平委員会は、第三十八条の二第七項の届出、第三十八条の三の報告又はその他の事由により職員又は職員であつた者に規制違反行為を行つた疑いがあると思料するときは、任命権者に対し、当該規制違反行為に関する調査を行うよう求めることができる。

2　前条第二項及び第三項の規定は、前項の規定により行われる調査について準用する。

【参照条文】
※　国公法一〇六の一八

（地方公共団体の講ずる措置）

第三十八条の六　地方公共団体は、国家公務員法中退職管理に関する規定の趣旨及び当該地方公共団体の職員の離職後の就職の状況を勘案し、退職管理の適正を確保するために必要と認められる措置を講ずるものとする。

2　地方公共団体は、第三十八条の二の規定の円滑な実施を図り、又は前項の規定による措置を講ずるため必要と認めるときは、条例で定めるところにより、職員であつた者で条例で定めるものが、条例で定める法人の役員その他の地位であつて条例で定めるものに就こうとする場合又は就いた場合には、離職後条例で定める期間、条例で定める事項を条例で定める者に届け出させることができる。

（廃置分合に係る特例）

第三十八条の七　職員であつた者が在職していた地方公共団体（この条の規定により当該職員であつた者が在職し

ていた地方公共団体とみなされる地方公共団体を含む。）の廃置分合により当該職員であつた者が在職していた地方公共団体（以下この条において「元在職団体」という。）の事務が他の地方公共団体に承継された場合には、当該他の地方公共団体を当該元在職団体と、当該他の地方公共団体の執行機関の組織若しくは議会の事務局で当該元在職団体の執行機関の組織若しくは議会の事務局に相当するものの職員又はこれに類する者として当該他の地方公共団体の人事委員会規則で定めるものを当該元在職団体の執行機関の組織若しくは議会の事務局の職員又はこれに類する者として当該元在職団体の人事委員会規則で定めるものと、それぞれみなして、第三十八条の二から前条までの規定（第三十八条の二第八項の規定に基づく条例が定められているときは当該条例の規定を含み、これらの規定に係る罰則を含む。）並びに第六十条第四号から第八号まで及び第六十三条の規定を適用する。

第七節 研修

（研修）

第三十九条 職員には、その勤務能率の発揮及び増進のために、研修を受ける機会が与えられなければならない。

2 前項の研修は、任命権者が行うものとする。

3 地方公共団体は、研修の目標、研修に関する計画の指針となるべき事項その他研修に関する基本的な方針を定めるものとする。

4 人事委員会は、研修に関する計画の立案その他研修の方法について任命権者に勧告することができる。

【参照条文】
② 【本条の特例—地教法四五 教特法二一～二五
③ 【本条の特例—公企法三九１
※ 国公法七一・七三

【実 例】
1）●「研修」には、任命権者が自ら主催して行なう場合に限らず、他の機関に委託して行なう場合、特定の教育機関へ入所を命じた場合等を含む。（昭三〇・一〇・六行実）

第四十条 削除〔平二六・五法三四〕

第八節 福祉及び利益の保護

（福祉及び利益の保護の根本基準）

第四十一条 職員の福祉及び利益の保護は、適切であり、且つ、公正でなければならない。

【実 例】
1）●職員の福祉及び利益の保護に関しては、地方公務員法第五条第一項及び第四一条の規定により条例で定めることができる。（昭三〇・一一・一五行実）

第一款 厚生福利制度

（厚生制度）

第四十二条 地方公共団体は、職員の保健、元気回復その他厚生に関する事項について計画を樹立し、これを実施しなければならない。

【参照条文】
※ 国公法七三

（共済制度）

第四十三条 職員の病気、負傷、出産、休業、災害、退職、障害若しくは死亡又はその被扶養者の病気、負傷、出産、死亡若しくは災害に関して適切な給付を行なうための相互救済を目的とする共済制度が、実施されなければならない。

2 前項の共済制度には、職員が相当年限忠実に勤務して退職した場合又は公務に基づく病気若しくは負傷により退職し、若しくは死亡した場合におけるその者又はその遺族に対する退職年金に関する制度が含まれていなければならない。

3 前項の退職年金に関する制度は、退職又は死亡の時の条件を考慮して、本人及びその退職又は死亡の当時その者が直接扶養する者のその後における適当な生活の維持を図ることを目的とするものでなければならない。

4 第一項の共済制度については、国の制度との間に権衡を失しないように適当な考慮が払われなければならない。

5 第一項の共済制度は、健全な保険数理を基礎として定めなければならない。

6 第一項の共済制度は、法律によつてこれを定める。

【参照条文】
② 【退職年金—自治法二〇五
⑥ 【法律—地方公務員等共済組合法 厚生年金保険法
※ 国公法一〇七・一〇八 国家公務員共済組合法

第四十四条 削除〔昭三七・九法一五二〕

第二款 公務災害補償

（公務災害補償）

第四十五条 職員が公務に因り死亡し、負傷し、若しくは疾病にかかり、若しくは公務に因る負傷若しくは疾病により死亡し、若しくは障害の状態となり、又は船員である職員が公務に因り行方不明となつた場合においてその者又はその遺族若しくは被扶養者がこれらの原因によつて受ける損害は、補償されなければならない。

2　前項の規定による補償の迅速かつ公正な実施を確保するため必要な補償に関する制度が実施されなければならない。

3　前項の補償に関する制度には、次に掲げる事項が定められなければならない。

一　職員の公務上の負傷又は疾病に対する必要な療養又は療養の費用の負担に関する事項

二　職員の公務上の負傷又は疾病に起因する療養の期間又は船員である職員の公務による行方不明の期間におけるその職員の所得の喪失に対する補償に関する事項

三　職員の公務上の負傷又は疾病に起因して、永久に、又は長期に所得能力を害された場合におけるその職員の受ける損害に対する補償に関する事項

四　職員の公務上の負傷又は疾病に起因する死亡の場合におけるその遺族又は職員の死亡の当時その収入によつて生計を維持した者の受ける損害に対する補償に関する事項

4　第二項の補償に関する制度は、法律によつて定めるものとし、当該制度については、国の制度との間に権衡を失しないように適当な考慮が払われなければならない。

【参照条文】
④【法律―地方公務員災害補償法
※　国公法九三～九五　国家公務員災害補償法

【実　例】
※●県費負担教職員が公務上の災害を受けた場合、その補償をなすべき労働基準法上の使用者及び職員が受けた災害が公務上のものであるかどうかについての認定権者は、都道府県教育委員会である。（昭三三・五・一〇行実）

※●職員が公務出張中、自動車事故にあい負傷したため、市は公務上の災害と認定し、当該職員に対し災害補償を行なつた場合は、市はその行なつた補償の額の限度において、災害を受けた職員が当該災害の原因となつた第三者に対して有する損害賠償請求権を取得することができる。また、この事例において市が職員に対し災害補償を行なう場合、職員が当該第三者から損害賠償金を受けたときは、市はその価額の限度において補償の義務を免かれる。ただし、当該金品の中に第三者からの慰藉料、見舞金等精神的苦痛に対する損害賠償又は贈与と認められる部分があるときは、その部分については、補償の義務を免かれることはできない。（昭三六・八・二一行実）

第三款　勤務条件に関する措置の要求

（勤務条件に関する措置の要求）

第四十六条　職員[1]は、給与、勤務時間その他の勤務条件[2]に関し、[3]人事委員会又は公平委員会に対して、地方公共団体の当局により適当な措置が執られるべきことを[4]要求することができる。

【参照条文】
【罰則―法六一Ｖ　【本条の特例―公企法三九1
※　自治法二〇六　国公法八六　人規一三―二

【実　例】
1）●本条に規定する勤務条件に関する措置の要求権は、職員に限り認められるものである。従つて、職員が個々に要求をすることは勿論、職員の個々が共同して要求をすることはできるが、職員団体はできないものと解する。（昭二六・一一・二一行実）

●退職者は本条の規定による勤務条件に関する措置の要求をすることはできない。（昭二七・七・三、昭二九・一一・一九行実）

●勤務条件に関する措置の要求について、委任を受けた職員が民法上の代理権の授受に基づいて行なう代理行為は、認める趣旨であると解する。（昭三二・三・一行実）

2）●「服務に関すること」は一般的には、「その他の勤務条件」に含まれないが、服務に関することが同時に「給与、勤務時間その他の勤務条件に関する」ものであれば対象になる。（昭二七・四・二行実）

●教職員の定数等それ自体に関することは、法第四六条にいう勤務条件ではないと解する。（昭三三・一〇・二三行実）

●現行勤務条件の不変更を求める措置要求はできる。（昭三三・一一・一七行実）

●定期昇給が他の者に比較して遅れた場合は、「不利益処分」としてでなく勤務条件に関する措置要求として処理すべきである。（昭三四・三・二七行実）

●勤務条件とは、法第四六条に例示されている給与及び勤務時間のような、職員が地方公共団体に対し、勤務を提供するについて存する諸条件で、職員が自己の勤務条件を提供し又はその提供を継続するかどうかの決心をするにあたり、一般的に当然考慮の対象となるべき利害関係事項であるものを指すと解する。（昭三五・九・一九行実）

●条例の規定により当然に支給されなければならない赴任旅費が支給されない場合に、その支給を求めることは、勤務条件に関する措置の要求の対象となる。この場合は、地方自治法第二〇六条の規定による不服申立て及び本法第四九条の二の規定による不利益処分に関する不服申立てはできない。（昭三五・一〇・三行実）

●休暇の不承認処分に不服のある職員は、勤務条件に関する措置の要求をすることができる。なお本法第四九条の二の規定による不利益処分に関する不服申立ては認められない。（昭三五・一〇・一四行

実）

●当局が交渉に応ずるよう求めることは、措置要求の対象とはならない。（昭四三・六・二一行実）

3）●県費負担教職員の措置要求の相手方は、都道府県教委により任命される教職員にあつては、都道府県人事委員会、任命権が市町村教委に委任され、これらの市町村教委により任命される教職員にあつては、当該市町村の人事委員会又は公平委員会である。（昭三二・一一・一六行実）

4）●地方公務員法の規定により、勤務条件に関する措置の要求及び不利益処分に関する不服申立てが認められている場合には、地方自治法第二〇六条第一項の「法律に特別の定がある場合」に該当し、従つて、同項に基づく不服申立てはできないと解される。（昭二七・七・一五行実）

●人事委員会が既に判定を下した事案とその要求の趣旨及び内容が同一と判断される事項を対象として同一人から再び措置の要求が提起された場合でも、一時不再理の原理を適用することはできない。（昭三四・三・五行実）

●人事委員会がさきに下した判定の趣旨を直ちに実現するよう当局に勧告することを求める措置要求はなし得るものと解する。（昭三五・一二・二三行実）

（審査及び審査の結果執るべき措置）

第四十七条 前条に規定する要求があつたときは、人事委員会又は公平委員会は、事案について口頭審理その他の方法による審査を行い、事案を判定し[1]、その結果に基いて、その権限に属する事項については、自らこれを実行し、その他の事項については、当該事項に関し権限を有する地方公共団体の機関[2]に対し、必要な勧告[3]をしなければならない。

【参照条文】

【審査・判定—法八 【本条の特例—公企法三九1

※ 国公法八七・八八

【実例・判例】

1）●本条の規定による判定及び勧告は、要求者の要求事項のみについて行なわれるものである。（昭二八・一二・一〇行実）

●勤務条件に関する措置要求に対する人事委員会の判定について、再審の手続はあり得ない。（昭三三・一二・一八行実）

2）●市町村立小学校の教職員の勤務条件にかかる「当該事項に関し権限を有する地方公共団体の機関」とは、主としてその教育委員会が該当するが、市町村長、議会等の当該市町村の機関も、その事項に関し権限を有する限り、当該「機関」に該当する。（昭二七・一・九行実）

3）●県費負担教職員に関する措置要求に対し、都道府県人事委員会は、審査し、その結果に基づき場合によつては、市町村の機関に対し勧告しなければならない場合が生ずることがあると解すべきである。（昭三二・一二・一行実）

●県費負担教職員の勤務条件に関する措置要求について、政令指定都市において審査判定をなした結果、必要な場合には、条例改正等執るべき是正措置を県知事及び県教育委員会あてに勧告することができるものと解する。（昭四一・一・一一行実）

●地方公務員法第四六条に基く措置要求の申立に対する人事委員会の判定は、取消訴訟の対象となる行政処分にあたる。（昭三六・三・二八最裁判）

（要求及び審査、判定の手続等）

第四十八条 前二条の規定による要求及び審査、判定の手続[2]並びに審査、判定の結果執るべき措置に関し必要な事項は、人事委員会規則又は公平委員会規則で定めなければならない。

【参照条文】

【人事委員会規則・公平委員会規則—法八5 【本条の特例—公企法三九1

第四款 不利益処分に関する審査請求

（不利益処分に関する説明書の交付）

第四十九条 任命権者は、職員に対し、懲戒その他その意に反すると認める不[1]利益な処分を行う場合においては、その際、当該職員に対し、処分の事由を記載した説明書を交付しなければならない。ただし、他の職への降任等に該当する降任をする場合又は他の職への降任等に伴い降給をする場合は、この限りでない。

2 職員は、その意に反して不利益な処分を受けたと思うときは、任命権者に対し処分の事由を記載した説明書の交付を請求することができる。

3 前項の規定による請求を受けた任命権者は、その日から十五日以内に、同項の説明[2]書を交付しなければならない。

4 第一項又は第二項の説明書には、当該処分につき、人事委員会又は公平委員会に対して審査請求をすることができる旨及び審査請求をすることができる期間を記載しなければならない。

【参照条文】

【任命権者—法六 【懲戒—法二九 【※分限—法二七 【本条の特例—公企法三九1 【審査請求—法四九の二・四九の三

①・② 【本条の適用除外—法二九の二

※ 国公法八九 人規一三—一 行政不服審査法八二・八三 行政手続法一四

【実 例】

1）●昇給発令が職員の意に満たないものであつた場合

においても当該昇給発令は、職員に不利益を与えるものではないと思料され、不利益処分ではないものと解される。また定期昇給が行なわれなかつた場合においても、具体的な処分があつたのではないので不利益処分の審査の対象とはならないものと解する。（昭二九・七・一九行実）

●課長、係長の職を解職することは、地公法第一七条第一項に規定する昇任、降任又は転任のいずれかの一の処分に該当する。（昭三三・一一・一二行実）

２）●処分説明書の記載内容は、処分の効力に影響がなく、処分説明書のけん欠は、処分の効力に影響がない。（昭三九・四・一五行実）

（審査請求）

第四十九条の二　前条第一項に規定する処分[1]を受けた職員[2]は、人事委員会又は公平委員会に対してのみ審査請求をすることができる。

２　前条第一項に規定する処分を除くほか、職員に対する処分については、審査請求をすることができない。職員がした申請に対する不作為についても、同様とする。

３　第一項に規定する審査請求については、行政不服審査法第二章の規定を適用しない。

【参照条文】
【審査請求】行政不服審査法二～四
※　国公法九〇　人規一三―一

【実　例】
１）●地方公務員法第四九条の二第一項の規定に基づき、不利益処分を受けた職員は、人事委員会に不服申立てをすることができる旨明らかにされているが、同条第一項に「前条第一項に規定する処分……」とは、任命権者が不利益処分と認める処分のみをいうのではなく、第四九条第二項に規定する職員が不利益処分と思う「処分」も含めて解するものと思料して差支えない。（昭三九・二・一〇行実）

２）●一項にいう「職員」には、本制度の性質上当然に退職処分に関する限り、退職者も含まれる。（昭二六・一一・二七行実）

※●勤務条件に関し人事委員会の勧告を地方公共団体の機関が履行しなかつた場合、これを不利益処分とみなし、本条により審査請求することはできない。（昭二七・一・九行実）

※●代理人による審査請求はできる。（昭二八・六・二九行実）

※●職員が本法第二九条による停職処分を受け、当該処分に服さない等の理由からさらに同条による免職処分を受けた場合、免職処分に係る不服申立てと関連して申し立てた停職処分に係る不服申立ては、当該免職処分があつた以後において申し立てたものであつても受理すべきであり、この場合は併合審査すべきものと解する。（昭三五・三・二行実）

※●前任者の降任処分が判定により取消された場合、その者は本来降任処分の時にさかのぼりその職に復するものであるが、一方、後任者の当該職への任命処分もまた有効に行なわれたものであるので、組織法上の関係においては当該取消処分は法律上不能であると解されるので、その両者の職の重複を来たさないよう、その何れか一方を異動させるべきである。

そしてこの場合、当該異動が降任処分となるものであるときは、地方公務員法第二八条に掲げる降任できる事由に該当しないものであれば、当該処分は違法なものであり、人事委員会において独立の不利益処分の審査請求として受理すべきものと解する。（昭三五・九・一九行実）

※●休暇の不承認処分に不服のある職員は、地方公務員法第四六条の規定により、勤務条件に関する措置の要求をすることが認められるが、本条の規定による不利益処分に関する審査の請求をすることは、認められない。（昭三五・一〇・一四行実）

（審査請求期間）

第四十九条の三　前条第一項に規定する審査請求は、処分があつたことを知つた日の翌日から起算して三月以内にしなければならず、処分があつた日の翌日から起算して一年を経過したときは、することができない。

【参照条文】
※　行政不服審査法一八　国公法九〇の二

【実　例】
※●職員が「処分」を不服として地方公務員法第四九条の二によつて不服の申立を行なつたが、不服申立期間を一日経過しており、特殊な事情があつたとしても期間経過した不服申立ては受理できない。（昭三九・七・一七行実）

※●公平委員会規則で、天災その他やむをえない事由があるときは、不服申立書がその提出期限後に提出された場合でも、期限内に提出されたものとみなす旨定めても差支えない。（昭四九・八・二九行実）

（審査及び審査の結果執るべき措置）

第五十条　第四十九条の二第一項に規定する審査請求を受理したときは、人事委員会又は公平委員会は、直ちにその事案を審査[1]しなければならない。この場合において、処分を受けた職員から請求があつたときは、口頭審理を行わなければならない。口頭審理は、その職員から請求があつたときは、公開して行わなければならない。

２　人事委員会又は公平委員会は、必要があると認めるときは、当該審査請求に対する裁決を除き、審査に関する事務の一部を委員又は事務局長に委任することができる。

3　人事委員会又は公平委員会は、第一項に規定する審査の結果に基いて、その処分を承認し、修正し、又は取り消し、及び必要がある場合においては、任命権者にその職員の受けるべきであつた給与その他の給付を回復するため必要で且つ適切な措置をさせる等その職員がその処分によつて受けた不当な取扱を是正するための指示をしなければならない。

【参照条文】

【審査―法八

①【罰則―法六一Ⅰ

③【罰則―法六〇Ⅲ

※ 国公法九一・九二

【実例・判例】

1）●公平委員会の事案審査の範囲は、必らずしも処分説明書に記載された事実関係にとどまらず、処分の基礎となつている事実関係であると認められ、従つて、事案の判定に必要であると認められる限りは、広く審査の対象とすることができる。（昭三四・一二・二五行実）

●不利益処分に関する審査を請求した職員が退職した場合においても、その退職によつて請求の利益が失われることのないもの（たとえば、懲戒処分の取消しを求める請求等）については、人事委員会は、審査を行なわなければならない。（昭三七・二・六行実）

●勤勉手当の減額は、地方公務員法第四九条に規定する不利益な処分にはあたらないと解されるので却下すべきである。（昭三八・一〇・二四行実）

●人事委員会は、当事者の一方から提出のあつた地方公務員法第八条第五項の規定に基づく書類につき、職権で、その相手方たる他の一方の当事者に閲覧もしくは謄写を許さず、人事委員会限りで証拠調べを行ない得る。（昭四一・三・五行実）

※●地方公務員法第八条第五項の規定により、人事委員会は、その権限の行使に関し必要があるときは、証人を喚問することができることとなつているが、この場合、証人に対する日当、宿泊料等いわゆる実費弁償の規定を単に人事委員会規則で制定することは、無理があると思われるし、他面、単行条例を制定することについても、その根拠が見あたらないので、この場合は、地方自治法第九六条第二項の事件議決を経たうえ支給条例を制定することが妥当と考えられる。（昭二六・八・一三行実）

※●公平委員会が免職処分について「本処分は、これを取り消し、戒告処分を行なうべきものと決定する」旨の判定をした場合、当該判定の内容が、修正の判定であると解せられる限りにおいては、この判定は形成的効力を有する。（昭二七・九・二〇行実）

※●公平委員会の判定の内容は、「承認」、「修正」及び「取消」のうちいずれか一に限られるものである。（昭二七・九・二〇行実）

※●審査の結果、分限免職が不当であると判断された場合、懲戒処分による減給又は停職に修正することはできないものと解する。（昭二七・一一・一一行実）

※●公平委員会が免職処分を取り消し、免職中の給与等を復職者に支給するよう任命権者に指示したが、任命権者は支給すべき予算なしとの理由で給与等を支給せざる場合は地方公務員法第六〇条第三号の故意に従わなかつた者に該当すると解せられない。（昭二八・一二・二五行実）

※●人事委員会において処分を修正する権限は、地方公務員法第五〇条第三項により認められたものである。（昭三九・八・一二行実）

※●修正裁決は、原処分の懲戒権の発動を承認し、これに基づく原処分の存在を前提とした上で原処分の法律効果の内容を変更するものであり、これにより原処分は、当初から修正裁決どおりの法律効果を伴う懲戒処分として存在していたものとみなされる。（昭六二・四・二一最裁判）

（審査請求の手続等）

第五十一条　審査請求の手続及び審査の結果執るべき措置に関し必要な事項は、人事委員会規則又は公平委員会規則で定めなければならない。

【参照条文】

【審査請求―法四九の二　【人事委員会規則・公平委員会規則―法八5

※ 人規一三―一

【実　例】

※●代理人はその代理する請求者の死亡によつて代理人たる地位を当然に失うものと解するが、特にその旨を委員会規則に規定する必要はない。（昭二六・八・一八行実）

※●人事委員会は、請求者の死亡により審査を継続することができなくなつたと認める場合においては、審査を打ち切り、請求を棄却するよう措置することが適当である。（昭二六・九・四行実）

※●不利益処分に関する審査に関し、代理人を選任することができるが、この代理人の範囲を制限することはさしつかえないが、一般的には、その必要がないものと思われる。なお、代理人の選任の範囲を制限する場合においては、公平委員会規則自体でその旨を規定すべきものと解される。（昭二七・六・六行実）

※●県費負担教職員の不利益処分の審査の請求は「任命権者の属する地方公共団体の人事委員会」と解して適用すべきである。（昭三一・一一・一行実）

※　●不利益処分の不服申立ての審査において、弁護士を処分者である地方公共団体の長の代理人として選任する場合、当該弁護士を「吏員又は吏員相当の嘱託」に任命する必要はないものと解する。（昭三九・一二・二二行実）

（審査請求と訴訟との関係）

第五十一条の二　第四十九条第一項に規定する処分であつて人事委員会又は公平委員会に対して審査請求をすることができるものの取消しの訴えは、審査請求に対する人事委員会又は公平委員会の裁決を経た後でなければ、提起することができない。

【参照条文】

※　【審査請求―行政不服審査法四　行政事件訴訟法八　国公法九二の二

【実　例】

※　●人事委員会の判定につき任命権者その他地方公共団体の機関側からは、不服があつても出訴できない。（昭二七・一・九行実）

※　●人事委員会の判定につき職員側から出訴し、第一審裁判所で原判定が取り消された場合任命権者その他地方公共団体の機関側から控訴できるものと解される。（昭二七・一・九行実）

※　●人事委員会が任命権者の行なつた停職処分を減給処分に修正裁決された場合は、処分時にさかのぼつて減給処分に修正されたものと解する。（昭三九・八・一二行実）

第九節　職員団体

（職員団体）

第五十二条　この法律において「職員団体」[1]とは、職員がその勤務条件の維持改善を図ることを目的として組織する団体又はその連合体をいう。

2　前項の「職員」とは、第五項に規定する職員以外の職員をいう。

3　職員は、職員団体を結成し、若しくは結成せず、又はこれに加入し、若しくは加入しないことができる。ただし、重要な行政上の決定を行う職員、重要な行政上の決定に参画する管理的地位にある職員、職員の任免に関して直接の権限を持つ監督的地位にある職員、職員の任免、分限、懲戒若しくは服務、職員の給与その他の勤務条件又は職員団体との関係についての当局の計画及び方針に関する機密の事項に接し、そのためにその職務上の義務と責任とが職員団体の構成員としての誠意と責任とに直接に抵触すると認められる監督的地位にある職員その他職員団体との関係において当局の立場に立つて遂行すべき職務を担当する職員（以下「管理職員等」という。）と管理職員等以外の職員とは、同一[2]の職員団体を組織することができず、管理職員等と管理職員等以外の職員とが組織する団体は、この法律にいう「職員団体」ではない。

4　前項ただし書に規定する管理職員等の範囲[3]は、人事委員会規則又は公平委員会規則で定める。

5　警察職員及び消防職員[4]は、職員の勤務条件の維持改善を図ることを目的とし、かつ、地方公共団体の当局と交渉する団体を結成し、又はこれに加入してはならない。

【参照条文】

【本条の特例―公企法三九1

①・③【団体の結成―憲法二八

④【人事委員会規則・公平委員会規則―法八5

※　憲法二八　公企法三九　地公労法　教特法二九　労組法一　国公法一〇八の二　人規一七―〇　行労法四・八

【実　例】

1　●職員団体たる団体が「交渉」以外の目的を併有すること及び「交渉」目的のための行為以外の行為をすることは、地方公務員法の関知するところではない。（昭二六・三・一三行実）

2　●県職員で管理職員等に該当しないものが、地方自治法第二五二条の一七の規定により市町村に派遣され、当該市町村において管理職員等となつた場合において、当該派遣職員が構成員として在籍する県の職員で管理職員等以外の職員で組織している職員団体は、地方公務員法上の職員団体と認められないこととなる。（昭四〇・一二・二七行実）

3　●公平事務の委託を受けた県人事委員会は、個々の市町村ごとに管理職員等の範囲を定めるべきである。（昭四〇・五・二六行実）

4　●法第五二条第四項にいう「消防職員」のなかに消防組織法第一五条の六に規定する「常勤の消防団員」は含まれる。（昭四一・六・一〇行実）

※　●職員団体とは、職員が「主体となつて」組織する労働者団体をいう。この場合の「職員」とは、警察・消防職員及び地公労法の適用を受ける職員を除く一般職員をいう（地公法五二②、地公企法三九）。従つて、小規模の地方公営企業の職員が職員団体に加入した場合でも、当該職員以外の一般職員が主体となつて組織されている限り、当該団体は職員団体である。（昭四一・六・二一行実）

（職員団体の登録）

第五十三条　職員団体は、条例で定めるところにより、理事その他の役員の氏名及び条例で定める事項を記載した申請書に規約を添えて人事委員会又は公平委員会に登録を申請することができる。

2　前項に規定する職員団体の規約には、少くとも左に掲げる事項を記載するものとする。
一 名称
二 目的及び業務
三 主たる事務所の所在地
四 構成員の範囲及びその資格の得喪に関する規定
五 理事その他の役員に関する規定
六 第三項に規定する事項を含む業務執行、会議及び投票に関する規定
七 経費及び会計に関する規定
八 他の職員団体との連合に関する規定
九 規約の変更に関する規定
十 解散に関する規定

3 職員団体が登録される資格を有し、及び引き続き登録されているためには、規約の作成又は変更、役員の選挙[1]その他これらに準ずる重要な行為が、すべての構成員が平等に参加する機会を有する直接且つ秘密の投票による[2]全員の過半数（役員の選挙については、投票者の過半数）によつて決定される旨の手続を定め、且つ、現実に、その手続によりこれらの重要な行為が決定されることを必要とする。但し、連合体である職員団体にあつては、すべての構成員が平等に参加する機会を有する構成団体ごとの直接且つ秘密の投票による投票者の過半数で代議員を選挙し、すべての代議員が平等に参加する機会を有する直接且つ秘密の投票によるその全員の過半数（役員の選挙については、投票者の過半数）によつて決定される旨の手続を定め、且つ、現実に、その手続により決定されることをもつて足りるものとする。

4 前項に定めるもののほか、職員団体が登録される資格を有し、及び引き続き登録されているためには、当該職員団体が同一の地方公共団体に属する前条第五項に規定する職員以外の職員のみをもつて組織されていることを必要とする。ただし、同項に規定する職員以外の職員であつた者でその意に反して免職され、若しくは懲戒処分としての免職の処分を受け、当該処分を受けた日の翌日から起算して一年以内のもの又はその期間内に当該処分について法律の定めるところにより審査請求をし、若しくは訴えを提起し、これに対する裁決若しくは裁判が確定するに至らないものを構成員にとどめていること、及び当該職員団体の役員である者を構成員としていることを妨げない。

5 人事委員会又は公平委員会は、登録を申請した職員団体が前三項の規定に適合するものであるときは、条例で定めるところにより、規約及び第一項に規定する申請書の記載事項を登録し、当該職員団体にその旨を通知しなければならない。この場合において、職員でない者の役員就任を認めている職員団体を、そのゆえをもつて登録の要件に適合しないものと解してはならない。

6 登録を受けた職員団体が職員団体でなくなつたとき、登録を受けた職員団体について第二項から第四項までの規定に適合しない事実があつたとき、又は登録を受けた職員団体が第九項の規定による届出をしなかつたときは、人事委員会又は公平委員会は、条例で定めるところにより、六十日を超えない範囲内で当該職員団体の登録の効力を停止し、又は当該職員団体の登録を取り消すことができる。

7 前項の規定による登録の取消しに係る聴聞の期日における審理は、当該職員団体から請求があつたときは、公開により行わなければならない。

8 第六項の規定による登録の取消しは、当該処分の取消しの訴えを提起することができる期間内及び当該処分の取消しの訴えの提起があつたときは当該訴訟が裁判所に係属する間は、その効力を生じない。

9 登録を受けた職員団体は、その規約又は第一項に規定する申請書の記載事項に変更があつたときは、条例で定めるところにより、人事委員会又は公平委員会にその旨を届け出なければならない。この場合においては、第五項の規定を準用する。

10 登録を受けた職員団体は、解散したときは、条例で定めるところにより、人事委員会又は公平委員会にその旨を届け出なければならない。

【参照条文】
⑦【聴聞―行政手続法一五～二八
【本条の特例―公企法三九1
①～⑨【本条の特例―教特法二九 公企法三九
※ 労組法五1 国公法一〇八の三 人規一七―一

【実 例】
1）●三項の「その他これに準ずる重要な行為」とは、例えば、他の諸団体との提携、連合、加入及び脱退、解散などが該当するものと解する。（昭二六・一一・一六行実）
2）●役員の選挙において候補者が定員を超過しない場合も、個々の候補者について信任投票を行なう必要がある。（昭二六・七・二四行実）

第五十四条 削除〔平一八・六法五〇〕

（交渉）
第五十五条 地方公共団体の当局[1]は、登録を受けた職員団体から、職員の給与、勤務時間その他の勤務条件に関し、及びこれに附帯して、社交的又は厚生的活動を含む適法な活動に係る事項に関し、適法な交渉の申入れがあつた場合においては、その申入れに応ずべき地位に立つ

ものとする。

2　職員団体と地方公共団体の当局との交渉は、団体協約を締結する権利を含まないものとする。

3　地方公共団体の事務の管理及び運営に関する事項は、交渉の対象とすることができない。

4　職員団体が交渉することのできる地方公共団体の当局は、交渉事項について適法に管理し、又は決定することのできる地方公共団体の当局とする。

5　交渉は、職員団体と地方公共団体の当局があらかじめ取り決めた員数の範囲内で、職員団体がその役員の中から指名する者と地方公共団体の当局の指名する者との間において行なわなければならない。交渉に当たつては、職員団体と地方公共団体の当局との間において、議題、時間、場所その他必要な事項をあらかじめ取り決めて行なうものとする。

6　前項の場合において、特別の事情があるときは、職員団体は、役員以外の者を指名することができるものとする。ただし、その指名[2]する者は、当該交渉の対象である特定の事項について交渉する適法な委任を当該職員団体の執行機関から受けたことを文書によつて証明できる者でなければならない。

7　交渉は、前二項の規定に適合しないこととなつたとき、又は他の職員の職務の遂行を妨げ、若しくは地方公共団体の事務の正常な運営を阻害することとなつたときは、これを打ち切ることができる。

8　本条に規定する適法な交渉は、勤務[3]時間中においても行なうことができる。

9　職員団体は、法令、条例、地方公共団体の規則及び地方公共団体の機関の定める規程にてい触しない限りにおいて、当該地方公共団体の当局と書面による協定を結ぶことができる。

10　前項の協定は、当該地方公共団体の当局及び職員団体の双方において、誠意と責任をもつて履行しなければならない。

11　職員は、職員団体に属していないという理由で、第一項に規定する事項に関し、不満を表明し、又は意見を申し出る自由を否定されてはならない。

【参照条文】
①〜⑨【本条の特例―公企法三九1
①〜⑨【団体交渉権の保障―憲法二八
⑨【条例・規則―自治法一四・一五
※　地公労法八〜一〇　労組法一　国公法一〇八の五　行労法八

【実　例】
1）●教職員の勤務条件に関する交渉は「当該地方公共団体の当局」でありさえすれば、都道府県教育委員会であると知事であるとを問わないものであり、等しく「教職員の給与に関する交渉」であつても、個々の交渉事項によつて「当該地方公共団体の当局」はそれぞれ異なるものである。（昭二八・一〇・一九行実）

2）●登録を受けた職員団体と当局が勤務条件に関して交渉を行なう場合、職員団体を支援する目的をもつて、職員団体の構成員以外の者（労働組合員及び自治労組合員）を交渉の場所に職員団体が参加させた場合、その職員団体の構成員以外の者が職員団体の正当な委任を受けて交渉員として参加する場合を除いて、当局は交渉に応ずる義務はない。（昭三八・一〇・一八行実）

3）●本条の適法な交渉であつても、職務専念義務の免除については、権限を有する者の承認を得なければならない。（昭四一・六・二一行実）

（職員団体のための職員の行為の制限）

第五十五条の二　職員は、職員団体の業務にもつぱら従事することができない。ただし、任命権者の許可を受けて、登録を受けた職員団体の役員としてもつぱら従事する場合は、この限りでない。

2　前項ただし書の許可は、任命権者が相当と認める場合に与えることができるものとし、これを与える場合においては、任命権者は、その許可の有効期間を定めるものとする。

3　第一項ただし書の規定により登録を受けた職員団体の役員として専ら従事する期間は、職員としての在職期間を通じて五年（地方公営企業等の労働関係に関する法律（昭和二十七年法律第二百八十九号）第六条第一項ただし書（同法附則第五項において準用する場合を含む。）の規定により労働組合の業務に専ら従事したことがある職員については、五年からその専ら従事した期間を控除した期間）を超えることができない。

4　第一項ただし書の許可は、当該許可を受けた職員が登録を受けた職員団体の役員として当該職員団体の業務にもつぱら従事する者でなくなつたときは、取り消されるものとする。

5　第一項ただし書の許可を受けた職員は、その許可が効力を有する間は、休職者とし、いかなる給与も支給されず、また、その期間は、退職手当の算定の基礎となる勤続期間に算入されないものとする。

6　職員は、条例で定める場合を除き、給与を受けながら、職員団体のためその業務を行ない、又は活動してはならない。

【参照条文】

【本条の特例―公企法三九1　【※職務に専念する義務―法三五
※　地公労法六　行労法七　国公法一〇八の六　人規一七―二

【判　例】

※　●地方公務員の専従休暇は、地方公務員の団結権等を保護するため、特に法律によつて認められた制度であつて、団結権等に内在し又はそれから当然に派生する権利に基づくものではない。（昭四〇・七・一四最裁判）

※　●ヤミ専従に慣行の効力が認められる余地はなく、このような行為を行なつた職員に対する懲戒免職処分は適法である。（昭五五・四・一一最裁判）

（**不利益取扱の禁止**）

第五十六条　職員は、職員団体の構成員であること、職員団体を結成しようとしたこと、若しくはこれに加入しようとしたこと又は職員団体のために正当な行為をしたことの故をもつて不利益な取扱を受けることはない。

【参照条文】
【本条の特例―公企法三九1　【不利益処分に対する救済―法四九～五一の二　【職員団体のための行為―法五五の二　【職員団体の結成―法五二
※　国公法一〇八の七　労組法七

第四章　補則

（**特例**）

第五十七条　職員のうち、公立学校（学校教育法（昭和二十二年法律第二十六号）第一条に規定する学校及び就学前の子どもに関する教育、保育等の総合的な提供の推進に関する法律（平成十八年法律第七十七号）第二条第七項に規定する幼保連携型認定こども園であつて地方公共団体の設置するものをいう。）の教職員（学校教育法第七条（就学前の子どもに関する教育、保育等の総合的な提供の推進に関する法律第二十六条において準用する場合を含む。）に規定する校長及び教員並びに学校教育法第二十七条第二項（同法第八十二条において準用する場合を含む。）、第三十七条第一項（同法第四十九条及び第八十二条において準用する場合を含む。）、第六十条第一項（同法第八十二条において準用する場合を含む。）、第六十九条第一項、第九十二条第一項及び第百二十条第一項並びに就学前の子どもに関する教育、保育等の総合的な提供の推進に関する法律第十四条第二項に規定する事務職員をいう。）、単純な労務に雇用される者その他その職務と責任の特殊性に基づいてこの法律に対する特例を必要とするものについては、別に法律で定める。ただし、その特例は、第一条の精神に反するものであつてはならない。

【参照条文】
【公立学校の教職員―地教法　教特法　【単純な労務に雇用される者―地公労法附則5　公企法　旧単純な労務に雇用される一般職に属する地方公務員の範囲を定める政令　【※企業職員―公企法　地公労法

【実　例】

※　●一般職員が企業職員を兼務している場合は、その企業職員たる地位において地方公営企業法及び地方公営企業労働関係法の適用をうけると同時に、知事の補助機関たる一般職の職員たる地位においては、これらの法律によつて適用を排除された法の各条項も適用されるものと解する。（昭二八・三・九行実）

※　●単純労務者が不利益処分を受けた場合は、苦情処理共同調整会議等により解決するほか、当該処分が違法なものである場合においては行政事件訴訟特例法（現行＝行政事件訴訟法）の定めるところにより、裁判所に出訴することができる。（昭二九・六・一四行実）

※　●職員が単純な労務に雇用される者に該当するかどうかは、その者の職務及び責任の実態に基づいて判断すべきである。（昭三七・三・二三行実）

※　●単純な労務に雇用される一般職に属する地方公務員の範囲を定める政令（昭和二十六年政令第二十五号）は、地方公営企業労働関係法の施行に伴い地方公務員法附則第二十一項が削除され、昭和二十七年九月三十日をもつて失効した。しかし、地方公務員法第五十七条及び地方公営企業労働関係法附則第四項にいう単純な労務に雇用される者の範囲については、同政令の規定に基づいて解釈して差支えない。（昭三八・五・八行実）

※　●地方公営企業の予算上又は、賃金上不可能な賃金の支出を内容とする協定が締結された場合においては、当該地方公共団体の長は、地方公営企業労働関係法第一〇条第二項の規定により、協定を議会に付議し、その承認を求めなければならない。（昭四九・一〇・一五行実）

（**他の法律の適用除外等**）

第五十八条　労働組合法（昭和二十四年法律第百七十四号）、労働関係調整法（昭和二十一年法律第二十五号）及び最低賃金法（昭和三十四年法律第百三十七号）並びにこれらに基く命令の規定は、職員に関して適用しない。

2　労働安全衛生法（昭和四十七年法律第五十七号）第二章の規定並びに船員災害防止活動の促進に関する法律（昭和四十二年法律第六十一号）第二章及び第五章の規定並びに同章に基づく命令の規定は、地方公共団体の行う労働基準法（昭和二十二年法律第四十九号）別表第一第一号から第十号まで及び第十三号から第十五号までに掲げる事業に従事する職員[1]以外の職員に関して適用しない。

3　労働基準法第二条、第十四条第二項及び第三項、第二十四条第一項、第三十二条の三から第三十二条の五まで、第三十八条の二第二項及び第三項、第三十八条の三、第三十八条の四、第三十九条第六項から第八項まで、第四十一条の二、第七十五条から第九十三条まで並びに第百二条の規定、労働安全衛生法第六十六条の八の四及び第九十二条の規定、船員法（昭和二十二年法律第百号）第六条中労働基準法第二条に関する部分、第三十条、第三十七条中勤務条件に関する部分、第五十三条第一項、第八十九条から第百条まで、第百二条及び第百八条中勤務条件に関する部分の規定並びに船員災害防止活動の促進に関する法律第六十二条の規定並びにこれらの規定に基づく命令の規定は、職員に関して適用しない。ただし、労働基準法第百二条の規定、労働安全衛生法第九十二条の規定、船員法第三十七条及び第百八条中勤務条件に関する部分の規定並びに船員災害防止活動の促進に関する法律第六十二条の規定並びにこれらの規定に基づく命令の規定は、地方公共団体の行う労働基準法別表第一第一号から第十号まで及び第十三号から第十五号までに掲げる事業に従事する職員に、同法第七十五条から第八十八条まで及び船員法第八十九条から第九十六条までの規定は、地方公務員災害補償法（昭和四十二年法律第百二十一号）第二条第一項に規定する者以外の職員に関しては適用する。

4　職員に関しては、労働基準法第三十二条の二第一項中「使用者は、当該事業場に、労働者の過半数で組織する労働組合がある場合においてはその労働組合、労働者の過半数で組織する労働組合がない場合においては労働者の過半数を代表する者との書面による協定により、又は」とあるのは「使用者は、」と、同法第三十四条第二項ただし書中「当該事業場に、労働者の過半数で組織する労働組合がある場合においてはその労働組合、労働者の過半数で組織する労働組合がない場合においては労働者の過半数を代表する者との書面による協定があるときは」とあるのは「条例に特別の定めがある場合は」と、同法第三十七条第三項中「使用者が、当該事業場に、労働者の過半数で組織する労働組合があるときはその労働組合、労働者の過半数で組織する労働組合がないときは労働者の過半数を代表する者との書面による協定により」とあるのは「使用者が」と、同法第三十九条第四項中「当該事業場に、労働者の過半数で組織する労働組合があるときはその労働組合、労働者の過半数で組織する労働組合がないときは労働者の過半数を代表する者との書面による協定により、次に掲げる事項を定めた場合において、第一号に掲げる労働者の範囲に属する労働者が有給休暇を時間を単位として請求したときは、前三項の規定による有給休暇の日数のうち第二号に掲げる日数については、これらの規定にかかわらず、当該協定で定めるところにより」とあるのは「前三項の規定にかかわらず、特に必要があると認められるときは、」とする。

5　労働基準法、労働安全衛生法、船員法及び船員災害防止活動の促進に関する法律の規定並びにこれらの規定に基づく命令の規定中第三項の規定により職員に関して適用されるものを適用する場合における職員の勤務条件に関する労働基準監督機関の職権は、地方公共団体の行う[2]労働基準法別表第一第一号から第十号まで及び第十三号から第十五号までに掲げる事業に従事する職員の場合を除き、人事委員会又はその委任を受けた人事委員会の委員（人事委員会を置かない地方公共団体においては、地方公共団体の長）が行うものとする。

【参照条文】【本条の特例―公企法三九1】

【実　例】

1）●農業試験場、種畜場、蚕業試験場及び水産試験場は研究調査を目的とするものであるが、それらが労働基準法第八条第十二号の事業に該当するか又は同条第六号若しくは第七号の事業に該当するかについては、それらの事業内容の実態に即して判定すべきものである。なお、現業の職員の範囲は、その機関に勤務するすべての職員であり、個々の職員の業務によつて分割することは認められない。（昭二六・五・一行実）

2）●人事委員会を置かない市町村の設置する学校教員に対する労働基準監督機関の職権は、当該市町村長が行なわなければならず、県人事委員会で取り扱うことはできない。（昭二六・一二・三行実）

●解雇予告除外事由の認定は、地方財政法第六条に規定する公営企業に従事する職員及び単純な労務に雇用される職員並びに労働基準法第八条第一号から第一〇号まで及び第一三号から第一五号までに掲げる事業に従事する職員の場合をそれぞれ除き、人事委員会又はその委任を受けた人事委員会の委員が行なうものと解する。（昭二六・一二・一二行実）

●県費負担教職員の労働基準監督機関は、当該職員の属する地方公共団体の人事委員会である。（昭三二・五・一四行実）

●人事委員会は、労働基準監督機関としての職権を行なうため、当該地方公共団体の事業又は事務所が労働基準法第八条第十一号、第十二号、第十六号及び第十七号に該当するかどうかを決定する権限を有する。

なお、人事委員会がこの号別を決定する際は、地方公務員法第八条第六項に基づく協定等により、労働基準局〔船員法適用の職員に関しては、地方海運局（必要に応じ、労働基準局を含む。）〕と協議することが適当である。（昭三八・六・三行実）

（人事行政の運営等の状況の公表）

第五十八条の二 任命権者は、次条に規定するもののほか、条例で定めるところにより、毎年、地方公共団体の長に対し、職員（臨時的に任用された職員及び非常勤職員（短時間勤務の職を占める職員及び第二十二条の二第一項第二号に掲げる職員を除く。）を除く。）の任用、人事評価、給与、勤務時間その他の勤務条件、休業、分限及び懲戒、服務、退職管理、研修並びに福祉及び利益の保護等人事行政の運営の状況を報告しなければならない。

2 人事委員会又は公平委員会は、条例で定めるところにより、毎年、地方公共団体の長に対し、業務の状況を報告しなければならない。

3 地方公共団体の長は、前二項の規定による報告を受けたときは、条例で定めるところにより、毎年、第一項の規定による報告を取りまとめ、その概要及び前項の規定による報告を公表しなければならない。

（等級等ごとの職員の数の公表）

第五十八条の三 任命権者は、第二十五条第四項に規定する等級及び職員の職の属する職制上の段階ごとに、職員の数を、毎年、地方公共団体の長に報告しなければならない。

2 地方公共団体の長は、毎年、前項の規定による報告を取りまとめ、公表しなければならない。

（総務省の協力及び技術的助言）

第五十九条 総務省は、地方公共団体の人事行政がこの法律によつて確立される地方公務員制度の原則に沿つて運営されるように協力し、及び技術的助言をすることができる。

【参照条文】
※ 自治法二四五～二五〇の六

第五章 罰則

注 次条中、点線の左側は、令和四年六月一七日から起算して三年を超えない範囲内において政令で定める日〔令七・六・一〕から施行となる。

（罰則）

第六十条 次の各号のいずれかに該当する者は、一年以下の懲役（拘禁刑）又は五十万円以下の罰金に処する。

一 第十三条の規定に違反して差別をした者

二 第三十四条第一項又は第二項の規定（第九条の二第十二項において準用する場合を含む。）に違反して秘密を漏らした者

三 第五十条第三項の規定による人事委員会又は公平委員会の指示に故意に従わなかつた者

四 離職後二年を経過するまでの間に、離職前五年間に在職していた地方公共団体の執行機関の組織等に属する役職員又はこれに類する者として人事委員会規則で定めるものに対し、契約等事務であつて離職前五年間の職務に属するものに関し、職務上不正な行為をするように、又は相当の行為をしないように要求し、又は依頼した再就職者

五 地方自治法第百五十八条第一項に規定する普通地方公共団体の長の直近下位の内部組織の長又はこれに準ずる職であつて人事委員会規則で定めるものに離職した日の五年前の日より前に就いていた者であつて、離職後二年を経過するまでの間に、当該職に就いていた時に在職していた地方公共団体の執行機関の組織等に属する役職員又はこれに類する者として人事委員会規則で定めるものに対し、契約等事務であつて離職した日の五年前の日より前の職務（当該職に就いていたときの職務に限る。）に属するものに関し、職務上不正な行為をするように、又は相当の行為をしないように要求し、又は依頼した再就職者

六 在職していた地方公共団体の執行機関の組織等に属する役職員又はこれに類する者として人事委員会規則で定めるものに対し、当該地方公共団体若しくは当該特定地方独立行政法人と営利企業等（再就職者が現にその地位に就いているものに限る。）若しくはその子法人との間の契約であつて当該地方公共団体若しくは当該特定地方独立行政法人においてその締結について自らが決定したもの又は当該地方公共団体若しくは当該特定地方独立行政法人による当該営利企業等若しくはその子法人に対する行政手続法第二条第二号に規定する処分であつて自らが決定したものに関し、職務上不正な行為をするように、又は相当の行為をしないように要求し、又は依頼した再就職者

七 国家行政組織法第二十一条第一項に規定する部長又は課長の職に相当する職として人事委員会規則で定めるものに離職した日の五年前の日より前に就いていた者であつて、離職後二年を経過するまでの間に、当該

職に就いていた時に在職していた地方公共団体の執行機関の組織等に属する役職員又はこれに類する者として人事委員会規則で定めるものに対し、契約等事務であつて離職した日の五年前の日より前の職務（当該職に就いていたときの職務に限る。）に属するものに関し、職務上不正な行為をするように、又は相当の行為をしないように要求し、又は依頼した再就職者（第三十八条の二第八項の規定に基づき条例を定めている地方公共団体の再就職者に限る。）

八　第四号から前号までに掲げる再就職者から要求又は依頼（地方独立行政法人法第五十条の二において準用する第四号から前号までに掲げる要求又は依頼を含む。）を受けた職員であつて、当該要求又は依頼を受けたことを理由として、職務上不正な行為をし、又は相当の行為をしなかつた者

【参照条文】
※　国公法一〇九

注　次条中、点線の左側と点線の囲み部分は、令和四年六月一七日から起算して三年を超えない範囲内において政令で定める日〔令七・六・一〕から施行となる。

第六十一条　次の各号のいずれかに該当する者は、三年以下の懲役〔拘禁刑〕又は百万円以下の罰金に処する。

一　第五十条第一項に規定する権限の行使に関し、第八条第六項の規定により人事委員会若しくは公平委員会から証人として喚問を受け、正当な理由がなくてこれに応ぜず、若しくは虚偽の陳述をした者又は同項の規定により人事委員会若しくは公平委員会から書類若しくはその写の提出を求められ、正当な理由がなくてこれに応ぜず、若しくは虚偽の事項を記載した書類若しくはその写を提出した者

二　第十五条の規定に違反して任用した者

三　第十八条の三（第二十一条の四第四項において準用する場合を含む。）の規定に違反して受験を阻害し、又は情報を提供した者

四　削除

四　何人たるを問わず、第三十七条第一項前段に規定する違法な行為の遂行を共謀し、唆し、若しくはあおり、又はこれらの行為を企てた者

五　第四十六条の規定による勤務条件に関する措置の要求の申出を故意に妨げた者

【参照条文】
※　国公法一一〇

【判　例】
※　●公務員の争議行為が国民全体又は地方住民全体の共同利益のために制約されるのは、それが業務の正常な運営を阻害する集団的かつ組織的な労務不提供等の行為として反公共性をもつからであるところ、このような集団的かつ組織的な行為としての争議行為を成り立たせるものは、まさにその行為の遂行を共謀したり、そそのかしたり、あおつたりする行為であつて、これら共謀等の行為は、争議行為の原動力をなすもの、換言すれば、全体としての争議行為の中でもそれなくしては右の争議行為が成立しえないという意味においていわばその中核的地位を占めるものであり、このことは、争議行為がその都度集団行為として組織され、遂行される場合ばかりでなく、すでに組織体として存在する労働組合の内部においてあらかじめ定められた団体意思決定の過程を経て決定され、遂行される場合においても異なるところはないのである。それ故、法が、共謀、そそのかし、あおり等の行為のもつ右のような性格に着目してこれを社会的に責任の重いものと評価し、当該組合に所属する者であると否とを問わず、このような行為をした者に対して違法な争議行為の防止のために特に処罰の必要性を認め、罰則を設けることには十分合理性があり、これをもつて憲法第一八条、第二八条に違反するものとすることができない。（昭五一・五・二一最裁判）

※　●いわゆる岩手県教組事件判決（最高裁昭和四四年(あ)第一二七五号同五一年五月二一日大法廷判決）は、地方公務員法六一条四号の合憲性を説示するに当たり、「これら共謀等の行為は、争議行為の原動力をなすもの、換言すれば、全体としての争議行為の中でもそれなくしては右の争議行為が成立しえないという意味においていわばその中核的地位を占める」旨を説示しているが、右説示は、同号に定める共謀等の行為全体を争議行為そのものと対比した場合において、前者が後者にとつて一般に不可欠の性質を有する点を指摘したものであり、共謀等の行為が同時に又は順を追つて併存する場合において、争議行為に対して原動力となる共謀等の行為が一つ存在すれば、それゆえに他の共謀等の行為の原動力性が否定されるなどという趣旨を含むものではなく、原判決があおりの企てに当たるためには、当該行為が原動力性を有する唯一の行為であることを要するかのようにいう点は、失当である。（平元・一二・一八最裁判）

第六十二条　第六十条第二号又は前条第一号から第三号まで若しくは第五号に掲げる行為を企て、命じ、故意にこ

れを容認し、そそのかし、又はそのほう助をした者は、それぞれ各本条の刑に処する。

【参照条文】
※ 国公法一一一

㊟ 次条は、令和四年六月一七日から起算して三年を超えない範囲内において政令で定める日〔令七・六・一〕から削られる。

第六十二条の二 何人たるを問わず、第三十七条第一項前段に規定する違法な行為の遂行を共謀し、唆し、若しくはあおり、又はこれらの行為を企てた者は、三年以下の禁錮又は百万円以下の罰金に処する。

㊟ 次条中、点線の左側は、令和四年六月一七日から起算して三年を超えない範囲内において政令で定める日〔令七・六・一〕から施行となる。

第六十三条 次の各号のいずれかに該当する者は、三年以下の懲役（拘禁刑）に処する。ただし、刑法（明治四十年法律第四十五号）に正条があるときは、刑法による。

一 職務上不正な行為（当該職務上不正な行為が、営利企業等に対し、他の役職員をその離職後に、若しくは役職員であつた者を、当該営利企業等若しくはその子法人の地位に就かせることを目的として、当該役職員若しくは役職員であつた者に関する情報を提供し、若しくは当該地位に関する情報の提供を依頼し、若しくは当該役職員若しくは役職員であつた者を当該地位に就かせることを要求し、若しくは依頼する行為、又は営利企業等に対し、離職後に当該営利企業等若しくはその子法人の地位に就くことを目的として、自己に関する情報を提供し、若しくは当該地位に関する情報の提供を依頼し、若しくは当該地位に就くことを要求し、若しくは約束する行為である場合における当該職務上不正な行為を除く。次号において同じ。）をすること若しくはしたこと、又は相当の行為をしないこと若しくはしなかつたことに関し、営利企業等に対し、離職後に当該営利企業等若しくはその子法人の地位に就くこと、又は他の役職員をその離職後に、若しくは役職員であつた者を、当該営利企業等若しくはその子法人の地位に就かせることを要求し、又は約束した職員

二 職務に関し、他の役職員に職務上不正な行為をするように、又は相当の行為をしないように要求し、依頼し、若しくは唆すこと、又は要求し、依頼し、若しくは唆したことに関し、営利企業等に対し、離職後に当該営利企業等若しくはその子法人の地位に就くこと、又は他の役職員をその離職後に、若しくは役職員であつた者を、当該営利企業等若しくはその子法人の地位に就かせることを要求し、又は約束した職員

三 前号（地方独立行政法人法第五十条の二において準用する場合を含む。）の不正な行為をするように、又は相当の行為をしないように要求し、依頼し、又は唆した行為の相手方であつて、同号（同条において準用する場合を含む。）の要求又は約束があつたことの情を知つて職務上不正な行為をし、又は相当の行為をしなかつた職員

【参照条文】
※ 国公法一一二

第六十四条 第三十八条の二第一項、第四項又は第五項の規定（同条第八項の規定に基づく条例が定められているときは、当該条例の規定を含む。）に違反して、役職員又はこれらの規定に規定する役職員に類する者として人事委員会規則で定めるものに対し、契約等事務に関し、職務上の行為をするように、又はしないように要求し、又は依頼した者（不正な行為をするように、又は相当の行為をしないように要求し、又は依頼した者を除く。）は、十万円以下の過料に処する。

【参照条文】
※ 国公法一一三

第六十五条 第三十八条の六第二項の条例には、これに違反した者に対し、十万円以下の過料を科する旨の規定を設けることができる。

【参照条文】
※ 国公法一一三

附　則（抄）

（施行期日）

1 この法律の規定中、第十五条及び第十七条から第二十三条までの規定並びに第六十一条第二号及び第三号の罰則並びに第六十二条中第六十一条第二号及び第三号に関する部分は、都道府県及び地方自治法第百五十五条第二項の市にあつてはこの法律公布の日から起算して二年を経過した日から、その他の地方公共団体にあつてはこの法律公布の日から起算して二年六月を経過した日からそれぞれ施行し、第二十七条から第二十九条まで及び第四十六条から第五十一条までの規定並びに第六十条第三

号、第六十一条第一号及び同条第五号の罰則並びに第六十二条中第六十一条第一号及び第五号に関する部分は、この法律公布の日から起算して八月を経過した日から施行し、その他の規定は、この法律公布の日から起算して二月を経過した日から施行する。

2〜8 〔略〕

9 第十六条第三号の懲戒免職の処分には、当該地方公共団体において、地方公務員に関する従前の規定によりなされた懲戒免職の処分を含むものとする。

10 地方公務員に関する従前の規定により休職を命ぜられた者又は懲戒手続中の者若しくは懲戒処分を受けた者の休職又は懲戒に関しては、なお、従前の例による。

11 この法律公布の日から起算して六月を経過するまでの間は、第五十三条第一項中「人事委員会（人事委員会を置かない地方公共団体においては、地方公共団体の長とする。以下本節中同じ。）」及び「人事委員会」とあるのは「当該地方公共団体の長」と、同条第四項から第六項までのうち「人事委員会」とあるのは「当該地方公共団体の長」と、それぞれ読み替えるものとする。

12 この法律公布の日から起算して六月を経過するまでの間は、第五十四条第一項但書中「人事委員会」とあるのは「当該地方公共団体の長」と読み替えるものとする。

13 第五十八条第一項の規定施行の際現に存する労働組合でその主たる構成員が職員であるものは、この法律公布の日から起算して四月以内に第五十三条第一項の規定による登録の申請をしなければならない。この場合において、地方公共団体の長は、申請を受理した日から一月以内に第五十三条第一項の規定による登録をした旨又はしない旨の通知をしなければならない。

14 第五十八条第一項の規定施行の際現に存する労働組合でその主たる構成員が職員であるもののうち、前項の規定による登録の申請をしないものの取扱については、この法律公布の日から起算して四月を経過するまでの間、同項の規定による登録の申請をしたものの取扱については、同項の規定により登録をした旨又はしない旨の通知を受けるまでの間は、第五十八条第一項の規定にかかわらず、なお、従前の例による。

15 第五十八条第一項の規定施行の際現に存する法人である労働組合でその主たる構成員が職員であるものが第五十三条第一項の規定により登録されたときは、第五十四条第一項の法人である職員団体として設立されたものとみなす。

16 第五十八条第一項の規定施行の際現に存する労働組合で、附則第十三項の規定による登録の申請をしないものは、この法律公布の日から起算して四月を経過した日において、同項の規定による登録の申請をしたもののうち登録をしない旨の通知を受けたものは、この法律公布の日から起算して五月を経過した日において、それぞれ解散するものとする。

17 前二項の場合において必要な事項は、政令で定める。

18 第五十八条第一項及び第二項の規定施行前にしたこれらの規定に規定する法令の規定に違反する行為に対する罰則の適用については、これらの規定にかかわらず、なお、従前の例による。

19 この法律公布の日から起算して六月を経過するまでの間は、第五十八条第三項中「人事委員会又はその委任を受けた人事委員会の委員（人事委員会を置かない地方公共団体においては、地方公共団体の長）」とあるのは「地方公共団体の長」と読み替えるものとする。

（**職員が職員団体の役員として専ら従事することができる期間の特例**）

20 第五十五条の二の規定の適用については、職員の労働関係の実態にかんがみ、労働関係の適正化を促進し、もつて公務の能率的な運営に資するため、当分の間、同条第三項中「五年」とあるのは、「七年以下の範囲内で人事委員会規則又は公平委員会規則で定める期間」とする。

21 令和五年四月一日から令和十三年三月三十一日までの間における第二十八条の六第二項の条例で定める定年に関しては、国の職員につき定められている当該期間における定年に関する特例を基準として、条例で特例を定めるものとする。

22 第二十八条の六第三項の規定に基づき地方公共団体における当該職員の定年について条例で別の定めをしている場合には、令和五年四月一日から令和十三年三月三十一日までの間における当該定年に関し、条例で特例を定めることができる。この場合においては、国及び他の地方公共団体の職員との間に権衡を失しないように適当な考慮が払われなければならない。

23 任命権者は、当分の間、職員（臨時的に任用される職員その他の法律により任期を定めて任用される職員、非常勤職員その他この項の規定による情報の提供及び意思の確認を行わない職員として条例で定める職員を除く。以下この項において同じ。）が条例で定める年齢に達する日の属する年度の前年度（当該前年度に職員でなかつた者その他の当該前年度においてこの項の規定による情報の提供及び意思の確認を行うことができない職員として条例で定める職員にあつては、条例で定める期間）において、当該職員に対し、条例で定めるところにより、当該職員が当該条例で定める年齢に達する日以後に適用される任用及び給与に関する措置の内容その他の必要な

地公法

情報を提供するものとするとともに、同日の翌日以後における勤務の意思を確認するよう努めるものとする。

24　前項の情報の提供及び意思の確認を行わない職員として条例で定める職員は、国家公務員法附則第九条に規定する情報の提供及び意思の確認を行わない職員を基準として定めるものとする。

25　附則第二十三項の条例で定める年齢は、国の職員につき定められている国家公務員法附則第九条に規定する年齢を基準として定めるものとする。

26　地方公務員法の一部を改正する法律（令和三年法律第六十三号）による改正前の第二十八条の二第二項及び第三項の規定に基づく定年の引上げに伴う給与に関する特例措置により降給をする場合における第四十九条第一項の規定の適用については、同項ただし書中「又は他の職への降任等に伴い降給をする場合」とあるのは、「、他の職への降任等に伴い降給をする場合又は地方公務員法の一部を改正する法律（令和三年法律第六十三号）による改正前の第二十八条の二第二項及び第三項の規定に基づく定年の引上げに伴う給与に関する特例措置により降給をする場合」とする。

附　則（平一一・七・二二法一〇七）（抄）

（施行期日）

第一条　この法律は、平成十三年四月一日から施行する。ただし、次の各号に掲げる規定は、当該各号に定める日から施行する。

一　次条の規定　公布の日

二　第一条中地方公務員法第二十九条の改正規定（同条第一項の次に二項を加える部分（同条第三項に係る部分を除く。）に限る。）及び附則第三条第一項の規定　公布の日から起算して三月を超えない範囲内において政令で定める日〔平一一・一〇・二〕

（懲戒処分に関する経過措置）

第三条　新法第二十九条第二項の規定は、同項に規定する退職が附則第一条第二号の政令で定める日以後である職員について適用する。この場合において、同日前に同項に規定する先の退職がある職員については、当該先の退職の前の職員としての在職期間は、同項に規定する要請に応じた退職前の在職期間には含まれないものとする。

2　新法第二十九条第三項の規定は、同項の定年退職者等となつた日がこの法律の施行の日（以下「施行日」という。）以後である職員について適用する。この場合において、附則第一条第二号の政令で定める日前に新法第二十九条第二項に規定する退職又は先の退職がある職員については、これらの退職の前の職員としての在職期間は、同条第三項の定年退職者等となつた日までの引き続く職員としての在職期間には含まれないものとする。

（特定警察職員等への適用期日）

第五条　地方公務員等共済組合法（昭和三十七年法律第百五十二号）附則第十八条の二第一項第一号に規定する特定警察職員等（次条において「特定警察職員等」という。）である者については、施行日から平成十九年四月一日までの間において条例で定める日から、新法第二十八条の四から第二十八条の六までの規定を適用する。

（任期の末日に関する特例）

第六条　平成二十五年三月三十一日（特定警察職員等である職員にあつては、平成三十一年三月三十一日）までの間における新法第二十八条の四第三項（新法第二十八条の五第二項及び第二十八条の六第三項において準用する場合を含む。）の条例で定める年齢に関しては、国の職員につき定められている任期の末日に関する特例を基準として、条例で特例を定めるものとする。

附　則（平二六・五・一四法三四）（抄）

改正　平二六・五・三〇法四二

（施行期日）

第一条　この法律は、公布の日から起算して二年を超えない範囲内において政令で定める日〔平二八・四・一〕から施行する。ただし、〔中略〕次条及び附則第六条の規定は、公布の日から施行する。

（準備行為）

第二条　第一条の規定による改正後の地方公務員法（以下「新法」という。）第十五条の二第一項第五号に規定する標準職務遂行能力及び同号の標準的な職並びに新法第二十三条の二第二項に規定する人事評価の基準及び方法に関する事項その他人事評価に関し必要な事項を定めるに当たつて必要な手続その他の行為は、この法律の施行の日（以下「施行日」という。）前においても、新法第十五条の二並びに第二十三条の二第二項及び第三項の規定の例により行うことができる。

2　〔略〕

（地方公務員法の一部改正に伴う経過措置）

第三条　第一条の規定による改正前の地方公務員法（以下この条において「旧法」という。）第四十条第一項の規定により施行日前の直近の勤務成績の評定が行われた日から起算して一年を経過する日までの間は、新法第三章第三節の規定にかかわらず、任命権者は、なお従前の例により、勤務成績の評定を行うことができる。

2　任命権者が、職員をその職員が現に任命されている職の置かれる機関（地方自治法（昭和二十二年法律第六十七号）第百五十五条第一項に規定する支庁、地方事務所、支所及び出張所、同法第百五十六条第一項に規定する行政機関、同法第二百二条の四第三項に規定する地域自治区の事務所、同法第二百四十四条第一項に規定する公の施設、同法第二百五十二条の二十第一項に規定する区の事務所及びその出張所並びに同法第二百五十二条の二十の二第一項に規定する総合区の事務所及びその出張所をいう。以下この項において同じ。）と規模の異なる他の機関であって所管区域の単位及び種類を同じくするものに置かれる職であって当該任命されている職より一段階上位又は一段階下位の職制上の段階に属するものに任命する場合において、当該任命が従前の例によれば昇任又は降任に該当しないときは、当分の間、新法第十五条の二第一項の規定にかかわらず、これを同項第四号に規定する転任とみなす。

3　施行日前に旧法第二十一条第一項の規定により作成された採用候補者名簿であってこの法律の施行の際現に効力を有するものについては、新法第二十一条第一項の規定により作成された採用候補者名簿とみなす。

4　施行日前に旧法第二十一条第一項の規定により作成された昇任候補者名簿であってこの法律の施行の際現に効力を有するものについては、新法第二十一条の四第四項において読み替えて準用する新法第二十一条第一項の規定により作成された昇任候補者名簿とみなす。

5　施行日前に旧法によって行われた不利益処分に関する説明書の交付、不服申立て及び審査については、なお従前の例による。

（**処分等の効力**）

第四条　この法律の施行前にこの法律による改正前のそれぞれの法律（これに基づく命令を含む。）の規定によってした又はすべき処分、手続、通知その他の行為であって、この法律による改正後のそれぞれの法律（これに基づく命令を含む。以下この条において「新法令」という。）の規定に相当の規定があるものは、法令に別段の定めのあるものを除き、新法令の相当の規定によってした又はすべき処分、手続、通知その他の行為とみなす。

（**罰則に関する経過措置**）

第五条　この法律の施行前にした行為に対する罰則の適用については、なお従前の例による。

（**その他の経過措置**）

第六条　この附則に規定するもののほか、この法律の施行に関し必要な経過措置（罰則に関する経過措置を含む。）は、政令で定める。

附　則（平二六・六・一三法六九）（抄）

（**施行期日**）

第一条　この法律は、行政不服審査法（平成二十六年法律第六十八号）の施行の日〔平二八・四・一〕から施行する。

（**経過措置の原則**）

第五条　行政庁の処分その他の行為又は不作為についての不服申立てであってこの法律の施行前にされた行政庁の処分その他の行為又はこの法律の施行前にされた申請に係る行政庁の不作為に係るものについては、この附則に特別の定めがある場合を除き、なお従前の例による。

（**訴訟に関する経過措置**）

第六条　この法律による改正前の法律の規定により不服申立てに対する行政庁の裁決、決定その他の行為を経た後でなければ訴えを提起できないこととされる事項であって、当該不服申立てを提起しないでこの法律の施行前にこれを提起すべき期間を経過したもの（当該不服申立てが他の不服申立てに対する行政庁の裁決、決定その他の行為を経た後でなければ提起できないとされる場合にあっては、当該他の不服申立てを提起しないでこの法律の施行前にこれを提起すべき期間を経過したものを含む。）の訴えの提起については、なお従前の例による。

2　この法律の規定による改正前の法律の規定（前条の規定によりなお従前の例によることとされる場合を含む。）により異議申立てが提起された処分その他の行為であって、この法律の規定による改正後の法律の規定により審査請求に対する裁決を経た後でなければ取消しの訴えを提起することができないこととされるものの取消しの訴えの提起については、なお従前の例による。

3　不服申立てに対する行政庁の裁決、決定その他の行為の取消しの訴えであって、この法律の施行前に提起されたものについては、なお従前の例による。

（**罰則に関する経過措置**）

第九条　この法律の施行前にした行為並びに附則第五条及び前二条の規定によりなお従前の例によることとされる場合におけるこの法律の施行後にした行為に対する罰則の適用については、なお従前の例による。

（**その他の経過措置の政令への委任**）

第十条　附則第五条から前条までに定めるもののほか、この法律の施行に関し必要な経過措置（罰則に関する経過措置を含む。）は、政令で定める。

附　則（平二九・五・一七法二九）（抄）

改正　令二・三・三一法一

（**施行期日**）

第一条　この法律は、令和二年四月一日から施行する。ただし、次条及び附則第四条の規定は、公布の日から施行する。

（**施行のために必要な準備等**）

第二条　第一条の規定による改正後の地方公務員法（次項

及び附則第十七条において「新地方公務員法」という。）の規定による地方公務員（地方公務員法第二条に規定する地方公務員をいう。同項において同じ。）の任用、服務その他の人事行政に関する制度及び第二条の規定による改正後の地方自治法（同項において「新地方自治法」という。）の規定による給与に関する制度の適正かつ円滑な実施を確保するため、任命権者（地方公務員法第六条第一項に規定する任命権者をいう。以下この項において同じ。）は、人事管理の計画的推進その他の必要な準備を行うものとし、地方公共団体の長は、任命権者の行う準備に関し必要な連絡、調整その他の措置を講ずるものとする。

2　総務大臣は、新地方公務員法の規定による地方公務員の任用、服務その他の人事行政に関する制度及び新地方自治法の規定による給与に関する制度の適正かつ円滑な実施を確保するため、地方公共団体に対して必要な資料の提出を求めることその他の方法により前項の準備及び措置の実施状況を把握した上で、必要があると認めるときは、当該準備及び措置について技術的な助言又は勧告をするものとする。

（臨時的任用に関する経過措置）

第三条　この法律の施行の日前に第一条の規定による改正前の地方公務員法（附則第十七条において「旧地方公務員法」という。）第二十二条第二項若しくは第五項の規定により行われた臨時的任用の期間又は同条第二項若しくは第五項の規定により更新された臨時的任用の期間の末日がこの法律の施行の日以後である職員（地方公務員法第四条第一項に規定する職員をいう。附則第十七条において同じ。）に係る当該臨時的任用（常時勤務を要する職に欠員を生じた場合に行われたものに限る。）については、なお従前の例による。

（政令への委任）

第四条　前三条〔中略〕に定めるもののほか、この法律の施行に関し必要な経過措置は、政令で定める。

附　則（平三〇・七・六法七一）（抄）

（施行期日）

第一条　この法律は、平成三十一年四月一日から施行する。〔ただし書略〕

附　則（令元・六・一四法三七）（抄）

（施行期日）

第一条　この法律は、公布の日から起算して三月を経過した日から施行する。ただし、次の各号に掲げる規定は、当該各号に定める日から施行する。

一　〔略〕

二　〔前略〕第四十二条から第四十八条まで〔中略〕の規定　公布の日から起算して六月を経過した日

三・四　〔略〕

附　則（令三・六・一一法六三）（抄）

（施行期日）

第一条　この法律は、令和五年四月一日から施行する。ただし、次条の規定は、公布の日から施行する。

（実施のための準備等）

第二条　この法律による改正後の地方公務員法（以下「新地方公務員法」という。）の規定による職員（地方公務員法第三条に規定する一般職に属する職員をいう。以下同じ。）の任用、分限その他の人事行政に関する制度の適正かつ円滑な実施を確保するため、任命権者（同法第六条第一項に規定する任命権者及びその委任を受けた者をいう。以下この項及び第三項並びに次条から附則第八条までにおいて同じ。）は、長期的な人事管理の計画的推進その他必要な準備を行うものとし、地方公共団体の長は、任命権者の行う準備に関し必要な連絡、調整その他の措置を講ずるものとする。

2　総務大臣は、新地方公務員法の規定による職員の任用、分限その他の人事行政に関する制度の適正かつ円滑な実施を確保するため、地方公共団体に対して必要な資料の提出を求めることその他の方法により前項の準備及び措置の実施状況を把握した上で、必要があると認めるときは、当該準備及び措置について技術的な助言又は勧告をするものとする。

3　任命権者は、この法律の施行の日（以下「施行日」という。）の前日までの間に、施行日から令和六年三月三十一日までの間に条例で定める年齢に達する職員（当該職員が占める職に係るこの法律による改正前の地方公務員法（以下「旧地方公務員法」という。）第二十八条の二第二項の規定に基づく定年が当該条例で定める年齢である職員に限る。）に対し、新地方公務員法附則第二十三項の規定の例により、当該職員が当該条例で定める年齢に達する日以後に適用される任用及び給与に関する措置の内容その他の必要な情報を提供するものとするとともに、同日の翌日以後における勤務の意思を確認するよう努めるものとする。

4　前項の条例で定める年齢は、国の職員につき定められている国家公務員法等の一部を改正する法律（令和三年法律第六十一号。次条及び附則第四条第四項において「令和三年国家公務員法等改正法」という。）附則第二条第二項に規定する年齢を基準として定めるものとする。

（定年前再任用短時間勤務職員等に関する経過措置）

第三条　新地方公務員法第二十二条の四及び第二十二条の五の規定は、施行日以後に退職した新地方公務員法第二十二条の四第一項に規定する条例年齢以上退職者について適用する。

2　前項に定めるもののほか、施行日から令和十四年三月三十一日までの間における新地方公務員法第二十二条の四及び第二十二条の五の規定の適用に関し必要な経過措置は、令和三年国家公務員法等改正法附則第三条第二項の規定を基準として、条例で定めるものとする。

3　平成十一年十月一日前に新地方公務員法第二十九条第二項に規定する退職又は先の退職がある新地方公務員法第二十二条の四第三項に規定する定年前再任用短時間勤務職員（以下「定年前再任用短時間勤務職員」という。）について、新地方公務員法第二十九条第三項の規定を適用する場合には、同項に規定する引き続く職員としての在職期間には、同日前の当該退職又は先の退職の前の職員としての在職期間を含まないものとする。

4　次条第一項若しくは第二項又は附則第六条第一項若しくは第二項の規定により採用された職員（次条第二項第四号に掲げる者に該当して採用された職員を除く。）として在職していた期間がある定年前再任用短時間勤務職員に対する新地方公務員法第二十九条第三項の規定の適用については、同項中「又は」とあるのは、「又は地方公務員法の一部を改正する法律（令和三年法律第六十三号）附則第四条第一項若しくは第二項若しくは附則第六条第一項若しくは第二項の規定によりかつて採用されて職員として在職していた期間若しくは」とする。

5　施行日前に旧地方公務員法第二十八条の三第一項又は第二項の規定により勤務することとされ、かつ、旧地方公務員法勤務延長期限（同条第一項の期限又は同条第二項の規定により延長された期限をいう。以下この項及び次項において同じ。）が施行日以後に到来する職員（次項において「旧地方公務員法勤務延長職員」という。）に係る当該旧地方公務員法勤務延長期限までの間における同条第一項又は第二項の規定による勤務については、新地方公務員法第二十八条の七の規定にかかわらず、なお従前の例による。

6　任命権者は、旧地方公務員法勤務延長職員について、旧地方公務員法勤務延長期限又はこの項の規定により延長された期限が到来する場合において、新地方公務員法第二十八条の七第一項各号に掲げる事由があると認めるときは、条例で定めるところにより、これらの期限の翌日から起算して一年を超えない範囲内で期限を延長することができる。ただし、当該期限は、当該旧地方公務員法勤務延長職員に係る旧地方公務員法第二十八条の二第一項に規定する定年退職日の翌日から起算して三年を超えることができない。

7　新地方公務員法第二十八条の二第一項の規定は、施行日において第五項の規定により同条第一項に規定する管理監督職を占めたまま引き続き勤務している職員には適用しない。

8　前三項に定めるもののほか、施行日から令和十四年三月三十一日までの間における新地方公務員法第二十八条の七第一項若しくは第二項の規定又は第五項若しくは第六項の規定による勤務に関し必要な経過措置は、令和三年国家公務員法等改正法附則第三条第九項の規定を基準として、条例で定めるものとする。

9　第五項から前項までに定めるもののほか、第五項又は第六項の規定による勤務に関し必要な事項は、条例で定める。

（定年退職者等の再任用に関する経過措置）

第四条　任命権者は、当該任命権者の属する地方公共団体における次に掲げる者のうち、条例で定める年齢（第四項において「特定年齢」という。）に達する日以後における最初の三月三十一日（以下「特定年齢到達年度の末日」という。）までの間にある者であって、当該者を採用しようとする常時勤務を要する職に係る旧地方公務員法第二十八条の二第二項及び第三項の規定に基づく定年（施行日以後に設置された職その他の条例で定める職にあっては、条例で定める年齢）に達している者を、条例で定めるところにより、従前の勤務実績その他の人事委員会規則（地方公務員法第九条第二項に規定する競争試験等を行う公平委員会（以下この項及び次条第二項において「競争試験等を行う公平委員会」という。）を置く地方公共団体においては公平委員会規則、人事委員会及び競争試験等を行う公平委員会を置かない地方公共団体においては地方公共団体の規則。以下同じ。）で定める情報に基づく選考により、一年を超えない範囲内で任期を定め、当該常時勤務を要する職に採用することができる。

一　施行日前に旧地方公務員法第二十八条の二第一項の規定により退職した者

二　旧地方公務員法第二十八条の三第一項若しくは第二項又は前条第五項若しくは第六項の規定により勤務した後退職した者

三　施行日前に退職した者（前二号に掲げる者を除く。）のうち、勤続期間その他の事情を考慮して前二号に掲げる者に準ずる者として条例で定める者

2　令和十四年三月三十一日までの間、任命権者は、当該任命権者の属する地方公共団体における次に掲げる者のうち、特定年齢到達年度の末日までの間にある者であって、当該者を採用しようとする常時勤務を要する職に係

る新地方公務員法定年（新地方公務員法第二十八条の六第二項及び第三項の規定に基づく定年をいう。次条第三項及び第四項において同じ。）に達している者を、条例で定めるところにより、従前の勤務実績その他の人事委員会規則で定める情報に基づく選考により、一年を超えない範囲内で任期を定め、当該常時勤務を要する職に採用することができる。

一 施行日以後に新地方公務員法第二十八条の六第一項の規定により退職した者

二 施行日以後に新地方公務員法第二十八条の七第一項又は第二項の規定により勤務した後退職した者

三 施行日以後に新地方公務員法第二十二条の四第一項の規定により採用された者のうち、同条第三項に規定する任期が満了したことにより退職した者

四 施行日以後に新地方公務員法第二十二条の五第一項又は第二項の規定により採用された者のうち、同条第三項において準用する新地方公務員法第二十二条の四第三項に規定する任期が満了したことにより退職した者

五 施行日以後に退職した者（前各号に掲げる者を除く。）のうち、勤続期間その他の事情を考慮して前各号に掲げる者に準ずる者として条例で定める者

3 前二項の任期又はこの項の規定により更新された任期は、条例で定めるところにより、一年を超えない範囲内で更新することができる。ただし、当該任期の末日は、前二項の規定により採用する者又はこの項の規定により任期を更新する者の特定年齢到達年度の末日以前でなければならない。

4 特定年齢は、国の職員につき定められている令和三年国家公務員法等改正法附則第四条第一項に規定する年齢を基準として定めるものとする。

5 第一項及び第二項の規定による採用については、新地方公務員法第二十二条の規定は、適用しない。

第五条 地方公共団体の組合を組織する地方公共団体の任命権者は、前条第一項の規定によるほか、当該地方公共団体の組合における同項各号に掲げる者のうち、特定年齢到達年度の末日までの間にある者であって、当該者を採用しようとする常時勤務を要する職に係る旧地方公務員法第二十八条の二第二項及び第三項の規定に基づく定年（施行日以後に設置された職その他の条例で定める職にあっては、条例で定める年齢）に達している者を、条例で定めるところにより、従前の勤務実績その他の人事委員会規則で定める情報に基づく選考により、一年を超えない範囲内で任期を定め、当該常時勤務を要する職に採用することができる。

2 地方公共団体の組合の任命権者は、前条第一項の規定によるほか、当該地方公共団体の組合を組織する地方公共団体における同項各号に掲げる者のうち、特定年齢到達年度の末日までの間にある者であって、当該者を採用しようとする常時勤務を要する職に係る旧地方公務員法第二十八条の二第二項及び第三項の規定に基づく定年（施行日以後に設置された職その他の条例で定める職にあっては、条例で定める年齢）に達している者を、条例で定めるところにより、従前の勤務実績その他の地方公共団体の組合の規則（競争試験等を行う公平委員会を置く地方公共団体の組合においては、公平委員会規則。第四項及び附則第七条において同じ。）で定める情報に基づく選考により、一年を超えない範囲内で任期を定め、当該常時勤務を要する職に採用することができる。

3 令和十四年三月三十一日までの間、地方公共団体の組合を組織する地方公共団体の任命権者は、前条第二項の規定によるほか、当該地方公共団体の組合における同項各号に掲げる者のうち、特定年齢到達年度の末日までの間にある者であって、当該者を採用しようとする常時勤務を要する職に係る新地方公務員法定年に達している者を、条例で定めるところにより、従前の勤務実績その他の人事委員会規則で定める情報に基づく選考により、一年を超えない範囲内で任期を定め、当該常時勤務を要する職に採用することができる。

4 令和十四年三月三十一日までの間、地方公共団体の組合の任命権者は、前条第二項の規定によるほか、当該地方公共団体の組合を組織する地方公共団体における同項各号に掲げる者のうち、特定年齢到達年度の末日までの間にある者であって、当該者を採用しようとする常時勤務を要する職に係る新地方公務員法定年に達している者を、条例で定めるところにより、従前の勤務実績その他の地方公共団体の組合の規則で定める情報に基づく選考により、一年を超えない範囲内で任期を定め、当該常時勤務を要する職に採用することができる。

5 前各項の場合においては、前条第三項及び第五項の規定を準用する。

第六条 任命権者は、新地方公務員法第二十二条の四第四項の規定にかかわらず、当該任命権者の属する地方公共団体における附則第四条第一項各号に掲げる者のうち、特定年齢到達年度の末日までの間にある者であって、当該者を採用しようとする短時間勤務の職（新地方公務員法第二十二条の四第一項に規定する短時間勤務の職をいう。附則第八条第二項を除き、以下同じ。）に係る旧地方公務員法定年相当年齢（短時間勤務の職を占める職員が、常時勤務を要する職でその職務が当該短時間勤務の

職と同種の職を占めているものとした場合における旧地方公務員法第二十八条の二第二項及び第三項の規定に基づく定年（施行日以後に設置された職その他の条例で定める職にあっては、条例で定める年齢）をいう。次条第一項及び第二項において同じ。）に達している者を、条例で定めるところにより、従前の勤務実績その他の人事委員会規則で定める情報に基づく選考により、一年を超えない範囲内で任期を定め、当該短時間勤務の職に採用することができる。

2　令和十四年三月三十一日までの間、任命権者は、新地方公務員法第二十二条の四第四項の規定にかかわらず、当該任命権者の属する地方公共団体における附則第四条第二項各号に掲げる者のうち、特定年齢到達年度の末日までの間にある者であって、当該者を採用しようとする短時間勤務の職に係る新地方公務員法定年相当年齢（短時間勤務の職を占める職員が、常時勤務を要する職でその職務が当該短時間勤務の職と同種の職を占めているものとした場合における新地方公務員法第二十八条の六第二項及び第三項の規定に基づく定年をいう。次条第三項及び第四項において同じ。）に達している者（新地方公務員法第二十二条の四第一項の規定により当該短時間勤務の職に採用することができる者を除く。）を、条例で定めるところにより、従前の勤務実績その他の人事委員会規則で定める情報に基づく選考により、一年を超えない範囲内で任期を定め、当該短時間勤務の職に採用することができる。

3　前二項の場合においては、附則第四条第三項及び第五項の規定を準用する。

第七条　地方公共団体の組合を組織する地方公共団体の任命権者は、前条第一項の規定によるほか、新地方公務員法第二十二条の五第三項において準用する新地方公務員法第二十二条の四第四項の規定にかかわらず、当該地方公共団体の組合における附則第四条第一項各号に掲げる者のうち、特定年齢到達年度の末日までの間にある者であって、当該者を採用しようとする短時間勤務の職に係る旧地方公務員法定年相当年齢に達している者を、条例で定めるところにより、従前の勤務実績その他の人事委員会規則で定める情報に基づく選考により、一年を超えない範囲内で任期を定め、当該短時間勤務の職に採用することができる。

2　地方公共団体の組合の任命権者は、前条第一項の規定によるほか、新地方公務員法第二十二条の五第三項において準用する新地方公務員法第二十二条の四第四項の規定にかかわらず、当該地方公共団体の組合を組織する地方公共団体における附則第四条第一項各号に掲げる者のうち、特定年齢到達年度の末日までの間にある者であって、当該者を採用しようとする短時間勤務の職に係る旧地方公務員法定年相当年齢に達している者を、条例で定めるところにより、従前の勤務実績その他の地方公共団体の組合の規則で定める情報に基づく選考により、一年を超えない範囲内で任期を定め、当該短時間勤務の職に採用することができる。

3　令和十四年三月三十一日までの間、地方公共団体の組合を組織する地方公共団体の任命権者は、前条第二項の規定によるほか、新地方公務員法第二十二条の五第三項において準用する新地方公務員法第二十二条の四第四項の規定にかかわらず、当該地方公共団体の組合における附則第四条第二項各号に掲げる者のうち、特定年齢到達年度の末日までの間にある者であって、当該者を採用しようとする短時間勤務の職に係る新地方公務員法定年相当年齢に達している者（新地方公務員法第二十二条の五第一項の規定により当該短時間勤務の職に採用することができる者を除く。）を、条例で定めるところにより、従前の勤務実績その他の人事委員会規則で定める情報に基づく選考により、一年を超えない範囲内で任期を定め、当該短時間勤務の職に採用することができる。

4　令和十四年三月三十一日までの間、地方公共団体の組合の任命権者は、前条第二項の規定によるほか、新地方公務員法第二十二条の五第三項において準用する新地方公務員法第二十二条の四第四項の規定にかかわらず、当該地方公共団体の組合を組織する地方公共団体における附則第四条第二項各号に掲げる者のうち、特定年齢到達年度の末日までの間にある者であって、当該者を採用しようとする短時間勤務の職に係る新地方公務員法定年相当年齢に達している者（新地方公務員法第二十二条の五第二項の規定により当該短時間勤務の職に採用することができる者を除く。）を、条例で定めるところにより、従前の勤務実績その他の地方公共団体の組合の規則で定める情報に基づく選考により、一年を超えない範囲内で任期を定め、当該短時間勤務の職に採用することができる。

5　前各項の場合においては、附則第四条第三項及び第五項の規定を準用する。

第八条　施行日前に旧地方公務員法第二十八条の四第一項、第二十八条の五第一項又は第二十八条の六第一項若しくは第二項の規定により採用された職員（以下この項及び次項において「旧地方公務員法再任用職員」という。）のうち、この法律の施行の際現に常時勤務を要する職を占める職員は、施行日に、附則第四条第一項の規定（旧地方公務員法第二十八条の六第一項又は第二項の規定により採用された職員のうち地方公共団体の組合を組織する地方公共団体の任命権者により採用された職員にあっては附則第五条第一項の規定、旧地方公務員法第二十八条の六第一項又は第二項の規定により採用された職員のうち地方公共団体の組合の任命権者により採用された職員にあっては附則第五条第二項の規定）により採用されたものとみなす。この場合において、当該採用されたものとみなされる職員の任期は、附則第四条第一項並びに第五条第一項及び第二項の規定にかかわらず、施行日における旧地方公務員法再任用職員としての任期の残任期間と同一の期間とする。

2 旧地方公務員法再任用職員のうち、この法律の施行の際現に旧地方公務員法第二十八条の五第一項に規定する短時間勤務の職を占める職員は、施行日に、附則第六条第一項の規定（旧地方公務員法第二十八条の六第一項又は第二項の規定により採用された職員のうち地方公共団体の組合を組織する地方公共団体の任命権者により採用された職員にあっては前条第一項の規定、旧地方公務員法第二十八条の六第一項又は第二項の規定により採用された職員のうち地方公共団体の組合の任命権者により採用された職員にあっては前条第二項の規定）により採用されたものとみなす。この場合において、当該採用されたものとみなされる職員の任期は、附則第六条第一項並びに前条第一項及び第二項の規定にかかわらず、施行日における旧地方公務員法再任用職員としての任期の残任期間と同一の期間とする。

3 任命権者は、附則第四条第一項、第五条第一項若しくは第二項若しくは第六条第一項又は前条第一項若しくは第二項の規定により採用した職員のうち当該職員を昇任し、降任し、又は転任しようとする常時勤務を要する職に係る旧地方公務員法第二十八条の二第二項及び第三項の規定に基づく定年（施行日以後に設置された職その他の条例で定める職にあっては、条例で定める年齢）に達した職員以外の職員及び附則第四条第二項、第五条第三項若しくは第四項若しくは第六条第二項又は前条第三項若しくは第四項の規定により採用した職員のうち当該職員を昇任し、降任し、又は転任しようとする常時勤務を要する職に係る新地方公務員法第二十八条の六第二項及び第三項の規定に基づく定年に達した職員以外の職員を、当該常時勤務を要する職に昇任し、降任し、又は転任することができない。

4 附則第四条から前条までの規定が適用される場合における新地方公務員法第二十二条の四第四項の規定の適用については、同項中「経過していない定年前再任用短時間勤務職員」とあるのは、「経過していない定年前再任用短時間勤務職員、地方公務員法の一部を改正する法律（令和三年法律第六十三号。以下この項において「令和三年地方公務員法改正法」という。）附則第四条第一項、第五条第一項若しくは第二項、第六条第一項又は第七条第一項若しくは第二項の規定により採用した職員のうち当該職員を昇任し、降任し、又は転任しようとする短時間勤務の職に係る旧地方公務員法定年相当年齢（短時間勤務の職を占める職員が、常時勤務を要する職でその職務が当該短時間勤務の職と同種の職を占めているものとした場合における令和三年地方公務員法改正法による改正前の第二十八条の二第二項及び第三項の規定に基づく定年（令和三年地方公務員法改正法の施行の日以後に設置された職その他の条例で定める職にあつては、条例で定める年齢）をいう。）に達している職員及び令和三年地方公務員法改正法附則第四条第二項、第五条第三項若しくは第四項、第六条第二項又は第七条第三項若しくは第四項の規定により採用した職員のうち当該職員を昇任し、降任し、又は転任しようとする短時間勤務の職に係る新地方公務員法定年相当年齢（短時間勤務の職を占める職員が、常時勤務を要する職でその職務が当該短時間勤務の職と同種の職を占めているものとした場合における第二十八条の六第二項及び第三項の規定に基づく定年をいう。）に達している職員」とする。

5 任命権者は、基準日（附則第四条から前条までの規定が適用される間における各年の四月一日（施行日を除く。）をいう。以下この項において同じ。）から基準日の翌年の三月三十一日までの間、基準日における新地方公務員法定年（新地方公務員法第二十八条の六第二項及び第三項の規定に基づく定年（短時間勤務の職にあっては、当該短時間勤務の職を占める職員が、常時勤務を要する職でその職務が当該短時間勤務の職と同種の職を占めているものとした場合における同条第二項及び第三項の規定に基づく定年）をいう。以下この項において同じ。）が基準日の前日における新地方公務員法定年を超える職及びこれに相当する基準日以後に設置された職その他の条例で定める職（以下この項において「新地方公務員法定年引上げ職」という。）に、附則第四条第二項各号に掲げる者のうち基準日の前日において同日における当該新地方公務員法定年引上げ職に係る新地方公務員法定年に達している者（当該条例で定める職にあっては、条例で定める者）を、同項、附則第五条第三項若しくは第四項若しくは第六条第二項又は前条第三項若しくは第四項の規定により採用しようとする場合には、当該者は当該者を採用しようとする新地方公務員法定年引上げ職に係る新地方公務員法定年に達しているものとみなして、これらの規定を適用し、新地方公務員法定年引上げ職に、附則第四条第二項、第五条第三項若しくは第四項若しくは第六条第二項又は前条第三項若しくは第四項の規定により採用された職員のうち基準日の前日において同日における当該新地方公務員法定年引上げ職に係る新地方公務員法定年に達している職員（当該条例で定める職にあっては、条例で定める職員）を、昇任し、降任し、又は転任しようとする場合には、当該職員は当該職員を昇任し、降任し、又は転任しようとする新地方公務員法定年引上げ職に係る新地方公務員法定年に達しているものとみなして、第三項の規定及び前項の規定により読み替えて適用する新地方公務員法第二十二条の四第四項の規定を適用する。

6　附則第四条第一項若しくは第二項又は第六条第一項若しくは第二項の規定により採用された職員（附則第四条第二項第四号に掲げる者に該当して採用された職員を除く。次項において同じ。）は、定年前再任用短時間勤務職員とみなして、新地方公務員法第二十九条第三項の規定を適用する。この場合において、同項中「（第二十二条の四第一項の規定により採用された職員に限る。以下この項において同じ。）」が、条例年齢以上退職者」とあるのは「が、地方公務員法の一部を改正する法律（令和三年法律第六十三号。以下この項において「令和三年地方公務員法改正法」という。）附則第四条第一項各号若しくは第二項第一号、第二号若しくは第五号に掲げる者となつた日若しくは同項第三号に掲げる者に該当する場合における条例年齢以上退職者」と、「又は」とあるのは「又は令和三年地方公務員法改正法による改正前の第二十八条の四第一項若しくは第二十八条の五第一項の規定によりかつて採用されて職員として在職していた期間、令和三年地方公務員法改正法附則第四条第一項若しくは第二項若しくは第六条第一項若しくは第二項の規定によりかつて採用されて職員として在職していた期間若しくは」とする。

7　平成十一年十月一日前に新地方公務員法第二十九条第二項に規定する退職又は先の退職がある附則第四条第一項若しくは第二項又は第六条第一項若しくは第二項の規定により採用された職員について、前項の規定により定年前再任用短時間勤務職員とみなして新地方公務員法第二十九条第三項の規定を適用する場合には、同項に規定する引き続く職員としての在職期間には、同日前の当該退職又は先の退職の前の職員としての在職期間を含まないものとする。

第九条　大学（教育公務員特例法（昭和二十四年法律第一号）第二条第一項に規定する公立学校であるものに限る。）の同条第二項に規定する教員への採用についての附則第四条から第七条までの規定の適用については、附則第四条第一項及び第二項中「任期を定め」とあるのは「教授会の議に基づき学長が定める任期をもって」と、同条第三項（附則第五条第五項、第六条第三項及び第七条第五項において準用する場合を含む。）中「範囲内で」とあるのは「範囲内で教授会の議に基づき学長が定める期間をもって」と、附則第五条第一項から第四項まで、第六条第一項及び第二項並びに第七条第一項から第四項までの規定中「任期を定め」とあるのは「教授会の議に基づき学長が定める任期をもって」とする。

2　暫定再任用職員（附則第四条第一項若しくは第二項、第五条第一項から第四項まで、第六条第一項若しくは第二項又は第七条第一項から第四項までの規定により採用された職員をいう。第七項において同じ。）に対する附則第十四条の規定による改正後のへき地教育振興法（昭和二十九年法律第百四十三号）第五条の二第一項の規定の適用については、同項中「第二項」とあるのは、「第二項、地方公務員法の一部を改正する法律（令和三年法律第六十三号）附則第四条第一項若しくは第二項、第五条第一項から第四項まで、第六条第一項若しくは第二項若しくは第七条第一項から第四項まで」とする。

3　地方教育行政の組織及び運営に関する法律（昭和三十一年法律第百六十二号）第三十七条第一項に規定する県費負担教職員に対する附則第四条及び第六条の規定の適用については、附則第四条第一項及び第二項並びに第六条第一項及び第二項中「当該任命権者の属する地方公共団体」とあるのは「市町村」と、「採用しようとする」とあるのは「採用しようとする当該市町村を包括する都道府県の区域内の市町村の」とする。

4　附則第四条第一項若しくは第二項又は第六条第一項若しくは第二項の規定により採用された職員に対する附則第十五条の規定による改正後の地方教育行政の組織及び運営に関する法律第四十七条の二第一項の規定の適用については、同項中「養護助教諭」とあるのは「養護助教諭（地方公務員法の一部を改正する法律（令和三年法律第六十三号）附則第四条第一項若しくは第二項又は第六条第一項若しくは第二項の規定により採用された者（以下この項において「暫定再任用職員」という。）を除く。）」と、「講師（同法」とあるのは「講師（暫定再任用職員及び地方公務員法」とする。

5　地方独立行政法人法（平成十五年法律第百十八号）第二条第二項に規定する特定地方独立行政法人の職員に対する附則第二条から第四条まで及び第六条並びに前条の規定の適用については、次の表の上欄に掲げるこれらの規定中同表の中欄に掲げる字句は、それぞれ同表の下欄に掲げる字句とする。

附則第二条第三項	に条例	に設立団体（地方独立行政法人法第六条第三項に規定する設立団体をいう。以下同じ。）の条例
	当該条例	当該設立団体の条例
附則第二条第四項及び第三条第二項	条例	設立団体の条例
附則第三条第六項	ときは、条例で定めるところにより	ときは
附則第三条第八項及び第九項	条例	設立団体の条例
附則第四条第一項	地方公共団体における	特定地方独立行政法人における
	条例	設立団体の条例
	人事委員会規則（地方公務員法第九条第二項に規定する競争試験等を行う公平委員会（以下この項及び次条第二項において「競争試験等を行う公平委員会」という。）を置く地方公共団体においては公平委員会規則、人事委員会及び競争試験等を行う公平委員会を置かない地方公共団体においては地方公共団体の規則。以下同じ。）	特定地方独立行政法人の規程
附則第四条第二項	地方公共団体	特定地方独立行政法人
	条例	設立団体の条例
	人事委員会規則	特定地方独立行政法人の規程
附則第四条第三項	条例	設立団体の条例
附則第六条第一項及び第二項	地方公共団体	特定地方独立行政法人
	条例	設立団体の条例
	人事委員会規則	特定地方独立行政法人の規程
附則第八条第三項から第五項まで	条例	設立団体の条例

6　設立団体が二以上である場合における前項の規定の適用については、前項の表附則第二条第三項の項中「設立団体（地方独立行政法人法第六条第三項に規定する設立団体をいう。以下同じ。）」とあるのは「地方独立行政法人法第百二十三条第四項の規定によりその条例を特定地方独立行政法人の職員に対して適用する旨が定款に定められた地方公共団体（以下「条例適用設立団体」という。）」と、「設立団体の条例」とあるのは「条例適用設立団体の条例」と、同表附則第二条第四項及び第三条第二項の項、附則第三条第八項及び第九項の項、附則第四条第一項の項、附則第四条第二項の項、附則第四条第三項の項、附則第六条第一項及び第二項の項及び附則第八条第三項から第五項までの項中「設立団体」とあるのは「条例適用設立団体」とする。

7　附則第四条から前条まで及び前各項に定めるもののほか、暫定再任用職員の任用その他暫定再任用職員に関し必要な事項は、条例で定める。

（**その他の経過措置の政令への委任**）

第十条　附則第三条から前条までに定めるもののほか、この法律の施行に関し必要な経過措置は、政令で定める。

（検討）

第十一条　政府は、国家公務員に係る管理監督職勤務上限年齢による降任等又は定年前再任用短時間勤務職員に関連する制度についての検討の状況に鑑み、必要があると認めるときは、地方公務員に係るこれらの制度について検討を行い、その結果に基づいて所要の措置を講ずるものとする。

附　則（令三・六・一六法七五）（抄）

（施行期日）

1　この法律は、公布の日から起算して二十日を経過した日から施行する。

附　則（令四・六・一七法六八）（抄）

（施行期日）

1　この法律は、刑法等一部改正法施行日〔令七・六・一〕から施行する。〔ただし書略〕

○単純な労務に雇用される一般職に属する地方公務員の範囲を定める政令

昭二六・二・一五
政　令　二　五

〔この政令は、地方公営企業労働関係法（昭和二七年七月法律第二八九号）で地方公務員法附則二一項が削除されたことに伴い失効になつたが、これに代る政令が制定されていないので参考に掲載した〕

内閣は、地方公務員法（昭和二十五年法律第二百六十一号）の施行に伴い、且つ、同法を実施するため、この政令を制定する。

地方公務員法附則第二十一項に規定する単純な労務に雇用される職員とは、一般職に属する地方公務員で左の各号の一に掲げる者の行う労務を行うもののうち技術者、監督者及び行政事務を担当する者以外の者をいう。

一　守衛、給仕、小使、運搬夫及び雑役夫
二　土木工夫、林業夫、農夫、牧夫、園丁及び動物飼育人
三　清掃夫、と殺夫及び葬儀夫
四　消毒夫及び防疫夫
五　船夫及び水夫
六　炊事夫、洗たく夫及び理髪夫
七　大工、左官、石工、電工、営繕工、配管工及びとび作業員
八　電話交換手、昇降機手、自動車運転手、機械操作手及び火夫
九　青写真工、印刷工、製本工、模型工、紡織工、製材工、木工及び鉄工
十　熔接工、塗装工、旋盤工、仕上組立工及び修理工
十一　前各号に掲げる者を除く外、これらの者に類する者

附　則

この政令は、公布の日から施行し、昭和二十六年二月十三日から適用する。

○外国の地方公共団体の機関等に派遣される一般職の地方公務員の処遇等に関する法律

昭六二・六・一二
法　七　八

最終改正　平一一・一二・二二法一六〇

（趣旨）

第一条　この法律は、国際協力等の目的で、外国の地方公共団体の機関、外国政府の機関等に派遣される職員（地方公務員法（昭和二十五年法律第二百六十一号）第四条第一項に規定する職員をいう。以下同じ。）の処遇等について定めるものとする。

（職員の派遣）

第二条　任命権者（地方公務員法第六条第一項に規定する任命権者をいう。以下同じ。）は、地方公共団体と外国の地方公共団体との間の合意若しくはこれに準ずるものに基づき又は次に掲げる機関の要請に応じ、これらの機関の業務に従事させるため、条例で定めるところにより、職員（条例で定める職員を除く。）を派遣することができる。

一　外国の地方公共団体の機関
二　外国政府の機関
三　我が国が加盟している国際機関
四　前三号に準ずる機関で、条例で定めるもの

2　任命権者は、前項の規定により職員を派遣する場合には、当該職員の同意を得なければならない。

（派遣職員の職等）

第三条　前条第一項の規定により派遣された職員（以下「派遣職員」という。）は、その派遣の期間中、派遣された時就いていた職又は派遣の期間中に異動した職を保有するが、職務に従事しない。

第四条　任命権者は、派遣職員についてその派遣の必要がなくなつたときは、速やかに当該職員を職務に復帰させなければならない。

2　派遣職員は、その派遣の期間が満了したときは、職務に復帰するものとする。

（派遣職員の業務上の災害に対する補償等）

第五条　派遣職員に関する地方公務員災害補償法（昭和四十二年法律第百二十一号）の規定の適用については、派遣先の機関の業務を公務とみなす。

2　派遣職員の派遣先の業務上の災害又は通勤による災害に対する補償に係る地方公務員災害補償法の規定による平均給与額については、同法第二条第四項から第十四項までの規定にかかわらず、総務省令で定める。

3　派遣職員の派遣先の業務上の災害又は通勤による災害に対し、地方公務員災害補償法の規定による補償を行う場合において、補償を受けるべき者が派遣先の機関等から同一の事由について当該災害に対する補償を受けたときは、地方公務員災害補償基金は、その価額の限度において、同法の規定による補償を行わない。

第六条　派遣職員に関する地方公務員等共済組合法（昭和三十七年法律第百五十二号）又は地方公務員等共済組合法の長期給付等に関する施行法（昭和三十七年法律第百五十三号）の規定の適用については、それぞれ派遣先の機関の業務を公務とみなす。

2　派遣職員に関する地方公務員等共済組合法の規定の適用については、派遣職員の派遣先の業務上の災害又は通勤による災害に対して派遣先の機関等から補償が行われることとなつたため、前条第三項の規定により、当該災害に対する地方公務員災害補償法の規定による補償が行われないこととなつた場合における当該派遣先の機関等からの補償を同法の規定による補償に相当する補償とみなす。

（派遣職員の給与等）

第七条　派遣職員の派遣の期間中の給与及び派遣職員が派遣の終了後派遣先の業務上の負傷又は疾病に起因して、当該負傷若しくは疾病に係る療養のため若しくは当該疾病に係る就業禁止の措置により勤務しないとき、又は地方公務員法第二十八条第二項第一号に掲げる事由に該当して休職にされたときの当該勤務しない期間又は休職の期間中の給与、派遣職員が退職したときの退職手当並びに派遣職員に対する旅費の支給については、国際機関等に派遣される一般職の国家公務員の処遇等に関する法律（昭和四十五年法律第百十七号）第二条第一項の規定により派遣される国家公務員の給与及び旅費の支給に関する事項を基準として条例で定めるものとする。

（派遣職員の復帰時における処遇）

第八条　派遣職員が職務に復帰した場合における任用、給与等に関する処遇については、部内の職員との均衡を失することのないよう適切な配慮が加えられなければならない。

附　則（抄）

（施行期日）

第一条　この法律は、昭和六十三年四月一日から施行する。

（経過措置）

第二条　第二条第一項の規定に基づく条例の施行の際、現に地方公務員法第二十七条第二項の規定に基づく条例の定めるところにより休職にされ、又は同法第三十五条の規定に基づく条例の定めるところにより職務に専念する義務を免除されている職員であつて、第二条第一項各号に掲げる機関の業務に従事しているものは、条例で定めるところにより、同項の規定に基づく条例の施行の日に派遣職員となるものとすることができる。

○公益的法人等への一般職の地方公務員の派遣等に関する法律

（平一二・四・二六 法 五〇）

最終改正　令元・六・一四法三七

（目的）

第一条　この法律は、地方公共団体が人的援助を行うことが必要と認められる公益的法人等の業務に専ら従事させるために職員（地方公務員法（昭和二十五年法律第二百六十一号）第四条第一項に規定する職員をいう。第七条を除き、以下同じ。）を派遣する制度等を整備することにより、公益的法人等の業務の円滑な実施の確保等を通じて、地域の振興、住民の生活の向上等に関する地方公共団体の諸施策の推進を図り、もって公共の福祉の増進に資することを目的とする。

（職員の派遣）

第二条　任命権者（地方公務員法第六条第一項に規定する任命権者及びその委任を受けた者をいう。以下同じ。）は、次に掲げる団体のうち、その業務の全部又は一部が当該地方公共団体の事務又は事業と密接な関連を有するものであり、かつ、当該地方公共団体がその施策の推進を図るため人的援助を行うことが必要であるものとして条例で定めるもの（以下この項及び第三項において「公益的法人等」という。）との間の取決めに基づき、当該公益的法人等の業務にその役職員として専ら従事させるため、条例で定めるところにより、職員（条例で定める職員を除く。）を派遣することができる。

一　一般社団法人又は一般財団法人

二　地方独立行政法人法（平成十五年法律第百十八号）第八条第一項第五号に規定する一般地方独立行政法人

三　特別の法律により設立された法人（前号に掲げるもの及び営利を目的とするものを除く。）で政令で定めるもの

四　地方自治法（昭和二十二年法律第六十七号）第二百六十三条の三第一項に規定する連合組織で同項の規定による届出をしたもの

2　任命権者は、前項の規定による職員の派遣（以下「職員派遣」という。）の実施に当たっては、あらかじめ、当該職員に同項の取決めの内容を明示し、その同意を得なければならない。

3　第一項の取決めにおいては、当該職員派遣に係る職員の職員派遣を受ける公益的法人等（以下「派遣先団体」という。）における報酬その他の勤務条件及び当該派遣先団体において従事すべき業務、当該職員の職員派遣の期間、当該職員の職務への復帰に関する事項その他職員派遣に当たって合意しておくべきものとして条例で定める事項を定めるものとする。

4　前項の規定により第一項の取決めで定める職員派遣に係る職員の派遣先団体において従事すべき業務は、当該派遣先団体の主たる業務が地方公共団体の事務又は事業と密接な関連を有すると認められる業務である場合を除き、地方公共団体の事務又は事業と密接な関連を有すると認められる業務を主たる内容とするものでなければならない。

（職員派遣の期間）

第三条　職員派遣の期間は、三年を超えることができない。

2　前項の期間は、任命権者が特に必要があると認めるときは、派遣先団体との合意により、職員派遣をされた職員（以下「派遣職員」という。）の同意を得て、職員派遣をした日から引き続き五年を超えない範囲内において、これを延長することができる。

（派遣先団体の業務への従事等）

第四条　派遣職員は、その職員派遣の期間中、第二条第一項の取決めに定められた内容に従って、派遣先団体の業務に従事するものとする。

2　派遣職員は、その職員派遣の期間中、職員派遣された時就いていた職又は職員派遣の期間中に異動した職を保有するが、職務に従事しない。

（派遣職員の職務への復帰）

第五条　任命権者は、派遣職員が派遣先団体の役職員の地位を失った場合その他の条例で定める場合であって、その職員派遣を継続することができないか又は適当でないと認めるときは、速やかに当該職員派遣に係る派遣職員を職務に復帰させなければならない。

2　派遣職員は、その職員派遣の期間が満了したときは、職務に復帰する。

（派遣職員の給与）

第六条　派遣職員には、その職員派遣の期間中、給与を支給しない。

2　派遣職員が派遣先団体において従事する業務が地方公共団体の委託を受けて行う業務、地方公共団体と共同して行う業務若しくは地方公共団体の事務若しくは事業を補完し若しくは支援すると認められる業務であってその実施により地方公共団体の事務若しくは事業の効率的若しくは効果的な実施が図られると認められるものである場合又はこれらの業務が派遣先団体の主たる業務である場合には、派遣職員に対して、その職員派遣の期間中、条例で定めるところにより、給与を支給することができる。

（派遣職員に関する地方公務員等共済組合法の特例）

第七条　派遣職員に対する地方公務員等共済組合法（昭和三十七年法律第百五十二号）の規定の適用については、派遣先団体の業務を公務とみなす。

2　派遣職員は、地方公務員等共済組合法第三十九条第三項の規定にかかわらず、引き続き職員派遣をされた日の前日において所属していた地方公務員共済組合（同法第三条第一項に規定する地方公務員共済組合をいう。）の組合員であるものとする。

3　派遣職員に関する地方公務員等共済組合法の規定の適用については、同法第百十三条第二項各号列記以外の部分中「地方公共団体（市町村立学校職員給与負担法（昭和二十三年法律第百三十五号）第一条又は第二条の規定により都道府県がその給与を負担する者にあつては、都道府県。以下この条において同じ。）」とあるのは「公益的法人等への一般職の地方公務員の派遣等に関する法律（平成十二年法律第五十号）第二条第三項に規定する派遣先団体（以下「派遣先団体」という。）」と、同項各号中「地方公共団体」とあり、並びに同法第百十六条第一項

中「地方公共団体の機関、特定地方独立行政法人又は職員団体」とあり、及び「地方公共団体、特定地方独立行政法人又は職員団体（第三項において「地方公共団体等」という。）」とあるのは「派遣先団体」と、同項中「第百十三条第二項（同条第六項の規定により読み替えて適用する場合を含む。）又は同条第四項及び第五項並びに」とあるのは「第百十三条第二項及び」と、同条第三項中「第百十三条第四項第二号に掲げる費用及び同条第五項に規定する費用（長期給付に係るものに限る。）並びに厚生年金保険法」とあるのは「厚生年金保険法」と、「地方公共団体等」とあるのは「派遣先団体」とする。

（派遣職員に関する子ども・子育て支援法の特例）

第八条 派遣職員に関する子ども・子育て支援法（平成二十四年法律第六十五号）の規定の適用については、派遣先団体を同法第六十九条第一項第三号に規定する団体とみなす。

（派遣職員の復帰時等における処遇）

第九条 地方公共団体は、派遣職員が職務に復帰した場合における任用、給与等に関する処遇及び職員派遣後職務に復帰した職員が退職した場合（派遣職員がその職員派遣の期間中に退職した場合を含む。）の退職手当の取扱いについては、部内の職員との均衡を失することのないよう、条例で定めるところにより必要な措置を講じ、又は適切な配慮をしなければならない。

（特定法人の業務に従事するために退職した者の採用）

第十条 任命権者と特定法人（当該地方公共団体が出資している株式会社のうち、その業務の全部又は一部が地域の振興、住民の生活の向上その他公益の増進に寄与するとともに当該地方公共団体の事務又は事業と密接な関連を有するものであり、かつ、当該地方公共団体がその施策の推進を図るため人的援助を行うことが必要であるものとして条例で定めるものをいう。以下同じ。）との間で締結された取決めに定められた内容に従って当該特定法人の業務に従事するよう求める任命権者の要請に応じて職員（条例で定める職員を除く。）が退職し、引き続き当該特定法人の役職員として在職した後、当該取決めで定める当該特定法人において業務に従事すべき期間が満了した場合又はその者が当該特定法人の役職員の地位を失った場合その他の条例で定める場合には、地方公務員法第十六条各号（第二号を除く。）のいずれかに該当する場合（同条の条例で定める場合を除く。）その他条例で定める場合を除き、その者が退職した時就いていた職又はこれに相当する職に係る任命権者は、当該特定法人の役職員としての在職に引き続き、その者を職員として採用するものとする。

2 前項の取決めにおいては、同項の要請に応じて退職し引き続き当該特定法人に在職する者（以下「退職派遣者」という。）の当該特定法人における報酬その他の勤務条件並びに当該特定法人において従事すべき業務及び業務に従事すべき期間、同項の規定による当該退職派遣者の採用に関する事項その他当該退職派遣者が当該特定法人の業務に従事するに当たって合意しておくべきものとして条例で定める事項を定めるものとする。

3 前項の規定により第一項の取決めで定める退職派遣者の特定法人において従事すべき業務は、当該特定法人の主たる業務が地域の振興、住民の生活の向上その他公益の増進に寄与し、かつ、地方公共団体の事務又は事業と密接な関連を有すると認められる業務（以下この項において「公益寄与業務」という。）である場合を除き、公益寄与業務を主たる内容とするものでなければならない。

4 第二項の規定により第一項の取決めで定める退職派遣者の特定法人において業務に従事すべき期間は、同項の要請に応じて退職をする日の翌日から起算して三年を超えない範囲内で定めるものとする。

5 第一項の規定による採用については、地方公務員法第二十二条の規定は、適用しない。

（退職派遣者に関する地方公務員等共済組合法の特例）

第十一条 特定法人又は退職派遣者は、地方公務員等共済組合法第百四十条第一項に規定する公庫等又は公庫等職員とみなして、それぞれ同条（第三項を除く。）の規定を適用する。この場合において、同条第一項中「役員及び常時勤務に服することを要しない者」とあるのは「常時勤務に服することを要しない者」と、「退職した場合（政令で定める場合を除く。）」とあるのは「退職した場合」と、同条第二項第一号中「五年」とあるのは「三年」とする。

（退職派遣者の採用時における処遇等）

第十二条 地方公共団体は、退職派遣者が第十条第一項の規定により職員として採用された場合における任用、給与等に関する処遇及び同項の規定により採用された職員が退職した場合の退職手当の取扱いについては、部内の職員との均衡を失することのないよう、条例で定めるところにより必要な措置を講じ、又は適切な配慮をしなければならない。

2 第十条第一項の規定により採用された職員（同項の規定により採用されたことのある職員を含む。）に対する地方公務員法第二十九条の規定の適用については、同条第二項中「又は」とあるのは「若しくは」と、「使用される者」とあるのは「使用される者又は公益的法人等への一般職の地方公務員の派遣等に関する法律（平成十二年法律第五十号）第十条第二項に規定する退職派遣者」と、「在職した後、引き続いて当該退職を前提として」とあるのは「在職した後、引き続いて当該退職を前提として又は同条第一項の規定に基づいて」とする。

附 則

（施行期日）

第一条 この法律は、平成十四年四月一日から施行する。ただし、第十条から第十二条まで及び次条の規定は、同年三月三十一日から施行する。

（退職派遣者の採用等に関する規定の適用）

第二条 第十条から第十二条までの規定は、平成十四年三月三十一日以後に第十条第一項の任命権者の要請に応じて退職した者について適用する。

（職員派遣の特例）

第二条の二 当分の間、設立団体（地方独立行政法人法第六条第三項に規定する設立団体をいう。）の任命権者が同法第五十九条第二項に規定する移行型一般地方独立行政法人（以下この条において「移行型一般地方独立行政法人」という。）の成立の日から当該移行型一般地方独立行政法人へ第二条第一項の規定により職員を派遣した場合において、業務の適正かつ効率的な運営を確保するため引き続き人的援助を行うことが特に必要であると認めるときは、第三条第二項の規定にかかわらず、派遣先団体である当該移行型一般地方独立行政法人との合意により、職員派遣をされた当該職員の同意を得て、三年を超えない範囲内で当該職員派遣の期間を延長することができる。ただし、当該職員派遣の期間は、当該職員派遣をした日から起算して十年を超えることができない。

（平成二十二年度等における子ども手当の支給に関する法律により適用される旧児童手当法の特例）

第三条　平成二十二年度等における子ども手当の支給に関する法律（平成二十二年法律第十九号）の規定により子ども手当の支給がされる派遣職員に関しては、第八条の規定を準用する。この場合において、同条の見出し中「子ども・子育て支援法」とあるのは「平成二十二年度等における子ども手当の支給に関する法律が適用される場合における旧児童手当法」と、同条中「子ども・子育て支援法（平成二十四年法律第六十五号）」とあるのは「平成二十二年度等における子ども手当の支給に関する法律（平成二十二年法律第十九号）第二十条第一項の規定による児童手当法の一部を改正する法律（平成二十四年法律第二十四号）附則第十一条の規定によりなおその効力を有するものとされた同法第一条の規定による改正前の児童手当法（昭和四十六年法律第七十三号）」と、「第六十九条第一項第三号」とあるのは「第二十条第一項第三号」と読み替えるものとする。

（平成二十三年度における子ども手当の支給等に関する特別措置法により適用される旧児童手当法の特例）

第四条　平成二十三年度における子ども手当の支給等に関する特別措置法（平成二十三年法律第百七号）の規定により子ども手当の支給がされる派遣職員に関しては、第八条の規定を準用する。この場合において、同条の見出し中「子ども・子育て支援法」とあるのは「平成二十三年度における子ども手当の支給等に関する特別措置法が適用される場合における旧児童手当法」と、同条中「子ども・子育て支援法（平成二十四年法律第六十五号）」とあるのは「平成二十三年度における子ども手当の支給等に関する特別措置法（平成二十三年法律第百七号）第二十条第一項、第三項又は第五項の規定による児童手当法の一部を改正する法律（平成二十四年法律第二十四号）附則第十二条の規定によりなおその効力を有するものとされた同法第一条の規定による改正前の児童手当法（昭和四十六年法律第七十三号）」と、「第六十九条第一項第三号」とあるのは「第二十条第一項第三号」と読み替えるものとする。

○公益的法人等への一般職の地方公務員の派遣等に関する法律第二条第一項第三号の法人を定める政令

平一二・一二・二〇
政令五二三

最終改正　令六・六・一四政令二〇九

公益的法人等への一般職の地方公務員の派遣等に関する法律第二条第一項第三号の政令で定める法人は、次に掲げる法人とする。

一　医療法人
二　国立研究開発法人宇宙航空研究開発機構
三　独立行政法人鉄道建設・運輸施設整備支援機構
四　沖縄振興開発金融公庫
五　国立研究開発法人海洋研究開発機構
六　国立研究開発法人科学技術振興機構
七　国立研究開発法人日本原子力研究開発機構
八　学校法人（私立学校法（昭和二十四年法律第二百七十号）第百五十二条第五項の規定により設立された法人を含む。）
九　独立行政法人環境再生保全機構
十　危険物保安技術協会
十一　漁業共済組合
十二　漁業協同組合
十三　漁業協同組合連合会
十四　漁業信用基金協会
十五　漁船保険組合
十六　独立行政法人エネルギー・金属鉱物資源機構
十七　独立行政法人勤労者退職金共済機構
十八　独立行政法人空港周辺整備機構
十九　健康保険組合

二十　広域臨海環境整備センター
二十一　更生保護法人
二十二　港務局
二十三　独立行政法人国際観光振興機構
二十四　独立行政法人国際協力機構
二十五　独立行政法人国際交流基金
二十六　国民健康保険団体連合会
二十七　独立行政法人国民生活センター
二十八　市街地再開発組合
二十九　自動車安全運転センター
三十　独立行政法人福祉医療機構
三十一　社会福祉法人
三十二　住宅街区整備組合
三十三　独立行政法人住宅金融支援機構
三十四　独立行政法人日本高速道路保有・債務返済機構
三十五　商工会
三十六　商工会議所
三十七　商工会連合会
三十八　消費生活協同組合
三十九　消防団員等公務災害補償等共済基金
四十　職業訓練法人
四十一　国立研究開発法人新エネルギー・産業技術総合開発機構
四十二　独立行政法人国立重度知的障害者総合施設のぞみの園
四十三　信用協同組合
四十四　信用保証協会
四十五　森林組合
四十六　森林組合連合会
四十七　水害予防組合
四十八　全国市町村職員共済組合連合会
四十九　独立行政法人中小企業基盤整備機構
五十　地方公務員等共済組合法の一部を改正する法律（平成二十三年法律第五十六号）附則第二十三条第一項第三号に規定する存続共済会
五十一　地方公務員共済組合
五十二　地方公務員共済組合連合会
五十三　地方公務員災害補償基金
五十四　地方住宅供給公社
五十五　地方道路公社
五十六　中小企業団体中央会
五十七　特定非営利活動法人
五十八　独立行政法人都市再生機構
五十九　土地開発公社
六十　土地改良区
六十一　土地改良区連合
六十二　土地改良事業団体連合会
六十三　土地区画整理組合
六十四　都道府県職業能力開発協会
六十五　独立行政法人日本学生支援機構
六十六　独立行政法人日本学術振興会
六十七　独立行政法人日本芸術文化振興会
六十八　日本下水道事業団
六十九　独立行政法人高齢・障害・求職者雇用支援機構
七十　日本消防検定協会
七十一　日本私立学校振興・共済事業団
七十二　日本赤十字社
七十三　独立行政法人日本スポーツ振興センター
七十四　独立行政法人日本貿易振興機構
七十五　独立行政法人労働政策研究・研修機構
七十六　農業共済組合
七十七　農業共済組合連合会
七十八　農業協同組合
七十九　農業協同組合連合会
八十　独立行政法人農業者年金基金
八十一　農業信用基金協会
八十二　農事組合法人
八十三　独立行政法人農畜産業振興機構
八十四　防災街区整備事業組合
八十五　独立行政法人水資源機構
八十六　預金保険機構
八十七　国立研究開発法人理化学研究所
八十八　独立行政法人労働者健康安全機構
八十九　日本司法支援センター
九十　独立行政法人家畜改良センター
九十一　国立研究開発法人農業・食品産業技術総合研究機構
九十二　国立研究開発法人国際農林水産業研究センター
九十三　国立研究開発法人森林研究・整備機構
九十四　国立研究開発法人水産研究・教育機構
九十五　国立研究開発法人土木研究所
九十六　国立研究開発法人建築研究所
九十七　地方公共団体金融機構
九十八　地方競馬全国協会
九十九　全国健康保険協会
百　株式会社日本政策金融公庫
百一　独立行政法人奄美群島振興開発基金
百二　日本年金機構
百三　原子力損害賠償・廃炉等支援機構
百四　株式会社東日本大震災事業者再生支援機構
百五　株式会社国際協力銀行
百六　地方公共団体情報システム機構
百七　独立行政法人地域医療機能推進機構
百八　国立研究開発法人海上・港湾・航空技術研究所
百九　地方税共同機構
百十　国立大学法人
百十一　福島国際研究教育機構
百十二　国立研究開発法人国立循環器病研究センター
百十三　金融経済教育推進機構

附　則

この政令は、公益法人等への一般職の地方公務員の派遣等に関する法律の施行の日（平成十四年四月一日）から施行する。

附　則（平二八・一・二九政令二七）（抄）

（施行期日）

第一条　この政令は、平成二十八年四月一日から施行する。

（公益的法人等への一般職の地方公務員の派遣等に関する法律第二条第一項第三号の法人を定める政令の一部改正に伴う経過措置）

第九条 存続中央会に対する第二十六条の規定による改正後の公益的法人等への一般職の地方公務員の派遣等に関する法律第二条第一項第三号の法人を定める政令の規定の適用については、同令中「七十八 農業協同組合」とあるのは、「七十八 農業協同組合
七十八の二 農業協同組合法等の一部を改正する等の法律（平成二十七年法律第六十三号）附則第十条に規定する存続中央会」とする。

附 則（令六・一・三一政令二二）（抄）

（施行期日）
1 この政令は、金融商品取引法等の一部を改正する法律附則第一条第二号に掲げる規定の施行の日（令和六年二月一日）から施行する。

附 則（令六・六・一四政令二〇九）（抄）

（施行期日）
1 この政令は、令和七年四月一日から施行する。

○地方公共団体の一般職の任期付職員の採用に関する法律

平一四・五・二九
法 四八

最終改正 令六・五・三一法四二

（趣旨）
第一条 この法律は、地方公共団体の一般職の職員の任期を定めた採用に関する事項について定めるものとする。

（定義）
第二条 この法律において「職員」とは、地方公務員法（昭和二十五年法律第二百六十一号）第四条第一項に規定する職員（法律により任期を定めて任用することとされている職を占める職員及び非常勤職員を除く。）をいう。ただし、前条及び次項においては、同法第四条第一項に規定する職員をいう。
2 この法律において「短時間勤務職員」とは、地方公務員法第二十二条の四第一項に規定する短時間勤務の職を占める職員をいう。
3 この法律において「任命権者」とは、地方公務員法第六条第一項に規定する任命権者及びその委任を受けた者をいう。

（職員の任期を定めた採用）
第三条 任命権者は、高度の専門的な知識経験又は優れた識見を有する者をその者が有する当該高度の専門的な知識経験又は優れた識見を一定の期間活用して遂行することが特に必要とされる業務に従事させる場合には、条例で定めるところにより、職員を選考により任期を定めて採用することができる。
2 任命権者は、前項の規定によるほか、専門的な知識経験を有する者を当該専門的な知識経験が必要とされる業務に従事させる場合において、次の各号に掲げる場合のいずれかに該当するときであって、当該者を当該業務に期間を限って従事させることが公務の能率的運営を確保するために必要であるときは、条例で定めるところにより、職員を選考により任期を定めて採用することができる。
一 当該専門的な知識経験を有する職員の育成に相当の期間を要するため、当該専門的な知識経験が必要とされる業務に従事させることが適任と認められる職員を部内で確保することが一定の期間困難である場合
二 当該専門的な知識経験が急速に進歩する技術に係るものであることその他当該専門的な知識経験の性質上、当該専門的な知識経験が必要とされる業務に当該者が有する当該専門的な知識経験を有効に活用することができる期間が一定の期間に限られる場合
三 前二号に掲げる場合に準ずる場合として条例で定める場合
3 人事委員会（地方公務員法第九条第一項の規定により同項に規定する事務を行うこととされた公平委員会を含む。以下同じ。）を置く地方公共団体においては、任命権者は、前二項の規定により任期を定めた採用を行う場合には、人事委員会の承認を得なければならない。

第四条 任命権者は、職員を次の各号に掲げる業務のいずれかに期間を限って従事させることが公務の能率的運営を確保するために必要である場合には、条例で定めるところにより、職員を任期を定めて採用することができる。
一 一定の期間内に終了することが見込まれる業務
二 一定の期間内に限り業務量の増加が見込まれる業務
2 任命権者は、法律により任期を定めて任用される職員以外の職員を前項各号に掲げる業務のいずれかに係る職に任用する場合において、職員を当該業務以外の業務に期間を限って従事させることが公務の能率的運営を確保するために必要であるときは、条例で定めるところにより、職員を任期を定めて採用することができる。

（短時間勤務職員の任期を定めた採用）
第五条 任命権者は、短時間勤務職員を前条第一項各号に掲げる業務のいずれかに従事させることが公務の能率的運営を確保するために必要である場合には、条例で定めるところにより、短時間勤務職員を任期を定めて採用することができる。
2 任命権者は、前項の規定によるほか、住民に対して職員によ

り直接提供されるサービスについて、その提供時間を延長し、若しくは繁忙時における提供体制を充実し、又はその延長した提供時間若しくは充実した提供体制を維持する必要がある場合において、短時間勤務職員を当該サービスに係る業務に従事させることが公務の能率的運営を確保するために必要であるときは、条例で定めるところにより、短時間勤務職員を任期を定めて採用することができる。

3　任命権者は、前二項の規定によるほか、職員が次に掲げる承認（第二号にあっては、承認その他の処分）を受けて勤務しない時間について短時間勤務職員を当該職員の業務に従事させることが当該業務を処理するため適当であると認める場合には、条例で定めるところにより、短時間勤務職員を任期を定めて採用することができる。

一　地方公務員法第二十六条の二第一項又は第二十六条の三第一項の規定による承認

二　育児休業、介護休業等育児又は家族介護を行う労働者の福祉に関する法律（平成三年法律第七十六号）第六十一条の二第三項から第五項までの規定を最低基準として定める条例の規定による承認その他の処分

三　地方公務員の育児休業等に関する法律（平成三年法律第百十号）第十九条第一項の規定による承認

（任期）

第六条　第三条第一項又は第二項の規定により採用される職員の任期は、五年を超えない範囲内で任命権者が定める。

2　第四条又は前条の規定により採用される職員又は短時間勤務職員の任期は、三年（特に三年を超える任期を定める必要がある場合として条例で定める場合にあっては、五年。次条第二項において同じ。）を超えない範囲内で任命権者が定める。

3　任命権者は、前二項の規定により任期を定めて職員又は短時間勤務職員を採用する場合には、当該職員又は短時間勤務職員にその任期を明示しなければならない。

第七条　任命権者は、条例で定めるところにより、第三条第一項の規定により任期を定めて採用された職員（次条において「特定任期付職員」という。）又は第三条第二項の規定により任期を定めて採用された職員（次条において「一般任期付職員」という。）の任期が五年に満たない場合にあっては、採用した日から五年を超えない範囲内において、その任期を更新することができる。

2　任命権者は、条例で定めるところにより、第四条又は第五条の規定により任期を定めて採用された職員又は短時間勤務職員の任期が三年に満たない場合にあっては、採用した日から三年を超えない範囲内において、その任期を更新することができる。

3　人事委員会を置く地方公共団体においては、任命権者は、第一項の規定により任期を更新する場合には、人事委員会の承認を得なければならない。

4　前条第三項の規定は、第一項及び第二項の規定により任期を更新する場合について準用する。

（任用の制限）

第八条　任命権者は、特定任期付職員を当該特定任期付職員が採用時に占めていた職においてその有する高度の専門的な知識経験又は優れた識見を活用して従事していた業務と同一の業務を行うことをその職務の主たる内容とする他の職に任用する場合その他特定任期付職員又は一般任期付職員を任期を定めて採用した趣旨に反しない場合に限り、特定任期付職員又は一般任期付職員を、その任期中、他の職に任用することができる。

2　任命権者は、第四条第一項の規定により任期を定めて採用された職員を一定の期間内に終了することが見込まれる他の業務に係る職に任用する場合その他同条又は第五条の規定により任期を定めて採用された職員又は短時間勤務職員（以下この項において「任期付職員」という。）を任期を定めて採用した趣旨に反しない場合に限り、任期付職員を、その任期中、他の職に任用することができる。

3　人事委員会を置く地方公共団体においては、任命権者は、第一項の規定により特定任期付職員又は一般任期付職員を他の職に任用する場合には、人事委員会の承認を得なければならない。

（地方公務員法の適用除外）

第九条　任命権者が第五条又は前条第二項の規定により短時間勤務職員を任用する場合には、地方公務員法第二十二条の四第四項の規定は、適用しない。

附　則（抄）

（施行期日）

第一条　この法律は、公布の日から起算して三月を超えない範囲内において政令で定める日〔平一四・七・一〕から施行する。

○地方公共団体の一般職の任期付研究員の採用等に関する法律

平一二・四・二六
法　五　一

最終改正　平二五・六・一四法四四

（趣旨）

第一条　この法律は、公設試験研究機関において専門的な知識経験等を有する人材を積極的に受け入れ、研究者の相互の交流を推進することが公設試験研究機関における研究活動の活性化にとって重要であることにかんがみ、公設試験研究機関の研究業務に従事する職員について、任期を定めた採用及び任期を定めて採用された職員の裁量による勤務に関する事項について定めるものとする。

（定義）

第二条　この法律において、次の各号に掲げる用語の意義は、当該各号に定めるところによる。

一　公設試験研究機関　地方公共団体に置かれる試験所、研究所その他の機関（学校教育法（昭和二十二年法律第二十六号）第二条第二項に規定する公立学校を除く。）及び特定地方独立行政法人（地方独立行政法人法（平成十五年法律第百十八号）第二条第二項に規定する特定地方独立行政法人をいう。以下同じ。）であって、試験研究に関する業務を行うものをいう。

二　研究業務　公設試験研究機関の試験研究に関する業務をいう。

三　職員　地方公務員法（昭和二十五年法律第二百六十一号）第四条第一項に規定する職員（公設試験研究機関の長その他の条例で定める職員及び非常勤職員を除く。）をいう。

（任期を定めた採用）

第三条　任命権者（地方公務員法第六条第一項に規定する任命権者及びその委任を受けた者をいう。以下同じ。）は、次に掲げる場合には、条例で定めるところにより、職員を選考により任期を定めて採用することができる。

一　研究業績等により当該研究分野において特に優れた研究者と認められている者を招へいして、当該研究分野に係る高度の専門的な知識経験を必要とする研究業務に従事させる場合

二　独立して研究する能力があり、研究者として高い資質を有すると認められる者（この号の規定によりかつて当該地方公共団体又は当該地方公共団体が設立した特定地方独立行政法人の職員として任期を定めて採用されたことがある者を除く。）を、当該研究分野における先導的役割を担う有為な研究者となるために必要な能力のかん養に資する研究業務に従事させる場合

2　人事委員会（地方公務員法第九条第一項の規定により同項に規定する事務を行うこととされた公平委員会を含む。以下同じ。）を置く地方公共団体においては、任命権者は、前項第一号の規定により任期を定めた採用を行う場合には、人事委員会の承認を得なければならない。

3　任命権者は、第一項第二号の規定により任期を定めた採用を行う場合には、その対象となる研究業務及び選考の手続を定めた採用計画に基づいて行わなければならない。

4　人事委員会を置く地方公共団体においては、任命権者は、前項の採用計画を作成しようとするときは、人事委員会に協議しなければならない。

（任期）

第四条　前条第一項第一号に規定する場合における任期は、五年を超えない範囲内で任命権者が定める。ただし、特に五年を超える任期を定める必要があると認める場合には、七年（特別の計画に基づき期間を定めて実施される研究業務に従事させる場合にあっては、十年）を超えない範囲内で任期を定めることができる。

2　人事委員会を置く地方公共団体においては、任命権者は、前項ただし書の規定により任期を定める場合には、人事委員会の承認を得なければならない。

3　前条第一項第二号に規定する場合における任期は、三年を超えない範囲内で任命権者が定める。ただし、研究業務の性質上特に必要がある場合（人事委員会を置く地方公共団体においては、人事委員会の承認を得たときに限る。）には、五年を超えない範囲内で任期を定めることができる。

4　任命権者は、第一項又は前項の規定により任期を定めて職員を採用する場合には、当該職員にその任期を明示しなければならない。

第五条　任命権者は、条例で定めるところにより、第三条第一項第一号の規定により任期を定めて採用された職員（次条において「第一号任期付研究員」という。）の任期が五年に満たない場合にあっては採用した日から五年、同項第二号の規定により任期を定めて採用された職員（以下この項において「第二号任期付研究員」という。）の任期が三年に満たない場合（前条第三項ただし書の規定により任期が定められた場合を除く。）にあっては採用した日から三年、第二号任期付研究員のうち前条第三項ただし書の規定により任期が定められた職員の任期が五年に満たない場合にあっては採用した日から五年を超えない範囲内において、その任期を更新することができる。

2　前条第四項の規定は、前項の規定により任期を更新する場合について準用する。

（第一号任期付研究員の裁量による勤務）

第六条　第一号任期付研究員については、地方公務員法第五十八条第三項の規定にかかわらず、労働基準法（昭和二十二年法律第四十九号）第三十八条の三第一項の規定及び同項の規定に基づく命令の規定を適用する。この場合において、同項中「当該事業場に、労働者の過半数で組織する労働組合があるときはその労働組合、労働者の過半数で組織する労働組合がないときは労働者の過半数を代表する者との書面による協定により」とあるのは「条例により」と、「協定で定める」とあるのは「条例で定める」とする。

（地方公共団体の一般職の任期付職員の採用に関する法律の適用除外）

第七条　地方公共団体の一般職の任期付職員の採用に関する法律（平成十四年法律第四十八号）の規定は、研究業務に従事する職員には適用しない。

（特定地方独立行政法人に関する特例）

第八条 第六条の規定は、特定地方独立行政法人が第三条第一項第一号の規定により任期を定めて採用した職員には適用しない。

2 地方独立行政法人法第四十七条に規定する職員に関する第二条第三号、第三条第一項及び第五条第一項の規定の適用については、第二条第三号中「条例」とあるのは「設立団体（地方独立行政法人法第六条第三項に規定する設立団体をいう。以下同じ。）の条例」と、第三条第一項及び第五条第一項中「条例」とあるのは「設立団体の条例」とする。

3 設立団体（地方独立行政法人法第六条第三項に規定する設立団体をいう。）が二以上である場合における前項の規定の適用については、同項中「設立団体（地方独立行政法人法第六条第三項に規定する設立団体をいう。以下同じ。）の」とあるのは「地方独立行政法人法第百二十三条第四項の規定によりその条例を特定地方独立行政法人の職員に対して適用する旨が定款に定められた地方公共団体（以下「条例適用設立団体」という。）の」と、「設立団体の条例」とあるのは「条例適用設立団体の条例」とする。

附 則（抄）

（施行期日）

1 この法律は、公布の日から起算して三月を超えない範囲内において政令で定める日〔平一二・七・一〕から施行する。

○国家公務員法（抄）

昭二二・一〇・二一
法 一 二 〇

最終改正 令四・六・一七法六八

目次〔略〕

第一章 総則

（この法律の目的及び効力）

第一条 この法律は、国家公務員たる職員について適用すべき各般の根本基準（職員の福祉及び利益を保護するための適切な措置を含む。）を確立し、職員がその職務の遂行に当り、最大の能率を発揮し得るように、民主的な方法で、選択され、且つ、指導さるべきことを定め、以て国民に対し、公務の民主的且つ能率的な運営を保障することを目的とする。

② この法律は、もつぱら日本国憲法第七十三条にいう官吏に関する事務を掌理する基準を定めるものである。

③ 何人も、故意に、この法律又はこの法律に基づく命令に違反し、又は違反を企て若しくは共謀してはならない。又、何人も、故意に、この法律又はこの法律に基づく命令の施行に関し、虚偽行為をなし、若しくはなそうと企て、又はその施行を妨げてはならない。

④ この法律のある規定が、効力を失い、又はその適用が無効とされても、この法律の他の規定又は他の関係における適用は、その影響を受けることがない。

⑤ この法律の規定が、従前の法律又はこれに基く法令と矛盾し又はてい触する場合には、この法律の規定が、優先する。

（一般職及び特別職）

第二条 国家公務員の職は、これを一般職と特別職とに分つ。

② 一般職は、特別職に属する職以外の国家公務員の一切の職を包含する。

③ 特別職は、次に掲げる職員の職とする。

一 内閣総理大臣
二 国務大臣
三 人事官及び検査官
四 内閣法制局長官
五 内閣官房副長官
五の二 内閣危機管理監
五の三 国家安全保障局長
五の四 内閣官房副長官補、内閣広報官及び内閣情報官
六 内閣総理大臣補佐官
七 副大臣
七の二 大臣政務官
七の三 大臣補佐官
七の四 デジタル監
八 内閣総理大臣秘書官及び国務大臣秘書官並びに特別職たる機関の長の秘書官のうち人事院規則で指定するもの
九 就任について選挙によることを必要とし、あるいは国会の両院又は一院の議決又は同意によることを必要とする職員
十 宮内庁長官、侍従長、東宮大夫、式部官長及び侍従次長並びに法律又は人事院規則で指定する宮内庁のその他の職員
十一 特命全権大使、特命全権公使、特派大使、政府代表、全権委員、政府代表又は全権委員の代理並びに特派大使、政府代表又は全権委員の顧問及び随員
十一の二 日本ユネスコ国内委員会の委員
十二 日本学士院会員
十二の二 日本学術会議会員
十三 裁判官及びその他の裁判所職員
十四 国会職員
十五 国会議員の秘書
十六 防衛省の職員（防衛省に置かれる合議制の機関で防衛省設置法（昭和二十九年法律第百六十四号）第四十一条の政令で定めるものの委員及び同法第四条第一項第二十四号又は第二十五号に掲げる事務に従事する職員で同法第四十一条の政令で定めるもののうち、人事院規則で指定するものを除く。）
十七 独立行政法人通則法（平成十一年法律第百三号）第二条第四項に規定する行政執行法人（以下「行政執行法人」という。）の役員

④ この法律の規定は、一般職に属するすべての職（以下その職

を官職といい、その職を占める者を職員という。）に、これを適用する。人事院は、ある職が、国家公務員の職に属するかどうか及び本条に規定する一般職に属するか特別職に属するかを決定する権限を有する。

⑤　この法律の規定は、この法律の改正法律により、別段の定がなされない限り、特別職に属する職には、これを適用しない。

⑥　政府は、一般職又は特別職以外の勤務者を置いてその勤務に対し俸給、給料その他の給与を支払つてはならない。

⑦　前項の規定は、政府又はその機関と外国人の間に、個人的基礎においてなされる勤務の契約には適用されない。

第二章　中央人事行政機関

第三条から第二十六条まで〔略〕

第三章　職員に適用される基準

第一節　通則

（平等取扱いの原則）

第二十七条　全て国民は、この法律の適用について、平等に取り扱われ、人種、信条、性別、社会的身分、門地又は第三十八条第四号に規定する場合を除くほか政治的意見若しくは政治的所属関係によつて、差別されてはならない。

（人事管理の原則）

第二十七条の二　職員の採用後の任用、給与その他の人事管理は、職員の採用年次、合格した採用試験の種類及び第六十一条の九第二項第二号に規定する課程対象者であるか否か又は同号に規定する課程対象者であつたか否かにとらわれてはならず、この法律に特段の定めがある場合を除くほか、人事評価に基づいて適切に行われなければならない。

（情勢適応の原則）

第二十八条　この法律及び他の法律に基づいて定められる職員の給与、勤務時間その他勤務条件に関する基礎事項は、国会により社会一般の情勢に適応するように、随時これを変更することができる。その変更に関しては、人事院においてこれを勧告することを怠つてはならない。

②　人事院は、毎年、少くとも一回、俸給表が適当であるかどうかについて国会及び内閣に同時に報告しなければならない。給与を決定する諸条件の変化により、俸給表に定める給与を百分の五以上増減する必要が生じたと認められるときは、人事院は、その報告にあわせて、国会及び内閣に適当な勧告をしなければならない。

第二十九条から第三十二条まで　削除

第二節　採用試験及び任免

（任免の根本基準）

第三十三条　職員の任用は、この法律の定めるところにより、その者の受験成績、人事評価又はその他の能力の実証に基づいて行わなければならない。

②　前項に規定する根本基準の実施に当たつては、次に掲げる事項が確保されなければならない。

一　職員の公正な任用

二　行政需要の変化に対応するために行う優れた人材の養成及び活用

③　職員の免職は、法律に定める事由に基づいてこれを行わなければならない。

④　第一項に規定する根本基準の実施につき必要な事項であつて第二項第一号に掲げる事項の確保に関するもの及び前項に規定する根本基準の実施につき必要な事項は、この法律に定めのあるものを除いては、人事院規則でこれを定める。

第三十三条の二　第五十四条第一項に規定する採用昇任等基本方針には、前条第一項に規定する根本基準の実施につき必要な事項であつて同条第二項第二号に掲げる事項の確保に関するものとして、職員の採用、昇任、降任及び転任に関する制度の適切かつ効果的な運用の確保に資する基本的事項を定めるものとする。

第一款　通則

（定義）

第三十四条　この法律において、次の各号に掲げる用語の意義は、当該各号に定めるところによる。

一　採用　職員以外の者を官職に任命すること（臨時的任用を除く。）をいう。

二　昇任　職員をその職員が現に任命されている官職より上位の職制上の段階に属する官職に任命することをいう。

三　降任　職員をその職員が現に任命されている官職より下位の職制上の段階に属する官職に任命することをいう。

四　転任　職員をその職員が現に任命されている官職以外の官職に任命することであつて前二号に定めるものに該当しないものをいう。

五　標準職務遂行能力　職制上の段階の標準的な官職の職務を遂行する上で発揮することが求められる能力として内閣総理大臣が定めるものをいう。

六　幹部職員　内閣府設置法（平成十一年法律第八十九号）第五十条若しくは国家行政組織法第六条に規定する長官、同法第十八条第一項に規定する事務次官若しくは同法第二十一条第一項に規定する局長若しくは部長の官職又はこれらの官職に準ずる官職であつて政令で定めるもの（以下「幹部職」という。）を占める職員をいう。

七　管理職員　国家行政組織法第二十一条第一項に規定する課長若しくは室長の官職又はこれらの官職に準ずる官職であつて政令で定めるもの（以下「管理職」という。）を占める職員をいう。

②　前項第五号の標準的な官職は、係員、係長、課長補佐、課長その他の官職とし、職制上の段階及び職務の種類に応じ、政令で定める。

（欠員補充の方法）

第三十五条　官職に欠員を生じた場合においては、その任命権者は、法律又は人事院規則に別段の定のある場合を除いては、採用、昇任、降任又は転任のいずれか一の方法により、職員を任命することができる。但し、人事院が特別の必要があると認めて任命の方法を指定した場合は、この限りではない。

（採用の方法）

第三十六条　職員の採用は、競争試験によるものとする。ただし、係員の官職（第三十四条第二項に規定する標準的な官職が係員である職制上の段階に属する官職その他これに準ずる官職として人事院規則で定めるものをいう。第四十五条の二第一項において同じ。）以外の官職に採用しようとする場合又は人事院規則で定める場合には、競争試験以外の能力の実証に基づく試験（以下「選考」という。）の方法によることを妨げない。

第三十七条 削除

（欠格条項）

第三十八条 次の各号のいずれかに該当する者は、人事院規則で定める場合を除くほか、官職に就く能力を有しない。

一 禁錮以上の刑に処せられ、その執行を終わるまで又はその執行を受けることがなくなるまでの者

二 懲戒免職の処分を受け、当該処分の日から二年を経過しない者

三 人事院の人事官又は事務総長の職にあつて、第百九条から第百十二条までに規定する罪を犯し、刑に処せられた者

四 日本国憲法施行の日以後において、日本国憲法又はその下に成立した政府を暴力で破壊することを主張する政党その他の団体を結成し、又はこれに加入した者

第三十九条から第四十一条まで 〔略〕

第二款 採用試験

第四十二条から第四十九条まで 〔略〕

第三款 採用候補者名簿

第五十条から第五十三条まで 〔略〕

第四款 任用

第五十四条から第五十八条まで 〔略〕

（条件付任用）

第五十九条 職員の採用及び昇任は、職員であつた者又はこれに準ずる者のうち、人事院規則で定める者を採用する場合その他人事院規則で定める場合を除き、条件付のものとし、職員が、その官職において六月の期間（六月の期間とすることが適当でないと認められる職員として人事院規則で定める職員にあつては、人事院規則で定める期間）を勤務し、その間その職務を良好な成績で遂行したときに、正式のものとなるものとする。

② 前項に定めるもののほか、条件付任用に関し必要な事項は、人事院規則で定める。

（臨時的任用）

第六十条 任命権者は、人事院規則の定めるところにより、緊急の場合、臨時の官職に関する場合又は採用候補者名簿がない場合には、人事院の承認を得て、六月を超えない任期で、臨時的任用を行うことができる。この場合において、その任用は、人事院規則の定めるところにより人事院の承認を得て、六月の期間で、これを更新することができるが、再度更新することはできない。

② 人事院は、臨時的任用につき、その員数を制限し、又は、任用される者の資格要件を定めることができる。

③ 人事院は、前二項の規定又は人事院規則に違反する臨時的任用を取り消すことができる。

④ 臨時的任用は、任用に際して、いかなる優先権をも与えるものではない。

⑤ 前各項に定めるもののほか、臨時的に任用された者に対しては、この法律及び人事院規則を適用する。

（定年前再任用短時間勤務職員の任用）

第六十条の二 任命権者は、年齢六十年に達した日以後にこの法律の規定により退職（臨時的職員その他の法律により任期を定めて任用される職員及び常時勤務を要しない官職を占める職員が退職する場合を除く。）をした者（以下この条及び第八十二条第二項において「年齢六十年以上退職者」という。）又は年齢六十年に達した日以後に自衛隊法（昭和二十九年法律第百六十五号）の規定により退職（自衛官及び同法第四十四条の六第三項各号に掲げる隊員が退職する場合を除く。）をした者（以下この項及び第三項において「自衛隊法による年齢六十年以上退職者」という。）を、人事院規則で定めるところにより、従前の勤務実績その他の人事院規則で定める情報に基づく選考により、短時間勤務の官職（当該官職を占める職員の一週間当たりの通常の勤務時間が、常時勤務を要する官職でその職務が当該短時間勤務の官職と同種の官職を占める職員の一週間当たりの通常の勤務時間に比し短い時間である官職をいう。以下この項及び第三項において同じ。）（一般職の職員の給与に関する法律別表第十一に規定する指定職俸給表の適用を受ける職員が占める官職及びこれに準ずる行政執行法人の官職として人事院規則で定める官職（第四項及び第六節第一款第二目においてこれらの官職を「指定職」という。）を除く。以下この項及び第三項において同じ。）に採用することができる。ただし、年齢六十年以上退職者又は自衛隊法による年齢六十年以上退職者がこれらの者を採用しようとする短時間勤務の官職に係る定年退職日相当日（短時間勤務の官職を占める職員が、常時勤務を要する官職でその職務が当該短時間勤務の官職と同種の官職を占めているものとした場合における第八十一条の六第一項に規定する定年退職日をいう。次項及び第三項において同じ。）を経過した者であるときは、この限りでない。

② 前項の規定により採用された職員（以下この条及び第八十二条第二項において「定年前再任用短時間勤務職員」という。）の任期は、採用の日から定年退職日相当日までとする。

③ 任命権者は、年齢六十年以上退職者又は自衛隊法による年齢六十年以上退職者のうちこれらの者を採用しようとする短時間勤務の官職に係る定年退職日相当日を経過していない者以外の者を当該短時間勤務の官職に採用することができず、定年前再任用短時間勤務職員のうち当該定年前再任用短時間勤務職員を昇任し、降任し、又は転任しようとする短時間勤務の官職に係る定年退職日相当日を経過していない定年前再任用短時間勤務職員以外の職員を当該短時間勤務の官職に昇任し、降任し、又は転任することができない。

④ 任命権者は、定年前再任用短時間勤務職員を、指定職以外の常時勤務を要する官職に昇任し、降任し、又は転任することができない。

第五款 休職、復職、退職及び免職

（休職、復職、退職及び免職）

第六十一条 職員の休職、復職、退職及び免職は任命権者が、この法律及び人事院規則に従い、これを行う。

第六款 幹部職員の任用等に係る特例

（適格性審査及び幹部候補者名簿）

第六十一条の二 内閣総理大臣は、次に掲げる者について、政令で定めるところにより、幹部職（自衛隊法第三十条の二第一項第六号に規定する幹部職を含む。第二号及び次項において同じ。）に属する官職（同条第一項第二号に規定する自衛官以外の隊員が占める職を含む。次項及び第六十一条の十一において同じ。）に係る標準職務遂行能力（同法第三十条の二第一項第五号に規定する標準職務遂行能力を含む。次項において同じ。）を有することを確認するための審査（以下「適格性審査」とい

う。）を公正に行うものとする。

一　幹部職員（自衛隊法第三十条の二第一項第六号に規定する幹部隊員を含む。次号及び第六十一条の九第一項において同じ。）

二　幹部職員以外の者であつて、幹部職の職責を担うにふさわしい能力を有すると見込まれる者として任命権者（自衛隊法第三十一条第一項の規定により同法第二条第五項に規定する隊員（以下「自衛隊員」という。）の任免について権限を有する者を含む。第三項及び第四項、第六十一条の六並びに第六十一条の十一において同じ。）が内閣総理大臣に推薦した者

三　前二号に掲げる者に準ずる者として政令で定める者

②　内閣総理大臣は、適格性審査の結果、幹部職に属する官職に係る標準職務遂行能力を有することを確認した者について、政令で定めるところにより、氏名その他政令で定める事項を記載した名簿（以下この条及び次条において「幹部候補者名簿」という。）を作成するものとする。

③　内閣総理大臣は、任命権者の求めがある場合には、政令で定めるところにより、当該任命権者に対し、幹部候補者名簿を提示するものとする。

④　内閣総理大臣は、政令で定めるところにより、定期的に、及び任命権者の求めがある場合その他必要があると認める場合には随時、適格性審査を行い、幹部候補者名簿を更新するものとする。

⑤　内閣総理大臣は、前各項の規定による権限を内閣官房長官に委任する。

⑥　第一項（第三号を除く。）及び第二項から第四項までの政令は、人事院の意見を聴いて定めるものとする。

（幹部候補者名簿に記載されている者の中からの任用）

第六十一条の三　選考による職員の採用であつて、幹部職への任命に該当するものは、任命権者が、幹部候補者名簿に記載されている者であつて、当該任命しようとする幹部職についての適性を有すると認められる者の中から行うものとする。

②　職員の昇任及び転任であつて、幹部職への任命に該当するものは、任命権者が、幹部候補者名簿に記載されている者であつて、職員の人事評価に基づき、当該任命しようとする幹部職についての適性を有すると認められる者の中から行うものとする。

③　任命権者は、幹部候補者名簿に記載されている職員の降任であつて、幹部職への任命に該当するものを行う場合には、当該職員の人事評価に基づき、当該任命しようとする幹部職についての適性を有すると認められる幹部職に任命するものとする。

④　国際機関又は民間企業に派遣されていたこと等の事情により人事評価が行われていない職員のうち、幹部候補者名簿に記載されている者の昇任、降任又は転任であつて、幹部職への任命に該当するものについては、任命権者が、前二項の規定にかかわらず、人事評価以外の能力の実証に基づき、当該任命しようとする幹部職についての適性を判断して行うことができる。

（内閣総理大臣及び内閣官房長官との協議に基づく任用等）

第六十一条の四　任命権者は、職員の選考による採用、昇任、降任及び転任であつて幹部職への任命に該当するもの、幹部職員の幹部職以外の官職への昇任、降任及び転任（第八十一条の二第一項の規定による降任及び転任を除く。）並びに幹部職員の退職（政令で定めるものに限る。第四項において同じ。）及び免職（次項及び第三項において「採用等」という。）を行う場合には、政令で定めるところにより、あらかじめ内閣総理大臣及び内閣官房長官に協議した上で、当該協議に基づいて行うものとする。

②　前項の場合において、災害その他緊急やむを得ない理由により、あらかじめ内閣総理大臣及び内閣官房長官に協議する時間的余裕がないときは、任命権者は、同項の規定にかかわらず、当該協議を行うことなく、職員の採用等を行うことができる。

③　任命権者は、前項の規定により職員の採用等を行つた場合には、内閣総理大臣及び内閣官房長官に通知するとともに、遅滞なく、当該採用等について、政令で定めるところにより、内閣総理大臣及び内閣官房長官に協議し、当該協議に基づいて必要な措置を講じなければならない。

④　内閣総理大臣又は内閣官房長官は、幹部職員について適切な人事管理を確保するために必要があると認めるときは、任命権者に対し、幹部職員の昇任、降任、転任、退職及び免職（第八十一条の二第一項の規定による降任及び転任を除く。以下この項において「昇任等」という。）について協議を求めることができる。この場合において、協議が調つたときは、任命権者は、当該協議に基づいて昇任等を行うものとする。

（管理職への任用に関する運用の管理）

第六十一条の五　任命権者は、政令で定めるところにより、定期的に、及び内閣総理大臣の求めがある場合には随時、管理職への任用の状況を内閣総理大臣に報告するものとする。

②　内閣総理大臣は、第五十四条第二項第四号の基準に照らして必要があると認める場合には、任命権者に対し、管理職への任用に関する運用の改善その他の必要な措置をとることを求めることができる。

（任命権者を異にする管理職への任用に係る調整）

第六十一条の六　内閣総理大臣は、任命権者を異にする管理職（自衛隊法第三十条の二第一項第七号に規定する管理職を含む。）への任用の円滑な実施に資するよう、任命権者に対する情報提供、任命権者相互間の情報交換の促進その他の必要な調整を行うものとする。

（人事に関する情報の管理）

第六十一条の七　内閣総理大臣は、この款及び次款の規定の円滑な運用を図るため、内閣府、デジタル庁、各省その他の機関に対し、政令で定めるところにより、当該機関の幹部職員、管理職員、第六十一条の九第二項第二号に規定する課程対象者その他これらに準ずる職員として政令で定めるものの人事に関する情報の提供を求めることができる。

②　内閣総理大臣は、政令で定めるところにより、前項の規定により提出された情報を適正に管理するものとする。

（特殊性を有する幹部職等の特例）

第六十一条の八　法律の規定に基づき内閣に置かれる機関（内閣法制局、内閣府及びデジタル庁を除く。以下この項において「内閣の直属機関」という。）、人事院、検察庁及び会計検査院の官職（当該官職が内閣の直属機関に属するものであつて、その任命権者が内閣の委任を受けて任命権を行う者であるものを除く。）については、第六十一条の二から第六十一条の五までの規定は適用せず、第五十七条、第五十八条及び前条第一項の

規定の適用については、第五十七条中「採用（職員の幹部職への任命に該当するものを除く。）」とあるのは「採用」と、第五十八条第一項中「転任（職員の幹部職への任命に該当するものを除く。）」とあるのは「転任」と、同条第二項中「降任させる場合（職員の幹部職への任命に該当する場合を除く。）」とあるのは「降任させる場合」と、同条第三項中「転任（職員の幹部職への任命に該当するものを除く。）」とあるのは「転任」と、前条第一項中「、政令」とあるのは「、当該機関の職員が適格性審査を受ける場合その他の必要がある場合として政令で定める場合に限り、政令」とする。

②　警察庁の官職については、第六十一条の二、第六十一条の三、第六十一条の四第四項及び第六十一条の五の規定は適用せず、第五十七条、第五十八条、第六十一条の四第一項から第三項まで及び前条第一項の規定の適用については、第五十七条中「採用（職員の幹部職への任命に該当するものを除く。）」とあるのは「採用」と、第五十八条第一項中「転任（職員の幹部職への任命に該当するものを除く。）」とあるのは「転任」と、同条第二項中「降任させる場合（職員の幹部職への任命に該当する場合を除く。）」とあるのは「降任させる場合」と、同条第三項中「転任（職員の幹部職への任命に該当するものを除く。）」とあるのは「転任」と、第六十一条の四第一項中「に協議した上で、当該協議に基づいて行う」とあるのは「（任命権者が警察庁長官である場合にあつては、国家公安委員会を通じて内閣総理大臣及び内閣官房長官）に通知するものとする。この場合において、内閣総理大臣及び内閣官房長官は、任命権者（任命権者が警察庁長官である場合にあつては、国家公安委員会を通じて任命権者）に対し、当該幹部職に係る標準職務遂行能力を有しているか否かの観点から意見を述べることができる」と、同条第二項中「に協議する」とあるのは「（任命権者が警察庁長官である場合にあつては、国家公安委員会を通じて内閣総理大臣及び内閣官房長官）に通知する」と、「当該協議」とあるのは「当該通知」と、同条第三項中「内閣総理大臣及び内閣官房長官に通知するとともに、遅滞なく」とあるのは「遅滞なく」と、「に協議し、当該協議に基づいて必要な措置を講じなければならない」とあるのは「（任命権者が警察庁長官である場合にあつては、国家公安委員会を通じて内閣総理大臣及び内閣官房長官）に通知しなければならない。この場合において、内閣総理大臣及び内閣官房長官は、任命権者（任命権者が警察庁長官である場合にあつては、国家公安委員会を通じて任命権者）に対し、当該幹部職に係る標準職務遂行能力を有しているか否かの観点から意見を述べることができるものとする」と、前条第一項中「、政令」とあるのは「、当該機関の職員が適格性審査を受ける場合その他の必要がある場合として政令で定める場合に限り、政令」とする

③　内閣法制局、宮内庁、外局として置かれる委員会（政令で定めるものを除く。）及び国家行政組織法第七条第五項に規定する実施庁の幹部職（これらの機関の長を除く。）については、第六十一条の四第四項の規定は適用せず、同条第一項及び第三項の規定の適用については、同条第一項中「内閣総理大臣」とあるのは「任命権者の属する機関に係る事項についての内閣法（昭和二十二年法律第五号）にいう主任の大臣（第三項において単に「主任の大臣」という。）を通じて内閣総理大臣」と、同条第三項中「内閣総理大臣」とあるのは「主任の大臣を通じて内閣総理大臣」とする。

第七款　幹部候補育成課程

（運用の基準）

第六十一条の九　内閣総理大臣、各省大臣（自衛隊法第三十一条第一項の規定により自衛隊員の任免について権限を有する防衛大臣を含む。）、会計検査院長、人事院総裁その他機関の長であつて政令で定めるもの（以下この条及び次条において「各大臣等」という。）は、幹部職員の候補となり得る管理職員（同法第三十条の二第一項第七号に規定する管理隊員を含む。次項において同じ。）としてその職責を担うにふさわしい能力及び経験を有する職員（自衛隊員（自衛官を除く。）を含む。同項において同じ。）を育成するための課程（以下「幹部候補育成課程」という。）を設け、内閣総理大臣の定める基準に従い、運用するものとする。

②　前項の基準においては、次に掲げる事項を定めるものとする。

一　各大臣等が、その職員であつて、採用後、一定期間勤務した経験を有するものの中から、本人の希望及び人事評価（自衛隊法第三十一条第三項に規定する人事評価を含む。次号において同じ。）に基づいて、幹部候補育成課程における育成の対象となるべき者を随時選定すること。

二　各大臣等が、前号の規定により選定した者（以下「課程対象者」という。）について、人事評価に基づいて、引き続き課程対象者とするかどうかを定期的に判定すること。

三　各大臣等が、課程対象者に対し、管理職員に求められる政策の企画立案及び業務の管理に係る能力の育成を目的とした研修（政府全体を通ずるものを除く。）を実施すること。

四　各大臣等が、課程対象者に対し、管理職員に求められる政策の企画立案及び業務の管理に係る能力の育成を目的とした研修であつて、政府全体を通ずるものとして内閣総理大臣が企画立案し、実施するものを受講させること。

五　各大臣等が、課程対象者に対し、国の複数の行政機関又は国以外の法人において勤務させることにより、多様な勤務を経験する機会を付与すること。

六　第三号の研修の実施及び前号の機会の付与に当たつては、次に掲げる事項を行うよう努めること。

イ　民間企業その他の法人における勤務の機会を付与すること。

ロ　国際機関、在外公館その他の外国に所在する機関における勤務又は海外への留学の機会を付与すること。

ハ　所掌事務に係る専門性の向上を目的とした研修を実施し、又はその向上に資する勤務の機会を付与すること。

七　前各号に掲げるもののほか、幹部候補育成課程に関する政府全体としての統一性を確保するために必要な事項

（運用の管理）

第六十一条の十　各大臣等（会計検査院長及び人事院総裁を除く。次項において同じ。）は、政令で定めるところにより、定期的に、及び内閣総理大臣の求めがある場合には随時、幹部候補育成課程の運用の状況を内閣総理大臣に報告するものとする。

②　内閣総理大臣は、前条第一項の基準に照らして必要があると認める場合には、各大臣等に対し、幹部候補育成課程の運用の

改善その他の必要な措置をとることを求めることができる。

（任命権者を異にする任用に係る調整）

第六十一条の十一　第六十一条の六の規定は、任命権者を異にする官職への課程対象者の任用について準用する。

第三節　給与

（給与の根本基準）

第六十二条　職員の給与は、その官職の職務と責任に応じてこれをなす。

第一款　通則

（法律による給与の支給）

第六十三条　職員の給与は、別に定める法律に基づいてなされ、これに基づかずには、いかなる金銭又は有価物も支給することはできない。

（俸給表）

第六十四条　前条に規定する法律（以下「給与に関する法律」という。）には、俸給表が規定されなければならない。

②　俸給表は、生計費、民間における賃金その他人事院の決定する適当な事情を考慮して定められ、かつ、等級ごとに明確な俸給額の幅を定めていなければならない。

（給与に関する法律に定めるべき事項）

第六十五条　給与に関する法律には、前条の俸給表のほか、次に掲げる事項が規定されなければならない。

一　初任給、昇給その他の俸給の決定の基準に関する事項

二　官職又は勤務の特殊性を考慮して支給する給与に関する事項

三　親族の扶養その他職員の生計の事情を考慮して支給する給与に関する事項

四　地域の事情を考慮して支給する給与に関する事項

五　時間外勤務、夜間勤務及び休日勤務に対する給与に関する事項

六　一定の期間における勤務の状況を考慮して年末等に特別に支給する給与に関する事項

七　常時勤務を要しない官職を占める職員の給与に関する事項

②　前項第一号の基準は、勤続期間、勤務能率その他勤務に関する諸要件を考慮して定められるものとする。

第六十六条　削除

（給与に関する法律に定める事項の改定）

第六十七条　人事院は、第二十八条第二項の規定によるもののほか、給与に関する法律に定める事項に関し、常時、必要な調査研究を行い、これを改定する必要を認めたときは、遅滞なく改定案を作成して、国会及び内閣に勧告をしなければならない。

第二款　給与の支払

（給与簿）

第六十八条　職員に対して給与の支払をなす者は、先づ受給者につき給与簿を作成しなければならない。

②　給与簿は、何時でも人事院の職員が検査し得るようにしておかなければならない。

③　前二項に定めるものを除いては、給与簿に関し必要な事項は、人事院規則でこれを定める。

（給与簿の検査）

第六十九条　職員の給与が法令、人事院規則又は人事院指令に適合して行われることを確保するため必要があるときは、人事院は給与簿を検査し、必要があると認めるときは、その是正を命ずることができる。

（違法の支払に対する措置）

第七十条　人事院は、給与の支払が、法令、人事院規則又は人事院指令に違反してなされたことを発見した場合には、自己の権限に属する事項については自ら適当な措置をなす外、必要があると認めるときは、事の性質に応じて、これを会計検査院に報告し、又は検察官に通報しなければならない。

第四節　人事評価

（人事評価の根本基準）

第七十条の二　職員の人事評価は、公正に行われなければならない。

（人事評価の実施）

第七十条の三　職員の執務については、その所轄庁の長は、定期的に人事評価を行わなければならない。

②　人事評価の基準及び方法に関する事項その他人事評価に関し必要な事項は、人事院の意見を聴いて、政令で定める。

（人事評価に基づく措置）

第七十条の四　所轄庁の長は、前条第一項の人事評価の結果に応じた措置を講じなければならない。

②　内閣総理大臣は、勤務成績の優秀な者に対する表彰に関する事項及び成績の著しく不良な者に対する矯正方法に関する事項を立案し、これについて、適当な措置を講じなければならない。

第四節の二　研修

（研修の根本基準）

第七十条の五　研修は、職員に現在就いている官職又は将来就くことが見込まれる官職の職務の遂行に必要な知識及び技能を習得させ、並びに職員の能力及び資質を向上させることを目的とするものでなければならない。

②　前項の根本基準の実施につき必要な事項は、この法律に定めのあるものを除いては、人事院の意見を聴いて政令で定める。

③　人事院及び内閣総理大臣は、それぞれの所掌事務に係る研修による職員の育成について調査研究を行い、その結果に基づいて、それぞれの所掌事務に係る研修について適切な方策を講じなければならない。

（研修計画）

第七十条の六　人事院、内閣総理大臣及び関係庁の長は、前条第一項に規定する根本基準を達成するため、職員の研修（人事院にあつては第一号に掲げる観点から行う研修とし、内閣総理大臣にあつては第二号に掲げる観点から行う研修とし、関係庁の長にあつては第三号に掲げる観点から行う研修とする。）について計画を樹立し、その実施に努めなければならない。

一　国民全体の奉仕者としての使命の自覚及び多角的な視点等を有する職員の育成並びに研修の方法に関する専門的知見を活用して行う職員の効果的な育成

二　各行政機関の課程対象者の政府全体を通じた育成又は内閣の重要政策に関する理解を深めることを通じた行政各部の施策の統一性の確保

三　行政機関が行うその職員の育成又は行政機関がその所掌事務について行うその職員及び他の行政機関の職員に対する知識及び技能の付与

②　前項の計画は、同項の目的を達成するために必要かつ適切な

職員の研修の機会が確保されるものでなければならない。
③ 内閣総理大臣は、第一項の規定により内閣総理大臣及び関係庁の長が行う研修についての計画の樹立及び実施に関し、その総合的企画及び関係各庁に対する調整を行う。
④ 内閣総理大臣は、前項の総合的企画に関連して、人事院に対し、必要な協力を要請することができる。
⑤ 人事院は、第一項の計画の樹立及び実施に関し、その監視を行う。

（研修に関する報告要求等）
第七十条の七 人事院は、内閣総理大臣又は関係庁の長に対し、人事院規則の定めるところにより、前条第一項の計画に基づく研修の実施状況について報告を求めることができる。
② 人事院は、内閣総理大臣又は関係庁の長が法令に違反して前条第一項の計画に基づく研修を行つた場合には、その是正のため必要な指示を行うことができる。

第五節 能率

第七十一条から第七十三条まで 〔略〕

（能率の増進に関する要請）
第七十三条の二 内閣総理大臣は、職員の能率の増進を図るため必要があると認めるときは、関係庁の長に対し、国家公務員宿舎法（昭和二十四年法律第百十七号）又は国家公務員等の旅費に関する法律（昭和二十五年法律第百十四号）の執行に関し必要な要請をすることができる。

第六節 分限、懲戒及び保障

（分限、懲戒及び保障の根本基準）
第七十四条 すべて職員の分限、懲戒及び保障については、公正でなければならない。
② 前項に規定する根本基準の実施につき必要な事項は、この法律に定めるものを除いては、人事院規則でこれを定める。

第一款 分限

第一目 降任、休職、免職等

（身分保障）
第七十五条 職員は、法律又は人事院規則で定める事由による場合でなければ、その意に反して、降任され、休職され、又は免職されることはない。
② 職員は、この法律又は人事院規則で定める事由に該当するときは、降給されるものとする。

（欠格による失職）
第七十六条 職員が第三十八条各号（第二号を除く。）のいずれかに該当するに至つたときは、人事院規則で定める場合を除くほか、当然失職する。

（離職）
第七十七条 職員の離職に関する規定は、この法律及び人事院規則でこれを定める。

（本人の意に反する降任及び免職の場合）
第七十八条 職員が、次の各号に掲げる場合のいずれかに該当するときは、人事院規則の定めるところにより、その意に反して、これを降任し、又は免職することができる。
一 人事評価又は勤務の状況を示す事実に照らして、勤務実績がよくない場合
二 心身の故障のため、職務の遂行に支障があり、又はこれに堪えない場合
三 その他その官職に必要な適格性を欠く場合
四 官制若しくは定員の改廃又は予算の減少により廃職又は過員を生じた場合

（幹部職員の降任に関する特例）
第七十八条の二 任命権者は、幹部職員（幹部職のうち職制上の段階が最下位の段階のものを占める幹部職員を除く。以下この条において同じ。）について、次の各号に掲げる場合のいずれにも該当するときは、人事院規則の定めるところにより、当該幹部職員が前条各号に掲げる場合のいずれにも該当しない場合においても、その意に反して降任（直近下位の職制上の段階に属する幹部職への降任に限る。）を行うことができる。
一 当該幹部職員が、人事評価又は勤務の状況を示す事実に照らして、他の官職（同じ職制上の段階に属する他の官職であつて、当該官職に対する任命権が当該幹部職員の任命権者に属するものをいう。第三号において「他の官職」という。）を占める他の幹部職員に比して勤務実績が劣つているものとして人事院規則で定める要件に該当する場合
二 当該幹部職員が現に任命されている官職に幹部職員となり得る他の特定の者を任命すると仮定した場合において、当該他の特定の者が、人事評価又は勤務の状況を示す事実その他の客観的な事実及び当該官職についての適性に照らして、当該幹部職員より優れた業績を挙げることが十分見込まれる場合として人事院規則で定める要件に該当する場合
三 当該幹部職員について、欠員を生じ、若しくは生ずると見込まれる他の官職についての適性が他の候補者と比較して十分でない場合として人事院規則で定める要件に該当すること若しくは他の官職の職務を行うと仮定した場合において当該幹部職員が当該他の官職に現に就いている他の職員より優れた業績を挙げることが十分見込まれる場合として人事院規則で定める要件に該当しないことにより、転任させるべき適当な官職がないと認められる場合又は幹部職員の任用を適切に行うため当該幹部職員を降任させる必要がある場合として人事院規則で定めるその他の場合

（本人の意に反する休職の場合）
第七十九条 職員が、左の各号の一に該当する場合又は人事院規則で定めるその他の場合においては、その意に反して、これを休職することができる。
一 心身の故障のため、長期の休養を要する場合
二 刑事事件に関し起訴された場合

（休職の効果）
第八十条 前条第一号の規定による休職の期間は、人事院規則でこれを定める。休職期間中その事故の消滅したときは、休職は当然終了したものとし、すみやかに復職を命じなければならない。
② 前条第二号の規定による休職の期間は、その事件が裁判所に係属する間とする。
③ いかなる休職も、その事由が消滅したときは、当然に終了したものとみなされる。
④ 休職者は、職員としての身分を保有するが、職務に従事しない。休職者は、その休職の期間中、給与に関する法律で別段の定めをしない限り、何らの給与を受けてはならない。

（適用除外）
第八十一条 次に掲げる職員の分限（定年に係るものを除く。次

項において同じ。）については、第七十五条、第七十八条から前条まで及び第八十九条並びに行政不服審査法（平成二十六年法律第六十八号）の規定は、適用しない。

一　臨時的職員

二　条件付採用期間中の職員

②　前項各号に掲げる職員の分限については、人事院規則で必要な事項を定めることができる。

第二目　管理監督職勤務上限年齢による降任等

（管理監督職勤務上限年齢による降任等）

第八十一条の二　任命権者は、管理監督職（一般職の職員の給与に関する法律第十条の二第一項に規定する官職及びこれに準ずる官職として人事院規則で定める官職並びに指定職（これらの官職のうち、病院、療養所、診療所その他の国の部局又は機関に勤務する医師及び歯科医師が占める官職その他のその職務と責任に特殊性があること又は欠員の補充が困難であることによりこの条の規定を適用することが著しく不適当と認められる官職として人事院規則で定める官職を除く。）をいう。以下この目及び第八十一条の七において同じ。）を占める職員でその占める管理監督職に係る管理監督職勤務上限年齢に達している職員について、異動期間（当該管理監督職勤務上限年齢に達した日の翌日から同日以後における最初の四月一日までの間をいう。以下この目及び同条において同じ。）（第八十一条の五第一項から第四項までの規定により延長された期間を含む。以下この項において同じ。）に、管理監督職以外の官職又は管理監督職勤務上限年齢が当該職員の年齢を超える管理監督職（以下この項及び第三項においてこれらの官職を「他の官職」という。）への降任又は転任（降給を伴う転任に限る。）をするものとする。ただし、異動期間に、この法律の他の規定により当該職員について他の官職への昇任、降任若しくは転任をした場合又は第八十一条の七第一項の規定により当該職員を管理監督職を占めたまま引き続き勤務させることとした場合は、この限りでない。

②　前項の管理監督職勤務上限年齢は、年齢六十年とする。ただし、次の各号に掲げる管理監督職を占める職員の管理監督職勤務上限年齢は、当該各号に定める年齢とする。

一　国家行政組織法第十八条第一項に規定する事務次官及びこれに準ずる管理監督職のうち人事院規則で定める管理監督職　年齢六十二年

二　前号に掲げる管理監督職のほか、その職務と責任に特殊性があること又は欠員の補充が困難であることにより管理監督職勤務上限年齢を年齢六十年とすることが著しく不適当と認められる管理監督職として人事院規則で定める管理監督職　六十年を超え六十四年を超えない範囲内で人事院規則で定める年齢

③　第一項本文の規定による他の官職への降任又は転任（以下この目及び第八十九条第一項において「他の官職への降任等」という。）を行うに当たつて任命権者が遵守すべき基準に関する事項その他の他の官職への降任等に関し必要な事項は、人事院規則で定める。

（管理監督職への任用の制限）

第八十一条の三　任命権者は、採用し、昇任し、降任し、又は転任しようとする管理監督職に係る管理監督職勤務上限年齢に達している者を、その者が当該管理監督職を占めているものとした場合における異動期間の末日の翌日（他の官職への降任等をされた職員にあつては、当該他の官職への降任等をされた日）以後、当該管理監督職に採用し、昇任し、降任し、又は転任することができない。

（適用除外）

第八十一条の四　前二条の規定は、臨時的職員その他の法律により任期を定めて任用される職員には適用しない。

（管理監督職勤務上限年齢による降任等及び管理監督職への任用の制限の特例）

第八十一条の五　任命権者は、他の官職への降任等をすべき管理監督職を占める職員について、次に掲げる事由があると認めるときは、当該職員が占める管理監督職に係る異動期間の末日の翌日から起算して一年を超えない期間内（当該期間内に次条第一項に規定する定年退職日（以下この項及び次項において「定年退職日」という。）がある職員にあつては、当該異動期間の末日の翌日から定年退職日までの期間内。第三項において同じ。）で当該異動期間を延長し、引き続き当該管理監督職を占める職員に、当該管理監督職を占めたまま勤務をさせることができる。

一　当該職員の職務の遂行上の特別の事情を勘案して、当該職員の他の官職への降任等により公務の運営に著しい支障が生ずると認められる事由として人事院規則で定める事由

二　当該職員の職務の特殊性を勘案して、当該職員の他の官職への降任等により、当該管理監督職の欠員の補充が困難となることにより公務の運営に著しい支障が生ずると認められる事由として人事院規則で定める事由

②　任命権者は、前項又はこの項の規定により異動期間（これらの規定により延長された期間を含む。）が延長された管理監督職を占める職員について、前項各号に掲げる事由が引き続きあると認めるときは、人事院の承認を得て、延長された当該異動期間の末日の翌日から起算して一年を超えない期間内（当該期間内に定年退職日がある職員にあつては、延長された当該異動期間の末日の翌日から定年退職日までの期間内。第四項において同じ。）で延長された当該異動期間を更に延長することができる。ただし、更に延長される当該異動期間の末日は、当該職員が占める管理監督職に係る異動期間の末日の翌日から起算して三年を超えることができない。

③　任命権者は、第一項の規定により異動期間を延長することができる場合を除き、他の官職への降任等をすべき特定管理監督職群（職務の内容が相互に類似する複数の管理監督職（指定職を除く。以下この項及び次項において同じ。）であつて、これらの欠員を容易に補充することができない年齢別構成その他の特別の事情がある管理監督職として人事院規則で定める管理監督職をいう。以下この項において同じ。）に属する管理監督職を占める職員について、当該職員の他の官職への降任等により、当該特定管理監督職群に属する管理監督職の欠員の補充が困難となることにより公務の運営に著しい支障が生ずると認められる事由として人事院規則で定める事由があると認めるときは、当該職員が占める管理監督職に係る異動期間の末日の翌日から起算して一年を超えない期間内で当該異動期間を延長し、引き続き当該管理監督職を占めている職員に当該管理監督職を占めたまま勤務をさせ、又は当該職員を当該管理監督職が属す

る特定管理監督職群の他の管理監督職に降任し、若しくは転任することができる。

④　任命権者は、第一項若しくは第二項の規定により異動期間（これらの規定により延長された期間を含む。）が延長された管理監督職を占める職員について前項に規定する事由があると認めるとき（第二項の規定により延長された当該異動期間を更に延長することができるときを除く。）、又は前項若しくはこの項の規定により異動期間（前三項又はこの項の規定により延長された期間を含む。）が延長された管理監督職を占める職員について前項に規定する事由が引き続きあると認めるときは、人事院の承認を得て、延長された当該異動期間の末日の翌日から起算して一年を超えない期間内で延長された当該異動期間を更に延長することができる。

⑤　前各項に定めるもののほか、これらの規定による異動期間（これらの規定により延長された期間を含む。）の延長及び当該延長に係る職員の降任又は転任に関し必要な事項は、人事院規則で定める。

第三目　定年による退職等

（定年による退職）

第八十一条の六　職員は、法律に別段の定めのある場合を除き、定年に達したときは、定年に達した日以後における最初の三月三十一日又は第五十五条第一項に規定する任命権者若しくは法律で別に定められた任命権者があらかじめ指定する日のいずれか早い日（次条第一項及び第二項ただし書において「定年退職日」という。）に退職する。

②　前項の定年は、年齢六十五年とする。ただし、その職務と責任に特殊性があること又は欠員の補充が困難であることにより定年を年齢六十五年とすることが著しく不適当と認められる官職を占める医師及び歯科医師その他の職員として人事院規則で定める職員の定年は、六十五年を超え七十年を超えない範囲内で人事院規則で定める年齢とする。

③　前二項の規定は、臨時的職員その他の法律により任期を定めて任用される職員及び常時勤務を要しない官職を占める職員には適用しない。

（定年による退職の特例）

第八十一条の七　任命権者は、定年に達した職員が前条第一項の規定により退職すべきこととなる場合において、次に掲げる事由があると認めるときは、同項の規定にかかわらず、当該職員に係る定年退職日の翌日から起算して一年を超えない範囲内で期限を定め、当該職員を当該定年退職日において従事している職務に従事させるため、引き続き勤務させることができる。ただし、第八十一条の五第一項から第四項までの規定により異動期間（これらの規定により延長された期間を含む。）を延長した職員であつて、定年退職日において管理監督職を占めている職員については、同条第一項又は第二項の規定により当該定年退職日まで当該異動期間を延長した場合であつて、引き続き勤務させることについて人事院の承認を得たときに限るものとし、当該期限は、当該職員が占めている管理監督職に係る異動期間の末日の翌日から起算して三年を超えることができない。

一　前条第一項の規定により退職すべきこととなる職員の職務の遂行上の特別の事情を勘案して、当該職員の退職により公務の運営に著しい支障が生ずると認められる事由として人事院規則で定める事由

二　前条第一項の規定により退職すべきこととなる職員の職務の特殊性を勘案して、当該職員の退職により、当該職員が占める官職の欠員の補充が困難となることにより公務の運営に著しい支障が生ずると認められる事由として人事院規則で定める事由

②　任命権者は、前項の期限又はこの項の規定により延長された期限が到来する場合において、前項各号に掲げる事由が引き続きあると認めるときは、人事院の承認を得て、これらの期限の翌日から起算して一年を超えない範囲内で期限を延長することができる。ただし、その期限は、当該職員に係る定年退職日（同項ただし書に規定する職員にあつては、当該職員が占めている管理監督職に係る異動期間の末日）の翌日から起算して三年を超えることができない。

③　前二項に定めるもののほか、これらの規定による勤務に関し必要な事項は、人事院規則で定める。

（定年に関する事務の調整等）

第八十一条の八　内閣総理大臣は、職員の定年に関する事務の適正な運営を確保するため、各行政機関が行う当該事務の運営に関し必要な調整を行うほか、職員の定年に関する制度の実施に関する施策を調査研究し、その権限に属する事項について適切な方策を講ずるものとする。

第二款　懲戒

（懲戒の場合）

第八十二条　職員が次の各号のいずれかに該当する場合には、当該職員に対し、懲戒処分として、免職、停職、減給又は戒告の処分をすることができる。

一　この法律若しくは国家公務員倫理法又はこれらの法律に基づく命令（国家公務員倫理法第五条第三項の規定に基づく訓令及び同条第四項の規定に基づく規則を含む。）に違反した場合

二　職務上の義務に違反し、又は職務を怠つた場合

三　国民全体の奉仕者たるにふさわしくない非行のあつた場合

②　職員が、任命権者の要請に応じ特別職に属する国家公務員、地方公務員又は沖縄振興開発金融公庫その他その業務が国の事務若しくは事業と密接な関連を有する法人のうち人事院規則で定めるものに使用される者（以下この項において「特別職国家公務員等」という。）となるため退職し、引き続き特別職国家公務員等として在職した後、引き続いて当該退職を前提として職員として採用された場合（一の特別職国家公務員等として在職した後、引き続き一以上の特別職国家公務員等として在職し、引き続いて当該退職を前提として職員として採用された場合を含む。）において、当該退職までの引き続く職員としての在職期間（当該退職前に同様の退職（以下この項において「先の退職」という。）、特別職国家公務員等としての在職及び職員としての採用がある場合には、当該先の退職までの引き続く職員としての在職期間を含む。以下この項において「要請に応じた退職前の在職期間」という。）中に前項各号のいずれかに該当したときは、当該職員に対し、同項に規定する懲戒処分を行うことができる。定年前再任用短時間勤務職員が、年齢六十年以上退職者となつた日までの引き続く職員としての在職期間（要請に応じた退職前の在職期間を含む。）又は第六十条の二第一項の規定によりかつて採用されて定年前再任用短時間勤務職

員として在職していた期間中に前項各号のいずれかに該当したときも、同様とする。

（懲戒の効果）

第八十三条　停職の期間は、一年をこえない範囲内において、人事院規則でこれを定める。

② 停職者は、職員としての身分を保有するが、その職務に従事しない。停職者は、第九十二条の規定による場合の外、停職の期間中給与を受けることができない。

（懲戒権者）

第八十四条　懲戒処分は、任命権者が、これを行う。

② 人事院は、この法律に規定された調査を経て職員を懲戒手続に付することができる。

（国家公務員倫理審査会への権限の委任）

第八十四条の二　人事院は、前条第二項の規定による権限（国家公務員倫理法又はこれに基づく命令（同法第五条第三項の規定に基づく訓令及び同条第四項の規定に基づく規則を含む。）に違反する行為に関して行われるものに限る。）を国家公務員倫理審査会に委任する。

（刑事裁判との関係）

第八十五条　懲戒に付せらるべき事件が、刑事裁判所に係属する間においても、人事院又は人事院の承認を経て任命権者は、同一事件について、適宜に、懲戒手続を進めることができる。この法律による懲戒処分は、当該職員が、同一又は関連の事件に関し、重ねて刑事上の訴追を受けることを妨げない。

第三款　保障

第一目　勤務条件に関する行政措置の要求

（勤務条件に関する行政措置の要求）

第八十六条　職員は、俸給、給料その他あらゆる勤務条件に関し、人事院に対して、人事院若しくは内閣総理大臣又はその職員の所轄庁の長により、適当な行政上の措置が行われることを要求することができる。

第八十七条及び第八十八条〔略〕

第二目　職員の意に反する不利益な処分に関する審査

第八十九条〔略〕

（審査請求）

第九十条　前条第一項に規定する処分を受けた職員は、人事院に対してのみ審査請求をすることができる。

② 前条第一項に規定する処分及び法律に特別の定めがある処分を除くほか、職員に対する処分については、審査請求をすることができない。職員がした申請に対する不作為についても、同様とする。

③ 第一項に規定する審査請求については、行政不服審査法第二章の規定を適用しない。

第九十条の二から第九十二条の二まで〔略〕

第三目　公務傷病に対する補償

第九十三条から第九十五条まで〔略〕

第七節　服務

（服務の根本基準）

第九十六条　すべて職員は、国民全体の奉仕者として、公共の利益のために勤務し、且つ、職務の遂行に当つては、全力を挙げてこれに専念しなければならない。

② 前項に規定する根本基準の実施に関し必要な事項は、この法律又は国家公務員倫理法に定めるものを除いては、人事院規則でこれを定める。

（服務の宣誓）

第九十七条　職員は、政令の定めるところにより、服務の宣誓をしなければならない。

（法令及び上司の命令に従う義務並びに争議行為等の禁止）

第九十八条　職員は、その職務を遂行するについて、法令に従い、且つ、上司の職務上の命令に忠実に従わなければならない。

② 職員は、政府が代表する使用者としての公衆に対して同盟罷業、怠業その他の争議行為をなし、又は政府の活動能率を低下させる怠業的行為をしてはならない。又、何人も、このような違法な行為を企て、又はその遂行を共謀し、そそのかし、若しくはあおつてはならない。

③ 職員で同盟罷業その他前項の規定に違反する行為をした者は、その行為の開始とともに、国に対し、法令に基いて保有する任命又は雇用上の権利をもつて、対抗することができない。

（信用失墜行為の禁止）

第九十九条　職員は、その官職の信用を傷つけ、又は官職全体の不名誉となるような行為をしてはならない。

（秘密を守る義務）

第百条　職員は、職務上知ることのできた秘密を漏らしてはならない。その職を退いた後といえども同様とする。

② 法令による証人、鑑定人等となり、職務上の秘密に属する事項を発表するには、所轄庁の長（退職者については、その退職した官職又はこれに相当する官職の所轄庁の長）の許可を要する。

③ 前項の許可は、法律又は政令の定める条件及び手続に係る場合を除いては、これを拒むことができない。

④ 前三項の規定は、人事院で扱われる調査又は審理の際人事院から求められる情報に関しては、これを適用しない。何人も、人事院の権限によつて行われる調査又は審理に際して、秘密の又は公表を制限された情報を陳述し又は証言することを人事院から求められた場合には、何人からも許可を受ける必要がない。人事院が正式に要求した情報について、人事院に対して、陳述及び証言を行わなかつた者は、この法律の罰則の適用を受けなければならない。

⑤ 前項の規定は、第十八条の四の規定により権限の委任を受けた再就職等監視委員会が行う調査について準用する。この場合において、同項中「人事院」とあるのは「再就職等監視委員会」と、「調査又は審理」とあるのは「調査」と読み替えるものとする。

（職務に専念する義務）

第百一条　職員は、法律又は命令の定める場合を除いては、その勤務時間及び職務上の注意力のすべてをその職責遂行のために用い、政府がなすべき責を有する職務にのみ従事しなければならない。職員は、法律又は命令の定める場合を除いては、官職を兼ねてはならない。職員は、官職を兼ねる場合においても、それに対して給与を受けてはならない。

② 前項の規定は、地震、火災、水害その他重大な災害に際し、当該官庁が職員を本職以外の業務に従事させることを妨げない。

（政治的行為の制限）

第百二条　職員は、政党又は政治的目的のために、寄附金その他の利益を求め、若しくは受領し、又は何らの方法を以てするを問わず、これらの行為に関与し、あるいは選挙権の行使を除く外、人事院規則で定める政治的行為をしてはならない。

②　職員は、公選による公職の候補者となることができない。

③　職員は、政党その他の政治的団体の役員、政治的顧問、その他これらと同様な役割をもつ構成員となることができない。

（私企業からの隔離）

第百三条　職員は、商業、工業又は金融業その他営利を目的とする私企業（以下営利企業という。）を営むことを目的とする会社その他の団体の役員、顧問若しくは評議員の職を兼ね、又は自ら営利企業を営んではならない。

②　前項の規定は、人事院規則の定めるところにより、所轄庁の長の申出により人事院の承認を得た場合には、これを適用しない。

③　営利企業について、株式所有の関係その他の関係により、当該企業の経営に参加し得る地位にある職員に対し、人事院は、人事院規則の定めるところにより、株式所有の関係その他の関係について報告を徴することができる。

④　人事院は、人事院規則の定めるところにより、前項の報告に基き、企業に対する関係の全部又は一部の存続が、その職員の職務遂行上適当でないと認めるときは、その旨を当該職員に通知することができる。

⑤　前項の通知を受けた職員は、その通知の内容について不服があるときは、その通知を受領した日の翌日から起算して三月以内に、人事院に審査請求をすることができる。

⑥　第九十条第三項並びに第九十一条第二項及び第三項の規定は前項の審査請求のあつた場合について、第九十二条の二の規定は第四項の通知の取消しの訴えについて、それぞれ準用する。

⑦　第五項の審査請求をしなかつた職員及び人事院が同項の審査請求について調査した結果、通知の内容が正当であると裁決された職員は、人事院規則の定めるところにより、人事院規則の定める期間内に、その企業に対する関係の全部若しくは一部を絶つか、又はその官職を退かなければならない。

（他の事業又は事務の関与制限）

第百四条　職員が報酬を得て、営利企業以外の事業の団体の役員、顧問若しくは評議員の職を兼ね、その他いかなる事業に従事し、若しくは事務を行うにも、内閣総理大臣及びその職員の所轄庁の長の許可を要する。

（職員の職務の範囲）

第百五条　職員は、職員としては、法律、命令、規則又は指令による職務を担当する以外の義務を負わない。

（勤務条件）

第百六条　職員の勤務条件その他職員の服務に関し必要な事項は、人事院規則でこれを定めることができる。

②　前項の人事院規則は、この法律の規定の趣旨に沿うものでなければならない。

第八節　退職管理

第百六条の二から第百六条の二十七まで〔略〕

第九節　退職年金制度

第百七条及び第百八条〔略〕

第十節　職員団体

（職員団体）

第百八条の二　この法律において「職員団体」とは、職員がその勤務条件の維持改善を図ることを目的として組織する団体又はその連合体をいう。

②　前項の「職員」とは、第五項に規定する職員以外の職員をいう。

③　職員は、職員団体を結成し、若しくは結成せず、又はこれに加入し、若しくは加入しないことができる。ただし、重要な行政上の決定を行う職員、重要な行政上の決定に参画する管理的地位にある職員、職員の任免に関して直接の権限を持つ監督的地位にある職員、職員の任免、分限、懲戒若しくは服務、職員の給与その他の勤務条件又は職員団体との関係についての当局の計画及び方針に関する機密の事項に接し、そのためにその職務上の義務と責任とが職員団体の構成員としての誠意と責任とに直接に抵触すると認められる監督的地位にある職員その他職員団体との関係において当局の立場に立つて遂行すべき職務を担当する職員（以下「管理職員等」という。）と管理職員等以外の職員とは、同一の職員団体を組織することができず、管理職員等と管理職員等以外の職員とが組織する団体は、この法律にいう「職員団体」ではない。

④　前項ただし書に規定する管理職員等の範囲は、人事院規則で定める。

⑤　警察職員及び海上保安庁又は刑事施設において勤務する職員は、職員の勤務条件の維持改善を図ることを目的とし、かつ、当局と交渉する団体を結成し、又はこれに加入してはならない。

第百八条の三及び第百八条の四〔略〕

（交渉）

第百八条の五　当局は、登録された職員団体から、職員の給与、勤務時間その他の勤務条件に関し、及びこれに附帯して、社交的又は厚生的活動を含む適法な活動に係る事項に関し、適法な交渉の申入れがあつた場合においては、その申入れに応ずべき地位に立つものとする。

②　職員団体と当局との交渉は、団体協約を締結する権利を含まないものとする。

③　国の事務の管理及び運営に関する事項は、交渉の対象とすることができない。

④　職員団体が交渉することのできる当局は、交渉事項について適法に管理し、又は決定することのできる当局とする。

⑤　交渉は、職員団体と当局があらかじめ取り決めた員数の範囲内で、職員団体がその役員の中から指名する者と当局の指名する者との間において行なわなければならない。交渉に当たつては、職員団体と当局との間において、議題、時間、場所その他必要な事項をあらかじめ取り決めて行なうものとする。

⑥　前項の場合において、特別の事情があるときは、職員団体は、役員以外の者を指名することができるものとする。ただし、その指名する者は、当該交渉の対象である特定の事項について交渉する適法な委任を当該職員団体の執行機関から受けたことを文書によつて証明できる者でなければならない。

⑦　交渉は、前二項の規定に適合しないこととなつたとき、又は他の職員の職務の遂行を妨げ、若しくは国の事務の正常な運営を阻害することとなつたときは、これを打ち切ることができ

る。

⑧　本条に規定する適法な交渉は、勤務時間中においても行なうことができるものとする。

⑨　職員は、職員団体に属していないという理由で、第一項に規定する事項に関し、不満を表明し、又は意見を申し出る自由を否定されてはならない。

（人事院規則の制定改廃に関する職員団体からの要請）

第百八条の五の二　登録された職員団体は、人事院規則の定めるところにより、職員の勤務条件について必要があると認めるときは、人事院に対し、人事院規則を制定し、又は改廃することを要請することができる。

②　人事院は、前項の規定による要請を受けたときは、速やかに、その内容を公表するものとする。

（職員団体のための職員の行為の制限）

第百八条の六　職員は、職員団体の業務にもつぱら従事することができない。ただし、所轄庁の長の許可を受けて、登録された職員団体の役員としてもつぱら従事する場合は、この限りでない。

②　前項ただし書の許可は、所轄庁の長が相当と認める場合に与えることができるものとし、これを与える場合においては、所轄庁の長は、その許可の有効期間を定めるものとする。

③　第一項ただし書の規定により登録された職員団体の役員として専ら従事する期間は、職員としての在職期間を通じて五年（行政執行法人の労働関係に関する法律（昭和二十三年法律第二百五十七号）第二条第二号の職員として同法第七条第一項ただし書の規定により労働組合の業務に専ら従事したことがある職員については、五年からその専ら従事した期間を控除した期間）を超えることができない。

④　第一項ただし書の許可は、当該許可を受けた職員が登録された職員団体の役員として当該職員団体の業務にもつぱら従事する者でなくなつたときは、取り消されるものとする。

⑤　第一項ただし書の許可を受けた職員は、その許可が効力を有する間は、休職者とする。

⑥　職員は、人事院規則で定める場合を除き、給与を受けながら、職員団体のためその業務を行ない、又は活動してはならない。

（不利益取扱いの禁止）

第百八条の七　職員は、職員団体の構成員であること、これを結成しようとしたこと、若しくはこれに加入しようとしたこと、又はその職員団体における正当な行為をしたことのために不利益な取扱いを受けない。

第四章　罰則

第百九条から第百十三条まで〔略〕

附　則（抄）

第一条から第五条まで〔略〕

第六条　労働組合法（昭和二十四年法律第百七十四号）、労働関係調整法（昭和二十一年法律第二十五号）、労働基準法（昭和二十二年法律第四十九号）、船員法（昭和二十二年法律第百号）、最低賃金法（昭和三十四年法律第百三十七号）、じん肺法（昭和三十五年法律第三十号）、労働安全衛生法（昭和四十七年法律第五十七号）及び船員災害防止活動の促進に関する法律（昭和四十二年法律第六十一号）並びにこれらの法律に基づく命令は、職員には適用しない。

第七条　第百八条の六の規定の適用については、国家公務員の労働関係の実態に鑑み、労働関係の適正化を促進し、もつて公務の能率的な運営に資するため、当分の間、同条第三項中「五年」とあるのは、「七年以下の範囲内で人事院規則で定める期間」とする。

第八条　令和五年四月一日から令和十三年三月三十一日までの間における第八十一条の六第二項の規定の適用については、次の表の上欄に掲げる期間の区分に応じ、同項中「六十五年」とあるのはそれぞれ同表の中欄に掲げる字句と、同項ただし書中「七十年」とあるのはそれぞれ同表の下欄に掲げる字句とする。

上欄	中欄	下欄
令和五年四月一日から令和七年三月三十一日まで	六十一年	六十六年
令和七年四月一日から令和九年三月三十一日まで	六十二年	六十七年
令和九年四月一日から令和十一年三月三十一日まで	六十三年	六十八年
令和十一年四月一日から令和十三年三月三十一日まで	六十四年	六十九年

②　令和五年四月一日から令和十三年三月三十一日までの間における国家公務員法等の一部を改正する法律（令和三年法律第六十一号。以下この条及び次条において「令和三年国家公務員法等改正法」という。）第一条の規定による改正前の第八十一条の二第二項第一号に掲げる職員に相当する職員として人事院規則で定める職員に対する第八十一条の六第二項の規定の適用については、前項の規定にかかわらず、次の表の上欄に掲げる期間の区分に応じ、同条第二項ただし書中同表の中欄に掲げる字句は、それぞれ同表の下欄に掲げる字句とする。

上欄	中欄	下欄
令和五年四月一日から令和七年三月三十一日まで	六十五年を超え七十年を超えない範囲内で人事院規則で定める年齢	年齢六十六年
令和七年四月一日から令和九年三月三十一日まで	七十年	六十七年
令和九年四月一日から令和十一年三月三十一日まで	七十年	六十八年
令和十一年四月一日から令和十三年三月三十一日まで	七十年	六十九年

③　令和五年四月一日から令和十三年三月三十一日までの間における令和三年国家公務員法等改正法第一条の規定による改正前

の第八十一条の二第二項第二号に掲げる職員に相当する職員として人事院規則で定める職員に対する第八十一条の六第二項の規定の適用については、第一項の規定にかかわらず、次の表の上欄に掲げる期間の区分に応じ、同条第二項中「六十五年」とあるのはそれぞれ同表の中欄に掲げる字句と、同項ただし書中「七十年」とあるのはそれぞれ同表の下欄に掲げる字句とする。

上欄	中欄	下欄
令和五年四月一日から令和七年三月三十一日まで	六十三年	六十六年
令和七年四月一日から令和九年三月三十一日まで	六十三年	六十七年
令和九年四月一日から令和十一年三月三十一日まで	六十三年	六十八年
令和十一年四月一日から令和十三年三月三十一日まで	六十四年	六十九年

④ 令和五年四月一日から令和七年三月三十一日までの間における令和三年国家公務員法等改正法第一条の規定による改正前の第八十一条の二第二項第三号に掲げる職員に相当する職員として人事院規則で定める職員に対する第八十一条の六第二項の規定の適用については、第一項の規定にかかわらず、同条第二項中「、年齢六十五年」とあるのは「、六十年を超え六十五年を超えない範囲内で人事院規則で定める年齢」と、同項ただし書中「六十五年を超え七十年を超えない範囲内で人事院規則で定める年齢」とあるのは「年齢六十六年」とする。

⑤ 令和七年四月一日から令和十三年三月三十一日までの間における前項に規定する職員に対する第八十一条の六第二項の規定の適用については、第一項の規定にかかわらず、次の表の上欄に掲げる期間の区分に応じ、同条第二項中「、年齢六十五年」とあるのはそれぞれ同表の中欄に掲げる字句と、同項ただし書中「七十年」とあるのはそれぞれ同表の下欄に掲げる字句とする。

上欄	中欄	下欄
令和七年四月一日から令和九年三月三十一日まで	、六十一年を超え六十五年を超えない範囲内で人事院規則で定める年齢	六十七年
令和九年四月一日から令和十一年三月三十一日まで	、六十二年を超え六十五年を超えない範囲内で人事院規則で定める年齢	六十八年
令和十一年四月一日から令和十三年三月三十一日まで	、六十三年を超え六十五年を超えない範囲内で人事院規則で定める年齢	六十九年

第九条 任命権者は、当分の間、職員（臨時的職員その他の法律により任期を定めて任用される職員及び常時勤務を要しない官職を占める職員並びに令和三年国家公務員法等改正法第一条の規定による改正前の第八十一条の二第二項第一号に掲げる職員に相当する職員として人事院規則で定める職員及び同項第三号に掲げる職員に相当する職員のうち人事院規則で定める職員その他人事院規則で定める職員を除く。以下この条において同じ。）が年齢六十年（同項第二号に掲げる職員に相当する職員として人事院規則で定める職員にあつては同号に定める年齢とし、同項第三号に掲げる職員に相当する職員のうち人事院規則で定める職員にあつては同号に定める年齢とする。以下この条において同じ。）に達する日の属する年度の前年度（当該前年度に職員でなかつた者その他の当該前年度においてこの条の規定による情報の提供及び意思の確認を行うことができない職員として人事院規則で定める職員にあつては、人事院規則で定める期間）において、当該職員に対し、人事院規則で定めるところにより、令和三年国家公務員法等改正法による定年の引上げに伴う当分の間の措置として講じられる一般職の職員の給与に関する法律附則第八項から第十六項までの規定による年齢六十年に達した日後における最初の四月一日以後の当該職員の俸給月額を引き下げる給与に関する特例措置及び国家公務員退職手当法（昭和二十八年法律第百八十二号）附則第十二項から第十五項までの規定による当該職員が年齢六十年に達した日から定年に達する日の前日までの間に非違によることなく退職をした場合における退職手当の基本額を当該職員が当該退職をした日に第八十一条の六第一項の規定により退職をしたものと仮定した場合における額と同額とする退職手当に関する特例措置その他の当該職員が年齢六十年に達する日以後に適用される任用、給与及び退職手当に関する措置の内容その他の必要な情報を提供するものとするとともに、同日の翌日以後における勤務の意思を確認するよう努めるものとする。

○教育公務員特例法

昭二四・一・一二
法一

最終改正 令四・六・一七法六八

目次〔略〕

第一章 総則

（この法律の趣旨）

第一条 この法律は、教育を通じて国民全体に奉仕する教育公務員の職務とその責任の特殊性に基づき、教育公務員の任免、人事評価、給与、分限、懲戒、服務及び研修等について規定する。

（定義）

第二条 この法律において「教育公務員」とは、地方公務員のうち、学校（学校教育法（昭和二十二年法律第二十六号）第一条に規定する学校及び就学前の子どもに関する教育、保育等の総合的な提供の推進に関する法律（平成十八年法律第七十七号）第二条第七項に規定する幼保連携型認定こども園（以下「幼保連携型認定こども園」という。）をいう。以下同じ。）であつて地方公共団体が設置するもの（以下「公立学校」という。）の学長、校長（園長を含む。以下同じ。）、教員及び部局長並びに教育委員会の専門的教育職員をいう。

2 この法律において「教員」とは、公立学校の教授、准教授、助教、副校長（副園長を含む。以下同じ。）、教頭、主幹教諭（幼保連携型認定こども園の主幹養護教諭及び主幹栄養教諭を含む。以下同じ。）、指導教諭、教諭、助教諭、養護教諭、養護助教諭、栄養教諭、主幹保育教諭、指導保育教諭、保育教諭、助保育教諭及び講師をいう。

3 この法律で「部局長」とは、大学（公立学校であるものに限る。第二十二条の六第三項、第二十二条の七第二項第二号及び第二十六条第一項を除き、以下同じ。）の副学長、学部長その他政令で指定する部局の長をいう。

4 この法律で「評議会」とは、大学に置かれる会議であつて当該大学を設置する地方公共団体の定めるところにより学長、学部長その他の者で構成するものをいう。

5 この法律で「専門的教育職員」とは、指導主事及び社会教育主事をいう。

第二章 任免、人事評価、給与、分限及び懲戒

第一節 大学の学長、教員及び部局長

（採用及び昇任の方法）

第三条 学長及び部局長の採用（現に当該学長の職以外の職に任命されている者を当該学長の職に任命する場合及び現に当該部局長の職以外の職に任命されている者を当該部局長の職に任命する場合を含む。次項から第四項までにおいて同じ。）並びに教員の採用（現に当該教員の職が置かれる部局に置かれる教員の職以外の職に任命されている者を当該部局に置かれる教員の職に任命する場合を含む。以下この項及び第五項において同じ。）及び昇任（採用に該当するものを除く。同項において同じ。）は、選考によるものとする。

2 学長の採用のための選考は、人格が高潔で、学識が優れ、かつ、教育行政に関し識見を有する者について、評議会（評議会を置かない大学にあつては、教授会。以下同じ。）の議に基づき学長の定める基準により、評議会が行う。

3 学部長の採用のための選考は、当該学部の教授会の議に基づき、学長が行う。

4 学部長以外の部局長の採用のための選考は、評議会の議に基づき学長の定める基準により、学長が行う。

5 教員の採用及び昇任のための選考は、評議会の議に基づき学長の定める基準により、教授会の議に基づき学長が行う。

6 前項の選考について教授会が審議する場合において、その教授会が置かれる組織の長は、当該大学の教員人事の方針を踏まえ、その選考に関し、教授会に対して意見を述べることができる。

（転任）

第四条 学長、教員及び部局長は、学長及び教員にあつては評議会、部局長にあつては学長の審査の結果によるのでなければ、その意に反して転任（現に学長の職に任命されている者を当該学長の職以外の職に任命する場合、現に教員の職に任命されている者を当該教員の職が置かれる部局に置かれる教員の職以外の職に任命する場合及び現に部局長の職に任命されている者を当該部局長の職以外の職に任命する場合をいう。）をされることはない。

2 評議会及び学長は、前項の審査を行うに当たつては、その者に対し、審査の事由を記載した説明書を交付しなければならない。

3 評議会及び学長は、審査を受ける者が前項の説明書を受領した後十四日以内に請求した場合には、その者に対し、口頭又は書面で陳述する機会を与えなければならない。

4 評議会及び学長は、第一項の審査を行う場合において必要があると認めるときは、参考人の出頭を求め、又はその意見を徴することができる。

5 前三項に規定するもののほか、第一項の審査に関し必要な事項は、学長及び教員にあつては評議会、部局長にあつては学長が定める。

（降任及び免職）

第五条 学長、教員及び部局長は、学長及び教員にあつては評議会、部局長にあつては学長の審査の結果によるのでなければ、その意に反して免職されることはない。教員の降任（前条第一項の転任に該当するものを除く。）についても、また同様とする。

2 前条第二項から第五項までの規定は、前項の審査の場合に準用する。

（人事評価）

第五条の二 学長、教員及び部局長の人事評価及びその結果に応じた措置は、学長にあつては評議会が、教員及び学部長にあつては教授会の議に基づき学長が、学部長以外の部局長にあつては学長が行う。

2 前項の人事評価の基準及び方法に関する事項その他人事評価に関し必要な事項は、評議会の議に基づき学長が定める。

（休職の期間）

第六条 学長、教員及び部局長の休職の期間は、心身の故障のため長期の休養を要する場合の休職においては、個々の場合について、評議会の議に基づき学長が定める。

（任期）

第七条 学長及び部局長の任期については、評議会の議に基づき学長が定める。

（定年）

第八条 大学の教員に対する地方公務員法（昭和二十五年法律第二百六十一号）第二十八条の六第一項、第二項及び第四項の規定の適用については、同条第一項中「定年に達した日以後における最初の三月三十一日までの間において、条例で定める日」とあるのは「定年に達した日から起算して一年を超えない範囲内で評議会の議に基づき学長があらかじめ指定する日」と、同条第二項中「国の職員につき定められている定年を基準として条例で」とあるのは「評議会の議に基づき学長が」と、同条第四項中「臨時的に任用される職員その他の法律により任期を定めて任用される職員」とあるのは「臨時的に任用される職員」とする。

２ 大学の教員については、地方公務員法第二十八条の六第三項及び第二十八条の七の規定は、適用しない。

（懲戒）

第九条 学長、教員及び部局長は、学長及び教員にあつては評議会、部局長にあつては学長の審査の結果によるのでなければ、懲戒処分を受けることはない。

２ 第四条第二項から第五項までの規定は、前項の審査の場合に準用する。

（任命権者）

第十条 大学の学長、教員及び部局長の任用、免職、休職、復職、退職及び懲戒処分は、学長の申出に基づいて、任命権者が行う。

２ 大学の学長、教員及び部局長に係る標準職務遂行能力は、評議会の議に基づく学長の申出に基づいて、任命権者が定める。

第二節 大学以外の公立学校の校長及び教員

（採用及び昇任の方法）

第十一条 公立学校の校長の採用（現に校長の職以外の職に任命されている者を校長の職に任命する場合を含む。）並びに教員の採用（現に教員の職以外の職に任命されている者を教員の職に任命する場合を含む。以下この条において同じ。）及び昇任（採用に該当するものを除く。）は、選考によるものとし、その選考は、大学附置の学校にあつては当該大学の学長が、大学附置の学校以外の公立学校（幼保連携型認定こども園を除く。）にあつてはその校長及び教員の任命権者である教育委員会の教育長が、大学附置の学校以外の公立学校（幼保連携型認定こども園に限る。）にあつてはその校長及び教員の任命権者である地方公共団体の長が行う。

（条件付任用）

第十二条 公立の小学校、中学校、義務教育学校、高等学校、中等教育学校、特別支援学校、幼稚園及び幼保連携型認定こども園（以下「小学校等」という。）の教諭、助教諭、保育教諭、助保育教諭及び講師（以下「教諭等」という。）に係る地方公務員法第二十二条に規定する採用については、同条中「六月」とあるのは「一年」として同条の規定を適用する。

２ 地方教育行政の組織及び運営に関する法律（昭和三十一年法律第百六十二号）第四十条に定める場合のほか、公立の小学校等の校長又は教員で地方公務員法第二十二条（同法第二十二条の二第七項及び前項の規定において読み替えて適用する場合を含む。）の規定により正式任用になつている者が、引き続き同一都道府県内の公立の小学校等の校長又は教員に任用された場合には、その任用については、同法第二十二条の規定は適用しない。

（校長及び教員の給与）

第十三条 公立の小学校等の校長及び教員の給与は、これらの者の職務と責任の特殊性に基づき条例で定めるものとする。

２ 前項に規定する給与のうち地方自治法（昭和二十二年法律第六十七号）第二百四条第二項の規定により支給することができる義務教育等教員特別手当は、これらの者のうち次に掲げるものを対象とするものとし、その内容は、条例で定める。

一 公立の小学校、中学校、義務教育学校、中等教育学校の前期課程又は特別支援学校の小学部若しくは中学部に勤務する校長及び教員

二 前号に規定する校長及び教員との権衡上必要があると認められる公立の高等学校、中等教育学校の後期課程、特別支援学校の高等部若しくは幼稚部、幼稚園又は幼保連携型認定こども園に勤務する校長及び教員

（休職の期間及び効果）

第十四条 公立学校の校長及び教員の休職の期間は、結核性疾患のため長期の休養を要する場合の休職においては、満二年とする。ただし、任命権者は、特に必要があると認めるときは、予算の範囲内において、その休職の期間を満三年まで延長することができる。

２ 前項の規定による休職者には、その休職の期間中、給与の全額を支給する。

第三節 専門的教育職員

（採用及び昇任の方法）

第十五条 専門的教育職員の採用（現に指導主事の職以外の職に任命されている者を指導主事の職に任命する場合及び現に社会教育主事の職以外の職に任命されている者を社会教育主事の職に任命する場合を含む。以下この条において同じ。）及び昇任（採用に該当するものを除く。）は、選考によるものとし、その選考は、当該教育委員会の教育長が行う。

第十六条 削除

第三章 服務

（兼職及び他の事業等の従事）

第十七条 教育公務員は、教育に関する他の職を兼ね、又は教育に関する他の事業若しくは事務に従事することが本務の遂行に支障がないと任命権者（地方教育行政の組織及び運営に関する法律第三十七条第一項に規定する県費負担教職員（以下「県費負担教職員」という。）については、市町村（特別区を含む。以下同じ。）の教育委員会）において認める場合には、給与を受け、又は受けないで、その職を兼ね、又はその事業若しくは事務に従事することができる。

２ 前項の規定は、非常勤の講師（地方公務員法第二十二条の四第一項に規定する短時間勤務の職を占める者及び同法第二十二条の二第一項第二号に掲げる者を除く。）については、適用し

ない。

3　第一項の場合においては、地方公務員法第三十八条第二項の規定により人事委員会が定める許可の基準によることを要しない。

（公立学校の教育公務員の政治的行為の制限）

第十八条　公立学校の教育公務員の政治的行為の制限については、当分の間、地方公務員法第三十六条の規定にかかわらず、国家公務員の例による。

2　前項の規定は、政治的行為の制限に違反した者の処罰につき国家公務員法（昭和二十二年法律第百二十号）第百十一条の二の例による趣旨を含むものと解してはならない。

（大学の学長、教員及び部局長の服務）

第十九条　大学の学長、教員及び部局長の服務について、地方公務員法第三十条の根本基準の実施に関し必要な事項は、前条第一項並びに同法第三十一条から第三十五条まで、第三十七条及び第三十八条に定めるものを除いては、評議会の議に基づき学長が定める。

第四章　研修

（研修実施者及び指導助言者）

第二十条　この章において「研修実施者」とは、次の各号に掲げる者の区分に応じ当該各号に定める者をいう。

一　市町村が設置する中等教育学校（後期課程に学校教育法第四条第一項に規定する定時制の課程のみを置くものを除く。次号において同じ。）の校長及び教員のうち県費負担教職員である者　当該市町村の教育委員会

二　地方自治法第二百五十二条の二十二第一項の中核市（以下この号及び次項第二号において「中核市」という。）が設置する小学校等（中等教育学校を除く。）の校長及び教員のうち県費負担教職員である者　当該中核市の教育委員会

三　前二号に掲げる者以外の教育公務員　当該教育公務員の任命権者

2　この章において「指導助言者」とは、次の各号に掲げる者の区分に応じ当該各号に定める者をいう。

一　前項第一号に掲げる者　同号に定める市町村の教育委員会

二　前項第二号に掲げる者　同号に定める中核市の教育委員会

三　公立の小学校等の校長及び教員のうち県費負担教職員である者（前二号に掲げる者を除く。）　当該校長及び教員の属する市町村の教育委員会

四　公立の小学校等の校長及び教員のうち県費負担教職員以外の者　当該校長及び教員の任命権者

（研修）

第二十一条　教育公務員は、その職責を遂行するために、絶えず研究と修養に努めなければならない。

2　教育公務員の研修実施者は、教育公務員（公立の小学校等の校長及び教員（臨時的に任用された者その他の政令で定める者を除く。以下この章において同じ。）を除く。）の研修について、それに要する施設、研修を奨励するための方途その他研修に関する計画を樹立し、その実施に努めなければならない。

（研修の機会）

第二十二条　教育公務員には、研修を受ける機会が与えられなければならない。

2　教員は、授業に支障のない限り、本属長の承認を受けて、勤務場所を離れて研修を行うことができる。

3　教育公務員は、任命権者（第二十条第一項第一号に掲げる者については、同号に定める市町村の教育委員会。以下この章において同じ。）の定めるところにより、現職のままで、長期にわたる研修を受けることができる。

（校長及び教員としての資質の向上に関する指標の策定に関する指針）

第二十二条の二　文部科学大臣は、公立の小学校等の校長及び教員の計画的かつ効果的な資質の向上を図るため、次条第一項に規定する指標の策定に関する指針（以下この条及び次条第一項において「指針」という。）を定めなければならない。

2　指針においては、次に掲げる事項を定めるものとする。

一　公立の小学校等の校長及び教員の資質の向上に関する基本的な事項

二　次条第一項に規定する指標の内容に関する事項

三　その他公立の小学校等の校長及び教員の資質の向上を図るに際し配慮すべき事項

3　文部科学大臣は、指針を定め、又はこれを変更したときは、遅滞なく、これを公表しなければならない。

（校長及び教員としての資質の向上に関する指標）

第二十二条の三　公立の小学校等の校長及び教員の任命権者は、指針を参酌し、その地域の実情に応じ、当該校長及び教員の職責、経験及び適性に応じて向上を図るべき校長及び教員としての資質に関する指標（以下この章において「指標」という。）を定めるものとする。

2　公立の小学校等の校長及び教員の任命権者は、指標を定め、又はこれを変更しようとするときは、第二十二条の七第一項に規定する協議会において協議するものとする。

3　公立の小学校等の校長及び教員の任命権者は、指標を定め、又はこれを変更したときは、遅滞なく、これを公表するよう努めるものとする。

4　独立行政法人教職員支援機構は、指標を策定する者に対して、当該指標の策定に関する専門的な助言を行うものとする。

（教員研修計画）

第二十二条の四　公立の小学校等の校長及び教員の研修実施者は、指標を踏まえ、当該校長及び教員の研修について、毎年度、体系的かつ効果的に実施するための計画（以下この条及び第二十二条の六第二項において「教員研修計画」という。）を定めるものとする。

2　教員研修計画においては、おおむね次に掲げる事項を定めるものとする。

一　研修実施者が実施する第二十三条第一項に規定する初任者研修、第二十四条第一項に規定する中堅教諭等資質向上研修その他の研修（以下この項及び次条第二項第一号において「研修実施者実施研修」という。）に関する基本的な方針

二　研修実施者実施研修の体系に関する事項

三　研修実施者実施研修の時期、方法及び施設に関する事項

四　研修実施者が指導助言者として行う第二十二条の六第二項に規定する資質の向上に関する指導助言等の方法に関して必要な事項（研修実施者が都道府県の教育委員会である場合においては、県費負担教職員について第二十条第二項第三号に定める市町村の教育委員会が指導助言者として行う第二十二

条の六第二項に規定する資質の向上に関する指導助言等に関する基本的な事項を含む。）
五　前号に掲げるもののほか、研修を奨励するための方途に関する事項
六　前各号に掲げるもののほか、研修の実施に関し必要な事項として文部科学省令で定める事項
3　公立の小学校等の校長及び教員の研修実施者は、教員研修計画を定め、又はこれを変更したときは、遅滞なく、これを公表するよう努めるものとする。

（研修等に関する記録）
第二十二条の五　公立の小学校等の校長及び教員の任命権者は、文部科学省令で定めるところにより、当該校長及び教員ごとに、研修の受講その他の当該校長及び教員の資質の向上のための取組の状況に関する記録（以下この条及び次条第二項において「研修等に関する記録」という。）を作成しなければならない。
2　研修等に関する記録には、次に掲げる事項を記載するものとする。
一　当該校長及び教員が受講した研修実施者実施研修に関する事項
二　第二十六条第一項に規定する大学院修学休業により当該教員が履修した同項に規定する大学院の課程等に関する事項
三　認定講習等（教育職員免許法（昭和二十四年法律第百四十七号）別表第三備考第六号の文部科学大臣の認定する講習又は通信教育をいう。次条第一項及び第三項において同じ。）のうち当該任命権者が開設したものであつて、当該校長及び教員が単位を修得したものに関する事項
四　前三号に掲げるもののほか、当該校長及び教員が行つた資質の向上のための取組のうち当該任命権者が必要と認めるものに関する事項
3　公立の小学校等の校長及び教員の任命権者が都道府県の教育委員会である場合においては、当該都道府県の教育委員会は、指導助言者（第二十条第二項第二号及び第三号に定める者に限る。）に対し、当該校長及び教員の研修等に関する記録に係る情報を提供するものとする。

（資質の向上に関する指導助言等）
第二十二条の六　公立の小学校等の校長及び教員の指導助言者は、当該校長及び教員がその職責、経験及び適性に応じた資質の向上のための取組を行うことを促進するため、当該校長及び教員からの相談に応じ、研修、認定講習等その他の資質の向上のための機会に関する情報を提供し、又は資質の向上に関する指導及び助言を行うものとする。
2　公立の小学校等の校長及び教員の指導助言者は、前項の規定による相談への対応、情報の提供並びに指導及び助言（次項において「資質の向上に関する指導助言等」という。）を行うに当たつては、当該校長及び教員に係る指標及び教員研修計画を踏まえるとともに、当該校長及び教員の研修等に関する記録に係る情報を活用するものとする。
3　指導助言者は、資質の向上に関する指導助言等を行うため必要があると認めるときは、独立行政法人教職員支援機構、認定講習等を開設する大学その他の関係者に対し、これらの者が行う研修、認定講習等その他の資質の向上のための機会に関する情報の提供その他の必要な協力を求めることができる。

（協議会）
第二十二条の七　公立の小学校等の校長及び教員の任命権者は、指標の策定に関する協議並びに当該指標に基づく当該校長及び教員の資質の向上に関して必要な事項についての協議を行うための協議会（以下この条において「協議会」という。）を組織するものとする。
2　協議会は、次に掲げる者をもつて構成する。
一　指標を策定する任命権者
二　公立の小学校等の校長及び教員の研修に協力する大学その他の当該校長及び教員の資質の向上に関係する大学として文部科学省令で定める者
三　その他当該任命権者が必要と認める者
3　協議会において協議が調つた事項については、協議会の構成員は、その協議の結果を尊重しなければならない。
4　前三項に定めるもののほか、協議会の運営に関し必要な事項は、協議会が定める。

（初任者研修）
第二十三条　公立の小学校等の教諭等の研修実施者は、当該教諭等（臨時的に任用された者その他の政令で定める者を除く。）に対して、その採用（現に教諭等の職以外の職に任命されている者を教諭等の職に任命する場合を含む。）の日から一年間の教諭又は保育教諭の職務の遂行に必要な事項に関する実践的な研修（次項において「初任者研修」という。）を実施しなければならない。
2　指導助言者は、初任者研修を受ける者（次項において「初任者」という。）の所属する学校の副校長、教頭、主幹教諭（養護又は栄養の指導及び管理をつかさどる主幹教諭を除く。）、指導教諭、教諭、主幹保育教諭、指導保育教諭、保育教諭又は講師のうちから、指導教員を命じるものとする。
3　指導教員は、初任者に対して教諭又は保育教諭の職務の遂行に必要な事項について指導及び助言を行うものとする。

（中堅教諭等資質向上研修）
第二十四条　公立の小学校等の教諭等（臨時的に任用された者その他の政令で定める者を除く。以下この項において同じ。）の研修実施者は、当該教諭等に対して、個々の能力、適性等に応じて、公立の小学校等における教育に関し相当の経験を有し、その教育活動その他の学校運営の円滑かつ効果的な実施において中核的な役割を果たすことが期待される中堅教諭等としての職務を遂行する上で必要とされる資質の向上を図るために必要な事項に関する研修（次項において「中堅教諭等資質向上研修」という。）を実施しなければならない。
2　指導助言者は、中堅教諭等資質向上研修を実施するに当たり、中堅教諭等資質向上研修を受ける者の能力、適性等について評価を行い、その結果に基づき、当該者ごとに中堅教諭等資質向上研修に関する計画書を作成しなければならない。

（指導改善研修）
第二十五条　公立の小学校等の教諭等の任命権者は、児童、生徒又は幼児（以下「児童等」という。）に対する指導が不適切であると認定した教諭等に対して、その能力、適性等に応じて、当該指導の改善を図るために必要な事項に関する研修（以下この条において「指導改善研修」という。）を実施しなければならない。

2　指導改善研修の期間は、一年を超えてはならない。ただし、特に必要があると認めるときは、任命権者は、指導改善研修を開始した日から引き続き二年を超えない範囲内で、これを延長することができる。

3　任命権者は、指導改善研修を実施するに当たり、指導改善研修を受ける者の能力、適性等に応じて、その者ごとに指導改善研修に関する計画書を作成しなければならない。

4　任命権者は、指導改善研修の終了時において、指導改善研修を受けた者の児童等に対する指導の改善の程度に関する認定を行わなければならない。

5　任命権者は、第一項及び前項の認定に当たつては、教育委員会規則（幼保連携型認定こども園にあつては、地方公共団体の規則。次項において同じ。）で定めるところにより、教育学、医学、心理学その他の児童等に対する指導に関する専門的知識を有する者及び当該任命権者の属する都道府県又は市町村の区域内に居住する保護者（親権を行う者及び未成年後見人をいう。）である者の意見を聴かなければならない。

6　前項に定めるもののほか、事実の確認の方法その他第一項及び第四項の認定の手続に関し必要な事項は、教育委員会規則で定めるものとする。

7　前各項に規定するもののほか、指導改善研修の実施に関し必要な事項は、政令で定める。

（指導改善研修後の措置）

第二十五条の二　任命権者は、前条第四項の認定において指導の改善が不十分でなお児童等に対する指導を適切に行うことができないと認める教諭等に対して、免職その他の必要な措置を講ずるものとする。

第五章　大学院修学休業

（大学院修学休業の許可及びその要件等）

第二十六条　公立の小学校等の主幹教諭、指導教諭、教諭、養護教諭、栄養教諭、主幹保育教諭、指導保育教諭、保育教諭又は講師（以下「主幹教諭等」という。）で次の各号のいずれにも該当するものは、任命権者（第二十条第一項第一号に掲げる者については、同号に定める市町村の教育委員会。次項及び第二十八条第二項において同じ。）の許可を受けて、三年を超えない範囲内で年を単位として定める期間、大学（短期大学を除く。）の大学院の課程若しくは専攻科の課程又はこれらの課程に相当する外国の大学の課程（次項及び第二十八条第二項において「大学院の課程等」という。）に在学してその課程を履修するための休業（以下「大学院修学休業」という。）をすることができる。

一　主幹教諭（養護又は栄養の指導及び管理をつかさどる主幹教諭を除く。）、指導教諭、教諭、主幹保育教諭、指導保育教諭、保育教諭又は講師にあつては教育職員免許法に規定する教諭の専修免許状、養護をつかさどる主幹教諭又は養護教諭にあつては同法に規定する養護教諭の専修免許状、栄養の指導及び管理をつかさどる主幹教諭又は栄養教諭にあつては同法に規定する栄養教諭の専修免許状の取得を目的としていること。

二　取得しようとする専修免許状に係る基礎となる免許状（教育職員免許法に規定する教諭の一種免許状若しくは特別免許状、養護教諭の一種免許状又は栄養教諭の一種免許状であつて、同法別表第三、別表第五、別表第六、別表第六の二又は別表第七の規定により専修免許状の授与を受けようとする場合には有することを必要とされるものをいう。次号において同じ。）を有していること。

三　取得しようとする専修免許状に係る基礎となる免許状について、教育職員免許法別表第三、別表第五、別表第六、別表第六の二又は別表第七に定める最低在職年数を満たしていること。

四　条件付採用期間中の者、臨時的に任用された者、第二十三条第一項に規定する初任者研修を受けている者その他政令で定める者でないこと。

2　大学院修学休業の許可を受けようとする主幹教諭等は、取得しようとする専修免許状の種類、在学しようとする大学院の課程等及び大学院修学休業をしようとする期間を明らかにして、任命権者に対し、その許可を申請するものとする。

（大学院修学休業の効果）

第二十七条　大学院修学休業をしている主幹教諭等は、地方公務員としての身分を保有するが、職務に従事しない。

2　大学院修学休業をしている期間については、給与を支給しない。

（大学院修学休業の許可の失効等）

第二十八条　大学院修学休業の許可は、当該大学院修学休業をしている主幹教諭等が休職又は停職の処分を受けた場合には、その効力を失う。

2　任命権者は、大学院修学休業をしている主幹教諭等が当該大学院修学休業の許可に係る大学院の課程等を退学したことその他政令で定める事由に該当すると認めるときは、当該大学院修学休業の許可を取り消すものとする。

第六章　職員団体

（公立学校の職員の職員団体）

第二十九条　地方公務員法の一部を改正する法律（昭和四十年法律第七十一号）附則第二条の規定の適用については、一の都道府県内の公立学校の職員のみをもつて組織する地方公務員法第五十二条第一項に規定する職員団体（当該都道府県内の一の地方公共団体の公立学校の職員のみをもつて組織するものを除く。）は、当該都道府県の職員をもつて組織する同項に規定する職員団体とみなす。

2　前項の場合において、同項の職員団体は、当該都道府県内の公立学校の職員であつた者でその意に反して免職され、若しくは懲戒処分としての免職の処分を受け、当該処分を受けた日の翌日から起算して一年以内のもの又はその期間内に当該処分について法律の定めるところにより審査請求をし、若しくは訴えを提起し、これに対する裁決又は裁判が確定するに至らないものを構成員にとどめていること、及び当該職員団体の役員である者を構成員としていることを妨げない。

第七章　教育公務員に準ずる者に関する特例

（教員の職務に準ずる職務を行う者等に対するこの法律の準

用）

第三十条 公立の学校において教員の職務に準ずる職務を行う者並びに国立又は公立の専修学校又は各種学校の校長及び教員については、政令の定めるところにより、この法律の規定を準用する。

第三十一条 文部科学省に置かれる研究施設で政令で定めるもの（次条及び第三十五条において「研究施設」という。）の職員のうち専ら研究又は教育に従事する者（以下この章及び附則第八条において「研究施設研究教育職員」という。）に対する国家公務員法の適用については、次の表の上欄に掲げる同法の規定中同表の中欄に掲げる字句は、それぞれ同表の下欄に掲げる字句とする。

第八十一条の二第二項	年齢六十年とする。ただし、次の各号に掲げる管理監督職を占める職員の管理監督職勤務上限年齢は、当該各号に	文部科学省令で定めるところにより任命権者が
第八十一条の五第一項及び第三項	で当該	で文部科学省令で定めるところにより任命権者が定める期間をもつて当該
第八十一条の五第二項及び第四項	で延長された	で文部科学省令で定めるところにより任命権者が定める期間をもつて延長された
第八十一条の六第一項	定年に達した日以後における最初の三月三十一日又は第五十五条第一項に規定する任命権者若しくは法律で別に定められた任命権者があらかじめ指定する日のいずれか早い日	定年に達した日から起算して一年を超えない範囲内で文部科学省令で定めるところにより任命権者があらかじめ指定する日
第八十一条の六第二項	年齢六十五年とする。ただし、その職務と責任に特殊性があること又は欠員の補充が困難であることにより定年を年齢六十五年とすることが著しく不適当と認められる官職を占める医師及び歯科医師その他の職員として人事院規則で定める職員の定年は、六十五年を超え七十年を超えない範囲内で人事院規則で定める年齢とする	文部科学省令で定めるところにより任命権者が定める
第八十一条の七第一項	期限を定め	文部科学省令で定めるところにより任命権者が定める期限をもつて
第八十一条の七第二項	範囲内で	範囲内で文部科学省令で定めるところにより任命権者が定める期間をもつて

2 前項の規定により読み替えて適用する国家公務員法第八十一条の六第二項の規定により任命権者が研究施設研究教育職員の定年を定める場合における次に掲げる採用、昇任、降任及び転任に係る特例に関し必要な事項は、文部科学省令で定める。

一 国家公務員法第六十条の二第一項の規定による研究施設研究教育職員への採用並びに同条第二項に規定する定年前再任用短時間勤務職員である研究施設研究教育職員の昇任、降任及び転任

二 国家公務員法第八十一条の七第一項又は第二項の規定により勤務している研究施設研究教育職員の昇任、降任及び転任

第三十二条 研究施設の長及び研究施設研究教育職員の服務について、国家公務員法第九十六条第一項の根本基準の実施に関し必要な事項は、同法第九十七条から第百五条まで又は国家公務員倫理法（平成十一年法律第百二十九号）に定めるものを除いては、任命権者が定める。

第三十三条 前条に定める者は、教育に関する他の職を兼ね、又は教育に関する他の事業若しくは事務に従事することが本務の遂行に支障がないと任命権者において認める場合には、給与を受け、又は受けないで、その職を兼ね、又はその事業若しくは事務に従事することができる。

2 前項の場合においては、国家公務員法第百一条第一項の規定に基づく命令又は同法第百四条の規定による承認又は許可を要しない。

第三十四条 研究施設研究教育職員（政令で定める者に限る。以下この条において同じ。）が、国及び行政執行法人（独立行政法人通則法（平成十一年法律第百三号）第二条第四項に規定する行政執行法人をいう。以下同じ。）以外の者が国若しくは指定行政執行法人（行政執行法人のうち、その業務の内容その他の事情を勘案して国の行う研究と同等の公益性を有する研究を行うものとして文部科学大臣が指定するものをいう。以下この項において同じ。）と共同して行う研究又は国若しくは指定行政執行法人の委託を受けて行う研究（以下この項において「共同研究等」という。）に従事するため国家公務員法第七十九条の規定により休職にされた場合において、当該共同研究等への従事が当該共同研究等の効率的実施に特に資するものとして政令で定める要件に該当するときは、研究施設研究教育職員に関する国家公務員退職手当法（昭和二十八年法律第百八十二号）第六条の四第一項及び第七条第四項の規定の適用については、当該休職に係る期間は、同法第六条の四第一項に規定する現実に職務をとることを要しない期間には該当しないものとみなす。

2　前項の規定は、研究施設研究教育職員が国及び行政執行法人以外の者から国家公務員退職手当法の規定による退職手当に相当する給付として政令で定めるものの支払を受けた場合には、適用しない。

3　前項に定めるもののほか、第一項の規定の適用に関し必要な事項は、政令で定める。

第三十五条　研究施設の長及び研究施設研究教育職員については、第三条第一項、第二項及び第五項、第五条の二、第六条、第七条、第二十一条並びに第二十二条の規定を準用する。この場合において、第三条第二項中「評議会（評議会を置かない大学にあつては、教授会。以下同じ。）の議に基づき学長」とあり、同条第五項、第五条の二第二項及び第六条中「評議会の議に基づき学長」とあり、第五条の二第一項中「評議会」とあり、及び「教授会の議に基づき学長」とあり、並びに第二十一条第二項中「研修実施者」とあるのは「任命権者」と、第三条第二項中「評議会が」とあり、同条第五項中「教授会の議に基づき学長が」とあり、及び第七条中「評議会の議に基づき学長が」とあるのは「文部科学省令で定めるところにより任命権者が」と読み替えるものとする。

附　則（抄）

（施行期日）

第一条　この法律は、公布の日から施行する。

2　この法律中の規定が、国家公務員法又は地方公務員法の規定に矛盾し、又は抵触すると認められるに至つた場合は、国家公務員法又は地方公務員法の規定が優先する。

（恩給法の準用）

第二条　この法律施行の際、現に恩給法（大正十二年法律第四十八号）第十九条に規定する公務員又は準公務員たる者が引き続き公立の学校の職員となつた場合（その公務員又は準公務員が引き続き同法第十九条に規定する公務員若しくは準公務員又はこれらの者とみなされる者として在職し、更に引き続き公立の学校の職員となつた場合を含む。）には、同法第二十二条に規定する教育職員又は準教育職員として勤続するものとみなし、当分の間、これに同法の規定を準用する。

2　前項の公立の学校の職員とは、次に掲げる者をいう。

一　公立の大学の学長、教授、助教授、常時勤務に服することを要する講師若しくは助手又は公立の高等専門学校の校長、教授、助教授、常時勤務に服することを要する講師若しくは助手

二　公立の高等学校の校長、教諭、養護教諭、助教諭又は養護助教諭

三　公立の中学校、小学校若しくは特別支援学校の校長、教諭若しくは養護教諭又は公立の幼稚園の園長、教諭若しくは養護教諭

四　第二号に掲げる学校の常時勤務に服することを要する講師

五　第三号に掲げる学校の助教諭、養護助教諭又は常時勤務に服することを要する講師

3　第一項の規定を適用する場合においては、前項第一号から第三号までに掲げる職員は、恩給法第二十二条第一項に規定する教育職員とみなし、前項第四号及び第五号に掲げる職員は、同法第二十二条第二項に規定する準教育職員とみなす。

（旧恩給法における養護助教諭の取扱）

第三条　恩給法の一部を改正する法律（昭和二十六年法律第八十七号）による改正前の恩給法第二十二条第二項の助教諭には、養護助教諭が含まれていたものとする。

（指定都市以外の市町村の教育委員会及び長に係る協議会の特例）

第四条　地方自治法第二百五十二条の十九第一項の指定都市（以下「指定都市」という。）以外の市町村の教育委員会及び長については、当分の間、第二十二条の三第二項及び第二十二条の七の規定は、適用しない。この場合において、当該教育委員会及び長は、第二十二条の三第一項に規定する指標を定め、又はこれを変更しようとするときは、第二十二条の七第二項第二号に掲げる者、当該市町村を包括する都道府県の教育委員会若しくは知事又は独立行政法人教職員支援機構の意見を聴くよう努めるものとする。

（幼稚園等の教諭等に対する初任者研修等の特例）

第五条　幼稚園、特別支援学校の幼稚部及び幼保連携型認定こども園（以下この条及び次条において「幼稚園等」という。）の教諭等の研修実施者（第二十条第一項に規定する研修実施者をいう。以下この項において同じ。）については、当分の間、第二十三条第一項の規定は、適用しない。この場合において、幼稚園等の教諭等の研修実施者（指定都市以外の市町村の設置する幼稚園及び特別支援学校の幼稚部の教諭等については当該市町村を包括する都道府県の教育委員会、当該市町村の設置する幼保連携型認定こども園の教諭等については当該市町村を包括する都道府県の知事）は、採用（現に教諭等の職以外の職に任命されている者を教諭等の職に任命する場合を含む。）の日から起算して一年に満たない幼稚園等の教諭等（臨時的に任用された者その他の政令で定める者を除く。）に対して、幼稚園等の教諭又は保育教諭の職務の遂行に必要な事項に関する研修を実施しなければならない。

2　市（指定都市を除く。）町村の教育委員会及び長は、その所管に属する幼稚園等の教諭等に対して都道府県の教育委員会及び知事が行う前項後段の研修に協力しなければならない。

3　第十二条第一項の規定は、当分の間、幼稚園等の教諭等については、適用しない。

（幼稚園等の教諭等に対する中堅教諭等資質向上研修の特例）

第六条　指定都市以外の市町村の設置する幼稚園等の教諭等に対する中堅教諭等資質向上研修（第二十四条第一項に規定する中堅教諭等資質向上研修をいう。次項において同じ。）は、当分の間、同条第一項の規定にかかわらず、幼稚園及び特別支援学校の幼稚部の教諭等については当該市町村を包括する都道府県の教育委員会が、幼保連携型認定こども園の教諭等については当該市町村を包括する都道府県の知事が実施しなければならない。

2　指定都市以外の市町村の教育委員会及び長は、その所管に属する幼稚園等の教諭等に対して都道府県の教育委員会及び知事が行う中堅教諭等資質向上研修に協力しなければならない。

（指定都市以外の市町村の教育委員会及び長に係る指導改善研修の特例）

第七条　指定都市以外の市町村の教育委員会及び長については、当分の間、第二十五条及び第二十五条の二の規定は、適用しない。この場合において、当該教育委員会及び長は、その所管に属する小学校等の教諭等（その任命権が当該教育委員会及び長

に属する者に限る。）のうち、児童等に対する指導が不適切であると認める教諭等（政令で定める者を除く。）に対して、第二十五条第一項に規定する指導改善研修に準ずる研修その他必要な措置を講じなければならない。

（研究施設研究教育職員に関する特例）

第八条　研究施設研究教育職員に対する次の表の第一欄に掲げる法律の規定の適用については、同表の第二欄に掲げる規定中同表の第三欄に掲げる字句は、それぞれ同表の第四欄に掲げる字句とする。

国家公務員法	附則第八条第一項	第八十一条の六第二項	第八十一条の六第二項（教育公務員特例法（昭和二十四年法律第一号）第三十一条第一項の規定により読み替えて適用する場合を除く。）
		同項中	第八十一条の六第二項中
	附則第九条	年齢六十年（同項第二号に掲げる職員に相当する職員として人事院規則で定める職員にあつては同号に定める年齢とし、同項第三号に掲げる職員に相当する職員のうち人事院規則で定める職員にあつては同号に定める年齢とする。以下この条において同じ。）	令和三年国家公務員法等改正法の施行の日の前日において令和三年国家公務員法等改正法第六条の規定による改正前の教育公務員特例法第三十一条第一項の規定により読み替えて適用する令和三年国家公務員法等改正法第一条の規定による改正前の第八十一条の二第二項の規定により任命権者が定めていた年齢
		年齢六十年に	当該年齢に
一般職の職員の給与に関する法律（昭和二十五年法律第九十五号）	附則第八項	六十歳（次の各号に掲げる職員にあつては、当該各号に定める年齢）	国家公務員法等の一部を改正する法律（令和三年法律第六十一号。以下この項において「令和三年国家公務員法等改正法」という。）の施行の日の前日において令和三年国家公務員法等改正法第六条の規定による改正前の教育公務員特例法（昭和二十四年法律第一号）第三十一条第一項の規定により読み替えて適用する令和三年国家公務員法等改正法第一条の規定による改正前の国家公務員法第八十一条の二第二項の規定により任命権者が定めていた年齢
国家公務員退職手当法	附則第十二項	六十歳（次の各号に掲げる者にあつては、当該各号に定める年齢）	国家公務員法等の一部を改正する法律（令和三年法律第六十一号。以下この項において「令和三年国家公務員法等改正法」という。）の施行の日の前日において令和三年国家公務員法等改正法第六条の規定による改正前の教育公務員特例法（昭和二十四年法律第一号）第三十一条第一項の規定により読み替えて適用する令和三年国家公務員法等改正法第一条の規定による改正前の国家公務員法第八十一条の二第二項の規定により任命権者が定めていた年齢（次項において「改正前定年」という。）
		同項又は同条第二項	第四条第一項又は第二項
	附則第十三項	六十歳（前項各号に掲げる者にあつては、当該各号に	改正前定年

			定める年齢）	
		同条第一項又は第二項	同項又は同条第二項
	附則第十六項	定年（附則第十二項各号及び第十四項各号に掲げる者以外の者（国家公務員法等の一部を改正する法律（令和三年法律第六十一号）第一条の規定による改正前の国家公務員法第八十一条の二第二項本文（裁判所職員臨時措置法において準用する場合を含む。）の適用を受けていた者であつて附則第十四項第二号に掲げる職員に該当する職員、国会職員法及び国家公務員退職手当法の一部を改正する法律（令和三年法律第六十二号）第一条の規定による改正前の国会職員法第十五条の二第二項本文の適用を受けていた者であつて附則第十四項第八号に掲げる国会職員に該当する国会職員及び国家公務員法等の一部を改正する法律第八条の規定による改正前の自衛隊法第四十四条の二第二項本文の適用を受けていた者であつて附則第十四項第十号に掲げる隊員に該当する隊員を含む。）にあつては六十歳とし、附則第十二項各号に掲げる者にあつては当該各号に定める年齢とし、附則第十四項第一号に掲げる職員、同項第七号に掲げる国会職員及び同項第九号に掲げる隊員にあつては六十五歳とし、同項第十二号に掲げる職員にあつては内閣官房令で定める年齢とする。）	教育公務員特例法（昭和二十四年法律第一号）附則第八条の規定により読み替えて適用する附則第十二項に規定する改正前定年

㊟　次の法律の第二一〇条により教育公務員特例法が改正されたが、刑法等一部改正法施行日〔令七・六・一〕から施行となるため、一部改正法の形式で掲載した。

○刑法等の一部を改正する法律の施行に伴う関係法律の整理等に関する法律

令四・六・一七
法　六　八

（教育公務員特例法の一部改正）

第二百十条　教育公務員特例法（昭和二十四年法律第一号）の一部を次のように改正する。

第十八条第二項中「第百十一条の二」を「第百十条第一項」に改める。

附　則（抄）

（施行期日）

1　この法律は、刑法等一部改正法施行日〔令七・六・一〕から施行する。〔ただし書略〕

○地方公務員の育児休業等に関する法律

平三・一二・二四
法　一一〇

最終改正　令四・五・二法三五

（目的）

第一条　この法律は、育児休業等に関する制度を設けて子を養育する職員（地方公務員法（昭和二十五年法律第二百六十一号）第四条第一項に規定する職員をいう。以下同じ。）の継続的な勤務を促進し、もって職員の福祉を増進するとともに、地方公共団体の行政の円滑な運営に資することを目的とする。

（育児休業の承認）

第二条　職員（第十八条第一項の規定により採用された同項に規定する短時間勤務職員、臨時的に任用される職員その他その任用の状況がこれらに類する職員として条例で定める職員を除く。）は、任命権者（地方公務員法第六条第一項に規定する任命権者及びその委任を受けた者をいう。以下同じ。）の承認を受けて、当該職員の子（民法（明治二十九年法律第八十九号）第八百十七条の二第一項の規定により職員が当該職員との間における同項に規定する特別養子縁組の成立について家庭裁判所に請求した者（当該請求に係る家事審判事件が裁判所に係属している場合に限る。）であって、当該職員が現に監護するもの、児童福祉法（昭和二十二年法律第百六十四号）第二十七条第一項第三号の規定により同法第六条の四第二号に規定する養子縁組里親である職員に委託されている児童その他これらに準ずる者として条例で定める者を含む。以下同じ。）を養育するため、当該子が三歳に達する日（非常勤職員にあっては、当該子の養育の事情に応じ、一歳に達する日から一歳六か月に達する日までの間で条例で定める日（当該子の養育の事情を考慮して特に必要と認められる場合として条例で定める場合に該当するときは、二歳に達する日））まで、育児休業をすることができる。ただし、当該子について、既に二回の育児休業（次に掲げる育児休業を除く。）をしたことがあるときは、条例で定める特別の事情がある場合を除き、この限りでない。

一　子の出生の日から国家公務員の育児休業等に関する法律（平成三年法律第百九号。以下「国家公務員育児休業法」という。）第三条第一項第一号の規定により人事院規則で定める期間を基準として条例で定める期間内に、職員（当該期間内に労働基準法（昭和二十二年法律第四十九号）第六十五条第二項の規定により勤務しない職員を除く。）が当該子についてする育児休業（次号に掲げる育児休業を除く。）のうち最初のもの及び二回目のもの

二　任期を定めて採用された職員が当該任期の末日を育児休業の期間の末日としてする育児休業（当該職員が、当該任期を更新され、又は当該任期の満了後引き続いて任命権者を同じくする職に採用されることに伴い、当該育児休業に係る子について、当該更新前の任期の末日の翌日又は当該採用の日を育児休業の期間の初日とする育児休業をする場合に限る。）

2　育児休業の承認を受けようとする職員は、育児休業をしようとする期間の初日及び末日を明らかにして、任命権者に対し、その承認を請求するものとする。

3　任命権者は、前項の規定による請求があったときは、当該請求に係る期間について当該請求をした職員の業務を処理するための措置を講ずることが著しく困難である場合を除き、これを承認しなければならない。

（育児休業の期間の延長）

第三条　育児休業をしている職員は、任命権者に対し、当該育児休業の期間の延長を請求することができる。

2　育児休業の期間の延長は、条例で定める特別の事情がある場合を除き、一回に限るものとする。

3　前条第二項及び第三項の規定は、育児休業の期間の延長について準用する。

（育児休業の効果）

第四条　育児休業をしている職員は、育児休業を開始した時就いていた職又は育児休業の期間中に異動した職を保有するが、職務に従事しない。

2　育児休業をしている期間については、給与を支給しない。

（育児休業の承認の失効等）

第五条　育児休業の承認は、当該育児休業をしている職員が産前の休業を始め、若しくは出産した場合、当該職員が休職若しくは停職の処分を受けた場合又は当該育児休業に係る子が死亡し、若しくは当該職員の子でなくなった場合には、その効力を失う。

2　任命権者は、育児休業をしている職員が当該育児休業に係る子を養育しなくなったことその他条例で定める事由に該当すると認めるときは、当該育児休業の承認を取り消すものとする。

（育児休業に伴う任期付採用及び臨時的任用）

第六条　任命権者は、第二条第二項又は第三条第一項の規定による請求があった場合において、当該請求に係る期間について職員の配置換えその他の方法により当該請求をした職員の業務を処理することが困難であると認めるときは、当該業務を処理するため、次の各号に掲げる任用のいずれかを行うものとする。この場合において、第二号に掲げる任用は、当該請求に係る期間について一年を超えて行うことができない。

一　当該請求に係る期間を任期の限度として行う任期を定めた採用

二　当該請求に係る期間を任期の限度として行う臨時的任用

2　任命権者は、前項の規定により任期を定めて職員を採用する場合には、当該職員に当該任期を明示しなければならない。

3　任命権者は、第一項の規定により任期を定めて採用された職員の任期が第二条第二項又は第三条第一項の規定による請求に係る期間に満たない場合には、当該期間の範囲内において、当該任期を更新することができる。

4　第二項の規定は、前項の規定により任期を更新する場合について準用する。

5　任命権者は、第一項の規定により任期を定めて採用された職員を、任期を定めて採用した趣旨に反しない場合に限り、当該任期中、他の職に任用することができる。

6　第一項の規定により臨時的任用を行う場合には、地方公務員法第二十二条の三第一項から第四項までの規定は、適用しない。

（育児休業をしている職員の期末手当等の支給）

第七条　育児休業をしている職員については、第四条第二項の規定にかかわらず、国家公務員育児休業法第八条に規定する育児休業をしている国家公務員の期末手当又は勤勉手当の支給に関する事項を基準として定める条例の定めるところにより、期末手当又は勤勉手当を支給することができる。

（育児休業をした職員の職務復帰後における給与等の取扱い）

第八条　育児休業をした職員については、国家公務員育児休業法第三条第一項の規定により育児休業をした国家公務員の給与及び退職手当の取扱いに関する事項を基準として、職務に復帰した場合の給与及び退職した場合の退職手当の取扱いに関する措置を講じなければならない。

（育児休業を理由とする不利益取扱いの禁止）

第九条　職員は、育児休業を理由として、不利益な取扱いを受けることはない。

（育児短時間勤務の承認）

第十条　職員（非常勤職員、臨時的に任用される職員その他これらに類する職員として条例で定める職員を除く。）は、任命権者の承認を受けて、当該職員の小学校就学の始期に達するまでの子を養育するため、当該子がその始期に達するまで、常時勤務を要する職を占めたまま、次の各号に掲げるいずれかの勤務の形態（一般職の職員の勤務時間、休暇等に関する法律（平成六年法律第三十三号）第六条の規定の適用を受ける国家公務員と同様の勤務の形態によって勤務する職員以外の職員にあっては、第五号に掲げる勤務の形態）により、当該職員が希望する日及び時間帯において勤務すること（以下「育児短時間勤務」という。）ができる。ただし、当該子について、既に育児短時間勤務をしたことがある場合において、当該子に係る育児短時間勤務の終了の日の翌日から起算して一年を経過しないときは、条例で定める特別の事情がある場合を除き、この限りでない。

一　日曜日及び土曜日を週休日（勤務時間を割り振らない日をいう。以下この項において同じ。）とし、週休日以外の日において一日につき十分の一勤務時間（当該職員の一週間当たりの通常の勤務時間（以下この項において「週間勤務時間」という。）に十分の一を乗じて得た時間に端数処理（五分を最小の単位とし、これに満たない端数を切り上げることをいう。以下この項及び第十三条において同じ。）を行って得た時間をいう。以下この項及び第十三条において同じ。）勤務すること。

二　日曜日及び土曜日を週休日とし、週休日以外の日において一日につき八分の一勤務時間（週間勤務時間に八分の一を乗じて得た時間に端数処理を行って得た時間をいう。以下この項において同じ。）勤務すること。

三　日曜日及び土曜日並びに月曜日から金曜日までの五日間のうちの二日を週休日とし、週休日以外の日において一日につき五分の一勤務時間（週間勤務時間に五分の一を乗じて得た時間に端数処理を行って得た時間をいう。以下この項及び第十三条において同じ。）勤務すること。

四　日曜日及び土曜日並びに月曜日から金曜日までの五日間のうちの二日を週休日とし、週休日以外の日のうち、二日については一日につき五分の一勤務時間、一日については一日につき十分の一勤務時間勤務すること。

五　前各号に掲げるもののほか、一週間当たりの勤務時間が五分の一勤務時間に二を乗じて得た時間に十分の一勤務時間を加えた時間から八分の一勤務時間に五を乗じて得た時間までの範囲内の時間となるように条例で定める勤務の形態

2　育児短時間勤務の承認を受けようとする職員は、条例で定めるところにより、育児短時間勤務をしようとする期間（一月以上一年以下の期間に限る。）の初日及び末日並びにその勤務の形態における勤務の日及び時間帯を明らかにして、任命権者に対し、その承認を請求するものとする。

3　任命権者は、前項の規定による請求があったときは、当該請求に係る期間について当該請求をした職員の業務を処理するための措置を講ずることが困難である場合を除き、これを承認しなければならない。

（育児短時間勤務の期間の延長）

第十一条　育児短時間勤務をしている職員（以下「育児短時間勤務職員」という。）は、任命権者に対し、当該育児短時間勤務の期間の延長を請求することができる。

2　前条第二項及び第三項の規定は、育児短時間勤務の期間の延長について準用する。

（育児短時間勤務の承認の失効等）

第十二条　第五条の規定は、育児短時間勤務の承認の失効及び取消しについて準用する。

（育児短時間勤務職員の並立任用）

第十三条　一人の育児短時間勤務職員（一週間当たりの勤務時間が五分の一勤務時間に二を乗じて得た時間に十分の一勤務時間を加えた時間から十分の一勤務時間に五を乗じて得た時間までの範囲内の時間である者に限る。以下この条において同じ。）が占める職には、他の一人の育児短時間勤務職員を任用することを妨げない。

（育児短時間勤務職員の給与等の取扱い）

第十四条　育児短時間勤務職員については、国家公務員育児休業法第十二条第一項に規定する育児短時間勤務をしている国家公務員の給与、勤務時間及び休暇の取扱いに関する事項を基準として、給与、勤務時間及び休暇の取扱いに関する措置を講じなければならない。

（育児短時間勤務をした職員の退職手当の取扱い）

第十五条　育児短時間勤務をした職員については、国家公務員育児休業法第十二条第一項に規定する育児短時間勤務をした国家公務員の退職手当の取扱いに関する事項を基準として、退職した場合の退職手当の取扱いに関する措置を講じなければならない。

（育児短時間勤務を理由とする不利益取扱いの禁止）

第十六条　職員は、育児短時間勤務を理由として、不利益な取扱いを受けることはない。

（育児短時間勤務の承認が失効した場合等における育児短時間勤務の例による短時間勤務）

第十七条　任命権者は、第十二条において準用する第五条の規定により育児短時間勤務の承認が失効し、又は取り消された場合において、過員を生ずることその他の条例で定めるやむを得ない事情があると認めるときは、その事情が継続している期間、条例で定めるところにより、当該育児短時間勤務をしていた職員に、引き続き当該育児短時間勤務と同一の勤務の日及び時間帯において常時勤務を要する職を占めたまま勤務をさせることができる。この場合において、第十三条から前条までの規定を

準用する。

（育児短時間勤務に伴う短時間勤務職員の任用）

第十八条 任命権者は、第十条第二項又は第十一条第一項の規定による請求があつた場合において、当該請求に係る期間について当該請求をした職員の業務を処理するため必要があると認めるときは、当該請求に係る期間を任期の限度として、短時間勤務職員（地方公務員法第二十二条の四第一項に規定する短時間勤務の職を占める職員をいう。以下この条において同じ。）を採用することができる。

2 任命権者は、前項の規定により任期を定めて短時間勤務職員を採用する場合には、当該短時間勤務職員にその任期を明示しなければならない。

3 任命権者は、第一項の規定により任期を定めて採用された短時間勤務職員について、条例で定めるところにより、当該育児短時間勤務職員の第十条第二項の規定による請求に係る期間又は当該期間の初日から第十一条第一項の規定による請求に係る期間の末日までの期間の範囲内において、その任期を更新することができる。

4 第二項の規定は、前項の規定により任期を更新する場合について準用する。

5 任命権者は、第一項の規定により任期を定めて採用された短時間勤務職員を、任期を定めて採用した趣旨に反しない場合に限り、その任期中、他の職に任用することができる。

6 任命権者が第一項又は前項の規定により短時間勤務職員を任用する場合には、地方公務員法第二十二条の四第四項の規定は、適用しない。

（部分休業）

第十九条 任命権者（地方教育行政の組織及び運営に関する法律（昭和三十一年法律第百六十二号）第三十七条第一項に規定する県費負担教職員については、市町村の教育委員会）は、職員（育児短時間勤務職員その他その任用の状況がこれに類する職員として条例で定める職員を除く。）が請求した場合において、公務の運営に支障がないと認めるときは、条例の定めるところにより、当該職員がその小学校就学の始期（非常勤職員（地方公務員法第二十二条の四第一項に規定する短時間勤務の職を占める職員を除く。）にあっては、三歳）に達するまでの子を養育するため一日の勤務時間の一部（二時間を超えない範囲内の時間に限る。）について勤務しないこと（以下この条において「部分休業」という。）を承認することができる。

2 職員が部分休業の承認を受けて勤務しない場合には、国家公務員育児休業法第二十六条第二項に規定する育児時間の承認を受けて勤務しない場合の国家公務員の給与の支給に関する事項を基準として定める条例の定めるところにより、減額して給与を支給するものとする。

3 第五条及び第十六条の規定は、部分休業について準用する。

（職員に関する労働基準法等の適用）

第二十条 職員に関する労働基準法第十二条第三項第四号及び第三十九条第十項の規定の適用については、同法第十二条第三項第四号中「育児休業、介護休業等育児又は家族介護を行う労働者の福祉に関する法律（平成三年法律第七十六号）第二条第一号」とあるのは「地方公務員の育児休業等に関する法律（平成三年法律第百十号）第二条第一項」と、「同条第二号」とあるのは「育児休業、介護休業等育児又は家族介護を行う労働者の福祉に関する法律（平成三年法律第七十六号）第二条第二号」と、同法第三十九条第十項中「育児休業、介護休業等育児又は家族介護を行う労働者の福祉に関する法律第二条第一号」とあるのは「地方公務員の育児休業等に関する法律第二条第一項」と、「同条第二号」とあるのは「育児休業、介護休業等育児又は家族介護を行う労働者の福祉に関する法律第二条第二号」とする。

2 職員に関する船員法（昭和二十二年法律第百号）第七十四条第四項の規定の適用については、同項中「育児休業、介護休業等育児又は家族介護を行う労働者の福祉に関する法律（平成三年法律第七十六号）第二条第一号」とあるのは、「地方公務員の育児休業等に関する法律（平成三年法律第百十号）第二条第一項」とする。

附 則（抄）

（施行期日）

第一条 この法律は、平成四年四月一日から施行する。

（経過措置）

第二条 この法律の施行の際現に義務教育諸学校等の女子教育職員及び医療施設、社会福祉施設等の看護婦、保母等の育児休業に関する法律（昭和五十年法律第六十二号。次条において「女子教育職員等育児休業法」という。）第三条の規定による育児休業の許可を受けて育児休業をしている職員については、当該許可は第二条の規定による育児休業の承認とみなす。

第三条 この法律の施行の際現に女子教育職員等育児休業法第十五条第一項の規定により臨時的に任用されている職員は、第六条第一項の規定により臨時的に任用されている職員とみなす。

第四条 前二条に定めるもののほか、この法律の施行に関し必要な経過措置は、政令で定める。

○地方公営企業等の労働関係に関する法律

昭二七・七・三一
法　二　八　九

最終改正　平二六・六・一三法六九

（目的）

第一条　この法律は、地方公共団体の経営する企業及び特定地方独立行政法人の正常な運営を最大限に確保し、もつて住民の福祉の増進に資するため、地方公共団体の経営する企業及び特定地方独立行政法人とこれらに従事する職員との間の平和的な労働関係の確立を図ることを目的とする。

（関係者の責務）

第二条　地方公共団体における経営する企業及び特定地方独立行政法人の重要性にかんがみ、この法律に定める手続に関与する関係者は、紛争をできるだけ防止し、かつ、主張の不一致を友好的に調整するために、最大限の努力を尽さなければならない。

（定義）

第三条　この法律において、次の各号に掲げる用語の意義は、当該各号に定めるところによる。

一　地方公営企業　次に掲げる事業（これに附帯する事業を含む。）を行う地方公共団体が経営する企業をいう。

イ　鉄道事業

ロ　軌道事業

ハ　自動車運送事業

ニ　電気事業

ホ　ガス事業

ヘ　水道事業

ト　工業用水道事業

チ　イからトまでの事業のほか、地方公営企業法（昭和二十七年法律第二百九十二号）第二条第三項の規定に基づく条例又は規約の定めるところにより同法第四章の規定が適用される企業

二　特定地方独立行政法人　地方独立行政法人法（平成十五年法律第百十八号）第二条第二項に規定する特定地方独立行政法人をいう。

三　地方公営企業等　地方公営企業及び特定地方独立行政法人をいう。

四　職員　地方公営企業又は特定地方独立行政法人に勤務する一般職に属する地方公務員をいう。

（他の法律との関係）

第四条　職員に関する労働関係については、この法律の定めるところにより、この法律に定のないものについては、労働組合法（昭和二十四年法律第百七十四号）（第五条第二項第八号、第七条第一号ただし書、第八条及び第十八条の規定を除く。）及び労働関係調整法（昭和二十一年法律第二十五号）（第九条、第十八条、第二十六条第四項、第三十条及び第三十五条の二から第四十二条までの規定を除く。）の定めるところによる。

（職員の団結権）

第五条　職員は、労働組合を結成し、若しくは結成せず、又はこれに加入し、若しくは加入しないことができる。

2　労働委員会は、職員が結成し、又は加入する労働組合（以下「組合」という。）について、職員のうち労働組合法第二条第一号に規定する者の範囲を認定して告示するものとする。

3　地方公営企業等は、職を新設し、変更し、又は廃止したときは、速やかにその旨を労働委員会に通知しなければならない。

（組合のための職員の行為の制限）

第六条　職員は、組合の業務に専ら従事することができない。ただし、地方公営企業等の許可を受けて、組合の役員として専ら従事する場合は、この限りでない。

2　前項ただし書の許可は、地方公営企業等が相当と認める場合に与えることができるものとし、これを与える場合においては、地方公営企業等は、その許可の有効期間を定めるものとする。

3　第一項ただし書の規定により組合の役員としてもつぱら従事する期間は、職員としての在職期間を通じて五年（地方公務員法（昭和二十五年法律第二百六十一号）第五十五条の二第一項ただし書の規定により職員団体の業務にもつぱら従事したことがある職員については、五年からそのもつぱら従事した期間を控除した期間）をこえることができない。

4　第一項ただし書の許可は、当該許可を受けた職員が組合の役員として当該組合の業務にもつぱら従事する者でなくなつたときは、取り消されるものとする。

5　第一項ただし書の許可を受けた職員は、その許可が効力を有する間は、休職者とし、いかなる給与も支給されず、また、その期間は、退職手当の算定の基礎となる勤続期間に算入されないものとする。

（団体交渉の範囲）

第七条　第十三条第二項に規定するもののほか、職員に関する次に掲げる事項は、団体交渉の対象とし、これに関し労働協約を締結することができる。ただし、地方公営企業等の管理及び運営に関する事項は、団体交渉の対象とすることができない。

一　賃金その他の給与、労働時間、休憩、休日及び休暇に関する事項

二　昇職、降職、転職、免職、休職、先任権及び懲戒の基準に関する事項

三　労働に関する安全、衛生及び災害補償に関する事項

四　前三号に掲げるもののほか、労働条件に関する事項

（条例に抵触する協定）

第八条　地方公共団体の長は、地方公営企業において当該地方公共団体の条例に抵触する内容を有する協定が締結されたときは、その締結後十日以内に、その協定が条例に抵触しなくなるために必要な条例の改正又は廃止に係る議案を当該地方公共団体の議会に付議して、その議決を求めなければならない。ただし、当該地方公共団体の議会がその締結の日から起算して十日を経過した日に閉会しているときは、次の議会に速やかにこれを付議しなければならない。

2　特定地方独立行政法人の理事長は、設立団体（地方独立行政法人法第六条第三項に規定する設立団体をいう。以下同じ。）の条例に抵触する内容を有する協定を締結したときは、速やかに、当該設立団体の長に対して、その協定が条例に抵触しなく

なるために必要な条例の改正又は廃止に係る議案を当該設立団体の議会に付議して、その議決を求めるよう要請しなければならない。

3 前項の規定による要請を受けた設立団体の長は、その要請を受けた日から十日以内に、同項の協定が条例に抵触しなくなるために必要な条例の改正又は廃止に係る議案を当該設立団体の議会に付議して、その議決を求めるものとする。ただし、当該設立団体の議会がその要請を受けた日から起算して十日を経過した日に閉会しているときは、次の議会に速やかにこれを付議するものとする。

4 第一項又は第二項の協定は、第一項又は第二項の条例の改正又は廃止がなければ、条例に抵触する限度において、効力を生じない。

（規則その他の規程に抵触する協定）

第九条 地方公共団体の長その他の地方公共団体の機関は、地方公営企業において、当該地方公共団体の長その他の地方公共団体の機関の定める規則その他の規程に抵触する内容を有する協定が締結されたときは、速やかに、その協定が規則その他の規程に抵触しなくなるために必要な規則その他の規程の改正又は廃止のための措置をとらなければならない。

（予算上資金上不可能な支出を内容とする協定）

第十条 地方公営企業の予算上又は資金上、不可能な資金の支出を内容とするいかなる協定も、当該地方公共団体の議会によつて所定の行為がなされるまでは、当該地方公共団体を拘束せず、且つ、いかなる資金といえども、そのような協定に基いて支出されてはならない。

2 前項の協定をしたときは、当該地方公共団体の長は、その締結後十日以内に、事由を附しこれを当該地方公共団体の議会に付議して、その承認を求めなければならない。但し、当該地方公共団体の議会がその締結の日から起算して十日を経過した日に閉会しているときは、次の議会にすみやかにこれを付議しなければならない。

3 前項の規定により当該地方公共団体の議会の承認があつたときは、第一項の協定は、それに記載された日附にさかのぼつて効力を発生するものとする。

（争議行為の禁止）

第十一条 職員及び組合は、地方公営企業等に対して同盟罷業、怠業その他の業務の正常な運営を阻害する一切の行為をすることができない。また、職員並びに組合の組合員及び役員は、このような禁止された行為を共謀し、唆し、又はあおつてはならない。

2 地方公営企業等は、作業所閉鎖をしてはならない。

（前条の規定に違反した職員の身分）

第十二条 地方公共団体及び特定地方独立行政法人は、前条の規定に違反する行為をした職員を解雇することができる。

（苦情処理）

第十三条 地方公営企業等及び組合は、職員の苦情を適当に解決するため、地方公営企業等を代表する者及び職員を代表する者各同数をもつて構成する苦情処理共同調整会議を設けなければならない。

2 苦情処理共同調整会議の組織その他苦情処理に関する事項は、団体交渉で定める。

（調停の開始）

第十四条 労働委員会は、次に掲げる場合に、地方公営企業等の労働関係に関して調停を行う。

一 関係当事者の双方が調停の申請をしたとき。

二 関係当事者の双方又は一方が労働協約の定めに基づいて調停の申請をしたとき。

三 関係当事者の一方が調停の申請をなし、労働委員会が調停を行う必要があると決議したとき。

四 労働委員会が職権に基づいて調停を行う必要があると決議したとき。

五 厚生労働大臣又は都道府県知事が調停の請求をしたとき。

（仲裁の開始）

第十五条 労働委員会は、次に掲げる場合に、地方公営企業等の労働関係に関して仲裁を行う。

一 関係当事者の双方が仲裁の申請をしたとき。

二 関係当事者の双方又は一方が労働協約の定めに基づいて仲裁の申請をしたとき。

三 労働委員会が、その労働委員会においてあつせん又は調停を行つている労働争議について、仲裁を行う必要があると決議したとき。

四 労働委員会があつせん又は調停を開始した後二月を経過して、なお労働争議が解決しない場合において、関係当事者の一方が仲裁の申請をしたとき。

五 厚生労働大臣又は都道府県知事が仲裁の請求をしたとき。

（仲裁裁定）

第十六条 地方公営企業等とその職員との間に発生した紛争に係る仲裁裁定に対しては、当事者は、双方とも最終的決定としてこれに服従しなければならない。

2 地方公共団体の長は、地方公営企業とその職員との間に発生した紛争に係る仲裁裁定が実施されるように、できる限り努力しなければならない。ただし、当該地方公営企業の予算上又は資金上、不可能な資金の支出を内容とする仲裁裁定については、第十条の規定を準用する。

3 第八条第一項及び第四項の規定は当該地方公共団体の条例に抵触する内容を有する仲裁裁定について、第九条の規定は当該地方公共団体の規則その他の規程に抵触する内容を有する仲裁裁定について準用する。

4 設立団体は、特定地方独立行政法人がその職員との間に発生した紛争に係る仲裁裁定を実施した結果、その事務及び事業の実施に著しい支障が生ずることのないように、できる限り努力しなければならない。

5 第八条第二項から第四項までの規定は、当該設立団体の条例に抵触する内容を有する仲裁裁定について準用する。

（第五条第二項の事務の処理）

第十六条の二 第五条第二項の規定による労働委員会の事務の処理には、公益を代表する委員のみが参与する。

（不当労働行為の申立て等）

第十六条の三 第十二条の規定による解雇に係る労働組合法第二十七条第一項の申立てがあつた場合において、その申立てが当該解雇がなされた日から二月を経過した後になされたものであるときは、労働委員会は、同条第二項の規定にかかわらず、これを受けることができない。

2 第十二条の規定による解雇に係る労働組合法第二十七条第一

項の申立て又は同法第二十七条の十五第一項若しくは第二項の再審査の申立てを受けたときは、労働委員会は、申立ての日から二月以内に命令を発するようにしなければならない。

（地方公営企業法の準用）

第十七条　地方公営企業法第三十八条並びに第三十九条第一項及び第三項から第六項までの規定は、地方公営企業（同法第四章の規定が適用されるものを除く。）に勤務する職員について準用する。

2　地方公営企業法第三十九条第二項の規定は、前項に規定する職員（同法第三十九条第二項の政令で定める基準に従い地方公共団体の長が定める職にある者を除く。）について準用する。

附　則（抄）

1　この法律の施行期日は、公布の日から起算して六箇月をこえない範囲内で、政令で定める。〔昭二七・一〇・一施行〕

2　昭和二十三年七月二十二日附内閣総理大臣宛連合国最高司令官書簡に基く臨時措置に関する政令（昭和二十三年政令第二百一号）は、職員には、適用しない。

3　この法律の施行前にした前項の政令第二条第一項の規定に違反する行為に関する罰則の適用については、なお、従前の例による。

4　第六条の規定の適用については、地方公営企業等の運営の実態にかんがみ、労働関係の適正化を促進し、もつて地方公営企業等の効率的な運営に資するため、当分の間、同条第三項中「五年」とあるのは、「七年以下の範囲内で労働協約で定める期間」とする。

5　地方公務員法第五十七条に規定する単純な労務に雇用される一般職に属する地方公務員であつて、第三条第四号の職員以外のものに係る労働関係その他身分取扱いについては、その労働関係その他身分取扱いに関し特別の法律が制定施行されるまでの間は、この法律（第十七条を除く。）並びに地方公営企業法第三十八条及び第三十九条の規定を準用する。この場合において、同条第一項中「第四十九条まで、第五十二条から第五十六条まで」とあるのは「第四十九条まで」と、同条第五項中「地方公営企業の管理者」とあるのは「任命権者（委任を受けて任命権を行う者を除く。）」と読み替えるものとする。

○地方公営企業等の労働関係に関する法律施行令

昭四〇・八・一二
政令二七七

最終改正　平二〇・七・一八政令二三一

（法第五条第二項の事務）

第一条　地方公営企業等の労働関係に関する法律（昭和二十七年法律第二百八十九号。以下「法」という。）第五条第二項の規定による認定及び告示は、当該職員が勤務する地方公営企業又は特定地方独立行政法人の主たる事務所の所在地を管轄する都道府県労働委員会が行う。

2　前項の規定により都道府県労働委員会が行う告示の方式は、当該都道府県の規則の公布の例によるものとする。

（調停又は仲裁の申請）

第二条　法第十四条第一号から第三号までの規定による調停又は法第十五条第一号、第二号若しくは第四号の規定による仲裁の申請は、事件の要点を記載した書面によつて行なわなければならない。

（調停開始の通知）

第三条　労働委員会は、関係当事者の一方から法第十四条第二号の申請があつたときは他の関係当事者に、同条第三号若しくは第四号の決議をしたとき、又は同条第五号の請求があつたときは関係当事者の双方に、遅滞なく、その旨を通知しなければならない。

（仲裁開始の通知）

第四条　労働委員会は、関係当事者の一方から法第十五条第二号又は第四号の申請があつたときは他の関係当事者に、同条第三号の決議をしたとき、又は同条第五号の請求があつたときは関係当事者の双方に、遅滞なく、その旨を通知しなければならない。

（調停又は仲裁の請求）

第五条　法第十四条第五号の調停の請求及び法第十五条第五号の仲裁の請求については、労働関係調整法施行令（昭和二十一年勅令第四百七十八号）第八条の規定を準用する。

2　前項の請求は、その理由を明らかにした書面によつて行なわなければならない。

（法第五条第二項の事務の処理に係る会議）

第六条　法第五条第二項の事務の処理に係る都道府県労働委員会の会議については、労働組合法施行令（昭和二十四年政令第二百三十一号）第二十六条の規定を準用する。

2　前項の会議においては、特別調整委員は、意見を述べることができない。

附　則

1　この政令は、昭和四十年八月十五日から施行する。

2　地方公営企業労働関係法第五条第一項但書に規定する者の範囲の基準に関する政令（昭和二十七年政令第四百十八号）は、廃止する。

○東京都職員服務紀律

昭一八・六・一九
内務令五一

〔昭和二二年五月三日内務省令第二九号（地方自治法施行規則）附則二条により廃止。但し地方自治法附則五条及び同施行規程一〇条参照〕

第一条 都吏員ハ忠実勤勉ヲ旨トシ法令ニ従ヒ其ノ職務ニ尽スベシ

② 都吏員ハ其ノ職務ニ付指揮監督者ノ命令ヲ遵守スベシ

第二条 都吏員ハ職務ノ内外ヲ問ハズ廉恥ヲ破リ其ノ品位ヲ傷フノ所為アルベカラズ

② 都吏員ハ職務ノ内外ヲ問ハズ職権ヲ濫用セズ懇切公平ナルコトヲ務ムベシ

第三条 都吏員ハ総テ公務ニ関スル機密ヲ私ニ漏洩シ又ハ未発ノ事件若ハ文書ヲ私ニ漏示スルコトヲ得ズ其ノ職ヲ退クノ後ニ於テモ亦同ジ

② 都吏員裁判所ノ召喚ニ依リ証人又ハ鑑定人ト為リ職務上ノ秘密ニ付訊問ヲ受クルトキハ指揮監督者ノ許可ヲ得タル事件ニ限リ供述スルコトヲ得事実参考ノ為訊問ヲ受クルトキ亦同ジ

③ 前項ノ場合ニ於テ都吏員ノ掌ル国府県其ノ他公共団体ノ事務ニ付テハ国府県其ノ他公共団体ノ代表者ノ許可又ハ承認ヲ得ルコトヲ要ス

第四条 都吏員ハ職務ノ為出張ヲ命ゼラレタル場合ヲ除クノ外指揮監督者ノ許可ヲ受クルニ非ザレバ其ノ職務ノ地ヲ離ルルコトヲ得ズ

第五条 都吏員ハ其ノ職務ニ関シ直接ト間接トヲ問ハズ自己又ハ其ノ他ノ者ノ為ニ贈与其ノ他ノ利益ヲ供給セシムルノ約束ヲ為スコトヲ得ズ

② 都吏員ハ指揮監督者ノ許可ヲ受クルニ非ザレバ其ノ職務ニ関シ直接ト間接トヲ問ハズ自己又ハ其ノ他ノ者ノ為ニ贈与其ノ他ノ利益ヲ受クルコトヲ得ズ

第六条 左ニ掲グル者ト直接ニ関係ノ職務ニ在ル都吏員ハ其ノ者又ハ其ノ者ノ為ニスル者ノ饗燕ヲ受クルコトヲ得ズ

一 都ニ対シ工事ノ請負又ハ物件労力供給ノ契約ヲ為ス者
二 都ニ属スル金銭ノ出納保管ヲ担任スル者
三 都ヨリ補助金又ハ利益ノ保証ヲ受クル起業者
四 都ト土地物件ノ売買、贈与、貸借又ハ交換ノ契約ヲ為ス者
五 其ノ他都ヨリ現ニ利益ヲ得又ハ得ントスル者

第七条 有給ノ都吏員ハ指揮監督者ノ許可ヲ受クルニ非ザレバ営業ヲ為シ若ハ家族ヲシテ営業ヲ為サシメ又ハ給料若ハ報酬ヲ受クベキ他ノ事務ヲ行フコトヲ得ズ

第七条ノ二 第一条乃至第六条ノ規定ハ東京都議会議員選挙管理委員ニ之ヲ準用ス

② 第一条乃至前条ノ規定ハ東京都議会議員選挙管理委員会ノ書記ニ之ヲ準用ス

第八条 本令ニ於テ指揮監督者ト称スルハ都長官東京都議会議員選挙管理委員ニ付テハ内務大臣、東京都議会議員選挙管理委員会ノ書記ニ付テハ東京都議会議員選挙管理委員会ノ委員長ヲ謂フ

附　則

本令ハ東京都制〔昭和一八年六月法律第八九号〕施行ノ日〔昭和一八年七月一日〕ヨリ之ヲ施行ス

附　則（昭二一・一〇・四内務令三七）（抄）

① この命令中都議会議員又は区市町村会議員の選挙に関する規定は、次の都議会議員又は区市町村会議員の総選挙からその他の規定は昭和二十一年十月五日からこれを施行する。

○府県職員服務紀律

明三五・二・一四
内務令三

〔昭和二二年五月三日内務省令第二九号（地方自治法施行規則）附則二条により廃止。但し地方自治法附則五条及び同施行規程一〇条参照〕

第一条 府県郡吏員ハ法令ニ従ヒ忠実ニ其ノ職務ヲ尽スヘシ

② 府県郡吏員ハ其ノ職務ニ付指揮監督者ノ命令ヲ遵守スヘシ

第二条 府県郡吏員ハ職務ノ内外ヲ問ハス職権ヲ濫用シ廉恥ヲ破リ其ノ他品位ヲ傷フノ所為アルヘカラス

第三条 府県郡吏員ハ総テ公務ニ関スル機密ヲ私ニ漏洩シ又ハ未発ノ事件若ハ文書ヲ私ニ漏示スルコトヲ得ス其ノ職ヲ退クノ後ニ於テモ亦同シ但裁判所ノ召喚ニ依リ職務上ノ秘密ニ付訊問ヲ受ケタル場合ニ於テ指揮監督者ノ許可ヲ得タル事件ニ付テハ此限ニ在ラス

第四条 府県郡吏員ハ職務ノ為出張ヲ命セラレタル場合ヲ除ク外指揮監督者ノ許可ヲ受クルニ非サレハ其ノ職務ノ地ヲ離ルルコトヲ得ス

第五条 府県郡吏員ハ其ノ職務ニ関シ直接ト間接トヲ問ハス自己若ハ其ノ他ノモノノ為ニ贈与其ノ他ノ利益ヲ供給セシムルノ約束ヲ為スコトヲ得ス

② 府県郡吏員ハ指揮監督者ノ許可ヲ受クルニ非サレハ其ノ職務ニ関シ直接ト間接トヲ問ハス自己若ハ其ノ他ノモノノ為ニ贈与其ノ他ノ利益ヲ受クルコトヲ得ス

第六条 左ニ掲クル者ト直接ニ関係ノ職務ニ在ル府県郡吏員ハ其ノ者又ハ其ノ者ノ為ニスルモノノ饗燕ヲ受クルコトヲ得ス

一 府県郡ノ為ニ工事又ハ物件調達ノ請負ヲ為ス者
二 府県郡ニ属スル金銭ノ出納保管ヲ担任スル者
三 府県郡ヨリ補助金又ハ利益ノ保証ヲ受クル起業者
四 府県郡ト土地物件ノ売買贈与貸借若ハ交換ノ契約ヲ為ス者
五 其ノ他府県郡ヨリ現ニ利益ヲ得又ハ得ントスル者

第七条 有給ノ府県郡吏員ハ指揮監督者ノ許可ヲ受クルニ非サレハ営業ヲ為シ若ハ家族ヲシテ営業ヲ為サシメ又ハ給料若ハ報酬

ヲ受クヘキ他ノ事務ヲ行フコトヲ得ス

第七条ノ二　第一条乃至第六条ノ規定ハ府県会議員選挙管理委員ニ之ヲ準用ス

② 第一条乃至前条ノ規定ハ府県会議員選挙管理委員会ノ書記ニ之ヲ準用ス

第八条　本令ニ於テ指揮監督者ト称スルハ府県吏員ニ付テハ府県知事、府県会議員選挙管理委員ニ付テハ内務大臣、府県会議員選挙管理委員会ノ書記ニ付テハ府県会議員選挙管理委員会ノ委員長郡吏員ニ付テハ郡長ヲ謂フ

第九条　郡組合ノ吏員ニ関シテハ郡吏員ニ関スル規定ヲ準用ス

附　則（昭二一・一〇・四内務令三八）（抄）

① この命令中道府県会議員の選挙に関する規定は、次の総選挙から、その他の規定は、昭和二十一年十月五日から、これを施行する。

○市町村職員服務紀律

明四四・九・二二
内　務　令　一　六

〔昭和二二年五月三日内務省令第二九号（地方自治法施行規則）附則二条により廃止。但し地方自治法附則九条及び同施行規程一五条参照〕

第一条　市町村吏員ハ忠実勤勉ヲ旨トシ法令ニ従ヒ其ノ職務ニ尽スヘシ

第二条　市町村吏員ハ職務ノ内外ヲ問ハス廉恥ヲ破リ其ノ他品位ヲ傷フノ所為アルヘカラス

② 市町村吏員ハ職務ノ内外ヲ問ハス職権ヲ濫用セス懇切公平ナルコトヲ務ムヘシ

第三条　市町村吏員ハ総テ公務ニ関スル機密ヲ私ニ漏洩シ又ハ未発ノ事件若ハ文書ヲ私ニ漏示スルコトヲ得ス其ノ職ヲ退クノ後ニ於テモ亦同シ

② 裁判所ノ召喚ニ依リ証人又ハ鑑定人ト為リ職務上ノ秘密ニ就キ訊問ヲ受クルトキハ指揮監督者ノ許可ヲ得タル件ニ限リ供述スルコトヲ得事実参考ノ為訊問ヲ受ケタル者ニ付テモ亦同シ

③ 前項ノ場合ニ於テ市町村吏員ノ掌ル国府県其ノ他公共団体ノ事務ニ付テハ国府県其ノ他公共団体ノ代表者ノ許可又ハ承認ヲ得ルコトヲ要ス

第三条ノ二　市町村助役、市町村収入役及市町村副収入役並ニ市制第六条ノ市ノ区長及市制第八十二条第一項ノ市ノ区長ハ市町村長ノ許可ヲ受クルニ非ザレバ他ノ報償アル業務ニ従事スルコトヲ得ズ

第四条　市町村吏員ハ其ノ職務ニ関シ直接ト間接トヲ問ハス自己若ハ其ノ他ノ者ノ為ニ贈与其ノ他ノ利益ヲ供給セシムルノ約束ヲ為スコトヲ得ス

② 市町村吏員ハ指揮監督者ノ許可ヲ受クルニ非サレハ其ノ職務ニ関シ直接ト間接トヲ問ハス自己若ハ其ノ他ノ者ノ為ニ贈与其ノ他ノ利益ヲ受クルコトヲ得ス

第五条　左ニ掲クル者ト直接ニ関係ノ職務ニ在ル市町村吏員ハ其ノ者又ハ其ノ者ノ為ニスル者ノ饗燕ヲ受クルコトヲ得ス

一　市町村ニ対シ工事ノ請負又ハ物件労力供給ノ契約ヲ為ス者
二　市町村ニ属スル金銭ノ出納保管ヲ担任スル者
三　市町村ヨリ補助金又ハ利益ノ保証ヲ受クル起業者
四　市町村ト土地物件ノ売買贈与貸借又ハ交換ノ契約ヲ為ス者
五　其ノ他市町村ヨリ現ニ利益ヲ得又ハ得ムトスル者

第六条　第一条乃至第三条、第四条及第五条ノ規定ハ市町村会議員選挙管理委員（町村制第三十八条ノ町村ニ於テハ町村長選挙管理委員）及市会議員区選挙管理委員並ニ市町村会議員選挙管理委員会（町村制第三十八条ノ町村ニ於テハ町村長選挙管理委員会）及市会議員区選挙管理委員会ノ書記ニ之ヲ準用ス

附　則

本令ハ明治四十四年十月一日ヨリ之ヲ施行ス

附　則（大一五・六・二四内務令二五）

本令ハ大正十五年七月一日ヨリ之ヲ施行ス

附　則（昭一八・五・二五内務令三七）

本令中市参与ニ関スル部分ハ昭和十八年六月一日ヨリ、市考査役ニ関スル部分ハ昭和十八年七月一日ヨリ之ヲ施行ス

附　則（昭二一・一〇・四内務令三九）（抄）

① この省令中市町村会議員及び市制第六条の市の区会議員の選挙に関する規定は、次の総選挙から、その他の規定は、昭和二十一年十月五日から、これを施行する。

○労働基準法

昭二二・四・七
法　　四　九

最終改正　令六・五・三一法四二

目次〔略〕

第一章　総則

（労働条件の原則）

第一条　労働条件は、労働者が人たるに値する生活を営むための必要を充たすべきものでなければならない。

②　この法律で定める労働条件の基準は最低のものであるから、労働関係の当事者は、この基準を理由として労働条件を低下させてはならないことはもとより、その向上を図るように努めなければならない。

（労働条件の決定）

第二条　労働条件は、労働者と使用者が、対等の立場において決定すべきものである。

②　労働者及び使用者は、労働協約、就業規則及び労働契約を遵守し、誠実に各々その義務を履行しなければならない。

（均等待遇）

第三条　使用者は、労働者の国籍、信条又は社会的身分を理由として、賃金、労働時間その他の労働条件について、差別的取扱をしてはならない。

（男女同一賃金の原則）

第四条　使用者は、労働者が女性であることを理由として、賃金について、男性と差別的取扱いをしてはならない。

（強制労働の禁止）

第五条　使用者は、暴行、脅迫、監禁その他精神又は身体の自由を不当に拘束する手段によつて、労働者の意思に反して労働を強制してはならない。

（中間搾取の排除）

第六条　何人も、法律に基いて許される場合の外、業として他人の就業に介入して利益を得てはならない。

（公民権行使の保障）

第七条　使用者は、労働者が労働時間中に、選挙権その他公民としての権利を行使し、又は公の職務を執行するために必要な時間を請求した場合においては、拒んではならない。但し、権利の行使又は公の職務の執行に妨げがない限り、請求された時刻を変更することができる。

第八条　削除

（定義）

第九条　この法律で「労働者」とは、職業の種類を問わず、事業又は事務所（以下「事業」という。）に使用される者で、賃金を支払われる者をいう。

第十条　この法律で使用者とは、事業主又は事業の経営担当者その他その事業の労働者に関する事項について、事業主のために行為をするすべての者をいう。

第十一条　この法律で賃金とは、賃金、給料、手当、賞与その他名称の如何を問わず、労働の対償として使用者が労働者に支払うすべてのものをいう。

第十二条　この法律で平均賃金とは、これを算定すべき事由の発生した日以前三箇月間にその労働者に対し支払われた賃金の総額を、その期間の総日数で除した金額をいう。ただし、その金額は、次の各号の一によつて計算した金額を下つてはならない。

一　賃金が、労働した日若しくは時間によつて算定され、又は出来高払制その他の請負制によつて定められた場合においては、賃金の総額をその期間中に労働した日数で除した金額の百分の六十

二　賃金の一部が、月、週その他一定の期間によつて定められた場合においては、その部分の総額をその期間の総日数で除した金額と前号の金額の合算額

②　前項の期間は、賃金締切日がある場合においては、直前の賃金締切日から起算する。

③　前二項に規定する期間中に、次の各号のいずれかに該当する期間がある場合においては、その日数及びその期間中の賃金は、前二項の期間及び賃金の総額から控除する。

一　業務上負傷し、又は疾病にかかり療養のために休業した期間

二　産前産後の女性が第六十五条の規定によつて休業した期間

三　使用者の責めに帰すべき事由によつて休業した期間

四　育児休業、介護休業等育児又は家族介護を行う労働者の福祉に関する法律（平成三年法律第七十六号）第二条第一号に規定する育児休業又は同条第二号に規定する介護休業（同法第六十一条第三項に規定する行政執行法人介護休業及び同法第六十一条の二第三項に規定する介護をするための休業を含む。第三十九条第十項において同じ。）をした期間

五　試みの使用期間

④　第一項の賃金の総額には、臨時に支払われた賃金及び三箇月を超える期間ごとに支払われる賃金並びに通貨以外のもので支払われた賃金で一定の範囲に属しないものは算入しない。

⑤　賃金が通貨以外のもので支払われる場合、第一項の賃金の総額に算入すべきものの範囲及び評価に関し必要な事項は、厚生労働省令で定める。

⑥　雇入後三箇月に満たない者については、第一項の期間は、雇入後の期間とする。

⑦　日日雇い入れられる者については、その従事する事業又は職業について、厚生労働大臣の定める金額を平均賃金とする。

⑧　第一項乃至第六項によつて算定し得ない場合の平均賃金は、厚生労働大臣の定めるところによる。

第二章　労働契約

（この法律違反の契約）

第十三条　この法律で定める基準に達しない労働条件を定める労働契約は、その部分については無効とする。この場合において、無効となつた部分は、この法律で定める基準による。

（契約期間等）

第十四条　労働契約は、期間の定めのないものを除き、一定の事業の完了に必要な期間を定めるもののほかは、三年（次の各号のいずれかに該当する労働契約にあつては、五年）を超える期間について締結してはならない。

一　専門的な知識、技術又は経験（以下この号及び第四十一条の二第一項第一号において「専門的知識等」という。）であつて高度のものとして厚生労働大臣が定める基準に該当する専門的知識等を有する労働者（当該高度の専門的知識等を必要とする業務に就く者に限る。）との間に締結される労働契約

二　満六十歳以上の労働者との間に締結される労働契約（前号に掲げる労働契約を除く。）

② 厚生労働大臣は、期間の定めのある労働契約の締結時及び当該労働契約の期間の満了時において労働者と使用者との間に紛争が生ずることを未然に防止するため、使用者が講ずべき労働契約の期間の満了に係る通知に関する事項その他必要な事項についての基準を定めることができる。

③ 行政官庁は、前項の基準に関し、期間の定めのある労働契約を締結する使用者に対し、必要な助言及び指導を行うことができる。

（労働条件の明示）

第十五条　使用者は、労働契約の締結に際し、労働者に対して賃金、労働時間その他の労働条件を明示しなければならない。この場合において、賃金及び労働時間に関する事項その他の厚生労働省令で定める事項については、厚生労働省令で定める方法により明示しなければならない。

② 前項の規定によつて明示された労働条件が事実と相違する場合においては、労働者は、即時に労働契約を解除することができる。

③ 前項の場合、就業のために住居を変更した労働者が、契約解除の日から十四日以内に帰郷する場合においては、使用者は、必要な旅費を負担しなければならない。

（賠償予定の禁止）

第十六条　使用者は、労働契約の不履行について違約金を定め、又は損害賠償額を予定する契約をしてはならない。

（前借金相殺の禁止）

第十七条　使用者は、前借金その他労働することを条件とする前貸の債権と賃金を相殺してはならない。

（強制貯金）

第十八条　使用者は、労働契約に附随して貯蓄の契約をさせ、又は貯蓄金を管理する契約をしてはならない。

② 使用者は、労働者の貯蓄金をその委託を受けて管理しようとする場合においては、当該事業場に、労働者の過半数で組織する労働組合があるときはその労働組合、労働者の過半数で組織する労働組合がないときは労働者の過半数を代表する者との書面による協定をし、これを行政官庁に届け出なければならない。

③ 使用者は、労働者の貯蓄金をその委託を受けて管理する場合においては、貯蓄金の管理に関する規程を定め、これを労働者に周知させるため作業場に備え付ける等の措置をとらなければならない。

④ 使用者は、労働者の貯蓄金をその委託を受けて管理する場合において、貯蓄金の管理が労働者の預金の受入であるときは、利子をつけなければならない。この場合において、その利子が、金融機関の受け入れる預金の利率を考慮して厚生労働省令で定める利率による利子を下るときは、その厚生労働省令で定める利率による利子をつけたものとみなす。

⑤ 使用者は、労働者の貯蓄金をその委託を受けて管理する場合において、労働者がその返還を請求したときは、遅滞なく、これを返還しなければならない。

⑥ 使用者が前項の規定に違反した場合において、当該貯蓄金の管理を継続することが労働者の利益を著しく害すると認められるときは、行政官庁は、使用者に対して、その必要な限度の範囲内で、当該貯蓄金の管理を中止すべきことを命ずることができる。

⑦ 前項の規定により貯蓄金の管理を中止すべきことを命ぜられた使用者は、遅滞なく、その管理に係る貯蓄金を労働者に返還しなければならない。

（解雇制限）

第十九条　使用者は、労働者が業務上負傷し、又は疾病にかかり療養のために休業する期間及びその後三十日間並びに産前産後の女性が第六十五条の規定によつて休業する期間及びその後三十日間は、解雇してはならない。ただし、使用者が、第八十一条の規定によつて打切補償を支払う場合又は天災事変その他やむを得ない事由のために事業の継続が不可能となつた場合においては、この限りでない。

② 前項但書後段の場合においては、その事由について行政官庁の認定を受けなければならない。

（解雇の予告）

第二十条　使用者は、労働者を解雇しようとする場合においては、少くとも三十日前にその予告をしなければならない。三十日前に予告をしない使用者は、三十日分以上の平均賃金を支払わなければならない。但し、天災事変その他やむを得ない事由のために事業の継続が不可能となつた場合又は労働者の責に帰すべき事由に基いて解雇する場合においては、この限りでない。

② 前項の予告の日数は、一日について平均賃金を支払つた場合においては、その日数を短縮することができる。

③ 前条第二項の規定は、第一項但書の場合にこれを準用する。

第二十一条　前条の規定は、左の各号の一に該当する労働者については適用しない。但し、第一号に該当する者が一箇月を超えて引き続き使用されるに至つた場合、第二号若しくは第三号に該当する者が所定の期間を超えて引き続き使用されるに至つた場合又は第四号に該当する者が十四日を超えて引き続き使用されるに至つた場合においては、この限りでない。

一　日日雇い入れられる者

二　二箇月以内の期間を定めて使用される者

三　季節的業務に四箇月以内の期間を定めて使用される者

四　試の使用期間中の者

（退職時等の証明）

第二十二条　労働者が、退職の場合において、使用期間、業務の種類、その事業における地位、賃金又は退職の事由（退職の事由が解雇の場合にあつては、その理由を含む。）について証明書を請求した場合においては、使用者は、遅滞なく、これを交付しなければならない。

② 労働者が、第二十条第一項の解雇の予告がされた日から退職の日までの間において、当該解雇の理由について証明書を請求した場合においては、使用者は、遅滞なく、これを交付しなければならない。ただし、解雇の予告がされた日以後に労働者が当

該解雇以外の事由により退職した場合においては、使用者は、当該退職の日以後、これを交付することを要しない。

③　前二項の証明書には、労働者の請求しない事項を記入してはならない。

④　使用者は、あらかじめ第三者と謀り、労働者の就業を妨げることを目的として、労働者の国籍、信条、社会的身分若しくは労働組合運動に関する通信をし、又は第一項及び第二項の証明書に秘密の記号を記入してはならない。

（金品の返還）

第二十三条　使用者は、労働者の死亡又は退職の場合において、権利者の請求があつた場合においては、七日以内に賃金を支払い、積立金、保証金、貯蓄金その他名称の如何を問わず、労働者の権利に属する金品を返還しなければならない。

②　前項の賃金又は金品に関して争がある場合においては、使用者は、異議のない部分を、同項の期間中に支払い、又は返還しなければならない。

第三章　賃金

（賃金の支払）

第二十四条　賃金は、通貨で、直接労働者に、その全額を支払わなければならない。ただし、法令若しくは労働協約に別段の定めがある場合又は厚生労働省令で定める賃金について確実な支払の方法で厚生労働省令で定めるものによる場合においては、通貨以外のもので支払い、また、法令に別段の定めがある場合又は当該事業場の労働者の過半数で組織する労働組合があるときはその労働組合、労働者の過半数で組織する労働組合がないときは労働者の過半数を代表する者との書面による協定がある場合においては、賃金の一部を控除して支払うことができる。

②　賃金は、毎月一回以上、一定の期日を定めて支払わなければならない。ただし、臨時に支払われる賃金、賞与その他これに準ずるもので厚生労働省令で定める賃金（第八十九条において「臨時の賃金等」という。）については、この限りでない。

（非常時払）

第二十五条　使用者は、労働者が出産、疾病、災害その他厚生労働省令で定める非常の場合の費用に充てるために請求する場合においては、支払期日前であつても、既往の労働に対する賃金を支払わなければならない。

（休業手当）

第二十六条　使用者の責に帰すべき事由による休業の場合においては、使用者は、休業期間中当該労働者に、その平均賃金の百分の六十以上の手当を支払わなければならない。

（出来高払制の保障給）

第二十七条　出来高払制その他の請負制で使用する労働者については、使用者は、労働時間に応じ一定額の賃金の保障をしなければならない。

（最低賃金）

第二十八条　賃金の最低基準に関しては、最低賃金法（昭和三十四年法律第百三十七号）の定めるところによる。

第二十九条から第三十一条まで　削除

第四章　労働時間、休憩、休日及び年次有給休暇

（労働時間）

第三十二条　使用者は、労働者に、休憩時間を除き一週間について四十時間を超えて、労働させてはならない。

②　使用者は、一週間の各日については、労働者に、休憩時間を除き一日について八時間を超えて、労働させてはならない。

第三十二条の二　使用者は、当該事業場に、労働者の過半数で組織する労働組合がある場合においてはその労働組合、労働者の過半数で組織する労働組合がない場合においては労働者の過半数を代表する者との書面による協定により、又は就業規則その他これに準ずるものにより、一箇月以内の一定の期間を平均し一週間当たりの労働時間が前条第一項の労働時間を超えない定めをしたときは、同条の規定にかかわらず、その定めにより、特定された週において同項の労働時間又は特定された日において同条第二項の労働時間を超えて、労働させることができる。

②　使用者は、厚生労働省令で定めるところにより、前項の協定を行政官庁に届け出なければならない。

第三十二条の三　使用者は、就業規則その他これに準ずるものにより、その労働者に係る始業及び終業の時刻をその労働者の決定に委ねることとした労働者については、当該事業場の労働者の過半数で組織する労働組合がある場合においてはその労働組合、労働者の過半数で組織する労働組合がない場合においては労働者の過半数を代表する者との書面による協定により、次に掲げる事項を定めたときは、その協定で第二号の清算期間として定められた期間を平均し一週間当たりの労働時間が第三十二条第一項の労働時間を超えない範囲内において、同条の規定にかかわらず、一週間において同項の労働時間又は一日において同条第二項の労働時間を超えて、労働させることができる。

一　この項の規定による労働時間により労働させることができることとされる労働者の範囲

二　清算期間（その期間を平均し一週間当たりの労働時間が第三十二条第一項の労働時間を超えない範囲内において労働させる期間をいい、三箇月以内の期間に限るものとする。以下この条及び次条において同じ。）

三　清算期間における総労働時間

四　その他厚生労働省令で定める事項

②　清算期間が一箇月を超えるものである場合における前項の規定の適用については、同項各号列記以外の部分中「労働時間を超えない」とあるのは「労働時間を超えず、かつ、当該清算期間をその開始の日以後一箇月ごとに区分した各期間（最後に一箇月未満の期間を生じたときは、当該期間。以下この項において同じ。）ごとに当該各期間を平均し一週間当たりの労働時間が五十時間を超えない」と、「同項」とあるのは「同条第一項」とする。

③　一週間の所定労働日数が五日の労働者について第一項の規定により労働させる場合における同項の規定の適用については、同項各号列記以外の部分（前項の規定により読み替えて適用する場合を含む。）中「第三十二条第一項の労働時間」とあるのは「第三十二条第一項の労働時間（当該事業場の労働者の過半数で組織する労働組合がある場合においてはその労働組合、労働者の過半数で組織する労働組合がない場合においては労働者の過半数を代表する者との書面による協定により、労働時間の限度について、当該清算期間における所定労働日数を同条第二

項の労働時間に乗じて得た時間とする旨を定めたときは、当該清算期間における日数を七で除して得た数をもつてその時間を除して得た時間）」と、「同項」とあるのは「同条第一項」とする。

④ 前条第二項の規定は、第一項各号に掲げる事項を定めた協定について準用する。ただし、清算期間が一箇月以内のものであるときは、この限りでない。

第三十二条の三の二 使用者が、清算期間が一箇月を超えるものであるときの当該清算期間中の前条第一項の規定により労働させた期間が当該清算期間より短い労働者について、当該労働させた期間を平均し一週間当たり四十時間を超えて労働させた場合においては、その超えた時間（第三十三条又は第三十六条第一項の規定により延長し、又は休日に労働させた時間を除く。）の労働については、第三十七条の規定の例により割増賃金を支払わなければならない。

第三十二条の四 使用者は、当該事業場に、労働者の過半数で組織する労働組合がある場合においてはその労働組合、労働者の過半数で組織する労働組合がない場合においては労働者の過半数を代表する者との書面による協定により、次に掲げる事項を定めたときは、第三十二条の規定にかかわらず、その協定で第二号の対象期間として定められた期間を平均し一週間当たりの労働時間が四十時間を超えない範囲内において、当該協定（次項の規定による定めをした場合においては、その定めを含む。）で定めるところにより、特定された週において同条第一項の労働時間又は特定された日において同条第二項の労働時間を超えて、労働させることができる。

一 この条の規定による労働時間により労働させることができることとされる労働者の範囲

二 対象期間（その期間を平均し一週間当たりの労働時間が四十時間を超えない範囲内において労働させる期間をいい、一箇月を超え一年以内の期間に限るものとする。以下この条及び次条において同じ。）

三 特定期間（対象期間中の特に業務が繁忙な期間をいう。第三項において同じ。）

四 対象期間における労働日及び当該労働日ごとの労働時間（対象期間を一箇月以上の期間ごとに区分することとした場合においては、当該区分による各期間のうち当該対象期間の初日の属する期間（以下この条において「最初の期間」という。）における労働日及び当該労働日ごとの労働時間並びに当該最初の期間を除く各期間における労働日数及び総労働時間）

五 その他厚生労働省令で定める事項

② 使用者は、前項の協定で同項第四号の区分をし当該区分による各期間のうち最初の期間を除く各期間における労働日数及び総労働時間を定めたときは、当該各期間の初日の少なくとも三十日前に、当該事業場に、労働者の過半数で組織する労働組合がある場合においてはその労働組合、労働者の過半数で組織する労働組合がない場合においては労働者の過半数を代表する者の同意を得て、厚生労働省令で定めるところにより、当該労働日数を超えない範囲内において当該各期間における労働日及び当該総労働時間を超えない範囲内において当該各期間における労働日ごとの労働時間を定めなければならない。

③ 厚生労働大臣は、労働政策審議会の意見を聴いて、厚生労働省令で、対象期間における労働日数の限度並びに一日及び一週間の労働時間の限度並びに対象期間（第一項の協定で特定期間として定められた期間を除く。）及び同項の協定で特定期間として定められた期間における連続して労働させる日数の限度を定めることができる。

④ 第三十二条の二第二項の規定は、第一項の協定について準用する。

第三十二条の四の二 使用者が、対象期間中の前条の規定により労働させた期間が当該対象期間より短い労働者について、当該労働させた期間を平均し一週間当たり四十時間を超えて労働させた場合においては、その超えた時間（第三十三条又は第三十六条第一項の規定により延長し、又は休日に労働させた時間を除く。）の労働については、第三十七条の規定の例により割増賃金を支払わなければならない。

第三十二条の五 使用者は、日ごとの業務に著しい繁閑の差が生ずることが多く、かつ、これを予測した上で就業規則その他これに準ずるものにより各日の労働時間を特定することが困難であると認められる厚生労働省令で定める事業であつて、常時使用する労働者の数が厚生労働省令で定める数未満のものに従事する労働者については、当該事業場に、労働者の過半数で組織する労働組合がある場合においてはその労働組合、労働者の過半数で組織する労働組合がない場合においては労働者の過半数を代表する者との書面による協定があるときは、第三十二条第二項の規定にかかわらず、一日について十時間まで労働させることができる。

② 使用者は、前項の規定により労働者に労働させる場合においては、厚生労働省令で定めるところにより、当該労働させる一週間の各日の労働時間を、あらかじめ、当該労働者に通知しなければならない。

③ 第三十二条の二第二項の規定は、第一項の協定について準用する。

（災害等による臨時の必要がある場合の時間外労働等）

第三十三条 災害その他避けることのできない事由によつて、臨時の必要がある場合においては、使用者は、行政官庁の許可を受けて、その必要の限度において第三十二条から前条まで若しくは第四十条の労働時間を延長し、又は第三十五条の休日に労働させることができる。ただし、事態急迫のために行政官庁の許可を受ける暇がない場合においては、事後に遅滞なく届け出なければならない。

② 前項ただし書の規定による届出があつた場合において、行政官庁がその労働時間の延長又は休日の労働を不適当と認めるときは、その後にその時間に相当する休憩又は休日を与えるべきことを、命ずることができる。

③ 公務のために臨時の必要がある場合においては、第一項の規定にかかわらず、官公署の事業（別表第一に掲げる事業を除く。）に従事する国家公務員及び地方公務員については、第三十二条から前条まで若しくは第四十条の労働時間を延長し、又は第三十五条の休日に労働させることができる。

（休憩）

第三十四条 使用者は、労働時間が六時間を超える場合においては少くとも四十五分、八時間を超える場合においては少くとも一時間の休憩時間を労働時間の途中に与えなければならない。

② 前項の休憩時間は、一斉に与えなければならない。ただし、当該事業場に、労働者の過半数で組織する労働組合がある場合においてはその労働組合、労働者の過半数で組織する労働組合がない場合においては労働者の過半数を代表する者との書面による協定があるときは、この限りでない。
③ 使用者は、第一項の休憩時間を自由に利用させなければならない。

（休日）
第三十五条 使用者は、労働者に対して、毎週少くとも一回の休日を与えなければならない。
② 前項の規定は、四週間を通じ四日以上の休日を与える使用者については適用しない。

（時間外及び休日の労働）
第三十六条 使用者は、当該事業場に、労働者の過半数で組織する労働組合がある場合においてはその労働組合、労働者の過半数で組織する労働組合がない場合においては労働者の過半数を代表する者との書面による協定をし、厚生労働省令で定めるところによりこれを行政官庁に届け出た場合においては、第三十二条から第三十二条の五まで若しくは第四十条の労働時間（以下この条において「労働時間」という。）又は前条の休日（以下この条において「休日」という。）に関する規定にかかわらず、その協定で定めるところによつて労働時間を延長し、又は休日に労働させることができる。
② 前項の協定においては、次に掲げる事項を定めるものとする。
一 この条の規定により労働時間を延長し、又は休日に労働させることができることとされる労働者の範囲
二 対象期間（この条の規定により労働時間を延長し、又は休日に労働させることができる期間をいい、一年間に限るものとする。第四号及び第六項第三号において同じ。）
三 労働時間を延長し、又は休日に労働させることができる場合
四 対象期間における一日、一箇月及び一年のそれぞれの期間について労働時間を延長して労働させることができる時間又は労働させることができる休日の日数
五 労働時間の延長及び休日の労働を適正なものとするために必要な事項として厚生労働省令で定める事項
③ 前項第四号の労働時間を延長して労働させることができる時間は、当該事業場の業務量、時間外労働の動向その他の事情を考慮して通常予見される時間外労働の範囲内において、限度時間を超えない時間に限る。
④ 前項の限度時間は、一箇月について四十五時間及び一年について三百六十時間（第三十二条の四第一項第二号の対象期間として三箇月を超える期間を定めて同条の規定により労働させる場合にあつては、一箇月について四十二時間及び一年について三百二十時間）とする。
⑤ 第一項の協定においては、第二項各号に掲げるもののほか、当該事業場における通常予見することのできない業務量の大幅な増加等に伴い臨時的に第三項の限度時間を超えて労働させる必要がある場合において、一箇月について労働時間を延長して労働させ、及び休日において労働させることができる時間（第二項第四号に関して協定した時間を含め百時間未満の範囲内に限る。）並びに一年について労働時間を延長して労働させることができる時間（同号に関して協定した時間を含め七百二十時間を超えない範囲内に限る。）を定めることができる。この場合において、第一項の協定に、併せて第二項第二号の対象期間において労働時間を延長して労働させる時間が一箇月について四十五時間（第三十二条の四第一項第二号の対象期間として三箇月を超える期間を定めて同条の規定により労働させる場合にあつては、一箇月について四十二時間）を超えることができる月数（一年について六箇月以内に限る。）を定めなければならない。
⑥ 使用者は、第一項の協定で定めるところによつて労働時間を延長して労働させ、又は休日において労働させる場合であつても、次の各号に掲げる時間について、当該各号に定める要件を満たすものとしなければならない。
一 坑内労働その他厚生労働省令で定める健康上特に有害な業務について、一日について労働時間を延長して労働させた時間　二時間を超えないこと。
二 一箇月について労働時間を延長して労働させ、及び休日において労働させた時間　百時間未満であること。
三 対象期間の初日から一箇月ごとに区分した各期間に当該各期間の直前の一箇月、二箇月、三箇月、四箇月及び五箇月の期間を加えたそれぞれの期間における労働時間を延長して労働させ、及び休日において労働させた時間の一箇月当たりの平均時間　八十時間を超えないこと。
⑦ 厚生労働大臣は、労働時間の延長及び休日の労働を適正なものとするため、第一項の協定で定める労働時間の延長及び休日の労働について留意すべき事項、当該労働時間の延長に係る割増賃金の率その他の必要な事項について、労働者の健康、福祉、時間外労働の動向その他の事情を考慮して指針を定めることができる。
⑧ 第一項の協定をする使用者及び労働組合又は労働者の過半数を代表する者は、当該協定で労働時間の延長及び休日の労働を定めるに当たり、当該協定の内容が前項の指針に適合したものとなるようにしなければならない。
⑨ 行政官庁は、第七項の指針に関し、第一項の協定をする使用者及び労働組合又は労働者の過半数を代表する者に対し、必要な助言及び指導を行うことができる。
⑩ 前項の助言及び指導を行うに当たつては、労働者の健康が確保されるよう特に配慮しなければならない。
⑪ 第三項から第五項まで及び第六項（第二号及び第三号に係る部分に限る。）の規定は、新たな技術、商品又は役務の研究開発に係る業務については適用しない。

（時間外、休日及び深夜の割増賃金）
第三十七条 使用者が、第三十三条又は前条第一項の規定により労働時間を延長し、又は休日に労働させた場合においては、その時間又はその日の労働については、通常の労働時間又は労働日の賃金の計算額の二割五分以上五割以下の範囲内でそれぞれ政令で定める率以上の率で計算した割増賃金を支払わなければならない。ただし、当該延長して労働させた時間が一箇月について六十時間を超えた場合においては、その超えた時間の労働については、通常の労働時間の賃金の計算額の五割以上の率で計算した割増賃金を支払わなければならない。
② 前項の政令は、労働者の福祉、時間外又は休日の労働の動向

その他の事情を考慮して定めるものとする。

③ 使用者が、当該事業場に、労働者の過半数で組織する労働組合があるときはその労働組合、労働者の過半数で組織する労働組合がないときは労働者の過半数を代表する者との書面による協定により、第一項ただし書の規定により割増賃金を支払うべき労働者に対して、当該割増賃金の支払に代えて、通常の労働時間の賃金が支払われる休暇（第三十九条の規定による有給休暇を除く。）を厚生労働省令で定めるところにより与えることを定めた場合において、当該労働者が当該休暇を取得したときは、当該労働者の同項ただし書に規定する時間を超えた時間の労働のうち当該取得した休暇に対応するものとして厚生労働省令で定める時間の労働については、同項ただし書の規定による割増賃金を支払うことを要しない。

④ 使用者が、午後十時から午前五時まで（厚生労働大臣が必要であると認める場合においては、その定める地域又は期間については午後十一時から午前六時まで）の間において労働させた場合においては、その時間の労働については、通常の労働時間の賃金の計算額の二割五分以上の率で計算した割増賃金を支払わなければならない。

⑤ 第一項及び前項の割増賃金の基礎となる賃金には、家族手当、通勤手当その他厚生労働省令で定める賃金は算入しない。

（時間計算）

第三十八条 労働時間は、事業場を異にする場合においても、労働時間に関する規定の適用については通算する。

② 坑内労働については、労働者が坑口に入つた時刻から坑口を出た時刻までの時間を、休憩時間を含め、労働時間とみなす。但し、この場合においては、第三十四条第二項及び第三項の休憩に関する規定は適用しない。

第三十八条の二 労働者が労働時間の全部又は一部について事業場外で業務に従事した場合において、労働時間を算定し難いときは、所定労働時間労働したものとみなす。ただし、当該業務を遂行するためには通常所定労働時間を超えて労働することが必要となる場合においては、当該業務に関しては、厚生労働省令で定めるところにより、当該業務の遂行に通常必要とされる時間労働したものとみなす。

② 前項ただし書の場合において、当該業務に関し、当該事業場に、労働者の過半数で組織する労働組合があるときはその労働組合、労働者の過半数で組織する労働組合がないときは労働者の過半数を代表する者との書面による協定があるときは、その協定で定める時間を同項ただし書の当該業務の遂行に通常必要とされる時間とする。

③ 使用者は、厚生労働省令で定めるところにより、前項の協定を行政官庁に届け出なければならない。

第三十八条の三 使用者が、当該事業場に、労働者の過半数で組織する労働組合があるときはその労働組合、労働者の過半数で組織する労働組合がないときは労働者の過半数を代表する者との書面による協定により、次に掲げる事項を定めた場合において、労働者を第一号に掲げる業務に就かせたときは、当該労働者は、厚生労働省令で定めるところにより、第二号に掲げる時間労働したものとみなす。

一 業務の性質上その遂行の方法を大幅に当該業務に従事する労働者の裁量にゆだねる必要があるため、当該業務の遂行の手段及び時間配分の決定等に関し使用者が具体的な指示をすることが困難なものとして厚生労働省令で定める業務のうち、労働者に就かせることとする業務（以下この条において「対象業務」という。）

二 対象業務に従事する労働者の労働時間として算定される時間

三 対象業務の遂行の手段及び時間配分の決定等に関し、当該対象業務に従事する労働者に対し使用者が具体的な指示をしないこと。

四 対象業務に従事する労働者の労働時間の状況に応じた当該労働者の健康及び福祉を確保するための措置を当該協定で定めるところにより使用者が講ずること。

五 対象業務に従事する労働者からの苦情の処理に関する措置を当該協定で定めるところにより使用者が講ずること。

六 前各号に掲げるもののほか、厚生労働省令で定める事項

② 前条第三項の規定は、前項の協定について準用する。

第三十八条の四 賃金、労働時間その他の当該事業場における労働条件に関する事項を調査審議し、事業主に対し当該事項について意見を述べることを目的とする委員会（使用者及び当該事業場の労働者を代表する者を構成員とするものに限る。）が設置された事業場において、当該委員会がその委員の五分の四以上の多数による議決により次に掲げる事項に関する決議をし、かつ、使用者が、厚生労働省令で定めるところにより当該決議を行政官庁に届け出た場合において、第二号に掲げる労働者の範囲に属する労働者を当該事業場における第一号に掲げる業務に就かせたときは、当該労働者は、厚生労働省令で定めるところにより、第三号に掲げる時間労働したものとみなす。

一 事業の運営に関する事項についての企画、立案、調査及び分析の業務であつて、当該業務の性質上これを適切に遂行するにはその遂行の方法を大幅に労働者の裁量に委ねる必要があるため、当該業務の遂行の手段及び時間配分の決定等に関し使用者が具体的な指示をしないこととする業務（以下この条において「対象業務」という。）

二 対象業務を適切に遂行するための知識、経験等を有する労働者であつて、当該対象業務に就かせたときは当該決議で定める時間労働したものとみなされることとなるものの範囲

三 対象業務に従事する前号に掲げる労働者の範囲に属する労働者の労働時間として算定される時間

四 対象業務に従事する第二号に掲げる労働者の範囲に属する労働者の労働時間の状況に応じた当該労働者の健康及び福祉を確保するための措置を当該決議で定めるところにより使用者が講ずること。

五 対象業務に従事する第二号に掲げる労働者の範囲に属する労働者からの苦情の処理に関する措置を当該決議で定めるところにより使用者が講ずること。

六 使用者は、この項の規定により第二号に掲げる労働者の範囲に属する労働者を対象業務に就かせたときは第三号に掲げる時間労働したものとみなすことについて当該労働者の同意を得なければならないこと及び当該同意をしなかつた当該労働者に対して解雇その他不利益な取扱いをしてはならないこと。

七 前各号に掲げるもののほか、厚生労働省令で定める事項

② 前項の委員会は、次の各号に適合するものでなければならな

い。

一　当該委員会の委員の半数については、当該事業場に、労働者の過半数で組織する労働組合がある場合においてはその労働組合、労働者の過半数で組織する労働組合がない場合においては労働者の過半数を代表する者に厚生労働省令で定めるところにより任期を定めて指名されていること。

二　当該委員会の議事について、厚生労働省令で定めるところにより、議事録が作成され、かつ、保存されるとともに、当該事業場の労働者に対する周知が図られていること。

三　前二号に掲げるもののほか、厚生労働省令で定める要件

③　厚生労働大臣は、対象業務に従事する労働者の適正な労働条件の確保を図るために、労働政策審議会の意見を聴いて、第一項各号に掲げる事項その他同項の委員会が決議する事項について指針を定め、これを公表するものとする。

④　第一項の規定による届出をした使用者は、厚生労働省令で定めるところにより、定期的に、同項第四号に規定する措置の実施状況を行政官庁に報告しなければならない。

⑤　第一項の委員会においてその委員の五分の四以上の多数による議決により第三十二条の二第一項、第三十二条の三第一項、第三十二条の四第一項及び第二項、第三十二条の五第一項、第三十四条第二項ただし書、第三十六条第一項、第二項及び第五項、第三十七条第三項、第三十八条の二第二項、前条第一項並びに次条第四項、第六項及び第九項ただし書に規定する事項について決議が行われた場合における第三十二条の二第一項、第三十二条の三第一項、第三十二条の四第一項から第三項まで、第三十二条の五第一項、第三十四条第二項ただし書、第三十六条、第三十七条第三項、第三十八条の二第二項、前条第一項並びに次条第五項及び第六項ただし書の規定の適用については、第三十二条の二第一項中「協定」とあるのは「協定若しくは第三十八条の四第一項に規定する委員会の決議（第百六条第一項を除き、以下「決議」という。）」と、第三十二条の三第一項、第三十二条の四第一項から第三項まで、第三十二条の五第一項、第三十四条第二項ただし書、第三十六条第二項及び第五項から第七項まで、第三十七条第三項、第三十八条の二第二項、前条第一項並びに次条第五項及び第六項ただし書中「協定」とあるのは「協定又は決議」と、第三十二条の四第二項中「同意を得て」とあるのは「同意を得て、又は決議に基づき」と、第三十六条第一項中「届け出た場合」とあるのは「届け出た場合又は決議を行政官庁に届け出た場合」と、「その協定」とあるのは「その協定又は決議」と、同条第八項中「又は労働者の過半数を代表する者」とあるのは「若しくは労働者の過半数を代表する者又は同項の決議をする委員」と、「当該協定」とあるのは「当該協定又は当該決議」と、同条第九項中「又は労働者の過半数を代表する者」とあるのは「若しくは労働者の過半数を代表する者又は同項の決議をする委員」とする。

（年次有給休暇）

第三十九条　使用者は、その雇入れの日から起算して六箇月間継続勤務し全労働日の八割以上出勤した労働者に対して、継続し、又は分割した十労働日の有給休暇を与えなければならない。

②　使用者は、一年六箇月以上継続勤務した労働者に対しては、雇入れの日から起算して六箇月を超えて継続勤務する日（以下「六箇月経過日」という。）から起算した継続勤務年数一年ごとに、前項の日数に、次の表の上欄に掲げる六箇月経過日から起算した継続勤務年数の区分に応じ同表の下欄に掲げる労働日を加算した有給休暇を与えなければならない。ただし、継続勤務した期間を六箇月経過日から一年ごとに区分した各期間（最後に一年未満の期間を生じたときは、当該期間）の初日の前日の属する期間において出勤した日数が全労働日の八割未満である者に対しては、当該初日以後の一年間においては有給休暇を与えることを要しない。

六箇月経過日から起算した継続勤務年数	労働日
一年	一労働日
二年	二労働日
三年	四労働日
四年	六労働日
五年	八労働日
六年以上	十労働日

③　次に掲げる労働者（一週間の所定労働時間が厚生労働省令で定める時間以上の者を除く。）の有給休暇の日数については、前二項の規定にかかわらず、これらの規定による有給休暇の日数を基準とし、通常の労働者の一週間の所定労働日数として厚生労働省令で定める日数（第一号において「通常の労働者の週所定労働日数」という。）と当該労働者の一週間の所定労働日数又は一週間当たりの平均所定労働日数との比率を考慮して厚生労働省令で定める日数とする。

一　一週間の所定労働日数が通常の労働者の週所定労働日数に比し相当程度少ないものとして厚生労働省令で定める日数以下の労働者

二　週以外の期間によつて所定労働日数が定められている労働者については、一年間の所定労働日数が、前号の厚生労働省令で定める日数に一日を加えた日数を一週間の所定労働日数とする労働者の一年間の所定労働日数その他の事情を考慮して厚生労働省令で定める日数以下の労働者

④　使用者は、当該事業場に、労働者の過半数で組織する労働組合があるときはその労働組合、労働者の過半数で組織する労働組合がないときは労働者の過半数を代表する者との書面による協定により、次に掲げる事項を定めた場合において、第一号に掲げる労働者の範囲に属する労働者が有給休暇を時間を単位として請求したときは、前三項の規定による有給休暇の日数のうち第二号に掲げる日数については、これらの規定にかかわらず、当該協定で定めるところにより時間を単位として有給休暇を与えることができる。

一　時間を単位として有給休暇を与えることができることとされる労働者の範囲

二　時間を単位として与えることができることとされる有給休暇の日数（五日以内に限る。）

三　その他厚生労働省令で定める事項

⑤　使用者は、前各項の規定による有給休暇を労働者の請求する時季に与えなければならない。ただし、請求された時季に有給休暇を与えることが事業の正常な運営を妨げる場合においては、他の時季にこれを与えることができる。

⑥　使用者は、当該事業場に、労働者の過半数で組織する労働組合がある場合においてはその労働組合、労働者の過半数で組織する労働組合がない場合においては労働者の過半数を代表する者との書面による協定により、第一項から第三項までの規定による有給休暇を与える時季に関する定めをしたときは、これらの規定による有給休暇の日数のうち五日を超える部分については、前項の規定にかかわらず、その定めにより有給休暇を与えることができる。

⑦　使用者は、第一項から第三項までの規定による有給休暇（これらの規定により使用者が与えなければならない有給休暇の日数が十労働日以上である労働者に係るものに限る。以下この項及び次項において同じ。）の日数のうち五日については、基準日（継続勤務した期間を六箇月経過日から一年ごとに区分した各期間（最後に一年未満の期間を生じたときは、当該期間）の初日をいう。以下この項において同じ。）から一年以内の期間に、労働者ごとにその時季を定めることにより与えなければならない。ただし、第一項から第三項までの規定による有給休暇を当該有給休暇に係る基準日より前の日から与えることとしたときは、厚生労働省令で定めるところにより、労働者ごとにその時季を定めることにより与えなければならない。

⑧　前項の規定にかかわらず、第五項又は第六項の規定により第一項から第三項までの規定による有給休暇を与えた場合においては、当該与えた有給休暇の日数（当該日数が五日を超える場合には、五日とする。）分については、時季を定めることにより与えることを要しない。

⑨　使用者は、第一項から第三項までの規定による有給休暇の期間又は第四項の規定による有給休暇の時間については、就業規則その他これに準ずるもので定めるところにより、それぞれ、平均賃金若しくは所定労働時間労働した場合に支払われる通常の賃金又はこれらの額を基準として厚生労働省令で定めるところにより算定した額の賃金を支払わなければならない。ただし、当該事業場に、労働者の過半数で組織する労働組合がある場合においてはその労働組合、労働者の過半数で組織する労働組合がない場合においては労働者の過半数を代表する者との書面による協定により、その期間又はその時間について、それぞれ、健康保険法（大正十一年法律第七十号）第四十条第一項に規定する標準報酬月額の三十分の一に相当する金額（その金額に、五円未満の端数があるときは、これを切り捨て、五円以上十円未満の端数があるときは、これを十円に切り上げるものとする。）又は当該金額を基準として厚生労働省令で定めるところにより算定した金額を支払う旨を定めたときは、これによらなければならない。

⑩　労働者が業務上負傷し、又は疾病にかかり療養のために休業した期間及び育児休業、介護休業等育児又は家族介護を行う労働者の福祉に関する法律第二条第一号に規定する育児休業又は同条第二号に規定する介護休業をした期間並びに産前産後の女性が第六十五条の規定によつて休業した期間は、第一項及び第二項の規定の適用については、これを出勤したものとみなす。

（労働時間及び休憩の特例）

第四十条　別表第一第一号から第三号まで、第六号及び第七号に掲げる事業以外の事業で、公衆の不便を避けるために必要なものその他特殊の必要あるものについては、その必要避くべからざる限度で、第三十二条から第三十二条の五までの労働時間及び第三十四条の休憩に関する規定について、厚生労働省令で別段の定めをすることができる。

②　前項の規定による別段の定めは、この法律で定める基準に近いものであつて、労働者の健康及び福祉を害しないものでなければならない。

（労働時間等に関する規定の適用除外）

第四十一条　この章、第六章及び第六章の二で定める労働時間、休憩及び休日に関する規定は、次の各号の一に該当する労働者については適用しない。

一　別表第一第六号（林業を除く。）又は第七号に掲げる事業に従事する者

二　事業の種類にかかわらず監督若しくは管理の地位にある者又は機密の事務を取り扱う者

三　監視又は断続的労働に従事する者で、使用者が行政官庁の許可を受けたもの

第四十一条の二　賃金、労働時間その他の当該事業場における労働条件に関する事項を調査審議し、事業主に対し当該事項について意見を述べることを目的とする委員会（使用者及び当該事業場の労働者を代表する者を構成員とするものに限る。）が設置された事業場において、当該委員会がその委員の五分の四以上の多数による議決により次に掲げる事項に関する決議をし、かつ、使用者が、厚生労働省令で定めるところにより当該決議を行政官庁に届け出た場合において、第二号に掲げる労働者の範囲に属する労働者（以下この項において「対象労働者」という。）であつて書面その他の厚生労働省令で定める方法によりその同意を得たものを当該事業場における第一号に掲げる業務に就かせたときは、この章で定める労働時間、休憩、休日及び深夜の割増賃金に関する規定は、対象労働者については適用しない。ただし、第三号から第五号までに規定する措置のいずれかを使用者が講じていない場合は、この限りでない。

一　高度の専門的知識等を必要とし、その性質上従事した時間と従事して得た成果との関連性が通常高くないと認められるものとして厚生労働省令で定める業務のうち、労働者に就かせることとする業務（以下この項において「対象業務」という。）

二　この項の規定により労働する期間において次のいずれにも該当する労働者であつて、対象業務に就かせようとするものの範囲

イ　使用者との間の書面その他の厚生労働省令で定める方法による合意に基づき職務が明確に定められていること。

ロ　労働契約により使用者から支払われると見込まれる賃金の額を一年間当たりの賃金の額に換算した額が基準年間平均給与額（厚生労働省において作成する毎月勤労統計における毎月きまつて支給する給与の額を基礎として厚生労働省令で定めるところにより算定した労働者一人当たりの給与の平均額をいう。）の三倍の額を相当程度上回る水準として厚生労働省令で定める額以上であること。

三　対象業務に従事する対象労働者の健康管理を行うために当該対象労働者が事業場内にいた時間（この項の委員会が厚生労働省令で定める労働時間以外の時間を除くことを決議したときは、当該決議に係る時間を除いた時間）と事業場外において労働した時間との合計の時間（第五号ロ及びニ並びに第六号において「健康管理時間」という。）を把握する措置（厚生労働省令で定める方法に限る。）を当該決議で定めるところにより使用者が講ずること。

四　対象業務に従事する対象労働者に対し、一年間を通じ百四日以上、かつ、四週間を通じ四日以上の休日を当該決議及び就業規則その他これに準ずるもので定めるところにより使用者が与えること。

五　対象業務に従事する対象労働者に対し、次のいずれかに該当する措置を当該決議及び就業規則その他これに準ずるもので定めるところにより使用者が講ずること。

イ　労働者ごとに始業から二十四時間を経過するまでに厚生労働省令で定める時間以上の継続した休息時間を確保し、かつ、第三十七条第四項に規定する時刻の間において労働させる回数を一箇月について厚生労働省令で定める回数以内とすること。

ロ　健康管理時間を一箇月又は三箇月についてそれぞれ厚生労働省令で定める時間を超えない範囲内とすること。

ハ　一年に一回以上の継続した二週間（労働者が請求した場合においては、一年に二回以上の継続した一週間）（使用者が当該期間において、第三十九条の規定による有給休暇を与えたときは、当該有給休暇を与えた日を除く。）について、休日を与えること。

ニ　健康管理時間の状況その他の事項が労働者の健康の保持を考慮して厚生労働省令で定める要件に該当する労働者に健康診断（厚生労働省令で定める項目を含むものに限る。）を実施すること。

六　対象業務に従事する対象労働者の健康管理時間の状況に応じた当該対象労働者の健康及び福祉を確保するための措置であつて、当該対象労働者に対する有給休暇（第三十九条の規定による有給休暇を除く。）の付与、健康診断の実施その他の厚生労働省令で定める措置のうち当該決議で定めるものを使用者が講ずること。

七　対象労働者のこの項の規定による同意の撤回に関する手続

八　対象業務に従事する対象労働者からの苦情の処理に関する措置を当該決議で定めるところにより使用者が講ずること。

九　使用者は、この項の規定による同意をしなかつた対象労働者に対して解雇その他不利益な取扱いをしてはならないこと。

十　前各号に掲げるもののほか、厚生労働省令で定める事項

②　前項の規定による届出をした使用者は、厚生労働省令で定めるところにより、同項第四号から第六号までに規定する措置の実施状況を行政官庁に報告しなければならない。

③　第三十八条の四第二項、第三項及び第五項の規定は、第一項の委員会について準用する。

④　第一項の決議をする委員は、当該決議の内容が前項において準用する第三十八条の四第三項の指針に適合したものとなるようにしなければならない。

⑤　行政官庁は、第三項において準用する第三十八条の四第三項の指針に関し、第一項の決議をする委員に対し、必要な助言及び指導を行うことができる。

第五章　安全及び衛生

第四十二条　労働者の安全及び衛生に関しては、労働安全衛生法（昭和四十七年法律第五十七号）の定めるところによる。

第四十三条から第五十五条まで　削除

第六章　年少者

（最低年齢）

第五十六条　使用者は、児童が満十五歳に達した日以後の最初の三月三十一日が終了するまで、これを使用してはならない。

②　前項の規定にかかわらず、別表第一第一号から第五号までに掲げる事業以外の事業に係る職業で、児童の健康及び福祉に有害でなく、かつその労働が軽易なものについては、行政官庁の許可を受けて、満十三才以上の児童をその者の修学時間外に使用することができる。映画の製作又は演劇の事業については、満十三才に満たない児童についても、同様とする。

（年少者の証明書）

第五十七条　使用者は、満十八才に満たない者について、その年齢を証明する戸籍証明書を事業場に備え付けなければならない。

②　使用者は、前条第二項の規定によつて使用する児童については、修学に差し支えないことを証明する学校長の証明書及び親権者又は後見人の同意書を事業場に備え付けなければならない。

（未成年者の労働契約）

第五十八条　親権者又は後見人は、未成年者に代つて労働契約を締結してはならない。

②　親権者若しくは後見人又は行政官庁は、労働契約が未成年者に不利であると認める場合においては、将来に向つてこれを解除することができる。

第五十九条　未成年者は、独立して賃金を請求することができる。親権者又は後見人は、未成年者の賃金を代つて受け取つてはならない。

（労働時間及び休日）

第六十条　第三十二条の二から第三十二条の五まで、第三十六条、第四十条及び第四十一条の二の規定は、満十八才に満たない者については、これを適用しない。

②　第五十六条第二項の規定によつて使用する児童についての第三十二条の規定の適用については、同条第一項中「一週間について四十時間」とあるのは「、修学時間を通算して一週間について四十時間」と、同条第二項中「一日について八時間」とあるのは「、修学時間を通算して一日について七時間」とする。

③　使用者は、第三十二条の規定にかかわらず、満十五歳以上で満十八歳に満たない者については、満十八歳に達するまでの間（満十五歳に達した日以後の最初の三月三十一日までの間を除く。）、次に定めるところにより、労働させることができる。

一　一週間の労働時間が第三十二条第一項の労働時間を超えない範囲内において、一週間のうち一日の労働時間を四時間以内に短縮する場合において、他の日の労働時間を十時間まで延長すること。

二　一週間について四十八時間以下の範囲内で厚生労働省令で定める時間、一日について八時間を超えない範囲内において、第三十二条の二又は第三十二条の四及び第三十二条の四の二の規定の例により労働させること。

（深夜業）

第六十一条　使用者は、満十八才に満たない者を午後十時から午前五時までの間において使用してはならない。ただし、交替制によつて使用する満十六才以上の男性については、この限りでない。

② 厚生労働大臣は、必要であると認める場合においては、前項の時刻を、地域又は期間を限つて、午後十一時及び午前六時とすることができる。

③ 交替制によつて労働させる事業については、行政官庁の許可を受けて、第一項の規定にかかわらず午後十時三十分まで労働させ、又は前項の規定にかかわらず午前五時三十分から労働させることができる。

④ 前三項の規定は、第三十三条第一項の規定によつて労働時間を延長し、若しくは休日に労働させる場合又は別表第一第六号、第七号若しくは第十三号に掲げる事業若しくは電話交換の業務については、適用しない。

⑤ 第一項及び第二項の時刻は、第五十六条第二項の規定によつて使用する児童については、第一項の時刻は、午後八時及び午前五時とし、第二項の時刻は、午後九時及び午前六時とする。

（危険有害業務の就業制限）

第六十二条　使用者は、満十八才に満たない者に、運転中の機械若しくは動力伝導装置の危険な部分の掃除、注油、検査若しくは修繕をさせ、運転中の機械若しくは動力伝導装置にベルト若しくはロープの取付け若しくは取りはずしをさせ、動力によるクレーンの運転をさせ、その他厚生労働省令で定める危険な業務に就かせ、又は厚生労働省令で定める重量物を取り扱う業務に就かせてはならない。

② 使用者は、満十八才に満たない者を、毒劇薬、毒劇物その他有害な原料若しくは材料又は爆発性、発火性若しくは引火性の原料若しくは材料を取り扱う業務、著しくじんあい若しくは粉末を飛散し、若しくは有害ガス若しくは有害放射線を発散する場所又は高温若しくは高圧の場所における業務その他安全、衛生又は福祉に有害な場所における業務に就かせてはならない。

③ 前項に規定する業務の範囲は、厚生労働省令で定める。

（坑内労働の禁止）

第六十三条　使用者は、満十八才に満たない者を坑内で労働させてはならない。

（帰郷旅費）

第六十四条　満十八才に満たない者が解雇の日から十四日以内に帰郷する場合においては、使用者は、必要な旅費を負担しなければならない。ただし、満十八才に満たない者がその責めに帰すべき事由に基づいて解雇され、使用者がその事由について行政官庁の認定を受けたときは、この限りでない。

第六章の二　妊産婦等

（坑内業務の就業制限）

第六十四条の二　使用者は、次の各号に掲げる女性を当該各号に定める業務に就かせてはならない。

一　妊娠中の女性及び坑内で行われる業務に従事しない旨を使用者に申し出た産後一年を経過しない女性　坑内で行われるすべての業務

二　前号に掲げる女性以外の満十八歳以上の女性　坑内で行われる業務のうち人力により行われる掘削の業務その他の女性に有害な業務として厚生労働省令で定めるもの

（危険有害業務の就業制限）

第六十四条の三　使用者は、妊娠中の女性及び産後一年を経過しない女性（以下「妊産婦」という。）を、重量物を取り扱う業務、有害ガスを発散する場所における業務その他妊産婦の妊娠、出産、哺育等に有害な業務に就かせてはならない。

② 前項の規定は、同項に規定する業務のうち女性の妊娠又は出産に係る機能に有害である業務につき、厚生労働省令で、妊産婦以外の女性に関して、準用することができる。

③ 前二項に規定する業務の範囲及びこれらの規定によりこれらの業務に就かせてはならない者の範囲は、厚生労働省令で定める。

（産前産後）

第六十五条　使用者は、六週間（多胎妊娠の場合にあつては、十四週間）以内に出産する予定の女性が休業を請求した場合においては、その者を就業させてはならない。

② 使用者は、産後八週間を経過しない女性を就業させてはならない。ただし、産後六週間を経過した女性が請求した場合において、その者について医師が支障がないと認めた業務に就かせることは、差し支えない。

③ 使用者は、妊娠中の女性が請求した場合においては、他の軽易な業務に転換させなければならない。

第六十六条　使用者は、妊産婦が請求した場合においては、第三十二条の二第一項、第三十二条の四第一項及び第三十二条の五第一項の規定にかかわらず、一週間について第三十二条第一項の労働時間、一日について同条第二項の労働時間を超えて労働させてはならない。

② 使用者は、妊産婦が請求した場合においては、第三十三条第一項及び第三項並びに第三十六条第一項の規定にかかわらず、時間外労働をさせてはならず、又は休日に労働させてはならない。

③ 使用者は、妊産婦が請求した場合においては、深夜業をさせてはならない。

（育児時間）

第六十七条　生後満一年に達しない生児を育てる女性は、第三十四条の休憩時間のほか、一日二回各々少なくとも三十分、その生児を育てるための時間を請求することができる。

② 使用者は、前項の育児時間中は、その女性を使用してはならない。

（生理日の就業が著しく困難な女性に対する措置）

第六十八条　使用者は、生理日の就業が著しく困難な女性が休暇を請求したときは、その者を生理日に就業させてはならない。

第七章　技能者の養成

（徒弟の弊害排除）

第六十九条　使用者は、徒弟、見習、養成工その他名称の如何を問わず、技能の習得を目的とする者であることを理由として、労働者を酷使してはならない。

② 使用者は、技能の習得を目的とする労働者を家事その他技能の習得に関係のない作業に従事させてはならない。

（職業訓練に関する特例）

第七十条 職業能力開発促進法（昭和四十四年法律第六十四号）第二十四条第一項（同法第二十七条の二第二項において準用する場合を含む。）の認定を受けて行う職業訓練を受ける労働者について必要がある場合においては、その必要の限度で、第十四条第一項の契約期間、第六十二条及び第六十四条の三の年少者及び妊産婦等の危険有害業務の就業制限、第六十三条の年少者の坑内労働の禁止並びに第六十四条の二の妊産婦等の坑内業務の就業制限に関する規定について、厚生労働省令で別段の定めをすることができる。ただし、第六十三条の年少者の坑内労働の禁止に関する規定については、満十六歳に満たない者に関しては、この限りでない。

第七十一条 前条の規定に基いて発する厚生労働省令は、当該厚生労働省令によつて労働者を使用することについて行政官庁の許可を受けた使用者に使用される労働者以外の労働者については、適用しない。

第七十二条 第七十条の規定に基づく厚生労働省令の適用を受ける未成年者についての第三十九条の規定の適用については、同条第一項中「十労働日」とあるのは「十二労働日」と、同条第二項の表六年以上の項中「十労働日」とあるのは「八労働日」とする。

第七十三条 第七十一条の規定による許可を受けた使用者が第七十条の規定に基いて発する厚生労働省令に違反した場合においては、行政官庁は、その許可を取り消すことができる。

第七十四条 削除

第八章 災害補償

（療養補償）

第七十五条 労働者が業務上負傷し、又は疾病にかかつた場合においては、使用者は、その費用で必要な療養を行い、又は必要な療養の費用を負担しなければならない。

② 前項に規定する業務上の疾病及び療養の範囲は、厚生労働省令で定める。

（休業補償）

第七十六条 労働者が前条の規定による療養のため、労働することができないために賃金を受けない場合においては、使用者は、労働者の療養中平均賃金の百分の六十の休業補償を行わなければならない。

② 使用者は、前項の規定により休業補償を行つている労働者と同一の事業場における同種の労働者に対して所定労働時間労働した場合に支払われる通常の賃金の、一月から三月まで、四月から六月まで、七月から九月まで及び十月から十二月までの各区分による期間（以下四半期という。）ごとの一箇月一人当り平均額（常時百人未満の労働者を使用する事業場については、厚生労働省において作成する毎月勤労統計における当該事業場の属する産業に係る毎月きまつて支給する給与の四半期の労働者一人当りの一箇月平均額。以下平均給与額という。）が、当該労働者が業務上負傷し、又は疾病にかかつた日の属する四半期における平均給与額の百分の百二十をこえ、又は百分の八十を下るに至つた場合においては、使用者は、その上昇し又は低下した比率に応じて、その上昇し又は低下するに至つた四半期の次の次の四半期において、前項の規定により当該労働者に対して行つている休業補償の額を改訂し、その改訂をした四半期に属する最初の月から改訂された額により休業補償を行わなければならない。改訂後の休業補償の額の改訂についてもこれに準ずる。

③ 前項の規定により難い場合における改訂の方法その他同項の規定による改訂について必要な事項は、厚生労働省令で定める。

（障害補償）

第七十七条 労働者が業務上負傷し、又は疾病にかかり、治つた場合において、その身体に障害が存するときは、使用者は、その障害の程度に応じて、平均賃金に別表第二に定める日数を乗じて得た金額の障害補償を行わなければならない。

（休業補償及び障害補償の例外）

第七十八条 労働者が重大な過失によつて業務上負傷し、又は疾病にかかり、且つ使用者がその過失について行政官庁の認定を受けた場合においては、休業補償又は障害補償を行わなくてもよい。

（遺族補償）

第七十九条 労働者が業務上死亡した場合においては、使用者は、遺族に対して、平均賃金の千日分の遺族補償を行わなければならない。

（葬祭料）

第八十条 労働者が業務上死亡した場合においては、使用者は、葬祭を行う者に対して、平均賃金の六十日分の葬祭料を支払わなければならない。

（打切補償）

第八十一条 第七十五条の規定によつて補償を受ける労働者が、療養開始後三年を経過しても負傷又は疾病がなおらない場合においては、使用者は、平均賃金の千二百日分の打切補償を行い、その後はこの法律の規定による補償を行わなくてもよい。

（分割補償）

第八十二条 使用者は、支払能力のあることを証明し、補償を受けるべき者の同意を得た場合においては、第七十七条又は第七十九条の規定による補償に替え、平均賃金に別表第三に定める日数を乗じて得た金額を、六年にわたり毎年補償することができる。

（補償を受ける権利）

第八十三条 補償を受ける権利は、労働者の退職によつて変更されることはない。

② 補償を受ける権利は、これを譲渡し、又は差し押えてはならない。

（他の法律との関係）

第八十四条 この法律に規定する災害補償の事由について、労働者災害補償保険法（昭和二十二年法律第五十号）又は厚生労働省令で指定する法令に基づいてこの法律の災害補償に相当する給付が行なわれるべきものである場合においては、使用者は、補償の責を免れる。

② 使用者は、この法律による補償を行つた場合においては、同一の事由については、その価額の限度において民法による損害賠償の責を免れる。

（審査及び仲裁）

第八十五条　業務上の負傷、疾病又は死亡の認定、療養の方法、補償金額の決定その他補償の実施に関して異議のある者は、行政官庁に対して、審査又は事件の仲裁を申し立てることができる。

②　行政官庁は、必要があると認める場合においては、職権で審査又は事件の仲裁をすることができる。

③　第一項の規定により審査若しくは仲裁の申立てがあつた事件又は前項の規定により行政官庁が審査若しくは仲裁を開始した事件について民事訴訟が提起されたときは、行政官庁は、当該事件については、審査又は仲裁をしない。

④　行政官庁は、審査又は仲裁のために必要であると認める場合においては、医師に診断又は検案をさせることができる。

⑤　第一項の規定による審査又は仲裁の申立て及び第二項の規定による審査又は仲裁の開始は、時効の完成猶予及び更新に関しては、これを裁判上の請求とみなす。

第八十六条　前条の規定による審査及び仲裁の結果に不服のある者は、労働者災害補償保険審査官の審査又は仲裁を申し立てることができる。

②　前条第三項の規定は、前項の規定により審査又は仲裁の申立てがあつた場合に、これを準用する。

（請負事業に関する例外）

第八十七条　厚生労働省令で定める事業が数次の請負によつて行われる場合においては、災害補償については、その元請負人を使用者とみなす。

②　前項の場合、元請負人が書面による契約で下請負人に補償を引き受けさせた場合においては、その下請負人もまた使用者とする。但し、二以上の下請負人に、同一の事業について重複して補償を引き受けさせてはならない。

③　前項の場合、元請負人が補償の請求を受けた場合においては、補償を引き受けた下請負人に対して、まず催告すべきことを請求することができる。ただし、その下請負人が破産手続開始の決定を受け、又は行方が知れない場合においては、この限りでない。

（補償に関する細目）

第八十八条　この章に定めるものの外、補償に関する細目は、厚生労働省令で定める。

第九章　就業規則

（作成及び届出の義務）

第八十九条　常時十人以上の労働者を使用する使用者は、次に掲げる事項について就業規則を作成し、行政官庁に届け出なければならない。次に掲げる事項を変更した場合においても、同様とする。

一　始業及び終業の時刻、休憩時間、休日、休暇並びに労働者を二組以上に分けて交替に就業させる場合においては就業時転換に関する事項

二　賃金（臨時の賃金等を除く。以下この号において同じ。）の決定、計算及び支払の方法、賃金の締切り及び支払の時期並びに昇給に関する事項

三　退職に関する事項（解雇の事由を含む。）

三の二　退職手当の定めをする場合においては、適用される労働者の範囲、退職手当の決定、計算及び支払の方法並びに退職手当の支払の時期に関する事項

四　臨時の賃金等（退職手当を除く。）及び最低賃金額の定めをする場合においては、これに関する事項

五　労働者に食費、作業用品その他の負担をさせる定めをする場合においては、これに関する事項

六　安全及び衛生に関する定めをする場合においては、これに関する事項

七　職業訓練に関する定めをする場合においては、これに関する事項

八　災害補償及び業務外の傷病扶助に関する定めをする場合においては、これに関する事項

九　表彰及び制裁の定めをする場合においては、その種類及び程度に関する事項

十　前各号に掲げるもののほか、当該事業場の労働者のすべてに適用される定めをする場合においては、これに関する事項

（作成の手続）

第九十条　使用者は、就業規則の作成又は変更について、当該事業場に、労働者の過半数で組織する労働組合がある場合においてはその労働組合、労働者の過半数で組織する労働組合がない場合においては労働者の過半数を代表する者の意見を聴かなければならない。

②　使用者は、前条の規定により届出をなすについて、前項の意見を記した書面を添付しなければならない。

（制裁規定の制限）

第九十一条　就業規則で、労働者に対して減給の制裁を定める場合においては、その減給は、一回の額が平均賃金の一日分の半額を超え、総額が一賃金支払期における賃金の総額の十分の一を超えてはならない。

（法令及び労働協約との関係）

第九十二条　就業規則は、法令又は当該事業場について適用される労働協約に反してはならない。

②　行政官庁は、法令又は労働協約に牴触する就業規則の変更を命ずることができる。

（労働契約との関係）

第九十三条　労働契約と就業規則との関係については、労働契約法（平成十九年法律第百二十八号）第十二条の定めるところによる。

第十章　寄宿舎

（寄宿舎生活の自治）

第九十四条　使用者は、事業の附属寄宿舎に寄宿する労働者の私生活の自由を侵してはならない。

②　使用者は、寮長、室長その他寄宿舎生活の自治に必要な役員の選任に干渉してはならない。

（寄宿舎生活の秩序）

第九十五条　事業の附属寄宿舎に労働者を寄宿させる使用者は、左の事項について寄宿舎規則を作成し、行政官庁に届け出なければならない。これを変更した場合においても同様である。

一　起床、就寝、外出及び外泊に関する事項

二　行事に関する事項

三　食事に関する事項

四　安全及び衛生に関する事項

五　建設物及び設備の管理に関する事項

② 使用者は、前項第一号乃至第四号の事項に関する規定の作成又は変更については、寄宿舎に寄宿する労働者の過半数を代表する者の同意を得なければならない。

③ 使用者は、第一項の規定により届出をなすについて、前項の同意を証明する書面を添附しなければならない。

④ 使用者及び寄宿舎に寄宿する労働者は、寄宿舎規則を遵守しなければならない。

（寄宿舎の設備及び安全衛生）

第九十六条 使用者は、事業の附属寄宿舎について、換気、採光、照明、保温、防湿、清潔、避難、定員の収容、就寝に必要な措置その他労働者の健康、風紀及び生命の保持に必要な措置を講じなければならない。

② 使用者が前項の規定によつて講ずべき措置の基準は、厚生労働省令で定める。

（監督上の行政措置）

第九十六条の二 使用者は、常時十人以上の労働者を就業させる事業、厚生労働省令で定める危険な事業又は衛生上有害な事業の附属寄宿舎を設置し、移転し、又は変更しようとする場合においては、前条の規定に基づいて発する厚生労働省令で定める危害防止等に関する基準に従い定めた計画を、工事着手十四日前までに、行政官庁に届け出なければならない。

② 行政官庁は、労働者の安全及び衛生に必要であると認める場合においては、工事の着手を差し止め、又は計画の変更を命ずることができる。

第九十六条の三 労働者を就業させる事業の附属寄宿舎が、安全及び衛生に関し定められた基準に反する場合においては、行政官庁は、使用者に対して、その全部又は一部の使用の停止、変更その他必要な事項を命ずることができる。

② 前項の場合において行政官庁は、使用者に命じた事項について必要な事項を労働者に命ずることができる。

第十一章 監督機関

（監督機関の職員等）

第九十七条 労働基準主管局（厚生労働省の内部部局として置かれる局で労働条件及び労働者の保護に関する事務を所掌するものをいう。以下同じ。）、都道府県労働局及び労働基準監督署に労働基準監督官を置くほか、厚生労働省令で定める必要な職員を置くことができる。

② 労働基準主管局の局長（以下「労働基準主管局長」という。）、都道府県労働局長及び労働基準監督署長は、労働基準監督官をもつてこれに充てる。

③ 労働基準監督官の資格及び任免に関する事項は、政令で定める。

④ 厚生労働省に、政令で定めるところにより、労働基準監督官分限審議会を置くことができる。

⑤ 労働基準監督官を罷免するには、労働基準監督官分限審議会の同意を必要とする。

⑥ 前二項に定めるもののほか、労働基準監督官分限審議会の組織及び運営に関し必要な事項は、政令で定める。

第九十八条 削除

（労働基準主管局長等の権限）

第九十九条 労働基準主管局長は、厚生労働大臣の指揮監督を受けて、都道府県労働局長を指揮監督し、労働基準に関する法令の制定改廃、労働基準監督官の任免教養、監督方法についての規程の制定及び調整、監督年報の作成並びに労働政策審議会及び労働基準監督官分限審議会に関する事項（労働政策審議会に関する事項については、労働条件及び労働者の保護に関するものに限る。）その他この法律の施行に関する事項をつかさどり、所属の職員を指揮監督する。

② 都道府県労働局長は、労働基準主管局長の指揮監督を受けて、管内の労働基準監督署長を指揮監督し、監督方法の調整に関する事項その他この法律の施行に関する事項をつかさどり、所属の職員を指揮監督する。

③ 労働基準監督署長は、都道府県労働局長の指揮監督を受けて、この法律に基く臨検、尋問、許可、認定、審査、仲裁その他この法律の実施に関する事項をつかさどり、所属の職員を指揮監督する。

④ 労働基準主管局長及び都道府県労働局長は、下級官庁の権限を自ら行い、又は所属の労働基準監督官をして行わせることができる。

（女性主管局長の権限）

第百条 厚生労働省の女性主管局長（厚生労働省の内部部局として置かれる局で女性労働者の特性に係る労働問題に関する事務を所掌するものの局長をいう。以下同じ。）は、厚生労働大臣の指揮監督を受けて、この法律中女性に特殊の規定の制定、改廃及び解釈に関する事項をつかさどり、その施行に関する事項については、労働基準主管局長及びその下級の官庁の長に勧告を行うとともに、労働基準主管局長が、その下級の官庁に対して行う指揮監督について援助を与える。

② 女性主管局長は、自ら又はその指定する所属官吏をして、女性に関し労働基準主管局若しくはその下級の官庁又はその所属官吏の行つた監督その他に関する文書を閲覧し、又は閲覧せしめることができる。

③ 第百一条及び第百五条の規定は、女性主管局長又はその指定する所属官吏が、この法律中女性に特殊の規定の施行に関して行う調査の場合に、これを準用する。

（労働基準監督官の権限）

第百一条 労働基準監督官は、事業場、寄宿舎その他の附属建設物に臨検し、帳簿及び書類の提出を求め、又は使用者若しくは労働者に対して尋問を行うことができる。

② 前項の場合において、労働基準監督官は、その身分を証明する証票を携帯しなければならない。

第百二条 労働基準監督官は、この法律違反の罪について、刑事訴訟法に規定する司法警察官の職務を行う。

第百三条 労働者を就業させる事業の附属寄宿舎が、安全及び衛生に関して定められた基準に反し、且つ労働者に急迫した危険がある場合においては、労働基準監督官は、第九十六条の三の規定による行政官庁の権限を即時に行うことができる。

（監督機関に対する申告）

第百四条 事業場に、この法律又はこの法律に基いて発する命令に違反する事実がある場合においては、労働者は、その事実を行政官庁又は労働基準監督官に申告することができる。

② 使用者は、前項の申告をしたことを理由として、労働者に対して解雇その他不利益な取扱をしてはならない。

（報告等）

第百四条の二　行政官庁は、この法律を施行するため必要があると認めるときは、厚生労働省令で定めるところにより、使用者又は労働者に対し、必要な事項を報告させ、又は出頭を命ずることができる。

② 労働基準監督官は、この法律を施行するため必要があると認めるときは、使用者又は労働者に対し、必要な事項を報告させ、又は出頭を命ずることができる。

（労働基準監督官の義務）

第百五条　労働基準監督官は、職務上知り得た秘密を漏してはならない。労働基準監督官を退官した後においても同様である。

第十二章　雑則

（国の援助義務）

第百五条の二　厚生労働大臣又は都道府県労働局長は、この法律の目的を達成するために、労働者及び使用者に対して資料の提供その他必要な援助をしなければならない。

（法令等の周知義務）

第百六条　使用者は、この法律及びこれに基づく命令の要旨、就業規則、第十八条第二項、第二十四条第一項ただし書、第三十二条の二第一項、第三十二条の三第一項、第三十二条の四第一項、第三十二条の五第一項、第三十四条第二項ただし書、第三十六条第一項、第三十七条第三項、第三十八条の二第二項、第三十八条の三第一項並びに第三十九条第四項、第六項及び第九項ただし書に規定する協定並びに第三十八条の四第一項及び同条第五項（第四十一条の二第三項において準用する場合を含む。）並びに第四十一条の二第一項に規定する決議を、常時各作業場の見やすい場所へ掲示し、又は備え付けること、書面を交付することその他の厚生労働省令で定める方法によつて、労働者に周知させなければならない。

② 使用者は、この法律及びこの法律に基いて発する命令のうち、寄宿舎に関する規定及び寄宿舎規則を、寄宿舎の見易い場所に掲示し、又は備え付ける等の方法によつて、寄宿舎に寄宿する労働者に周知させなければならない。

（労働者名簿）

第百七条　使用者は、各事業場ごとに労働者名簿を、各労働者（日日雇い入れられる者を除く。）について調製し、労働者の氏名、生年月日、履歴その他厚生労働省令で定める事項を記入しなければならない。

② 前項の規定により記入すべき事項に変更があつた場合においては、遅滞なく訂正しなければならない。

（賃金台帳）

第百八条　使用者は、各事業場ごとに賃金台帳を調製し、賃金計算の基礎となる事項及び賃金の額その他厚生労働省令で定める事項を賃金支払の都度遅滞なく記入しなければならない。

（記録の保存）

第百九条　使用者は、労働者名簿、賃金台帳及び雇入れ、解雇、災害補償、賃金その他労働関係に関する重要な書類を五年間保存しなければならない。

第百十条　削除

（無料証明）

第百十一条　労働者及び労働者になろうとする者は、その戸籍に関して戸籍事務を掌る者又はその代理者に対して、無料で証明を請求することができる。使用者が、労働者及び労働者になろうとする者の戸籍に関して証明を請求する場合においても同様である。

（国及び公共団体についての適用）

第百十二条　この法律及びこの法律に基いて発する命令は、国、都道府県、市町村その他これに準ずべきものについても適用あるものとする。

（命令の制定）

第百十三条　この法律に基いて発する命令は、その草案について、公聴会で労働者を代表する者、使用者を代表する者及び公益を代表する者の意見を聴いて、これを制定する。

（付加金の支払）

第百十四条　裁判所は、第二十条、第二十六条若しくは第三十七条の規定に違反した使用者又は第三十九条第九項の規定による賃金を支払わなかつた使用者に対して、労働者の請求により、これらの規定により使用者が支払わなければならない金額についての未払金のほか、これと同一額の付加金の支払を命ずることができる。ただし、この請求は、違反のあつた時から五年以内にしなければならない。

（時効）

第百十五条　この法律の規定による賃金の請求権はこれを行使することができる時から五年間、この法律の規定による災害補償その他の請求権（賃金の請求権を除く。）はこれを行使することができる時から二年間行わない場合においては、時効によつて消滅する。

（経過措置）

第百十五条の二　この法律の規定に基づき命令を制定し、又は改廃するときは、その命令で、その制定又は改廃に伴い合理的に必要と判断される範囲内において、所要の経過措置（罰則に関する経過措置を含む。）を定めることができる。

（適用除外）

第百十六条　第一条から第十一条まで、次項、第百十七条から第百十九条まで及び第百二十一条の規定を除き、この法律は、船員法（昭和二十二年法律第百号）第一条第一項に規定する船員については、適用しない。

② この法律は、同居の親族のみを使用する事業及び家事使用人については、適用しない。

第十三章　罰則

第百十七条　第五条の規定に違反した者は、これを一年以上十年以下の懲役又は二十万円以上三百万円以下の罰金に処する。

第百十八条　第六条、第五十六条、第六十三条又は第六十四条の二の規定に違反した者は、これを一年以下の懲役又は五十万円以下の罰金に処する。

② 第七十条の規定に基づいて発する厚生労働省令（第六十三条又は第六十四条の二の規定に係る部分に限る。）に違反した者についても前項の例による。

第百十九条　次の各号のいずれかに該当する者は、六箇月以下の懲役又は三十万円以下の罰金に処する。

一　第三条、第四条、第七条、第十六条、第十七条、第十八条第一項、第十九条、第二十条、第二十二条第四項、第三十二条、第三十四条、第三十五条、第三十六条第六項、第三十七条、第三十九条（第七項を除く。）、第六十一条、第六十二

条、第六十四条の三から第六十七条まで、第七十二条、第七十五条から第七十七条まで、第七十九条、第八十条、第九十四条第二項、第九十六条又は第百四条第二項の規定に違反した者

二　第三十三条第二項、第九十六条の二第二項又は第九十六条の三第一項の規定による命令に違反した者

三　第四十条の規定に基づいて発する厚生労働省令に違反した者

四　第七十条の規定に基づいて発する厚生労働省令（第六十二条又は第六十四条の三の規定に係る部分に限る。）に違反した者

第百二十条　次の各号のいずれかに該当する者は、三十万円以下の罰金に処する。

一　第十四条、第十五条第一項若しくは第三項、第十八条第七項、第二十二条第一項から第三項まで、第二十三条から第二十七条まで、第三十二条の二第一項（第三十二条の三第四項、第三十二条の四第四項及び第三十二条の五第三項において準用する場合を含む。）、第三十二条の五第二項、第三十三条第一項ただし書、第三十八条の二第三項（第三十八条の三第二項において準用する場合を含む。）、第三十九条第七項、第五十七条から第五十九条まで、第六十四条、第六十八条、第八十九条、第九十条第一項、第九十一条、第九十五条第一項若しくは第二項、第九十六条の二第一項、第百五条（第百条第三項において準用する場合を含む。）又は第百六条から第百九条までの規定に違反した者

二　第七十条の規定に基づいて発する厚生労働省令（第十四条の規定に係る部分に限る。）に違反した者

三　第九十二条第二項又は第九十六条の三第二項の規定による命令に違反した者

四　第百一条（第百条第三項において準用する場合を含む。）の規定による労働基準監督官又は女性主管局長若しくはその指定する所属官吏の臨検を拒み、妨げ、若しくは忌避し、その尋問に対して陳述をせず、若しくは虚偽の陳述をし、帳簿書類の提出をせず、又は虚偽の記載をした帳簿書類の提出をした者

五　第百四条の二の規定による報告をせず、若しくは虚偽の報告をし、又は出頭しなかつた者

第百二十一条　この法律の違反行為をした者が、当該事業の労働者に関する事項について、事業主のために行為した代理人、使用人その他の従業者である場合においては、事業主に対しても各本条の罰金刑を科する。ただし、事業主（事業主が法人である場合においてはその代表者、事業主が営業に関し成年者と同一の行為能力を有しない未成年者又は成年被後見人である場合においてはその法定代理人（法定代理人が法人であるときは、その代表者）を事業主とする。次項において同じ。）が違反の防止に必要な措置をした場合においては、この限りでない。

②　事業主が違反の計画を知りその防止に必要な措置を講じなかつた場合、違反行為を知り、その是正に必要な措置を講じなかつた場合又は違反を教唆した場合においては、事業主も行為者として罰する。

附　則（抄）

第百二十二条　この法律施行の期日は、勅令で、これを定める。

第百二十三条　工場法、工業労働者最低年齢法、労働者災害扶助法、商店法、黄燐燐寸製造禁止法及び昭和十四年法律第八十七号は、これを廃止する。

第百二十七条　第十八条第二項、第四十九条、第五十七条、第六十条乃至第六十三条、第八十九条、第九十五条及び第百六条乃至第百八条の規定は、この法律施行の日から六箇月間は、これを適用しない。

②　旧法によつて禁止又は制限された事項で前項の規定に係るものについては、同項の期間中は、なお従前の規定による。

第百二十八条　この法律施行の際、満十二才以上の児童を使用する使用者が、引き続きその者を使用する場合においては、この法律施行の日から六箇月間は、その者については第五十六条の規定は、これを適用しない。

②　この法律施行の際、満十六才以上の男子を使用する使用者が、引き続きその者を使用する場合においては、この法律施行の日から一年間は、その者については第六十四条の規定は、これを適用しない。

第百二十九条　この法律施行前、労働者が業務上負傷し、疾病にかかり、又は死亡した場合における災害補償については、なお旧法の扶助に関する規定による。

第百三十条　この法律施行前（第百二十七条第二項の場合においては、同条第一項の期間を含む。）になした行為に関する罰則の適用については、なお旧法による。

第百三十一条　厚生労働省令で定める規模以下の事業又は厚生労働省令で定める業種の事業に係る第三十二条第一項（第六十条第二項の規定により読み替えて適用する場合を除く。）の規定の適用については、平成九年三月三十一日までの間は、第三十二条第一項中「四十時間」とあるのは、「四十時間を超え四十四時間以下の範囲内において厚生労働省令で定める時間」とする。

②　前項の規定により読み替えて適用する第三十二条第一項の厚生労働省令は、労働者の福祉、労働時間の動向その他の事情を考慮して定めるものとする。

③　第一項の規定により読み替えて適用する第三十二条第一項の厚生労働省令を制定し、又は改正する場合においては、当該厚生労働省令で、一定の規模以下の事業又は一定の業種の事業については、一定の期間に限り、当該厚生労働省令の制定前又は改正前の例による旨の経過措置（罰則に関する経過措置を含む。）を定めることができる。

④　厚生労働大臣は、第一項の規定により読み替えて適用する第三十二条第一項の厚生労働省令の制定又は改正の立案をしようとするときは、あらかじめ、労働政策審議会の意見を聴かなければならない。

第百三十二条　前条第一項の規定が適用される間における同項に規定する事業に係る第三十二条の四第一項の規定の適用については、同項各号列記以外の部分中「次に掲げる事項を定めたときは、第三十二条の規定にかかわらず、その協定で」とあるのは「次に掲げる事項及び」と、「労働時間が四十時間」とあるのは「労働時間を四十時間（命令で定める規模以下の事業にあつては、四十時間を超え四十二時間以下の範囲内において命令で定める時間）以内とし、当該時間を超えて労働させたときはその超えた時間（第三十七条第一項の規定の適用を受ける時間を除く。）の労働について同条の規定の例により割増賃金を支

払う定めをしたときは、第三十二条の規定にかかわらず、当該期間を平均し一週間当たりの労働時間が同条第一項の労働時間」と、「労働させることができる」とあるのは「労働させることができる。この場合において、使用者は、当該期間を平均し一週間当たり四十時間（前段の命令で定める規模以下の事業にあつては、前段の命令で定める時間）を超えて労働させたときは、その超えた時間（第三十七条第一項の規定の適用を受ける時間を除く。）の労働について、第三十七条の規定の例により割増賃金を支払わなければならない」と、同項第二号中「四十時間」とあるのは「第三十二条第一項の労働時間」とする。

② 前条第一項の規定が適用される間における同項に規定する事業に係る第三十二条の五第一項の規定の適用については、同項中「協定がある」とあるのは「協定により、一週間の労働時間を四十時間（命令で定める規模以下の事業にあつては、四十時間を超え四十二時間以下の範囲内において命令で定める時間）以内とし、当該時間を超えて労働させたときはその超えた時間（第三十七条第一項の規定の適用を受ける時間を除く。）の労働について同条の規定の例により割増賃金を支払う定めをした」と、「一日について」とあるのは「一週間について同条第一項の労働時間を超えない範囲内において、一日について」と、「労働させることができる」とあるのは「労働させることができる。この場合において、使用者は、一週間について四十時間（前段の命令で定める規模以下の事業にあつては、前段の命令で定める時間）を超えて労働させたときは、その超えた時間（第三十七条の規定の適用を受ける時間を除く。）の労働について、第三十七条の規定の例により割増賃金を支払わなければならない」とする。

③ 前条第四項の規定は、前二項の規定により読み替えて適用する第三十二条の四第一項及び第三十二条の五第一項（第二項の規定により読み替えた部分に限る。）の命令について準用する。

第百三十三条　厚生労働大臣は、第三十六条第二項の基準を定めるに当たつては、満十八歳以上の女性のうち雇用の分野における男女の均等な機会及び待遇の確保等のための労働省関係法律の整備に関する法律（平成九年法律第九十二号）第四条の規定による改正前の第六十四条の二第四項に規定する命令で定める者に該当しない者について平成十一年四月一日以後同条第一項及び第二項の規定が適用されなくなつたことにかんがみ、当該者のうち子の養育又は家族の介護を行う労働者（厚生労働省令で定める者に限る。以下この条において「特定労働者」という。）の職業生活の著しい変化がその家庭生活に及ぼす影響を考慮して、厚生労働省令で定める期間、特定労働者（その者に係る時間外労働を短いものとすることを使用者に申し出た者に限る。）に係る第三十六条第一項の協定で定める労働時間の延長の限度についての基準は、当該特定労働者以外の者に係る同項の協定で定める労働時間の延長の限度についての基準とは別に、これより短いものとして定めるものとする。この場合において、一年についての労働時間の延長の限度についての基準は、百五十時間を超えないものとしなければならない。

第百三十四条　常時三百人以下の労働者を使用する事業に係る第三十九条の規定の適用については、昭和六十六年三月三十一日までの間は同条第一項中「十労働日」とあるのは「六労働日」と、同年四月一日から昭和六十九年三月三十一日までの間は同項中「十労働日」とあるのは「八労働日」とする。

第百三十五条　六箇月経過日から起算した継続勤務年数が四年から八年までのいずれかの年数に達する日の翌日が平成十一年四月一日から平成十二年三月三十一日までの間にある労働者に関する第三十九条の規定の適用については、同日までの間は、次の表の上欄に掲げる当該六箇月経過日から起算した継続勤務年数の区分に応じ、同条第二項の表中次の表の中欄に掲げる字句は、同表の下欄に掲げる字句とする。

四年	六労働日	五労働日
五年	八労働日	六労働日
六年	十労働日	七労働日
七年	十労働日	八労働日
八年	十労働日	九労働日

② 六箇月経過日から起算した継続勤務年数が五年から七年までのいずれかの年数に達する日の翌日が平成十二年四月一日から平成十三年三月三十一日までの間にある労働者に関する第三十九条の規定の適用については、平成十二年四月一日から平成十三年三月三十一日までの間は、次の表の上欄に掲げる当該六箇月経過日から起算した継続勤務年数の区分に応じ、同条第二項の表中次の表の中欄に掲げる字句は、同表の下欄に掲げる字句とする。

五年	八労働日	七労働日
六年	十労働日	八労働日
七年	十労働日	九労働日

③ 前二項の規定は、第七十二条に規定する未成年者については、適用しない。

第百三十六条　使用者は、第三十九条第一項から第四項までの規定による有給休暇を取得した労働者に対して、賃金の減額その他不利益な取扱いをしないようにしなければならない。

第百三十七条　期間の定めのある労働契約（一定の事業の完了に必要な期間を定めるものを除き、その期間が一年を超えるものに限る。）を締結した労働者（第十四条第一項各号に規定する労働者を除く。）は、労働基準法の一部を改正する法律（平成十五年法律第百四号）附則第三条に規定する措置が講じられるまでの間、民法第六百二十八条の規定にかかわらず、当該労働契約の期間の初日から一年を経過した日以後においては、その使用者に申し出ることにより、いつでも退職することができる。

第百三十八条　削除

第百三十九条　工作物の建設の事業（災害時における復旧及び復興の事業に限る。）その他これに関連する事業として厚生労働省令で定める事業に関する第三十六条の規定の適用については、当分の間、同条第五項中「時間（第二項第四号に関して協定した時間を含め百時間未満の範囲内に限る。）」とあるのは「時間」と、「同号」とあるのは「第二項第四号」とし、同条第六項（第二号及び第三号に係る部分に限る。）の規定は適用しない。

② 前項の規定にかかわらず、工作物の建設の事業その他これに関連する事業として厚生労働省令で定める事業については、令和六年三月三十一日（同日及びその翌日を含む期間を定めている第三十六条第一項の協定に関しては、当該協定に定める期間の初日から起算して一年を経過する日）までの間、同条第二項第四号中「一箇月及び」とあるのは、「一日を超え三箇月以内の範囲で前項の協定をする使用者及び労働組合若しくは労働者の過半数を代表する者が定める期間並びに」とし、同条第三項から第五項まで及び第六項（第二号及び第三号に係る部分に限る。）の規定は適用しない。

第百四十条 一般乗用旅客自動車運送事業（道路運送法（昭和二十六年法律第百八十三号）第三条第一号ハに規定する一般乗用旅客自動車運送事業をいう。）の業務、貨物自動車運送事業（貨物自動車運送事業法（平成元年法律第八十三号）第二条第一項に規定する貨物自動車運送事業をいう。）の業務その他の自動車の運転の業務として厚生労働省令で定める業務に関する第三十六条の規定の適用については、当分の間、同条第五項中「時間（第二項第四号に関して協定した時間を含め百時間未満の範囲内に限る。）並びに一年について労働時間を延長して労働させることができる時間（同号に関して協定した時間を含め七百二十時間を超えない範囲内に限る。）を定めることができる。この場合において、第一項の協定に、併せて第二項第二号の対象期間において労働時間を延長して労働させる時間が一箇月について四十五時間（第三十二条の四第一項第二号の対象期間として三箇月を超える期間を定めて同条の規定により労働させる場合にあつては、一箇月について四十二時間）を超えることができる月数（一年について六箇月以内に限る。）を定めなければならない」とあるのは、「時間並びに一年について労働時間を延長して労働させることができる時間（第二項第四号に関して協定した時間を含め九百六十時間を超えない範囲内に限る。）を定めることができる」とし、同条第六項（第二号及び第三号に係る部分に限る。）の規定は適用しない。

② 前項の規定にかかわらず、同項に規定する業務については、令和六年三月三十一日（同日及びその翌日を含む期間を定めている第三十六条第一項の協定に関しては、当該協定に定める期間の初日から起算して一年を経過する日）までの間、同条第二項第四号中「一箇月及び」とあるのは、「一日を超え三箇月以内の範囲で前項の協定をする使用者及び労働組合若しくは労働者の過半数を代表する者が定める期間並びに」とし、同条第三項から第五項まで及び第六項（第二号及び第三号に係る部分に限る。）の規定は適用しない。

第百四十一条 医業に従事する医師（医療提供体制の確保に必要な者として厚生労働省令で定める者に限る。）に関する第三十六条の規定の適用については、当分の間、同条第二項第四号中「における一日、一箇月及び一年のそれぞれの期間について」とあるのは「における」とし、同条第三項中「限度時間」とあるのは「限度時間並びに労働者の健康及び福祉を勘案して厚生労働省令で定める時間」とし、同条第五項及び第六項（第二号及び第三号に係る部分に限る。）の規定は適用しない。

② 前項の場合において、第三十六条第一項の協定に、同条第二項各号に掲げるもののほか、当該事業場における通常予見することのできない業務量の大幅な増加等に伴い臨時的に前項の規定により読み替えて適用する同条第三項の厚生労働省令で定める時間を超えて労働させる必要がある場合において、同条第二項第四号に関して協定した時間を超えて労働させることができる時間（同号に関して協定した時間を含め、同条第五項に定める時間及び月数並びに労働者の健康及び福祉を勘案して厚生労働省令で定める時間を超えない範囲内に限る。）その他厚生労働省令で定める事項を定めることができる。

③ 使用者は、第一項の場合において、第三十六条第一項の協定で定めるところによつて労働時間を延長して労働させ、又は休日において労働させる場合であつても、同条第六項に定める要件並びに労働者の健康及び福祉を勘案して厚生労働省令で定める時間を超えて労働させてはならない。

④ 前三項の規定にかかわらず、医業に従事する医師については、令和六年三月三十一日（同日及びその翌日を含む期間を定めている第三十六条第一項の協定に関しては、当該協定に定める期間の初日から起算して一年を経過する日）までの間、同条第二項第四号中「一箇月及び」とあるのは、「一日を超え三箇月以内の範囲で前項の協定をする使用者及び労働組合若しくは労働者の過半数を代表する者が定める期間並びに」とし、同条第三項から第五項まで及び第六項（第二号及び第三号に係る部分に限る。）の規定は適用しない。

⑤ 第三項の規定に違反した者は、六箇月以下の懲役又は三十万円以下の罰金に処する。

第百四十二条 鹿児島県及び沖縄県における砂糖を製造する事業に関する第三十六条の規定の適用については、令和六年三月三十一日（同日及びその翌日を含む期間を定めている同条第一項の協定に関しては、当該協定に定める期間の初日から起算して一年を経過する日）までの間、同条第五項中「時間（第二項第四号に関して協定した時間を含め百時間未満の範囲内に限る。）」とあるのは「時間」と、「同号」とあるのは「第二項第四号」とし、同条第六項（第二号及び第三号に係る部分に限る。）の規定は適用しない。

第百四十三条 第百九条の規定の適用については、当分の間、同条中「五年間」とあるのは、「三年間」とする。

② 第百十四条の規定の適用については、当分の間、同条ただし書中「五年」とあるのは、「三年」とする。

③ 第百十五条の規定の適用については、当分の間、同条中「賃金の請求権はこれを行使することができる時から五年間」とあるのは、「退職手当の請求権はこれを行使することができる時から五年間、この法律の規定による賃金（退職手当を除く。）の請求権はこれを行使することができる時から三年間」とする。

別表第一（第三十三条、第四十条、第四十一条、第五十六条、第六十一条関係）

一	物の製造、改造、加工、修理、洗浄、選別、包装、装飾、仕上げ、販売のためにする仕立て、破壊若しくは解体又は材料の変造の事業（電気、ガス又は各種動力の発生、変更若しくは伝導の事業及び水道の事業を含む。）
二	鉱業、石切り業その他土石又は鉱物採取の事業
三	土木、建築その他工作物の建設、改造、保存、修理、変更、破壊、解体又はその準備の事業
四	道路、鉄道、軌道、索道、船舶又は航空機による旅客又は貨物の運送の事業
五	ドック、船舶、岸壁、波止場、停車場又は倉庫における貨物の取扱いの事業
六	土地の耕作若しくは開墾又は植物の栽植、栽培、採取若しくは伐採の事業その他農林の事業
七	動物の飼育又は水産動植物の採捕若しくは養殖の事業その他の畜産、養蚕又は水産の事業
八	物品の販売、配給、保管若しくは賃貸又は理容の事業
九	金融、保険、媒介、周旋、集金、案内又は広告の事業
十	映画の製作又は映写、演劇その他興行の事業
十一	郵便、信書便又は電気通信の事業
十二	教育、研究又は調査の事業
十三	病者又は虚弱者の治療、看護その他保健衛生の事業
十四	旅館、料理店、飲食店、接客業又は娯楽場の事業
十五	焼却、清掃又はと畜場の事業

別表第二　身体障害等級及び災害補償表（第七十七条関係）

等級	災害補償
第一級	一三四〇日分
第二級	一一九〇日分
第三級	一〇五〇日分
第四級	九二〇日分
第五級	七九〇日分
第六級	六七〇日分
第七級	五六〇日分
第八級	四五〇日分
第九級	三五〇日分
第一〇級	二七〇日分
第一一級	二〇〇日分
第一二級	一四〇日分
第一三級	九〇日分
第一四級	五〇日分

別表第三　分割補償表（第八十二条関係）

種別	等級	災害補償
障害補償	第一級	二四〇日分
	第二級	二一三日分
	第三級	一八八日分
	第四級	一六四日分
	第五級	一四二日分
	第六級	一二〇日分
	第七級	一〇〇日分
	第八級	八〇日分
	第九級	六三日分
	第一〇級	四八日分
	第一一級	三六日分
	第一二級	二五日分
	第一三級	一六日分
	第一四級	九日分
遺族補償		一八〇日分

附　則（平三〇・七・六法七一）（抄）

最終改正　令二・三・三一法一四

（施行期日）

第一条　この法律は、平成三十一年四月一日から施行する。ただし、次の各号に掲げる規定は、当該各号に定める日から施行する。

一　〔前略〕附則第七条第二項、第八条第二項〔中略〕並びに附則第三十条の規定　公布の日

二　〔前略〕附則第六条、第七条第一項、第八条第一項、第九条、第十一条〔中略〕の規定　令和二年四月一日

三　第一条中労働基準法第百三十八条の改正規定　令和五年四月一日

（時間外及び休日の労働に係る協定に関する経過措置）

第二条　第一条の規定による改正後の労働基準法（以下「新労基法」という。）第三十六条の規定（新労基法第百三十九条第二項、第百四十条第二項、第百四十一条第四項及び第百四十二条の規定により読み替えて適用する場合を含む。）は、平成三十一年四月一日以後の期間のみを定めている協定について適用し、同年三月三十一日を含む期間を定めている協定については、当該協定に定める期間の初日から起算して一年を経過する日までの間については、なお従前の例による。

（中小事業主に関する経過措置）

第三条　中小事業主（その資本金の額又は出資の総額が三億円（小売業又はサービス業を主たる事業とする事業主については五千万円、卸売業を主たる事業とする事業主については一億円）以下である事業主及びその常時使用する労働者の数が三百人（小売業を主たる事業とする事業主については五十人、卸売業又はサービス業を主たる事業とする事業主については百人）

以下である事業主をいう。第四項及び附則第十一条において同じ。）の事業に係る協定（新労基法第百三十九条第二項に規定する事業、第百四十条第二項に規定する業務、第百四十一条第四項に規定する者及び第百四十二条に規定する事業に係るものを除く。）についての前条の規定の適用については、「平成三十一年四月一日」とあるのは、「令和二年四月一日」とする。

2 前項の規定により読み替えられた前条の規定によりなお従前の例によることとされた協定をする使用者及び労働組合又は労働者の過半数を代表する者は、当該協定をするに当たり、新労基法第三十六条第一項から第五項までの規定により当該協定に定める労働時間を延長して労働させ、又は休日において労働させることができる時間数を勘案して協定をするように努めなければならない。

3 政府は、前項に規定する者に対し、同項の協定に関して、必要な情報の提供、助言その他の支援を行うものとする。

4 行政官庁は、当分の間、中小事業主に対し新労基法第三十六条第九項の助言及び指導を行うに当たっては、中小企業における労働時間の動向、人材の確保の状況、取引の実態その他の事情を踏まえて行うよう配慮するものとする。

（年次有給休暇に関する経過措置）

第四条 この法律の施行の際四月一日以外の日が基準日（継続勤務した期間を労働基準法第三十九条第二項に規定する六箇月経過日から一年ごとに区分した各期間（最後に一年未満の期間を生じたときは、当該期間をいう。以下この条において同じ。）の初日をいい、同法第三十九条第一項から第三項までの規定による有給休暇を当該有給休暇に係る当該各期間の初日より前の日から与えることとした場合はその日をいう。以下この条において同じ。）である労働者に係る有給休暇については、この法律の施行の日後の最初の基準日の前日までの間は、新労基法第三十九条第七項の規定にかかわらず、なお従前の例による。

（面接指導に関する経過措置）

第五条 事業者は、附則第二条（附則第三条第一項の規定により読み替えて適用する場合を含む。）の規定によりなお従前の例によることとされた協定が適用されている労働者に対しては、第四条の規定による改正後の労働安全衛生法（以下この条において「新安衛法」という。）第六十六条の八の二第一項の規定にかかわらず、同項の規定による面接指導を行うことを要しない。この場合において、当該労働者に対する新安衛法第六十六条の八第一項の規定の適用については、同項中「労働者（次条第一項に規定する者及び」とあるのは、「労働者（」とする。

（労働者派遣事業の許可の取消し等に関する経過措置）

第六条 附則第一条第二号に掲げる規定の施行の際現に第五条の規定による改正前の労働者派遣法の規定により許可を受けている者に対する許可の取消し又は事業の停止の命令に関しては、同号に掲げる規定の施行前に生じた事由については、なお従前の例による。

（派遣元事業主への情報提供に関する経過措置）

第七条 附則第一条第二号に掲げる規定の施行前に労働者派遣契約（労働者派遣法第二十六条第一項に規定する労働者派遣契約をいう。以下この項において同じ。）を締結した派遣先（労働者派遣法第二条第四号に規定する派遣先をいう。次項及び次条第一項において同じ。）であって、附則第一条第二号に掲げる規定の施行後において当該労働者派遣契約に基づく労働者派遣（労働者派遣法第二条第一号に規定する労働者派遣をいう。以下この項及び次条において同じ。）の役務の提供を受けるものは、附則第一条第二号に掲げる規定の施行の日（次項及び次条において「第二号施行日」という。）に、当該労働者派遣をする派遣元事業主（労働者派遣法第二条第四号に規定する派遣元事業主をいう。次条において同じ。）に対し、厚生労働省令で定めるところにより、当該労働者派遣に係る派遣労働者（労働者派遣法第二条第二号に規定する派遣労働者をいう。次条第一項において同じ。）が従事する業務ごとに、比較対象労働者（第五条の規定による改正後の労働者派遣法（以下この項、次条第一項及び附則第九条において「新労働者派遣法」という。）第二十六条第八項に規定する比較対象労働者をいう。）の賃金その他の待遇に関する情報その他の厚生労働省令で定める情報を提供しなければならない。この場合において、新労働者派遣法第二十六条第十項中「第七項」とあるのは「第七項又は働き方改革を推進するための関係法律の整備に関する法律（平成三十年法律第七十一号）附則第七条第一項」と、労働者派遣法第二十八条及び第三十一条中「又は第四節の規定により適用される法律」とあるのは「、第四節の規定により適用される法律又は働き方改革を推進するための関係法律の整備に関する法律（附則第七条第一項の規定に限る。）」と、新労働者派遣法第四十八条第一項中「同じ。）」とあるのは「同じ。）又は働き方改革を推進するための関係法律の整備に関する法律（附則第七条第一項の規定に限る。）」と、新労働者派遣法第四十九条の二第一項中「第四十条の九第一項」とあるのは「第四十条の九第一項若しくは働き方改革を推進するための関係法律の整備に関する法律附則第七条第一項」と、労働者派遣法第四十九条の三第一項中「この法律又はこれ」とあるのは「この法律若しくは働き方改革を推進するための関係法律の整備に関する法律（附則第七条第一項の規定に限る。）又はこれら」と、労働者派遣法第五十条及び第五十一条第一項中「この法律」とあるのは「この法律又は働き方改革を推進するための関係法律の整備に関する法律（附則第七条第一項の規定に限る。）」とする。

2 前項の派遣先は、附則第一条第二号に掲げる規定の施行前においても、同項の規定の例により、同項の情報の提供をすることができる。この場合において、同項の規定の例によりされた情報の提供は、第二号施行日において同項の規定により行われたものとみなす。

（派遣先への通知に関する経過措置）

第八条 派遣元事業主は、附則第一条第二号に掲げる規定の施行の際現にされている労働者派遣について、第二号施行日に、厚生労働省令で定めるところにより、当該労働者派遣に係る派遣労働者が協定対象派遣労働者（新労働者派遣法第三十条の五に規定する協定対象派遣労働者をいう。）であるか否かの別を当該派遣労働者に係る派遣先に通知しなければならない。この場合において、労働者派遣法第六条第一号中「この法律」とあるのは「この法律（働き方改革を推進するための関係法律の整備に関する法律（平成三十年法律第七十一号）附則第八条第一項の規定により読み替えて適用する場合を含む。）」と、労働者派遣法第十四条第一項第二号中「除く。）」とあるのは「除く。）、働き方改革を推進するための関係法律の整備に関する法律（附則第八条第一項の規定に限る。）」と、新労働者派遣法第三十五条第二項中「前項」とあるのは「前項又は働き方改革を推進するための関係法律の整備に関する法律附則第八条第一項」と、「同項第二号」とあるのは「前項第二号」と、労働者派遣法第三十六条第一号中「次条」とあるのは「次条並びに働き方改革を推進するための関係法律の整備に関する法律附則第八条第一項」と、労働者派遣法第四十一条第一号ハ中「第三十五条」とあるのは「第三十五条又は働き方改革を推進するための関係法律の整備に関する法律附則第八条第一項」と、新労働者派遣法第四十八条第一項中「同じ。）」とあるのは「同じ。）又は働き方改革を推進するための関係法律の整備に関する法律（附則第八条第一項の規定に限る。）」と、労働者派遣法第四十九条第一項中「除く。）」とあるのは「除く。）又は働き方改革を推進するための関係法律の整備に関する法律（附則第八条第一項の規定に限る。）」と、労働者派遣法第四十九条の三第一項中「この法律又はこれ」とあるのは「この法律若しくは働き方改革を推進するための関係法律の整備に関する法律（附則第八条第一項の規定に限る。）又はこれら」と、労働者派遣法第五十条及び第五十一条第一項中「この法律」とあるのは「この法律又は働き方改革を推進するための関係法律の整備に関する法律（附則第八条第一項の規定に限る。）」と、労働者派遣法第六十一条第四号中「第三十五条」とあるのは「第三十五条又は働き方改革を推進するための関係法律の整備に関する法律附則第八条第一項」とする。

2　派遣元事業主は、前項の労働者派遣について、附則第一条第二号に掲げる規定の施行前においても、同項の規定の例により、同項の通知をすることができる。この場合において、同項の規定の例によりされた通知は、第二号施行日において同項の規定により行われたものとみなす。

（派遣労働者に係る紛争の解決の促進に関する特例に関する経過措置）

第九条　附則第一条第二号に掲げる規定の施行の際現に紛争調整委員会（個別労働関係紛争の解決の促進に関する法律（平成十三年法律第百十二号）第六条第一項の紛争調整委員会をいう。附則第十一条において同じ。）に係属している同法第五条第一項のあっせんに係る紛争であって、労働者派遣法第四十七条の五に規定する紛争に該当するものについては、同条の規定にかかわらず、なお従前の例による。

（衛生委員会等の決議に関する経過措置）

第十条　第六条の規定による改正前の労働時間等の設定の改善に関する特別措置法（以下この条において「旧設定改善法」という。）第七条第二項の規定により労働時間等設定改善委員会とみなされた労働安全衛生法第十八条第一項の規定により設置された衛生委員会（同法第十九条第一項の規定により設置された安全衛生委員会を含む。）の旧設定改善法第七条第一項に定める決議については、令和四年三月三十一日（平成三十一年三月三十一日を含む期間を定めているものであって、その期間が令和四年三月三十一日を超えないものについては、その期間の末日）までの間は、なおその効力を有する。

（短時間・有期雇用労働法の適用に関する経過措置）

第十一条　中小事業主については、令和三年三月三十一日までの間、第七条の規定による改正後の短時間労働者及び有期雇用労働者の雇用管理の改善等に関する法律（以下この条において「短時間・有期雇用労働法」という。）第二条第一項、第三条、第三章第一節（第十五条及び第十八条第三項を除く。）及び第四章（第二十六条及び第二十七条を除く。）の規定は、適用しない。この場合において、第七条の規定による改正前の短時間労働者の雇用管理の改善等に関する法律第二条、第三条、第三章第一節（第十五条及び第十八条第三項を除く。）及び第四章（第二十六条及び第二十七条を除く。）の規定並びに第八条の規定による改正前の労働契約法第二十条の規定は、なおその効力を有する。

2　附則第一条第二号に掲げる規定の施行の際現に紛争調整委員会に係属している個別労働関係紛争の解決の促進に関する法律第五条第一項のあっせんに係る紛争であって、短時間・有期雇用労働法第二十三条に規定する紛争に該当するもの（中小事業主以外の事業主が当事者であるものに限る。）については、同条の規定にかかわらず、なお従前の例による。

3　令和三年四月一日前にされた申請に係る紛争であって、同日において現に紛争調整委員会に係属している個別労働関係紛争の解決の促進に関する法律第五条第一項のあっせんに係るもの（短時間・有期雇用労働法第二十三条に規定する紛争に該当するものであって、中小事業主が当事者であるものに限る。）については、短時間・有期雇用労働法第二十三条の規定にかかわらず、なお従前の例による。

（検討）

第十二条　政府は、この法律の施行後五年を経過した場合において、新労基法第三十六条の規定について、その施行の状況、労働時間の動向その他の事情を勘案しつつ検討を加え、必要があると認めるときは、その結果に基づいて所要の措置を講ずるものとする。

2　政府は、新労基法第百三十九条に規定する事業及び新労基法第百四十条に規定する業務に係る新労基法第三十六条の規定の特例の廃止について、この法律の施行後の労働時間の動向その他の事情を勘案しつつ引き続き検討するものとする。

3　政府は、前二項に定める事項のほか、この法律の施行後五年を目途として、この法律による改正後のそれぞれの法律（以下この項において「改正後の各法律」という。）の規定について、労働者と使用者の協議の促進等を通じて、仕事と生活の調和、労働条件の改善、雇用形態又は就業形態の異なる労働者の間の均衡のとれた待遇の確保その他の労働者の職業生活の充実を図る観点から、改正後の各法律の施行の状況等を勘案しつつ検討を加え、必要があると認めるときは、その結果に基づいて所要の措置を講ずるものとする。

（罰則に関する経過措置）

第二十九条　この法律（附則第一条第三号に掲げる規定にあっては、当該規定）の施行前にした行為並びにこの附則の規定によりなお従前の例によることとされる場合及びこの附則の規定によりなおその効力を有することとされる場合におけるこの法律の施行後にした行為に対する罰則の適用については、なお従前の例による。

（政令への委任）

第三十条　この附則に規定するもののほか、この法律の施行に伴い必要な経過措置（罰則に関する経過措置を含む。）は、政令で定める。

附　則（令二・三・三一法一三）

（施行期日）

第一条　この法律は、民法の一部を改正する法律（平成二十九年法律第四十四号）の施行の日〔平三二（令二）・四・一〕から施行する。

（付加金の支払及び時効に関する経過措置）

第二条　この法律による改正後の労働基準法（以下この条において「新法」という。）第百十四条及び第百四十三条第二項の規定は、この法律の施行の日（以下この条において「施行日」という。）以後に新法第百十四条に規定する違反がある場合における付加金の支払に係る請求について適用し、施行日前にこの法律による改正前の労働基準法第百十四条に規定する違反があった場合における付加金の支払に係る請求については、なお従前の例による。

2　新法第百十五条及び第百四十三条第三項の規定は、施行日以後に支払期日が到来する労働基準法の規定による賃金（退職手当を除く。以下この項において同じ。）の請求権の時効について適用し、施行日前に支払期日が到来した同法の規定による賃金の請求権の時効については、なお従前の例による。

（検討）

第三条　政府は、この法律の施行後五年を経過した場合において、この法律による改正後の規定について、その施行の状況を勘案しつつ検討を加え、必要があると認めるときは、その結果に基づいて必要な措置を講ずるものとする。

㊟　次の法律の第二条により労働基準法が改正されたが、現在未施行のため、一部改正法の形式で掲載した。

○労働基準法の一部改正

昭六〇・六・一
法　四五

改正　昭六〇・七・五法八九

（労働基準法の一部改正）

第二条　労働基準法（昭和二十二年法律第四十九号）の一部を次のように改正する。

第九十八条第一項中「、都道府県労働局に地方労働基準審議会を」を削り、同条第二項中「中央労働基準審議会は」を「中央労働基準審議会は、」に、「以下この項」を「次条第二項」に改め、「、地方労働基準審議会は賃金の支払の確保等に関する法律、労働安全衛生法、作業環境測定法及び労働者派遣事業の適正な運営の確保及び派遣労働者の就業条件の整備等に関する法律の施行及び改正に関する事項並びに家内労働法（昭和四十五年法律第六十号）に基づきその権限に属する事項を」を削り、同条第三項中「及び地方労働基準審議会（以下「労働基準審議会」という。）」、「中央労働基準審議会にあつては」、「、地方労働基準審議会にあつては都道府県労働局長の」及び「及び家内労働法に基づきその権限に属する事項」を削り、同条第四項中「労働基準審議会」を「中央労働基準審議会」に、「行政官庁が各〻」を「労働大臣が各々」に改め、同条第五項中「労働基準審議会」を「中央労働基準審議会」に改め、同条の次に次の一条を加える。

第九十八条の二　この法律の施行及び改正に関する事項については、前条に定めるところによるほか、都道府県労働局に係る事項に関しては、当該都道府県労働局に置かれる地方労働審議会が審議するものとする。

②　前項に定めるもののほか、地方労働審議会は、労働者（家内労働者を含む。）に係る労働条件の基準に関しては、賃金の支払の確保等に関する法律、労働安全衛生法、作業環境測定法及び労働者派遣事業の適正な運営の確保及び派遣労働者の就業条件の整備等に関する法律の施行及び改正に関する事項並びに家内労働法（昭和四十五年法律第六十号）に基づきその権限に属する事項を審議する。

③　地方労働審議会は、都道府県労働局長の諮問に応じて前二項に規定する事項を審議するほか、労働条件の基準及び家内労働法に基づきその権限に属する事項に関して関係行政官庁に建議することができる。

第百条第三項中「及び地方労働基準審議会」を削る。

附　則（抄）

（施行期日）

第一条　この法律は、昭和六十一年四月一日から施行する。ただし次の各号に掲げる規定は、当該各号に定める日から施行する。

一　〔略〕

二　第二条中労働基準法第九十八条の改正規定、同法第九十八条の次に一条を加える改正規定、同法第百条第三項の改正規定〔中略〕　職業安定法等の一部を改正する法律（昭和五十九年法律第　　号）の施行の日

附　則（昭六〇・七・五法八九）（抄）

（施行期日）

第一条　この法律は、労働者派遣事業の適正な運営の確保及び派遣労働者の就業条件の整備等に関する法律（昭和六十年法律第八十八号）の施行の日〔昭六一・七・一〕から施行する。

㊟　次の法律の第二二二条により労働基準法が改正されたが、刑法等一部改正法施行日〔令七・六・一〕から施行となるため、一部改正法の形式で掲載した。

○刑法等の一部を改正する法律の施行に伴う関係法律の整理等に関する法律

令四・六・一七
法　　六　八

（労働基準法の一部改正）

第二百二十二条　労働基準法（昭和二十二年法律第四十九号）の一部を次のように改正する。

　第百十七条及び第百十八条第一項中「これを」を削り、「懲役」を「拘禁刑」に改める。

　第百十九条及び第百四十一条第五項中「六箇月以下の懲役」を「六月以下の拘禁刑」に改める。

附　則（抄）

（施行期日）
1　この法律は、刑法等一部改正法施行日〔令七・六・一〕から施行する。〔ただし書略〕

○労働組合法

昭二四・六・一
法一七四

最終改正 令五・六・一四法五三

目次〔略〕

第一章 総則

（目的）

第一条 この法律は、労働者が使用者との交渉において対等の立場に立つことを促進することにより労働者の地位を向上させること、労働者がその労働条件について交渉するために自ら代表者を選出することその他の団体行動を行うために自主的に労働組合を組織し、団結することを擁護すること並びに使用者と労働者との関係を規制する労働協約を締結するための団体交渉をすること及びその手続を助成することを目的とする。

2 刑法（明治四十年法律第四十五号）第三十五条の規定は、労働組合の団体交渉その他の行為であつて前項に掲げる目的を達成するためにした正当なものについて適用があるものとする。但し、いかなる場合においても、暴力の行使は、労働組合の正当な行為と解釈されてはならない。

（労働組合）

第二条 この法律で「労働組合」とは、労働者が主体となつて自主的に労働条件の維持改善その他経済的地位の向上を図ることを主たる目的として組織する団体又はその連合団体をいう。但し、左の各号の一に該当するものは、この限りでない。

一 役員、雇入解雇昇進又は異動に関して直接の権限を持つ監督的地位にある労働者、使用者の労働関係についての計画と方針とに関する機密の事項に接し、そのためにその職務上の義務と責任とが当該労働組合の組合員としての誠意と責任とに直接にてい触する監督的地位にある労働者その他使用者の利益を代表する者の参加を許すもの

二 団体の運営のための経費の支出につき使用者の経理上の援助を受けるもの。但し、労働者が労働時間中に時間又は賃金を失うことなく使用者と協議し、又は交渉することを使用者が許すことを妨げるものではなく、且つ、厚生資金又は経済上の不幸若しくは災厄を防止し、若しくは救済するための支出に実際に用いられる福利その他の基金に対する使用者の寄附及び最小限の広さの事務所の供与を除くものとする。

三 共済事業その他福利事業のみを目的とするもの

四 主として政治運動又は社会運動を目的とするもの

（労働者）

第三条 この法律で「労働者」とは、職業の種類を問わず、賃金、給料その他これに準ずる収入によつて生活する者をいう。

第四条 削除〔昭二六法一〇三〕

第二章 労働組合

（労働組合として設立されたものの取扱）

第五条 労働組合は、労働委員会に証拠を提出して第二条及び第二項の規定に適合することを立証しなければ、この法律に規定する手続に参与する資格を有せず、且つ、この法律に規定する救済を与えられない。但し、第七条第一号の規定に基く個々の労働者に対する保護を否定する趣旨に解釈されるべきではない。

2 労働組合の規約には、左の各号に掲げる規定を含まなければならない。

一 名称

二 主たる事務所の所在地

三 連合団体である労働組合以外の労働組合（以下「単位労働組合」という。）の組合員は、その労働組合のすべての問題に参与する権利及び均等の取扱を受ける権利を有すること。

四 何人も、いかなる場合においても、人種、宗教、性別、門地又は身分によつて組合員たる資格を奪われないこと。

五 単位労働組合にあつては、その役員は、組合員の直接無記名投票により選挙されること、及び連合団体である労働組合又は全国的規模をもつ労働組合にあつては、その役員は、単位労働組合の組合員又はその組合員の直接無記名投票により選挙された代議員の直接無記名投票により選挙されること。

六 総会は、少くとも毎年一回開催すること。

七 すべての財源及び使途、主要な寄附者の氏名並びに現在の経理状況を示す会計報告は、組合員によつて委嘱された職業的に資格がある会計監査人による正確であることの証明書とともに、少くとも毎年一回組合員に公表されること。

八 同盟罷業は、組合員又は組合員の直接無記名投票により選挙された代議員の直接無記名投票の過半数による決定を経なければ開始しないこと。

九 単位労働組合にあつては、その規約は、組合員の直接無記名投票による過半数の支持を得なければ改正しないこと、及び連合団体である労働組合又は全国的規模をもつ労働組合にあつては、その規約は、単位労働組合の組合員又はその組合員の直接無記名投票により選挙された代議員の直接無記名投票による過半数の支持を得なければ改正しないこと。

（交渉権限）

第六条 労働組合の代表者又は労働組合の委任を受けた者は、労働組合又は組合員のために使用者又はその団体と労働協約の締結その他の事項に関して交渉する権限を有する。

（不当労働行為）

第七条 使用者は、次の各号に掲げる行為をしてはならない。

一 労働者が労働組合の組合員であること、労働組合に加入し、若しくはこれを結成しようとしたこと若しくは労働組合の正当な行為をしたことの故をもつて、その労働者を解雇し、その他これに対して不利益な取扱いをすること又は労働者が労働組合に加入せず、若しくは労働組合から脱退することを雇用条件とすること。ただし、労働組合が特定の工場事業場に雇用される労働者の過半数を代表する場合において、その労働者がその労働組合の組合員であることを雇用条件とする労働協約を締結することを妨げるものではない。

二 使用者が雇用する労働者の代表者と団体交渉をすることを正当な理由がなくて拒むこと。

三 労働者が労働組合を結成し、若しくは運営することを支配し、若しくはこれに介入すること、又は労働組合の運営のための経費の支払につき経理上の援助を与えること。ただし、労働者が労働時間中に時間又は賃金を失うことなく使用者と協議し、又は交渉することを使用者が許すことを妨げるもの

ではなく、かつ、厚生資金又は経済上の不幸若しくは災厄を防止し、若しくは救済するための支出に実際に用いられる福利その他の基金に対する使用者の寄附及び最小限の広さの事務所の供与を除くものとする。

四　労働者が労働委員会に対し使用者がこの条の規定に違反した旨の申立てをしたこと若しくは中央労働委員会に対し第二十七条の十二第一項の規定による命令に対する再審査の申立てをしたこと又は労働委員会がこれらの申立てに係る調査若しくは審問をし、若しくは当事者に和解を勧め、若しくは労働関係調整法（昭和二十一年法律第二十五号）による労働争議の調整をする場合に労働者が証拠を提示し、若しくは発言をしたことを理由として、その労働者を解雇し、その他これに対して不利益な取扱いをすること。

（損害賠償）

第八条　使用者は、同盟罷業その他の争議行為であつて正当なものによつて損害を受けたことの故をもつて、労働組合又はその組合員に対し賠償を請求することができない。

（基金の流用）

第九条　労働組合は、共済事業その他福利事業のために特設した基金を他の目的のために流用しようとするときは、総会の決議を経なければならない。

（解散）

第十条　労働組合は、左の事由によつて解散する。

一　規約で定めた解散事由の発生

二　組合員又は構成団体の四分の三以上の多数による総会の決議

（法人である労働組合）

第十一条　この法律の規定に適合する旨の労働委員会の証明を受けた労働組合は、その主たる事務所の所在地において登記することによつて法人となる。

2　この法律に規定するものの外、労働組合の登記に関して必要な事項は、政令で定める。

3　労働組合に関して登記すべき事項は、登記した後でなければ第三者に対抗することができない。

（代表者）

第十二条　法人である労働組合には、一人又は数人の代表者を置かなければならない。

2　代表者が数人ある場合において、規約に別段の定めがないときは、法人である労働組合の事務は、代表者の過半数で決する。

（法人である労働組合の代表）

第十二条の二　代表者は、法人である労働組合のすべての事務について、法人である労働組合を代表する。ただし、規約の規定に反することはできず、また、総会の決議に従わなければならない。

（代表者の代表権の制限）

第十二条の三　法人である労働組合の管理については、代表者の代表権に加えた制限は、善意の第三者に対抗することができない。

（代表者の代理行為の委任）

第十二条の四　法人である労働組合の管理については、代表者は、規約又は総会の決議によつて禁止されていないときに限り、特定の行為の代理を他人に委任することができる。

（利益相反行為）

第十二条の五　法人である労働組合が代表者の債務を保証することその他代表者以外の者との間において法人である労働組合と代表者との利益が相反する事項については、代表者は、代表権を有しない。この場合においては、裁判所は、利害関係人の請求により、特別代理人を選任しなければならない。

（一般社団法人及び一般財団法人に関する法律の準用）

第十二条の六　一般社団法人及び一般財団法人に関する法律（平成十八年法律第四十八号）第四条及び第七十八条（第八条に規定する場合を除く。）の規定は、法人である労働組合について準用する。

（清算中の法人である労働組合の能力）

第十三条　解散した法人である労働組合は、清算の目的の範囲内において、その清算の結了に至るまではなお存続するものとみなす。

（清算人）

第十三条の二　法人である労働組合が解散したときは、代表者がその清算人となる。ただし、規約に別段の定めがあるとき、又は総会において代表者以外の者を選任したときは、この限りでない。

（裁判所による清算人の選任）

第十三条の三　前条の規定により清算人となる者がないとき、又は清算人が欠けたため損害を生ずるおそれがあるときは、裁判所は、利害関係人の請求により、清算人を選任することができる。

（清算人の解任）

第十三条の四　重要な事由があるときは、裁判所は、利害関係人の請求により、清算人を解任することができる。

（清算人及び解散の登記）

第十三条の五　清算人は、解散後二週間以内に、主たる事務所の所在地において、その氏名及び住所並びに解散の原因及び年月日の登記をしなければならない。

2　清算中に就職した清算人は、就職後二週間以内に、主たる事務所の所在地において、その氏名及び住所の登記をしなければならない。

（清算人の職務及び権限）

第十三条の六　清算人の職務は、次のとおりとする。

一　現務の結了

二　債権の取立て及び債務の弁済

三　残余財産の引渡し

2　清算人は、前項各号に掲げる職務を行うために必要な一切の行為をすることができる。

（債権の申出の催告等）

第十三条の七　清算人は、その就職の日から二月以内に、少なくとも三回の公告をもつて、債権者に対し、一定の期間内にその債権の申出をすべき旨の催告をしなければならない。この場合において、その期間は、二月を下ることができない。

2　前項の公告には、債権者がその期間内に申出をしないときは清算から除斥されるべき旨を付記しなければならない。ただし、清算人は、知れている債権者を除斥することができない。

3　清算人は、知れている債権者には、各別にその申出の催告をしなければならない。

4　第一項の公告は、官報に掲載してする。

（期間経過後の債権の申出）

第十三条の八　前条第一項の期間の経過後に申出をした債権者は、法人である労働組合の債務が完済された後まだ権利の帰属すべき者に引き渡されていない財産に対してのみ、請求をすることができる。

（清算中の法人である労働組合についての破産手続の開始）

第十三条の九　清算中に法人である労働組合の財産がその債務を完済するのに足りないことが明らかになつたときは、清算人は、直ちに破産手続開始の申立てをし、その旨を公告しなければならない。

2　清算人は、清算中の法人である労働組合が破産手続開始の決定を受けた場合において、破産管財人にその事務を引き継いだときは、その任務を終了したものとする。

3　前項に規定する場合において、清算中の法人である労働組合が既に債権者に支払い、又は権利の帰属すべき者に引き渡したものがあるときは、破産管財人は、これを取り戻すことができる。

4　第一項の規定による公告は、官報に掲載してする。

（残余財産の帰属）

第十三条の十　解散した法人である労働組合の財産は、規約で指定した者に帰属する。

2　規約で権利の帰属すべき者を指定せず、又はその者を指定する方法を定めなかつたときは、代表者は、総会の決議を経て、当該法人である労働組合の目的に類似する目的のために、その財産を処分することができる。

3　前二項の規定により処分されない財産は、国庫に帰属する。

（特別代理人の選任等に関する事件の管轄）

第十三条の十一　次に掲げる事件は、法人である労働組合の主たる事務所の所在地を管轄する地方裁判所の管轄に属する。

一　特別代理人の選任に関する事件

二　法人である労働組合の清算人に関する事件

（不服申立ての制限）

第十三条の十二　法人である労働組合の清算人の選任の裁判に対しては、不服を申し立てることができない。

（裁判所の選任する清算人の報酬）

第十三条の十三　裁判所は、第十三条の三の規定により法人である労働組合の清算人を選任した場合には、法人である労働組合が当該清算人に対して支払う報酬の額を定めることができる。この場合においては、裁判所は、当該清算人の陳述を聴かなければならない。

第三章　労働協約

（労働協約の効力の発生）

第十四条　労働組合と使用者又はその団体との間の労働条件その他に関する労働協約は、書面に作成し、両当事者が署名し、又は記名押印することによつてその効力を生ずる。

（労働協約の期間）

第十五条　労働協約には、三年をこえる有効期間の定をすることができない。

2　三年をこえる有効期間の定をした労働協約は、三年の有効期間の定をした労働協約とみなす。

3　有効期間の定がない労働協約は、当事者の一方が、署名し、又は記名押印した文書によつて相手方に予告して、解約することができる。一定の期間を定める労働協約であつて、その期間の経過後も期限を定めず効力を存続する旨の定があるものについて、その期間の経過後も、同様とする。

4　前項の予告は、解約しようとする日の少くとも九十日前にしなければならない。

（基準の効力）

第十六条　労働協約に定める労働条件その他の労働者の待遇に関する基準に違反する労働契約の部分は、無効とする。この場合において無効となつた部分は、基準の定めるところによる。労働契約に定がない部分についても、同様とする。

（一般的拘束力）

第十七条　一の工場事業場に常時使用される同種の労働者の四分の三以上の数の労働者が一の労働協約の適用を受けるに至つたときは、当該工場事業場に使用される他の同種の労働者に関しても、当該労働協約が適用されるものとする。

（地域的の一般的拘束力）

第十八条　一の地域において従事する同種の労働者の大部分が一の労働協約の適用を受けるに至つたときは、当該労働協約の当事者の双方又は一方の申立てに基づき、労働委員会の決議により、厚生労働大臣又は都道府県知事は、当該地域において従事する他の同種の労働者及びその使用者も当該労働協約（第二項の規定により修正があつたものを含む。）の適用を受けるべきことの決定をすることができる。

2　労働委員会は、前項の決議をする場合において、当該労働協約に不適当な部分があると認めたときは、これを修正することができる。

3　第一項の決定は、公告によつてする。

第四章　労働委員会

第一節　設置、任務及び所掌事務並びに組織等

（労働委員会）

第十九条　労働委員会は、使用者を代表する者（以下「使用者委員」という。）、労働者を代表する者（以下「労働者委員」という。）及び公益を代表する者（以下「公益委員」という。）各同数をもつて組織する。

2　労働委員会は、中央労働委員会及び都道府県労働委員会とする。

3　労働委員会に関する事項は、この法律に定めるもののほか、政令で定める。

（中央労働委員会）

第十九条の二　国家行政組織法（昭和二十三年法律第百二十号）第三条第二項の規定に基づいて、厚生労働大臣の所轄の下に、中央労働委員会を置く。

2　中央労働委員会は、労働者が団結することを擁護し、及び労働関係の公正な調整を図ることを任務とする。

3　中央労働委員会は、前項の任務を達成するため、第五条、第十一条、第十八条及び第二十六条の規定による事務、不当労働行為事件の審査等（第七条、次節及び第三節の規定による事件の処理をいう。以下同じ。）に関する事務、労働争議のあつせん、調停及び仲裁に関する事務並びに労働関係調整法第三十五条の二及び第三十五条の三の規定による事務その他法律（法律

に基づく命令を含む。）に基づき中央労働委員会に属させられた事務をつかさどる。

（中央労働委員会の委員の任命等）

第十九条の三　中央労働委員会は、使用者委員、労働者委員及び公益委員各十五人をもつて組織する。

2　使用者委員は使用者団体の推薦（使用者委員のうち四人については、行政執行法人（独立行政法人通則法（平成十一年法律第百三号）第二条第四項に規定する行政執行法人をいう。以下この項、次条第二項第二号及び第十九条の十第一項において同じ。）の推薦）に基づいて、労働者委員は労働組合の推薦（労働者委員のうち四人については、行政執行法人の労働関係に関する法律（昭和二十三年法律第二百五十七号）第二条第二号に規定する職員（以下この章において「行政執行法人職員」という。）が結成し、又は加入する労働組合の推薦）に基づいて、公益委員は厚生労働大臣が使用者委員及び労働者委員の同意を得て作成した委員候補者名簿に記載されている者のうちから両議院の同意を得て、内閣総理大臣が任命する。

3　公益委員の任期が満了し、又は欠員を生じた場合において、国会の閉会又は衆議院の解散のために両議院の同意を得ることができないときは、内閣総理大臣は、前項の規定にかかわらず、厚生労働大臣が使用者委員及び労働者委員の同意を得て作成した委員候補者名簿に記載されている者のうちから、公益委員を任命することができる。

4　前項の場合においては、任命後最初の国会で両議院の事後の承認を求めなければならない。この場合において、両議院の事後の承認が得られないときは、内閣総理大臣は、直ちにその公益委員を罷免しなければならない。

5　公益委員の任命については、そのうち七人以上が同一の政党に属することとなつてはならない。

6　中央労働委員会の委員（次条から第十九条の九までにおいて単に「委員」という。）は、非常勤とする。ただし、公益委員のうち二人以内は、常勤とすることができる。

（委員の欠格条項）

第十九条の四　禁錮以上の刑に処せられ、その執行を終わるまで、又は執行を受けることがなくなるまでの者は、委員となることができない。

2　次の各号のいずれかに該当する者は、公益委員となることができない。

一　国会又は地方公共団体の議会の議員

二　行政執行法人の役員、行政執行法人職員又は行政執行法人職員が結成し、若しくは加入する労働組合の組合員若しくは役員

（委員の任期等）

第十九条の五　委員の任期は、二年とする。ただし、補欠の委員の任期は、前任者の残任期間とする。

2　委員は、再任されることができる。

3　委員の任期が満了したときは、当該委員は、後任者が任命されるまで引き続き在任するものとする。

（公益委員の服務）

第十九条の六　常勤の公益委員は、在任中、次の各号のいずれかに該当する行為をしてはならない。

一　政党その他の政治的団体の役員となり、又は積極的に政治運動をすること。

二　内閣総理大臣の許可のある場合を除くほか、報酬を得て他の職務に従事し、又は営利事業を営み、その他金銭上の利益を目的とする業務を行うこと。

2　非常勤の公益委員は、在任中、前項第一号に該当する行為をしてはならない。

（委員の失職及び罷免）

第十九条の七　委員は、第十九条の四第一項に規定する者に該当するに至つた場合には、その職を失う。公益委員が同条第二項各号のいずれかに該当するに至つた場合も、同様とする。

2　内閣総理大臣は、委員が心身の故障のために職務の執行ができないと認める場合又は委員に職務上の義務違反その他委員たるに適しない非行があると認める場合には、使用者委員及び労働者委員にあつては中央労働委員会の同意を得て、公益委員にあつては両議院の同意を得て、その委員を罷免することができる。

3　前項の規定により、内閣総理大臣が中央労働委員会に対して、使用者委員又は労働者委員の罷免の同意を求めた場合には、当該委員は、その議事に参与することができない。

4　内閣総理大臣は、公益委員のうち六人が既に属している政党に新たに属するに至つた公益委員を直ちに罷免するものとする。

5　内閣総理大臣は、公益委員のうち七人以上が同一の政党に属することとなつた場合（前項の規定に該当する場合を除く。）には、同一の政党に属する者が六人になるように、両議院の同意を得て、公益委員を罷免するものとする。ただし、政党所属関係に異動のなかつた委員を罷免することはできないものとする。

（委員の給与等）

第十九条の八　委員は、別に法律の定めるところにより俸給、手当その他の給与を受け、及び政令の定めるところによりその職務を行うために要する費用の弁償を受けるものとする。

（中央労働委員会の会長）

第十九条の九　中央労働委員会に会長を置く。

2　会長は、委員が公益委員のうちから選挙する。

3　会長は、中央労働委員会の会務を総理し、中央労働委員会を代表する。

4　中央労働委員会は、あらかじめ公益委員のうちから委員の選挙により、会長に故障がある場合において会長を代理する委員を定めておかなければならない。

（地方調整委員）

第十九条の十　中央労働委員会に、行政執行法人とその行政執行法人職員との間に発生した紛争その他の事件で地方において中央労働委員会が処理すべきものとして政令で定めるものに係るあつせん若しくは調停又は第二十四条の二第五項の規定による手続に参与させるため、使用者、労働者及び公益をそれぞれ代表する地方調整委員を置く。

2　地方調整委員は、中央労働委員会の同意を得て、政令で定める区域ごとに厚生労働大臣が任命する。

3　第十九条の五第一項本文及び第二項、第十九条の七第二項並びに第十九条の八の規定は、地方調整委員について準用する。この場合において、第十九条の七第二項中「内閣総理大臣」とあるのは「厚生労働大臣」と、「使用者委員及び労働者委員に

あつては中央労働委員会の同意を得て、公益委員にあつては両議院」とあるのは「中央労働委員会」と読み替えるものとする。

（中央労働委員会の事務局）

第十九条の十一 中央労働委員会にその事務を整理させるために事務局を置き、事務局に会長の同意を得て厚生労働大臣が任命する事務局長及び必要な職員を置く。

2 事務局に、地方における事務を分掌させるため、地方事務所を置く。

3 地方事務所の位置、名称及び管轄区域は、政令で定める。

（都道府県労働委員会）

第十九条の十二 都道府県知事の所轄の下に、都道府県労働委員会を置く。

2 都道府県労働委員会は、使用者委員、労働者委員及び公益委員各十三人、各十一人、各九人、各七人又は各五人のうち政令で定める数のものをもつて組織する。ただし、条例で定めるところにより、当該政令で定める数に使用者委員、労働者委員及び公益委員各二人を加えた数のものをもつて組織することができる。

3 使用者委員は使用者団体の推薦に基づいて、労働者委員は労働組合の推薦に基づいて、公益委員は使用者委員及び労働者委員の同意を得て、都道府県知事が任命する。

4 公益委員の任命については、都道府県労働委員会における別表の上欄に掲げる公益委員の数（第二項ただし書の規定により公益委員の数を同項の政令で定める数に二人を加えた数とする都道府県労働委員会にあつては当該二人を加えた数）に応じ、それぞれ同表の下欄に定める数以上の公益委員が同一の政党に属することとなつてはならない。

5 公益委員は、自己の行為によつて前項の規定に抵触するに至つたときは、当然退職するものとする。

6 第十九条の三第六項、第十九条の四第一項、第十九条の五、第十九条の七第一項前段、第二項及び第三項、第十九条の八、第十九条の九並びに前条第一項の規定は、都道府県労働委員会について準用する。この場合において、第十九条の三第六項ただし書中「、常勤」とあるのは「、条例で定めるところにより、常勤」と、第十九条の七第二項中「内閣総理大臣」とあるのは「都道府県知事」と、「使用者委員及び労働者委員にあつては中央労働委員会の同意を得て、公益委員にあつては両議院」とあるのは「都道府県労働委員会」と、同条第三項中「内閣総理大臣」とあるのは「都道府県知事」と、「使用者委員又は労働者委員」とあるのは「都道府県労働委員会の委員」と、前条第一項中「厚生労働大臣」とあるのは「都道府県知事」と読み替えるものとする。

（労働委員会の権限）

第二十条 労働委員会は、第五条、第十一条及び第十八条の規定によるもののほか、不当労働行為事件の審査等並びに労働争議のあつせん、調停及び仲裁をする権限を有する。

（会議）

第二十一条 労働委員会は、公益上必要があると認めたときは、その会議を公開することができる。

2 労働委員会の会議は、会長が招集する。

3 労働委員会は、使用者委員、労働者委員及び公益委員各一人以上が出席しなければ、会議を開き、議決することができない。

4 議事は、出席委員の過半数で決し、可否同数のときは、会長の決するところによる。

（強制権限）

第二十二条 労働委員会は、その事務を行うために必要があると認めたときは、使用者又はその団体、労働組合その他の関係者に対して、出頭、報告の提出若しくは必要な帳簿書類の提出を求め、又は委員若しくは労働委員会の職員（以下単に「職員」という。）に関係工場事業場に臨検し、業務の状況若しくは帳簿書類その他の物件を検査させることができる。

2 労働委員会は、前項の臨検又は検査をさせる場合においては、委員又は職員にその身分を証明する証票を携帯させ、関係人にこれを呈示させなければならない。

（秘密を守る義務）

第二十三条 労働委員会の委員若しくは委員であつた者又は職員若しくは職員であつた者は、その職務に関して知得した秘密を漏らしてはならない。中央労働委員会の地方調整委員又は地方調整委員であつた者も、同様とする。

（公益委員のみで行う権限）

第二十四条 第五条及び第十一条の規定による事件の処理並びに不当労働行為事件の審査等（次条において「審査等」という。）並びに労働関係調整法第四十二条の規定による事件の処理には、労働委員会の公益委員のみが参与する。ただし、使用者委員及び労働者委員は、第二十七条第一項（第二十七条の十七の規定により準用する場合を含む。）の規定により調査（公益委員の求めがあつた場合に限る。）及び審問を行う手続並びに第二十七条の十四第一項（第二十七条の十七の規定により準用する場合を含む。）の規定により和解を勧める手続に参与し、又は第二十七条の七第四項及び第二十七条の十二第二項（第二十七条の十七の規定により準用する場合を含む。）の規定による行為をすることができる。

2 中央労働委員会は、常勤の公益委員に、中央労働委員会に係属している事件に関するもののほか、行政執行法人職員の労働関係の状況その他中央労働委員会の事務を処理するために必要と認める事項の調査を行わせることができる。

（合議体等）

第二十四条の二 中央労働委員会は、会長が指名する公益委員五人をもつて構成する合議体で、審査等を行う。

2 前項の規定にかかわらず、次の各号のいずれかに該当する場合においては、公益委員の全員をもつて構成する合議体で、審査等を行う。

一 前項の合議体が、法令の解釈適用について、その意見が前に中央労働委員会のした第五条第一項若しくは第十一条第一項又は第二十七条の十二第一項（第二十七条の十七の規定により準用する場合を含む。）の規定による処分に反すると認めた場合

二 前項の合議体を構成する者の意見が分かれたため、その合議体としての意見が定まらない場合

三 前項の合議体が、公益委員の全員をもつて構成する合議体で審査等を行うことを相当と認めた場合

四 第二十七条の十第三項（第二十七条の十七の規定により準用する場合を含む。）の規定による異議の申立てを審理する

場合

3　都道府県労働委員会は、公益委員の全員をもつて構成する合議体で、審査等を行う。ただし、条例で定めるところにより、会長が指名する公益委員五人又は七人をもつて構成する合議体で、審査等を行うことができる。この場合において、前項（第一号及び第四号を除く。）の規定は、都道府県労働委員会について準用する。

4　労働委員会は、前三項の規定により審査等を行うときは、一人又は数人の公益委員に審査等の手続（第五条第一項、第十一条第一項、第二十七条の四第一項（第二十七条の十七の規定により準用する場合を含む。）、第二十七条の七第一項（当事者若しくは証人に陳述させ、又は提出された物件を留め置く部分を除き、第二十七条の十七の規定により準用する場合を含む。）、第二十七条の十第二項並びに同条第四項及び第二十七条の十二第一項（第二十七条の十七の規定により準用する場合を含む。）の規定による処分並びに第二十七条の二十の申立てを除く。次項において同じ。）の全部又は一部を行わせることができる。

5　中央労働委員会は、公益を代表する地方調整委員に、中央労働委員会が行う審査等の手続のうち、第二十七条第一項（第二十七条の十七の規定により準用する場合を含む。）の規定により調査及び審問を行う手続並びに第二十七条の十四第一項（第二十七条の十七の規定により準用する場合を含む。）の規定により和解を勧める手続の全部又は一部を行わせることができる。この場合において、使用者を代表する地方調整委員及び労働者を代表する地方調整委員は、これらの手続（調査を行う手続にあつては公益を代表する地方調整委員の求めがあつた場合に限る。）に参与することができる。

（中央労働委員会の管轄等）

第二十五条　中央労働委員会は、行政執行法人職員の労働関係に係る事件のあつせん、調停、仲裁及び処分（行政執行法人職員が結成し、又は加入する労働組合に関する第五条第一項及び第十一条第一項の規定による処分については、政令で定めるものに限る。）について、専属的に管轄するほか、二以上の都道府県にわたり、又は全国的に重要な問題に係る事件のあつせん、調停、仲裁及び処分について、優先して管轄する。

2　中央労働委員会は、第五条第一項、第十一条第一項及び第二十七条の十二第一項の規定による都道府県労働委員会の処分を取り消し、承認し、若しくは変更する完全な権限をもつて再審査し、又はその処分に対する再審査の申立を却下することができる。この再審査は、都道府県労働委員会の処分の当事者のいずれか一方の申立てに基づいて、又は職権で、行うものとする。

（規則制定権）

第二十六条　中央労働委員会は、その行う手続及び都道府県労働委員会が行う手続に関する規則を定めることができる。

2　都道府県労働委員会は、前項の規則に違反しない限りにおいて、その会議の招集に関する事項その他の政令で定める事項に関する規則を定めることができる。

第二節　不当労働行為事件の審査の手続

（不当労働行為事件の審査の開始）

第二十七条　労働委員会は、使用者が第七条の規定に違反した旨の申立てを受けたときは、遅滞なく調査を行い、必要があると認めたときは、当該申立てが理由があるかどうかについて審問を行わなければならない。この場合において、審問の手続においては、当該使用者及び申立人に対し、証拠を提出し、証人に反対尋問をする充分な機会が与えられなければならない。

2　労働委員会は、前項の申立てが、行為の日（継続する行為にあつてはその終了した日）から一年を経過した事件に係るものであるときは、これを受けることができない。

（公益委員の除斥）

第二十七条の二　公益委員は、次の各号のいずれかに該当するときは、審査に係る職務の執行から除斥される。

一　公益委員又はその配偶者若しくは配偶者であつた者が事件の当事者又は法人である当事者の代表者であり、又はあつたとき。

二　公益委員が事件の当事者の四親等以内の血族、三親等以内の姻族又は同居の親族であり、又はあつたとき。

三　公益委員が事件の当事者の後見人、後見監督人、保佐人、保佐監督人、補助人又は補助監督人であるとき。

四　公益委員が事件について証人となつたとき。

五　公益委員が事件について当事者の代理人であり、又はあつたとき。

2　前項に規定する除斥の原因があるときは、当事者は、除斥の申立てをすることができる。

（公益委員の忌避）

第二十七条の三　公益委員について審査の公正を妨げるべき事情があるときは、当事者は、これを忌避することができる。

2　当事者は、事件について労働委員会に対し書面又は口頭をもつて陳述した後は、公益委員を忌避することができない。ただし、忌避の原因があることを知らなかつたとき、又は忌避の原因がその後に生じたときは、この限りでない。

（除斥又は忌避の申立てについての決定）

第二十七条の四　除斥又は忌避の申立てについては、労働委員会が決定する。

2　除斥又は忌避の申立てに係る公益委員は、前項の規定による決定に関与することができない。ただし、意見を述べることができる。

3　第一項の規定による決定は、書面によるものとし、かつ、理由を付さなければならない。

（審査の手続の中止）

第二十七条の五　労働委員会は、除斥又は忌避の申立てがあつたときは、その申立てについての決定があるまで審査の手続を中止しなければならない。ただし、急速を要する行為についてはこの限りでない。

（審査の計画）

第二十七条の六　労働委員会は、審問開始前に、当事者双方の意見を聴いて、審査の計画を定めなければならない。

2　前項の審査の計画においては、次に掲げる事項を定めなければならない。

一　調査を行う手続において整理された争点及び証拠（その後の審査の手続における取調べが必要な証拠として整理されたものを含む。）

二　審問を行う期間及び回数並びに尋問する証人の数

三　第二十七条の十二第一項の命令の交付の予定時期

3　労働委員会は、審査の現状その他の事情を考慮して必要があると認めるときは、当事者双方の意見を聴いて、審査の計画を変更することができる。
4　労働委員会及び当事者は、適正かつ迅速な審査の実現のため、審査の計画に基づいて審査が行われるよう努めなければならない。

（証拠調べ）
第二十七条の七　労働委員会は、当事者の申立てにより又は職権で、調査を行う手続においては第二号に掲げる方法により、審問を行う手続においては次の各号に掲げる方法により証拠調べをすることができる。
一　事実の認定に必要な限度において、当事者又は証人に出頭を命じて陳述させること。
二　事件に関係のある帳簿書類その他の物件であつて、当該物件によらなければ当該物件により認定すべき事実を認定することが困難となるおそれがあると認めるもの（以下「物件」という。）の所持者に対し、当該物件の提出を命じ、又は提出された物件を留め置くこと。
2　労働委員会は、前項第二号の規定により物件の提出を命ずる処分（以下「物件提出命令」という。）をするかどうかを決定するに当たつては、個人の秘密及び事業者の事業上の秘密の保護に配慮しなければならない。
3　労働委員会は、物件提出命令をする場合において、物件に提出を命ずる必要がないと認める部分又は前項の規定により配慮した結果提出を命ずることが適当でないと認める部分があるときは、その部分を除いて、提出を命ずることができる。
4　調査又は審問を行う手続に参与する使用者委員及び労働者委員は、労働委員会が第一項第一号の規定により当事者若しくは証人に出頭を命ずる処分（以下「証人等出頭命令」という。）又は物件提出命令をしようとする場合には、意見を述べることができる。
5　労働委員会は、職権で証拠調べをしたときは、その結果について、当事者の意見を聴かなければならない。
6　物件提出命令の申立ては、次に掲げる事項を明らかにしてしなければならない。
一　物件の表示
二　物件の趣旨
三　物件の所持者
四　証明すべき事実
7　労働委員会は、物件提出命令をしようとする場合には、物件の所持者を審尋しなければならない。
8　労働委員会は、物件提出命令をする場合には、第六項各号（第三号を除く。）に掲げる事項を明らかにしなければならない。

第二十七条の八　労働委員会が証人に陳述させるときは、その証人に宣誓をさせなければならない。
2　労働委員会が当事者に陳述させるときは、その当事者に宣誓をさせることができる。

第二十七条の九　民事訴訟法（平成八年法律第百九号）第百九十六条、第百九十七条及び第二百一条第二項から第四項までの規定は、労働委員会が証人に陳述させる手続に、同法第二百十条の規定において準用する同法第二百一条第二項の規定は、労働委員会が当事者に陳述させる手続について準用する。

（不服の申立て）
第二十七条の十　都道府県労働委員会の証人等出頭命令又は物件提出命令（以下この条において「証人等出頭命令等」という。）を受けた者は、証人等出頭命令等について不服があるときは、証人等出頭命令等を受けた日から一週間以内（天災その他この期間内に審査の申立てをしなかつたことについてやむを得ない理由があるときは、その理由がやんだ日の翌日から起算して一週間以内）に、その理由を記載した書面により、中央労働委員会に審査を申し立てることができる。
2　中央労働委員会は、前項の規定による審査の申立てを理由があると認めるときは、証人等出頭命令等の全部又は一部を取り消す。
3　中央労働委員会の証人等出頭命令等を受けた者は、証人等出頭命令等について不服があるときは、証人等出頭命令等を受けた日から一週間以内（天災その他この期間内に異議の申立てをしなかつたことについてやむを得ない理由があるときは、その理由がやんだ日の翌日から起算して一週間以内）に、その理由を記載した書面により、中央労働委員会に異議を申し立てることができる。
4　中央労働委員会は、前項の規定による異議の申立てを理由があると認めるときは、証人等出頭命令等の全部若しくは一部を取り消し、又はこれを変更する。
5　審査の申立て又は異議の申立ての審理は、書面による。
6　中央労働委員会は、職権で審査申立人又は異議申立人を審尋することができる。

（審問廷の秩序維持）
第二十七条の十一　労働委員会は、審問を妨げる者に対し退廷を命じ、その他審問廷の秩序を維持するために必要な措置を執ることができる。

（救済命令等）
第二十七条の十二　労働委員会は、事件が命令を発するのに熟したときは、事実の認定をし、この認定に基づいて、申立人の請求に係る救済の全部若しくは一部を認容し、又は申立てを棄却する命令（以下「救済命令等」という。）を発しなければならない。
2　調査又は審問を行う手続に参与する使用者委員及び労働者委員は、労働委員会が救済命令等を発しようとする場合は、意見を述べることができる。
3　第一項の事実の認定及び救済命令等は、書面によるものとし、その写しを使用者及び申立人に交付しなければならない。
4　救済命令等は、交付の日から効力を生ずる。

（救済命令等の確定）
第二十七条の十三　使用者が救済命令等について第二十七条の十九第一項の期間内に同項の取消しの訴えを提起しないときは、救済命令等は、確定する。
2　使用者が確定した救済命令等に従わないときは、労働委員会は、使用者の住所地の地方裁判所にその旨を通知しなければならない。この通知は、労働組合及び労働者もすることができる。

（和解）
第二十七条の十四　労働委員会は、審査の途中において、いつでも、当事者に和解を勧めることができる。

2　救済命令等が確定するまでの間に当事者間で和解が成立し、当事者双方の申立てがあつた場合において、労働委員会が当該和解の内容が当事者間の労働関係の正常な秩序を維持させ、又は確立させるため適当と認めるときは、審査の手続は終了する。

3　前項に規定する場合において、和解（前項の規定により労働委員会が適当と認めたものに限る。次項において同じ。）に係る事件について既に発せられている救済命令等は、その効力を失う。

4　労働委員会は、和解に金銭の一定額の支払又はその他の代替物若しくは有価証券の一定の数量の給付を内容とする合意が含まれる場合は、当事者双方の申立てにより、当該合意について和解調書を作成することができる。

5　前項の和解調書は、強制執行に関しては、民事執行法（昭和五十四年法律第四号）第二十二条第五号に掲げる債務名義とみなす。

6　前項の規定による債務名義についての執行文の付与は、労働委員会の会長が行う。民事執行法第二十九条後段の執行文及び文書の謄本の送達も、同様とする。

7　前項の規定による執行文付与に関する異議についての裁判は、労働委員会の所在地を管轄する地方裁判所においてする。

8　第四項の和解調書並びに第六項後段の執行文及び文書の謄本の送達に関して必要な事項は、政令で定める。

（再審査の申立て）

第二十七条の十五　使用者は、都道府県労働委員会の救済命令等の交付を受けたときは、十五日以内（天災その他この期間内に再審査の申立てをしなかつたことについてやむを得ない理由があるときは、その理由がやんだ日の翌日から起算して一週間以内）に中央労働委員会に再審査の申立てをすることができる。ただし、この申立ては、救済命令等の効力を停止せず、救済命令等は、中央労働委員会が第二十五条第二項の規定による再審査の結果、これを取り消し、又は変更したときは、その効力を失う。

2　前項の規定は、労働組合又は労働者が中央労働委員会に対して行う再審査の申立てについて準用する。

（再審査と訴訟との関係）

第二十七条の十六　中央労働委員会は、第二十七条の十九第一項の訴えに基づく確定判決によつて都道府県労働委員会の救済命令等の全部又は一部が支持されたときは、当該救済命令等について、再審査することができない。

（再審査の手続への準用）

第二十七条の十七　第二十七条第一項、第二十七条の二から第二十七条の九まで、第二十七条の十第三項から第六項まで及び第二十七条の十一から第二十七条の十四までの規定は、中央労働委員会の再審査の手続について準用する。この場合において、第二十七条の二第一項第四号中「とき」とあるのは「とき又は事件について既に発せられている都道府県労働委員会の救済命令等に関与したとき」と読み替えるものとする。

（審査の期間）

第二十七条の十八　労働委員会は、迅速な審査を行うため、審査の期間の目標を定めるとともに、目標の達成状況その他の審査の実施状況を公表するものとする。

第三節　訴訟

（取消しの訴え）

第二十七条の十九　使用者が都道府県労働委員会の救済命令等について中央労働委員会に再審査の申立てをしないとき、又は中央労働委員会が救済命令等を発したときは、使用者は、救済命令等の交付の日から三十日以内に、救済命令等の取消しの訴えを提起することができる。この期間は、不変期間とする。

2　使用者は、第二十七条の十五第一項の規定により中央労働委員会に再審査の申立てをしたときは、その申立てに対する中央労働委員会の救済命令等に対してのみ、取消しの訴えを提起することができる。この訴えについては、行政事件訴訟法（昭和三十七年法律第百三十九号）第十二条第三項から第五項までの規定は、適用しない。

3　前項の規定は、労働組合又は労働者が行政事件訴訟法の定めるところにより提起する取消しの訴えについて準用する。

（緊急命令）

第二十七条の二十　前条第一項の規定により使用者が裁判所に訴えを提起した場合において、受訴裁判所は、救済命令等を発した労働委員会の申立てにより、決定をもつて、使用者に対し判決の確定に至るまで救済命令等の全部又は一部に従うべき旨を命じ、又は当事者の申立てにより、若しくは職権でこの決定を取り消し、若しくは変更することができる。

（証拠の申出の制限）

第二十七条の二十一　労働委員会が物件提出命令をしたにもかかわらず物件を提出しなかつた者（審査の手続において当事者でなかつた者を除く。）は、裁判所に対し、当該物件提出命令に係る物件により認定すべき事実を証明するためには、当該物件に係る証拠の申出をすることができない。ただし、物件を提出しなかつたことについて正当な理由があると認められる場合は、この限りでない。

第四節　雑則

（中央労働委員会の勧告等）

第二十七条の二十二　中央労働委員会は、都道府県労働委員会に対し、この法律の規定により都道府県労働委員会が処理する事務について、報告を求め、又は法令の適用その他当該事務の処理に関して必要な勧告、助言若しくはその委員若しくは事務局職員の研修その他の援助を行うことができる。

（抗告訴訟の取扱い等）

第二十七条の二十三　都道府県労働委員会は、その処分（行政事件訴訟法第三条第二項に規定する処分をいい、第二十四条の二第四項の規定により公益委員がした処分及び同条第五項の規定により公益を代表する地方調整委員がした処分を含む。次項において同じ。）に係る行政事件訴訟法第十一条第一項（同法第三十八条第一項において準用する場合を含む。次項において同じ。）の規定による都道府県を被告とする訴訟について、当該都道府県を代表する。

2　都道府県労働委員会は、公益委員、事務局長又は事務局の職員でその指定するものに都道府県労働委員会の処分に係る行政事件訴訟法第十一条第一項の規定による都道府県を被告とする訴訟又は都道府県労働委員会を当事者とする訴訟を行わせることができる。

（費用弁償）

第二十七条の二十四　第二十二条第一項の規定により出頭を求め

られた者又は第二十七条の七第一項第一号（第二十七条の十七の規定により準用する場合を含む。）の証人は、政令の定めるところにより、費用の弁償を受けることができる。

（行政手続法の適用除外）

第二十七条の二十五 労働委員会がする処分（第二十四条の二第四項の規定により公益委員がする処分及び同条第五項の規定により公益を代表する地方調整委員がする処分を含む。）については、行政手続法（平成五年法律第八十八号）第二章及び第三章の規定は、適用しない。

（審査請求の制限）

第二十七条の二十六 労働委員会がする処分（第二十四条の二第四項の規定により公益委員がする処分及び同条第五項の規定により公益を代表する地方調整委員がする処分を含む。）又はその不作為については、審査請求をすることができない。

第五章 罰則

第二十八条 救済命令等の全部又は一部が確定判決によつて支持された場合において、その違反があつたときは、その行為をした者は、一年以下の禁錮若しくは百万円以下の罰金に処し、又はこれに併科する。

第二十八条の二 第二十七条の八第一項（第二十七条の十七の規定により準用する場合を含む。）の規定により宣誓した証人が虚偽の陳述をしたときは、三月以上十年以下の懲役に処する。

第二十九条 第二十三条の規定に違反した者は、一年以下の懲役又は三十万円以下の罰金に処する。

第三十条 第二十二条の規定に違反して報告をせず、若しくは虚偽の報告をし、若しくは帳簿書類の提出をせず、又は同条の規定に違反して出頭をせず、若しくは同条の規定による検査を拒み、妨げ、若しくは忌避した者は、三十万円以下の罰金に処する。

第三十一条 法人の代表者又は法人若しくは人の代理人、使用人その他の従業者が、その法人又は人の業務に関して前条の違反行為をしたときは、行為者を罰するほか、その法人又は人に対しても同条の刑を科する。

第三十二条 使用者が第二十七条の二十の規定による裁判所の命令に違反したときは、五十万円（当該命令が作為を命ずるものであるときは、その命令の日の翌日から起算して不履行の日数が五日を超える場合にはその超える日数一日につき十万円の割合で算定した金額を加えた金額）以下の過料に処する。第二十七条の十三第一項（第二十七条の十七の規定により準用する場合を含む。）の規定により確定した救済命令等に違反した場合も、同様とする。

第三十二条の二 次の各号のいずれかに該当する者は、三十万円以下の過料に処する。

一 正当な理由がないのに、第二十七条の七第一項第一号（第二十七条の十七の規定により準用する場合を含む。）の規定による処分に違反して出頭せず、又は陳述をしない者

二 正当な理由がないのに、第二十七条の七第一項第二号（第二十七条の十七の規定により準用する場合を含む。）の規定による処分に違反して物件を提出しない者

三 正当な理由がないのに、第二十七条の八（第二十七条の十七の規定により準用する場合を含む。）の規定による処分に違反して宣誓をしない者

第三十二条の三 第二十七条の八第二項（第二十七条の十七の規定により準用する場合を含む。）の規定により宣誓した当事者が虚偽の陳述をしたときは、三十万円以下の過料に処する。

第三十二条の四 第二十七条の十一（第二十七条の十七の規定により準用する場合を含む。）の規定による処分に違反して審問を妨げた者は、十万円以下の過料に処する。

第三十三条 法人である労働組合の清算人は、次の各号のいずれかに該当する場合には、五十万円以下の過料に処する。

一 第十三条の五に規定する登記を怠つたとき。

二 第十三条の七第一項又は第十三条の九第一項の公告を怠り、又は不正の公告をしたとき。

三 第十三条の九第一項の規定による破産手続開始の申立てを怠つたとき。

四 官庁又は総会に対し、不実の申立てをし、又は事実を隠ぺいしたとき。

2 前項の規定は、法人である労働組合の代表者が第十一条第二項の規定に基いて発する政令で定められた登記事項の変更の登記をすることを怠つた場合において、その代表者につき準用する。

附 則（抄）

1 この法律施行の期日は、公布の日から起算して三十日を越えない期間内において、政令で定める。〔昭二四・六・一〇施行〕

2 この法律施行の際現に法人である労働組合は、この法律の規定による法人である労働組合とみなす。但し、この法律施行の日から六十日以内にこの法律の規定に適合する旨の労働委員会の証明を受けなければならない。

3 この法律施行の際現に労働委員会の委員である者は、この法律の規定によつて罷免される場合を除く外、その任期満了の日まで在任するものとし、労働委員会の事務局長及びその他の職員は、法令に従つて別に辞令を発せられないときは、この法律の規定によつて任命されたものとみなされ、同級に止まり、同俸給を受けるものとする。

4 この法律施行の際現に労働委員会に係属中の事件の処理については、なお改正前の労働組合法（昭和二十年法律第五十一号）の規定による。

5 この法律の施行前にした行為に対する罰則の適用については、なお従前の例による。

別表（第十九条の十二関係）

十五人	七人
十三人	六人
十一人	五人
九人	四人
七人	三人
五人	二人

㊟ 次の法律の第二三五条により労働組合法が改正されたが、刑法等一部改正法施行日〔令七・六・一〕から施行となるため、一部改正法の形式で掲載した。

○刑法等の一部を改正する法律の施行に伴う関係法律の整理等に関する法律

令四・六・一七
法　六　八

（労働組合法の一部改正）

第二百三十五条　労働組合法（昭和二十四年法律第百七十四号）の一部を次のように改正する。

第十九条の四第一項中「禁錮」を「拘禁刑」に改める。

第二十八条中「禁錮」を「拘禁刑」に改める。

第二十八条の二及び第二十九条中「懲役」を「拘禁刑」に改める。

附　則（抄）

（施行期日）

1　この法律は、刑法等一部改正法施行日〔令七・六・一〕から施行する。〔ただし書略〕

㊟ 次の法律の第三六条により労働組合法が改正されたが、公布の日から起算して二年六月を超えない範囲内において政令で定める日から施行となるため、一部改正法の形式で掲載した。

○民事関係手続等における情報通信技術の活用等の推進を図るための関係法律の整備に関する法律

令五・六・一四
法　五　三

（労働組合法の一部改正）

第三十六条　労働組合法（昭和二十四年法律第百七十四号）の一部を次のように改正する。

第二十七条の十四第六項中「の執行文及び文書の謄本」を削り、同条第八項中「並びに」を「の送達及び」に改め、「の執行文及び文書の謄本」を削る。

附　則（抄）

この法律は、公布の日から起算して五年を超えない範囲内において政令で定める日から施行する。ただし、次の各号に掲げる規定は、当該各号に定める日から施行する。

一　〔略〕

二　〔前略〕第三十六条〔中略〕の規定〔中略〕　公布の日から起算して二年六月を超えない範囲内において政令で定める日

三　〔略〕

○労働関係調整法

（昭二一・九・二七　法　二五）

最終改正　平二六・六・一三法六九

目次〔略〕

第一章　総則

第一条　この法律は、労働組合法と相俟つて、労働関係の公正な調整を図り、労働争議を予防し、又は解決して、産業の平和を維持し、もつて経済の興隆に寄与することを目的とする。

第二条　労働関係の当事者は、互に労働関係を適正化するやうに、労働協約中に、常に労働関係の調整を図るための正規の機関の設置及びその運営に関する事項を定めるやうに、且つ労働争議が発生したときは、誠意をもつて自主的にこれを解決するやうに、特に努力しなければならない。

第三条　政府は、労働関係に関する主張が一致しない場合に、労働関係の当事者が、これを自主的に調整することに対し助力を与へ、これによつて争議行為をできるだけ防止することに努めなければならない。

第四条　この法律は、労働関係の当事者が、直接の協議又は団体交渉によつて、労働条件その他労働関係に関する事項を定め、又は労働関係に関する主張の不一致を調整することを妨げるものでないとともに、又、労働関係の当事者が、かかる努力をする責務を免除するものではない。

第五条　この法律によつて労働関係の調整をなす場合には、当事者及び労働委員会その他の関係機関は、できるだけ適宜の方法を講じて、事件の迅速な処理を図らなければならない。

第六条　この法律において労働争議とは、労働関係の当事者間において、労働関係に関する主張が一致しないで、そのために争議行為が発生してゐる状態又は発生する虞がある状態をいふ。

第七条　この法律において争議行為とは、同盟罷業、怠業、作業所閉鎖その他労働関係の当事者が、その主張を貫徹することを目的として行ふ行為及びこれに対抗する行為であつて、業務の正常な運営を阻害するものをいふ。

第八条　この法律において公益事業とは、次に掲げる事業であつて、公衆の日常生活に欠くことのできないものをいう。

一　運輸事業

二　郵便、信書便又は電気通信の事業

三　水道、電気又はガスの供給の事業

四　医療又は公衆衛生の事業

②　内閣総理大臣は、前項の事業の外、国会の承認を経て、業務の停廃が国民経済を著しく阻害し、又は公衆の日常生活を著しく危くする事業を、一年以内の期間を限り、公益事業として指定することができる。

③　内閣総理大臣は、前項の規定によつて公益事業の指定をしたときは、遅滞なくその旨を、官報に告示するの外、新聞、ラヂオ等適宜の方法により、公表しなければならない。

第八条の二　中央労働委員会及び都道府県労働委員会に、その行う労働争議の調停又は仲裁に参与させるため、中央労働委員会にあつては厚生労働大臣が、都道府県労働委員会にあつては都道府県知事がそれぞれ特別調整委員を置くことができる。

②　中央労働委員会に置かれる特別調整委員は、厚生労働大臣が、都道府県労働委員会に置かれる特別調整委員は、都道府県知事が任命する。

③　特別調整委員は、使用者を代表する者、労働者を代表する者及び公益を代表する者とする。

④　特別調整委員のうち、使用者を代表する者は使用者団体の推薦に基づいて、労働者を代表する者は労働組合の推薦に基づいて、公益を代表する者は当該労働委員会の使用者を代表する委員（行政執行法人の労働関係に関する法律（昭和二十三年法律第二百五十七号）第二十五条に規定する行政執行法人担当使用者委員（次条において「行政執行法人担当使用者委員」という。）を除く。）及び労働者を代表する委員（同法第二十五条に規定する行政執行法人担当労働者委員（次条において「行政執行法人担当労働者委員」という。）を除く。）の同意を得て、任命されるものとする。

⑤　特別調整委員は、政令で定めるところにより、その職務を行ふために要する費用の弁償を受けることができる。

⑥　特別調整委員に関する事項は、この法律に定めるものの外、政令でこれを定める。

第八条の三　中央労働委員会が第十条のあつせん員候補者の委嘱及びその名簿の作成、第十二条第一項ただし書の労働委員会の同意、第十八条第四号の労働委員会の決議その他政令で定める事務を処理する場合には、これらの事務の処理には、使用者を代表する委員のうち行政執行法人担当使用者委員以外の委員（第二十一条第一項において「一般企業担当使用者委員」という。）、労働者を代表する委員のうち行政執行法人担当労働者委員以外の委員（第二十一条第一項において「一般企業担当労働者委員」という。）並びに公益を代表する委員のうち会長があらかじめ指名する十人の委員及び会長（第二十一条第一項及び第三十一条の二において「一般企業担当公益委員」という。）のみが参与する。この場合において、中央労働委員会の事務の処理に関し必要な事項は、政令で定める。

第九条　争議行為が発生したときは、その当事者は、直ちにその旨を労働委員会又は都道府県知事に届け出なければならない。

第二章　斡旋

第十条　労働委員会は、斡旋員候補者を委嘱し、その名簿を作製して置かなければならない。

第十一条　斡旋員候補者は、学識経験を有する者で、この章の規定に基いて労働争議の解決につき援助を与へることができる者でなければならないが、その労働委員会の管轄区域内に住んでゐる者でなくても差し支へない。

第十二条　労働争議が発生したときは、労働委員会の会長は、関係当事者の双方若しくは一方の申請又は職権に基いて、斡旋員名簿に記されてゐる者の中から、斡旋員を指名しなければならない。但し、労働委員会の同意を得れば、斡旋員名簿に記されてゐない者を臨時の斡旋員に委嘱することもできる。

②　労働組合法第十九条の十第一項に規定する地方において中央労働委員会が処理すべき事件として政令で定めるものについては、中央労働委員会の会長は、前項の規定にかかわらず、関係当事者の双方若しくは一方の申請又は職権に基づいて、同条第一項に規定する地方調整委員のうちから、あつせん員を指名す

る。ただし、中央労働委員会の会長が当該地方調整委員のうちからあつせん員を指名することが適当でないと認める場合は、この限りでない。

第十三条　斡旋員は、関係当事者間を斡旋し、双方の主張の要点を確め、事件が解決されるやうに努めなければならない。

第十四条　斡旋員は、自分の手では事件が解決される見込がないときは、その事件から手を引き、事件の要点を労働委員会に報告しなければならない。

第十四条の二　斡旋員は、政令で定めるところにより、その職務を行ふために要する費用の弁償を受けることができる。

第十五条　斡旋員候補者に関する事項は、この章に定めるものの外命令でこれを定める。

第十六条　この章の規定は、労働争議の当事者が、双方の合意又は労働協約の定により、別の斡旋方法によつて、事件の解決を図ることを妨げるものではない。

第三章　調停

第十七条　労働組合法第二十条の規定による労働委員会による労働争議の調停は、この章の定めるところによる。

第十八条　労働委員会は、次の各号のいずれかに該当する場合に、調停を行う。

一　関係当事者の双方から、労働委員会に対して、調停の申請がなされたとき。

二　関係当事者の双方又は一方から、労働協約の定めに基づいて、労働委員会に対して調停の申請がなされたとき。

三　公益事業に関する事件につき、関係当事者の一方から、労働委員会に対して、調停の申請がなされたとき。

四　公益事業に関する事件につき、労働委員会が職権に基づいて、調停を行う必要があると決議したとき。

五　公益事業に関する事件又はその事件が規模が大きいため若しくは特別の性質の事業に関するものであるために公益に著しい障害を及ぼす事件につき、厚生労働大臣又は都道府県知事から、労働委員会に対して、調停の請求がなされたとき。

第十九条　労働委員会による労働争議の調停は、使用者を代表する調停委員、労働者を代表する調停委員及び公益を代表する調停委員から成る調停委員会を設け、これによつて行ふ。

第二十条　調停委員会の、使用者を代表する調停委員と労働者を代表する調停委員とは、同数でなければならない。

第二十一条　使用者を代表する調停委員は労働委員会の使用者を代表する委員（中央労働委員会にあつては、一般企業担当使用者委員）又は特別調整委員のうちから、労働者を代表する調停委員は労働委員会の労働者を代表する委員（中央労働委員会にあつては、一般企業担当労働者委員）又は特別調整委員の中から、公益を代表する調停委員は労働委員会の公益を代表する委員（中央労働委員会にあつては、一般企業担当公益委員）又は特別調整委員の中から労働委員会の会長がこれを指名する。

②　労働組合法第十九条の十第一項に規定する地方において中央労働委員会が処理すべき事件として政令で定めるものについては、中央労働委員会の会長は、前項の規定にかかわらず、同条第一項に規定する地方調整委員のうちから、調停委員を指名する。ただし、中央労働委員会の会長が当該地方調整委員のうちから調停委員を指名することが適当でないと認める場合は、この限りでない。

第二十二条　調停委員会に、委員長を置く。委員長は、調停委員会で、公益を代表する調停委員の中から、これを選挙する。

第二十三条　調停委員会は、委員長がこれを招集し、その議事は、出席者の過半数でこれを決する。

②　調停委員会は、使用者を代表する調停委員及び労働者を代表する調停委員が出席しなければ、会議を開くことはできない。

第二十四条　調停委員会は、期日を定めて、関係当事者の出頭を求め、その意見を徴さなければならない。

第二十五条　調停委員会は、関係当事者及び参考人以外の者の出席を禁止することができる。

第二十六条　調停委員会は、調停案を作成して、これを関係当事者に示し、その受諾を勧告するとともに、その調停案は理由を附してこれを公表することができる。この場合必要があるときは、新聞又はラヂオによる協力を請求することができる。

②　前項の調停案が関係当事者の双方により受諾された後、その調停案の解釈又は履行について意見の不一致が生じたときは、関係当事者は、その調停案を提示した調停委員会にその解釈又は履行に関する見解を明らかにすることを申請しなければならない。

③　前項の調停委員会は、前項の申請のあつた日から十五日以内に、関係当事者に対して、申請のあつた事項について解釈又は履行に関する見解を示さなければならない。

④　前項の解釈又は履行に関する見解が示されるまでは、関係当事者は、当該調停案の解釈又は履行に関して争議行為をなすことができない。但し、前項の期間が経過したときは、この限りでない。

第二十七条　公益事業に関する事件の調停については、特に迅速に処理するために、必要な優先的取扱がなされなければならない。

第二十八条　この章の規定は、労働争議の当事者が、双方の合意又は労働協約の定により、別の調停方法によつて事件の解決を図ることを妨げるものではない。

第四章　仲裁

第二十九条　労働組合法第二十条の規定による労働委員会による労働争議の仲裁は、この章の定めるところによる。

第三十条　労働委員会は、左の各号の一に該当する場合に、仲裁を行ふ。

一　関係当事者の双方から、労働委員会に対して、仲裁の申請がなされたとき。

二　労働協約に、労働委員会による仲裁の申請をなさなければならない旨の定がある場合に、その定に基いて、関係当事者の双方又は一方から、労働委員会に対して、仲裁の申請がなされたとき。

第三十一条　労働委員会による労働争議の仲裁は、三人以上の奇数の仲裁委員をもつて組織される仲裁委員会を設け、これによつて行う。

第三十一条の二　仲裁委員は、労働委員会の公益を代表する委員又は特別調整委員のうちから、関係当事者が合意により選定した者につき、労働委員会の会長が指名する。ただし、関係当事者の合意による選定がされなかつたときは、労働委員会の会長が、関係当事者の意見を聴いて、労働委員会の公益を代表する委員（中央労働委員会にあつては、一般企業担当公益委員）又は特別調整委員の中から指名する。

第三十一条の三　仲裁委員会に、委員長を置く。委員長は、仲裁委員が互選する。

第三十一条の四　仲裁委員会は、委員長が招集する。

②　仲裁委員会は、仲裁委員の過半数が出席しなければ、会議を開き、議決することができない。

③　仲裁委員会の議事は、仲裁委員の過半数でこれを決する。

第三十一条の五　関係当事者のそれぞれが指名した労働委員会の使用者を代表する委員又は特別調整委員及び労働者を代表する委員又は特別調整委員は、仲裁委員会の同意を得て、その会議に出席し、意見を述べることができる。

第三十二条　仲裁をなす場合には、仲裁委員会は、関係当事者及び参考人以外の者の出席を禁止することができる。

第三十三条　仲裁裁定は、書面に作成してこれを行ふ。その書面には効力発生の期日も記さなければならない。

第三十四条　仲裁裁定は、労働協約と同一の効力を有する。

第三十五条　この章の規定は、労働争議の当事者が、双方の合意又は労働協約の定により、別の仲裁方法によつて事件の解決を図ることを妨げるものではない。

第四章の二　緊急調整

第三十五条の二　内閣総理大臣は、事件が公益事業に関するものであるため、又はその規模が大きいため若しくは特別の性質の事業に関するものであるために、争議行為により当該業務が停止されるときは国民経済の運行を著しく阻害し、又は国民の日常生活を著しく危くする虞があると認める事件について、その虞が現実に存するときに限り、緊急調整の決定をすることができる。

②　内閣総理大臣は、前項の決定をしようとするときは、あらかじめ中央労働委員会の意見を聴かなければならない。

③　内閣総理大臣は、緊急調整の決定をしたときは、直ちに、理由を附してその旨を公表するとともに、中央労働委員会及び関係当事者に通知しなければならない。

第三十五条の三　中央労働委員会は、前条第三項の通知を受けたときは、その事件を解決するため、最大限の努力を尽さなければならない。

②　中央労働委員会は、前項の任務を遂行するため、その事件について、左の各号に掲げる措置を講ずることができる。

一　斡旋を行ふこと。

二　調停を行ふこと。

三　仲裁を行ふこと（第三十条各号に該当する場合に限る。）。

四　事件の実情を調査し、及び公表すること。

五　解決のため必要と認める措置をとるべきことを勧告すること。

③　前項第二号の調停は、第十八条各号に該当しない場合であつても、これを行ふことができる。

第三十五条の四　中央労働委員会は、緊急調整の決定に係る事件については、他のすべての事件に優先してこれを処理しなければならない。

第三十五条の五　第三十五条の二の規定により内閣総理大臣がした決定については、審査請求をすることができない。

第五章　争議行為の制限禁止等

第三十六条　工場事業場における安全保持の施設の正常な維持又は運行を停廃し、又はこれを妨げる行為は、争議行為としてでもこれをなすことはできない。

第三十七条　公益事業に関する事件につき関係当事者が争議行為をするには、その争議行為をしようとする日の少なくとも十日前までに、労働委員会及び厚生労働大臣又は都道府県知事にその旨を通知しなければならない。

②　緊急調整の決定があつた公益事業に関する事件については、前項の規定による通知は、第三十八条に規定する期間を経過した後でなければこれをすることができない。

第三十八条　緊急調整の決定をなした旨の公表があつたときは、関係当事者は、公表の日から五十日間は、争議行為をなすことができない。

第三十九条　第三十七条の規定の違反があつた場合においては、その違反行為について責任のある使用者若しくはその団体、労働者の団体又はその他の者若しくはその団体は、これを十万円以下の罰金に処する。

②　前項の規定は、そのものが、法人であるときは、理事、取締役、執行役その他法人の業務を執行する役員に、法人でない団体であるときは、代表者その他業務を執行する役員にこれを適用する。

③　一個の争議行為に関し科する罰金の総額は、十万円を超えることはできない。

④　法人、法人でない使用者又は労働者の組合、争議団等の団体であつて解散したものに、第一項の規定を適用するについては、その団体は、なほ存続するものとみなす。

第四十条　第三十八条の規定の違反があつた場合においては、その違反行為について責任のある使用者若しくはその団体、労働者の団体又はその他の者若しくはその団体は、これを二十万円以下の罰金に処する。

②　前条第二項から第四項までの規定は、前項の場合に準用する。この場合において同条第三項中「十万円」とあるのは、「二十万円」と読み替へるものとする。

第四十一条　削除

第四十二条　第三十九条の罪は、労働委員会の請求を待つてこれを論ずる。

第四十三条　調停又は仲裁をなす場合において、その公正な進行を妨げる者に対しては、調停委員会の委員長又は仲裁委員会の委員長は、これに退場を命ずることができる。

附　則

第一条　この法律施行の期日〔昭二一・一〇・一三施行〕は、勅令でこれを定める。

第二条　労働争議調停法は、これを廃止する。

選挙法関係

元来議会なるものは、言論を戦わし、事実と道理の有無を対照し、正邪曲直の区別を明かにし、もって国家民衆の福利を計るがために開くのである。しかして投票の結果が、いかに多数でも邪を転じて正となし、曲を変じて直となすことはできない。故に事実と道理の前には、いかなる多数党といえども屈従せざるをえないのが、議会本来の面目であって、議院政治が国家人民の利福を増進する大根本は、実にこの事にある。しかるに、表決において多数さえ得れば、それで満足する傾きがある。すなわち、議事堂は名ばかりで実は表決堂である。

―尾崎行雄―

▽細目次△

◉公職選挙法（昭二五法一〇〇）……九六一

〇公職選挙法施行令（昭二五政令八九）……一〇五八

○公職選挙法

昭二五・四・一五
法 一〇〇

最終改正 令四・一一・二八法八九

目次〔略〕

第一章 総則

（この法律の目的）

第一条 この法律は、日本国憲法の精神に則り、衆議院議員、参議院議員並びに地方公共団体の議会の議員及び長を公選する選挙制度を確立し、その選挙が選挙人の自由に表明せる意思によつて公明且つ適正に行われることを確保し、もつて民主政治の健全な発達を期することを目的とする。

（この法律の適用範囲）

第二条 この法律は、衆議院議員、参議院議員並びに地方公共団体の議会の議員及び長の選挙について、適用する。

（公職の定義）

第三条 この法律において「公職」とは、衆議院議員、参議院議員並びに地方公共団体の議会の議員及び長の職をいう。

（議員の定数）

第四条 衆議院議員の定数は、四百六十五人とし、そのうち、二百八十九人を小選挙区選出議員、百七十六人を比例代表選出議員とする。

2 参議院議員の定数は二百四十八人とし、そのうち、百人を比例代表選出議員、百四十八人を選挙区選出議員とする。

3 地方公共団体の議会の議員の定数は、地方自治法（昭和二十二年法律第六十七号）の定めるところによる。

（選挙事務の管理）

第五条 この法律において選挙に関する事務は、特別の定めがある場合を除くほか、衆議院（比例代表選出）議員又は参議院（比例代表選出）議員の選挙については中央選挙管理会が管理し、衆議院（小選挙区選出）議員、参議院（選挙区選出）議員、都道府県の議会の議員又は都道府県知事の選挙については都道府県の選挙管理委員会が管理し、市町村の議会の議員又は市町村長の選挙については市町村の選挙管理委員会が管理する。

（中央選挙管理会）

第五条の二 中央選挙管理会は、委員五人をもつて組織する。

2 委員は、国会議員以外の者で参議院議員の被選挙権を有する者の中から国会の議決による指名に基いて、内閣総理大臣が任命する。

3 前項の指名に当つては、同一の政党その他の政治団体に属する者が、三人以上とならないようにしなければならない。

4 内閣総理大臣は、委員が次の各号のいずれかに該当するに至つた場合は、その委員を罷免するものとする。ただし、第二号及び第三号の場合においては、国会の同意を得なければならない。

一 参議院議員の被選挙権を有しなくなつた場合

二 心身の故障のため、職務を執行することができない場合

三 職務上の義務に違反し、その他委員たるに適しない非行があつた場合

5 委員のうち同一の政党その他の政治団体に属する者が三人以上となつた場合においては、内閣総理大臣は、くじで定める二人以外の委員を罷免するものとする。

6 国会は、第二項の規定による委員の指名を行う場合においては、同時に委員と同数の予備委員の指名を行わなければならない。予備委員が欠けた場合においては、同時に委員の指名を行うときに限り、予備委員の指名を行う。

7 予備委員は、委員が欠けた場合又は故障のある場合に、その職務を行う。

8 第二項から第五項までの規定は、予備委員について準用する。

9 委員の任期は、三年とする。但し、補欠委員の任期は、その前任者の残任期間とする。

10 前項の規定にかかわらず、委員は、国会の閉会又は衆議院の解散の場合に任期が満了したときは、あらたに委員が、その後最初に召集された国会における指名に基いて任命されるまでの間、なお、在任するものとする。

11 委員は、非常勤とする。

12 委員長は、委員の中から互選しなければならない。

13 委員長は、中央選挙管理会を代表し、その事務を総理する。

14 中央選挙管理会の会議は、その委員の半数以上の出席がなければ開くことができない。

15 中央選挙管理会の議事は、出席委員の過半数で決し、可否同数のときは委員長の決するところによる。

16 中央選挙管理会の庶務は、総務省において行う。

17 前各項に定めるものの外、中央選挙管理会の運営に関し必要な事項は、中央選挙管理会が定める。

（中央選挙管理会の技術的な助言及び勧告並びに資料の提出の要求）

第五条の三 中央選挙管理会は、衆議院（比例代表選出）議員又は参議院（比例代表選出）議員の選挙に関する事務について、都道府県又は市町村に対し、都道府県又は市町村の事務の運営その他の事項について適切と認める技術的な助言若しくは勧告をし、又は当該助言若しくは勧告をするため若しくは都道府県又は市町村の事務の適正な処理に関する情報を提供するため必要な資料の提出を求めることができる。

2 中央選挙管理会は、衆議院（比例代表選出）議員又は参議院（比例代表選出）議員の選挙に関する事務について、都道府県の選挙管理委員会に対し、地方自治法第二百四十五条の四第一項の規定による市町村に対する助言若しくは勧告又は資料の提出の求めに関し、必要な指示をすることができる。

3 都道府県又は市町村の選挙管理委員会は、中央選挙管理会に対し、衆議院（比例代表選出）議員又は参議院（比例代表選出）議員の選挙に関する事務の管理及び執行について技術的な助言若しくは勧告又は必要な情報の提供を求めることができる。

（中央選挙管理会の是正の指示）

第五条の四 中央選挙管理会は、この法律又はこの法律に基づく政令に係る都道府県の地方自治法第二条第九項第一号に規定する第一号法定受託事務（衆議院比例代表選出議員又は参議院比例代表選出議員の選挙に関する事務に限る。以下この条及び次条において「第一号法定受託事務」という。）の処理が法令の

規定に違反していると認めるとき、又は著しく適正を欠き、かつ、明らかに公益を害していると認めるときは、当該都道府県に対し、当該第一号法定受託事務の処理について違反の是正又は改善のため講ずべき措置に関し、必要な指示をすることができる。

2　中央選挙管理会は、この法律又はこの法律に基づく政令に係る市町村の第一号法定受託事務の処理について、都道府県の選挙管理委員会に対し、地方自治法第二百四十五条の七第二項の規定による市町村に対する指示に関し、必要な指示をすることができる。

3　中央選挙管理会は、前項の規定によるほか、この法律又はこの法律に基づく政令に係る市町村の第一号法定受託事務の処理が法令の規定に違反していると認める場合、又は著しく適正を欠き、かつ、明らかに公益を害していると認める場合において、緊急を要するときその他特に必要があると認めるときは、自ら当該市町村に対し、当該第一号法定受託事務の処理について違反の是正又は改善のため講ずべき措置に関し、必要な指示をすることができる。

（中央選挙管理会の処理基準）

第五条の五　中央選挙管理会は、この法律又はこの法律に基づく政令に係る都道府県の第一号法定受託事務の処理について、都道府県が当該第一号法定受託事務を処理するに当たりよるべき基準を定めることができる。

2　都道府県の選挙管理委員会が、地方自治法第二百四十五条の九第二項の規定により、市町村の選挙管理委員会がこの法律の規定に基づき担任する第一号法定受託事務の処理について、市町村が当該第一号法定受託事務を処理するに当たりよるべき基準を定める場合において、当該都道府県の選挙管理委員会の定める基準は、次項の規定により中央選挙管理会の定める基準に抵触するものであつてはならない。

3　中央選挙管理会は、特に必要があると認めるときは、この法律又はこの法律に基づく政令に係る市町村の第一号法定受託事務の処理について、市町村が当該第一号法定受託事務を処理するに当たりよるべき基準を定めることができる。

4　中央選挙管理会は、この法律又はこの法律に基づく政令に係る市町村の第一号法定受託事務の処理について、都道府県の選挙管理委員会に対し、地方自治法第二百四十五条の九第二項の規定により定める基準に関し、必要な指示をすることができる。

5　第一項又は第三項の規定により定める基準は、その目的を達成するために必要な最小限度のものでなければならない。

（参議院合同選挙区選挙管理委員会）

第五条の六　二の都道府県の区域を区域とする参議院（選挙区選出）議員の選挙区内の当該二の都道府県（以下「合同選挙区都道府県」という。）は、協議により規約を定め、共同して参議院合同選挙区選挙管理委員会を置くものとする。

2　参議院（選挙区選出）議員の選挙のうち二の都道府県の区域を区域とする選挙区において行われるもの（以下「参議院合同選挙区選挙」という。）に関する事務は、第五条の規定にかかわらず、参議院合同選挙区選挙管理委員会が管理する。この場合において、参議院合同選挙区選挙管理委員会が管理する事務は、地方自治法第二条第九項第一号に規定する第一号法定受託事務とみなして、同法その他の法令の規定を適用する。

3　参議院合同選挙区選挙管理委員会は、委員八人をもつて組織する。

4　委員は、合同選挙区都道府県の選挙管理委員会の委員をもつて充てる。

5　委員は、合同選挙区都道府県の選挙管理委員会の委員でなくなつたときに限り、その職を失う。

6　委員の任期は、合同選挙区都道府県の選挙管理委員会の委員としての任期による。ただし、地方自治法第百八十三条第一項ただし書の規定により後任者が就任する時まで合同選挙区都道府県の選挙管理委員会の委員として在任する間は、委員として在任する。

7　委員は、非常勤とする。

8　委員は、合同選挙区都道府県に対しその職務に関し請負をする者及びその支配人又は主として同一の行為をする法人（当該合同選挙区都道府県が出資している法人で政令で定めるものを除く。）の無限責任社員、取締役、執行役若しくは監査役若しくはこれらに準ずべき者、支配人及び清算人たることができない。

9　参議院合同選挙区選挙管理委員会の委員長は、委員の中から互選しなければならない。

10　委員長は、参議院合同選挙区選挙管理委員会を代表し、その事務を総理する。

11　参議院合同選挙区選挙管理委員会の会議は、五人以上の委員の出席がなければ開くことができない。

12　参議院合同選挙区選挙管理委員会の議事は、出席委員の過半数で決し、可否同数のときは委員長の決するところによる。

13　参議院合同選挙区選挙管理委員会に職員を置く。

14　前項の職員は、合同選挙区都道府県の選挙管理委員会が協議して定めるところにより、合同選挙区都道府県の選挙管理委員会の職員をもつて充てるものとする。ただし、合同選挙区都道府県の知事が協議して定めるところにより、その補助機関である職員をもつて充てることを妨げない。

15　第十三項の職員は、委員長の命を受け、参議院合同選挙区選挙管理委員会に関する事務に従事する。

16　参議院合同選挙区選挙管理委員会の設置に関する規約には、次に掲げる事項につき規定を設けなければならない。

一　参議院合同選挙区選挙管理委員会の名称
二　参議院合同選挙区選挙管理委員会の経費の支弁の方法
三　参議院合同選挙区選挙管理委員会の執務場所
四　前三号に掲げるものを除くほか、参議院合同選挙区選挙管理委員会に関し必要な事項

17　参議院合同選挙区選挙管理委員会の処分又は裁決（行政事件訴訟法（昭和三十七年法律第百三十九号）第三条第二項に規定する処分又は同条第三項に規定する裁決をいう。）に係る同法第十一条第一項（同法第三十八条第一項（同法第四十三条第二項において準用する場合を含む。）又は同法第四十三条第一項において準用する場合を含む。）の規定による合同選挙区都道府県を被告とする訴訟については、参議院合同選挙区選挙管理委員会が当該合同選挙区都道府県を代表する。

18　この法律又はこれに基づく政令で特別の定めをするものを除くほか、参議院合同選挙区選挙管理委員会については、これを各合同選挙区都道府県の地方自治法第百三十八条の四第一項に

規定する委員会とみなして、同法その他の法令の規定を適用する。

19　この法律及びこれに基づく政令並びに参議院合同選挙区選挙管理委員会の設置に関する規約に規定するものを除くほか、参議院合同選挙区選挙管理委員会に関し必要な事項は、参議院合同選挙区選挙管理委員会が定める。

（参議院合同選挙区選挙管理委員会の技術的な助言及び勧告並びに資料の提出の要求）

第五条の七　参議院合同選挙区選挙管理委員会は、参議院合同選挙区選挙に関する事務（合同選挙区都道府県の選挙管理委員会が担任する事務に係るものを除く。次項及び第三項並びに次条第一項において同じ。）について、市町村に対し、市町村の事務の運営その他の事項について適切と認める技術的な助言若しくは勧告をし、又は当該助言若しくは勧告をするため若しくは市町村の事務の適正な処理に関する情報を提供するため必要な資料の提出を求めることができる。

2　総務大臣は、参議院合同選挙区選挙に関する事務について、参議院合同選挙区選挙管理委員会に対し、前項の規定による市町村に対する助言若しくは勧告又は資料の提出の求めに関し、必要な指示をすることができる。

3　参議院合同選挙区選挙管理委員会は総務大臣に対し、市町村の選挙管理委員会は参議院合同選挙区選挙管理委員会に対し、参議院合同選挙区選挙に関する事務の管理及び執行について技術的な助言若しくは勧告又は必要な情報の提供を求めることができる。

（参議院合同選挙区選挙管理委員会の是正の指示）

第五条の八　参議院合同選挙区選挙管理委員会は、この法律又はこの法律に基づく政令に係る市町村の選挙管理委員会の担任する地方自治法第二条第九項第一号に規定する第一号法定受託事務（参議院合同選挙区選挙に関する事務に限る。以下この条及び次条において「第一号法定受託事務」という。）の処理が法令の規定に違反していると認めるとき、又は著しく適正を欠き、かつ、明らかに公益を害していると認めるときは、当該市町村に対し、当該第一号法定受託事務の処理について違反の是正又は改善のため講ずべき措置に関し、必要な指示をすることができる。

2　総務大臣は、この法律又はこの法律に基づく政令に係る市町村の第一号法定受託事務の処理について、参議院合同選挙区選挙管理委員会に対し、前項の規定による市町村に対する指示に関し、必要な指示をすることができる。

3　地方自治法第二百四十五条の七第二項及び第三項の規定は、この法律又はこの法律に基づく政令に係る市町村の第一号法定受託事務については、適用しない。

4　第一項の規定による指示を行つた参議院合同選挙区選挙管理委員会は地方自治法第二百四十五条の七第二項の規定による指示を行つた都道府県の執行機関と、第二項の指示を行つた総務大臣は同条第三項の指示を行つた各大臣とみなして、同法第二百五十二条第三項及び第四項の規定を適用する。

（参議院合同選挙区選挙管理委員会の処理基準）

第五条の九　参議院合同選挙区選挙管理委員会は、この法律又はこの法律に基づく政令に係る市町村の選挙管理委員会の担任する第一号法定受託事務の処理について、市町村が当該第一号法定受託事務を処理するに当たりよるべき基準を定めることができる。この場合において、参議院合同選挙区選挙管理委員会の定める基準は、地方自治法第二百四十五条の九第三項の規定により総務大臣の定める基準に抵触するものであつてはならない。

2　総務大臣は、この法律又はこの法律に基づく政令に係る市町村の第一号法定受託事務の処理について、参議院合同選挙区選挙管理委員会に対し、前項の規定により定める基準に関し、必要な指示をすることができる。

3　第一項の規定により定める基準は、その目的を達成するために必要な最小限度のものでなければならない。

4　地方自治法第二百四十五条の九第二項及び第四項の規定は、この法律又はこの法律に基づく政令に係る市町村の第一号法定受託事務については、適用しない。

（合同選挙区都道府県の選挙管理委員会の委員の失職の特例）

第五条の十　合同選挙区都道府県の選挙管理委員会の委員は、地方自治法第百八十四条第一項に定めるもののほか、参議院合同選挙区選挙管理委員会の委員として第五条の六第八項の規定に該当するときは、その職を失う。この場合において、同項の規定に該当するかどうかは、当該委員の属する合同選挙区都道府県の選挙管理委員会がこれを決定する。

2　地方自治法第百四十三条第二項から第四項までの規定は、前項の場合について準用する。

（選挙に関する啓発、周知等）

第六条　総務大臣、中央選挙管理会、参議院合同選挙区選挙管理委員会、都道府県の選挙管理委員会及び市町村の選挙管理委員会は、選挙が公明かつ適正に行われるように、常にあらゆる機会を通じて選挙人の政治常識の向上に努めるとともに、特に選挙に際しては投票の方法、選挙違反その他選挙に関し必要と認める事項を選挙人に周知させなければならない。

2　中央選挙管理会、参議院合同選挙区選挙管理委員会、都道府県の選挙管理委員会及び市町村の選挙管理委員会は、選挙の結果を選挙人に対して速やかに知らせるように努めなければならない。

3　選挙人に対しては、特別の事情がない限り、選挙の当日、その選挙権を行使するために必要な時間を与えるよう措置されなければならない。

（選挙取締の公正確保）

第七条　検察官、都道府県公安委員会の委員及び警察官は、選挙の取締に関する規定を公正に執行しなければならない。

（特定地域に関する特例）

第八条　交通至難の島その他の地において、この法律の規定を適用し難い事項については、政令で特別の定をすることができる。

第二章　選挙権及び被選挙権

（選挙権）

第九条　日本国民で年齢満十八年以上の者は、衆議院議員及び参議院議員の選挙権を有する。

2　日本国民たる年齢満十八年以上の者で引き続き三箇月以上市町村の区域内に住所を有する者は、その属する地方公共団体の議会の議員及び長の選挙権を有する。

3　日本国民たる年齢満十八年以上の者でその属する市町村を包

括する都道府県の区域内の一の市町村の区域内に引き続き三箇月以上住所を有していたことがあり、かつ、その後も引き続き当該都道府県の区域内に住所を有するものは、前項に規定する住所に関する要件にかかわらず、当該都道府県の議会の議員及び長の選挙権を有する。

4　前二項の市町村には、その区域の全部又は一部が廃置分合により当該市町村の区域の全部又は一部となつた市町村であつて、当該廃置分合により消滅した市町村（この項の規定により当該消滅した市町村に含むものとされた市町村を含む。）を含むものとする。

5　第二項及び第三項の三箇月の期間は、市町村の廃置分合又は境界変更のため中断されることがない。

（被選挙権）

第十条　日本国民は、左の各号の区分に従い、それぞれ当該議員又は長の被選挙権を有する。

一　衆議院議員については年齢満二十五年以上の者

二　参議院議員については年齢満三十年以上の者

三　都道府県の議会の議員についてはその選挙権を有する者で年齢満二十五年以上のもの

四　都道府県知事については年齢満三十年以上の者

五　市町村の議会の議員についてはその選挙権を有する者で年齢満二十五年以上のもの

六　市町村長については年齢満二十五年以上の者

2　前項各号の年齢は、選挙の期日により算定する。

（選挙権及び被選挙権を有しない者）

第十一条　次に掲げる者は、選挙権及び被選挙権を有しない。

一　削除

二　禁錮以上の刑に処せられその執行を終わるまでの者

三　禁錮以上の刑に処せられその執行を受けることがなくなるまでの者（刑の執行猶予中の者を除く。）

四　公職にある間に犯した刑法（明治四十年法律第四十五号）第百九十七条から第百九十七条の四までの罪又は公職にある者等のあつせん行為による利得等の処罰に関する法律（平成十二年法律第百三十号）第一条の罪により刑に処せられ、その執行を終わり若しくはその執行の免除を受けた者でその執行を終わり若しくはその執行の免除を受けた日から五年を経過しないもの又はその刑の執行猶予中の者

五　法律で定めるところにより行われる選挙、投票及び国民審査に関する犯罪により禁錮以上の刑に処せられその刑の執行猶予中の者

2　この法律の定める選挙に関する犯罪に因り選挙権及び被選挙権を有しない者については、第二百五十二条の定めるところによる。

3　市町村長は、その市町村に本籍を有する者で他の市町村に住所を有するもの又は他の市町村において第三十条の六の規定による在外選挙人名簿の登録がされているものについて、第一項又は第二百五十二条の規定により選挙権及び被選挙権を有しなくなるべき事由が生じたこと又はその事由がなくなつたことを知つたときは、遅滞なくその旨を当該他の市町村の選挙管理委員会に通知しなければならない。

（被選挙権を有しない者）

第十一条の二　公職にある間に犯した前条第一項第四号に規定する罪により刑に処せられ、その執行を終わり又はその執行の免除を受けた者でその執行を終わり又はその執行の免除を受けた日から五年を経過したものは、当該五年を経過した日から五年間、被選挙権を有しない。

第三章　選挙に関する区域

（選挙の単位）

第十二条　衆議院（小選挙区選出）議員、衆議院（比例代表選出）議員、参議院（選挙区選出）議員及び都道府県の議会の議員は、それぞれ各選挙区において、選挙する。

2　参議院（比例代表選出）議員は、全都道府県の区域を通じて、選挙する。

3　都道府県知事及び市町村長は、当該地方公共団体の区域において、選挙する。

4　市町村の議会の議員は、選挙区がある場合にあつては、各選挙区において、選挙区がない場合にあつてはその市町村の区域において、選挙する。

（衆議院議員の選挙区）

第十三条　衆議院（小選挙区選出）議員の選挙区は、別表第一で定め、各選挙区において選挙すべき議員の数は、一人とする。

2　衆議院（比例代表選出）議員の選挙区及び各選挙区において選挙すべき議員の数は、別表第二で定める。

3　別表第一に掲げる行政区画その他の区域に変更があつても、衆議院（小選挙区選出）議員の選挙区は、なお従前の区域による。ただし、二以上の選挙区にわたつて市町村の境界変更があつたときは、この限りでない。

4　前項ただし書の場合において、当該市町村の境界変更に係る区域の新たに属することとなつた市町村が二以上の選挙区に分かれているときは、当該区域の選挙区の所属については、政令で定める。

5　衆議院（比例代表選出）議員の二以上の選挙区にわたつて市町村の廃置分合が行われたときは、第二項の規定にかかわらず、別表第一が最初に更正されるまでの間は、衆議院（比例代表選出）議員の選挙区は、なお従前の区域による。

6　地方自治法第六条の二第一項の規定による都道府県の廃置分合があつても、衆議院（比例代表選出）議員の選挙区は、なお従前の区域による。

7　別表第二は、国勢調査（統計法（平成十九年法律第五十三号）第五条第二項本文の規定により十年ごとに行われる国勢調査に限る。以下この項において同じ。）の結果によつて、更正することを例とする。この場合において、各選挙区の議員数は、各選挙区の人口（最近の国勢調査の結果による日本国民の人口をいう。以下この項において同じ。）を比例代表基準除数（その除数で各選挙区の人口を除して得た数（一未満の端数が生じたときは、これを一に切り上げるものとする。）の合計数が第四条第一項に規定する衆議院比例代表選出議員の定数に相当する数と合致することとなる除数をいう。）で除して得た数（一未満の端数が生じたときは、これを一に切り上げるものとする。）とする。

（参議院選挙区選出議員の選挙区）

第十四条　参議院（選挙区選出）議員の選挙区及び各選挙区において選挙すべき議員の数は、別表第三で定める。

2　地方自治法第六条の二第一項の規定による都道府県の廃置分

合があつても、参議院（選挙区選出）議員の選挙区及び各選挙区において選挙すべき議員の数は、なお従前の例による。

（地方公共団体の議会の議員の選挙区）

第十五条 都道府県の議会の議員の選挙区は、一の市の区域、一の市の区域と隣接する町村の区域を合わせた区域又は隣接する町村の区域を合わせた区域のいずれかによることを基本とし、条例で定める。

2 前項の選挙区は、その人口が当該都道府県の人口を当該都道府県の議会の議員の定数をもつて除して得た数（以下この条において「議員一人当たりの人口」という。）の半数以上になるようにしなければならない。この場合において、一の市の区域の人口が議員一人当たりの人口の半数に達しないときは、隣接する他の市町村の区域と合わせて一選挙区を設けるものとする。

3 一の市の区域の人口が議員一人当たりの人口の半数以上であつても議員一人当たりの人口に達しないときは、隣接する他の市町村の区域と合わせて一選挙区を設けることができる。

4 一の町村の区域の人口が議員一人当たりの人口の半数以上であるときは、当該町村の区域をもつて一選挙区とすることができる。

5 一の市町村（地方自治法第二百五十二条の十九第一項の指定都市（以下「指定都市」という。）にあつては、区（総合区を含む。第六項及び第九項において同じ。）。以下この項において同じ。）の区域が二以上の衆議院（小選挙区選出）議員の選挙区に属する区域に分かれている場合における前各項の規定の適用については、当該各区域を市町村の区域とみなすことができる。

6 市町村は、特に必要があるときは、その議会の議員の選挙につき、条例で選挙区を設けることができる。ただし、指定都市については、区の区域をもつて選挙区とする。

7 第一項から第四項まで又は前項の規定により選挙区を設ける場合においては、行政区画、衆議院（小選挙区選出）議員の選挙区、地勢、交通等の事情を総合的に考慮して合理的に行わなければならない。

8 各選挙区において選挙すべき地方公共団体の議会の議員の数は、人口に比例して、条例で定めなければならない。ただし、特別の事情があるときは、おおむね人口を基準とし、地域間の均衡を考慮して定めることができる。

9 指定都市に対し第一項から第三項までの規定を適用する場合における市の区域（市町村の区域に係るものを含む。）は、当該指定都市の区域を二以上の区域に分けた区域とする。この場合において、当該指定都市の区域を分けるに当たつては、第五項の場合を除き、区の区域を分割しないものとする。

10 前各項に定めるもののほか、地方公共団体の議会の議員の選挙区及び各選挙区において選挙すべき議員の数に関し必要な事項は、政令で定める。

（選挙区の選挙期間中の特例）

第十五条の二 衆議院（小選挙区選出）議員の選挙の期日の公示又は告示がなされた日からその選挙の期日までの間において二以上の選挙区にわたつて市町村の境界変更があつても、当該選挙区は、第十三条第三項ただし書の規定にかかわらず、当該選挙については、変更しないものとする。

2 衆議院（比例代表選出）議員の選挙の期日の公示又は告示がなされた日からその選挙の期日までの間において二以上の選挙区にわたつて都道府県の境界の変更があつても、当該選挙区は、第十三条第二項の規定にかかわらず、当該選挙については、変更しないものとする。

3 参議院（選挙区選出）議員の選挙の期日の公示又は告示がなされた日からその選挙の期日までの間において二以上の選挙区にわたつて都道府県の境界の変更があつても、当該選挙区は、第十四条第一項の規定にかかわらず、当該選挙については、変更しないものとする。

4 都道府県の議会の議員の選挙の期日の告示がなされた日からその選挙の期日までの間において市町村の区域の変更（都道府県の境界にわたるものを除く。）があつても、当該選挙区は、前条第一項から第五項までの規定にかかわらず、当該選挙については、変更しないものとする。

（選挙区の異動と現任者の地位）

第十六条 現任の衆議院議員、参議院（選挙区選出）議員、都道府県の議会の議員及び市町村の議会の議員は、行政区画その他の区域の変更によりその選挙区に異動があつても、その職を失うことはない。

（投票区）

第十七条 投票区は、市町村の区域による。

2 市町村の選挙管理委員会は、必要があると認めるときは、市町村の区域を分けて数投票区を設けることができる。

3 前項の規定により、投票区を設けたときは、市町村の選挙管理委員会は、直ちに告示しなければならない。

（開票区）

第十八条 開票区は、市町村の区域による。ただし、衆議院（小選挙区選出）議員の選挙若しくは都道府県の議会の議員の選挙において市町村が二以上の選挙区に分かれているとき、又は第十五条第六項の規定による選挙区があるときは、当該選挙区の区域により市町村の区域を分けて数開票区を設けるものとする。

2 都道府県の選挙管理委員会は、政令で定めるところにより、特別の事情があると認めるときに限り、前項の規定にかかわらず、市町村の区域を分けて、又は数市町村の区域の全部若しくは一部を合わせて、開票区を設けることができる。

3 前項の規定により開票区を設けたときは、都道府県の選挙管理委員会は、直ちに告示しなければならない。

第四章 選挙人名簿

（永久選挙人名簿）

第十九条 選挙人名簿は、永久に据え置くものとし、かつ、各選挙を通じて一の名簿とする。

2 市町村の選挙管理委員会は、選挙人名簿の調製及び保管の任に当たるものとし、毎年三月、六月、九月及び十二月（第二十二条及び第二十四条第一項において「登録月」という。）並びに選挙を行う場合に、選挙人名簿の登録を行うものとする。

3 選挙人名簿は、政令で定めるところにより、磁気ディスク（これに準ずる方法により一定の事項を確実に記録しておくことができる物を含む。以下同じ。）をもつて調製することができる。

4 選挙を行う場合において必要があるときは、選挙人名簿の抄本（前項の規定により磁気ディスクをもつて選挙人名簿を調製している市町村の選挙管理委員会にあつては、当該選挙人名簿に記録されている全部若しくは一部の事項又は当該事項を記載した書類。以下同じ。）を用いることができる。

（選挙人名簿の記載事項等）

第二十条　選挙人名簿には、選挙人の氏名、住所（次条第二項に規定する者にあつては、その者が当該市町村の区域内から住所を移す直前に住民票に記載されていた住所）、性別及び生年月日等の記載（前条第三項の規定により磁気ディスクをもつて調製する選挙人名簿にあつては、記録）をしなければならない。

2　選挙人名簿は、市町村の区域を分けて数投票区を設けた場合には、その投票区ごとに編製しなければならない。

3　前二項に規定するもののほか、選挙人名簿の様式その他必要な事項は、政令で定める。

（被登録資格等）

第二十一条　選挙人名簿の登録は、当該市町村の区域内に住所を有する年齢満十八年以上の日本国民（第十一条第一項若しくは第二百五十二条又は政治資金規正法（昭和二十三年法律第百九十四号）第二十八条の規定により選挙権を有しない者を除く。次において同じ。）で、その者に係る登録市町村等（当該市町村及び消滅市町村（その区域の全部又は一部が廃置分合により当該市町村の区域の全部又は一部となつた市町村であつて、当該廃置分合により消滅した市町村をいう。第三項において同じ。）をいう。以下この項及び次項において同じ。）の住民票が作成された日（他の市町村から登録市町村等の区域内に住所を移した者で住民基本台帳法（昭和四十二年法律第八十一号）第二十二条の規定により届出をしたものについては、当該届出をした日。次項において同じ。）から引き続き三箇月以上登録市町村等の住民基本台帳に記録されている者について行う。

2　選挙人名簿の登録は、前項の規定によるほか、当該市町村の区域内から住所を移した年齢満十八年以上の日本国民のうち、その者に係る登録市町村等の住民票が作成された日から引き続き三箇月以上登録市町村等の住民基本台帳に記録されていた者であつて、登録市町村等の区域内に住所を有しなくなつた日後四箇月を経過しないものについて行う。

3　第一項の消滅市町村には、その区域の全部又は一部が廃置分合により当該消滅市町村の区域の全部又は一部となつた市町村であつて、当該廃置分合により消滅した市町村（この項の規定により当該消滅した市町村に含むものとされた市町村を含む。）を含むものとする。

4　第一項及び第二項の住民基本台帳に記録されている期間は、市町村の廃置分合又は境界変更のため中断されることがない。

5　市町村の選挙管理委員会は、政令で定めるところにより、当該市町村の選挙人名簿に登録される資格を有する者を調査し、その者を選挙人名簿に登録するための整理をしておかなければならない。

（登録）

第二十二条　市町村の選挙管理委員会は、政令で定めるところにより、登録月の一日現在により、当該市町村の選挙人名簿に登録される資格を有する者を同日（同日が地方自治法第四条の二第一項の規定に基づき条例で定められた地方公共団体の休日（以下この項及び第二百七十条第一項において「地方公共団体の休日」という。）に当たる場合（当該市町村の区域の全部又は一部を含む区域において選挙が行われる場合において、登録月の一日が当該選挙の期日の公示又は告示の日から当該選挙の期日の前日までの間にあるときを除く。）には、登録月の一日又は同日の直後の地方公共団体の休日以外の日。以下この項において「通常の登録日」という。）に選挙人名簿に登録しなければならない。ただし、市町村の選挙管理委員会は、天災その他特別の事情がある場合には、政令で定めるところにより、登録の日を通常の登録日後に変更することができる。

2　前項の規定による登録は、当該市町村の区域の全部又は一部を含む区域において選挙が行われる場合において、登録月の一日が当該選挙の期日の公示又は告示の日から当該選挙の期日の前日までの間にあるとき（同項ただし書の規定により登録の日を当該選挙の期日後に変更する場合を除く。）には、同項本文の規定にかかわらず、登録月の一日現在（当該市町村の選挙人名簿に登録される資格のうち選挙人の年齢については、当該選挙の期日現在）により、行わなければならない。

3　市町村の選挙管理委員会は、選挙を行う場合には、政令で定めるところにより、当該選挙に関する事務を管理する選挙管理委員会（衆議院比例代表選出議員又は参議院比例代表選出議員の選挙については中央選挙管理会、参議院合同選挙区選挙については当該選挙に関する事務を管理する参議院合同選挙区選挙管理委員会）が定める日（以下この条において「選挙時登録の基準日」という。）現在（当該市町村の選挙人名簿に登録される資格のうち選挙人の年齢については、当該選挙の期日現在）により、当該市町村の選挙人名簿に登録される資格を有する者を当該選挙時登録の基準日に選挙人名簿に登録しなければならない。

4　第一項の規定による登録は、選挙時登録の基準日と登録月の一日とが同一の日となる場合には、行わない。

第二十三条　削除

（異議の申出）

第二十四条　選挙人は、選挙人名簿の登録に関し不服があるときは、次の各号に掲げる区分に応じ、当該各号に定める期間又は期日に、文書で当該市町村の選挙管理委員会に異議を申し出ることができる。

一　第二十二条第一項の規定による選挙人名簿の登録（当該市町村の区域の全部又は一部を含む区域において選挙が行われる場合において、登録月の一日が当該選挙の期日の公示又は告示の日から当該選挙の期日の前々日までの間にあるとき（同項ただし書の規定により登録の日を当該選挙の期日後に変更する場合を除く。）を除く。）　当該登録が行われた日の翌日から五日間

二　第二十二条第一項の規定による選挙人名簿の登録（当該市町村の区域の全部又は一部を含む区域において選挙が行われる場合において、登録月の一日が当該選挙の期日の公示又は告示の日から当該選挙の期日の前々日までの間にあるとき（同項ただし書の規定により登録の日を当該選挙の期日後に変更する場合を除く。）に限る。）及び同条第三項の規定による選挙人名簿の登録　当該登録が行われた日の翌日

2　市町村の選挙管理委員会は、前項の異議の申出を受けたときは、その異議の申出を受けた日から三日以内に、その異議の申出が正当であるかないかを決定しなければならない。その異議

の申出を正当であると決定したときは、その異議の申出に係る者を直ちに選挙人名簿に登録し、又は選挙人名簿から抹消し、その旨を異議申出人及び関係人に通知し、併せてこれを告示しなければならない。その異議の申出を正当でないと決定したときは、直ちにその旨を異議申出人に通知しなければならない。

3　行政不服審査法（平成二十六年法律第六十八号）第九条第四項、第十九条第二項（第三号及び第五号を除く。）、第二十三条、第二十四条、第二十七条、第三十一条（第五項を除く。）、第三十二条第一項及び第三項、第三十九条、第四十一条第一項及び第二項、第四十四条並びに第五十三条の規定は、第一項の異議の申出について準用する。この場合において、これらの規定（同法第四十四条の規定を除く。）中「審理員」とあるのは「審査庁」と、同法第九条第四項中「審査庁」とあるのは「公職選挙法第二十四条第一項の異議の申出を受けた選挙管理委員会（以下「審査庁」という。）」と、同法第二十四条第一項中「第四十五条第一項又は第四十九条第一項の規定に基づき、裁決で」とあるのは「決定で」と、同法第三十一条第二項中「審理関係人」とあるのは「異議申出人」と、同法第四十四条中「行政不服審査会等から諮問に対する答申を受けたとき（前条第一項の規定による諮問を要しない場合（同項第二号又は第三号に該当する場合を除く。）にあつては審理員意見書が提出されたとき、同項第二号又は第三号に該当する場合にあつては同項第二号又は第三号に規定する議を経たとき）」とあるのは「審理手続を終結したとき」と読み替えるものとする。

4　第二百十四条の規定は、第一項の異議の申出について準用する。

（訴訟）

第二十五条　前条第二項の規定による決定に不服がある異議申出人又は関係人は、当該市町村の選挙管理委員会を被告として、決定の通知を受けた日から七日以内に出訴することができる。

2　前項の訴訟は、当該市町村の選挙管理委員会の所在地を管轄する地方裁判所の専属管轄とする。

3　前項の裁判所の判決に不服がある者は、控訴することはできないが、最高裁判所に上告することができる。

4　第二百十三条、第二百十四条及び第二百十九条第一項の規定は、第一項及び前項の訴訟について準用する。この場合において、同条第一項中「一の選挙の効力を争う数個の請求、第二百七条若しくは第二百八条の規定により一の選挙における当選の効力を争う数個の請求、第二百十条第二項の規定により公職の候補者であつた者の当選の効力を争う数個の請求、第二百十一条の規定により公職の候補者等であつた者の当選の効力若しくは立候補の資格を争う数個の請求又は選挙の効力を争う請求とその選挙における当選の効力に関し第二百七条若しくは第二百八条の規定によりこれを争う請求と」とあるのは、「一の第二十四条第一項各号に定める期間又は期日に異議の申出を行うことができる一の市町村の選挙管理委員会が行う選挙人名簿の登録に関し争う数個の請求」と読み替えるものとする。

（補正登録）

第二十六条　市町村の選挙管理委員会は、第二十二条第一項又は第三項の規定により選挙人名簿の登録をした日後、当該登録の際に選挙人名簿に登録される資格を有し、かつ、引き続きその資格を有する者が選挙人名簿に登録されていないことを知つた場合には、その者を直ちに選挙人名簿に登録し、その旨を告示しなければならない。

（表示及び訂正等）

第二十七条　市町村の選挙管理委員会は、選挙人名簿に登録されている者が第十一条第一項若しくは第二百五十二条若しくは政治資金規正法第二十八条の規定により選挙権を有しなくなつたこと又は当該市町村の区域内に住所を有しなくなつたことを知つた場合には、直ちに選挙人名簿にその旨の表示をしなければならない。

2　市町村の選挙管理委員会は、第二十一条第二項に規定する者を選挙人名簿に登録する場合には、同時に、選挙人名簿に同項の規定に該当する者である旨の表示をしなければならない。

3　市町村の選挙管理委員会は、選挙人名簿に登録されている者の記載内容（第十九条第三項の規定により磁気ディスクをもつて調製する選挙人名簿にあつては、記録内容）に変更があつたこと又は誤りがあることを知つた場合には、直ちにその記載（同項の規定により磁気ディスクをもつて調製する選挙人名簿にあつては、記録）の修正又は訂正をしなければならない。

（登録の抹消）

第二十八条　市町村の選挙管理委員会は、当該市町村の選挙人名簿に登録されている者について次の各号のいずれかに該当するに至つたときは、これらの者を直ちに選挙人名簿から抹消しなければならない。この場合において、第四号に該当するに至つたときは、その旨を告示しなければならない。

一　死亡したこと又は日本の国籍を失つたことを知つたとき。

二　前条第一項又は第二項の表示をされた者が当該市町村の区域内に住所を有しなくなつた日後四箇月を経過するに至つたとき。

三　第三十条の六第二項の規定による第三十条の二第三項に規定する在外選挙人名簿への登録の移転をすることとするとき。

四　登録の際に登録されるべきでなかつたことを知つたとき。

（登録の確認及び政治活動を目的とした選挙人名簿の抄本の閲覧）

第二十八条の二　市町村の選挙管理委員会は、選挙の期日の公示又は告示の日から当該選挙の期日後五日に当たる日までの間を除き、次の表の上欄に掲げる活動を行うために、同表の中欄に掲げる者から選挙人名簿の抄本を閲覧することが必要である旨の申出があつた場合には、その活動に必要な限度において、それぞれ同表の下欄に掲げる者に選挙人名簿の抄本を閲覧させなければならない。この項前段に規定する期間（第二十四条第一項各号に定める期間又は期日に限る。）においても、特定の者が選挙人名簿に登録された者であるかどうかの確認を行うために、選挙人から当該申出があつた場合には、当該確認に必要な限度において、当該申出をした選挙人に選挙人名簿の抄本を閲覧させなければならない。

特定の者が選挙人名簿に登録された者であるかどうかの確認	選挙人	選挙人名簿の抄本の閲覧の申出をした選挙人
公職の候補者とな		選挙人名簿の抄本の

政治活動（選挙運動を含む。）	ろうとする者（公職にある者を含む。以下この条において「公職の候補者等」という。）	閲覧の申出をした公職の候補者等又は当該公職の候補者等が指定する者
	政党その他の政治団体	選挙人名簿の抄本の閲覧の申出をした政党その他の政治団体の役職員又は構成員で、当該政党その他の政治団体が指定するもの

2　前項の申出は、総務省令で定めるところにより、次に掲げる事項を明らかにしてしなければならない。ただし、総務省令で定める場合には、第四号イに定める事項については、この限りでない。

一　選挙人名簿の抄本の閲覧の申出をする者（以下この条から第二十八条の四までにおいて「申出者」という。）の氏名及び住所（申出者が政党その他の政治団体である場合には、その名称、代表者の氏名及び主たる事務所の所在地）

二　選挙人名簿の抄本の閲覧により知り得た事項（以下この条から第二十八条の四までにおいて「閲覧事項」という。）の利用の目的

三　選挙人名簿の抄本を閲覧する者（以下この条から第二十八条の四までにおいて「閲覧者」という。）の氏名及び住所

四　次に掲げる場合の区分に応じ、それぞれ次に定める事項

イ　申出者が選挙人又は公職の候補者等である場合　閲覧事項の管理の方法

ロ　申出者が政党その他の政治団体である場合　閲覧事項の管理の方法及び当該政党その他の政治団体の役職員又は構成員のうち、閲覧事項を取り扱う者の範囲

五　前各号に掲げるもののほか、総務省令で定める事項

3　第一項の規定にかかわらず、市町村の選挙管理委員会は、閲覧事項を不当な目的に利用されるおそれがあること、閲覧事項を適切に管理することができないおそれがあることその他同項の申出に係る閲覧を拒むに足りる相当な理由があると認めるときは、当該申出に係る閲覧を拒むことができる。

4　公職の候補者等である申出者は、第二項第二号に掲げる利用の目的（以下この条から第二十八条の四までにおいて「利用目的」という。）を達成するために当該申出者及び閲覧者以外の者（当該申出者に使用される者に限る。）に閲覧事項を取り扱わせることが必要な場合には、第一項の申出をする際に、その旨並びに閲覧事項を取り扱う者として当該申出者が指定する者の氏名及び住所をその市町村の選挙管理委員会に申し出ることができる。

5　前項の規定による申出を受けた市町村の選挙管理委員会は、当該申出に相当な理由があると認めるときは、その申出を承認するものとする。この場合において、当該承認を受けた申出者は、当該申出者が指定した者（当該承認を受けた者に限る。第十二項及び第二十八条の四において「候補者閲覧事項取扱者」という。）にその閲覧事項を取り扱わせることができる。

6　政党その他の政治団体である申出者は、閲覧者及び第二項第四号ロに規定する範囲に属する者のうち当該申出者が指定するもの（第十二項及び第二十八条の四において「政治団体閲覧事項取扱者」という。）以外の者にその閲覧事項を取り扱わせてはならない。

7　政党その他の政治団体である申出者は、利用目的を達成するために当該申出者以外の法人（法人でない団体で代表者又は管理人の定めのあるものを含む。以下この条から第二十八条の四までにおいて同じ。）に閲覧事項を取り扱わせることが必要な場合には、第一項の申出をする際に、当該法人についての次に掲げる事項を明らかにして、その旨をその市町村の選挙管理委員会に申し出ることができる。

一　法人の名称、代表者又は管理人の氏名及び主たる事務所の所在地

二　法人に閲覧事項を取り扱わせる事由

三　法人の役職員又は構成員のうち、閲覧事項を取り扱う者の範囲

四　法人の閲覧事項の管理の方法

五　前各号に掲げるもののほか、総務省令で定める事項

8　前項の規定による申出を受けた市町村の選挙管理委員会は、当該申出に相当な理由があると認めるときは、その申出を承認するものとする。この場合において、当該承認を受けた申出者は、第六項の規定にかかわらず、当該承認に係る法人（第十項から第十二項まで及び第二十八条の四において「承認法人」という。）にその閲覧事項を取り扱わせることができる。

9　前項の規定による承認を受けた政党その他の政治団体に対する第一項の規定の適用については、同項の表の下欄中「構成員」とあるのは、「構成員（第十項に規定する承認法人閲覧事項取扱者を含む。）」とする。

10　承認法人は、第七項第三号に掲げる範囲に属する者のうち当該承認法人が指定するもの（次項及び第二十八条の四において「承認法人閲覧事項取扱者」という。）以外の者にその閲覧事項を取り扱わせてはならない。

11　承認法人は、承認法人閲覧事項取扱者による閲覧事項の漏えいの防止その他の閲覧事項の適切な管理のために必要な措置を講じなければならない。

12　申出者は、閲覧者、候補者閲覧事項取扱者、政治団体閲覧事項取扱者又は承認法人による閲覧事項の漏えいの防止その他の閲覧事項の適切な管理のために必要な措置を講じなければならない。

（政治又は選挙に関する調査研究を目的とした選挙人名簿の抄本の閲覧）

第二十八条の三　市町村の選挙管理委員会は、前条第一項に定めるもののほか、統計調査、世論調査、学術研究その他の調査研究で公益性が高いと認められるもののうち政治又は選挙に関するものを実施するために選挙人名簿の抄本を閲覧することが必要である旨の申出があつた場合には、同項前段に規定する期間を除き、次の各号に掲げる場合の区分に応じ、当該各号に定める者に、当該調査研究を実施するために必要な限度において、選挙人名簿の抄本を閲覧させなければならない。

一　申出者が国又は地方公共団体（以下この条及び次条におい

て「国等」という。）の機関である場合　選挙人名簿の抄本の閲覧の申出をした国等の機関の職員で、当該国等の機関が指定するもの

二　申出者が法人である場合　選挙人名簿の抄本の閲覧の申出をした法人の役職員又は構成員（他の法人と共同して申出をする場合にあつては、当該他の法人の役職員又は構成員を含む。）で、当該法人が指定するもの

三　申出者が個人である場合　選挙人名簿の抄本の閲覧の申出をした個人又はその指定する者

2　前項の申出は、総務省令で定めるところにより、次に掲げる事項を明らかにしてしなければならない。

一　申出者の氏名及び住所（申出者が国等の機関である場合にはその名称、申出者が法人である場合にはその名称、代表者又は管理人の氏名及び主たる事務所の所在地）

二　利用目的

三　閲覧者の氏名及び住所（申出者が国等の機関である場合には、その職名及び氏名）

四　閲覧事項を利用して実施する調査研究の成果の取扱い

五　次に掲げる場合の区分に応じ、それぞれ次に定める事項

イ　申出者が法人である場合　閲覧事項の管理の方法及び当該法人の役職員又は構成員のうち、閲覧事項を取り扱う者の範囲

ロ　申出者が個人である場合　閲覧事項の管理の方法

六　前各号に掲げるもののほか、総務省令で定める事項

3　第一項の規定にかかわらず、市町村の選挙管理委員会は、閲覧事項を不当な目的に利用されるおそれがあること、閲覧事項を適切に管理することができないおそれがあることその他同項の申出に係る閲覧を拒むに足りる相当な理由があると認めるときは、当該申出に係る閲覧を拒むことができる。

4　法人である申出者は、閲覧者及び第二項第五号イに規定する範囲に属する者のうち当該申出者が指定するもの（第七項及び次条において「法人閲覧事項取扱者」という。）以外の者にその閲覧事項を取り扱わせてはならない。

5　個人である申出者は、利用目的を達成するために当該申出者及び閲覧者以外の者に閲覧事項を取り扱わせることが必要な場合には、第一項の申出をする際に、その旨並びに閲覧事項を取り扱う者として当該申出者が指定する者の氏名及び住所をその市町村の選挙管理委員会に申し出ることができる。

6　前項の規定による申出を受けた市町村の選挙管理委員会は、当該申出に相当な理由があると認めるときは、その申出を承認するものとする。この場合において、当該承認を受けた申出者は、当該申出者が指定した者（当該承認を受けた者に限る。次項及び次条において「個人閲覧事項取扱者」という。）にその閲覧事項を取り扱わせることができる。

7　申出者（国等の機関である申出者を除く。）は、閲覧者、法人閲覧事項取扱者又は個人閲覧事項取扱者による閲覧事項の漏えいの防止その他の閲覧事項の適切な管理のために必要な措置を講じなければならない。

（選挙人名簿の抄本の閲覧に係る勧告及び命令等）

第二十八条の四　申出者、閲覧者、候補者閲覧事項取扱者、政治団体閲覧事項取扱者、承認法人、承認法人閲覧事項取扱者、法人閲覧事項取扱者又は個人閲覧事項取扱者は、本人の事前の同意を得ないで、当該閲覧事項を利用目的以外の目的のために利用し、又は当該閲覧事項に係る申出者、閲覧者、候補者閲覧事項取扱者、政治団体閲覧事項取扱者、承認法人、承認法人閲覧事項取扱者、法人閲覧事項取扱者及び個人閲覧事項取扱者以外の者に提供してはならない。

2　市町村の選挙管理委員会は、閲覧者若しくは申出者が偽りその他不正の手段により第二十八条の二第一項（同条第九項において読み替えて適用される場合を含む。第四項、第七項及び第八項において同じ。）若しくは前条第一項の規定による選挙人名簿の抄本の閲覧をし、若しくはさせた場合又は申出者、閲覧者、候補者閲覧事項取扱者、政治団体閲覧事項取扱者、承認法人、承認法人閲覧事項取扱者、法人閲覧事項取扱者若しくは個人閲覧事項取扱者が前項の規定に違反した場合において、個人の権利利益を保護するため必要があると認めるときは、当該閲覧事項に係る申出者、当該閲覧をし、若しくはさせた者又は当該違反行為をした者に対し、当該閲覧事項が利用目的以外の目的で利用され、又は当該閲覧事項に係る申出者、閲覧者、候補者閲覧事項取扱者、政治団体閲覧事項取扱者、承認法人、承認法人閲覧事項取扱者、法人閲覧事項取扱者及び個人閲覧事項取扱者以外の者に提供されないようにするための措置を講ずることを勧告することができる。

3　市町村の選挙管理委員会は、前項の規定による勧告を受けた者が正当な理由がなくてその勧告に係る措置を講じなかつた場合において、個人の権利利益が不当に侵害されるおそれがあると認めるときは、その者に対し、その勧告に係る措置を講ずることを命ずることができる。

4　市町村の選挙管理委員会は、前二項の規定にかかわらず、閲覧者若しくは申出者が偽りその他不正の手段により第二十八条の二第一項若しくは前条第一項の規定による選挙人名簿の抄本の閲覧をし、若しくはさせた場合又は申出者、閲覧者、候補者閲覧事項取扱者、政治団体閲覧事項取扱者、承認法人、承認法人閲覧事項取扱者、法人閲覧事項取扱者若しくは個人閲覧事項取扱者が第一項の規定に違反した場合において、個人の権利利益が不当に侵害されることを防止するため特に措置を講ずる必要があると認めるときは、当該閲覧事項に係る申出者、当該閲覧をし、若しくはさせた者又は当該違反行為をした者に対し、当該閲覧事項が利用目的以外の目的で利用され、又は当該閲覧事項に係る申出者、閲覧者、候補者閲覧事項取扱者、政治団体閲覧事項取扱者、承認法人、承認法人閲覧事項取扱者、法人閲覧事項取扱者及び個人閲覧事項取扱者以外の者に提供されないようにするための措置を講ずることを命ずることができる。

5　市町村の選挙管理委員会は、第二十八条の二からこの条までの規定の施行に必要な限度において、申出者に対し、必要な報告をさせることができる。

6　前各項の規定は、申出者が国等の機関である場合には、適用しない。

7　市町村の選挙管理委員会は、その定めるところにより、毎年少なくとも一回、第二十八条の二第一項及び前条第一項の申出に係る選挙人名簿の抄本の閲覧（総務省令で定めるものを除く。）の状況について、申出者の氏名（申出者が国等の機関である場合にはその名称、申出者が法人である場合にあつてはその名称及び代表者又は管理人の氏名）及び利用目的の概要その他総務省令で定める事項を公表するものとする。

8 市町村の選挙管理委員会は、第二十八条の二第一項又は前条第一項の規定により閲覧させる場合を除いては、選挙人名簿の抄本を閲覧させてはならない。

（通報及び調査の請求）
第二十九条 市町村長及び市町村の選挙管理委員会は、選挙人の住所の有無その他選挙資格の確認に関し、その有している資料について相互に通報しなければならない。
2 選挙人は、選挙人名簿に脱漏、誤載又は誤記があると認めるときは、市町村の選挙管理委員会に選挙人名簿の修正に関し、調査の請求をすることができる。

（選挙人名簿の再調製）
第三十条 天災事変その他の事故により必要があるときは、市町村の選挙管理委員会は、更に選挙人名簿を調製しなければならない。
2 前項の選挙人名簿の調製の期日及び異議の申出期間その他その調製について必要な事項は、政令で定める。

第四章の二　在外選挙人名簿

（在外選挙人名簿）
第三十条の二 市町村の選挙管理委員会は、選挙人名簿のほか、在外選挙人名簿の調製及び保管を行う。
2 在外選挙人名簿は、永久に据え置くものとし、かつ、衆議院議員及び参議院議員の選挙を通じて一の名簿とする。
3 市町村の選挙管理委員会は、第三十条の五第一項の規定による申請に基づき在外選挙人名簿の登録を行い、及び同条第四項の規定による申請に基づき在外選挙人名簿への登録の移転（選挙人名簿から抹消すると同時に在外選挙人名簿の登録を行うことをいう。以下同じ。）を行うものとする。
4 在外選挙人名簿は、政令で定めるところにより、磁気ディスクをもつて調製することができる。
5 選挙を行う場合において必要があるときは、在外選挙人名簿の抄本（前項の規定により磁気ディスクをもつて在外選挙人名簿を調製している市町村の選挙管理委員会にあつては、当該在外選挙人名簿に記録されている全部若しくは一部の事項又は当該事項を記載した書類。第二百五十五条の四第一項第一号及び第二百七十条第一項第三号において同じ。）を用いることができる。

（在外選挙人名簿の記載事項等）
第三十条の三 在外選挙人名簿には、選挙人の氏名、最終住所（選挙人が国外へ住所を移す直前に住民票に記載されていた住所をいう。以下同じ。）又は申請の時（選挙人が第三十条の五第一項の規定による申請書を同条第二項に規定する領事官又は同項に規定する総務省令・外務省令で定める者に提出した時をいう。同条第一項及び第三項において同じ。）における本籍、性別及び生年月日等の記載（前条第四項の規定により磁気ディスクをもつて調製する在外選挙人名簿にあつては、記録）をしなければならない。
2 市町村の選挙管理委員会は、市町村の区域を分けて数投票区を設けた場合には、政令で定めるところにより、在外選挙人名簿を編製する一以上の投票区（以下「指定在外選挙投票区」という。）を指定しなければならない。
3 前二項に規定するもののほか、在外選挙人名簿の様式その他必要な事項は、政令で定める。

（在外選挙人名簿の被登録資格等）
第三十条の四 在外選挙人名簿の登録（在外選挙人名簿への登録の移転に係るものを除く。以下同じ。）は、在外選挙人名簿に登録されていない年齢満十八年以上の日本国民（第十一条第一項若しくは第二百五十二条又は政治資金規正法第二十八条の規定により選挙権を有しない者を除く。次項及び次条において同じ。）で、同条第一項の規定による申請がされ、かつ、在外選挙人名簿に関する事務についてその者の住所を管轄する領事官（領事官の職務を行う大使館若しくは公使館の長又はその事務を代理する者を含む。以下同じ。）の管轄区域（在外選挙人名簿に関する事務についての領事官の管轄区域として総務省令・外務省令で定める区域をいう。同項及び同条第三項第二号において同じ。）内に引き続き三箇月以上住所を有するものについて行う。
2 在外選挙人名簿への登録の移転は、在外選挙人名簿に登録されていない年齢満十八年以上の日本国民で最終住所の所在地の市町村の選挙人名簿に登録されている者のうち、次条第四項の規定による申請がされ、かつ、国外に住所を有するものについて行う。

（在外選挙人名簿の登録の申請等）
第三十条の五 年齢満十八年以上の日本国民で、在外選挙人名簿に関する事務についてその者の住所を管轄する領事官の管轄区域内に住所を有するものは、政令で定めるところにより、文書で、最終住所の所在地の市町村の選挙管理委員会（その者が、いずれの市町村の住民基本台帳にも記録されたことがない者である場合には、申請の時におけるその者の本籍地の市町村の選挙管理委員会）に在外選挙人名簿の登録の申請をすることができる。
2 前項の規定による申請は、政令で定めるところにより、在外選挙人名簿に関する事務について当該申請をする者の住所を管轄する領事官（当該領事官を経由して当該申請をすることが著しく困難である地域として総務省令・外務省令で定める地域にあつては、総務省令・外務省令で定める者。以下この章において同じ。）を経由してしなければならない。
3 前項の場合において、領事官は、政令で定めるところにより、次の各号に掲げる場合の区分に応じ、当該各号に定める日以後速やかに、第一項の規定による申請書にその申請をした者に係る前条第一項に定める在外選挙人名簿に登録される資格（次条第一項及び第三十条の十三第二項において「在外選挙人名簿の被登録資格」という。）に関する意見を付して、当該申請をした者の最終住所の所在地の市町村の選挙管理委員会（当該申請をした者が、いずれの市町村の住民基本台帳にも記録されたことがない者である場合には、申請の時におけるその者の本籍地の市町村の選挙管理委員会）に送付しなければならない。
一 次号に掲げる場合以外の場合　当該申請の時の属する日
二 当該申請の時の属する日が当該申請書に当該領事官の管轄区域内に住所を有することとなつた日として記載された日から三箇月を経過していない場合　当該記載された日から三箇月を経過した日
4 年齢満十八年以上の日本国民で国外に転出をする旨の住民基本台帳法第二十四条の規定による届出（以下この項において

「国外転出届」という。）がされた者のうち、当該国外転出届がされた市町村の選挙人名簿に登録されているもの（当該市町村の選挙人名簿に登録されていない者で、当該国外転出届に転出の予定年月日として記載された日までに、当該市町村の選挙人名簿に登録される資格を有することとなるものを含む。）は、政令で定めるところにより、同日までに、文書で、当該市町村の選挙管理委員会に在外選挙人名簿への登録の移転の申請をすることができる。

5 市町村の選挙管理委員会は、前項の規定による申請があつた場合には、政令で定めるところにより、外務大臣に対し、当該申請をした者（当該市町村の選挙人名簿から抹消された者を除く。次項において同じ。）の国外における住所に関する意見を求めなければならない。

6 外務大臣は、前項の規定により第四項の規定による申請をした者の国外における住所に関する意見を求められたときは、政令で定めるところにより、市町村の選挙管理委員会に対し、当該申請をした者の国外における住所に関する意見を述べなければならない。

（在外選挙人名簿の登録等）

第三十条の六 市町村の選挙管理委員会は、前条第一項の規定による申請をした者が当該市町村における在外選挙人名簿の被登録資格を有する者である場合には、遅滞なく、当該申請をした者を在外選挙人名簿に登録しなければならない。

2 市町村の選挙管理委員会は、前条第四項の規定による申請をした者が当該市町村における第三十条の四第二項に定める在外選挙人名簿への登録の移転をされる資格（第三十条の十三第二項において「在外選挙人名簿の被登録移転資格」という。）を有する者である場合には、遅滞なく、当該申請をした者について在外選挙人名簿への登録の移転をしなければならない。

3 市町村の選挙管理委員会は、衆議院議員又は参議院議員の選挙の期日の公示又は告示の日から選挙の期日までの期間においては、前二項の規定にかかわらず、在外選挙人名簿の登録又は在外選挙人名簿への登録の移転を行わない。

4 市町村の選挙管理委員会は、第一項の規定による登録をしたときは、前条第三項の規定により同条第一項の規定による申請書を送付した領事官を経由して、同項の規定による申請をした者に、在外選挙人名簿に登録されている者であることの証明書（以下「在外選挙人証」という。）を交付しなければならない。

5 市町村の選挙管理委員会は、第二項の規定による在外選挙人名簿への登録の移転をしたときは、在外選挙人名簿に関する事務について前条第四項の規定による申請をした者の住所を管轄する領事官を経由して、当該申請をした者に、在外選挙人証を交付しなければならない。

第三十条の七 削除

（在外選挙人名簿の登録等に関する異議の申出）

第三十条の八 選挙人は、在外選挙人名簿の登録又は在外選挙人名簿への登録の移転に関し不服があるときは、これらに関する処分の直後に到来する次に掲げる期間又は期日に、文書で当該市町村の選挙管理委員会に異議を申し出ることができる。

一 第二十二条第一項の規定による選挙人名簿の登録が行われた日の翌日から五日間

二 衆議院議員又は参議院議員の選挙に係る第二十二条第三項の規定による選挙人名簿の登録が行われた日の翌日

2 市町村の選挙管理委員会は、前項の異議の申出を受けたときは、その異議の申出を受けた日から三日以内に、その異議の申出が正当であるかないかを決定しなければならない。その異議の申出を正当であると決定したときは、その異議の申出に係る者を直ちに在外選挙人名簿に登録し、若しくは在外選挙人名簿から抹消し、又はその者について在外選挙人名簿への登録の移転をし、若しくは在外選挙人名簿からの抹消と同時に選挙人名簿の登録（選挙人名簿の登録については、当該市町村の選挙人名簿に登録される資格を有する場合に限る。）をし、その旨を異議申出人及び関係人に通知し、併せてこれを告示しなければならない。その異議の申出を正当でないと決定したときは、直ちにその旨を異議申出人に通知しなければならない。

3 行政不服審査法第九条第四項、第十九条第二項（第三号及び第五号を除く。）、第二十三条、第二十四条、第二十七条、第三十一条（第五項を除く。）、第三十二条第一項及び第三項、第三十九条、第四十一条第一項及び第二項、第四十四条並びに第五十三条の規定は、第一項の異議の申出について準用する。この場合において、これらの規定（同法第四十四条の規定を除く。）中「審理員」とあるのは「審査庁」と、同法第九条第四項中「審査庁」とあるのは「公職選挙法第三十条の八第一項の異議の申出を受けた選挙管理委員会（以下「審査庁」という。）」と、同法第二十四条第一項中「第四十五条第一項又は第四十九条第一項の規定に基づき、裁決で」とあるのは「決定で」と、同法第三十一条第二項中「審理関係人」とあるのは「異議申出人」と、同法第四十四条中「行政不服審査会等から諮問に対する答申を受けたとき（前条第一項の規定による諮問を要しない場合（同項第二号又は第三号に該当する場合を除く。）にあつては審理員意見書が提出されたとき、同項第二号又は第三号に該当する場合にあつては同項第二号又は第三号に規定する議を経たとき）」とあるのは「審理手続を終結したとき」と読み替えるものとする。

4 第二百十四条の規定は、第一項の異議の申出について準用する。

（在外選挙人名簿の登録等に関する訴訟）

第三十条の九 第二十五条第一項から第三項までの規定は、在外選挙人名簿の登録及び在外選挙人名簿への登録の移転に関する訴訟について準用する。この場合において、同条第一項中「前条第二項」とあるのは「第三十条の八第二項において準用する前条第二項」と、「七日」とあるのは「七日（政令で定める場合には、郵便又は民間事業者による信書の送達に関する法律（平成十四年法律第九十九号）第二条第六項に規定する一般信書便事業者、同条第九項に規定する特定信書便事業者若しくは同法第三条第四号に規定する外国信書便事業者による同法第二条第二項に規定する信書便による送付に要した日数を除く。）」と読み替えるものとする。

2 第二百十三条、第二百十四条及び第二百十九条第一項の規定は、前項において準用する第二十五条第一項及び第三項の訴訟について準用する。この場合において、第二百十九条第一項中「一の選挙の効力を争う数個の請求、第二百七条若しくは第二百八条の規定により一の選挙における当選の効力を争う数個の請求、第二百十条第二項の規定により公職の候補者であつた者の当選の効力を争う数個の請求、第二百十一条の規定により公職の候補者等であつた者の当選の効力若しくは立候補の資格を争う数個の請求又は選挙の効力を争う請求とその選挙における当選の効力に関し第二百七条若しくは第二百八条の規定によりこれを争う請求と」とあるのは、「一の第三十条の八第一項各号に掲げる期間又は期日に異議の申出を行うことができる一の市町村の選挙管理委員会が行う在外選挙人名簿の登録又は在外選挙人名簿への登録の移転に関し争う数個の請求」と読み替えるものとする。

（在外選挙人名簿の表示及び訂正等）

第三十条の十　市町村の選挙管理委員会は、在外選挙人名簿に登録されている者が第十一条第一項若しくは第二百五十二条若しくは政治資金規正法第二十八条の規定により選挙権を有しなくなつたこと又は在外選挙人名簿に登録されている者に係る住民票が国内の市町村において新たに作成されたことを知つた場合には、直ちに在外選挙人名簿にその旨を表示しなければならない。

2　市町村の選挙管理委員会は、在外選挙人名簿に登録されている者の記載内容（第三十条の二第四項の規定により磁気ディスクをもつて調製する在外選挙人名簿にあつては、記録内容。第三十条の十四第一項において同じ。）に変更があつたこと又は誤りがあることを知つた場合には、直ちにその記載（第三十条の二第四項の規定により磁気ディスクをもつて調製する在外選挙人名簿にあつては、記録）の修正又は訂正をしなければならない。

（在外選挙人名簿の登録の抹消）

第三十条の十一　市町村の選挙管理委員会は、当該市町村の在外選挙人名簿に登録されている者について次の各号のいずれかに該当するに至つたときは、これらの者を直ちに在外選挙人名簿から抹消しなければならない。この場合において、第三号に該当するに至つたときは、その旨を告示しなければならない。

一　死亡したこと又は日本の国籍を失つたことを知つたとき。

二　前条第一項の表示をされた者について国内の市町村の区域内に住所を定めた年月日として戸籍の附票に記載された日後四箇月を経過するに至つたとき。

三　在外選挙人名簿の登録又は在外選挙人名簿への登録の移転の際に在外選挙人名簿の登録又は在外選挙人名簿への登録の移転をされるべきでなかつたことを知つたとき。

（在外選挙人名簿の抄本の閲覧等）

第三十条の十二　第二十八条の二から第二十八条の四までの規定は、在外選挙人名簿について準用する。この場合において、第二十八条の二第一項中「第二十四条第一項各号に定める」とあるのは、「第三十条の八第一項各号に掲げる」と読み替えるものとする。

（在外選挙人名簿の修正等に関する通知等）

第三十条の十三　市町村長は、その市町村に本籍を有する者で他の市町村の在外選挙人名簿に登録されているもの（以下この項において「他市町村在外選挙人名簿登録者」という。）について戸籍に関する届書、申請書その他の書類を受理し、若しくは職権で戸籍の記載をした場合又は戸籍の附票の記載、消除若しくは記載の修正をした場合において、当該他の市町村の選挙管理委員会において在外選挙人名簿の修正若しくは訂正をすべきこと若しくは当該他市町村在外選挙人名簿登録者を在外選挙人名簿から抹消すべきこと又は当該他市町村在外選挙人名簿登録者に係る住民票が国内の市町村において新たに作成されたことを知つたときは、遅滞なく、その旨を当該他の市町村の選挙管理委員会に通知しなければならない。

2　第二十九条の規定は、在外選挙人名簿の被登録資格及び在外選挙人名簿の被登録移転資格の確認に関する通報並びに在外選挙人名簿の修正に関する調査の請求について準用する。

（在外選挙人証交付記録簿の閲覧）

第三十条の十四　領事官は、特定の者が在外選挙人名簿に登録された者であるかどうかの確認をするために、選挙人から、当該領事官を経由して在外選挙人証を交付された者についてその登録されている在外選挙人名簿の属する市町村名及び当該登録されている者の氏名その他の在外選挙人名簿の記載内容に関する事項を記載した政令で定める文書（以下この条において「在外選挙人証交付記録簿」という。）を閲覧することが必要である旨の申出があつた場合には、当該申出をした選挙人に、その確認に必要な限度において、在外選挙人証交付記録簿を閲覧させなければならない。

2　前項の申出は、総務省令で定めるところにより、当該申出をする者の氏名及び住所その他総務省令で定める事項を明らかにしてしなければならない。

3　第一項の規定にかかわらず、領事官は、同項の規定による在外選挙人証交付記録簿の閲覧により知り得た事項（次項において「閲覧事項」という。）を不当な目的に利用されるおそれがあることその他第一項の申出に係る閲覧を拒むに足りる相当な理由があると認めるときは、当該申出に係る閲覧を拒むことができる。

4　第一項の規定により在外選挙人証交付記録簿を閲覧した者は、本人の事前の同意を得ないで、当該閲覧事項を特定の者が在外選挙人名簿に登録された者であるかどうかの確認をする目的以外の目的のために利用し、又は第三者に提供してはならない。

5　領事官は、第一項の規定により閲覧させる場合を除いては、在外選挙人証交付記録簿を閲覧させてはならない。

（在外選挙人名簿の再調製）

第三十条の十五　第三十条の規定は、在外選挙人名簿の再調製について準用する。

（在外選挙人名簿の登録等に関する政令への委任）

第三十条の十六　第三十条の四から第三十条の六まで及び第三十条の八から前条までに規定するもののほか、在外選挙人名簿の登録及び在外選挙人名簿への登録の移転に関し必要な事項は、政令で定める。

第五章　選挙期日

（総選挙）

第三十一条　衆議院議員の任期満了に因る総選挙は、議員の任期が終る日の前三十日以内に行う。

2　前項の規定により総選挙を行うべき期間が国会開会中又は国会閉会の日から二十三日以内にかかる場合においては、その総選挙は、国会閉会の日から二十四日以後三十日以内に行う。

3　衆議院の解散に因る衆議院議員の総選挙は、解散の日から四十日以内に行う。

4　総選挙の期日は、少なくとも十二日前に公示しなければならない。

5　衆議院議員の任期満了に因る総選挙の期日の公示がなされた後その期日前に衆議院が解散されたときは、任期満了に因る総選挙の公示は、その効力を失う。

（通常選挙）

第三十二条　参議院議員の通常選挙は、議員の任期が終る日の前三十日以内に行う。

2　前項の規定により通常選挙を行うべき期間が参議院開会中又は参議院閉会の日から二十三日以内にかかる場合においては、通常選挙は、参議院閉会の日から二十四日以後三十日以内に行う。

3　通常選挙の期日は、少なくとも十七日前に公示しなければならない。

（一般選挙、長の任期満了に因る選挙及び設置選挙）

第三十三条　地方公共団体の議会の議員の任期満了に因る一般選挙又は長の任期満了に因る選挙は、その任期が終る日の前三十日以内に行う。

2　地方公共団体の議会の解散に因る一般選挙は、解散の日から四十日以内に行う。

3　地方公共団体の設置による議会の議員の一般選挙及び長の選挙は、地方自治法第六条の二第四項又は第七条第七項の告示による当該地方公共団体の設置の日から五十日以内に行う。

4　地方公共団体の議会の議員の任期満了に因る一般選挙の期日の告示がなされた後その任期の満了すべき日前に当該地方公共団体の議会の議員がすべてなくなつたとき、又は地方公共団体の長の任期満了に因る選挙の期日の告示がなされた後その任期の満了すべき日前に当該地方公共団体の長が欠け、若しくは退職を申し出たときは、更にこれらの事由に因る選挙の告示は、行わない。但し、任期満了に因る選挙の期日前に当該地方公共団体の議会が解散されたとき、又は長が解職され、若しくは不信任の議決に因りその職を失つたときは、任期満了に因る選挙の告示は、その効力を失う。

5　第一項から第三項までの選挙の期日は、次の各号の区分により、告示しなければならない。

一　都道府県知事の選挙にあつては、少なくとも十七日前に

二　指定都市の長の選挙にあつては、少なくとも十四日前に

三　都道府県の議会の議員及び指定都市の議会の議員の選挙にあつては、少なくとも九日前に

四　指定都市以外の市の議会の議員及び長の選挙にあつては、少なくとも七日前に

五　町村の議会の議員及び長の選挙にあつては少なくとも五日前に

（衆議院議員及び参議院議員の再選挙及び補欠選挙）

第三十三条の二　衆議院議員及び参議院議員の第百九条第一号に掲げる事由による再選挙は、これを行うべき事由が生じた日から四十日以内に、衆議院議員及び参議院議員の同条第四号に掲げる事由による再選挙（選挙の無効による再選挙に限る。）は、当該選挙に関する事務を管理する選挙管理委員会（衆議院比例代表選出議員又は参議院比例代表選出議員の選挙については中央選挙管理会、参議院合同選挙区選挙については当該選挙に関する事務を管理する参議院合同選挙区選挙管理委員会）が第二百二十条第一項後段の規定による通知を受けた日から四十日以内に行う。

2　衆議院議員及び参議院議員の再選挙（前項に規定する再選挙を除く。以下「統一対象再選挙」という。）又は補欠選挙は、九月十六日から翌年の三月十五日まで（以下この条において「第一期間」という。）にこれを行うべき事由が生じた場合は当該期間の直後の四月の第四日曜日に、三月十六日からその年の九月十五日まで（以下この条において「第二期間」という。）にこれを行うべき事由が生じた場合は当該期間の直後の十月の第四日曜日に行う。

3　衆議院議員の統一対象再選挙又は補欠選挙は、参議院議員の任期が終わる年において第二期間の初日から参議院議員の任期が終わる日の五十四日前の日（その日後に国会が開会されている場合は、当該通常選挙の期日の公示の日の直前の国会閉会の日）までにこれを行うべき事由が生じた場合は、前項の規定にかかわらず、当該通常選挙の期日に行う。

4　参議院議員の統一対象再選挙又は補欠選挙は、在任期間を異にする参議院議員の任期が終わる年において第二期間の初日から通常選挙の期日の公示がなされるまでにこれを行うべき事由が生じた場合は、第二項の規定にかかわらず、当該通常選挙の期日に行う。

5　参議院議員の統一対象再選挙又は補欠選挙は、次の各号の区分による選挙が行われるときにおいて当該選挙の期日の告示がなされるまでにこれを行うべき事由が生じた場合は、第二項及び前項の規定にかかわらず、次の各号の区分による選挙の期日に行う。

一　比例代表選出議員の場合には、在任期間を異にする比例代表選出議員の第一項に規定する再選挙（選挙の一部無効による再選挙を除く。）が行われるとき。

二　選挙区選出議員の場合には、当該選挙区において在任期間を同じくする選挙区選出議員の第一項に規定する再選挙（当選人がその選挙における議員の定数に達しないことによる再選挙に限る。）又は在任期間を異にする選挙区選出議員の同項に規定する再選挙（選挙の一部無効による再選挙を除く。）が行われるとき。

6　衆議院議員及び参議院議員の再選挙（統一対象再選挙を除く。）は、当該議員の任期（参議院議員については在任期間を同じくするものの任期をいう。以下この項において同じ。）が終わる前六月以内にこれを行うべき事由が生じた場合は行わず、衆議院議員及び参議院議員の統一対象再選挙又は補欠選挙は、当該議員の任期が終わる日の六月前の日が属する第一期間又は第二期間の初日以後これを行うべき事由が生じた場合は行わない。

7　衆議院議員及び参議院議員の再選挙又は補欠選挙は、その選挙を必要とするに至つた選挙についての第二百四条又は第二百八条の規定による訴訟の出訴期間又は訴訟が係属している間は、行うことができない。この場合において、これらの期間に第一項又は第二項に規定する事由が生じた選挙についての前各項の規定の適用については、第一項中「これを行うべき事由が生じた日」とあるのは「第二百四条若しくは第二百八条に規定する出訴期間の経過又は当該選挙に関する事務を管理する選挙管理委員会（衆議院比例代表選出議員又は参議院比例代表選出議員の選挙については中央選挙管理会、参議院合同選挙区選挙については当該選挙に関する事務を管理する参議院合同選挙区

選挙管理委員会）の第二百二十条第一項後段の規定による通知の受領のうちいずれか遅い方の事由が生じた日」と、第二項から前項までの規定中「これを行うべき事由が生じた場合」とあるのは「第二百四条若しくは第二百八条に規定する出訴期間の経過又はこれらの規定による訴訟が係属しなくなつたことのうちいずれか遅い方の事由が生じた場合」とする。

8 衆議院議員及び参議院議員の再選挙及び補欠選挙の期日は、特別の定めがある場合を除くほか、次の各号の区分により、告示しなければならない。

一 衆議院議員の選挙にあつては、少なくとも十二日前に

二 参議院議員の選挙にあつては、少なくとも十七日前に

（地方公共団体の議会の議員及び長の再選挙、補欠選挙等）

第三十四条 地方公共団体の議会の議員及び長の再選挙、補欠選挙（第百十四条の規定による選挙を含む。）又は増員選挙若しくは第百十六条の規定による一般選挙は、これを行うべき事由が生じた日から五十日以内に行う。

2 前項に掲げる選挙のうち、第百九条、第百十条又は第百十三条の規定による地方公共団体の議会の議員の再選挙、補欠選挙又は増員選挙は、当該議員の任期が終わる前六月以内にこれを行うべき事由が生じた場合は行わない。ただし、議員の数がその定数の三分の二に達しなくなつたときは、この限りでない。

3 第一項に掲げる選挙は、その選挙を必要とするに至つた選挙についての第二百二条若しくは第二百六条の規定による異議の申出期間、第二百二条若しくは第二百六条の規定による異議の申出に対する決定若しくは審査の申立てに対する裁決が確定しない間又は第二百三条若しくは第二百七条の規定による訴訟が係属している間（次項及び第五項において「争訟係属等期間」と総称する。）は、行うことができない。

4 第一項に掲げる選挙のうち、次の各号に掲げる選挙についての同項の規定の適用については、同項中「これを行うべき事由が生じた日」とあるのは、当該各号に定める日（第二号から第六号までに定める日が争訟係属等期間にあるときは、第一号に定める日）に読み替えるものとする。

一 その選挙を必要とするに至つた選挙についての争訟係属等期間にこれを行うべき事由が生じた選挙 第二百二条若しくは第二百六条に規定する異議の申出期間の経過、第二百二条若しくは第二百六条に規定する異議の申出に対する決定若しくは審査の申立てに対する裁決の確定又は当該選挙に関する事務を管理する選挙管理委員会の第二百二十条第一項後段の規定による通知の受領のうち最も遅い事由が生じた日

二 第百九条第五号に掲げる事由による再選挙 当該選挙に関する事務を管理する選挙管理委員会が第二百二十条第二項の規定による通知を受領した日（第二百十条第一項の規定による訴訟が提起されなかつたことに係るものによる再選挙にあつては、同項に規定する出訴期間が経過した日）

三 第百九条第六号に掲げる事由による再選挙 当該選挙に関する事務を管理する選挙管理委員会が第二百五十四条の規定による通知を受領した日

四 補欠選挙又は増員選挙（前二号の規定の適用がある場合を除く。） 当該選挙に関する事務を管理する選挙管理委員会が最後に第百十一条第一項又は第三項の規定による通知を受領した日

五 第百十四条の規定による選挙 当該選挙に関する事務を管理する選挙管理委員会が第百十一条第一項第四号の規定による通知を受領した日

六 第百十六条の規定による一般選挙 第二号から第四号までに定める日のうち最も遅い日

5 地方公共団体の議会の議員の再選挙、補欠選挙又は増員選挙のうち、その選挙を必要とするに至つた選挙についての争訟係属等期間に第二項に規定する事由が生じた選挙についての同項の規定の適用については、同項中「これを行うべき事由が生じた場合」とあるのは、「第二百二条若しくは第二百六条に規定する異議の申出期間の経過、第二百二条若しくは第二百六条に規定する異議の申出に対する決定若しくは審査の申立てに対する裁決の確定又は第二百三条若しくは第二百七条の規定による訴訟が係属しなくなつたことのうち最も遅い事由が生じた場合」とする。

6 第一項の選挙の期日は、特別の定めがある場合を除くほか、次の各号の区分により、告示しなければならない。

一 都道府県知事の選挙にあつては、少なくとも十七日前に

二 指定都市の長の選挙にあつては、少なくとも十四日前に

三 都道府県の議会の議員及び指定都市の議会の議員の選挙にあつては、少なくとも九日前に

四 指定都市以外の市の議会の議員及び長の選挙にあつては、少なくとも七日前に

五 町村の議会の議員及び長の選挙にあつては、少なくとも五日前に

（地方公共団体の議会の議員及び長の任期満了による選挙の期日の特例）

第三十四条の二 地方公共団体の議会の議員の任期満了の日が当該地方公共団体の長の任期満了の日前九十日に当たる日から長の任期満了の日の前日までの間にある場合において当該地方公共団体の議会の議員の任期満了による一般選挙と長の任期満了による選挙を第百十九条第一項の規定により同時に行おうとするときは、第三十三条第一項の規定にかかわらず、これらの選挙は、当該地方公共団体の長の任期満了の日前五十日に当たる日又は当該地方公共団体の議会の議員の任期満了の日前三十日に当たる日のいずれか遅い日から当該地方公共団体の議会の議員の任期満了の日後五十日に当たる日又は当該地方公共団体の長の任期満了の日のいずれか早い日までの間に行うことができる。

2 都道府県の選挙管理委員会又は市町村の選挙管理委員会は、前項の規定により選挙を行おうとする場合には、当該地方公共団体の議会の議員の任期満了の日前六十日までにその旨を告示しなければならない。

3 第三十三条第一項及び第一項の規定にかかわらず、前項の規定による告示がなされた後当該地方公共団体の長の任期満了による選挙の期日の告示がなされるまでに当該地方公共団体の議会の議員が任期満了以外の事由によりすべてなくなつた場合（当該地方公共団体の議会の議員の任期満了による一般選挙の期日の告示がなされている場合（第三十三条第四項ただし書の規定の適用がある場合を除く。）を除く。）における当該地方公共団体の長の任期満了による選挙は、当該地方公共団体の長の任期満了の日前五十日に当たる日又は当該地方公共団体の議会の議員の任期が満了することとされていた日前三十日に当たる

日のいずれか遅い日から当該地方公共団体の長の任期満了の日までの間に行い、前項の規定による告示がなされた後当該地方公共団体の議会の議員の任期満了による一般選挙の期日の告示がなされるまでに当該地方公共団体の長が欠け、又は退職を申し出た場合（当該地方公共団体の長の任期満了による選挙の期日の告示がなされている場合（第三十三条第四項ただし書の規定の適用がある場合を除く。）を除く。）における当該地方公共団体の議会の議員の任期満了による一般選挙は、当該地方公共団体の議会の議員の任期満了の日前三十日に当たる日から当該地方公共団体の議会の議員の任期満了の日後五十日に当たる日又は当該地方公共団体の長の任期が満了することとされていた日のいずれか早い日までの間に行う。

4　前三項の規定は、地方公共団体の長の任期満了の日が当該地方公共団体の議会の議員の任期満了の日前九十日に当たる日から議員の任期満了の日の前日までにある場合について、準用する。この場合において、第一項中「長の任期満了の日前五十日」とあるのは「議会の議員の任期満了の日前五十日」と、「議会の議員の任期満了の日前三十日」とあるのは「長の任期満了の日前三十日」と、「議会の議員の任期満了の日後五十日」とあるのは「長の任期満了の日後五十日」と、「当該地方公共団体の長の任期満了の日の」とあるのは「当該地方公共団体の議会の議員の任期満了の日の」と、第二項中「前項」とあるのは「第四項において準用する前項」と、「議会の議員の任期満了の日」とあるのは「長の任期満了の日」と、前項中「第一項の」とあるのは「次項において準用する第一項の」と、「前項」とあるのは「次項において準用する前項」と、「長の任期満了による選挙」とあるのは「議会の議員の任期満了による一般選挙」と、「議会の議員が任期満了以外の事由によりすべてなくなつた」とあるのは「長が任期満了以外の事由により欠け、又は退職を申し出た」と、「議会の議員の任期満了による一般選挙」とあるのは「長の任期満了による選挙」と、「長の任期満了の日」とあるのは「議会の議員の任期満了の日」と、「議会の議員の任期が満了することとされていた日」とあるのは「長の任期が満了することとされていた日」と、「長が欠け、又は退職を申し出た」とあるのは「議会の議員がすべてなくなつた」と、「議会の議員の任期満了の日」とあるのは「長の任期満了の日」と、「議会の議員の任期が満了することとされていた日」とあるのは「長の任期が満了することとされていた日」と読み替えるものとする。

5　第三十三条第五項の規定は、第一項又は第三項（これらの規定を前項において準用する場合を含む。）の規定により行われる選挙について、準用する。

第六章　投票

（選挙の方法）

第三十五条　選挙は、投票により行う。

（一人一票）

第三十六条　投票は、各選挙につき、一人一票に限る。ただし、衆議院議員の選挙については小選挙区選出議員及び比例代表選出議員ごとに、参議院議員の選挙については選挙区選出議員及び比例代表選出議員ごとに一人一票とする。

（投票管理者）

第三十七条　各選挙ごとに、投票管理者を置く。

2　投票管理者は、選挙権を有する者の中から市町村の選挙管理委員会の選任した者をもつて、これに充てる。

3　衆議院議員の選挙において、小選挙区選出議員の選挙と比例代表選出議員の選挙を同時に行う場合においては、市町村の選挙管理委員会は、小選挙区選出議員についての投票管理者を同時に比例代表選出議員についての投票管理者とすることができる。

4　参議院議員の選挙において、選挙区選出議員の選挙と比例代表選出議員の選挙を同時に行う場合においては、市町村の選挙管理委員会は、選挙区選出議員についての投票管理者を同時に比例代表選出議員についての投票管理者とすることができる。

5　投票管理者は、投票に関する事務を担任する。

6　投票管理者は、選挙権を有しなくなつたときは、その職を失う。

7　市町村の選挙管理委員会は、市町村の区域を分けて数投票区を設けた場合には、政令で定めるところにより一以上の投票区を指定し、当該指定した投票区の投票管理者に、政令で定めるところにより、当該投票区以外の投票区に属する選挙人がした第四十九条の規定による投票に関する事務のうち政令で定めるものを行わせることができる。

（投票立会人）

第三十八条　市町村の選挙管理委員会は、各選挙ごとに、選挙権を有する者の中から、本人の承諾を得て、二人以上五人以下の投票立会人を選任し、その選挙の期日前三日までに、本人に通知しなければならない。

2　投票立会人で参会する者が投票所を開くべき時刻になつても二人に達しないとき又はその後二人に達しなくなつたときは、投票管理者は、選挙権を有する者の中から二人に達するまでの投票立会人を選任し、直ちにこれを本人に通知し、投票に立ち会わせなければならない。

3　当該選挙の公職の候補者は、これを投票立会人に選任することができない。

4　同一の政党その他の政治団体に属する者は、一の投票区において、二人以上を投票立会人に選任することができない。

5　投票立会人は、正当な理由がなければ、その職を辞することができない。

（投票所）

第三十九条　投票所は、市役所、町村役場又は市町村の選挙管理委員会の指定した場所に設ける。

（投票所の開閉時間）

第四十条　投票所は、午前七時に開き、午後八時に閉じる。ただし、市町村の選挙管理委員会は、選挙人の投票の便宜のため必要があると認められる特別の事情のある場合又は選挙人の投票に支障を来さないと認められる特別の事情のある場合に限り、投票所を開く時刻を二時間以内の範囲内において繰り上げ若しくは繰り下げ、又は投票所を閉じる時刻を四時間以内の範囲内において繰り上げることができる。

2　市町村の選挙管理委員会は、前項ただし書の場合においては、直ちにその旨を告示するとともに、これをその投票所の投票管理者に通知し、かつ、市町村の議会の議員又は長の選挙以外の選挙にあつては、直ちにその旨を都道府県の選挙管理委員会に届け出なければならない。

（投票所の告示）

第四十一条　市町村の選挙管理委員会は、選挙の期日から少くとも五日前に、投票所を告示しなければならない。

2　天災その他避けることのできない事故に因り前項の規定により告示した投票所を変更したときは、選挙の当日を除く外、市町村の選挙管理委員会は、前項の規定にかかわらず、直ちにその旨を告示しなければならない。

（共通投票所）

第四十一条の二　市町村の選挙管理委員会は、選挙人の投票の便宜のため必要があると認める場合（当該市町村の区域を分けて数投票区を設けた場合に限る。）には、投票所のほか、その指定した場所に、当該市町村の区域内（衆議院小選挙区選出議員の選挙若しくは都道府県の議会の議員の選挙において当該市町村が二以上の選挙区に分かれているとき、又は第十五条第六項の規定による選挙区があるときは、当該市町村の区域内における当該選挙区の区域内）のいずれの投票区に属する選挙人も投票をすることができる共通投票所を設けることができる。

2　市町村の選挙管理委員会は、前項の規定により共通投票所を設ける場合には、投票所において投票をした選挙人が共通投票所において投票をすること及び共通投票所において投票をした選挙人が投票所又は他の共通投票所において投票をすることを防止するために必要な措置を講じなければならない。

3　天災その他避けることのできない事故により、共通投票所において投票を行わせることができないときは、市町村の選挙管理委員会は、当該共通投票所を開かず、又は閉じるものとする。

4　市町村の選挙管理委員会は、前項の規定により共通投票所を開かず、又は閉じる場合には、直ちにその旨を告示しなければならない。

5　第一項の規定により共通投票所を設ける場合における次の表の上欄に掲げる規定の適用については、これらの規定中同表の中欄に掲げる字句は、それぞれ同表の下欄に掲げる字句とする。

第三十八条第二項	投票所	投票所又は共通投票所
第三十八条第四項	投票区	投票所又は一の共通投票所
次条第一項ただし書、第四十四条第一項、第四十五条第一項、第四十六条第一項から第三項まで、第四十六条の二第一項及び第四十八条第二項	投票所	投票所又は共通投票所
第五十一条	第六十条	第六十条（第四十一条の二第六項において準用する場合を含む。）
	投票所外	投票所外又は共通投票所外
第五十一条ただし書及び第五十三条第一項	投票所	投票所又は共通投票所
第六十六条第二項	各投票所	各投票所、共通投票所
第百三十二条及び第百六十五条の二	投票所	投票所又は共通投票所
第百七十五条第一項	投票所内	投票所内及び共通投票所内
第二百一条の十二第二項	投票所	投票所又は共通投票所

6　前二条及び第五十八条から第六十条までの規定は、共通投票所について準用する。この場合において、第四十条第一項ただし書中「選挙人の投票の便宜のため必要があると認められる特別の事情のある場合又は選挙人の投票に支障を来さないと認められる特別の事情のある場合に限り」とあるのは「必要があると認めるときは」と、「若しくは」とあるのは「若しくは当該時刻を」と、「時刻を四時間以内の範囲内において」とあるのは「時刻を」と読み替えるものとする。

7　第一項の規定により共通投票所を設ける場合において、第五十六条又は第五十七条第一項の規定により投票の期日を定めたときにおける次の表の上欄に掲げる規定の適用については、これらの規定中同表の中欄に掲げる字句は、それぞれ同表の下欄に掲げる字句とする。

第一項	場所に、	場所に、選挙の期日においては当該選挙の期日に投票を行う
	）の	。以下この項において同じ。）、第五十六条又は第五十七条第一項の規定により定めた投票の期日においては当該投票の期日に投票を行

		う当該市町村の区域内の
前項	「時刻を」	「時刻を」と、前条第二項中「天災その他避けることのできない事故に因り前項」とあるのは「第五十六条又は第五十七条第一項の規定により投票の期日を定めた場合において、前項の規定、次条第六項において準用する第四十一条第二項の規定又はこの項」と、「変更したときは、選挙の当日を除く外」とあるのは「設置する場所若しくは期日を変更し、又は当該共通投票所を設けないこととしたときは」

８　前各項に定めるもののほか、共通投票所に関し必要な事項は、政令で定める。

（選挙人名簿又は在外選挙人名簿の登録と投票）

第四十二条　選挙人名簿又は在外選挙人名簿に登録されていない者は、投票をすることができない。ただし、選挙人名簿に登録されるべき旨の決定書又は確定判決書を所持し、選挙の当日投票所に至る者があるときは、投票管理者は、その者に投票をさせなければならない。

２　選挙人名簿又は在外選挙人名簿に登録された者であつても選挙人名簿又は在外選挙人名簿に登録されることができない者であるときは、投票をすることができない。

（選挙権のない者の投票）

第四十三条　選挙の当日（第四十八条の二の規定による投票にあつては、投票の当日）、選挙権を有しない者は、投票をすることができない。

（投票所における投票）

第四十四条　選挙人は、選挙の当日、自ら投票所に行き、投票をしなければならない。

２　選挙人は、選挙人名簿又はその抄本（当該選挙人名簿が第十九条第三項の規定により磁気ディスクをもつて調製されている場合には、当該選挙人名簿に記録されている全部若しくは一部の事項又は当該事項を記載した書類。次項、第五十五条及び第五十六条において同じ。）の対照を経なければ、投票をすることができない。

３　第九条第三項の規定により都道府県の議会の議員及び長の選挙権を有する者が、従前住所を有していた現に選挙人名簿に登録されている市町村において当該都道府県の議会の議員又は長の選挙の投票をする場合には、前項の選挙人名簿又はその抄本の対照を経る際に、引き続き当該都道府県の区域内に住所を有することを証するに足りる文書を提示し、又は引き続き当該都道府県の区域内に住所を有することの確認を受けなければならない。

（投票用紙の交付及び様式）

第四十五条　投票用紙は、選挙の当日、投票所において選挙人に交付しなければならない。

２　投票用紙の様式は、衆議院議員又は参議院議員の選挙については総務省令で定め、地方公共団体の議会の議員又は長の選挙については当該選挙に関する事務を管理する選挙管理委員会が定める。

（投票の記載事項及び投函）

第四十六条　衆議院（比例代表選出）議員又は参議院（比例代表選出）議員の選挙以外の選挙の投票については、選挙人は、投票所において、投票用紙に当該選挙の公職の候補者一人の氏名を自書して、これを投票箱に入れなければならない。

２　衆議院（比例代表選出）議員の選挙の投票については、選挙人は、投票所において、投票用紙に一の衆議院名簿届出政党等（第八十六条の二第一項の規定による届出をした政党その他の政治団体をいう。以下同じ。）の同項の届出に係る名称又は略称を自書して、これを投票箱に入れなければならない。

３　参議院（比例代表選出）議員の選挙の投票については、選挙人は、投票所において、投票用紙に公職の候補者たる参議院名簿登載者（第八十六条の三第一項の参議院名簿登載者をいう。以下この章から第八章までにおいて同じ。）一人の氏名を自書して、これを投票箱に入れなければならない。ただし、公職の候補者たる参議院名簿登載者の氏名を自書することに代えて、一の参議院名簿届出政党等（同項の規定による届出をした政党その他の政治団体をいう。以下同じ。）の同項の届出に係る名称又は略称を自書することができる。

４　投票用紙には、選挙人の氏名を記載してはならない。

（記号式投票）

第四十六条の二　地方公共団体の議会の議員又は長の選挙の投票（次条、第四十八条の二及び第四十九条の規定による投票を除く。）については、地方公共団体は、前条第一項の規定にかかわらず、条例で定めるところにより、選挙人が、自ら、投票所において、投票用紙に氏名が印刷された公職の候補者のうちその投票しようとするもの一人に対して、投票用紙の記号を記載する欄に○の記号を記載して、これを投票箱に入れる方法によることができる。

２　前項の場合においては、第四十八条第一項中「当該選挙の公職の候補者の氏名」とあるのは「○の記号」と、「第四十六条第一項から第三項まで」とあるのは「第四十六条の二第一項及び第二項」と、同条第二項中「公職の候補者（公職の候補者たる参議院名簿登載者を含む。）一人の氏名」とあるのは「公職の候補者一人に対して○の記号」と、第六十八条第一項第一号中「用いないもの」とあるのは「用いないもの又は所定の○の記号の記載方法によらないもの」と、同項第二号中「公職の候補者となることができない者の氏名」とあるのは「公職の候補者となることができない者に対して○の記号」と、同項第四号及び第五号中「公職の候補者の氏名」とあるのは「公職の候補者に対して○の記号」と、同項第六号中「公職の候補者の氏名のほか、他事を記載したもの。ただし、職業、身分、住所又は敬称の類を記入したものは、この限りでない。」とあるのは

「〇の記号以外の事項を記載したもの」と、同項第七号中「公職の候補者の氏名を自書しないもの」とあるのは「〇の記号を自ら記載しないもの」と、同項第八号中「公職の候補者の何人」とあるのは「公職の候補者のいずれに対して〇の記号」と、第八十六条の四第五項中「三日」とあるのは「四日」と、「二日」とあるのは「三日」と、同条第六項中「第一項から第四項までの規定の例により、都道府県知事又は市長の選挙にあつてはその選挙の期日前三日までに、町村の長の選挙にあつてはその選挙の期日前二日までに、当該選挙における候補者の届出をすることができる」とあるのは「選挙の期日は、政令で定める日に延期するものとする。この場合においては、当該選挙に関する事務を管理する選挙管理委員会は、直ちにその旨を告示しなければならない」と、同条第七項中「前項」とあるのは「前項の規定により選挙の期日を延期した場合における次項」と、「第三十三条第五項（第三十四条の二第五項において準用する場合を含む。）、第三十四条第六項又は第百十九条第三項の規定により告示した期日後五日に当たる日」とあるのは「政令で定める日」と、同条第八項中「前項」とあるのは「前二項」と、「当該選挙の期日前三日までに」とあるのは「政令で定める日までに」と、第百二十六条第一項中「第七項」とあるのは「第六項又は第七項」と、同条第二項中「第七項」とあるのは「第六項又は第七項」と、「七日以内」とあるのは「政令で定める日以内」と、同条第三項中「第七項」とあるのは「第六項又は第七項」とし、第六十八条第一項第三号及び第六十八条の二の規定は、適用しない。

3　第一項の場合において、〇の記号の記載方法、投票用紙に印刷する公職の候補者の氏名の順序の決定方法及び公職の候補者が死亡し、又は公職の候補者たることを辞したものとみなされた場合における投票用紙における公職の候補者の表示方法その他必要な事項は、政令で定める。

（点字投票）

第四十七条　投票に関する記載については、政令で定める点字は文字とみなす。

（代理投票）

第四十八条　心身の故障その他の事由により、自ら当該選挙の公職の候補者の氏名（衆議院比例代表選出議員の選挙の投票にあつては衆議院名簿届出政党等の名称及び略称、参議院比例代表選出議員の選挙の投票にあつては公職の候補者たる参議院名簿登載者の氏名又は参議院名簿届出政党等の名称及び略称）を記載することができない選挙人は、第四十六条第一項から第三項まで、第五十条第四項及び第五項並びに第六十八条の規定にかかわらず、投票管理者に申請し、代理投票をさせることができる。

2　前項の規定による申請があつた場合においては、投票管理者は、投票立会人の意見を聴いて、投票所の事務に従事する者のうちから当該選挙人の投票を補助すべき者二人を定め、その一人に投票の記載をする場所において投票用紙に当該選挙人が指示する公職の候補者（公職の候補者たる参議院名簿登載者を含む。）一人の氏名、一の衆議院名簿届出政党等の名称若しくは略称又は一の参議院名簿届出政党等の名称若しくは略称を記載させ、他の一人をこれに立ち会わせなければならない。

3　前二項の場合において必要な事項は、政令で定める。

（期日前投票）

第四十八条の二　選挙の当日に次の各号に掲げる事由のいずれかに該当すると見込まれる選挙人の投票については、第四十四条第一項の規定にかかわらず、当該選挙の期日の公示又は告示があつた日の翌日から選挙の期日の前日までの間、期日前投票所において、行わせることができる。

一　職務若しくは業務又は総務省令で定める用務に従事すること。

二　用務（前号の総務省令で定めるものを除く。）又は事故のためその属する投票区の区域外に旅行又は滞在をすること。

三　疾病、負傷、妊娠、老衰若しくは身体の障害のため若しくは産褥にあるため歩行が困難であること又は刑事施設、労役場、監置場、少年院若しくは少年鑑別所に収容されていること。

四　交通至難の島その他の地で総務省令で定める地域に居住していること又は当該地域に滞在をすること。

五　その属する投票区のある市町村の区域外の住所に居住していること。

六　天災又は悪天候により投票所に到達することが困難であること。

2　市町村の選挙管理委員会は、二以上の期日前投票所を設ける場合には、一の期日前投票所において投票をした選挙人が他の期日前投票所において投票をすることを防止するために必要な措置を講じなければならない。

3　天災その他避けることのできない事故により、期日前投票所において投票を行わせることができないときは、市町村の選挙管理委員会は、期日前投票所を開かず、又は閉じるものとする。

4　市町村の選挙管理委員会は、前項の規定により期日前投票所を開かず、又は閉じる場合には、直ちにその旨を告示しなければならない。市町村の選挙管理委員会が当該期日前投票所を開く場合も、同様とする。

5　第一項の規定により期日前投票所において投票を行わせる場合における次の表の上欄に掲げる規定の適用については、これらの規定中同表の中欄に掲げる字句は、それぞれ同表の下欄に掲げる字句とし、第三十七条第七項及び第五十七条の規定は、適用しない。

第三十八条第一項	二人以上五人以下	二人
	前三日まで	の公示又は告示の日
第三十八条第二項	投票所	期日前投票所
第三十八条第四項	投票区において、二人以上	期日前投票所において、二人
第四十二条第一項ただし書	選挙の当日投票所	第四十八条の二第一項の規定による投票の日、期日前投票所
第四十五条	選挙の当日、投票所	第四十八条の二第一項

第一項		の規定による投票の日、期日前投票所
第四十六条第一項から第三項まで及び前条第二項	投票所	期日前投票所
第五十一条	第六十条	第四十八条の二第六項において準用する第六十条
	投票所	期日前投票所
	最後	当該投票の日の最後
第五十三条第一項	投票所	期日前投票所
	閉鎖しなければ	閉鎖しなければならない。ただし、翌日において引き続き当該投票箱に投票用紙を入れさせる場合においては、その日の期日前投票所を開くべき時刻になつたときは、投票管理者は、当該投票箱を開かなければ
第五十三条第二項	できない	できない。ただし、前項ただし書の規定により投票箱を開いた場合は、この限りでない
第五十五条	投票管理者が同時に当該選挙の開票管理者である場合を除くほか、投票管理者は、一人又は数人の投票立会人とともに、選挙の当日	投票管理者は、期日前投票所において、当該期日前投票所を設ける期間の末日に
	を開票管理者	（以下この条において「投票箱等」という。）を市町村の選挙管理委員会に送致し、当該投票箱等の送致を受けた市町村の選挙管理委員会は、選挙の期日に、当該投票箱等を開票管理者

6　第三十九条から第四十一条まで及び第五十八条から第六十条までの規定は、期日前投票所について準用する。この場合において、次の表の上欄に掲げる規定中同表の中欄に掲げる字句は、それぞれ同表の下欄に掲げる字句に読み替えるものとする。

第三十九条	市役所	選挙の期日の公示又は告示があつた日の翌日から選挙の期日の前日までの間（二以上の期日前投票所を設ける場合にあつては、一の期日前投票所を除き、市町村の選挙管理委員会の指定した期間）、市役所
第四十条第一項	午前七時	午前八時三十分
第四十条第一項ただし書	選挙人の投票の便宜のため必要があると認められる特別の事情のある場合又は選挙人の投票に支障を来さないと認められる特別の事情のある場合に限り、投票所を開く時刻を二時間以内の範囲内において繰り上げ若しくは繰り下げ、又は投票所を閉じる時刻を四時間以内の範囲内において繰り上げることができる。	次の各号に掲げる場合には、当該各号に定める措置をとることができる。 一　当該市町村の選挙管理委員会が設ける期日前投票所の数が一である場合　期日前投票所を開く時刻を二時間以内の範囲内において繰り上げ、又は期日前投票所を閉じる時刻を二時間以内の範囲内において繰り下げること。 二　当該市町村の選挙管理委員会が設ける期日前投票所の数が二以上である場合（午前八時三十分から午後八時までの間において、いずれか一以上の期日前投票所が開いている場合に限る。）　期日前投票所を開く時刻を二時間以内の範囲内において繰り上げ若しくは当該時刻を繰り下げ、又は期日前投票所を閉じる時刻を繰り上げ若しくは

		当該時刻を二時間以内の範囲内において繰り下げること。
第四十条第二項	通知し、かつ、市町村の議会の議員又は長の選挙以外の選挙にあつては、直ちにその旨を都道府県の選挙管理委員会に届け出なければ	通知しなければ
第四十一条第一項	から少くとも五日前に、投票所	の公示又は告示の日に、期日前投票所（二以上の期日前投票所を設ける場合にあつては、期日前投票所の場所及び当該期日前投票所を設ける期間）
第四十一条第二項	投票所	期日前投票所
	選挙の当日を除く外、市町村	市町村

7　市町村の選挙管理委員会は、期日前投票所を設ける場合には、当該市町村の人口、地勢、交通等の事情を考慮して、期日前投票所の効果的な設置、期日前投票所への交通手段の確保その他の選挙人の投票の便宜のため必要な措置を講ずるものとする。

8　第一項の場合において、投票録の作成の方法その他必要な事項は、政令で定める。

（不在者投票）

第四十九条　前条第一項の選挙人の投票については、同項の規定によるほか、政令で定めるところにより、第四十二条第一項ただし書、第四十四条、第四十五条、第四十六条第一項から第三項まで、第四十八条及び第五十条の規定にかかわらず、不在者投票管理者の管理する投票を記載する場所において、投票用紙に投票の記載をし、これを封筒に入れて不在者投票管理者に提出する方法により行わせることができる。

2　選挙人で身体に重度の障害があるもの（身体障害者福祉法（昭和二十四年法律第二百八十三号）第四条に規定する身体障害者、戦傷病者特別援護法（昭和三十八年法律第百六十八号）第二条第一項に規定する戦傷病者又は介護保険法（平成九年法律第百二十三号）第七条第三項に規定する要介護者であるもので、政令で定めるものをいう。）の投票については、前条第一項及び前項の規定によるほか、政令で定めるところにより、第四十二条第一項ただし書、第四十四条、第四十五条、第四十六条第一項から第三項まで、第四十八条及び第五十条の規定にかかわらず、その現在する場所において投票用紙に投票の記載をし、これを郵便又は民間事業者による信書の送達に関する法律（平成十四年法律第九十九号）第二条第六項に規定する一般信書便事業者、同条第九項に規定する特定信書便事業者若しくは同法第三条第四号に規定する外国信書便事業者による同法第二条第二項に規定する信書便（以下「郵便等」という。）により送付する方法により行わせることができる。

3　前項の選挙人で同項に規定する方法により投票をしようとするもののうち自ら投票の記載をすることができないものとして政令で定めるものは、第六十八条の規定にかかわらず、政令で定めるところにより、あらかじめ市町村の選挙管理委員会の委員長に届け出た者（選挙権を有する者に限る。）をして投票に関する記載をさせることができる。

4　特定国外派遣組織に属する選挙人で国外に滞在するもののうち選挙の当日前条第一項第一号に掲げる事由に該当すると見込まれるものの投票については、同項及び第一項の規定によるほか、政令で定めるところにより、第四十二条第一項ただし書、第四十四条、第四十五条、第四十六条第一項から第三項まで、第四十八条及び第五十条の規定にかかわらず、国外にある不在者投票管理者の管理する投票を記載する場所において、投票用紙に投票の記載をし、これを封筒に入れて不在者投票管理者に提出する方法により行わせることができる。

5　前項の特定国外派遣組織とは、法律の規定に基づき国外に派遣される組織のうち次の各号のいずれにも該当する組織であつて、当該組織において同項に規定する方法による投票が適正に実施されると認められるものとして政令で定めるものをいう。

一　当該組織の長が当該組織の運営について管理又は調整を行うための法令に基づく権限を有すること。

二　当該組織が国外の特定の施設又は区域に滞在していること。

6　特定国外派遣組織となる組織を国外に派遣することを定める法律の規定に基づき国外に派遣される選挙人（特定国外派遣組織に属するものを除く。）で、現に特定国外派遣組織が滞在する施設又は区域に滞在しているものは、この法律の規定の適用については、当該特定国外派遣組織に属する選挙人とみなす。

7　選挙人で船舶安全法（昭和八年法律第十一号）にいう遠洋区域を航行区域とする船舶その他これに準ずるものとして総務省令で定める船舶（以下この項において「指定船舶」という。）に乗つて本邦以外の区域を航海する船員（船員法（昭和二十二年法律第百号）第一条に規定する船員をいい、実習を行うため航海する学生、生徒その他の者であつて船員手帳に準ずる文書の交付を受けているもの（以下この項において「実習生」という。）を含む。）であるもの又は選挙人で指定船舶以外の船舶であつて指定船舶に準ずるものとして総務省令で定めるものに乗つて本邦以外の区域を航海する船員（船員法第一条に規定する船員をいい、船員職業安定法（昭和二十三年法律第百三十号）第九十二条第一項の規定により船員法第二条第二項に規定する予備船員とみなされる者及び船員の雇用の促進に関する特別措置法（昭和五十二年法律第九十六号）第十四条第一項の規定により船員法第二条第二項に規定する予備船員とみなされる者並びに実習生を含む。）であるもののうち選挙の当日前条第一項第一号に掲げる事由に該当すると見込まれるものの衆議院議員の総選挙又は参議院議員の通常選挙における投票については、同項及び第一項の規定によるほか、政令で定めるところにより、第四十二条第一項ただし書、第四十四条、第四十五条、第四十六条第一項から第三項まで、第四十八条及び第五十条の規定にかかわらず、不在者投票管理者の管理する場所において、総務省令で定める投票送信用紙に投票の記載をし、これを総務省令で指定する市町村の選挙管理委員会の委員長にファクシミリ装置を用いて送信する方法により、行わせることができる。

8　前項の規定は、同項の選挙人で同項の不在者投票管理者の管理する場所において投票をすることができないものとして政令で定めるものであるもののうち選挙の当日前条第一項第一号に掲げる事由に該当すると見込まれるものの衆議院議員の総選挙又は参議院議員の通常選挙における投票について準用する。この場合において、前項中「不在者投票管理者の管理する場所」とあるのは、「その現在する場所」と読み替えるものとする。

9　国が行う南極地域における科学的調査の業務を行う組織（以下この項において「南極地域調査組織」という。）に属する選挙人（南極地域調査組織に同行する選挙人で当該南極地域調査組織の長の管理の下に南極地域における活動を行うものを含む。）で次の各号に掲げる施設又は船舶に滞在するもののうち選挙の当日前条第一項第一号に掲げる事由に該当すると見込まれるものの衆議院議員の総選挙又は参議院議員の通常選挙における投票については、同項及び第一項の規定によるほか、政令で定めるところにより、第四十二条第一項ただし書、第四十四条、第四十五条、第四十六条第一項から第三項まで、第四十八条及び第五十条の規定にかかわらず、その滞在する次の各号に掲げる施設又は船舶の区分に応じ、それぞれ当該各号に定める場所において、総務省令で定める投票送信用紙に投票の記載をし、これを総務省令で指定する市町村の選挙管理委員会の委員長にファクシミリ装置を用いて送信する方法により、行わせることができる。

一　南極地域にある当該科学的調査の業務の用に供される施設で国が設置するもの　不在者投票管理者の管理する場所

二　本邦と前号に掲げる施設との間において南極地域調査組織を輸送する船舶で前項の総務省令で定めるもの　この項に規定する方法による投票を行うことについて不在者投票管理者が当該船舶の船長の許可を得た場所

10　不在者投票管理者は、市町村の選挙管理委員会が選定した者を投票に立ち会わせることその他の方法により、不在者投票の公正な実施の確保に努めなければならない。

（在外投票等）

第四十九条の二　在外選挙人名簿に登録されている選挙人（当該選挙人のうち選挙人名簿に登録されているもので政令で定めるものを除く。以下この条において同じ。）で、衆議院議員又は参議院議員の選挙において投票をしようとするものの投票については、第四十八条の二第一項及び前条第一項の規定によるほか、政令で定めるところにより、第四十四条、第四十五条第一項、第四十六条第一項から第三項まで、第四十八条及び次条の規定にかかわらず、次の各号に掲げるいずれかの方法により行わせることができる。

一　衆議院議員の総選挙又は参議院議員の通常選挙にあつてはイに掲げる期間、衆議院議員又は参議院議員の再選挙又は補欠選挙にあつてはロに掲げる日に、自ら在外公館の長（各選挙ごとに総務大臣が外務大臣と協議して指定する在外公館の長を除く。以下この号において同じ。）の管理する投票を記載する場所に行き、在外選挙人証及び旅券その他の政令で定める文書を提示して、投票用紙に投票の記載をし、これを封筒に入れて在外公館の長に提出する方法

イ　当該選挙の期日の公示の日の翌日から選挙の期日前六日（投票の送致に日数を要する地の在外公館であることその他特別の事情があると認められる場合には、あらかじめ総務大臣が外務大臣と協議して指定する日）までの間（あらかじめ総務大臣が外務大臣と協議して指定する日を除く。）

ロ　当該選挙の期日の告示の日の翌日から選挙の期日前六日までの間で、あらかじめ総務大臣が外務大臣と協議して指定する日

二　当該選挙人の現在する場所において投票用紙に投票の記載をし、これを郵便等により送付する方法

2　在外選挙人名簿に登録されている選挙人で、衆議院議員又は参議院議員の選挙において投票をしようとするものの国内における投票に係る次の表の上欄に掲げる規定の適用については、これらの規定中同表の中欄に掲げる字句は、それぞれ同表の下欄に掲げる字句とする。

第四十二条第一項ただし書	選挙人名簿	在外選挙人名簿
	投票所	指定在外選挙投票区の投票所
第四十四条第一項	投票所	指定在外選挙投票区の投票所
第四十四条第二項	、選挙人名簿	、在外選挙人証を提示して、在外選挙人名簿
	当該選挙人名簿	当該在外選挙人名簿
	第十九条第三項	第三十条の二第四項
	書類。次項、第五十五条及び第五十六条において同じ。	書類
第四十五条第一項、第四十六条第一項から第三項まで及び第四十八条第二項	投票所	指定在外選挙投票区の投票所

3　在外選挙人名簿に登録されている選挙人で、衆議院議員又は参議院議員の選挙において投票をしようとするものの国内における投票については、選挙人が登録されている在外選挙人名簿の属する市町村の選挙管理委員会が第四十一条の二第一項の規定により共通投票所を設ける場合には、当該市町村の選挙管理委員会が指定した共通投票所において、行わせることができる。この場合において、次の表の上欄に掲げる規定の適用につ

いては、これらの規定中同表の中欄に掲げる字句は、それぞれ同表の下欄に掲げる字句とし、前項の規定は、適用しない。

第四十一条の二第二項	前項の規定により共通投票所を設ける	第四十九条の二第三項の規定により共通投票所を指定した
	、投票所	、指定在外選挙投票区の投票所
	が共通投票所	が同項の規定により市町村の選挙管理委員会が指定した共通投票所（以下「指定共通投票所」という。）
	及び共通投票所	及び指定共通投票所
	が投票所	が指定在外選挙投票区の投票所
	他の共通投票所	他の指定共通投票所
第四十一条の二第五項	第一項の規定により共通投票所を設ける	第四十九条の二第三項の規定により指定共通投票所を指定した
第四十一条の二第五項の表次条第一項ただし書、第四十四条第一項、第四十五条第一項、第四十六条第一項から第三項まで、第四十六条の二第一項及び第四十八条第二項の項	次条第一項ただし書、第四十四条第一項	第四十四条第一項
	、第四十六条の二第一項及び	及び
	投票所又は共通投票所	指定在外選挙投票区の投票所又は指定共通投票所
第四十二条第一項ただし書	選挙人名簿	在外選挙人名簿
	投票所	指定在外選挙投票区の投票所又は指定共通投票所
第四十四条第二項	、選挙人名簿	、在外選挙人証を提示して、在外選挙人名簿
	当該選挙人名簿	当該在外選挙人名簿
	第十九条第三項	第三十条の二第四項
	書類。次項、第五十五条及び第五十六条において同じ。	書類

4　在外選挙人名簿に登録されている選挙人で、衆議院議員又は参議院議員の選挙において投票をしようとするものの国内における投票のうち、第四十八条の二第一項の規定による投票に係る次の表の上欄に掲げる規定の適用については、これらの規定中同表の中欄に掲げる字句は、それぞれ同表の下欄に掲げる字句とし、第二項の規定は、適用しない。

第四十四条第二項	、選挙人名簿	、在外選挙人証を提示して、在外選挙人名簿
	当該選挙人名簿	当該在外選挙人名簿
	第十九条第三項	第三十条の二第四項
	書類。次項、第五十五条及び第五十六条において同じ。	書類。
第四十八条の二第一項	期日前投票所	市町村の選挙管理委員会の指定した期日前投票所（次項及び第五項において「指定期日前投票所」という。）
第四十八条の二第一項第二号及び第五号	投票区	指定在外選挙投票区
第四十八条の二第一項第六号	投票所	指定在外選挙投票区の投票所
第四十八条の二第二項	二以上の期日前投票所を設ける	前項の規定により二以上の指定期日前投票所を指定した
	期日前投票所において	指定期日前投票所において
第四十八条の二第五項	期日前投票所において投票を行わせる	指定期日前投票所を指定した
第四十八条	選挙	選挙人名簿に登録され

の二第五項の表第四十二条第一項ただし書の項		るべき旨の決定書又は確定判決書を所持し、選挙
	第四十八条の二第一項	在外選挙人名簿に登録されるべき旨の決定書又は確定判決書を所持し、第四十八条の二第一項
	期日前投票所	指定期日前投票所（第四十九条の二第四項の規定により読み替えて適用される第四十八条の二第一項に規定する指定期日前投票所をいう。以下第四十八条までにおいて同じ。）
第四十八条の二第五項の表第四十五条第一項の項及び第四十六条第一項から第三項まで及び前条第二項の項	期日前投票所	指定期日前投票所

5　在外選挙人名簿に登録されている選挙人で、衆議院議員又は参議院議員の選挙において投票をしようとするものの投票については、前条第二項から第九項までの規定は、適用しない。

（選挙人の確認及び投票の拒否）

第五十条　投票管理者は、投票をしようとする選挙人が本人であるかどうかを確認することができないときは、その本人である旨を宣言させなければならない。その宣言をしない者は、投票をすることができない。

2　投票の拒否は、投票立会人の意見を聴き、投票管理者が決定しなければならない。

3　前項の決定を受けた選挙人において不服があるときは、投票管理者は、仮に投票をさせなければならない。

4　前項の投票は、選挙人をしてこれを封筒に入れて封をし、表面に自らその氏名を記載して投票箱に入れさせなければならない。

5　投票立会人において異議のある選挙人についても、また前二項と同様とする。

（退出せしめられた者の投票）

第五十一条　第六十条の規定により投票所外に退出せしめられた者は、最後になつて投票をすることができる。但し、投票管理者は、投票所の秩序をみだる虞がないと認める場合においては、投票をさせることを妨げない。

（投票の秘密保持）

第五十二条　何人も、選挙人の投票した被選挙人の氏名又は政党その他の政治団体の名称若しくは略称を陳述する義務はない。

（投票箱の閉鎖）

第五十三条　投票所を閉じるべき時刻になつたときは、投票管理者は、その旨を告げて、投票所の入口を鎖し、投票所にある選挙人の投票の結了するのを待つて、投票箱を閉鎖しなければならない。

2　何人も、投票箱の閉鎖後は、投票をすることができない。

（投票録の作成）

第五十四条　投票管理者は、投票録を作り、投票に関する次第を記載し、投票立会人とともに、これに署名しなければならない。

（投票箱等の送致）

第五十五条　投票管理者が同時に当該選挙の開票管理者である場合を除くほか、投票管理者は、一人又は数人の投票立会人とともに、選挙の当日、その投票箱、投票録、選挙人名簿又はその抄本及び在外選挙人名簿又はその抄本（当該在外選挙人名簿が第三十条の二第四項の規定により磁気ディスクをもつて調製されている場合には、当該在外選挙人名簿に記録されている全部若しくは一部の事項又は当該事項を記載した書類。以下この条及び次条において同じ。）を開票管理者に送致しなければならない。ただし、当該選挙人名簿が第十九条第三項の規定により磁気ディスクをもつて調製されている場合で政令で定めるときは選挙人名簿又はその抄本を、当該在外選挙人名簿が第三十条の二第四項の規定により磁気ディスクをもつて調製されている場合で政令で定めるときは在外選挙人名簿又はその抄本を、それぞれ、送致することを要しない。

（繰上投票）

第五十六条　島その他交通不便の地について、選挙の期日に投票箱を送致することができない状況があると認めるときは、都道府県の選挙管理委員会（市町村の議会の議員又は長の選挙については、市町村の選挙管理委員会）は、適宜にその投票の期日を定め、開票の期日までにその投票箱、投票録、選挙人名簿又はその抄本及び在外選挙人名簿又はその抄本を送致させることができる。

（繰延投票）

第五十七条　天災その他避けることのできない事故により、投票所において、投票を行うことができないとき、又は更に投票を行う必要があるときは、都道府県の選挙管理委員会（市町村の議会の議員又は長の選挙については、市町村の選挙管理委員会）は、更に期日を定めて投票を行わせなければならない。この場合において、当該選挙管理委員会は、直ちにその旨を告示するとともに、更に定めた期日を少なくとも二日前に告示しなければならない。

2　衆議院議員、参議院議員又は都道府県の議会の議員若しくは長の選挙について前項に規定する事由を生じた場合には、市町村の選挙管理委員会は、当該選挙の選挙長（衆議院比例代表選出議員若しくは参議院比例代表選出議員の選挙又は参議院合同選挙区選挙については、選挙分会長）を経て都道府県の選挙管理委員会にその旨を届け出なければならない。

（投票所に出入し得る者）

第五十八条　選挙人、投票所の事務に従事する者、投票所を監視する職権を有する者又は当該警察官でなければ、投票所に入ることができない。

2 前項の規定にかかわらず、選挙人の同伴する子供（幼児、児童、生徒その他の年齢満十八年未満の者をいう。以下この項において同じ。）は、投票所に入ることができる。ただし、投票管理者が、選挙人の同伴する子供が投票所に入ることにより生ずる混雑、けん騒その他これらに類する状況から、投票所の秩序を保持することができなくなるおそれがあると認め、その旨を選挙人に告知したときは、この限りでない。

3 選挙人を介護する者その他の選挙人とともに投票所に入ることについてやむを得ない事情がある者として投票管理者が認めた者についても、前項本文と同様とする。

（投票所の秩序保持のための処分の請求）

第五十九条 投票管理者は、投票所の秩序を保持し、必要があると認めるときは、当該警察官の処分を請求することができる。

（投票所における秩序保持）

第六十条 投票所において演説討論をし若しくはけん騒にわたり又は投票に関し協議若しくは勧誘をし、その他投票所の秩序をみだす者があるときは、投票管理者は、これを制止し、命に従わないときは投票所外に退出せしめることができる。

第七章 開票

（開票管理者）

第六十一条 各選挙ごとに、開票管理者を置く。

2 開票管理者は、当該選挙の選挙権を有する者の中から市町村の選挙管理委員会の選任した者をもつて、これに充てる。

3 衆議院議員の選挙において、小選挙区選出議員の選挙と比例代表選出議員の選挙を同時に行う場合においては、市町村の選挙管理委員会は、小選挙区選出議員についての開票管理者を同時に比例代表選出議員についての開票管理者とすることができる。

4 参議院議員の選挙において、選挙区選出議員の選挙と比例代表選出議員の選挙を同時に行う場合においては、市町村の選挙管理委員会は、選挙区選出議員についての開票管理者を同時に比例代表選出議員についての開票管理者とすることができる。

5 開票管理者は、開票に関する事務を担任する。

6 開票管理者は、当該選挙の選挙権を有しなくなつたときは、その職を失う。

（開票立会人）

第六十二条 公職の候補者（衆議院小選挙区選出議員の選挙にあつては候補者届出政党（第八十六条第一項又は第八項の規定による届出をした政党その他の政治団体をいう。以下同じ。）及び公職の候補者（候補者届出政党の届出に係るものを除く。）、衆議院比例代表選出議員の選挙にあつては衆議院名簿届出政党等、参議院比例代表選出議員の選挙にあつては参議院名簿届出政党等）は、当該選挙の開票区ごとに、当該開票区の区域の全部又は一部をその区域に含む市町村の選挙人名簿に登録された者の中から、本人の承諾を得て、開票立会人となるべき者一人を定め、その選挙の期日前三日までに、市町村の選挙管理委員会に届け出ることができる。ただし、同一人を当該選挙の他の開票区における開票立会人となるべき者及び当該選挙と同じ日に行われるべき他の選挙における開票立会人となるべき者として届け出ることはできない。

2 前項の規定により届出のあつた者（次の各号に掲げる事由が生じたときは、当該各号に定めるものの届出に係る者を除く。以下この条において同じ。）が十人を超えないときは直ちにその者をもつて開票立会人とし、十人を超えるときは届出のあつた者の中から市町村の選挙管理委員会がくじで定めた者十人をもつて開票立会人としなければならない。

一 公職の候補者（候補者届出政党の届出に係るものを除く。以下この号において同じ。）が死亡したとき、第八十六条第九項若しくは第八十六条の四第九項の規定により公職の候補者の届出が却下されたとき又は第八十六条の四第十項の規定により公職の候補者の届出が却下されたとき又は第八十六条第十二項若しくは第八十六条の四第十項の規定により公職の候補者がその候補者たることを辞したとき（第九十一条第二項又は第百三条第四項の規定によりその候補者たることを辞したものとみなされる場合を含む。） 当該公職の候補者

二 候補者届出政党の届出に係る候補者が死亡したとき、第八十六条第九項の規定により候補者届出政党がした候補者の届出が却下されたとき又は同条第十一項の規定により候補者届出政党が候補者の届出を取り下げたとき（第九十一条第一項又は第百三条第四項の規定により公職の候補者の届出が取り下げられたものとみなされる場合を含む。） 当該候補者届出政党

三 衆議院名簿届出政党等につき第八十六条の二第十項の規定による届出があつたとき又は同条第十一項の規定による却下があつたとき 当該衆議院名簿届出政党等

四 参議院名簿届出政党等につき第八十六条の三第二項において準用する第八十六条の二第十項の規定による届出があつたとき又は第八十六条の三第二項において準用する第八十六条の二第十一項の規定による却下があつたとき 当該参議院名簿届出政党等

3 同一の政党その他の政治団体に属する公職の候補者の届出にかかる者は、一の開票区において、三人以上開票立会人となることができない。

4 第一項の規定により届出のあつた者で同一の政党その他の政治団体に属する公職の候補者の届出にかかるものが三人以上あるときは、第二項の規定にかかわらず、その者の中で市町村の選挙管理委員会がくじで定めた者二人以外の者は、開票立会人となることができない。

5 第二項又は前項の規定により開票立会人が定まつた後、同一の政党その他の政治団体に属する公職の候補者の届出にかかる開票立会人が三人以上となつたときは、市町村の選挙管理委員会がくじで定めた者二人以外の者は、その職を失う。

6 第二項、第四項又は前項の規定によるくじを行うべき場所及び日時は、市町村の選挙管理委員会において、予め告示しなければならない。

7 第二項各号に掲げる事由が生じたときは、当該各号に定めるものの届出に係る開票立会人は、その職を失う。

8 都道府県の選挙管理委員会が第十八条第二項の規定により市町村の区域を分けて、又は数市町村の区域の全部若しくは一部を合わせて、開票区を設ける場合において、当該開票区を選挙の期日前二日から選挙の期日の前日までの間に設けたときは市町村の選挙管理委員会において、当該開票区を選挙の期日以後に設けたときは開票管理者において、当該開票区の区域の全部

又は一部をその区域に含む市町村の選挙人名簿に登録された者の中から三人以上十人以下の開票立会人を選任し、直ちにこれを本人に通知し、開票に立ち会わせなければならない。ただし、同一の政党その他の政治団体に属する者を三人以上選任することができない。

9　第二項の規定による開票立会人が三人に達しないとき又は開票立会人が選挙の期日の前日までに三人に達しなくなつたときは市町村の選挙管理委員会において、開票立会人が選挙の期日以後に三人に達しなくなつたとき又は開票立会人で参会する者が開票所を開くべき時刻になつても三人に達しないとき若しくはその後三人に達しなくなつたときは開票管理者において、その開票区の区域の全部又は一部をその区域に含む市町村の選挙人名簿に登録された者の中から三人に達するまでの開票立会人を選任し、直ちにこれを本人に通知し、開票に立ち会わせなければならない。ただし、同項の規定による開票立会人を届け出た公職の候補者の属する政党その他の政治団体、同項の規定による開票立会人を届け出た候補者届出政党、衆議院名簿届出政党等若しくは参議院名簿届出政党等又は市町村の選挙管理委員会若しくは開票管理者の選任した開票立会人の属する政党その他の政治団体と同一の政党その他の政治団体に属する者を当該公職の候補者、候補者届出政党、衆議院名簿届出政党等若しくは参議院名簿届出政党等の届出に係る開票立会人又は市町村の選挙管理委員会若しくは開票管理者の選任に係る開票立会人と通じて三人以上選任することができない。

10　当該選挙の公職の候補者は、開票立会人となることができない。

11　開票立会人は、正当な理由がなければ、その職を辞することができない。

（開票所の設置）

第六十三条　開票所は、市役所、町村役場又は市町村の選挙管理委員会の指定した場所に設ける。

（開票の場所及び日時の告示）

第六十四条　市町村の選挙管理委員会は、予め開票の場所及び日時を告示しなければならない。

（開票日）

第六十五条　開票は、すべての投票箱の送致を受けた日又はその翌日に行う。

（開票）

第六十六条　開票管理者は、開票立会人立会の上、投票箱を開き、先ず第五十条第三項及び第五項の規定による投票を調査し、開票立会人の意見を聴き、その投票を受理するかどうかを決定しなければならない。

2　開票管理者は、開票立会人とともに、当該選挙における各投票所及び期日前投票所の投票を開票区ごとに混同して、投票を点検しなければならない。

3　投票の点検が終わつたときは、開票管理者は、直ちにその結果を選挙長（衆議院比例代表選出議員若しくは参議院比例代表選出議員の選挙又は参議院合同選挙区選挙については、選挙分会長）に報告しなければならない。

（開票の場合の投票の効力の決定）

第六十七条　投票の効力は、開票立会人の意見を聴き、開票管理者が決定しなければならない。その決定に当つては、第六十八条の規定に反しない限りにおいて、その投票した選挙人の意思が明白であれば、その投票を有効とするようにしなければならない。

（無効投票）

第六十八条　衆議院（比例代表選出）議員又は参議院（比例代表選出）議員の選挙以外の選挙の投票については、次の各号のいずれかに該当するものは、無効とする。

一　所定の用紙を用いないもの

二　公職の候補者でない者又は第八十六条の八第一項、第八十七条第一項若しくは第二項、第八十七条の二、第八十八条、第二百五十一条の二若しくは第二百五十一条の三の規定により公職の候補者となることができない者の氏名を記載したもの

三　第八十六条第一項若しくは第八項の規定による届出をした政党その他の政治団体で同条第一項各号のいずれにも該当していなかつたものの当該届出に係る候補者、同条第九項後段の規定による届出に係る候補者又は第八十七条第三項の規定に違反してされた届出に係る候補者の氏名を記載したもの

四　一投票中に二人以上の公職の候補者の氏名を記載したもの

五　被選挙権のない公職の候補者の氏名を記載したもの

六　公職の候補者の氏名のほか、他事を記載したもの。ただし、職業、身分、住所又は敬称の類を記入したものは、この限りでない。

七　公職の候補者の氏名を自書しないもの

八　公職の候補者の何人を記載したかを確認し難いもの

2　衆議院（比例代表選出）議員の選挙の投票については、次の各号のいずれかに該当するものは、無効とする。

一　所定の用紙を用いないもの

二　衆議院名簿届出政党等以外の政党その他の政治団体（第八十六条の二第十項の規定による届出をした政党その他の政治団体を含む。）の名称又は略称を記載したもの

三　第八十六条の二第一項の規定による届出をした政党その他の政治団体で同項各号のいずれにも該当していなかつたもの又は第八十七条第五項の規定に違反して第八十六条の二第一項の衆議院名簿を重ねて届け出ている政党その他の政治団体の名称又は略称を記載したもの

四　第八十六条の二第一項の衆議院名簿登載者の全員につき、同条第七項各号に規定する事由が生じており又は同項後段の規定による届出がされている場合の当該衆議院名簿に係る政党その他の政治団体の名称又は略称を記載したもの

五　一投票中に二以上の衆議院名簿届出政党等の第八十六条の二第一項の規定による届出に係る名称又は略称を記載したもの

六　衆議院名簿届出政党等の第八十六条の二第一項の規定による届出に係る名称及び略称のほか、他事を記載したもの。ただし、本部の所在地、代表者の氏名又は敬称の類を記入したものは、この限りでない。

七　衆議院名簿届出政党等の第八十六条の二第一項の規定による届出に係る名称又は略称を自書しないもの

八　衆議院名簿届出政党等のいずれを記載したかを確認し難いもの

3　参議院（比例代表選出）議員の選挙の投票については、次の各号のいずれかに該当するものは、無効とする。

一　所定の用紙を用いないもの

二　公職の候補者たる参議院名簿登載者でない者、第八十六条の三第二項において準用する第八十六条の二第七項後段の規定による届出に係る参議院名簿登載者若しくは第八十六条の八第一項、第八十七条第一項若しくは同条第六項において準用する同条第四項、第八十八条、第二百五十一条の二若しくは第二百五十一条の三の規定により公職の候補者となることができない参議院名簿登載者の氏名を記載したもの又は参議院名簿届出政党等以外の政党その他の政治団体の名称若しくは略称を記載したもの。ただし、代表者の氏名の類を記入したもので第八号ただし書に該当する場合は、この限りでない。

三　第八十六条の三第一項の規定による届出をした政党その他の政治団体で同項各号のいずれにも該当していなかつたもの若しくは同条第二項において準用する第八十六条の二第十項の規定による届出をしたもの又は第八十七条第六項において準用する同条第五項の規定に違反して第八十六条の三第一項の参議院名簿を重ねて届け出ている政党その他の政治団体の同項の規定による届出に係る参議院名簿登載者の氏名又はその届出に係る名称若しくは略称を記載したもの

四　参議院名簿登載者の全員につき、第八十六条の三第二項において準用する第八十六条の二第七項各号に規定する事由が生じており又は第八十六条の三第二項において準用する第八十六条の二第七項後段の規定による届出がされている場合の当該参議院名簿に係る政党その他の政治団体の名称又は略称を記載したもの

五　一投票中に二人以上の参議院名簿登載者の氏名又は二以上の参議院名簿届出政党等の第八十六条の三第一項の規定による届出に係る名称若しくは略称を記載したもの

六　一投票中に一人の参議院名簿登載者の氏名及び当該参議院名簿登載者に係る参議院名簿届出政党等以外の参議院名簿届出政党等の第八十六条の三第一項の規定による届出に係る名称又は略称を記載したもの

七　被選挙権のない参議院名簿登載者の氏名を記載したもの

八　公職の候補者たる参議院名簿登載者の氏名又は参議院名簿届出政党等の第八十六条の三第一項の規定による届出に係る名称及び略称のほか、他事を記載したもの。ただし、公職の候補者たる参議院名簿登載者の氏名の記載のある投票については当該参議院名簿登載者に係る参議院名簿届出政党等の同項の規定による届出に係る名称若しくは略称又は職業、身分、住所若しくは敬称の類（当該参議院名簿登載者が同項後段の規定により優先的に当選人となるべき候補者としてその氏名及び当選人となるべき順位が同項の参議院名簿に記載されている者（同条第二項において読み替えて準用する第八十六条の二第九項後段の規定により優先的に当選人となるべき候補者としてその氏名及び当選人となるべき順位が同項の規定による届出に係る文書に記載された者を含む。以下同じ。）である場合にあつては、当該参議院名簿登載者に係る参議院名簿届出政党等の第八十六条の三第一項の規定による届出に係る名称若しくは略称、当選人となるべき順位又は職業、身分、住所若しくは敬称の類）を、参議院名簿登載者の氏名の記載のない投票で参議院名簿届出政党等の同項の規定による届出に係る名称又は略称を記載したものについては本部の所在地、代表者の氏名又は敬称の類（当該参議院名簿届出政党等の届出に係る参議院名簿登載者のうちに同項後段の規定により優先的に当選人となるべき候補者としてその氏名及び当選人となるべき順位が同項の参議院名簿に記載されている者がある場合にあつては、その記載に係る順位、本部の所在地、代表者の氏名又は敬称の類）を記入したものは、この限りでない。

九　公職の候補者たる参議院名簿登載者の氏名又は参議院名簿届出政党等の第八十六条の三第一項の規定による届出に係る名称若しくは略称を自書しないもの

十　公職の候補者たる参議院名簿登載者の何人又は参議院名簿届出政党等のいずれを記載したかを確認し難いもの

（同一氏名の候補者等に対する投票の効力）

第六十八条の二　同一の氏名、氏又は名の公職の候補者が二人以上ある場合において、その氏名、氏又は名のみを記載した投票は、前条第一項第八号の規定にかかわらず、有効とする。

2　第八十六条の二第一項の規定による届出に係る名称又は略称が同一である衆議院名簿届出政党等が二以上ある場合において、その名称又は略称のみを記載した投票は、前条第二項第八号の規定にかかわらず、有効とする。

3　第八十六条の三第一項の規定による届出に係る参議院名簿登載者（公職の候補者たる者に限る。以下この条において同じ。）の氏名、氏若しくは名又は参議院名簿届出政党等の名称若しくは略称が同一である参議院名簿登載者又は参議院名簿届出政党等が二以上ある場合において、これらの氏名、氏若しくは名又は名称若しくは略称のみを記載した投票は、前条第三項第十号の規定にかかわらず、有効とする。

4　第一項又は第二項の有効投票は、開票区ごとに、当該候補者又は当該衆議院名簿届出政党等のその他の有効投票数に応じてあん分し、それぞれこれに加えるものとする。

5　第三項の有効投票は、開票区ごとに、当該参議院名簿登載者のその他の有効投票数又は当該参議院名簿届出政党等のその他の有効投票数（当該参議院名簿届出政党等に係る各参議院名簿登載者の有効投票数を含まないものをいう。）に応じてあん分し、それぞれこれに加えるものとする。

（特定の参議院名簿登載者の有効投票）

第六十八条の三　前条第三項及び第五項の規定を適用する場合を除き、第八十六条の三第一項後段の規定により優先的に当選人となるべき候補者としてその氏名及び当選人となるべき順位が同項の参議院名簿に記載されている者である参議院名簿登載者の有効投票（前条第五項の規定によりあん分して加えられた有効投票を含む。）は、当該参議院名簿登載者に係る参議院名簿届出政党等の有効投票とみなす。

（開票の参観）

第六十九条　選挙人は、その開票所につき、開票の参観を求めることができる。

（開票録の作成）

第七十条　開票管理者は、開票録を作り、開票に関する次第を記載し、開票立会人とともに、これに署名しなければならない。

（投票、投票録及び開票録の保存）

第七十一条　投票は、有効無効を区別し、投票録及び開票録と併せて、市町村の選挙管理委員会において、当該選挙にかかる議

員又は長の任期間、保存しなければならない。

（一部無効に因る再選挙の開票）

第七十二条　選挙の一部が無効となり再選挙を行つた場合の開票においては、その投票の効力を決定しなければならない。

（繰延開票）

第七十三条　第五十七条第一項前段及び第二項の規定は、開票について準用する。

（開票所の取締り）

第七十四条　第五十八条第一項、第五十九条及び第六十条の規定は、開票所の取締りについて準用する。

第八章　選挙会及び選挙分会

（選挙長及び選挙分会長）

第七十五条　各選挙ごとに、選挙長を置く。

２　衆議院（比例代表選出）議員の選挙又は参議院合同選挙区選挙においては、前項の選挙長を置くほか、都道府県ごとに、選挙分会長を置く。

３　選挙長は、当該選挙の選挙権を有する者の中から当該選挙に関する事務を管理する選挙管理委員会（衆議院比例代表選出議員又は参議院比例代表選出議員の選挙については中央選挙管理会、参議院合同選挙区選挙については当該選挙に関する事務を管理する参議院合同選挙区選挙管理委員会）の選任した者をもつて、選挙分会長は、当該選挙の選挙権を有する者の中から都道府県の選挙管理委員会の選任した者をもつて、これに充てる。

４　選挙長は、選挙会に関する事務を、選挙分会長は、選挙分会に関する事務を、担任する。

５　選挙長及び選挙分会長は、当該選挙の選挙権を有しなくなつたときは、その職を失う。

（選挙立会人）

第七十六条　第六十二条（第八項を除く。）の規定は、選挙会及び選挙分会の選挙立会人について準用する。この場合において、同条第一項中「当該選挙の開票区ごとに、当該開票区の区域の全部又は一部をその区域に含む市町村の選挙人名簿に登録された者」とあるのは「当該選挙の選挙権を有する者（第七十九条第二項の規定により開票の事務を選挙会の事務に併せて行う旨の告示がされた場合にあつては、その開票区の区域の全部又は一部をその区域に含む市町村の選挙人名簿に登録された者。第九項において同じ。）」と、「期日前三日まで」とあるのは「期日前三日まで（第七十九条第一項に規定する場合にあつては、同条第二項の規定による告示がされた日からその選挙の期日前三日まで）」と、「市町村の選挙管理委員会」とあるのは「当該選挙長（衆議院比例代表選出議員若しくは参議院比例代表選出議員の選挙又は参議院合同選挙区選挙における選挙分会の選挙立会人については、当該選挙分会長。以下この条において同じ。）」と、同項ただし書中「同一人を当該選挙の他の開票区における開票立会人となるべき者及び」とあるのは「同一人を」と、同条第二項中「市町村の選挙管理委員会」とあるのは「当該選挙長」と、同条第三項中「開票区」とあるのは「選挙会（衆議院比例代表選出議員若しくは参議院比例代表選出議員の選挙又は参議院合同選挙区選挙については、選挙会又は選挙分会。第九項において同じ。）」と、同条第四項から第六項までの規定中「市町村の選挙管理委員会」とあるのは「当該選挙長」と、同条第九項本文中「達しないとき又は」とあるのは「達しないとき、」と、「選挙の期日の前日までに三人に達しなくなつたときは市町村の選挙管理委員会において、開票立会人が選挙の期日以後に三人に達しなくなつたとき」とあるのは「選挙会の期日までに三人に達しなくなつたとき」と、「開票所」とあるのは「選挙会」と、「開票管理者」とあるのは「当該選挙長」と、「その開票区の区域の全部又は一部をその区域に含む市町村の選挙人名簿に登録された者」とあるのは「当該選挙の選挙権を有する者」と、「開票に」とあるのは「選挙会に」と、同項ただし書中「市町村の選挙管理委員会若しくは開票管理者」とあるのは「当該選挙長」と読み替えるものとする。

（選挙会及び選挙分会の開催場所）

第七十七条　選挙会は、都道府県庁又は当該選挙に関する事務を管理する選挙管理委員会（衆議院比例代表選出議員又は参議院比例代表選出議員の選挙については中央選挙管理会、参議院合同選挙区選挙については当該選挙に関する事務を管理する参議院合同選挙区選挙管理委員会）の指定した場所で開く。

２　選挙分会は、都道府県庁又は都道府県の選挙管理委員会の指定した場所で開く。

（選挙会及び選挙分会の場所及び日時）

第七十八条　当該選挙に関する事務を管理する選挙管理委員会（衆議院比例代表選出議員又は参議院比例代表選出議員の選挙については中央選挙管理会、参議院合同選挙区選挙については当該選挙に関する事務を管理する参議院合同選挙区選挙管理委員会）はあらかじめ選挙会の場所及び日時を、都道府県の選挙管理委員会はあらかじめ選挙分会の場所及び日時を、それぞれ告示しなければならない。

（開票事務と選挙会事務との合同）

第七十九条　衆議院（小選挙区選出）議員又は地方公共団体の議会の議員若しくは長の選挙において選挙会の区域と開票区の区域が同一である場合には、第六十六条第一項及び第二項、第六十七条、第六十八条第一項並びに第六十八条の二第一項及び第四項の規定を除いた第七章の規定にかかわらず、当該選挙の開票の事務は、選挙会場において選挙会の事務に併せて行うことができる。

２　前項に規定する場合においては、当該選挙に関する事務を管理する選挙管理委員会は、当該選挙の期日の公示又は告示があつた日に、当該選挙の開票の事務を選挙会の事務に併せて行うかどうかを告示しなければならない。

３　第一項の規定により開票の事務を選挙会の事務に併せて行う場合においては、開票管理者又は開票立会人は、選挙長又は選挙立会人をもつてこれに充て、開票に関する次第は、選挙録中に併せて記載するものとする。

（選挙会又は選挙分会の開催）

第八十条　選挙長（衆議院比例代表選出議員若しくは参議院比例代表選出議員の選挙又は参議院合同選挙区選挙における選挙長を除く。）又は選挙分会長は、全ての開票管理者から第六十六条第三項の規定による報告を受けた日又はその翌日に選挙会又は選挙分会を開き、選挙立会人立会いの上、その報告を調査し、各公職の候補者（公職の候補者たる参議院名簿登載者を含む。第三項において同じ。）、各衆議院名簿届出政党等又は各参議院名簿届出政党等の得票総数（各参議院名簿届出政党等の得票総数にあつては、当該参議院名簿届出政党等に係る各参議院名簿登載者（当該選挙の期日において公職の候補者たる者に限る。）の得票総数を含むものをいう。第三項において同じ。）を計算しなければならない。

2　前条第一項の場合においては、選挙長は、前項の規定にかかわらず、投票の点検の結果により、各公職の候補者の得票総数を計算しなければならない。

3　第一項に規定する選挙長又は選挙分会長は、選挙の一部が無効となり再選挙を行つた場合において第六十六条第三項の規定による報告を受けたときは、第一項の規定の例により、他の部分の報告とともに、更にこれを調査し、各公職の候補者、各衆議院名簿届出政党等又は各参議院名簿届出政党等の得票総数を計算しなければならない。

（衆議院比例代表選出議員若しくは参議院比例代表選出議員の選挙又は参議院合同選挙区選挙の選挙会の開催）

第八十一条　衆議院（比例代表選出）議員の選挙においては、選挙分会長は、前条第一項及び第三項の規定による調査を終わつたときは、選挙録の写しを添えて、直ちにその結果を当該選挙長に報告しなければならない。

2　前項の選挙長は、すべての選挙分会長から同項の規定による報告を受けた日若しくは中央選挙管理会から第百一条第四項の規定による通知を受けた日のいずれか遅い日（当該選挙が衆議院小選挙区選出議員の選挙と同時に行われない場合にあつては、すべての選挙分会長から前項の規定による報告を受けた日）又はその翌日に選挙会を開き、選挙立会人立会いの上、その報告を調査し、各衆議院名簿届出政党等の得票総数を計算しなければならない。

3　選挙の一部が無効となり再選挙を行つた場合において第一項の規定による報告を受けたときは、当該選挙長は、前項の規定の例により、他の部分の報告とともに、更にこれを調査し、各衆議院名簿届出政党等の得票総数を計算しなければならない。

4　前三項の規定は、参議院（比例代表選出）議員の選挙について準用する。この場合において、第二項中「同項の規定による報告を受けた日若しくは中央選挙管理会から第百一条第四項の規定による通知を受けた日のいずれか遅い日（当該選挙が衆議院小選挙区選出議員の選挙と同時に行われない場合にあつては、すべての選挙分会長から前項の規定による報告を受けた日）」とあるのは「同項の規定による報告を受けた日」と、「各衆議院名簿届出政党等の得票総数」とあるのは「各参議院名簿届出政党等の得票総数（当該参議院名簿届出政党等に係る各参議院名簿登載者（当該選挙の期日において公職の候補者たる者に限る。以下この項において同じ。）の得票総数を含むものをいう。次項において同じ。）及び各参議院名簿登載者の得票総数」と、前項中「各衆議院名簿届出政党等の得票総数」とあるのは「各参議院名簿届出政党等の得票総数及び各参議院名簿登載者の得票総数」と読み替えるものとする。

5　第一項から第三項までの規定は、参議院合同選挙区選挙について準用する。この場合において、第二項中「同項の規定による報告を受けた日若しくは中央選挙管理会から第百一条第四項の規定による通知を受けた日のいずれか遅い日（当該選挙が衆議院小選挙区選出議員の選挙と同時に行われない場合にあつては、すべての選挙分会長から前項の規定による報告を受けた日）」とあるのは「同項の規定による報告を受けた日」と、同項及び第三項中「各衆議院名簿届出政党等」とあるのは「各候補者」と読み替えるものとする。

（選挙会及び選挙分会の参観）

第八十二条　選挙人は、その選挙会及び選挙分会の参観を求めることができる。

（選挙録の作成及び選挙録その他関係書類の保存）

第八十三条　選挙長又は選挙分会長は、選挙録を作り、選挙会又は選挙分会に関する次第を記載し、選挙立会人とともに、これに署名しなければならない。

2　選挙録は、第六十六条第三項の規定による報告に関する書類（衆議院比例代表選出議員の選挙にあつては第八十一条第一項の規定による報告に関する書類、参議院比例代表選出議員の選挙にあつては同条第四項において準用する同条第一項の規定による報告に関する書類、参議院合同選挙区選挙にあつては同条第五項において準用する同条第一項の規定による報告に関する書類）と併せて、当該選挙に関する事務を管理する選挙管理委員会（衆議院比例代表選出議員又は参議院比例代表選出議員の選挙の選挙会に関するものについては中央選挙管理会、参議院合同選挙区選挙の選挙会に関するものについては当該選挙に関する事務を管理する参議院合同選挙区選挙管理委員会、選挙分会に関するものについては当該都道府県の選挙管理委員会）において、当該選挙に係る議員又は長の任期間、保存しなければならない。

3　第七十九条の場合においては、投票の有効無効を区別し、投票録及び選挙録と併せて、当該選挙に関する事務を管理する選挙管理委員会において、当該選挙にかかる議員又は長の任期間、保存しなければならない。

（繰延選挙会又は繰延選挙分会）

第八十四条　第五十七条第一項前段の規定は、選挙会及び選挙分会について準用する。この場合において、同項前段中「都道府県の選挙管理委員会（市町村の議会の議員又は長の選挙については、市町村の選挙管理委員会）」とあるのは、「当該選挙に関する事務を管理する選挙管理委員会（衆議院比例代表選出議員又は参議院比例代表選出議員の選挙会に関しては中央選挙管理会、参議院合同選挙区選挙の選挙会に関しては当該選挙に関する事務を管理する参議院合同選挙区選挙管理委員会、選挙分会に関しては都道府県の選挙管理委員会）」と読み替えるものとする。

（選挙会場及び選挙分会場の取締り）

第八十五条　第五十八条第一項、第五十九条及び第六十条の規定は、選挙会場及び選挙分会場の取締りについて準用する。

第九章　公職の候補者

（衆議院小選挙区選出議員の選挙における候補者の立候補の届出等）

第八十六条　衆議院（小選挙区選出）議員の選挙において、次の各号のいずれかに該当する政党その他の政治団体は、当該政党その他の政治団体に所属する者を候補者としようとするときは、当該選挙の期日の公示又は告示があつた日に、郵便等によることなく、文書でその旨を当該選挙長に届け出なければならない。

一　当該政党その他の政治団体に所属する衆議院議員又は参議院議員を五人以上有すること。
二　直近において行われた衆議院議員の総選挙における小選挙区選出議員の選挙若しくは比例代表選出議員の選挙又は参議院議員の通常選挙における比例代表選出議員の選挙若しくは選挙区選出議員の選挙における当該政党その他の政治団体の得票総数が当該選挙における有効投票の総数の百分の二以上であること。

2　衆議院（小選挙区選出）議員の候補者となろうとする者は、前項の公示又は告示があつた日に、郵便等によることなく、文書でその旨を当該選挙長に届け出なければならない。

3　選挙人名簿に登録された者が他人を衆議院（小選挙区選出）議員の候補者としようとするときは、本人の承諾を得て、第一項の公示又は告示があつた日に、郵便等によることなく、文書で当該選挙長にその推薦の届出をすることができる。

4　第一項の文書には、当該政党その他の政治団体の名称、本部の所在地及び代表者（総裁、会長、委員長その他これらに準ずる地位にある者をいう。以下この条から第八十六条の七まで、第百四十二条の二第三項、第百六十九条第七項、第百七十五条第九項及び第百八十条第二項において同じ。）の氏名並びに候補者となるべき者の氏名、本籍、住所、生年月日及び職業その他政令で定める事項を記載しなければならない。

5　第一項の文書には、次に掲げる文書を添えなければならない。ただし、直近において行われた衆議院議員の総選挙の期日後に第八十六条の六第一項又は第二項の規定による届出をした政党その他の政治団体で同条第九項の規定による届出をしていないもの（同条第四項の規定により添えた文書の内容に異動があつたものにあつては、選挙の期日の公示又は告示の日の前日までに同条第七項の規定による届出をしたものに限る。次条第二項において「衆議院名称届出政党」という。）が、第一項の規定による届出をする場合においては、第一号に掲げる文書及び第二号に掲げる文書のうち政令で定めるものの添付を省略することができる。
一　政党その他の政治団体の綱領、党則、規約その他これらに相当するものを記載した文書
二　第一項各号のいずれかに該当することを証する政令で定める文書
三　当該届出が第八十七条第三項の規定に違反するものでないことを代表者が誓う旨の宣誓書
四　候補者となるべき者の候補者となることについての同意書及び第八十六条の八第一項、第八十七条第一項若しくは第二項、第八十七条の二、第二百五十一条の二又は第二百五十一条の三の規定により公職の候補者となることができない者でないことを当該候補者となるべき者が誓う旨の宣誓書
五　候補者となるべき者の選定を当該政党その他の政治団体において行う機関の名称、その構成員の選出方法及び候補者となるべき者の選定の手続を記載した文書並びに当該候補者となるべき者の選定を適正に行つたことを当該機関を代表する者が誓う旨の宣誓書
六　その他政令で定める文書

6　第二項及び第三項の文書には、候補者となるべき者の氏名、本籍、住所、生年月日及び職業その他政令で定める事項を記載しなければならない。

7　第二項及び第三項の文書には、第八十六条の八第一項、第八十七条第一項若しくは第二項、第八十七条の二、第二百五十一条の二又は第二百五十一条の三の規定により公職の候補者となることができない者でないことを当該候補者となるべき者が誓う旨の宣誓書、当該候補者となるべき者の所属する政党その他の政治団体の名称（二以上の政党その他の政治団体に所属するときは、いずれか一の政党その他の政治団体の名称）を記載した文書及び当該記載に関する政党その他の政治団体の代表者の証明書その他政令で定める文書を添えなければならない。

8　第一項の公示又は告示があつた日に届出のあつた候補者が二人以上ある場合において、その日後、当該候補者が死亡し、当該届出が取り下げられたものとみなされ、当該候補者が候補者たることを辞したものとみなされ、又は次項後段の規定により当該届出が却下されたときは、前各項の規定の例により、当該選挙の期日前三日までに、候補者の届出をすることができる。

9　次の各号のいずれかに該当する事由があることを知つたときは、選挙長は、第一項から第三項まで又は前項の規定による届出を却下しなければならない。第一項又は前項の規定により届出のあつた者につき除名、離党その他の事由により当該候補者届出政党に所属する者でなくなつた旨の届出が当該選挙の期日の前日までに当該候補者届出政党から文書でされたときも、また同様とする。
一　第一項又は前項の規定による政党その他の政治団体の届出が第一項各号のいずれにも該当しない政党その他の政治団体によつてされたものであること。
二　第一項又は前項の規定による政党その他の政治団体の届出が第八十七条第三項の規定に違反してされたものであること。
三　第一項から第三項まで又は前項の規定により届出のあつた者が第八十六条の八第一項、第八十七条第一項若しくは第二項、第八十七条の二、第八十八条、第二百五十一条の二又は第二百五十一条の三の規定により公職の候補者となり、又は公職の候補者であることができない者であること。

10　前項後段の文書には、当該届出に係る事由が、除名である場合にあつては当該除名の手続を記載した文書及び当該除名が適正に行われたことを代表者が誓う旨の宣誓書を、離党である場合にあつては当該候補者が候補者届出政党に提出した離党届の写しを、その他の事由である場合にあつては当該事由を証する文書を、それぞれ、添えなければならない。

11　候補者届出政党は、第一項の規定により候補者の届出をした場合には同項の公示又は告示があつた日に、第八項の規定により候補者の届出をした場合には当該選挙の期日前三日までに選挙長に届出をしなければ、その候補者の届出を取り下げることができない。

12　候補者（候補者届出政党の届出に係るものを除く。以下この項において同じ。）は、第二項又は第三項の規定により届出のあつた候補者にあつては第一項の公示又は告示があつた日に、第八項の規定により届出のあつた候補者にあつては当該選挙の期日前三日までに選挙長に届出をしなければ、その候補者たることを辞することができない。

13　第一項から第三項まで、第八項、第十一項若しくは前項の規定による届出があつたとき、第九項の規定により届出を却下し

たとき又は候補者が死亡し若しくは第九十一条第一項若しくは第二項若しくは第百三条第四項の規定に該当するに至つたことを知つたときは、選挙長は、直ちにその旨を告示するとともに、当該都道府県の選挙管理委員会に報告しなければならない。

14　第一項第一号に規定する衆議院議員又は参議院議員の数の算定、同項第二号に規定する政党その他の政治団体の得票総数（第七項の文書にその名称を記載された政党その他の政治団体の得票総数を含む。次条第十四項及び第百五十条第八項において同じ。）の算定その他第一項の規定の適用について必要な事項は、政令で定める。

（衆議院比例代表選出議員の選挙における名簿による立候補の届出等）

第八十六条の二　衆議院（比例代表選出）議員の選挙においては、次の各号のいずれかに該当する政党その他の政治団体は、当該政党その他の政治団体の名称（一の略称を含む。）並びにその所属する者の氏名及びそれらの者の間における当選人となるべき順位を記載した文書（以下「衆議院名簿」という。）を当該選挙長に届け出ることにより、その衆議院名簿に記載されている者（以下「衆議院名簿登載者」という。）を当該選挙における候補者とすることができる。

一　当該政党その他の政治団体に所属する衆議院議員又は参議院議員を五人以上有すること。

二　直近において行われた衆議院議員の総選挙における小選挙区選出議員の選挙若しくは比例代表選出議員の選挙又は参議院議員の通常選挙における比例代表選出議員の選挙若しくは選挙区選出議員の選挙における当該政党その他の政治団体の得票総数が当該選挙における有効投票の総数の百分の二以上であること。

三　当該選挙において、この項の規定による届出をすることにより候補者となる衆議院名簿登載者の数が当該選挙区における議員の定数の十分の二以上であること。

2　前項の規定による届出は、当該選挙の期日の公示又は告示があつた日に、郵便等によることなく、当該衆議院名簿に次に掲げる文書を添えて、しなければならない。ただし、衆議院名簿届出政党が、同項の規定による届出をする場合においては、第二号に掲げる文書及び第三号に掲げる文書のうち政令で定めるものの添付を省略することができる。

一　政党その他の政治団体の名称、本部の所在地及び代表者の氏名並びに衆議院名簿登載者の氏名、本籍、住所、生年月日及び職業その他政令で定める事項を記載した文書

二　政党その他の政治団体の綱領、党則、規約その他これらに相当するものを記載した文書

三　前項各号のいずれかに該当することを証する政令で定める文書

四　当該届出が第八十七条第五項の規定に違反するものでないことを代表者が誓う旨の宣誓書

五　衆議院名簿登載者の候補者となることについての同意書及び第八十六条の八第一項又は第八十七条第一項若しくは第四項の規定により公職の候補者となることができない者でないことを当該衆議院名簿登載者が誓う旨の宣誓書

六　衆議院名簿登載者の選定及びそれらの者の間における当選人となるべき順位の決定（以下単に「衆議院名簿登載者の選定」という。）を当該政党その他の政治団体において行う機関の名称、その構成員の選出方法並びに衆議院名簿登載者の選定の手続を記載した文書並びに当該衆議院名簿登載者の選定を適正に行つたことを当該機関を代表する者が誓う旨の宣誓書

七　その他政令で定める文書

3　衆議院名簿に記載する政党その他の政治団体の名称及び略称は、第八十六条の六第六項の規定による告示に係る政党その他の政治団体にあつては当該告示に係る名称及び略称でなければならないものとし、同項の告示に係る政党その他の政治団体以外の政党その他の政治団体にあつては同項の規定により告示された名称及び略称並びにこれらに類似する名称及び略称並びにその代表者若しくはいずれかの選挙区における衆議院名簿登載者の氏名が表示され又はそれらの者の氏名が類推されるような名称及び略称以外の名称及び略称でなければならない。この場合において、同項の告示に係る政党その他の政治団体の当該告示に係る名称又は略称がその代表者若しくはいずれかの選挙区における衆議院名簿登載者の氏名が表示され又はそれらの者の氏名が類推されるような名称又は略称となつているときは、当該政党その他の政治団体は、この項前段の規定の適用については、同条第六項の規定による告示に係る政党その他の政治団体でないものとみなす。

4　第一項第一号又は第二号に該当する政党その他の政治団体は、第八十七条第一項の規定にかかわらず、当該衆議院（比例代表選出）議員の選挙と同時に行われる衆議院（小選挙区選出）議員の選挙における当該政党その他の政治団体の届出に係る当該衆議院（比例代表選出）議員の選挙区の区域内にある衆議院（小選挙区選出）議員の選挙区における候補者（候補者となるべき者を含む。次項及び第六項において同じ。）を、当該衆議院（比例代表選出）議員の選挙において、当該政党その他の政治団体の届出に係る衆議院名簿の衆議院名簿登載者とすることができる。

5　各衆議院名簿の衆議院名簿登載者（当該選挙と同時に行われる衆議院小選挙区選出議員の選挙における候補者であつて、前項の規定により、当該衆議院名簿の衆議院名簿登載者とされたものを除く。）の数は、選挙区ごとに、当該衆議院（比例代表選出）議員の選挙において選挙すべき議員の数を超えることができない。

6　第一項第一号又は第二号に該当する政党その他の政治団体が、第四項の規定により、当該選挙と同時に行われる衆議院（小選挙区選出）議員の選挙における候補者を二人以上当該政党その他の政治団体の届出に係る衆議院名簿の衆議院名簿登載者とする場合には、第一項の規定にかかわらず、それらの者の全部又は一部について当選人となるべき順位を同一のものとすることができる。

7　当該選挙の期日までに、次の各号のいずれかに該当する事由が生じたことを知つたときは、選挙長は、第一項の規定による届出に係る衆議院名簿における当該衆議院名簿登載者に係る記載を抹消するとともに、直ちにその旨を当該衆議院名簿届出政党等に通知しなければならない。衆議院名簿登載者につき除名、離党その他の事由により当該衆議院名簿届出政党等に所属する者でなくなつた旨の届出が当該選挙の期日の前日までに当

該衆議院名簿届出政党等から文書でされたときも、また同様とする。
一　衆議院名簿登載者が死亡したこと。
二　衆議院名簿登載者が第八十六条の八第一項、第八十七条第一項若しくは第四項又は第八十八条の規定により公職の候補者となり、又は公職の候補者であることができない者であること。
三　衆議院名簿登載者が第九十一条第三項又は第百三条第四項の規定に該当するに至つたこと。
四　第一項第一号又は第二号に該当する政党その他の政治団体が、第四項の規定により、当該選挙と同時に行われる衆議院（小選挙区選出）議員の選挙における候補者（候補者となるべき者を含む。）を当該政党その他の政治団体の届出に係る衆議院名簿の衆議院名簿登載者とした場合において、当該衆議院名簿登載者が当該衆議院（比例代表選出）議員の選挙区の区域内にある衆議院（小選挙区選出）議員の選挙区における候補者でなくなり、又は第一項若しくは第九項の規定による届出のあつた日において当該衆議院（比例代表選出）議員の選挙区の区域内にある衆議院（小選挙区選出）議員の選挙区における候補者とならなかつたこと。

8　前項後段の文書には、当該届出に係る事由が、除名である場合にあつては当該除名の手続を記載した文書及び当該除名が適正に行われたことを代表者が誓う旨の宣誓書を、離党である場合にあつては当該衆議院名簿登載者が衆議院名簿届出政党等に提出した離党届の写しを、その他の事由である場合にあつては当該事由を証する文書を、それぞれ、添えなければならない。

9　第一項の規定による届出の後（この項の規定による届出があつたときは、当該届出の後）衆議院名簿登載者でなくなつた者の数が第一項の規定による届出の時における衆議院名簿登載者の数の四分の一に相当する数を超えるに至つたときは、衆議院名簿届出政党等は、当該選挙の期日前十日までの間に、同項及び第二項（第二号から第四号までを除く。）の規定の例により、当該衆議院名簿登載者でなくなつた者の数を超えない範囲内において、衆議院名簿登載者の補充の届出をすることができる。この場合においては、当該届出の際現に衆議院名簿登載者である者の当選人となるべき順位をも変更することができる。

10　衆議院名簿届出政党等は、前項に規定する日までに、郵便等によることなく、文書で選挙長に届け出ることにより、衆議院名簿を取り下げることができる。この場合においては、取下げの事由を証する文書を添えなければならない。

11　第一項の規定による届出が同項各号のいずれにも該当しない政党その他の政治団体によつてされたものであること若しくは第三項若しくは第五項若しくは第八十七条第五項の規定に違反してされたものであることを知つたとき又は第一項の規定による届出に係る衆議院名簿につき第九項に規定する期限経過後において衆議院名簿登載者の全員が第七項の規定により当該衆議院名簿における記載を抹消すべき者であることを知つたときは、選挙長は、当該届出を却下しなければならない。

12　第九項の規定による届出が同項の規定に違反してされたものであること又は当該届出の結果当該衆議院名簿登載者の数が第五項の規定に違反することとなつたことを知つたときは、選挙長は、当該届出を却下しなければならない。

13　第一項、第九項若しくは第十項の規定による届出があつたとき、第七項の規定により衆議院名簿における衆議院名簿登載者に係る記載を抹消したとき又は第十一項若しくは前項の規定により届出を却下したときは、選挙長は、直ちにその旨を告示するとともに、中央選挙管理会に報告しなければならない。

14　第一項第一号に規定する衆議院議員又は参議院議員の数の算定、同項第二号に規定する政党その他の政治団体の得票総数の算定その他同項の規定の適用について必要な事項は、政令で定める。

（参議院比例代表選出議員の選挙における名簿による立候補の届出等）

第八十六条の三　参議院（比例代表選出）議員の選挙においては、次の各号のいずれかに該当する政党その他の政治団体は、当該政党その他の政治団体の名称（一の略称を含む。）及びその所属する者（当該政党その他の政治団体が推薦する者を含む。第九十八条第三項において同じ。）の氏名を記載した文書（以下「参議院名簿」という。）を選挙長に届け出ることにより、その参議院名簿に記載されている者（以下「参議院名簿登載者」という。）を当該選挙における候補者とすることができる。この場合においては、候補者とする者のうちの一部の者について、優先的に当選人となるべき候補者として、その氏名及びそれらの者の間における当選人となるべき順位をその他の候補者とする者の氏名と区分してこの項の規定により届け出る文書に記載することができる。
一　当該政党その他の政治団体に所属する衆議院議員又は参議院議員を五人以上有すること。
二　直近において行われた衆議院議員の総選挙における小選挙区選出議員の選挙若しくは比例代表選出議員の選挙又は参議院議員の通常選挙における比例代表選出議員の選挙若しくは選挙区選出議員の選挙における当該政党その他の政治団体の得票総数が当該選挙における有効投票の総数の百分の二以上であること。
三　当該参議院議員の選挙において候補者（この項の規定による届出をすることにより候補者となる参議院名簿登載者を含む。）を十人以上有すること。

2　前条第二項、第三項、第五項、第七項（第四号を除く。）及び第八項から第十四項までの規定は、参議院（比例代表選出）議員の選挙について準用する。この場合において、同条第二項各号列記以外の部分中「前項」とあるのは「次条第一項」と、「衆議院名簿」とあるのは「同項の参議院名簿（以下この条において「参議院名簿」という。）」と、「衆議院名称届出政党」とあるのは「任期満了前九十日に当たる日から七日を経過する日までの間に第八十六条の七第一項の規定による届出をした政党その他の政治団体で同条第五項の規定による届出をしていないもの（同条第三項の規定により添えた文書の内容に異動がないものに限る。）」と、「同項」とあるのは「次条第一項」と、同項第一号中「衆議院名簿登載者」とあるのは「次条第一項の参議院名簿登載者（以下この条において「参議院名簿登載者」という。）」と、同項第三号中「前項各号」とあるのは「次条第一項各号」と、同項第四号中「第八十七条第五項」とあるのは「第八十七条第六項において準用する同条第五項」と、同項第五号中「衆議院名簿登載者」とあるのは「参議院名簿登載者」と、「又は第八十七条第一項若しくは第四項」とあるのは「、

第八十七条第一項若しくは同条第六項において準用する同条第四項、第二百五十一条の二又は第二百五十一条の三」と、同項第六号中「衆議院名簿登載者の選定及びそれらの者の間における当選人となるべき順位の決定（以下単に「衆議院名簿登載者の選定」という。）」とあるのは「参議院名簿登載者の選定（当該政党その他の政治団体が次条第一項後段の規定により優先的に当選人となるべき候補者として候補者とする者の氏名及び当選人となるべき順位を参議院名簿に記載した場合においては、その記載に係る者の選定及びそれらの者の間における当選人となるべき順位の決定を含む。以下この号において同じ。）」と、「並びに衆議院名簿登載者」とあるのは「及び参議院名簿登載者」と、「当該衆議院名簿登載者」とあるのは「当該参議院名簿登載者」と、同条第三項中「衆議院名簿」とあるのは「参議院名簿」と、「第八十六条の六第六項」とあるのは「第八十六条の七第四項」と、「いずれかの選挙区における衆議院名簿登載者」とあるのは「参議院名簿登載者」と、「同条第六項」とあるのは「同条第四項」と、同条第五項中「各衆議院名簿の衆議院名簿登載者（当該選挙と同時に行われる衆議院小選挙区選出議員の選挙における候補者であつて、前項の規定により、当該衆議院名簿の衆議院名簿登載者とされたものを除く。）」とあるのは「各参議院名簿の参議院名簿登載者」と、「数は、選挙区ごとに」とあるのは「数は」と、同条第七項中「第一項の規定」とあるのは「次条第一項の規定」と、「衆議院名簿」とあるのは「参議院名簿」と、「衆議院名簿登載者」とあるのは「参議院名簿登載者」と、「衆議院名簿届出政党等」とあるのは「参議院名簿届出政党等」と、「所属する者」とあるのは「所属する者（当該政党その他の政治団体が推薦する者を含む。）」と、「第八十七条第一項若しくは第四項又は第八十八条」とあるのは「第八十七条第一項若しくは同条第六項において準用する同条第四項、第八十八条、第二百五十一条の二又は第二百五十一条の三」と、同条第八項中「衆議院名簿登載者」とあるのは「参議院名簿登載者」と、「衆議院名簿届出政党等」とあるのは「参議院名簿届出政党等」と、同条第九項中「第一項の規定による届出の後」とあるのは「次条第一項の規定による届出の後」と、「衆議院名簿登載者でなくなつた」とあるのは「参議院名簿登載者でなくなつた」と、「が第一項」とあるのは「が同条第一項」と、「衆議院名簿登載者の」とあるのは「参議院名簿登載者の」と、「衆議院名簿届出政党等」とあるのは「参議院名簿届出政党等」と、「第二項」とあるのは「同条第二項において準用する第二項」と、「においては、当該届出の際現に衆議院名簿登載者である」とあるのは「において、同条第一項後段の規定により優先的に当選人となるべき候補者としてその氏名及び当選人となるべき順位が参議院名簿に記載されている者が参議院名簿登載者でなくなつたときは、その参議院名簿登載者でなくなつた者の数を超えない範囲内において、当該届出により参議院名簿登載者とする者について、優先的に当選人となるべき候補者として、その氏名並びに同項後段の規定により優先的に当選人となるべき候補者としてその氏名及び当選人となるべき順位が参議院名簿に記載されている者の間における当選人となるべき順位を当該届出に係る文書に記載するとともに、当該届出の際現に同項後段の規定により優先的に当選人となるべき候補者としてその氏名及び当選人となるべき順位が参議院名簿に記載されている」と、同条第十項中「衆議院名簿届出政党等」とあるのは「参議院名簿届出政党等」と、「衆議院名簿」とあるのは「参議院名簿」と、同条第十一項中「第一項」とあるのは「次条第一項」と、「第八十七条第五項」とあるのは「第八十七条第六項において準用する同条第五項」と、「衆議院名簿」とあるのは「参議院名簿」と、「衆議院名簿登載者」とあるのは「参議院名簿登載者」と、同条第十二項中「違反してされたもの」とあるのは「違反してされたものであること又は当該届出の結果当該衆議院名簿登載者の数が第五項の規定に違反することとなつたこと」とあるのは「違反してされたものであること」と、同条第十三項中「第一項、第九項」とあるのは「次条第一項若しくはこの条第九項」と、「衆議院名簿」とあるのは「参議院名簿」と、「衆議院名簿登載者」とあるのは「参議院名簿登載者」と、同条第十四項中「第一項第一号」とあるのは「次条第一項第一号」と、「必要な事項」とあるのは「必要な事項並びに参議院（比例代表選出）議員の再選挙及び補欠選挙における第二項ただし書の規定の適用について必要な事項」と読み替えるものとする。

（衆議院議員又は参議院比例代表選出議員の選挙以外の選挙における候補者の立候補の届出等）

第八十六条の四　公職の候補者（衆議院議員又は参議院比例代表選出議員の候補者を除く。以下この条において同じ。）となろうとする者は、当該選挙の期日の公示又は告示があつた日に、郵便等によることなく、文書でその旨を当該選挙長に届け出なければならない。

2　選挙人名簿に登録された者が他人を公職の候補者としようとするときは、本人の承諾を得て、前項の公示又は告示があつた日に、郵便等によることなく、文書でその推薦の届出をすることができる。

3　前二項の文書には、公職の候補者となるべき者の氏名、本籍、住所、生年月日、職業及び所属する政党その他の政治団体の名称（二以上の政党その他の政治団体に所属するときは、いずれか一の政党その他の政治団体の名称とし、次項に規定する証明書に係る政党その他の政治団体の名称をいうものとする。）その他政令で定める事項を記載しなければならない。

4　第一項及び第二項の文書には、次の各号に掲げる選挙の区分に応じ当該各号に定める宣誓書、所属する政党その他の政治団体の名称を記載する場合にあつては当該記載に関する当該政党その他の政治団体の証明書（参議院選挙区選出議員の候補者については、当該政党その他の政治団体の代表者の証明書）その他政令で定める文書を添えなければならない。

一　参議院（選挙区選出）議員の選挙　第八十六条の八第一項、第八十七条第一項、第八十七条の二、第二百五十一条の二又は第二百五十一条の三の規定により当該選挙において公職の候補者となることができない者でないことを当該公職の候補者となるべき者が誓う旨の宣誓書

二　都道府県の議会の議員の選挙　当該選挙の期日において第九条第二項又は第三項に規定する住所に関する要件を満たす者であると見込まれること及び第八十六条の八第一項、第八十七条第一項、第二百五十一条の二又は第二百五十一条の三の規定により当該選挙において公職の候補者となることができない者でないことを当該公職の候補者となるべき者が誓う旨の宣誓書

三　市町村の議会の議員の選挙　当該選挙の期日において第九条第二項に規定する住所に関する要件を満たす者であると見込まれること及び第八十六条の八第一項、第八十七条第一項、第二百五十一条の二又は第二百五十一条の三の規定により当該選挙において公職の候補者となることができない者でないことを当該公職の候補者となるべき者が誓う旨の宣誓書

四　地方公共団体の長の選挙　第八十六条の八第一項、第八十七条第一項、第二百五十一条の二又は第二百五十一条の三の規定により当該選挙において公職の候補者となることができない者でないことを当該公職の候補者となるべき者が誓う旨の宣誓書

5　参議院（選挙区選出）議員又は地方公共団体の議会の議員の選挙については、第一項の公示又は告示があつた日に届出のあつた公職の候補者が、その選挙における議員の定数を超える場合において、その日後、当該候補者が死亡し又は公職の候補者たることを辞したものとみなされたときは、前各項の規定の例により、参議院（選挙区選出）議員又は都道府県若しくは市の議会の議員の選挙にあつてはその選挙の期日前三日までに、町村の議会の議員の選挙にあつてはその選挙の期日前二日までに、当該選挙における公職の候補者の届出をすることができる。

6　地方公共団体の長の選挙については、第一項の告示があつた日に届出のあつた候補者が二人以上ある場合において、その日後、当該候補者が死亡し又は候補者たることを辞したものとみなされたときは、第一項から第四項までの規定の例により、都道府県知事又は市長の選挙にあつてはその選挙の期日前三日までに、町村の長の選挙にあつてはその選挙の期日前二日までに、当該選挙における候補者の届出をすることができる。

7　地方公共団体の長の選挙について第一項、第二項又は前項の規定により届出のあつた候補者が二人以上ある場合において、その選挙の期日の前日までに、当該候補者が死亡し又は候補者たることを辞したものとみなされたため候補者が一人となつたときは、選挙の期日は、第三十三条第五項（第三十四条の二第五項において準用する場合を含む。）、第三十四条第六項又は第百十九条第三項の規定により告示した期日後五日に当たる日に延期するものとする。この場合においては、当該選挙に関する事務を管理する選挙管理委員会は、直ちにその旨を告示しなければならない。

8　前項又は第百二十六条第二項の場合においては、その告示があつた日から当該選挙の期日前三日までに、第一項から第四項までの規定の例により、当該地方公共団体の長の候補者の届出をすることができる。

9　第一項、第二項、第五項、第六項又は前項の規定により届出のあつた者が第八十六条の八第一項、第八十七条第一項、第八十七条の二、第八十八条、第二百五十一条の二又は第二百五十一条の三の規定により当該選挙において公職の候補者となり、又は公職の候補者であることができない者であることを知つたときは、選挙長は、その届出を却下しなければならない。

10　公職の候補者は、第一項又は第二項の規定により届出のあつた公職の候補者にあつては第一項の公示又は告示があつた日に、第五項、第六項又は第八項の規定により届出のあつた公職の候補者にあつては当該各項に定める日までに選挙長に届出をしなければ、その候補者たることを辞することができない。

11　第一項、第二項、第五項、第六項、第八項若しくは前項の規定による届出があつたとき、第九項の規定により届出を却下したとき又は公職の候補者が死亡し、若しくは第九十一条第二項若しくは第百三条第四項の規定に該当するに至つたことを知つたときは、選挙長は、直ちにその旨を告示するとともに、当該選挙に関する事務を管理する選挙管理委員会（参議院合同選挙区選挙については、当該選挙に関する事務を管理する参議院合同選挙区選挙管理委員会）に報告しなければならない。

（候補者の選定の手続の届出等）

第八十六条の五　第八十六条第一項各号のいずれかに該当する政党その他の政治団体は、当該政党その他の政治団体の衆議院（小選挙区選出）議員の候補者となるべき者の選定及び衆議院名簿登載者の選定（以下この条において「候補者の選定」という。）の手続を定めたときは、その日から七日以内に、郵便等によることなく、文書でその旨を総務大臣に届け出なければならない。

2　前項の文書には、当該政党その他の政治団体の名称、本部の所在地及び代表者の氏名並びに候補者の選定を行う機関の名称、その構成員の選出方法及び候補者の選定の手続を記載するものとする。

3　第一項の文書には、当該政党その他の政治団体の綱領、党則、規約その他これらに相当するものを記載した文書及び第八十六条第一項各号のいずれかに該当することを証する政令で定める文書を添えなければならない。

4　第一項の規定による届出をした政党その他の政治団体は、同項の規定により届け出た事項に異動があつたときは、その異動の日から七日以内に、郵便等によることなく、文書でその異動に係る事項を総務大臣に届け出なければならない。

5　総務大臣は、第一項の規定による届出があつたときは、速やかに、当該届出に係る政党その他の政治団体の名称、本部の所在地及び代表者の氏名並びに候補者の選定を行う機関の名称、その構成員の選出方法及び候補者の選定の手続を告示しなければならない。これらの事項につき前項の規定による届出があつた場合も、同様とする。

6　第一項の規定による届出をした政党その他の政治団体は、第三項の文書の内容に異動があつたときは、その異動の日から七日以内に、文書でその異動に係る事項を総務大臣に届け出なければならない。

7　第一項の規定による届出をした政党その他の政治団体が解散し、又は第八十六条第一項各号のいずれかに該当する政党その他の政治団体でなくなつたときは、その代表者は、その事実が生じた日から七日以内に、文書でその旨を総務大臣に届け出なければならない。この場合においては、総務大臣は、その旨の告示をしなければならない。

（衆議院比例代表選出議員の選挙における政党その他の政治団体の名称の届出等）

第八十六条の六　第八十六条の二第一項に規定する政党その他の政治団体のうち同項第一号又は第二号に該当する政党その他の政治団体は、衆議院議員の総選挙の期日から三十日以内（当該期間が衆議院の解散の日にかかる場合にあつては、当該解散の日までの間）に、郵便等によることなく、文書で、当該政党その他の政治団体の名称及び一の略称を中央選挙管理会に届け出

るものとする。この場合において、当該名称及び略称は、その代表者若しくはいずれかの選挙区において衆議院名簿登載者としようとする者の氏名が表示され、又はそれらの者の氏名が類推されるような名称及び略称であつてはならない。

2　第八十六条の二第一項に規定する政党その他の政治団体のうち同項第一号又は第二号に該当する政党その他の政治団体は、衆議院議員の総選挙の期日後二十四日を経過する日から当該衆議院議員の任期満了の日前九十日に当たる日又は衆議院の解散の日のいずれか早い日までの間に同項第一号又は第二号に該当することとなつたときは、前項前段の規定にかかわらず、その該当することとなつた日から七日以内（当該期間が衆議院の解散の日にかかる場合にあつては、当該解散の日までの間）に、郵便等によることなく、文書で、当該政党その他の政治団体の名称及び一の略称を中央選挙管理会に届け出るものとする。この場合においては、同項後段の規定を準用する。

3　前二項の文書には、当該政党その他の政治団体の名称及び一の略称、本部の所在地、代表者の氏名その他政令で定める事項を記載しなければならない。

4　第一項及び第二項の文書には、当該政党その他の政治団体の綱領、党則、規約その他これらに相当するものを記載した文書及び当該政党その他の政治団体が第八十六条の二第一項第一号又は第二号に該当することを証する政令で定める文書を添えなければならない。

5　第一項又は第二項の規定による届出をした政党その他の政治団体は、これらの規定による届出をした日後衆議院議員の任期満了の日前九十日に当たる日又は衆議院の解散の日のいずれか早い日までの間に、これらの規定により届け出た事項に異動があつたときは、その異動の日から七日以内（当該期間が衆議院の解散の日にかかる場合にあつては、当該解散の日までの間）に、郵便等によることなく、文書でその異動に係る事項を中央選挙管理会に届け出なければならない。

6　中央選挙管理会は、第一項又は第二項の規定による届出があつたときは、速やかに、これらの規定による届出に係る政党その他の政治団体の名称及び略称、本部の所在地並びに代表者の氏名を告示しなければならない。これらの事項につき前項の規定による届出があつたときも、同様とする。

7　第一項又は第二項の規定による届出をした政党その他の政治団体は、第四項の文書の内容に異動があつたときは、その異動の日から七日以内に、文書でその異動に係る事項を中央選挙管理会に届け出なければならない。

8　第一項又は第二項の規定による届出をした政党その他の政治団体が、これらの規定による届出をした日後衆議院議員の任期満了の日前九十日に当たる日又は衆議院の解散の日のいずれか早い日までの間に、解散し又は第八十六条の二第一項第一号若しくは第二号に該当する政党その他の政治団体でなくなつたときは、その代表者は、その事実が生じた日から七日以内に、文書でその旨を中央選挙管理会に届け出なければならない。この場合においては、中央選挙管理会は、その旨の告示をしなければならない。

9　第一項又は第二項の規定による届出をした政党その他の政治団体は、衆議院議員の任期満了の日前九十日に当たる日又は衆議院の解散の日のいずれか早い日後においても、郵便等によることなく、文書で、中央選挙管理会に当該届出を撤回する旨の届出をすることができる。この場合においては、中央選挙管理会は、その旨の告示をしなければならない。

10　衆議院（比例代表選出）議員の再選挙及び補欠選挙における第一項、第二項、第五項又は第七項から前項までの規定の適用について必要な事項は、政令で定める。

（参議院比例代表選出議員の選挙における政党その他の政治団体の名称の届出等）

第八十六条の七　第八十六条の三第一項に規定する政党その他の政治団体のうち同項第一号又は第二号に該当する政党その他の政治団体は、参議院議員の任期満了の日前九十日に当たる日から七日を経過する日までの間に、郵便等によることなく、文書で、当該政党その他の政治団体の名称及び一の略称を中央選挙管理会に届け出るものとする。この場合において、当該名称及び略称は、その代表者若しくは参議院名簿登載者としようとする者の氏名が表示され、又はそれらの者の氏名が類推されるような名称及び略称であつてはならない。

2　前項の文書には、当該政党その他の政治団体の名称及び一の略称、本部の所在地、代表者の氏名その他政令で定める事項を記載しなければならない。

3　第一項の文書には、当該政党その他の政治団体の綱領、党則、規約その他これらに相当するものを記載した文書及び当該政党その他の政治団体が第八十六条の三第一項第一号又は第二号に該当することを証する政令で定める文書を添えなければならない。

4　中央選挙管理会は、第一項の期間経過後速やかに、同項の規定による届出に係る政党その他の政治団体の名称及び略称、本部の所在地並びに代表者の氏名を告示しなければならない。

5　第一項の規定による届出をした政党その他の政治団体は、前項の規定による告示があつた日以後においても、郵便等によることなく文書で、中央選挙管理会に当該届出を撤回する旨の届出をすることができる。この場合においては、中央選挙管理会は、その旨の告示をしなければならない。

6　参議院（比例代表選出）議員の再選挙及び補欠選挙における第一項の規定の適用について必要な事項は、政令で定める。

（被選挙権のない者等の立候補の禁止）

第八十六条の八　第十一条第一項、第十一条の二若しくは第二百五十二条又は政治資金規正法第二十八条の規定により被選挙権を有しない者は、公職の候補者となり、又は公職の候補者であることができない。

2　第二百五十一条の二第一項各号に掲げる者又は第二百五十一条の三第一項に規定する組織的選挙運動管理者等の選挙に関する犯罪により公職の候補者となり、又は公職の候補者であることができない者については、これらの条の定めるところによる。

（重複立候補等の禁止）

第八十七条　一の選挙において公職の候補者となつた者は、同時に、他の選挙における公職の候補者となることができない。

2　衆議院（小選挙区選出）議員の選挙において、一の政党その他の政治団体の届出に係る候補者は、当該選挙において、同時に、他の政党その他の政治団体の届出に係る候補者であることができない。

3　衆議院（小選挙区選出）議員の選挙において、候補者届出政党は、一の選挙区においては、重ねて候補者の届出をすることができない。

4 一の衆議院名簿の公職の候補者たる衆議院名簿登載者は、当該選挙において、同時に、他の衆議院名簿の公職の候補者たる衆議院名簿登載者であることができない。

5 衆議院（比例代表選出）議員の選挙において、衆議院名簿届出政党等は、一の選挙区においては、重ねて衆議院名簿を届け出ることができない。

6 前二項の規定は、参議院（比例代表選出）議員の選挙について準用する。この場合において、第四項中「衆議院名簿」とあるのは「参議院名簿」と、「衆議院名簿登載者」とあるのは「参議院名簿登載者」と、前項中「衆議院名簿届出政党等」とあるのは「参議院名簿届出政党等」と、「一の選挙区において」は、重ねて」とあるのは「重ねて」と、「衆議院名簿」とあるのは「参議院名簿」と読み替えるものとする。

（衆議院小選挙区選出議員又は参議院選挙区選出議員たることを辞した者等の立候補制限）

第八十七条の二 国会法（昭和二十二年法律第七十九号）第百七条の規定により衆議院（小選挙区選出）議員若しくは参議院（選挙区選出）議員たることを辞した者又は第九十条の規定により衆議院（小選挙区選出）議員若しくは参議院（選挙区選出）議員たることを辞したものとみなされた者は、当該辞し、又は辞したものとみなされたことにより生じた欠員について行われる補欠選挙（通常選挙と合併して一の選挙として行われる選挙を除く。）における候補者となることができない。

（選挙事務関係者の立候補制限）

第八十八条 左の各号に掲げる者は、在職中、その関係区域内において、当該選挙の公職の候補者となることができない。

一 投票管理者
二 開票管理者
三 選挙長及び選挙分会長

（公務員の立候補制限）

第八十九条 国若しくは地方公共団体の公務員又は行政執行法人（独立行政法人通則法（平成十一年法律第百三号）第二条第四項に規定する行政執行法人をいう。以下同じ。）若しくは特定地方独立行政法人（地方独立行政法人法（平成十五年法律第百十八号）第二条第二項に規定する特定地方独立行政法人をいう。以下同じ。）の役員若しくは職員は、在職中、公職の候補者となることができない。ただし、次の各号に掲げる公務員（行政執行法人又は特定地方独立行政法人の役員及び職員を含む。次条及び第百三条第三項において同じ。）は、この限りでない。

一 内閣総理大臣その他の国務大臣、内閣官房副長官、内閣総理大臣補佐官、副大臣、大臣政務官及び大臣補佐官
二 技術者、監督者及び行政事務を担当する者以外の者で、政令で指定するもの
三 専務として委員、顧問、参与、嘱託員その他これらに準ずる職にある者で臨時又は非常勤のものにつき、政令で指定するもの
四 消防団長その他の消防団員（常勤の者を除く。）及び水防団長その他の水防団員（常勤の者を除く。）
五 地方公営企業等の労働関係に関する法律（昭和二十七年法律第二百八十九号）第三条第四号に規定する職員で、政令で指定するもの

2 衆議院議員の任期満了による総選挙又は参議院議員の通常選挙が行われる場合においては、当該衆議院議員又は参議院議員は、前項本文の規定にかかわらず、在職中その選挙における公職の候補者となることができる。地方公共団体の議会の議員又は長の任期満了による選挙が行われる場合において当該議員又は長がその選挙における公職の候補者となる場合も、また同様とする。

3 第一項本文の規定は、同項第一号、第二号、第四号及び第五号に掲げる者並びに前項に規定する者がその職に伴い兼ねている国若しくは地方公共団体の公務員又は行政執行法人若しくは特定地方独立行政法人の役員若しくは職員たる地位に影響を及ぼすものではない。

（立候補のための公務員の退職）

第九十条 前条の規定により公職の候補者となることができない公務員が、第八十六条第一項から第三項まで若しくは第八項、第八十六条の二第一項若しくは第九項、第八十六条の三第一項若しくは同条第二項において準用する第八十六条の二第九項又は第八十六条の四第一項、第二項、第五項、第六項若しくは第八項の規定による届出により公職の候補者となつたときは、当該公務員の退職に関する法令の規定にかかわらず、その届出の日に当該公務員たることを辞したものとみなす。

（公務員となつた候補者の取扱い）

第九十一条 第八十六条第一項又は第八項の規定により候補者として届出のあつた者（候補者届出政党の届出に係るものに限る。）が、第八十八条又は第八十九条の規定により公職の候補者となることができない者となつたときは、当該届出は、取り下げられたものとみなす。

2 第八十六条第二項、第三項若しくは第八項又は第八十六条の四第一項、第二項、第五項、第六項若しくは第八項の規定により公職の候補者として届出のあつた者（候補者届出政党の届出に係るものを除く。）が、第八十八条又は第八十九条の規定により公職の候補者となることができない者となつたときは、その公職の候補者たることを辞したものとみなす。

3 衆議院（比例代表選出）議員又は参議院（比例代表選出）議員の選挙において、衆議院名簿登載者又は参議院名簿登載者が第八十八条又は第八十九条の規定により公職の候補者となることができない者となつたときは、その者は、公職の候補者たる衆議院名簿登載者又は参議院名簿登載者でなくなるものとする。

（供託）

第九十二条 第八十六条第一項から第三項まで若しくは第八項又は第八十六条の四第一項、第二項、第五項、第六項若しくは第八項の規定により公職の候補者の届出をしようとするものは、公職の候補者一人につき、次の各号の区分による金額又はこれに相当する額面の国債証書（その権利の帰属が社債、株式等の振替に関する法律（平成十三年法律第七十五号）の規定による振替口座簿の記載又は記録により定まるものとされるものを含む。以下この条において同じ。）を供託しなければならない。

一 衆議院（小選挙区選出）議員の選挙　三百万円
二 参議院（選挙区選出）議員の選挙　三百万円
三 都道府県の議会の議員の選挙　六十万円
四 都道府県知事の選挙　三百万円

五　指定都市の議会の議員の選挙　五十万円
六　指定都市の長の選挙　二百四十万円
七　指定都市以外の市の議会の議員の選挙　三十万円
八　指定都市以外の市の長の選挙　百万円
九　町村の議会の議員の選挙　十五万円
十　町村長の選挙　五十万円

2　第八十六条の二第一項の規定により届出をしようとする政党その他の政治団体は、選挙区ごとに、当該衆議院名簿の衆議院名簿登載者一人につき、六百万円（当該衆議院名簿登載者が当該衆議院比例代表選出議員の選挙と同時に行われる衆議院小選挙区選出議員の選挙における候補者（候補者となるべき者を含む。）である場合にあつては、三百万円）又はこれに相当する額面の国債証書を供託しなければならない。

3　第八十六条の三第一項の規定により届出をしようとする政党その他の政治団体は、当該参議院名簿の参議院名簿登載者一人につき、六百万円又はこれに相当する額面の国債証書を供託しなければならない。

（公職の候補者に係る供託物の没収）

第九十三条　第八十六条第一項から第三項まで若しくは第八項又は第八十六条の四第一項、第二項、第五項、第六項若しくは第八項の規定により届出のあつた公職の候補者の得票数が、その選挙において、次の各号の区分による数に達しないときは、前条第一項の供託物は、衆議院（小選挙区選出）議員又は参議院（選挙区選出）議員の選挙にあつては国庫に、地方公共団体の議会の議員又は長の選挙にあつては当該地方公共団体に帰属する。

一　衆議院（小選挙区選出）議員の選挙　有効投票の総数の十分の一
二　参議院（選挙区選出）議員の選挙　通常選挙における当該選挙区内の議員の定数をもつて有効投票の総数を除して得た数の八分の一。ただし、選挙すべき議員の数が通常選挙における当該選挙区内の議員の定数を超える場合においては、その選挙すべき議員の数をもつて有効投票の総数を除して得た数の八分の一
三　地方公共団体の議会の議員の選挙　当該選挙区内の議員の定数（選挙区がないときは、議員の定数）をもつて有効投票の総数を除して得た数の十分の一
四　地方公共団体の長の選挙　有効投票の総数の十分の一

2　前項の規定は、同項に規定する公職の候補者の届出が取り下げられ、又は公職の候補者が当該候補者たることを辞した場合（第九十一条第一項又は第二項の規定に該当するに至つた場合を含む。）及び前項に規定する公職の候補者の届出が第八十六条第九項又は第八十六条の四第九項の規定により却下された場合に、準用する。

（名簿届出政党等に係る供託物の没収）

第九十四条　衆議院（比例代表選出）議員の選挙において、衆議院名簿届出政党等につき、選挙区ごとに、三百万円に第一号に掲げる数を乗じて得た金額と六百万円に第二号に掲げる数を乗じて得た金額を合算して得た額が当該衆議院名簿届出政党等に係る第九十二条第二項の供託物の額に達しないときは、当該供託物のうち、当該供託物の額から当該合算して得た額を減じて得た額に相当する額の供託物は、国庫に帰属する。

一　当該衆議院名簿届出政党等の届出に係る衆議院名簿の衆議院名簿登載者のうち、当該選挙と同時に行われた衆議院（小選挙区選出）議員の選挙の当選人とされた者の数
二　当該衆議院名簿届出政党等に係る当選人の数に二を乗じて得た数

2　第八十六条の二第十項の規定により衆議院名簿を取り下げ、又は同条第十一項の規定により同条第一項の規定による届出を却下された政党その他の政治団体に係る第九十二条第二項の供託物は、国庫に帰属する。

3　参議院（比例代表選出）議員の選挙において、参議院名簿届出政党等につき、第一号に掲げる数が第二号に掲げる数に達しないときは、当該参議院名簿届出政党等に係る第九十二条第三項の供託物のうち六百万円に同号に掲げる数から第一号に掲げる数を減じて得た数を乗じて得た金額に相当する額の供託物は、国庫に帰属する。

一　当該参議院名簿届出政党等に係る当選人の数に二を乗じて得た数
二　第八十六条の三第一項の規定による届出のときにおける参議院名簿登載者の数

4　第八十六条の三第二項において準用する第八十六条の二第十項の規定により参議院名簿を取り下げ、又は第八十六条の三第二項において準用する第八十六条の二第十一項の規定により第八十六条の三第一項の規定による届出を却下された政党その他の政治団体に係る第九十二条第三項の供託物は、国庫に帰属する。

第十章　当選人

（衆議院比例代表選出議員又は参議院比例代表選出議員の選挙以外の選挙における当選人）

第九十五条　衆議院（比例代表選出）議員又は参議院（比例代表選出）議員の選挙以外の選挙においては、有効投票の最多数を得た者をもつて当選人とする。ただし、次の各号の区分による得票がなければならない。

一　衆議院（小選挙区選出）議員の選挙　有効投票の総数の六分の一以上の得票
二　参議院（選挙区選出）議員の選挙　通常選挙における当該選挙区内の議員の定数をもつて有効投票の総数を除して得た数の六分の一以上の得票。ただし、選挙すべき議員の数が通常選挙における当該選挙区内の議員の定数を超える場合においては、その選挙すべき議員の数をもつて有効投票の総数を除して得た数の六分の一以上の得票
三　地方公共団体の議会の議員の選挙　当該選挙区内の議員の定数（選挙区がないときは、議員の定数）をもつて有効投票の総数を除して得た数の四分の一以上の得票
四　地方公共団体の長の選挙　有効投票の総数の四分の一以上の得票

2　当選人を定めるに当り得票数が同じであるときは、選挙会において、選挙長がくじで定める。

（衆議院比例代表選出議員の選挙における当選人の数及び当選人）

第九十五条の二　衆議院（比例代表選出）議員の選挙においては、各衆議院名簿届出政党等の得票数を一から当該衆議院名簿届出政党等に係る衆議院名簿登載者（当該選挙の期日において公職の候補者たる者に限る。第百三条第四項を除き、以下この章及び次章において同じ。）の数に相当する数までの各整数で順次除して得たすべての商のうち、その数値の最も大きいものから順次に数えて当該選挙において選挙すべき議員の数に相当する数になるまでにある商で各衆議院名簿届出政党等の得票数に係るものの個数をもつて、それぞれの衆議院名簿届出政党等の当選人の数とする。

2　前項の場合において、二以上の商が同一の数値であるため同項の規定によつてはそれぞれの衆議院名簿届出政党等に係る当選人の数を定めることができないときは、それらの商のうち、当該選挙において選挙すべき議員の数に相当する数になるまでにあるべき商を、選挙会において、選挙長がくじで定める。

3　衆議院名簿において、第八十六条の二第六項の規定により二人以上の衆議院名簿登載者について当選人となるべき順位が同一のものとされているときは、当該当選人となるべき順位が同一のものとされた者の間における当選人となるべき順位は、当該選挙と同時に行われた衆議院（小選挙区選出）議員の選挙における得票数の当該選挙区における有効投票の最多数を得た者に係る得票数に対する割合の最も大きい者から順次に定める。この場合において、当選人となるべき順位が同一のものとされた衆議院名簿登載者のうち、当該割合が同じであるものがあるときは、それらの者の間における当選人となるべき順位は、選挙会において、選挙長がくじで定める。

4　衆議院（比例代表選出）議員の選挙においては、各衆議院名簿届出政党等の届出に係る衆議院名簿登載者のうち、それらの者の間における当選人となるべき順位に従い、第一項及び第二項の規定により定められた当該衆議院名簿届出政党等の当選人の数に相当する数の衆議院名簿登載者を、当選人とする。

5　第一項、第二項及び前項の場合において、当該選挙と同時に行われた衆議院（小選挙区選出）議員の選挙の当選人とされた衆議院名簿登載者があるときは、当該衆議院名簿登載者は、衆議院名簿に記載されていないものとみなして、これらの規定を適用する。

6　第一項、第二項及び第四項の場合において、当該選挙と同時に行われた衆議院（小選挙区選出）議員の選挙においてその得票数が第九十三条第一項第一号に規定する数に達しなかつた衆議院名簿登載者があるときは、当該衆議院名簿登載者は、衆議院名簿に記載されていないものとみなして、これらの規定を適用する。

（参議院比例代表選出議員の選挙における当選人の数及び当選人となるべき順位並びに当選人）

第九十五条の三　参議院（比例代表選出）議員の選挙においては、各参議院名簿届出政党等の得票数（当該参議院名簿届出政党等に係る各参議院名簿登載者（当該選挙の期日において公職の候補者たる者に限る。第百三条第四項を除き、以下この章及び次章において同じ。）の得票数を含むものをいう。）を一から当該参議院名簿届出政党等に係る参議院名簿登載者の数に相当する数までの各整数で順次除して得たすべての商のうち、その数値の最も大きいものから順次に数えて当該選挙において選挙すべき議員の数に相当する数になるまでにある商で各参議院名簿届出政党等の得票数（当該参議院名簿届出政党等に係る各参議院名簿登載者の得票数を含むものをいう。）に係るものの個数をもつて、それぞれの参議院名簿届出政党等の当選人の数とする。

2　前項の場合において、二以上の商が同一の数値であるため同項の規定によつてはそれぞれの参議院名簿届出政党等に係る当選人の数を定めることができないときは、それらの商のうち、当該選挙において選挙すべき議員の数に相当する数になるまでにあるべき商を、選挙会において、選挙長がくじで定める。

3　各参議院名簿届出政党等（次項に規定する参議院名簿届出政党等を除く。）の届出に係る参議院名簿において、参議院名簿登載者の間における当選人となるべき順位は、その得票数の最も多い者から順次に定める。この場合において、その得票数が同じである者があるときは、それらの者の間における当選人となるべき順位は、選挙会において、選挙長がくじで定める。

4　参議院名簿届出政党等であつて、その届出に係る参議院名簿登載者のうちに第八十六条の三第一項後段の規定により優先的に当選人となるべき候補者としてその氏名及び当選人となるべき順位が参議院名簿に記載されている者である参議院名簿登載者があるものの届出に係る各参議院名簿において、当該参議院名簿登載者の当選人となるべき順位は、その他の参議院名簿登載者の当選人となるべき順位より上位とし、当該その他の参議院名簿登載者の間における当選人となるべき順位は、その得票数の最も多い者から順次に定める。この場合において、当該その他の参議院名簿登載者のうちにその得票数が同じである者があるときは、前項後段の規定を準用する。

5　参議院（比例代表選出）議員の選挙においては、各参議院名簿届出政党等の届出に係る参議院名簿登載者のうち、それらの者の間における当選人となるべき順位に従い、第一項及び第二項の規定により定められた当該参議院名簿届出政党等の当選人の数に相当する数の参議院名簿登載者を、当選人とする。

（当選人の更正決定）

第九十六条　第二百六条、第二百七条第一項又は第二百八条第一項の規定による異議の申出、審査の申立て又は訴訟の結果、再選挙を行わないで当選人（衆議院比例代表選出議員の選挙にあつては衆議院名簿届出政党等に係る当選人の数又は当選人、参議院比例代表選出議員の選挙にあつては参議院名簿届出政党等に係る当選人の数若しくは当選人となるべき順位又は当選人。以下この条において同じ。）を定めることができる場合においては、直ちに選挙会を開き、当選人を定めなければならない。

（衆議院比例代表選出議員又は参議院比例代表選出議員の選挙以外の選挙における当選人の繰上補充）

第九十七条　衆議院（比例代表選出）議員又は参議院（比例代表選出）議員の選挙以外の選挙について、当選人が死亡者であるとき又は第九十九条、第百三条第二項若しくは第四項若しくは第百四条の規定により当選を失つたときは、直ちに選挙会を開き、第九十五条第一項ただし書の規定による得票者で当選人とならなかつたもの（衆議院小選挙区選出議員又は地方公共団体の長の選挙については、同条第二項の規定の適用を受けた得票者で当選人とならなかつたもの）の中から当選人を定めなければならない。

2　参議院（選挙区選出）議員又は地方公共団体の議会の議員の選挙について、第百九条第五号若しくは第六号の事由がその選挙の期日から三箇月以内に生じた場合において第九十五条第一項ただし書の規定による得票者で当選人とならなかつたものがあるとき又はこれらの事由がその選挙の期日から三箇月経過後に生じた場合において同条第二項の規定の適用を受けた得票者で当選人とならなかつたものがあるときは、直ちに選挙会を開き、その者の中から当選人を定めなければならない。

3　衆議院（小選挙区選出）議員又は地方公共団体の長の選挙について、第百九条第五号又は第六号の事由が生じた場合において、第九十五条第二項の規定の適用を受けた得票者で当選人とならなかつたものがあるときは、直ちに選挙会を開き、その者の中から当選人を定めなければならない。

（衆議院比例代表選出議員又は参議院比例代表選出議員の選挙における当選人の繰上補充）

第九十七条の二　衆議院（比例代表選出）議員の選挙について、当選人が死亡者である場合、第九十九条、第九十九条の二第一項（同条第五項において準用する場合を含む。）若しくは第百三条第二項若しくは第四項の規定により当選を失つた場合又は第二百五十一条、第二百五十一条の二若しくは第二百五十一条の三の規定により当選が無効となつた場合において、当該当選人に係る衆議院名簿の衆議院名簿登載者で当選人とならなかつたものがあるときは、直ちに選挙会を開き、その者の中から、その衆議院名簿における当選人となるべき順位に従い、当選人を定めなければならない。

2　第九十五条の二第五項及び第六項の規定は、前項の場合について準用する。

3　第一項の規定は、参議院（比例代表選出）議員の選挙について準用する。この場合において、同項中「第九十九条の二第一項（同条第五項において準用する場合を含む。）」とあるのは「第九十九条の二第六項において準用する同条第一項（同条第五項において準用する場合を含む。）」と、「若しくは第二百五十一条の三」とあるのは「、第二百五十一条の三若しくは第二百五十一条の四」と、「衆議院名簿の衆議院名簿登載者」とあるのは「参議院名簿の参議院名簿登載者」と、「その衆議院名簿」とあるのは「その参議院名簿に係る参議院名簿登載者の間」と読み替えるものとする。

（被選挙権の喪失と当選人の決定等）

第九十八条　前三条の場合において、第九十五条第一項ただし書の規定による得票者、同条第二項の規定の適用を受けた得票者、衆議院名簿登載者又は参議院名簿登載者で、当選人とならなかつたものが、その選挙の期日後において被選挙権を有しなくなつたとき又は第二百五十一条の二若しくは第二百五十一条の三の規定により当該選挙に係る第二百五十一条の二第一項各号に掲げる者若しくは第二百五十一条の三第一項に規定する組織的選挙運動管理者等の選挙に関する犯罪によつて当該選挙に係る選挙区（選挙区がないときは、選挙の行われる区域）において行われる当該公職に係る選挙において公職の候補者となり若しくは公職の候補者であることができない者となつたときは、これを当選人と定めることができない。衆議院名簿登載者で当選人とならなかつたものが、第二百五十一条の二又は第二百五十一条の三の規定により当該選挙と同時に行われた衆議院（小選挙区選出）議員の選挙に係る第二百五十一条の二第一項各号に掲げる者又は第二百五十一条の三第一項に規定する組織的選挙運動管理者等の選挙に関する犯罪によつて当該衆議院（小選挙区選出）議員の選挙に係る選挙区において行われる当該衆議院（小選挙区選出）議員の選挙において公職の候補者となり又は公職の候補者であることができない者となつたときも、また同様とする。

2　衆議院（小選挙区選出）議員の選挙に係る第九十六条又は第九十七条の場合において、候補者届出政党が届け出た候補者であつた者のうち、第九十五条第一項ただし書の規定による得票者又は同条第二項の規定の適用を受けた得票者で当選人とならなかつたものにつき除名、離党その他の事由により当該候補者届出政党に所属する者でなくなつた旨の届出が、文書で、第九十六条又は第九十七条に規定する事由が生じた日の前日までに選挙長にされているときは、これを当選人と定めることができない。

3　衆議院（比例代表選出）議員又は参議院（比例代表選出）議員の選挙に係る第九十六条又は前条の場合において、衆議院名簿登載者又は参議院名簿登載者で、当選人とならなかつたものにつき除名、離党その他の事由により当該衆議院名簿届出政党等又は参議院名簿届出政党等に所属する者でなくなつた旨の届出が、文書で、これらの条に規定する事由が生じた日の前日までに選挙長にされているときは、これを当選人と定めることができない。衆議院名簿又は参議院名簿を取り下げる旨の届出が、文書で、これらの条に規定する事由が生じた日の前日までに選挙長にされている場合の当該衆議院名簿の衆議院名簿登載者又は参議院名簿の参議院名簿登載者で、当選人とならなかつたものについても、また同様とする。

4　第八十六条第十項の規定は第二項の届出について、第八十六条の二第八項及び第十項後段（これらの規定を第八十六条の三第二項において準用する場合を含む。）の規定は前項の届出について準用する。

（被選挙権の喪失に因る当選人の失格）

第九十九条　当選人は、その選挙の期日後において被選挙権を有しなくなつたときは、当選を失う。

（衆議院比例代表選出議員又は参議院比例代表選出議員の選挙における所属政党等の移動による当選人の失格）

第九十九条の二　衆議院（比例代表選出）議員の選挙における当選人（第九十六条、第九十七条の二第一項又は第百十二条第二項の規定により当選人と定められた者を除く。以下この項から第四項までにおいて同じ。）は、その選挙の期日以後において、当該当選人が衆議院名簿登載者であつた衆議院名簿届出政党等以外の政党その他の政治団体で、当該選挙における衆議院名簿届出政党等であるもの（当該当選人が衆議院名簿登載者であつた衆議院名簿届出政党等（当該衆議院名簿届出政党等に係る合併又は分割（二以上の政党その他の政治団体の設立を目的として一の政党その他の政治団体が解散し、当該二以上の政党その他の政治団体が設立されることをいう。）が行われた場合における当該合併後に存続する政党その他の政治団体若しくは当該合併により設立された政党その他の政治団体又は当該分割により設立された政党その他の政治団体を含む。）を含む二以上の政党その他の政治団体の合併により当該合併後に存続するものを除く。第四項において「他の衆議院名簿届出政党等」という。）に所属する者となつたときは、当選を失う。

2　衆議院（比例代表選出）議員の選挙における当選人が、除名、離党その他の事由により当該当選人が衆議院名簿登載者であつた衆議院名簿届出政党等に所属する者でなくなつた場合は、当該衆議院名簿届出政党等は、直ちに文書でその旨を選挙長に届け出なければならない。この場合において、選挙長は、直ちにその旨を当該当選人に通知しなければならない。

3　前項前段の文書には、当該届出に係る事由が、除名である場合にあつては当該除名の手続を記載した文書を、離党である場合にあつては当該当選人が衆議院名簿届出政党等に提出した離党届の写しを、その他の事由である場合にあつては当該事由を証する文書を、それぞれ、添えなければならない。

4　第二項の通知を受けた当選人は、当該当選人がその選挙の期日以後において他の衆議院名簿届出政党等に所属していない場合には、当該当選人がその選挙の期日以後において他の衆議院名簿届出政党等に所属していないことを誓う旨の宣誓書を、当該通知を受けた日から五日以内に選挙長に提出しなければならない。

5　前各項の規定は、衆議院（比例代表選出）議員の選挙における当選人で第九十六条、第九十七条の二第一項又は第百十二条第二項の規定により当選人と定められたものについて準用する。この場合において、第一項中「その選挙の期日」とあるのは「第九十六条、第九十七条の二第一項又は第百十二条第二項の規定により当該当選人が選挙会において当選人と定められた日」と、「所属する者となつたとき」とあるのは「所属する者となつたとき（第九十六条、第九十七条の二第一項又は第百十二条第二項の規定により当該当選人が選挙会において当選人と定められた日において所属する者である場合を含む。）」と、前項中「その選挙の期日」とあるのは「第九十六条、第九十七条の二第一項又は第百十二条第二項の規定により当該当選人が選挙会において当選人と定められた日」と読み替えるものとする。

6　前各項の規定は、参議院（比例代表選出）議員の選挙における当選人について準用する。この場合において、第一項中「第九十七条の二第一項」とあるのは「第九十七条の二第三項において準用する同条第一項」と、「第百十二条第二項」とあるのは「第百十二条第四項において準用する同条第二項」と、「衆議院名簿登載者」とあるのは「参議院名簿登載者」と、「衆議院名簿届出政党等」とあるのは「参議院名簿届出政党等」と、第二項中「衆議院名簿登載者」とあるのは「参議院名簿登載者」と、「衆議院名簿届出政党等」とあるのは「参議院名簿届出政党等」と、「所属する者」とあるのは「所属する者（当該参議院名簿届出政党等が推薦する者を含む。）」と、第三項及び第四項中「衆議院名簿届出政党等」とあるのは「参議院名簿届出政党等」と、前項中「第九十七条の二第一項」とあるのは「第九十七条の二第三項において準用する同条第一項」と、「第百十二条第二項」とあるのは「第百十二条第四項において準用する同条第二項」と読み替えるものとする。

（無投票当選）

第百条　衆議院（小選挙区選出）議員の選挙において、第八十六条第一項から第三項まで又は第八項の規定による届出のあつた候補者が一人であるとき又は一人となつたときは、投票は、行わない。

2　衆議院（比例代表選出）議員の選挙において、第八十六条の二第一項若しくは第九項の規定による届出に係る衆議院名簿登載者の総数がその選挙において選挙すべき議員の数を超えないとき若しくは超えなくなつたとき又は同条第一項の規定による届出をした衆議院名簿届出政党等が一であるとき若しくは一となつたときは、投票は、行わない。

3　参議院（比例代表選出）議員の選挙において、第八十六条の三第一項又は同条第二項において準用する第八十六条の二第九項の規定による届出に係る参議院名簿登載者の総数がその選挙において選挙すべき議員の数を超えないとき又は超えなくなつたときは、投票は、行わない。

4　参議院（選挙区選出）議員若しくは地方公共団体の議会の議員の選挙において第八十六条の四第一項、第二項若しくは第五項の規定による届出のあつた候補者の総数がその選挙において選挙すべき議員の数を超えないとき若しくは超えなくなつたとき又は地方公共団体の長の選挙において同条第一項、第二項、第六項若しくは第八項の規定による届出のあつた候補者が一人であるとき若しくは一人となつたときは、投票は、行わない。

5　前各項又は第百二十七条の規定により投票を行わないこととなつたときは、選挙長は、直ちにその旨を当該選挙の各投票管理者に通知し、併せてこれを告示し、かつ、当該選挙に関する事務を管理する選挙管理委員会（衆議院比例代表選出議員又は参議院比例代表選出議員の選挙については中央選挙管理会、参議院合同選挙区選挙については当該選挙に関する事務を管理する参議院合同選挙区選挙管理委員会）に報告しなければならない。

6　第一項から第四項まで（第二項の規定の適用がある場合であつて、衆議院比例代表選出議員の選挙が衆議院小選挙区選出議員の選挙と同時に行われる場合を除く。）又は第百二十七条の場合においては、選挙長は、その選挙の期日から五日以内に選挙会を開き、当該公職の候補者をもつて当選人と定めなければならない。

7　前項に規定する場合を除くほか、衆議院（比例代表選出）議員の選挙において、第八十六条の二第一項又は第九項の規定による届出に係る衆議院名簿登載者の総数がその選挙において選挙すべき議員の数を超えないとき又は超えなくなつたときは、選挙長は、次条第四項の規定による通知があつた日又はその翌日に選挙会を開き、当該衆議院名簿登載者をもつて当選人と定めなければならない。この場合においては、第九十五条の二第五項及び第六項の規定を準用する。

8　第二項に規定する場合を除くほか、衆議院（比例代表選出）議員の選挙において、第八十六条の二第一項の規定による届出をした衆議院名簿届出政党等が一であるとき又は一となつたときは、選挙長は、次条第四項の規定による通知があつた日又はその翌日に選挙会を開き、当該衆議院名簿届出政党等の届出に係る衆議院名簿登載者のうち、その衆議院名簿における当選人となるべき順位に従い、その選挙において選挙すべき議員の数に相当する数の衆議院名簿登載者をもつて当選人と定めなければならない。この場合においては、第九十五条の二第三項、第五項及び第六項の規定を準用する。

9　前三項の場合において、当該公職の候補者の被選挙権の有無は、選挙立会人の意見を聴き、選挙長が決定しなければならない。

（衆議院小選挙区選出議員の選挙における当選人決定の場合の報告、告知及び告示）

第百一条　衆議院（小選挙区選出）議員の選挙において、当選人が定まつたときは、選挙長は、直ちに当選人の住所、氏名及び得票数並びに当該当選人に係る候補者届出政党の名称、その選挙における各候補者の得票総数その他選挙の次第を、当該都道府県の選挙管理委員会に報告しなければならない。

2　前項の規定による報告があつたときは、都道府県の選挙管理委員会は、直ちに当選人には当選の旨を、候補者届出政党には当選人の住所及び氏名を告知し、かつ、当選人の住所及び氏名並びに当該当選人に係る候補者届出政党の名称を告示しなければならない。

3　衆議院議員の選挙において、小選挙区選出議員の選挙と比例代表選出議員の選挙を同時に行つた場合においては、第一項の報告を受けた都道府県の選挙管理委員会は、直ちに当該当選人の住所、氏名及び得票数並びに当該当選人に係る候補者届出政党の名称、その選挙における各候補者の得票総数その他選挙の次第を、中央選挙管理会に報告しなければならない。

4　前項の規定による報告があつたときは、中央選挙管理会は、直ちに当該当選人の住所、氏名及び得票数並びに当該当選人に係る候補者届出政党の名称、その選挙における各候補者の得票総数その他選挙の次第を、その選挙区を包括する衆議院（比例代表選出）議員の選挙区ごとに、当該衆議院（比例代表選出）議員の選挙の選挙長に通知しなければならない。

（衆議院比例代表選出議員の選挙における当選人の数及び当選人の決定の場合の報告、告知及び告示）

第百一条の二　衆議院（比例代表選出）議員の選挙において、衆議院名簿届出政党等に係る当選人の数及び当選人が定まつたときは、選挙長は、直ちに衆議院名簿届出政党等に係る得票数、当選人の数並びに当選人の住所及び氏名その他選挙の次第を、中央選挙管理会に報告しなければならない。

2　前項の規定による報告があつたときは、中央選挙管理会は、直ちに衆議院名簿届出政党等には得票数、当選人の数並びに当選人の住所及び氏名を、当選人には当選の旨を告知し、かつ、衆議院名簿届出政党等に係る得票数、当選人の数並びに当選人の住所及び氏名を告示しなければならない。

3　第九十七条の二又は第百十二条第二項の場合においては、前二項中「得票数、当選人の数並びに当選人」とあるのは、「当選人」とする。

（参議院比例代表選出議員の選挙における当選人の数及び当選人となるべき順位並びに当選人の決定の場合の報告、告知及び告示）

第百一条の二の二　参議院（比例代表選出）議員の選挙において、参議院名簿届出政党等に係る当選人の数及び当選人となるべき順位並びに当選人が定まつたときは、選挙長は、直ちに参議院名簿届出政党等に係る得票数（当該参議院名簿届出政党等に係る各参議院名簿登載者の得票数を含むものをいう。次項において同じ。）、当選人の数、当選人となるべき順位並びに当選人の住所及び氏名並びに各参議院名簿登載者の得票数その他選挙の次第を、中央選挙管理会に報告しなければならない。

2　前項の規定による報告があつたときは、中央選挙管理会は、直ちに参議院名簿届出政党等には当該参議院名簿届出政党等に係る得票数、当選人の数並びに当選人の住所及び氏名を、当選人には当選の旨を告知し、かつ、参議院名簿届出政党等に係る得票数、当選人の数並びに当選人の住所及び氏名を告示しなければならない。

3　第九十七条の二又は第百十二条第四項において準用する同条第二項の場合においては、第一項中「得票数（当該参議院名簿届出政党等に係る各参議院名簿登載者の得票数を含むものをいう。次項において同じ。）、当選人の数、当選人となるべき順位並びに当選人の住所及び氏名並びに各参議院名簿登載者の得票数」とあるのは「当選人の住所及び氏名」と、前項中「当該参議院名簿届出政党等に係る得票数、当選人の数並びに当選人」とあるのは「当選人」と、「かつ、参議院名簿届出政党等に係る得票数、当選人の数並びに当選人」とあるのは「かつ、参議院名簿届出政党等に係る当選人」とする。

（衆議院議員又は参議院比例代表選出議員の選挙以外の選挙における当選人決定の場合の報告、告知及び告示）

第百一条の三　衆議院議員又は参議院（比例代表選出）議員の選挙以外の選挙において、当選人が定まつたときは、選挙長は、直ちに当選人の住所、氏名及び得票数、その選挙における各公職の候補者の得票総数その他選挙の次第を、当該選挙に関する事務を管理する選挙管理委員会（参議院合同選挙区選挙については、当該選挙に関する事務を管理する参議院合同選挙区選挙管理委員会）に報告しなければならない。

2　前項の規定による報告があつたときは、当該選挙に関する事務を管理する選挙管理委員会（参議院合同選挙区選挙については、当該選挙に関する事務を管理する参議院合同選挙区選挙管理委員会）は、直ちに当選人に当選の旨を告知し、かつ、当選人の住所及び氏名を告示しなければならない。

（当選等の効力の発生）

第百二条　当選人の当選の効力（衆議院比例代表選出議員又は参議院比例代表選出議員の選挙にあつては、当選人の数の決定の効力を含む。）は、第百一条第二項、第百一条の二第二項、第百一条の二の二第二項又は前条第二項の規定による告示があつた日から、生ずるものとする。

（当選人が兼職禁止の職にある場合等の特例）

第百三条　当選人で、法律の定めるところにより当該選挙に係る議員又は長と兼ねることができない職にある者が、第百一条第二項、第百一条の二第二項、第百一条の二の二第二項又は第百一条の三第二項の規定により当選の告知を受けたときは、その告知を受けた日にその職を辞したものとみなす。

2　第九十六条、第九十七条、第九十七条の二又は第百十二条の規定により当選人と定められた者で、法律の定めるところにより当該選挙に係る議員又は長と兼ねることができない職にあるものが第百一条第二項、第百一条の二第二項、第百一条の二の二第二項又は第百一条の三第二項の規定により当選の告知を受けたときは、前項の規定にかかわらず、当該選挙に関する事務を管理する選挙管理委員会（衆議院比例代表選出議員又は参議院比例代表選出議員の選挙については中央選挙管理会、参議院合同選挙区選挙については当該選挙に関する事務を管理する参議院合同選挙区選挙管理委員会）に対し、その告知を受けた日から五日以内にその職を辞した旨の届出をしないときは、その当選を失う。

3　前項の場合において、同項に規定する公務員がその退職の申出をしたときは、当該公務員の退職に関する法令の規定にかかわらず、その申出の日に当該公務員たることを辞したものとみなす。

4　一の選挙につき第九十六条、第九十七条、第九十七条の二又は第百十二条の規定により当選人と定められた者が、他の選挙につき第八十六条第一項から第三項まで若しくは第八項の規定による届出のあつたものであるとき、第八十六条の二第一項若しくは第九項の規定による届出に係る衆議院名簿登載者であるとき、第八十六条の三第一項若しくは同条第二項において準用する第八十六条の二第九項の規定による届出に係る参議院名簿登載者であるとき又は第八十六条の四第一項、第二項、第五項、第六項若しくは第八項の規定による届出のあつたものであるときは、第九十一条又は第一項の規定にかかわらず、第百一条第二項、第百一条の二第二項、第百一条の二の二第二項又は第百一条の三第二項の規定により一の選挙の当選の告知を受けた日から五日以内にその選挙に関する事務を管理する選挙管理委員会（衆議院比例代表選出議員又は参議院比例代表選出議員の選挙については中央選挙管理会、参議院合同選挙区選挙については当該選挙に関する事務を管理する参議院合同選挙区選挙管理委員会）にその当選を辞する旨の届出をしないときは、他の選挙について、その公職の候補者に係る候補者の届出が取り下げられ若しくはその公職の候補者たることを辞したものとみなし、若しくはその公職の候補者たる衆議院名簿登載者若しくは参議院名簿登載者でなくなり、又はその当選を失う。

（請負等をやめない場合の地方公共団体の議会の議員又は長の当選人の失格）

第百四条　地方公共団体の議会の議員又は長の選挙における当選人で、当該地方公共団体に対し、地方自治法第九十二条の二又は第百四十二条に規定する関係を有する者は、当該選挙に関する事務を管理する選挙管理委員会に対し、第百一条の三第二項の規定による当選の告知を受けた日から五日以内に同法第九十二条の二又は第百四十二条に規定する関係を有しなくなつた旨の届出をしないときは、その当選を失う。

（当選証書の付与）

第百五条　第百三条第二項及び第四項並びに前条に規定する場合を除くほか、当該選挙に関する事務を管理する選挙管理委員会（衆議院比例代表選出議員又は参議院比例代表選出議員の選挙については中央選挙管理会、参議院合同選挙区選挙については当該選挙に関する事務を管理する参議院合同選挙区選挙管理委員会）は、第百二条の規定により当選人の当選の効力が生じたときは、直ちに当該当選人に当選証書を付与しなければならない。

2　第百三条第二項及び第四項並びに前条の規定により当選を失わなかつた当選人については、当該選挙に関する事務を管理する選挙管理委員会（衆議院比例代表選出議員又は参議院比例代表選出議員の選挙については中央選挙管理会、参議院合同選挙区選挙については当該選挙に関する事務を管理する参議院合同選挙区選挙管理委員会）は、第百三条第二項及び第四項並びに前条に規定する届出があつたときは、直ちに当該当選人に当選証書を付与しなければならない。

（当選人がない場合等の報告及び告示）

第百六条　当選人がないとき又は当選人がその選挙における議員の定数に達しないときは、選挙長は、直ちにその旨を当該選挙に関する事務を管理する選挙管理委員会（衆議院比例代表選出議員又は参議院比例代表選出議員の選挙については中央選挙管理会、参議院合同選挙区選挙については当該選挙に関する事務を管理する参議院合同選挙区選挙管理委員会）に報告しなければならない。

2　前項の規定による報告があつたときは、当該選挙に関する事務を管理する選挙管理委員会（衆議院比例代表選出議員又は参議院比例代表選出議員の選挙については中央選挙管理会、参議院合同選挙区選挙については当該選挙に関する事務を管理する参議院合同選挙区選挙管理委員会）は、直ちにその旨を告示しなければならない。

（選挙及び当選の無効の場合の告示）

第百七条　第十五章の規定による争訟の結果選挙若しくは当選が無効となつたとき若しくは第二百十条第一項の規定による訴訟が提起されなかつたこと、当該訴訟についての訴えを却下し若しくは訴状を却下する裁判が確定したこと若しくは当該訴訟が取り下げられたことにより当選が無効となつたとき又は第二百五十一条の規定により当選が無効となつたときは、当該選挙に関する事務を管理する選挙管理委員会（衆議院比例代表選出議員又は参議院比例代表選出議員の選挙については中央選挙管理会、参議院合同選挙区選挙については当該選挙に関する事務を管理する参議院合同選挙区選挙管理委員会）は、直ちにその旨を告示しなければならない。

（当選等に関する報告）

第百八条　前三条の場合においては、当該選挙に関する事務を管理する選挙管理委員会（衆議院比例代表選出議員又は参議院比例代表選出議員の選挙については中央選挙管理会、参議院合同選挙区選挙については当該選挙に関する事務を管理する参議院合同選挙区選挙管理委員会）は、次の区分により、直ちにその旨を報告しなければならない。

一　衆議院議員、参議院議員又は都道府県知事の選挙にあつては総務大臣に

二　都道府県の議会の議員の選挙にあつては都道府県知事に

三　市町村長の選挙にあつては都道府県知事及び都道府県の選挙管理委員会に

四　市町村の議会の議員の選挙にあつては都道府県知事、都道府県の選挙管理委員会及び市町村長に

2　総務大臣は、前項の規定により衆議院議員又は参議院議員の選挙につき第百五条の規定により当選証書を付与した旨の報告を受けたときは、直ちにその旨並びに当選人の住所及び氏名を内閣総理大臣に報告し、内閣総理大臣は、直ちにこれをそれぞれ衆議院議長又は参議院議長に報告しなければならない。

第十一章　特別選挙

（衆議院小選挙区選出議員、参議院選挙区選出議員又は地方公共団体の長の再選挙）

第百九条　衆議院（小選挙区選出）議員、参議院（選挙区選出）議員（在任期間を同じくするものをいう。）又は地方公共団体

の長の選挙について次の各号に掲げる事由のいずれかが生じた場合においては、第九十六条、第九十七条又は第九十八条の規定により当選人を定めることができるときを除くほか、当該選挙に関する事務を管理する選挙管理委員会（参議院合同選挙区選挙については、当該選挙に関する事務を管理する参議院合同選挙区選挙管理委員会）は、選挙の期日を告示し、再選挙を行わせなければならない。ただし、同一人に関し、次に掲げるその他の事由により又は第百十三条若しくは第百十四条の規定により選挙の期日を告示したときは、この限りでない。

一　当選人がないとき又は当選人がその選挙における議員の定数に達しないとき。

二　当選人が死亡者であるとき。

三　当選人が第九十九条、第百三条第二項若しくは第四項又は第百四条の規定により当選を失つたとき。

四　第二百二条、第二百三条、第二百四条、第二百六条、第二百七条又は第二百八条の規定による異議の申出、審査の申立て又は訴訟の結果当選人がなくなり又は当選人がその選挙における議員の定数に達しなくなつたとき。

五　第二百十条若しくは第二百十一条の規定による訴訟の結果、当選人の当選が無効となつたとき又は第二百十条第一項の規定による訴訟が提起されなかつたこと、当該訴訟についての訴えを却下し若しくは訴状を却下する裁判が確定したこと若しくは当該訴訟が取り下げられたことにより当選人の当選が無効となつたとき。

六　第二百五十一条の規定により当選人の当選が無効となつたとき。

（衆議院比例代表選出議員、参議院比例代表選出議員若しくは地方公共団体の議会の議員の再選挙）

第百十条　衆議院（比例代表選出）議員、参議院（比例代表選出）議員（在任期間を同じくするものをいう。）若しくは地方公共団体の議会の議員の選挙について前条各号に掲げる事由のいずれかが生じた場合又は衆議院（比例代表選出）議員若しくは参議院（比例代表選出）議員（在任期間を同じくするものをいう。）の選挙について第九十九条の二第一項（同条第五項（同条第六項において準用する場合を含む。）又は第六項において準用する場合を含む。）の規定により当選人が当選を失つた場合において、第九十六条、第九十七条、第九十七条の二又は第九十八条の規定により当選人を定めることができるときを除くほか、当該選挙の当選人の不足数が次の各号に該当するに至つたときは、当該選挙に関する事務を管理する選挙管理委員会（衆議院比例代表選出議員又は参議院比例代表選出議員の選挙については、中央選挙管理会）は、前条の規定の例により、再選挙を行わせなければならない。

一　衆議院（比例代表選出）議員の場合には、第百十三条第一項にいうその議員の欠員の数と通じて当該選挙区における議員の定数の四分の一を超えるに至つたとき。

二　参議院（比例代表選出）議員（在任期間を同じくするものをいう。）の場合には、第百十三条第一項にいうその議員の欠員の数と通じて通常選挙における議員の定数の四分の一を超えるに至つたとき。

三　都道府県の議会の議員の場合には、同一選挙区において第百十三条第一項にいうその議員の欠員の数と通じて二人以上に達したとき。ただし、議員の定数が一人である選挙区においては一人に達したとき。

四　市町村の議会の議員の場合には、第百十三条第一項にいうその議員の欠員の数と通じて当該選挙区における議員の定数（選挙区がないときは、議員の定数）の六分の一を超えるに至つたとき。

2　衆議院（比例代表選出）議員又は参議院（比例代表選出）議員（在任期間を同じくするものをいう。）の選挙について、第二百四条又は第二百八条の規定による訴訟の結果その全部又は一部が無効となつたときは、中央選挙管理会は、前条の規定の例により、再選挙を行わせなければならない。

3　地方公共団体の議会の議員の選挙について、第二百二条、第二百三条、第二百六条又は第二百七条の規定による異議の申出、審査の申立て又は訴訟の結果その全部又は一部が無効となつたことにより当選人がなくなり又は当選人がその選挙における議員の定数に達しなくなつたときは、第一項の規定にかかわらず、当該選挙に関する事務を管理する選挙管理委員会は、前条の規定の例により、再選挙を行わせなければならない。

4　参議院（比例代表選出）議員（在任期間を同じくするものをいう。）又は地方公共団体の議会の議員の選挙におけるその当選人の不足数が第一項各号に該当しなくても、次の各号の区分による選挙が行われるときは、同項の規定にかかわらず、その選挙と同時に再選挙を行う。ただし、第一項に規定する事由が次の各号の区分による選挙の期日の告示があつた後に（市町村の議会の議員の選挙については、当該市町村の他の選挙の期日の告示の日前十日以内に）生じたものであるときは、この限りでない。

一　参議院（比例代表選出）議員の場合には、在任期間を異にする比例代表選出議員の選挙が行われるとき。

二　地方公共団体の議会の議員の場合には、当該選挙区（選挙区がないときはその区域）において同一の地方公共団体の他の選挙が行われるとき。

5　前項の再選挙の期日は、同項各号の区分により行われる選挙の期日による。

6　第四項第二号の同一の地方公共団体の他の選挙が地方公共団体の長の任期満了によるものであるときは、同項の規定により同時に行われるべき地方公共団体の議会の議員の再選挙に対する第三十四条第二項本文の規定の適用については、同項本文中「これを行うべき事由が生じた場合」とあるのは、「当該地方公共団体の長の任期が満了することとなる場合」とする。

（議員又は長の欠けた場合等の通知）

第百十一条　衆議院議員、参議院議員若しくは地方公共団体の議会の議員に欠員を生じた場合又は地方公共団体の長が欠け若しくはその退職の申立てがあつた場合においては、次の区分により、その旨を通知しなければならない。

一　衆議院（小選挙区選出）議員及び参議院（選挙区選出）議員については、国会法第百十条の規定によりその欠員を生じた旨の通知があつた日から五日以内に、内閣総理大臣は総務大臣に通知し、総務大臣は都道府県知事を経て都道府県の選挙管理委員会（参議院合同選挙区選挙により選出された参議院選挙区選出議員については、合同選挙区都道府県の知事を経て参議院合同選挙区選挙管理委員会）に

二　衆議院（比例代表選出）議員及び参議院（比例代表選出）

議員については、国会法第百十条の規定によりその欠員を生じた旨の通知があつた日から五日以内に、内閣総理大臣は総務大臣に通知し、総務大臣は中央選挙管理会に

三　地方公共団体の議会の議員については、その欠員を生じた日から五日以内に、その地方公共団体の議会の議長から当該都道府県又は市町村の選挙管理委員会に

四　地方公共団体の長については、その欠けた場合には欠けた日から五日以内にその職務を代理する者から、その退職の申立てがあつた場合には申立ての日から五日以内に地方公共団体の議会の議長から、当該都道府県又は市町村の選挙管理委員会に

2　前項の通知を受けた選挙管理委員会、参議院合同選挙区選挙管理委員会又は中央選挙管理会は、次条の規定の適用があると認めるときは、議員が欠員となつた旨又は長が欠け若しくはその退職の申立てがあつた旨を、直ちに当該選挙長に通知しなければならない。

3　地方自治法第九十条第三項又は第九十一条第三項の規定により地方公共団体の議会の議員の定数を増加した場合においては、当該条例施行の日から五日以内にその地方公共団体の議会の議長から当該都道府県又は市町村の選挙管理委員会にその旨を通知しなければならない。

（議員又は長の欠けた場合等の繰上補充）

第百十二条　衆議院（小選挙区選出）議員の欠員が生じた場合において、第九十五条第二項の規定の適用を受けた得票者で当選人とならなかつたものがあるときは、選挙会を開き、その者の中から当選人を定めなければならない。

2　衆議院（比例代表選出）議員の欠員が生じた場合において、当該議員に係る衆議院名簿の衆議院名簿登載者で当選人とならなかつたものがあるときは、選挙会を開き、その者の中から、その衆議院名簿における当選人となるべき順位に従い、当選人を定めなければならない。

3　第九十五条の二第五項及び第六項の規定は、前項の場合について準用する。

4　第二項の規定は、参議院（比例代表選出）議員の欠員が生じた場合について準用する。この場合において、同項中「衆議院名簿の衆議院名簿登載者」とあるのは「参議院名簿の参議院名簿登載者」と、「その衆議院名簿」とあるのは「その参議院名簿に係る参議院名簿登載者の間」と読み替えるものとする。

5　参議院（選挙区選出）議員又は地方公共団体の議会の議員の欠員が、当該議員の選挙の期日から三箇月以内に生じた場合において第九十五条第一項ただし書の規定による得票者で当選人とならなかつたものがあるとき又は当該議員の選挙の期日から三箇月経過後に生じた場合において同条第二項の規定の適用を受けた得票者で当選人とならなかつたものがあるときは、選挙会を開き、その者の中から当選人を定めなければならない。

6　地方公共団体の長が欠け又はその退職の申立があつた場合において、第九十五条第二項の規定の適用を受けた得票者で当選人とならなかつたものがあるときは、選挙会を開き、その者の中から当選人を定めなければならない。

7　第九十八条の規定は、前各項の場合について準用する。

8　選挙長は、前条第二項の通知を受けた日から二十日以内に、選挙会を開き、当選人を定めなければならない。

（補欠選挙及び増員選挙）

第百十三条　衆議院議員、参議院議員（在任期間を同じくするものをいう。）又は地方公共団体の議会の議員の欠員につき、第百十一条第一項第一号から第三号までの規定による通知を受けた場合において、前条第一項から第五項まで、第七項又は第八項の規定により、当選人を定めることができるときを除くほか、その議員の欠員の数が次の各号に該当するに至つたときは、当該選挙に関する事務を管理する選挙管理委員会（衆議院比例代表選出議員又は参議院比例代表選出議員の選挙については中央選挙管理会、参議院合同選挙区選挙については当該選挙に関する事務を管理する参議院合同選挙区選挙管理委員会）は、選挙の期日を告示し、補欠選挙を行わせなければならない。ただし、同一人に関し、第百九条又は第百十条の規定により選挙の期日を告示したときは、この限りでない。

一　衆議院（小選挙区選出）議員の場合には、一人に達したとき。

二　衆議院（比例代表選出）議員の場合には、第百十条第一項にいうその当選人の不足数と通じて当該選挙区における議員の定数の四分の一を超えるに至つたとき。

三　参議院（比例代表選出）議員（在任期間を同じくするものをいう。）の場合には、第百十条第一項にいうその当選人の不足数と通じて通常選挙における議員の定数の四分の一を超えるに至つたとき。

四　参議院（選挙区選出）議員（在任期間を同じくするものをいう。）の場合には、通常選挙における当該選挙区の議員の定数の四分の一を超えるに至つたとき。

五　都道府県の議会の議員の場合には、同一選挙区において第百十条第一項にいうその当選人の不足数と通じて二人以上に達したとき。ただし、議員の定数が一人である選挙区においては一人に達したとき。

六　市町村の議会の議員の場合には、第百十条第一項にいうその当選人の不足数と通じて当該選挙区における議員の定数（選挙区がないときは、議員の定数）の六分の一を超えるに至つたとき。

2　第百十一条第三項の規定による通知を受けた場合においては、当該都道府県又は市町村の選挙管理委員会は、選挙の期日を告示し、増員選挙を行わせなければならない。

3　参議院議員（在任期間を同じくするものをいう。）又は地方公共団体の議会の議員の欠員の数が第一項各号に該当しなくても、次の各号の区分による選挙が行われるときは、同項本文の規定にかかわらず、その選挙と同時に補欠選挙を行う。ただし、次の各号の区分による選挙の期日の告示があつた後に（市町村の議会の議員の選挙については、当該市町村の他の選挙の期日の告示の日前十日以内に）当該選挙に関する事務を管理する選挙管理委員会（参議院比例代表選出議員の選挙については中央選挙管理会、参議院合同選挙区選挙については当該選挙に関する事務を管理する参議院合同選挙区選挙管理委員会）が第百十一条第一項第一号から第三号までの規定による通知を受けたときは、この限りでない。

一　参議院（比例代表選出）議員の場合には、在任期間を異にする比例代表選出議員の選挙が行われるとき。

二　参議院（選挙区選出）議員の場合には、当該選挙区において在任期間を同じくする選挙区選出議員の再選挙又は在任期

間を異にする選挙区選出議員の選挙が行われるとき。

三　地方公共団体の議会の議員の場合には、当該選挙区（選挙区がないときは、その区域）において同一の地方公共団体の他の選挙が行われるとき。

4　前項の補欠選挙の期日は、同項各号の区分により行われる選挙の期日による。

5　第百十条第六項の規定は、第三項第三号の規定による地方公共団体の議会の議員の補欠選挙について準用する。

（長が欠けた場合及び退職の申立てがあつた場合の選挙）

第百十四条　地方公共団体の長が欠けるに至り又はその退職の申立てがあつたことにつき、第百十一条第一項第四号の規定による通知を受けた場合において、第百十二条第六項から第八項までの規定により当選人を定めることができるときを除くほか、当該選挙に関する事務を管理する選挙管理委員会は、選挙の期日を告示し、選挙を行わせなければならない。ただし、同一人に関し、第百九条の規定により選挙の期日を告示したときは、この限りでない。

（合併選挙及び在任期間を異にする議員の選挙の場合の当選人）

第百十五条　次の各号に掲げる選挙を各号の区分ごとに同時に行う場合においては、一の選挙（参議院議員の場合には比例代表選出議員又は選挙区選出議員の選挙ごとに）をもつて合併して行う。

一　参議院議員の場合には、その通常選挙、再選挙又は補欠選挙

二　地方公共団体の議会の議員の場合には、同一の地方公共団体についてのその再選挙、補欠選挙又は増員選挙

2　在任期間を異にする参議院（比例代表選出）議員について選挙を合併して行つた場合においては、各参議院名簿届出政党等に係る当選人の数のうち、第九十五条の三第一項及び第二項中「当該選挙において選挙すべき議員の数」とあるのは、「当該選挙において選挙すべき在任期間の長い議員の数」としてこれらの規定を適用した場合における各参議院名簿届出政党等に係る当選人の数を、各参議院名簿届出政党等に係る在任期間の長い議員の選挙の当選人の数とする。

3　在任期間を異にする参議院（比例代表選出）議員について選挙を合併して行つた場合において、第百条第三項の規定の適用があるときは、くじにより、各参議院名簿届出政党等に係る在任期間の長い議員の選挙の当選人の数及び各参議院名簿（第九十五条の三第四項に規定する参議院名簿届出政党等の届出に係るものを除く。）における当選人となるべき順位を定める。

4　前項に規定する場合において、第九十五条の三第四項に規定する参議院名簿届出政党等の届出に係る各参議院名簿においては、第八十六条の三第一項後段の規定により優先的に当選人となるべき候補者としてその氏名及び当選人となるべき順位が参議院名簿に記載されている者である参議院名簿登載者の当選人となるべき順位は、その他の参議院名簿登載者の当選人となるべき順位より上位とし、当該その他の参議院名簿登載者の間における当選人となるべき順位は、くじにより定める。

5　在任期間を異にする参議院（比例代表選出）議員について選挙を合併して行つた場合においては、各参議院名簿届出政党等の届出に係る名簿登載者のうち、それらの者の間における当選人となるべき順位に従い、第二項又は第三項の規定により定められた当該参議院名簿届出政党等に係る在任期間の長い議員の選挙の当選人の数に相当する数の参議院名簿登載者を、在任期間の長い議員の選挙の当選人とする。

6　在任期間を異にする参議院（選挙区選出）議員について、選挙を合併して行つた場合においては、第九十五条第一項ただし書の規定による得票者の中で得票の最も多い者から、順次に在任期間の長い議員の選挙の当選人を定めなければならない。

7　在任期間を異にする参議院（選挙区選出）議員について選挙を合併して行つた場合において、第百条第四項の規定の適用があるときは、くじにより、いずれの候補者をもつて在任期間の長い議員の選挙の当選人とするかを定めなければならない。

8　第百条第九項の規定は、第三項の場合における在任期間の長い議員の選挙の当選人の決定及び前項の場合に、準用する。

9　在任期間を異にする参議院議員について選挙を合併して行つた場合において、在任期間の長い議員の選挙の当選人又はその議員について、第九十七条、第九十七条の二又は第百十二条に規定する事由が生じたため、これらの規定により繰上補充を行う場合においては、比例代表選出議員の選挙にあつては当該議員又は当選人に係る参議院名簿の参議院名簿登載者で在任期間の短い議員又はその当選人があるときはその者の中から第五項に規定する参議院名簿登載者の間における当選人となるべき順位に従い、選挙区選出議員の選挙にあつてはその選挙において選挙された在任期間の短い議員又はその当選人があるときはその者の中から、当選人を定めるものとする。

（議員又は当選人がすべてない場合の一般選挙）

第百十六条　地方公共団体の議会の議員又はその選挙における当選人について、第百十条（選挙の一部無効に係る部分を除く。）又は第百十三条に規定する事由が生じた場合において、議員又は当選人がすべてないとき又はすべてなくなつたときは、これらの規定にかかわらず、当該選挙に関する事務を管理する選挙管理委員会は、選挙の期日を告示し、一般選挙を行わせなければならない。

（設置選挙）

第百十七条　地方公共団体が設置された場合においては、都道府県又は市町村の選挙管理委員会は、当該地方公共団体の議会の議員及び長についてそれぞれ選挙の期日を告示し、一般選挙及び長の選挙を行わせなければならない。

第百十八条　削除

第十二章　選挙を同時に行うための特例

（同時に行う選挙の範囲）

第百十九条　都道府県の議会の議員の選挙及び都道府県知事の選挙又は市町村の議会の議員の選挙及び市町村長の選挙は、それぞれ同時に行うことができる。

2　都道府県の選挙管理委員会は、次条第一項若しくは第二項の規定による届出又は第百八条第一項第三号若しくは第四号の規定による報告に基づき、当該市町村の選挙（市町村の議会の議員及び長の選挙をいう。以下この章において同じ。）を都道府県の選挙（都道府県の議会の議員及び長の選挙をいう。以下この章において同じ。）と同時に行わせることができる。

3　前項の規定による選挙の期日は、都道府県の選挙管理委員会において、告示しなければならない。

（選挙を同時に行うかどうかの決定手続）

第百二十条　市町村の選挙管理委員会は、市町村の議会の議員又は長の選挙を行う場合においては、任期満了に因る選挙については任期満了の日前六十日までに、任期満了以外の事由に因る選挙については第百八条第一項第三号又は第四号の規定により報告する場合を除く外選挙を行うべき事由を生じた日から三日以内に、その旨を都道府県の選挙管理委員会に届け出なければならない。

2　市町村の選挙管理委員会は、第三十四条の二第二項（同条第四項において準用する場合を含む。）の規定による告示をした場合においては、直ちにその旨を都道府県の選挙管理委員会に届け出なければならない。

3　都道府県の選挙管理委員会は、第一項若しくは前項の規定による届出又は第百八条第一項第三号若しくは第四号の規定による報告のあつた日から三日以内に、当該市町村の選挙を都道府県の選挙と同時に行うかどうかを、当該市町村の選挙管理委員会に通知しなければならない。

（選挙の同時施行決定までの市町村の選挙の施行停止）

第百二十一条　市町村の選挙は、前条第三項の規定による通知があるまでの間は、行うことができない。ただし、同項の期間内に通知がないときは、この限りでない。

（投票及び開票の順序）

第百二十二条　第百十九条の規定により同時に選挙を行う場合における投票及び開票の順序は、同条第一項の規定による場合にあつては当該選挙に関する事務を管理する選挙管理委員会が、同条第二項の規定による場合にあつては都道府県の選挙管理委員会が定める。

（投票、開票及び選挙会に関する規定の適用）

第百二十三条　第百十九条第一項又は第二項の規定により同時に選挙を行う場合においては、第三十六条及び第六十二条に規定するものを除く外、投票及び開票に関する規定は、各選挙に通じて適用する。第百十九条第一項の規定により同時に選挙を行う場合において、選挙会の区域が同一であるときは、第七十六条に規定するものを除く外、選挙会に関する規定についても、また同様とする。

2　前項の場合において必要な事項は、政令で定める。

（繰上投票）

第百二十四条　都道府県の選挙と市町村の選挙を同時に行う場合においては、第五十六条の規定による投票の期日は、同条の規定にかかわらず、都道府県の選挙管理委員会が定める。

（繰延投票）

第百二十五条　都道府県の選挙と市町村の選挙を同時に行う場合において、第五十七条第一項に規定する事由を生じたときは、都道府県の選挙管理委員会は、同項の規定の例により更に投票を行わせなければならない。

2　前項の場合においては、市町村の選挙管理委員会は、都道府県の選挙の選挙長を経て都道府県の選挙管理委員会にその旨を届け出なければならない。

（長の候補者が一人となつた場合の選挙期日の延期）

第百二十六条　都道府県の選挙と市町村長の選挙を同時に行う場合において市町村長の選挙について第八十六条の四第七項に規定する事由が生じたときは、市町村の選挙管理委員会は、直ちにその旨を都道府県の選挙管理委員会に報告しなければならない。

2　都道府県知事の選挙と市町村長の選挙を同時に行う場合において、都道府県知事の選挙について第八十六条の四第七項に規定する事由が生じ、かつ、市町村長の選挙についてもまた前項の規定による報告により同条第七項に規定する事由が生じたことを知つたときは、都道府県の選挙管理委員会は、選挙の期日を延期し、その報告のあつた日（二以上の報告があつたときは、最後の報告のあつた日）から七日以内に、選挙を同時に行わせなければならない。この場合においては、その期日は、少なくとも五日前に告示しなければならない。

3　第百十九条第一項又は第二項の規定により同時に選挙を行う場合において、地方公共団体の長の選挙について第八十六条の四第七項に規定する事由が生じた場合に関し必要な事項は、前項の規定に該当する場合を除くほか、政令で定める。

（無投票当選）

第百二十七条　第百十九条第一項又は第二項の規定により同時に選挙を行う場合において、第百条第四項に規定する事由が生じたときは、当該選挙に係る投票は、行わない。

第百二十八条　削除

第十三章　選挙運動

（選挙運動の期間）

第百二十九条　選挙運動は、各選挙につき、それぞれ第八十六条第一項から第三項まで若しくは第八項の規定による候補者の届出、第八十六条の二第一項の規定による衆議院名簿の届出、第八十六条の三第一項の規定による参議院名簿の届出（同条第二項において準用する第八十六条の二第九項の規定による届出に係る候補者については、当該届出）又は第八十六条の四第一項、第二項、第五項、第六項若しくは第八項の規定による公職の候補者の届出のあつた日から当該選挙の期日の前日までででなければ、することができない。

（選挙事務所の設置及び届出）

第百三十条　選挙事務所は、次に掲げるものでなければ、設置することができない。

一　衆議院（小選挙区選出）議員の選挙にあつては、公職の候補者又はその推薦届出者（推薦届出者が数人あるときは、その代表者。以下この条、次条及び第百三十九条において同じ。）及び候補者届出政党

二　衆議院（比例代表選出）議員の選挙にあつては、衆議院名簿届出政党等

三　参議院（比例代表選出）議員の選挙にあつては、参議院名簿届出政党等及び公職の候補者たる参議院名簿登載者（第八十六条の三第一項後段の規定により優先的に当選人となるべき候補者としてその氏名及び当選人となるべき順位が参議院名簿に記載されている者を除く。）

四　前三号に掲げる選挙以外の選挙にあつては、公職の候補者又はその推薦届出者

2　前項各号に掲げるものは、選挙事務所を設置したときは、直ちにその旨を、市町村の選挙管理委員会（衆議院比例代表選出議

員又は参議院比例代表選出議員の選挙については中央選挙管理会及び当該選挙事務所が設置された都道府県の選挙管理委員会、参議院合同選挙区選挙については当該選挙に関する事務を管理する参議院合同選挙区選挙管理委員会及び当該選挙事務所が設置された都道府県の選挙管理委員会）及び当該選挙事務所が設置された市町村の選挙管理委員会に、市町村の選挙については当該市町村の選挙管理委員会に届け出なければならない。選挙事務所に異動があつたときも、また同様とする。

（選挙事務所の数）

第百三十一条　前条第一項各号に掲げるものが設置する選挙事務所は、次の区分による数を超えることができない。ただし、政令で定めるところにより、交通困難等の状況のある区域においては、第一号の選挙事務所にあつては三箇所まで、第四号の選挙事務所にあつては五箇所（参議院合同選挙区選挙における選挙事務所にあつては、十箇所）まで、それぞれ設置することができる。

一　衆議院（小選挙区選出）議員の選挙における選挙事務所は、候補者又はその推薦届出者が設置するものにあつてはその候補者一人につき一箇所、候補者届出政党が設置するものにあつてはその候補者届出政党が届け出た候補者に係る選挙区ごとに一箇所

二　衆議院（比例代表選出）議員の選挙における衆議院名簿届出政党等の選挙事務所は、その衆議院名簿届出政党等が届け出た衆議院名簿に係る選挙区の区域内の都道府県ごとに、一箇所

三　参議院（比例代表選出）議員の選挙における選挙事務所は、参議院名簿届出政党等が設置するものにあつては都道府県ごとに一箇所、公職の候補者たる参議院名簿登載者が設置するものにあつてはその参議院名簿登載者一人につき一箇所

四　参議院（選挙区選出）議員又は都道府県知事の選挙における選挙事務所は、その公職の候補者一人につき、一箇所（参議院合同選挙区選挙における選挙事務所にあつては、二箇所）

五　地方公共団体の議会の議員又は市町村長の選挙における選挙事務所は、その公職の候補者一人につき、一箇所

2　前項各号の選挙事務所については、当該選挙事務所を設置したものは、当該選挙事務所ごとに、一日につき一回を超えて、これを移動（廃止に伴う設置を含む。）することができない。

3　第一項第一号から第四号までの選挙事務所については、当該選挙事務所を設置したものは、当該選挙に関する事務を管理する選挙管理委員会（衆議院比例代表選出議員又は参議院比例代表選出議員の選挙については中央選挙管理会、参議院合同選挙区選挙については当該選挙に関する事務を管理する参議院合同選挙区選挙管理委員会）が交付する標札を、選挙事務所を表示するために、その入口に掲示しなければならない。

（選挙当日の選挙事務所の制限）

第百三十二条　選挙事務所は、第百二十九条の規定にかかわらず、選挙の当日においても、当該投票所を設けた場所の入口から三百メートル以外の区域に限り、設置することができる。

（休憩所等の禁止）

第百三十三条　休憩所その他これに類似する設備は、選挙運動のため設けることができない。

（選挙事務所の閉鎖命令）

第百三十四条　第百三十条第一項、第百三十一条第三項又は第百三十二条の規定に違反して選挙事務所の設置があると認めるときは、市町村の選挙以外の選挙については当該選挙に関する事務を管理する選挙管理委員会（衆議院比例代表選出議員又は参議院比例代表選出議員の選挙については中央選挙管理会又は当該選挙事務所が設置された都道府県の選挙管理委員会、参議院合同選挙区選挙については当該選挙に関する事務を管理する参議院合同選挙区選挙管理委員会又は当該選挙事務所が設置された都道府県の選挙管理委員会）又は当該選挙事務所が設置された市町村の選挙管理委員会、市町村の選挙については当該市町村の選挙管理委員会は、直ちにその選挙事務所の閉鎖を命じなければならない。

2　第百三十一条第一項の規定による定数を超えて選挙事務所の設置があると認めるときは、その超過した数の選挙事務所についても、また前項と同様とする。

（選挙事務関係者の選挙運動の禁止）

第百三十五条　第八十八条に掲げる者は、在職中、その関係区域内において、選挙運動をすることができない。

2　不在者投票管理者は、不在者投票に関し、その者の業務上の地位を利用して選挙運動をすることができない。

（特定公務員の選挙運動の禁止）

第百三十六条　次に掲げる者は、在職中、選挙運動をすることができない。

一　中央選挙管理会の委員及び中央選挙管理会の庶務に従事する総務省の職員、参議院合同選挙区選挙管理委員会の職員並びに選挙管理委員会の委員及び職員

二　裁判官

三　検察官

四　会計検査官

五　公安委員会の委員

六　警察官

七　収税官吏及び徴税の吏員

（公務員等の地位利用による選挙運動の禁止）

第百三十六条の二　次の各号のいずれかに該当する者は、その地位を利用して選挙運動をすることができない。

一　国若しくは地方公共団体の公務員又は行政執行法人若しくは特定地方独立行政法人の役員若しくは職員

二　沖縄振興開発金融公庫の役員又は職員（以下「公庫の役職員」という。）

2　前項各号に掲げる者が公職の候補者若しくは公職の候補者となろうとする者（公職にある者を含む。）を推薦し、支持し、若しくはこれに反対する目的をもつてする次の各号に掲げる行為又は公職の候補者若しくは公職の候補者となろうとする者（公職にある者を含む。）である同項各号に掲げる者が公職の候補者として推薦され、若しくは支持される目的をもつてする次の各号に掲げる行為は、同項に規定する禁止行為に該当するものとみなす。

一　その地位を利用して、公職の候補者の推薦に関与し、若しくは関与することを援助し、又は他人をしてこれらの行為をさせること。

二　その地位を利用して、投票の周旋勧誘、演説会の開催その他の選挙運動の企画に関与し、その企画の実施について指示

し、若しくは指導し、又は他人をしてこれらの行為をさせること。

三　その地位を利用して、第百九十九条の五第一項に規定する後援団体を結成し、その結成の準備に関与し、同項に規定する後援団体の構成員となることを勧誘し、若しくはこれらの行為を援助し、又は他人をしてこれらの行為をさせること。

四　その地位を利用して、新聞その他の刊行物を発行し、文書図画を掲示し、若しくは頒布し、若しくはこれらの行為を援助し、又は他人をしてこれらの行為をさせること。

五　公職の候補者又は公職の候補者となろうとする者（公職にある者を含む。）を推薦し、支持し、若しくはこれに反対することを申しいで、又は約束した者に対し、その代償として、その職務の執行に当たり、当該申しいで、又は約束した者に係る利益を供与し、又は供与することを約束すること。

（教育者の地位利用の選挙運動の禁止）

第百三十七条　教育者（学校教育法（昭和二十二年法律第二十六号）に規定する学校及び就学前の子どもに関する教育、保育等の総合的な提供の推進に関する法律（平成十八年法律第七十七号）に規定する幼保連携型認定こども園の長及び教員をいう。）は、学校の児童、生徒及び学生に対する教育上の地位を利用して選挙運動をすることができない。

（年齢満十八年未満の者の選挙運動の禁止）

第百三十七条の二　年齢満十八年未満の者は、選挙運動をすることができない。

2　何人も、年齢満十八年未満の者を使用して選挙運動をすることができない。ただし、選挙運動のための労務に使用する場合は、この限りでない。

（選挙権及び被選挙権を有しない者の選挙運動の禁止）

第百三十七条の三　第二百五十二条又は政治資金規正法第二十八条の規定により選挙権及び被選挙権を有しない者は、選挙運動をすることができない。

（戸別訪問）

第百三十八条　何人も、選挙に関し、投票を得若しくは得しめ又は得しめない目的をもつて戸別訪問をすることができない。

2　いかなる方法をもつてするを問わず、選挙運動のため、戸別に、演説会の開催若しくは演説を行うことについて告知をする行為又は特定の候補者の氏名若しくは政党その他の政治団体の名称を言いあるく行為は、前項に規定する禁止行為に該当するものとみなす。

（署名運動の禁止）

第百三十八条の二　何人も、選挙に関し、投票を得若しくは得しめ又は得しめない目的をもつて選挙人に対し署名運動をすることができない。

（人気投票の公表の禁止）

第百三十八条の三　何人も、選挙に関し、公職に就くべき者（衆議院比例代表選出議員の選挙にあつては政党その他の政治団体に係る公職に就くべき者又はその数、参議院比例代表選出議員の選挙にあつては政党その他の政治団体に係る公職に就くべき者又はその数若しくは公職に就くべき順位）を予想する人気投票の経過又は結果を公表してはならない。

（飲食物の提供の禁止）

第百三十九条　何人も、選挙運動に関し、いかなる名義をもつてするを問わず、飲食物（湯茶及びこれに伴い通常用いられる程度の菓子を除く。）を提供することができない。ただし、衆議院（比例代表選出）議員の選挙以外の選挙において、選挙運動（衆議院小選挙区選出議員の選挙において候補者届出政党が行うもの及び参議院比例代表選出議員の選挙において参議院名簿届出政党等が行うものを除く。以下この条において同じ。）に従事する者及び選挙運動のために使用する労務者に対し、公職の候補者（参議院比例代表選出議員の選挙における候補者たる参議院名簿登載者で第八十六条の三第一項後段の規定により優先的に当選人となるべき候補者としてその氏名及び当選人となるべき順位が参議院名簿に記載されているものを除く。）一人について、当該選挙の選挙運動の期間中、政令で定める弁当料の額の範囲内で、かつ、両者を通じて十五人分（四十五食分）（第百三十一条第一項の規定により公職の候補者又はその推薦届出者が設置することができる選挙事務所の数が一を超える場合においては、その一を増すごとにこれに六人分（十八食分）を加えたもの）に、当該選挙につき選挙の期日の公示又は告示のあつた日からその選挙の期日の前日までの期間の日数を乗じて得た数分を超えない範囲内で、選挙事務所において食事するために提供する弁当（選挙運動に従事する者及び選挙運動のために使用する労務者が携行するために提供された弁当を含む。）については、この限りでない。

（気勢を張る行為の禁止）

第百四十条　何人も、選挙運動のため、自動車を連ね又は隊伍を組んで往来する等によつて気勢を張る行為をすることができない。

（連呼行為の禁止）

第百四十条の二　何人も、選挙運動のため、連呼行為をすることができない。ただし、演説会場及び街頭演説（演説を含む。）の場所においてする場合並びに午前八時から午後八時までの間に限り、次条の規定により選挙運動のために使用される自動車又は船舶の上においてする場合は、この限りでない。

2　前項ただし書の規定により選挙運動のための連呼行為をする者は、学校（学校教育法第一条に規定する学校及び就学前の子どもに関する教育、保育等の総合的な提供の推進に関する法律第二条第七項に規定する幼保連携型認定こども園をいう。以下同じ。）及び病院、診療所その他の療養施設の周辺においては、静穏を保持するように努めなければならない。

（自動車、船舶及び拡声機の使用）

第百四十一条　次の各号に掲げる選挙においては、主として選挙運動のために使用される自動車（道路交通法（昭和三十五年法律第百五号）第二条第一項第九号に規定する自動車をいう。以下同じ。）又は船舶及び拡声機（携帯用のものを含む。以下同じ。）は、公職の候補者（参議院比例代表選出議員の選挙における候補者たる参議院名簿登載者で第八十六条の三第一項後段の規定により優先的に当選人となるべき候補者としてその氏名及び当選人となるべき順位が参議院名簿に記載されているものを除く。次条において同じ。）一人について当該各号に定めるもののほかは、使用することができない。ただし、拡声機については、個人演説会（演説を含む。）の開催中、その会場において別に一そろいを使用することを妨げるものではない。

一　衆議院（小選挙区選出）議員、参議院（選挙区選出）議員並びに地方公共団体の議会の議員及び長の選挙　自動車（その構造上宣伝を主たる目的とするものを除く。以下この号及び次号において同じ。）一台又は船舶一隻及び拡声機一そろい（参議院合同選挙区選挙にあつては、自動車二台又は船舶二隻（両者を使用する場合は通じて二）及び拡声機二そろい）

二　参議院（比例代表選出）議員の選挙　自動車二台又は船舶二隻（両者を使用する場合は通じて二）及び拡声機二そろい

2　前項の規定にかかわらず、衆議院（小選挙区選出）議員の選挙においては、候補者届出政党は、その届け出た候補者に係る選挙区を包括する都道府県ごとに、自動車一台又は船舶一隻及び拡声機一そろいを、当該都道府県における当該候補者届出政党の届出候補者（当該都道府県の区域内の選挙区において当該候補者届出政党が届け出た候補者をいう。以下同じ。）の数が三人を超える場合においては、その超える数が十人を増すごとにこれらに加え自動車一台又は船舶一隻及び拡声機一そろいを、主として選挙運動のために使用することができる。ただし、拡声機については、政党演説会（演説を含む。）の開催中、その会場において別に一そろいを使用することを妨げるものではない。

3　衆議院（比例代表選出）議員の選挙においては、衆議院名簿届出政党等は、その届け出た衆議院名簿に係る選挙区ごとに、自動車一台又は船舶一隻及び拡声機一そろいを、当該選挙区における当該衆議院名簿届出政党等の衆議院名簿登載者の数が五人を超える場合においては、その超える数が十人を増すごとにこれらに加え自動車一台又は船舶一隻及び拡声機一そろいを、主として選挙運動のために使用することができる。ただし、拡声機については、政党等演説会（演説を含む。）の開催中、その会場において別に一そろいを使用することを妨げるものではない。

4　衆議院（比例代表選出）議員の選挙においては、主として選挙運動のために使用される自動車、船舶及び拡声機は、前項の規定により衆議院名簿届出政党等が使用するもののほかは、使用することができない。

5　第一項本文、第二項本文又は第三項本文の規定により選挙運動のために使用される自動車、船舶又は拡声機には、当該選挙に関する事務を管理する選挙管理委員会（衆議院比例代表選出議員又は参議院比例代表選出議員の選挙については中央選挙管理会、参議院合同選挙区選挙については当該選挙に関する事務を管理する参議院合同選挙区選挙管理委員会）の定めるところの表示（自動車と船舶については、両者に通用する表示）をしなければならない。

6　第一項の自動車は、町村の議会の議員又は長の選挙以外の選挙にあつては政令で定める乗用の自動車に、町村の議会の議員又は長の選挙にあつては政令で定める乗用の自動車又は小型貨物自動車（道路運送車両法（昭和二十六年法律第百八十五号）第三条の規定に基づき定められた小型自動車に該当する貨物自動車をいう。）に限るものとする。

7　衆議院（小選挙区選出）議員又は参議院議員の選挙においては、公職の候補者は、政令で定めるところにより、政令で定める額の範囲内で、第一項の自動車を無料で使用することができる。ただし、衆議院（小選挙区選出）議員又は参議院（選挙区選出）議員の選挙にあつては当該公職の候補者に係る供託物が第九十三条第一項（同条第二項において準用する場合を含む。）の規定により国庫に帰属することとならない場合に、参議院（比例代表選出）議員の選挙にあつては当該公職の候補者たる参議院名簿登載者が当該参議院名簿登載者に係る参議院名簿届出政党等の第九十四条第三項第一号に掲げる数に相当する当選人となるべき順位までにある場合に限る。

8　地方公共団体の議会の議員又は長の選挙については、地方公共団体は、前項の規定（参議院比例代表選出議員の選挙に係る部分を除く。）に準じて、条例で定めるところにより、公職の候補者の第一項の自動車の使用について、無料とすることができる。

（自動車等の乗車制限）

第百四十一条の二　前条第一項の規定により選挙運動のために使用される自動車又は船舶に乗車又は乗船する者は、公職の候補者（衆議院比例代表選出議員の選挙における候補者で当該選挙と同時に行われる衆議院小選挙区選出議員の選挙における候補者である者以外のものを除く。次項において同じ。）、運転手（自動車一台につき一人に限る。同項において同じ。）及び船員を除き、自動車一台又は船舶一隻について、四人を超えてはならない。

2　前条第一項の規定により選挙運動のために使用される自動車又は船舶に乗車又は乗船する者（公職の候補者、運転手及び船員を除く。）は、当該選挙に関する事務を管理する選挙管理委員会（参議院比例代表選出議員の選挙については中央選挙管理会、参議院合同選挙区選挙については当該選挙に関する事務を管理する参議院合同選挙区選挙管理委員会）の定めるところにより、一定の腕章を着けなければならない。

（車上の選挙運動の禁止）

第百四十一条の三　何人も、第百四十一条の規定により選挙運動のために使用される自動車の上においては、選挙運動をすることができない。ただし、停止した自動車の上において選挙運動のための演説をすること及び第百四十条の二第一項ただし書の規定により自動車の上において選挙運動のための連呼行為をすることは、この限りでない。

（文書図画の頒布）

第百四十二条　衆議院（比例代表選出）議員の選挙以外の選挙においては、選挙運動のために使用する文書図画は、次の各号に規定する通常葉書及びビラのほかは、頒布することができない。この場合において、ビラについては、散布することができない。

一　衆議院（小選挙区選出）議員の選挙にあつては、候補者一人について、通常葉書　三万五千枚、当該選挙に関する事務を管理する選挙管理委員会に届け出た二種類以内のビラ　七万枚

一の二　参議院（比例代表選出）議員の選挙にあつては、公職の候補者たる参議院名簿登載者（第八十六条の三第一項後段の規定により優先的に当選人となるべき候補者としてその氏名及び当選人となるべき順位が参議院名簿に記載されている者を除く。）一人について、通常葉書　十五万枚、中央選挙管理会に届け出た二種類以内のビラ　二十五万枚

二　参議院（選挙区選出）議員の選挙にあつては、候補者一人について、当該選挙区の区域内の衆議院（小選挙区選出）議員の選挙区の数が一である場合には、通常葉書　三万五千

枚、当該選挙に関する事務を管理する選挙管理委員会（参議院合同選挙区選挙については、当該選挙に関する事務を管理する参議院合同選挙区選挙管理委員会。以下この号において同じ。）に届け出た二種類以内のビラ　十万枚、当該選挙区の区域内の衆議院（小選挙区選出）議員の選挙区の数が一を超える場合には、その一を増すごとに、通常葉書　二千五百枚を三万五千枚に加えた数、当該選挙に関する事務を管理する選挙管理委員会に届け出た二種類以内のビラ　一万五千枚を十万枚に加えた数（その数が三十万枚を超える場合には、三十万枚）

三　都道府県知事の選挙にあつては、候補者一人について、当該都道府県の区域内の衆議院（小選挙区選出）議員の選挙区の数が一である場合には、通常葉書　三万五千枚、当該選挙に関する事務を管理する選挙管理委員会に届け出た二種類以内のビラ　十万枚、当該都道府県の区域内の衆議院（小選挙区選出）議員の選挙区の数が一を超える場合には、その一を増すごとに、通常葉書　二千五百枚を三万五千枚に加えた数、当該選挙に関する事務を管理する選挙管理委員会に届け出た二種類以内のビラ　一万五千枚を十万枚に加えた数（その数が三十万枚を超える場合には、三十万枚）

四　都道府県の議会の議員の選挙にあつては、候補者一人について、通常葉書　八千枚、当該選挙に関する事務を管理する選挙管理委員会に届け出た二種類以内のビラ　一万六千枚

五　指定都市の選挙にあつては、長の選挙の場合には、候補者一人について、通常葉書　三万五千枚、当該選挙に関する事務を管理する選挙管理委員会に届け出た二種類以内のビラ　七万枚、議会の議員の選挙の場合には、候補者一人について、通常葉書　四千枚、当該選挙に関する事務を管理する選挙管理委員会に届け出た二種類以内のビラ　八千枚

六　指定都市以外の市の選挙にあつては、長の選挙の場合には、候補者一人について、通常葉書　八千枚、当該選挙に関する事務を管理する選挙管理委員会に届け出た二種類以内のビラ　一万六千枚、議会の議員の選挙の場合には、候補者一人について、通常葉書　二千枚、当該選挙に関する事務を管理する選挙管理委員会に届け出た二種類以内のビラ　四千枚

七　町村の選挙にあつては、長の選挙の場合には、候補者一人について、通常葉書　二千五百枚、当該選挙に関する事務を管理する選挙管理委員会に届け出た二種類以内のビラ　五千枚、議会の議員の選挙の場合には、候補者一人について、通常葉書　八百枚、当該選挙に関する事務を管理する選挙管理委員会に届け出た二種類以内のビラ　千六百枚

2　前項の規定にかかわらず、衆議院（小選挙区選出）議員の選挙においては、候補者届出政党は、その届け出た候補者に係る選挙区を包括する都道府県ごとに、二万枚に当該都道府県における当該候補者届出政党の届出候補者の数を乗じて得た数以内の通常葉書及び四万枚に当該都道府県における当該候補者届出政党の届出候補者の数を乗じて得た数以内のビラを、選挙運動のために頒布（散布を除く。）することができる。ただし、ビラについては、その届け出た候補者に係る選挙区ごとに四万枚以内で頒布するほかは、頒布することができない。

3　衆議院（比例代表選出）議員の選挙においては、衆議院名簿届出政党等は、その届け出た衆議院名簿に係る選挙区ごとに、中央選挙管理会に届け出た二種類以内のビラを、選挙運動のために頒布（散布を除く。）することができる。

4　衆議院（比例代表選出）議員の選挙においては、選挙運動のために使用する文書図画は、前項の規定により衆議院名簿届出政党等が頒布することができるビラのほかは、頒布することができない。

5　第一項の通常葉書は無料とし、第二項の通常葉書は有料とし、政令で定めるところにより、日本郵便株式会社において選挙用である旨の表示をしたものでなければならない。

6　第一項から第三項までのビラは、新聞折込みその他政令で定める方法によらなければ、頒布することができない。

7　第一項及び第二項のビラは、当該選挙に関する事務を管理する選挙管理委員会（参議院比例代表選出議員の選挙については中央選挙管理会、参議院合同選挙区選挙については当該選挙に関する事務を管理する参議院合同選挙区選挙管理委員会。以下この項において同じ。）の定めるところにより、当該選挙に関する事務を管理する選挙管理委員会の交付する証紙を貼らなければ頒布することができない。この場合において、第二項のビラについて当該選挙に関する事務を管理する選挙管理委員会の交付する証紙は、当該選挙の選挙区ごとに区分しなければならない。

8　第一項のビラは長さ二十九・七センチメートル、幅二十一センチメートルを、第二項のビラは長さ四十二センチメートル、幅二十九・七センチメートルを、超えてはならない。

9　第一項から第三項までのビラには、その表面に頒布責任者及び印刷者の氏名（法人にあつては名称）及び住所を記載しなければならない。この場合において、第一項第一号の二のビラにあつては当該参議院名簿登載者に係る参議院名簿届出政党等の名称及び同号のビラである旨を表示する記号を、第二項のビラにあつては当該候補者届出政党の名称を、第三項のビラにあつては当該衆議院名簿届出政党等の名称及び同項のビラである旨を表示する記号を、併せて記載しなければならない。

10　衆議院（小選挙区選出）議員又は参議院議員の選挙における公職の候補者は、政令で定めるところにより、政令で定める額の範囲内で、第一項第一号から第二号までの通常葉書及びビラを無料で作成することができる。この場合においては、第百四十一条第七項ただし書の規定を準用する。

11　地方公共団体は、前項の規定（参議院比例代表選出議員の選挙に係る部分を除く。）に準じて、条例で定めるところにより、公職の候補者の第一項第三号から第七号までのビラの作成について、無料とすることができる。

12　選挙運動のために使用する回覧板その他の文書図画又は看板（プラカードを含む。以下同じ。）の類を多数の者に回覧させることは、第一項から第四項までの頒布とみなす。ただし、第百四十三条第一項第二号に規定するものを同号に規定する自動車又は船舶に取り付けたままで回覧させること、及び公職の候補者（衆議院比例代表選出議員の選挙における候補者で当該選挙と同時に行われる衆議院小選挙区選出議員の選挙における候補者である者以外のもの並びに参議院比例代表選出議員の選挙における候補者たる参議院名簿登載者で第八十六条の三第一項後段の規定により優先的に当選人となるべき候補者としてその氏名及び当選人となるべき順位が参議院名簿に記載されているも

のを除く。）が第百四十三条第一項第三号に規定するものを着用したままで回覧することは、この限りでない。

13　衆議院議員の総選挙については、衆議院の解散に関し、公職の候補者又は公職の候補者となろうとする者（公職にある者を含む。）の氏名又はこれらの者の氏名が類推されるような事項を表示して、郵便等又は電報により、選挙人にあいさつする行為は、第一項の禁止行為に該当するものとみなす。

（パンフレット又は書籍の頒布）

第百四十二条の二　前条第一項及び第四項の規定にかかわらず、衆議院議員の総選挙又は参議院議員の通常選挙においては、候補者届出政党若しくは衆議院名簿届出政党等又は参議院名簿届出政党等は、当該候補者届出政党若しくは衆議院名簿届出政党等又は参議院名簿届出政党等の本部において直接発行するパンフレット又は書籍で国政に関する重要政策及びこれを実現するための基本的な方策等を記載したもの又はこれらの要旨等を記載したものとして総務大臣に届け出たそれぞれ一種類のパンフレット又は書籍を、選挙運動のために頒布（散布を除く。）することができる。

2　前項のパンフレット又は書籍は、次に掲げる方法によらなければ、頒布することができない。

一　当該候補者届出政党若しくは衆議院名簿届出政党等又は参議院名簿届出政党等の選挙事務所内、政党演説会若しくは政党等演説会の会場内又は街頭演説の場所における頒布

二　当該候補者届出政党若しくは衆議院名簿届出政党等又は参議院名簿届出政党等に所属する者（参議院名簿登載者を含む。次項において同じ。）である当該衆議院議員の総選挙又は参議院議員の通常選挙における公職の候補者の選挙事務所内、個人演説会の会場内又は街頭演説の場所における頒布

3　第一項のパンフレット又は書籍には、当該候補者届出政党若しくは衆議院名簿届出政党等又は参議院名簿届出政党等に所属する者である当該衆議院議員の総選挙又は参議院議員の通常選挙における公職の候補者（当該候補者届出政党若しくは衆議院名簿届出政党等又は参議院名簿届出政党等の代表者を除く。）の氏名又はその氏名が類推されるような事項を記載することができない。

4　第一項のパンフレット及び書籍には、その表紙に、当該候補者届出政党若しくは衆議院名簿届出政党等又は参議院名簿届出政党等の名称、頒布責任者及び印刷者の氏名（法人にあつては名称）及び住所並びに同項のパンフレット又は書籍である旨を表示する記号を記載しなければならない。

（ウェブサイト等を利用する方法による文書図画の頒布）

第百四十二条の三　第百四十二条第一項及び第四項の規定にかかわらず、選挙運動のために使用する文書図画は、ウェブサイト等を利用する方法（インターネット等を利用する方法（電気通信（電気通信事業法（昭和五十九年法律第八十六号）第二条第一号に規定する電気通信をいう。以下同じ。）の送信（公衆によつて直接受信されることを目的とする電気通信の送信を除く。）により、文書図画をその受信をする者が使用する通信端末機器（入出力装置を含む。以下同じ。）の映像面に表示させる方法をいう。以下同じ。）のうち電子メール（特定電子メールの送信の適正化等に関する法律（平成十四年法律第二十六号）第二条第一号に規定する電子メールをいう。以下同じ。）を利用する方法を除いたものをいう。以下同じ。）により、頒布することができる。

2　選挙運動のために使用する文書図画であつてウェブサイト等を利用する方法により選挙の期日の前日までに頒布されたものは、第百二十九条の規定にかかわらず、選挙の当日においても、その受信をする者が使用する通信端末機器の映像面に表示させることができる状態に置いたままにすることができる。

3　ウェブサイト等を利用する方法により選挙運動のために使用する文書図画を頒布する者は、その者の電子メールアドレス（特定電子メールの送信の適正化等に関する法律第二条第三号に規定する電子メールアドレスをいう。以下同じ。）その他のインターネット等を利用する方法によりその者に連絡をする際に必要となる情報（以下「電子メールアドレス等」という。）が、当該文書図画に係る電気通信の受信をする者が使用する通信端末機器の映像面に正しく表示されるようにしなければならない。

（電子メールを利用する方法による文書図画の頒布）

第百四十二条の四　第百四十二条第一項及び第四項の規定にかかわらず、次の各号に掲げる選挙においては、それぞれ当該各号に定めるものは、電子メールを利用する方法により、選挙運動のために使用する文書図画を頒布することができる。

一　衆議院（小選挙区選出）議員の選挙　公職の候補者及び候補者届出政党

二　衆議院（比例代表選出）議員の選挙　衆議院名簿届出政党等

三　参議院（比例代表選出）議員の選挙　参議院名簿届出政党等及び公職の候補者たる参議院名簿登載者（第八十六条の三第一項後段の規定により優先的に当選人となるべき候補者としてその氏名及び当選人となるべき順位が参議院名簿に記載されている者を除く。）

四　参議院（選挙区選出）議員の選挙　公職の候補者及び第二百一条の六第三項（第二百一条の七第二項において準用する場合を含む。）の確認書の交付を受けた政党その他の政治団体（第八十六条の四第三項（同条第五項においてその例によることとされる場合を含む。）の規定により当該公職の候補者が所属するものとして記載されたものに限る。）

五　都道府県又は指定都市の議会の議員の選挙　公職の候補者及び第二百一条の八第二項（同条第三項において準用する場合を含む。）において準用する第二百一条の六第三項の確認書の交付を受けた政党その他の政治団体

六　都道府県知事又は市長の選挙　公職の候補者及び第二百一条の九第三項の確認書の交付を受けた政党その他の政治団体

七　前各号に掲げる選挙以外の選挙　公職の候補者

2　前項の規定により選挙運動のために使用する文書図画を頒布するために用いられる電子メール（以下「選挙運動用電子メール」という。）の送信をする者（その送信をしようとする者を含むものとする。以下「選挙運動用電子メール送信者」という。）は、次の各号に掲げる者に対し、かつ、当該各号に定める電子メールアドレスに送信をする選挙運動用電子メールでなければ、送信をすることができない。

一　あらかじめ、選挙運動用電子メールの送信をするように求める旨又は送信をすることに同意する旨を選挙運動用電子メール送信者に対し通知した者（その電子メールアドレスを当

該選挙運動用電子メール送信者に対し自ら通知した者に限る。） 当該選挙運動用電子メール送信者に対し自ら通知した電子メールアドレス

二 前号に掲げる者のほか、選挙運動用電子メール送信者の政治活動のために用いられる電子メール（以下「政治活動用電子メール」という。）を継続的に受信している者（その電子メールアドレスを当該選挙運動用電子メール送信者に対し自ら通知した者に限り、かつ、その通知をした後、その自ら通知した全ての電子メールアドレスを明らかにしてこれらに当該政治活動用電子メールの送信をしないように求める旨を当該選挙運動用電子メール送信者に対し通知した者を除く。）であつて、あらかじめ、当該選挙運動用電子メール送信者から選挙運動用電子メールの送信をする旨の通知を受けたもののうち、当該通知に対しその受信している政治活動用電子メールに係る自ら通知した全ての電子メールアドレスを明らかにしてこれらに当該選挙運動用電子メールの送信をしないように求める旨の通知をしなかつたもの 当該選挙運動用電子メールの送信をする旨の通知に対し、当該選挙運動用電子メールの送信をしないように求める旨の通知をした電子メールアドレス以外の当該政治活動用電子メールに係る自ら通知した電子メールアドレス

3 衆議院（比例代表選出）議員の選挙において、公職の候補者たる衆議院名簿登載者（当該選挙と同時に行われる衆議院小選挙区選出議員の選挙における候補者である者を除く。）が、電子メールを利用する方法により選挙運動のために行う文書図画の頒布は、第一項の規定により当該衆議院名簿登載者に係る衆議院名簿届出政党等が行う文書図画の頒布とみなす。この場合における前項の規定の適用については、同項中「送信をする者（その送信をしようとする者）」とあるのは、「送信をする衆議院名簿登載者（その送信をしようとする衆議院名簿登載者）」とする。

4 参議院（比例代表選出）議員の選挙において、公職の候補者たる参議院名簿登載者（第八十六条の三第一項後段の規定により優先的に当選人となるべき候補者としてその氏名及び当選人となるべき順位が参議院名簿に記載されている者に限る。）が、電子メールを利用する方法により選挙運動のために行う文書図画の頒布は、第一項の規定により当該参議院名簿登載者に係る参議院名簿届出政党等が行う文書図画の頒布とみなす。この場合における第二項の規定の適用については、同項中「送信をする者（その送信をしようとする者）」とあるのは、「送信をする参議院名簿登載者（その送信をしようとする参議院名簿登載者）」とする。

5 選挙運動用電子メール送信者は、次の各号に掲げる場合に応じ、それぞれ当該各号に定める事実を証する記録を保存しなければならない。

一 第二項第一号に掲げる者に対し選挙運動用電子メールの送信をする場合 同号に掲げる者がその電子メールアドレスを当該選挙運動用電子メール送信者に対し自ら通知したこと及びその者から選挙運動用電子メールの送信をするように求めがあつたこと又は送信をすることに同意があつたこと。

二 第二項第二号に掲げる者に対し選挙運動用電子メールの送信をする場合 同号に掲げる者がその電子メールアドレスを当該選挙運動用電子メール送信者に対し自ら通知したこと、当該選挙運動用電子メール送信者が当該電子メールアドレスに継続的に政治活動用電子メールの送信をしていること及び当該選挙運動用電子メール送信者が同号に掲げる者に対し選挙運動用電子メールの送信をする旨の通知をしたこと。

6 選挙運動用電子メール送信者は、第二項各号に掲げる者から、選挙運動用電子メールの送信をしないように求める電子メールアドレスを明らかにして電子メールの送信その他の方法により当該電子メールアドレスに選挙運動用電子メールの送信をしないように求める旨の通知を受けたときは、当該電子メールアドレスに選挙運動用電子メールの送信をしてはならない。

7 選挙運動用電子メール送信者は、選挙運動用電子メールの送信に当たつては、当該選挙運動用電子メールを利用する方法により頒布される文書図画に次に掲げる事項を正しく表示しなければならない。

一 選挙運動用電子メールである旨

二 当該選挙運動用電子メール送信者の氏名又は名称

三 当該選挙運動用電子メール送信者に対し、前項の通知を行うことができる旨

四 電子メールの送信その他のインターネット等を利用する方法により前項の通知を行う際に必要となる電子メールアドレスその他の通知先

（インターネット等を利用する方法により当選を得させないための活動に使用する文書図画を頒布する者の表示義務）

第百四十二条の五 選挙の期日の公示又は告示の日からその選挙の当日までの間に、ウェブサイト等を利用する方法により当選を得させないための活動に使用する文書図画を頒布する者は、その者の電子メールアドレス等が、当該文書図画に係る電気通信の受信をする者が使用する通信端末機器の映像面に正しく表示されるようにしなければならない。

2 選挙の期日の公示又は告示の日からその選挙の当日までの間に、電子メールを利用する方法により当選を得させないための活動に使用する文書図画を頒布する者は、当該文書図画にその者の電子メールアドレス及び氏名又は名称を正しく表示しなければならない。

（インターネット等を利用する方法による候補者の氏名等を表示した有料広告の禁止等）

第百四十二条の六 何人も、その者の行う選挙運動のための公職の候補者の氏名若しくは政党その他の政治団体の名称又はこれらのものが類推されるような事項を表示した広告を、有料で、インターネット等を利用する方法により頒布される文書図画に掲載させることができない。

2 何人も、選挙運動の期間中は、前項の禁止を免れる行為として、公職の候補者の氏名若しくは政党その他の政治団体の名称又はこれらのものが類推されるような事項を表示した広告を、有料で、インターネット等を利用する方法により頒布される文書図画に掲載させることができない。

3 何人も、選挙運動の期間中は、公職の候補者の氏名若しくは政党その他の政治団体の名称又はこれらのものが類推されるような事項が表示されていない広告であつて、当該広告に係る電気通信の受信をする者が使用する通信端末機器の映像面にウェブサイト等を利用する方法により頒布される選挙運動のために使用する文書図画を表示させることができる機能を有するもの

を、有料で、インターネット等を利用する方法により頒布される文書図画に掲載させることができない。

4　前二項の規定にかかわらず、次の各号に掲げる選挙においては、それぞれ当該各号に定める政党その他の政治団体は、選挙運動の期間中において、広告（第一項及び第百五十二条第一項の広告を除くものとする。）であつて、当該広告に係る電気通信の受信をする者が使用する通信端末機器の映像面にウェブサイト等を利用する方法により頒布される当該政党その他の政治団体が行う選挙運動のために使用する文書図画を表示させることができる機能を有するものを、有料で、インターネット等を利用する方法により頒布する文書図画に掲載させることができる。

一　衆議院議員の選挙　候補者届出政党及び衆議院名簿届出政党等

二　参議院議員の選挙　参議院名簿届出政党等及び第二百一条の六第三項（第二百一条の七第二項において準用する場合を含む。）の確認書の交付を受けた政党その他の政治団体

三　都道府県又は指定都市の議会の議員の選挙　第二百一条の八第二項（同条第三項において準用する場合を含む。）において準用する第二百一条の六第三項の確認書の交付を受けた政党その他の政治団体

四　都道府県知事又は市長の選挙　第二百一条の九第三項の確認書の交付を受けた政党その他の政治団体

（選挙に関するインターネット等の適正な利用）

第百四十二条の七　選挙に関しインターネット等を利用する者は、公職の候補者に対して悪質な誹謗中傷をする等表現の自由を濫用して選挙の公正を害することがないよう、インターネット等の適正な利用に努めなければならない。

（文書図画の掲示）

第百四十三条　選挙運動のために使用する文書図画は、次の各号のいずれかに該当するもの（衆議院比例代表選出議員の選挙にあつては、第一号、第二号、第四号、第四号の二及び第五号に該当するものであつて衆議院名簿届出政党等が使用するもの）のほかは、掲示することができない。

一　選挙事務所を表示するために、その場所において使用するポスター、立札、ちょうちん及び看板の類

二　第百四十一条の規定により選挙運動のために使用される自動車又は船舶に取り付けて使用するポスター、立札、ちょうちん及び看板の類

三　公職の候補者（参議院比例代表選出議員の選挙における候補者たる参議院名簿登載者で第八十六条の三第一項後段の規定により優先的に当選人となるべき候補者としてその氏名及び当選人となるべき順位が参議院名簿に記載されているものを除く。）が使用するたすき、胸章及び腕章の類

四　演説会場においてその演説会の開催中使用するポスター、立札、ちょうちん及び看板の類

四の二　屋内の演説会場内においてその演説会の開催中掲示する映写等の類

四の三　個人演説会告知用ポスター（衆議院小選挙区選出議員、参議院選挙区選出議員又は都道府県知事の選挙の場合に限る。）

五　前各号に掲げるものを除くほか、選挙運動のために使用するポスター（参議院比例代表選出議員の選挙にあつては、公職の候補者たる参議院名簿登載者（第八十六条の三第一項後段の規定により優先的に当選人となるべき候補者としてその氏名及び当選人となるべき順位が参議院名簿に記載されている者を除く。）が使用するものに限る。）

2　選挙運動のために、アドバルーン、ネオン・サイン又は電光による表示、スライドその他の方法による映写等の類（前項第四号の二の映写等の類を除く。）を掲示する行為は、同項の禁止行為に該当するものとみなす。

3　衆議院（小選挙区選出）議員、参議院（選挙区選出）議員又は都道府県知事の選挙については、第一項第四号の三の個人演説会告知用ポスター及び同項第五号の規定により選挙運動のために使用するポスター（衆議院小選挙区選出議員の選挙において候補者届出政党が使用するものを除く。）は、第百四十四条の二第一項の規定により設置されたポスターの掲示場ごとに公職の候補者一人につきそれぞれ一枚を限り掲示するほかは、掲示することができない。

4　第百四十四条の二第八項の規定によりポスターの掲示場を設けることとした都道府県の議会の議員並びに市町村の議会の議員及び長の選挙については、第一項第五号の規定により選挙運動のために使用するポスターは、同条第八項の規定により設置されたポスターの掲示場ごとに公職の候補者一人につきそれぞれ一枚を限り掲示するほかは、掲示することができない。

5　第一項第一号の規定により選挙事務所を表示するための文書図画は、第百二十九条の規定にかかわらず、選挙の当日においても、掲示することができる。

6　第一項第四号の三の個人演説会告知用ポスター及び同項第五号の規定により選挙運動のために使用するポスターは、第百二十九条の規定にかかわらず、選挙の当日においても、掲示しておくことができる。

7　第一項第一号の規定により掲示することができるポスター、立札及び看板の類の数は、選挙事務所ごとに、通じて三をこえることができない。

8　第一項第四号の規定により掲示することができるポスター、立札及び看板の類の数は、演説会場外に掲示するものについては、会場ごとに、通じて二を超えることができない。

9　第一項に規定するポスター（同項第四号の三及び第五号のポスターを除く。）、立札及び看板の類（屋内の演説会場内において使用する同項第四号のポスター、立札及び看板の類を除く。）は、縦二百七十三センチメートル、横七十三センチメートル（同項第一号のポスター、立札及び看板の類にあつては、縦三百五十センチメートル、横百センチメートル）を超えてはならない。

10　第一項の規定により掲示することができるちょうちんの類は、それぞれ一箇とし、その大きさは、高さ八十五センチメートル、直径四十五センチメートルを超えてはならない。

11　第一項第四号の三の個人演説会告知用ポスターは、長さ四十二センチメートル、幅十センチメートルを超えてはならない。

12　前項のポスターは、第一項第五号のポスターと合わせて作成し、掲示することができる。

13　第一項第四号の三の個人演説会告知用ポスターには、その表面に掲示責任者の氏名及び住所を記載しなければならない。

14　衆議院（小選挙区選出）議員又は参議院議員の選挙において

は、公職の候補者は、政令で定めるところにより、政令で定める額の範囲内で、第一項第一号及び第二号の立札及び看板の類、同項第四号の三の個人演説会告知用ポスター（衆議院小選挙区選出議員又は参議院選挙区選出議員の選挙の場合に限る。）並びに同項第五号のポスターを無料で作成することができる。この場合においては、第百四十一条第七項ただし書の規定を準用する。

15　地方公共団体の議会の議員又は長の選挙については、地方公共団体は、前項の規定（参議院比例代表選出議員の選挙に係る部分を除く。）に準じて、条例で定めるところにより、公職の候補者の第一項第四号の三の個人演説会告知用ポスター（都道府県知事の選挙の場合に限る。）及び同項第五号のポスターの作成について、無料とすることができる。

16　公職の候補者又は公職の候補者となろうとする者（公職にある者を含む。以下この項において「公職の候補者等」という。）の政治活動のために使用される当該公職の候補者等の氏名又は当該公職の候補者等の氏名が類推されるような事項を表示する文書図画及び第百九十九条の五第一項に規定する後援団体（以下この項において「後援団体」という。）の政治活動のために使用される当該後援団体の名称を表示する文書図画で、次に掲げるもの以外のものを掲示する行為は、第一項の禁止行為に該当するものとみなす。

一　立札及び看板の類で、公職の候補者等一人につき又は同一の公職の候補者等に係る後援団体のすべてを通じて政令で定める総数の範囲内で、かつ、当該公職の候補者等又は当該後援団体が政治活動のために使用する事務所ごとにその場所において通じて二を限り、掲示されるもの

二　ポスターで、当該ポスターを掲示するためのベニヤ板、プラスチック板その他これらに類するものを用いて掲示されるもの以外のもの（公職の候補者等若しくは後援団体の政治活動のために使用する事務所若しくは連絡所を表示し、又は後援団体の構成員であることを表示するために掲示されるもの及び第十九項各号の区分による当該選挙ごとの一定期間内に当該選挙区（選挙区がないときは、選挙の行われる区域）内に掲示されるものを除く。）

三　政治活動のためにする演説会、講演会、研修会その他これらに類する集会（以下この号において「演説会等」という。）の会場において当該演説会等の開催中使用されるもの

四　第十四章の三の規定により使用することができるもの

17　前項第一号の立札及び看板の類は、縦百五十センチメートル、横四十センチメートルを超えないものであり、かつ、当該選挙に関する事務を管理する選挙管理委員会（衆議院比例代表選出議員又は参議院比例代表選出議員の選挙については中央選挙管理会、参議院合同選挙区選挙については当該選挙に関する事務を管理する参議院合同選挙区選挙管理委員会）の定めるところの表示をしたものでなければならない。

18　第十六項第二号のポスターには、その表面に掲示責任者及び印刷者の氏名（法人にあつては名称）及び住所を記載しなければならない。

19　第十六項において「一定期間」とは、次の各号に定める期間とする。

一　衆議院議員の総選挙にあつては、衆議院議員の任期満了の日の六月前の日から当該総選挙の期日までの間又は衆議院の解散の日の翌日から当該総選挙の期日までの間

二　参議院議員の通常選挙にあつては、参議院議員の任期満了の日の六月前の日から当該通常選挙の期日までの間

三　地方公共団体の議会の議員又は長の任期満了による選挙にあつては、その任期満了の日の六月前の日から当該選挙の期日までの間

四　衆議院議員又は参議院議員の再選挙（統一対象再選挙（第三十三条の二第三項から第五項までの規定によるものを除く。次号において同じ。）を除く。）又は補欠選挙（同条第三項から第五項までの規定によるものに限る。）にあつては、当該選挙を行うべき事由が生じたとき（同条第七項の規定の適用がある場合には、同項の規定により読み替えて適用される同条第一項又は第三項から第五項までに規定する遅い方の事由が生じたとき）その旨を当該選挙に関する事務を管理する選挙管理委員会（衆議院比例代表選出議員又は参議院比例代表選出議員の選挙については中央選挙管理会、参議院合同選挙区選挙については当該選挙に関する事務を管理する参議院合同選挙区選挙管理委員会）が告示した日の翌日から当該選挙の期日までの間

五　衆議院議員又は参議院議員の統一対象再選挙又は補欠選挙（第三十三条の二第三項から第五項までの規定によるものを除く。）にあつては、当該選挙を行うべき事由が生じたとき（同条第七項の規定の適用がある場合には、同項の規定により読み替えて適用される同条第二項に規定する遅い方の事由が生じたとき）その旨を当該選挙に関する事務を管理する選挙管理委員会（衆議院比例代表選出議員又は参議院比例代表選出議員の選挙については中央選挙管理会、参議院合同選挙区選挙については当該選挙に関する事務を管理する参議院合同選挙区選挙管理委員会）が告示した日の翌日又は当該選挙を行うべき期日の六月前の日のいずれか遅い日から当該選挙の期日までの間

六　地方公共団体の議会の議員又は長の選挙のうち任期満了による選挙以外の選挙にあつては、当該選挙を行うべき事由が生じたとき（第三十四条第四項の規定の適用がある場合には、同項の規定により読み替えて適用される同条第一項に規定する最も遅い事由が生じたとき）その旨を当該選挙に関する事務を管理する選挙管理委員会が告示した日の翌日から当該選挙の期日までの間

（文書図画の撤去義務）

第百四十三条の二　前条第一項第一号、第二号又は第四号のポスター、立札、ちようちん及び看板の類を掲示した者は、選挙事務所を廃止したとき、第百四十一条第一項から第三項までの自動車若しくは船舶を主として選挙運動のために使用することをやめたとき、又は演説会が終了したときは、直ちにこれらを撤去しなければならない。

（ポスターの数）

第百四十四条　第百四十三条第一項第五号のポスターは、次の区分による数を超えて掲示することができない。ただし、第一号のポスターについては、その届け出た候補者に係る選挙区ごとに千枚以内で掲示するほかは、掲示することができない。

一　衆議院（小選挙区選出）議員の選挙において候補者届出政党が使用するものにあつては、その届け出た候補者に係る選

挙区を包括する都道府県ごとに、千枚に当該都道府県における当該候補者届出政党の届出候補者の数を乗じて得た数

二　衆議院（比例代表選出）議員の選挙において衆議院名簿届出政党等が使用するものにあつては、その届け出た衆議院名簿に係る選挙区ごとに、五百枚に当該選挙区における当該衆議院名簿届出政党等の衆議院名簿登載者の数を乗じて得た数

二の二　参議院（比例代表選出）議員の選挙にあつては、公職の候補者たる参議院名簿登載者一人について七万枚

三　都道府県の議会の議員、市の議会の議員又は市長の選挙にあつては、公職の候補者一人について千二百枚。ただし、指定都市の市長の選挙にあつては、候補者一人について四千五百枚

四　町村の議会の議員又は長の選挙にあつては、公職の候補者一人について五百枚

2　前項のポスターは、当該選挙に関する事務を管理する選挙管理委員会（衆議院比例代表選出議員又は参議院比例代表選出議員の選挙については、中央選挙管理会。以下この項において同じ。）の定めるところにより、当該選挙に関する事務を管理する選挙管理委員会の行う検印を受け、又はその交付する証紙をはらなければ掲示することができない。この場合において、同項第一号のポスターについて当該選挙に関する事務を管理する選挙管理委員会の行う検印又はその交付する証紙は、当該選挙の選挙区ごとに区分しなければならない。

3　前二項の規定は、次条第八項の規定によりポスターの掲示場を設けることとした都道府県の議会の議員並びに市町村の議会の議員及び長の選挙については、適用しない。

4　第百四十三条第一項第五号のポスターは、衆議院（比例代表選出）議員の選挙において衆議院名簿届出政党等が使用するものにあつては当該選挙区ごとに中央選挙管理会に届け出た三種類以内のものを掲示するほかは掲示することができず、衆議院（小選挙区選出）議員の選挙において候補者届出政党が使用するもの及び衆議院（比例代表選出）議員の選挙において衆議院名簿届出政党等が使用するものにあつては長さ八十五センチメートル、幅六十センチメートル、それ以外のものにあつては長さ四十二センチメートル、幅三十センチメートルを超えてはならない。

5　第百四十三条第一項第五号のポスターには、その表面に掲示責任者及び印刷者の氏名（法人にあつては、名称）及び住所を記載しなければならない。この場合において、候補者届出政党が使用するものにあつては当該候補者届出政党の名称を、衆議院名簿届出政党等が使用するものにあつては当該衆議院名簿届出政党等の名称及び前項のポスターである旨を表示する記号を、参議院名簿登載者が使用するものにあつては当該参議院名簿登載者に係る参議院名簿届出政党等の名称を、併せて記載しなければならない。

（ポスター掲示場）

第百四十四条の二　衆議院（小選挙区選出）議員、参議院（選挙区選出）議員又は都道府県知事の選挙においては、市町村の選挙管理委員会は、第百四十三条第一項第五号のポスター（衆議院小選挙区選出議員の選挙において候補者届出政党が使用するものを除く。）の掲示場を設けなければならない。

2　前項の掲示場の総数は、一投票区につき五箇所以上十箇所以内において、政令で定めるところにより算定する。ただし、市町村の選挙管理委員会は、特別の事情がある場合には、あらかじめ都道府県の選挙管理委員会と協議の上、その総数を減ずることができる。

3　第一項の掲示場は、市町村の選挙管理委員会が、投票区ごとに、政令で定める基準に従い、公衆の見やすい場所に設置する。

4　市町村の選挙管理委員会は、第一項の掲示場を設置したときは、直ちに、その掲示場の設置場所を告示しなければならない。

5　公職の候補者は、第一項の掲示場に、当該選挙に関する事務を管理する選挙管理委員会（参議院合同選挙区選挙については、当該選挙に関する事務を管理する参議院合同選挙区選挙管理委員会）が定め、あらかじめ告示する日から第百四十三条第一項第四号の三及び第五号のポスターそれぞれ一枚を掲示することができる。この場合において、市町村の選挙管理委員会は、ポスターの掲示に関し、政令で定めるところにより、当該公職の候補者に対し、事情の許す限り便宜を供与するものとする。

6　前項の場合において、公職の候補者一人が掲示することができる掲示場の区画は、縦及び横それぞれ四十二センチメートル以上とする。

7　前各項に規定するもののほか、第一項の掲示場におけるポスターの掲示の順序その他ポスターの掲示に関し必要な事項は、当該選挙に関する事務を管理する選挙管理委員会（参議院合同選挙区選挙については、当該選挙に関する事務を管理する参議院合同選挙区選挙管理委員会）が定める。

8　都道府県の議会の議員の選挙については都道府県は、市町村の議会の議員及び長の選挙については市町村は、それぞれ、条例で定めるところにより、第百四十三条第一項第五号のポスターの掲示場を設けることができる。

9　都道府県又は市町村が前項の規定によりポスターの掲示場を設置する場合においては、当該掲示場の総数は、一投票区につき五箇所以上十箇所以内において、政令で定めるところにより算定しなければならない。ただし、特別の事情がある場合には、当該都道府県又は市町村は、それぞれ、条例で定めるところにより、その総数を減ずることができる。

10　第三項から第七項までの規定は、第八項の規定によりポスターの掲示場を設置する場合について、準用する。

（ポスター掲示場を設置しない場合）

第百四十四条の三　天災その他避けることのできない事故その他特別の事情があるときは、前条第一項又は第八項の掲示場は、設けないことができる。

（任意制ポスター掲示場）

第百四十四条の四　第百四十四条の二第八項の規定によるほか、都道府県の議会の議員の選挙については都道府県は、市町村の議会の議員及び長の選挙については市町村は、それぞれ、同条第三項から第七項まで及び前条の規定に準じて、条例で定めるところにより、第百四十三条第一項第五号のポスターの掲示場を設けることができる。この場合において、ポスターの掲示場の数は、一投票区につき一箇所以上とする。

（ポスター掲示場の設置についての協力）

第百四十四条の五　第百四十四条の二及び前条の規定によりポス

ターの掲示場を設置する場合においては、土地又は工作物の居住者、管理者又は所有者は、ポスターの掲示場の設置に関し、事情の許す限り協力しなければならない。

（ポスターの掲示箇所等）

第百四十五条　何人も、衆議院議員、参議院（比例代表選出）議員、都道府県の議会の議員又は市町村の議会の議員若しくは長の選挙（第百四十四条の二第八項の規定によりポスターの掲示場を設けることとした選挙を除く。）については、国若しくは地方公共団体が所有し若しくは管理するもの又は不在者投票管理者の管理する投票を記載する場所には、第百四十三条第一項第五号のポスターを掲示することができない。ただし、橋りよう、電柱、公営住宅その他総務省令で定めるもの並びに第百四十四条の二及び第百四十四条の四の掲示場に掲示する場合については、この限りでない。

２　何人も、前項の選挙については、第百四十三条第一項第五号のポスターを他人の工作物に掲示しようとするときは、その居住者、居住者がない場合にはその管理者、管理者がない場合にはその所有者（次項において「居住者等」と総称する。）の承諾を得なければならない。

３　前項の承諾を得ないで他人の工作物に掲示された第百四十三条第一項第五号のポスターは、居住者等において撤去することができる。第一項の選挙以外の選挙において、居住者等の承諾を得ないで当該居住者等の工作物に掲示されたポスターについても、また同様とする。

（文書図画の頒布又は掲示につき禁止を免れる行為の制限）

第百四十六条　何人も、選挙運動の期間中は、著述、演芸等の広告その他いかなる名義をもつてするを問わず、第百四十二条又は第百四十三条の禁止を免れる行為として、公職の候補者の氏名若しくはシンボル・マーク、政党その他の政治団体の名称又は公職の候補者を推薦し、支持し若しくは反対する者の名を表示する文書図画を頒布し又は掲示することができない。

２　前項の規定の適用については、選挙運動の期間中、公職の候補者の氏名、政党その他の政治団体の名称又は公職の候補者の推薦届出者その他選挙運動に従事する者若しくは公職の候補者と同一戸籍内に在る者の氏名を表示した年賀状、寒中見舞状、暑中見舞状その他これに類似する挨拶状を当該公職の候補者の選挙区（選挙区がないときはその区域）内に頒布し又は掲示する行為は、第百四十二条又は第百四十三条の禁止を免れる行為とみなす。

（文書図画の撤去）

第百四十七条　都道府県又は市町村の選挙管理委員会は、次の各号のいずれかに該当する文書図画があると認めるときは、撤去させることができる。この場合において、都道府県又は市町村の選挙管理委員会は、あらかじめ、その旨を当該警察署長に通報するものとする。

一　第百四十三条、第百四十四条又は第百六十四条の二第二項若しくは第四項の規定に違反して掲示したもの

二　第百四十三条第十六項に規定する公職の候補者等若しくは後援団体が当該公職の候補者等若しくは後援団体となる前に掲示された文書図画で同項の規定に該当するもの又は同項の公職の候補者等若しくは後援団体に係る同条第十九項各号の区分による当該選挙ごとに当該各号に定める期間前若しくは期間中に掲示したポスターで当該期間中において同条第十六項の規定に該当するもの

三　第百四十三条の二の規定に違反して撤去しないもの

四　第百四十五条第一項又は第二項（第百六十四条の二第五項において準用する場合を含む。）の規定に違反して掲示したもの

五　選挙運動の期間前又は期間中に掲示した文書図画で前条の規定に該当するもの

（あいさつ状の禁止）

第百四十七条の二　公職の候補者又は公職の候補者となろうとする者（公職にある者を含む。）は、当該選挙区（選挙区がないときは選挙の行われる区域）内にある者に対し、答礼のための自筆によるものを除き、年賀状、寒中見舞状、暑中見舞状その他これらに類するあいさつ状（電報その他これに類するものを含む。）を出してはならない。

（新聞紙、雑誌の報道及び評論等の自由）

第百四十八条　この法律に定めるところの選挙運動の制限に関する規定（第百三十八条の三の規定を除く。）は、新聞紙（これに類する通信類を含む。以下同じ。）又は雑誌が、選挙に関し、報道及び評論を掲載するの自由を妨げるものではない。但し、虚偽の事項を記載し又は事実を歪曲して記載する等表現の自由を濫用して選挙の公正を害してはならない。

２　新聞紙又は雑誌の販売を業とする者は、前項に規定する新聞紙又は雑誌を、通常の方法（選挙運動の期間中及び選挙の当日において、定期購読者以外の者に対して頒布する新聞紙又は雑誌については、有償でする場合に限る。）で頒布し又は都道府県の選挙管理委員会の指定する場所に掲示することができる。

３　前二項の規定の適用について新聞紙又は雑誌とは、選挙運動の期間中及び選挙の当日に限り、次に掲げるものをいう。ただし、点字新聞紙については、第一号ロの規定（同号ハ及び第二号中第一号ロに係る部分を含む。）は、適用しない。

一　次の条件を具備する新聞紙又は雑誌

イ　新聞紙にあつては毎月三回以上、雑誌にあつては毎月一回以上、号を逐つて定期に有償頒布するものであること。

ロ　第三種郵便物の承認のあるものであること。

ハ　当該選挙の選挙期日の公示又は告示の日前一年（時事に関する事項を掲載する日刊新聞紙にあつては、六月）以来、イ及びロに該当し、引き続き発行するものであること。

二　前号に該当する新聞紙又は雑誌を発行する者が発行する新聞紙又は雑誌で同号イ及びロの条件を具備するもの

（新聞紙、雑誌の不法利用等の制限）

第百四十八条の二　何人も、当選を得若しくは得しめ又は得しめない目的をもつて新聞紙又は雑誌の編集その他経営を担当する者に対し金銭、物品その他の財産上の利益の供与、その供与の申込若しくは約束をし又は饗応接待、その申込若しくは約束をして、これに選挙に関する報道及び評論を掲載させることができない。

２　新聞紙又は雑誌の編集その他経営を担当する者は、前項の供与、饗応接待を受け若しくは要求し又は前項の申込を承諾して、これに選挙に関する報道及び評論を掲載することができない。

３　何人も、当選を得若しくは得しめ又は得しめない目的をもつ

て新聞紙又は雑誌に対する編集その他経営上の特殊の地位を利用して、これに選挙に関する報道及び評論を掲載し又は掲載させることができない。

（新聞広告）

第百四十九条　衆議院（小選挙区選出）議員の選挙については、候補者は、総務省令で定めるところにより、同一寸法で、いずれか一の新聞に、選挙運動の期間中、五回を限り、選挙に関して広告をし、候補者届出政党は、総務省令で定めるところにより、当該都道府県における当該候補者届出政党の届出候補者の数（十六人を超える場合においては、十六人とする。）に応じて総務省令で定める寸法で、いずれか一の新聞に、選挙運動の期間中、総務省令で定める回数を限り、選挙に関して広告をすることができる。

2　衆議院（比例代表選出）議員の選挙については、衆議院名簿届出政党等は、総務省令で定めるところにより、当該選挙区における当該衆議院名簿届出政党等の衆議院名簿登載者の数（二十八人を超える場合においては、二十八人とする。以下この章において同じ。）に応じて総務省令で定める寸法で、いずれか一の新聞に、選挙運動の期間中、総務省令で定める回数を限り、選挙に関して広告をすることができる。

3　参議院（比例代表選出）議員の選挙については、参議院名簿届出政党等は、総務省令で定めるところにより、参議院名簿登載者の数（二十五人を超える場合においては、二十五人とする。以下この章において同じ。）に応じて総務省令で定める寸法で、いずれか一の新聞に、選挙運動の期間中、総務省令で定める回数を限り、選挙に関して広告をすることができる。

4　衆議院議員又は参議院（比例代表選出）議員の選挙以外の選挙については、公職の候補者は、総務省令で定めるところにより、同一寸法で、いずれか一の新聞に、選挙運動の期間中、二回（参議院選挙区選出議員の選挙にあつては五回（参議院合同選挙区選挙にあつては、十回）、都道府県知事の選挙にあつては四回）を限り、選挙に関して広告をすることができる。

5　前各項の広告を掲載した新聞紙は、第百四十二条又は第百四十三条の規定にかかわらず、新聞紙の販売を業とする者が、通常の方法（定期購読者以外の者に対して頒布する新聞紙については、有償でする場合に限る。）で頒布し又は都道府県の選挙管理委員会の指定する場所に掲示することができる。

6　衆議院議員、参議院議員又は都道府県知事の選挙においては、無料で第一項から第四項までの規定による新聞広告をすることができる。ただし、衆議院（比例代表選出）議員の選挙にあつては当該衆議院名簿届出政党等の当該選挙区における得票総数が当該選挙区における有効投票の総数の百分の二以上、参議院（比例代表選出）議員の選挙にあつては当該参議院名簿届出政党等の得票総数（当該参議院名簿届出政党等に係る各参議院名簿登載者（当該選挙の期日において公職の候補者たる者に限る。）の得票総数を含むものをいう。）が当該選挙における有効投票の総数の百分の一以上である場合に限る。

（政見放送）

第百五十条　衆議院（小選挙区選出）議員又は参議院（選挙区選出）議員の選挙においては、それぞれ候補者届出政党又は参議院（選挙区選出）議員の候補者は、政令で定めるところにより、選挙運動の期間中日本放送協会及び基幹放送事業者（放送法（昭和二十五年法律第百三十二号）第二条第二十三号に規定する基幹放送事業者をいい、日本放送協会及び放送大学学園（放送大学学園法（平成十四年法律第百五十六号）第三条に規定する放送大学学園をいう。第百五十二条第一項において同じ。）を除く。以下同じ。）のラジオ放送（放送法第二条第十六号に規定する中波放送又は同条第十七号に規定する超短波放送をいう。第三項及び第百五十一条第二項において同じ。）又はテレビジョン放送（同法第二条第十八号に規定するテレビジョン放送をいう。第三項並びに第百五十一条第二項及び第三項において同じ。）の放送設備により、公益のため、その政見（衆議院小選挙区選出議員の選挙にあつては、当該候補者届出政党が届け出た候補者の紹介を含む。以下この項において同じ。）を無料で放送することができる。この場合において、日本放送協会及び基幹放送事業者は、その録音し若しくは録画した政見又は次に掲げるものが録音し若しくは録画した政見をそのまま放送しなければならない。

一　候補者届出政党

二　参議院（選挙区選出）議員の候補者のうち、次に掲げる者

イ　第二百一条の四第二項の確認書の交付を受けた政党その他の政治団体で次の(1)又は(2)に該当するものの同条第一項に規定する推薦候補者

(1)　当該政党その他の政治団体に所属する衆議院議員又は参議院議員を五人以上有すること。

(2)　直近において行われた衆議院議員の総選挙における小選挙区選出議員の選挙若しくは比例代表選出議員の選挙又は参議院議員の通常選挙における比例代表選出議員の選挙若しくは選挙区選出議員の選挙における当該政党その他の政治団体の得票総数が当該選挙における有効投票の総数の百分の二以上であること。

ロ　第二百一条の六第三項（第二百一条の七第二項において準用する場合を含む。）の確認書の交付を受けた政党その他の政治団体でイ(1)又は(2)に該当するものの第二百一条の四第一項に規定する所属候補者

2　前項各号に掲げるものは、政令で定めるところにより、政令で定める額の範囲内で、同項の政見の放送のための録音又は録画を無料ですることができる。

3　衆議院（比例代表選出）議員、参議院（比例代表選出）議員又は都道府県知事の選挙においては、それぞれ衆議院名簿届出政党等、参議院名簿届出政党等又は都道府県知事の候補者は、政令で定めるところにより、選挙運動の期間中日本放送協会及び基幹放送事業者のラジオ放送又はテレビジョン放送の放送設備により、公益のため、その政見（衆議院比例代表選出議員の選挙にあつては衆議院名簿登載者、参議院比例代表選出議員の選挙にあつては参議院名簿登載者の紹介を含む。以下この項において同じ。）を無料で放送することができる。この場合において、日本放送協会及び基幹放送事業者は、その政見を録音し又は録画し、これをそのまま放送しなければならない。

4　第一項の放送のうち衆議院（小選挙区選出）議員の選挙における候補者届出政党の放送に関しては、当該都道府県における届出候補者を有する全ての候補者届出政党に対して、同一放送設備を使用し、当該都道府県における当該候補者届出政党の届出候補者の数（十二人を超える場合においては、十二人とする。）に応じて政令で定める時間数を与える等同等の利便を提

供しなければならない。

5　第一項の放送のうち参議院（選挙区選出）議員の選挙における候補者の放送又は第三項の放送に関しては、それぞれの選挙ごとに当該選挙区（選挙区がないときは、その区域）の全ての公職の候補者（衆議院比例代表選出議員の選挙にあつては衆議院名簿届出政党等、参議院比例代表選出議員の選挙にあつては参議院名簿届出政党等）に対して、同一放送設備を使用し、同一時間数（衆議院比例代表選出議員の選挙にあつては当該選挙区における当該衆議院名簿届出政党等の衆議院名簿登載者の数、参議院比例代表選出議員の選挙にあつては参議院名簿登載者の数に応じて政令で定める時間数）を与える等同等の利便を提供しなければならない。

6　参議院（選挙区選出）議員の候補者のうち第一項第二号イ又はロに掲げる者は、政令で定めるところにより、その者に係る同号イ又はロに規定する政党その他の政治団体が同号イ(1)又は(2)に該当することを証する政令で定める文書を当該選挙に関する事務を管理する都道府県の選挙管理委員会（参議院合同選挙区選挙については、当該選挙に関する事務を管理する参議院合同選挙区選挙管理委員会）に提出しなければならない。ただし、当該選挙と同時に行われる参議院（比例代表選出）議員の選挙において、当該政党その他の政治団体が次に掲げる政党その他の政治団体である場合（政令で定める場合を除く。）は、この限りでない。

一　第八十六条の三第一項第一号又は第二号に該当する政党その他の政治団体として同項の規定による届出をした政党その他の政治団体

二　任期満了前九十日に当たる日から七日を経過する日までの間に第八十六条の七第一項の規定による届出をした政党その他の政治団体で同条第五項の規定による届出をしていないもの（同条第三項の規定により添えた文書の内容に異動がないものに限る。）

7　中央選挙管理会は、政令で定めるところにより、前項各号に掲げる政党その他の政治団体に関し必要な事項を、当該参議院（比例代表選出）議員の選挙と同時に行われる参議院（選挙区選出）議員の選挙に関する事務を管理する都道府県の選挙管理委員会（参議院合同選挙区選挙については、参議院合同選挙区選挙管理委員会）に通知しなければならない。

8　第一項第二号イ(1)に規定する衆議院議員又は参議院議員の数及び同号イ(2)に規定する政党その他の政治団体の得票総数の算定に関し必要な事項は、政令で定める。

9　第一項から第五項までの放送の回数、日時その他放送に関し必要な事項は、総務大臣が日本放送協会及び基幹放送事業者と協議の上、定める。この場合において、衆議院（比例代表選出）議員の選挙における衆議院名簿届出政党等又は参議院（比例代表選出）議員の選挙における参議院名簿届出政党等の放送に関しては、その利便の提供について、特別の考慮が加えられなければならない。

（政見放送における品位の保持）

第百五十条の二　公職の候補者、候補者届出政党、衆議院名簿届出政党等及び参議院名簿届出政党等は、その責任を自覚し、前条第一項又は第三項に規定する放送（以下「政見放送」という。）をするに当たつては、他人若しくは他の政党その他の政治団体の名誉を傷つけ若しくは善良な風俗を害し又は特定の商品の広告その他営業に関する宣伝をする等いやしくも政見放送としての品位を損なう言動をしてはならない。

（経歴放送）

第百五十一条　衆議院（小選挙区選出）議員、参議院（選挙区選出）議員又は都道府県知事の選挙においては、日本放送協会は、その定めるところにより、公職の候補者の氏名、年齢、党派別（衆議院小選挙区選出議員の選挙にあつては、当該候補者に係る候補者届出政党の名称）、主要な経歴等を関係区域の選挙人に周知させるため、放送をするものとする。

2　前項の放送の回数は、公職の候補者一人について、衆議院（小選挙区選出）議員の選挙にあつてはラジオ放送によりおおむね十回及びテレビジョン放送により一回、その他の選挙にあつてはラジオ放送によりおおむね五回及びテレビジョン放送により一回とする。ただし、日本放送協会は、事情の許す限り、その回数を多くするように努めなければならない。

3　参議院（選挙区選出）議員又は都道府県知事の選挙においては、前二項に定めるもののほか、日本放送協会及び基幹放送事業者は、政令で定めるところにより、テレビジョン放送による政見放送を行う際にテレビジョン放送による経歴放送をするものとする。

（政見放送及び経歴放送を中止する場合）

第百五十一条の二　第百条第一項から第四項までの規定に該当し投票を行うことを必要としなくなつたときは、政見放送（衆議院小選挙区選出議員の選挙において行われるものを除く。）及び経歴放送の手続は、中止する。

2　一の都道府県において行われるすべての衆議院（小選挙区選出）議員の選挙において、第百条第一項の規定に該当し投票を行うことを必要としなくなつたときは、当該都道府県において行われる衆議院（小選挙区選出）議員の選挙に係る政見放送の手続は、中止する。

3　天災その他避けることのできない事故その他特別の事情により、政見放送又は経歴放送が不能となつた場合においては、これに代わるべき政見放送又は経歴放送は行わない。

（選挙放送の番組編集の自由）

第百五十一条の三　この法律に定めるところの選挙運動の制限に関する規定（第百三十八条の三の規定を除く。）は、日本放送協会又は基幹放送事業者が行なう選挙に関する報道又は評論について放送法の規定に従い放送番組を編集する自由を妨げるものではない。ただし、虚偽の事項を放送し又は事実をゆがめて放送する等表現の自由を濫用して選挙の公正を害してはならない。

（選挙運動放送の制限）

第百五十一条の四　削除

第百五十一条の五　何人も、この法律に規定する場合を除く外、放送設備（広告放送設備、共同聴取用放送設備その他の有線電気通信設備を含む。）を使用して、選挙運動のために放送をし又は放送をさせることができない。

（挨拶を目的とする有料広告の禁止）

第百五十二条　公職の候補者又は公職の候補者となろうとする者（公職にある者を含む。次項において「公職の候補者等」という。）及び第百九十九条の五第一項に規定する後援団体（次項において「後援団体」という。）は、当該選挙区（選挙区がないときは選挙の行われる区域。次項において同じ。）内にある者に対する主として挨拶（年賀、寒中見舞、暑中見舞その他これらに類するもののためにする挨拶及び慶弔、激励、感謝その他これらに類するもののためにする挨拶に限る。次項において同じ。）を目的とする広告を、有料で、新聞紙、雑誌、ビラ、パンフレット、インターネット等を利用する方法により頒布される文書図画その他これらに類するものに掲載させ、又は放送事業者（放送法第二条第二十六号に規定する放送事業者をいい、日本放送協会及び放送大学学園を除く。次項において同じ。）の放送設備により放送をさせることができない。

２　何人も、公職の候補者等又は後援団体に対して、当該選挙区内にある者に対する主として挨拶を目的とする広告を、新聞紙、雑誌、ビラ、パンフレット、インターネット等を利用する方法により頒布される文書図画その他これらに類するものに有料で掲載させ、又は放送事業者の放送設備により有料で放送をさせることを求めてはならない。

第百五十三条から第百六十条まで　削除

（公営施設使用の個人演説会等）

第百六十一条　公職の候補者（衆議院比例代表選出議員の選挙における候補者で当該選挙と同時に行われる衆議院小選挙区選出議員の選挙における候補者である者以外のもの並びに参議院比例代表選出議員の選挙における候補者たる参議院名簿登載者で第八十六条の三第一項後段の規定により優先的に当選人となるべき候補者としてその氏名及び当選人となるべき順位が参議院名簿に記載されているものを除く。次条から第百六十四条の三までにおいて同じ。）、候補者届出政党及び衆議院名簿届出政党等は、次に掲げる施設（候補者届出政党にあつてはその届け出た候補者に係る選挙区を包括する都道府県の区域内にあるもの、衆議院名簿届出政党等にあつてはその届け出た衆議院名簿に係る選挙区の区域内にあるものに限る。）を使用して、個人演説会、政党演説会又は政党等演説会を開催することができる。

一　学校及び公民館（社会教育法（昭和二十四年法律第二百七号）第二十一条に規定する公民館をいう。）

二　地方公共団体の管理に属する公会堂

三　前二号のほか、市町村の選挙管理委員会の指定する施設

２　前項の施設については、政令の定めるところにより、その管理者において、必要な設備をしなければならない。

３　市町村の選挙管理委員会は、第一項第三号の施設の指定をしたときは、直ちに、都道府県の選挙管理委員会に、報告しなければならない。

４　前項の報告があつたときは、都道府県の選挙管理委員会は、その旨を告示しなければならない。

（公営施設以外の施設使用の個人演説会等）

第百六十一条の二　公職の候補者、候補者届出政党及び衆議院名簿届出政党等は、前条第一項に規定する施設以外の施設（建物その他の施設の構内を含むものとし、候補者届出政党にあつてはその届け出た候補者に係る選挙区を包括する都道府県の区域内にあるもの、衆議院名簿届出政党等にあつてはその届け出た衆議院名簿に係る選挙区の区域内にあるものに限る。）を使用して、個人演説会、政党演説会又は政党等演説会を開催することができる。

（個人演説会等における演説）

第百六十二条　個人演説会においては、当該公職の候補者は、その選挙運動のための演説をすることができる。

２　個人演説会においては、当該公職の候補者以外の者も当該公職の候補者の選挙運動のための演説をすることができる。

３　候補者届出政党が開催する政党演説会においては、演説者は、当該候補者届出政党が届け出た候補者の選挙運動のための演説をすることができる。

４　衆議院名簿届出政党等が開催する政党等演説会においては、演説者は、当該衆議院名簿届出政党等の選挙運動のための演説をすることができる。

（個人演説会等の開催の申出）

第百六十三条　第百六十一条の規定により個人演説会を開催しようとする公職の候補者、政党演説会を開催しようとする候補者届出政党又は政党等演説会を開催しようとする衆議院名簿届出政党等は、開催すべき日前二日までに、使用すべき施設、開催すべき日時及び公職の候補者の氏名（候補者届出政党又は衆議院名簿届出政党等にあつては、その名称）を、文書で市町村の選挙管理委員会に申し出なければならない。

（個人演説会の施設の無料使用）

第百六十四条　第百六十一条の規定により個人演説会を開催する場合における施設（設備を含む。）の使用については、公職の候補者一人につき、同一施設（設備を含む。）ごとに一回を限り、無料とする。

（個人演説会等の会場の掲示の特例）

第百六十四条の二　衆議院（小選挙区選出）議員、参議院（選挙区選出）議員若しくは都道府県知事の候補者、候補者届出政党又は衆議院名簿届出政党等は、その個人演説会、政党演説会又は政党等演説会の開催中、次項に規定する立札又は看板の類を、会場前の公衆の見やすい場所に掲示しなければならない。

２　前項の規定により個人演説会、政党演説会又は政党等演説会の会場前に掲示しなければならない立札及び看板の類は、縦二百七十三センチメートル、横七十三センチメートルを超えてはならないものとし、これらには、当該選挙に関する事務を管理する選挙管理委員会（衆議院比例代表選出議員の選挙については中央選挙管理会、参議院合同選挙区選挙については当該選挙に関する事務を管理する参議院合同選挙区選挙管理委員会）の定めるところの表示をしなければならない。この場合において、政党演説会の会場前に掲示しなければならない立札及び看板の類について当該選挙に関する事務を管理する選挙管理委員会の定めるところの表示は、当該選挙の選挙区ごとに区分しなければならない。

３　前項に規定する立札及び看板の類の数は、候補者にあつては当該選挙ごとに通じて五（参議院合同選挙区選挙の候補者にあつては、十）を、候補者届出政党にあつてはその届け出た候補者に係る選挙区を包括する都道府県ごとに通じて二に当該都道府県における当該候補者届出政党の届出候補者の数を乗じて得た数を、衆議院名簿届出政党等にあつてはその届け出た衆議院名簿に係る選挙区ごとに通じて八を、超えることができない。この場合において、政党演説会の会場前に掲示する同項に規定する立札及び看板の類の選挙区ごとの数は、その届け出た候補者に係る選挙区ごとに通じて二以内とする。

４　第二項に規定する立札及び看板の類を除くほか、第一項の個

人演説会、政党演説会又は政党等演説会につき選挙運動のために使用する文書図画は、第百四十三条第一項第四号の規定にかかわらず、個人演説会、政党演説会又は政党等演説会の会場外においては掲示することができない。

5　第二項に規定する立札及び看板の類は、個人演説会、政党演説会又は政党等演説会の会場外のいずれの場所（候補者届出政党の使用するものにあつてはその届け出た候補者に係る当該選挙区の区域内に、衆議院名簿届出政党等の使用するものにあつてはその届け出た衆議院名簿に係る選挙区の区域内に限る。）においても選挙運動のために使用することができる。ただし、当該立札及び看板の類の掲示箇所については、第百四十五条第一項及び第二項の規定を準用する。

6　衆議院（小選挙区選出）議員又は参議院（選挙区選出）議員の選挙においては、公職の候補者は、政令で定めるところにより、政令で定める額の範囲内で、第二項に規定する立札及び看板の類を無料で作成することができる。この場合においては、第百四十一条第七項ただし書の規定を準用する。

（他の演説会の禁止）

第百六十四条の三　選挙運動のためにする演説会は、この法律の規定により行う個人演説会、政党演説会及び政党等演説会を除くほか、いかなる名義をもつてするを問わず、開催することができない。

2　公職の候補者以外の者が二人以上の公職の候補者の合同演説会を開催すること、候補者届出政党以外の者が二以上の候補者届出政党の合同演説会を開催すること及び衆議院名簿届出政党等以外の者が二以上の衆議院名簿届出政党等の合同演説会を開催することは、前項に規定する禁止行為に該当するものとみなす。

（個人演説会等及び街頭演説における録音盤の使用）

第百六十四条の四　個人演説会、政党演説会及び政党等演説会並びに街頭演説においては、選挙運動のため、録音盤を使用して演説をすることを妨げない。

（街頭演説）

第百六十四条の五　選挙運動のためにする街頭演説（屋内から街頭へ向かつてする演説を含む。以下同じ。）は、次に掲げる場合でなければ、行うことができない。

一　演説者がその場所にとどまり、次項に規定する標旗を掲げて行う場合（参議院比例代表選出議員の選挙においては、公職の候補者たる参議院名簿登載者で第八十六条の三第一項後段の規定により優先的に当選人となるべき候補者としてその氏名及び当選人となるべき順位が参議院名簿に記載されている者以外のものの選挙運動のために行う場合に限る。）

二　候補者届出政党又は衆議院名簿届出政党等が第百四十一条第二項又は第三項の規定により選挙運動のために使用する自動車又は船舶で停止しているものの車上又は船上及びその周囲で行う場合

2　選挙運動のために前項第一号の規定による街頭演説をしようとする場合には、公職の候補者（衆議院比例代表選出議員の選挙にあつては、衆議院名簿届出政党等）は、あらかじめ当該選挙に関する事務を管理する選挙管理委員会（衆議院比例代表選出議員又は参議院比例代表選出議員の選挙については中央選挙管理会、参議院合同選挙区選挙については当該選挙に関する事務を管理する参議院合同選挙区選挙管理委員会）の定める様式の標旗の交付を受けなければならない。

3　前項の標旗は、次の各号に掲げる選挙の区分に応じ、当該各号に定める数を交付する。

一　衆議院（比例代表選出）議員又は参議院（比例代表選出）議員の選挙以外の選挙　公職の候補者一人について、一（参議院合同選挙区選挙にあつては、二）

二　衆議院（比例代表選出）議員の選挙　衆議院名簿届出政党等について、その届け出た衆議院名簿に係る選挙区ごとに、当該衆議院（比例代表選出）議員の選挙において選挙すべき議員の数に相当する数

三　参議院（比例代表選出）議員の選挙　公職の候補者たる参議院名簿登載者一人について、六

4　第一項第一号の標旗は、当該公務員の請求があるときは、これを提示しなければならない。

（夜間の街頭演説の禁止等）

第百六十四条の六　何人も、午後八時から翌日午前八時までの間は、選挙運動のため、街頭演説をすることができない。

2　第百四十条の二第二項の規定は、選挙運動のための街頭演説をする者について準用する。

3　選挙運動のための街頭演説をする者は、長時間にわたり、同一の場所にとどまつてすることのないように努めなければならない。

（街頭演説の場合の選挙運動員等の制限）

第百六十四条の七　第百六十四条の五第一項第一号の規定による街頭演説（衆議院比例代表選出議員の選挙において行われるものを除く。）においては、選挙運動に従事する者（運転手（第百四十一条第一項の規定により選挙運動のために使用される自動車一台につき一人に限る。）及び船員を除き、運転手の助手その他労務を提供する者を含む。）は、公職の候補者一人について（参議院比例代表選出議員の選挙にあつては公職の候補者たる参議院名簿登載者一人につき、参議院合同選挙区選挙にあつては候補者一人につき、それぞれ演説を行う場所ごとに）、十五人を超えてはならない。

2　前項の規定による選挙運動に従事する者は、当該選挙に関する事務を管理する選挙管理委員会（参議院比例代表選出議員の選挙については中央選挙管理会、参議院合同選挙区選挙については当該選挙に関する事務を管理する参議院合同選挙区選挙管理委員会）の定めるところにより、一定の腕章又は第百四十一条の二第二項の規定による腕章を着けなければならない。

第百六十五条　削除

（近接する選挙の場合の演説会等の制限）

第百六十五条の二　何人も、二以上の選挙が行われる場合において、一の選挙の選挙運動の期間が他の選挙の選挙の期日にかかる場合においては、その当日当該投票所を閉じる時刻までの間は、その投票所を設けた場所の入口から三百メートル以内の区域において、選挙運動のためにする演説会（演説を含む。）を開催することができない。選挙運動のために街頭演説をすること及び第百四十条の二第一項ただし書の規定により自動車又は船舶の上において選挙運動のための連呼行為をすることも、また同様とする。

（特定の建物及び施設における演説等の禁止）

第百六十六条　何人も、次に掲げる建物又は施設においては、い

かなる名義をもつてするを問わず、選挙運動のためにする演説及び連呼行為を行うことができない。ただし、第一号に掲げる建物において第百六十一条の規定による個人演説会、政党演説会又は政党等演説会を開催する場合は、この限りでない。
一　国又は地方公共団体の所有し又は管理する建物（公営住宅を除く。）
二　汽車、電車、乗合自動車、船舶（第百四十一条第一項から第三項までの船舶を除く。）及び停車場その他鉄道地内
三　病院、診療所その他の療養施設

（選挙公報の発行）
第百六十七条　衆議院（小選挙区選出）議員、参議院（選挙区選出）議員又は都道府県知事の選挙においては、都道府県の選挙管理委員会は、公職の候補者の氏名、経歴、政見等を掲載した選挙公報を、選挙（選挙の一部無効による再選挙を除く。）ごとに、一回発行しなければならない。この場合において、衆議院（小選挙区選出）議員又は参議院（選挙区選出）議員の選挙については、公職の候補者の写真を掲載しなければならない。
2　都道府県の選挙管理委員会は、衆議院（比例代表選出）議員の選挙においては衆議院名簿届出政党等の名称及び略称、政見、衆議院名簿登載者の氏名、経歴及び当選人となるべき順位等を掲載した選挙公報を、参議院（比例代表選出）議員の選挙においては参議院名簿届出政党等の名称及び略称、政見、参議院名簿登載者の氏名、経歴及び写真（第八十六条の三第一項後段の規定により優先的に当選人となるべき候補者としてその氏名及び当選人となるべき順位が参議院名簿に記載されている者である参議院名簿登載者にあつては、氏名、経歴及び当選人となるべき順位。次条第三項及び第百六十九条第六項において同じ。）等を掲載した選挙公報を、選挙（選挙の一部無効による再選挙を除く。）ごとに、一回発行しなければならない。
3　選挙公報は、選挙区ごとに（選挙区がないときは選挙の行われる区域を通じて）、発行しなければならない。
4　特別の事情がある区域においては、選挙公報は、発行しない。
5　前項の規定により選挙公報を発行しない区域は、都道府県の選挙管理委員会が定める。

（掲載文の申請）
第百六十八条　衆議院（小選挙区選出）議員、参議院（選挙区選出）議員又は都道府県知事の選挙において公職の候補者が選挙公報に氏名、経歴、政見等の掲載を受けようとするときは、その掲載文（衆議院小選挙区選出議員又は参議院選挙区選出議員の選挙にあつては、その掲載文及び写真。次条第一項において同じ。）を添付し、当該選挙の期日の公示又は告示があつた日から二日間（衆議院小選挙区選出議員の選挙にあつては、当該選挙の期日の公示又は告示があつた日）に、当該選挙に関する事務を管理する選挙管理委員会（参議院合同選挙区選挙については、当該選挙に関する事務を管理する参議院合同選挙区選挙管理委員会）に、文書で申請しなければならない。
2　衆議院（比例代表選出）議員の選挙において衆議院名簿届出政党等が選挙公報にその名称及び略称、政見、衆議院名簿登載者の氏名、経歴及び当選人となるべき順位等の掲載を受けようとするときは、その掲載文を添付し、当該選挙の期日の公示又は告示があつた日に、中央選挙管理会に、文書で申請しなければならない。
3　参議院（比例代表選出）議員の選挙において参議院名簿届出政党等が選挙公報にその名称及び略称、政見、参議院名簿登載者の氏名、経歴及び写真等の掲載を受けようとするときは、その掲載文を添付し、当該選挙の期日の公示又は告示があつた日から二日間に、中央選挙管理会に、文書で申請しなければならない。この場合において、当該参議院名簿届出政党等は、当該掲載文の二分の一以上に相当する部分に、第八十六条の三第一項後段の規定により優先的に当選人となるべき候補者としてその氏名及び当選人となるべき順位が参議院名簿に記載されている者である参議院名簿登載者以外の参議院名簿登載者についての氏名及び経歴を記載し、又は記録し、並びに写真を貼り付け、又は記録し、同項後段の規定により優先的に当選人となるべき候補者としてその氏名及び当選人となるべき順位が参議院名簿に記載されている者である参議院名簿登載者については、その他の参議院名簿登載者の氏名、経歴及び写真と区分して、優先的に当選人となるべき候補者である旨を表示した上で、各参議院名簿登載者の氏名、経歴及び当選人となるべき順位を記載し、又は記録すること等により、参議院名簿登載者の紹介に努めるものとする。
4　前三項の掲載文については、第百五十条の二の規定を準用する。

（選挙公報の発行手続）
第百六十九条　参議院合同選挙区選挙について前条第一項の申請があつたときは、参議院合同選挙区選挙管理委員会は、その掲載文の写しをその選挙の期日前十一日までに、合同選挙区都道府県の選挙管理委員会に送付しなければならない。
2　衆議院（比例代表選出）議員又は参議院（比例代表選出）議員の選挙について前条第二項又は第三項の申請があつたときは、中央選挙管理会は、その掲載文の写しを衆議院（比例代表選出）議員の選挙にあつてはその選挙の期日前九日までに、参議院（比例代表選出）議員の選挙にあつてはその選挙の期日前十一日までに、都道府県の選挙管理委員会に送付しなければならない。
3　都道府県の選挙管理委員会は、前条第一項の申請又は前二項の掲載文の写しの送付があつたときは、掲載文又はその写しを、原文のまま選挙公報に掲載しなければならない。この場合において、衆議院（比例代表選出）議員の選挙にあつては当該選挙区における当該衆議院名簿届出政党等の衆議院名簿登載者の数、参議院（比例代表選出）議員の選挙にあつては参議院名簿登載者の数に応じて総務省令で定める寸法により掲載するものとする。
4　衆議院議員の選挙においては、小選挙区選出議員の選挙に係る選挙公報と比例代表選出議員の選挙に係る選挙公報は、別の用紙をもつて発行しなければならない。
5　参議院議員の選挙においては、比例代表選出議員の選挙に係る選挙公報と選挙区選出議員の選挙に係る選挙公報は、別の用紙をもつて発行しなければならない。
6　衆議院（小選挙区選出）議員、参議院（選挙区選出）議員若しくは都道府県知事の選挙について一の用紙に二人以上の公職の候補者の氏名、経歴、政見、写真等を掲載する場合、衆議院（比例代表選出）議員の選挙について一の用紙に二以上の衆議院名簿届出政党等の名称及び略称、政見、衆議院名簿登載者の

氏名、経歴及び当選人となるべき順位等を掲載する場合又は参議院（比例代表選出）議員の選挙について一の用紙に二以上の参議院名簿届出政党等の名称及び略称、政見、参議院名簿登載者の氏名、経歴及び写真等を掲載する場合においては、その掲載の順序は、都道府県の選挙管理委員会がくじで定める。

7　前条第一項の申請をした公職の候補者若しくはその代理人又は同条第二項若しくは第三項の申請をした衆議院名簿届出政党等若しくは参議院名簿届出政党等の代表者若しくはその代理人は、前項のくじに立ち会うことができる。

（選挙公報の配布）

第百七十条　選挙公報は、都道府県の選挙管理委員会の定めるところにより、市町村の選挙管理委員会が、当該選挙に用うべき選挙人名簿に登録された者の属する各世帯に対して、選挙の期日前二日までに、配布するものとする。ただし、第百十九条第一項又は第二項の規定により同時に選挙を行う場合においては、第百七十二条の二の規定による条例の定める期日までに、配布するものとする。

2　市町村の選挙管理委員会は、前項の各世帯に選挙公報を配布することが困難であると認められる特別の事情があるときは、あらかじめ、都道府県の選挙管理委員会に届け出て、選挙公報につき、同項の規定により配布すべき日までに新聞折込みその他これに準ずる方法による配布を行うことによつて、同項の規定による配布に代えることができる。この場合においては、当該市町村の選挙管理委員会は、市役所、町村役場その他適当な場所に選挙公報を備え置く等当該方法による選挙公報の配布を補完する措置を講ずることにより、選挙人が選挙公報を容易に入手することができるよう努めなければならない。

（選挙公報の発行を中止する場合）

第百七十一条　第百条第一項から第四項までの規定に該当し投票を行うことを必要としなくなつたとき又は天災その他避けることのできない事故その他特別の事情があるときは、選挙公報発行の手続は、中止する。

（選挙公報に関しその他必要な事項）

第百七十二条　第百六十七条から前条までに規定するもののほか、選挙公報の発行の手続に関し必要な事項は、当該選挙に関する事務を管理する選挙管理委員会（衆議院比例代表選出議員又は参議院比例代表選出議員の選挙については中央選挙管理会、参議院合同選挙区選挙については当該選挙に関する事務を管理する参議院合同選挙区選挙管理委員会）が定める。

（任意制選挙公報の発行）

第百七十二条の二　都道府県の議会の議員、市町村の議会の議員又は市町村長の選挙（選挙の一部無効による再選挙を除く。）においては、当該選挙に関する事務を管理する選挙管理委員会は、第百六十七条から第百七十一条までの規定に準じて、条例で定めるところにより、選挙公報を発行することができる。

第百七十三条及び第百七十四条　削除

（投票記載所の氏名等の掲示）

第百七十五条　市町村の選挙管理委員会は、各選挙につき、その選挙の当日、衆議院（比例代表選出）議員の選挙にあつては投票所内の投票の記載をする場所に衆議院名簿届出政党等の名称及び略称の掲示並びに投票所内のその他の適当な箇所に衆議院名簿届出政党等の名称及び略称並びに衆議院名簿登載者の氏名及び当選人となるべき順位の掲示を、参議院（比例代表選出）議員の選挙にあつては投票所内の投票の記載をする場所その他適当な箇所に参議院名簿届出政党等の名称及び略称並びに参議院名簿登載者の氏名（第八十六条の三第一項後段の規定により優先的に当選人となるべき候補者としてその氏名及び当選人となるべき順位が参議院名簿に記載されている者である参議院名簿登載者にあつては、氏名及び当選人となるべき順位。次項において同じ。）の掲示を、その他の選挙にあつては投票所内の投票の記載をする場所その他適当な箇所に公職の候補者の氏名及び党派別（衆議院小選挙区選出議員の選挙にあつては、当該候補者に係る候補者届出政党の名称。以下この条において同じ。）の掲示をしなければならない。ただし、第四十六条の二第一項に規定する方法により投票を行う選挙にあつては、この限りでない。

2　市町村の選挙管理委員会は、各選挙（当該市町村の全部又は一部の区域が含まれる区域を区域として行われるものに限る。）につき、当該選挙の期日の公示又は告示があつた日の翌日から選挙の期日の前日までの間、期日前投票所又は不在者投票管理者のうち政令で定めるものの管理する投票を記載する場所内の適当な箇所に、衆議院（比例代表選出）議員の選挙にあつては衆議院名簿届出政党等の名称及び略称の掲示を、参議院（比例代表選出）議員の選挙にあつては参議院名簿届出政党等の名称及び略称並びに参議院名簿登載者の氏名の掲示を、その他の選挙にあつては公職の候補者の氏名及び党派別の掲示をしなければならない。

3　第一項の掲示の掲載の順序は、衆議院（比例代表選出）議員の選挙にあつてはいずれの掲示の掲載の順序も同一となるように都道府県の選挙管理委員会が都道府県ごとに、参議院（比例代表選出）議員の選挙にあつては都道府県の選挙管理委員会が都道府県ごとに、その他の選挙にあつては市町村の選挙管理委員会が開票区ごとに、当該選挙の公示又は告示があつた日において第八十六条第一項から第三項まで、第八十六条の二第一項、第八十六条の三第一項又は第八十六条の四第一項若しくは第二項の規定による届出をすべき時間が経過した後に行うくじで定める順序による。ただし、衆議院（比例代表選出）議員又は参議院（比例代表選出）議員の選挙以外の選挙について当該くじを行つた後、第八十六条第八項又は第八十六条の四第五項、第六項若しくは第八項の規定による届出があつた場合（これらの規定による届出のあつた公職の候補者の全員が候補者でなくなつたときを除く。）は、これらの規定の期間が経過した後市町村の選挙管理委員会が開票区ごとに改めて行うくじで定める順序による。

4　参議院（比例代表選出）議員の選挙における第一項の各参議院名簿届出政党等に係る参議院名簿登載者（第八十六条の三第一項後段の規定により優先的に当選人となるべき候補者としてその氏名及び当選人となるべき順位が参議院名簿に記載されている者を除く。）の氏名の掲示の掲載の順序は、参議院名簿に記載された氏名の順序（同条第二項において準用する第八十六条の二第九項の規定による届出があるときは、当該参議院名簿に記載された氏名の次に、当該届出に係る文書に記載された氏名をその記載された順序のとおりに加えた氏名の順序）による。

5　参議院（比例代表選出）議員の選挙における第一項の各参議

院名簿届出政党等に係る第八十六条の三第一項後段の規定により優先的に当選人となるべき候補者としてその氏名及び当選人となるべき順位が参議院名簿に記載されている者である参議院名簿登載者の氏名及び当選人となるべき順位の掲示をする場合においては、当該参議院名簿届出政党等に係るその他の参議院名簿登載者の氏名と区分して、優先的に当選人となるべき候補者である旨を表示した上で、当該その他の参議院名簿登載者の氏名の次に、当該掲示の掲載をするものとする。

6　第八項前段に規定する場合を除くほか、第二項の掲示の掲載の順序は、第三項本文のくじで定める順序（参議院比例代表選出議員の選挙にあつては同項本文のくじで定める順序及び第四項に規定する順序、衆議院比例代表選出議員又は参議院比例代表選出議員の選挙以外の選挙において第十八条第二項の規定により当該選挙の行われる市町村の区域（当該区域が二以上の選挙区に分かれているときは、当該選挙区の区域）が数開票区に分かれている場合にあつては当該市町村の選挙管理委員会が指定する一の開票区（当該選挙の行われる市町村の区域が二以上の選挙区に分かれているときは、当該市町村の選挙管理委員会が選挙区ごとに指定する一の開票区）において行う第三項本文のくじで定める順序）による。この場合において、衆議院（比例代表選出）議員又は参議院（比例代表選出）議員の選挙以外の選挙について当該くじを行つた後、第八十六条第八項又は第八十六条の四第五項、第六項若しくは第八項の規定による届出があつたときは、これらの規定による届出のあつた公職の候補者の氏名及び党派別の掲示は、総務省令で定めるところによりするものとする。

7　第五項の規定は、参議院（比例代表選出）議員の選挙における第二項の各参議院名簿届出政党等に係る第八十六条の三第一項後段の規定により優先的に当選人となるべき候補者としてその氏名及び当選人となるべき順位が参議院名簿に記載されている者である参議院名簿登載者の氏名及び当選人となるべき順位の掲示をする場合について準用する。

8　第四十六条の二第一項に規定する方法により投票を行う選挙について第二項の掲示を行う場合には、その掲示の掲載の順序は、いずれの掲示の掲載の順序も同一となるように当該選挙に関する事務を管理する選挙管理委員会が当該選挙の告示があつた日において第八十六条の四第一項又は第二項の規定による届出をすべき時間が経過した後に行うくじで定める順序による。この場合において、当該くじを行つた後、第四十六条の二第二項の規定により変更して適用することとされた第八十六条の四第五項又は第八項の規定による届出があつたときは、これらの規定による届出のあつた公職の候補者の氏名及び党派別の掲示は、総務省令で定めるところによりするものとする。

9　公職の候補者（衆議院比例代表選出議員の選挙にあつては衆議院名簿届出政党等、参議院比例代表選出議員の選挙にあつては参議院名簿届出政党等の代表者）又はその代理人は、第三項又は前項のくじに立ち会うことができる。

10　前各項に規定するもののほか、第一項又は第二項の掲示に関し必要な事項は、都道府県の選挙管理委員会が定める。

（交通機関の利用）

第百七十六条　衆議院（小選挙区選出）議員、参議院議員又は都道府県知事の選挙においては、公職の候補者（参議院比例代表選出議員の選挙における候補者たる参議院名簿登載者で第八十六条の三第一項後段の規定により優先的に当選人となるべき候補者としてその氏名及び当選人となるべき順位が参議院名簿に記載されているものを除く。以下この条において同じ。）、推薦届出者その他選挙運動に従事する者が選挙運動の期間中関係区域内において鉄道事業、軌道事業及び一般乗合旅客自動車運送事業に係る交通機関（参議院比例代表選出議員の選挙にあつては、旅客鉄道株式会社及び日本貨物鉄道株式会社に関する法律（昭和六十一年法律第八十八号）第一条第一項に規定する旅客会社、旅客鉄道株式会社及び日本貨物鉄道株式会社に関する法律の一部を改正する法律（平成十三年法律第六十一号）附則第二条第一項に規定する新会社及び旅客鉄道株式会社及び日本貨物鉄道株式会社に関する法律の一部を改正する法律（平成二十七年法律第三十六号）附則第二条第一項に規定する新会社の旅客鉄道事業及び一般乗合旅客自動車運送事業並びに国内定期航空運送事業に係る交通機関）を利用するため、公職の候補者は、国土交通大臣の定めるところにより、無料で、通じて十五枚（参議院合同選挙区選挙にあつては、三十枚）の特殊乗車券（参議院比例代表選出議員の選挙にあつては、通じて六枚の特殊乗車券（運賃及び国土交通大臣の定める急行料金を支払うことなく利用することができる特殊乗車券をいう。）又は特殊航空券）の交付を受けることができる。

（通常葉書等の返還及び譲渡禁止）

第百七十七条　第百四十二条第一項及び第五項の規定により選挙運動のために使用する通常葉書の交付を受けた者、同条第七項若しくは第百四十四条第二項の規定により証紙の交付を受けた者若しくは衆議院名簿届出政党等又は前条の規定により特殊乗車券若しくは特殊航空券の交付を受けた者は、次に掲げるときは、直ちにその全部を返還しなければならない。ただし、選挙運動に使用したためその全部を返還することができないときは、選挙運動に使用したことを証する明細書を添えて、残部を返還しなければならない。

一　公職の候補者（候補者届出政党の届出に係るもの及び参議院比例代表選出議員の候補者を除く。以下この号において同じ。）にあつては、第八十六条第九項若しくは第八十六条の四第九項の規定により公職の候補者の届出を却下されたとき又は第八十六条第十二項若しくは第八十六条の四第十項の規定により公職の候補者たることを辞したとき（第九十一条第二項又は第百三条第四項の規定により公職の候補者たることを辞したものとみなされる場合を含む。）。

二　候補者届出政党の届出に係る候補者にあつては、第八十六条第九項の規定により候補者の届出を却下されたとき又は同条第十一項の規定により候補者届出政党が当該候補者に係る候補者の届出を取り下げたとき（第九十一条第一項又は第百三条第四項の規定により候補者の届出が取り下げられたものとみなされる場合を含む。）。

三　衆議院名簿届出政党等にあつては、第八十六条の二第十項の規定により届出を取り下げたとき又は同条第十一項の規定により届出を却下されたとき。

四　参議院比例代表選出議員の候補者にあつては、第八十六条の三第二項において準用する第八十六条の二第七項の規定により当該候補者たる参議院名簿登載者に係る記載が抹消されたとき、第八十六条の三第二項において準用する第八十六条の二第十項の規定により参議院名簿届出政党等が当該候補者に係る参議院名簿を取り下げたとき又は第八十六条の三第二項において準用する第八十六条の二第十一項若しくは第十二項の規定により当該候補者に係る参議院名簿の届出若しくは当該候補者に係る参議院名簿登載者の補充の届出が却下されたとき。

2　第百四十二条第一項、第二項及び第五項の規定により選挙運動のために使用する通常葉書の交付を受けた者、若しくは候補者届出政党、同条第七項若しくは第百四十四条第二項の規定により証紙の交付を受けた者、候補者届出政党若しくは衆議院名簿届出政党等又は前条に規定する特殊乗車券若しくは特殊航空券の交付を受けた者は、これらのものを他人に譲渡してはならない。

（選挙期日後の挨拶行為の制限）

第百七十八条　何人も、選挙の期日（第百条第一項から第四項までの規定により投票を行わないこととなつたときは、同条第五項の規定による告示の日）後において、当選又は落選に関し、選挙人に挨拶する目的をもつて次に掲げる行為をすることができない。

一　選挙人に対して戸別訪問をすること。

二　自筆の信書及び当選又は落選に関する祝辞、見舞等の答礼のためにする信書並びにインターネット等を利用する方法により頒布される文書図画を除くほか文書図画を頒布し又は掲示すること。

三　新聞紙又は雑誌を利用すること。

四　第百五十一条の五に掲げる放送設備を利用して放送すること。

五　当選祝賀会その他の集会を開催すること。

六　自動車を連ね又は隊を組んで往来する等によつて気勢を張る行為をすること。

七　当選に関する答礼のため当選人の氏名又は政党その他の政治団体の名称を言い歩くこと。

（選挙期日後の文書図画の撤去）

第百七十八条の二　第百四十三条第一項第五号のポスター（第百四十四条の二第一項及び第八項の掲示場に掲示されたものを除く。）及び第百六十四条の二第二項の立札及び看板の類を掲示した者は、選挙の期日（第百条第一項から第四項までの規定により投票を行わないこととなつたときは、同条第五項の規定による告示の日）後速やかにこれを撤去しなければならない。

（衆議院議員又は参議院議員の選挙における選挙運動の態様）

第百七十八条の三　衆議院議員の選挙においては、比例代表選出議員の選挙に係る選挙運動の制限に関するこの章の規定は、小選挙区選出議員の選挙に係る選挙運動が、この法律において許される態様において比例代表選出議員の選挙に係る選挙運動にわたることを妨げるものではない。

2　衆議院議員の選挙においては、小選挙区選出議員の選挙に係る選挙運動の制限に関するこの章の規定は、候補者届出政党である衆議院名簿届出政党等が行う比例代表選出議員の選挙に係る選挙運動が、この法律において許される態様において小選挙区選出議員の選挙に係る選挙運動にわたることを妨げるものではない。

3　参議院議員の選挙においては、比例代表選出議員の選挙に係る選挙運動の制限に関するこの章の規定は、選挙区選出議員の選挙に係る選挙運動が、この法律において許される態様において比例代表選出議員の選挙に係る選挙運動にわたることを妨げるものではない。

第十四章　選挙運動に関する収入及び支出並びに寄附

（収入、寄附及び支出の定義）

第百七十九条　この法律において「収入」とは、金銭、物品その他の財産上の利益の収受、その収受の承諾又は約束をいう。

2　この法律において「寄附」とは、金銭、物品その他の財産上の利益の供与又は交付、その供与又は交付の約束で党費、会費その他債務の履行としてなされるもの以外のものをいう。

3　この法律において「支出」とは、金銭、物品その他の財産上の利益の供与又は交付、その供与又は交付の約束をいう。

4　前三項の金銭、物品その他の財産上の利益には、花輪、供花、香典又は祝儀として供与され、又は交付されるものその他これらに類するものを含むものとする。

（適用除外）

第百七十九条の二　次条から第百九十七条までの規定は、衆議院（比例代表選出）議員の選挙については、適用しない。

2　次条から第百九十七条の二までの規定は、参議院（比例代表選出）議員の選挙における候補者たる参議院名簿登載者で第八十六条の三第一項後段の規定により優先的に当選人となるべき候補者としてその氏名及び当選人となるべき順位が参議院名簿に記載されているものについては、適用しない。

（出納責任者の選任及び届出）

第百八十条　公職の候補者は、その選挙運動に関する収入及び支出の責任者（以下「出納責任者」という。）一人を選任しなければならない。ただし、公職の候補者が自ら出納責任者となり又は候補者届出政党若しくは参議院名簿届出政党等若しくは推薦届出者（推薦届出者が数人あるときは、その代表者。以下この項において同じ。）が当該候補者の承諾を得て出納責任者を選任し若しくは推薦届出者が当該候補者の承諾を得て自ら出納責任者となることを妨げない。

2　出納責任者を選任したもの（選任したものが候補者届出政党又は参議院名簿届出政党等である場合にあつては、その代表者）は、文書で、出納責任者の支出することのできる金額の最高額を定め、出納責任者とともにこれに署名押印しなければならない。

3　出納責任者を選任したもの（自ら出納責任者となつた者を含む。）は、直ちに出納責任者の氏名、住所、職業、生年月日及び選任年月日並びに公職の候補者の氏名を、文書で、当該選挙に関する事務を管理する選挙管理委員会（参議院比例代表選出議員の選挙については中央選挙管理会、参議院合同選挙区選挙については当該選挙に関する事務を管理する参議院合同選挙区選挙管理委員会）に届け出なければならない。

4　候補者届出政党若しくは参議院名簿届出政党等又は推薦届出者が出納責任者を選任した場合においては、前項の規定による届出には、その選任につき公職の候補者の承諾を得たことを証すべき書面（推薦届出者が出納責任者を選任した場合において、推薦届出者が数人あるときは、併せてその代表者たることを証すべき書面）を添えなければならない。

（出納責任者の解任及び辞任）

第百八十一条　公職の候補者は、文書で通知することにより出納責任者を解任することができる。出納責任者を選任した候補者届出政党若しくは参議院名簿届出政党等又は推薦届出者においても、当該候補者の承諾を得たときも、また同様とする。

2　出納責任者は、文書で公職の候補者及び当該出納責任者を選任したものに通知することにより辞任することができる。

（出納責任者の異動）

第百八十二条　出納責任者に異動があつたときは、出納責任者を選任したものは、直ちに第百八十条第三項及び第四項の規定の例により、届け出なければならない。

2　前項の規定による届出で解任又は辞任による異動に関するものには、前条の規定による通知のあつたことを証すべき書面を添えなければならない。候補者届出政党若しくは参議院名簿届出政党等又は推薦届出者が出納責任者を解任した場合においては、併せて、その解任につき公職の候補者の承諾のあつたことを証すべき書面を添えなければならない。

（出納責任者の職務代行）

第百八十三条　公職の候補者又は候補者届出政党若しくは参議院名簿届出政党等が出納責任者を選任した場合及び推薦届出者が自ら出納責任者となつた場合において、出納責任者に事故があるとき又は出納責任者が欠けたときは、公職の候補者が代わつて出納責任者の職務を行う。

2　推薦届出者が出納責任者を選任した場合において、出納責任者に事故があるとき又は出納責任者が欠けたときは、当該推薦届出者が代わつてその職務を行う。当該推薦届出者にも事故があるとき又はその者も欠けたときは、公職の候補者が代わつて出納責任者の職務を行う。

3　前二項の規定により出納責任者に代わつてその職務を行う者は、第百八十条第三項及び第四項の規定の例により、届け出なければならない。

4　前項の規定による届出には、出納責任者の氏名（出納責任者の選任をした推薦届出者にも事故があるとき又はその者も欠けたときは、併せてその氏名）事故又は欠けたことの事実及びその職務代行を始めた年月日を記載しなければならない。出納責任者に代わつてその職務を行う者がこれをやめたときは、その事由及びその職務代行をやめた年月日を記載しなければならない。

（出納責任者の届出の効力）

第百八十三条の二　第百八十条第三項及び第四項、第百八十二条又は前条第三項及び第四項の規定による届出書類を郵便で差し出す場合においては、引受時刻証明の取扱いでこれを日本郵便株式会社に託した時をもつて、これらの規定による届出があつたものとみなす。

（届出前の寄附の受領及び支出の禁止）

第百八十四条　出納責任者（出納責任者に代わつてその職務を行う者を含む。第百九十条の規定を除き、以下同じ。）は、第百八十条第三項及び第四項、第百八十二条又は第百八十三条第三項及び第四項の規定による届出がされた後でなければ、公職の候補者の推薦、支持又は反対その他の運動のために、いかなる名義をもつてするを問わず、公職の候補者のために寄附を受け又は支出をすることができない。

（会計帳簿の備付及び記載）

第百八十五条　出納責任者は、会計帳簿を備え、左の各号に掲げる事項を記載しなければならない。

一　選挙運動に関するすべての寄附及びその他の収入（公職の候補者のために公職の候補者又は出納責任者と意思を通じてなされた寄附を含む。）

二　前号の寄附をした者の氏名、住所及び職業並びに寄附の金額（金銭以外の財産上の利益については時価に見積つた金額。以下同じ。）及び年月日

三　選挙運動に関するすべての支出（公職の候補者のために公職の候補者又は出納責任者と意思を通じてなされた支出を含む。）

四　前号の支出を受けた者の氏名、住所及び職業並びに支出の目的、金額及び年月日

2　前項の会計帳簿の種類及び様式は、総務省令で定める。

（明細書の提出）

第百八十六条　出納責任者以外の者で公職の候補者のために選挙運動に関する寄附を受けたものは、寄附を受けた日から七日以内に、寄附をした者の氏名、住所及び職業並びに寄附の金額及び年月日を記載した明細書を出納責任者に提出しなければならない。但し、出納責任者の請求があるときは、直ちに提出しなければならない。

2　前項の寄附で当該候補者が候補者の届出（参議院比例代表選出議員の選挙にあつては、参議院名簿の届出又は参議院名簿登載者の補充の届出。以下この項において同じ。）がされる前に受けたものについては、候補者の届出がされた後直ちに出納責任者にその明細書を提出しなければならない。

（出納責任者の支出権限）

第百八十七条　立候補準備のために要する支出並びに電話及びインターネット等を利用する方法による選挙運動に要する支出を除くほか、選挙運動に関する支出は、出納責任者でなければすることができない。ただし、出納責任者の文書による承諾を得た者は、この限りでない。

2　立候補準備のために要した支出で公職の候補者若しくは出納責任者となつた者が支出し又は他の者がその者と意思を通じて支出したものについては、出納責任者は、その就任後直ちに当該候補者又は支出者につきその精算をしなければならない。

（領収書等の徴収及び送付）

第百八十八条　出納責任者又は公職の候補者若しくは出納責任者と意思を通じてそのために支出をした者は、選挙運動に関するすべての支出について、支出の金額、年月日及び目的を記載した領収書その他の支出を証すべき書面を徴さなければならない。但し、これを徴し難い事情があるときは、この限りでない。

2　公職の候補者又は出納責任者と意思を通じてそのために支出をした者は、前項の書面を直ちに出納責任者に送付しなければならない。

（選挙運動に関する収入及び支出の報告書の提出）

第百八十九条　出納責任者は、公職の候補者の選挙運動に関しなされた寄附及びその他の収入並びに支出について、第百八十五条第一項各号に掲げる事項を記載した報告書を、前条第一項の領収書その他の支出を証すべき書面の写し（同項の領収書その

他の支出を証すべき書面を徴し難い事情があつたときは、その旨並びに当該支出の金額、年月日及び目的を記載した書面又は当該支出の目的を記載した書面並びに金融機関が作成した振込みの明細書であつて当該支出の金額及び年月日を記載したものの写し）を添付して、次の各号の定めるところにより、当該選挙に関する事務を管理する選挙管理委員会（参議院比例代表選出議員の選挙については中央選挙管理会、参議院合同選挙区選挙については当該選挙に関する事務を管理する参議院合同選挙区選挙管理委員会）に提出しなければならない。

一 当該選挙の期日の公示又は告示の日前まで、選挙の期日の公示又は告示の日から選挙の期日まで及び選挙の期日経過後になされた寄附及びその他の収入並びに支出については、これを併せて精算し、選挙の期日から十五日以内に

二 前号の精算届出後になされた寄附及びその他の収入並びに支出については、その寄附及びその他の収入並びに支出がなされた日から七日以内に

2 前項の報告書の様式は、総務省令で定める。

3 第一項の報告書には、真実の記載がなされていることを誓う旨の文書を添えなければならない。

（出納責任者の事務引継）

第百九十条 出納責任者が辞任し又は解任せられた場合においては、直ちに公職の候補者の選挙運動に関しなされた寄附及びその他の収入並びに支出の計算をし、あらたに出納責任者となつた者に対し、あらたに出納責任者となつた者がないときは出納責任者に代つてその職務を行う者に対し、引継をしなければならない。出納責任者に代つてその職務を行う者が事務の引継を受けた後、あらたに出納責任者が定つたときも、また同様とする。

2 前項の規定により引継ぎをする場合においては、引継ぎをする者において前条の規定の例により引継書を作成し、引継ぎの旨及び引継ぎの年月日を記載し、引継ぎをする者及び引継ぎを受ける者においてともに署名押印し、現金及び帳簿その他の書類とともに引継ぎをしなければならない。

（帳簿及び書類の保存）

第百九十一条 出納責任者は、会計帳簿、明細書（第百八十六条に規定する明細書をいう。）及び第百八十八条第一項の領収書その他の支出を証すべき書面を、第百八十九条の規定による報告書提出の日から三年間、保存しなければならない。

2 前項の規定により保存すべき書類については、民間事業者等が行う書面の保存等における情報通信の技術の利用に関する法律（平成十六年法律第百四十九号）第三条及び第四条の規定は、適用しない。

（報告書の公表、保存及び閲覧）

第百九十二条 第百八十九条の規定による報告書を受理したときは、当該選挙に関する事務を管理する選挙管理委員会（参議院比例代表選出議員の選挙については中央選挙管理会、参議院合同選挙区選挙については当該選挙に関する事務を管理する参議院合同選挙区選挙管理委員会）は、総務省令の定めるところにより、その要旨を公表しなければならない。

2 前項の規定による公表は、中央選挙管理会にあつては官報により、参議院合同選挙区選挙管理委員会にあつては各合同選挙区都道府県の公報により、都道府県の選挙管理委員会にあつては都道府県の公報により、市町村の選挙管理委員会にあつてはそのあらかじめ告示をもつて定めたところの周知させやすい方法によつて行う。

3 第百八十九条の規定による報告書は、当該報告書を受理した選挙管理委員会、参議院合同選挙区選挙管理委員会又は中央選挙管理会において、受理した日から三年間、保存しなければならない。

4 何人も、前項の期間内においては、当該選挙に関する事務を管理する選挙管理委員会（参議院比例代表選出議員の選挙については中央選挙管理会、参議院合同選挙区選挙については当該選挙に関する事務を管理する参議院合同選挙区選挙管理委員会）の定めるところにより、報告書の閲覧を請求することができる。

（報告書の調査に関する資料の要求）

第百九十三条 中央選挙管理会、参議院合同選挙区選挙管理委員会、都道府県の選挙管理委員会又は市町村の選挙管理委員会は、第百八十九条の規定による報告書の調査に関し必要があると認めるときは、公職の候補者その他関係人に対し、報告又は資料の提出を求めることができる。

（選挙運動に関する支出金額の制限）

第百九十四条 選挙運動（専ら在外選挙人名簿に登録されている選挙人（第四十九条の二第一項に規定する政令で定めるものを除く。）で衆議院議員又は参議院議員の選挙において投票をしようとするものの投票に関してする選挙運動で、国外においてするものを除く。）に関する支出の金額は、公職の候補者一人につき、参議院（比例代表選出）議員の選挙にあつては政令で定める額を、その他の選挙にあつては次の各号の区分による数を当該各号の区分に応じ政令で定める金額に乗じて得た額と当該各号の区分に応じ政令で定める額とを合算した額を超えることができない。

一 衆議院（小選挙区選出）議員の選挙　その選挙の期日の公示又は告示の日において当該選挙人名簿に登録されている者の総数

二 参議院（選挙区選出）議員の選挙　通常選挙における当該選挙区内の議員の定数をもつてその選挙の期日の公示又は告示の日において当該選挙人名簿に登録されている者の総数を除して得た数

三 地方公共団体の議会の議員の選挙　当該選挙区内の議員の定数（選挙区がないときは、議員の定数）をもつてその選挙の期日の告示の日において当該選挙人名簿に登録されている者の総数を除して得た数

四 地方公共団体の長の選挙　その選挙の期日の告示の日において当該選挙人名簿に登録されている者の総数

2 前項の場合において百円未満の端数があるときは、その端数は、百円とする。

（選挙の一部無効及び選挙の期日等の延期の場合の選挙運動に関する支出金額の制限）

第百九十五条 選挙の一部無効による再選挙、第五十七条第一項の規定による投票の延期並びに第八十六条の四第七項及び第百二十六条第二項（これらの規定及び第八十六条の四第六項の規定について第四十六条の二第二項の規定を適用する場合を含む。）の規定による選挙期日の延期の場合における選挙運動

（専ら在外選挙人名簿に登録されている選挙人（第四十九条の二第一項に規定する政令で定めるものを除く。）で衆議院議員又は参議院議員の選挙において投票をしようとするものの投票に関してする選挙運動で、国外においてするものを除く。）に関する支出の金額は、前条の規定にかかわらず、公職の候補者一人につき、政令で定めるところによる額を超えることができない。

（選挙運動に関する支出金額の制限額の告示）

第百九十六条　当該選挙に関する事務を管理する選挙管理委員会（参議院比例代表選出議員の選挙については中央選挙管理会、参議院合同選挙区選挙については当該選挙に関する事務を管理する参議院合同選挙区選挙管理委員会）は、当該選挙の期日の公示又は告示があつた後、直ちに、前二条の規定による額を告示しなければならない。

（選挙運動に関する支出とみなされないものの範囲）

第百九十七条　次に掲げる支出は、選挙運動に関する支出でないものとみなす。

一　立候補準備のために要した支出で、公職の候補者若しくは出納責任者となつた者のした支出又はその者と意思を通じてした支出以外のもの

二　第八十六条第一項から第三項まで若しくは第八項、第八十六条の三第一項若しくは同条第二項において準用する第八十六条の二第九項又は第八十六条の四第一項、第二項、第五項、第六項若しくは第八項の規定による届出があつた後公職の候補者又は出納責任者と意思を通じてした支出以外のもの

三　公職の候補者が乗用する船車馬等のために要した支出

四　選挙の期日後において選挙運動の残務整理のために要した支出

五　選挙運動に関し支払う国又は地方公共団体の租税又は手数料

六　候補者届出政党が行う選挙運動（専ら衆議院小選挙区選出議員の選挙以外の選挙において行うものを除く。）又は参議院名簿届出政党等が行う選挙運動（専ら参議院比例代表選出議員の選挙以外の選挙において行うものを除く。）のために要した支出

七　第二百一条の四又は第十四章の三の規定により政党その他の政治団体が行う選挙運動のために要した支出

2　第百四十一条の規定による自動車及び船舶を使用するために要した支出も、また前項と同様とする。

（実費弁償及び報酬の額）

第百九十七条の二　衆議院（比例代表選出）議員の選挙以外の選挙においては、選挙運動（衆議院小選挙区選出議員の選挙において候補者届出政党が行うもの及び参議院比例代表選出議員の選挙において参議院名簿届出政党等が行うものを除く。以下この項及び次項において同じ。）に従事する者に対し支給することができる実費弁償並びに選挙運動のために使用する労務者に対し支給することができる報酬及び実費弁償の額については、政令で定める基準に従い、当該選挙に関する事務を管理する選挙管理委員会（参議院比例代表選出議員の選挙については中央選挙管理会、参議院合同選挙区選挙については当該選挙に関する事務を管理する参議院合同選挙区選挙管理委員会）が定める。

2　衆議院（比例代表選出）議員の選挙以外の選挙においては、選挙運動に従事する者（選挙運動のために使用する事務員、専ら第百四十一条第一項の規定により選挙運動のために使用される自動車又は船舶の上における選挙運動のために使用する者、専ら手話通訳のために使用する者及び専ら第百四十二条の三第一項の規定によるウェブサイト等を利用する方法による選挙運動のために使用する文書図画の頒布又は第百四十三条第一項の規定による選挙運動のために使用する文書図画の掲示のために口述を要約して文書図画に表示すること（次項及び第四項において「要約筆記」という。）のために使用する者に限る。）については、前項の規定による実費弁償のほか、当該選挙につき第八十六条第一項から第三項まで若しくは第八項、第八十六条の三第一項若しくは同条第二項において準用する第八十六条の二第九項又は第八十六条の四第一項、第二項、第五項、第六項若しくは第八項の規定による届出のあつた日からその選挙の期日の前日までの間に限り、公職の候補者一人について一日五十人を超えない範囲内で各選挙ごとに政令で定める員数の範囲内において、一人一日につき政令で定める基準に従い当該選挙に関する事務を管理する選挙管理委員会（参議院比例代表選出議員の選挙については中央選挙管理会、参議院合同選挙区選挙については当該選挙に関する事務を管理する参議院合同選挙区選挙管理委員会）が定める額の報酬を支給することができる。

3　衆議院（小選挙区選出）議員の選挙においては、候補者届出政党は、当該候補者届出政党が行う選挙運動に従事する者（当該候補者届出政党が行う選挙運動のために使用する事務員、専ら第百四十一条第二項の規定により選挙運動のために使用される自動車又は船舶の上における選挙運動のために使用する者、専ら手話通訳のために使用する者及び専ら要約筆記のために使用する者に限る。）に対し、当該選挙につき第八十六条第一項又は第八項の規定による届出のあつた日からその選挙の期日の前日までの間に限り、一人一日につき政令で定める基準に従い政令で定める額の報酬を支給するとができる。

4　衆議院（比例代表選出）議員の選挙においては、衆議院名簿届出政党等は、当該衆議院名簿届出政党等が行う選挙運動に従事する者（当該衆議院名簿届出政党等が行う選挙運動のために使用する事務員、専ら第百四十一条第三項の規定により選挙運動のために使用される自動車又は船舶の上における選挙運動のために使用する者、専ら手話通訳のために使用する者及び専ら要約筆記のために使用する者に限る。）に対し、当該選挙につき第八十六条の二第一項の規定による届出のあつた日からその選挙の期日の前日までの間に限り、一人一日につき政令で定める額の報酬を支給することができる。

5　第二項の規定により報酬の支給を受けることができる者は、公職の候補者が、その者を使用する前（その者を使用する前にこの項の規定による届出をすることができない場合として政令で定める場合にあつては、その者に対して第二項の規定により報酬を支給する前）に、政令で定めるところにより、当該選挙に関する事務を管理する選挙管理委員会（参議院比例代表選出議員の選挙については中央選挙管理会、参議院合同選挙区選挙については当該選挙に関する事務を管理する参議院合同選挙区選挙管理委員会）に届け出た者に限る。

第百九十八条　削除

（特定の寄附の禁止）

第百九十九条　衆議院議員及び参議院議員の選挙に関しては国と、地方公共団体の議会の議員及び長の選挙に関しては当該地方公共団体と、請負その他特別の利益を伴う契約の当事者である者は、当該選挙に関し、寄附をしてはならない。

２　会社その他の法人が融資（試験研究、調査及び災害復旧に係るものを除く。）を受けている場合において、当該融資を行なつている者が、当該融資につき、衆議院議員及び参議院議員の選挙に関しては国から、地方公共団体の議会の議員及び長の選挙に関しては当該地方公共団体から、利子補給金の交付の決定（利子補給金に係る契約の承諾の決定を含む。以下この条において同じ。）を受けたときは、当該利子補給金の交付の決定の通知を受けた日から当該利子補給金の交付の日から起算して一年を経過した日（当該利子補給金の交付の決定の全部の取消しがあつたときは、当該取消しの通知を受けた日）までの間、当該会社その他の法人は、当該選挙に関し、寄附をしてはならない。

（公職の候補者等の寄附の禁止）

第百九十九条の二　公職の候補者又は公職の候補者となろうとする者（公職にある者を含む。以下この条において「公職の候補者等」という。）は、当該選挙区（選挙区がないときは選挙の行われる区域。以下この条において同じ。）内にある者に対し、いかなる名義をもつてするを問わず、寄附をしてはならない。ただし、政党その他の政治団体若しくはその支部又は当該公職の候補者等の親族に対してする場合及び当該公職の候補者等が専ら政治上の主義又は施策を普及するために行う講習会その他の政治教育のための集会（参加者に対して饗応接待（通常用いられる程度の食事の提供を除く。）が行われるようなもの、当該選挙区外において行われるもの及び第百九十九条の五第四項各号の区分による当該選挙ごとに当該各号に定める期間内に行われるものを除く。以下この条において同じ。）に関し必要やむを得ない実費の補償（食事についての実費の補償を除く。以下この条において同じ。）としてする場合は、この限りでない。

２　公職の候補者等を寄附の名義人とする当該選挙区内にある者に対する寄附については、当該公職の候補者等以外の者は、いかなる名義をもつてするを問わず、これをしてはならない。ただし、当該公職の候補者等の親族に対してする場合及び当該公職の候補者等が専ら政治上の主義又は施策を普及するために行う講習会その他の政治教育のための集会に関し必要やむを得ない実費の補償としてする場合は、この限りでない。

３　何人も、公職の候補者等に対して、当該選挙区内にある者に対する寄附を勧誘し、又は要求してはならない。ただし、政党その他の政治団体若しくはその支部又は当該公職の候補者等の親族に対する寄附を勧誘し、又は要求する場合及び当該公職の候補者等が専ら政治上の主義又は施策を普及するために行う講習会その他の政治教育のための集会に関し必要やむを得ない実費の補償としてする寄附を勧誘し、又は要求する場合は、この限りでない。

４　何人も、公職の候補者等を寄附の名義人とする当該選挙区内にある者に対する寄附については、当該公職の候補者等以外の者に対して、これを勧誘し、又は要求してはならない。ただし、当該公職の候補者等の親族に対する寄附を勧誘し、又は要求する場合及び当該公職の候補者等が専ら政治上の主義又は施策を普及するために行う講習会その他の政治教育のための集会に関し必要やむを得ない実費の補償としてする寄附を勧誘し、又は要求する場合は、この限りでない。

（公職の候補者等の関係会社等の寄附の禁止）

第百九十九条の三　公職の候補者又は公職の候補者となろうとする者（公職にある者を含む。）がその役職員又は構成員である会社その他の法人又は団体は、当該選挙区（選挙区がないときは選挙の行われる区域）内にある者に対し、いかなる名義をもつてするを問わず、これらの者の氏名を表示し又はこれらの者の氏名が類推されるような方法で寄附をしてはならない。ただし、政党その他の政治団体又はその支部に対し寄附をする場合は、この限りでない。

（公職の候補者等の氏名等を冠した団体の寄附の禁止）

第百九十九条の四　公職の候補者又は公職の候補者となろうとする者（公職にある者を含む。）の氏名が表示され又はその氏名が類推されるような名称が表示されている会社その他の法人又は団体は、当該選挙に関し、当該選挙区（選挙区がないときは選挙の行われる区域）内にある者に対し、いかなる名義をもつてするを問わず、寄附をしてはならない。ただし、政党その他の政治団体若しくはその支部又は当該公職の候補者若しくは公職の候補者となろうとする者（公職にある者を含む。）に対し寄附をする場合は、この限りでない。

（後援団体に関する寄附等の禁止）

第百九十九条の五　政党その他の団体又はその支部で、特定の公職の候補者若しくは公職の候補者となろうとする者（公職にある者を含む。）の政治上の主義若しくは施策を支持し、又は特定の公職の候補者若しくは公職の候補者となろうとする者（公職にある者を含む。）を推薦し、若しくは支持することがその政治活動のうち主たるものであるもの（以下「後援団体」という。）は、当該選挙区（選挙区がないときは、選挙の行われる区域）内にある者に対し、いかなる名義をもつてするを問わず、寄附をしてはならない。ただし、政党その他の政治団体若しくはその支部又は当該公職の候補者若しくは公職の候補者となろうとする者（公職にある者を含む。）に対し寄附をする場合及び当該後援団体がその団体の設立目的により行う行事又は事業に関し寄附（花輪、供花、香典、祝儀その他これらに類するものとしてされるもの及び第四項各号の区分による当該選挙ごとの一定期間内にされるものを除く。）をする場合は、この限りでない。

２　何人も、後援団体の総会その他の集会（後援団体を結成するための集会を含む。）又は後援団体が行なう見学、旅行その他の行事において、第四項各号の区分による当該選挙ごとに一定期間、当該選挙区（選挙区がないときは、選挙の行なわれる区域）内にある者に対し、饗応接待（通常用いられる程度の食事の提供を除く。）をし、又は金銭若しくは記念品その他の物品を供与してはならない。

３　公職の候補者又は公職の候補者となろうとする者（公職にある者を含む。）は、第百九十九条の二第一項の規定にかかわらず、次項各号の区分による当該選挙ごとに一定期間、当該公職の候補者又は公職の候補者となろうとする者（公職にある者を含む。）に係る後援団体（政治資金規正法第十九条第二項の規定による届出がされた政治団体を除く。）に対し、寄附をしてはならない。

4　この条において「一定期間」とは、次の各号に定める期間とする。

一　衆議院議員の総選挙にあつては、衆議院議員の任期満了の日前九十日に当たる日から当該総選挙の期日までの間又は衆議院の解散の日の翌日から当該総選挙の期日までの間

二　参議院議員の通常選挙にあつては、参議院議員の任期満了の日前九十日に当たる日から当該通常選挙の期日までの間

三　地方公共団体の議会の議員又は長の任期満了による選挙にあつては、その任期満了の日前九十日に当たる日（第三十四条の二第二項（同条第四項において準用する場合を含む。）の規定による告示がなされた場合にあつては、任期満了の日前九十日に当たる日又は当該告示がなされた日の翌日のいずれか早い日）から当該選挙の期日までの間

四　衆議院議員又は参議院議員の再選挙（統一対象再選挙を除く。）にあつては、当該選挙を行うべき事由が生じたとき（第三十三条の二第七項の規定の適用がある場合には、同項の規定により読み替えて適用される同条第一項に規定する遅い方の事由が生じたとき）その旨を当該選挙に関する事務を管理する選挙管理委員会（衆議院比例代表選出議員又は参議院比例代表選出議員の選挙については中央選挙管理会、参議院合同選挙区選挙については当該選挙に関する事務を管理する参議院合同選挙区選挙管理委員会）が告示した日の翌日から当該選挙の期日までの間

五　衆議院議員又は参議院議員の統一対象再選挙又は補欠選挙にあつては、当該選挙を行うべき事由が生じたとき（第三十三条の二第七項の規定の適用がある場合には、同項の規定により読み替えて適用される同条第二項から第五項までに規定する遅い方の事由が生じたとき）その旨を当該選挙に関する事務を管理する選挙管理委員会（衆議院比例代表選出議員又は参議院比例代表選出議員の選挙については中央選挙管理会、参議院合同選挙区選挙については当該選挙に関する事務を管理する参議院合同選挙区選挙管理委員会）が告示した日の翌日又は当該選挙を行うべき期日（同条第三項の規定によるものについては、参議院議員の任期満了の日）前九十日に当たる日のいずれか遅い日から当該選挙の期日までの間

六　地方公共団体の議会の議員又は長の選挙のうち任期満了による選挙以外の選挙にあつては、当該選挙を行うべき事由が生じたとき（第三十四条第四項の規定の適用がある場合には、同項の規定により読み替えて適用される同条第一項に規定する最も遅い事由が生じたとき）その旨を当該選挙に関する事務を管理する選挙管理委員会が告示した日の翌日から当該選挙の期日までの間

（特定人に対する寄附の勧誘、要求等の禁止）

第二百条　何人も、選挙に関し、第百九十九条に規定する者に対して寄附を勧誘し又は要求してはならない。

2　何人も、選挙に関し、第百九十九条に規定する者から寄附を受けてはならない。

第二百一条　削除

第十四章の二　参議院（選挙区選出）議員の選挙の特例

（特例の範囲）

第二百一条の二　参議院（選挙区選出）議員の選挙については、この章に規定する特例によるほか、この法律のその他の規定の定めるところによる。

第二百一条の三　削除

（推薦団体の選挙運動の特例）

第二百一条の四　参議院（選挙区選出）議員の選挙において、政党その他の政治団体であつて、第八十六条の四第三項の規定により政党その他の政治団体に所属する者として記載された候補者（以下「所属候補者」という。）でその所属する政党その他の政治団体が第二百一条の六第三項（第二百一条の七第二項において準用する場合を含む。）の確認書の交付を受けた政党その他の政治団体であるもの以外の候補者を推薦し、又は支持するものは、当該候補者の届出があつた日から当該選挙の期日の前日までの間、その推薦し、又は支持する候補者（以下この条及び第二百一条の六において「推薦候補者」という。）の属する選挙区につき、当該推薦候補者の数の四倍（参議院合同選挙区選挙にあつては、八倍）に相当する回数以内で、当該推薦候補者の選挙運動のための推薦演説会を開催することができる。

2　前項の規定の適用を受けようとする政党その他の政治団体は、政令で定めるところにより、推薦し、又は支持しようとする公職の候補者の当該政党その他の政治団体の推薦候補者とされることについての同意書を添え、当該選挙に関する事務を管理する都道府県の選挙管理委員会（参議院合同選挙区選挙については、当該選挙に関する事務を管理する参議院合同選挙区選挙管理委員会）に申請して、その確認書の交付を受けなければならない。

3　第一項の規定の適用については、一の政党その他の政治団体の推薦候補者とされた者は、当該選挙において、当該一の政党その他の政治団体以外の政党その他の政治団体の推薦候補者とされることができず、また、第二百一条の六第三項（第二百一条の七第二項において準用する場合を含む。）の確認書の交付を受けた政党その他の政治団体の所属候補者であつた者は、当該選挙において、政党その他の政治団体の推薦候補者とされることができない。

4　第二項の確認書を交付した当該選挙に関する事務を管理する都道府県の選挙管理委員会（参議院合同選挙区選挙については、当該選挙に関する事務を管理する参議院合同選挙区選挙管理委員会）は、直ちにその旨を総務大臣（参議院合同選挙区選挙については、総務大臣及び当該選挙の選挙区内の各合同選挙区都道府県の選挙管理委員会）に通知しなければならない。

5　第百六十六条（第一号に係る部分に限る。）の規定は、第一項の推薦演説会に適用しない。

6　第一項の推薦演説会のために使用する文書図画（ウェブサイト等を利用する方法により頒布されるものを除く。）は、次の各号のいずれかに該当するものに限り、掲示し又は頒布することができる。

一　推薦演説会の開催を周知させるために掲示するポスター

二　推薦演説会の会場においてその推薦演説会の開催中掲示するポスター、立札及び看板の類

三　屋内の推薦演説会の会場内においてその推薦演説会の開催中掲示する映写等の類

7　前項第一号のポスターは、一の推薦演説会の会場につき五百枚をこえることができない。

8　第六項第一号のポスターについては、当該選挙区の特定の候補者の氏名又はその氏名が類推されるような事項を記載してはならない。

9　第百四十三条第六項、第百四十四条第二項前段、第四項及び第五項、第百四十五条並びに第百七十八条の二の規定は第六項第一号のポスターについて、第百四十三条第八項及び第九項並びに第百四十三条の二の規定は第六項第二号のポスター、立札及び看板の類について準用する。この場合において、第百四十四条第二項前段中「衆議院比例代表選出議員又は参議院比例代表選出議員の選挙については、中央選挙管理会」とあるのは「参議院合同選挙区選挙については、当該選挙に関する事務を管理する参議院合同選挙区選挙管理委員会」と、同条第五項後段中「、候補者届出政党」とあるのは「、第二百一条の四第二項の確認書の交付を受けた政党その他の政治団体」と、「当該候補者届出政党の名称を、衆議院名簿届出政党等が使用するものにあつては当該衆議院名簿届出政党等の名称及び前項のポスターである旨を表示する記号を、参議院名簿登載者が使用するものにあつては当該参議院名簿登載者に係る参議院名簿届出政党等の名称を、」とあるのは「当該政党その他の政治団体の名称を」と、第百四十五条第一項ただし書中「総務省令で定めるもの並びに第百四十四条の二及び第百四十四条の四の掲示場に掲示する場合」とあるのは「総務省令で定めるもの」と読み替えるものとする。

第十四章の三　政党その他の政治団体等の選挙における政治活動

（総選挙における政治活動の規制）

第二百一条の五　政党その他の政治活動を行う団体は、別段の定めがある場合を除き、その政治活動のうち、政談演説会及び街頭政談演説の開催、ポスターの掲示、立札及び看板の類（政党その他の政治団体の本部又は支部の事務所において掲示するものを除く。以下同じ。）の掲示並びにビラ（これに類する文書図画を含む。以下同じ。）の頒布（これらの掲示又は頒布には、それぞれ、ポスター、立札若しくは看板の類又はビラで、政党その他の政治活動を行う団体のシンボル・マークを表示するものの掲示又は頒布を含む。以下同じ。）並びに宣伝告知（政党その他の政治活動を行う団体の発行する新聞紙、雑誌、書籍及びパンフレットの普及宣伝を含む。以下同じ。）のための自動車、船舶及び拡声機の使用については、衆議院議員の総選挙の期日の公示の日から選挙の当日までの間に限り、これをすることができない。

（通常選挙における政治活動の規制）

第二百一条の六　政党その他の政治活動を行う団体は、その政治活動のうち、政談演説会及び街頭政談演説の開催、ポスターの掲示、立札及び看板の類の掲示並びにビラの頒布並びに宣伝告知のための自動車及び拡声機の使用については、参議院議員の通常選挙の期日の公示の日から選挙の当日までの間に限り、これをすることができない。ただし、参議院名簿届出政党等であり又は当該選挙において全国を通じて十人以上の所属候補者を有する政党その他の政治団体が、次の各号に掲げる政治活動につき、その選挙の期日の公示の日から選挙の期日の前日までの間、当該各号の規定によりする場合は、この限りでない。

一　政談演説会の開催については、衆議院（小選挙区選出）議員の一選挙区ごとに一回

二　街頭政談演説の開催については、第三号の規定により使用する自動車で停止しているものの車上及びその周囲

三　政策の普及宣伝（政党その他の政治団体の発行する新聞紙、雑誌、書籍及びパンフレットの普及宣伝を含む。以下同じ。）及び演説の告知のための自動車の使用については、政党その他の政治団体の本部及び支部を通じて六台以内、所属候補者（参議院名簿登載者を含む。以下この条において同じ。）の数が十人を超える場合においては、その超える数が五人を増すごとに一台を六台に加えた台数以内

三の二　政策の普及宣伝及び演説の告知のための拡声機の使用については、政談演説会の会場、街頭政談演説（政談演説を含む。）の場所及び前号の規定により使用する自動車の車上

四　ポスターの掲示については、長さ八十五センチメートル、幅六十センチメートル以内のもの七万枚以内、所属候補者の数が十人を超える場合においては、その超える数が五人を増すごとに五千枚を七万枚に加えた枚数以内

五　立札及び看板の類の掲示については

イ　その開催する政談演説会の告知のために使用するもの（一の政談演説会ごとに、立札及び看板の類を通じて五以内）及びその会場内で使用するもの

ロ　第三号の規定により使用する自動車に取り付けて使用するもの

六　ビラの頒布（散布を除く。）については、総務大臣に届け出たもの三種類以内

2　前項第四号のポスター及び同項第六号のビラは、第百四十二条及び第百四十三条の規定にかかわらず、当該参議院名簿届出政党等又は所属候補者の選挙運動のために使用することができる。ただし、当該選挙区（選挙区がないときは、選挙の行われる区域）の特定の候補者の氏名又はその氏名が類推されるような事項を記載したものを使用することはできない。

3　第一項ただし書の規定の適用を受けようとする政党その他の政治団体は、政令で定めるところにより、所属候補者の氏名その他必要な事項を記載し、総務大臣に申請して、その確認書の交付を受けなければならない。

4　総務大臣は、前項の確認書を交付したときは、その旨を参議院（選挙区選出）議員の選挙に関する事務を管理する都道府県の選挙管理委員会（参議院合同選挙区選挙については、参議院合同選挙区選挙管理委員会及び各合同選挙区都道府県の選挙管理委員会）に通知しなければならない。

5　第一項の規定の適用については、第三項の確認書の交付を受けた一の政党その他の政治団体の所属候補者とされた者は、当該選挙において、当該一の政党その他の政治団体以外の政党その他の政治団体の所属候補者とされることができず、また、一の政党その他の政治団体の推薦候補者であつた者は、当該選挙において、政党その他の政治団体の所属候補者とされることができない。

（衆議院議員又は参議院議員の再選挙及び補欠選挙の場合の規

制）

第二百一条の七　第二百一条の五の規定は、衆議院議員の再選挙又は補欠選挙について、準用する。この場合において、同条中「衆議院議員の総選挙の期日の公示の日から選挙の当日までの間に限り」とあるのは、「衆議院議員の再選挙又は補欠選挙の行われる区域においてその選挙の期日の告示の日から選挙の当日までの間に限り」と読み替えるものとする。

2　前条の規定は、参議院議員の再選挙又は補欠選挙について、準用する。この場合において、同条第一項本文中「参議院議員の通常選挙の期日の公示の日から選挙の当日までの間に限り」とあるのは「参議院議員の再選挙又は補欠選挙の行われる区域においてその選挙の期日の告示の日から選挙の当日までの間に限り」と、同項ただし書中「全国を通じて十人」とあるのは「一人」と、「公示」とあるのは「告示」と読み替えるものとし、同項第三号に規定する自動車の台数は、所属候補者の数にかかわらず、一台（参議院合同選挙区選挙にあつては、二台）とし、参議院（選挙区選出）議員の再選挙又は補欠選挙については、同項第四号に規定するポスターの枚数は、所属候補者の数にかかわらず、衆議院（小選挙区選出）議員の一選挙区ごとに五百枚以内とし、政党その他の政治団体による同項第六号のビラの届出及び総務大臣による同条第四項の通知は、当該選挙に関する事務を管理する選挙管理委員会（参議院合同選挙区選挙については、同号のビラの届出にあつては当該選挙に関する事務を管理する参議院合同選挙区選挙管理委員会、同項の通知にあつては当該選挙に関する事務を管理する参議院合同選挙区選挙管理委員会及び当該選挙の選挙区内の各合同選挙区都道府県の選挙管理委員会）に対して行うものとする。

（都道府県又は指定都市の議会の議員の選挙における政治活動の規制）

第二百一条の八　政党その他の政治活動を行う団体は、その政治活動のうち、政談演説会及び街頭政談演説の開催、ポスターの掲示、立札及び看板の類の掲示並びにビラの頒布並びに宣伝告知のための自動車及び拡声機の使用については、都道府県の議会の議員又は指定都市の議会の議員の一般選挙の行われる区域においてその選挙の期日の告示の日から選挙の当日までの間に限り、これをすることができない。ただし、選挙の行われる区域を通じて三人以上の所属候補者を有する政党その他の政治団体が、次の各号に掲げる政治活動につき、その選挙の期日の告示の日から選挙の期日の前日までの間、当該各号の規定によりする場合は、この限りでない。

一　政談演説会の開催については、所属候補者の数の四倍に相当する回数

二　街頭政談演説の開催については、次号の規定により使用する自動車で停止しているものの車上及びその周囲

三　政策の普及宣伝及び演説の告知のための自動車の使用については、政党その他の政治団体の本部及び支部を通じて一台、所属候補者の数が三人を超える場合においては、その超える数が五人を増すごとに一台を一台に加えた台数以内

三の二　政策の普及宣伝及び演説の告知のための拡声機の使用については、政談演説会の会場、街頭政談演説（政談演説を含む。）の場所及び前号の規定により使用する自動車の車上

四　ポスターの掲示については、一選挙区ごとに、長さ八十五センチメートル、幅六十センチメートル以内のもの百枚以内、当該選挙区の所属候補者の数が一人を超える場合にあつては、その超える数が一人を増すごとに五十枚を百枚に加えた枚数以内

五　立札及び看板の類の掲示については

イ　その開催する政談演説会の告知のために使用するもの（一の政談演説会ごとに、立札及び看板の類を通じて五以内）及びその会場内で使用するもの

ロ　第三号の規定により使用する自動車に取り付けて使用するもの

六　ビラの頒布（散布を除く。）については、当該選挙に関する事務を管理する選挙管理委員会に届け出たもの二種類以内

2　第二百一条の六第二項の規定は前項第四号のポスター及び同項第六号のビラについて、同条第三項の規定は第一項ただし書の規定の適用を受けようとする政党その他の政治団体について、同条第五項の規定は第一項の規定を適用する場合について準用する。この場合において、同条第二項中「当該参議院名簿届出政党等又は所属候補者」とあるのは「所属候補者」と、同条第三項中「総務大臣」とあるのは「当該選挙に関する事務を管理する選挙管理委員会」と読み替えるものとする。

3　前二項の規定は、都道府県の議会の議員又は指定都市の議会の議員の再選挙、補欠選挙又は増員選挙について準用する。この場合において、第一項中「選挙の行われる区域を通じて三人以上の所属候補者」とあるのは、「所属候補者」と読み替えるものとする。

（都道府県知事又は市長の選挙における政治活動の規制）

第二百一条の九　政党その他の政治活動を行う団体は、その政治活動のうち、政談演説会及び街頭政談演説の開催、ポスターの掲示、立札及び看板の類の掲示並びにビラの頒布並びに宣伝告知のための自動車及び拡声機の使用については、都道府県知事又は市長の選挙の行われる区域においてその選挙の期日の告示の日から選挙の当日までの間に限り、これをすることができない。ただし、政党その他の政治団体で所属候補者又は支援候補者（第八十六条の四第三項の規定により政党その他の政治団体に所属する者として記載されなかつた公職の候補者で、当該政党その他の政治団体が推薦し、又は支持するものをいう。以下この条及び第二百一条の十一において同じ。）を有するものが、次の各号に掲げる政治活動につき、その選挙の期日の告示の日から選挙の期日の前日までの間、当該各号の規定によりする場合は、この限りでない。

一　政談演説会の開催については、都道府県知事の選挙にあつては衆議院（小選挙区選出）議員の選挙区ごとに一回、市長の選挙にあつては当該選挙の行われる区域につき二回

二　街頭政談演説の開催については、第三号の規定により使用する自動車で停止しているものの車上及びその周囲

三　政策の普及宣伝及び演説の告知のための自動車の使用については、政党その他の政治団体の本部及び支部を通じて一台

三の二　政策の普及宣伝及び演説の告知のための拡声機の使用については、政談演説会の会場、街頭政談演説（政談演説を含む。）の場所及び前号の規定により使用する自動車の車上

四　ポスターの掲示については、都道府県知事の選挙にあつては衆議院（小選挙区選出）議員の一選挙区ごとに、長さ八十

五センチメートル、幅六十センチメートル以内のもの五百枚以内、市長の選挙にあつては当該選挙の行われる区域につき、長さ八十五センチメートル、幅六十センチメートル以内のもの千枚以内

五　立札及び看板の類の掲示については

イ　その開催する政談演説会の告知のために使用するもの（一の政談演説会ごとに、立札及び看板の類を通じて五以内）及びその会場内で使用するもの

ロ　第三号の規定により使用する自動車に取り付けて使用するもの

六　ビラの頒布（散布を除く。）については、当該選挙に関する事務を管理する選挙管理委員会に届け出たもの二種類以内

2　第二百一条の六第二項の規定は、前項第四号のポスター及び同項第六号のビラについて準用する。この場合において、同条第二項中「当該参議院名簿届出政党等又は所属候補者」とあるのは、「所属候補者又は支援候補者」と読み替えるものとする。

3　第一項ただし書の規定の適用を受けようとする政党その他の政治団体は、政令で定めるところにより、所属候補者又は支援候補者の氏名を記載し、支援候補者については当該政党その他の政治団体の支援候補者とされることについての本人の同意書を添え、当該選挙に関する事務を管理する選挙管理委員会に申請して、その確認書の交付を受けなければならない。

4　第一項の規定の適用については、前項の確認書の交付を受けた一の政党その他の政治団体の所属候補者又は支援候補者とされた者は、当該選挙において、当該一の政党その他の政治団体以外の政党その他の政治団体の所属候補者又は支援候補者とされることができず、また、当該選挙において、当該一の政党その他の政治団体の支援候補者又は所属候補者とされることができない。

（二以上の選挙が行われる場合の政治活動）

第二百一条の十　前五条の規定は、これらの条に掲げる選挙の二以上のものが行われる場合において、一の選挙の行われる区域が他の選挙の行われる区域の全部又は一部を含み、且つ、一の選挙の期日の公示又は告示の日からその選挙の当日までの間が他の選挙の期日の公示又は告示の日からその選挙の当日までの間にかかるときは、これらの条のそれぞれの規定により政治活動を行うことのできる政党その他の政治団体が、その二以上の選挙が重複して行われる区域においてその期間それぞれの規定に従つて政治活動を行うことを妨げるものではない。

（政治活動の態様）

第二百一条の十一　この章の規定による政談演説会及び街頭政談演説においては、政策の普及宣伝のほか、所属候補者（参議院比例代表選出議員の選挙にあつては当該参議院名簿届出政党等又は当該参議院名簿登載者（第八十六条の三第一項後段の規定により優先的に当選人となるべき候補者としてその氏名及び当選人となるべき順位が参議院名簿に記載されている者を除く。）、都道府県知事又は市長の選挙にあつては所属候補者又は支援候補者）の選挙運動のための演説をもすることができる。この場合においては、第百六十四条の三及び第百六十六条（第一号に係る部分に限る。）の規定は政談演説会に、第百六十四条の五の規定は街頭政談演説に適用しない。

2　本章の規定による政談演説会を開催する場合には、政党その他の政治団体は、あらかじめ当該政談演説会場の所在する都道府県の選挙管理委員会（指定都市の議会の議員及び市の長の選挙については、市の選挙管理委員会）に届け出なければならない。

3　本章の規定による自動車には、総務大臣（都道府県の議会の議員、都道府県知事、指定都市の議会の議員及び市の長の選挙については、当該選挙に関する事務を管理する選挙管理委員会）の定めるところの表示をしなければならない。

4　この章の規定によるポスターは、当該選挙に関する事務を管理する選挙管理委員会（参議院議員の通常選挙及び参議院比例代表選出議員の再選挙又は補欠選挙については総務大臣、参議院合同選挙区選挙（再選挙又は補欠選挙に限る。以下この項において同じ。）については当該選挙に関する事務を管理する参議院合同選挙区選挙管理委員会）の定めるところにより、当該選挙に関する事務を管理する選挙管理委員会（参議院議員の通常選挙及び参議院比例代表選出議員の再選挙又は補欠選挙については総務大臣、参議院合同選挙区選挙については当該選挙に関する事務を管理する参議院合同選挙区選挙管理委員会）の行う検印を受け、又はその交付する証紙を貼らなければ掲示することができない。この場合において、当該選挙に関する事務を管理する選挙管理委員会（参議院合同選挙区選挙については、当該選挙に関する事務を管理する参議院合同選挙区選挙管理委員会）の行う検印又はその交付する証紙は、市の長の選挙に係るものを除き、衆議院（小選挙区選出）議員の選挙区（都道府県の議会の議員又は指定都市の議会の議員の選挙にあつては、当該選挙の選挙区）ごとに区分しなければならない。

5　本章の規定によるポスターには、その表面に当該政党その他の政治団体の名称並びに掲示責任者及び印刷者の氏名（法人にあつては名称）及び住所、本章の規定によるビラには、その表面に当該政党その他の政治団体の名称、選挙の種類及び本章の規定によるビラである旨を表示する記号を記載しなければならない。

6　第百四十五条の規定は、この章の規定によるポスター並びに立札及び看板の類について、準用する。この場合において、同条第一項ただし書中「総務省令で定めるもの並びに第百四十四条の二及び第百四十四条の四の掲示場に掲示する場合」とあるのは、「総務省令で定めるもの」と読み替えるものとする。

7　第百四十三条第六項の規定はこの章の規定によるポスターについて、第百七十八条の二の規定はこの章の規定によるポスターで所属候補者（参議院比例代表選出議員の選挙にあつては当該参議院名簿届出政党等又は当該参議院名簿登載者、都道府県知事又は市長の選挙にあつては所属候補者又は支援候補者）の選挙運動のために使用するものについて準用する。

8　本章の規定により政談演説会の開催につきその告知のために使用する立札及び看板の類には、当該政談演説会場の所在する都道府県の選挙管理委員会（指定都市の議会の議員及び市の長の選挙については、市の選挙管理委員会）の定めるところの表示をしなければならない。

9　前項の立札及び看板の類には、その表面に掲示責任者の氏名及び住所を記載しなければならない。

10　本章の規定により立札又は看板の類を掲示した者は、本章の規定により使用される自動車を政策の普及宣伝及び演説の告知

のために使用することをやめたとき、又は政談演説会が終了したときは、直ちにこれらを撤去しなければならない。

11　都道府県又は市町村の選挙管理委員会は、政治活動のために使用する文書図画で本章の規定に違反して掲示したもの又は前項の規定に違反して撤去しないものがあると認めるときは、撤去させることができる。この場合において、都道府県又は市町村の選挙管理委員会は、あらかじめ、その旨を当該警察署長に通報するものとする。

（政談演説会等の制限）

第二百一条の十二　政党その他の政治団体は、午後八時から翌日午前八時までの間は、本章の規定による街頭政談演説を開催することができない。

2　政党その他の政治団体は、二以上の選挙が行われる場合において、一の選挙の期日の公示又は告示の日からその選挙の期日の前日までの間が他の選挙の期日にかかる場合においては、その当日当該投票所を閉じる時刻までの間は、その投票所を設けた場所の入口から三百メートル以内の区域において、本章の規定による政談演説会又は街頭政談演説を開催することができない。次条第一項ただし書の規定により自動車の上において政治活動のための連呼行為をすることも、また同様とする。

3　第百四十条の二第二項及び第百六十四条の六第三項の規定は、本章の規定による街頭政談演説を開催する政党その他の政治団体について準用する。

（連呼行為等の禁止）

第二百一条の十三　政党その他の政治活動を行う団体は、各選挙につき、その選挙の期日の公示又は告示の日からその選挙の当日までの間に限り、政治活動のため、次の各号に掲げる行為をすることができない。ただし、第一号の連呼行為については、この章の規定による政談演説会の会場及び街頭政談演説の場所においてする場合並びに午前八時から午後八時までの間に限り、この章の規定により政策の普及宣伝及び演説の告知のために使用される自動車の上においてする場合並びに第三号の文書図画の頒布については、この章の規定による政談演説会の会場においてする場合は、この限りでない。

一　連呼行為をすること。

二　いかなる名義をもつてするを問わず、掲示し又は頒布する文書図画（新聞紙及び雑誌並びにインターネット等を利用する方法により頒布されるものを除く。）に、当該選挙区（選挙区がないときは、選挙の行われる区域）の特定の候補者の氏名又はその氏名が類推されるような事項を記載すること。

三　国又は地方公共団体が所有し又は管理する建物（専ら職員の居住の用に供されているもの及び公営住宅を除く。）において文書図画（新聞紙及び雑誌を除く。）の頒布（郵便等又は新聞折込みの方法による頒布を除く。）をすること。

2　第百四十条の二第二項の規定は、前項ただし書の規定により政治活動のための連呼行為をする政党その他の政治団体について準用する。

（選挙運動の期間前に掲示されたポスターの撤去）

第二百一条の十四　各選挙につき、当該選挙の期日の公示又は告示の前に政党その他の政治活動を行う団体がその政治活動のために使用するポスターを掲示した者は、当該ポスターにその氏名又はその氏名が類推されるような事項を記載された者が当該選挙において候補者となつたときは、当該候補者となつた日のうちに、当該選挙区（選挙区がないときは、選挙の行われる区域）において、当該ポスターを撤去しなければならない。

2　都道府県又は市町村の選挙管理委員会は、前項の規定に違反して撤去しないポスターがあると認めるときは、撤去させることができる。この場合において、都道府県又は市町村の選挙管理委員会は、あらかじめ、その旨を当該警察署長に通報するものとする。

（政党その他の政治団体の機関紙誌）

第二百一条の十五　政党その他の政治団体の発行する新聞紙及び雑誌については、衆議院議員、参議院議員、都道府県の議会の議員、都道府県知事、指定都市の議会の議員又は市長の選挙の期日の公示又は告示の日からその選挙の当日までの間に限り、第百四十八条第三項の規定を適用せず、衆議院議員の選挙にあつては候補者届出政党又は衆議院名簿届出政党等の本部、衆議院議員の選挙以外の選挙にあつては当該選挙につきこの章の規定により政治活動をすることができる政党その他の政治団体の本部において直接発行し、かつ、通常の方法（機関新聞紙については、政談演説会（衆議院議員の選挙にあつては、政党演説会又は政党等演説会）の会場において頒布する場合を含む。）により頒布する機関新聞紙又は機関雑誌で、総務大臣（都道府県の議会の議員、都道府県知事、指定都市の議会の議員又は市長の選挙については、当該選挙に関する事務を管理する選挙管理委員会）に届け出たもの各一に限り、かつ、当該機関新聞紙又は機関雑誌の号外、臨時号、増刊号その他の臨時に発行するものを除き、同条第一項及び第二項の規定を準用する。この場合において、同条第二項中「通常の方法（選挙運動の期間中及び選挙の当日において、定期購読者以外の者に対して頒布する新聞紙又は雑誌については、有償でする場合に限る。）」とあるのは、当該機関新聞紙又は機関雑誌で引き続いて発行されている期間が六月に満たないものについては「通常の方法（政談演説会（衆議院議員の選挙にあつては、政党演説会又は政党等演説会）の会場においてする場合に限る。）」と、当該機関新聞紙又は機関雑誌で引き続いて発行されている期間が六月以上のものについては「通常の方法（当該選挙の期日の公示又は告示の日前六月間において平常行われていた方法をいい、その間に行われた臨時又は特別の方法を含まない。）」と読み替えるものとする。

2　前項の届出には、当該機関新聞紙又は雑誌の名称並びに編集人及び発行人の氏名その他政令で定める事項を記載しなければならない。

3　第一項の規定の適用については、当該機関新聞紙又は機関雑誌の号外、臨時号、増刊号その他の臨時に発行するもので当該選挙に関する報道及び評論を掲載していないものについても、当該選挙区（選挙区がないときは、選挙の行われる区域）の特定の候補者の氏名又はその氏名が類推されるような事項が記載されているときは、当該選挙区（選挙区がないときは、選挙の行われる区域）内においては、同項に規定する当該機関新聞紙又は機関雑誌の号外、臨時号、増刊号その他の臨時に発行するものとみなす。

第十五章　争訟

（地方公共団体の議会の議員及び長の選挙の効力に関する異議

の申出及び審査の申立て）

第二百二条　地方公共団体の議会の議員及び長の選挙において、その選挙の効力に関し不服がある選挙人又は公職の候補者は、当該選挙の日から十四日以内に、文書で当該選挙に関する事務を管理する選挙管理委員会に対して異議を申し出ることができる。

２　前項の規定により市町村の選挙管理委員会に対して異議を申し出た場合において、その決定に不服がある者は、その決定書の交付を受けた日又は第二百十五条の規定による告示の日から二十一日以内に、文書で当該都道府県の選挙管理委員会に審査を申し立てることができる。

（地方公共団体の議会の議員及び長の選挙の効力に関する訴訟）

第二百三条　地方公共団体の議会の議員及び長の選挙において、前条第一項の異議の申出若しくは同条第二項の審査の申立てに対する都道府県の選挙管理委員会の決定又は裁決に不服がある者は、当該都道府県の選挙管理委員会を被告とし、その決定書若しくは裁決書の交付を受けた日又は第二百十五条の規定による告示の日から三十日以内に、高等裁判所に訴訟を提起することができる。

２　地方公共団体の議会の議員及び長の選挙の効力に関する訴訟は、前条第一項又は第二項の規定による異議の申出又は審査の申立てに対する都道府県の選挙管理委員会の決定又は裁決に対してのみ提起することができる。

（衆議院議員又は参議院議員の選挙の効力に関する訴訟）

第二百四条　衆議院議員又は参議院議員の選挙において、その選挙の効力に関し異議がある選挙人又は公職の候補者（衆議院小選挙区選出議員の選挙にあつては候補者又は候補者届出政党、衆議院比例代表選出議員の選挙にあつては衆議院名簿届出政党等、参議院比例代表選出議員の選挙にあつては参議院名簿届出政党等又は参議院名簿登載者（第八十六条の三第一項後段の規定により優先的に当選人となるべき候補者としてその氏名及び当選人となるべき順位が参議院名簿に記載されている者を除く。））は、衆議院（小選挙区選出）議員又は参議院（選挙区選出）議員の選挙にあつては当該選挙に関する事務を管理する都道府県の選挙管理委員会（参議院合同選挙区選挙については、当該選挙に関する事務を管理する参議院合同選挙区選挙管理委員会）を、衆議院（比例代表選出）議員又は参議院（比例代表選出）議員の選挙にあつては中央選挙管理会を被告とし、当該選挙の日から三十日以内に、高等裁判所に訴訟を提起することができる。

（選挙の無効の決定、裁決又は判決）

第二百五条　選挙の効力に関し異議の申出、審査の申立て又は訴訟の提起があつた場合において、選挙の規定に違反することがあるときは選挙の結果に異動を及ぼす虞がある場合に限り、当該選挙管理委員会又は裁判所は、その選挙の全部又は一部の無効を決定し、裁決し又は判決しなければならない。

２　前項の規定により当該選挙管理委員会又は裁判所がその選挙の一部の無効を決定し、裁決し又は判決する場合において、当選に異動を生じる虞のない者を区分することができるときは、その者に限り当選を失わない旨をあわせて決定し、裁決し又は判決しなければならない。

３　前項の場合において、当選に異動を生ずる虞の有無につき判断を受ける者（以下本条中「当該候補者」という。）の得票数（一部無効に係る区域以外の区域における得票数をいう。以下本条中同じ。）から左に掲げる各得票数を各別に差し引いて得た各数の合計数が、選挙の一部無効に係る区域における選挙人の数より多いときは、当該候補者は、当選に異動を生ずる虞のないものとする。

一　得票数の最も多い者から順次に数えて、当該選挙において選挙すべき議員の数に相当する数に至る順位の次の順位にある候補者の得票数

二　得票数が前号の候補者より多く、当該候補者より少い各候補者のそれぞれの得票数

４　前項の選挙の一部無効に係る区域における選挙人とは、第二項の規定による決定、裁決又は判決の直前（判決の場合にあつては高等裁判所の判決の基本たる口頭弁論終結の直前）に当該選挙の一部無効に係る区域において行われた選挙の当日投票できる者であつた者とする。

５　衆議院（比例代表選出）議員又は参議院（比例代表選出）議員の選挙については、前三項の規定は適用せず、第一項の規定により選挙の一部を無効とする判決があつた場合においても、衆議院名簿届出政党等又は参議院名簿届出政党等に係る当選人の数の決定及び当選人の決定は、当該再選挙の結果に基づく新たな決定に係る告示がされるまでの間（第三十三条の二第六項の規定により当該再選挙を行わないこととされる場合にあつては、当該議員の任期満了の日までの間）は、なおその効力を有する。

（地方公共団体の議会の議員又は長の当選の効力に関する異議の申出及び審査の申立て）

第二百六条　地方公共団体の議会の議員又は長の選挙においてその当選の効力に関し不服がある選挙人又は公職の候補者は、第百一条の三第二項又は第百六条第二項の規定による告示の日から十四日以内に、文書で当該選挙に関する事務を管理する選挙管理委員会に対して異議を申し出ることができる。

２　前項の規定により市町村の選挙管理委員会に対して異議を申し出た場合において、その決定に不服がある者は、その決定書の交付を受けた日又は第二百十五条の規定による告示の日から二十一日以内に、文書で当該都道府県の選挙管理委員会に審査を申し立てることができる。

（地方公共団体の議会の議員及び長の当選の効力に関する訴訟）

第二百七条　地方公共団体の議会の議員及び長の選挙において、前条第一項の異議の申出若しくは同条第二項の審査の申立てに対する都道府県の選挙管理委員会の決定又は裁決に不服がある者は、当該都道府県の選挙管理委員会を被告とし、その決定書若しくは裁決書の交付を受けた日又は第二百十五条の規定による告示の日から三十日以内に、高等裁判所に訴訟を提起することができる。

２　第二百三条第二項の規定は、地方公共団体の議会の議員及び長の当選の効力に関する訴訟を提起する場合に、準用する。

（衆議院議員又は参議院議員の当選の効力に関する訴訟）

第二百八条　衆議院議員又は参議院議員の選挙において、当選をしなかつた者（衆議院小選挙区選出議員の選挙にあつては候補者届出政党、衆議院比例代表選出議員の選挙にあつては衆議院

名簿届出政党等、参議院比例代表選出議員の選挙にあつては参議院名簿届出政党等を含む。）で当選の効力に関し不服があるものは、衆議院（小選挙区選出）議員又は参議院（選挙区選出）議員の選挙にあつては当該選挙に関する事務を管理する都道府県の選挙管理委員会（参議院合同選挙区選挙については、当該選挙に関する事務を管理する参議院合同選挙区選挙管理委員会）を、衆議院（比例代表選出）議員又は参議院（比例代表選出）議員の選挙にあつては中央選挙管理会を被告とし、第百一条第二項、第百一条の二第二項、第百一条の二の二第二項若しくは第百一条の三第二項又は第百六条第二項の規定による告示の日から三十日以内に、高等裁判所に訴訟を提起することができる。ただし、衆議院（比例代表選出）議員の選挙においては、当該選挙と同時に行われた衆議院（小選挙区選出）議員の選挙における選挙又は当選の効力に関する事由を理由とし、当選の効力に関する訴訟を提起することができない。

2　衆議院（比例代表選出）議員の当選の効力に関し訴訟の提起があつた場合において、衆議院名簿届出政党等に係る当選人の数の決定に過誤があるときは、裁判所は、当該衆議院名簿届出政党等に係る当選人の数の決定の無効を判決しなければならない。この場合においては、当該衆議院名簿届出政党等につき失われることのない当選人の数を併せて判決するものとする。

3　前項の規定は、参議院（比例代表選出）議員の選挙の当選の効力に関する訴訟の提起があつた場合について準用する。この場合において、同項中「衆議院名簿届出政党等」とあるのは、「参議院名簿届出政党等」と読み替えるものとする。

（当選の効力に関する争訟における選挙の無効の決定、裁決又は判決）

第二百九条　前三条の規定による当選の効力に関する異議の申出、審査の申立て又は訴訟の提起があつた場合においても、その選挙が第二百五条第一項の場合に該当するときは、当該選挙管理委員会又は裁判所は、その選挙の全部又は一部の無効を決定し、裁決し又は判決しなければならない。

2　第二百五条第二項から第五項までの規定は、前項の場合に準用する。

（当選の効力に関する争訟における潜在無効投票）

第二百九条の二　当選の効力に関する異議の申出、審査の申立て又は訴訟の提起があつた場合において、選挙の当日選挙権を有しない者の投票その他本来無効なるべき投票であつてその無効原因が表面に現れない投票で有効投票に算入されたことが推定され、かつ、その帰属が不明な投票があることが判明したときは、当該選挙管理委員会又は裁判所は、第九十五条又は第九十五条の二若しくは第九十五条の三の規定の適用に関する各公職の候補者又は各衆議院名簿届出政党等若しくは各参議院名簿届出政党等の有効投票の計算については、その開票区ごとに、各公職の候補者又は各衆議院名簿届出政党等若しくは各参議院名簿届出政党等の得票数（各参議院名簿届出政党等の得票数にあつては、当該参議院名簿届出政党等に係る各参議院名簿登載者（当該選挙の期日において公職の候補者たる者に限る。以下この項及び次項において同じ。）の得票数を含むものをいう。）から、当該無効投票数を各公職の候補者又は各衆議院名簿届出政党等若しくは各参議院名簿届出政党等の得票数（各参議院名簿届出政党等の得票数にあつては、当該参議院名簿届出政党等に係る各参議院名簿登載者の得票数を含むものをいう。）に応じてあん分して得た数をそれぞれ差し引くものとする。

2　前項の場合において、各参議院名簿届出政党等に係る各参議院名簿登載者の有効投票及び当該参議院名簿届出政党等の有効投票（当該参議院名簿届出政党等に係る各参議院名簿登載者の有効投票を含まないものをいう。）の計算については、その開票区ごとに、各参議院名簿登載者の得票数及び当該参議院名簿届出政党等の得票数（当該参議院名簿届出政党等に係る各参議院名簿登載者の得票数を含まないものをいう。以下この項において同じ。）から、前項の規定によりあん分して得た数を各参議院名簿登載者の得票数及び当該参議院名簿届出政党等の得票数に応じてあん分して得た数をそれぞれ差し引くものとする。

（総括主宰者、出納責任者等の選挙犯罪による公職の候補者であつた者の当選の効力及び立候補の資格に関する訴訟等）

第二百十条　第二百五十一条の二第一項第一号から第三号までに掲げる者が第二百二十一条第三項、第二百二十二条第三項、第二百二十三条第三項若しくは第二百二十三条の二第二項の規定により刑に処せられた場合又は出納責任者が第二百四十七条の規定により刑に処せられた場合において、これらの者に係る公職の候補者であつた者が第二百五十四条の二第一項の規定による通知を受けたときは、当該公職の候補者であつた者は、検察官を被告とし、当該通知を受けた日から三十日以内に、高等裁判所に、これらの者が当該公職の候補者であつた者に係る第二百五十一条の二第一項第一号から第三号までに掲げる者若しくは出納責任者に該当しないこと又は同条第四項各号に掲げる場合に該当することを理由とし、当該公職の候補者であつた者の当該選挙における当選が無効とならないこと、当該公職の候補者であつた者が当該選挙に係る選挙区（選挙区がないときは、選挙の行われる区域）において行われる当該公職に係る選挙において公職の候補者となり若しくは公職の候補者であることができないこととならないこと又は当該公職の候補者であつた者で衆議院（小選挙区選出）議員の選挙における候補者であつたものの当該選挙と同時に行われた衆議院（比例代表選出）議員の選挙における当選が無効とならないことの確認を求める訴訟を提起することができる。ただし、当該公職の候補者であつた者が第二百五十四条の二第一項の規定による通知を受けた日から三十日を経過する日までの間に、当該公職の候補者であつた者が当該選挙において当選人と定められ当該当選人に係る第百一条第二項、第百一条の二の二第二項若しくは第百一条の三第二項の規定による告示があつたとき又は当該公職の候補者であつた者で衆議院（小選挙区選出）議員の選挙における候補者であつたものが当該選挙と同時に行われた衆議院（比例代表選出）議員の選挙において当選人と定められ当該当選人に係る第百一条の二第二項の規定による告示があつたときは、当該当選人の当選が無効とならないことの確認を求める訴訟の出訴期間は、当該告示の日から三十日以内とする。

2　第二百五十一条の二第一項第一号から第三号までに掲げる者が第二百二十一条第三項、第二百二十二条第三項、第二百二十三条第三項若しくは第二百二十三条の二第二項の規定により刑に処せられた場合又は出納責任者が第二百四十七条の規定により刑に処せられた場合において、これらの者に係る公職の候補者であつた者が第二百五十四条の二第一項の規定による通知を受けた日から三十日を経過した日後に、当該公職の候補者であつた者が当該選挙において当選人と定められ当該当選人に係る第百一条第二項、第百一条の二の二第二項若しくは第百一条の三第二項の規定による告示があつたとき又は当該公職の候補者であつた者で衆議院（小選挙区選出）議員の選挙における候補者であつたものが当該選挙と同時に行われた衆議院（比例代表選出）議員の選挙において当選人と定められ当該当選人に係る第百一条の二第二項の規定による告示があつたときは、第二百五十一条の二第一項又は第三項の規定により当該当選人の当選を無効であると認める検察官は、当選人を被告とし、当該告示の日から三十日以内に、高等裁判所に訴訟を提起しなければならない。

（総括主宰者、出納責任者等の選挙犯罪による公職の候補者等であつた者の当選無効及び立候補の禁止の訴訟）

第二百十一条　第二百五十一条の二第一項各号に掲げる者又は第二百五十一条の三第一項に規定する組織的選挙運動管理者等が第二百二十一条、第二百二十二条、第二百二十三条又は第二百二十三条の二の罪を犯し刑に処せられたため、第二百五十一条の二第一項又は第二百五十一条の三第一項の規定により当該公職の候補者又は公職の候補者となろうとする者（以下この条及び第二百十九条第一項において「公職の候補者等」という。）であつた者の当該選挙における当選が無効であり、当該公職の候補者等であつた者が当該選挙に係る選挙区（選挙区がないときは、選挙の行われる区域）において行われる当該公職に係る選挙において公職の候補者となり若しくは公職の候補者であることができず、又は当該公職の候補者等であつた者で衆議院（小選挙区選出）議員の選挙における候補者であつたものの当該選挙と同時に行われた衆議院（比例代表選出）議員の選挙における当選が無効であると認める検察官は、前条に規定する場合を除くほか、当該公職の候補者等であつた者を被告とし、その裁判確定の日から三十日以内に、高等裁判所に訴訟を提起しなければならない。ただし、当該裁判確定の日後に、当該公職の候補者等であつた者が当該選挙において当選人と定められ当該当選人に係る第百一条第二項、第百一条の二の二第二項若しくは第百一条の三第二項の規定による告示があつたとき又は当該公職の候補者等であつた者で衆議院（小選挙区選出）議員の選挙における候補者であつたものが当該選挙と同時に行われた衆議院（比例代表選出）議員の選挙において当選人と定められ当該当選人に係る第百一条の二第二項の規定による告示があつたときは、当該当選人の当選に係る当選無効の訴訟の出訴期間は、当該告示の日から三十日以内とする。

2　第二百五十一条の四第一項各号に掲げる者が第二百二十一条から第二百二十三条の二まで、第二百二十五条、第二百二十六条、第二百三十九条第一項第一号、第三号若しくは第四号又は第二百三十九条の二の罪を犯し刑に処せられたため、第二百五十一条の四第一項の規定により当該当選人の当選を無効であると認める検察官は、当選人を被告とし、その裁判確定の日から三十日以内に、高等裁判所に訴訟を提起しなければならない。この場合においては、前項ただし書の規定を準用する。

（選挙人等の出頭及び証言の請求）

第二百十二条　選挙管理委員会は、本章に規定する異議の申出又は審査の申立てがあつた場合において、その決定又は裁決のため必要があると認めるときは、選挙人その他の関係人の出頭及び証言を求めることができる。

2　民事訴訟に関する法令の規定中証人の尋問に関する規定は、前項の規定により選挙管理委員会が選挙人その他の関係人の出頭及び証言を求める場合について準用する。ただし、罰金、拘留、勾引又は過料に関する規定は、この限りでない。

3　第一項の規定により出頭した選挙人その他の関係人の要した実費は、当該地方公共団体が、条例の定めるところにより、弁償しなければならない。

（争訟の処理）

第二百十三条　本章に規定する争訟については、異議の申出に対する決定はその申出を受けた日から三十日以内に、審査の申立てに対する裁決はその申立てを受理した日から六十日以内に、訴訟の判決は事件を受理した日から百日以内に、これをするように努めなければならない。

2　前項の訴訟については、裁判所は、他の訴訟の順序にかかわらず速かにその裁判をしなければならない。

（争訟の提起と処分の執行）

第二百十四条　本章に規定する異議の申出、審査の申立て又は訴訟の提起があつても、処分の執行は、停止しない。

（決定書、裁決書の交付及びその要旨の告示）

第二百十五条　第二百二条第一項及び第二百六条第一項の異議の申出に対する決定又は第二百二条第二項及び第二百六条第二項の審査の申立てに対する裁決は、文書をもつてし、理由を附けて異議申出人又は審査申立人に交付するとともに、その要旨を告示しなければならない。

（行政不服審査法の準用）

第二百十六条　第二百二条第一項及び第二百六条第一項の異議の申出については、この章に規定するもののほか、行政不服審査法第九条第四項、第十一条から第十三条まで、第十九条第二項（第三号及び第五号を除く。）及び第四項、第二十三条、第二十四条、第二十七条、第三十条第二項及び第三項、第三十一条（第五項を除く。）、第三十二条第一項及び第三項、第三十三条、第三十五条から第三十七条まで、第三十八条（第六項を除く。）、第三十九条、第四十一条第一項及び第二項、同条第三項（審理手続を終結した旨の通知に関する部分に限る。）、第四十四条、第四十五条第一項及び第二項並びに第五十三条の規定を準用する。この場合において、これらの規定（同法第十一条第二項及び第四十四条の規定を除く。）中「審理員」とあるのは「審査庁」と、同法第九条第四項中「審査庁」とあるのは「公職選挙法第二百二条第一項又は第二百六条第一項の異議の申出を受けた選挙管理委員会（以下「審査庁」という。）」と、同法第十一条第二項中「第九条第一項の規定により指名された者（以下「審理員」という。）」とあるのは「審査庁」と、同法第三十条第三項中「審査請求人から反論書の提出があったときはこれを参加人及び処分庁等に、参加人」とあるのは「参加人」と、「審査請求人及び処分庁等に、それぞれ」とあるのは「異議申出人に」と、同法第三十一条第二項中「審理関係人」とあるのは「審理関係人（異議申出人及び参加人をいう。以下同じ。）」と、同法第三十八条第四項及び第五項中「政令」とあるのは「条例」と、同法第四十四条中「行政不服審査会等から諮問に対する答申を受けたとき（前条第一項の規定による諮問を要しない場合（同項第二号又は第三号に該当する場合を除く。）にあっては審理員意見書が提出されたとき、同項第二号又は第三号に該当する場合にあっては同項第二号又は第三号に規定する議を経たとき）」とあるのは「審理手続を終結したとき」と読み替えるものとする。

2　第二百二条第二項及び第二百六条第二項の審査の申立てについては、この章に規定するもののほか、行政不服審査法第九条第四項、第十一条から第十三条まで、第十九条第二項（第三号及び第五号を除く。）及び第四項、第二十三条、第二十四条、第二十七条、第二十九条第一項本文、第二項及び第五項、第三十条から第三十三条まで、第三十五条から第三十七条まで、第三十八条（第六項を除く。）、第三十九条、第四十一条第一項及び第二項、同条第三項（審理手続を終結した旨の通知に関する部分に限る。）、第四十四条、第四十五条第一項及び第二項、第五十二条第一項並びに第五十三条の規定を準用する。この場合において、これらの規定（同法第十一条第二項及び第四十四条の規定を除く。）中「審理員」とあるのは「審査庁」と、「処分庁等」とあるのは「当該選挙に関する事務を管理する選挙管理委員会」と、同法第九条第四項中「審査庁」とあるのは「公職選挙法第二百二条第二項又は第二百六条第二項の審査の申立てを受けた選挙管理委員会（以下「審査庁」という。）」と、同法第十一条第二項中「第九条第一項の規定により指名された者（以下「審理員」という。）」とあるのは「審査庁」と、同法第二十九条第一項中「審査庁から指名されたときは、直ちに」とあるのは「審査の申立てがされたときは、第二十四条の規定により当該審査の申立てを却下する場合を除き、速やかに」と、同法第三十一条第二項中「審理関係人」とあるのは「審理関係人（審査申立人、参加人及び当該選挙に関する事務を管理する選挙管理委員会をいう。以下同じ。）」と、同法第三十八条第四項及び第五項中「政令」とあるのは「条例」と、同法第四十四条中「行政不服審査会等から諮問に対する答申を受けたとき（前条第一項の規定による諮問を要しない場合（同項第二号又は第三号に該当する場合を除く。）にあっては審理員意見書が提出されたとき、同項第二号又は第三号に該当する場合にあっては同項第二号又は第三号に規定する議を経たとき）」とあるのは「審理手続を終結したとき」と読み替えるものとする。

（訴訟の管轄）

第二百十七条　第二百三条第一項、第二百四条、第二百七条第一項、第二百八条第一項、第二百十条又は第二百十一条の規定による訴訟は、当該選挙に関する事務を管理する選挙管理委員会の所在地を管轄する高等裁判所（衆議院比例代表選出議員の選挙については第二百四条又は第二百八条第一項の規定による訴訟にあつては東京高等裁判所、第二百十条又は第二百十一条の規定による訴訟にあつては当該公職の候補者であつた者で当該選挙と同時に行われた衆議院小選挙区選出議員の選挙における候補者であつたものに係る当該衆議院小選挙区選出議員の選挙に関する事務を管理する選挙管理委員会の所在地を管轄する高等裁判所、参議院比例代表選出議員の選挙については東京高等裁判所、参議院合同選挙区選挙については当該選挙に関する事務を管理する参議院合同選挙区選挙管理委員会の設置に関する規約に定める第五条の六第十六項第三号に掲げる執務場所を管轄する高等裁判所）の専属管轄とする。

（選挙関係訴訟における検察官の立会）

第二百十八条　裁判所は、本章の規定による訴訟を裁判するに当り、検察官をして口頭弁論に立ち合わしめることができる。

（選挙関係訴訟に対する訴訟法規の適用）

第二百十九条　この章（第二百十条第一項を除く。）に規定する訴訟については、行政事件訴訟法第四十三条の規定にかかわらず、同法第十三条、第十九条から第二十一条まで、第二十五条から第二十九条まで、第三十一条及び第三十四条の規定は、準用せず、また、同法第十六条から第十八条までの規定は、一の選挙の効力を争う数個の請求、第二百七条若しくは第二百八条の規定により一の選挙における当選の効力を争う数個の請求、第二百十条第二項の規定により公職の候補者であつた者の当選の効力を争う数個の請求、第二百十一条の規定により公職の候補者等であつた者の当選の効力若しくは立候補の資格を争う数個の請求又は選挙の効力を争う請求とその選挙における当選の効力に関し第二百七条若しくは第二百八条の規定によりこれを争う請求とに関してのみ準用する。

2　第二百十条第一項に規定する訴訟については、行政事件訴訟法第四十一条の規定にかかわらず、同法第十三条、第十七条及び第十八条の規定は、準用せず、また、同法第十六条及び第十九条の規定は、第二百十条第一項の規定により公職の候補者であつた者の当選の無効又は立候補の禁止を争う数個の請求に関してのみ準用する。

（選挙関係訴訟についての通知及び判決書謄本の送付）

第二百二十条　第二百三条、第二百四条、第二百七条又は第二百八条の規定による訴訟が提起されたときは、裁判所の長は、その旨を、総務大臣に通知し、かつ、衆議院（比例代表選出）議員又は参議院（比例代表選出）議員の選挙については中央選挙管理会、参議院合同選挙区選挙については合同選挙区都道府県の知事を経て当該選挙に関する事務を管理する参議院合同選挙区選挙管理委員会、この法律に定めるその他の選挙については関係地方公共団体の長を経て当該選挙に関する事務を管理する選挙管理委員会に通知しなければならない。その訴訟が係属しなくなつたときも、また同様とする。

2　第二百十条又は第二百十一条の規定による訴訟が提起された場合において、その訴訟が係属しなくなつたときも、また前項と同様とする。

3　前二項に掲げる訴訟につき判決が確定したときは、裁判所の長は、その判決書の謄本を、総務大臣に送付し、かつ、衆議院（比例代表選出）議員又は参議院（比例代表選出）議員の選挙については中央選挙管理会、参議院合同選挙区選挙については合同選挙区都道府県の知事を経て当該選挙に関する事務を管理する参議院合同選挙区選挙管理委員会、この法律に定めるその他の選挙については関係地方公共団体の長を経て当該選挙に関する事務を管理する選挙管理委員会に送付しなければならない。この場合において、衆議院議員又は参議院議員については衆議院議長又は参議院議長に、地方公共団体の議会の議員については当該議会の議長に、併せて送付しなければならない。

4　裁判所の長は、衆議院（小選挙区選出）議員の選挙における候補者であつた者で当該選挙と同時に行われた衆議院（比例代表選出）議員の選挙における候補者であつたものについて当該衆議院（小選挙区選出）議員の選挙に係る第二項の規定による通知又は前項の規定による送付をする場合には、併せて、中央選挙管理会に、第二項に規定する訴訟が係属しなくなつた旨を通知し、又は前項の判決書の謄本を送付しなければならない。

第十六章　罰則

（買収及び利害誘導罪）

第二百二十一条　次の各号に掲げる行為をした者は、三年以下の懲役若しくは禁錮又は五十万円以下の罰金に処する。

一　当選を得若しくは得しめ又は得しめない目的をもつて選挙人又は選挙運動者に対し金銭、物品その他の財産上の利益若しくは公私の職務の供与、その供与の申込み若しくは約束をし又は供応接待、その申込み若しくは約束をしたとき。

二　当選を得若しくは得しめ又は得しめない目的をもつて選挙人又は選挙運動者に対しその者又はその者と関係のある社寺、学校、会社、組合、市町村等に対する用水、小作、債権、寄附その他特殊の直接利害関係を利用して誘導をしたとき。

三　投票をし若しくはしないこと、選挙運動をし若しくはやめたこと又はその周旋勧誘をしたことの報酬とする目的をもつて選挙人又は選挙運動者に対し第一号に掲げる行為をしたとき。

四　第一号若しくは前号の供与、供応接待を受け若しくは要求し、第一号若しくは前号の申込みを承諾し又は第二号の誘導に応じ若しくはこれを促したとき。

五　第一号から第三号までに掲げる行為をさせる目的をもつて選挙運動者に対し金銭若しくは物品の交付、交付の申込み若しくは約束をし又は選挙運動者がその交付を受け、その交付を要求し若しくはその申込みを承諾したとき。

六　前各号に掲げる行為に関し周旋又は勧誘をしたとき。

2　中央選挙管理会の委員若しくは中央選挙管理会の庶務に従事する総務省の職員、参議院合同選挙区選挙管理委員会の委員若しくは職員、選挙管理委員会の委員若しくは職員、投票管理者、開票管理者、選挙長若しくは選挙分会長又は選挙事務に関係のある国若しくは地方公共団体の公務員が当該選挙に関し前項の罪を犯したときは、四年以下の懲役若しくは禁錮又は百万円以下の罰金に処する。公安委員会の委員又は警察官がその関係区域内の選挙に関し同項の罪を犯したときも、また同様とする。

3　次の各号に掲げる者が第一項の罪を犯したときは、四年以下の懲役若しくは禁錮又は百万円以下の罰金に処する。

一　公職の候補者

二　選挙運動を総括主宰した者

三　出納責任者（公職の候補者又は出納責任者と意思を通じて当該公職の候補者のための選挙運動に関する支出の金額のうち第百九十六条の規定により告示された額の二分の一以上に相当する額を支出した者を含む。）

四　三以内に分けられた選挙区（選挙区がないときは、選挙の行われる区域）の地域のうち一又は二の地域における選挙運動を主宰すべき者として第一号又は第二号に掲げる者から定められ、当該地域における選挙運動を主宰した者

（多数人買収及び多数人利害誘導罪）

第二百二十二条　左の各号に掲げる行為をした者は、五年以下の懲役又は禁錮に処する。

一　財産上の利益を図る目的をもつて公職の候補者又は公職の候補者となろうとする者のため多数の選挙人又は選挙運動者に対し前条第一項第一号から第三号まで、第五号又は第六号に掲げる行為をし又はさせたとき。

二　財産上の利益を図る目的をもつて公職の候補者又は公職の候補者となろうとする者のため多数の選挙人又は選挙運動者に対し前条第一項第一号から第三号まで、第五号又は第六号に掲げる行為をすることを請け負い若しくは請け負わせ又はその申込をしたとき。

2　前条第一項第一号から第三号まで、第五号又は第六号の罪を犯した者が常習者であるときも、また前項と同様とする。

3　前条第三項各号に掲げる者が第一項の罪を犯したときは、六年以下の懲役又は禁錮に処する。

（公職の候補者及び当選人に対する買収及び利害誘導罪）

第二百二十三条　次の各号に掲げる行為をした者は、四年以下の懲役若しくは禁錮又は百万円以下の罰金に処する。

一　公職の候補者たること若しくは公職の候補者となろうとすることをやめさせる目的をもつて公職の候補者若しくは公職の候補者となろうとする者に対し又は当選を辞させる目的をもつて当選人に対し第二百二十一条第一項第一号又は第二号に掲げる行為をしたとき。

二　公職の候補者たること若しくは公職の候補者となろうとすることをやめたこと、当選を辞したこと又はその周旋勧誘をしたことの報酬とする目的をもつて公職の候補者であつた者、公職の候補者となろうとした者又は当選人であつた者に対し第二百二十一条第一項第一号に掲げる行為をしたとき。

三　前二号の供与、供応接待を受け若しくは要求し、前二号の申込みを承諾し又は第一号の誘導に応じ若しくはこれを促したとき。

四　前各号に掲げる行為に関し周旋又は勧誘をなしたとき。

2　中央選挙管理会の委員若しくは中央選挙管理会の庶務に従事する総務省の職員、参議院合同選挙区選挙管理委員会の委員若しくは職員、選挙管理委員会の委員若しくは職員、投票管理者、開票管理者、選挙長若しくは選挙分会長又は選挙事務に関係のある国若しくは地方公共団体の公務員が当該選挙に関し前項の罪を犯したときは、五年以下の懲役若しくは禁錮又は百万円以下の罰金に処する。公安委員会の委員又は警察官がその関係区域内の選挙に関し同項の罪を犯したときも、また同様とする。

3　第二百二十一条第三項各号に掲げる者が第一項の罪を犯したときは、五年以下の懲役若しくは禁錮又は百万円以下の罰金に処する。

（新聞紙、雑誌の不法利用罪）

第二百二十三条の二　第百四十八条の二第一項又は第二項の規定に違反した者は、五年以下の懲役又は禁錮に処する。

2　第二百二十一条第三項各号に掲げる者が前項の罪を犯したときは、六年以下の懲役又は禁錮に処する。

（買収及び利害誘導罪の場合の没収）

第二百二十四条　前四条の場合において収受し又は交付を受けた利益は、没収する。その全部又は一部を没収することができないときは、その価額を追徴する。

（おとり罪）

第二百二十四条の二　第二百五十一条の二第一項若しくは第三項又は第二百五十一条の三第一項の規定に該当することにより公職の候補者又は公職の候補者となろうとする者（以下この条に

おいて「公職の候補者等」という。）の当選を失わせ又は立候補の資格を失わせる目的をもつて、当該公職の候補者等以外の公職の候補者等その他の公職の候補者等の選挙運動に従事する者と意思を通じて、当該公職の候補者等に係る第二百五十一条の二第一項各号に掲げる者又は第二百五十一条の三第一項に規定する組織的選挙運動管理者等を誘導し又は挑発してその者をして第二百二十一条、第二百二十二条、第二百二十三条、第二百二十三条の二又は第二百四十七条の罪を犯させた者は、一年以上五年以下の懲役又は禁錮に処する。

2　第二百五十一条の二第一項各号に掲げる者又は第二百五十一条の三第一項に規定する組織的選挙運動管理者等が、第二百五十一条の二第一項若しくは第三項又は第二百五十一条の三第一項の規定に該当することにより当該公職の候補者等の当選を失わせ又は立候補の資格を失わせる目的をもつて、当該公職の候補者等以外の公職の候補者等その他の公職の候補者等の選挙運動に従事する者と意思を通じて、第二百二十一条から第二百二十三条の二まで又は第二百四十七条の罪を犯したときは、一年以上六年以下の懲役又は禁錮に処する。

（候補者の選定に関する罪）

第二百二十四条の三　衆議院（小選挙区選出）議員の候補者となるべき者の選定、衆議院名簿登載者の選定又は参議院名簿登載者の選定（第八十六条の三第一項後段の規定により優先的に当選人となるべき候補者としてその氏名及び当選人となるべき順位が参議院名簿に記載される者又は同条第二項において読み替えて準用する第八十六条の二第九項後段の規定により優先的に当選人となるべき候補者としてその氏名及び当選人となるべき順位が同項の規定による届出に係る文書に記載される者の選定並びにそれらの者の間における当選人となるべき順位の決定を含む。）につき権限を有する者が、その権限の行使に関し、請託を受けて、財産上の利益を収受し、又はこれを要求し、若しくは約束したときは、これを三年以下の懲役に処する。

2　前項の利益を供与し、又はその申込み若しくは約束をした者は、三年以下の懲役又は百万円以下の罰金に処する。

3　第一項の場合において、収受した利益は、没収する。その全部又は一部を没収することができないときは、その価額を追徴する。

（選挙の自由妨害罪）

第二百二十五条　選挙に関し、次の各号に掲げる行為をした者は、四年以下の懲役若しくは禁錮又は百万円以下の罰金に処する。

一　選挙人、公職の候補者、公職の候補者となろうとする者、選挙運動者又は当選人に対し暴行若しくは威力を加え又はこれをかどわかしたとき。

二　交通若しくは集会の便を妨げ、演説を妨害し、又は文書図画を毀棄し、その他偽計詐術等不正の方法をもつて選挙の自由を妨害したとき。

三　選挙人、公職の候補者、公職の候補者となろうとする者、選挙運動者若しくは当選人又はその関係のある社寺、学校、会社、組合、市町村等に対する用水、小作、債権、寄附その他特殊の利害関係を利用して選挙人、公職の候補者、公職の候補者となろうとする者、選挙運動者又は当選人を威迫したとき。

（職権濫用による選挙の自由妨害罪）

第二百二十六条　選挙に関し、国若しくは地方公共団体の公務員、行政執行法人若しくは特定地方独立行政法人の役員若しくは職員、中央選挙管理会の委員若しくは中央選挙管理会の庶務に従事する総務省の職員、参議院合同選挙区選挙管理委員会の委員若しくは職員、選挙管理委員会の委員若しくは職員、投票管理者、開票管理者又は選挙長若しくは選挙分会長が故意にその職務の執行を怠り又は正当な理由がなくて公職の候補者若しくは選挙運動者に追随し、その居宅若しくは選挙事務所に立ち入る等その職権を濫用して選挙の自由を妨害したときは、四年以下の禁錮に処する。

2　国若しくは地方公共団体の公務員、行政執行法人若しくは特定地方独立行政法人の役員若しくは職員、中央選挙管理会の委員若しくは中央選挙管理会の庶務に従事する総務省の職員、参議院合同選挙区選挙管理委員会の委員若しくは職員、選挙管理委員会の委員若しくは職員、投票管理者、開票管理者又は選挙長若しくは選挙分会長が選挙人に対し、その投票しようとし又は投票した被選挙人の氏名（衆議院比例代表選出議員の選挙にあつては政党その他の政治団体の名称又は略称、参議院比例代表選出議員の選挙にあつては被選挙人の氏名又は政党その他の政治団体の名称若しくは略称）の表示を求めたときは、六月以下の禁錮又は三十万円以下の罰金に処する。

（投票の秘密侵害罪）

第二百二十七条　中央選挙管理会の委員若しくは中央選挙管理会の庶務に従事する総務省の職員、参議院合同選挙区選挙管理委員会の委員若しくは職員、選挙管理委員会の委員若しくは職員、投票管理者、開票管理者、選挙長若しくは選挙分会長、選挙事務に関係のある国若しくは地方公共団体の公務員、立会人（第四十八条第二項の規定により投票を補助すべき者及び第四十九条第三項の規定により投票に関する記載をすべき者を含む。以下同じ。）又は監視者が選挙人の投票した被選挙人の氏名（衆議院比例代表選出議員の選挙にあつては政党その他の政治団体の名称又は略称、参議院比例代表選出議員の選挙にあつては被選挙人の氏名又は政党その他の政治団体の名称若しくは略称）を表示したときは、二年以下の禁錮又は三十万円以下の罰金に処する。その表示した事実が虚偽であるときも、また同様とする。

（投票干渉罪）

第二百二十八条　投票所（共通投票所及び期日前投票所を含む。次条及び第二百三十二条において同じ。）又は開票所において正当な理由がなくて選挙人の投票に干渉し又は被選挙人の氏名（衆議院比例代表選出議員の選挙にあつては政党その他の政治団体の名称又は略称、参議院比例代表選出議員の選挙にあつては被選挙人の氏名又は政党その他の政治団体の名称若しくは略称）を認知する方法を行つた者は、一年以下の禁錮又は三十万円以下の罰金に処する。

2　法令の規定によらないで投票箱を開き、又は投票箱の投票を取り出した者は、三年以下の懲役若しくは禁錮又は五十万円以下の罰金に処する。

（選挙事務関係者、施設等に対する暴行罪、騒擾罪等）

第二百二十九条　投票管理者、開票管理者、選挙長、選挙分会長、立会人若しくは選挙監視者に暴行若しくは脅迫を加え、投票所、開票所、選挙会場若しくは選挙分会場を騒擾し又は投票、投票箱その他関係書類（関係の電磁的記録媒体（電子的方式、磁気的方式その他人の知覚によつては認識することができない方式で作られる記録であつて電子計算機による情報処理の用に供されるものに係る記録媒体をいう。以下同じ。）を含む。）を抑留し、毀壊し若しくは奪取した者は、四年以下の懲役又は禁錮に処する。

（多衆の選挙妨害罪）

第二百三十条 多衆集合して第二百二十五条第一号又は前条の罪を犯した者は、次の区別に従つて処断する。選挙に関し、多衆集合して、交通若しくは集会の便を妨げ、又は演説を妨害した者も、同様とする。

一 首謀者は、一年以上七年以下の懲役又は禁錮に処する。

二 他人を指揮し又は他人に率先して勢を助けた者は、六月以上五年以下の懲役又は禁錮に処する。

三 付和随行した者は、二十万円以下の罰金又は科料に処する。

2 前項の罪を犯すため多衆集合し当該公務員から解散の命令を受けることが三回以上に及んでもなお解散しないときは、首謀者は、二年以下の禁錮に処し、その他の者は、二十万円以下の罰金又は科料に処する。

（凶器携帯罪）

第二百三十一条 選挙に関し、銃砲、刀剣、こん棒その他人を殺傷するに足るべき物件を携帯した者は、二年以下の禁錮又は三十万円以下の罰金に処する。

2 当該警察官は、必要と認める場合においては、前項の物件を領置することができる。

（投票所、開票所、選挙会場等における凶器携帯罪）

第二百三十二条 前条の物件を携帯して投票所、開票所、選挙会場又は選挙分会場に入つた者は、三年以下の禁錮又は五十万円以下の罰金に処する。

（携帯兇器の没収）

第二百三十三条 前二条の罪を犯した場合においては、その携帯した物件を没収する。

（選挙犯罪の煽動罪）

第二百三十四条 演説又は新聞紙、雑誌、ビラ、電報、ポスターその他いかなる方法をもつてするを問わず、第二百二十一条、第二百二十二条、第二百二十三条、第二百二十五条、第二百二十八条、第二百二十九条、第二百三十条、第二百三十一条又は第二百三十二条の罪を犯させる目的をもつて人を煽動した者は、一年以下の禁錮又は三十万円以下の罰金に処する。

（虚偽事項の公表罪）

第二百三十五条 当選を得又は得させる目的をもつて公職の候補者若しくは公職の候補者となろうとする者の身分、職業若しくは経歴、その者の政党その他の団体への所属、その者に係る候補者届出政党の候補者の届出、その者に係る参議院名簿届出政党等の届出又はその者に対する人若しくは政党その他の団体の推薦若しくは支持に関し虚偽の事項を公にした者は、二年以下の禁錮又は三十万円以下の罰金に処する。

2 当選を得させない目的をもつて公職の候補者又は公職の候補者となろうとする者に関し虚偽の事項を公にし、又は事実をゆがめて公にした者は、四年以下の懲役若しくは禁錮又は百万円以下の罰金に処する。

（新聞紙、雑誌が選挙の公正を害する罪）

第二百三十五条の二 次の各号の一に該当する者は、二年以下の禁錮又は三十万円以下の罰金に処する。

一 第百四十八条第一項ただし書（第二百一条の十五第一項において準用する場合を含む。）の規定に違反して新聞紙又は雑誌が選挙の公正を害したときは、その新聞紙若しくは雑誌の編集を実際に担当した者又はその新聞紙若しくは雑誌の経営を担当した者

二 第百四十八条第三項に規定する新聞紙及び雑誌並びに第二百一条の十五に規定する機関新聞紙及び機関雑誌以外の新聞紙及び雑誌（当該機関新聞紙及び機関雑誌の号外、臨時号、増刊号その他の臨時に発行するものを含む。）が選挙運動の期間中及び選挙の当日当該選挙に関し報道又は評論を掲載したときは、これらの新聞紙若しくは雑誌の編集を実際に担当した者又はその新聞紙若しくは雑誌の経営を担当した者

三 第百四十八条の二第三項の規定に違反して選挙に関する報道又は評論を掲載し又は掲載させた者

（政見放送又は選挙公報の不法利用罪）

第二百三十五条の三 政見放送又は選挙公報において第二百三十五条第二項の罪を犯した者は、五年以下の懲役若しくは禁錮又は百万円以下の罰金に処する。

2 政見放送又は選挙公報において特定の商品の広告その他営業に関する宣伝をした者は、百万円以下の罰金に処する。

（選挙放送等の制限違反）

第二百三十五条の四 次の各号の一に該当する者は、二年以下の禁錮又は三十万円以下の罰金に処する。

一 第百五十一条の三ただし書の規定に違反して選挙の公正を害したときは、その放送をし又は編集をした者

二 第百五十一条の五の規定に違反して放送をし又は放送をさせた者

（氏名等の虚偽表示罪）

第二百三十五条の五 当選を得若しくは得しめ又は得しめない目的をもつて真実に反する氏名、名称又は身分の表示をして郵便等、電報、電話又はインターネット等を利用する方法により通信をした者は、二年以下の禁錮又は三十万円以下の罰金に処する。

（あいさつを目的とする有料広告の制限違反）

第二百三十五条の六 第百五十二条第一項の規定に違反して広告を掲載させ又は放送をさせた者（後援団体にあつては、その役職員又は構成員として当該違反行為をした者）は、五十万円以下の罰金に処する。

2 第百五十二条第二項の規定に違反して、公職の候補者若しくは公職の候補者となろうとする者（公職にある者を含む。）又は後援団体の役職員若しくは構成員を威迫して、広告を掲載させ又は放送をさせることを求めた者は、一年以下の懲役若しくは禁錮又は三十万円以下の罰金に処する。

（詐偽登録、虚偽宣言罪等）

第二百三十六条 詐偽の方法をもつて選挙人名簿又は在外選挙人名簿に登録をさせた者は、六月以下の禁錮又は三十万円以下の罰金に処する。

2 選挙人名簿に登録をさせる目的をもつて住民基本台帳法第二十二条の規定による届出に関し虚偽の届出をすることによつて選挙人名簿に登録をさせた者も、前項と同様とする。

3　第五十条第一項の場合において虚偽の宣言をした者は、二十万円以下の罰金に処する。

（選挙人名簿の抄本等の閲覧に係る命令違反及び報告義務違反）

第二百三十六条の二　第二十八条の四第三項（第三十条の十二において準用する場合を含む。）又は第二十八条の四第四項（第三十条の十二において準用する場合を含む。）の規定による命令に違反した者（法人（法人でない団体で代表者又は管理人の定めのあるものを含む。次項において同じ。）にあつては、その役職員又は構成員として当該違反行為をした者）は、六月以下の懲役又は三十万円以下の罰金に処する。

2　第二十八条の四第五項（第三十条の十二において準用する場合を含む。）の規定による報告をせず、又は虚偽の報告をした者（法人にあつては、その役職員又は構成員として当該違反行為をした者）は、三十万円以下の罰金に処する。

（詐偽投票及び投票偽造、増減罪）

第二百三十七条　選挙人でない者が投票をしたときは、一年以下の禁錮又は三十万円以下の罰金に処する。

2　氏名を詐称しその他詐偽の方法をもつて投票し又は投票しようとした者は、二年以下の禁錮又は三十万円以下の罰金に処する。

3　投票を偽造し又はその数を増減した者は、三年以下の懲役若しくは禁錮又は五十万円以下の罰金に処する。

4　中央選挙管理会の委員若しくは中央選挙管理会の庶務に従事する総務省の職員、参議院合同選挙区選挙管理委員会の委員若しくは職員、選挙管理委員会の委員若しくは職員、投票管理者、開票管理者、選挙長若しくは選挙分会長、選挙事務に関係のある国若しくは地方公共団体の公務員、立会人又は監視者が前項の罪を犯したときは、五年以下の懲役若しくは禁錮又は五十万円以下の罰金に処する。

（代理投票等における記載義務違反）

第二百三十七条の二　第四十八条第二項（第四十六条の二第二項の規定を適用する場合を含む。）の規定により公職の候補者（公職の候補者たる参議院名簿登載者を含む。）の氏名若しくは衆議院名簿届出政党等若しくは参議院名簿届出政党等の名称若しくは略称又は公職の候補者に対して○の記号を記載すべきものと定められた者が選挙人の指示する公職の候補者（公職の候補者たる参議院名簿登載者を含む。）の氏名若しくは衆議院名簿届出政党等若しくは参議院名簿届出政党等の名称若しくは略称又は公職の候補者に対して○の記号を記載しなかつたときは、二年以下の禁錮又は三十万円以下の罰金に処する。

2　第四十九条第三項の規定により投票に関する記載をすべき者が選挙人の指示する公職の候補者（公職の候補者たる参議院名簿登載者を含む。）の氏名又は衆議院名簿届出政党等若しくは参議院名簿届出政党等の名称若しくは略称を記載しなかつたときは、二年以下の禁錮又は三十万円以下の罰金に処する。

3　前項に規定するもののほか、第四十九条第三項の規定により投票に関する記載をすべき者が、投票を無効とする目的をもつて、投票に関する記載をせず、又は虚偽の記載をしたときも、前項と同様とする。

（立会人の義務を怠る罪）

第二百三十八条　立会人が正当な理由がなくてこの法律に規定する義務を欠くときは、二十万円以下の罰金に処する。

（立候補に関する虚偽宣誓罪）

第二百三十八条の二　第八十六条第五項（同条第八項においてその例によることとされる場合を含む。）、第七項（同条第八項においてその例によることとされる場合を含む。）若しくは第十項（第九十八条第四項（第百十二条第七項において準用する場合を含む。）において準用する場合を含む。）、第八十六条の二第二項（同条第九項においてその例によることとされる場合を含む。）若しくは第八項（第九十八条第四項（第百十二条第七項において準用する場合を含む。）において準用する場合を含む。）、第八十六条の三第二項において準用する第八十六条の二第二項、第八項（第九十八条第四項（第百十二条第七項において準用する場合を含む。）において準用する場合を含む。）若しくは第九項又は第八十六条の四第四項（同条第五項、第六項又は第八項においてその例によることとされる場合を含む。）の規定により添付された宣誓書において虚偽の誓いをした者は、三十万円以下の罰金に処する。

2　前項の罪は、当該選挙に関する事務を管理する選挙管理委員会（衆議院比例代表選出議員又は参議院比例代表選出議員の選挙については中央選挙管理会、参議院合同選挙区選挙については当該選挙に関する事務を管理する参議院合同選挙区選挙管理委員会）の告発を待つて論ずる。

（事前運動、教育者の地位利用、戸別訪問等の制限違反）

第二百三十九条　次の各号の一に該当する者は、一年以下の禁錮又は三十万円以下の罰金に処する。

一　第百二十九条、第百三十七条、第百三十七条の二又は第百三十七条の三の規定に違反して選挙運動をした者

二　第百三十四条の規定による命令に従わない者

三　第百三十八条の規定に違反して戸別訪問をした者

四　第百三十八条の二の規定に違反して署名運動をした者

2　候補者届出政党、衆議院名簿届出政党等又は参議院名簿届出政党等が第百三十四条の規定による命令に違反して選挙事務所を閉鎖しなかつたときは、当該候補者届出政党、衆議院名簿届出政党等又は参議院名簿届出政党等の役職員又は構成員として当該違反行為をした者は、一年以下の禁錮又は三十万円以下の罰金に処する。

（公務員等の選挙運動等の制限違反）

第二百三十九条の二　国又は地方公共団体の公務員、行政執行法人又は特定地方独立行政法人の役員又は職員及び公庫の役職員（公職にある者を除く。）であつて、衆議院議員又は参議院議員の選挙において当該公職の候補者となろうとするもので次の各号に掲げる行為をしたものは、第百二十九条の規定に違反して選挙運動をした者とみなし、二年以下の禁錮又は三十万円以下の罰金に処する。

一　当該公職の候補者となろうとする選挙区（選挙区がないときは、選挙の行われる区域。以下この項において「当該選挙区」という。）において職務上の旅行又は職務上出席した会議その他の集会の機会を利用して、当該選挙に関し、選挙人にあいさつすること。

二　当該選挙区において、その地位及び氏名（これらのものが類推されるような名称を含む。）を表示した文書図画を当該選挙に関し、掲示し、又は頒布すること。

三　その職務の執行に当たり、当該選挙区内にある者に対し、

当該選挙に関し、その者に係る特別の利益を供与し、又は供与することを約束すること。

四　その地位を利用して、当該選挙に関し、国又は地方公共団体の公務員、行政執行法人又は特定地方独立行政法人の役員又は職員及び公庫の役職員をして、その職務の執行に当たり、当該選挙区内にある者に対し、その者に係る特別の利益を供与させ、又は供与することを約束させること。

２　第百三十六条の二の規定に違反して選挙運動又は行為をした者は、二年以下の禁錮又は三十万円以下の罰金に処する。

（選挙事務所、休憩所等の制限違反）

第二百四十条　次の各号の一に該当する者は、三十万円以下の罰金に処する。

一　第百三十一条第一項の規定に違反して選挙事務所を設置した者

一の二　第百三十一条第二項の規定に違反して選挙事務所を移動（廃止に伴う設置を含む。）した者

二　第百三十二条の規定に違反して選挙事務所を設置した者

三　第百三十三条の規定に違反して休憩所その他これに類似する設備を設けた者

２　候補者届出政党、衆議院名簿届出政党等又は参議院名簿届出政党等が第百三十一条第一項若しくは第百三十二条の規定に違反して選挙事務所を設置したとき又は第百三十一条第二項の規定に違反して選挙事務所を移動（廃止に伴う設置を含む。）したときは、当該候補者届出政党、衆議院名簿届出政党等又は参議院名簿届出政党等の役職員又は構成員として当該違反行為をした者は、三十万円以下の罰金に処する。

（選挙事務所設置違反、特定公務員等の選挙運動の禁止違反）

第二百四十一条　次の各号の一に該当する者は、六月以下の禁錮又は三十万円以下の罰金に処する。

一　第百三十条第一項の規定に違反して選挙事務所を設置した者

二　第百三十五条又は第百三十六条の規定に違反して選挙運動をした者

（選挙事務所の設置届出及び表示違反）

第二百四十二条　第百三十条第二項の規定に違反して届出をしなかつた者又は第百三十一条第三項の規定に違反して標札を掲示しなかつた者は、二十万円以下の罰金に処する。

２　候補者届出政党、衆議院名簿届出政党等又は参議院名簿届出政党等が第百三十条第二項の規定に違反して届出をせず、又は第百三十一条第三項の規定に違反して標札を掲示しなかつたときは、当該候補者届出政党、衆議院名簿届出政党等又は参議院名簿届出政党等の役職員又は構成員として当該違反行為をした者は、二十万円以下の罰金に処する。

（人気投票の公表の禁止違反）

第二百四十二条の二　第百三十八条の三の規定に違反して人気投票の経過又は結果を公表した者は、二年以下の禁錮又は三十万円以下の罰金に処する。ただし、新聞紙又は雑誌にあつてはその編集を実際に担当した者又はその新聞紙若しくは雑誌の経営を担当した者を、放送にあつてはその編集をした者又は放送をさせた者を罰する。

（選挙運動に関する各種制限違反、その一）

第二百四十三条　次の各号のいずれかに該当する者は、二年以下の禁錮又は五十万円以下の罰金に処する。

一　第百三十九条の規定に違反して飲食物を提供した者

一の二　第百四十条の二第一項の規定に違反して連呼行為をした者

二　第百四十一条第一項又は第四項の規定に違反して自動車、船舶又は拡声機を使用した者

二の二　第百四十一条の二第二項の規定に違反して乗車し又は乗船した者

二の三　第百四十一条の三の規定に違反して選挙運動をした者

三　第百四十二条の規定に違反して文書図画を頒布した者

三の二　第百四十二条の四第二項（同条第三項又は第四項において読み替えて適用される場合を含む。）又は第六項の規定に違反して選挙運動用電子メールの送信をした者

三の三　第百四十二条の六の規定に違反して広告を文書図画に掲載させた者

四　第百四十三条又は第百四十四条の規定に違反して文書図画を掲示した者

五　第百四十六条の規定に違反して文書図画を頒布し又は掲示した者

五の二　第百四十七条の規定による撤去の処分（同条第一号、第二号又は第五号に該当する文書図画に係るものに限る。）に従わなかつた者

六　第百四十八条第二項又は第百四十九条第五項の規定に違反して新聞紙又は雑誌を頒布し又は掲示した者

七　第百四十九条第一項又は第四項の規定に違反して新聞広告をした者

八　削除

八の二　第百六十四条の二第一項の規定に違反して立札若しくは看板の類を掲示しなかつた者又は同条第二項若しくは第四項の規定に違反して文書図画を掲示した者

八の三　第百六十四条の三の規定に違反して演説会を開催した者

八の四　第百六十四条の五第一項の規定に違反して街頭演説をした者

八の五　削除

八の六　第百六十四条の七第二項の規定に違反して選挙運動に従事した者

九　第百六十五条の二の規定に違反して演説会を開催し又は演説若しくは連呼行為をした者

十　第百六十六条の規定に違反して演説又は連呼行為をした者

２　候補者届出政党、衆議院名簿届出政党等若しくは参議院名簿届出政党等が第百四十二条の二の規定に違反してパンフレット若しくは書籍を頒布したとき若しくは第百四十九条第一項から第三項までの規定に違反して新聞広告をしたとき又は候補者届出政党若しくは衆議院名簿届出政党等が第百六十四条の二第一項の規定に違反して立札若しくは看板の類を掲示しなかつたとき若しくは第百六十五条の二の規定に違反して政党演説会若しくは政党等演説会を開催したときは、当該候補者届出政党、衆議院名簿届出政党等又は参議院名簿届出政党等の役職員又は構成員として当該違反行為をした者は、二年以下の禁錮又は五十万円以下の罰金に処する。

（選挙運動に関する各種制限違反、その二）

第二百四十四条　次の各号のいずれかに該当する者は、一年以下

の禁錮又は三十万円以下の罰金に処する。
一　第百四十条の規定に違反した者
二　第百四十一条第五項の規定に違反して表示をしなかつた者
二の二　第百四十二条の四第七項の規定に違反して同項に規定する事項を表示しなかつた者
二の三　第百四十二条の五第二項の規定に違反して同項に規定する事項を表示しなかつた者
三　第百四十五条第一項又は第二項（第百六十四条の二第五項において準用する場合を含む。）の規定に違反して文書図画を掲示した者
四　第百四十七条の規定による撤去の処分（同条第三号又は第四号に該当する文書図画に係るものに限る。）に従わなかつた者
五　削除
五の二　第百六十四条の五第四項の規定に違反して標旗の提示を拒んだ者
六　第百六十四条の六第一項の規定に違反した者
七　正当な理由がなくて、第百七十七条第一項の規定による返還をしなかつた者
八　第百七十七条第二項の規定に違反して譲渡した者
2　衆議院名簿届出政党等が正当な理由がなくて第百七十七条第一項の規定による返還をしなかつたとき又は候補者届出政党若しくは衆議院名簿届出政党等が同条第二項の規定に違反して譲渡したときは、当該候補者届出政党又は衆議院名簿届出政党等の役職員又は構成員として当該違反行為をした者は、一年以下の禁錮又は三十万円以下の罰金に処する。

（選挙期日後のあいさつ行為の制限違反）
第二百四十五条　第百七十八条の規定に違反した者は、三十万円以下の罰金に処する。

（選挙運動に関する収入及び支出の規制違反）
第二百四十六条　次の各号に掲げる行為をした者は、三年以下の禁錮又は五十万円以下の罰金に処する。
一　第百八十四条の規定に違反して寄附を受け又は支出をしたとき。
二　第百八十五条の規定に違反して会計帳簿を備えず又は会計帳簿に記載をせず若しくはこれに虚偽の記入をしたとき。
三　第百八十六条の規定に違反して明細書の提出をせず、又はこれに虚偽の記入をしたとき。
四　第百八十七条第一項の規定に違反して支出をしたとき。
五　第百八十八条の規定に違反して領収書その他の支出を証すべき書面を徴せず若しくはこれを送付せず又はこれに虚偽の記入をしたとき。
五の二　第百八十九条第一項の規定に違反して報告書若しくはこれに添付すべき書面の提出をせず又はこれらに虚偽の記入をしたとき。
六　第百九十条の規定による引継ぎをしないとき。
七　第百九十一条第一項の規定に違反して会計帳簿、明細書又は領収書その他の支出を証すべき書面を保存しないとき。
八　第百九十一条第一項の規定により保存すべき会計帳簿、明細書又は領収書その他の支出を証すべき書面に虚偽の記入をしたとき。
九　第百九十三条の規定による報告若しくは資料の提出を拒み又は虚偽の報告若しくは資料を提出したとき。

（選挙費用の法定額違反）
第二百四十七条　出納責任者が、第百九十六条の規定により告示された額を超えて選挙運動（専ら在外選挙人名簿に登録されている選挙人（第四十九条の二第一項に規定する政令で定めるものを除く。）で衆議院議員又は参議院議員の選挙において投票をしようとするものの投票に関してする選挙運動で、国外においてするものを除く。）に関する支出をし又はさせたときは、三年以下の禁錮又は五十万円以下の罰金に処する。

（寄附の制限違反）
第二百四十八条　第百九十九条第一項に規定する者（会社その他の法人を除く。）が同項の規定に違反して寄附をしたときは、三年以下の禁錮又は五十万円以下の罰金に処する。
2　会社その他の法人が第百九十九条の規定に違反して寄附をしたときは、その会社その他の法人の役職員として当該違反行為をした者は、三年以下の禁錮又は五十万円以下の罰金に処する。

（寄附の勧誘、要求等の制限違反）
第二百四十九条　第二百条第一項の規定に違反して寄附を勧誘し若しくは要求し又は同条第二項の規定に違反して寄附を受けた者（会社その他の法人又は団体にあつては、その役職員又は構成員として当該違反行為をした者）は、三年以下の禁錮又は五十万円以下の罰金に処する。

（公職の候補者等の寄附の制限違反）
第二百四十九条の二　第百九十九条の二第一項の規定に違反して当該選挙に関し寄附をした者は、一年以下の禁錮又は三十万円以下の罰金に処する。
2　通常一般の社交の程度を超えて第百九十九条の二第一項の規定に違反して寄附をした者は、当該選挙に関して同項の規定に違反したものとみなす。
3　第百九十九条の二第一項の規定に違反して寄附（当該選挙に関しないもので、かつ、通常一般の社交の程度を超えないものに限る。）をした者で、次の各号に掲げる寄附以外の寄附をしたものは、五十万円以下の罰金に処する。
一　当該公職の候補者又は公職の候補者となろうとする者（公職にある者を含む。以下この条において「公職の候補者等」という。）が結婚披露宴に自ら出席しその場においてする当該結婚に関する祝儀の供与
二　当該公職の候補者等が葬式（告別式を含む。以下この号において同じ。）に自ら出席しその場においてする香典（これに類する弔意を表すために供与する金銭を含む。以下この号において同じ。）の供与又は当該公職の候補者等が葬式の日（葬式が二回以上行われる場合にあつては、最初に行われる葬式の日）までの間に自ら弔問しその場においてする香典の供与
4　第百九十九条の二第二項の規定に違反して寄附をした者（会社その他の法人又は団体にあつては、その役職員又は構成員として当該違反行為をした者）は、五十万円以下の罰金に処する。
5　第百九十九条の二第三項の規定に違反して、公職の候補者等を威迫して、寄附を勧誘し又は要求した者は、一年以下の懲役若しくは禁錮又は三十万円以下の罰金に処する。
6　公職の候補者等の当選又は被選挙権を失わせる目的をもつ

て、第百九十九条の二第三項の規定に違反して第三項各号に掲げる寄附（当該選挙に関しないもので、かつ、通常一般の社交の程度を超えないものに限る。）以外の寄附を勧誘し又は要求した者は、三年以下の懲役若しくは禁錮又は五十万円以下の罰金に処する。

７　第百九十九条の二第四項の規定に違反して、当該公職の候補者等以外の者（当該公職の候補者等以外の者が会社その他の法人又は団体であるときは、その役職員又は構成員）を威迫して、寄附を勧誘し又は要求した者は、一年以下の懲役若しくは禁錮又は三十万円以下の罰金に処する。

（公職の候補者等の関係会社等の寄附の制限違反）

第二百四十九条の三　会社その他の法人又は団体が第百九十九条の三の規定に違反して当該選挙に関し寄附をしたときは、その会社その他の法人又は団体の役職員又は構成員として当該違反行為をした者は、五十万円以下の罰金に処する。

（公職の候補者等の氏名等を冠した団体の寄附の制限違反）

第二百四十九条の四　会社その他の法人又は団体が第百九十九条の四の規定に違反して寄附をしたときは、その会社その他の法人又は団体の役職員又は構成員として当該違反行為をした者は、五十万円以下の罰金に処する。

（後援団体に関する寄附等の制限違反）

第二百四十九条の五　後援団体が第百九十九条の五第一項の規定に違反して寄附をしたときは、その後援団体の役職員又は構成員として当該違反行為をした者は、五十万円以下の罰金に処する。

２　第百九十九条の五第二項の規定に違反して供応接待をし、又は金銭若しくは記念品その他の物品を供与したもの（会社その他の法人又は団体を除く。）は、五十万円以下の罰金に処する。

３　会社その他の法人又は団体が第百九十九条の五第二項の規定に違反して供応接待をし、又は金銭若しくは記念品その他の物品を供与したときは、その会社その他の法人又は団体の役職員又は構成員として当該違反行為をした者は、五十万円以下の罰金に処する。

４　第百九十九条の五第三項の規定に違反して寄附をした者は、五十万円以下の罰金に処する。

（懲役又は禁錮及び罰金の併科、重過失の処罰）

第二百五十条　第二百四十六条、第二百四十七条、第二百四十八条、第二百四十九条及び第二百四十九条の二（第三項及び第四項を除く。）の罪を犯した者には、情状により、懲役又は禁錮及び罰金を併科することができる。

２　重大な過失により、第二百四十六条、第二百四十七条、第二百四十八条、第二百四十九条及び第二百四十九条の二第一項から第四項までの罪を犯した者も、処罰するものとする。ただし、裁判所は、情状により、その刑を減軽することができる。

（当選人の選挙犯罪による当選無効）

第二百五十一条　当選人がその選挙に関しこの章に掲げる罪（第二百三十五条の六、第二百三十六条の二、第二百四十五条、第二百四十六条第二号から第九号まで、第二百四十八条、第二百四十九条の二第三項から第五項まで及び第七項、第二百四十九条の三、第二百四十九条の四、第二百四十九条の五第一項及び第三項、第二百五十二条の二、第二百五十二条の三並びに第二百五十三条の罪を除く。）を犯し刑に処せられたときは、その当選人の当選は、無効とする。

（総括主宰者、出納責任者等の選挙犯罪による公職の候補者等であつた者の当選無効及び立候補の禁止）

第二百五十一条の二　次の各号に掲げる者が第二百二十一条、第二百二十二条、第二百二十三条又は第二百二十三条の二の罪を犯し刑に処せられたとき（第四号及び第五号に掲げる者については、これらの罪を犯し禁錮以上の刑に処せられたとき）は、当該公職の候補者又は公職の候補者となろうとする者（以下この条において「公職の候補者等」という。）であつた者の当選は無効とし、かつ、これらの者は、第二百五十一条の五に規定する時から五年間、当該選挙に係る選挙区（選挙区がないときは、選挙の行われる区域）において行われる当該公職に係る選挙において公職の候補者となり、又は公職の候補者であることができない。この場合において、当該公職の候補者等であつた者で衆議院（小選挙区選出）議員の選挙における候補者であつたものが、当該選挙と同時に行われた衆議院（比例代表選出）議員の選挙における当選人となつたときは、当該当選人の当選は、無効とする。

一　選挙運動（参議院比例代表選出議員の選挙にあつては、参議院名簿登載者（第八十六条の三第一項後段の規定により優先的に当選人となるべき候補者としてその氏名及び当選人となるべき順位が参議院名簿に記載されている者を除く。）のために行う選挙運動に限る。次号を除き、以下この条及び次条において同じ。）を総括主宰した者

二　出納責任者（公職の候補者（参議院比例代表選出議員の選挙における候補者たる参議院名簿登載者で第八十六条の三第一項後段の規定により優先的に当選人となるべき候補者としてその氏名及び当選人となるべき順位が参議院名簿に記載されているものを除く。以下この号において同じ。）又は出納責任者と意思を通じて当該公職の候補者のための選挙運動に関する支出の金額のうち第百九十六条の規定により告示された額の二分の一以上に相当する額を支出した者を含む。）

三　三以内に分けられた選挙区（選挙区がないときは、選挙の行われる区域）の地域のうち一又は二の地域における選挙運動を主宰すべき者として公職の候補者又は第一号に掲げる者から定められ、当該地域における選挙運動を主宰した者

四　公職の候補者等の父母、配偶者、子又は兄弟姉妹で当該公職の候補者等又は第一号若しくは前号に掲げる者と意思を通じて選挙運動をしたもの

五　公職の候補者等の秘書（公職の候補者等に使用される者で当該公職の候補者等の政治活動を補佐するものをいう。）で当該公職の候補者等又は第一号若しくは第三号に掲げる者と意思を通じて選挙運動をしたもの

２　公職の候補者等の秘書という名称を使用する者又はこれに類似する名称を使用する者について、当該公職の候補者等がこれらの名称の使用を承諾し又は容認している場合には、当該名称を使用する者は、前項の規定の適用については、公職の候補者等の秘書と推定する。

３　出納責任者が第二百四十七条の罪を犯し刑に処せられたときは、当該出納責任者に係る公職の候補者であつた者の当選は、無効とし、かつ、その者は、第二百五十一条の五に規定する時から五年間、当該選挙に係る選挙区（選挙区がないときは、選挙の行われる区域）において行われる当該公職に係る選挙にお

いて、公職の候補者となり、又は公職の候補者であることができない。この場合においては、第一項後段の規定を準用する。

4 前三項の規定（立候補の禁止及び衆議院比例代表選出議員の選挙における当選の無効に関する部分に限る。）は、第一項又は前項に規定する罪に該当する行為が、次の各号のいずれかに該当する場合には、当該行為に関する限りにおいて、適用しない。

一 第一項又は前項に規定する罪に該当する行為が当該行為をした者以外の者の誘導又は挑発によつてされ、かつ、その誘導又は挑発が第一項若しくは前項又は次条第一項の規定に該当することにより当該公職の候補者等の当選を失わせ又は立候補の資格を失わせる目的をもつて、当該公職の候補者等以外の公職の候補者等その他その公職の候補者等の選挙運動に従事する者と意思を通じてされたものであるとき。

二 第一項又は前項に規定する罪に該当する行為が第一項若しくは前項又は次条第一項の規定に該当することにより当該公職の候補者等の当選を失わせ又は立候補の資格を失わせる目的をもつて、当該公職の候補者等以外の公職の候補者等その他その公職の候補者等の選挙運動に従事する者と意思を通じてされたものであるとき。

5 前各項の規定（第一項後段及び第三項後段の規定並びに前項の規定（衆議院比例代表選出議員の選挙における当選の無効に関する部分に限る。）を除く。）は、衆議院（比例代表選出）議員の選挙については、適用しない。

（組織的選挙運動管理者等の選挙犯罪による公職の候補者等であつた者の当選無効及び立候補の禁止）

第二百五十一条の三 組織的選挙運動管理者等（公職の候補者又は公職の候補者となろうとする者（以下この条において「公職の候補者等」という。）と意思を通じて組織により行われる選挙運動において、当該選挙運動の計画の立案若しくは調整又は当該選挙運動に従事する者の指揮若しくは監督その他当該選挙運動の管理を行う者（前条第一項第一号から第三号までに掲げる者を除く。）をいう。）が、第二百二十一条、第二百二十二条、第二百二十三条又は第二百二十三条の二の罪を犯し禁錮以上の刑に処せられたときは、当該公職の候補者等であつた者の当選は無効とし、かつ、これらの者は、第二百五十一条の五に規定する時から五年間、当該選挙に係る選挙区（選挙区がないときは、選挙の行われる区域）において行われる当該公職に係る選挙において公職の候補者となり、又は公職の候補者であることができない。この場合において、当該公職の候補者等であつた者で衆議院（小選挙区選出）議員の選挙における候補者であつたものが、当該選挙と同時に行われた衆議院（比例代表選出）議員の選挙における当選人となつたときは、当該当選人の当選は、無効とする。

2 前項の規定は、同項に規定する罪に該当する行為が、次の各号のいずれかに該当する場合には、当該行為に関する限りにおいて、適用しない。

一 前項に規定する罪に該当する行為が当該行為をした者以外の者の誘導又は挑発によつてされ、かつ、その誘導又は挑発が前条第一項又は前項の規定に該当することにより当該公職の候補者等の当選を失わせ又は立候補の資格を失わせる目的をもつて、当該公職の候補者等以外の公職の候補者等その他その公職の候補者等の選挙運動に従事する者と意思を通じてされたものであるとき。

二 前項に規定する罪に該当する行為が前条第一項又は前項の規定に該当することにより当該公職の候補者等の当選を失わせ又は立候補の資格を失わせる目的をもつて、当該公職の候補者等以外の公職の候補者等その他その公職の候補者等の選挙運動に従事する者と意思を通じてされたものであるとき。

三 当該公職の候補者等が、前項に規定する組織的選挙運動管理者等が同項に規定する罪に該当する行為を行うことを防止するため相当の注意を怠らなかつたとき。

3 前二項の規定（第一項後段の規定及び前項の規定（衆議院比例代表選出議員の選挙における当選の無効に関する部分に限る。）を除く。）は、衆議院（比例代表選出）議員の選挙については、適用しない。

（公務員等の選挙犯罪による当選無効）

第二百五十一条の四 国又は地方公共団体の公務員、行政執行法人又は特定地方独立行政法人の役員又は職員及び公庫の役職員（公職にある者を除く。以下この条において「公務員等」という。）であつた者が、公務員等の職を離れた日以後最初に公職の候補者（選挙の期日まで公職の候補者であつた場合の公職の候補者に限り、参議院比例代表選出議員の選挙における候補者たる参議院名簿登載者で第八十六条の三第一項後段の規定により優先的に当選人となるべき候補者としてその氏名及び当選人となるべき順位が参議院名簿に記載されているものを除く。）となつた衆議院議員又は参議院議員の選挙（その者が公務員等の職を離れた日以後三年以内に行われたものに限る。）において当選人となつた場合において、次の各号に掲げる者が、当該当選人のために行つた選挙運動又は行為に関し、第二百二十一条、第二百二十二条、第二百二十三条、第二百二十三条の二、第二百二十五条、第二百二十六条、第二百三十九条第一項第一号、第三号若しくは第四号又は第二百三十九条の二の罪を犯し刑に処せられたときは、当該当選人の当選は、無効とする。

一 当該当選人の在職した公務員等の職（その者が当該公務員等の職を離れた日前三年間に在職したものに限る。以下この条において同じ。）と同一の職にある公務員等又は当該当選人の在職した公務員等の職の所掌に係る事務に従事する公務員等で当該当選人から当該選挙に関し指示又は要請を受けたもの

二 当該当選人の在職した公務員等の職の所掌に係る事務に従事する公務員等で当該当選人に係る前号に掲げる者から当該選挙に関し指示又は要請を受けたもの

三 当該当選人の在職した公務員等の職の所掌に係る事務と同種であり、かつ、その処理に関しこれと関係がある事務をその従事する事務の全部又は一部とする地方公共団体の公務員、行政執行法人又は特定地方独立行政法人の役員又は職員及び公庫の役職員で、当該当選人又は当該当選人に係る前二号に掲げる者から当該選挙に関し指示又は要請を受けたもの

2 前項の規定は、衆議院（比例代表選出）議員の選挙については、適用しない。

（当選無効及び立候補の禁止の効果の生ずる時期）

第二百五十一条の五 前三条の規定による当選無効及び立候補の禁止の効果は、第二百十条第一項の規定による訴訟についての原告敗訴の判決（訴状を却下する命令を含む。）が確定した時、

当該訴訟を提起しないで同項に規定する出訴期間が経過した時若しくは当該訴訟についての訴えの取下げがあつた時又は同条第二項若しくは第二百十一条の規定による訴訟についての原告勝訴の判決が確定した時において、それぞれ生ずるものとする。

（選挙犯罪による処刑者に対する選挙権及び被選挙権の停止）

第二百五十二条　この章に掲げる罪（第二百三十六条の二第二項、第二百四十条、第二百四十二条、第二百四十四条、第二百四十五条、第二百五十二条の二、第二百五十二条の三及び第二百五十三条の罪を除く。）を犯し罰金の刑に処せられた者は、その裁判が確定した日から五年間（刑の執行猶予の言渡しを受けた者については、その裁判が確定した日から刑の執行を受けることがなくなるまでの間）、この法律に規定する選挙権及び被選挙権を有しない。

２　この章に掲げる罪（第二百五十三条の罪を除く。）を犯し禁錮以上の刑に処せられた者は、その裁判が確定した日から刑の執行を終わるまでの間若しくは刑の時効による場合を除くほか刑の執行の免除を受けるまでの間及びその後五年間又はその裁判が確定した日から刑の執行を受けることがなくなるまでの間、この法律に規定する選挙権及び被選挙権を有しない。

３　第二百二十一条、第二百二十二条、第二百二十三条又は第二百二十三条の二の罪につき刑に処せられた者で更に第二百二十一条から第二百二十三条の二までの罪につき刑に処せられた者については、前二項の五年間は、十年間とする。

４　裁判所は、情状により、刑の言渡しと同時に、第一項に規定する者（第二百二十一条から第二百二十三条の二までの罪につき刑に処せられた者を除く。）に対し同項の五年間若しくは刑の執行猶予中の期間について選挙権及び被選挙権を有しない旨の規定を適用せず、若しくはその期間のうちこれを適用すべき期間を短縮する旨を宣告し、第一項に規定する者で第二百二十一条から第二百二十三条の二までの罪につき刑に処せられたもの及び第二項に規定する者に対し第一項若しくは第二項の五年間若しくは刑の執行猶予の言渡しを受けた場合にあつてはその執行猶予中の期間のうち選挙権及び被選挙権を有しない旨の規定を適用すべき期間を短縮する旨を宣告し、又は前項に規定する者に対し同項の十年間の期間を短縮する旨を宣告することができる。

（推薦団体の選挙運動の規制違反）

第二百五十二条の二　第二百一条の四第二項の確認書の交付を受けた政党その他の政治団体が、同条第一項若しくは第六項から第八項まで又は同条第九項において準用する第百四十三条第八項若しくは第九項若しくは第百四十四条第四項の規定に違反して選挙運動をしたときは、その政党その他の政治団体の役職員又は構成員として当該違反行為をした者は、百万円以下の罰金に処する。

２　第二百一条の四第九項において準用する第百四十四条第二項前段若しくは第五項又は第百四十五条第一項若しくは第二項の規定に違反してポスターを掲示した者は、五十万円以下の罰金に処する。

（政党その他の政治活動を行う団体の政治活動の規制違反）

第二百五十二条の三　政党その他の政治活動を行う団体が第二百一条の五（第二百一条の七第一項において準用する場合を含む。）、第二百一条の六第一項（第二百一条の七第二項において準用する場合を含む。）、第二百一条の八第一項（同条第三項において準用する場合を含む。）、第二百一条の九第一項、第二百一条の十一第一項、第二百一条の十二第一項若しくは第二項若しくは第二百一条の十三第一項の規定又は第二百一条の十五第一項において準用する第百四十八条第二項の規定に違反して政治活動をしたときは、その政党その他の政治活動を行う団体の役職員又は構成員として当該違反行為をした者は、百万円以下の罰金に処する。

２　次の各号の一に該当する行為をした者は、五十万円以下の罰金に処する。

一　第二百一条の十一第三項又は第八項の規定に違反して表示をしなかつたとき。

二　第二百一条の十一第四項、第五項若しくは第九項の規定若しくは同条第六項において準用する第百四十五条第一項若しくは第二項の規定に違反してポスター、立札若しくは看板の類を掲示し、又は第二百一条の十一第五項の規定に違反してビラを頒布したとき。

三　第二百一条の十一第十一項又は第二百一条の十四第二項の規定による撤去の処分に従わなかつたとき。

（選挙人等の偽証罪）

第二百五十三条　第二百十二条第二項において準用する民事訴訟に関する法令の規定により宣誓した選挙人その他の関係人が虚偽の陳述をしたときは、三月以上五年以下の禁錮に処する。

２　前項の罪は、当該選挙管理委員会の告発を待つて論ずる。

３　第一項の罪を犯した者が当該異議の申立に対する決定又は訴願に対する裁決が行われる前に自白したときは、その刑を減軽し、又は免除することができる。

（刑事事件の処理）

第二百五十三条の二　当選人に係るこの章に掲げる罪（第二百三十五条の六、第二百三十六条の二、第二百四十五条、第二百四十六条第二号から第九号まで、第二百四十八条、第二百四十九条の二第三項から第五項まで及び第七項、第二百四十九条の三、第二百四十九条の四、第二百四十九条の五第一項及び第三項、第二百五十二条の二、第二百五十二条の三並びに第二百五十三条の罪を除く。）、第二百五十一条の二第一項各号に掲げる者若しくは第二百五十一条の三第一項に規定する組織的選挙運動管理者等に係る第二百二十一条、第二百二十二条、第二百二十三条若しくは第二百二十三条の二の罪、出納責任者に係る第二百四十七条の罪又は第二百五十一条の四第一項各号に掲げる者に係る第二百二十一条から第二百二十三条の二まで、第二百二十五条、第二百二十六条、第二百三十九条第一項第一号、第三号若しくは第四号若しくは第二百三十九条の二の罪に関する刑事事件については、訴訟の判決は、事件を受理した日から百日以内にこれをするように努めなければならない。

２　前項の訴訟については、裁判長は、第一回の公判期日前に、審理に必要と見込まれる公判期日を、次に定めるところにより、一括して定めなければならない。

一　第一回の公判期日は、事件を受理した日から、第一審にあつては三十日以内、控訴審にあつては五十日以内の日を定めること。

二　第二回以降の公判期日は、第一回の公判期日の翌日から起算して七日を経過するごとに、その七日の期間ごとに一回以上となるように定めること。

3　第一項の訴訟については、裁判所は、特別の事情がある場合のほかは、他の訴訟の順序にかかわらず速やかにその裁判をしなければならない。

（当選人等の処刑の通知）

第二百五十四条　当選人がその選挙に関しこの章に掲げる罪（第二百三十五条の六、第二百三十六条の二、第二百四十五条、第二百四十六条第二号から第九号まで、第二百四十八条、第二百四十九条の二第三項から第五項まで及び第七項、第二百四十九条の三、第二百四十九条の四、第二百四十九条の五第一項及び第三項、第二百五十二条の二、第二百五十二条の三並びに第二百五十三条の罪を除く。）を犯し刑に処せられたとき、第二百五十一条の二第一項各号に掲げる者若しくは第二百五十一条の三第一項に規定する組織的選挙運動管理者等が第二百二十一条、第二百二十二条、第二百二十三条若しくは第二百二十三条の二の罪を犯し刑に処せられたとき、出納責任者が第二百四十七条の罪を犯し刑に処せられたとき又は第二百五十一条の四第一項各号に掲げる者が第二百二十一条から第二百二十三条の二まで、第二百二十五条、第二百二十六条、第二百三十九条第一項第一号、第三号若しくは第四号若しくは第二百三十九条の二の罪を犯し刑に処せられたときは、裁判所の長は、その旨を総務大臣に通知し、かつ、衆議院（比例代表選出）議員又は参議院（比例代表選出）議員の選挙については中央選挙管理会に、参議院合同選挙区選挙については合同選挙区都道府県の知事を経て当該選挙に関する事務を管理する参議院合同選挙区選挙管理委員会に、この法律に定めるその他の選挙については関係地方公共団体の長を経て当該選挙に関する事務を管理する選挙管理委員会に通知しなければならない。衆議院議員又は参議院議員たる当選人が刑に処せられた場合においては衆議院議長又は参議院議長に、地方公共団体の議会の議員たる当選人が刑に処せられた場合においては当該議会の議長に、衆議院（小選挙区選出）議員の選挙における候補者であつた者で当該選挙と同時に行われた衆議院（比例代表選出）議員の選挙における候補者であつたものに係る第二百五十一条の二第一項各号に掲げる者、第二百五十一条の三第一項に規定する組織的選挙運動管理者等又は出納責任者が刑に処せられた場合においては中央選挙管理会に、併せて通知しなければならない。

（総括主宰者、出納責任者等の処刑の通知）

第二百五十四条の二　衆議院（比例代表選出）議員の選挙以外の選挙について、第二百五十一条の二第一項第一号から第三号までに掲げる者が第二百二十一条第三項、第二百二十二条第三項、第二百二十三条第三項若しくは第二百二十三条の二第二項の規定により刑に処せられたとき又は出納責任者が第二百四十七条の規定により刑に処せられたときは、当該事件が係属した最後の審級の裁判所は、検察官の申立てにより、その旨をこれらの者に係る公職の候補者であつた者に書面により速やかに通知しなければならない。

2　前項の通知は、送達の方法をもつて行う。この場合において、当該送達に関しては、民事訴訟に関する法令の規定中送達に関する規定を準用する。

3　第一項の規定による通知が行われたときは、裁判所の長は、その旨を、総務大臣に通知し、かつ、参議院（比例代表選出）議員の選挙については中央選挙管理会に、参議院合同選挙区選挙については合同選挙区都道府県の知事を経て当該選挙に関する事務を管理する参議院合同選挙区選挙管理委員会に、その他の選挙については関係地方公共団体の長を経て当該選挙に関する事務を管理する選挙管理委員会に通知しなければならない。衆議院（小選挙区選出）議員の選挙における候補者であつた者で当該選挙と同時に行われた衆議院（比例代表選出）議員の選挙における候補者であつたものに同項の規定による通知が行われた場合においては、中央選挙管理会に、併せて通知しなければならない。

（不在者投票の場合の罰則の適用）

第二百五十五条　第四十九条第一項の規定による投票については、その投票を管理すべき者はこれを投票管理者、その投票を記載すべき場所はこれを投票所、その投票に立ち会うべき者はこれを投票立会人、選挙人が指示する公職の候補者（公職の候補者たる参議院名簿登載者を含む。以下この条及び次条において同じ。）一人の氏名、一の衆議院名簿届出政党等の名称若しくは略称又は一の参議院名簿届出政党等の名称若しくは略称を記載すべきものと定められた者はこれを第四十八条第二項の規定により公職の候補者の氏名、衆議院名簿届出政党等の名称若しくは略称又は参議院名簿届出政党等の名称若しくは略称を記載すべきものと定められた者とみなして、この章の規定を適用する。

2　第四十九条第二項の規定による投票については、選挙人が投票の記載の準備に着手してから投票を記載した投票用紙を郵便等により送付するためこれを封入するまでの間における当該投票に関する行為を行う場所を投票所とみなして、第二百二十八条第一項及び第二百三十四条中同項に係る部分の規定を適用する。

3　第四十九条第四項の規定による投票については、その投票を管理すべき者は投票管理者と、その投票を記載すべき場所は投票所と、その投票に立ち会うべき者は投票立会人と、選挙人が指示する公職の候補者一人の氏名、一の衆議院名簿届出政党等の名称若しくは略称又は一の参議院名簿届出政党等の名称若しくは略称を記載すべきものと定められた者は第四十八条第二項の規定により公職の候補者の氏名、衆議院名簿届出政党等の名称若しくは略称又は参議院名簿届出政党等の名称若しくは略称を記載すべきものと定められた者とみなして、この章の規定を適用する。

4　第四十九条第七項の規定による投票については、船舶において投票を管理すべき者及び投票を受信すべき市町村の選挙管理委員会の委員長は投票管理者と、投票の記載をし、これを送信すべき場所及び投票を受信すべき場所は投票所と、投票を受信すべきファクシミリ装置は投票箱と、船舶において投票に立ち会うべき者は投票立会人と、選挙人が指示する公職の候補者一人の氏名、一の衆議院名簿届出政党等の名称若しくは略称又は一の参議院名簿届出政党等の名称若しくは略称を記載すべきものと定められた者は第四十八条第二項の規定により公職の候補者の氏名、衆議院名簿届出政党等の名称若しくは略称又は参議院名簿届出政党等の名称若しくは略称を記載すべきものと定められた者とみなして、この章の規定を適用する。

5　第四十九条第八項において準用する同条第七項の規定による投票については、投票を受信すべき市町村の選挙管理委員会の委員長は投票管理者と、投票の記載をし、これを送信すべき場所及び投票を受信すべき場所は投票所と、投票を受信すべきファクシミリ装置は投票箱とみなして、この章の規定を適用する。

6　第四十九条第九項の規定による投票については、同項の施設又は船舶において投票を管理すべき者及び投票を受信すべき市町村の選挙管理委員会の委員長は投票管理者と、投票の記載をし、これを送信すべき場所及び投票を受信すべき場所は投票所と、投票を受信すべきファクシミリ装置は投票箱と、同項の施設又は船舶において投票に立ち会うべき者は投票立会人と、選挙人が指示する公職の候補者一人の氏名、一の衆議院名簿届出政党等の名称若しくは略称又は一の参議院名簿届出政党等の名称若しくは略称を記載すべきものと定められた者は第四十八条第二項の規定により公職の候補者の氏名、衆議院名簿届出政党等の名称若しくは略称又は参議院名簿届出政党等の名称若しくは略称を記載すべきものと定められた者とみなして、この章の規定を適用する。

（在外投票の場合の罰則の適用）

第二百五十五条の二　第三十条の五第二項及び第三項に規定する在外選挙人名簿の登録の申請の経由に係る事務、第四十九条の二第一項第一号に規定する在外投票に係る事務その他のこの法律及びこの法律に基づく命令により在外公館の長に属させられた事務に従事する在外公館の長及び職員並びに第三十条の五第二項及び第三項に規定する在外選挙人名簿の登録の申請の経由に係る事務に従事する者は、第百三十六条第一号、第二百二十一条第二項、第二百二十三条第二項、第二百二十六条、第二百二十七条及び第二百三十七条第四項に規定する選挙管理委員会の職員とみなして、この章の規定を適用する。

2　第四十九条の二第一項第一号の規定による投票については、その投票を管理すべき在外公館の長は投票管理者（第二百二十九条に規定する投票管理者に限る。）と、その投票を記載すべき場所は投票所と、その投票に立ち会うべき者は投票立会人と、選挙人が指示する公職の候補者一人の氏名、一の衆議院名簿届出政党等の名称若しくは略称又は一の参議院名簿届出政党等の名称若しくは略称を記載すべきものと定められた者は第四十八条第二項の規定により公職の候補者の氏名、衆議院名簿届出政党等の名称若しくは略称又は参議院名簿届出政党等の名称若しくは略称を記載すべきものと定められた者とみなして、この章の規定を適用する。

3　第四十九条の二第一項第二号の規定による投票については、選挙人が投票の記載の準備に着手してから投票を記載した投票用紙を郵便等により送付するためこれを封入するまでの間における当該投票に関する行為を行う場所を投票所とみなして、第二百二十八条第一項及び第二百三十四条中同項に係る部分の規定を適用する。

（国外犯）

第二百五十五条の三　第二百二十一条、第二百二十二条、第二百二十三条、第二百二十三条の二、第二百二十四条の二、第二百二十四条の三第一項及び第二項、第二百二十五条、第二百二十六条、第二百二十七条、第二百二十八条第一項、第二百二十九条、第二百三十条、第二百三十一条第一項、第二百三十二条、第二百三十四条、第二百三十五条、第二百三十五条の五、第二百三十五条の六第二項、第二百三十七条、第二百三十七条の二、第二百三十八条、第二百三十九条第一項（第百三十七条の三の規定に違反して選挙運動をした者に係る部分に限る。）、第二百三十九条の二第二項、第二百四十一条（第百三十六条の規定に違反して選挙運動をした者に係る部分に限る。）、第二百四十六条第三号及び第五号並びに第二百五十条第二項（重大な過失により、第二百四十六条（第三号及び第五号に限る。）の罪を犯した者に係る部分に限る。）の罪は、刑法第三条の例に従う。

（偽りその他不正の手段による選挙人名簿の抄本等の閲覧等に対する過料）

第二百五十五条の四　次の各号のいずれかに該当する者は、第二百三十六条の二の規定により刑を科すべき場合を除き、三十万円以下の過料に処する。

一　偽りその他不正の手段により、第二十八条の二第一項（同条第九項において読み替えて適用される場合を含む。以下この号において同じ。）若しくは第二十八条の三第一項（第一号を除く。以下この号において同じ。）又は第三十条の十二において準用する第二十八条の二第一項若しくは第二十八条の三第一項の規定による選挙人名簿の抄本又は在外選挙人名簿の抄本の閲覧をし、又はさせた者（法人（法人でない団体で代表者又は管理人の定めのあるものを含む。次号において同じ。）にあつては、その役職員又は構成員として当該違反行為をした者）

二　第二十八条の四第一項（第三十条の十二において準用する場合を含む。）の規定に違反した者（法人にあつては、その役職員又は構成員として当該違反行為をした者）

2　前項の規定による過料についての裁判は、簡易裁判所がする。

第十七章　補則

（衆議院議員の任期の起算）

第二百五十六条　衆議院議員の任期は、総選挙の期日から起算する。但し、任期満了に因る総選挙が衆議院議員の任期満了の日前に行われたときは、前任者の任期満了の日の翌日から起算する。

（参議院議員の任期の起算）

第二百五十七条　参議院議員の任期は、前の通常選挙による参議院議員の任期満了の日の翌日から起算する。但し、通常選挙が前の通常選挙による参議院議員の任期満了の日の翌日後に行われたときは、通常選挙の期日から起算する。

（地方公共団体の議会の議員の任期の起算）

第二百五十八条　地方公共団体の議会の議員の任期は、一般選挙の日から起算する。但し、任期満了に因る一般選挙が地方公共団体の議会の議員の任期満了の日前に行われた場合において、前任の議員が任期満了の日まで在任したときは前任者の任期満了の日の翌日から、選挙の期日後に前任の議員がすべてなくなつたときは議員がすべてなくなつた日の翌日から、それぞれ起算する。

（地方公共団体の長の任期の起算）

第二百五十九条　地方公共団体の長の任期は、選挙の日から起算する。但し、任期満了に因る選挙が地方公共団体の長の任期満了の日前に行われた場合において、前任の長が任期満了の日まで在任したときは前任者の任期満了の日の翌日から、選挙の期日後に前任の長が欠けたときはその欠けた日の翌日から、それぞれ起算する。

（地方公共団体の長の任期の起算の特例）

第二百五十九条の二　地方公共団体の長の職の退職を申し出た者が当該退職の申立てがあつたことにより告示された地方公共団体の長の選挙において当選人となつたときは、その者の任期については、当該退職の申立て及び当該退職の申立てがあつたことにより告示された選挙がなかつたものとみなして前条の規定を適用する。

（補欠議員の任期）

第二百六十条　衆議院議員、参議院議員又は地方公共団体の議会の議員の補欠議員は、それぞれその前任者の残任期間在任する。

2　地方公共団体の議会の議員の定数に異動を生じたためあらたに選挙された議員は、一般選挙により選挙された議員の任期満了の日まで在任する。

（選挙管理費用の国と地方公共団体との負担区分）

第二百六十一条　選挙に関する費用で国と地方公共団体とが負担するものの区分については、本章に特別の規定があるものを除く外、地方財政法（昭和二十三年法律第百九号）の定めるところによる。

（選挙に関する常時啓発の費用の財政措置）

第二百六十一条の二　参議院合同選挙区選挙管理委員会並びに都道府県及び市町村の選挙管理委員会が第六条第一項の規定により行う選挙に関する常時啓発のための次に掲げる費用並びに同条第二項の規定により行う衆議院議員及び参議院議員の選挙の結果の速報に要する費用については、国において財政上必要な措置を講ずるものとする。

一　講演会、討論会、研修会、講習会、映画会等の開催に要する費用

二　新聞、パンフレット、ポスター等の文書図画の刊行又は頒布に要する費用

三　関係各種の団体、機関等との連絡を図るために要する費用

四　その他必要な事業を行うに要する費用

（各選挙に通ずる選挙管理費用の財政措置）

第二百六十二条　選挙に関する次に掲げる費用については、国において財政上必要な措置を講ずるものとする。

一　選挙人名簿の調製に要する費用

二　点字器の調整に要する費用

三　削除

四　第百六十七条の規定による選挙公報の発行に要する費用

五　第百九十二条の規定による報告書の公表、保存及び閲覧の施設に要する費用

（衆議院議員又は参議院議員の選挙管理費用の国庫負担）

第二百六十三条　衆議院議員又は参議院議員の選挙に関する次に掲げる費用は、国庫の負担とする。

一　投票の用紙及び封筒、第四十九条第一項の規定による投票に関する不在者投票証明書及びその封筒並びに投票箱の調製に要する費用

二　選挙事務のため参議院合同選挙区選挙管理委員会並びに都道府県及び市町村の選挙管理委員会、投票管理者、開票管理者、選挙長及び選挙分会長において要する費用

三　投票所、共通投票所、期日前投票所、開票所、選挙会場及び選挙分会場に要する費用

四　第四十九条第一項及び第四項の規定による投票に関する選挙事務のため不在者投票管理者において要する費用及びその投票記載の場所に要する費用、同条第二項の規定により行われる郵便等による送付に要する費用並びに同条第七項及び第九項の規定により行われる送信に要する費用

四の二　在外選挙人名簿及び在外選挙人証の調製並びに在外選挙人証の交付に要する費用

四の三　第四十九条の二第一項第二号の規定により行われる投票に関する費用

五　投票管理者、開票管理者、選挙長、選挙分会長、投票立会人、開票立会人及び選挙立会人に対する報酬及び費用弁償に要する費用

五の二　第百三十一条第三項の規定による標札に要する費用

五の三　第百四十一条第五項及び第百六十四条の二第二項の規定による表示に要する費用

五の四　第百四十一条第七項の規定による選挙運動用自動車の使用に要する費用

六　第百四十二条第一項の規定による通常葉書の費用並びに同条第十項の規定による通常葉書及びビラの作成に要する費用

六の二　第百四十三条第十四項の規定による立札及び看板の類並びにポスターの作成に要する費用

七　第百四十四条の二の規定による掲示場の設置に要する費用

八　第百四十九条の規定による新聞広告に要する費用

九　第百五十条及び第百五十一条の規定による放送に要する費用

十　第百六十一条の規定による個人演説会のための施設（設備を含む。）、第百六十四条の五の規定による標旗並びに第百四十一条の二及び第百六十四条の七の規定による腕章に関する費用

十の二　第百六十四条の二第六項の規定による立札及び看板の類の作成に要する費用

十一　第百七十五条の規定による掲示に要する費用

十二　第百七十六条の規定による交通機関の使用に要する費用

（地方公共団体の議会の議員又は長の選挙管理費用の地方公共団体負担）

第二百六十四条　地方公共団体の議会の議員又は長の選挙に関する次に掲げる費用は、当該地方公共団体の負担とする。

一　前条第一号から第四号まで、第五号の三、第六号、第十号及び第十一号に掲げる費用

二　前条第五号に掲げる者に対する報酬及び費用弁償に要する費用

2　都道府県知事の選挙に関する前条第五号の二、第七号から第九号まで及び第十二号に掲げる費用については、当該都道府県の負担とする。

3　第百四十一条第八項の規定による選挙運動用自動車の使用に要する費用、第百四十二条第十一項の規定によるビラの作成に要する費用、第百四十三条第十五項の規定によるポスターの作成に要する費用、第百四十四条の二第八項及び第百四十四条の四の規定による掲示場の設置に要する費用並びに第百七十二条の二の規定による選挙公報の発行に要する費用については、当

該地方公共団体の負担とする。

４　都道府県の議会の議員及び都道府県知事の選挙と市町村の議会の議員及び市町村長の選挙を同時に行う場合の費用の負担区分については、関係地方公共団体が協議して定める。

（行政手続法の適用除外）

第二百六十四条の二　この法律の規定による処分その他公権力の行使に当たる行為については、行政手続法（平成五年法律第八十八号）第二章、第三章及び第四章の二の規定は、適用しない。

（審査請求の制限）

第二百六十五条　この法律の規定による処分その他公権力の行使に当たる行為又はその不作為については、審査請求をすることができない。

（特別区の特例）

第二百六十六条　この法律中市に関する規定は、特別区に適用する。この場合において、第三十三条第三項中「第六条の二第四項又は第七条第七項」とあるのは、「第二百八十一条の四第六項（同条第九項において準用する場合を含む。）又は大都市地域における特別区の設置に関する法律（平成二十四年法律第八十号）第九条第二項」とする。

２　都の議会の議員の各選挙区において選挙すべき議員の数については、特別区の存する区域以外の区域を区域とする各選挙区において選挙すべき議員の数を、特別区の存する区域を一の選挙区とみなして定め、特別区の区域を区域とする各選挙区において選挙すべき議員の数を、特別区の存する区域を一の選挙区とみなした場合において当該区域において選挙すべきこととなる議員の数を特別区の区域を区域とする各選挙区に配分することにより定めることができる。

（地方公共団体の組合の特例）

第二百六十七条　地方公共団体の組合の選挙については、法律に特別の定があるものを除く外、都道府県の加入するものにあつてはこの法律中都道府県に関する規定、市及び特別区の加入するもので都道府県の加入しないものにあつてはこの法律中市に関する規定、その他のものにあつてはこの法律中町村に関する規定を適用する。

（財産区の特例）

第二百六十八条　財産区の議会の議員の選挙については、地方自治法第二百九十五条の規定による条例で規定するものを除く外、この法律中町村の議会の議員の選挙に関する規定を適用する。但し、被選挙権の有無は、市町村又は特別区の議会が決定する。

（指定都市の区及び総合区に対するこの法律の適用）

第二百六十九条　衆議院議員、参議院議員、都道府県の議会の議員及び長の選挙並びに指定都市の議会の議員及び長の選挙に関するこの法律の規定の適用については、政令で定めるところにより、指定都市においては、区を市とみなし、区及び総合区の選挙管理委員会及び選挙管理委員を市の選挙管理委員会及び選挙管理委員とみなす。この場合において、第二十二条第一項及び第三項の規定の適用については、同条第一項中「有する者」とあるのは「有し、かつ、同日において当該区（総合区を含む。以下この項及び第三項において同じ。）の区長（総合区長を含む。以下この項及び第三項において同じ。）が作成する住民基本台帳に記録されている者（前条第二項に規定する者にあつては、当該指定都市の区域内から住所を移す直前に当該区の区長が作成する住民基本台帳に記録されていた者）」と、同条第三項中「有する者」とあるのは「有し、かつ、当該選挙時登録の基準日において当該区の区長が作成する住民基本台帳に記録されている者（前条第二項に規定する者にあつては、当該指定都市の区域内から住所を移す直前に当該区の区長が作成する住民基本台帳に記録されていた者）」とする。

（選挙に関する期日の国外における取扱い）

第二百六十九条の二　この法律に規定する衆議院議員又は参議院議員の選挙に関する期日の国外における取扱い（第四十九条第一項、第四項及び第七項から第九項までの規定による投票に関するものを除く。）については、政令で定める。

（選挙に関する届出等の時間）

第二百七十条　この法律又はこの法律に基づく命令の規定により総務大臣、中央選挙管理会、参議院合同選挙区選挙管理委員会、選挙管理委員会、投票管理者、開票管理者、選挙長、選挙分会長等に対して行う届出、請求、申出その他の行為は、午前八時三十分から午後五時までの間に行わなければならない。ただし、次に掲げる行為は、当該市町村の選挙管理委員会の職員につき定められている執務時間内に行わなければならない。

一　第二十八条の二第一項（同条第九項の規定により読み替えて適用される場合を含む。第三号において同じ。）の規定による選挙人名簿の抄本の閲覧の申出（第二十四条第一項各号に定める期間又は期日のうち地方公共団体の休日に行われる特定の者が選挙人名簿に登録された者であるかどうかの確認を行うためのものを除く。）又は第二十八条の三第一項の規定による選挙人名簿の抄本の閲覧の申出

二　第二十九条第二項の規定による選挙人名簿の修正に関する調査の請求

三　第三十条の十二において準用する第二十八条の二第一項の規定による在外選挙人名簿の抄本の閲覧の申出（第三十条の八第一項各号に掲げる期間又は期日のうち地方公共団体の休日に行われる特定の者が在外選挙人名簿に登録された者であるかどうかの確認を行うためのものを除く。）又は第三十条の十二において準用する第二十八条の三第一項の規定による在外選挙人名簿の抄本の閲覧の申出

四　第三十条の十三第二項において準用する第二十九条第二項の規定による在外選挙人名簿の修正に関する調査の請求

２　前項の規定にかかわらず、第四十九条第一項、第四項若しくは第七項から第九項までの規定による投票に関し国外において行う行為、第四十九条の二第一項第一号の規定による投票又はこの法律若しくはこの法律に基づく命令の規定により在外公館の長に対してする行為は、政令で定める時間内に行わなければならない。

（不在者投票の時間）

第二百七十条の二　前条第一項の規定にかかわらず、第四十九条第一項、第四項、第七項又は第九項の規定による投票に関し不在者投票管理者等に対して行う行為（国外において行うものを除く。次項において同じ。）のうち政令で定めるものは、午前八時三十分（当該行為を行おうとする地の市町村の選挙管理委員会が地域の実情等を考慮して午前六時三十分から午前八時三十分までの間でこれと異なる時刻を定めている場合には、当該

定められている時刻）から午後八時（当該行為を行おうとする地の市町村の選挙管理委員会が地域の実情等を考慮して午後五時から午後十時までの間でこれと異なる時刻を定めている場合には、当該定められている時刻）までの間に行うことができる。

２　前条第一項の規定にかかわらず、第四十九条第一項又は第四項の規定による投票に関し不在者投票管理者等に対して行う行為のうち政令で定めるものは、当該行為を行おうとする地の市町村の選挙管理委員会の職員につき定められている執務時間内に行わなければならない。

（選挙に関する届出等の期限）

第二百七十条の三　この法律又はこの法律に基づく命令の規定によつて総務大臣、中央選挙管理会、参議院合同選挙区選挙管理委員会又は選挙管理委員会に対してする届出、請求、申出その他の行為（内閣総理大臣、選挙管理委員会等が総務大臣、参議院合同選挙区選挙管理委員会又は選挙管理委員会に対してする行為を含む。）の期限については、行政機関の休日に関する法律（昭和六十三年法律第九十一号）第二条本文及び地方自治法第四条の二第四項本文の規定は、適用しない。ただし、第十五章に規定する争訟に係る異議の申出又は審査の申立ての期限については、この限りでない。

（都道府県の議会の議員の選挙区の特例）

第二百七十一条　昭和四十一年一月一日現在において設けられている都道府県の議会の議員の選挙区については、当該区域の人口が当該都道府県の人口を当該都道府県の議会の議員の定数をもつて除して得た数の半数に達しなくなつた場合においても、当分の間、第十五条第二項前段の規定にかかわらず、当該区域をもつて一選挙区を設けることができる。

（一部無効に因る再選挙の特例）

第二百七十一条の二　選挙の一部無効に因る再選挙については、この法律に特別の規定があるものを除く外、当該再選挙の行われる区域、選挙運動の期間等に応じて政令で特別の定をすることができる。

（衆議院比例代表選出議員又は参議院比例代表選出議員の再選挙又は補欠選挙の特例）

第二百七十一条の三　衆議院（比例代表選出）議員又は参議院（比例代表選出）議員の再選挙又は補欠選挙につきこの法律の規定により難い事項については、政令で特別の定めをすることができる。

（再立候補の場合の特例）

第二百七十一条の四　公職の候補者たることを辞した（公職の候補者たることを辞したものとみなされる場合を含む。）後再び当該選挙の公職の候補者となつた者、候補者届出政党の届出に係る候補者であつた者で、当該候補者届出政党が当該届出を取り下げた（当該届出が取り下げられたものとみなされる場合を含む。）後再び当該選挙の候補者となつたもの及び当該届出が却下された（第八十六条第九項第三号に掲げる事由により却下された場合を除く。）後再び当該選挙の候補者となつたもの並びに参議院名簿届出政党等の届出に係る候補者であつた者で公職の候補者たる参議院名簿登載者（第八十六条の三第一項後段の規定により優先的に当選人となるべき候補者としてその氏名及び当選人となるべき順位が参議院名簿に記載されている者を除く。以下この条において同じ。）でなくなつた後再び当該選挙の候補者たる参議院名簿登載者となつたものについては、当該選挙の選挙運動及び選挙運動に関する収入、支出等に関し政令で特別の定めをすることができる。

（在外投票を行わせることができない場合の取扱い）

第二百七十一条の五　第四十九条の二第一項第一号の規定による投票を同号に定める期間内に行わせることができないときは、更に投票を行わせることは、しないものとする。

（適用関係）

第二百七十一条の六　この法律の適用については、文書図画に記載され又は表示されているバーコードその他これに類する符号に記録されている事項であつてこれを読み取るための装置を用いて読み取ることにより映像面に表示されるもの（以下「符号読取表示事項」という。）は、当該文書図画に記載され又は表示されているものとする。

２　前項の規定にかかわらず、この法律の適用については、符号読取表示事項がこの法律の規定により文書図画に記載し又は表示しなければならない事項であるときは、当該符号読取表示事項は、当該文書図画に記載され又は表示されていないものとする。

３　この法律の適用については、文書図画を記録した電磁的記録媒体を頒布することは、当該文書図画の頒布とみなす。

（命令への委任）

第二百七十二条　この法律の実施のための手続その他その施行に関し必要な規定は、命令で定める。

（選挙事務の委嘱）

第二百七十三条　参議院合同選挙区選挙管理委員会又は都道府県若しくは市町村の選挙管理委員会が、都道府県知事又は市町村長の承認を得て、当該都道府県又は市町村の補助機関たる職員に選挙に関する事務を委嘱したときは、これらの職員は、忠実にその事務を執行しなければならない。

（選挙人に関する記録の保護）

第二百七十四条　市町村の委託を受けて行う選挙人名簿又は在外選挙人名簿に関する事務の処理に従事している者又は従事していた者は、その事務に関して知り得た事項をみだりに他人に知らせ、又は不当な目的に使用してはならない。

（事務の区分）

第二百七十五条　この法律の規定により地方公共団体が処理することとされている事務のうち、次に掲げるものは、地方自治法第二条第九項第一号に規定する第一号法定受託事務とする。

一　衆議院議員又は参議院議員の選挙に関し、都道府県が処理することとされている事務

二　都道府県が第百四十三条第十七項の規定により処理することとされている事務（衆議院議員又は参議院議員の選挙における公職の候補者又は公職の候補者となろうとする者（公職にある者を含む。以下この項において「国の選挙の公職の候補者等」という。）及び第百九十九条の五第一項に規定する後援団体（以下この条において「後援団体」という。）で当該国の選挙の公職の候補者等に係るものの政治活動のために掲示される第百四十三条第十六項第一号に規定する立札及び看板の類に係る事務に限る。）、第百四十七条の規定により処理することとされている事務（国の選挙の公職の候補者等及び当該国の選挙の公職の候補者等に係る後援団体の政治活動

のために使用される文書図画に係る事務に限る。）、第百四十八条第二項及び第二百一条の七第二項の規定により処理することとされている事務、第二百一条の十一第二項の規定により処理することとされている事務（第二百一条の六第一項ただし書（第二百一条の七第二項において準用する場合を含む。）の規定により開催される政談演説会に係る事務に限る。）、第二百一条の十一第四項の規定により処理することとされている事務（第二百一条の七第二項において準用する第二百一条の六第一項ただし書の規定により掲示されるポスターに係る事務に限る。）、第二百一条の十一第八項の規定により処理することとされている事務（第二百一条の六第一項ただし書（第二百一条の七第二項において準用する場合を含む。）の規定により掲示される立札及び看板の類に係る事務に限る。）並びに第二百一条の十一第十一項及び第二百一条の十四第二項の規定により処理することとされている事務（衆議院議員又は参議院議員の選挙の期日の公示又は告示の日から選挙の当日までの間における事務に限る。）

三　衆議院議員又は参議院議員の選挙に関し、市町村が処理することとされている事務

四　選挙人名簿又は在外選挙人名簿に関し、市町村が処理することとされている事務

五　市町村が第百四十七条の規定により処理することとされている事務（国の選挙の公職の候補者等及び当該国の選挙の公職の候補者等に係る後援団体の政治活動のために使用される文書図画に係る事務に限る。）並びに第二百一条の十一第十一項及び第二百一条の十四第二項の規定により処理することとされている事務（衆議院議員又は参議院議員の選挙の期日の公示又は告示の日から選挙の当日までの間における事務に限る。）

2　この法律の規定により地方公共団体が処理することとされている事務のうち、次に掲げるものは、地方自治法第二条第九項第二号に規定する第二号法定受託事務とする。

一　都道府県の議会の議員又は長の選挙に関し、市町村が処理することとされている事務

二　市町村が第百四十七条の規定により処理することとされている事務（都道府県の議会の議員又は長の選挙における公職の候補者又は公職の候補者となろうとする者（公職にある者を含む。以下この項において「都道府県の選挙の公職の候補者等」という。）及び当該都道府県の選挙の公職の候補者等に係る後援団体の政治活動のために使用される文書図画に係る事務に限る。）並びに第二百一条の十一第十一項及び第二百一条の十四第二項の規定により処理することとされている事務（都道府県の議会の議員又は長の選挙の期日の告示の日から選挙の当日までの間における事務に限る。）

附　則

1　この法律は、昭和二十五年五月一日から施行する。

2　戸籍法（昭和二十二年法律第二百二十四号）の適用を受けない者の選挙権及び被選挙権は、当分の間、停止する。

3　前項の者は、選挙人名簿又は在外選挙人名簿に登録することができない。

4　海上の交通がとざされその他特別の事情がある地域で政令で指定するものにおいては、政令で定めるまでは、選挙は、行わない。

5　前項に掲げる地域において初めて行う選挙に関し必要な事項は、政令で定める。

6　政令で定める日前に住民基本台帳に記録されたことがある者であつて、同日以後いずれの市町村の住民基本台帳にも記録されたことがないものに対するこの法律の適用については、第三十条の五第一項中「最終住所の所在地の市町村の選挙管理委員会（その者が、いずれの市町村の住民基本台帳にも記録されたことがない者である場合には、申請の時におけるその者の本籍地の市町村の選挙管理委員会）」とあり、及び同条第三項中「当該申請をした者の最終住所の所在地の市町村の選挙管理委員会（当該申請をした者が、いずれの市町村の住民基本台帳にも記録されたことがない者である場合には、申請の時におけるその者の本籍地の市町村の選挙管理委員会）」とあるのは、「申請の時におけるその者の本籍地の市町村の選挙管理委員会」とする。

7　当分の間、北方領土問題等の解決の促進のための特別措置に関する法律（昭和五十七年法律第八十五号）第十一条第一項に規定する北方地域に本籍を有する者に対するこの法律の適用については、第十一条第三項中「市町村長は、その市町村に本籍を有する者で」とあるのは「北方領土問題等の解決の促進のための特別措置に関する法律（昭和五十七年法律第八十五号。以下「特別措置法」という。）第十一条第一項の規定により法務大臣が指名した者は、同項に規定する北方地域に本籍を有する者で」と、第三十条の五第一項及び第三項中「申請の時におけるその者の本籍地の市町村」とあるのは「申請の時において特別措置法第十一条第一項の規定により法務大臣が指名した者が長である市又は町」と、第三十条の十三第一項中「市町村長は、その市町村に本籍を有する者で」とあるのは「特別措置法第十一条第一項の規定により法務大臣が指名した者は、同項に規定する北方地域に本籍を有する者で」と、前項の規定により読み替えて適用される第三十条の五第一項及び第三項中「申請の時におけるその者の本籍地の市町村」とあるのは「申請の時において特別措置法第十一条第一項の規定により法務大臣が指名した者が長である市又は町」とする。

別表〔略〕

附　則（平二五・一二・一一法九三）（抄）

（施行期日）

第一条　この法律は、平成二十七年三月一日から施行する。

（経過措置）

第三条　新法第十五条第一項の規定にかかわらず、施行日の前日における都道府県の議会の議員の選挙区で隣接していない町村の区域を含むものがあるときは、当該選挙区の区域をもって一の選挙区とすることができる。ただし、当該選挙区に係る区域の変更が行われた場合は、この限りでない。

附　則（平二八・二・三法八）（抄）

（施行期日）

第一条　この法律は、公職選挙法等の一部を改正する法律（平成二十七年法律第四十三号）の施行の日〔平二八・六・一九〕から施行する。

（適用区分）

第二条　この法律の規定による改正後の公職選挙法（次項において「新法」という。）第九条の規定は、この法律の施行の日（以下この条において「施行日」という。）後初めてその期日を公示される衆議院議員の総選挙の期日の公示の日又は施行日後初めてその期日を公示される参議院議員の通常選挙の期日の公示の日のうちいずれか早い日（以下この項において「公示日」という。）以後にその期日を告示される都道府県の議会の議員又は長の選挙について適用し、公示日の前日までにその期日を告示された選挙については、なお従前の例による。

2　新法第二十一条及び第二十七条第二項の規定は、新法第二十二条の規定による選挙人名簿の登録で当該登録に係る基準日（選挙人名簿に登録される資格の決定の基準となる日をいう。以下この項において同じ。）が施行日後初めてその期日を公示される衆議院議員の総選挙又は施行日後初めてその期日を公示される参議院議員の通常選挙のうちその期日の公示の日が早いものを行う場合の同条第二項の規定による選挙人名簿の登録（以下この項において「次回の国政選挙に係る登録」という。）に係る基準日以後であるものについて適用し、同条の規定による選挙人名簿の登録で当該登録に係る基準日が次回の国政選挙に係る登録に係る基準日前であるものについては、なお従前の例による。

附　則（平二八・四・一一法二四）（抄）

（施行期日）

第一条　この法律は、公布の日から施行する。ただし、〔中略〕第三条の規定並びに次条第三項から第五項まで〔中略〕の規定は、公職選挙法等の一部を改正する法律（平成二十七年法律第四十三号）の施行の日〔平二八・六・一九〕から施行する。

（適用区分等）

第二条　〔略〕

2　〔略〕

3　〔前略〕第三条の規定による改正後の公職選挙法（以下この項及び次項において「新公職選挙法」という。）の規定（新公職選挙法第二十条第一項及び第二百六十九条の規定を除く。）〔中略〕は、前条ただし書に規定する規定の施行の日（以下この条において「一部施行日」という。）の翌日以後初めてその期日を公示される衆議院議員の総選挙の期日の公示の日又は一部施行日の翌日以後初めてその期日を公示される参議院議員の通常選挙の期日の公示の日のうちいずれか早い日（以下この項及び第五項において「公示日」という。）以後その期日を公示され又は告示される選挙、最高裁判所裁判官国民審査又は日本国憲法第九十五条の規定による投票について適用し、公示日の前日までにその期日を公示され又は告示された選挙、最高裁判所裁判官国民審査又は日本国憲法第九十五条の規定による投票については、なお従前の例による。

4　新公職選挙法第二十条第一項及び第二百六十九条の規定は、公職選挙法第二十二条の規定による選挙人名簿の登録で当該登録に係る基準日（選挙人名簿に登録される資格の決定の基準となる日をいう。以下この項において同じ。）が一部施行日の翌日以後初めてその期日を公示される衆議院議員の総選挙又は一部施行日の翌日以後初めてその期日を公示される参議院議員の通常選挙のうちその期日の公示の日が早いものにおける同条第二項の規定による選挙人名簿の登録（以下この項において「次回の国政選挙における登録」という。）に係る基準日以後であるものについて適用し、同条の規定による選挙人名簿の登録で当該登録に係る基準日が次回の国政選挙における登録に係る基準日前であるものについては、なお従前の例による。

5　一部施行日から起算して三月を経過する日までの間における公示日以後その期日を告示される選挙に係る公職選挙法第九条第六項の規定の適用については、同項中「の者」とあるのは、「以上満二十年以下の者」とする。

附　則（平二八・四・一三法二五）（抄）

（施行期日）

第一条　この法律は、公布の日から起算して一年を超えない範囲内において政令で定める日〔平二九・四・一〇〕から施行する。〔ただし書略〕

（適用区分）

第二条　この法律による改正後の公職選挙法（次項において「新法」という。）第四十九条第七項及び第八項並びに第二百五十五条第五項の規定は、この法律の施行の日以後その期日を公示される衆議院議員の総選挙又は参議院議員の通常選挙について適用し、この法律の施行の日の前日までにその期日を公示された衆議院議員の総選挙又は参議院議員の通常選挙については、なお従前の例による。

2　〔略〕

附　則（平二八・五・二七法四九）（抄）

（施行期日）

第一条　この法律は、公布の日から施行する。ただし、第二条並びに附則第四条〔中略〕の規定は、衆議院議員選挙区画定審議会設置法及び公職選挙法の一部を改正する法律の一部を改正する法律（平成二十九年法律第五十八号）の公布の日〔平二九・六・一六〕から起算して一月を経過した日（附則第三条及び第四条において「一部施行日」という。）から施行する。

（平成二十七年の国勢調査の結果に基づく改定案の作成及び勧告並びに法制上の措置）

第二条　衆議院議員選挙区画定審議会は、第一条の規定による改正後の衆議院議員選挙区画定審議会設置法（以下この条において「新選挙区画定審議会法」という。）第四条の規定にかかわらず、平成二十七年の国勢調査の結果に基づく新選挙区画定審議会法第二条の規定による改定案（以下この条において「平成二十七年の国勢調査の結果に基づく改定案」という。）の作成及び勧告を行うものとする。

2　前項の規定による平成二十七年の国勢調査の結果に基づく改定案の作成に当たっては、新選挙区画定審議会法第三条の規定にかかわらず、各都道府県の区域内の衆議院小選挙区選出議員の選挙区（以下この項及び次項において「小選挙区」という。）の数は、次の各号に掲げる都道府県の区分に応じ、当該各号に定める数とする。

一　二百八十九人を衆議院小選挙区選出議員の定数と、平成二十七年の国勢調査を新選挙区画定審議会法第四条第一項の国勢調査とみなして新選挙区画定審議会法第三条第二項の規定の例により得られる小選挙区の数（以下この号において「新方式小選挙区定数」という。）が、第二条の規定による改正前の公職選挙法（次項第二号及び次条において「旧公職選挙法」という。）別表第一における都道府県の区域内の小選挙区の数（次号において「改正前小選挙区定数」という。）より少ない都道府県のうち、当該都道府県の平成二十七年国勢調査人口（平成二十七年の国勢調査の結果による日本国民の人口をいう。次項及び次条において同じ。）を新方式小選挙区定数で除して得た数が最も少ない都道府県から順次その順位を付した場合における第一順位から第六順位までに該当する都道府県　新方式小選挙区定数

二　前号に掲げる都道府県以外の都道府県　改正前小選挙区定数

3　第一項の規定による平成二十七年の国勢調査の結果に基づく改定案の作成は、新選挙区画定審議会法第三条の規定にかかわらず、次に掲げる基準によって行わなければならない。

一　各小選挙区の人口に関し、次に掲げる基準に適合すること。

イ　各小選挙区の平成二十七年国勢調査人口が、平成二十七年国勢調査人口の最も少ない都道府県の区域内における平成二十七年国勢調査人口の最も少ない小選挙区の平成二十七年国勢調査人口以上であって、かつ、当該平成二十七年国勢調査人口の二倍未満であること。

ロ　各小選挙区の平成三十二年見込人口（平成二十七年国勢調査人口に、平成二十七年国勢調査人口を平成二十二年国勢調査人口（平成二十二年の国勢調査の結果による日本国民の人口をいう。）で除して得た数を乗じて得た数をいう。以下この項において同じ。）が、平成三十二年見込人口の最も少ない都道府県の区域内における平成三十二年見込人口の最も少ない小選挙区の平成三十二年見込人口以上であって、かつ、当該平成三十二年見込人口の二倍未満であることを基本とすること。

二　小選挙区の改定案の作成は、旧公職選挙法別表第一に掲げる小選挙区のうち次に掲げるものについて行うことを基本とすること。この場合において、当該都道府県の区域内の各小選挙区の平成二十七年国勢調査人口及び平成三十二年見込人口の均衡を図り（イに掲げる小選挙区の改定案の作成の場合に限る。）、行政区画、地勢、交通等の事情を総合的に考慮して合理的に行うこと。

イ　前号イ及びロの都道府県の区域内の小選挙区

ロ　前項第一号に掲げる都道府県の区域内の小選挙区

ハ　前号の基準に適合しない小選挙区

ニ　ハに掲げる小選挙区を前号の基準に適合させるために必要な範囲で行う改定に伴い改定すべきこととなる小選挙区

4　新選挙区画定審議会法第二条の規定による平成二十七年の国勢調査の結果に基づく改定案の勧告は、新選挙区画定審議会法第四条の規定にかかわらず、この法律の施行の日から一年以内においてできるだけ速やかに行うものとする。

5　政府は、平成二十七年の国勢調査の結果に基づく改定案に係る新選挙区画定審議会法第二条の規定による勧告があったときは、当該勧告に基づき、速やかに、必要な法制上の措置を講ずるものとする。

（適用区分）

第三条　第二条の規定による改正後の公職選挙法（以下この条及び次条において「新公職選挙法」という。）の規定（新公職選挙法第十八条第二項及び第百七十五条第五項の規定を除く。）は、衆議院議員の選挙については一部施行日以後初めてその期日を公示される衆議院議員の総選挙（以下この項において「一部施行日以後の初回の総選挙」という。）から、衆議院議員の選挙以外の選挙については一部施行日以後その期日を公示され又は告示される選挙について適用し、一部施行日の前日までにその期日を公示された衆議院議員の総選挙、一部施行日以後の初回の総選挙の期日の公示の日の前日までにその期日を告示される衆議院議員の選挙及び一部施行日の前日までにその期日を公示され又は告示された選挙（衆議院議員の選挙を除く。）については、なお従前の例による。

2　新公職選挙法第十八条第二項及び第百七十五条第五項の規定並びに附則第七条の規定による改正後の国会議員の選挙等の執行経費の基準に関する法律（昭和二十五年法律第百七十九号）第十九条の規定は、一部施行日以後その期日を公示され又は告示される選挙について適用し、一部施行日の前日までにその期日を公示され又は告示された選挙については、なお従前の例による。

3　附則第六条の規定による改正後の最高裁判所裁判官国民審査法（昭和二十二年法律第百三十六号。以下この項において「新国民審査法」という。）第五条の二第三項から第五項まで（これらの規定を新国民審査法第五条の三第二項から第四項まで及び第十六条の二第二項において準用する場合を含む。）及び第五十四条第二項の規定は、一部施行日以後その期日を告示される審査について適用し、一部施行日の前日までにその期日を告示された審査については、なお従前の例による。

（新公職選挙法別表第一に掲げる行政区画その他の区域の取扱い）

第四条　新公職選挙法別表第一に掲げる行政区画その他の区域は、平成二十九年四月十九日（以下この条において「基準日」という。）現在によったものであって、基準日の翌日から一部施行日の前日までの間において同表に掲げる行政区画その他の区域に変更があっても、当該選挙区に関する限り、行政区画その他の区域の変更がなかったものとみなす。ただし、基準日の翌日から一部施行日の前日までの間において同表で定める二以上の選挙区にわたって市町村（特別区を含む。）の境界変更（地方自治法（昭和二十二年法律第六十七号）第二百五十二条の十九第一項の指定都市の区又は総合区の区域の変更を含む。以下この条において同じ。）があったときは、一部施行日に当該境界変更があったものとみなして、新公職選挙法第十三条第

三項及び第四項の規定を適用する。

附　則（平二八・一二・二法九三）

（施行期日）

1　この法律は、公布の日から起算して一年を超えない範囲内において政令で定める日〔平二九・四・一〇〕から施行する。

（適用区分）

2　この法律による改正後の公職選挙法の規定は、この法律の施行の日以後その期日を公示される衆議院議員の総選挙又は参議院議員の通常選挙について適用し、この法律の施行の日の前日までにその期日を公示された衆議院議員の総選挙又は参議院議員の通常選挙については、なお従前の例による。

附　則（平二八・一二・二法九四）（抄）

（施行期日）

第一条　この法律は、公布の日から起算して六月を超えない範囲内において政令で定める日〔平二九・六・一〕から施行する。ただし、次の各号に掲げる規定は、当該各号に定める日から施行する。

一　〔前略〕附則第三条の規定　公布の日から起算して三月を超えない範囲内において政令で定める日〔平二九・一・一〕

二　第二条の規定〔中略〕　公布の日から起算して一年六月を超えない範囲内において政令で定める日〔平三〇・六・一〕

（適用区分）

第二条　第一条の規定による改正後の公職選挙法（以下この条において「新公職選挙法」という。）第九条第三項から第五項まで、第四十四条第三項、第四十八条の二第一項、第四十九条の二第四項及び第五十七条第一項の規定並びに附則第八条の規定による改正後の住民基本台帳法別表第二及び別表第四の規定は、この法律の施行の日（以下この条において「施行日」という。）以後その期日を公示され又は告示される選挙又は審査について適用し、施行日の前日までにその期日を公示され又は告示された選挙又は審査については、なお従前の例による。

2　新公職選挙法第二十二条及び第二百六十九条の規定は、基準日（選挙人名簿に登録される資格（選挙人の年齢を除く。）の決定の基準となる日をいう。以下この条において同じ。）が施行日以後である選挙人名簿の登録について適用し、基準日が施行日前である選挙人名簿の登録については、なお従前の例による。

3　基準日が施行日前である選挙人名簿の登録に係る縦覧については、なお従前の例による。

4　新公職選挙法第二十四条第一項及び第二十五条第四項の規定は、基準日が施行日以後である選挙人名簿の登録に関する異議の申出及び訴訟について適用し、基準日が施行日前である選挙人名簿の登録に関する異議の申出及び訴訟については、なお従前の例による。

5　新公職選挙法第二十八条の二第一項後段及び第二百七十条第一項（第一号に係る部分に限る。）の規定は、基準日が施行日以後である選挙人名簿の登録に係る新公職選挙法第二十四条第一項各号に定める期間又は期日に行われる選挙人名簿の抄本の閲覧の申出について適用し、基準日が施行日前である選挙人名簿の登録に係る縦覧期間に行われる選挙人名簿の抄本の閲覧の申出については、なお従前の例による。

6　新公職選挙法第三十条の規定は、調製の期日が施行日以後である選挙人名簿の調製について適用し、調製の期日が施行日前である選挙人名簿の調製については、なお従前の例による。

7　縦覧開始の日が施行日以前である在外選挙人名簿の登録に係る縦覧については、なお従前の例による。

8　新公職選挙法第三十条の八及び第三十条の九の規定は、新公職選挙法第三十条の八第一項各号に掲げる期間の初日又は期日が施行日の翌日以後である在外選挙人名簿の登録に関する異議の申出及び訴訟について適用し、縦覧開始の日が施行日以前である在外選挙人名簿の登録に関する異議の申出及び訴訟については、なお従前の例による。

9　新公職選挙法第三十条の十二後段及び第二百七十条第一項（第三号に係る部分に限る。）の規定は、在外選挙人名簿の登録に係る新公職選挙法第三十条の八第一項各号に掲げる期間の初日又は期日が施行日の翌日以後である場合における当該期間又は期日に行われる在外選挙人名簿の抄本の閲覧の申出について適用し、縦覧開始の日が施行日以前である在外選挙人名簿の登録に係る縦覧期間に行われる在外選挙人名簿の抄本の閲覧の申出については、なお従前の例による。

10　〔略〕

（政令への委任）

第三条　前条に定めるもののほか、この法律の施行に関し必要な経過措置は、政令で定める。

附　則（平二九・六・二一法六六）

（施行期日）

1　この法律は、平成三十一年三月一日から施行する。

（適用区分）

2　この法律による改正後の公職選挙法の規定は、この法律の施行の日以後その期日を告示される都道府県又は市の議会の議員の選挙について適用し、この法律の施行の日の前日までにその期日を告示された都道府県又は市の議会の議員の選挙については、なお従前の例による。

附　則（平三〇・六・二七法六五）

（施行期日）

1　この法律は、公布の日から起算して六月を超えない範囲内において政令で定める日〔平三〇・一二・二五〕から施行する。

（適用区分）

2　この法律による改正後の公職選挙法の規定は、この法律の施行の日以後その期日を公示され又は告示される選挙について適用し、この法律の施行の日の前日までにその期日を公示され又は告示された選挙については、なお従前の例による。

（罰則に関する経過措置）

3　この法律の施行前にした行為及び前項の規定によりなお従前の例によることとされる場合におけるこの法律の施行後にした行為に対する罰則の適用については、なお従前の例による。

附　則（平三〇・七・二五法七五）（抄）

（施行期日）

第一条　この法律は、公布の日から起算して三月を経過した日から施行する。

（適用区分等）

第二条　この法律による改正後の公職選挙法（以下「新法」という。）の規定（新法第四条第一項及び別表第三の規定を除く。）は、この法律の施行の日（以下「施行日」という。）以後初めてその期日を公示される参議院議員の通常選挙から適用し、当該選挙の公示の日の前日までにその期日を告示される参議院議員の選挙については、なお従前の例による。

2　新法第四条第二項及び別表第三の規定は、施行日以後その期日を公示される参議院議員の通常選挙並びにこれに係る再選挙及び補欠選挙について適用し、施行日の前日までにその期日を公示された参議院議員の通常選挙並びにこれに係る再選挙及び補欠選挙については、なお従前の例による。

3　この法律の施行前にした行為及び第一項の規定によりなお従前の例により行われる選挙に係るこの法律の施行後にした行為については、なおこの法律による改正前の公職選挙法第十六章の規定の例による。

（参議院議員の定数に関する特例）

第三条　参議院議員の定数は、新法第四条第二項の規定にかかわらず、平成三十一年七月二十八日又は平成三十一年に行われる通常選挙の期日の前日のいずれか遅い日までの間は、二百四十二人とし、当該遅い日の翌日から平成三十四年七月二十五日までの間は、二百四十五人とする。

附　則（平三〇・一二・一四法九五）（抄）

（施行期日）

第一条　この法律は、公布の日から起算して二年を超えない範囲内において政令で定める日〔令二・一二・一〕から施行する。〔ただし書略〕

（公職選挙法等の一部を改正する法律の一部改正に伴う経過措置）

第七十七条　施行日前に年齢満十八年以上満二十年未満の者が犯した旧漁業法第九十四条において準用する公職選挙法（昭和二十五年法律第百号）に規定する罪の事件についての少年法（昭和二十三年法律第百六十八号）第二十条第一項の決定については、前条の規定による改正後の公職選挙法等の一部を改正する法律附則第五条第一項から第三項までの規定にかかわらず、なお従前の例による。

2　附則第十五条第二項の規定によりなお従前の例により在任する海区漁業調整委員会の委員に係る被選挙権並びに当該委員の解職の請求及び投票に係る選挙権の欠格事由のうち、施行日前に年齢満十八年以上満二十年未満の者が犯した罪に係るものについては、前条の規定による改正後の公職選挙法等の一部を改正する法律附則第五条第四項の規定にかかわらず、なお従前の例による。

附　則（令元・五・一五法一）（抄）

（施行期日）

第一条　この法律は、公布の日から施行する。ただし、〔中略〕第三条の規定並びに次条第三項並びに附則第四条及び第五条の規定は、平成三十一年六月一日から施行する。

（適用区分）

第二条　〔略〕

2　〔略〕

3　第二条の規定による改正後の国会議員の選挙等の執行経費の基準に関する法律の規定、第三条の規定による改正後の公職選挙法の規定、附則第四条の規定による改正後の最高裁判所裁判官国民審査法（昭和二十二年法律第百三十六号）第二十五条第三項及び第四項の規定並びに附則第五条の規定による改正後の漁業法（昭和二十四年法律第二百六十七号）第九十四条（漁業法第九十九条第五項において準用する場合に限る。）の規定は、前条ただし書に規定する規定の施行の日以後その期日を公示され又は告示される選挙、最高裁判所裁判官国民審査、日本国憲法第九十五条の規定による投票又は漁業法第九十九条第三項の規定による解職の投票について適用し、前条ただし書に規定する規定の施行の日の前日までにその期日を公示され又は告示された選挙、最高裁判所裁判官国民審査、日本国憲法第九十五条の規定による投票又は同項の規定による解職の投票については、なお従前の例による。

附　則（令二・六・一〇法四一）（抄）

（施行期日）

第一条　この法律は、公布の日から起算して三月を経過した日から施行する。〔ただし書略〕

（公職選挙法の一部改正に伴う経過措置）

第三条　第二条の規定による改正後の公職選挙法の規定は、施行日以後その期日を告示される地方公共団体の議会の議員の選挙について適用し、施行日の前日までにその期日を告示された地方公共団体の議会の議員の選挙については、なお従前の例による。

附　則（令二・六・一二法四五）

（施行期日）

1　この法律は、公布の日から起算して六月を経過した日から施行する。

（適用区分）

2　この法律による改正後の公職選挙法の規定は、この法律の施行の日以後その期日を告示される町村の議会の議員又は長の選挙について適用し、この法律の施行の日の前日までにその期日を告示された町村の議会の議員又は長の選挙については、なお従前の例による。

附　則（令三・六・二法五一）

この法律は、公布の日から施行する。

附　則（令四・四・六法一六）（抄）

（施行期日）

第一条　この法律は、公布の日から施行する。ただし、第二条及び次条第三項の規定は、公布の日から起算して二年を超えない範囲内において政令で定める日〔令五・三・一〕から施行する。

（適用区分）

第二条　〔略〕

2　〔略〕

3　第二条の規定による改正後の公職選挙法の規定は、同条の規定の施行の日以後その期日を公示され又は告示される衆議院議員、参議院議員又は都道府県知事の選挙について適用し、同条の規定の施行の日の前日までにその期日を公示され又は告示された衆議院議員、参議院議員又は都道府県知事の選挙については、なお従前の例による。

附　則（令四・五・二五法五二）（抄）

（施行期日）

第一条　この法律は、令和六年四月一日から施行する。〔ただし書略〕

附　則（令四・一一・二八法八九）（抄）

（施行期日）

1　この法律は、公布の日から起算して一月を経過した日から施行する。

㊟　次の法律の附則第四二条により公職選挙法が改正されたが、公布の日から起算して四年を超えない範囲内において政令で定める日から施行となるため、一部改正法の形式で掲載した。

○民事訴訟法等の一部を改正する法律

令四・五・二五
法　四八

（公職選挙法の一部改正）

第四十二条　公職選挙法（昭和二十五年法律第百号）の一部を次のように改正する。

　第四十二条第一項ただし書中「確定判決書」を「確定判決の判決書の正本若しくは謄本若しくは電子判決書（民事訴訟法（平成八年法律第百九号）第二百五十二条第一項に規定する電子判決書（同法第二百五十三条第二項の規定により裁判所の使用に係る電子計算機に備えられたファイルに記録されたものに限る。）をいう。）に記録されている事項を記載した書面であつて裁判所書記官が当該書面の内容が当該ファイルに記録されている事項と同一であることを証明したもの（第二百二十条第三項及び第四項において「電子判決書記録事項証明書」という。）」に改める。

　第四十九条の二第四項の表第四十八条の二第五項の表第四十二条第一項ただし書の項中「確定判決書を所持し、選挙」を「確定判決の判決書の正本若しくは謄本若しくは電子判決書（民事訴訟法（平成八年法律第百九号）第二百五十二条第一項に規定する電子判決書（同法第二百五十三条第二項の規定により裁判所の使用に係る電子計算機に備えられたファイルに記録されたものに限る。）をいう。）に記録されている事項を記載した書面であつて裁判所書記官が当該書面の内容が当該ファイルに記録されている事項と同一であることを証明したもの（第二百二十条第三項及び第四項において「電子判決書記録事項証明書」という。）を所持し、選挙」に、「確定判決書を所持し、第四十八条の二第一項」を「確定判決の判決書の正本若しくは謄本若しくは電子判決書（民事訴訟法（平成八年法律第百九号）第二百五十二条第一項に規定する電子判決書（同法第二百五十三条第二項の規定により裁判所の使用に係る電子計算機に備えられたファイルに記録されたものに限る。）をいう。）に記録されている事項を記載した書面であつて裁判所書記官が当該書面の内容が当該ファイルに記録されている事項と同一であることを証明したものを所持し、第四十八条の二第一項」に改める。

　第二百十二条第二項中「尋問に関する規定」の下に「（罰金、拘留、勾引又は過料に関する規定を除く。）」を加え、同項ただし書を削り、同項に後段として次のように加える。

　この場合において、民事訴訟法第二百五条第二項中「、最高裁判所規則で」とあるのは「、選挙管理委員会が」と、「最高裁判所規則で定める電子情報処理組織を使用してファイルに記録し、又は当該書面に記載すべき事項に係る電磁的記録を記録した記録媒体を提出する」とあるのは「電磁的方法（電子情報処理組織を使用する方法その他の情報通信の技術を利用する方法をいう。）により提供する」と、同条第三項中「ファイルに記録された事項若しくは同項の記録媒体に記録された」とあるのは「提供された」と読み替えるものとする。

　第二百二十条の見出し中「判決書謄本」を「電子判決書記録事項証明書」に改め、同条第三項中「掲げる」を「規定する」に、「判決書の謄本」を「電子判決書記録事項証明書」に改め、同条第四項中「判決書の謄本」を「電子判決書記録事項証明書」に改める。

　第二百五十四条の二第二項後段を削り、同条第三項を同条第五項とし、同条第二項の次に次の二項を加える。

3　前項の送達については、民事訴訟に関する法令の規定中送達に関する規定（民事訴訟法第百条第二項、第一編第五章第四節第三款及び第百十一条の規定を除く。）を準用する。この場合において、同法第百十二条第一項中「前条の規定による措置を開始した日から」とあるのは、「公職選挙法第二百五十四条の二第四項の規定による掲示を始めた日から」と読み替えるものとする。

4　第二項の送達についてする公示送達は、裁判所書記官が第一項の書面を保管し、いつでも同項の規定による通知を受けるべき者に交付すべき旨を裁判所の掲示場に掲示してする。

附　則（抄）

（施行期日）

第一条　この法律は、公布の日から起算して四年を超えない範囲内において政令で定める日から施行する。〔ただし書略〕

（公職選挙法の一部改正に伴う経過措置）

第四十三条　前条の規定による改正後の公職選挙法第二百二十条第三項及び第四項の規定は、公職選挙法第二百二十条第一項及び第二項に規定する訴訟であって施行日以後に提起されたものに係る裁判所の長がする送付について適用し、これらの規定に規定する訴訟であって施行日前に提起されたものに係る裁判所の長がする送付については、なお従前の例による。

㊟　次の法律の第一五五条により公職選挙法が改正されたが、刑法等一部改正法施行日〔令七・六・一〕から施行となるため、一部改正法の形式で掲載した。

○刑法等の一部を改正する法律の施行に伴う関係法律の整理等に関する法律

令四・六・一七
法　六　八

（公職選挙法の一部改正）

第百五十五条　公職選挙法（昭和二十五年法律第百号）の一部を次のように改正する。

第十一条第一項第二号及び第三号中「禁錮」を「拘禁刑」に改め、同項第五号中「禁錮以上の刑」を「拘禁刑」に改め、同条第二項中「因り」を「より」に改める。

第二百二十一条第一項中「懲役若しくは禁錮」を「拘禁刑」に改め、同条第二項中「懲役若しくは禁錮」を「拘禁刑」に改め、同条第三項中「懲役若しくは禁錮」を「拘禁刑」に改める。

第二百二十二条第一項中「左の」を「次の」に、「懲役又は禁錮」を「拘禁刑」に改め、同項第二号中「申込」を「申込み」に改め、同条第三項中「懲役又は禁錮」を「拘禁刑」に改める。

第二百二十三条第一項中「懲役若しくは禁錮」を「拘禁刑」に改め、同条第二項中「懲役若しくは禁錮」を「拘禁刑」に改め、同条第三項中「懲役若しくは禁錮」を「拘禁刑」に改める。

第二百二十三条の二及び第二百二十四条の二中「懲役又は禁錮」を「拘禁刑」に改める。

第二百二十四条の三第一項及び第二項中「懲役」を「拘禁刑」に改める。

第二百二十五条中「懲役若しくは禁錮」を「拘禁刑」に改め、同条第二号中「毀棄し」を「毀棄し」に改める。

第二百二十六条及び第二百二十七条中「禁錮」を「拘禁刑」に改める。

第二百二十八条第一項中「禁錮」を「拘禁刑」に改め、同条第二項中「懲役若しくは禁錮」を「拘禁刑」に改める。

第二百二十九条中「懲役又は禁錮」を「拘禁刑」に改める。

第二百三十条第一項第一号及び第二号中「懲役又は禁錮」を「拘禁刑」に改め、同条第二項中「禁錮」を「拘禁刑」に改める。

第二百三十一条第一項、第二百三十二条及び第二百三十四条中「禁錮」を「拘禁刑」に改める。

第二百三十五条第一項中「禁錮」を「拘禁刑」に改め、同条第二項中「懲役若しくは禁錮」を「拘禁刑」に改める。

第二百三十五条の二中「一に」を「いずれかに」に、「禁錮」を「拘禁刑」に改める。

第二百三十五条の三第一項中「懲役若しくは禁錮」を「拘禁刑」に改める。

第二百三十五条の四中「一に」を「いずれかに」に、「禁錮」を「拘禁刑」に改める。

第二百三十五条の五中「禁錮」を「拘禁刑」に改める。

第二百三十五条の六の見出し中「あいさつ」を「挨拶」に改め、同条第二項中「懲役若しくは禁錮」を「拘禁刑」に改める。

第二百三十六条第一項中「禁錮」を「拘禁刑」に改める。

第二百三十六条の二第一項中「懲役」を「拘禁刑」に改める。

第二百三十七条第一項及び第二項中「禁錮」を「拘禁刑」に改め、同条第三項中「懲役若しくは禁錮」を「拘禁刑」に改め、同条第四項中「懲役若しくは禁錮」を「拘禁刑」に改める。

第二百三十七条の二第一項及び第二項中「禁錮」を「拘禁刑」に改める。

第二百三十九条第一項中「一に」を「いずれかに」に、「禁錮」を「拘禁刑」に改め、同条第二項中「禁錮」を「拘禁刑」に改める。

第二百三十九条の二第一項中「禁錮」を「拘禁刑」に改め、同項第一号中「あいさつする」を「挨拶する」に改め、同条第二項中「禁錮」を「拘禁刑」に改める。

第二百四十一条中「一に」を「いずれかに」に、「禁錮」を「拘禁刑」に改める。

第二百四十二条の二中「禁錮」を「拘禁刑」に改める。

第二百四十三条第一項中「禁錮」を「拘禁刑」に改め、同条第二項中「禁錮」を「拘禁刑」に改める。

第二百四十四条第一項中「禁錮」を「拘禁刑」に改め、同条第二項中「禁錮」を「拘禁刑」に改める。

第二百四十六条から第二百四十九条までの規定中「禁錮」を「拘禁刑」に改める。

第二百四十九条の二第一項中「禁錮」を「拘禁刑」に改め、同条第五項から第七項までの規定中「懲役若しくは禁錮」を「拘禁刑」に改める。

第二百五十条の見出し及び同条第一項中「懲役又は禁錮」を「拘禁刑」に改める。

第二百五十一条の二第一項中「禁錮以上の刑」を「拘禁刑」に改める。

第二百五十一条の三第一項及び第二百五十二条第二項中「禁錮以上の刑」を「拘禁刑」に改める。

第二百五十三条第一項中「禁錮」を「拘禁刑」に改める。

附　則（抄）

（施行期日）

1　この法律は、刑法等一部改正法施行日〔令七・六・一〕から施行する。〔ただし書略〕

○公職選挙法施行令

昭二五・四・二〇
政　令　八　九

最終改正　令六・五・二四政令一九〇

目次〔略〕

第一章　参議院合同選挙区選挙管理委員会

（参議院合同選挙区選挙管理委員会の委員の兼業禁止の特例の対象となる法人）

第一条　公職選挙法（以下「法」という。）第五条の六第八項に規定する合同選挙区都道府県（同条第一項に規定する合同選挙区都道府県をいう。以下同じ。）が出資している法人で政令で定めるものは、合同選挙区都道府県が出資している額の合計額が資本金、基本金その他これらに準ずるものの総額の二分の一以上である法人とする。

（参議院合同選挙区選挙管理委員会に対する地方自治法等の適用等）

第一条の二　参議院合同選挙区選挙管理委員会に対する地方自治法その他の法令の規定の適用については、同法第七十五条第三項及び第五項、第九十八条第一項、第百二十一条、第百二十五条、第百三十八条の二の二、第百三十八条の三、第百三十八条の四第二項、第百八十条の二、第百八十条の三（事務の従事に係る部分に限る。）、第百八十条の四、第百八十条の六、第百八十条の七、第百九十三条（同法第百二十七条第二項、第百四十一条第一項及び第百六十六条第一項に係る部分を除く。）、第百九十八条の四第三項（同条第四項において準用する場合を含む。）、第百九十九条第九項、第十一項及び第十三項から第十五項まで、第二百三条の二第一項、第二百四条第一項、第二百二十一条第一項、第二百二十二条第二項、第二百三十八条の二、第二百三十八条の四第九項、第二百四十二条第一項、第四項、第五項、第八項及び第九項、第二百四十二条の二第一項、第二項第二号及び第四号並びに第七項、第二百四十二条の三第五項、第二百四十三条の二の七第一項、第二百五十条の十三第一項から第三項まで及び第七項、第二百五十条の十四第一項から第四項まで、第二百五十条の十五、第二百五十条の十六、第二百五十条の十七第一項、第二百五十条の十八第一項、第二百五十条の十九、第二百五十一条第一項、第二百五十一条の五第一項、第二百五十一条の七第一項、第二百五十二条の三十三第一項、第二百五十二条の三十七第五項（同法第二百五十二条の四十第六項、第二百五十二条の四十一第六項及び第二百五十二条の四十二第六項において準用する場合を含む。）、第二百五十二条の三十八第四項及び第六項（これらの規定を同法第二百五十二条の三十九第十四項、第二百五十二条の四十第六項、第二百五十二条の四十一第六項及び第二百五十二条の四十二第六項において準用する場合を含む。）、第二百五十二条の三十九第十二項並びに第二百五十二条の四十三第七項の規定、地方公務員法（昭和二十五年法律第二百六十一号）第六条第一項及び第三十八条の二第一項の規定並びに地方自治法施行令（昭和二十二年政令第十六号）第百三十七条、第百四十条（同令第三十条に係る部分を除く。）及び第百七十四条の三第一項第一号の規定に限り、参議院合同選挙区選挙管理委員会を地方自治法第百三十八条の四第一項に規定する委員会とみなす。

2　地方自治法第百八十五条の二及び第百八十九条第二項の規定並びに地方自治法施行令第百七十三条の四第一項（第一号ロに係る部分に限る。）の規定は、参議院合同選挙区選挙管理委員会の委員について準用する。

3　前二項の場合における地方自治法施行令第百三十七条第一項の規定の適用については、同項中「除斥のため同条第三項の規定により臨時に補充員を委員に充ててもなお」とあるのは、「除斥のため」とする。

4　地方自治法第二百五十二条の十七の九の規定により合同選挙区都道府県の臨時選挙管理委員が選任された場合には、当該臨時選挙管理委員をもって参議院合同選挙区選挙管理委員会の臨時委員に充て、参議院合同選挙区選挙管理委員会の委員の職務を行わせるものとする。この場合において、法及びこの政令中参議院合同選挙区選挙管理委員会の委員に関する規定（法第五条の六第六項及び第八項の規定並びに前条の規定を除く。）は、参議院合同選挙区選挙管理委員会の臨時委員に適用する。

第一章の二　選挙権

（選挙権を有しない者に係る通知）

第一条の三　市町村の選挙管理委員会は、法第十一条第一項若しくは第二百五十二条又は政治資金規正法（昭和二十三年法律第百九十四号）第二十八条の規定により選挙権を有しない者が当該市町村の区域内から他の市町村の区域内に住所を移したことを知つたときは、遅滞なく、その旨を当該他の市町村の選挙管理委員会に通知しなければならない。

２　市町村の選挙管理委員会は、他の市町村の区域内から当該市町村の区域内に住所を移した者（当該市町村の区域内から更に住所を移した者を含む。）で当該市町村の区域内に住所を定めた後四箇月を経過しないものについて、その者が当該市町村に本籍を有する者である場合には法第十一条第一項若しくは第二百五十二条若しくは政治資金規正法第二十八条の規定により選挙権及び被選挙権を有しなくなるべき事由が生じたこと又はその事由がなくなつたことを知つたとき、その者が当該市町村に本籍を有しない者である場合には法第十一条第三項（政治資金規正法第二十八条第四項において準用する場合を含む。）又はこの項の規定による通知を受けたときは、遅滞なく、その旨を当該他の市町村の選挙管理委員会に通知しなければならない。

第二章　選挙に関する区域

（二以上の選挙区にわたつて市町村の境界変更があつた場合の当該境界変更に係る区域の属する選挙区）

第二条　法第十三条第四項の場合において、市町村の境界変更に係る区域が属すべき選挙区は、関係選挙区の日本国民の人口、地勢、交通その他の事情を考慮して、総務大臣が定める。

２　総務大臣は、前項の規定により市町村の境界変更に係る区域が属すべき選挙区を定めた場合には、直ちにその旨を告示するとともに、これを内閣総理大臣及び関係都道府県の選挙管理委員会に通知しなければならない。

３　内閣総理大臣は、前項の規定による通知を受けたときは、これを衆議院議長に通知しなければならない。

（都道府県の議会の議員の任期中における選挙区の特例）

第三条　法第十五条第一項から第四項までの規定により、条例で選挙区を設定し、若しくは廃止し、又はその区域を変更するのは、一般選挙を行う場合に限るものとする。ただし、次の各号に掲げる場合の区分に応じ、当該各号に定める区域については、この限りでない。

一　新たに市町村の区域の設定があつた場合　当該市町村の区域の全部又は一部が従前属していた選挙区の区域

二　新たに市町村の区域の廃止があつた場合　当該市町村の区域の全部又は一部が新たに属した市町村の区域の全部又は一部が従前属していた選挙区の区域

三　町村を市とし、又は市を町村とする処分があつた場合　当該処分により市とされた町村又は町村とされた市の区域の全部又は一部が従前属していた選挙区の区域

四　一の市町村の区域が二以上の衆議院小選挙区選出議員の選挙区に属する区域に分かれている場合において当該各区域を法第十五条第五項の規定により新たに市町村の区域とみなしたとき　当該区域の全部又は一部が従前属していた選挙区の区域

五　法第十五条第五項の規定により市町村の区域とみなしていた区域がなくなつた場合　当該区域が従前属していた選挙区の区域

六　他の都道府県の区域の全部を編入した場合　当該編入された区域

（都道府県の議会の議員の選挙区の議員定数の変更）

第四条　都道府県の議会の議員の選挙区において選挙すべき議員の定数は、議員の任期中においても、前条各号に掲げる場合に限り、変更することができる。ただし、同条第一号から第五号までに掲げる場合においては、これらの号に定める区域の全部又は一部が新たに属することとなつた選挙区に限る。

（都道府県の議会の議員の所属選挙区の変更）

第五条　第三条第一号から第五号までに掲げる場合において、都道府県の議会の議員の任期中新たに設定され、又はその配当議員数が変更されることとなつた選挙区に新たに配当すべき都道府県の議会の議員は、当該新たに設定された選挙区の区域又は配当議員数が変更されることとなつた選挙区に新たに属することとなつた区域が従前属していた選挙区から選出した議員の中から都道府県の選挙管理委員会がくじで定める。ただし、その区域内に住所を有する議員があるときは、その議員をもつてその区域から選出された議員とし、その区域内に住所を有する議員の数がその区域の配当議員数より多いときは、これらの議員の中からくじで定める。

２　他の都道府県の区域の全部を編入した場合において、前条の規定により各選挙区において選挙すべき議員の定数を変更したことにより、当該編入をした都道府県の従前の選挙区に属する議員の数が当該従前の選挙区において新たに選挙すべきこととなつた議員の定数を超えるときは、当該都道府県の選挙管理委員会は、その定数を超える数に相当することとなる数の議員をくじで定め、これを編入された区域内の選挙区又は新たに定数の増加した選挙区にくじで配当しなければならない。この場合において、それぞれの選挙区に配当すべき議員の数は、議員を配当すべき選挙区において選挙すべき議員の定数（新たに定数の増加した選挙区においては、その増加に係る数。以下この条において同じ。）に比例して定めなければならない。

３　前項の場合において、新たに議員を配当することとなる選挙区の区域内に住所を有する議員があるときは、同項に規定するくじの方法によらないで、その議員をもつて当該選挙区から選出された議員とし、その区域内に住所を有する議員の数が当該選挙区において選挙すべき議員の定数より多いときは、都道府県の選挙管理委員会がこれらの議員の中からくじで定めた者をもつて当該選挙区から選出された議員とする。

４　前項の規定によつて新たに議員を配当することとなる選挙区の区域内に住所を有する議員を当該選挙区に配当した後における第二項の規定の適用については、その既に前項の規定によつて配当した議員の数を、それぞれ当該都道府県の従前の選挙区に属する議員の数及び新たに議員を配当することとなる選挙区において選挙すべき議員の定数から控除するものとする。

（都道府県の設置をする場合における都道府県の議会の議員の選挙区及び定数に関する特例）

第六条　地方自治法第六条の二第一項の規定により都道府県の設置をしようとする場合において、その区域の全部が当該新たに設置される都道府県の区域の一部となる都道府県（以下この条において「設置関係都道府県」という。）は、その協議により、あらかじめ、新たに設置される都道府県の議会の議員の選挙区及び各選挙区において選挙すべき議員の定数を定めることができる。

2　前項の規定により新たに設置される都道府県の議会の議員の選挙区及び各選挙区において選挙すべき議員の定数を定めたときは、設置関係都道府県は、直ちにこれらを告示しなければならない。

3　前項の規定により告示された新たに設置される都道府県の議会の議員の選挙区又は各選挙区において選挙すべき議員の定数は、当該都道府県の条例により設けられ、又は定められたものとみなす。

4　第一項の協議については、設置関係都道府県の議会の議決を経なければならない。

（指定都市の議会の議員の選挙区の特例）

第六条の二　地方自治法第二百五十二条の十九第一項の指定都市（以下「指定都市」という。）の一の区（総合区を含む。第百四十一条の二及び第百四十一条の三を除き、以下同じ。）の区域が二以上の衆議院小選挙区選出議員の選挙区に属する区域に分かれている場合における法第十五条第六項の規定の適用については、当該各区域を区の区域とみなすことができる。

（指定都市の議会の議員の任期中における選挙区及び定数の変更）

第七条　第四条及び第五条第一項の規定は、指定都市において、新たに区の設定又は廃止があつた場合（前条の規定により二以上の衆議院小選挙区選出議員の選挙区に属する区域に分かれている区の区域を区の区域とみなした場合又は区の区域とみなされた区域がなくなつた場合を含む。）における議会の議員の選挙区において選挙すべき議員の定数及びその選挙区に配当すべき議員について準用する。

（市町村の議会の議員の任期中における選挙区及び定数の変更）

第八条　市町村の廃置分合又は境界変更があつた場合において、地方自治法第九十一条第三項の規定により議会の議員の定数を増減するときは、議員の任期中においても、指定都市にあつては前条において準用する第四条の規定にかかわらず各選挙区において選挙すべき議員の定数を変更し、指定都市以外の市及び町村にあつては関係区域を区域とする選挙区を設け、若しくは関係区域を選挙区に編入し、又は各選挙区において選挙すべき議員の定数を変更することができる。

2　前項の規定によつて関係区域を区域とする選挙区を設け、若しくは関係区域を選挙区に編入し、又は各選挙区において選挙すべき議員の定数を変更した市町村において、当該市町村の従前の選挙区に属する議員の数が当該従前の選挙区において新たに選挙すべきこととなつた議員の定数をこえるときは、当該市町村の選挙管理委員会は、その定数をこえる数に相当することとなる数の議員をくじで定め、これを新たに設定された選挙区又は新たに定数の増加した選挙区に配当しなければならない。この場合において、配当すべき選挙区が二以上あるときは、これらの選挙区において選挙すべき議員の定数（新たに定数の増加した選挙区においては、その増加に係る数。本条中以下同じ。）に比例してそれぞれの選挙区に配当すべき議員の数を定め、くじで議員を配当しなければならない。

3　前項の場合において、新たに議員を配当することとなる選挙区の区域内に住所を有する議員があるときは、同項に規定するくじの方法によらないで、その議員をもつて当該選挙区から選出された議員とし、その区域内に住所を有する議員の数が当該選挙区において選挙すべき議員の定数より多いときは、市町村の選挙管理委員会がこれらの議員の中からくじで定めた者をもつて当該選挙区から選出された議員とする。

4　前項の規定によつて新たに議員を配当することとなる選挙区の区域内に住所を有する議員を当該選挙区に配当した後における第二項の規定の適用については、そのすでに前項の規定によつて配当した議員の数を、それぞれ当該市町村の従前の選挙区に属する議員の数及び新たに議員を配当することとなる選挙区において選挙すべき議員の定数から控除するものとする。

5　第一項の規定によつて関係区域を区域とする選挙区を設けた市町村において当該市町村の従前の区域を区域とする選挙区又は従前の区域を包含する選挙区の設定があつた場合における第二項の規定の適用については、これらの選挙区を当該市町村の従前の選挙区と、当該市町村の議会の議員をその従前の選挙区に属する議員とみなす。

（市町村の設置をする場合における市町村の議会の議員の選挙区及び定数に関する特例）

第八条の二　地方自治法第七条第一項又は第三項の規定により市町村の設置をしようとする場合において、その区域の全部又は一部が当該新たに設置される市町村の区域の全部又は一部となる市町村（以下この条において「設置関係市町村」という。）は、設置関係市町村が二以上のときは設置関係市町村の協議により、設置関係市町村が一のときは当該設置関係市町村の議会の議決を経て、あらかじめ、新たに設置される市町村の議会の議員の選挙区及び各選挙区において選挙すべき議員の定数を定めることができる。

2　前項の規定により新たに設置される市町村の議会の議員の選挙区及び各選挙区において選挙すべき議員の定数を定めたときは、設置関係市町村は、直ちにこれらを告示しなければならない。

3　前項の規定により告示された新たに設置される市町村の議会の議員の選挙区及び各選挙区において選挙すべき議員の定数は、当該市町村の条例により設けられ、及び定められたものとみなす。

4　第一項の協議については、設置関係市町村の議会の議決を経なければならない。

（人口に比例しない議員の定数）

第九条　市町村の廃置分合又は境界変更があつた場合においては、関係区域を区域とする選挙区又は関係区域を編入した選挙区において選挙すべき当該市町村の議会の議員の定数は、人口に比例しないで定めることができる。

（投票区の廃止又は変更の告示）

第九条の二　市町村の選挙管理委員会は、法第十七条第二項の規定により設けた投票区を廃止し、又は変更したときは、直ちにその旨を告示しなければならない。

（指定都市の議会の議員の開票区の特例）

第十条　指定都市の議会の議員の選挙において区の区域が二以上の選挙区に分かれているときは、当該選挙区の区域により区の区域を分けて数開票区を設けるものとする。

（市町村の区域を分けて開票区を設ける場合等の手続）

第十条の二　市町村の選挙管理委員会は、都道府県の選挙管理委員会が分割開票区（法第十八条第二項の規定により市町村の区域（指定都市においては、区の区域）を分けて設けられる開票区をいう。以下同じ。）を設けることができる特別の事情があると認めるときは、都道府県の選挙管理委員会にその旨を届け出なければならない。当該特別の事情がなくなり、又は当該特別の事情に重要な変更があつたと認める場合も、同様とする。

2　数市町村の選挙管理委員会は、都道府県の選挙管理委員会が数市町村合同開票区（法第十八条第二項の規定により数市町村の区域の全部又は一部を合わせて設けられる開票区をいう。以下同じ。）を設けることができる特別の事情があると認めるときは、都道府県の選挙管理委員会にその旨を届け出なければならない。当該特別の事情がなくなり、又は当該特別の事情に重要な変更があつたと認める場合も、同様とする。

3　指定都市の選挙管理委員会は、都道府県の選挙管理委員会が数区合同開票区（法第十八条第二項の規定により指定都市の数区の区域の全部又は一部を合わせて設けられる開票区をいう。以下同じ。）を設けることができる特別の事情があると認めるときは、都道府県の選挙管理委員会にその旨を届け出なければならない。当該特別の事情がなくなり、又は当該特別の事情に重要な変更があつたと認める場合も、同様とする。

4　都道府県の選挙管理委員会は、法第十八条第二項の規定により設けた開票区を廃止し、又は変更したときは、直ちにその旨を告示しなければならない。

5　都道府県の選挙管理委員会は、法第十八条第二項の規定により開票区を設けたときは、直ちにその旨を関係市町村の選挙管理委員会（指定都市においては、市の選挙管理委員会を経て関係区の選挙管理委員会）に通知しなければならない。同項の規定により設けた開票区を廃止し、又は変更した場合も、同様とする。

第三章　選挙人名簿

（選挙人名簿を磁気ディスクをもつて調製する場合の方法及び基準）

第十一条　市町村の選挙管理委員会は、法第十九条第三項の規定により選挙人名簿を磁気ディスク（これに準ずる方法により一定の事項を確実に記録しておくことができる物を含む。以下同じ。）をもつて調製する場合には、電子計算機（電子計算機による方法に準ずる方法により一定の事項を確実に記録しておくことができる機器を含む。以下同じ。）の操作によるものとし、磁気ディスクへの記録、磁気ディスク及び当該選挙人名簿に記録されている事項の利用並びに磁気ディスク及びこれに関連する施設又は設備の管理の方法に関する技術的基準については、総務大臣が定める。

2　市町村の選挙管理委員会は、前項に規定する場合においては、当該選挙人名簿に記録されている事項が投票管理者、開票管理者及び当該市町村の選挙管理委員会の職員（当該市町村の選挙管理委員会から選挙に関する事務を委嘱された職員及び当該市町村の委託を受けて選挙人名簿に関する事務の処理に従事する者を含む。）以外の者に電子計算機に接続された電気通信回線を通じて知られること及び当該選挙人名簿が滅失し、又は毀損することを防止するために必要な措置を講じなければならない。

（選挙人名簿の登録のための調査等）

第十二条　市町村の選挙管理委員会は、その定めるところにより、選挙人名簿に登録される資格（以下この条及び第二十一条第二項において「被登録資格」という。）を有する者を常時調査し、被登録資格を有する者について選挙人名簿に登録するための整理をするものとし、選挙人名簿の登録に当たつては、被登録資格を有することについて確認が得られない者を選挙人名簿に登録してはならない。

2　市町村の選挙管理委員会は、前項の調査に関し必要がある場合には、その被登録資格につき調査しようとする者その他の関係人の出頭を求め、又はこれらの者に被登録資格の確認のための資料の提出を求めることができる。この場合には、これらの者は、正当な理由がなければ、これを拒むことができない。

（年齢満十七年の者の調査等）

第十三条　市町村の選挙管理委員会は、毎年三月、六月、九月及び十二月（以下「登録月」という。）の一日現在により、次に掲げる者のうち年齢満十七年のものでその登録月の次の登録月の前月の末日までに年齢満十八年になるものを調査し、法第二十二条第三項の規定による選挙人名簿の登録を行う場合のための整理をしなければならない。この場合において、市町村の選挙管理委員会から要請があつたときは、当該市町村長は、当該調査に協力しなければならない。

一　当該市町村の区域内の住民基本台帳に記録されている者

二　当該市町村の区域内から住所を移した者のうち、その者に係る登録市町村等（法第二十一条第一項に規定する登録市町村等をいう。以下この号において同じ。）の住民票が作成された日から引き続き三箇月以上登録市町村等の住民基本台帳に記録されていた者であつて、登録市町村等の区域内に住所を有しなくなつた日後四箇月を経過しないもの

（登録日等の告示）

第十四条　市町村の選挙管理委員会は、法第二十二条第一項の規定による選挙人名簿の登録を行う日を、同項の規定により登録月の一日の直後の同項に規定する地方公共団体の休日以外の日に定めた場合又は同項ただし書の規定により同項に規定する通常の登録日後に変更した場合には、直ちに当該登録を行う日を告示しなければならない。

2　法第二十二条第三項の選挙管理委員会、中央選挙管理会又は参議院合同選挙区選挙管理委員会は、同項の規定による選挙人名簿の登録について、同項に規定する選挙時登録の基準日を定めた場合には、直ちに当該選挙時登録の基準日を告示しなければならない。

（異議の申出に係る行政不服審査法施行令の準用）

第十五条　行政不服審査法施行令（平成二十七年政令第三百九十一号）第八条の規定は、法第二十四条第一項の異議の申出について準用する。この場合において、同令第八条中「審理員は」とあるのは「公職選挙法（昭和二十五年法律第百号）第二十四条第一項の異議の申出を受けた選挙管理委員会（以下この条に

おいて「審査庁」という。）は」と、「審理関係人」とあるのは「異議申出人」と、「総務省令で」とあるのは「審査庁が」と、「、審理員」とあるのは「、審査庁」と読み替えるものとする。

（表示の消除）

第十六条　市町村の選挙管理委員会は、法第二十七条第一項又は第二項の規定による表示をされた者が法第二十一条第一項に規定する者に該当するに至つたことを知つた場合には、直ちにその表示を消除しなければならない。

（登録の移替え）

第十七条　市町村の選挙管理委員会は、選挙人名簿に登録されている者が当該市町村の区域内の他の投票区の区域内に住所を移したことを知つたときは、その者に係る登録の移替えをしなければならない。ただし、市町村の選挙管理委員会は、その事実を知つたときが次の各号に掲げる期間内であるときは、その登録の移替えを当該各号に規定する選挙の期日後に延期することができる。

一　任期満了による選挙にあつては、各選挙につき、その任期が終わる日の前六十日からその選挙の期日までの期間

二　その他の選挙にあつては、各選挙につき、その選挙を行なうべき事由が生じた日からその選挙の期日までの期間

（選挙人名簿登録証明書）

第十八条　選挙人名簿に登録された船員（船員法（昭和二十二年法律第百号）第一条に規定する船員をいい、船員職業安定法（昭和二十三年法律第百三十号）第九十二条第一項の規定により船員法第二条第二項に規定する予備船員とみなされる者及び船員の雇用の促進に関する特別措置法（昭和五十二年法律第九十六号）第十四条第一項の規定により船員法第二条第二項に規定する予備船員とみなされる者並びに法第四十九条第七項に規定する実習生（第五章において「実習生」という。）を含む。以下同じ。）は、市町村の選挙管理委員会に対して、選挙人名簿登録証明書の交付を申請することができる。

2　市町村の選挙管理委員会は、前項の規定による申請があつた場合には、当該船員に対して選挙人名簿登録証明書を交付しなければならない。

3　選挙人名簿登録証明書の交付を受けた者は、船員でなくなつた場合、他の市町村の選挙人名簿に登録された場合、在外選挙人名簿に登録された場合又は当該選挙人名簿登録証明書の交付を受けた市町村の区域内に住所を有しなくなつた日後四箇月を経過するに至つた場合には、直ちに当該選挙人名簿登録証明書をその交付を受けた市町村の選挙管理委員会に返さなければならない。

4　第一項及び第二項に規定するもののほか、選挙人名簿登録証明書の交付の申請の方法及び交付の手続に関し必要な事項は、総務省令で定める。

（選挙人名簿の移送又は引継ぎ）

第十九条　市町村の選挙管理委員会は、市町村の境界変更があつた場合においては、選挙人名簿（法第十九条第三項の規定により磁気ディスクをもつて調製する選挙人名簿にあつては、当該選挙人名簿に記録されている事項の全部を記載した書類（以下この条において「選挙人名簿記載書類」という。）。次項及び第三項並びに第百三十一条第二項において同じ。）中新たに他の市町村に属することとなつた区域内に住所を有する者として登録されているもの（選挙人名簿記載書類にあつては、記載されているもの）に係る部分をその市町村の選挙管理委員会に送付しなければならない。

2　市町村の廃置分合があつた場合においては、新たにその区域が属することとなつた市町村の選挙管理委員会は、選挙人名簿中その市町村に属することとなつた区域内に住所を有する者として登録されているもの（選挙人名簿記載書類にあつては、記載されているもの）に係る部分を引き継がなければならない。

3　市町村の選挙管理委員会は、選挙人名簿の送付を受け、又は引継ぎをした場合においては、直ちにその旨を告示するとともに、その旨及び送付又は引継ぎに係る選挙人名簿に登録されている者（選挙人名簿記載書類にあつては、記載されている者）の数を都道府県の選挙管理委員会に報告しなければならない。

4　前三項の規定は、指定都市において新たに区を設け、又はその区域を変更した場合に準用する。ただし、前項の規定を準用して区の選挙管理委員会が報告をする場合においては、市の選挙管理委員会を経てしなければならない。

5　第一項又は第二項の規定によつて送付を受け、又は引継ぎをした選挙人名簿（法第十九条第三項の規定により磁気ディスクをもつて調製する選挙人名簿にあつては、選挙人名簿記載書類）は、市町村の廃置分合又は境界変更に係る区域が新たに属した市町村の選挙人名簿となるものとする。

（磁気ディスクをもつて調製されている選挙人名簿を閲覧させる方法）

第二十条　市町村の選挙管理委員会は、法第二十八条の二第一項（同条第九項において読み替えて適用される場合を含む。）又は第二十八条の三第一項の規定により選挙人名簿に記録されている全部又は一部の事項を閲覧させる場合には、当該選挙管理委員会の管理する場所において、当該事項を映像面に表示して閲覧させるものとする。

（選挙人名簿の再調製）

第二十一条　市町村の選挙管理委員会は、法第三十条第一項の規定により選挙人名簿を再調製する場合には、あらかじめ、その選挙人名簿の調製の期日及び異議の申出期間その他選挙人名簿の再調製について必要な事項を定め、これらを告示しなければならない。

2　市町村の選挙管理委員会は、法第三十条第一項の規定により選挙人名簿を再調製する場合には、被登録資格を有する者をその選挙人名簿の調製の期日現在により調査しなければならない。

（選挙人の数の報告）

第二十二条　市町村の選挙管理委員会は、法第二十二条第一項又は第三項の規定による選挙人名簿の登録が行われた日現在において選挙人名簿に登録されている選挙人の数を、遅滞なく、都道府県の選挙管理委員会に報告しなければならない。この場合において、合同選挙区都道府県の選挙管理委員会は、同項の規定による選挙人名簿の登録が行われた日現在において選挙人名簿に登録されている選挙人の数（参議院合同選挙区選挙（法第五条の六第二項に規定する参議院合同選挙区選挙をいう。以下同じ。）に係るものに限る。）を、遅滞なく、集計するとともに、その結果を参議院合同選挙区選挙管理委員会に報告しなければならない。

2　市町村の選挙管理委員会は、法第三十条第一項の規定により

選挙人名簿を再調製した場合には、遅滞なく、これに登録された選挙人の数を都道府県の選挙管理委員会に報告しなければならない。

（選挙人名簿の保存）

第二十二条の二　選挙人名簿の抄本（法第十九条第三項の規定により磁気ディスクをもつて選挙人名簿を調製している市町村の選挙管理委員会にあつては、当該選挙人名簿に記録されている全部若しくは一部の事項又は当該事項を記載した書類。以下この条において同じ。）は、その抄本を用いて選挙された衆議院議員、参議院議員又は地方公共団体の議会の議員若しくは長の任期間、市町村の選挙管理委員会において保存しなければならない。

第三章の二　在外選挙人名簿

（在外選挙人名簿を磁気ディスクをもつて調製する場合の方法及び基準）

第二十三条　第十一条の規定は、法第三十条の二第四項の規定により在外選挙人名簿を磁気ディスクをもつて調製する場合の方法及び基準について準用する。

（指定在外選挙投票区の指定等）

第二十三条の二　市町村の選挙管理委員会は、法第三十条の三第二項の規定により指定在外選挙投票区（同項に規定する指定在外選挙投票区をいう。以下同じ。）の指定を行う場合において、当該市町村の区域が二以上の衆議院小選挙区選出議員の選挙区に分かれているときは、当該選挙区の区域ごとに指定在外選挙投票区を指定しなければならない。

2　市町村の選挙管理委員会は、指定在外選挙投票区を指定したときは、直ちにこれを告示するとともに、都道府県の選挙管理委員会に通知しなければならない。

（在外選挙人名簿の登録の申請の手続）

第二十三条の三　法第三十条の五第一項の規定による申請は、当該申請をする者（以下この章において「在外選挙人名簿登録申請者」という。）が、在外選挙人名簿に関する事務について当該在外選挙人名簿登録申請者の住所を管轄する領事官（領事官の職務を行う大使館若しくは公使館の長又はその事務を代理する者を含む。以下この章及び第百四十二条において同じ。）（法第三十条の五第二項に規定する総務省令・外務省令で定める地域にあつては、同項に規定する総務省令・外務省令で定める者。第二号並びに次項第二号及び第三号を除き、以下この章及び第百四十二条において同じ。）に対して、自ら又は総務省令で定めるところにより総務省令で定める者を通じて、法第三十条の五第一項の規定による申請書（以下この条及び第二十三条の六第一項において「在外選挙人名簿登録申請書」という。）を提出し、かつ、次に掲げる書類（当該在外選挙人名簿登録申請者が他の法令の規定により当該領事官に住所に関する届出を行つている場合であつて総務省令で定めるときは、第一号に掲げる書類）を提示して、しなければならない。

一　当該在外選挙人名簿登録申請者の旅券（旅券を紛失し、又は焼失したことその他の特別の事情により旅券を所持していない場合には、当該在外選挙人名簿登録申請者の資格又は地位を証明する書類（当該在外選挙人名簿登録申請者の写真を貼り付けてある書類その他の総務省令で定める書類に限る。））

二　当該在外選挙人名簿登録申請者が、在外選挙人名簿に関する事務について当該在外選挙人名簿登録申請者の住所を管轄する領事官の管轄区域（法第三十条の四第一項に規定する管轄区域をいう。以下この号及び次項において同じ。）内に住所を有することとなつた日として在外選挙人名簿登録申請書に記載された日から申請の日（法第三十条の五第三項第一号に定める日をいう。以下この号及び次項において同じ。）までの間（以下この号及び同項において「住所要件期間」という。）、引き続き当該管轄区域内に住所を有することを証するに足りる文書（申請の日において住所要件期間が三箇月以上である場合には、当該在外選挙人名簿登録申請者が当該管轄区域内に引き続き三箇月以上住所を有することを証するに足りる文書）

2　申請の日において住所要件期間が三箇月に満たない在外選挙人名簿登録申請者（以下この条において「住所要件未充足在外選挙人名簿登録申請者」という。）は、申請の日以後法第三十条の五第三項第二号に定める日（第六項において「三箇月経過日」という。）までの間に、次の各号に掲げる場合のいずれかに該当するに至つたときは、直ちに、文書でその旨を在外選挙人名簿登録申請書を提出した領事官に届け出なければならない。

一　日本の国籍を失つた場合

二　在外選挙人名簿に関する事務について申請時住所（住所要件未充足在外選挙人名簿登録申請者の住所として在外選挙人名簿登録申請書に記載された住所をいう。次号及び第六項において同じ。）を管轄する領事官の管轄区域外へ住所を移した場合

三　在外選挙人名簿に関する事務について申請時住所を管轄する領事官の管轄区域内において住所を変更した場合

四　氏名その他総務省令で定める事項に変更が生じた場合

3　前項第一号又は第二号に掲げる場合に該当する旨の同項の規定による届出があつたときは、当該住所要件未充足在外選挙人名簿登録申請者の法第三十条の五第一項の規定による申請は、取り下げられたものとみなす。

4　第二項第三号又は第四号に掲げる場合に該当する旨の同項の規定による届出は、それぞれ同項第三号又は第四号に掲げる場合に該当する事実を証するに足りる文書を添えて、しなければならない。ただし、当該住所要件未充足在外選挙人名簿登録申請者が他の法令の規定により在外選挙人名簿登録申請書を提出した領事官に住所、氏名その他総務省令で定める事項に関する届出をしている場合であつて総務省令で定めるときは、この限りでない。

5　法第三十条の五第三項の規定による在外選挙人名簿登録申請書の送付は、当該在外選挙人名簿登録申請者に係る在外選挙人名簿の被登録資格（同項に規定する在外選挙人名簿の被登録資格をいう。以下この章において同じ。）に関する意見書（第二項第三号又は第四号に掲げる場合に該当する旨の同項の規定による届出書の提出があつた場合には、在外選挙人名簿の被登録資格に関する意見書及び当該届出書の写し）を添えて、外務大臣を経由して、しなければならない。ただし、情報通信技術を活用した行政の推進等に関する法律（平成十四年法律第百五十一号）第六条第一項の規定により当該送付を同項に規定する電

子情報処理組織を使用して行うときは、外務大臣を経由することを要しない。

6　領事官は、前項の規定により住所要件未充足在外選挙人名簿登録申請者に係る在外選挙人名簿の被登録資格に関する意見書を送付するときは、あらかじめ、当該住所要件未充足在外選挙人名簿登録申請者が三箇月経過日において申請時住所（第二項第三号に掲げる場合に該当する旨の同項の規定による届出書の提出があった場合には、当該届出書に記載された変更後の住所）に居住しているかどうかを確認しなければならない。

（在外選挙人名簿への登録の移転の申請の手続）

第二十三条の三の二　法第三十条の五第四項の規定による申請は、当該申請をする者（以下この章において「在外選挙人名簿登録移転申請者」という。）が、同項に規定する市町村の選挙管理委員会に対して、自ら又は総務省令で定めるところにより総務省令で定める者を通じて、同項の規定による申請書（次項において「在外選挙人名簿登録移転申請書」という。）を提出し、かつ、当該在外選挙人名簿登録移転申請者の旅券又は当該在外選挙人名簿登録移転申請者の資格若しくは地位を証明する書類（当該在外選挙人名簿登録移転申請者の写真を貼り付けてある書類その他の総務省令で定める書類に限る。）を提示して、しなければならない。

2　在外選挙人名簿登録移転申請者は、当該在外選挙人名簿登録移転申請者が在外選挙人名簿登録移転申請書を法第三十条の五第四項に規定する市町村の選挙管理委員会に提出した時の属する日以後法第三十条の六第五項の規定による在外選挙人証（同条第四項に規定する在外選挙人証をいう。以下同じ。）の交付を受けた日若しくは第二十三条の六第二項の規定による在外選挙人名簿への登録の移転（法第三十条の二第三項に規定する在外選挙人名簿への登録の移転をいう。以下この章及び第三十条において同じ。）をしなかつた場合の通知を受けた日又は当該在外選挙人名簿登録移転申請者が当該市町村の区域内に住所を有しなくなつた日後四箇月を経過するに至つた日のいずれか早い日までの間に、次の各号に掲げる場合のいずれかに該当するに至つたときは、直ちに、文書でその旨を在外選挙人名簿登録移転申請書を提出した市町村の選挙管理委員会に届け出なければならない。

一　在外選挙人名簿登録移転申請書に転出先として記載された国外における住所と異なる国外における住所を定めた場合

二　氏名その他総務省令で定める事項に変更が生じた場合

3　前項各号に掲げる場合に該当する旨の同項の規定による届出は、それぞれ同項各号に掲げる場合に該当する事実を証するに足りる文書を添えて、しなければならない。ただし、当該在外選挙人名簿登録移転申請者が他の法令の規定により市町村長又は領事官に住所、氏名その他総務省令で定める事項に関する届出をしている場合であつて総務省令で定めるときは、この限りでない。

（市町村の選挙管理委員会等による調査等）

第二十三条の四　市町村の選挙管理委員会及び領事官は、必要に応じ、在外選挙人名簿登録申請者に係る在外選挙人名簿の被登録資格につき調査しなければならない。

2　在外選挙人名簿登録申請者は、法第三十条の五第一項の規定による申請に関し、市町村の選挙管理委員会又は領事官から求められたときは、在外選挙人名簿の被登録資格を有することを証するために必要な文書を提出し、又は必要な説明をしなければならない。

3　市町村の選挙管理委員会は、必要に応じ、在外選挙人名簿登録移転申請者に係る当該市町村における在外選挙人名簿の被登録移転資格（法第三十条の六第二項に規定する在外選挙人名簿の被登録移転資格をいう。次項及び第二十三条の五の二第三項において同じ。）につき調査しなければならない。

4　在外選挙人名簿登録移転申請者は、法第三十条の五第四項の規定による申請に関し、市町村の選挙管理委員会から求められたときは、当該市町村における在外選挙人名簿の被登録移転資格を有することを証するために必要な文書を提出し、又は必要な説明をしなければならない。

（在外選挙人名簿の被登録資格の確認等）

第二十三条の五　市町村の選挙管理委員会は、在外選挙人名簿登録申請者に係る当該市町村における在外選挙人名簿の被登録資格について、当該在外選挙人名簿登録申請者の本籍地の市町村長に確認を求めなければならない。

2　本籍地の市町村長は、前項の規定により確認を求められたときは、直ちに回答しなければならない。

3　市町村の選挙管理委員会は、当該市町村における在外選挙人名簿の被登録資格を有することについて確認が得られない在外選挙人名簿登録申請者を在外選挙人名簿に登録してはならない。

（在外選挙人名簿登録移転申請者の国外における住所に関する意見等）

第二十三条の五の二　法第三十条の五第五項の規定により市町村の選挙管理委員会が外務大臣に対して行う在外選挙人名簿登録移転申請者（当該市町村の選挙人名簿から抹消された者を除く。次項において同じ。）の国外における住所に関する意見の求めは、総務省令で定めるところにより、その旨及び当該在外選挙人名簿登録移転申請者の氏名その他総務省令で定める事項を外務大臣に通知して行うものとする。

2　法第三十条の五第六項の規定により外務大臣が市町村の選挙管理委員会に対して述べる在外選挙人名簿登録移転申請者の国外における住所に関する意見は、総務省令で定めるところにより、他の法令の規定による住所に関する届出その他の方法により知つた当該在外選挙人名簿登録移転申請者の住所に関する事実に基づき、当該市町村の選挙管理委員会に通知して述べるものとする。

3　市町村の選挙管理委員会は、当該市町村における在外選挙人名簿の被登録移転資格を有することについて確認が得られない在外選挙人名簿登録移転申請者について在外選挙人名簿への登録の移転をしてはならない。

（在外選挙人名簿に登録しなかつた場合等の通知）

第二十三条の六　市町村の選挙管理委員会は、在外選挙人名簿登録申請者を在外選挙人名簿に登録しなかつたときは、遅滞なく、理由を付して、その旨を法第三十条の五第三項の規定により当該在外選挙人名簿登録申請者の在外選挙人名簿登録申請書を送付した領事官を経由して当該在外選挙人名簿登録申請者に通知しなければならない。

2　市町村の選挙管理委員会は、在外選挙人名簿登録移転申請者について在外選挙人名簿への登録の移転をしなかつたときは、遅滞なく、理由を付して、その旨を当該在外選挙人名簿登録移転申請者に通知しなければならない。

（在外選挙人証の記載事項等）

第二十三条の七　在外選挙人証には、次に掲げる事項を記載するものとする。

一　選挙人の氏名及び生年月日

二　選挙人の国外における住所

三　その他総務省令で定める事項

2　選挙人は、在外選挙人証の記載事項に変更が生じたときは、遅滞なく、在外選挙人証を添えて、在外選挙人名簿に関する事務について当該選挙人の住所を管轄する領事官を経由し、その登録されている在外選挙人名簿の属する市町村の選挙管理委員会に届け出て、在外選挙人証に変更に係る事項の記載を受けなければならない。

3　前項の規定による届出は、記載事項の変更の届出書に在外選挙人証の記載事項に変更を生じた事実を証するに足りる文書を添えて、しなければならない。ただし、変更を生じた記載事項が選挙人の国外における住所その他総務省令で定める記載事項である場合において、総務省令で定めるときは、この限りでない。

4　第二項の場合において、領事官は、同項の規定による届出書に総務省令で定める書類を添えて、直ちに外務大臣を経由して、当該選挙人の登録されている在外選挙人名簿の属する市町村の選挙管理委員会に送付しなければならない。ただし、情報通信技術を活用した行政の推進等に関する法律第六条第一項の規定により当該送付を同項に規定する電子情報処理組織を使用して行うときは、外務大臣を経由することを要しない。

5　第二十三条の四第一項及び第二項の規定は、第二項の規定による在外選挙人証の記載事項の変更の届出について準用する。この場合において、同条第一項中「在外選挙人名簿登録申請者に係る在外選挙人名簿の被登録資格」とあるのは「第二十三条の七第二項の規定による届出の内容」と、同条第二項中「在外選挙人名簿登録申請者」とあるのは「第二十三条の七第二項の規定による届出をする者」と、「法第三十条の五第一項の規定による申請」とあるのは「当該届出」と、「在外選挙人名簿の被登録資格を有する」とあるのは「当該届出の内容が事実である」と読み替えるものとする。

6　市町村の選挙管理委員会は、第二項の規定による届出に基づき在外選挙人証に変更に係る事項を記載した場合には、総務省令で定めるところにより、第四項の規定により第二項の規定による届出書を送付した領事官を経由して、当該届出をした者に、当該在外選挙人証を交付しなければならない。

7　前各項に規定するもののほか、在外選挙人証の記載事項の変更に関し必要な事項は、総務省令で定める。

（在外選挙人証の再交付）

第二十三条の八　選挙人は、次の各号のいずれかに該当する場合には、在外選挙人名簿に関する事務について当該選挙人の住所を管轄する領事官を経由して、その登録されている在外選挙人名簿の属する市町村の選挙管理委員会に在外選挙人証の再交付を申請することができる。

一　在外選挙人証を亡失し、又は滅失した場合

二　在外選挙人証を汚損し、又は破損した場合

三　その他総務省令で定める場合

2　前条第四項の規定は、前項の在外選挙人証の再交付の申請について準用する。この場合において、同条第四項中「第二項」とあるのは「次条第一項」と、「届出書」とあるのは「申請書」と読み替えるものとする。

3　市町村の選挙管理委員会は、第一項の規定による申請に基づき在外選挙人証を再交付する場合には、総務省令で定めるところにより、前項において準用する前条第四項の規定により第一項の規定による申請書を送付した領事官を経由して、当該申請をした者に、当該在外選挙人証を交付しなければならない。

4　前三項に規定するもののほか、在外選挙人証の再交付に関し必要な事項は、総務省令で定める。

（在外選挙人証の返納）

第二十三条の九　在外選挙人証の交付を受けた者は、国内の市町村（その登録されている在外選挙人名簿の属する市町村を除く。）の選挙人名簿に登録された場合若しくは国内の市町村の区域内に住所を定めた年月日として戸籍の附票に記載された日後四箇月を経過した場合（第二十三条の十三第二項の規定により在外選挙人名簿の表示を消除された場合を除く。）又は第二十三条の十四第二項の規定による通知を受けた場合には、直ちに当該在外選挙人証をその交付を受けた市町村の選挙管理委員会に返さなければならない。

2　前条第三項の規定により在外選挙人証の再交付を受けた者は、亡失した在外選挙人証を発見し、又は回復した場合は、直ちに、当該発見し、又は回復した在外選挙人証をその交付を受けた市町村の選挙管理委員会に返さなければならない。

（在外選挙人証等受渡簿）

第二十三条の十　領事官は、在外選挙人証等受渡簿を備え、当該領事官を経由して在外選挙人証を交付された者についてその登録されている在外選挙人名簿の属する市町村名、当該登録されている者の氏名及び生年月日その他総務省令で定める事項を記載しなければならない。

2　領事官は、法第三十条の六第四項若しくは第五項の規定による在外選挙人証の交付の経由に係る事務を行つた場合又は第二十三条の十四の規定による通知があつた場合には、直ちに前項に規定する在外選挙人証等受渡簿に必要な事項を記載し、又はその記載を修正し、訂正し、若しくは消除しなければならない。

（在外選挙人名簿の登録に関する異議の申出に係る行政不服審査法施行令の準用）

第二十三条の十一　行政不服審査法施行令第八条の規定は、法第三十条の八第一項の異議の申出について準用する。この場合において、同令第八条中「審理員は」とあるのは「公職選挙法（昭和二十五年法律第百号）第三十条の八第一項の異議の申出を受けた選挙管理委員会（以下この条において「審査庁」という。）は」と、「審理関係人」とあるのは「異議申出人」と、「総務省令で」とあるのは「審査庁が」と、「、審理員」とあるのは「、審査庁」と読み替えるものとする。

（出訴期間の特例）

第二十三条の十二　法第三十条の九第一項において読み替えて準用する法第二十五条第一項に規定する政令で定める場合は、訴状を国外から国内へ郵便又は民間事業者による信書の送達に関する法律（平成十四年法律第九十九号）第二条第六項に規定す

公選令

る一般信書便事業者、同条第九項に規定する特定信書便事業者若しくは同法第三条第四号に規定する外国信書便事業者による同法第二条第二項に規定する信書便（以下「郵便等」という。）により送付する場合とする。

（在外選挙人名簿の表示の消除）

第二十三条の十三　市町村の選挙管理委員会は、法第三十条の十第一項の規定により、法第十一条第一項若しくは第二百五十二条又は政治資金規正法第二十八条の規定により選挙権を有しなくなつた旨の表示をされた者についてその事由がなくなつたことを知つた場合には、直ちにその表示を消除しなければならない。

2　市町村の選挙管理委員会は、法第三十条の十第一項の規定により住民票が国内の市町村において新たに作成された旨の表示をされた者（その登録されている在外選挙人名簿の属する市町村において新たに住民票が作成された者に限る。）について当該市町村に法第三十条の五第四項に規定する国外転出届がされた後に当該市町村の区域内に住所を有しなくなつたことを知つた場合には、直ちにその表示を消除しなければならない。ただし、当該表示がされた日以後にその者に係る住民票が国内の他の市町村において作成された場合は、この限りでない。

（在外選挙人名簿から抹消した場合等の通知）

第二十三条の十四　市町村の選挙管理委員会は、法第三十条の十一（第一号及び第二号に係る部分に限る。）の規定により当該市町村の在外選挙人名簿に登録されている者を在外選挙人名簿から抹消したときは、遅滞なく、理由を付して、その旨を法第三十条の六第四項又は第五項の規定によりその者の在外選挙人証の交付の経由に係る事務を行つた領事官（次項及び第三項において「経由領事官」という。）に通知しなければならない。

2　市町村の選挙管理委員会は、法第三十条の十一（第三号に係る部分に限る。）の規定により当該市町村の在外選挙人名簿に登録されている者を在外選挙人名簿から抹消したときは、遅滞なく、理由を付して、その旨を経由領事官を経由して、その者に通知しなければならない。

3　市町村の選挙管理委員会は、当該市町村の在外選挙人名簿に登録されている者について、その登録されている氏名その他の総務省令で定める事項に係る記載（法第三十条の二第四項の規定により磁気ディスクをもつて調製する在外選挙人名簿にあつては、記録）を修正し、又は訂正したときは、遅滞なく、その旨を経由領事官に通知しなければならない。

（在外選挙人名簿から抹消すべき事由に関する通知）

第二十三条の十五　領事官は、在外選挙人名簿に登録されている者について在外選挙人名簿の登録（在外選挙人名簿への登録の移転に係るものを除く。以下第六十五条の二までにおいて同じ。）の際に在外選挙人名簿の登録をされるべきでなかつたことを知つたときは、遅滞なく、その旨を当該在外選挙人名簿から抹消すべき者が登録されている在外選挙人名簿の属する市町村の選挙管理委員会に通知しなければならない。

2　外務大臣は、在外選挙人名簿に登録されている者について在外選挙人名簿への登録の移転の際に在外選挙人名簿への登録の移転をされるべきでなかつたこと（その者の国外における住所に関するものに限る。）を知つたときは、遅滞なく、その旨を当該在外選挙人名簿から抹消すべき者が登録されている在外選挙人名簿の属する市町村の選挙管理委員会に通知しなければならない。

（在外選挙人名簿の移送又は引継ぎ等）

第二十三条の十六　第十九条、第二十条、第二十一条第一項、第二十二条及び第二十二条の二の規定は、在外選挙人名簿の移送又は引継ぎ、磁気ディスクをもつて調製されている在外選挙人名簿を閲覧させる方法、在外選挙人名簿の再調製、在外選挙人名簿に登録されている選挙人の数の報告及び在外選挙人名簿の保存について準用する。この場合において、第十九条第一項中「第二十九条第三項」とあるのは「第三十条の二第四項」と、「選挙人名簿記載書類」とあるのは「在外選挙人名簿記載書類」と、「住所」とあるのは「最終住所（法第三十条の三第一項に規定する最終住所をいう。次項において同じ。）又は申請の時（同条第一項に規定する申請の時をいう。次項において同じ。）における本籍」と、同条第二項中「住所」とあるのは「最終住所又は申請の時における本籍」と、「選挙人名簿記載書類」とあるのは「在外選挙人名簿記載書類」と、同条第三項中「選挙人名簿記載書類」とあるのは「在外選挙人名簿記載書類」と、同条第五項中「第十九条第三項」とあるのは「第三十条の二第四項」と、「選挙人名簿記載書類」とあるのは「在外選挙人名簿記載書類」と、第二十条中「第二十八条の二第一項」とあるのは「第三十条の十二において準用する法第二十八条の二第一項」と、第二十一条第一項中「第三十条第一項」とあるのは「第三十条の十五において準用する法第三十条第一項」と、第二十二条第一項中「又は第三項の規定による選挙人名簿の登録が行われた」とあるのは「の規定による選挙人名簿の登録が行われた日現在（同日が衆議院議員又は参議院議員の選挙の期日の公示又は告示の日から当該選挙の期日までの間にある場合を除く。）及び衆議院議員又は参議院議員の選挙の期日の公示又は告示のあつた」と、「同項の規定による選挙人名簿の登録が行われた」とあるのは「参議院議員の選挙の期日の公示又は告示のあつた」と、同条第二項中「第三十条第一項」とあるのは「第三十条の十五において準用する法第三十条第一項」と、第二十二条の二中「第十九条第三項」とあるのは「第三十条の二第四項」と、「衆議院議員、参議院議員又は地方公共団体の議会の議員若しくは長」とあるのは「衆議院議員又は参議院議員」と読み替えるものとする。

2　市町村の選挙管理委員会は、在外選挙人名簿の再調製に関し必要がある場合には、領事官に対して在外選挙人名簿に登録されている選挙人の確認のための資料の提出を求めることができる。

（領事官が閲覧させる文書）

第二十三条の十七　法第三十条の十四第一項に規定する政令で定める文書は、第二十三条の十第一項に規定する在外選挙人証等受渡簿の抄本で、当該領事官を経由して在外選挙人証を交付された者についてその登録されている在外選挙人名簿の属する市町村名、当該登録されている者の氏名及び生年月日その他総務省令で定める事項を記載したものとする。

2　前項に規定する在外選挙人証等受渡簿の抄本は、登録月（登録月の一日が衆議院議員又は参議院議員の選挙の期日の公示又は告示の日から当該選挙の期日までの間にある場合には、当該登録月を除く。）の二日及び衆議院議員又は参議院議員の選挙の期日の公示又は告示のあつた日（以下この条において「基準日」という。）に当該基準日現在の在外選挙人証等受渡簿に基づき、調製しなければならない。

3　領事官は、第一項に規定する在外選挙人証等受渡簿の抄本で、直近の基準日に調製されたものを閲覧させなければならない。

（申請等に関する書類の保存）

第二十三条の十八　市町村の選挙管理委員会は、在外選挙人名簿の登録をされた者又は在外選挙人名簿への登録の移転をされた者に係る法第三十条の五第一項若しくは第四項の規定による申請、第二十三条の三の二第二項若しくは第二十三条の七第二項の規定による届出又は第二十三条の八第一項の規定による申請に関し、当該市町村の選挙管理委員会に提出された書類（在外選挙人証を除く。）を、これらの書類を提出した者が在外選挙人名簿から抹消された日から五年を経過する日までの間、保存しなければならない。

2　市町村の選挙管理委員会は、在外選挙人名簿の登録をされなかつた在外選挙人名簿登録申請者又は在外選挙人名簿への登録の移転をされなかつた在外選挙人名簿登録移転申請者に係る法第三十条の五第一項若しくは第四項の規定による申請又は第二十三条の三の二第二項の規定による届出に関し、当該市町村の選挙管理委員会に提出された書類を、これらの書類を受理した日から五年間、保存しなければならない。

第四章　投票

（投票管理者の職務代理者又は職務管掌者の選任）

第二十四条　市町村の選挙管理委員会は、投票管理者に事故があり、又は投票管理者が欠けた場合において、その職務を代理すべき者を、選挙権を有する者の中から、あらかじめ選任しておかなければならない。

2　市町村の選挙管理委員会の委員長は、投票管理者及びその職務を代理すべき者に共に事故があり、又はこれらの者が共に欠けた場合には、直ちに当該市町村の選挙管理委員又は選挙管理委員会の書記の中から、臨時に投票管理者の職務を管掌すべき者を選任しなければならない。

3　衆議院議員の選挙において、小選挙区選出議員の選挙と比例代表選出議員の選挙を同時に行う場合には、市町村の選挙管理委員会は小選挙区選出議員の選挙の投票管理者の職務を代理すべき者を同時に比例代表選出議員の選挙の投票管理者の職務を代理すべき者に、市町村の選挙管理委員会の委員長は小選挙区選出議員の選挙の投票管理者の職務を管掌すべき者を同時に比例代表選出議員の選挙の投票管理者の職務を管掌すべき者に選任することができる。

4　参議院議員の選挙において、選挙区選出議員の選挙と比例代表選出議員の選挙を同時に行う場合には、市町村の選挙管理委員会は選挙区選出議員の選挙の投票管理者の職務を代理すべき者を同時に比例代表選出議員の選挙の投票管理者の職務を代理すべき者に、市町村の選挙管理委員会の委員長は選挙区選出議員の選挙の投票管理者の職務を管掌すべき者を同時に比例代表選出議員の選挙の投票管理者の職務を管掌すべき者に選任することができる。

（投票管理者又はその職務代理者の氏名等の告示）

第二十五条　市町村の選挙管理委員会は、法第三十七条第二項又は前条第一項の規定により投票管理者又はその職務を代理すべき者を選任した場合には、直ちにその者の住所及び氏名（二人以上の投票管理者又は二人以上の投票管理者の職務を代理すべき者に交替して職務を行わせることとしたときは、これらの者の住所及び氏名並びにこれらの者が職務を行うべき時間）を告示しなければならない。ただし、住所の全部の告示に支障があると認めるときは、当該住所の一部の告示をもつて当該住所の全部の告示に代えることができる。

（指定投票区の指定等）

第二十六条　市町村の選挙管理委員会は、法第三十七条第七項の規定により投票区を指定する場合には、当該指定する投票区（以下「指定投票区」という。）の属する開票区に属する投票区であつて、同項の規定により当該投票区に属する選挙人がした法第四十九条の規定による投票に関する事務のうち次条第二項に規定するものを当該指定投票区の投票管理者が行うもの（以下「指定関係投票区」という。）を併せて定めなければならない。

2　市町村の選挙管理委員会は、法第十八条第二項の規定により当該市町村の区域（当該区域が二以上の選挙区に分かれている場合には、当該選挙区の区域）が数開票区に分かれている場合において、天災その他避けることのできない事故により、選挙の期日に一の開票区に属するいずれの投票区の投票管理者にも第六十条第一項（第二号及び第三号に係る部分に限る。）又は第二項の規定による投票の送致をすることができない状況があると認めるときは、当該選挙においては、法第三十七条第七項の規定による指定投票区の指定については、前項の規定にかかわらず、当該投票の送致をすることができない状況があると認める開票区（以下この項において「送致不能開票区」という。）以外の開票区に属する投票区（当該市町村の区域が二以上の選挙区に分かれているときは、当該送致不能開票区の属する選挙区と同一の選挙区に属する投票区に限る。）であつて、当該選挙の期日に当該投票区の投票管理者に当該投票の送致をすることができるものを指定投票区に指定し、及び当該指定投票区の属する開票区に属する全部又は一部の投票区及び当該送致不能開票区に属する全ての投票区を、同条第七項の規定によりこれらの投票区に属する選挙人がした法第四十九条の規定による投票に関する事務のうち次条第二項に規定するものを当該指定投票区の投票管理者が行う投票区（次項及び第四項において「特例指定関係投票区」という。）として定めることができる。

3　市町村の選挙管理委員会は、前二項の規定により指定投票区を指定し、及び指定関係投票区又は特例指定関係投票区（以下「指定関係投票区等」という。）を定めたときは、直ちにその旨を告示するとともに、都道府県の選挙管理委員会に通知しなければならない。指定投票区の指定を取り消し、又は指定関係投票区等を変更したときも、同様とする。

4　市町村の選挙管理委員会が、第二項の規定により指定投票区を指定し、及び特例指定関係投票区を定め、又は特例指定関係投票区を変更したことにより指定投票区又は特例指定関係投票区となつた投票区を、第一項の規定により指定投票区に指定し、又は指定関係投票区に定めている場合には、当該指定投票区及び指定関係投票区は、当該選挙（当該選挙の期日に第二項の規定により指定投票区を指定し、及び特例指定関係投票区を定め、又は特例指定関係投票区を変更したときは、当該指定及び定め又は変更をした時以後に第六十条第一項（第三号に係る部分に限る。）又は第二項の規定による投票の送致をする法第四十九条の規定による投票に限る。）については、第一項の規定により指定し、及び定めた指定投票区及び指定関係投票区でないものとみなす。

（指定投票区の投票管理者等の事務の方法等）

第二十六条の二　指定関係投票区等の投票管理者は、当該指定関係投票区等に属する選挙人が第六十四条第二項の規定により投票をした場合その他必要があると認める場合には、直ちにその旨を当該指定関係投票区等に係る指定投票区の投票管理者に通知しなければならない。

2　法第三十七条第七項に規定する投票に関する事務のうち政令で定めるものは、指定関係投票区等に属する選挙人がした法第四十九条の規定による投票であつて、第六十条第一項（第三号に係る部分に限る。）又は第二項の規定により指定投票区の投票管理者に送致されたもの（選挙の期日に指定投票区を指定し、及び指定関係投票区等を定め、又は指定関係投票区等を変更したことにより指定関係投票区等となつた投票区に属する選挙人がしたものにあつては、当該指定及び定め又は変更をした時以後に同条第一項（同号に係る部分に限る。）又は第二項の規定により指定投票区の投票管理者に送致されたものに限る。）に係る第六十二条第一項、第六十三条及び第六十五条に規定する投票管理者の事務とする。

3　指定関係投票区等の投票管理者は、当該指定関係投票区等に属する選挙人がした法第四十九条の規定による投票（選挙の期日に指定投票区を指定し、及び指定関係投票区等を定め、又は指定関係投票区等を変更したことにより指定関係投票区等となつた投票区に属する選挙人がしたものにあつては、当該指定及び定め又は変更をした時以後に第六十条第一項（第三号に係る部分に限る。）又は第二項の規定による投票の送致をするものに限る。）に係る第六十二条第一項、第六十三条及び第六十五条に規定する投票管理者の事務を行わないものとする。

（指定投票区の投票所を閉じる時刻の特例）

第二十六条の三　市町村の選挙管理委員会は、指定投票区の投票所を閉じる時刻を、当該指定投票区に係る指定関係投票区等（法第五十六条の規定によつて投票の期日が定められたものを除く。）の投票所を閉じる時刻より繰り上げることができない。

（指定投票区の投票の期日の特例）

第二十六条の四　指定投票区については、都道府県の選挙管理委員会（市町村の議会の議員又は長の選挙については、市町村の選挙管理委員会）は、法第五十六条の規定によつて投票の期日を定めることができない。

（指定投票区等について繰延投票が行われた場合の取扱い）

第二十六条の五　指定投票区について法第五十七条第一項の規定により更に期日を定めて投票を行わせることとされた場合には、当該選挙については、当該指定投票区及び当該指定投票区に係る指定関係投票区等は、指定投票区及び指定関係投票区等でないものとみなす。この場合において必要な事項は、総務省令で定める。

2　指定関係投票区等について法第五十七条第一項の規定により、当該選挙については、当該指定関係投票区等は、指定関係投票区等でないものとみなす。この場合において必要な事項は、総務省令で定める。

（投票立会人の氏名等の通知）

第二十七条　市町村の選挙管理委員会は、法第三十八条第一項の規定により投票立会人を選任した場合には、直ちに当該投票立会人の住所及び氏名並びに当該投票立会人の属する政党その他の政治団体の名称（投票所が開いている時間の一部について投票に立ち会わせる投票立会人を選任したときは、当該投票立会人の住所及び氏名、当該投票立会人の属する政党その他の政治団体の名称並びに当該投票立会人が投票に立ち会うべき時間）を当該投票立会人の立ち会う投票所の投票管理者に通知しなければならない。

（選挙人名簿の送付等）

第二十八条　市町村の選挙管理委員会は、各投票区の投票管理者に対して、その投票区の投票所を開く時刻までに、次の各号に掲げる場合の区分に応じ、当該各号に定める措置を講じなければならない。

一　次号及び第三号に掲げる場合以外の場合　その投票区の区域に係る選挙人名簿又はその抄本を送付すること。

二　その投票区の区域に係る選挙人名簿が法第十九条第三項の規定により磁気ディスクをもつて調製されている場合（当該投票管理者が、第三十五条第一項第二号ロに掲げる方法により選挙人が当該選挙人名簿に登録されている者であることの確認を行うこととしている場合を除く。）　次に掲げるいずれかの措置

イ　当該選挙人名簿に記録されている全部又は一部の事項を電気通信回線を通じて当該市町村の選挙管理委員会の使用に係る電子計算機から当該投票管理者の使用に係る電子計算機に送信する方法により送付すること。

ロ　当該選挙人名簿に記録されている全部又は一部の事項を記録した電磁的記録媒体（電子的方法、磁気的方法その他人の知覚によつては認識することができない方法で作られる記録であつて電子計算機による情報処理の用に供されるものに係る記録媒体をいう。以下同じ。）を送付すること。

ハ　当該選挙人名簿に記録されている全部又は一部の事項を記載した書類を送付すること。

三　その投票区の区域に係る選挙人名簿が法第十九条第三項の規定により磁気ディスクをもつて調製されている場合（当該投票管理者が、第三十五条第一項第二号ロに掲げる方法により選挙人が当該選挙人名簿に登録されている者であることの確認を行うこととしている場合に限る。）　当該投票管理者が、当該市町村の選挙管理委員会及び当該投票管理者の使用に係る電子計算機を相互に電気通信回線で接続した電子情報処理組織を使用して、当該市町村の選挙管理委員会が管理する当該選挙人名簿に記録されている全部又は一部の事項を確認することができる状態に置くこと並びに前号イからハまでに掲げるいずれかの措置

2　市町村の選挙管理委員会は、指定投票区を指定し、及び指定関係投票区等を定めている場合には、指定投票区の投票管理者に対して、その指定投票区の投票所を開く時刻までに（投票所を開いた時刻後に当該投票区を指定投票区に指定

し、及び指定関係投票区等を定めたとき、又は指定投票区の投票所を開いた時刻後に当該指定投票区に係る指定関係投票区等を変更したことにより指定関係投票区等となつた投票区があるときは、当該指定及び定め又は変更をした時以後直ちに）、次の各号に掲げる場合の区分に応じ、当該各号に定める措置を講じなければならない。

一　次号及び第三号に掲げる場合以外の場合　その指定投票区に係る指定関係投票区等の区域に係る選挙人名簿又はその抄本を送付すること。

二　その指定投票区に係る指定関係投票区等の区域に係る選挙人名簿が法第十九条第三項の規定により磁気ディスクをもつて調製されている場合（当該投票管理者が、当該市町村の選挙管理委員会及び当該投票管理者の使用に係る電子計算機を相互に電気通信回線で接続した電子情報処理組織を使用して、当該市町村の選挙管理委員会が管理する当該選挙人名簿に記録されている全部又は一部の事項の確認を行つた後、第六十三条第一項又は第二項の規定による決定を行うこととしている場合を除く。）　次に掲げるいずれかの措置

イ　当該選挙人名簿に記録されている全部又は一部の事項を当該市町村の選挙管理委員会の使用に係る電子計算機から電気通信回線を通じて当該投票管理者の使用に係る電子計算機に送信する方法により送付すること。

ロ　当該選挙人名簿に記録されている全部又は一部の事項を記録した電磁的記録媒体を送付すること。

ハ　当該選挙人名簿に記録されている全部又は一部の事項を記載した書類を送付すること。

三　その指定投票区に係る指定関係投票区等の区域に係る選挙人名簿が法第十九条第三項の規定により磁気ディスクをもつて調製されている場合（当該投票管理者が、当該市町村の選挙管理委員会及び当該投票管理者の使用に係る電子計算機を相互に電気通信回線で接続した電子情報処理組織を使用して、当該市町村の選挙管理委員会が管理する当該選挙人名簿に記録されている全部又は一部の事項の確認を行つた後、第六十三条第一項又は第二項の規定による決定を行うこととしている場合に限る。）　当該投票管理者が、当該市町村の選挙管理委員会及び当該投票管理者の使用に係る電子計算機を相互に電気通信回線で接続した電子情報処理組織を使用して、当該市町村の選挙管理委員会が管理する当該選挙人名簿に記録されている全部又は一部の事項を確認することができる状態に置くこと並びに前号イからハまでに掲げるいずれかの措置

（住所移転者の投票）

第二十九条　法第二十一条第一項に規定する者に該当して選挙人名簿に登録された者で他の市町村の区域内に住所を移したもの又は他の市町村の区域内に住所を移した者で同条第二項に規定する者に該当して選挙人名簿に登録されたものは、なお選挙権を有するときは、当該他の市町村の選挙人名簿に登録されるまでの間、現に選挙人名簿に登録されている市町村において投票をすることができる。

2　選挙人名簿に登録されている者は、その市町村の区域内の他の投票区の区域内に住所を移した場合において、第十七条の規定により登録の移替えがされたときは、当該他の投票区の投票所において投票をしなければならない。

（国外への住所移転者の投票）

第三十条　法第二十一条第一項に規定する者に該当して選挙人名簿に登録された者で国外へ住所を移したもの又は国外へ住所を移した者で同条第二項に規定する者に該当して選挙人名簿に登録されたもの（第二十三条の十三第二項の規定により在外選挙人名簿の表示を消除された者を除く。）は、なお選挙権を有するときは、在外選挙人名簿の登録又は在外選挙人名簿への登録の移転がされるまでの間、現に選挙人名簿に登録されている市町村において投票をすることができる。

（投票所入場券及び到着番号札の交付）

第三十一条　市町村の選挙管理委員会は、特別の事情がない限り、選挙の期日の公示又は告示の日以後できるだけ速やかに選挙人に投票所入場券を交付するように努めなければならない。

2　投票管理者は、投票所における事務の処理のために必要があると認める場合においては、投票所の入口において選挙人に到着番号札を交付することができる。

（投票記載の場所の設備）

第三十二条　市町村の選挙管理委員会は、投票所において選挙人が投票の記載をする場所について、他人がその選挙人の投票の記載を見ること又は投票用紙の交換その他の不正の手段が用いられることがないようにするために、相当の設備をしなければならない。

（投票箱の構造）

第三十三条　投票箱は、できるだけ堅固な構造とし、且つ、その上部のふたに各ゝ異なつた二以上の錠を設けなければならない。

（投票箱に何も入つていないことの確認）

第三十四条　投票管理者は、選挙人が投票をする前に、投票所内にいる選挙人の面前で投票箱を開き、その中に何も入つていないことを示さなければならない。

（引き続き都道府県の区域内に住所を有する旨の証明書）

第三十四条の二　法第九条第三項の規定により都道府県の議会の議員及び長の選挙権を有する者で従前住所を有していた現に選挙人名簿に登録されている市町村において当該都道府県の議会の議員又は長の選挙の投票をしようとするものは、いずれかの市町村の長に対して、引き続き当該都道府県の区域内に住所を有する旨の証明書の交付を申請することができる。

2　市町村長は、前項の規定による申請があつた場合において、その者が引き続き当該都道府県の区域内に住所を有すると認めるときは、直ちに同項の証明書を交付しなければならない。

（引き続き都道府県の区域内に住所を有することの確認のための手続）

第三十四条の三　法第九条第三項の規定により都道府県の議会の議員及び長の選挙権を有する者で従前住所を有していた現に選挙人名簿に登録されている市町村において当該都道府県の議会の議員又は長の選挙の投票をしようとするものは、法第四十四条第三項の規定により引き続き当該都道府県の区域内に住所を有することの確認を受けようとする場合には、投票管理者に対して、当該確認の申請をしなければならない。

2　投票管理者は、前項の規定による申請があつた場合には、直ちに、当該申請をした者が従前住所を有していた現に選挙人名簿に登録されている市町村の選挙管理委員会に対して、その者

が引き続き当該都道府県の区域内に住所を有するかどうかを照会しなければならない。

3　市町村の選挙管理委員会は、前項の規定による照会を受けた場合には、直ちに、第一項の規定による申請をした者に係る住民基本台帳法（昭和四十二年法律第八十一号）第三十条の十第一項（第一号に係る部分に限る。）の規定により地方公共団体情報システム機構（第五章において「機構」という。）から提供を受けた同法第三十条の七第四項に規定する機構保存本人確認情報（同章において「機構保存本人確認情報」という。）に基づき、投票管理者に対して、その者が引き続き当該都道府県の区域内に住所を有するかどうかを回答しなければならない。

（投票用紙の交付）

第三十五条　投票管理者は、投票立会人の面前において、選挙人が選挙人名簿に登録されている者であることを、次の各号に掲げる場合の区分に応じ、当該各号に定める方法により確認した後（法第九条第三項の規定により都道府県の議会の議員及び長の選挙の選挙権を有する者で従前住所を有していた現に選挙人名簿に登録されている市町村において当該都道府県の議会の議員又は長の選挙の投票をしようとするものにあつては、併せて、その者について、法第四十四条第三項の規定により提示された引続居住証明書類（同項に規定する引き続き当該都道府県の区域内に住所を有することを証するに足りる文書をいう。第五章において同じ。）を確認し、又は前条第三項の規定による市町村の選挙管理委員会の回答に基づき引き続き当該都道府県の区域内に住所を有することを確認した後）に、当該選挙人に投票用紙を交付しなければならない。

一　次号に掲げる場合以外の場合　選挙人名簿又はその抄本と対照する方法

二　選挙人名簿が法第十九条第三項の規定により磁気ディスクをもつて調製されている場合　次に掲げるいずれかの方法

イ　市町村の選挙管理委員会から送付された当該選挙人名簿に記録されている全部若しくは一部の事項又は当該事項を記載した書類と対照する方法

ロ　当該投票管理者及び市町村の選挙管理委員会の使用に係る電子計算機を相互に電気通信回線で接続した電子情報処理組織を使用して、当該市町村の選挙管理委員会が管理する当該選挙人名簿に記録されている全部又は一部の事項と対照する方法

2　投票管理者は、第十八条に規定する選挙人名簿登録証明書（以下この項及び第五章において「選挙人名簿登録証明書」という。）の交付を受けた船員に投票用紙を交付すべき場合には、当該選挙人名簿登録証明書を提示させ、これに投票用紙を交付した旨を記入しなければならない。

3　投票管理者は、衆議院議員の総選挙又は参議院議員の通常選挙において、第五十九条の七第一項に規定する南極選挙人証（以下第五十三条までにおいて「南極選挙人証」という。）の交付を受けた選挙人に投票用紙を交付すべき場合には、当該南極選挙人証を提示させ、これに投票用紙を交付した旨を記入しなければならない。

（投票用紙の引換）

第三十六条　選挙人は、誤つて投票用紙を汚損した場合においては、投票管理者に対して、その引換を請求することができる。

（投票用紙の投入）

第三十七条　法第四十八条第一項に規定する代理投票の場合を除く外、投票用紙は、投票管理者及び投票立会人の面前において、選挙人が自ら投票箱に入れなければならない。

第三十八条　削除〔平七・一二政令四一八〕

（点字投票）

第三十九条　法第四十七条の規定によつて盲人が投票に関する記載に使用することができる点字は、別表第一で定める。

2　盲人である選挙人は、点字によつて投票をしようとする場合においては、投票管理者に対して、その旨を申し立てなければならない。この場合においては、投票管理者は、点字投票である旨の表示をした投票用紙を交付しなければならない。

（選挙人の宣言）

第四十条　投票管理者は、法第五十条第一項の規定によつて、選挙人に本人である旨の宣言をさせる必要がある場合においては、投票立会人の面前においてその宣言をさせ、投票所の事務に従事する者にこれを筆記させ、選挙人に読み聞かせた上、選挙人にこれに署名させなければならない。この場合において、選挙人が心身の故障その他の事由により自ら宣言し、又は署名することができないときは、投票管理者は、宣言書を作製させ、これを本人に読み聞かせた上、その旨を宣言書に記載させなければならない。

2　前項の規定による宣言書は、投票録に添付しなければならない。

（代理投票の仮投票）

第四十一条　投票管理者は、法第四十八条第一項の規定によつて心身の故障その他の事由を理由として代理投票を申請した選挙人がある場合において、その事由がないと認めるときは、投票立会人の意見を聴き、その拒否を決定することができる。

2　前項の決定を受けた選挙人がその決定に不服である場合においては、投票管理者は、仮に投票をさせなければならない。

3　投票管理者は、第一項に規定する選挙人が代理投票をすることについて投票立会人に異議がある場合においては、その選挙人に仮に投票をさせなければならない。

4　前二項の場合においては、投票管理者は、法第四十八条第二項（法第四十六条の二第二項の規定により変更して適用する場合を含む。）の規定により、投票用紙に公職の候補者（公職の候補者たる参議院名簿登載者を含む。）の氏名若しくは衆議院名簿届出政党等若しくは参議院名簿届出政党等の名称若しくは略称又は公職の候補者に対して○の記号を記載した者に、その選挙人及び投票立会人の面前においてその投票用紙を封筒に入れて封をさせ、かつ、封筒の表面に選挙人及びその者の氏名を記載させて投票箱に入れさせなければならない。

（投票用紙の返付）

第四十二条　投票をする前に自ら投票所外に退出し、又は法第六十条の規定によつて退出を命ぜられた選挙人は、投票用紙を投票管理者に返さなければならない。

（投票箱を閉鎖する場合の措置）

第四十三条　法第五十三条第一項の規定により投票箱を閉鎖すべき場合には、投票管理者は、投票箱の蓋を閉じ、施錠した上、一の鍵は投票箱を送致すべき投票立会人（投票管理者が同時に開票管理者である場合には、投票管理者の指定した投票立会人）が保管し、他の鍵は投票管理者が保管しなければならな

い。

（投票箱の持出の禁止）

第四十四条　投票箱は、ふたを閉じた後は、開票管理者に送致する場合の外、投票所の外に持ち出してはならない。

（磁気ディスクをもつて調製されている選挙人名簿又は在外選挙人名簿に記録されている事項の送致方法等）

第四十四条の二　投票管理者は、法第五十五条又は第五十六条の規定により選挙人名簿に記録されている全部若しくは一部の事項又は在外選挙人名簿に記録されている全部若しくは一部の事項を送致する場合には、次に掲げるいずれかの方法により行うものとする。

一　当該投票管理者の使用に係る電子計算機から電気通信回線を通じて開票管理者の使用に係る電子計算機に当該事項を送信する方法

二　当該投票管理者から当該事項を記録した電磁的記録媒体を開票管理者に送付する方法

2　市町村の選挙管理委員会は、投票管理者が、第三十五条第一項第二号ロに掲げる方法により選挙人が選挙人名簿に登録されている者であることの確認を行つた場合には、当該市町村の選挙管理委員会が管理する当該選挙人名簿に記録されている全部又は一部の事項を開票管理者が確認することができるようにするための措置を講じなければならない。

3　市町村の選挙管理委員会は、投票管理者が、第六十五条の十三第一項の規定により読み替えて適用される第三十五条第一項第二号ロに掲げる方法により選挙人が在外選挙人名簿に登録されている者であることの確認を行つた場合には、当該市町村の選挙管理委員会が管理する当該在外選挙人名簿に記録されている全部又は一部の事項を開票管理者が確認することができるようにするための措置を講じなければならない。

4　法第五十五条ただし書に規定する選挙人名簿が法第十九条第三項の規定により磁気ディスクをもつて調製されている場合で政令で定めるときは、投票管理者が、選挙人が選挙人名簿に登録されている者であることの確認の全てを第三十五条第一項第二号ロに掲げる方法により行つた場合であつて、市町村の選挙管理委員会が第二項に規定する措置を講じたときとする。

5　法第五十五条ただし書に規定する在外選挙人名簿が法第三十条の二第四項の規定により磁気ディスクをもつて調製されている場合で政令で定めるときは、投票管理者が、選挙人が在外選挙人名簿に登録されている者であることの確認の全てを第六十五条の十三第一項の規定により読み替えて適用される第三十五条第一項第二号ロに掲げる方法により行つた場合であつて、市町村の選挙管理委員会が第三項に規定する措置を講じたときとする。

6　前二項の場合（市町村の選挙管理委員会が選挙人名簿に記録されている全部若しくは一部の事項又は在外選挙人名簿に記録されている全部若しくは一部の事項を当該市町村の選挙管理委員会の使用に係る電子計算機から電気通信回線を通じて当該投票管理者の使用に係る電子計算機に送信する方法により送付した場合を除く。）においては、当該投票管理者は、選挙の当日、選挙人名簿に記録されている全部若しくは一部の事項を記録した電磁的記録媒体若しくは当該事項を記載した書類又は在外選挙人名簿に記録されている全部若しくは一部の事項を記録した電磁的記録媒体若しくは当該事項を記載した書類を当該市町村の選挙管理委員会に返付しなければならない。

7　第四項又は第五項の場合（市町村の選挙管理委員会が選挙人名簿に記録されている全部若しくは一部の事項又は在外選挙人名簿に記録されている全部若しくは一部の事項を当該市町村の選挙管理委員会の使用に係る電子計算機から電気通信回線を通じて当該投票管理者の使用に係る電子計算機に送信する方法により送付した場合に限る。）においては、当該投票管理者は、選挙の当日、当該選挙人名簿に記録されている全部若しくは一部の事項又は当該在外選挙人名簿に記録されている全部若しくは一部の事項を当該投票管理者の使用に係る電子計算機から消去しなければならない。

（投票に関する書類の保存）

第四十五条　投票に関する書類（当該選挙に用いなかつた投票用紙を含む。）は、当該選挙に係る衆議院議員、参議院議員又は地方公共団体の議会の議員若しくは長の任期間（当該選挙に用いなかつた投票用紙にあつては、次の各号に掲げる選挙の区分に応じ、当該各号に定める期間）、市町村の選挙管理委員会において保存しなければならない。

一　衆議院議員又は参議院議員の選挙　当該選挙の期日から当該選挙についての法第二百四条若しくは第二百八条の規定による訴訟の出訴期間が経過する日又は当該訴訟が係属しなくなつた日のうちいずれか遅い日までの間（同日前に当該選挙に係る衆議院議員又は参議院議員の任期が終了した場合には、その終了の日までの間）

二　地方公共団体の議会の議員又は長の選挙　当該選挙の期日から当該選挙についての法第二百二条若しくは第二百六条に規定する異議の申出期間が経過する日、法第二百二条若しくは第二百六条に規定する異議の申出に対する決定若しくは審査の申立てに対する裁決が確定した日又は法第二百三条若しくは第二百七条の規定による訴訟が係属しなくなつた日のうちいずれか遅い日までの間（同日前に当該選挙に係る地方公共団体の議会の議員又は長の任期が終了した場合には、その終了の日までの間）

（繰上投票の期日の告示及び通知）

第四十六条　都道府県の選挙管理委員会は、法第五十六条の規定により投票の期日を定めた場合には、直ちにその旨を告示し、かつ、関係のある数市町村合同開票区の開票管理者及び市町村の選挙管理委員会（指定都市においては、市の選挙管理委員会を経て区の選挙管理委員会）に、その旨を通知しなければならない。

2　市町村の選挙管理委員会（指定都市においては、区の選挙管理委員会）は、都道府県の選挙管理委員会から前項の規定による通知を受けた場合には、直ちにその旨を関係のある投票管理者（指定投票区を指定している場合には、指定投票区の投票管理者を含む。第四項、第四十八条第二項及び第四項、第九十九条第二項並びに第百条第二項において同じ。）及び開票管理者（数市町村合同開票区又は数区合同開票区の開票管理者を除く。）に通知しなければならない。

3　指定都市の選挙管理委員会は、都道府県の選挙管理委員会から第一項の規定による通知を受けた場合には、直ちにその旨を関係のある数区合同開票区の開票管理者に通知しなければならない。

4 市町村の選挙管理委員会は、法第五十六条の規定により投票の期日を定めた場合には、直ちにその旨を告示し、かつ、関係のある投票管理者及び開票管理者（指定都市においては、関係のある数区合同開票区の開票管理者並びに区の選挙管理委員会を経て関係のある投票管理者及び開票管理者）に、その旨を通知しなければならない。

（地方公共団体の長の選挙における投票期日の延期と繰上投票）

第四十七条 地方公共団体の長の選挙について法第八十六条の四第七項に規定する事由が生じた場合において、法第五十六条の規定による投票の期日が定められた区域があるときは、その期日を定めた選挙管理委員会は、その区域において既に投票が行われたときは新たに期日を定めて更に投票を行わせ、まだ投票が行われていないときは新たに投票の期日を定めなければならない。

2 前項の選挙については、新たに投票の期日を定めた区域に係る投票箱、投票録及び選挙人名簿又はその抄本（当該選挙人名簿が法第十九条第三項の規定により磁気ディスクをもつて調製されている場合には、当該選挙人名簿に記録されている全部若しくは一部の事項又は当該事項を記載した書類。以下同じ。）の送致（第四十四条の二第四項に規定する場合には、投票箱及び投票録の送致）は、投票の終了後できるだけ速やかに行わなければならない。

（繰延投票に関する通知）

第四十八条 都道府県の選挙管理委員会は、法第五十七条第一項の規定により更に期日を定めて投票を行わせることとした場合及び当該投票の期日を定めた場合には、関係のある数市町村合同開票区の開票管理者及び選挙長（衆議院比例代表選出議員若しくは参議院比例代表選出議員の選挙又は参議院合同選挙区選挙については、選挙分会長）並びに市町村の選挙管理委員会（指定都市においては、市の選挙管理委員会を経て区の選挙管理委員会）に、直ちに、同項の規定により更に期日を定めて投票を行わせることとした旨及び当該投票の期日を、それぞれ通知しなければならない。

2 市町村の選挙管理委員会（指定都市においては、区の選挙管理委員会）は、都道府県の選挙管理委員会から前項の規定による通知を受けた場合には、直ちにその旨を関係のある投票管理者及び開票管理者（数市町村合同開票区又は数区合同開票区の開票管理者を除く。）に通知しなければならない。

3 指定都市の選挙管理委員会は、都道府県の選挙管理委員会から第一項の規定による通知を受けた場合には、直ちにその旨を関係のある数区合同開票区の開票管理者に通知しなければならない。

4 市町村の選挙管理委員会は、法第五十七条第一項の規定により更に期日を定めて投票を行わせることとした場合及び当該投票の期日を定めた場合には、関係のある投票管理者及び開票管理者（指定都市においては、関係のある数区合同開票区の開票管理者並びに区の選挙管理委員会を経て関係のある投票管理者及び開票管理者）並びに選挙長に、直ちに、同項の規定により更に期日を定めて投票を行わせることとした旨及び当該投票の期日を、それぞれ通知しなければならない。

5 第一項に定めるもののほか、衆議院議員の選挙においては、小選挙区選出議員の選挙と比例代表選出議員の選挙を同時に行う場合において、小選挙区選出議員の選挙について法第五十七条第一項の規定により更に期日を定めて投票を行わせることとしたとき、及び当該投票の期日を定めたときは、都道府県の選挙管理委員会は、直ちに、同項の規定により更に期日を定めて投票を行わせることとした旨及び当該投票の期日を、それぞれ中央選挙管理会に通知しなければならない。

6 中央選挙管理会は、都道府県の選挙管理委員会から前項の規定による通知を受けたときは、直ちにその旨をその選挙区を包括する衆議院比例代表選出議員の選挙区に係る選挙長に通知しなければならない。

（投票を行わない旨の通知）

第四十八条の二 法第百条第五項の規定により選挙長が行う通知は、衆議院議員、参議院議員又は都道府県の議会の議員若しくは長の選挙については、市町村の選挙管理委員会を経て行わなければならない。ただし、衆議院比例代表選出議員若しくは参議院比例代表選出議員の選挙又は参議院合同選挙区選挙については、あらかじめ選挙分会長を経なければならない。

第四章の二　共通投票所

（共通投票所を設ける場合における関係規定の適用の特例）

第四十八条の三 法第四十一条の二第一項の規定により共通投票所を設ける場合における次の表の上欄に掲げる規定の適用については、これらの規定中同表の中欄に掲げる字句は、それぞれ同表の下欄に掲げる字句とする。

第二十七条	投票所	投票所又は共通投票所
第二十八条第一項	各投票区	各投票区及び共通投票所
	投票所	投票所又は共通投票所
第二十八条第一項各号	区域	区域又は共通投票所
第二十九条第二項及び第三十一条第二項	投票所	投票所又は共通投票所
第三十二条	投票所	投票所及び共通投票所
第三十四条	投票所内	投票所内又は共通投票所内
第四十条第一項	投票所	投票所又は共通投票所
第四十一条第四項	第四十八条第二項	第四十一条の二第五項の規定により読み替えて適用される法第四十八条第二項

第四十二条	投票所外	投票所外若しくは共通投票所外
	第六十条	第六十条（法第四十一条の二第六項において準用する場合を含む。）
第四十三条	第五十三条第一項	第四十一条の二第五項の規定により読み替えて適用される法第五十三条第一項
第四十四条	投票所	投票所又は共通投票所
第四十九条の五第二項	投票所内	投票所内及び共通投票所内
第九十三条第一項	各投票所	各投票所及び共通投票所
第百四条	投票所	投票所、共通投票所

（共通投票所を開かず、又は閉じる場合の通知）

第四十八条の四　市町村の選挙管理委員会は、法第四十一条の二第三項の規定により共通投票所を開かず、又は閉じる場合には、直ちにその旨を当該共通投票所の投票管理者及び関係のある開票管理者に通知しなければならない。

（市町村の区域が数開票区に分かれている場合における投票箱等の送致を受けるべき開票管理者）

第四十九条　市町村の区域（指定都市においては、区の区域）（当該区域が二以上の選挙区に分かれている場合には、当該選挙区の区域）が分割開票区により数開票区に分かれている場合には、当該市町村の選挙管理委員会（指定都市においては、当該区の選挙管理委員会）が設けた共通投票所の投票管理者から法第五十五条の規定により投票箱等（投票箱、投票録、選挙人名簿又はその抄本及び在外選挙人名簿又はその抄本（当該在外選挙人名簿が法第三十条の二第四項の規定により磁気ディスクをもつて調製されている場合には、当該在外選挙人名簿に記録されている全部若しくは一部の事項又は当該事項を記載した書類。第六十五条の十一第二項及び第七十五条第一項において同じ。）をいう。次項から第四項までにおいて同じ。）の送致を受けるべき開票管理者は、当該市町村の選挙管理委員会（指定都市においては、当該区の選挙管理委員会）が指定した開票区の開票管理者とする。

2　指定都市以外の市町村の区域（当該区域が二以上の選挙区に分かれている場合には、当該選挙区の区域）が次に掲げる開票区のいずれかにより数開票区に分かれている場合には、当該市町村の選挙管理委員会が設けた共通投票所の投票管理者から法第五十五条の規定により投票箱等の送致を受けるべき開票管理者は、関係市町村の選挙管理委員会が協議して定めた開票区の開票管理者とする。その協議が調わない場合には、都道府県の選挙管理委員会が指定した開票区の開票管理者とする。

一　分割開票区及び数市町村合同開票区

二　数市町村合同開票区

3　指定都市の区の区域（当該区域が二以上の選挙区に分かれている場合には、当該選挙区の区域）が次に掲げる開票区のいずれかにより数開票区に分かれている場合には、当該区の選挙管理委員会が設けた共通投票所の投票管理者から法第五十五条の規定により投票箱等の送致を受けるべき開票管理者は、関係市町村の選挙管理委員会が協議して定めた開票区の開票管理者とする。その協議が調わない場合には、都道府県の選挙管理委員会が指定した開票区の開票管理者とする。

一　分割開票区及び数市町村合同開票区

二　分割開票区、数市町村合同開票区及び数区合同開票区

三　数市町村合同開票区

四　数市町村合同開票区及び数区合同開票区

4　指定都市の区の区域（当該区域が二以上の選挙区に分かれている場合には、当該選挙区の区域）が次に掲げる開票区のいずれかにより数開票区に分かれている場合には、当該区の選挙管理委員会が設けた共通投票所の投票管理者から法第五十五条の規定により投票箱等の送致を受けるべき開票管理者は、当該指定都市の選挙管理委員会が指定した開票区の開票管理者とする。

一　分割開票区及び数区合同開票区

二　数区合同開票区

5　市町村の選挙管理委員会（指定都市においては、区の選挙管理委員会）は、第一項の規定により開票区を指定した場合には、直ちにその旨を告示するとともに、当該開票区の開票管理者に通知しなければならない。

6　指定都市以外の市町村の選挙管理委員会（第二項の規定による協議に係る共通投票所を設けたものに限る。）は、同項の規定により開票区を定めた場合には、直ちにその旨を告示するとともに、当該開票区の開票管理者に通知しなければならない。

7　指定都市の選挙管理委員会（第三項の規定による協議に係る共通投票所を設けた区の選挙管理委員会の置かれた区の属する指定都市の選挙管理委員会に限る。）は、同項の規定により開票区を定めた場合には、直ちにその旨を告示するとともに、当該区の選挙管理委員会を経て当該開票区の開票管理者に通知しなければならない。

8　都道府県の選挙管理委員会は、第二項又は第三項の規定により開票区を指定した場合には、直ちにその旨を告示するとともに、市町村の選挙管理委員会（指定都市においては、当該指定都市の選挙管理委員会及び区の選挙管理委員会）を経て当該開票区の開票管理者に通知しなければならない。

9　指定都市の選挙管理委員会は、第四項の規定により開票区を指定した場合には、直ちにその旨を告示するとともに、区の選挙管理委員会を経て当該開票区の開票管理者に通知しなければならない。

第四章の三　記号式投票

（記号式投票による選挙の選挙期日の延期等）

第四十九条の二　法第四十六条の二第二項の規定により変更して適用することとされた法第八十六条の四第六項に規定する政令

で定める日は、法第八十六条の四第十一項の規定により候補者が死亡し、又は候補者たることを辞したものとみなされた旨の告示があつた日後次の各号の区分による日に当たる日とする。ただし、その日が法第三十三条第五項（法第三十四条の二第五項において準用する場合を含む。）、第三十四条第六項又は第百十九条第三項の規定により告示した期日後次の各号の区分による日に当たる日後となる場合においては、当該当たる日とする。

一　都道府県知事の選挙にあつては、十七日
二　指定都市の長の選挙にあつては、十四日
三　指定都市以外の市の長の選挙にあつては、七日
四　町村長の選挙にあつては、五日

2　法第四十六条の二第二項の規定により変更して適用することとされた法第八十六条の四第七項に規定する政令で定める日は、法第八十六条の四第十一項の規定により候補者が死亡し、又は候補者たることを辞したものとみなされた旨の告示があつた日後前項各号の区分による日に当たる日とする。

3　法第四十六条の二第二項の規定により変更して適用することとされた法第八十六条の四第八項に規定する政令で定める日は、次の各号の区分による日とする。

一　都道府県知事の選挙にあつては、その選挙の期日前十五日
二　指定都市の長の選挙にあつては、その選挙の期日前十二日
三　指定都市以外の市の長の選挙にあつては、その選挙の期日前五日
四　町村長の選挙にあつては、その選挙の期日前三日

4　法第四十六条の二第二項の規定により変更して適用することとされた法第百二十六条第二項に規定する政令で定める日は、十七日とする。

（記号式投票による選挙における投票の記載方法）

第四十九条の三　法第四十六条の二第一項の規定による投票を行う選挙（以下この章において「記号式投票による選挙」という。）の投票における○の記号の記載方法は、当該選挙に関する事務を管理する選挙管理委員会の定めるところにより、○の記号を自書する方法若しくは○の記号を表す印を押す方法又はこれらの方法を併せた方法によるものとする。

（投票用紙に印刷する公職の候補者の氏名の順序の決定方法）

第四十九条の四　記号式投票による選挙において、投票用紙に印刷する公職の候補者の氏名の順序は、法第百七十五条第八項前段のくじで定める順序による。

2　法第四十六条の二第二項の規定により変更して適用することとされた法第八十六条の四第五項から第七項までに規定する事由が生じた場合には、前項の規定にかかわらず、投票用紙に印刷する公職の候補者の氏名の順序は、同条第五項又は第八項の期間が経過した後、当該選挙に関する事務を管理する選挙管理委員会がくじで定める。

3　前項のくじを行つた後法第四十六条の二第二項の規定により変更して適用することとされた法第八十六条の四第六項又は第七項に規定する事由が生じた場合には、前項のくじを改めて行うものとする。ただし、同条第六項に規定する事由が第四十九条の二第一項ただし書の規定により定められた日に係る同条第三項各号に規定する日後に生じたとき、又は法第四十六条の二第二項の規定により変更して適用することとされた法第八十六条の四第七項に規定する事由が第四十九条の二第二項の規定により定められた日に係る同条第三項各号に規定する日後に生じたときは、前項のくじを改めて行わないものとする。

4　公職の候補者又はその代理人は、第二項のくじに立ち会うことができる。

5　当該選挙に関する事務を管理する選挙管理委員会は、あらかじめ第二項のくじを行う場所及び日時を告示しなければならない。

（公職の候補者が死亡した場合等における投票用紙における公職の候補者の表示方法等）

第四十九条の五　前条第三項ただし書の場合においては、当該選挙に関する事務を管理する選挙管理委員会の定めるところにより、既に調製された投票用紙（以下この条において「既製の投票用紙」という。）で死亡し、若しくは候補者たることを辞したものとみなされた者に関する部分を消除したものを用い、又は既製の投票用紙をそのまま用いることができる。法第四十六条の二第二項の規定により変更して適用することとされた法第八十六条の四第五項の期間が経過した後に候補者が死亡し又は候補者たることを辞したものとみなされた場合も、同様とする。

2　前項の規定による消除は、都道府県の議会の議員又は長の選挙にあつては都道府県の選挙管理委員会の定めるところにより市町村の選挙管理委員会が、市町村の議会の議員又は長の選挙にあつては市町村の選挙管理委員会が行うものとし、同項の規定により既製の投票用紙をそのまま用いる場合においては、市町村の選挙管理委員会は、当該選挙の当日、投票所内の投票の記載をする場所その他選挙人の見やすい適当な箇所に、当該選挙に関する事務を管理する選挙管理委員会の定めるところにより、死亡し、又は公職の候補者たることを辞したものとみなされた者がある旨の掲示をしなければならない。

3　前二項の規定は、記号式投票による選挙において、法第八十六条の四第九項の規定により届出を却下した場合について準用する。

（記号式投票による選挙における関係規定の適用の特例）

第四十九条の六　記号式投票による選挙の場合においては、第四十七条第一項中「第八十六条の四第七項」とあるのは「第八十六条の四第六項又は第七項」と、第七十条中「第八十六条の四第七項」とあるのは「第八十六条の四第六項又は第七項」と、第八十三条中「第八十六条の四第七項」とあるのは「第八十六条の四第六項又は第七項」と、第百二条から第百四条までの規定中「第八十六条の四第七項」とあるのは「第八十六条の四第六項又は第七項」とする。

第四章の四　期日前投票

（期日前投票における関係規定の適用の特例）

第四十九条の七　法第四十八条の二第一項の規定により期日前投票所において投票を行わせる場合における次の表の上欄に掲げる規定の適用については、これらの規定中同表の中欄に掲げる字句は、それぞれ同表の下欄に掲げる字句とし、第二十九条第二項の規定は、適用しない。

第二十五条	氏名（	氏名並びにこれらの者

		が職務を行うべき日（同一の日に
	時間	日及び時間
第二十七条	氏名並びに	氏名、
	名称（	名称並びに当該投票立会人の投票に立ち会うべき日（期日前投票所を設ける日ごとの当該
	投票所	期日前投票所
	時間	日及び時間
第二十八条第一項	各投票区	期日前投票所
	投票区の投票所	期日前投票所を設ける期間の初日において当該期日前投票所
第二十八条第一項各号	投票区の区域	期日前投票所
第三十一条第二項、第三十二条、第三十四条及び第四十条第一項	投票所	期日前投票所
第四十一条第四項	第四十八条第二項	第四十八条の二第五項の規定により読み替えて適用される法第四十八条第二項
第四十二条	投票所	期日前投票所
	第六十条	第四十八条の二第六項において準用する法第六十条
第四十三条	第五十三条第一項	第四十八条の二第五項の規定により読み替えて適用される法第五十三条第一項
	投票箱を送致すべき投票立会人（投票管理者が同時に開票管理者である場合には、投票管理者の指定した投票立会人）が保管し	投票管理者の指定した投票立会人が封印をし
	保管しなければ	封印をしなければ
第四十四条	開票管理者	市町村の選挙管理委員会
	投票所	期日前投票所
	ならない	ならない。ただし、投票管理者が投票箱の保管のため必要があると認めるときは、この限りでない
第四十四条の二第一項	は、法第五十五条又は第五十六条	及び市町村の選挙管理委員会は、法第四十八条の二第五項の規定により読み替えて適用される法第五十五条
第四十四条の二第六項及び第七項	選挙の当日	期日前投票所において、当該期日前投票所を設ける期間の末日に

（期日前投票の事由に該当する旨の宣誓書）

第四十九条の八　選挙人は、法第四十八条の二第一項の規定による投票をしようとする場合には、選挙の当日に同項各号に掲げる事由のいずれかに該当すると見込まれる旨を申し立て、かつ、当該申立てが真正であることを誓う旨の宣誓書を提出しなければならない。

（期日前投票所を開かず、又は閉じる場合等の通知）

第四十九条の九　市町村の選挙管理委員会は、法第四十八条の二第三項の規定により期日前投票所を開かず、又は閉じる場合には、直ちにその旨を当該期日前投票所の投票管理者及び関係のある開票管理者に通知しなければならない。市町村の選挙管理委員会が当該期日前投票所を開く場合も、同様とする。

（期日前投票における投票録）

第四十九条の十　期日前投票所の投票管理者は、当該期日前投票所を設ける期間の各日において、投票録を作り、当該日における投票に関する次第を記載し、投票立会人とともに、これに署名しなければならない。

（期日前投票における投票箱の鍵の送致）

第四十九条の十一　法第四十八条の二第五項の規定により読み替えて適用される法第五十五条の規定により投票箱等（同条に規定する投票箱等をいう。次条第一項から第四項までにおいて同じ。）を送致する場合には、併せて第四十九条の七の規定により読み替えて適用される第四十三条の規定により封印をした鍵を送致しなければならない。

（市町村の区域が数開票区に分かれている場合における投票箱等の送致を受けるべき開票管理者）

第四十九条の十二　市町村の区域（指定都市においては、区の区域）（当該区域が二以上の選挙区に分かれている場合には、当該選挙区の区域）が分割開票区により数開票区に分かれている場合には、当該市町村の選挙管理委員会（指定都市においては、当該区の選挙管理委員会）から法第四十八条の二第五項の規定により読み替えて適用される法第五十五条の規定により投票箱等の送致を受けるべき開票管理者は、当該市町村の選挙管理委員会（指定都市においては、当該区の選挙管理委員会）が指定した開票区の開票管理者とする。

2　指定都市以外の市町村の区域（当該区域が二以上の選挙区に分かれている場合には、当該選挙区の区域）が次に掲げる開票区のいずれかにより数開票区に分かれている場合には、当該市町村の選挙管理委員会から法第四十八条の二第五項の規定により読み替えて適用される法第五十五条の規定により投票箱等の送致を受けるべき開票管理者は、関係市町村の選挙管理委員会が協議して定めた開票区の開票管理者とする。その協議が調わない場合には、都道府県の選挙管理委員会が指定した開票区の開票管理者とする。

一　分割開票区及び数市町村合同開票区
二　数市町村合同開票区

3　指定都市の区の区域（当該区域が二以上の選挙区に分かれている場合には、当該選挙区の区域）が次に掲げる開票区のいずれかにより数開票区に分かれている場合には、当該区の選挙管理委員会から法第四十八条の二第五項の規定により読み替えて適用される法第五十五条の規定により投票箱等の送致を受けるべき開票管理者は、関係市町村の選挙管理委員会が協議して定めた開票区の開票管理者とする。その協議が調わない場合には、都道府県の選挙管理委員会が指定した開票区の開票管理者とする。

一　分割開票区及び数市町村合同開票区
二　分割開票区、数市町村合同開票区及び数区合同開票区
三　数市町村合同開票区
四　数市町村合同開票区及び数区合同開票区

4　指定都市の区の区域（当該区域が二以上の選挙区に分かれている場合には、当該選挙区の区域）が次に掲げる開票区のいずれかにより数開票区に分かれている場合には、当該区の選挙管理委員会から法第四十八条の二第五項の規定により読み替えて適用される法第五十五条の規定により投票箱等の送致を受けるべき開票管理者は、当該指定都市の選挙管理委員会が指定した開票区の開票管理者とする。

一　分割開票区及び数区合同開票区
二　数区合同開票区

5　市町村の選挙管理委員会（指定都市においては、区の選挙管理委員会）は、第一項の規定により開票区を指定した場合には、直ちにその旨を告示するとともに、当該開票区の開票管理者に通知しなければならない。

6　指定都市以外の市町村の選挙管理委員会（第二項の規定による協議に係る期日前投票所を設けたものに限る。）は、同項の規定により開票区を定めた場合には、直ちにその旨を告示するとともに、当該開票区の開票管理者に通知しなければならない。

7　指定都市の選挙管理委員会（第三項の規定による協議に係る期日前投票所を設けた区の選挙管理委員会の置かれた区の属する指定都市の選挙管理委員会に限る。）は、同項の規定により開票区を定めた場合には、直ちにその旨を告示するとともに、当該区の選挙管理委員会を経て当該開票区の開票管理者に通知しなければならない。

8　都道府県の選挙管理委員会は、第二項又は第三項の規定により開票区を指定した場合には、直ちにその旨を告示するとともに、市町村の選挙管理委員会（指定都市においては、当該指定都市の選挙管理委員会及び区の選挙管理委員会）を経て当該開票区の開票管理者に通知しなければならない。

9　指定都市の選挙管理委員会は、第四項の規定により開票区を指定した場合には、直ちにその旨を告示するとともに、区の選挙管理委員会を経て当該開票区の開票管理者に通知しなければならない。

第五章　不在者投票

（投票用紙及び投票用封筒の請求）

第五十条　選挙の当日法第四十八条の二第一項各号に掲げる事由に該当すると見込まれる選挙人で、その登録されている選挙人名簿の属する市町村以外の市町村において投票をしようとするもの又は船舶、病院、老人ホーム（老人福祉法（昭和三十八年法律第百三十三号）第五条の三に規定する老人短期入所施設、養護老人ホーム、特別養護老人ホーム及び軽費老人ホーム並びに同法第二十九条第一項に規定する有料老人ホーム（第四項において「有料老人ホーム」という。）をいう。第四項及び第五十五条において同じ。）、原子爆弾被爆者養護ホーム（原子爆弾被爆者に対する援護に関する法律（平成六年法律第百十七号）第三十九条の規定により同法第一条に規定する被爆者を入所させる施設をいう。以下この章において同じ。）、国立保養所（厚生労働省組織令（平成十二年政令第二百五十二号）第百四十九条に規定する国立障害者リハビリテーションセンターの内部組織のうち、身体障害者（身体障害者福祉法（昭和二十四年法律第二百八十三号）第四条に規定する身体障害者をいう。以下この項において同じ。）であつて重度の身体障害を有するもののリハビリテーションに関し、治療、訓練及び支援を行うこと並びに戦傷病者の保養を行うことをつかさどるものとして総務省令で定めるものをいう。以下この章において同じ。）、身体障害者支援施設（障害者の日常生活及び社会生活を総合的に支援するための法律（平成十七年法律第百二十三号）第五条第十一項に規定する障害者支援施設及び同条第二十八項に規定する福祉ホームのうち、専ら身体障害者を入所させる施設をいう。以下この章において同じ。）、保護施設（生活保護法（昭和二十五年法律第百四十四号）第三十八条第一項に規定する救護施設及び更生施設をいう。以下この章において同じ。）、刑事施設、労役場、監置場、留置施設、少年院若しくは少年鑑別所（以下この章において「不在者投票施設」という。）において投票をしようとするものは、選挙の期日の前日までに、その登録されている選挙人名簿の属する市町村の選挙管理委員会の委員長に対して、直接に、又は郵便等をもつて、その投票をしようとする場所を申し立てて、投票用紙及び投票用封筒の交付を請求することができる。

2　選挙の当日法第四十八条の二第一項各号に掲げる事由に該当すると見込まれる選挙人で現に当該選挙の選挙権を有しないものは、前項の規定による請求をする場合を除くほか、選挙の期

日の公示又は告示があつた日の翌日から選挙の期日の前日までに、その登録されている選挙人名簿の属する市町村の選挙管理委員会の委員長に対して、直接に、投票用紙及び投票用封筒の交付を請求することができる。

3　点字によつて投票をしようとする選挙人は、前二項の規定による請求をする際に、前二項の選挙管理委員会の委員長に対し、その旨を申し立てなければならない。

4　第五十五条第四項に規定する不在者投票の不在者投票管理者である船長、病院の院長、老人ホームの長（有料老人ホームにあつては、その施設の管理者。同条において同じ。）、原子爆弾被爆者養護ホームの長、国立保養所の所長、身体障害者支援施設の長、保護施設の長、刑事施設の長、留置施設の留置業務管理者（刑事収容施設及び被収容者等の処遇に関する法律（平成十七年法律第五十号）第十六条第一項に規定する留置業務管理者をいう。第五十五条第四項第三号及び第九項において同じ。）、少年院の長又は少年鑑別所の長（これらの者が同条第八項の規定に該当する場合又は事故があり、若しくは欠けた場合には、同条第九項の規定により同条第四項に規定する不在者投票の不在者投票管理者となる者。以下この条において「不在者投票施設の長」という。）は、当該不在者投票施設の長が管理する不在者投票施設にあるべき選挙人の依頼があつた場合には、自ら又はその代理人によつて、当該選挙人に代わつて、第一項の選挙管理委員会の委員長に対し、文書で同項の規定による請求及び申立て並びに前項の規定による申立てをすることができる。

5　都道府県の議会の議員又は長の選挙において、法第九条第三項の規定により当該選挙の選挙権を有する者が第一項の規定による請求をする場合又はその者に代わつて不在者投票施設の長若しくはその代理人が前項の規定による請求をする場合には、第一項の選挙管理委員会の委員長に、引続居住証明書類を提示し、又は引き続き当該都道府県の区域内に住所を有することの確認を申請しなければならない。

6　船員（選挙人名簿登録証明書の交付を受けている者に限る。第五十九条の六の二各号を除き、以下同じ。）が第一項若しくは第二項の規定による請求をする場合又は船員に代わつて不在者投票施設の長若しくはその代理人が第四項の規定による請求をする場合には、第一項又は第二項の選挙管理委員会の委員長に、選挙人名簿登録証明書を提示しなければならない。

7　衆議院議員の総選挙又は参議院議員の通常選挙において、南極選挙人証の交付を受けた選挙人が第一項若しくは第二項の規定による請求をする場合又は当該選挙人に代わつて不在者投票施設の長若しくはその代理人が第四項の規定による請求をする場合には、第一項又は第二項の選挙管理委員会の委員長に、当該選挙人の南極選挙人証を提示しなければならない。

（船員の不在者投票における投票用紙及び投票用封筒の請求の特例）

第五十一条　船員は、選挙の当日法第四十八条の二第一項各号に掲げる事由に該当すると見込まれる場合には、前条第一項、第二項又は第四項の規定による請求をする場合を除くほか、選挙の期日の公示又は告示があつた日の翌日から選挙の期日の前日までに、その登録されている選挙人名簿の属する市町村以外の市町村で総務省令で指定するものの選挙管理委員会の委員長に対して、選挙人名簿登録証明書及び船員手帳（当該船員が実習生である場合には、法第四十九条第七項に規定する船員手帳に準ずる文書）を提示して、投票用紙及び投票用封筒の交付を請求することができる。

2　前条第三項及び第四項の規定は、前項の場合について準用する。この場合において、同条第三項中「選挙人は、前二項」とあるのは「船員は、次条第一項」と、「に、前二項」とあるのは「に、同項」と、同条第四項中「選挙人の」とあるのは「船員で、当該不在者投票施設において投票をしようとするもの」と、「選挙人に」とあるのは「船員に」と、「第一項の」とあるのは「次条第一項の」と、「同項の規定による請求及び申立て並びに」とあるのは「、選挙人名簿登録証明書（船長又はその代理人以外の第五十五条第四項に規定する不在者投票の不在者投票管理者又はその代理人にあつては、選挙人名簿登録証明書及び船員手帳（当該船員が実習生である場合には、法第四十九条第七項に規定する船員手帳に準ずる文書））を提示して、次条第一項の規定による請求及び」と読み替えるものとする。

（不在者投票の事由に該当する旨の宣誓書）

第五十二条　第五十条第一項若しくは第二項又は前条第一項の規定による請求をする場合には、選挙人は、選挙の当日に法第四十八条の二第一項各号に掲げる事由のいずれかに該当すると見込まれる旨を申し立て、かつ、当該申立てが真正であることを誓う旨の宣誓書を併せて提出しなければならない。

（投票用紙、投票用封筒及び不在者投票証明書の交付）

第五十三条　市町村の選挙管理委員会の委員長は、第五十条第一項、第二項又は第四項の規定による投票用紙及び投票用封筒の交付の請求を受けた場合において、その選挙に用いるべき選挙人名簿又はその抄本と対照して（都道府県の議会の議員又は長の選挙において、法第九条第三項の規定により当該選挙の選挙権を有する者にあつては、併せて、その者について、第五十条第五項の規定により提示された引続居住証明書類を確認し、又は住民基本台帳法第三十条の十第一項（第一号に係る部分に限る。）の規定により機構から提供を受けた機構保存本人確認情報に基づき引き続き当該都道府県の区域内に住所を有することを確認して）、その請求をした選挙人が選挙の当日法第四十八条の二第一項各号に掲げる事由のいずれかに該当すると見込まれると認めたときは、投票用封筒の表面に当該選挙の種類を記入し、投票用紙及び投票用封筒の交付又は発送について、直ちに（第五十条第一項又は第四項の規定により選挙の期日の公示又は告示の日以前に請求を受けたときは、当該選挙の期日の公示又は告示の日の翌日（郵便等をもつて発送するときは、当該公示又は告示の日以前において市町村の選挙管理委員会の定める日）以後直ちに）次に掲げる措置をとらなければならない。この場合において、その選挙人が船員であるときは当該船員の選挙人名簿登録証明書に、衆議院議員の総選挙又は参議院議員の通常選挙においてその選挙人が南極選挙人証の交付を受けた者であるときにあつては当該選挙人の南極選挙人証に、当該選挙の種類及び期日並びに当該選挙人の不在者投票の投票用紙及び投票用封筒を交付した旨を記入しなければならない。

一　第五十条第一項の規定による請求を受けた場合には、選挙人に直接に交付し、又は郵便等をもつて発送する。

二　第五十条第二項の規定による請求を受けた場合には、選挙人に直接に交付する。

三　第五十条第四項の規定による請求を受けた場合には、当該不在者投票の不在者投票管理者又はその代理人に交付し、又は郵便等をもつて発送する。

2　市町村の選挙管理委員会の委員長は、前項第一号に掲げる措置をとる場合には、当該選挙人について、氏名及び生年月日（当該選挙人が、船舶、病院、老人ホーム、原子爆弾被爆者養護ホーム、国立保養所、身体障害者支援施設、保護施設、刑事施設、労役場、監置場、留置施設、少年院又は婦人補導院において投票をしようとするものであるときは、氏名、生年月日及び当該不在者投票施設の名称）を記載した不在者投票証明書を作成し、これを封筒に入れて封をし、封筒の表面に不在者投票証明書が在中する旨を表示し、その裏面に記名して印を押し、これを同項の投票用紙及び投票用封筒とともに、選挙人に交付し、又は郵便等をもつて発送しなければならない。

3　第一項の場合において、第五十条第三項又は第四項の規定により点字によつて投票をする旨の申立てをし、又は申立てをされた選挙人に交付し、又は発送すべき投票用紙は、点字投票である旨の表示をしたものでなければならない。

4　第一項第三号の規定により交付され、又は郵便等をもつて発送された投票用紙及び投票用封筒を受け取つた不在者投票管理者又はその代理人は、直ちにこれを選挙人に渡さなければならない。

（船員に対する不在者投票の投票用紙及び投票用封筒の交付の特例）

第五十四条　市町村の選挙管理委員会の委員長は、第五十一条第一項又は同条第二項において準用する第五十条第四項の規定によつて投票用紙及び投票用封筒の交付の請求を受けた場合において、その請求をした船員が選挙の当日法第四十八条の二第一項各号に掲げる事由のいずれかに該当すると見込まれると認めたときは、投票用紙及び投票用封筒の交付又は発送について、直ちに次に掲げる措置をとらなければならない。この場合においては、投票用封筒にその市町村名、交付の年月日、選挙の種類及び当該船員が登録されている選挙人名簿の属する市町村名を記入するとともに、当該船員の選挙人名簿登録証明書に当該選挙の種類及び期日並びに当該選挙の不在者投票の投票用紙及び投票用封筒を交付した旨を記入しなければならない。

一　第五十一条第一項の規定によつて請求を受けた場合にあつては、船員に直接に交付する。

二　第五十一条第二項において準用する第五十条第四項の規定によつて請求を受けた場合にあつては、当該不在者投票の不在者投票管理者又はその代理人に交付し、又は郵便等をもつて発送する。

2　前項の場合において、第五十一条第二項において準用する第五十条第三項又は第四項の規定によつて点字によつて投票をする旨の申立てをし、又は申立てをされた船員に交付し、又は発送すべき投票用紙は、点字投票である旨の表示をしたものでなければならない。

3　第一項第二号の規定により投票用紙及び投票用封筒を受け取つた不在者投票管理者又はその代理人は、直ちにこれを船員に渡さなければならない。

（不在者投票管理者）

第五十五条　法第四十九条第一項に規定する不在者投票管理者は、投票用紙及び投票用封筒の交付を受けた選挙人が現に所在し、又は居住する地の市町村の選挙管理委員会の委員長（当該選挙人が登録されている選挙人名簿の属する市町村の選挙管理委員会の委員長を除く。）とする。

2　都道府県の選挙管理委員会が指定する病院に入院している者、都道府県の選挙管理委員会が指定する老人ホームに入所している者、都道府県の選挙管理委員会が指定する原子爆弾被爆者養護ホームに入所している者、国立保養所に入所している者、都道府県の選挙管理委員会が指定する身体障害者支援施設に入所している者又は都道府県の選挙管理委員会が指定する保護施設に入所している者で、第五十条第一項の規定による請求をしたもの（第五十八条第一項において「病院等に入院している者で自ら投票用紙等の交付の請求をしたもの」という。）の不在者投票については、前項の規定によるほか、当該病院の院長、老人ホームの長、原子爆弾被爆者養護ホームの長、国立保養所の所長、身体障害者支援施設の長又は保護施設の長を法第四十九条第一項に規定する不在者投票管理者とする。

3　選挙の当日法第四十八条の二第一項各号に掲げる事由に該当すると見込まれる選挙人で現に当該選挙の選挙権を有しないものの不在者投票については、前二項の規定によるほか、その選挙人が登録されている選挙人名簿の属する市町村の選挙管理委員会の委員長を法第四十九条第一項に規定する不在者投票管理者とする。

4　次の各号に掲げる者の不在者投票については、前三項の規定にかかわらず、それぞれ当該各号に定める者を法第四十九条第一項に規定する不在者投票管理者とする。

一　総トン数二十トン以上の船舶（漁船にあつては、総トン数三十トン以上のものとする。）に乗船している船員で当該船舶内で不在者投票をするもの　当該船舶の船長

二　都道府県の選挙管理委員会が指定する病院に入院している者、都道府県の選挙管理委員会が指定する老人ホームに入所している者、都道府県の選挙管理委員会が指定する原子爆弾被爆者養護ホームに入所している者、国立保養所に入所している者、都道府県の選挙管理委員会が指定する身体障害者支援施設に入所している者又は都道府県の選挙管理委員会が指定する保護施設に入所している者（これらの者で、第五十条第一項又は第五十一条第一項若しくは第二項の規定による請求をしたものを除く。）　当該病院の院長、老人ホームの長、原子爆弾被爆者養護ホームの長、国立保養所の所長、身体障害者支援施設の長又は保護施設の長

三　刑事施設に収容されている者、労役場若しくは監置場に留置されている者又は留置施設に刑事収容施設及び被収容者等の処遇に関する法律第十五条第一項の規定により留置されている者　当該刑事施設の長、当該労役場若しくは監置場が附置された刑事施設の長又は当該留置施設の留置業務管理者

四　少年院に収容されている保護処分に付された者又は少年鑑別所に収容されている者　当該少年院の長又は当該少年鑑別所の長

5　法第四十九条第四項に規定する不在者投票管理者は、同項に規定する特定国外派遣組織（以下この章において「特定国外派遣組織」という。）の長とする。

6　法第四十九条第七項に規定する不在者投票管理者は、同項に

規定する指定船舶又は同項に規定する指定船舶以外の船舶であつて指定船舶に準ずるものとして総務省令で定めるもの（以下この章において「指定船舶等」という。）の船長とする。

7　法第四十九条第九項各号に規定する不在者投票管理者は、同項に規定する南極地域調査組織（以下この章において「南極地域調査組織」という。）の長とする。

8　第四項第一号の船舶の船長、第二項若しくは第四項第二号の病院の院長、老人ホームの長、原子爆弾被爆者養護ホームの長、身体障害者支援施設の長若しくは保護施設の長、特定国外派遣組織の長、指定船舶等の船長又は南極地域調査組織の長は、候補者となつた場合又は外国人である場合には、第二項及び第四項から前項までの規定にかかわらず、不在者投票管理者となることができない。

9　第二項及び第四項から第七項までに規定する不在者投票の不在者投票管理者となるべき者が前項の規定に該当する場合又は事故があり、若しくは欠けた場合には、船舶の船長、病院の院長、老人ホームの長、原子爆弾被爆者養護ホームの長、国立保養所の所長、身体障害者支援施設の長、保護施設の長、刑事施設の長、留置施設の留置業務管理者、少年院の長、少年鑑別所の長、特定国外派遣組織の長、指定船舶等の船長又は南極地域調査組織の長の職務を代理すべき者が第二項及び第四項から第七項までに規定する不在者投票の不在者投票管理者となるものとする。

（選挙人が登録されている選挙人名簿の属する市町村以外の市町村における不在者投票の方法）

第五十六条　第五十三条第一項第一号の規定により投票用紙及び投票用封筒の交付を受けた選挙人（前条第四項第一号、第三号及び第四号に掲げる者を除く。）は、その登録されている選挙人名簿の属する市町村以外の市町村において投票をしようとする場合においては、選挙の期日の公示又は告示があつた日の翌日から選挙の期日の前日までに、不在者投票管理者であるその市町村の選挙管理委員会の委員長にその投票用紙及び投票用封筒を提示し、かつ、不在者投票証明書の入つている封筒を提出し、投票用紙及び投票用封筒並びに封筒に入つている不在者投票証明書の点検を受けた後、その管理する投票の記載をする場所において、投票用紙に自ら当該選挙の公職の候補者一人の氏名（衆議院比例代表選出議員の選挙にあつては一の衆議院名簿届出政党等の法第八十六条の二第一項の規定による届出に係る名称又は略称、参議院比例代表選出議員の選挙にあつては公職の候補者たる参議院名簿登載者一人の氏名又は一の参議院名簿届出政党等の法第八十六条の三第一項の規定による届出に係る名称若しくは略称。次項及び第四項において同じ。）を記載し、これを投票用封筒に入れて封をし、投票用封筒の表面に署名して、直ちにこれをその不在者投票管理者に提出しなければならない。

2　第五十四条第一項第一号の規定により投票用紙及び投票用封筒の交付を受けた船員は、直ちに、不在者投票管理者であるその登録されている選挙人名簿の属する市町村以外の市町村の選挙管理委員会の委員長の管理する投票の記載をする場所において、投票用紙に自ら当該選挙の公職の候補者一人の氏名を記載し、これを投票用封筒に入れて封をし、投票用封筒の表面に署名して、これをその不在者投票管理者に提出しなければならない。

3　前二項の場合においては、不在者投票管理者は、選挙権を有する者を立ち会わせなければならない。

4　第一項又は第二項の場合において、不在者投票管理者は、選挙人が法第四十八条の規定により代理投票をすることができる者であるときは、その申請に基づいて、前項の規定により立ち会わせた者の意見を聴いて、当該不在者投票管理者の管理する投票の記載をする場所において投票に係る事務に従事する者のうちから当該選挙人の投票を補助すべき者二人を定め、その一人の立会いの下に他の一人をして投票の記載をする場所において投票用紙に当該選挙人が指示する公職の候補者一人の氏名を記載させ、これを投票用封筒に入れて封をし、その封筒の表面に当該選挙人の氏名を記載させ、直ちにこれを提出させなければならない。

5　第四十一条第一項から第三項までの規定は、前項の場合について準用する。この場合において、不在者投票管理者は、投票用紙に公職の候補者の氏名（衆議院比例代表選出議員の選挙にあつては衆議院名簿届出政党等の法第八十六条の二第一項の規定による届出に係る名称又は略称、参議院比例代表選出議員の選挙にあつては公職の候補者たる参議院名簿登載者の氏名又は参議院名簿届出政党等の法第八十六条の三第一項の規定による届出に係る名称若しくは略称）を記載した者にその者の氏名を投票用封筒の表面に記載させて、これを提出させなければならない。

6　第三十二条の規定は、第一項又は第二項の規定による投票について準用する。

（選挙人が登録されている選挙人名簿の属する市町村における不在者投票の方法）

第五十七条　第五十三条第一項第二号の規定により投票用紙及び投票用封筒の交付を受けた選挙人は、直ちに不在者投票管理者であるその登録されている選挙人名簿の属する市町村の選挙管理委員会の委員長の管理する投票の記載をする場所において、前条第二項の規定に準じて投票をしなければならない。

2　第五十三条第二項の規定によつて不在者投票証明書の交付を受けた選挙人で現に当該選挙の選挙権を有しないものは、選挙の期日の前日までに、不在者投票管理者であるその登録されている選挙人名簿の属する市町村の選挙管理委員会の委員長に不在者投票証明書を提出して、その管理する投票の記載をする場所において、前条第二項の規定に準じて投票をすることができる。

3　第三十二条及び前条第三項から第五項までの規定は、前二項の規定による投票について準用する。

（船舶、病院、老人ホーム、刑事施設等における不在者投票の特例）

第五十八条　第五十三条第一項第一号の規定により投票用紙及び投票用封筒の交付を受けた選挙人のうち病院等に入院している者で自ら投票用紙等の交付の請求をしたもの又は第五十五条第四項各号に掲げる者は、選挙の期日の公示又は告示があつた日の翌日から選挙の期日の前日までに、その投票用紙及び投票用封筒をそれぞれ同条第二項又は第四項に規定する不在者投票の不在者投票管理者に提示し、その点検を受け、その管理する投票の記載をする場所において、第五十六条第二項の規定に準じて投票をしなければならない。

2　不在者投票管理者は、前項の場合において選挙人が第五十条第一項の規定によつて投票用紙及び投票用封筒の交付を請求した者であるときは、その者が交付を受けた不在者投票証明書を封筒のまま提出させ、その封筒を開き、これを調べた後、投票をさせなければならない。

3　第五十六条第三項の規定は、前二項の規定による投票について準用する。

4　第三十二条並びに第五十六条第四項及び第五項の規定は、第一項の規定による投票について準用する。

第五十九条　削除〔平一二・一一政令三五四〕

（身体障害者、戦傷病者又は要介護者であるもので政令で定めるもの）

第五十九条の二　法第四十九条第二項に規定する政令で定めるものは、次に掲げる者とする。

一　身体障害者福祉法第四条に規定する身体障害者については、同法第十五条第四項の規定により交付を受けた身体障害者手帳に、両下肢、体幹、心臓、じん臓、呼吸器、ぼうこう若しくは直腸、小腸、免疫若しくは肝臓の障害若しくは移動機能の障害（以下この条において「両下肢等の障害」という。）の程度が、両下肢若しくは体幹の障害若しくは移動機能の障害にあつては一級若しくは二級、心臓、じん臓、呼吸器、ぼうこう若しくは直腸若しくは小腸の障害にあつては一級若しくは三級、免疫若しくは肝臓の障害にあつては一級から三級までである者として記載されている者又は両下肢等の障害の程度がこれらの障害の程度に該当することにつき身体障害者福祉法施行令（昭和二十五年政令第七十八号）第九条第一項に規定する身体障害者手帳交付台帳を備える都道府県知事若しくは指定都市若しくは地方自治法第二百五十二条の二十二第一項の中核市（第五十九条の三の二第一項第一号及び第百四十七条第一項第三号において「中核市」という。）の長が書面により証明した者

二　戦傷病者特別援護法（昭和三十八年法律第百六十八号）第二条第一項に規定する戦傷病者については、同法第四条の規定により交付を受けた戦傷病者手帳に、両下肢等の障害の程度が、両下肢若しくは体幹の障害にあつては恩給法（大正十二年法律第四十八号）別表第一号表ノ二の特別項症から第二項症まで、心臓、じん臓、呼吸器、ぼうこう若しくは直腸、小腸若しくは肝臓の障害にあつては同表の特別項症から第三項症までである者として記載されている者又は両下肢等の障害の程度がこれらの障害の程度に該当することにつき戦傷病者特別援護法施行令（昭和三十八年政令第三百五十八号）第五条に規定する戦傷病者手帳交付台帳を備える都道府県知事が書面により証明した者

三　介護保険法（平成九年法律第百二十三号）第七条第三項に規定する要介護者については、同法第十二条第三項の被保険者証に要介護状態区分が要介護五である者として記載されている者

（郵便等投票証明書）

第五十九条の三　法第四十九条第二項に規定する選挙人は、その登録されている選挙人名簿の属する市町村の選挙管理委員会の委員長に対して、当該選挙人が署名（点字によるものを除く。第五十九条の三の三第二項、第五十九条の四第一項及び第二項、第五十九条の五、第五十九条の五の二、第六十五条の十一第一項並びに第六十五条の十二第一項において同じ。）をした文書をもつて、法第四十九条第二項に規定する選挙人に該当する旨の証明書（以下「郵便等投票証明書」という。）の交付を申請することができる。

2　法第四十九条第二項に規定する選挙人は、前項の規定による申請を次条第二項の規定による申請と併せて行う場合には、前項の規定にかかわらず、同項の文書に署名をすることを要しない。

3　第一項の文書には、次の各号に掲げる選挙人の区分に応じ、当該各号に定める文書を添えなければならない。

一　身体障害者福祉法第四条に規定する身体障害者　同法第十五条第四項の規定により交付を受けた身体障害者手帳又は前条第一号に規定する両下肢等の障害の程度を証明する書面

二　戦傷病者特別援護法第二条第一項に規定する戦傷病者　同法第四条の規定により交付を受けた戦傷病者手帳又は前条第二号に規定する両下肢等の障害の程度を証明する書面

三　介護保険法第七条第三項に規定する要介護者　同法第十二条第三項の被保険者証

4　市町村の選挙管理委員会の委員長は、第一項の規定による申請があつた場合において、当該申請をした者が法第四十九条第二項に規定する選挙人に該当すると認めたときは、当該申請をした者に対して、郵便等投票証明書を郵便等をもつて交付しなければならない。

5　郵便等投票証明書の交付を受けた者は、法第四十九条第二項に規定する選挙人に該当しなくなつた場合、他の市町村の選挙人名簿に登録された場合、在外選挙人名簿に登録された場合又は当該郵便等投票証明書の交付を受けた市町村の区域内に住所を有しなくなつた日後四箇月を経過するに至つた場合には、直ちに当該郵便等投票証明書をその交付を受けた市町村の選挙管理委員会の委員長に返さなければならない。

6　前各項に規定するもののほか、郵便等投票証明書の有効期間その他郵便等投票証明書に関し必要な事項は、総務省令で定める。

（法第四十九条第三項に規定する選挙人に該当する旨の記載の申請等）

第五十九条の三の二　法第四十九条第三項に規定する政令で定めるものは、次に掲げる者とする。

一　身体障害者福祉法第四条に規定する身体障害者であつて、同法第十五条第四項の規定により交付を受けた身体障害者手帳に上肢若しくは視覚の障害の程度が一級である者として記載されている者又は上肢若しくは視覚の障害の程度がこれらの障害の程度に該当することにつき身体障害者福祉法施行令第九条第一項に規定する身体障害者手帳交付台帳を備える都道府県知事若しくは指定都市若しくは中核市の長が書面により証明した者

二　戦傷病者特別援護法第二条第一項に規定する戦傷病者であつて、同法第四条の規定により交付を受けた戦傷病者手帳に上肢若しくは視覚の障害の程度が恩給法別表第一号表ノ二の特別項症から第二項症までである者として記載されている者又は上肢若しくは視覚の障害の程度がこれらの障害の程度に該当することにつき戦傷病者特別援護法施行令第五条に規定する戦傷病者手帳交付台帳を備える都道府県知事が書面によ

り証明した者

2 法第四十九条第三項に規定する選挙人は、その登録されている選挙人名簿の属する市町村の選挙管理委員会の委員長に対して、文書をもつて、同項に規定する選挙人に該当する旨を郵便等投票証明書に記載することを申請することができる。

3 前項の文書には、郵便等投票証明書及び次の各号に掲げる選挙人の区分に応じ当該各号に定める文書を添えなければならない。

一 身体障害者福祉法第四条に規定する身体障害者　同法第十五条第四項の規定により交付を受けた身体障害者手帳又は第一項第一号に規定する上肢若しくは視覚の障害の程度を証明する書面

二 戦傷病者特別援護法第二条第一項に規定する戦傷病者　同法第四条の規定により交付を受けた戦傷病者手帳又は第一項第二号に規定する上肢若しくは視覚の障害の程度を証明する書面

4 市町村の選挙管理委員会の委員長は、第二項の規定による申請があつた場合において、当該申請をした者が法第四十九条第三項に規定する選挙人に該当すると認めたときは、当該申請をした者の郵便等投票証明書に同項に規定する選挙人に該当する旨の記載をしなければならない。

5 前項の規定により郵便等投票証明書に法第四十九条第三項に規定する選挙人に該当する旨の記載を受けている選挙人は、同項に規定する選挙人に該当しなくなつた場合には、直ちに、郵便等投票証明書を添えて、文書でその旨を当該記載をした市町村の選挙管理委員会の委員長に届け出て、当該郵便等投票証明書に当該該当しなくなつた旨の記載を受けなければならない。

6 市町村の選挙管理委員会の委員長は、前二項の規定による記載をした場合においては、第二項の規定による申請をした者又は前項の規定による届出をした者に対して、当該郵便等投票証明書を郵便等をもつて送付しなければならない。

（郵便等による不在者投票における代理記載人となるべき者の届出等）

第五十九条の三の三　前条第四項の規定により郵便等投票証明書に法第四十九条第三項に規定する選挙人に該当する旨の記載を受けている選挙人（前条第五項の規定による記載を受けているものを除く。）は、法第四十九条第三項の規定により投票に関する記載をする者（以下「代理記載人」という。）となるべき者一人を定め、その者の氏名、住所及び生年月日を、文書で、前条第二項の選挙管理委員会の委員長に届け出なければならない。代理記載人となるべき者を変更したときも、同様とする。

2 前項の文書には、郵便等投票証明書並びに代理記載人となるべき者が署名をした当該代理記載人となるべき者の代理記載人となることについての同意書及び選挙権を有する者であることを当該代理記載人となるべき者が誓う旨の宣誓書を添えなければならない。

3 市町村の選挙管理委員会の委員長は、第一項の規定による届出があつたときは、当該届出をした者の郵便等投票証明書に代理記載人となるべき者の氏名を記載し、かつ、当該届出をした者に対して、当該郵便等投票証明書を郵便等をもつて送付しなければならない。

4 前三項に規定するもののほか、代理記載人となるべき者に関し必要な事項は、総務省令で定める。

（郵便等による不在者投票における投票用紙及び投票用封筒の請求及び交付）

第五十九条の四　法第四十九条第二項に規定する選挙人は、第五十条第一項の規定による請求をし、又は同条第四項の規定により同条第一項の請求がされた場合を除くほか、選挙の期日前四日までに、その登録されている選挙人名簿の属する市町村の選挙管理委員会の委員長に対して、当該選挙人が署名をした文書により、かつ、郵便等投票証明書を提示して、投票用紙及び投票用封筒の交付を請求することができる。

2 第五十九条の三の二第四項の規定により郵便等投票証明書に法第四十九条第三項に規定する選挙人に該当する旨の記載を受けている選挙人（第五十九条の三の二第五項の規定による記載を受けているものを除く。）は、前項の規定により投票用紙及び投票用封筒の交付を請求しようとする場合には、同項の規定にかかわらず、当該郵便等投票証明書に記載されている代理記載人となるべき者をして同項の文書に、当該選挙人の署名に代えて、当該選挙人の氏名を記載させることができる。この場合において、当該代理記載人となるべき者は、当該文書に署名をしなければならない。

3 都道府県の議会の議員又は長の選挙において、法第九条第三項の規定により当該選挙の選挙権を有する者が第一項の規定による請求をする場合には、同項の選挙管理委員会の委員長に、引続居住証明書類を提示し、又は引き続き当該都道府県の区域内に住所を有することの確認を申請しなければならない。

4 市町村の選挙管理委員会の委員長は、第一項の規定による投票用紙及び投票用封筒の請求を受けた場合において、その選挙に用いるべき選挙人名簿又はその抄本と対照して（都道府県の議会の議員又は長の選挙において、法第九条第三項の規定により当該選挙の選挙権を有する者にあつては、併せて、その者について、前項の規定により提示された引続居住証明書類を確認し、又は住民基本台帳法第三十条の十第一項（第一号に係る部分に限る。）の規定により機構から提供を受けた機構保存本人確認情報に基づき引き続き当該都道府県の区域内に住所を有することを確認して）、その請求をした選挙人が法第四十九条第二項又は第三項に規定する選挙人に該当すると認めたときは、投票用封筒の表面に当該選挙の種類を記入し、直ちに（選挙の期日の公示又は告示の日以前に請求を受けた場合には、当該選挙の期日の公示又は告示の日以前において市町村の選挙管理委員会の定める日以後直ちに）投票用紙及び投票用封筒を当該選挙人に郵便等をもつて発送しなければならない。

（郵便等による不在者投票の方法）

第五十九条の五　前条第四項の規定により投票用紙及び投票用封筒の交付を受けた選挙人は、選挙の期日の公示又は告示があつた日の翌日以後、その現在する場所において、投票用紙に自ら当該選挙の公職の候補者一人の氏名（衆議院比例代表選出議員の選挙にあつては一の衆議院名簿届出政党等の法第八十六条の二第一項の規定による届出に係る名称又は略称、参議院比例代表選出議員の選挙にあつては公職の候補者たる参議院名簿登載者一人の氏名又は一の参議院名簿届出政党等の法第八十六条の三第一項の規定による届出に係る名称若しくは略称。次条において同じ。）を記載し、これを投票用封筒に入れて封をし、投票用封筒の表面に投票の記載の年月日及び場所を記載し、並びに投票用封筒の表面に署名をし、更にこれを他の適当な封筒に入れて封をし、その表面に投票が在中する旨を明記して、当該選挙人が登録されている選挙人名簿の属する市町村の選挙管理委員会の委員長に対し、当該選挙人が属する投票区の投票所（当該投票区が指定関係投票区等である場合には、当該投票区に係る指定投票区の投票所）を閉じる時刻までに第六十条第二項の規定による投票の送致ができるように、郵便等をもつて送付しなければならない。

（郵便等による不在者投票における代理記載の方法）

第五十九条の五の二　第五十九条の四第四項の規定により投票用紙及び投票用封筒の交付を受けた選挙人のうち第五十九条の三の二第四項の規定により郵便等投票証明書に法第四十九条第三項に規定する選挙人に該当する旨の記載を受けているもの（第五十九条の三の二第五項の規定による記載を受けているものを除く。）は、前条の規定にかかわらず、当該郵便等投票証明書に記載されている代理記載人をして投票用紙に当該選挙人が指示する公職の候補者一人の氏名を記載させ、これを投票用封筒に入れて封をし、投票用封筒の表面に投票の記載の年月日及び場所並びに当該選挙人の氏名を記載させ、更にこれを他の適当な封筒に入れて封をし、その表面に投票が在中する旨を記載させることができる。この場合において、当該代理記載人は、投票用封筒の表面に署名をしなければならない。

（特定国外派遣組織）

第五十九条の五の三　法第四十九条第五項に規定する政令で定める組織は、次に掲げる組織のうち、当該組織に属する選挙人の数、当該組織が国外において業務を行う期間（次項及び次条第一項において「国外派遣期間」という。）及び当該組織の活動内容に照らして当該組織において法第四十九条第四項の規定による投票が適正に実施されると認められるものとして総務大臣が関係大臣と協議して指定するものとする。

一　海賊行為の処罰及び海賊行為への対処に関する法律（平成二十一年法律第五十五号）第七条第一項の規定に基づき国外に派遣される自衛隊の部隊

二　国際連合平和維持活動等に対する協力に関する法律（平成四年法律第七十九号）第四条第二項第四号に規定する国際平和協力隊

三　防衛省設置法（昭和二十九年法律第百六十四号）第四条第一項第九号に規定する教育訓練を国外において行う自衛隊の部隊等（自衛隊法（昭和二十九年法律第百六十五号）第八条に規定する部隊等をいう。）

四　国際緊急援助隊の派遣に関する法律（昭和六十二年法律第九十三号）第一条に規定する国際緊急援助隊

2　前項の規定による指定は、当該指定をしようとする組織の名称及び国外派遣期間その他総務省令で定める事項を告示することにより行うものとする。

（特定国外派遣隊員の不在者投票の特例）

第五十九条の五の四　特定国外派遣組織に属する選挙人（以下この条及び第百四十二条第二項において「特定国外派遣隊員」という。）は、当該特定国外派遣組織の業務に従事するため出国しようとする場合又は国外において当該特定国外派遣組織の業務に従事している場合には、選挙の期日前五日までに、当該特定国外派遣組織の長（当該特定国外派遣組織の長が第五十五条第八項の規定に該当する場合又は事故があり、若しくは欠けた場合には、当該特定国外派遣組織の長の職務を代理すべき者）で同条第五項に規定する不在者投票管理者となるべきもの又は同項に規定する不在者投票管理者であるもの（以下この条及び第百四十二条第二項において「特定国外派遣組織の長」という。）に対し、選挙の期日の公示又は告示の日の翌日から選挙の期日の前日までの間が当該特定国外派遣組織の国外派遣期間中にかかる場合において当該特定国外派遣組織が滞在する施設又は区域内で法第四十九条第四項の規定による投票をしようとする旨の申出をすることができる。

2　点字によつて投票をしようとする特定国外派遣隊員は、前項の申出をする際に、当該特定国外派遣組織の長に対し、その旨を申し立てなければならない。

3　都道府県の議会の議員又は長の選挙において、法第九条第三項の規定により当該選挙の選挙権を有する特定国外派遣隊員が第一項の申出をする場合には、当該特定国外派遣組織の長に、引続居住証明書類を提示し、又は引き続き当該都道府県の区域内に住所を有することの確認を受ける旨の申出をしなければならない。

4　船員である特定国外派遣隊員が第一項の申出をする場合には、当該特定国外派遣組織の長に、選挙人名簿登録証明書を提示しなければならない。

5　第一項の申出を受けた特定国外派遣組織の長は、当該特定国外派遣隊員が当該特定国外派遣組織に属する選挙人で、当該特定国外派遣組織の業務に従事するため出国しようとするもの又は国外において当該特定国外派遣組織の業務に従事しているものであると認める場合には、自ら又はその代理人によつて、選挙の期日前三日までに、当該特定国外派遣隊員が登録されている選挙人名簿の属する市町村の選挙管理委員会の委員長に対し、文書で、当該特定国外派遣組織の長であることを証する書面を提示して、投票用紙及び投票用封筒の交付を請求しなければならない。

6　第二項の規定による点字によつて投票をする旨の申立て、第三項の規定による引続居住証明書類の提示若しくは引き続き当該都道府県の区域内に住所を有することの確認を受ける旨の申出又は第四項の規定による選挙人名簿登録証明書の提示を受けた特定国外派遣組織の長は、当該申立て、当該引続居住証明書類の提示若しくは当該申出又は当該選挙人名簿登録証明書の提示をした特定国外派遣隊員について前項の規定による請求をする場合には、同項の市町村の選挙管理委員会の委員長に対し、当該申立てがあつた旨を申し立て、当該引続居住証明書類を提示し、若しくは当該申出に係る確認を申請し、又は当該選挙人名簿登録証明書を提示しなければならない。

7　市町村の選挙管理委員会の委員長は、第五項の規定による投票用紙及び投票用封筒の交付の請求を受けた場合において、当該請求に係る特定国外派遣隊員について、その選挙に用いるべき選挙人名簿又はその抄本と対照して（都道府県の議会の議員又は長の選挙において、法第九条第三項の規定により当該選挙の選挙権を有する者にあつては、併せて、その者について、前項の規定により提示された引続居住証明書類を確認し、又は住民基本台帳法第三十条の十第一項（第一号に係る部分に限る。）の規定により機構から提供を受けた機構保存本人確認情報に基づき引き続き当該都道府県の区域内に住所を有することを確認して）、当該特定国外派遣隊員が選挙の当日法第四十八条の二第一項第一号に掲げる事由に該当すると見込まれると認めたときは、投票用封筒の表面に当該選挙の種類を記入し、直ちに（第五項の規定により選挙の期日の公示又は告示の日以前に請求を受けた場合には、当該公示又は告示の日以前において市町村の選挙管理委員会の定める日以後直ちに）、第五項の規定による請求をした特定国外派遣組織の長又はその代理人に投票用紙及び投票用封筒を交付し、又は郵便等をもつて発送しなければならない。この場合において、当該特定国外派遣隊員が船員であるときは、当該特定国外派遣隊員の選挙人名簿登録証明書に当該選挙の種類及び期日並びに当該選挙の不在者投票の投票用紙及び投票用封筒を交付した旨を記入しなければならない。

8　前項の場合において、第二項の規定により点字によつて投票をする旨の申立てをした特定国外派遣隊員に交付すべき投票用紙は、点字投票である旨の表示をしたものでなければならない。

9　特定国外派遣組織の長の代理人が第七項の規定により投票用紙及び投票用封筒の交付を受けた場合には、当該代理人は、直ちに、これを特定国外派遣組織の長に引き渡さなければならない。

10　第七項又は前項の規定により投票用紙及び投票用封筒の交付又は引渡しを受けた特定国外派遣組織の長は、第一項の申出をした特定国外派遣隊員のうち国外において当該特定国外派遣組織の業務に従事しているもので当該選挙の当日法第四十八条の二第一項第一号に掲げる事由に該当すると見込まれるものから、当該選挙の期日の公示又は告示があつた日の翌日から当該選挙の期日の前日までの間に、投票用紙及び投票用封筒の交付の請求を受けたときは、直ちに、これを当該特定国外派遣隊員に交付しなければならない。

11　前項の規定により投票用紙及び投票用封筒の交付を受けた特定国外派遣隊員は、直ちに、不在者投票管理者である特定国外派遣組織の長の管理する投票の記載をする場所において、第五十六条第二項の規定に準じて投票をしなければならない。

12　第三十二条及び第五十六条第三項から第五項までの規定は、前項の規定による投票について準用する。

13　不在者投票管理者である特定国外派遣組織の長は、第十一項の規定による投票を受け取つた場合には、投票用封筒に投票の年月日及び場所を記載し、並びにこれに記名し、かつ、前項において準用する第五十六条第三項の規定により投票に立ち会つた者に署名をさせ、更にこれを他の適当な封筒に入れて封をし、その表面に投票が在中する旨を明記し、その裏面に記名押印し、直ちに、これを当該特定国外派遣隊員が登録されている選挙人名簿の属する市町村の選挙管理委員会の委員長に送致し、又は郵便等をもつて送付しなければならない。

14　不在者投票管理者である特定国外派遣組織の長は、第一項の申出をした特定国外派遣隊員に交付しなかつた投票用紙及び投票用封筒があるときは、速やかにその投票用紙及び投票用封筒をその交付を受けた市町村の選挙管理委員会の委員長に送致しなければならない。この場合において、当該特定国外派遣隊員が船員であるときは、併せて、当該特定国外派遣隊員の選挙人名簿登録証明書を提示しなければならない。

15　次に掲げる法律の規定に基づき国外に派遣される選挙人（特定国外派遣組織に属するものを除く。）で、現に特定国外派遣組織が滞在する施設又は区域に滞在しているものは、この政令の規定の適用については、当該特定国外派遣組織に属する選挙人とみなす。この場合における第一項、第五項及び第十項の規定の適用については、第一項中「当該特定国外派遣組織の業務に従事するため出国しようとする場合又は国外において当該特定国外派遣組織の業務に従事している場合には、選挙」とあるのは「選挙」と、「特定国外派遣組織の国外派遣期間」とあるのは「特定国外派遣隊員が第十五項各号に掲げる法律の規定に基づき国外に派遣されている期間」と、第五項中「当該特定国外派遣組織に属する選挙人で、当該特定国外派遣組織の業務に従事するため出国しようとするもの又は国外において当該特定国外派遣組織の業務に従事しているもの」とあるのは「第十五項各号に掲げる法律の規定に基づき国外に派遣されている者」と、第十項中「特定国外派遣隊員のうち国外において当該特定国外派遣組織の業務に従事しているもの」とあるのは「特定国外派遣隊員」とする。

一　海賊行為の処罰及び海賊行為への対処に関する法律
二　国際連合平和維持活動等に対する協力に関する法律
三　国際緊急援助隊の派遣に関する法律

（指定船舶等に乗船している船員の不在者投票の特例）

第五十九条の六　船員は、指定船舶等に乗つて本邦以外の区域を航海しようとする場合には、当該指定船舶等の船長（当該船長が第五十五条第八項の規定に該当する場合又は事故があり、若しくは欠けた場合には、当該船長の職務を代理すべき者）で同条第六項に規定する不在者投票管理者となるべきもの（以下この章において「船長」という。）に対し、選挙人名簿登録証明書を添えて、衆議院議員の総選挙又は参議院議員の通常選挙の期日の公示の日の翌日から選挙の期日の前日までの間が当該指定船舶等の航海の期間中にかかる場合において当該指定船舶等内で法第四十九条第七項の規定による投票をしようとする旨の申出をすることができる。

2　前項の申出を受けた船長は、当該船員が当該指定船舶等に乗つて本邦以外の区域を航海しようとする者であると認める場合には、自ら又はその代理人によつて、法第四十九条第七項に規定する総務省令で指定する市町村（以下「指定市町村」という。）の選挙管理委員会の委員長に対し、郵便等によることなく、当該指定船舶等の名称及び当該指定船舶等内に設置された同項の送信に用いるファクシミリ装置（第九項において「投票送信用ファクシミリ装置」という。）を識別するための番号を記載した文書で、当該船員の選挙人名簿登録証明書を提示して、同条第七項の規定による投票に用いるべき投票送信用紙及び投票送信用紙用封筒の交付を請求しなければならない。

3　前項の投票送信用紙は、公職の候補者一人の氏名（衆議院比例代表選出議員の選挙にあつては一の衆議院名簿届出政党等の法第八十六条の二第一項の規定による届出に係る名称又は略称、参議院比例代表選出議員の選挙にあつては公職の候補者たる参議院名簿登載者一人の氏名又は一の参議院名簿届出政党等の法第八十六条の三第一項の規定による届出に係る名称若しくは略称。第九項及び第五十九条の六の三第七項において同じ。）を記載する部分（以下この章において「投票記載部分」

という。）とその他の事項を記載する部分（以下この章において「必要事項記載部分」という。）とが明確に区分されたものでなければならない。

4　指定市町村の選挙管理委員会の委員長は、第二項の規定による投票送信用紙及び投票送信用紙用封筒の交付の請求を受けた場合には、直ちに、投票送信用紙の必要事項記載部分にその市町村名、交付の年月日及び選挙の種類、当該船員が登録されている選挙人名簿の属する市町村名並びに法第四十九条第七項の規定による投票に係る請求である旨を記入し、当該請求をした船長又はその代理人の面前においてその投票送信用紙及び投票送信用紙用封筒を保管箱又は保管用封筒に入れ、これに封をして交付しなければならない。この場合において、当該指定市町村の選挙管理委員会の委員長は、保管箱又は保管用封筒にはその市町村名、選挙の種類及び指定船舶等の航海予定期間並びに投票送信用紙及び投票送信用紙用封筒を交付した枚数並びにこれらを交付した年月日を表示し、船員の選挙人名簿登録証明書には選挙の種類及びその市町村名並びに投票送信用紙及び投票送信用紙用封筒を船長又はその代理人に交付した旨を記入しなければならない。

5　船長の代理人が前項の規定により投票送信用紙及び投票送信用紙用封筒を入れた保管箱又は保管用封筒の交付を受けた場合には、当該代理人は、直ちにこれを船長に引き渡さなければならない。

6　指定市町村の選挙管理委員会の委員長は、第十二項に規定するファクシミリ装置（以下この項及び第十四項において「投票受信用ファクシミリ装置」という。）を設置した場合には、速やかに当該投票受信用ファクシミリ装置を用いて行う通信に使用すべき電気通信番号を前二項の規定により投票送信用紙及び投票送信用紙用封筒を入れた保管箱又は保管用封筒の交付又は引渡しを受けた船長に通知しなければならない。

7　第四項又は第五項の規定により投票送信用紙及び投票送信用紙用封筒を入れた保管箱又は保管用封筒の交付又は引渡しを受けた船長は、当該指定船舶等の航海の期間中に、衆議院議員の総選挙若しくは参議院議員の通常選挙の期日の公示があつたこと又は当該選挙の公職の候補者の氏名（衆議院比例代表選出議員の選挙にあつては衆議院名簿届出政党等の法第八十六条の二第一項の規定による届出に係る名称及び略称、参議院比例代表選出議員の選挙にあつては参議院名簿届出政党等の法第八十六条の三第一項の規定による届出に係る名称及び略称並びに参議院名簿登載者の氏名（同項後段の規定により優先的に当選人となるべき候補者としてその氏名及び当選人となるべき順位が参議院名簿に記載されている者である参議院名簿登載者にあつては、氏名及び当選人となるべき順位））を知つた場合には、直ちにこれらを船員に対して知らせるように努めなければならない。

8　第四項又は第五項の規定により投票送信用紙及び投票送信用紙用封筒を入れた保管箱又は保管用封筒の交付又は引渡しを受けた船長は、衆議院議員の総選挙又は参議院議員の通常選挙の期日の公示があつた日の翌日から選挙の期日の前日までの間が当該指定船舶等の航海の期間中にかかる場合において、第一項の規定による申出をした船員で当該選挙の当日法第四十八条の二第一項第一号に掲げる事由に該当すると見込まれるものから、当該選挙の期日の公示があつた日の翌日から当該選挙の期日の前日までの間に、投票送信用紙及び投票送信用紙用封筒の交付の請求を受けたときは、当該船員が第五十三条又は第五十四条の規定により当該選挙の不在者投票の投票用紙及び投票用封筒の交付を受けたとき、並びに第五十九条の六の三第三項又は第四項の規定により当該選挙の投票送信用紙及び投票送信用紙用封筒の交付又は引渡しを受けたときを除くほか、直ちに、投票送信用紙の必要事項記載部分に当該指定船舶等の名称及び交付の年月日を記載し、並びに投票送信用紙の必要事項記載部分に署名し、更に第十一項において準用する第五十六条第三項の規定により投票に立ち会う者に投票送信用紙の必要事項記載部分に署名させ、当該投票送信用紙を投票送信用紙用封筒とともに当該船員に交付するとともに、第六項の規定により通知を受けた電気通信番号を当該船員に知らせなければならない。この場合において、船長は、当該船員にその選挙人名簿登録証明書を提示させ、これに当該選挙の期日並びに投票送信用紙及び投票送信用紙用封筒を船員に交付した旨を記入しなければならない。

9　前項の規定により投票送信用紙及び投票送信用紙用封筒の交付を受けた船員は、直ちに、不在者投票管理者である船長の管理する場所において、自ら、投票送信用紙の必要事項記載部分にその氏名、住所、選挙人名簿登録証明書の交付年月日及び船員手帳の番号（当該船員が自衛隊員（自衛隊法第二条第五項に規定する隊員をいう。以下この項及び第五十九条の六の三において同じ。）である場合には、その氏名、住所及び選挙人名簿登録証明書の交付年月日並びに自衛隊員である旨とし、当該船員が実習生である場合には、その氏名、住所及び選挙人名簿登録証明書の交付年月日並びに実習生である旨とする。）を、投票送信用紙の投票記載部分に当該選挙の公職の候補者一人の氏名を、それぞれ記載し、これを第四項の規定により投票送信用紙及び投票送信用紙用封筒を入れた保管箱又は保管用封筒を交付した指定市町村の選挙管理委員会の委員長に対し、投票受信用ファクシミリ装置を用いて送信しなければならない。

10　前項の規定により送信をした船員は、直ちに、自ら、当該投票送信用紙の投票記載部分と必要事項記載部分とを切り離し、当該投票記載部分を投票送信用紙用封筒に入れて封をし、当該必要事項記載部分を当該投票送信用紙用封筒の表面に貼り付け、これを不在者投票管理者である船長に提出しなければならない。

11　第三十二条及び第五十六条第三項から第五項までの規定は、法第四十九条第七項の規定による投票について準用する。この場合において、次の表の上欄に掲げる規定中同表の中欄に掲げる字句は、それぞれ同表の下欄に掲げる字句に読み替えるものとする。

第三十二条	市町村の選挙管理委員会	船長
	投票所において選挙人が投票の記載をする	法第四十九条第七項に規定する不在者投票管理者の管理する
	投票用紙	投票送信用紙

第五十六条第三項	前二項	第五十九条の六第八項から第十項まで
第五十六条第四項	第一項又は第二項	第五十九条の六第八項から第十項まで
	投票用紙	投票送信用紙の投票記載部分（第五十九条の六第三項に規定する投票記載部分をいう。以下この項及び次項において同じ。）
	これを投票用封筒に入れて封をし、その封筒の表面	投票送信用紙の必要事項記載部分（第五十九条の六第三項に規定する必要事項記載部分をいう。以下この項及び次項において同じ。）
	選挙人の氏名	選挙人の氏名、住所、選挙人名簿登録証明書の交付年月日及び船員手帳の番号（当該船員が自衛隊員（自衛隊法第二条第五項に規定する隊員をいう。以下この項において同じ。）である場合には、その氏名、住所及び選挙人名簿登録証明書の交付年月日並びに自衛隊員である旨とし、当該船員が実習生である場合には、その氏名、住所及び選挙人名簿登録証明書の交付年月日並びに実習生である旨とする。）
	提出させなければ	第五十九条の六第二項に規定する投票送信用ファクシミリ装置（次項において「投票送信用ファクシミリ装置」という。）を用いて送信させ、更に当該投票送信用紙の投票記載部分と必要事項記載部分とを切り離し、当該投票記載部分を投票送信用紙用封筒に入れて封をし、当該必要事項記載部分を当該投票送信用紙用封筒の表面に貼り付け、これを提出させなければ
第五十六条第五項	投票用紙	投票送信用紙の投票記載部分
	投票用封筒の表面に記載させて、これを提出させなければ	投票送信用ファクシミリ装置を用いて送信を行う前に投票送信用紙の必要事項記載部分に記載させなければ

12　第九項の規定により送信された投票を受信するために指定市町村の選挙管理委員会が設置するファクシミリ装置及びその管理の方法は、総務大臣が定める技術的基準に適合したものでなければならない。

13　第九項の規定により送信された投票を受信した用紙は、当該用紙のうち投票送信用紙の投票記載部分を受信した部分を直接外部から見ることができないような覆いが設けられているものでなければならない。

14　指定市町村の選挙管理委員会の委員長は、第九項の規定により送信された投票を投票受信用ファクシミリ装置により受信した場合には、当該受信した用紙を投票送信用紙の投票記載部分を受信した部分と投票送信用紙の必要事項記載部分を受信した部分とに切り離し、投票送信用紙の投票記載部分を受信した部分を投票用封筒に入れて封をし、投票送信用紙の必要事項記載部分を受信した部分を当該投票用封筒の表面に貼り付け、更にこれを他の適当な封筒に入れて封をし、その表面に投票が在中する旨を明記し、その裏面に記名押印し、直ちにこれを当該船員が登録されている選挙人名簿の属する市町村の選挙管理委員会の委員長に送致し、又は郵便等をもつて送付しなければならない。

15　第四項又は第五項の規定により投票送信用紙及び投票送信用紙用封筒を入れた保管箱又は保管用封筒の交付又は引渡しを受けた船長は、投票送信用紙等受渡簿を備え、投票送信用紙及び投票送信用紙用封筒の受渡しの明細その他必要と認める事項を記載するとともに、当該指定船舶等が航海を終了して本邦の港に帰つた場合又は当該指定船舶等の船員で第一項の規定による申出をしたものが全て本邦に帰つた場合には、速やかにその投票送信用紙等受渡簿、第十項の規定により提出を受けた投票送信用紙用封筒及び保管箱又は保管用封筒を当該指定市町村の選挙管理委員会の委員長に送致しなければならない。この場合において、船長は、第一項の規定による申出をした船員に交付しなかつた投票送信用紙及び投票送信用紙用封筒があるときは、当該投票送信用紙及び投票送信用紙用封筒を併せて送致するとともに、当該船員の選挙人名簿登録証明書を提示しなければならない。

16　指定市町村の選挙管理委員会の委員長は、前項の規定により船員の選挙人名簿登録証明書の提示を受けた場合には、当該選挙人名簿登録証明書に投票送信用紙及び投票送信用紙用封筒の送致を受けた旨を記入しなければならない。

17　指定市町村の選挙管理委員会の委員長は、第十五項前段の規定により投票送信用紙用封筒の送致を受けた場合には、当該投票送信用紙用封筒をその表面に表示された船員が登録されている選挙人名簿の属する市町村の選挙管理委員会の委員長に送致し、又は郵便等をもつて送付しなければならない。

（不在者投票管理者の管理する場所において投票をすることができない選挙人）

第五十九条の六の二　法第四十九条第八項に規定する政令で定める選挙人は、指定船舶等に乗つて本邦以外の区域を航海する次に掲げる船員とする。

一　次条第一項の規定により投票送信用紙及び投票送信用紙用封筒の交付の請求をする時において当該指定船舶等に乗る日本国民たる船員の数が二人以下であると見込まれる場合における当該船員

二　前条第八項の規定により投票送信用紙及び投票送信用紙用封筒の交付の請求をする時において当該指定船舶等に乗る日本国民たる船員の数が二人以下である場合における当該船員

（不在者投票管理者の管理する場所において投票をすることができない船員の不在者投票の特例）

第五十九条の六の三　船員は、指定船舶等に乗つて本邦以外の区域を航海しようとする場合において、衆議院議員の総選挙又は参議院議員の通常選挙の期日の公示の日の翌日から選挙の期日の前日までの間が当該指定船舶等の航海の期間中にかかり、かつ、当該選挙の当日法第四十八条の二第一項第一号に掲げる事由に該当すると見込まれるときであつて、前条第一号に該当するときは、自ら又はその代理人によつて、指定市町村の選挙管理委員会の委員長に対し、郵便等によることなく、当該指定船舶等の名称及び当該指定船舶等内に設置された法第四十九条第八項において準用する同条第七項の送信に用いるファクシミリ装置（以下この条において「投票送信用ファクシミリ装置」という。）を識別するための番号を記載した文書で、選挙人名簿登録証明書を提示して、法第四十九条第八項の規定による投票に用いるべき投票送信用紙及び投票送信用紙用封筒の交付を請求することができる。

2　船員又はその代理人は、前項の規定による投票送信用紙及び投票送信用紙用封筒の交付の請求をする場合には、当該船員が前条第一号に該当することを証する書面として総務省令で定めるものを併せて提出しなければならない。

3　指定市町村の選挙管理委員会の委員長は、第一項の規定による投票送信用紙及び投票送信用紙用封筒の交付の請求を受けた場合において、当該請求をした船員について、衆議院議員の総選挙又は参議院議員の通常選挙の期日の公示の日の翌日から選挙の期日の前日までの間が当該船員が乗る指定船舶等の航海の期間中にかかり、かつ、当該選挙の当日法第四十八条の二第一項第一号に掲げる事由に該当すると見込まれるとともに、前条第一号に該当すると認めるときは、当該船員が第五十三条又は第五十四条の規定により当該選挙の不在者投票の投票用紙及び投票用封筒の交付を受けたとき、並びに当該船員からの第五十九条の六第一項の規定による申出を受けた船長又はその代理人が同条第四項の規定により当該選挙の投票送信用紙及び投票送信用紙用封筒の交付を受けたときを除くほか、直ちに、投票送信用紙の必要事項記載部分にその市町村名、交付の年月日及び選挙の種類、当該船員が登録されている選挙人名簿の属する市町村名及び当該船員が乗船する指定船舶等の名称並びに法第四十九条第八項の規定による投票に係る請求である旨を記入するとともに、当該船員の指定船舶等への乗船及び指定市町村の選挙管理委員会の委員長と当該船員との間の投票送信用ファクシミリ装置による通信を確認するための書面（以下この章及び第百四十二条第三項において「確認書」という。）にその市町村名及び当該船員の船員手帳の番号（当該船員が自衛隊員である場合には、選挙人名簿登録証明書の交付年月日及び自衛隊員である旨とし、当該船員が実習生である場合には、選挙人名簿登録証明書の交付年月日及び実習生である旨とする。）を記入し、投票送信用紙及び投票送信用紙用封筒並びに確認書を当該船員又はその代理人に交付しなければならない。この場合において、当該指定市町村の選挙管理委員会の委員長は、当該船員の選挙人名簿登録証明書に選挙の種類及びその市町村名並びに投票送信用紙及び投票送信用紙用封筒を船員又はその代理人に交付した旨を記入しなければならない。

4　船員の代理人が前項の規定により投票送信用紙及び投票送信用紙用封筒並びに確認書の交付を受けた場合には、当該代理人は、直ちにこれらを船員に引き渡さなければならない。

5　指定市町村の選挙管理委員会の委員長は、第十四項において準用する第五十九条の六第十二項に規定するファクシミリ装置（以下この条において「投票受信用ファクシミリ装置」という。）を設置した場合には、速やかに当該投票受信用ファクシミリ装置を用いて行う通信に使用すべき電気通信番号を前二項の規定により投票送信用紙及び投票送信用紙用封筒の交付又は引渡しを受けた船員に通知しなければならない。

6　第三項又は第四項の規定により投票送信用紙及び投票送信用紙用封筒の交付又は引渡しを受けた船員は、衆議院議員の総選挙又は参議院議員の通常選挙の期日の公示の日の翌日から選挙の期日の前日までの間が当該指定船舶等の航海の期間中にかかる場合において、法第四十九条第八項の規定による投票をしようとするときは、あらかじめ、当該船員の現在する場所において、確認書に署名をし、当該指定市町村の選挙管理委員会の委員長に投票送信用ファクシミリ装置を用いて当該確認書を送信するとともに、総務省令で定めるところにより、当該指定市町村の選挙管理委員会の委員長から当該船員が送信した当該確認書を投票受信用ファクシミリ装置により受信したことの確認を受けなければならない。

7　前項の規定により確認を受けた船員は、当該選挙の期日の公示があつた日の翌日から当該選挙の期日の前日までの間に、当該船員の現在する場所において、自ら、投票送信用紙の必要事項記載部分にその氏名、住所、選挙人名簿登録証明書の交付年月日及び船員手帳の番号（当該船員が自衛隊員である場合には、その氏名、住所及び選挙人名簿登録証明書の交付年月日並びに自衛隊員である旨とし、当該船員が実習生である場合には、その氏名、住所及び選挙人名簿登録証明書の交付年月日並びに実習生である旨とする。）を、投票送信用紙の投票記載部分に当該選挙の公職の候補者一人の氏名を、それぞれ記載し、これを第三項の規定により投票送信用紙及び投票送信用紙用封筒を交付した指定市町村の選挙管理委員会の委員長に対し、投票送信用ファクシミリ装置を用いて送信しなければならない。

8　前項の規定により送信をした船員は、直ちに、自ら、当該投票送信用紙の投票記載部分と必要事項記載部分とを切り離し、当該投票記載部分を投票送信用紙用封筒に入れて封をし、当該必要事項記載部分を当該投票送信用紙用封筒の表面に貼り付けなければならない。

9　指定市町村の選挙管理委員会の委員長は、第七項の規定により送信された投票を投票受信用ファクシミリ装置により受信した場合には、当該受信した用紙を投票送信用紙の投票記載部分を受信した部分と投票送信用紙の必要事項記載部分を受信した部分とに切り離し、投票送信用紙の投票記載部分を受信した部分を投票用封筒に入れて封をし、投票送信用紙の必要事項記載部分を受信した部分を当該投票用封筒の表面に貼り付け、更にこれを第六項の規定により送信された確認書を受信した用紙とともに他の適当な封筒に入れて封をし、その表面に投票が在中する旨を明記し、その裏面に記名押印し、直ちにこれを当該船員が登録されている選挙人名簿の属する市町村の選挙管理委員会の委員長に送致し、又は郵便等をもつて送付しなければならない。

10　第七項の規定により送信をした船員は、本邦に帰つた場合には、速やかに第八項の規定により封をした投票送信用紙用封筒及び第六項の規定により送信した確認書を当該指定市町村の選挙管理委員会の委員長に提出しなければならない。

11　指定市町村の選挙管理委員会の委員長は、前項の規定により投票送信用紙用封筒及び確認書の提出を受けた場合には、当該投票送信用紙用封筒及び確認書をその表面に表示された船員が登録されている選挙人名簿の属する市町村の選挙管理委員会の委員長に送致し、又は郵便等をもつて送付しなければならない。

12　第七項の規定により送信をしなかつた船員は、本邦に帰つた場合には、速やかに投票送信用紙及び投票送信用紙用封筒並びに確認書を当該指定市町村の選挙管理委員会の委員長に返すとともに、選挙人名簿登録証明書を提示しなければならない。

13　指定市町村の選挙管理委員会の委員長は、前項の規定により選挙人名簿登録証明書の提示を受けた場合には、当該選挙人名簿登録証明書に投票送信用紙及び投票送信用紙用封筒並びに確認書の返付を受けた旨を記入しなければならない。

14　第五十九条の六第三項、第十二項及び第十三項の規定は、法第四十九条第八項の規定による投票について準用する。この場合において、次の表の上欄に掲げる第五十九条の六の規定中同表の中欄に掲げる字句は、それぞれ同表の下欄に掲げる字句に読み替えるものとする。

第三項	前項	第五十九条の六の三第一項
第十二項	第九項	第五十九条の六の三第六項の規定により送信された同条第三項に規定する確認書及び同条第七項
第十三項	第九項	第五十九条の六の三第七項

（不在者投票管理者の管理する場所において投票をすることができない船員の投票送信用紙等の請求等の特例）

第五十九条の六の四　第五十九条の六第四項又は第五項の規定により投票送信用紙及び投票送信用紙用封筒を入れた保管箱又は保管用封筒の交付又は引渡しを受けた船長は、衆議院議員の総選挙又は参議院議員の通常選挙の期日の公示があつた日の翌日から選挙の期日の前日までの間が当該指定船舶等の航海の期間中にかかる場合において、同条第一項の規定による申出をした船員で当該選挙の当日法第四十八条の二第一項第一号に掲げる事由に該当すると見込まれ、かつ、第五十九条の六の二第二号に該当するものから、当該選挙の期日の公示があつた日の翌日から当該選挙の期日の前日までの間に、第五十九条の六第八項の規定による投票送信用紙及び投票送信用紙用封筒の交付の請求を受けたときは、当該船員が第五十三条又は第五十四条の規定により当該選挙の不在者投票の投票用紙及び投票用封筒の交付を受けたとき、並びに第五十九条の六の三第三項又は第四項の規定により当該選挙の投票送信用紙及び投票送信用紙用封筒の交付又は引渡しを受けたときを除くほか、第五十九条の六第八項の規定にかかわらず、直ちに、投票送信用紙の必要事項記載部分に当該指定船舶等の名称、交付の年月日及び当該船員が同号に掲げる船員である旨を記載し、並びに投票送信用紙の必要事項記載部分に署名し、当該投票送信用紙及び投票送信用紙用封筒を法第四十九条第八項の規定による投票に用いるべき投票送信用紙及び投票送信用紙用封筒として当該船員に交付するとともに、第五十九条の六第六項の規定により通知を受けた電気通信番号を当該船員に知らせなければならない。この場合において、船長は、当該船員にその選挙人名簿登録証明書を提示させ、これに当該選挙の期日並びに投票送信用紙及び投票送信用紙用封筒を船員に交付した旨を記入するとともに、当該投票送信用紙及び投票送信用紙用封筒を船長に交付した指定市町村の選挙管理委員会の委員長に対し、この項の規定により投票送信用紙及び投票送信用紙用封筒を交付した旨並びに当該船員が法第四十九条第八項の規定による投票をする旨を通知しなければならない。

2　前項の規定により投票送信用紙及び投票送信用紙用封筒の交付を受けて法第四十九条第八項の規定による投票をする船員に係る次の表の上欄に掲げる前条の規定の適用については、これらの規定中同表の中欄に掲げる字句は、それぞれ同表の下欄に掲げる字句とし、同条第一項から第六項までの規定は、適用しない。

第七項	前項の規定により確認	次条第一項の規定により投票送信用紙及び投票送信用紙用封筒の交付
	第三項の規定により投票送信用紙及び投票送信用紙用封筒を交付した	同項後段の規定により船長が通知した

	投票送信用ファクシミリ装置	第五十九条の六第二項に規定する投票送信用ファクシミリ装置
第九項	投票受信用ファクシミリ装置	第五十九条の六第十二項に規定するファクシミリ装置
	これを第六項の規定により送信された確認書を受信した用紙とともに	これを
第十項	投票送信用紙用封筒及び第六項の規定により送信した確認書	投票送信用紙用封筒
第十一項	投票送信用紙用封筒及び確認書	投票送信用紙用封筒
第十二項及び第十三項	投票送信用紙用封筒並びに確認書	投票送信用紙用封筒
第十四項の表第三項の項	第五十九条の六の三第一項	第五十九条の六の四第一項
第十四項の表第十二項の項	第五十九条の六の三第六項の規定により送信された同条第三項に規定する確認書及び同条第七項	第五十九条の六の四第二項の規定により読み替えて適用される第五十九条の六の三第七項
第十四項の表第十三項の項	第五十九条の六の三第七項	第五十九条の六の四第二項の規定により読み替えて適用される第五十九条の六の三第七項

（南極選挙人証）

第五十九条の七　南極地域調査組織に属する選挙人（南極地域調査組織に同行する選挙人で当該南極地域調査組織の長の管理の下に南極地域における活動を行うものを含む。）は、選挙人名簿登録証明書の交付を受けている場合を除き、その登録されている選挙人名簿の属する市町村の選挙管理委員会の委員長に対して、当該選挙人が当該市町村の選挙人名簿に登録されている旨を証する書面（以下この条及び次条において「南極選挙人証」という。）の交付を申請することができる。

2　市町村の選挙管理委員会の委員長は、前項の規定による申請があつた場合には、当該申請をした選挙人に対して南極選挙人証を交付しなければならない。

3　南極選挙人証の交付を受けた者は、当該南極選挙人証の有効期間内に他の市町村の選挙人名簿に登録された場合には、直ちに、当該南極選挙人証をその交付を受けた市町村の選挙管理委員会の委員長に返さなければならない。

4　前三項に規定するもののほか、南極選挙人証の有効期間その他南極選挙人証に関し必要な事項は、総務省令で定める。

（南極調査員の不在者投票の特例）

第五十九条の八　南極調査員（前条第一項に規定する選挙人で、南極選挙人証又は選挙人名簿登録証明書の交付を受けているものをいう。以下この条及び第百四十二条第一項において同じ。）は、南極地域において南極地域調査組織に関する業務又は活動を行うため出国しようとする場合には、当該南極地域調査組織の長（当該南極地域調査組織の長が第五十五条第八項の規定に該当する場合又は事故があり、若しくは欠けた場合には、当該南極地域調査組織の長の職務を代理すべき者）で同条第七項に規定する不在者投票管理者となるべきもの（以下この条及び第百四十二条第一項において「南極地域調査組織の長」という。）に対し、南極選挙人証（当該南極調査員が選挙人名簿登録証明書の交付を受けている場合には、当該選挙人名簿登録証明書。以下この条において同じ。）を添えて、衆議院議員の総選挙又は参議院議員の通常選挙の期日の公示の日の翌日から選挙の期日の前日までの間が当該南極地域調査組織が法第四十九条第九項各号に掲げる施設又は船舶においてその業務又は活動を行う期間（以下この条において「南極調査期間」という。）中にかかる場合において当該施設又は船舶内で同項の規定による投票をしようとする旨の申出をすることができる。

2　前項の申出を受けた南極地域調査組織の長は、当該南極調査員が南極地域において当該南極地域調査組織に関する業務又は活動を行うため出国しようとする者であると認める場合には、自ら又はその代理人により、法第四十九条第九項に規定する総務省令で指定する市町村（以下この条において「南極投票指定市町村」という。）の選挙管理委員会の委員長に対し、郵便等によることなく、同項各号に掲げる施設及び船舶の名称並びに当該施設及び船舶内に設置された同項の送信に用いるファクシミリ装置を識別するための番号を記載した文書で、当該南極調査員の南極選挙人証を提示して、同項の規定による投票に用いるべき投票送信用紙及び投票送信用紙用封筒の交付を請求しなければならない。

3　第五十九条の六第三項から第十項まで及び第十二項から第十七項までの規定は、法第四十九条第九項の規定による投票について準用する。この場合において、次の表の上欄に掲げる第五十九条の六の規定中同表の中欄に掲げる字句は、それぞれ同表の下欄に掲げる字句に読み替えるものとする。

第三項	前項	第五十九条の八第二項
第四項	指定市町村の選挙管理委員会の委員長は、第二項	南極投票指定市町村（第五十九条の八第二項に規定する南極投票指定市町村をいう。以下この条において同じ。）の選挙管理委員会の委員長は、同項

	種類、当該船員	種類並びに当該南極調査員（第五十九条の八第一項に規定する南極調査員をいう。以下この条において同じ。）
	市町村名並びに法第四十九条第七項の規定による投票に係る請求である旨	市町村名
	した船長	した南極地域調査組織の長（第五十九条の八第一項に規定する南極地域調査組織の長をいう。以下この条において同じ。）
	当該指定市町村	当該南極投票指定市町村
	指定船舶等の航海予定期間	南極地域調査組織の南極調査期間（第五十九条の八第一項に規定する南極調査期間をいう。第七項及び第八項において同じ。）
	船員の選挙人名簿登録証明書	南極調査員の南極選挙人証（第五十九条の七第一項に規定する南極選挙人証をいう。以下この条において同じ。）
	を船長	を南極地域調査組織の長
第五項	船長	南極地域調査組織の長
第六項	指定市町村	南極投票指定市町村
	船長	南極地域調査組織の長
第七項	船長	南極地域調査組織の長
	指定船舶等の航海の期間中	南極地域調査組織の南極調査期間中
	船員	南極調査員
第八項	船長	南極地域調査組織の長
	指定船舶等の航海の期間中	南極地域調査組織の南極調査期間中
	第一項の	第五十九条の八第一項の
	船員	南極調査員
	とき、並びに第五十九条の六の三第三項又は第四項の規定により当該選挙の投票送信用紙及び投票送信用封筒の交付又は引渡しを受けたとき	とき
	当該指定船舶等の名称	法第四十九条第九項の規定による投票をしようとする同項各号に掲げる施設又は船舶の名称
	第十一項	第五十九条の八第四項
	選挙人名簿登録証明書	南極選挙人証
第九項	船員は	南極調査員は
	不在者投票管理者である船長の管理する場所	法第四十九条第九項各号に定める場所
	、選挙人名簿登録証明書の交付年月日及び船員手帳の番号（当該船員が自衛隊員（自衛隊法第二条第五項に規定する隊員をいう。以下この項及び第五十九条の六の三において同じ。）である場合には、その氏名、住所及び選挙人名簿登録証明書の交付年月日並びに自衛隊員である旨とし、当該船員が実習生である場合には、その氏名、住所及び選挙人名簿登録証明書の交付年月日並びに実習生である旨とする。）	及び南極選挙人証の交付年月日
	指定市町村	南極投票指定市町村

	投票送信用ファクシミリ装置	第五十九条の八第二項に規定するファクシミリ装置
第十項	船員	南極調査員
	船長	南極地域調査組織の長
第十二項	指定市町村	南極投票指定市町村
第十四項	指定市町村	南極投票指定市町村
	船員	南極調査員
第十五項	船長	南極地域調査組織の長
	指定船舶等が航海を終了して本邦の港に帰つた場合又は当該指定船舶等の船員で第一項の規定による申出をしたものが全て	南極地域調査組織がその業務を終了して
	指定市町村	南極投票指定市町村
	、第一項	、第五十九条の八第一項
	船員に	南極調査員に
	船員の選挙人名簿登録証明書	南極調査員の南極選挙人証
第十六項	指定市町村	南極投票指定市町村
	船員	南極調査員
	選挙人名簿登録証明書	南極選挙人証
第十七項	指定市町村	南極投票指定市町村
	船員	南極調査員

4　第三十二条及び第五十六条第三項から第五項までの規定は、前項において準用する第五十九条の六第八項から第十項までの規定による投票について準用する。この場合において、次の表の上欄に掲げる規定中同表の中欄に掲げる字句は、それぞれ同表の下欄に掲げる字句に読み替えるものとする。

第三十二条	市町村の選挙管理委員会	南極地域調査組織の長
	投票所において選挙人が投票の記載をする場所	法第四十九条第八項各号に定める場所
	投票用紙	投票送信用紙
第五十六条第三項	前二項	第五十九条の八第三項において準用する第五十九条の六第八項から第十項まで
第五十六条第四項	第一項又は第二項	第五十九条の八第三項において準用する第五十九条の六第八項から第十項まで
	投票用紙	投票送信用紙の投票記載部分
	これを投票用封筒に入れて封をし、その封筒の表面	投票送信用紙の必要事項記載部分
	選挙人の氏名	選挙人の氏名、住所及び南極選挙人証の交付年月日
	提出させなければ	第五十九条の八第二項に規定するファクシミリ装置を用いて送信させ、更に当該投票送信用紙の投票記載部分と必要事項記載部分とを切り離し、当該投票記載部分を投票送信用封筒に入れて封をし、当該必要事項記載部分を当該投票送信用紙用封筒の表面に貼り付け、これを提出させなければ
第五十六条第五項	投票用紙	投票送信用紙の投票記載部分
	投票用封筒の表面に記載させて、これを提出させなければ	ファクシミリ装置を用いて送信を行う前に投票送信用紙の必要事項記載部分に記載させなければ

（不在者投票の送致）

第六十条　不在者投票管理者は、第五十六条から第五十八条までの規定により投票を受け取つた場合には、投票用封筒に投票の年月日及び場所を記載し、及びこれに記名し、かつ、第五十六条第三項（第五十七条第三項において準用する場合を含む。）の規定により投票に立ち会つた者にあつては署名又は記名押印を、第五十八条第三項において準用する第五十六条第三項の規定により投票に立ち会つた者にあつては署名をさせ、更にこれを不在者投票証明書とともに他の適当な封筒に入れて封をし、その表面に投票が在中する旨を明記し、その裏面に記名押印し、これを次の各号に掲げる場合の区分に応じ、当該各号に定める者に、直ちに（第二号又は第三号に掲げる場合には、当該各号に定める投票管理者に係る投票所を開いた時刻以後直ちに）、送致又は郵便等による送付（第二号又は第三号に掲げる場合には、送致）をしなければならない。

一　第五十六条又は第五十八条の規定により投票を受け取つた場合　選挙人が登録されている選挙人名簿の属する市町村の選挙管理委員会の委員長

二　第五十七条の規定により投票を受け取つた場合（次号に掲げる場合を除く。）　選挙人が属する投票区の投票管理者

三　第五十七条の規定により投票を受け取つた場合であつて、当該投票をした選挙人が属する投票区が指定関係投票区等であるとき　選挙人が属する投票区に係る指定投票区の投票管理者

2　選挙人が登録されている選挙人名簿の属する市町村の選挙管理委員会の委員長は、第五十九条の五、第五十九条の五の四第十三項、第五十九条の六第十四項（前条第三項において準用する場合を含む。）、第五十九条の六の三第九項又は前項（第一号に係る部分に限る。）の規定により投票の送付又は送致を受けた場合には、投票、不在者投票証明書及び同条第六項の規定により送信された確認書を受信した用紙を選挙人が属する投票区の投票管理者（当該投票区が指定関係投票区等である場合には、当該投票区に係る指定投票区の投票管理者）に、当該投票管理者に係る投票所を開いた時刻以後直ちに送致しなければならない。

（不在者投票に関する調書）

第六十一条　選挙人が登録されている選挙人名簿又は在外選挙人名簿の属する市町村の選挙管理委員会の委員長は、不在者投票事務処理簿を備え、第五十条、第五十三条、第五十七条、第五十九条の四、第五十九条の五の四第五項から第八項まで及び前条の規定によりとつた措置の明細その他必要と認める事項を記載しなければならない。

2　市町村の選挙管理委員会の委員長は、前項の不在者投票事務処理簿に基づき、その概略（在外選挙人名簿に登録されている選挙人（当該選挙人のうち選挙人名簿に登録されているもので第六十五条の二に規定する者を除く。）の不在者投票（第四項において「在外選挙人の不在者投票」という。）に係る概略を除く。）を記載した不在者投票に関する調書を投票区ごとに作成して、これに記名押印し、関係のある投票管理者に送致しなければならない。

3　指定投票区を指定し、及び指定関係投票区等を定めている場合における指定投票区及び指定関係投票区等に係る前項の規定の適用については、同項中「投票区ごとに」とあるのは「指定投票区及び当該指定投票区に係る指定関係投票区等を通じて」と、「関係のある投票管理者」とあるのは「指定投票区の投票管理者」とする。

4　市町村の選挙管理委員会の委員長は、第一項の不在者投票事務処理簿に基づき、その概略（在外選挙人の不在者投票に係る概略に限る。）を記載した在外選挙人の不在者投票に関する調書を指定在外選挙投票区ごとに作成して、これに記名押印し、指定在外選挙投票区の投票管理者に送致しなければならない。

5　第二項及び前項の規定により不在者投票に関する調書の送致を受けた投票管理者は、当該調書を投票録に添えなければならない。

（投票所の閉鎖前に送致を受けた不在者投票の措置）

第六十二条　投票管理者（指定関係投票区等を定めている場合には、指定関係投票区等の投票管理者を除く。）は、投票所を閉じる時刻までに第六十条第一項（第二号及び第三号に係る部分に限る。）又は第二項の規定による投票の送致を受けた場合には、送致に用いられた封筒を開いて、その中に入つている投票及び不在者投票証明書を一時そのまま保管しなければならない。

2　指定在外選挙投票区の投票管理者は、投票所を閉じる時刻までに第六十五条の十三第一項の規定により読み替えて適用される第六十条第一項（第二号及び第三号に係る部分に限る。）又は第二項の規定による投票の送致を受けた場合には、送致に用いられた封筒を開いて、その中に入つている投票を一時そのまま保管しなければならない。

（不在者投票の受理不受理等の決定）

第六十三条　投票管理者（指定関係投票区等を定めている場合には、指定関係投票区等（指定在外選挙投票区である指定関係投票区等を除く。以下この条及び第六十五条において同じ。）の投票管理者を除く。）は、投票箱を閉じる前に、投票立会人の意見を聴いて、前条の規定により保管する投票が受理することができるものであるかどうかを決定しなければならない。

2　投票管理者は、前項の規定により受理の決定を受けた投票で第五十六条第五項（第五十七条第三項、第五十八条第四項、第五十九条の五の四第十二項、第五十九条の六第十一項又は第五十九条の八第四項において準用する場合を含む。）の規定の適用を受けたものがある場合には、投票立会人の意見を聴いて、これを拒否するかどうかを決定しなければならない。

3　投票管理者は、第一項の規定によつて受理の決定を受け、かつ、前項の規定により拒否の決定を受けない投票については、投票用封筒を開いて（法第四十九条第七項から第九項までの規定による投票については、更に第五十九条の六第十三項（第五十九条の六の三第十四項及び第五十九条の八第三項において準用する場合を含む。）の覆いを外して）、直ちにこれを投票箱に入れなければならない。

4　投票管理者は、第一項の規定により受理すべきでないと決定された投票又は第二項の規定による拒否の決定を受けた投票については、更にこれをその投票送致用封筒に入れて仮に封をし、その表面に第一項の規定による不受理の決定又は第二項の規定による拒否の決定があつた旨を記載し、これを投票箱に入れなければならない。

（不在者投票の投票用紙の返還等）

第六十四条　第五十三条第一項、第五十四条第一項又は第五十九条の四第四項の規定により交付を受けた不在者投票の投票用紙

及び投票用封筒は、投票所及び期日前投票所（法第四十一条の二第一項の規定により共通投票所を設ける場合には、投票所、共通投票所及び期日前投票所）においては、使用することができない。

２　選挙人は、第五十三条第一項、第五十四条第一項又は第五十九条の四第四項の規定により不在者投票の投票用紙及び投票用封筒の交付を受けた場合において、不在者投票をしなかつたときは、その投票用紙及び投票用封筒（第五十三条第二項の規定により交付を受けた不在者投票証明書がある場合には、投票用紙、投票用封筒及び不在者投票証明書。以下この項において同じ。）を投票管理者に返して、法第四十四条の規定による投票（法第四十一条の二第一項の規定により共通投票所を設ける場合には、共通投票所において行う投票を含む。）又は第四十八条の二第一項の規定による投票をすることができるものとし、これらの投票をもしなかつたときは、速やかにその投票用紙及び投票用封筒をその交付を受けた市町村の選挙管理委員会の委員長に返さなければならない。

（投票所閉鎖後に送致を受けた不在者投票の措置）

第六十五条　投票管理者は、投票所を閉じるべき時刻を経過した後に第六十条第一項（第二号及び第三号に係る部分に限る。）又は第二項の規定による投票の送致を受けた場合には、送致に用いられた封筒を開いて、投票用封筒の裏面に受け取つた年月日及び時刻を記載し、これを開票管理者に送致しなければならない。

第五章の二　在外投票

（在外選挙人名簿に登録されている選挙人のうち選挙人名簿に登録されているもので政令で定めるもの）

第六十五条の二　法第四十九条の二第一項に規定する在外選挙人名簿に登録されている選挙人のうち選挙人名簿に登録されているもので政令で定めるものは、国外から国内へ住所を移した後、法第二十二条第一項若しくは第三項、第二十四条第二項又は第二十六条の規定により当該選挙人名簿に登録された者とする。ただし、再び国外へ住所を移した者であつて、在外選挙人名簿の登録をされたもの又は第二十三条の十三第二項の規定により在外選挙人名簿の表示を消除されたもの（当該表示を消除された後に再び国内に住所を移した者のうち、第十六条の規定により当該選挙人名簿の表示を消除されたものであつて総務省令で定めるものを除く。）は、この限りでない。

（在外公館等における在外投票の投票用紙及び投票用封筒の請求及び交付）

第六十五条の三　選挙人は、法第四十九条の二第一項第一号の規定により投票をしようとする場合においては、在外公館の長（同号に規定する在外公館の長をいう。以下この章において同じ。）に対して、文書により、在外選挙人証及び第六十五条の五に規定する文書を提示して、投票用紙及び投票用封筒の交付を請求することができる。

２　点字によつて投票をしようとする選挙人は、前項の請求をする際に、在外公館の長に対し、その旨を申し立てなければならない。

３　在外公館の長は、第一項の規定によつて投票用紙及び投票用封筒の交付の請求を受けた場合には、直ちにこれをその請求をした選挙人に交付しなければならない。この場合においては、投票用封筒の表面に当該選挙の種類を記入するとともに、当該選挙人の在外選挙人証に当該選挙の種類及び期日、投票用紙及び投票用封筒を交付した年月日並びに在外公館の名称を記入しなければならない。

４　前項の場合において、第二項の規定によつて点字によつて投票をする旨の申立てをした選挙人に交付すべき投票用紙は、点字投票である旨の表示をしたものでなければならない。

（在外公館等における在外投票の方法）

第六十五条の四　前条第三項の規定により投票用紙及び投票用封筒の交付を受けた選挙人は、直ちに法第四十九条の二第一項第一号に規定する在外公館の長の管理する投票を記載する場所（以下「在外公館等投票記載場所」という。）において、投票用紙に自ら当該選挙の公職の候補者一人の氏名（衆議院比例代表選出議員の選挙にあつては一の衆議院名簿届出政党等の法第八十六条の二第一項の規定による届出に係る名称又は略称、参議院比例代表選出議員の選挙にあつては公職の候補者たる参議院名簿登載者一人の氏名又は一の参議院名簿届出政党等の法第八十六条の三第一項の規定による届出に係る名称若しくは略称。第三項において同じ。）を記載し、これを投票用封筒に入れて封をし、投票用封筒の表面に当該選挙人が登録されている在外選挙人名簿の属する市町村名を記載し、及びこれに署名して、直ちに在外公館の長に提出しなければならない。

２　前項の場合においては、在外公館の長は、選挙権を有する者を立ち会わせなければならない。

３　第一項の場合において、在外公館の長は、選挙人が法第四十八条の規定により代理投票をすることができる者であるときは、その申請に基づいて、前項の規定により立ち会わせた者の意見を聴いて、法第四十九条の二第一項第一号に規定する在外投票に係る事務に従事する在外公館の職員のうちから当該選挙人の投票を補助すべき者二人を定め、その一人の立会いの下に他の一人をして在外公館等投票記載場所において投票用紙に当該選挙人が指示する公職の候補者一人の氏名を記載させ、これを投票用封筒に入れて封をし、その封筒の表面に当該選挙人の氏名を記載させ、直ちにこれを提出させなければならない。

４　第四十一条第一項から第三項までの規定は、前項の場合について準用する。この場合において、在外公館の長は、投票用紙に公職の候補者の氏名（衆議院比例代表選出議員の選挙にあつては衆議院名簿届出政党等の法第八十六条の二第一項の規定による届出に係る名称又は略称、参議院比例代表選出議員の選挙にあつては公職の候補者たる参議院名簿登載者の氏名又は参議院名簿届出政党等の法第八十六条の三第一項の規定による届出に係る名称若しくは略称）を記載した者にその者の氏名を投票用封筒の表面に記載させて、これを提出させなければならない。

５　第三十二条の規定は、第一項の規定による投票について準用する。この場合において、同条中「市町村の選挙管理委員会」とあるのは「在外公館の長」と、「投票所において選挙人が投票の記載をする場所」とあるのは「在外公館等投票記載場所」と読み替えるものとする。

（在外公館等における在外投票をしようとする場合に提示する文書）

第六十五条の五　法第四十九条の二第一項第一号に規定する政令で定める文書は、次の各号に掲げるいずれかの文書とする。

一　旅券
二　当該投票をしようとする者の資格又は地位を証明する書類（当該投票をしようとする者の写真をはり付けてある書類その他の総務省令で定める書類に限る。）

（在外公館等投票記載場所の指定等）

第六十五条の六　在外公館の長は、在外公館等投票記載場所を指定しなければならない。

2　在外公館の長は、前項の指定をしたときは、当該指定した在外公館等投票記載場所を、外務大臣を経由して総務大臣に通知しなければならない。在外公館等投票記載場所の指定を取り消したときも、同様とする。

3　法第四十九条の二第一項第一号の規定による投票を同号に定める期間内に行わせることができない場合においては、当該在外公館等投票記載場所を管理する在外公館の長は、直ちにその旨を、外務大臣を経由して総務大臣に通知し、併せてその旨の周知に努めなければならない。

（在外公館等における在外投票の送致）

第六十五条の七　在外公館の長は、第六十五条の四の規定により投票を受け取つた場合には、投票用封筒に投票の年月日及び場所を記載し、及びこれに記名し、かつ、同条第二項の規定により投票に立ち会つた者に署名又は記名押印をさせ、更にこれを他の適当な封筒に入れて封をし、その表面に投票が在中する旨を明記し、その裏面に記名押印し、直ちにこれを外務大臣を経由して、選挙人が登録されている在外選挙人名簿の属する市町村の選挙管理委員会の委員長に送付しなければならない。

2　前項の規定により投票の送付を受けた市町村の選挙管理委員会の委員長は、これを当該選挙人が属する指定在外選挙投票区の投票管理者に、当該投票管理者に係る投票所を開いた時刻以後直ちに送致しなければならない。

（在外公館等における在外投票に関する調書）

第六十五条の八　在外公館の長は、在外公館等投票事務処理簿を備え、第六十五条の三、第六十五条の四及び前条の規定によつてとつた措置の明細その他必要と認める事項を記載しなければならない。

2　在外公館の長は、前項の在外公館等投票事務処理簿に基づき、その概略を記載した在外公館等における在外投票に関する調書を作成して、これに記名押印し、外務大臣を経由して総務大臣に送付しなければならない。

（在外公館等における在外投票に関する書類の保存）

第六十五条の九　前条第二項に規定する調書は、当該選挙に係る衆議院議員又は参議院議員の任期間、総務大臣において保存しなければならない。

2　法第四十九条の二第一項第一号の規定による投票に関する書類（第六十五条の七第一項の規定により市町村の選挙管理委員会の委員長に送付したもの及び前条第二項の規定により総務大臣に送付したものを除き、当該選挙に用いなかつた投票用紙を含む。）は、当該選挙に係る衆議院議員又は参議院議員の任期間（当該選挙に用いなかつた投票用紙にあつては、当該選挙の期日から当該選挙についての法第二百四条若しくは第二百八条の規定による訴訟の出訴期間が経過する日又は当該訴訟が係属しなくなつた日のうちいずれか遅い日までの間（同日前に当該選挙に係る衆議院議員又は参議院議員の任期が終了した場合には、その終了の日までの間））、在外公館の長において保存しなければならない。

第六十五条の十　削除〔平一五・一〇政令四四五〕

（郵便等による在外投票の投票用紙及び投票用封筒の請求及び交付）

第六十五条の十一　選挙人は、法第四十九条の二第一項第二号の規定により投票をしようとする場合には、選挙の期日前四日までに、その登録されている在外選挙人名簿の属する市町村の選挙管理委員会の委員長に対して、当該選挙人が署名をした文書により、直接に、又は郵便等をもつて、かつ、在外選挙人証を提示して、投票用紙及び投票用封筒の交付を請求することができる。

2　市町村の選挙管理委員会の委員長は、前項の規定による請求を受けた場合には、在外選挙人名簿又はその抄本と対照して、投票用封筒の表面に当該選挙の種類を記入し、直ちに（選挙の期日の公示又は告示の日以前に請求を受けた場合には、当該選挙の期日の公示又は告示の日以前において総務省令で定める日以後直ちに）投票用紙及び投票用封筒を当該選挙人に郵便等をもつて発送しなければならない。この場合においては、当該選挙人の在外選挙人証に当該選挙の種類並びに投票用紙及び投票用封筒を発送した年月日を記入しなければならない。

（郵便等による在外投票の方法及び送致）

第六十五条の十二　前条第二項の規定により投票用紙及び投票用封筒の交付を受けた選挙人は、選挙の期日の公示又は告示があつた日の翌日以後、その現在する場所において、投票用紙に自ら当該選挙の公職の候補者一人の氏名（衆議院比例代表選出議員の選挙にあつては一の衆議院名簿届出政党等の法第八十六条の二第一項の規定による届出に係る名称又は略称、参議院比例代表選出議員の選挙にあつては公職の候補者たる参議院名簿登載者一人の氏名又は一の参議院名簿届出政党等の法第八十六条の三第一項の規定による届出に係る名称若しくは略称）を記載し、これを投票用封筒に入れて封をし、投票用封筒の表面に投票の記載の年月日及び場所を記載し、並びに投票用封筒の表面に署名をし、更にこれを他の適当な封筒に入れて封をし、その表面に投票が在中する旨を明記して、当該選挙人が登録されている在外選挙人名簿の属する市町村の選挙管理委員会の委員長に対し、当該選挙人が属する指定在外選挙投票区の投票所を閉じる時刻までに次項の規定による投票の送致ができるように、郵便等をもつて送付しなければならない。

2　前項の規定により投票の送付を受けた市町村の選挙管理委員会の委員長は、これを当該選挙人が属する指定在外選挙投票区の投票管理者に、当該投票管理者に係る投票所を開いた時刻以後直ちに送致しなければならない。

（在外選挙人名簿に登録されている選挙人の国内における投票に係る関係規定の適用の特例）

第六十五条の十三　在外選挙人名簿に登録されている選挙人（当該選挙人のうち選挙人名簿に登録されているもので第六十五条の二に規定する者を除く。次項及び第三項において同じ。）で、衆議院議員又は参議院議員の選挙において投票をしようとするものの国内における投票及びこれに関し必要な手続に係る次の表の上欄に掲げる規定の適用については、これらの規定中同表の中欄に掲げる字句は、それぞれ同表の下欄に掲げる字句とする。

条項	読み替えられる字句	読み替える字句
第二十八条第一項	各投票区	指定在外選挙投票区
	投票区の投票所	指定在外選挙投票区の投票所
第二十八条第一項第一号	投票区の区域	指定在外選挙投票区
	選挙人名簿	在外選挙人名簿
第二十八条第一項第二号	投票区の区域	指定在外選挙投票区
	選挙人名簿が法第十九条第三項	在外選挙人名簿が法第三十条の二第四項
	が当該選挙人名簿	が当該在外選挙人名簿
第二十八条第一項第二号イからハまで	選挙人名簿	在外選挙人名簿
第二十八条第一項第三号	投票区の区域	指定在外選挙投票区
	選挙人名簿	在外選挙人名簿
	第十九条第三項	第三十条の二第四項
第三十五条第一項	が選挙人名簿	が在外選挙人名簿
	ならない	ならない。この場合においては、当該選挙人の在外選挙人証に当該選挙の種類及び期日並びに投票用紙を交付した年月日を記入しなければならない
第三十五条第一項第一号	選挙人名簿	在外選挙人名簿
第三十五条第一項第二号	選挙人名簿が法第十九条第三項	在外選挙人名簿が法第三十条の二第四項
第三十五条第一項第二号イ及びロ	選挙人名簿	在外選挙人名簿
第四十八条の三の表第四十一条第四項の項	第四十一条の二第五項	第四十九条の二第三項の規定により読み替えて適用される法第四十一条の二第五項
第四十九条の七の表第四十一条第四項の項	第四十八条の二第五項	第四十九条の二第四項の規定により読み替えて適用される法第四十八条の二第五項
第四十九条の八	同項各号	法第四十九条の二第四項の規定により読み替えて適用される法第四十八条の二第一項各号
第五十条第一項	第四十八条の二第一項各号	第四十九条の二第四項の規定により読み替えて適用される法第四十八条の二第一項各号
	選挙人名簿	在外選挙人名簿
	もの又は船舶、病院、老人ホーム（老人福祉法（昭和三十八年法律第百三十三号）第五条の三に規定する老人短期入所施設、養護老人ホーム、特別養護老人ホーム及び軽費老人ホーム並びに同法第二十九条第一項に規定する有料老人ホーム（第四項において「有料老人ホーム」という。）をいう。第四項及び第五十五条において同じ。）、原子爆弾被爆者養護ホーム（原子爆弾被爆者に対する援護に関する法律（平成六年法律第百十七号）第三十九条の規定により同法第一条に規定する被爆者を入所させる施設をいう。第四項及び第五十五条において同じ。）、国立保養所（厚生労働省組織令（平成十二年政令第二百五十二号）第百四十七条に規定する国立保養所をいう。第四項及び第五十五条において同じ。）、身体障害者支援	ものは

	施設（障害者の日常生活及び社会生活を総合的に支援するための法律（平成十七年法律第百二十三号）第五条第十一項に規定する障害者支援施設及び同条第二十八項に規定する福祉ホームのうち、専ら身体障害者福祉法（昭和二十四年法律第二百八十三号）第四条に規定する身体障害者を入所させる施設をいう。第四項及び第五十五条において同じ。）、保護施設（生活保護法（昭和二十五年法律第百四十四号）第三十八条第一項に規定する救護施設及び更生施設をいう。第四項及び第五十五条において同じ。）、刑事施設、労役場、監置場、留置施設、少年院若しくは少年鑑別所（以下この章において「不在者投票施設」という。）において投票をしようとするもの	
	もつて	もつて、かつ、在外選挙人証を提示して
第五十条第二項	第四十八条の二第一項各号	第四十九条の二第四項の規定により読み替えて適用される法第四十八条の二第一項各号
	選挙人名簿	在外選挙人名簿
	直接に	在外選挙人証を提示して、直接に
第五十二条	第四十八条の二第一項各号	第四十九条の二第四項の規定により読み替えて適用される法第四十八条の二第一項各号
第五十三条第一項	選挙人名簿又は	在外選挙人名簿又は
	第四十八条の二第一項各号	第四十九条の二第四項の規定により読み替えて適用される法第四十八条の二第一項各号
	を記入し、	及び在外選挙人名簿に登録されている選挙人の投票に用いるべきものである旨を記入し、
	その選挙人が船員であるときは当該船員の選挙人名簿登録証明書に、衆議院議員の総選挙又は参議院議員の通常選挙においてその選挙人が南極選挙人証の交付を受けた者であるときには当該選挙人の南極選挙人証に、	当該選挙人の在外選挙人証に
	当該選挙の不在者投票の投票用紙及び投票用封筒を交付した旨	投票用紙及び投票用封筒を交付した年月日
第五十三条第三項	し、又は申立てをされた	した
第五十五条第一項	選挙人名簿	在外選挙人名簿
第五十五条第三項	第四十八条の二第一項各号	第四十九条の二第四項の規定により読み替えて適用される法第四十八条の二第一項各号
	選挙人名簿	在外選挙人名簿
第五十六条第一項	選挙人名簿	在外選挙人名簿
	を提示し、かつ、不在者投票証明書の入つている封筒を提出し	並びに在外選挙人証を提示し
	投票用封筒並びに封筒に入つている不在者投票証明書	投票用封筒
第五十七条第一項	選挙人名簿	在外選挙人名簿
第五十七条第二項	第五十三条第二項	第五十三条第一項第一号

	不在者投票証明書の	投票用紙及び投票用封筒の
	選挙人名簿	在外選挙人名簿
	不在者投票証明書を提出して	在外選挙人証を提示して
第六十条第一項	これを不在者投票証明書とともに	これを
第六十条第一項第一号	選挙人名簿	在外選挙人名簿
第六十条第一項第二号	投票区	指定在外選挙投票区
第六十条第二項	選挙人名簿	在外選挙人名簿
	投票、不在者投票証明書及び同条第六項の規定により送信された確認書を受信した用紙を	これを
	投票区の投票管理者（当該投票区が指定関係投票区等である場合には、当該投票区に係る指定投票区の投票管理者）	指定在外選挙投票区の投票管理者
第六十四条第二項	ときは、その	ときは、法第四十四条の規定による投票（法第四十一条の二第一項の規定により共通投票所を設ける場合には、共通投票所において行う投票を含む。以下この項において同じ。）をしようとするときは当該選挙人が属する指定在外選挙投票区の投票管理者（法第四十一条の二第一項の規定により共通投票所を設ける場合には、当該選挙人が属する指定在外選挙投票区の投票管理者又は法第四十九条の二第三項の規定により読み替えて適用される法第四十一条の二第二項に規定する指定共通投票所の投票管理者）に、法第四十八条の二第一項の規定による投票をしようとするときは法第四十九条の二第四項の規定により読み替えて適用される法第四十八条の二第一項に規定する指定期日前投票所の投票管理者に、法第四十九条の二第一項第一号の規定による投票をしようとするときは在外公館の長に、同項第二号の規定による投票をしようとするときは当該選挙人が登録されている在外選挙人名簿の属する市町村の選挙管理委員会の委員長に、その
	（第五十三条第二項の規定により交付を受けた不在者投票証明書がある場合には、投票用紙、投票用封筒及び不在者投票証明書。以下この項において同じ。）を投票管理者に返して	を返して
	（法第四十一条の二第一項の規定により共通投票所を設ける場合には、共通投票所において行う投票を含む。）又は第四十八条の二第一項	又は法第四十八条の二第一項若しくは第四十九条の二第一項
第百四十二条の二第一項ただし書	第四号から第七号まで、第十一号及び第十二号	第六号
第百四十二条の二第一項第一号及び第二号	請求	請求（当該請求に併せて行う同項の規定による在外選挙人証の提示を含む。）
第百四十二条の二第一項第六号	不在者投票証明書の提出	在外選挙人証の提示

	及び当該	及びこれらの
第百四十二条の二第一項第九号	不在者投票証明書の提出（当該提出	在外選挙人証の提示（当該提示

2　在外選挙人名簿に登録されている選挙人で、衆議院議員又は参議院議員の選挙において投票をしようとするものの国内における投票（法第四十一条の二第一項の規定により共通投票所を設ける場合及び法第四十八条の二第一項の規定による投票を行わせる場合に限る。）に関し必要な手続については、前項（同項の表第二十八条第一項の項から第二十八条第一項第三号の項までに係る部分に限る。）の規定は適用しないものとし、第四十八条の三及び第四十九条の七の規定の適用については、前項（同項の表第四十八条の三の表第四十一条第四項の項の項及び第四十九条の七の表第四十一条第四項の項の項に限る。）の規定によるほか、第四十八条の三の表中

「

第二十八条第一項	各投票区	各投票区及び共通投票所
	投票所	投票所又は共通投票所
第二十八条第一項各号	区域	区域又は共通投票所

」

とあるのは

「

第二十八条第一項	各投票区	指定在外選挙投票区及び指定共通投票所（法第四十九条の二第三項の規定により読み替えて適用される第四十一条の二第二項に規定する指定共通投票所をいう。以下この項において同じ。）
	投票区の投票所	指定在外選挙投票区の投票所又は指定共通投票所
第二十八条第一項第一号	投票区の区域	指定在外選挙投票区又は指定共通投票所
	選挙人名簿	在外選挙人名簿
第二十八条第一項第二号	投票区の区域	指定在外選挙投票区又は指定共通投票所
	選挙人名簿が法第十九条第三項	在外選挙人名簿が法第三十条の二第四項
	が当該選挙人名簿	が当該在外選挙人名簿
第二十八条第一項第二号イからハまで	選挙人名簿	在外選挙人名簿
第二十八条第一項第三号	投票区の区域	指定在外選挙投票区又は指定共通投票所
	選挙人名簿	在外選挙人名簿
	第十九条第三項	第三十条の二第四項

」

と、第四十九条の七の表中

「

第二十八条第一項	各投票区	期日前投票所
	投票区の投票所	期日前投票所を設ける期間の初日において当該期日前投票所
第二十八条第一項各号	投票区の区域	期日前投票所

」

とあるのは

「

第二十八条第一項	各投票区	指定期日前投票所（法第四十九条の二第四項の規定により読み替えて適用される法第四十八条の二第一項に規定する指定期日前投票所をいう。以下この項において同じ。）
	投票区の投票所	指定期日前投票所を設ける期間の初日において当該指定期日前投票所
第二十八条第一項第一号	投票区の区域	指定期日前投票所
	選挙人名簿	在外選挙人名簿
第二十八条第一項第二号	投票区の区域	指定期日前投票所
	選挙人名簿が法第十	在外選挙人名簿が法

	九条第三項	第三十条の二第四項
	が当該選挙人名簿	が当該在外選挙人名簿
第二十八条第一項第二号イからハまで	選挙人名簿	在外選挙人名簿
第二十八条第一項第三号	投票区の区域	指定期日前投票所
	選挙人名簿	在外選挙人名簿
	第十九条第三項	第三十条の二第四項

」

とする。

3　在外選挙人名簿に登録されている選挙人で、衆議院議員又は参議院議員の選挙において投票をしようとするものの国内における投票については、第二十六条の二第一項及び第三項、第三十一条第一項、第五十条第四項、第五十三条第二項、第五十五条第二項及び第四項、第五十八条第一項並びに第六十条第一項第三号の規定は、適用しない。

4　市町村の選挙管理委員会は、法第四十九条の二第四項の規定により読み替えて適用される法第四十八条の二第一項の規定により期日前投票所を指定したとき、又は法第四十九条の二第三項の規定により共通投票所を指定したときは、直ちにこれを告示しなければならない。

（国内への住所移転者の投票）

第六十五条の十四　在外選挙人名簿に登録されている選挙人のうち選挙人名簿に登録されているもので第六十五条の二に規定するものは、当該選挙人名簿に登録されている市町村において投票をしなければならない。

第六十五条の十五及び第六十五条の十六　削除〔平一五・一〇政令四四五〕

（在外投票の手続の変更及び投票用紙の返還等）

第六十五条の十七　第六十五条の十一第二項の規定により交付を受けた投票用紙及び投票用封筒は、法第四十九条の二第一項第一号の規定による投票に使用することができない。

2　選挙人は、第六十五条の十一第二項の規定により投票用紙及び投票用封筒の交付を受けた場合において、法第四十九条の二第一項第二号の規定による投票をしなかつたときは、次の各号に掲げる場合の区分に応じ、当該各号に定める者に、その投票用紙及び投票用封筒を返して、法第四十四条の規定による投票（法第四十一条の二第一項の規定により共通投票所を設ける場合には、共通投票所において行う投票を含む。第一号において同じ。）又は法第四十八条の二第一項、第四十九条第一項若しくは第四十九条の二第一項第一号の規定による投票をすることができるものとし、これらの投票をもしなかつたときは、速やかにその投票用紙及び投票用封筒をその交付を受けた市町村の選挙管理委員会の委員長に返さなければならない。

一　法第四十四条の規定による投票をしようとするとき　当該選挙人が属する指定在外選挙投票区の投票管理者（法第四十一条の二第一項の規定により共通投票所を設ける場合には、当該選挙人が属する指定在外選挙投票区の投票管理者又は法第四十九条の二第三項の規定により読み替えて適用される法第四十一条の二第二項に規定する指定共通投票所の投票管理者）

二　法第四十八条の二第一項の規定による投票をしようとするとき　法第四十九条の二第四項の規定により読み替えて適用される法第四十八条の二第一項に規定する指定期日前投票所の投票管理者

三　法第四十九条第一項の規定による投票をしようとするとき　当該選挙人が登録されている在外選挙人名簿の属する市町村の選挙管理委員会の委員長

四　法第四十九条の二第一項第一号の規定による投票をしようとするとき　在外公館の長

（在外公館の長等に対する在外選挙に係る投票用紙等の交付手続等）

第六十五条の十八　総務大臣は、衆議院議員又は参議院議員の選挙ごとに、法第四十九条の二第一項の規定による投票に用いるべき投票用紙及び投票用封筒を、外務大臣を経由して在外公館の長に、都道府県の選挙管理委員会の委員長を経由して市町村の選挙管理委員会の委員長に、それぞれ交付するものとする。

2　前項の規定による交付を受けようとするときは、在外公館の長にあつては外務大臣を経由して総務大臣に、市町村の選挙管理委員会の委員長にあつては都道府県の選挙管理委員会の委員長を経由して総務大臣に、投票用紙等交付請求書を提出するものとする。

（在外投票に関する調書）

第六十五条の十九　選挙人が登録されている在外選挙人名簿の属する市町村の選挙管理委員会の委員長は、在外投票事務処理簿を備え、第六十五条の七、第六十五条の十一、第六十五条の十二及び前条の規定によつてとつた措置の明細その他必要と認める事項を記載しなければならない。

2　市町村の選挙管理委員会の委員長は、前項の在外投票事務処理簿に基づき、その概略を記載した在外投票に関する調書を作成して、これに記名押印し、関係のある指定在外選挙投票区の投票管理者に送致しなければならない。この場合において、関係のある指定在外選挙投票区が二以上あるときは、調書に代えてその抄本を送致することができる。

3　指定在外選挙投票区の投票管理者は、前項の規定によつて送致された調書又はその抄本を投票録に添えなければならない。

第六十五条の二十　削除〔平一五・一〇政令四四五〕

（送致を受けた在外投票の措置）

第六十五条の二十一　第六十二条第二項、第六十三条及び第六十五条の規定は、第六十五条の七第二項又は第六十五条の十二第二項の規定により送致された在外投票について準用する。この場合において、第六十二条第二項中「第六十五条の十三第一項の規定により読み替えて適用される第六十条第一項（第二号及び第三号に係る部分に限る。）又は第二項」とあるのは「第六十五条の七第二項又は第六十五条の十二第二項」と、第六十三条第二項中「第五十六条第五項（第五十七条第三項、第五十八条第四項、第五十九条の五の四第十二項、第五十九条の六第十一項又は第五十九条の八第四項において準用する場合を含む。」とあるのは「第六十五条の四第四項」と、第六十五条中「第六十条第一項（第二号及び第三号に係る部分に限る。）又は第二項」とあるのは「第六十五条の七第二項又は第六十五条の十二第二項」と読み替えるものとする。

第六章　開票

（数市町村合同開票区の開票管理者等）

第六十六条　数市町村合同開票区の開票管理者は、当該選挙の選挙権を有する者の中から、関係市町村の選挙管理委員会が協議して選任しなければならない。その協議が調わない場合には、都道府県の選挙管理委員会がこれを選任する。

2　数区合同開票区の開票管理者は、当該選挙の選挙権を有する者の中から、指定都市の選挙管理委員会が指定した区の選挙管理委員会が選任しなければならない。

（開票管理者の職務代理者又は職務管掌者の選任）

第六十七条　市町村の選挙管理委員会は、開票管理者に事故があり、又は開票管理者が欠けた場合においてその職務を代理すべき者を、当該選挙の選挙権を有する者の中から、あらかじめ選任しておかなければならない。

2　市町村の選挙管理委員会の委員長は、開票管理者及びその職務を代理すべき者に共に事故があり、又はこれらの者が共に欠けた場合には、直ちに当該市町村の選挙管理委員又は選挙管理委員会の書記の中から、臨時に開票管理者の職務を管掌すべき者を選任しなければならない。

3　第一項の規定にかかわらず、数市町村合同開票区においては、関係市町村の選挙管理委員会は、その協議により、当該選挙の選挙権を有する者の中から、開票管理者に事故があり、又は開票管理者が欠けた場合においてその職務を代理すべき者をあらかじめ選任しておかなければならない。その協議が調わない場合には、都道府県の選挙管理委員会がこれを選任する。

4　第二項の規定にかかわらず、都道府県の選挙管理委員会の委員長は、数市町村合同開票区において、開票管理者及びその職務を代理すべき者に共に事故があり、又はこれらの者が共に欠けた場合には、直ちに関係市町村の選挙管理委員又は選挙管理委員会の書記（関係市町村に指定都市が含まれる場合には、当該指定都市以外の関係市町村の選挙管理委員若しくは選挙管理委員会の書記又は当該指定都市の関係区の選挙管理委員若しくは選挙管理委員会の書記）の中から、臨時に開票管理者の職務を管掌すべき者を選任しなければならない。

5　第一項の規定にかかわらず、数区合同開票区においては、指定都市の選挙管理委員会が指定した区の選挙管理委員会は、当該選挙の選挙権を有する者の中から、開票管理者に事故があり、又は開票管理者が欠けた場合においてその職務を代理すべき者をあらかじめ選任しておかなければならない。

6　第二項の規定にかかわらず、指定都市の選挙管理委員会の委員長は、数区合同開票区において、開票管理者及びその職務を代理すべき者に共に事故があり、又はこれらの者が共に欠けた場合には、直ちに関係区の選挙管理委員又は選挙管理委員会の書記の中から、臨時に開票管理者の職務を管掌すべき者を選任しなければならない。

7　衆議院議員の選挙において、小選挙区選出議員の選挙と比例代表選出議員の選挙を同時に行う場合には、市町村又は都道府県の選挙管理委員会は小選挙区選出議員の選挙の開票管理者の職務を代理すべき者を同時に比例代表選出議員の選挙の開票管理者の職務を代理すべき者に、市町村又は都道府県の選挙管理委員会の委員長は小選挙区選出議員の選挙の開票管理者の職務を管掌すべき者を同時に比例代表選出議員の選挙の開票管理者の職務を管掌すべき者に選任することができる。

8　参議院議員の選挙において、選挙区選出議員の選挙と比例代表選出議員の選挙を同時に行う場合には、市町村又は都道府県の選挙管理委員会は選挙区選出議員の選挙の開票管理者の職務を代理すべき者を同時に比例代表選出議員の選挙の開票管理者の職務を代理すべき者に、市町村又は都道府県の選挙管理委員会の委員長は選挙区選出議員の選挙の開票管理者の職務を管掌すべき者を同時に比例代表選出議員の選挙の開票管理者の職務を管掌すべき者に選任することができる。

（開票管理者又はその職務代理者の氏名等の告示）

第六十八条　市町村又は都道府県の選挙管理委員会は、法第六十一条第二項の規定又は第六十六条若しくは前条第一項、第三項若しくは第五項の規定により開票管理者又はその職務を代理すべき者を選任した場合には、直ちにその者の住所及び氏名を告示しなければならない。ただし、住所の全部の告示に支障があると認めるときは、当該住所の一部の告示をもつて当該住所の全部の告示に代えることができる。

（開票立会人となるべき者の届出の方法）

第六十九条　公職の候補者、候補者届出政党、衆議院名簿届出政党等又は参議院名簿届出政党等の法第六十二条第一項の規定による開票立会人となるべき者の届出は、当該開票立会人となるべき者の住所、氏名及び生年月日並びに当該届出が公職の候補者の届出に係るものである場合にあつては当該公職の候補者の属する政党その他の政治団体の名称を記載した文書でしなければならない。この場合においては、当該開票立会人となるべき者の承諾書を添えなければならない。

（長の選挙を延期する場合の開票立会人）

第七十条　法第八十六条の四第七項に規定する事由が生じた場合において、候補者が法第六十二条第一項の規定により届け出た開票立会人となるべき者で同条第二項、第四項又は第五項の規定により開票立会人となることができなかつたものがあるときは、その者の届出をした候補者は、同条第一項の規定の例により、更に開票立会人となるべき者を届け出ることができる。

2　法第八十六条の四第七項に規定する事由が生じた地方公共団体の長の選挙においては、同条第八項の規定による届出のあつた候補者が法第六十二条第一項の規定により届け出た開票立会人となるべき者、前項の規定による届出のあつた開票立会人となるべき者及び開票立会人に定められた者（死亡者、職を辞した者及び同条第二項第一号に掲げる事由が生じたことにより同条第七項の規定により職を失つた者を除く。）について、同条第二項から第六項まで及び第九項の規定の例により、開票立会人を定めるものとする。

（開票立会人の氏名等の通知）

第七十条の二　市町村の選挙管理委員会は、法第六十二条第二項若しくは第四項の規定により開票立会人が定まつた場合又は同条第八項若しくは第九項の規定により市町村の選挙管理委員会において開票立会人を選任した場合には、直ちに当該開票立会人の住所及び氏名並びに公職の候補者の届出に係る者については当該公職の候補者の氏名及び当該公職の候補者の属する政党その他の政治団体の名称、候補者届出政党の届出に係る者については当該候補者届出政党の名称、衆議院名簿届出政党等の届出に係る者については当該衆議院名簿届出政党等の名称及び略称、参議院名簿届出政党等の届出に係る者については当該参議院名簿届出政党等の名称及び略称、市町村の選挙管理委員会の選任に係る者については当該開票立会人の属する政党その他の政治団体の名称を当該開票立会人の立ち会う開票所の開票管理者に通知しなければならない。

2　市町村の選挙管理委員会は、前条第二項の規定により開票立会人を定めた場合には、前項の規定の例により、開票管理者に通知しなければならない。

（数市町村合同開票区の開票立会人となるべき者の届出等）

第七十条の三　数市町村合同開票区においては、法第六十二条第一項の規定又は第七十条第一項の規定による開票立会人となるべき者の届出は、関係市町村の選挙管理委員会が協議して定めた市町村の選挙管理委員会（関係市町村に指定都市が含まれる場合には、当該指定都市以外の関係市町村の選挙管理委員会又は当該指定都市の関係区の選挙管理委員会）に対して行わなければならない。その協議が調わない場合には、都道府県の選挙管理委員会が指定した市町村の選挙管理委員会（関係市町村に指定都市が含まれる場合には、当該指定都市以外の関係市町村の選挙管理委員会又は当該指定都市の関係区の選挙管理委員会）に対して行わなければならない。

2　関係市町村又は都道府県の選挙管理委員会は、前項の規定により、開票立会人となるべき者を届け出るべき市町村又は指定都市の区の選挙管理委員会を定め、又は指定した場合には、直ちにその旨を告示しなければならない。

3　数市町村合同開票区（選挙の期日前二日又は選挙の期日の前日に設けられたものを除く。）においては、法第六十二条第二項、第四項又は第五項（第七十条第二項の規定によりこれらの規定の例によることとされる場合を含む。）の規定によるくじ、法第六十二条第六項（第七十条第二項の規定によりその例によることとされる場合を含む。）の規定によるくじを行うべき場所及び日時の告示、法第六十二条第九項（第七十条第二項の規定によりその例によることとされる場合を含む。）の規定による市町村の選挙管理委員会が行う開票立会人の選任並びに前条の規定による開票立会人の氏名等の通知は、第一項の規定により開票立会人となるべき者を届け出るべき市町村又は指定都市の区の選挙管理委員会が行う。

4　数市町村合同開票区（選挙の期日前二日又は選挙の期日の前日に設けられたものに限る。）においては、法第六十二条第八項又は第九項の規定による市町村の選挙管理委員会が行う開票立会人の選任及び前条第一項の規定による開票立会人の氏名等の通知は、関係市町村の選挙管理委員会が協議して定めた市町村の選挙管理委員会（関係市町村に指定都市が含まれる場合には、当該指定都市以外の関係市町村の選挙管理委員会又は当該指定都市の関係区の選挙管理委員会）が行う。その協議が調わない場合には、都道府県の選挙管理委員会が指定した市町村の選挙管理委員会（関係市町村に指定都市が含まれる場合には、当該指定都市以外の関係市町村の選挙管理委員会又は当該指定都市の関係区の選挙管理委員会）が行う。

5　数市町村合同開票区においては、法第六十三条の規定による開票所を設ける場所の指定並びに法第六十四条の規定による開票の場所及び日時の告示は、関係市町村の選挙管理委員会が協議して定めた市町村の選挙管理委員会（関係市町村に指定都市が含まれる場合には、当該指定都市以外の関係市町村の選挙管理委員会又は当該指定都市の関係区の選挙管理委員会）が行う。その協議が調わない場合には、都道府県の選挙管理委員会が当該指定及び告示を行う。

6　数区合同開票区においては、法第六十二条第一項の規定又は第七十条第一項の規定による開票立会人となるべき者の届出は、指定都市の選挙管理委員会が指定した区の選挙管理委員会に対して行わなければならない。

7　指定都市の選挙管理委員会は、前項の規定により、開票立会人となるべき者を届け出るべき区の選挙管理委員会を指定した場合には、直ちにその旨を告示しなければならない。

8　数区合同開票区（選挙の期日前二日又は選挙の期日の前日に設けられたものを除く。）においては、法第六十二条第二項、第四項又は第五項（第七十条第二項の規定によりこれらの規定の例によることとされる場合を含む。）の規定によるくじ、法第六十二条第六項（第七十条第二項の規定によりその例によることとされる場合を含む。）の規定によるくじを行うべき場所及び日時の告示、法第六十二条第九項（第七十条第二項の規定によりその例によることとされる場合を含む。）の規定による区の選挙管理委員会が行う開票立会人の選任並びに前条の規定による開票立会人の氏名等の通知は、第六項の規定により開票立会人となるべき者を届け出るべき区の選挙管理委員会が行う。

9　数区合同開票区（選挙の期日前二日又は選挙の期日の前日に設けられたものに限る。）においては、法第六十二条第八項又は第九項の規定による区の選挙管理委員会が行う開票立会人の選任及び前条第一項の規定による開票立会人の氏名等の通知は、指定都市の選挙管理委員会が指定した区の選挙管理委員会が行う。

10　数区合同開票区においては、法第六十三条の規定による開票所を設ける場所の指定並びに法第六十四条の規定による開票の場所及び日時の告示は、指定都市の選挙管理委員会が指定した区の選挙管理委員会が行う。

（選挙の期日前二日以後に分割開票区を設けた場合の開票立会人）

第七十条の四　都道府県の選挙管理委員会が選挙の期日前二日又は選挙の期日の前日に従前の開票区の区域に二以上の分割開票区を設けた場合には、法第六十二条第八項の規定による開票立会人の選任については、市町村の選挙管理委員会（指定都市においては、区の選挙管理委員会。以下この条において「管轄選挙管理委員会」という。）は、当該従前の開票区において当該選挙の開票立会人に定められた者（死亡者、職を辞した者及び法第六十二条第七項の規定により職を失った者を除く。以下第七十条の七までにおいて同じ。）を、所属選挙人名簿登録者数（法第十八条第二項の規定により開票区が設けられた日前の直近の法第二十二条第一項又は第三項の規定による選挙人名簿の登録の日現在において、当該開票区に属する投票区の選挙人名簿に登録されている選挙人の数を合計した数をいう。以下第七十条の七までにおいて同じ。）が最も多い分割開票区（所属選挙人名簿登録者数が最も多い分割開票区が二以上あるとき、又は全ての分割開票区の所属選挙人名簿登録者数が同じであるときは、これらに該当する分割開票区の中から当該管轄選挙管理委員会がくじで定めた分割開票区）の開票立会人に選任しなければならない。ただし、当該従前の開票区において当該選挙の開票立会人に定められた者の中に同一の政党その他の政治団体に属する者が三人以上あるときは、これらの者の中から当該管轄選挙管理委員会がくじで定めた者二人以外の者を開票立会人に選任することができない。

2　都道府県の選挙管理委員会が選挙の期日以後に従前の開票区の区域に二以上の分割開票区を設けた場合には、法第六十二条第八項の規定による開票立会人の選任については、所属選挙人名簿登録者数が最も多い分割開票区（所属選挙人名簿登録者数が最も多い分割開票区が二以上あるとき、又は全ての分割開票区の所属選挙人名簿登録者数が同じであるときは、これらに該当する分割開票区の中から管轄選挙管理委員会がくじで定めた分割開票区。以下この項において同じ。）の開票管理者は、当該従前の開票区において当該選挙の開票立会人に定められた者を、当該所属選挙人名簿登録者数が最も多い分割開票区の開票立会人に選任しなければならない。ただし、当該従前の開票区において当該選挙の開票立会人に定められた者の中に同一の政党その他の政治団体に属する者が三人以上あるときは、これらの者の中から当該所属選挙人名簿登録者数が最も多い分割開票区の開票管理者がくじで定めた者二人以外の者を開票立会人に選任することができない。

3　前二項の規定によるくじを行う場合には、管轄選挙管理委員会は、これらのくじを行うべき場所及び日時をあらかじめ告示しなければならない。

（選挙の期日前二日以後に数市町村合同開票区を設けた場合の開票立会人等）

第七十条の五　都道府県の選挙管理委員会が選挙の期日前二日又は選挙の期日の前日に従前の二以上の開票区の区域を合わせた区域に数市町村合同開票区を設けた場合には、法第六十二条第八項の規定による開票立会人の選任については、第七十条の三第四項の規定により定められ、又は指定された市町村の選挙管理委員会（関係市町村に指定都市が含まれるときは、当該指定都市以外の関係市町村の選挙管理委員会又は当該指定都市の関係区の選挙管理委員会。以下第五項までにおいて「管轄選挙管理委員会」という。）は、これらの従前の開票区において当該選挙の開票立会人に定められた者の数を合計した数が、十人を超えないときは直ちにこれらの者を、十人を超えるときはこれらの者の中から当該管轄選挙管理委員会がくじで定めた者十人を、当該数市町村合同開票区の開票立会人に選任しなければならない。この場合において、これらの従前の開票区において当該選挙の開票立会人に定められた者のうち法第六十二条第一項の規定又は第七十条第一項の規定による届出があつた者で同一の公職の候補者の届出に係るものが二人以上あるときは、これらの者の中から当該管轄選挙管理委員会がくじで定めた者一人以外の者は、当該開票区の開票立会人に定められた者でないものとみなす。

2　前項の場合において、同一の政党その他の政治団体に属する者が三人以上あるときは、同項の規定にかかわらず、これらの者の中から当該管轄選挙管理委員会がくじで定めた者二人以外の者を開票立会人に選任することができない。

3　都道府県の選挙管理委員会が選挙の期日以後に従前の二以上の開票区の区域を合わせた区域に数市町村合同開票区を設けた場合には、法第六十二条第八項の規定による開票立会人の選任については、当該数市町村合同開票区の開票管理者は、これらの従前の開票区において当該選挙の開票立会人に定められた者の数を合計した数が、十人を超えないときは直ちにこれらの者を、十人を超えるときはこれらの者の中から当該開票管理者がくじで定めた者十人を、当該数市町村合同開票区の開票立会人に選任しなければならない。この場合において、これらの従前の開票区において当該選挙の開票立会人に定められた者のうち同条第一項の規定又は第七十条第一項の規定による届出があつた者で同一の公職の候補者の届出に係るものが二人以上あるときは、これらの者の中から当該開票管理者がくじで定めた者一人以外の者は、当該開票区の開票立会人に定められた者でないものとみなす。

4　前項の場合において、同一の政党その他の政治団体に属する者が三人以上あるときは、同項の規定にかかわらず、これらの者の中から当該開票管理者がくじで定めた者二人以外の者を開票立会人に選任することができない。

5　管轄選挙管理委員会が第一項又は第二項の規定によるくじを行う場合には当該管轄選挙管理委員会は、数市町村合同開票区の開票管理者が前二項の規定によるくじを行う場合には第六十六条第一項の規定により当該開票管理者を選任した選挙管理委員会は、これらのくじを行うべき場所及び日時をあらかじめ告示しなければならない。

6　都道府県の選挙管理委員会が選挙の期日前二日又は選挙の期日の前日に従前の二以上の開票区の区域を合わせた区域に数区合同開票区を設けた場合には、法第六十二条第八項の規定による開票立会人の選任については、第七十条の三第九項の規定により指定された指定都市の区の選挙管理委員会（以下この条において「管轄選挙管理委員会」という。）は、これらの従前の開票区において当該選挙の開票立会人に定められた者の数を合計した数が、十人を超えないときは直ちにこれらの者を、十人を超えるときはこれらの者の中から当該管轄選挙管理委員会がくじで定めた者十人を、当該数区合同開票区の開票立会人に選任しなければならない。この場合において、これらの従前の開票区において当該選挙の開票立会人に定められた者のうち法第六十二条第一項の規定又は第七十条第一項の規定による届出があつた者で同一の公職の候補者の届出に係るものが二人以上あるときは、これらの者の中から当該管轄選挙管理委員会がくじで定めた者一人以外の者は、当該開票区の開票立会人に定められた者でないものとみなす。

7　前項の場合において、同一の政党その他の政治団体に属する者が三人以上あるときは、同項の規定にかかわらず、これらの者の中から当該管轄選挙管理委員会がくじで定めた者二人以外の者を開票立会人に選任することができない。

8　都道府県の選挙管理委員会が選挙の期日以後に従前の二以上の開票区の区域を合わせた区域に数区合同開票区を設けた場合には、法第六十二条第八項の規定による開票立会人の選任については、当該数区合同開票区の開票管理者は、これらの従前の開票区において当該選挙の開票立会人に定められた者の数を合計した数が、十人を超えないときは直ちにこれらの者を、十人を超えるときはこれらの者の中から当該開票管理者がくじで定めた者十人を、当該数区合同開票区の開票立会人に選任しなければならない。この場合において、これらの従前の開票区において当該選挙の開票立会人に定められた者のうち同条第一項の規定又は第七十条第一項の規定による届出があつた者で同一の公職の候補者の届出に係るものが二人以上あるときは、これらの者の中から当該開票管理者がくじで定めた者一人以外の者は、当該開票区の開票立会人に定められた者でないものとみなす。

9　前項の場合において、同一の政党その他の政治団体に属する者が三人以上あるときは、同項の規定にかかわらず、これらの者の中から当該開票管理者がくじで定めた者二人以外の者を開票立会人に選任することができない。

10　管轄選挙管理委員会が第六項又は第七項の規定によるくじを行う場合には当該管轄選挙管理委員会は、数区合同開票区の開票管理者が前二項の規定によるくじを行う場合には第六十六条第二項の規定により当該開票管理者を選任した指定都市の区の選挙管理委員会は、これらのくじを行うべき場所及び日時をあらかじめ告示しなければならない。

第七十条の六　都道府県の選挙管理委員会が選挙の期日前二日又は選挙の期日の前日に従前の開票区の区域を分けてそのそれぞれの区域を他の従前の開票区の区域と合わせた区域に二以上の数市町村合同開票区を設けた場合には、法第六十二条第八項の規定による開票立会人の選任については、所属選挙人名簿登録者数が最も多い数市町村合同開票区（所属選挙人名簿登録者数が最も多い数市町村合同開票区が二以上あるとき、又は全ての数市町村合同開票区の所属選挙人名簿登録者数が同じであるときは、これらに該当する数市町村合同開票区の中から当該都道府県の選挙管理委員会がくじで定めた数市町村合同開票区。以下この項において同じ。）に係る管轄選挙管理委員会（第七十条の三第四項の規定により定められ、又は指定された市町村の選挙管理委員会（関係市町村に指定都市が含まれるときは、当該指定都市以外の関係市町村の選挙管理委員会又は当該指定都市の関係区の選挙管理委員会）をいう。以下第五項までにおいて同じ。）は、これらの数市町村合同開票区の区域に分かれることとなる従前の開票区において当該選挙の開票立会人に定められた者及びその区域の全部が当該所属選挙人名簿登録者数が最も多い数市町村合同開票区に属することとなる従前の開票区において当該選挙の開票立会人に定められた者の数を合計した数が、十人を超えないときは直ちにこれらの者を、十人を超えるときはこれらの者の中から当該管轄選挙管理委員会がくじで定めた者十人を、当該所属選挙人名簿登録者数が最も多い数市町村合同開票区の開票立会人に選任するとともに、その他の数市町村合同開票区に係る管轄選挙管理委員会は、その区域の全部が当該数市町村合同開票区に属することとなる従前の開票区において当該選挙の開票立会人に定められた者を、当該数市町村合同開票区の開票立会人に選任しなければならない。この場合において、これらの数市町村合同開票区の区域に分かれることとなる従前の開票区及びその区域の全部が当該所属選挙人名簿登録者数が最も多い数市町村合同開票区に属することとなる従前の開票区において当該選挙の開票立会人に定められた者のうち法第六十二条第一項の規定又は第七十条第一項の規定による届出があつた者で同一の公職の候補者の届出に係るものが二人以上あるときは、これらの者の中から当該所属選挙人名簿登録者数が最も多い数市町村合同開票区に係る管轄選挙管理委員会がくじで定めた者一人以外の者は、これらの従前の開票区の開票立会人に定められた者でないものとみなす。

2　前項の場合において、これらの数市町村合同開票区ごとに同一の政党その他の政治団体に属する者が三人以上あるときは、同項の規定にかかわらず、これらの者の中からこれらの管轄選挙管理委員会がくじで定めた者二人以外の者を開票立会人に選任することができない。

3　都道府県の選挙管理委員会が選挙の期日以後に従前の開票区の区域を分けてそのそれぞれの区域を他の従前の開票区の区域と合わせた区域に二以上の数市町村合同開票区を設けた場合には、法第六十二条第八項の規定による開票立会人の選任については、所属選挙人名簿登録者数が最も多い数市町村合同開票区（所属選挙人名簿登録者数が最も多い数市町村合同開票区が二以上あるとき、又は全ての数市町村合同開票区の所属選挙人名簿登録者数が同じであるときは、これらに該当する数市町村合同開票区の中から当該都道府県の選挙管理委員会がくじで定めた数市町村合同開票区。以下この項において同じ。）の開票管理者は、これらの数市町村合同開票区の区域に分かれることとなる従前の開票区において当該選挙の開票立会人に定められた者及びその区域の全部が当該所属選挙人名簿登録者数が最も多い数市町村合同開票区に属することとなる従前の開票区において当該選挙の開票立会人に定められた者の数を合計した数が、十人を超えないときは直ちにこれらの者を、十人を超えるときはこれらの者の中から当該開票管理者がくじで定めた者十人を、当該所属選挙人名簿登録者数が最も多い数市町村合同開票区の開票立会人に選任するとともに、その他の数市町村合同開票区の開票管理者は、その区域の全部が当該数市町村合同開票区に属することとなる従前の開票区において当該選挙の開票立会人に定められた者を、当該数市町村合同開票区の開票立会人に選任しなければならない。この場合において、これらの数市町村合同開票区の区域に分かれることとなる従前の開票区及びその区域の全部が当該所属選挙人名簿登録者数が最も多い数市町村合同開票区に属することとなる従前の開票区において当該選挙の開票立会人に定められた者のうち同条第一項の規定又は第七十条第一項の規定による届出があつた者で同一の公職の候補者の届出に係るものが二人以上あるときは、これらの者の中から当該所属選挙人名簿登録者数が最も多い数市町村合同開票区の開票管理者がくじで定めた者一人以外の者は、これらの従前の開票区の開票立会人に定められた者でないものとみなす。

4　前項の場合において、これらの数市町村合同開票区ごとに同一の政党その他の政治団体に属する者が三人以上あるときは、同項の規定にかかわらず、これらの者の中からこれらの開票管理者がくじで定めた者二人以外の者を開票立会人に選任することができない。

5　都道府県の選挙管理委員会が第一項又は第三項の規定によるくじを行う場合には当該都道府県の選挙管理委員会は、管轄選挙管理委員会が第一項又は第二項の規定によるくじを行う場合には当該管轄選挙管理委員会は、数市町村合同開票区の開票管理者が前二項の規定によるくじを行う場合には第六十六条第一項の規定により当該開票管理者を選任した選挙管理委員会は、これらのくじを行うべき場所及び日時をあらかじめ告示しなければならない。

6　都道府県の選挙管理委員会が選挙の期日前二日又は選挙の期日の前日に従前の開票区の区域を分けてそのそれぞれの区域を他の従前の開票区の区域と合わせた区域に数市町村合同開票区及び数区合同開票区を設けた場合には、法第六十二条第八項の規定による開票立会人の選任については、所属選挙人名簿登録者数が最も多い数市町村合同開票区又は数区合同開票区（所属選挙人名簿登録者数が最も多い数市町村合同開票区若しくは数区合同開票区が二以上あるとき、又は全ての数市町村合同開票区若しくは数区合同開票区の所属選挙人名簿登録者数が同じであるときは、これらに該当する数市町村合同開票区又は数区合同開票区の中から当該都道府県の選挙管理委員会がくじで定めた数市町村合同開票区又は数区合同開票区。以下この項において同じ。）に係る数市町村合同開票区管轄選挙管理委員会（第七十条の三第四項の規定により定められ、又は指定された市町村の選挙管理委員会（関係市町村に指定都市が含まれるときは、当該指定都市以外の関係市町村の選挙管理委員会又は当該指定都市の関係区の選挙管理委員会）をいう。以下この条において同じ。）又は数区合同開票区管轄選挙管理委員会（第七十条の三第九項の規定により指定された指定都市の区の選挙管理委員会をいう。以下この条において同じ。）は、これらの数市町村合同開票区及び数区合同開票区の区域に分かれることとなる従前の開票区において当該選挙の開票立会人に定められた者並びにその区域の全部が当該所属選挙人名簿登録者数が最も多い数市町村合同開票区又は数区合同開票区に属することとなる従前の開票区において当該選挙の開票立会人に定められた者の数を合計した数が、十人を超えないときは直ちにこれらの者を、十人を超えるときはこれらの者の中から当該数市町村合同開票区管轄選挙管理委員会又は数区合同開票区管轄選挙管理委員会がくじで定めた者十人を、当該所属選挙人名簿登録者数が最も多い数市町村合同開票区又は数区合同開票区の開票立会人に選任するとともに、その他の数市町村合同開票区又は数区合同開票区に係る数市町村合同開票区管轄選挙管理委員会又は数区合同開票区管轄選挙管理委員会は、その区域の全部が当該数市町村合同開票区又は数区合同開票区に属することとなる従前の開票区において当該選挙の開票立会人に定められた者を、当該数市町村合同開票区又は数区合同開票区の開票立会人に選任しなければならない。この場合において、これらの数市町村合同開票区及び数区合同開票区の区域に分かれることとなる従前の開票区並びにその区域の全部が当該所属選挙人名簿登録者数が最も多い数市町村合同開票区又は数区合同開票区に属することとなる従前の開票区において当該選挙の開票立会人に定められた者のうち法第六十二条第一項の規定又は第七十条第一項の規定による届出があつた者で同一の公職の候補者の届出に係るものが二人以上あるときは、これらの者の中から当該所属選挙人名簿登録者数が最も多い数市町村合同開票区又は数区合同開票区に係る数市町村合同開票区管轄選挙管理委員会又は数区合同開票区管轄選挙管理委員会がくじで定めた者一人以外の者は、これらの従前の開票区の開票立会人に定められた者でないものとみなす。

7　前項の場合において、これらの数市町村合同開票区又は数区合同開票区ごとに同一の政党その他の政治団体に属する者が三人以上あるときは、同項の規定にかかわらず、これらの者の中からこれらの数市町村合同開票区管轄選挙管理委員会又は数区合同開票区管轄選挙管理委員会がくじで定めた者二人以外の者を開票立会人に選任することができない。

8　都道府県の選挙管理委員会が選挙の期日以後に従前の開票区の区域を分けてそのそれぞれの区域を他の従前の開票区の区域と合わせた区域に数市町村合同開票区及び数区合同開票区を設けた場合には、法第六十二条第八項の規定による開票立会人の選任については、所属選挙人名簿登録者数が最も多い数市町村合同開票区又は数区合同開票区（所属選挙人名簿登録者数が最も多い数市町村合同開票区若しくは数区合同開票区が二以上あるとき、又は全ての数市町村合同開票区若しくは数区合同開票区の所属選挙人名簿登録者数が同じであるときは、これらに該当する数市町村合同開票区又は数区合同開票区の中から当該都道府県の選挙管理委員会がくじで定めた数市町村合同開票区又は数区合同開票区。以下この項において同じ。）の開票管理者は、これらの数市町村合同開票区及び数区合同開票区の区域に分かれることとなる従前の開票区において当該選挙の開票立会人に定められた者並びにその区域の全部が当該所属選挙人名簿登録者数が最も多い数市町村合同開票区又は数区合同開票区に属することとなる従前の開票区において当該選挙の開票立会人に定められた者の数を合計した数が、十人を超えないときは直ちにこれらの者を、十人を超えるときはこれらの者の中から当該開票管理者がくじで定めた者十人を、当該所属選挙人名簿登録者数が最も多い数市町村合同開票区又は数区合同開票区の開票立会人に選任するとともに、その他の数市町村合同開票区又は数区合同開票区の開票管理者は、その区域の全部が当該数市町村合同開票区又は数区合同開票区に属することとなる従前の開票区において当該選挙の開票立会人に定められた者を、当該数市町村合同開票区又は数区合同開票区の開票立会人に選任しなければならない。この場合において、これらの数市町村合同開票区及び数区合同開票区の区域に分かれることとなる従前の開票区並びにその区域の全部が当該所属選挙人名簿登録者数が最も多い数市町村合同開票区又は数区合同開票区に属することとなる従前の開票区において当該選挙の開票立会人に定められた者のうち同条第一項の規定又は第七十条第一項の規定による届出があつた者で同一の公職の候補者の届出に係るものが二人以上あるときは、これらの者の中から当該所属選挙人名簿登録者数が最も多い数市町村合同開票区又は数区合同開票区の開票管理者がくじで定めた者一人以外の者は、これらの従前の開票区の開票立会人に定められた者でないものとみなす。

9　前項の場合において、これらの数市町村合同開票区及び数区合同開票区ごとに同一の政党その他の政治団体に属する者が三人以上あるときは、同項の規定にかかわらず、これらの者の中からこれらの開票管理者がくじで定めた者二人以外の者を開票立会人に選任することができない。

10　都道府県の選挙管理委員会が第六項又は第八項の規定によるくじを行う場合には当該都道府県の選挙管理委員会は、数市町村合同開票区管轄選挙管理委員会又は数区合同開票区管轄選挙管理委員会が第六項又は第七項の規定によるくじを行う場合には当該数市町村合同開票区管轄選挙管理委員会又は数区合同開票区管轄選挙管理委員会は、数市町村合同開票区又は数区合同開票区の開票管理者が前二項の規定によるくじを行う場合には第六十六条の規定により当該開票管理者を選任した選挙管理委員会は、これらのくじを行うべき場所及び日時をあらかじめ告示しなければならない。

11　都道府県の選挙管理委員会が選挙の期日前二日又は選挙の期日の前日に従前の開票区の区域を分けてそのそれぞれの区域を他の従前の開票区の区域と合わせた区域に二以上の数区合同開票区を設けた場合には、法第六十二条第八項の規定による開票立会人の選任については、所属選挙人名簿登録者数が最も多い数区合同開票区（所属選挙人名簿登録者数が最も多い数区合同開票区が二以上あるとき、又は全ての数区合同開票区の所属選挙人名簿登録者数が同じであるときは、これらに該当する数区合同開票区の中から指定都市の選挙管理委員会がくじで定めた数区合同開票区。以下この項において同じ。）に係る管轄選挙管理委員会（第七十条の三第九項の規定により指定された指定都市の区の選挙管理委員会をいう。以下この条において同じ。）は、これらの数区合同開票区の区域に分かれることとなる従前の開票区において当該選挙の開票立会人に定められた者及びその区域の全部が当該所属選挙人名簿登録者数が最も多い数区合同開票区に属することとなる従前の開票区において当該選挙の開票立会人に定められた者の数を合計した数が、十人を超えないときは直ちにこれらの者を、十人を超えるときはこれらの者の中から当該管轄選挙管理委員会がくじで定めた者十人を、当該所属選挙人名簿登録者数が最も多い数区合同開票区の開票立会人に選任するとともに、その他の数区合同開票区に係る管轄選挙管理委員会は、その区域の全部が当該数区合同開票区に属することとなる従前の開票区において当該選挙の開票立会人に定められた者を、当該数区合同開票区の開票立会人に選任しなければならない。この場合において、これらの数区合同開票区の区域に分かれることとなる従前の開票区及びその区域の全部が当該所属選挙人名簿登録者数が最も多い数区合同開票区に属することとなる従前の開票区において当該選挙の開票立会人に定められた者のうち法第六十二条第一項の規定又は第七十条第一項の規定による届出があつた者で同一の公職の候補者の届出に係るものが二人以上あるときは、これらの者の中から当該所属選挙人名簿登録者数が最も多い数区合同開票区に係る管轄選挙管理委員会がくじで定めた者一人以外の者は、これらの従前の開票区の開票立会人に定められた者でないものとみなす。

12　前項の場合において、これらの数区合同開票区ごとに同一の政党その他の政治団体に属する者が三人以上あるときは、同項の規定にかかわらず、これらの者の中からこれらの管轄選挙管理委員会がくじで定めた者二人以外の者を開票立会人に選任することができない。

13　都道府県の選挙管理委員会が選挙の期日以後に従前の開票区の区域を分けてそのそれぞれの区域を他の従前の開票区の区域と合わせた区域に二以上の数区合同開票区を設けた場合には、法第六十二条第八項の規定による開票立会人の選任については、所属選挙人名簿登録者数が最も多い数区合同開票区（所属選挙人名簿登録者数が最も多い数区合同開票区が二以上あるとき、又は全ての数区合同開票区の所属選挙人名簿登録者数が同じであるときは、これらに該当する数区合同開票区の中から指定都市の選挙管理委員会がくじで定めた数区合同開票区。以下この項において同じ。）の開票管理者は、これらの数区合同開票区の区域に分かれることとなる従前の開票区において当該選挙の開票立会人に定められた者及びその区域の全部が当該所属選挙人名簿登録者数が最も多い数区合同開票区に属することとなる従前の開票区において当該選挙の開票立会人に定められた者の数を合計した数が、十人を超えないときは直ちにこれらの者を、十人を超えるときはこれらの者の中から当該開票管理者がくじで定めた者十人を、当該所属選挙人名簿登録者数が最も多い数区合同開票区の開票立会人に選任するとともに、その他の数区合同開票区の開票管理者は、その区域の全部が当該数区合同開票区に属することとなる従前の開票区において当該選挙の開票立会人に定められた者を、当該数区合同開票区の開票立会人に選任しなければならない。この場合において、これらの数区合同開票区の区域に分かれることとなる従前の開票区及びその区域の全部が当該所属選挙人名簿登録者数が最も多い数区合同開票区に属することとなる従前の開票区において当該選挙の開票立会人に定められた者のうち同条第一項の規定又は第七十条第一項の規定による届出があつた者で同一の公職の候補者の届出に係るものが二人以上あるときは、これらの者の中から当該所属選挙人名簿登録者数が最も多い数区合同開票区の開票管理者がくじで定めた者一人以外の者は、これらの従前の開票区の開票立会人に定められた者でないものとみなす。

14　前項の場合において、これらの数区合同開票区ごとに同一の政党その他の政治団体に属する者が三人以上あるときは、同項の規定にかかわらず、これらの者の中からこれらの開票管理者がくじで定めた者二人以外の者を開票立会人に選任することができない。

15　指定都市の選挙管理委員会が第十一項又は第十三項の規定によるくじを行う場合には当該指定都市の選挙管理委員会は、管轄選挙管理委員会が第十一項又は第十二項の規定によるくじを行う場合には当該管轄選挙管理委員会は、数区合同開票区の開票管理者が前二項の規定によるくじを行う場合には第六十六条第二項の規定により当該開票管理者を選任した指定都市の区の選挙管理委員会は、これらのくじを行うべき場所及び日時をあらかじめ告示しなければならない。

（選挙の期日前二日以後に分割開票区及び数市町村合同開票区を設けた場合の開票立会人等）

第七十条の七　都道府県の選挙管理委員会が選挙の期日前二日又は選挙の期日の前日に従前の開票区の区域の一部に分割開票区を設けるとともに、当該従前の開票区の他の区域を他の従前の開票区の区域と合わせた区域に数市町村合同開票区を設けた場合には、法第六十二条第八項の規定による開票立会人の選任については、当該分割開票区の区域をその区域に含む市町村の選挙管理委員会（指定都市においては、区の選挙管理委員会。以下第三項までにおいて「分割開票区管轄選挙管理委員会」という。）は、当該分割開票区の区域が属していた従前の開票区において当該選挙の開票立会人に定められた者を、当該分割開票区（二以上の分割開票区が設けられた場合には、所属選挙人名簿登録者数が最も多い分割開票区（所属選挙人名簿登録者数が最も多い分割開票区が二以上あるとき、又は全ての分割開票区の所属選挙人名簿登録者数が同じであるときは、これらに該当する分割開票区の中から当該分割開票区管轄選挙管理委員会がくじで定めた分割開票区）。以下この項において同じ。）の開票立会人に選任するとともに、第七十条の三第四項の規定により定められ、又は指定された市町村の選挙管理委員会（関係市町村に指定都市が含まれるときは、当該指定都市以外の関係市町村の選挙管理委員会又は当該指定都市の関係区の選挙管理委員会。以下第三項までにおいて「数市町村合同開票区管轄選挙管理委員会」という。）は、その区域の全部が当該数市町村合同開票区に属することとなる従前の開票区において当該選挙の開票立会人に定められた者を、当該数市町村合同開票区の開票立会人に選任しなければならない。ただし、開票区ごとに同一の政党その他の政治団体に属する者が三人以上あるときは、これらの者の中から、当該分割開票区にあつては当該分割開票区管轄選挙管理委員会が、当該数市町村合同開票区にあつては当該数市町村合同開票区管轄選挙管理委員会が、くじで定めた者二人以外の者を開票立会人に選任することができない。

2　都道府県の選挙管理委員会が選挙の期日以後に従前の開票区の区域の一部に分割開票区を設けるとともに、当該従前の開票区の他の区域を他の従前の開票区の区域と合わせた区域に数市町村合同開票区を設けた場合には、法第六十二条第八項の規定による開票立会人の選任については、当該分割開票区（二以上の分割開票区が設けられた場合には、所属選挙人名簿登録者数が最も多い分割開票区（所属選挙人名簿登録者数が最も多い分割開票区が二以上あるとき、又は全ての分割開票区の所属選挙人名簿登録者数が同じであるときは、これらに該当する分割開票区の中から分割開票区管轄選挙管理委員会がくじで定めた分割開票区）。以下この項において同じ。）の開票管理者は、当該分割開票区の区域が属していた従前の開票区において当該選挙の開票立会人に定められた者を、当該分割開票区の開票立会人に選任するとともに、当該数市町村合同開票区の開票管理者は、その区域の全部が当該数市町村合同開票区に属することとなる従前の開票区において当該選挙の開票立会人に定められた者を、当該数市町村合同開票区の開票立会人に選任しなければならない。ただし、開票区ごとに同一の政党その他の政治団体に属する者が三人以上あるときは、これらの者の中から当該分割開票区又は数市町村合同開票区の開票管理者がくじで定めた者二人以外の者を開票立会人に選任することができない。

3　分割開票区管轄選挙管理委員会が前二項の規定によるくじを行う場合又は分割開票区の開票管理者が前項の規定によるくじを行う場合には当該分割開票区管轄選挙管理委員会は、数市町村合同開票区管轄選挙管理委員会が第一項の規定によるくじを行う場合には当該数市町村合同開票区管轄選挙管理委員会は、数市町村合同開票区の開票管理者が前項の規定によるくじを行う場合には第六十六条第一項の規定により当該開票管理者を選任した選挙管理委員会は、これらのくじを行うべき場所及び日時をあらかじめ告示しなければならない。

4　都道府県の選挙管理委員会が選挙の期日前二日又は選挙の期日の前日に従前の開票区の区域の一部に分割開票区を設けるとともに、当該従前の開票区の他の区域を他の従前の開票区の区域と合わせた区域に数区合同開票区を設けた場合には、法第六十二条第八項の規定による開票立会人の選任については、当該分割開票区の区域をその区域に含む指定都市の区の選挙管理委員会（以下この条において「分割開票区管轄選挙管理委員会」という。）は、当該分割開票区の区域が属していた従前の開票区において当該選挙の開票立会人に定められた者を、当該分割開票区（二以上の分割開票区が設けられた場合には、所属選挙人名簿登録者数が最も多い分割開票区（所属選挙人名簿登録者数が最も多い分割開票区が二以上あるとき、又は全ての分割開票区の所属選挙人名簿登録者数が同じであるときは、これらに該当する分割開票区の中から当該分割開票区管轄選挙管理委員会がくじで定めた分割開票区）。以下この項において同じ。）の開票立会人に選任するとともに、第七十条の三第九項の規定により指定された指定都市の区の選挙管理委員会（以下この条において「数区合同開票区管轄選挙管理委員会」という。）は、その区域の全部が当該数区合同開票区に属することとなる従前の開票区において当該選挙の開票立会人に定められた者を、当該数区合同開票区の開票立会人に選任しなければならない。ただし、開票区ごとに同一の政党その他の政治団体に属する者が三人以上あるときは、これらの者の中から、当該分割開票区にあつては当該分割開票区管轄選挙管理委員会が、当該数区合同開票区にあつては当該数区合同開票区管轄選挙管理委員会が、くじで定めた者二人以外の者を開票立会人に選任することができない。

5　都道府県の選挙管理委員会が選挙の期日以後に従前の開票区の区域の一部に分割開票区を設けるとともに、当該従前の開票区の他の区域を他の従前の開票区の区域と合わせた区域に数区合同開票区を設けた場合には、法第六十二条第八項の規定による開票立会人の選任については、当該分割開票区（二以上の分割開票区が設けられた場合には、所属選挙人名簿登録者数が最も多い分割開票区（所属選挙人名簿登録者数が最も多い分割開票区が二以上あるとき、又は全ての分割開票区の所属選挙人名簿登録者数が同じであるときは、これらに該当する分割開票区の中から分割開票区管轄選挙管理委員会がくじで定めた分割開票区）。以下この項において同じ。）の開票管理者は、当該分割開票区の区域が属していた従前の開票区において当該選挙の開票立会人に定められた者を、当該分割開票区の開票立会人に選任するとともに、当該数区合同開票区の開票管理者は、その区域の全部が当該数区合同開票区に属することとなる従前の開票区において当該選挙の開票立会人に定められた者を、当該数区合同開票区の開票立会人に選任しなければならない。ただし、開票区ごとに同一の政党その他の政治団体に属する者が三人以上あるときは、これらの者の中から当該分割開票区又は数区合同開票区の開票管理者がくじで定めた者二人以外の者を開票立会人に選任することができない。

6　分割開票区管轄選挙管理委員会が前二項の規定によるくじを行う場合又は分割開票区の開票管理者が前項の規定によるくじを行う場合には当該分割開票区管轄選挙管理委員会は、数区合同開票区管轄選挙管理委員会が第四項の規定によるくじを行う場合には当該数区合同開票区管轄選挙管理委員会は、数区合同開票区の開票管理者が前項の規定によるくじを行う場合には第六十六条第二項の規定により当該開票管理者を選任した指定都市の区の選挙管理委員会は、これらのくじを行うべき場所及び日時をあらかじめ告示しなければならない。

（開票立会人の選任に関する総務省令への委任）

第七十条の八　第七十条の四から前条までに規定するもののほ

か、選挙の期日前二日以後に開票区を設けた場合における開票立会人の選任に関し必要な事項は、総務省令で定める。

（代理投票、不在者投票及び在外投票の受理の決定）

第七十一条　開票管理者は、第四十一条及び第六十三条第四項（第六十五条の二十一において準用する場合を含む。）の規定の適用を受けた投票については、法第六十六条第一項の例によつて、これを受理するかどうかを決定しなければならない。

（投票の点検）

第七十二条　開票管理者は、投票を点検する場合においては、開票事務に従事する者二人に各別に同一の公職の候補者（公職の候補者たる参議院名簿登載者を含む。）、同一の衆議院名簿届出政党等又は同一の参議院名簿届出政党等の得票数（参議院名簿届出政党等の得票数にあつては、当該参議院名簿届出政党等に係る各参議院名簿登載者（当該選挙の期日において公職の候補者たる者に限る。）の得票数を含むものをいう。）を計算させなければならない。

（得票数の朗読等）

第七十三条　開票管理者は、前条の規定による計算が終わつたときは、各公職の候補者（公職の候補者たる参議院名簿登載者を含む。）、各衆議院名簿届出政党等又は各参議院名簿届出政党等の得票数（各参議院名簿届出政党等の得票数にあつては、当該参議院名簿届出政党等に係る各参議院名簿登載者（当該選挙の期日において公職の候補者たる者に限る。）の得票数を含むものをいう。）を朗読しなければならない。ただし、その開票所内にいる選挙人に周知させるため、掲示その他の必要な措置を講ずる場合は、この限りでない。

（開票録の送付）

第七十四条　開票管理者は、法第六十六条第三項の規定による投票の点検の結果の報告をする場合においては、あわせて開票録の写（市町村の選挙にあつては、開票録）を送付しなければならない。

（選挙人名簿及び在外選挙人名簿の返付）

第七十五条　開票管理者は、法第六十六条第三項の規定による報告をした後、直ちに選挙人名簿又はその抄本及び在外選挙人名簿又はその抄本を市町村の選挙管理委員会に返付しなければならない。

２　開票管理者は、選挙人名簿が法第十九条第三項の規定により磁気ディスクをもつて調製されている場合又は在外選挙人名簿が法第三十条の二第四項の規定により磁気ディスクをもつて調製されている場合において、前項の規定により当該選挙人名簿に記録されている全部若しくは一部の事項又は当該在外選挙人名簿に記録されている全部若しくは一部の事項を返付するときは、次のいずれかの方法により行うものとする。

一　当該開票管理者の使用に係る電子計算機から電気通信回線を通じて市町村の選挙管理委員会の使用に係る電子計算機に当該事項を送信する方法

二　当該開票管理者から当該事項を記録した電磁的記録媒体を市町村の選挙管理委員会に送付する方法

（点検済の投票等の送付）

第七十六条　開票管理者は、点検済の投票の有効無効を区別して、それぞれ別の封筒に入れ、開票立会人とともに封印をし、これを投票録及び開票録（市町村の選挙にあつては、投票録）並びに開票に関する書類とともに、市町村の選挙管理委員会（数市町村合同開票区にあつては次条第二項の規定により定められ、又は指定された市町村の選挙管理委員会とし、数区合同開票区にあつては同条第三項の規定により指定された区の選挙管理委員会とする。次項において同じ。）に送付しなければならない。

２　開票管理者は、第六十五条（第六十五条の二十一において準用する場合を含む。）の規定により送致を受けた投票を、その封筒を開かないで、不受理の決定をした投票とともに、前項の例により、市町村の選挙管理委員会に送付しなければならない。

（開票に関する書類等の保存）

第七十七条　開票に関する書類は、市町村の選挙管理委員会において、当該選挙に係る衆議院議員、参議院議員又は地方公共団体の議会の議員若しくは長の任期間、保存しなければならない。

２　前項の規定にかかわらず、数市町村合同開票区については、開票に関する書類は、関係市町村の選挙管理委員会が協議して定めた市町村の選挙管理委員会（関係市町村に指定都市が含まれる場合には、当該指定都市以外の関係市町村の選挙管理委員会又は当該指定都市の関係区の選挙管理委員会）において、その協議が調わない場合には都道府県の選挙管理委員会が指定した市町村の選挙管理委員会（関係市町村に指定都市が含まれる場合には、当該指定都市以外の関係市町村の選挙管理委員会又は当該指定都市の関係区の選挙管理委員会）において、開票録、投票録及び投票とともに、同項の期間、保存しなければならない。

３　第一項の規定にかかわらず、数区合同開票区については、開票に関する書類は、指定都市の選挙管理委員会が指定した区の選挙管理委員会において、開票録、投票録及び投票とともに、同項の期間、保存しなければならない。

（繰延開票に関する通知）

第七十八条　都道府県の選挙管理委員会は、法第七十三条において準用する法第五十七条第一項前段の規定により更に期日を定めて開票を行わせることとした場合及び当該開票の期日を定めた場合には、関係のある数市町村合同開票区の開票管理者及び選挙長（衆議院比例代表選出議員若しくは参議院比例代表選出議員の選挙又は参議院合同選挙区選挙については、選挙分会長）並びに市町村の選挙管理委員会（指定都市においては、市の選挙管理委員会を経て区の選挙管理委員会）に、直ちに、同項前段の規定により更に期日を定めて開票を行わせることとした旨及び当該開票の期日を、それぞれ通知しなければならない。

２　市町村の選挙管理委員会（指定都市においては、区の選挙管理委員会）は、都道府県の選挙管理委員会から前項の規定による通知を受けた場合には、直ちにその旨を関係のある開票管理者（数市町村合同開票区又は数区合同開票区の開票管理者を除く。）に通知しなければならない。

３　指定都市の選挙管理委員会は、都道府県の選挙管理委員会から第一項の規定による通知を受けた場合には、直ちにその旨を関係のある数区合同開票区の開票管理者に通知しなければならない。

４　市町村の選挙管理委員会は、法第七十三条において準用する法第五十七条第一項前段の規定により更に期日を定めて開票を行わせることとした場合及び当該開票の期日を定めた場合には、関係のある開票管理者（指定都市においては、関係のある数区合同開票区の開票管理者及び区の選挙管理委員会を経て関係のある開票管理者）及び選挙長に、直ちに、同項前段の規定により更に期日を定めて開票を行わせることとした旨及び当該開票の期日を、それぞれ通知しなければならない。

5　第一項に定めるもののほか、衆議院議員の選挙においては、小選挙区選出議員の選挙と比例代表選出議員の選挙を同時に行う場合において、小選挙区選出議員の選挙について法第七十三条において準用する法第五十七条第一項前段の規定により更に期日を定めて開票を行わせることとしたとき、及び当該開票の期日を定めたときは、都道府県の選挙管理委員会は、直ちに、同項前段の規定により更に期日を定めて開票を行わせることとした旨及び当該開票の期日を、それぞれ中央選挙管理会に通知しなければならない。

6　中央選挙管理会は、都道府県の選挙管理委員会から前項の規定による通知を受けたときは、直ちにその旨をその選挙区を包括する衆議院比例代表選出議員の選挙区に係る選挙長に通知しなければならない。

第七十九条　削除〔平六・一一政令三六九〕

第七章　選挙会及び選挙分会

（選挙長又は選挙分会長の職務代理者及び職務管掌者の選任）

第八十条　当該選挙に関する事務を管理する選挙管理委員会（衆議院比例代表選出議員又は参議院比例代表選出議員の選挙の選挙長については中央選挙管理会、参議院合同選挙区選挙の選挙長については当該選挙に関する事務を管理する参議院合同選挙区選挙管理委員会、衆議院比例代表選出議員又は参議院比例代表選出議員の選挙の選挙分会長については都道府県の選挙管理委員会、参議院合同選挙区選挙の選挙分会長については合同選挙区都道府県の選挙管理委員会）は、選挙長若しくは選挙分会長に事故があり、又はこれらの者が欠けた場合においてその職務を代理すべき者を、当該選挙の選挙権を有する者の中から、あらかじめ選任しておかなければならない。

2　当該選挙に関する事務を管理する選挙管理委員会（衆議院比例代表選出議員又は参議院比例代表選出議員の選挙の選挙長については中央選挙管理会、参議院合同選挙区選挙の選挙長については当該選挙に関する事務を管理する参議院合同選挙区選挙管理委員会、衆議院比例代表選出議員又は参議院比例代表選出議員の選挙の選挙分会長については都道府県の選挙管理委員会、参議院合同選挙区選挙の選挙分会長については合同選挙区都道府県の選挙管理委員会）の委員長は、選挙長若しくは選挙分会長及びこれらの者の職務を代理すべき者に共に事故があり、又はこれらの者が共に欠けた場合には、直ちに衆議院比例代表選出議員又は参議院比例代表選出議員の選挙の選挙長については中央選挙管理会の委員又は中央選挙管理会の庶務に従事する総務省の職員の中から、参議院合同選挙区選挙の選挙長については当該選挙に関する事務を管理する参議院合同選挙区選挙管理委員会の委員又は職員の中から、衆議院比例代表選出議員又は参議院比例代表選出議員の選挙の選挙分会長については当該選挙分会長の置かれた都道府県の選挙管理委員会の委員又は書記の中から、参議院合同選挙区選挙の選挙分会長については当該選挙分会長の置かれた合同選挙区都道府県の選挙管理委員会の委員又は書記の中から、衆議院比例代表選出議員又は参議院比例代表選出議員の選挙及び参議院合同選挙区選挙以外の選挙の選挙長については当該選挙に関する事務を管理する選挙管理委員会の委員又は書記の中から、臨時に選挙長又は選挙分会長の職務を管掌すべき者を選任しなければならない。

（選挙長若しくは選挙分会長又はその職務代理者の氏名等の告示）

第八十一条　当該選挙に関する事務を管理する選挙管理委員会（衆議院比例代表選出議員又は参議院比例代表選出議員の選挙の選挙長については中央選挙管理会、参議院合同選挙区選挙の選挙長については当該選挙に関する事務を管理する参議院合同選挙区選挙管理委員会、衆議院比例代表選出議員又は参議院比例代表選出議員の選挙の選挙分会長については都道府県の選挙管理委員会、参議院合同選挙区選挙の選挙分会長については合同選挙区都道府県の選挙管理委員会）は、法第七十五条第三項又は前条第一項の規定により選挙長若しくは選挙分会長又はその職務を代理すべき者を選任した場合には、直ちにその者の住所及び氏名を告示しなければならない。ただし、住所の全部の告示に支障があると認めるときは、当該住所の一部の告示をもつて当該住所の全部の告示に代えることができる。

（選挙立会人となるべき者の届出の方法）

第八十二条　第六十九条の規定は、選挙立会人となるべき者の届出の方法に準用する。

2　衆議院小選挙区選出議員又は都道府県の議会の議員の選挙において、法第七十九条第二項の規定により当該選挙の開票の事務を選挙会の事務に併せて行う旨の告示がされた場合においては、当該選挙の選挙立会人となるべき者の届出書には、選挙立会人となるべき者が選挙人名簿に登録されている旨の当該市町村の選挙管理委員会の委員長の証明書を添えなければならない。

（長の選挙を延期する場合の選挙立会人）

第八十三条　第七十条の規定は、法第八十六条の四第七項に規定する事由が生じた地方公共団体の長の選挙の選挙立会人について準用する。

（開票区の区域が選挙会の区域と同一である選挙の特例）

第八十三条の二　第六十六条から第七十条の八まで、第七十四条及び第七十七条の規定は、法第七十九条第一項の規定により開票の事務を選挙会の事務に併せて行う場合には、適用しない。

（開票事務を選挙会事務に併せて行わないこととなつた場合の告示）

第八十三条の三　衆議院小選挙区選出議員又は地方公共団体の議会の議員若しくは長の選挙に関する事務を管理する選挙管理委員会は、法第七十九条第二項の規定により当該選挙の開票の事務を選挙会の事務に併せて行う旨の告示をした後に、都道府県の選挙管理委員会が法第十八条第二項の規定により開票区を設けたことにより当該選挙における選挙会の区域と開票区の区域が同一でなくなつた場合には、当該選挙の開票の事務を選挙会の事務に併せて行わない旨の告示をしなければならない。

（得票総数の朗読等）

第八十四条　選挙長又は選挙分会長は、法第八十条又は第八十一条第二項若しくは第三項（同条第二項及び第三項の規定を同条第四項において準用する場合を含む。）の規定による計算が終わつたときは、各公職の候補者（公職の候補者たる参議院名簿登載者を含む。）、各衆議院名簿届出政党等又は各参議院名簿届出政党等の得票総数（各参議院名簿届出政党等の得票総数にあつては、当該参議院名簿届出政党等に係る各参議院名簿登載者（当該選挙の期日において公職の候補者たる者に限る。）の得票総数を含むものをいう。）を朗読しなければならない。ただし、その選挙会場又は選挙分会場内にいる選挙人に周知させるため、掲示その他の必要な措置を講ずる場合は、この限りでない。

（選挙録等の送付）

第八十五条　選挙長又は選挙分会長は、選挙会又は選挙分会の事務が終了した場合には、選挙長にあつては選挙録及び選挙会に関する書類を当該選挙に関する事務を管理する選挙管理委員会（衆議院比例代表選出議員又は参議院比例代表選出議員の選挙については、中央選挙管理会、参議院合同選挙区選挙については当該選挙に関する事務を管理する参議院合同選挙区選挙管理委員会）に、選挙分会長にあつては選挙録及び選挙分会に関する書類を都道府県の選挙管理委員会に、それぞれ送付しなければならない。

（選挙会又は選挙分会に関する書類の保存）

第八十六条　選挙会に関する書類は、当該選挙に関する事務を管理する選挙管理委員会（衆議院比例代表選出議員又は参議院比例代表選出議員の選挙については中央選挙管理会、参議院合同選挙区選挙については当該選挙に関する事務を管理する参議院合同選挙区選挙管理委員会）において、当該選挙に係る衆議院議員、参議院議員又は地方公共団体の議会の議員若しくは長の任期間、保存しなければならない。

2　選挙分会に関する書類は、都道府県の選挙管理委員会において、当該選挙に係る衆議院議員又は参議院議員の任期間、保存しなければならない。

（繰延選挙会又は繰延選挙分会に関する通知）

第八十七条　法第八十四条において準用する法第五十七条第一項前段の規定により更に期日を定めて選挙会又は選挙分会を行わせることとした場合及び当該選挙会又は選挙分会の期日を定めた場合には、当該選挙に関する事務を管理する選挙管理委員会（衆議院比例代表選出議員又は参議院比例代表選出議員の選挙の選挙会については中央選挙管理会、参議院合同選挙区選挙の選挙会については当該選挙に関する事務を管理する参議院合同選挙区選挙管理委員会、衆議院比例代表選出議員又は参議院比例代表選出議員の選挙の選挙分会については都道府県の選挙管理委員会、参議院合同選挙区選挙の選挙分会については合同選挙区都道府県の選挙管理委員会）は、当該選挙長又は選挙分会長に対し、直ちに、同項前段の規定により更に期日を定めて選挙会又は選挙分会を行わせることとした旨及び当該選挙会又は選挙分会の期日を、それぞれ通知しなければならない。

2　前項に定めるもののほか、衆議院議員の選挙において、小選挙区選出議員の選挙と比例代表選出議員の選挙を同時に行う場合において、小選挙区選出議員の選挙について法第八十四条において準用する法第五十七条第一項前段の規定により更に期日を定めて選挙会を行わせることとしたとき、及び当該選挙会の期日を定めたときは、都道府県の選挙管理委員会は、直ちに、同項前段の規定により更に期日を定めて選挙会を行わせることとした旨及び当該選挙会の期日を、それぞれ中央選挙管理会に通知しなければならない。

3　中央選挙管理会は、都道府県の選挙管理委員会から前項の規定による通知を受けたときは、直ちにその旨をその選挙区を包括する衆議院比例代表選出議員の選挙区に係る選挙長に通知しなければならない。

第八章　公職の候補者等

（衆議院小選挙区選出議員の選挙における立候補の届出書又は推薦届出書に記載すべき事項等）

第八十八条　法第八十六条第四項に規定する政令で定める事項は、候補者となるべき者が法律の定めるところにより衆議院議員と兼ねることができない職にある者である場合においては、その職名とする。

2　法第八十六条第五項ただし書に規定する政令で定めるものは、次項第二号に規定する文書とする。

3　法第八十六条第五項第二号に規定する政令で定める文書は、次の各号に掲げる区分に応じ、当該各号に定める文書とする。

一　法第八十六条第一項第一号に該当する政党その他の政治団体として同項の規定による届出をするもの　当該政党その他の政治団体に所属する五人以上の衆議院議員又は参議院議員の氏名を記載した文書（以下この号において「第一号要件文書」という。）並びに当該第一号要件文書にその氏名を記載されることについての当該衆議院議員又は参議院議員の承諾書及び当該第一号要件文書に次条第二項又は第三項の規定によりその氏名を記載することができないこととされている者を当該衆議院議員又は参議院議員としてその氏名を記載していないことを当該政党その他の政治団体の法第八十六条第四項に規定する代表者（以下単に「代表者」という。）が誓う旨の宣誓書

二　法第八十六条第一項第二号に該当する政党その他の政治団体として同項の規定による届出をするもの　直近において行われた衆議院議員の総選挙における小選挙区選出議員の選挙若しくは比例代表選出議員の選挙又は参議院議員の通常選挙における比例代表選出議員の選挙若しくは選挙区選出議員の選挙における当該政党その他の政治団体の得票総数を記載した文書

4　法第八十六条第五項第六号に規定する政令で定める文書は、次に掲げる文書とする。

一　法第九十二条第一項の規定による供託をしたことを証明する書面（候補者となるべき者の氏名が記載されたものに限る。）

二　候補者となるべき者の戸籍の謄本又は抄本

5　法第八十六条第六項に規定する政令で定める事項は、次の各号に掲げる区分に応じ、当該各号に定める事項とする。

一　法第八十六条第二項の文書の記載事項　候補者となるべき者が法律の定めるところにより衆議院議員と兼ねることができない職にある者である場合においては、その職名

二　法第八十六条第三項の文書の記載事項　前号に定める事項並びに推薦届出者の氏名、住所及び生年月日

6　法第八十六条第七項に規定する政令で定める文書は、次の各号に掲げる区分に応じ、当該各号に定める文書とする。

一　法第八十六条第二項の文書の添付文書　次に掲げる文書
イ　法第九十二条第一項の規定による供託をしたことを証明する書面（候補者となるべき者の氏名が記載されたものに限る。）
ロ　候補者となるべき者の戸籍の謄本又は抄本
二　法第八十六条第三項の文書の添付文書　前号に定める文書並びに候補者となるべき者の承諾書及び推薦届出者が選挙人名簿に登録されている旨の当該市町村の選挙管理委員会の委員長の証明書

7　法第八十六条第一項から第三項まで、第五項又は第七項の文書に記載する候補者となるべき者の氏名は、当該候補者となるべき者の戸籍簿に記載された氏名（以下「本名」という。）によらなければならない。

8　候補者届出政党は、法第八十六条第十三項の告示、法第百四十九条第一項の新聞広告、法第百五十条第一項の政見放送、法第百五十一条第一項の経歴放送、法第百六十七条第一項の選挙公報並びに法第百七十五条第一項及び第二項の掲示に当該候補者届出政党の届出に係る候補者の氏名が記載され、又は使用される場合において、本名に代えて本名以外の呼称で本名に代わるものとして広く通用しているもの（以下「通称」という。）が記載され、又は使用されることを求めようとするときは、当該候補者の承諾を得て、当該通称について選挙長の認定を受けなければならない。この場合においては、法第八十六条第一項の文書に添えて通称認定申請書を提出するとともに、選挙長に当該呼称が本名に代わるものとして広く通用しているものであることを説明し、かつ、そのことを証するに足りる資料を提示しなければならない。

9　前項の規定は、法第八十六条第二項、第三項又は第八項の規定による届出のあつた候補者（同項の規定による届出のあつた候補者のうち候補者届出政党の届出に係る候補者を除く。）が、法第八十六条第十三項の告示、法第百四十九条第一項の新聞広告、法第百五十一条第一項の経歴放送、法第百六十七条第一項の選挙公報並びに法第百七十五条第一項及び第二項の掲示に当該候補者の氏名が記載され、又は使用される場合において、本名に代えて通称が記載され、又は使用されることを求めようとするときについて準用する。

10　選挙長は、第八項（前項において準用する場合を含む。）の規定による認定をした場合においては、直ちに認定書を当該認定を申請した候補者届出政党又は候補者に交付しなければならない。

11　法第八十六条第一項から第三項まで、第五項又は第七項の文書の記載事項に異動を生じた場合においては、当該文書を届け出た候補者届出政党、候補者又は推薦届出者は、直ちに文書でその異動に係る事項を選挙長に届け出なければならない。

12　法第八十六条第十一項の規定により候補者の届出を取り下げる旨の届出又は同条第十二項の規定により候補者たることを辞する旨の届出は、文書でしなければならない。

（候補者届出政党に所属する衆議院議員又は参議院議員の数の算定等）

第八十八条の二　法第八十六条第一項又は第八項の規定による届出の際現に衆議院の解散若しくは衆議院議員の任期満了により衆議院議員が在任しない場合又は参議院議員の任期満了により参議院議員の一部が在任しない場合における同条第一項第一号に規定する衆議院議員又は参議院議員の数については、その衆議院の解散若しくは衆議院議員の任期満了により衆議院議員でなくなつた者（その衆議院の解散がなく、又はその衆議院議員の任期が当該届出の時まで引き続いているものとしたならば、それぞれ当該届出の時まで引き続き衆議院議員として在任することができた者に限る。）又はその参議院議員の任期満了により参議院議員でなくなつた者（その参議院議員の任期が当該届出の時まで引き続いているものとしたならば、当該届出の時まで引き続き参議院議員として在任することができた者に限る。）は、同号に規定する衆議院議員又は参議院議員に含まれるものとして、算定するものとする。

2　衆議院議員の選挙において小選挙区選出議員の選挙と比例代表選出議員の選挙を同時に行う場合においては、法第八十六条第一項第一号に該当する政党その他の政治団体として同項の規定による届出をするものは、当該衆議院議員の選挙において、当該政党その他の政治団体以外の候補者届出政党若しくは衆議院名簿届出政党等（法第八十六条の五第一項又は第八十六条の六第一項若しくは第二項の規定による届出をした政党その他の政治団体でいずれの選挙区においても法第八十六条第一項若しくは第八項又は第八十六条の二第一項の規定による届出をしていないものを含む。）に所属する衆議院議員若しくは参議院議員又は当該政党その他の政治団体以外の候補者届出政党若しくは衆議院名簿届出政党等に所属する衆議院議員若しくは参議院議員として前条第三項第一号に規定する第一号要件文書若しくは次条第三項第一号に規定する第一号要件文書にその氏名を記載された者を、当該政党その他の政治団体に所属する衆議院議員又は参議院議員として、前条第三項第一号に規定する第一号要件文書にその氏名を記載することができない。

3　衆議院小選挙区選出議員の選挙（衆議院比例代表選出議員の選挙と同時に行われる場合を除く。）においては、法第八十六条第一項第一号に該当する政党その他の政治団体として同項の規定による届出をするものは、当該衆議院小選挙区選出議員の選挙（当該選挙と同時に行われる他の衆議院小選挙区選出議員の選挙を含む。）において、当該政党その他の政治団体以外の候補者届出政党（法第八十六条の五第一項の規定による衆議院小選挙区選出議員の候補者となるべき者の選定の手続の届出をした政党その他の政治団体でいずれの選挙区においても法第八十六条第一項又は第八項の規定による届出をしていないものを含む。）に所属する衆議院議員若しくは参議院議員又は当該政党その他の政治団体以外の候補者届出政党に所属する衆議院議員若しくは参議院議員として前条第三項第一号に規定する第一号要件文書にその氏名を記載された者を、当該政党その他の政治団体に所属する衆議院議員又は参議院議員として、同号に規定する第一号要件文書にその氏名を記載することができない。

4　衆議院議員の総選挙における小選挙区選出議員の選挙又は参議院議員の通常選挙における選挙区選出議員の選挙における法第八十六条第一項第二号に規定する当該政党その他の政治団体の得票総数は、当該政党その他の政治団体の当該選挙の期日における届出候補者（同項又は同条第八項の規定による当該政党その他の政治団体の届出に係る候補者をいう。）又は所属候補者（同条第七項（同条第八項においてその例によることとされる場合を含む。）又は法第八十六条の四第三項（同条第五項においてその例によることとされる場合を含む。）の規定により当該政党その他の政治団体に所属する者として記載された候補者をいう。）の得票数を合算した数とする。

5　参議院議員の通常選挙における比例代表選出議員の選挙における法第八十六条第一項第二号に規定する当該政党その他の政治団体の得票総数は、法第八十六条の三第一項の規定による届出をした当該政党その他の政治団体の得票総数（当該政党その他の政治団体に係る各参議院名簿登載者（当該選挙の期日において公職の候補者たる者に限る。）の得票総数を含むものをいう。）とする。

6　第一項の場合においては、前条第三項第一号並びに第二項及び第三項の衆議院議員又は参議院議員には、第一項に規定する衆議院議員でなくなつた者又は同項に規定する参議院議員でなくなつた者が含まれるものとして、これらの規定を適用する。

（衆議院比例代表選出議員の選挙における衆議院名簿に添えて届け出るべき文書等）

第八十八条の三　法第八十六条の二第二項ただし書に規定する政令で定めるものは、第三項第二号に規定する文書とする。

2　法第八十六条の二第二項第一号に規定する政令で定める事項は、次に掲げる事項とする。

一　衆議院名簿登載者が法律の定めるところにより衆議院議員と兼ねることができない職にある者である場合においては、その職名

二　衆議院名簿登載者が当該衆議院比例代表選出議員の選挙と同時に行われる衆議院小選挙区選出議員の選挙における候補者（候補者となるべき者を含む。以下この号において同じ。）である場合においては、当該衆議院名簿登載者が候補者である衆議院小選挙区選出議員の選挙区の名称

3　法第八十六条の二第二項第三号に規定する政令で定める文書は、次の各号に掲げる区分に応じ、当該各号に定める文書とする。

一　法第八十六条の二第一項第一号に該当する政党その他の政治団体として同項の規定による届出をするもの　当該政党その他の政治団体に所属する五人以上の衆議院議員又は参議院議員の氏名を記載した文書（以下この号において「第一号要件文書」という。）並びに当該第一号要件文書にその氏名を記載されることについての当該衆議院議員又は参議院議員の承諾書及び当該第一号要件文書に次条第二項において準用する前条第二項又は次条第三項の規定によりその氏名を記載することができないこととされている者を当該衆議院議員又は参議院議員としてその氏名を記載していないことを当該政党その他の政治団体の代表者が誓う旨の宣誓書

二　法第八十六条の二第一項第二号に該当する政党その他の政治団体として同項の規定による届出をするもの　直近において行われた衆議院議員の総選挙における小選挙区選出議員の選挙若しくは比例代表選出議員の選挙又は参議院議員の通常選挙における比例代表選出議員の選挙若しくは選挙区選出議員の選挙における当該政党その他の政治団体の得票総数を記載した文書

4　法第八十六条の二第二項第七号に規定する政令で定める文書は、次に掲げる文書とする。

一　法第九十二条第二項の規定による供託をしたことを証明する書面

二　衆議院名簿登載者の戸籍の謄本又は抄本

5　法第八十六条の二第一項の規定による届出に係る政党その他の政治団体の略称は、字数二十以内のものでなければならない。

6　衆議院名簿又は法第八十六条の二第二項の文書に記載する衆議院名簿登載者の氏名は、当該衆議院名簿登載者の本名によらなければならない。

7　衆議院名簿届出政党等は、法第八十六条の二第十三項の告示、法第百四十九条第二項の新聞広告、法第百五十条第三項の政見放送、法第百六十七条第二項の選挙公報及び法第百七十五条第一項の掲示に当該衆議院名簿登載者の氏名が記載され、又は使用される場合において、本名に代えて通称が記載され、又は使用されることを求めようとするときは、当該通称について選挙長の認定を受けなければならない。この場合においては、選挙長に衆議院名簿に添えて通称認定申請書を提出するとともに、選挙長に当該呼称が本名に代わるものとして広く通用しているものであることを説明し、かつ、そのことを証するに足りる資料を提示しなければならない。

8　選挙長は、前項の規定による認定をした場合においては、直ちに認定書を当該認定を申請した衆議院名簿届出政党等に交付しなければならない。

9　衆議院名簿又は法第八十六条の二第二項の文書の記載事項に異動を生じた場合においては、当該衆議院名簿届出政党等は、直ちに文書でその異動に係る事項を選挙長に届け出なければならない。

（衆議院名簿届出政党等に所属する衆議院議員又は参議院議員の数の算定等）

第八十八条の四　第八十八条の二第一項の規定は、法第八十六条の二第一項の規定による届出の際現に衆議院の解散若しくは衆議院議員の任期満了により衆議院議員が存在しない場合又は参議院議員の任期満了により参議院議員の一部が存在しない場合における同項第一号に規定する衆議院議員又は参議院議員の数の算定について準用する。

2　第八十八条の二第二項の規定は、衆議院議員の選挙において小選挙区選出議員の選挙と比例代表選出議員の選挙を同時に行う場合における前条第三項第一号に規定する第一号要件文書の記載について準用する。

3　衆議院比例代表選出議員の選挙（衆議院小選挙区選出議員の選挙と同時に行われる場合を除く。）においては、法第八十六条の二第一項第一号に該当する政党その他の政治団体として同項の規定による届出をするものは、当該衆議院比例代表選出議員の選挙（当該選挙と同時に行われる他の衆議院比例代表選出議員の選挙を含む。）において、当該政党その他の政治団体以外の衆議院名簿届出政党等（法第八十六条の五第一項の規定による衆議院名簿登載者の選定の手続の届出をした政党その他の政治団体又は法第八十六条の六第一項若しくは第二項の規定による届出をした政党その他の政治団体でいずれの選挙区においても法第八十六条の二第一項の規定による届出をしていないものを含む。）に所属する衆議院議員若しくは参議院議員又は当該政党その他の政治団体以外の衆議院名簿届出政党等に所属する衆議院議員若しくは参議院議員として前条第三項第一号に規定する第一号要件文書にその氏名を記載された者を、当該政党

その他の政治団体に所属する衆議院議員又は参議院議員として、同号に規定する第一号要件文書にその氏名を記載することができない。

4　衆議院議員の総選挙における小選挙区選出議員の選挙又は参議院議員の通常選挙における選挙区選出議員の選挙における法第八十六条の二第一項第二号に規定する当該政党その他の政治団体の得票総数は、当該政党その他の政治団体の当該選挙の期日における届出候補者（法第八十六条第一項又は第八項の規定による当該政党その他の政治団体の届出に係る候補者をいう。）又は所属候補者（法第八十六条第七項（同条第八項においてその例によることとされる場合を含む。）又は法第八十六条の四第三項（同条第五項においてその例によることとされる場合を含む。）の規定により当該政党その他の政治団体に所属する者として記載された候補者をいう。）の得票数を合算した数とする。

5　参議院議員の通常選挙における比例代表選出議員の選挙における法第八十六条の二第一項第二号に規定する当該政党その他の政治団体の得票総数は、法第八十六条の三第一項の規定による届出をした当該政党その他の政治団体の得票総数（当該政党その他の政治団体に係る各参議院名簿登載者（当該選挙の期日において公職の候補者たる者に限る。）の得票総数を含むものをいう。）とする。

6　第一項の場合においては、前条第三項第一号並びに第二項において準用する第八十八条の二第二項及び第三項の衆議院議員又は参議院議員には、第一項において準用する第八十八条の二第一項に規定する衆議院議員でなくなつた者又は同項に規定する参議院議員でなくなつた者が含まれるものとして、これらの規定を適用する。

（参議院比例代表選出議員の選挙における参議院名簿に添えて届け出るべき文書等）

第八十八条の五　法第八十六条の三第二項において準用する法第八十六条の二第二項ただし書に規定する政令で定めるものは、第三項第二号に規定する文書とする。

2　法第八十六条の三第二項において準用する法第八十六条の二第二項第一号に規定する政令で定める事項は、次に掲げる事項とする。

一　参議院名簿登載者が、当該参議院名簿を届け出る政党その他の政治団体に所属する者であるか又は当該政党その他の政治団体の推薦する者であるかの別

二　参議院名簿登載者が法律の定めるところにより参議院議員と兼ねることができない職にある者である場合には、その職名

3　法第八十六条の三第二項において準用する法第八十六条の二第二項第三号に規定する政令で定める文書は、次の各号に掲げる区分に応じ、当該各号に定める文書とする。

一　法第八十六条の三第一項第一号に該当する政党その他の政治団体として同項の規定による届出をするもの　当該政党その他の政治団体に所属する五人以上の衆議院議員又は参議院議員の氏名を記載した文書（以下この号及び次条において「第一号要件文書」という。）並びに当該第一号要件文書にその氏名を記載されることについての当該衆議院議員又は参議院議員の承諾書及び当該政党その他の政治団体以外の参議院名簿届出政党等（法第八十六条の七第一項の規定による届出をした政党その他の政治団体で法第八十六条の三第一項の規定による届出をしていないものを含む。）若しくは法第百五十条第一項第二号イ若しくはロに規定する政党その他の政治団体に所属する衆議院議員若しくは参議院議員又は当該政党その他の政治団体以外の同号イ若しくはロに規定する政党その他の政治団体に所属する衆議院議員若しくは参議院議員として第百十一条の六第二項第一号に規定する五人要件文書にその氏名を記載された者を当該政党その他の政治団体に所属する衆議院議員又は参議院議員として当該第一号要件文書にその氏名を記載していないことを当該政党その他の政治団体の代表者が誓う旨の宣誓書

二　法第八十六条の三第一項第二号に該当する政党その他の政治団体として同項の規定による届出をするもの　直近において行われた衆議院議員の総選挙における小選挙区選出議員の選挙若しくは比例代表選出議員の選挙又は参議院議員の通常選挙における比例代表選出議員の選挙若しくは選挙区選出議員の選挙における当該政党その他の政治団体の得票総数を記載した文書

三　法第八十六条の三第一項第三号に該当する政党その他の政治団体として同項の規定による届出をするもの　当該参議院議員の選挙における十人以上の参議院名簿登載者又は所属候補者（法第八十六条の四第三項の規定により政党その他の政治団体に所属する者として記載された候補者をいう。次条第二項、第三項及び第六項において同じ。）の氏名を記載した文書（次条において「第三号要件文書」という。）

4　法第八十六条の三第二項において準用する法第八十六条の二第二項第七号に規定する政令で定める文書は、次に掲げる文書とする。

一　法第九十二条第三項の規定による供託をしたことを証明する書面

二　参議院名簿登載者の戸籍の謄本又は抄本

5　法第八十六条の三第一項の規定による届出に係る政党その他の政治団体の略称は、字数二十以内のものでなければならない。

6　参議院名簿又は法第八十六条の三第二項において準用する法第八十六条の二第二項の文書に記載する参議院名簿登載者の氏名は、当該参議院名簿登載者の本名によらなければならない。

7　第八十八条の三第七項及び第八項の規定は、参議院名簿届出政党等が、法第八十六条の三第二項において準用する法第八十六条の二第十三項の告示、法第百四十九条第三項の新聞広告、法第百五十条第三項の政見放送、法第百六十七条第二項の選挙公報並びに法第百七十五条第一項及び第二項の掲示に当該参議院名簿登載者の氏名が記載され、又は使用される場合において、本名に代えて通称が記載され、又は使用されることを求めようとするときについて準用する。

8　参議院名簿又は法第八十六条の三第二項において準用する法第八十六条の二第二項の文書の記載事項に異動を生じた場合には、当該参議院名簿届出政党等は、直ちに文書でその異動に係る事項を選挙長に届け出なければならない。

9　参議院比例代表選出議員の再選挙又は補欠選挙について法第八十六条の三第二項において読み替えて準用する法第八十六条の二第二項の規定を適用する場合には、同項ただし書中「任期

満了前九十日に当たる日から七日を経過する日まで」とあるのは、「参議院比例代表選出議員の再選挙又は補欠選挙を行うべき事由が生じた旨を中央選挙管理会が告示した日から三日を経過する日まで」とする。

（参議院名簿届出政党等に所属する衆議院議員又は参議院議員の数の算定等）

第八十八条の六　第八十八条の二第一項の規定は、法第八十六条の三第一項の規定による届出の際現に衆議院の解散若しくは衆議院議員の任期満了により衆議院議員が在任しない場合又は参議院議員の任期満了により参議院議員の一部が在任しない場合における同項第一号に規定する衆議院議員又は参議院議員の数の算定について準用する。

2　参議院議員の選挙において比例代表選出議員の選挙と選挙区選出議員の選挙を同時に行う場合には、法第八十六条の三第一項第一号に該当する政党その他の政治団体として同項の規定による届出をするものは、当該参議院議員の選挙において、当該政党その他の政治団体以外の参議院名簿届出政党等（法第八十六条の七第一項の規定による届出をした政党その他の政治団体で法第八十六条の三第一項の規定による届出をしていないものを含む。）若しくは法第百五十条第一項第二号イ若しくはロに規定する政党その他の政治団体に所属する衆議院議員若しくは参議院議員、当該政党その他の政治団体以外の参議院名簿届出政党等に所属する衆議院議員若しくは参議院議員として第一号要件文書にその氏名を記載された者、当該政党その他の政治団体以外の同号イ若しくはロに規定する政党その他の政治団体に所属する衆議院議員若しくは参議院議員として第百十一条の六第二項第一号に規定する五人要件文書にその氏名を記載された者又は当該政党その他の政治団体以外の参議院名簿届出政党等の参議院名簿登載者若しくは所属候補者として第三号要件文書にその氏名を記載された者を、当該政党その他の政治団体に所属する衆議院議員又は参議院議員として、第一号要件文書にその氏名を記載することができない。

3　参議院比例代表選出議員の選挙（参議院選挙区選出議員の選挙と同時に行われる場合を除く。）においては、法第八十六条の三第一項第一号に該当する政党その他の政治団体として同項の規定による届出をするものは、当該参議院比例代表選出議員の選挙において、当該政党その他の政治団体以外の参議院名簿届出政党等（法第八十六条の七第一項の規定による届出をした政党その他の政治団体で法第八十六条の三第一項の規定による届出をしていないものを含む。）に所属する衆議院議員若しくは参議院議員、当該政党その他の政治団体以外の参議院名簿届出政党等に所属する衆議院議員若しくは参議院議員として第一号要件文書にその氏名を記載された者又は当該政党その他の政治団体以外の参議院名簿届出政党等の参議院名簿登載者若しくは所属候補者として第三号要件文書にその氏名を記載された者を、当該政党その他の政治団体に所属する衆議院議員又は参議院議員として、第一号要件文書にその氏名を記載することができない。

4　衆議院議員の総選挙における小選挙区選出議員の選挙又は参議院議員の通常選挙における選挙区選出議員の選挙における法第八十六条の三第一項第二号に規定する当該政党その他の政治団体の得票総数は、当該政党その他の政治団体の当該選挙の期日における届出候補者（法第八十六条第一項又は第八項の規定による当該政党その他の政治団体の届出に係る候補者をいう。）又は所属候補者（法第八十六条第七項（同条第八項においてその例によることとされる場合を含む。）又は法第八十六条の四第三項（同条第五項においてその例によることとされる場合を含む。）の規定により当該政党その他の政治団体に所属する者として記載された候補者をいう。）の得票数を合算した数とする。

5　参議院議員の通常選挙における比例代表選出議員の選挙における法第八十六条の三第一項第二号に規定する当該政党その他の政治団体の得票総数は、同項の規定による届出をした当該政党その他の政治団体の得票総数（当該政党その他の政治団体に係る各参議院名簿登載者（当該選挙の期日において公職の候補者たる者に限る。）の得票総数を含むものをいう。）とする。

6　法第八十六条の三第一項第三号に該当する政党その他の政治団体として同項の規定による届出をするものは、当該参議院議員の選挙において、当該政党その他の政治団体以外の参議院名簿届出政党等の参議院名簿登載者若しくは所属候補者として第三号要件文書にその氏名を記載された者又は当該政党その他の政治団体以外の参議院名簿届出政党等に所属する衆議院議員若しくは参議院議員として第一号要件文書にその氏名を記載された者を、当該政党その他の政治団体の参議院名簿登載者又は所属候補者として、第三号要件文書にその氏名を記載することができない。

7　第一項の場合においては、前条第三項第一号並びに第二項、第三項及び前項に規定する衆議院議員又は参議院議員には、第一項において準用する第八十八条の二第一項に規定する衆議院議員でなくなつた者又は同項に規定する参議院議員でなくなつた者が含まれるものとして、これらの規定を適用する。

（衆議院議員又は参議院比例代表選出議員の選挙以外の選挙における立候補の届出書又は推薦届出書に記載すべき事項等）

第八十九条　法第八十六条の四第三項に規定する政令で定める事項は、次の各号に掲げる区分に応じ、当該各号に定める事項とする。

一　法第八十六条の四第一項の文書の記載事項　次に掲げる区分に応じ、それぞれ次に定める事項

イ　参議院選挙区選出議員の選挙　候補者となるべき者が法律の定めるところにより参議院議員と兼ねることができない職にある者である場合には、その職名

ロ　地方公共団体の議会の議員又は長の選挙　次に掲げる事項

(1)　公職の候補者となるべき者が法律の定めるところにより当該公職と兼ねることができない職にある者である場合には、その職名

(2)　公職の候補者となるべき者が当該地方公共団体に対し地方自治法第九十二条の二又は第百四十二条に規定する関係を有する場合には、当該関係を有する旨

二　法第八十六条の四第二項の文書の記載事項　次に掲げる区分に応じ、それぞれ次に定める事項

イ　参議院選挙区選出議員の選挙　前号イに定める事項並びに推薦届出者の氏名、住所及び生年月日

ロ　地方公共団体の議会の議員又は長の選挙　前号ロに定める事項並びに推薦届出者の氏名、住所及び生年月日

2　法第八十六条の四第四項に規定する政令で定める文書は、次の各号に掲げる区分に応じ、当該各号に定める文書とする。

一　法第八十六条の四第一項の文書の添付文書　次に掲げる文書

イ　法第九十二条第一項の規定による供託をしたことを証明する書面（公職の候補者となるべき者の氏名が記載されたものに限る。）

ロ　公職の候補者となるべき者の戸籍の謄本又は抄本

二　法第八十六条の四第二項の文書の添付文書　前号に定める文書並びに公職の候補者となるべき者の承諾書及び推薦届出者が選挙人名簿に登録されている旨の当該市町村の選挙管理委員会の委員長の証明書

3　法第八十六条の四第一項、第二項又は第四項の文書に記載する公職の候補者となるべき者の氏名は、本名によらなければならない。

4　法第八十六条の四第一項又は第二項の文書に記載する政党その他の政治団体の名称が字数二十を超える場合には、字数二十以内の略称を併せて記載しなければならない。

5　第八十八条第八項及び第十項の規定は、公職の候補者が、法第四十六条の二第一項の投票用紙、法第八十六条の四第十一項の告示、法第百四十九条第四項の新聞広告、法第百五十条第一項若しくは第三項の政見放送、法第百五十一条第一項若しくは第三項の経歴放送、法第百六十七条第一項（法第百七十二条の二の規定により条例で定める場合を含む。）の選挙公報並びに法第百七十五条第一項及び第二項の掲示に当該公職の候補者の氏名が記載され、又は使用される場合において、本名に代えて通称が記載され、又は使用されることを求めようとするときについて準用する。

6　法第八十六条の四第一項、第二項又は第四項の文書の記載事項に異動を生じた場合には、当該文書を届け出た候補者又は推薦届出者は、直ちに文書でその異動に係る事項を選挙長に届け出なければならない。

7　法第八十六条の四第十項の規定により公職の候補者たることを辞する旨の届出は、文書でしなければならない。

（候補者の選定の手続の届出書に添付すべき文書等）

第八十九条の二　法第八十六条の五第三項に規定する政令で定める文書は、次の各号に掲げる区分に応じ、当該各号に定める文書とする。

一　法第八十六条第一項第一号に該当する政党その他の政治団体として法第八十六条の五第一項の規定による届出をするもの　当該政党その他の政治団体に所属する五人以上の衆議院議員又は参議院議員の氏名を記載した文書（以下この号において「第一号要件文書」という。）並びに当該第一号要件文書にその氏名を記載されることについての当該衆議院議員又は参議院議員の承諾書及び当該第一号要件文書に当該政党その他の政治団体以外の政党その他の政治団体で同項の規定による届出をしたものに所属する者を当該衆議院議員又は参議院議員としてその氏名を記載していないことを当該政党その他の政治団体の代表者が誓う旨の宣誓書

二　法第八十六条第一項第二号に該当する政党その他の政治団体として法第八十六条の五第一項の規定による届出をするもの　第八十八条第三項第二号に定める文書

2　第八十八条の二第一項の規定は、法第八十六条の五第一項の規定による届出の際現に衆議院の解散若しくは衆議院議員の任期満了により衆議院議員が在任しない場合又は参議院議員の任期満了により参議院議員の一部が在任しない場合における法第八十六条第一項第一号に規定する衆議院議員又は参議院議員の数の算定について準用する。

3　法第八十六条第一項第一号に該当する政党その他の政治団体として法第八十六条の五第一項の規定による届出をするものは、当該政党その他の政治団体以外の政党その他の政治団体で同項の規定による届出をしたものに所属する衆議院議員又は参議院議員を、当該政党その他の政治団体に所属する衆議院議員又は参議院議員として、第一項第一号に規定する第一号要件文書にその氏名を記載することができない。

4　第二項の場合においては、第一項第一号及び前項の衆議院議員又は参議院議員には、第二項において準用する第八十八条の二第一項に規定する衆議院議員でなくなつた者又は同項に規定する参議院議員でなくなつた者が含まれるものとして、これらの規定を適用する。

（衆議院比例代表選出議員の選挙における政党その他の政治団体の名称等の届出書に添付すべき文書等）

第八十九条の三　法第八十六条の六第四項に規定する政令で定める文書は、次の各号に掲げる区分に応じ、当該各号に定める文書とする。

一　法第八十六条の二第一項第一号に該当する政党その他の政治団体として法第八十六条の六第一項又は第二項の規定による届出をするもの　当該政党その他の政治団体に所属する五人以上の衆議院議員又は参議院議員の氏名を記載した文書（以下この号において「第一号要件文書」という。）並びに当該第一号要件文書にその氏名を記載されることについての当該衆議院議員又は参議院議員の承諾書及び当該第一号要件文書に当該政党その他の政治団体以外の政党その他の政治団体でこれらの規定による届出をしたものに所属する者を当該衆議院議員又は参議院議員としてその氏名を記載していないことを当該政党その他の政治団体の代表者が誓う旨の宣誓書

二　法第八十六条の二第一項第二号に該当する政党その他の政治団体として法第八十六条の六第一項又は第二項の規定による届出をするもの　第八十八条の三第三項第二号に定める文書

2　第八十八条の二第一項の規定は、法第八十六条の六第一項又は第二項の規定による届出の際現に衆議院の解散若しくは衆議院議員の任期満了により衆議院議員が在任しない場合又は参議院議員の任期満了により参議院議員の一部が在任しない場合における法第八十六条の二第一項第一号に規定する衆議院議員又は参議院議員の数の算定について準用する。

3　法第八十六条の二第一項第一号に該当する政党その他の政治団体として法第八十六条の六第一項又は第二項の規定による届出をするものは、当該政党その他の政治団体以外の政党その他の政治団体でこれらの規定による届出をしたものに所属する衆議院議員又は参議院議員を、当該政党その他の政治団体に所属する衆議院議員又は参議院議員として、第一項第一号に規定する第一号要件文書にその氏名を記載することができない。

4　第二項の場合においては、第一項第一号及び前項の衆議院議員又は参議院議員には、第二項において準用する第八十八条の

二第一項に規定する衆議院議員でなくなつた者又は同項に規定する参議院議員でなくなつた者が含まれるものとして、これらの規定を適用する。

5　衆議院比例代表選出議員の再選挙又は補欠選挙について法第八十六条の六第一項、第二項若しくは第五項の規定又は第二項の規定を適用する場合においては、法第八十六条の六第一項、第二項及び第五項中「衆議院の解散の日にかかる場合にあつては、当該解散の日」とあるのは「衆議院比例代表選出議員の再選挙又は補欠選挙を行うべき事由が生じた旨を中央選挙管理会が告示した日から三日を経過する日にかかる場合にあつては、当該三日を経過する日」と、第二項中「法第八十六条の六第一項」とあるのは「第五項の規定により読み替えられた法第八十六条の六第一項」とする。

6　法第八十六条の六第一項又は第二項の規定による届出に係る政党その他の政治団体の略称は、字数二十以内のものでなければならない。

（参議院比例代表選出議員の選挙における政党その他の政治団体の名称等の届出書に添付すべき文書等）

第八十九条の四　法第八十六条の七第三項に規定する政令で定める文書は、次の各号に掲げる区分に応じ、当該各号に定める文書とする。

一　法第八十六条の三第一項第一号に該当する政党その他の政治団体として法第八十六条の七第一項の規定による届出をするもの　当該政党その他の政治団体に所属する五人以上の衆議院議員又は参議院議員の氏名を記載した文書（以下この号において「第一号要件文書」という。）並びに当該第一号要件文書にその氏名を記載されることについての当該衆議院議員又は参議院議員の承諾書及び当該第一号要件文書に当該政党その他の政治団体以外の政党その他の政治団体で同項の規定による届出をしたものに所属する者を当該衆議院議員又は参議院議員としてその氏名を記載していないことを当該政党その他の政治団体の代表者が誓う旨の宣誓書

二　法第八十六条の三第一項第二号に該当する政党その他の政治団体として法第八十六条の七第一項の規定による届出をするもの　第八十八条の五第三項第二号に定める文書

2　第八十八条の二第一項の規定は、法第八十六条の七第一項の規定による届出の際現に衆議院の解散若しくは衆議院議員の任期満了により衆議院議員が在任しない場合又は参議院議員の任期満了により参議院議員の一部が在任しない場合における法第八十六条の三第一項第一号に規定する衆議院議員又は参議院議員の数の算定について準用する。

3　法第八十六条の三第一項第一号に該当する政党その他の政治団体として法第八十六条の七第一項の規定による届出をするものは、当該政党その他の政治団体以外の政党その他の政治団体で同項の規定による届出をしたものに所属する衆議院議員若しくは参議院議員又は当該政党その他の政治団体以外の政党その他の政治団体で同項の規定による届出をしたものに所属する衆議院議員若しくは参議院議員として第一項第一号に規定する第一号要件文書にその氏名を記載された者を、当該政党その他の政治団体に所属する衆議院議員又は参議院議員として、同号に規定する第一号要件文書にその氏名を記載することができない。

4　第二項の場合においては、第一項第一号及び前項の衆議院議員又は参議院議員には、第二項において準用する第八十八条の二第一項に規定する衆議院議員でなくなつた者又は同項に規定する参議院議員でなくなつた者が含まれるものとして、これらの規定を適用する。

5　参議院比例代表選出議員の再選挙又は補欠選挙について法第八十六条の七第一項の規定又は第二項の規定を適用する場合においては、法第八十六条の七第一項中「参議院議員の任期満了の日前九十日に当たる日から七日を経過する日」とあるのは「参議院比例代表選出議員の再選挙又は補欠選挙を行うべき事由が生じた旨を中央選挙管理会が告示した日から三日を経過する日」と、第二項中「法第八十六条の七第一項」とあるのは「第五項の規定により読み替えられた法第八十六条の七第一項」とする。

6　法第八十六条の七第一項の規定による届出に係る政党その他の政治団体の略称は、字数二十以内のものでなければならない。

（立候補できる公務員）

第九十条　法第八十九条第一項第二号の規定によつて、在職中、公職の候補者となることができる者は、地方公営企業等の労働関係に関する法律（昭和二十七年法律第二百八十九号）附則第五項に規定する単純な労務に雇用される一般職に属する地方公務員とする。

2　法第八十九条第一項第三号の規定によつて、在職中、公職の候補者となることができる者は、予備自衛官（自衛隊法第七十条第三項の規定により自衛官となつている者を含む。）、即応予備自衛官（同法第七十五条の四第三項の規定により自衛官となつている者を含む。）及び予備自衛官補並びに臨時又は非常勤の国若しくは地方公共団体の公務員（国家公務員法（昭和二十二年法律第百二十号）第六十条の二第一項（裁判所職員臨時措置法（昭和二十六年法律第二百九十九号）において準用する場合を含む。）に規定する短時間勤務の官職、国会職員法（昭和二十二年法律第八十五号）第四条の二第一項に規定する短時間勤務の職、自衛隊法第四十一条の二第一項に規定する短時間勤務の官職又は地方公務員法第二十二条の四第一項に規定する短時間勤務の職を占める者を除く。）又は行政執行法人（独立行政法人通則法（平成十一年法律第百三号）第二条第四項に規定する行政執行法人をいう。）若しくは特定地方独立行政法人（地方独立行政法人法（平成十五年法律第百十八号）第二条第二項に規定する特定地方独立行政法人をいう。以下この条において同じ。）の役員若しくは職員（国家公務員法第六十条の二第一項に規定する短時間勤務の官職又は地方公務員法第二十二条の四第一項に規定する短時間勤務の職を占める者を除く。）で次に掲げる者とする。

一　委員長及び委員の名称を有する職にある者で別表第二に掲げる者以外の者

二　顧問、参与、会長、副会長、会員、評議員、専門調査員、審査員、報告員及び観測員の名称を有する職にある者並びに統計調査員、仲介員、保護司及び参与員の職にある者

三　前二号に該当する者以外の地方公共団体又は特定地方独立行政法人の嘱託員

3　法第八十九条第一項第五号の規定によつて、在職中、公職の候補者となることができる者は、地方公営企業等の労働関係に

関する法律第三条第一号に規定する地方公営企業に従事する職員又は特定地方独立行政法人の職員で、課長又はこれに相当する職以上の主たる事務所における職に在る者以外の者とする。

4　地方公共団体の組合を組織する地方公共団体の議会の議員又は長は、その在職中、当該組合の議会の議員又は管理者の選挙に立候補することを妨げない。地方公共団体の組合の議会の議員又は管理者が、その在職中、当該組合を組織する地方公共団体の議会の議員又は長の選挙に立候補しようとする場合においても、また、同様とする。

（候補者の届出が取り下げられたものとみなされた者等の届出義務）

第九十一条　公職の候補者は、法第九十一条又は第百三条第四項の規定により、当該公職の候補者に係る候補者の届出が取り下げられ若しくは当該公職の候補者たることを辞したものとみなされ又は当該公職の候補者が公職の候補者たる衆議院名簿登載者若しくは参議院名簿登載者でなくなるものとされた場合においては、直ちにその旨を選挙長に届け出なければならない。

（公職の候補者等に関する通知）

第九十二条　衆議院小選挙区選出議員の選挙において、選挙長は、次の各号に掲げる場合に該当するときは、当該各号に定める事項を、直ちに市町村の選挙管理委員会（指定都市においては、市の選挙管理委員会を経て区の選挙管理委員会）及び数市町村合同開票区の開票管理者並びに第一号又は第二号ヘに掲げる場合にあつては候補者の住所地の市町村の長及び選挙管理委員会（指定都市においては、区の長及び選挙管理委員会）に通知しなければならない。

一　法第八十六条第一項から第三項まで又は第八項の規定による届出があつた場合　当該候補者の氏名（第八十八条第八項（同条第九項において準用する場合を含む。）の規定による認定をしたときは、その認定をした通称を含む。）、本籍、住所、生年月日及び職業並びに候補者届出政党の届出に係る候補者にあつては当該候補者届出政党の名称、候補者届出政党の届出に係る候補者以外の候補者にあつては当該候補者の所属する政党その他の政治団体（法第八十六条第七項の規定により当該候補者が所属する旨の記載があつた政党その他の政治団体をいう。）の名称

二　次に掲げる場合　その旨

イ　候補者が死亡したことを知つた場合

ロ　法第八十六条第九項の規定により候補者の届出を却下した場合

ハ　法第八十六条第十一項の規定により候補者の届出が取り下げられた場合

ニ　法第八十六条第十二項の規定により候補者がその候補者たることを辞した場合

ホ　法第九十一条第一項若しくは第百三条第四項の規定により候補者の届出が取り下げられたものとみなされたこと又は法第九十一条第二項若しくは第百三条第四項の規定によりその候補者たることを辞したものとみなされたことを知つた場合

ヘ　法第八十六条第一項から第三項までの文書の記載事項で候補者に係るものについて第八十八条第十一項の規定による届出があつた場合

2　衆議院小選挙区選出議員の選挙において、市町村の選挙管理委員会（指定都市においては、区の選挙管理委員会）は、当該選挙長から前項の規定による通知（候補者の住所地の市町村の選挙管理委員会（指定都市においては、区の選挙管理委員会）に対する通知を除く。）を受けた場合には、直ちにその旨を投票管理者及び開票管理者（数市町村合同開票区又は数区合同開票区の開票管理者を除く。）に通知しなければならない。

3　衆議院小選挙区選出議員の選挙において、指定都市の選挙管理委員会は、当該選挙長から第一項の規定による通知を受けた場合には、直ちにその旨を数区合同開票区の開票管理者に通知しなければならない。

4　衆議院小選挙区選出議員の選挙において、候補者の住所地の市町村の長（指定都市においては、区の長）は、当該候補者が死亡したことを知つた場合には、直ちにその旨を当該選挙長に通知しなければならない。

5　衆議院小選挙区選出議員の選挙において、候補者の住所地の市町村の選挙管理委員会（指定都市においては、区の選挙管理委員会）は、当該候補者につき法第十一条第三項（政治資金規正法第二十八条第四項において準用する場合を含む。）の規定による通知を受けた場合には、直ちにその旨を当該選挙長に通知しなければならない。

6　衆議院比例代表選出議員の選挙において、選挙長は、次の各号に掲げる場合に該当するときは当該各号に定める事項を、直ちに当該選挙区の区域内の都道府県の選挙管理委員会並びに第一号又は第二号ニに掲げる場合にあつては衆議院名簿登載者の住所地の市町村の長及び選挙管理委員会（指定都市においては、区の長及び選挙管理委員会）に通知しなければならない。

一　法第八十六条の二第一項又は第九項の規定による届出があつた場合　当該衆議院名簿届出政党等の名称及び略称、本部の所在地並びに代表者の氏名並びに当該衆議院名簿登載者の氏名（第八十八条の三第七項の規定による認定をしたときは、その認定をした通称を含む。）、本籍、住所、生年月日及び職業並びに当選人となるべき順位

二　次に掲げる場合　その旨

イ　法第八十六条の二第七項の規定により衆議院名簿登載者に係る記載を抹消した場合

ロ　法第八十六条の二第十項の規定により衆議院名簿が取り下げられた場合

ハ　法第八十六条の二第十一項の規定により同条第一項の規定による届出を却下した場合又は同条第十二項の規定により同条第九項の規定による届出を却下した場合

ニ　衆議院名簿又は法第八十六条の二第二項第一号の文書の記載事項で衆議院名簿登載者に係るものについて第八十八条の三第九項の規定による届出があつた場合

7　衆議院比例代表選出議員の選挙において、都道府県の選挙管理委員会は、当該選挙長から前項の規定による通知を受けた場合には、直ちにその旨を選挙分会長及び市町村の選挙管理委員会（指定都市においては、市の選挙管理委員会を経て区の選挙管理委員会）並びに数市町村合同開票区の開票管理者に通知しなければならない。

8　第二項から第五項までの規定は、衆議院比例代表選出議員の選挙について準用する。この場合において、第二項中「当該選挙長」とあるのは「都道府県の選挙管理委員会」と、「前項」

とあるのは「第七項」と、第三項中「当該選挙長」とあるのは「都道府県の選挙管理委員会」と、「第一項」とあるのは「第七項」と読み替えるものとする。

9　第二項から第七項までの規定は、参議院比例代表選出議員の選挙について準用する。この場合において、第二項中「当該選挙長」とあるのは「都道府県の選挙管理委員会」と、「前項」とあるのは「第七項」と、第三項中「当該選挙長」とあるのは「都道府県の選挙管理委員会」と、「第一項」とあるのは「第七項」と、第六項中「当該選挙区の区域内の都道府県の選挙管理委員会」とあるのは「都道府県の選挙管理委員会」と、同項第一号中「第八十六条の二第一項又は第九項」とあるのは「第八十六条の三第一項又は同条第二項において準用する法第八十六条の二第九項」と、「第八十八条の三第七項」とあるのは「第八十八条の五第七項において準用する第八十八条の三第七項」と、「並びに当選人となるべき順位」とあるのは「（法第八十六条の三第一項後段の規定により優先的に当選人となるべき候補者としてその氏名及び当選人となるべき順位が参議院名簿に記載されている者である参議院名簿登載者にあつては、氏名（第八十八条の五第七項において準用する第八十八条の三第七項の規定による認定をしたときは、その認定をした通称を含む。）、本籍、住所、生年月日及び職業並びに当選人となるべき順位）」と、同項第二号イ中「第八十六条の二第七項」とあるのは「第八十六条の三第二項において準用する法第八十六条の二第七項」と、同号ロ中「第八十六条の二第十項」とあるのは「第八十六条の三第二項において準用する法第八十六条の二第十項」と、同号ハ中「第八十六条の二第十一項」とあるのは「第八十六条の三第二項において準用する法第八十六条の二第十一項」と、「同条第一項」とあるのは「法第八十六条の三第一項」と、「同条第十二項」とあるのは「同条第二項において準用する法第八十六条の二第十二項」と、「同条第九項」とあるのは「法第八十六条の三第二項において準用する法第八十六条の二第九項」と、同号ニ中「第八十六条の二第二項第一号」とあるのは「第八十六条の三第二項において準用する法第八十六条の二第二項第一号」と、「第八十八条の三第九項」とあるのは「第八十八条の五第八項」と読み替えるものとする。

10　第一項から第五項まで及び第七項の規定は、参議院合同選挙区選挙について準用する。この場合において、第一項中「市町村の選挙管理委員会（指定都市においては、市の選挙管理委員会を経て区の選挙管理委員会）及び数市町村合同開票区の開票管理者」とあるのは「当該参議院合同選挙区選挙の選挙区の区域内の合同選挙区都道府県の選挙管理委員会」と、同項第一号中「第八十六条第一項から第三項まで又は第八項」とあるのは「第八十六条の四第一項、第二項又は第五項」と、「第八十八条第八項（同条第九項において準用する場合を含む。）」とあるのは「第八十九条第五項において準用する第八十八条第八項」と、「第八十六条第七項」とあるのは「第八十六条の四第三項」と、「）の名称」とあるのは「）の名称（第八十九条第四項の規定による略称の記載がある場合には、当該略称を含む。）」と、同項第二号ロ中「第八十六条第九項」とあるのは「第八十六条の四第九項」と、同号ニ中「第八十六条第十二項」とあるのは「第八十六条の四第十項」と、同号ヘ中「第八十六条第一項から第三項まで」とあるのは「第八十六条の四第一項又は第二項」と、「第八十八条第十一項」とあるのは「第八十九条第六項」と、第二項中「当該選挙長」とあるのは「合同選挙区都道府県の選挙管理委員会」と、「前項」とあるのは「第七項」と、第三項中「当該選挙長」とあるのは「合同選挙区都道府県の選挙管理委員会」と、「第一項」とあるのは「第七項」と、第七項中「都道府県」とあるのは「合同選挙区都道府県」と、「前項」とあるのは「第一項」と読み替えるものとする。

11　第一項から第五項までの規定は、衆議院議員又は参議院比例代表選出議員の選挙及び参議院合同選挙区選挙以外の選挙について準用する。この場合において、第一項第一号中「第八十六条第一項から第三項まで又は第八項」とあるのは「第八十六条の四第一項、第二項、第五項、第六項又は第八項」と、「第八十八条第八項（同条第九項において準用する場合を含む。）」とあるのは「第八十九条第五項において準用する第八十八条第八項」と、「第八十六条第七項」とあるのは「第八十六条の四第三項」と、「）の名称」とあるのは「）の名称（第八十九条第四項の規定による略称の記載がある場合には、当該略称を含む。）」と、同項第二号ロ中「第八十六条第九項」とあるのは「第八十六条の四第九項」と、同号ニ中「第八十六条第十二項」とあるのは「第八十六条の四第十項」と、同号ヘ中「第八十六条第一項から第三項まで」とあるのは「第八十六条の四第一項又は第二項」と、「第八十八条第十一項」とあるのは「第八十九条第六項」と読み替えるものとする。

（公職の候補者に係る供託物の返還）

第九十三条　法第九十二条第一項の規定により供託をしたものは、公職の候補者が選挙の期日における各投票所を開くべき時刻のうち最も早い時刻までに死亡した場合若しくは法第百三条第四項の規定により公職の候補者に係る候補者の届出が取り下げられ若しくは公職の候補者たることを辞したものとみなされた場合又は選挙の全部が無効となつた場合には、直ちに法第九十二条第一項に規定する供託物の返還を請求することができる。

2　前項に規定する供託をしたものは、公職の候補者の得票数が法第九十三条第一項各号に規定する数に達する場合又は法第百条第一項若しくは第四項若しくは第百二十七条の規定により投票が行われなかつた場合には、その選挙及び当選の効力が確定した後、直ちに法第九十二条第一項に規定する供託物の返還を請求することができる。

（衆議院名簿届出政党等に係る供託物の返還等）

第九十三条の二　衆議院名簿届出政党等は、衆議院比例代表選出議員の選挙の全部が無効となつた場合においては、直ちに法第九十二条第二項に規定する供託物の返還を請求することができる。

2　衆議院名簿届出政党等は、法第九十二条第二項に規定する供託物のうち法第九十四条第一項の規定により国庫に帰属するものとされるもの以外のものについては、その選挙及び当選の効力が確定した後（当該衆議院比例代表選出議員の選挙が衆議院小選挙区選出議員の選挙と同時に行われた場合においては、当該衆議院比例代表選出議員の選挙及び当選の効力並びに衆議院名簿登載者で当該衆議院小選挙区選出議員の選挙における候補者であるものに係る選挙及び当選の効力が確定した後）、直ちにその返還を請求することができる。

3　前二項の規定は、参議院名簿届出政党等に係る供託物の返還について準用する。この場合において、前項中「法第九十四条第一項」とあるのは、「法第九十四条第三項」と読み替えるものとする。

第九章　削除

第九十四条から第九十六条まで　削除〔昭二七・八政令三四七〕

第十章　選挙を同時に行うための特例

（投票用紙の調製）

第九十七条　法第百十九条第一項又は第二項の規定によつて二以上の選挙を同時に行う場合においては、投票用紙は、各選挙ごとに別個に当該選挙に関する事務を管理する選挙管理委員会が調製しなければならない。

（不在者投票の投票用紙及び投票用封筒の交付）

第九十八条　法第百十九条第一項又は第二項の規定によつて同時に行う二以上の選挙について、第五十三条第一項、第五十四条、第五十九条の四第四項又は第五十九条の五の四第七項の規定によつて不在者投票のための投票用紙及び投票用封筒を交付し、又は郵便等をもつて発送する場合においては、市町村の選挙管理委員会の委員長は、各選挙ごとに別個の投票用紙及び投票用封筒を交付し、又は郵便等をもつて発送しなければならない。

（繰上投票の期日の告示及び通知）

第九十九条　都道府県の選挙管理委員会は、法第百二十四条の規定により投票の期日を定めた場合には、直ちにその旨を告示し、かつ、都道府県の選挙における関係のある数市町村合同開票区の開票管理者及び市町村の選挙管理委員会（指定都市においては、市の選挙管理委員会を経て区の選挙管理委員会）に、その旨を通知しなければならない。

2　市町村の選挙管理委員会（指定都市においては、区の選挙管理委員会）は、都道府県の選挙管理委員会から前項の規定による通知を受けた場合には、直ちにその旨を関係のある投票管理者及び開票管理者（数市町村合同開票区又は数区合同開票区の開票管理者を除く。）に通知しなければならない。

3　指定都市の選挙管理委員会は、都道府県の選挙管理委員会から第一項の規定による通知を受けた場合には、直ちにその旨を関係のある数区合同開票区の開票管理者に通知しなければならない。

（繰延投票に関する通知）

第百条　都道府県の選挙管理委員会は、法第百二十五条の規定により更に期日を定めて投票を行わせることとした場合及び当該投票の期日を定めた場合には、都道府県の選挙における関係のある数市町村合同開票区の開票管理者及び選挙長並びに市町村の選挙管理委員会（指定都市においては、市の選挙管理委員会を経て区の選挙管理委員会）に、直ちに、同条の規定により更に期日を定めて投票を行わせることとした旨及び当該投票の期日を、それぞれ通知しなければならない。

2　市町村の選挙管理委員会（指定都市においては、区の選挙管理委員会）は、都道府県の選挙管理委員会から前項の規定による通知を受けた場合には、直ちにその旨を関係のある投票管理者及び開票管理者（数市町村合同開票区又は数区合同開票区の開票管理者を除く。）並びに市町村の選挙の選挙長に通知しなければならない。

3　指定都市の選挙管理委員会は、都道府県の選挙管理委員会から第一項の規定による通知を受けた場合には、直ちにその旨を関係のある数区合同開票区の開票管理者に通知しなければならない。

（繰延開票の決定及び通知）

第百一条　都道府県の選挙と市町村の選挙を同時に行う場合において、天災その他避けることのできない事故により開票を行うことができないとき、又は更に開票を行う必要があるときは、都道府県の選挙管理委員会は、更に期日を定めて開票を行わせなければならない。

2　都道府県の選挙管理委員会は、前項の規定により更に期日を定めて開票を行わせることとした場合及び当該開票の期日を定めた場合には、都道府県の選挙における関係のある数市町村合同開票区の開票管理者及び選挙長並びに市町村の選挙管理委員会（指定都市においては、市の選挙管理委員会を経て区の選挙管理委員会）に、直ちに、同項の規定により更に期日を定めて開票を行わせることとした旨及び当該開票の期日を、それぞれ通知しなければならない。

3　市町村の選挙管理委員会（指定都市においては、区の選挙管理委員会）は、都道府県の選挙管理委員会から前項の規定による通知を受けた場合には、直ちにその旨を関係のある開票管理者（数市町村合同開票区又は数区合同開票区の開票管理者を除く。）及び市町村の選挙の選挙長に通知しなければならない。

4　指定都市の選挙管理委員会は、都道府県の選挙管理委員会から第二項の規定による通知を受けた場合には、直ちにその旨を関係のある数区合同開票区の開票管理者に通知しなければならない。

（同時選挙において長の選挙を延期する場合の各選挙の投票管理者、開票管理者等）

第百二条　法第百二十六条第三項の場合においては、法第八十六条の四第七項に規定する事由が生ずる前に選任された投票管理者及び開票管理者並びにこれらの者の職務を代理すべき者は、それぞれその事由が生じた選挙及びこれと同時に行われるべきであつた他の選挙の投票管理者及び開票管理者並びにこれらの者の職務を代理すべき者となるものとする。

（同時選挙において長の選挙を延期する場合の各選挙の投票立会人）

第百三条　法第百二十六条第三項の場合においては、法第八十六条の四第七項に規定する事由が生じる前に選任された投票立会人は、それぞれその事由が生じた選挙及びこれと同時に行われるべきであつた他の選挙の投票立会人となるものとする。

（同時選挙において長の選挙を延期する場合の各選挙の投票所及び開票所）

第百四条　法第百二十六条第三項の場合においては、法第八十六条の四第七項に規定する事由が生ずる前に告示された投票所及び開票所は、それぞれその事由が生じた選挙及びこれと同時に行われるべきであつた他の選挙の投票所及び開票所とするものとする。

（同時選挙において長の選挙を延期する場合の各選挙の選挙長

等）

第百五条　第百二条及び前条の規定は、法第百十九条第一項の規定によつて選挙会の区域を同じくする選挙を同時に行う場合における法第百二十六条第三項の各選挙の選挙長、その職務を代理すべき者及び選挙会の場所に、それぞれ準用する。

（開票に関する規定を各選挙を通じて適用する場合）

第百六条　法第百二十三条第一項の規定中開票に関する部分は、開票区の区域を同じくする選挙を同時に行う場合について適用があるものとする。ただし、法第七十九条の規定によつて開票の事務を選挙会の事務に併せて行う選挙とこれらの事務を併せて行わない選挙を同時に行う場合においては、これらの選挙相互の間にあつては、この限りでない。

（開票区の区域が選挙会の区域と同一である選挙の特例）

第百七条　第百二条及び第百四条の規定中開票に関する部分は、法第七十九条の規定によつて開票事務を選挙会の事務に合せて行う各選挙を同時に行う場合においては、適用しない。

第十一章　選挙運動

（選挙事務所設置の届出の方法）

第百八条　法第百三十条第二項の規定による選挙事務所の設置の届出は、選挙事務所の所在地及びその設置の年月日並びに設置者が公職の候補者（衆議院比例代表選出議員の選挙における候補者で当該選挙と同時に行われる衆議院小選挙区選出議員の選挙における候補者である者以外のもの及び参議院比例代表選出議員の選挙における候補者たる参議院名簿登載者で法第八十六条の三第一項後段の規定により優先的に当選人となるべき候補者としてその氏名及び当選人となるべき順位が参議院名簿に記載されているものを除く。）である場合には当該公職の候補者の氏名（参議院比例代表選出議員の選挙にあつては、当該公職の候補者たる参議院名簿登載者の氏名及び当該参議院名簿登載者に係る参議院名簿届出政党等の名称）、設置者が推薦届出者である場合には当該推薦届出者の氏名及び当該推薦届出者が届け出た公職の候補者の氏名、設置者が候補者届出政党である場合には当該候補者届出政党の名称、設置者が衆議院名簿届出政党等である場合には当該衆議院名簿届出政党等の名称、設置者が参議院名簿届出政党等である場合には当該参議院名簿届出政党等の名称を記載した文書でしなければならない。

２　推薦届出者が選挙事務所を設置した場合における前項の文書には、その設置について当該推薦届出者が届け出た公職の候補者の承諾を得たことを証明する書面を添えなければならない。この場合において、推薦届出者が数人あるときは、併せてその代表者であることを証明する書面を添えなければならない。

３　法第百三十条第二項後段の規定による選挙事務所に異動があつた旨の届出は、前二項の規定の例によるものとする。

（選挙事務所の数の特例）

第百九条　法第百三十一条第一項ただし書の規定により同項第一号の選挙事務所を三箇所まで増置することができる選挙区及び当該選挙区における選挙事務所の数は、別表第三で定める。

２　法第百三十一条第一項ただし書の規定により同項第四号の選挙事務所を五箇所（参議院合同選挙区選挙における選挙事務所にあつては、十箇所）まで増置することができる選挙区又は選挙が行われる区域及び当該選挙区又は選挙が行われる区域における選挙事務所の数は、別表第四で定める。

（選挙運動に従事する者等に対し提供できる弁当料の額）

第百九条の二　法第百三十九条ただし書に規定する政令で定める弁当料の額は、法第百九十七条の二第一項の規定により、当該選挙に関する事務を管理する選挙管理委員会（参議院比例代表選出議員の選挙については中央選挙管理会、参議院合同選挙区選挙については当該選挙に関する事務を管理する参議院合同選挙区選挙管理委員会）が第百二十九条第一項第一号の基準に従い定めた弁当料の額とする。

（選挙運動のために使用できる自動車）

第百九条の三　法第百四十一条第六項に規定する政令で定める乗用の自動車は、次の各号に掲げる選挙の区分に応じ、当該各号に定めるものとする。

一　町村の議会の議員又は長の選挙以外の選挙　次に掲げるもの

イ　乗車定員十人以下の乗用自動車でロ又はハに該当するもの以外のもの（二輪自動車（側車付のものを含む。次項において同じ。）以外の自動車については、上面、側面又は後面の全部又は一部が構造上開放されているもの及び上面の全部又は一部が構造上開閉できるものを除く。）

ロ　乗車定員四人以上十人以下の小型自動車（上面、側面又は後面の全部又は一部が構造上開放されているもの及び上面の全部又は一部が構造上開閉できるものを除く。）

ハ　四輪駆動式の自動車で車両重量二トン以下のもの（上面、側面又は後面の全部又は一部が構造上開放されているものを除く。）

二　町村の議会の議員又は長の選挙　前号に定めるもの（小型貨物自動車を除く。）

２　前項第一号の規定の適用については、同号に規定する自動車（二輪自動車を除く。）で上面、側面又は後面の全部又は一部が構造上開閉できるものを、その上面、側面又は後面の全部又は一部（側面又は後面にある窓を除く。）を走行中開いて使用している場合は、当該自動車は、上面、側面又は後面の全部又は一部が構造上開放されているものとみなす。

（自動車の使用の公営）

第百九条の四　法第百四十一条第七項の規定の適用を受けようとする者は、道路運送法（昭和二十六年法律第百八十三号）第三条第一号ハに規定する一般乗用旅客自動車運送事業を経営する者（次項において「一般乗用旅客自動車運送事業者」という。）その他の者（次項第二号に規定する契約を締結する場合には、当該適用を受けようとする者と生計を一にする親族のうち、当該契約に係る業務を業として行う者以外の者を除く。）との間において法第百四十一条第一項の自動車（次項及び第三項において「選挙運動用自動車」という。）の使用に関し有償契約を締結し、総務省令で定めるところにより、その旨を当該選挙に関する事務を管理する選挙管理委員会（参議院比例代表選出議員の選挙については中央選挙管理会、参議院合同選挙区選挙については当該選挙に関する事務を管理する参議院合同選挙区選挙管理委員会。次項第二号ロにおいて同じ。）に届け出なければならない。

２　衆議院小選挙区選出議員又は参議院議員の選挙における公職の候補者（参議院比例代表選出議員の選挙における候補者たる参議院名簿登載者で法第八十六条の三第一項後段の規定により

優先的に当選人となるべき候補者としてその氏名及び当選人となるべき順位が参議院名簿に記載されているものを除き、前項の規定による届出をした者に限る。以下この条において「特定候補者」という。）が同項の契約に基づき当該契約の相手方である一般乗用旅客自動車運送事業者その他の者（以下この項において「一般乗用旅客自動車運送事業者等」という。）に支払うべき金額のうち、次の各号に掲げる場合の区分に応じ当該各号に定める金額については、法第百四十一条第七項ただし書に規定する要件に該当する場合に限り、衆議院小選挙区選出議員又は参議院選挙区選出議員の選挙にあつては都道府県が、参議院比例代表選出議員の選挙にあつては国が、当該一般乗用旅客自動車運送事業者等からの請求に基づき、当該一般乗用旅客自動車運送事業者等に対し支払う。

一　当該契約が一般乗用旅客自動車運送事業者との運送契約（以下この項において「一般運送契約」という。）である場合　当該選挙運動用自動車（同一の日において一般運送契約により二台以上（参議院比例代表選出議員の選挙又は参議院合同選挙区選挙にあつては、三台以上）の選挙運動用自動車が使用される場合には、当該特定候補者が指定するいずれか一台（参議院比例代表選出議員の選挙又は参議院合同選挙区選挙にあつては、いずれか二台）の選挙運動用自動車に限る。）のそれぞれにつき、選挙運動用自動車として使用された各日についてその使用に対し支払うべき金額（当該金額が六万四千五百円を超える場合には、六万四千五百円）の合計金額

二　当該契約が一般運送契約以外の契約である場合　次に掲げる場合の区分に応じ、それぞれ次に定める金額

イ　当該契約が選挙運動用自動車の借入れ契約（以下このイにおいて「自動車借入れ契約」という。）である場合　当該選挙運動用自動車（同一の日において自動車借入れ契約により二台以上（参議院比例代表選出議員の選挙又は参議院合同選挙区選挙にあつては、三台以上）の選挙運動用自動車が使用される場合には、当該特定候補者が指定するいずれか一台（参議院比例代表選出議員の選挙又は参議院合同選挙区選挙にあつては、いずれか二台）の選挙運動用自動車に限る。）のそれぞれにつき、選挙運動用自動車として使用された各日についてその使用に対し支払うべき金額（当該金額が一万六千百円を超える場合には、一万六千百円）の合計金額

ロ　当該契約が選挙運動用自動車の燃料の供給に関する契約である場合　当該契約に基づき当該選挙運動用自動車に供給した燃料の代金（当該選挙運動用自動車（これに代わり使用される他の選挙運動用自動車を含む。）が既に前項の規定による届出に係る契約に基づき供給を受けた燃料の代金と合算して、七千七百円に当該特定候補者につき法第八十六条第一項から第三項まで若しくは第八項若しくは第八十六条の四第一項、第二項若しくは第五項の規定による公職の候補者の届出又は法第八十六条の三第一項の規定による参議院名簿の届出（同条第二項において準用する法第八十六条の二第九項の規定による届出に係る当該特定候補者については、当該届出）のあつた日から当該選挙の期日の前日（法第百条第一項又は第四項の規定により投票を行わないこととなつた場合には、同条第五項の規定による告示の日。第四項において同じ。）までの日数を乗じて得た金額に達するまでの部分の金額であることにつき、総務省令で定めるところにより、当該特定候補者からの申請に基づき、当該選挙に関する事務を管理する選挙管理委員会が確認したものに限る。）

ハ　当該契約が選挙運動用自動車の運転手の雇用に関する契約である場合　当該選挙運動用自動車の運転手（同一の日において二人以上（参議院比例代表選出議員の選挙又は参議院合同選挙区選挙にあつては、三人以上）の選挙運動用自動車の運転手が雇用される場合には、当該特定候補者が指定するいずれか一人（参議院比例代表選出議員の選挙又は参議院合同選挙区選挙にあつては、いずれか二人）の運転手に限る。）のそれぞれにつき、選挙運動用自動車の運転業務に従事した各日についてその勤務に対し支払うべき報酬の額（当該報酬の額が一万二千五百円を超える場合には、一万二千五百円）の合計金額

3　前項の場合において、選挙運動用自動車の使用に関し同一の日につき同項第一号に定める契約と同項第二号に定める契約とのいずれもが締結されているときは、当該日については、これらの号に定める契約のうち当該特定候補者が指定するいずれか一の号に定める契約のみが締結されているものとみなして、同項の規定を適用する。

4　法第百四十一条第七項に規定する政令で定める額は、特定候補者一人について、六万四千五百円（参議院比例代表選出議員の選挙又は参議院合同選挙区選挙にあつては、十二万九千円）に、当該特定候補者につき法第八十六条第一項から第三項まで若しくは第八項若しくは第八十六条の四第一項、第二項若しくは第五項の規定による公職の候補者の届出又は法第八十六条の三第一項の規定による参議院名簿の届出（同条第二項において準用する法第八十六条の二第九項の規定による届出に係る当該特定候補者については、当該届出）のあつた日から当該選挙の期日の前日までの日数を乗じて得た金額とする。

5　前各項に定めるもののほか、第二項の支払の請求の手続その他法第百四十一条第七項の規定の適用に関し必要な事項は、総務省令で定める。

（通常葉書の表示）

第百九条の五　法第百四十二条第五項の規定により日本郵便株式会社において通常葉書に表示をする場合においては、総務省令で定めるところにより有料無料を区別して選挙用である旨の表示をしなければならない。

（ビラの頒布方法）

第百九条の六　法第百四十二条第六項に規定する政令で定める方法は、次の各号に掲げるビラの区分に応じ、当該各号に定める方法とする。

一　法第百四十二条第一項第一号のビラ　次に掲げる方法

イ　当該ビラに係る候補者の選挙事務所内、個人演説会の会場内又は街頭演説の場所における頒布

ロ　イの候補者を届け出た候補者届出政党の選挙事務所内、政党演説会の会場内又は街頭演説の場所における頒布

ハ　ロの候補者届出政党である衆議院名簿届出政党等の選挙事務所内、政党等演説会の会場内又は街頭演説の場所における頒布

ニ　イの候補者が所属する衆議院名簿届出政党等（法第八十六条第七項（同条第八項の規定によりその例によることとされる場合を含む。）の規定により当該候補者が所属するものとして記載された政党その他の政治団体に限る。）の選挙事務所内、政党等演説会の会場内又は街頭演説の場所における頒布

二　法第百四十二条第一項第一号の二のビラ　次に掲げる方法

イ　当該ビラに係る公職の候補者たる参議院名簿登載者の選挙事務所内、個人演説会の会場内又は街頭演説の場所における頒布

ロ　イの参議院名簿登載者に係る参議院名簿届出政党等の選挙事務所内における頒布

三　法第百四十二条第一項第二号から第七号までのビラ　当該ビラに係る候補者の選挙事務所内、個人演説会の会場内又は街頭演説の場所における頒布

四　法第百四十二条第二項のビラ　次に掲げる方法

イ　当該ビラに係る候補者届出政党の選挙事務所内、政党演説会の会場内又は街頭演説の場所における頒布

ロ　イの候補者届出政党が届け出た候補者の選挙事務所内、個人演説会の会場内又は街頭演説の場所における頒布

ハ　イの候補者届出政党である衆議院名簿届出政党等の選挙事務所内、政党等演説会の会場内又は街頭演説の場所における頒布

五　法第百四十二条第三項のビラ　次に掲げる方法

イ　当該ビラに係る衆議院名簿届出政党等の選挙事務所内、政党等演説会の会場内又は街頭演説の場所における頒布

ロ　イの衆議院名簿届出政党等である候補者届出政党の選挙事務所内、政党演説会の会場内又は街頭演説の場所における頒布

ハ　ロの候補者届出政党が届け出た候補者の選挙事務所内、個人演説会の会場内又は街頭演説の場所における頒布

ニ　イの衆議院名簿届出政党等の所属候補者（法第八十六条第七項（同条第八項の規定によりその例によることとされる場合を含む。）の規定により当該衆議院名簿届出政党等に所属する者として記載された候補者をいう。）の選挙事務所内、個人演説会の会場内又は街頭演説の場所における頒布

（通常葉書の作成の公営）

第百九条の七　法第百四十二条第十項（同項の通常葉書（以下この条において「特定通常葉書」という。）の作成に係る部分に限る。以下この条において同じ。）の規定の適用を受けようとする者は、通常葉書の作成を業とする者との間において特定通常葉書の作成に関し有償契約を締結し、総務省令で定めるところにより、その旨を当該選挙に関する事務を管理する選挙管理委員会（参議院比例代表選出議員の選挙については中央選挙管理会、参議院合同選挙区選挙については当該選挙に関する事務を管理する参議院合同選挙区選挙管理委員会。次項において同じ。）に届け出なければならない。

2　衆議院小選挙区選出議員又は参議院議員の選挙における公職の候補者（参議院比例代表選出議員の選挙における候補者たる参議院名簿登載者で法第八十六条の三第一項後段の規定により優先的に当選人となるべき候補者としてその氏名及び当選人となるべき順位が参議院名簿に記載されているものを除き、前項の規定による届出をした者に限る。以下この項及び次項において「特定候補者」という。）が前項の契約に基づき当該契約の相手方である通常葉書の作成を業とする者に支払うべき金額のうち、当該契約に基づき作成された特定通常葉書の一枚当たりの作成単価（当該作成単価が、次の各号に掲げる場合の区分に応じ当該各号に定める金額を超えるときは、当該各号に定める金額）に当該特定通常葉書の作成枚数（当該特定候補者を通じて、法第百四十二条第一項第一号から第二号までの選挙の区分に応じ当該各号に定める枚数の範囲内のものであることにつき、総務省令で定めるところにより、当該特定候補者からの申請に基づき、当該選挙に関する事務を管理する選挙管理委員会が確認したものに限る。）を乗じて得た金額については、同条第十項後段において準用する法第百四十一条第七項ただし書に規定する要件に該当する場合に限り、衆議院小選挙区選出議員又は参議院選挙区選出議員の選挙にあつては都道府県が、参議院比例代表選出議員の選挙にあつては国が、当該通常葉書の作成を業とする者からの請求に基づき、当該通常葉書の作成を業とする者に対し支払う。

一　当該特定通常葉書の作成枚数が三万五千枚以下である場合　七円九十五銭

二　当該特定通常葉書の作成枚数が三万五千枚を超える場合　二十七万八千二百五十円と六円八十八銭にその三万五千枚を超える枚数を乗じて得た金額との合計金額を当該特定通常葉書の作成枚数で除して得た金額（一銭未満の端数がある場合には、その端数は、一銭とする。）

3　法第百四十二条第十項に規定する政令で定める額は、特定候補者一人について、七円九十五銭に特定通常葉書の作成枚数（当該作成枚数が、同条第一項第一号から第二号までの選挙の区分に応じ当該各号に定める枚数を超える場合には、当該各号に定める枚数）を乗じて得た金額とする。

4　前三項に定めるもののほか、第二項の支払の請求の手続その他法第百四十二条第十項の規定の適用に関し必要な事項は、総務省令で定める。

（ビラの作成の公営）

第百九条の八　前条の規定は、衆議院小選挙区選出議員又は参議院議員の選挙における公職の候補者（参議院比例代表選出議員の選挙における候補者たる参議院名簿登載者で法第八十六条の三第一項後段の規定により優先的に当選人となるべき候補者としてその氏名及び当選人となるべき順位が参議院名簿に記載されているものを除く。）が法第百四十二条第十項（同項のビラの作成に係る部分に限る。）の規定の適用を受けようとする場合について準用する。この場合において、前条第二項第一号中「三万五千枚」とあるのは「五万枚」と、「七円九十五銭」とあるのは「七円七十三銭」と、同項第二号中「三万五千枚」とあるのは「五万枚」と、「二十七万八千二百五十円と六円八十八銭」とあるのは「三十八万六千五百円と五円十八銭」と、同条第三項中「七円九十五銭」とあるのは「七円七十三銭」と読み替えるものとする。

（演説会場の文書図画の掲示責任者の氏名等の記載）

第百十条　法第百四十三条第一項第四号のポスター、立札、ちようちん及び看板の類には、その表面に掲示責任者の氏名及び住所を記載しなければならない。この場合において、候補者届出

政党又は衆議院名簿届出政党等が使用するものにあつては当該候補者届出政党又は衆議院名簿届出政党等の名称を、参議院名簿登載者（法第八十六条の三第一項後段の規定により優先的に当選人となるべき候補者としてその氏名及び当選人となるべき順位が参議院名簿に記載されている者を除く。）が使用するものにあつては当該参議院名簿登載者に係る参議院名簿届出政党等の名称を、併せて記載しなければならない。

（選挙事務所の立札及び看板の類の作成の公営）

第百十条の二　法第百四十三条第十四項（同条第一項第一号の立札及び看板の類（以下この条において「特定立札及び看板の類」という。）の作成に係る部分に限る。以下この条において同じ。）の規定の適用を受けようとする者は、立札及び看板の類の作成を業とする者との間において特定立札及び看板の類の作成に関し有償契約を締結し、総務省令で定めるところにより、その旨を当該選挙に関する事務を管理する選挙管理委員会（参議院比例代表選出議員の選挙については中央選挙管理会、参議院合同選挙区選挙については当該選挙に関する事務を管理する参議院合同選挙区選挙管理委員会。次項において同じ。）に届け出なければならない。

2　衆議院小選挙区選出議員又は参議院議員の選挙における公職の候補者（参議院比例代表選出議員の選挙における候補者たる参議院名簿登載者で法第八十六条の三第一項後段の規定により優先的に当選人となるべき候補者としてその氏名及び当選人となるべき順位が参議院名簿に記載されているものを除き、前項の規定による届出をした者に限る。以下この項及び次項において「特定候補者」という。）が前項の契約に基づき当該契約の相手方である立札及び看板の類の作成を業とする者に支払うべき金額のうち、当該契約に基づき作成された特定立札及び看板の類の一当たりの作成単価（当該作成単価が五万六千六百十三円を超える場合には、五万六千六百十三円）に当該特定立札及び看板の類の作成数（当該特定候補者を通じて法第百三十一条第一項の規定により設置することができる選挙事務所の数に三を乗じて得た数の範囲内のものであることにつき、総務省令で定めるところにより、当該特定候補者からの申請に基づき、当該選挙に関する事務を管理する選挙管理委員会が確認したものに限る。）を乗じて得た金額については、法第百四十三条第十四項後段において準用する法第百四十一条第七項ただし書に規定する要件に該当する場合に限り、衆議院小選挙区選出議員又は参議院選挙区選出議員の選挙にあつては都道府県が、参議院比例代表選出議員の選挙にあつては国が、当該立札及び看板の類の作成を業とする者からの請求に基づき、当該立札及び看板の類の作成を業とする者に対し支払う。

3　法第百四十三条第十四項に規定する政令で定める額は、特定候補者一人について、五万六千六百十三円に特定立札及び看板の類の作成数（当該作成数が、法第百三十一条第一項の規定により設置することができる選挙事務所の数に三を乗じて得た数を超える場合には、当該三を乗じて得た数）を乗じて得た金額とする。

4　前三項に定めるもののほか、第二項の支払の請求の手続その他法第百四十三条第十四項の規定の適用に関し必要な事項は、総務省令で定める。

（自動車等に取り付ける立札及び看板の類の作成の公営）

第百十条の三　前条の規定は、衆議院小選挙区選出議員又は参議院議員の選挙における公職の候補者（参議院比例代表選出議員の選挙における候補者たる参議院名簿登載者で法第八十六条の三第一項後段の規定により優先的に当選人となるべき候補者としてその氏名及び当選人となるべき順位が参議院名簿に記載されているものを除く。）が法第百四十三条第十四項（同条第一項第二号の立札及び看板の類の作成に係る部分に限る。）の規定の適用を受けようとする場合について準用する。この場合において、前条第二項中「五万六千六百十三円」とあるのは「五万三千六百一円」と、「法第百三十一条第一項の規定により設置することができる選挙事務所の数に三を乗じて得た数の範囲内」とあるのは「四以内（参議院比例代表選出議員の選挙又は参議院合同選挙区選挙にあつては、八以内）」と、同条第三項中「五万六千六百十三円」とあるのは「五万三千六百一円」と、「法第百三十一条第一項の規定により設置することができる選挙事務所の数に三を乗じて得た数」とあり、及び「当該三を乗じて得た数」とあるのは「四（参議院比例代表選出議員の選挙又は参議院合同選挙区選挙にあつては、八）」と読み替えるものとする。

（ポスターの作成の公営）

第百十条の四　法第百四十三条第十四項（同項のポスター（以下この条において「特定ポスター」という。）の作成に係る部分に限る。以下この条において同じ。）の規定の適用を受けようとする者は、ポスターの作成を業とする者との間において特定ポスターの作成に関し有償契約を締結し、総務省令で定めるところにより、その旨を当該選挙に関する事務を管理する選挙管理委員会（参議院比例代表選出議員の選挙については中央選挙管理会、参議院合同選挙区選挙については当該選挙に関する事務を管理する参議院合同選挙区選挙管理委員会。次項において同じ。）に届け出なければならない。

2　衆議院小選挙区選出議員又は参議院議員の選挙における公職の候補者（参議院比例代表選出議員の選挙における候補者たる参議院名簿登載者で法第八十六条の三第一項後段の規定により優先的に当選人となるべき候補者としてその氏名及び当選人となるべき順位が参議院名簿に記載されているものを除き、前項の規定による届出をした者に限る。以下この項及び次項において「特定候補者」という。）が前項の契約に基づき当該契約の相手方であるポスターの作成を業とする者に支払うべき金額のうち、当該契約に基づき作成された特定ポスターの一枚当たりの作成単価（当該作成単価が、次の各号に掲げる場合の区分に応じ当該各号に定める金額を超えるときは、当該各号に定める金額）に当該特定ポスターの作成枚数（当該特定候補者を通じて、衆議院小選挙区選出議員又は参議院選挙区選出議員の選挙にあつては当該選挙区におけるポスター掲示場の数に二を乗じて得た数、参議院比例代表選出議員の選挙にあつては七万枚の範囲内のものであることにつき、総務省令で定めるところにより、当該特定候補者からの申請に基づき、当該選挙に関する事務を管理する選挙管理委員会が確認したものに限る。）を乗じて得た金額については、法第百四十三条第十四項後段において準用する法第百四十一条第七項ただし書に規定する要件に該当する場合に限り、衆議院小選挙区選出議員又は参議院選挙区選出議員の選挙にあつては都道府県が、参議院比例代表選出議員の選挙にあつては国が、当該ポスターの作成を業とする者からの請求に基づき、当該ポスターの作成を業とする者に対し支払う。

一　衆議院小選挙区選出議員又は参議院選挙区選出議員の選挙の場合　次に掲げる場合の区分に応じ、それぞれ次に定める金額に三十一万六千二百五十円を加えた金額を当該選挙区におけるポスター掲示場の数で除して得た金額（一円未満の端数がある場合には、その端数は、一円とする。）

イ　当該選挙区におけるポスター掲示場の数が五百以下である場合　五百四十一円三十一銭に当該ポスター掲示場の数を乗じて得た金額

ロ　当該選挙区におけるポスター掲示場の数が五百を超える場合　二十七万六百五十五円と二十八円三十五銭にその五百を超える数を乗じて得た金額との合計金額

二　参議院比例代表選出議員の選挙の場合　三十七円

3　法第百四十三条第十四項に規定する政令で定める額は、特定候補者一人について、次の各号に掲げる場合の区分に応じ、当該各号に定める金額とする。

一　衆議院小選挙区選出議員又は参議院選挙区選出議員の選挙の場合　前項第一号に定める金額に特定ポスターの作成枚数（当該作成枚数が当該選挙区におけるポスター掲示場の数に二を乗じて得た数を超える場合には、当該二を乗じて得た数）を乗じて得た金額

二　参議院比例代表選出議員の選挙の場合　前項第二号に定める金額に特定ポスターの作成枚数（当該作成枚数が七万枚を超える場合には、七万枚）を乗じて得た金額

4　前三項に定めるもののほか、第二項の支払の請求の手続その他法第百四十三条第十四項の規定の適用に関し必要な事項は、総務省令で定める。

（後援団体等の政治活動に関する立札及び看板の類の総数等）

第百十条の五　法第百四十三条第十六項第一号に規定する政令で定める立札及び看板の類の総数は、公職の候補者若しくは公職の候補者となろうとする者（公職にある者を含む。以下この条において「公職の候補者等」という。）一人につき又は同一の公職の候補者等に係る法第百九十九条の五第一項に規定する後援団体（以下この条において「後援団体」という。）の全てを通じて、それぞれ、次の各号に掲げる区分に応じ、当該各号に定める数とする。

一　公職の候補者等が衆議院小選挙区選出議員の選挙に係るものであり、又は後援団体が当該公職の候補者等に係るものである場合　公職の候補者等にあつては十、後援団体にあつては十五

二　公職の候補者等が衆議院比例代表選出議員の選挙に係るものであり、又は後援団体が当該公職の候補者等に係るものである場合　次に掲げる区分に応じ、それぞれに定める数。ただし、一の衆議院小選挙区選出議員の選挙区の区域においては、前号に定める数を超えることができない。

イ　当該選挙区の区域内の衆議院小選挙区選出議員の選挙区の数が十以上十三以下である場合　公職の候補者等にあつては二十二、後援団体にあつては三十三

ロ　当該選挙区の区域内の衆議院小選挙区選出議員の選挙区の数が十三を超える場合　公職の候補者等にあつてはその十三を超える数が二を増すごとに二を二十二に加えた数、後援団体にあつてはその十三を超える数が二を増すごとに三を三十三に加えた数

三　公職の候補者等が参議院比例代表選出議員の選挙に係るものであり、又は後援団体が当該公職の候補者等に係るものである場合　公職の候補者等にあつては百、後援団体にあつては百五十。ただし、一の都道府県の区域においては、次号に定める数を超えることができない。

四　公職の候補者等が参議院選挙区選出議員の選挙（参議院合同選挙区選挙を除く。）若しくは都道府県知事の選挙に係るものであり、又は後援団体が当該公職の候補者等に係るものである場合　次に掲げる区分に応じ、それぞれに定める数

イ　当該都道府県の区域内の衆議院小選挙区選出議員の選挙区の数が二である場合　公職の候補者等にあつては十二、後援団体にあつては十八

ロ　当該都道府県の区域内の衆議院小選挙区選出議員の選挙区の数が二を超える場合　公職の候補者等にあつてはその二を超える数が二を増すごとに二を十二に加えた数、後援団体にあつてはその二を超える数が二を増すごとに三を十八に加えた数

五　公職の候補者等が参議院合同選挙区選挙に係るものであり、又は後援団体が当該公職の候補者等に係るものである場合　公職の候補者等にあつては二十四、後援団体にあつては三十六

六　公職の候補者等が都道府県の議会の議員、市の議会の議員若しくは指定都市以外の市の長の選挙に係るものであり、又は後援団体が当該公職の候補者等に係るものである場合　六

七　公職の候補者等が指定都市の長の選挙に係るものであり、又は後援団体が当該公職の候補者等に係るものである場合　十

八　公職の候補者等が町村の議会の議員若しくは長の選挙に係るものであり、又は後援団体が当該公職の候補者等に係るものである場合　四

2　公職の候補者等が衆議院小選挙区選出議員の選挙に係るものであり、かつ、当該選挙と同時に行われる衆議院比例代表選出議員の選挙に係るものである場合には、当該公職の候補者等は衆議院比例代表選出議員の選挙のみに係るものと、当該公職の候補者等に係る後援団体は当該選挙に係る公職の候補者等のみに係るものとみなして、前項の規定を適用する。

3　公職の候補者等が二以上の選挙に係るものとなつた場合には、当該公職の候補者等はこれらの選挙のうちその指定するいずれか一の選挙のみに係るものと、当該公職の候補者等に係る後援団体は当該選挙に係る公職の候補者等のみに係るものとみなして、第一項の規定を適用する。ただし、公職にある者（当該公職に係る選挙の候補者となろうとする者である者を除く。）が、当該公職以外の一の公職に係る選挙の候補者となろうとする者となつた場合には、その者は当該選挙のみに係るものと、その者に係る後援団体は当該選挙に係る公職の候補者等のみに係るものとみなし、当該公職以外の二以上の公職に係る選挙の候補者となろうとする者となつた場合には、その者はこれらの選挙のうちその指定するいずれか一の選挙のみに係るものと、その者に係る後援団体は当該選挙に係る公職の候補者等のみに係るものとみなして、同項の規定を適用する。

4　法第百四十三条第十七項の規定による表示は、当該選挙に関

する事務を管理する選挙管理委員会（衆議院比例代表選出議員又は参議院比例代表選出議員の選挙については中央選挙管理会、参議院合同選挙区選挙については当該選挙に関する事務を管理する参議院合同選挙区選挙管理委員会）の交付する証票を用いてしなければならない。

5　公職の候補者等又は後援団体が前項の証票の交付を受けようとする場合は、総務省令で定めるところにより、文書で、当該選挙に関する事務を管理する選挙管理委員会（衆議院比例代表選出議員又は参議院比例代表選出議員の選挙については中央選挙管理会、参議院合同選挙区選挙については当該選挙に関する事務を管理する参議院合同選挙区選挙管理委員会）にその証票の交付を申請しなければならない。この場合において、後援団体が行う申請は、当該後援団体に係る公職の候補者等の同意を得たものでなければならない。

6　公職の候補者等は、前項の同意をするに当たつては、第一項に規定する立札及び看板の類の総数が、当該公職の候補者等に係る後援団体が同項各号のいずれに該当するかに応じ、当該各号に定める数を超えることとならないように配意しなければならない。

7　一の後援団体が二人以上の公職の候補者等に係るものとなつた場合には、当該後援団体は、これらの公職の候補者等のうち当該後援団体が指定するいずれか一人の公職の候補者等のみに係る後援団体とみなして、前各項の規定を適用する。

8　法第百四十三条第十七項の当該選挙に関する事務を管理する選挙管理委員会（衆議院比例代表選出議員又は参議院比例代表選出議員の選挙については中央選挙管理会、参議院合同選挙区選挙については当該選挙に関する事務を管理する参議院合同選挙区選挙管理委員会）は、公職の候補者等又は後援団体が第一項各号のいずれに該当するかに応じ、当該各号に規定する選挙で当該公職の候補者等又は当該後援団体に係るものに関する事務を管理する選挙管理委員会（衆議院比例代表選出議員又は参議院比例代表選出議員の選挙については中央選挙管理会、参議院合同選挙区選挙については当該選挙に関する事務を管理する参議院合同選挙区選挙管理委員会）とする。

（ポスター掲示場）

第百十一条　法第百四十四条の二第二項又は第九項に規定するポスター掲示場の総数は、当該市町村の各投票区について、次の表の上欄に掲げる投票区ごとの選挙人名簿登録者数及び同表の中欄に掲げる投票区ごとの面積に応じ、それぞれ当該下欄に定める数を合計した数とする。

選挙人名簿登録者数	面積	ポスター掲示場の数
一千人未満	二平方キロメートル未満	五箇所
	二平方キロメートル以上四平方キロメートル未満	六箇所
	四平方キロメートル以上八平方キロメートル未満	七箇所
	八平方キロメートル以上	八箇所
一千人以上五千人未満	四平方キロメートル未満	七箇所
	四平方キロメートル以上八平方キロメートル未満	八箇所
	八平方キロメートル以上	九箇所
五千人以上一万人未満	四平方キロメートル未満	八箇所
	四平方キロメートル以上	九箇所
一万人以上	四平方キロメートル未満	九箇所
	四平方キロメートル以上	十箇所

2　前項の投票区ごとの選挙人名簿登録者数は、その選挙の期日の公示又は告示の日の直近において行われた法第二十二条第一項の規定による選挙人名簿の登録の直近において行われた同項の規定による選挙人名簿の登録の日（その選挙と選挙の期日を同じくし、公示又は告示の日を異にする他の選挙が行われる場合にあつては、これらの期日を同じくする選挙に係る公示又は告示のうち最初に行われる公示又は告示の日の直近において行われた同項の規定による選挙人名簿の登録の直近において行われた同項の規定による選挙人名簿の登録の日）現在において当該選挙人名簿に登録されている者の総数とし、前項の投票区ごとの面積は、市町村の選挙管理委員会が調査したおおむねの面積とする。

3　法第百四十四条の二第三項（同条第十項において準用する場合を含む。）に規定する政令で定める基準は、次のとおりとする。

一　各投票区に設置するポスター掲示場の数は、それぞれの投票区の選挙人名簿登録者数及び面積に応じ、おおむね第一項の表の下欄に掲げる数に準ずること。

二　各投票区に設置するポスター掲示場の配置は、当該投票区における人口密度、地勢、交通等の事情を総合的に考慮して合理的に行うこと。

（ポスターの掲示に関する便宜供与）

第百十一条の二　市町村の選挙管理委員会は、ポスター掲示場の設置場所を表示した図面を交付し、ポスターのはりつけの請負のあつせんをし、又はポスター掲示場に掲示されたポスターが汚損し若しくは脱落している旨の通報をする等ポスターの掲示に関する便宜の供与に努めなければならない。

（都道府県の設置する任意制ポスター掲示場）

第百十一条の三　法第百四十四条の二第八項又は法第百四十四条の四の規定によつて都道府県の議会の議員の選挙についてポスター掲示場を設けることとした場合においては、市町村の選挙管理委員会は、当該都道府県の条例の定めるところにより、ポスター掲示場の設置に関する事務を行わなければならない。

（政見放送）

第百十一条の四　衆議院小選挙区選出議員の選挙においては、候補者届出政党は、日本放送協会及び都道府県ごとに総務大臣が定める基幹放送事業者（法第百五十条第一項に規定する基幹放送事業者をいう。以下第百十一条の九までにおいて同じ。）の放送設備によりその政見（当該候補者届出政党が届け出た候補者の紹介を含む。）を放送することができる。

2　参議院選挙区選出議員の選挙においては、当該選挙における候補者は、日本放送協会及び選挙区ごとに総務大臣が定める基幹放送事業者の放送設備によりその政見を放送することができる。

3　衆議院比例代表選出議員の選挙においては、衆議院名簿届出政党等は、日本放送協会及び選挙区ごとに総務大臣が定める基幹放送事業者の放送設備によりその政見（衆議院名簿登載者の紹介を含む。）を放送することができる。

4　参議院比例代表選出議員の選挙においては、参議院名簿届出政党等は、日本放送協会の放送設備によりその政見（参議院名簿登載者の紹介を含む。）を放送することができる。

5　都道府県知事の選挙においては、当該選挙における候補者は、日本放送協会及び総務大臣が定める基幹放送事業者の放送設備によりその政見を放送することができる。

6　法第百五十条第四項に規定する政令で定める時間数は、候補者届出政党の数その他の事情を考慮して、総務大臣が日本放送協会及び基幹放送事業者と協議の上、第一項の規定による放送を行う場合における放送の単位として定める時間数に当該都道府県における候補者届出政党の届出候補者の数に応じて定める数値を乗じて得た時間数とする。

7　法第百五十条第五項に規定する政令で定める時間数（衆議院名簿届出政党等に係るものに限る。）は、衆議院名簿届出政党等の数その他の事情を考慮して、総務大臣が日本放送協会及び基幹放送事業者と協議の上、第三項の規定による放送を行う場合における放送の単位として定める時間数に当該選挙区における衆議院名簿届出政党等の衆議院名簿登載者の数に応じて定める数値を乗じて得た時間数とする。

8　法第百五十条第五項に規定する政令で定める時間数（参議院名簿届出政党等に係るものに限る。）は、参議院名簿届出政党等の数その他の事情を考慮して、総務大臣が日本放送協会と協議の上、第四項の規定による放送を行う場合における放送の単位として定める時間数に参議院名簿登載者の数に応じて定める数値を乗じて得た時間数とする。

（政見放送のための録音又は録画の公営）

第百十一条の五　法第百五十条第二項の規定の適用を受けようとする候補者届出政党又は同条第一項第二号イ若しくはロに掲げる者（次項及び第三項において「候補者届出政党等」という。）は、録音又は録画を業とする者との間において同条第二項の政見の放送のための録音又は録画（次項及び第三項において「特定録音等」という。）に関し有償契約を締結し、総務省令で定めるところにより、その旨を当該選挙に関する事務を管理する選挙管理委員会（参議院合同選挙区選挙については、当該選挙に関する事務を管理する参議院合同選挙区選挙管理委員会）に届け出なければならない。

2　都道府県は、候補者届出政党等（前項の規定による届出をしたものに限る。次項において同じ。）が前項の契約に基づき当該契約の相手方である録音又は録画を業とする者に支払うべき金額のうち、次の各号に掲げる区分に応じ当該各号に定める金額の合算額を、当該録音又は録画を業とする者からの請求に基づき、当該録音又は録画を業とする者に対し支払う。

一　当該契約に基づく特定録音等（法第百五十条第一項の政見の放送のために必要な複製を除く。以下この号及び次項において同じ。）で日本放送協会又は前条第一項に規定する都道府県ごとに総務大臣が定める基幹放送事業者若しくは同条第二項に規定する選挙区ごとに総務大臣が定める基幹放送事業者において放送されたもの（法第百五十一条の二の規定により放送されなかつた特定録音等を含む。次項において同じ。）　当該特定録音等に要する金額（当該要する金額が、総務大臣が特定録音等一種類の単価として定める金額（以下この号及び次項において「録音等公営限度額」という。）を超える場合には、録音等公営限度額）（当該特定録音等が二種類以上ある場合には、当該特定録音等のそれぞれについて当該要する金額と録音等公営限度額とのうちいずれか少ない金額の合計金額）

二　当該契約に基づく特定録音等（法第百五十条第一項の政見の放送のために必要な複製に限る。）　当該複製に要する金額（当該要する金額が、総務大臣が同項の政見の放送のために必要な複製に要する金額として定める金額（以下この号及び次項において「複製公営限度額」という。）を超える場合には、複製公営限度額）

3　法第百五十条第二項に規定する政令で定める額は、一の候補者届出政党等について、録音等公営限度額に特定録音等（日本放送協会又は前条第一項に規定する都道府県ごとに総務大臣が定める基幹放送事業者若しくは同条第二項に規定する選挙区ごとに総務大臣が定める基幹放送事業者において放送されたものに限る。）の数を乗じて得た金額に複製公営限度額を加えた金額とする。

4　前三項に定めるもののほか、第二項の支払の請求の手続その他法第百五十条第二項の規定の適用に関し必要な事項は、総務省令で定める。

（参議院選挙区選出議員の選挙における政見放送に係る文書の提出等）

第百十一条の六　法第百五十条第一項第二号イ又はロに掲げる者は、法第八十六条の四第一項、第二項又は第五項の規定による届出のあつた日に、次項各号に掲げる区分に応じ、当該各号に定める文書を、当該選挙に関する事務を管理する選挙管理委員会（参議院合同選挙区選挙については、当該選挙に関する事務を管理する参議院合同選挙区選挙管理委員会）に提出しなければならない。

2　法第百五十条第六項に規定する政令で定める文書は、次の各号に掲げる区分に応じ、当該各号に定める文書とする。

一　法第百五十条第一項第二号イ又はロに掲げる者に係る同号イ又はロに規定する政党その他の政治団体が同号イ(1)に該当する政党その他の政治団体であるもの　当該政党その他の政治団体に所属する五人以上の衆議院議員又は参議院議員の氏名を記載した文書（以下この号及び第百十一条の八において「五人要件文書」という。）並びに当該五人要件文書にその氏名を記載されることについての当該衆議院議員又は参議院議員の承諾書及び当該五人要件文書に第百十一条の八第二項において準用する第八十八条の六第二項の規定又は第百十一条の八第三項の規定によりその氏名を記載することができないこととされている者を当該衆議院議員又は参議院議員としてその氏名を記載していないことを当該政党その他の政治団体の代表者が誓う旨の宣誓書

二　法第百五十条第一項第二号イ又はロに掲げる者に係る同号イ又はロに規定する政党その他の政治団体が同号イ(2)に該当する政党その他の政治団体であるもの　直近において行われた衆議院議員の総選挙における小選挙区選出議員の選挙若し

くは比例代表選出議員の選挙又は参議院議員の通常選挙における比例代表選出議員の選挙若しくは選挙区選出議員の選挙における当該政党その他の政治団体の得票総数を記載した文書

3　法第百五十条第六項ただし書に規定する政令で定める場合は、同条第一項第二号イ又はロに掲げる者に係る同号イ又はロに規定する政党その他の政治団体が同条第六項第二号に掲げる政党その他の政治団体のうち、法第八十六条の三第一項第一号に該当する政党その他の政治団体として法第八十六条の七第一項の規定による届出をしたものである場合とする。

（参議院名簿届出政党等の名称等の通知）

第百十一条の七　中央選挙管理会は、参議院比例代表選出議員の選挙と同時に行われる参議院選挙区選出議員の選挙の期日の公示又は告示があつた日に、法第百五十条第六項各号に掲げる政党その他の政治団体（同項第二号に掲げる政党その他の政治団体のうち、法第八十六条の三第一項第一号に該当する政党その他の政治団体として法第八十六条の七第一項の規定による届出をしたものを除く。）の名称、本部の所在地及び代表者の氏名を、当該選挙に関する事務を管理する選挙管理委員会（参議院合同選挙区選挙については、当該選挙に関する事務を管理する参議院合同選挙区選挙管理委員会）に通知しなければならない。

（推薦団体又は確認団体に所属する衆議院議員又は参議院議員の数の算定等）

第百十一条の八　第八十八条の二第一項の規定は、法第百五十条第六項の規定による文書の提出の際現に衆議院の解散若しくは衆議院議員の任期満了により衆議院議員が在任しない場合又は参議院議員の任期満了により参議院議員の一部が在任しない場合における同条第一項第二号イ(1)に規定する衆議院議員又は参議院議員の数の算定について準用する。

2　第八十八条の六第二項の規定は、参議院議員の選挙において比例代表選出議員の選挙と選挙区選出議員の選挙を同時に行う場合における五人要件文書の記載について準用する。

3　参議院選挙区選出議員の選挙（参議院比例代表選出議員の選挙と同時に行われる場合を除く。）においては、法第百五十条第一項第二号イ又はロに掲げる者に係る同号イ又はロに規定する政党その他の政治団体のうち、同号イ(1)に該当する政党その他の政治団体は、当該参議院選挙区選出議員の選挙において、当該政党その他の政治団体以外の同号イ若しくはロに規定する政党その他の政治団体に所属する衆議院議員若しくは参議院議員又は当該政党その他の政治団体以外の同号イ若しくはロに規定する政党その他の政治団体に所属する衆議院議員若しくは参議院議員として五人要件文書にその氏名を記載された者を、当該政党その他の政治団体に所属する衆議院議員又は参議院議員として、五人要件文書にその氏名を記載することができない。

4　衆議院議員の総選挙における小選挙区選出議員の選挙又は参議院議員の通常選挙における選挙区選出議員の選挙における法第百五十条第一項第二号イ(2)に規定する当該政党その他の政治団体の得票総数は、当該政党その他の政治団体の当該選挙の期日における届出候補者（法第八十六条第一項又は第八項の規定による当該政党その他の政治団体の届出に係る候補者をいう。）又は所属候補者（法第八十六条第七項（同条第八項においてその例によることとされる場合を含む。）又は法第八十六条の四第三項（同条第五項においてその例によることとされる場合を含む。）の規定により当該政党その他の政治団体に所属する者として記載された候補者をいう。）の得票数を合算した数とする。

5　参議院議員の通常選挙における比例代表選出議員の選挙における法第百五十条第一項第二号イ(2)に規定する当該政党その他の政治団体の得票総数は、法第八十六条の三第一項の規定による届出をした当該政党その他の政治団体の得票総数（当該政党その他の政治団体に係る各参議院名簿登載者（当該選挙の期日において公職の候補者たる者に限る。）の得票総数を含むものをいう。）とする。

6　第一項の場合においては、第百十一条の六第二項第一号、第二項において準用する第八十八条の六第二項及び第三項に規定する衆議院議員又は参議院議員には、第一項において準用する第八十八条の二第一項に規定する衆議院議員でなくなつた者又は同項に規定する参議院議員でなくなつた者が含まれるものとして、これらの規定を適用する。

（経歴放送）

第百十一条の九　日本放送協会又は基幹放送事業者は、法第百五十一条第三項の規定による経歴放送をする場合には、総務大臣が定めるところにより、公職の候補者の氏名、年齢、党派別、主要な経歴等を放送しなければならない。

（個人演説会等の開催の申出）

第百十二条　法第百六十一条第一項に規定する公職の候補者、候補者届出政党又は衆議院名簿届出政党等（以下第百二十二条までにおいて「公職の候補者等」という。）が、同項の規定により個人演説会、政党演説会又は政党等演説会（以下「個人演説会等」という。）を開催しようとする場合においては、都道府県の選挙管理委員会が定める様式の文書により、法第百六十三条の規定による個人演説会等の開催の申出をしなければならない。

2　公職の候補者等が法第百六十一条第一項に規定する個人演説会等を開催することができる施設（以下「個人演説会等の施設」という。）を使用して個人演説会等を開催しようとする場合においては、同一の施設については、同時に二以上の個人演説会等の開催の申出をし、又は既に申し出た使用の日を経過しない間において新たな申出をすることができない。

3　個人演説会等の施設を使用する時間は、一回について五時間を超えることができない。

（個人演説会等の開催の申出の競合）

第百十三条　同一の個人演説会等の施設を同一日時に使用すべき二以上の申出があつた場合においては、これらの申出をした公職の候補者等のうち、後に到達した申出書に係る申出をした公職の候補者等、申出書の到達が同時であつた場合は既に当該施設を使用した回数がより多い公職の候補者等、その回数が同じである場合は市町村の選挙管理委員会がくじで定める公職の候補者等は、その申し出た個人演説会等を開催することができない。

（個人演説会等の開催不能の通知）

第百十四条　市町村の選挙管理委員会は、前条の規定により個人演説会等を開催することができないものとされた公職の候補者等に対しては、直ちにその旨を通知しなければならない。

2　前項の規定は、法第百六十五条の二の規定により申出に係る個人演説会等を開催することができない場合について準用する。

（個人演説会等の施設の管理者に対する通知）

第百十五条　市町村の選挙管理委員会は、法第百六十三条の規定による個人演説会等の開催の申出があつた場合においては、前条の規定に該当する場合を除くほか、直ちにその旨をその申出に係る個人演説会等の施設の管理者に通知しなければならない。

（個人演説会等の施設の使用の制限）

第百十六条　個人演説会等の施設は、学校にあつてはその授業、研究又は諸行事、その他の施設にあつては業務又は諸行事に支障がある場合においては、個人演説会等を開催するために使用することができない。

（個人演説会等開催の可否に関する管理者の通知）

第百十七条　第百十五条の規定による通知があつた場合においては、個人演説会等の施設の管理者は、前条の規定により個人演説会等の施設を使用することができないかどうかを決定し、直ちにその旨を市町村の選挙管理委員会及びその通知に係る公職の候補者等に通知しなければならない。

2　前項の規定による決定をする場合において、学校の管理者が学校長でないときは、あらかじめ当該学校長の意見を聞かなければならない。

（個人演説会等の施設の使用予定表の提出）

第百十八条　市町村の選挙管理委員会は、個人演説会等の施設の管理者に対して、その施設を使用して個人演説会等を開催することができる日時の予定表の提出を求めることができる。

（個人演説会等の施設の設備）

第百十九条　第百十五条の規定による通知があつた場合においては、第百十六条の規定に該当する場合を除くほか、個人演説会等の施設の管理者は、個人演説会等の施設に照明の設備、演壇、聴衆席等個人演説会等開催のために必要な設備（暖房の設備を除く。）をしなければならない。ただし、次条第一項の規定により費用を納付すべき公職の候補者等がこれを納付しない場合においては、この限りでない。

2　個人演説会等の施設の管理者は、市町村の選挙管理委員会の承諾を得て、前項の規定によつてする設備の程度その他施設（設備を含む。）の使用に関する定めを設けて、あらかじめこれを公表しなければならない。

3　公職の候補者等は、第一項の規定による設備のほか、自ら個人演説会等の開催のために必要な設備をすることができる。

（個人演説会等の施設の使用に関する費用の納付）

第百二十条　公職の候補者等は、第百十七条の規定により個人演説会等を開催することができる旨の通知を受けた場合においては、法第百六十四条の規定により個人演説会の施設を無料で使用する場合を除き、当該個人演説会等の施設（前条第一項の規定による設備を含む。）の使用のために必要な費用を、あらかじめ個人演説会等の施設の管理者に納付しなければならない。

2　個人演説会等の施設の管理者は、公職の候補者等がこれを使用すべき日の前二日までにこれを使用しない旨を申し出た場合又は天災その他やむを得ない事由が生じたためにこれを使用することができなくなつた場合においては、前項の規定により公職の候補者等が納付した納付金を公職の候補者等に返さなければならない。

3　第一項の規定による納付金は、当該個人演説会等の施設の所有者の収入となるものとする。

（個人演説会等の施設の使用のために納付すべき費用）

第百二十一条　前条の規定により公職の候補者等が納付すべき費用の額は、個人演説会等の施設の管理者が市町村の選挙管理委員会の承認を得て定め、あらかじめ公表しなければならない。

（個人演説会等の施設又は設備の損害賠償）

第百二十二条　公職の候補者等又はそのために選挙運動をする者が個人演説会等の施設又は設備（第百十九条第三項の規定による設備を除く。以下この条及び次条において同じ。）を損傷した場合においては、当該公職の候補者等は、その損害を賠償し、又は施設若しくは設備を原状に回復しなければならない。

（個人演説会の施設の公営に要する費用の交付）

第百二十三条　法第二百六十三条第十号又は第二百六十四条第一項第一号の規定により国又は地方公共団体が負担する個人演説会の施設（設備を含む。）に関する費用の額は、衆議院小選挙区選出議員又は参議院議員の選挙にあつては国、地方公共団体の選挙にあつては当該地方公共団体がそれぞれ設置する学校その他の施設に関するものを除き、第百二十一条の規定により定められた額により、国又は地方公共団体が当該学校その他の施設の所有者に交付する。

（都道府県立学校の場合の特例）

第百二十四条　第百十五条及び第百十七条から第百二十一条までの規定中「個人演説会等の施設の管理者」とあるのは、都道府県立の学校においては「学校長」と読み替えるものとする。

（個人演説会等の開催の手続の細目）

第百二十五条　第百十二条から前条までに定めるものを除くほか、法第百六十一条第一項の規定による個人演説会等の開催手続の細目は、市町村の選挙管理委員会が定める。

（個人演説会等の会場の立札及び看板の類の掲示責任者の氏名等の記載）

第百二十五条の二　法第百六十四条の二第二項の立札及び看板の類には、その表面に掲示責任者の氏名及び住所を記載しなければならない。この場合において、候補者届出政党又は衆議院名簿届出政党等が使用するものには、当該候補者届出政党又は衆議院名簿届出政党等の名称を併せて記載しなければならない。

（個人演説会場の立札及び看板の類の作成の公営）

第百二十五条の三　第百十条の二の規定は、衆議院小選挙区選出議員又は参議院選挙区選出議員の選挙における公職の候補者が法第百六十四条の二第六項の規定の適用を受けようとする場合について準用する。この場合において、第百十条の二第二項中「五万六千六百十三円」とあるのは「四万九百五十四円」と、「法第百三十一条第一項の規定により設置することができる選挙事務所の数に三を乗じて得た数の範囲内」とあるのは「五以内（参議院合同選挙区選挙にあつては、十以内）」と、「第百四十三条第十四項後段」とあるのは「第百六十四条の二第六項後段」と、同条第三項中「五万六千六百十三円」とあるのは「四万九百五十四円」と、「法第百三十一条第一項の規定により設置することができる選挙事務所の数に三を乗じて得た数」とあるのは「五（参議院合同選挙区選挙にあつては、十）」と読み替えるものとする。

（氏名等の掲示をする不在者投票管理者）

第百二十五条の四　法第百七十五条第二項に規定する不在者投票管理者のうち政令で定めるものは、同項の市町村の選挙管理委員会の委員長とする。

（数市町村合同開票区を設けた場合等の氏名等の掲示の掲載の順序）

第百二十六条　数市町村合同開票区に属する投票区の投票所に係る法第百七十五条第三項の規定による衆議院（比例代表選出）議員又は参議院（比例代表選出）議員の選挙以外の選挙の公職の候補者の氏名及び党派別の掲示の掲載の順序のくじは、関係市町村の選挙管理委員会が協議して定めた市町村の選挙管理委員会（関係市町村に指定都市が含まれる場合には、当該指定都市以外の関係市町村の選挙管理委員会又は当該指定都市の関係区の選挙管理委員会）が行う。その協議が調わない場合には、都道府県の選挙管理委員会がこれを行う。

2　数区合同開票区に属する投票区の投票所に係る法第百七十五条第三項の規定による衆議院（比例代表選出）議員又は参議院（比例代表選出）議員の選挙以外の選挙の公職の候補者の氏名及び党派別の掲示の掲載の順序のくじは、指定都市の選挙管理委員会が指定した区の選挙管理委員会が行う。

第十二章　選挙運動に関する収入及び支出並びに寄附

（報告書の要旨を掲載した公報の送付）

第百二十六条の二　衆議院小選挙区選出議員の選挙又は参議院選挙区選出議員の選挙（参議院合同選挙区選挙を除く。）については都道府県の選挙管理委員会は、参議院合同選挙区選挙については当該選挙に関する事務を管理する参議院合同選挙区選挙管理委員会は、それぞれ、法第百九十二条第一項及び第二項の規定によつて報告書の要旨を公表したときは、当該報告書の要旨を掲載した公報を総務大臣に送付しなければならない。

（選挙運動に関する支出金額の制限額）

第百二十七条　参議院比例代表選出議員の選挙に係る法第百九十四条第一項に規定する政令で定める額は、五千二百万円とし、その他の選挙に係る同項に規定する政令で定める金額（以下この条において「人数割額」という。）及び同項に規定する政令で定める額（以下この条において「固定額」という。）は、次の表の上欄に掲げる選挙の種類に応じ、それぞれ当該中欄及び下欄に定めるところによる。ただし、別表第五の上欄に掲げる選挙区又は選挙が行われる区域に係る固定額については、それぞれ同表の下欄に定める額とする。

選挙の種類	人数割額	固定額
衆議院小選挙区選出議員の選挙	十五円	千九百十万円
参議院選挙区選出議員の選挙	法別表第三の議員数が二人の選挙区については、十三円 法別表第三の議員数が四人以上の選挙区については、二十円	二千三百七十万円
都道府県知事の選挙	七円	二千四百二十万円
都道府県の議会の議員の選挙	八十三円	三百九十万円
指定都市の議会の議員の選挙	百四十九円	三百七十万円
指定都市の長の選挙	七円	千四百五十万円
指定都市以外の市の議会の議員の選挙	五百一円	二百二十万円
指定都市以外の市の長の選挙	八十一円	三百十万円
町村の議会の議員の選挙	千百二十円	九十万円
町村長の選挙	百十円	百三十万円

2　前項の表の中欄に掲げる人数割額に当該上欄に掲げる選挙の種類に応ずる法第百九十四条第一項各号の区分による数を乗じて得た額が、当該下欄に掲げる固定額（前項ただし書の規定の適用がある場合には、当該選挙に係る別表第五の下欄に掲げる額）の参議院選挙区選出議員又は都道府県知事の選挙にあつては一・五倍、指定都市以外の市の議会の議員の選挙にあつては二倍、指定都市以外の市の長の選挙にあつては五倍に相当する額（以下この項において「相当する額」という。）を超え、指定都市の議会の議員の選挙にあつてはその選挙の期日に当該選挙区の区域の全部を含む区域をその区域とする選挙区において当該指定都市の区域を包括する都道府県の議会の議員の選挙が行われるものとして算出した場合における当該都道府県の議会の議員の選挙の選挙運動に関する支出金額の制限額から当該固定額を減じて得た額（以下この項において「減じて得た額」という。）を超えるときは、当該人数割額は、前項の規定にかかわらず、それぞれ、当該相当する額又は当該減じて得た額を当該区分による数で除して得た額とする。

（選挙の一部無効による再選挙及び繰延投票の場合の選挙運動に関する支出金額の制限額）

第百二十七条の二　選挙の一部無効による再選挙の場合における法第百九十五条に規定する政令で定めるところによる額は、次の表の第一欄に掲げる選挙の種類及び同表の第二欄に掲げる再選挙の行われる区域の区分に応じ、同表の第三欄に掲げる額に当該再選挙の期日の告示の日において当該再選挙が行われる区域内の当該選挙人名簿に登録されている者の総数（地方公共団体の議会の議員の選挙については、当該再選挙を必要とするに至つた選挙における当該選挙区内の議員の定数（選挙区がないときは、議員の定数）をもつて当該再選挙の期日の告示の日において当該再選挙が行われる区域内の当該選挙人名簿に登録されている者の総数を除して得た数）を乗じて得た額と同表の第四欄に掲げる額とを合算した額とする。

第一欄	第二欄	第三欄	第四欄
衆議院小選挙区選出議員又は参議院選挙区選出議員の選挙	一の都道府県の区域（参議院合同選挙区選挙により選出される参議院選挙区選出議員の再選挙が行われる場合に限る。）	三円	千五百九十万円
	一の指定都市の区域（参議院選挙区選出議員の再選挙が行われる場合に限る。）	四円	千二百五十万円
	一の指定都市以外の市の区域又はその一部の区域	十六円	五百四十万円
	一の町村の区域又はその一部の区域	八十六円	二百七十万円
参議院比例代表選出議員の選挙	一の都道府県の区域	三円	千五百九十万円
	一の指定都市の区域	四円	千二百五十万円
	一の指定都市以外の市の区域又はその一部の区域	十六円	五百四十万円
	一の町村の区域又はその一部の区域	八十六円	二百七十万円
都道府県知事の選挙	一の指定都市の区域	四円	千二百万円
	一の指定都市以外の市の区域又はその一部の区域	十六円	五百二十万円
	一の町村の区域又はその一部の区域	八十六円	二百七十万円
都道府県の議会の議員の選挙	一の指定都市以外の市の区域又はその一部の区域	三十九円	二百九十万円
	一の町村の区域又はその一部の区域	百九円	百九十万円
指定都市の議会の議員の選挙	一の区の一部の区域	八十一円	二百四十万円
指定都市の長の選挙	一の区の区域又はその一部の区域	二十六円	四百四十万円
指定都市以外の市の議会の議員の選挙	一の指定都市以外の市の一部の区域	百七十七円	百六十万円
指定都市以外の市の長の選挙	一の指定都市以外の市の一部の区域	四十三円	百八十万円
町村の議会の議員の選挙	一の町村の一部の区域	七百四十九円	七十万円
町村長の選挙	一の町村の一部の区域	七十四円	百十万円

2　選挙の一部無効による再選挙が前項の表の第二欄に掲げる再選挙の行われる区域の二以上を合わせた区域を区域として行われる場合における同表の第三欄及び第四欄に掲げる額については、次の表の上欄に掲げる当該再選挙の行われる区域の区分に応じ、当該区域をそれぞれ同表の下欄に掲げる区域とみなして、同項の規定を適用する。

(一)	当該区域に一の都道府県の区域が含まれている場合	一の都道府県の区域
(二)	(一)に掲げる場合を除くほか、当該区域に一の指定都市の区域が含まれている場合	一の指定都市の区域
	(一)及び(二)に掲げる場合を除くほ	一の指定都市以外の市

(三)	か、当該区域に一の指定都市以外の市の区域又はその一部の区域が含まれている場合	の区域又はその一部の区域
(四)	(一)から(三)までに掲げる場合を除くほか、当該区域に一の町村の区域又はその一部の区域が含まれている場合	一の町村の区域又はその一部の区域

3 前二項の規定によつて算出した額が、その再選挙の期日の告示の日において当該再選挙を必要とするに至つた選挙の選挙運動に関する支出金額の制限額を算出した場合における当該制限額の百分の六十に相当する額を超える場合においては、当該再選挙の場合における選挙運動に関する支出金額の制限額は、前二項の規定にかかわらず、当該百分の六十に相当する額とする。

4 法第五十七条第一項の規定により投票を行う場合における法第百九十五条に規定する政令で定めるところによる額は、前三項の規定に準じて算出した額の範囲内で当該選挙に関する事務を管理する選挙管理委員会（参議院比例代表選出議員の選挙については中央選挙管理会、参議院合同選挙区選挙については当該選挙に関する事務を管理する参議院合同選挙区選挙管理委員会）が定める額とする。

5 第一項及び前二項の場合において百円未満の端数があるときは、その端数は、百円とする。

（長の選挙の期日を延期する場合の選挙運動に関する支出金額の制限額）

第百二十七条の三 法第八十六条の四第七項又は第百二十六条第二項（これらの規定又は法第八十六条の四第六項の規定について法第四十六条の二第二項の規定を適用する場合を含む。）の規定により、選挙の期日が延期される場合における法第百九十五条に規定する政令で定めるところによる額は、法第百九十四条第一項第四号の規定による額に、その額に十分の一（法第八十六条の四第六項若しくは第七項又は第百二十六条第二項の規定について法第四十六条の二第二項の規定を適用する場合にあつては、法第三十三条第五項（法第三十四条の二第五項において準用する場合を含む。）、第三十四条第六項又は第百十九条第三項の規定により告示した期日から法第四十六条の二第二項の規定により変更して適用することとされた法第八十六条の四第六項若しくは第七項又は第百二十六条第二項の規定により告示された期日の前日までの期間の日数に五十分の一を乗じて得た数）を乗じて得た額（百円未満の端数がある場合においては、その端数は、百円とする。）を加えた額とする。

（選挙人名簿に登録されている者の総数）

第百二十八条 法第百九十四条第一項各号及び第百二十七条の二第一項に規定する当該選挙人名簿に登録されている者の総数は、その選挙に係る法第二十二条第三項の規定による選挙人名簿の登録が行われた日現在において当該選挙人名簿に登録されている者の総数とする。

（実費弁償及び報酬の額の基準等）

第百二十九条 法第百九十七条の二第一項に規定する実費弁償及び報酬の額についての政令で定める基準は、次の各号に掲げる区分に応じ、当該各号に定めるところによる。

一 選挙運動に従事する者一人に対し支給することができる実費弁償の額の基準　次に掲げる区分に応じ、それぞれ次に定める額

イ 鉄道賃　鉄道旅行について、路程に応じ旅客運賃等により算出した実費額

ロ 船賃　水路旅行について、路程に応じ旅客運賃等により算出した実費額

ハ 車賃　陸路旅行（鉄道旅行を除く。）について、路程に応じた実費額

ニ 宿泊料（食事料二食分を含む。）　一夜につき一万二千円

ホ 弁当料　一食につき千円、一日につき三千円

ヘ 茶菓料　一日につき五百円

二 選挙運動のために使用する労務者一人に対し支給することができる報酬の額の基準　次に掲げる区分に応じ、それぞれ次に定める額

イ 基本日額　一万円以内

ロ 超過勤務手当　一日につき基本日額の五割以内

三 選挙運動のために使用する労務者一人に対し支給することができる実費弁償の額の基準　次に掲げる区分に応じ、それぞれ次に定める額

イ 鉄道賃、船賃及び車賃　それぞれ第一号イ、ロ及びハに掲げる額

ロ 宿泊料（食事料を除く。）　一夜につき一万円

2 選挙運動に従事する者又は選挙運動のために使用する労務者に対し法第百三十九条ただし書の規定により弁当を提供した場合においてその者に支給することができる弁当料の額又は報酬の基本日額は、法第百九十七条の二第一項の規定により、当該選挙に関する事務を管理する選挙管理委員会（参議院比例代表選出議員の選挙については中央選挙管理会、参議院合同選挙区選挙については当該選挙に関する事務を管理する参議院合同選挙区選挙管理委員会）が前項第一号又は第二号の基準に従い定めた一日についての弁当料の額又は報酬の基本日額から当該提供した弁当の実費に相当する額を差し引いたものとする。

3 法第百九十七条の二第二項に規定する政令で定める員数は、次に定めるところによる。

一 衆議院小選挙区選出議員、参議院議員又は都道府県知事の選挙にあつては、五十人

二 都道府県の議会の議員の選挙にあつては、十二人

三 指定都市の議会の議員の選挙にあつては、十二人

四 指定都市の長の選挙にあつては、三十四人

五 指定都市以外の市の議会の議員の選挙にあつては、九人

六 指定都市以外の市の長の選挙にあつては、十二人

七 町村の議会の議員の選挙にあつては、七人

八 町村長の選挙にあつては、九人

4 法第百九十七条の二第二項に規定する報酬の額についての政令で定める基準は、選挙運動のために使用する事務員にあつては一人一日につき一万円以内とし、専ら法第百四十一条第一項の規定により選挙運動のために使用される自動車又は船舶の上における選挙運動のために使用する者、専ら手話通訳のために使用する者及び専ら要約筆記（法第百九十七条の二第二項に規定する要約筆記をいう。次項において同じ。）のために使用す

る者にあつては一人一日につき一万五千円以内とする。

5　法第百九十七条の二第三項に規定する報酬について政令で定める額は、選挙運動のために使用する事務員にあつては一人一日につき一万円以内の金額とし、専ら法第百四十一条第二項の規定により選挙運動のために使用される自動車又は船舶の上における選挙運動のために使用する者、専ら手話通訳のために使用する者及び専ら要約筆記のために使用する者にあつては一人一日につき一万五千円以内の金額とする。

6　前項の規定は、法第百九十七条の二第四項に規定する報酬について政令で定める額について準用する。この場合において、前項中「第百四十一条第二項」とあるのは、「第百四十一条第三項」と読み替えるものとする。

7　法第百九十七条の二第五項に規定する同条第二項の規定により報酬の支給を受けることができる者を使用する前に同条第五項の規定による届出をすることができない場合として政令で定める場合は、法第百五十条第一項第二号イ又はロに掲げる者が同条第二項の政見の放送のための録画をする場合において、その者が法第百九十七条の二第二項の規定により専ら手話通訳のために使用する者に対して報酬を支給するときとする。

8　法第百九十七条の二第五項の規定による届出をする場合には、同条第二項に規定する期間を通じて、それぞれ第三項各号に定める員数の五倍を超えない員数に限り、異なる者を届け出ることができるものとする。

9　法第百九十七条の二第五項の規定による届出は、同条第二項の規定により報酬の支給を受けることができる者を使用する前（第七項に規定する場合には、その者に対して同条第二項の規定により報酬を支給する前）に、文書で、当該選挙に関する事務を管理する選挙管理委員会（参議院比例代表選出議員の選挙については中央選挙管理会、参議院合同選挙区選挙については当該選挙に関する事務を管理する参議院合同選挙区選挙管理委員会）に対してしなければならない。

10　前項の文書を郵便で差し出す場合には、引受時刻証明の取扱いでこれを日本郵便株式会社に託した時をもつて、法第百九十七条の二第五項の規定による届出があつたものとみなす。

第十二章の二　推薦団体の選挙運動の特例

（申請書）

第百二十九条の二　法第二百一条の四第二項の規定による申請は、文書をもつてしなければならない。

（文書図画の掲示者の氏名等の記載）

第百二十九条の三　法第二百一条の四第六項第二号に規定するポスター、立札及び看板の類を掲示する者は、その表面にその者の氏名及び住所並びに同条第二項の確認書の交付を受けた政党その他の政治団体の名称を記載しなければならない。

第十二章の三　政党その他の政治団体等の選挙における政治活動

（申請の方法）

第百二十九条の四　法第二百一条の六第三項（法第二百一条の七第二項並びに第二百一条の八第二項及び第三項において準用する場合を含む。）の規定による申請は、所属候補者の氏名のほか、当該選挙区及び立候補届出年月日（参議院比例代表選出議員の選挙については、参議院名簿の届出年月日）を記載した文書でしなければならない。

2　法第二百一条の九第三項の規定による申請は、文書でしなければならない。

（政談演説会の開催の届出）

第百二十九条の五　参議院議員の選挙における法第二百一条の十一第二項の規定による政談演説会の開催の届出は、総務大臣があらかじめ交付する届出用紙を用いてしなければならない。

2　都道府県の議会の議員、都道府県知事、指定都市の議会の議員又は市の長の選挙における法第二百一条の十一第二項の規定による政談演説会の開催の届出は、それぞれ当該都道府県の選挙管理委員会又は当該市の選挙管理委員会が定める様式の文書でしなければならない。

（参議院比例代表選出議員の選挙の再選挙における政治活動用ポスターの数）

第百二十九条の六　参議院比例代表選出議員の選挙の一部無効による再選挙については、法第二百一条の七第二項において準用する法第二百一条の六第三項の規定により確認書の交付を受けた政党その他の政治団体が使用するポスターの数は、同条第一項第四号の規定にかかわらず、衆議院小選挙区選出議員の一選挙区ごとに五百枚以内とする。

（機関紙誌の届出事項）

第百二十九条の七　法第二百一条の十五第二項に規定する政令で定める事項は、機関新聞紙又は機関雑誌の創刊年月日、発行方法及び引き続いて発行されている期間とする。

第十二章の四　選挙の効力及び当選の効力に関する異議の申出及び審査の申立て

（行政不服審査法施行令の準用）

第百二十九条の八　行政不服審査法施行令第三条、第四条第二項、第七条から第十一条まで及び第十四条の規定は、法第二百二条第一項及び第二百六条第一項の異議の申出について準用する。この場合において、同令第三条第二項中「審査庁（審理員が指名されている場合において、審理手続が終結するまでの間は、審理員）」とあるのは「公職選挙法（昭和二十五年法律第百号）第二百二条第一項又は第二百六条第一項の異議の申出を受けた選挙管理委員会（以下「審査庁」という。）」と、同令第七条第一項中「審査請求人及び処分庁等」とあるのは「異議申出人」と、同令第八条中「審理員」とあるのは「審査庁」と、「審理関係人がある」とあるのは「審理関係人（公職選挙法第二百十六条第一項において準用する法第三十一条第二項に規定する審理関係人をいう。以下この条において同じ。）がある」と、「総務省令で」とあるのは「審査庁が」と、同令第九条中「審理員」とあるのは「審査庁」と読み替えるものとする。

2　行政不服審査法施行令第三条から第十一条まで及び第十四条

の規定は、法第二百二条第二項及び第二百六条第二項の審査の申立てについて準用する。この場合において、同令第三条第二項中「審査庁」（審理員が指名されている場合において、審理手続が終結するまでの間は、審理員）」とあるのは「公職選挙法（昭和二十五年法律第百号）第二百二条第二項又は第二百六条第二項の審査の申立てを受けた選挙管理委員会（以下「審査庁」という。）」と、同令第七条第一項中「処分庁等」とあるのは「当該選挙に関する事務を管理する選挙管理委員会」と、同令第八条中「審理員」とあるのは「審査庁」と、「審理関係人がある」とあるのは「審理関係人（公職選挙法第二百十六条第二項において準用する法第三十一条第二項に規定する審理関係人をいう。以下この条において同じ。）がある」と、「総務省令で」とあるのは「審査庁が」と、同令第九条中「審理員」とあるのは「審査庁」と読み替えるものとする。

第十三章　市町村の境界の変更があつた場合等の選挙の執行の特例

（再選挙又は補欠選挙における投票区、開票区、選挙区等）

第百三十条　法第百九条若しくは第百十条又は第百十三条の規定による衆議院議員、参議院議員又は地方公共団体の議会の議員若しくは長の再選挙又は補欠選挙の投票区、開票区及び選挙区（選挙区がないときは、選挙の行われる区域）は、法第三十一条から第三十三条までの規定による選挙があつた後にこれらの区域に異動が生じた場合においては、その異動があつた後のこれらの区域によるものとする。

（選挙の一部無効による再選挙が行われる投票区、開票区、選挙区等）

第百三十一条　選挙の一部が無効となつたことにより法第百九条又は第百十条の規定により再選挙が行われるべき投票区、開票区又は選挙区（選挙区がないときは、選挙の行われる区域）に異動が生じた場合においては、当該再選挙におけるこれらの区域は、前条の規定にかかわらず、これらの異動前の区域による。この場合において、関係区域が二以上の都道府県又は市町村にわたるときは、総務大臣又は都道府県の選挙管理委員会が当該選挙に関する事務を行うべき都道府県又は市町村の選挙管理委員会（指定都市の区の選挙管理委員会を含む。）を指定するものとする。

2　前項の再選挙を行う場合において、第十九条第一項若しくは第二項の規定による移送若しくは引継ぎを受けた選挙人名簿又は第二十三条の十六において準用する第十九条第一項若しくは第二項の規定による移送若しくは引継ぎを受けた在外選挙人名簿があるときは、当該市町村の選挙管理委員会は、その再選挙の告示があつた後、直ちにその選挙人名簿若しくはその中の関係部分又は在外選挙人名簿若しくはその中の関係部分をその再選挙の投票管理者に送付しなければならない。

3　第一項の再選挙の執行に関する手続は、前項に定めるものを除くほか、総務省令で定める。

（一部の繰延投票に関する準用）

第百三十一条の二　前条の規定は、一部の区域について法第五十七条の規定による投票が行われる選挙の投票区、開票区及び選挙区（選挙区がないときは、選挙の行われる区域）について準用する。

第十三章の二　選挙の一部無効による再選挙の特例

（再選挙の期日の告示）

第百三十二条　選挙の一部無効による再選挙（町村の議会の議員及び長の選挙に係るものを除く。）の期日は、法第三十三条の二第八項及び第三十四条第六項の規定にかかわらず、次の各号の区分により、告示しなければならない。

一　衆議院議員、参議院議員及び都道府県知事の選挙にあつては、少なくとも十日前に

二　都道府県の議会の議員並びに指定都市の議会の議員及び長の選挙にあつては、少なくとも七日前に

三　指定都市以外の市の議会の議員及び長の選挙にあつては、少なくとも五日前に

（衆議院小選挙区選出議員の再選挙に関する法第十三章の規定等の特例）

第百三十二条の二　衆議院小選挙区選出議員の選挙の一部無効による再選挙においては、次の表の上欄に掲げる事項は、同表の下欄に掲げる当該再選挙の行われる区域の区分に応じ、それぞれ当該下欄に定めるところによる。

事項	再選挙の行われる区域	
	一の市の区域又はその一部の区域	一の町村の区域又はその一部の区域
法第百三十一条第一項第一号の選挙事務所の数	一箇所	一箇所
法第百四十一条第二項の自動車又は船舶及び拡声機の数	自動車一台又は船舶一隻及び拡声機一そろい	自動車一台又は船舶一隻及び拡声機一そろい
法第百四十二条第一項第一号の通常葉書の数	四千五百枚	六百枚
法第百四十二条第二項の通常葉書の数	二千二百枚	六百枚
法第百四十二条第一項第一号又は第二項のビラの数	一万三千枚	千八百枚
法第百四十四条第一項第一号のポスターの数	四百枚	百五十枚
法第百九十七条の二第二項の報酬の支給を受けることができる者の員数	九人	五人

2　前項の表に掲げる区域を区域として行われる同項の再選挙（以下この条において単に「再選挙」という。）においては、候補者届出政党は、法第百四十九条第一項の規定にかかわらず、新聞広告をすることができない。

3　再選挙においては、候補者届出政党は、法第百五十条第一項の規定にかかわらず、政見放送をすることができない。

4　再選挙においては、法第百五十一条第一項の経歴放送は、行わない。

5　再選挙においては、候補者届出政党は、法第百六十一条第一項又は第百六十一条の二の規定により、これらの規定に規定する施設（当該再選挙の行われる区域内にあるものに限る。）を使用して、政党演説会を開催することができる。

6　再選挙においては、法第百七十六条の規定による特殊乗車券の交付は、行わない。

7　再選挙に第百九条の七第二項及び第三項の規定を適用する場合には、同条第二項中「法第百四十二条第一項第一号から第二号までの選挙の区分に応じ当該各号に定める枚数」とあるのは「第百三十二条の二第一項の表法第百四十二条第一項第一号の通常葉書の数の項中同表の下欄に掲げる再選挙の行われる区域の区分に応じそれぞれ当該下欄に定める枚数」と、同条第三項中「同条第一項第一号から第二号までの選挙の区分に応じ当該各号に定める枚数を超える場合には、当該各号に定める枚数」とあるのは「第百三十二条の二第一項の表法第百四十二条第一項第一号の通常葉書の数の項中同表の下欄に掲げる再選挙の行われる区域の区分に応じそれぞれ当該下欄に定める枚数を超える場合には、当該下欄に定める枚数」とする。

8　再選挙に第百九条の八において準用する第百九条の七第二項及び第三項の規定を適用する場合には、同条第二項中「法第百四十二条第一項第一号から第二号までの選挙の区分に応じ当該各号に定める枚数」とあるのは「第百三十二条の二第一項の表法第百四十二条第一項第一号又は第二項のビラの数の項中同表の下欄に掲げる再選挙の行われる区域の区分に応じそれぞれ当該下欄に定める枚数」と、同条第三項中「同条第一項第一号から第二号までの選挙の区分に応じ当該各号に定める枚数を超える場合には、当該各号に定める枚数」とあるのは「第百三十二条の二第一項の表法第百四十二条第一項第一号又は第二項のビラの数の項中同表の下欄に掲げる再選挙の行われる区域の区分に応じそれぞれ当該下欄に定める枚数を超える場合には、当該下欄に定める枚数」とする。

9　再選挙に第百十条の二第二項及び第三項の規定を適用する場合には、同条第二項中「法第百三十一条第一項の規定により設置することができる選挙事務所の数に三を乗じて得た数の範囲内」とあるのは「三以内」と、同条第三項中「法第百三十一条第一項の規定により設置することができる選挙事務所の数に三を乗じて得た数」とあり、及び「当該三を乗じて得た数」とあるのは「三」とする。

10　再選挙に第百十条の四第二項及び第三項の規定を適用する場合には、これらの規定中「当該選挙区」とあるのは、「当該選挙の行われる区域」とする。

（衆議院比例代表選出議員の再選挙に関する法第十三章の規定の特例）

第百三十二条の三　衆議院比例代表選出議員の選挙の一部無効による再選挙においては、次の表の上欄に掲げる事項は、同表の下欄に掲げる当該再選挙の行われる区域の区分に応じ、それぞれ当該下欄に定めるところによる。

事項	再選挙の行われる区域		
	一の府県の区域又は一の指定都市の区域	一の指定都市以外の市の区域又はその一部の区域	一の町村の区域又はその一部の区域
法第百三十一条第一項第二号の選挙事務所の数	一箇所	一箇所	一箇所
法第百四十一条第三項の自動車又は船舶及び拡声機の数	自動車一台又は船舶一隻及び拡声機一そろい	自動車一台又は船舶一隻及び拡声機一そろい	自動車一台又は船舶一隻及び拡声機一そろい
法第百四十四条第一項第二号のポスターの数	五百枚	二百枚	四十枚

2　前項の表に掲げる区域を区域として行われる同項の再選挙（以下この条において単に「再選挙」という。）のうち、一の府県の区域を区域として行われるもの又は一の指定都市の区域を区域として行われるものにおいては、衆議院名簿届出政党等は、総務省令で定めるところにより、法第百四十九条第二項の新聞広告をすることができる。

3　再選挙のうち、一の府県の区域を区域として行われるもの及び一の指定都市の区域を区域として行われるもの以外のものにおいては、衆議院名簿届出政党等は、法第百四十九条第二項の規定にかかわらず、新聞広告をすることができない。

4　再選挙においては、衆議院名簿届出政党等は、法第百五十条第三項の規定にかかわらず、政見放送をすることができない。

5　再選挙においては、衆議院名簿届出政党等は、前条第五項の施設（当該再選挙の行われる区域内にあるものに限る。）を使用して、政党等演説会を開催することができる。

6　再選挙においては、法第百六十四条の五の規定にかかわらず、衆議院名簿届出政党等が法第百四十一条第三項の規定により選挙運動のために使用する自動車又は船舶で停止しているものの車上又は船上及びその周囲で行う場合でなければ、街頭演説をすることができない。

（参議院比例代表選出議員の再選挙に関する法第十三章の規定等の特例）

第百三十二条の三の二　参議院比例代表選出議員の選挙の一部無効による再選挙においては、次の表の上欄に掲げる事項は、同表の下欄に掲げる当該再選挙の行われる区域の区分に応じ、それぞれ当該下欄に定めるところによる。

事項	再選挙の行われる区域			
	一の都道府県の区域	一の指定都市の区域	一の指定都市以外の市の区域又はその一部の区域	一の町村の区域又はその一部の区域
法第百三十一条第一項第三号の選挙事務所の数	一箇所	一箇所	一箇所	一箇所
法第百四十一条第一項第二号の自動車又は船舶及び拡声機の数	自動車一台又は船舶一隻及び拡声機一そろい	自動車一台又は船舶一隻及び拡声機一そろい	自動車一台又は船舶一隻及び拡声機一そろい	自動車一台又は船舶一隻及び拡声機一そろい
法第百四十二条第一項第一号の二の通常葉書の数	当該都道府県の区域内の衆議院小選挙区選出議員の選挙区の数が一である場合には三万五千枚、当該選挙区の数が一を超える場合にはその一を増すごとに二千五百枚を三万五千枚に加えた数	一万枚	四千五百枚	六百枚
法第百四十二条第一項第二号の二のビラの数	当該都道府県の区域内の衆議院小選挙区選出議員の選挙区の数が一である場合には七万枚、当該選挙区の数が一を超える場合にはその一を増すごとに一万五百枚を七万枚に加えた数（その数が二十一万枚を超える場合には、二十一万枚）	三万枚	一万三千枚	千八百枚
法第百四十四条第一項第二号の二のポスターの数	直近において行われた参議院選挙区選出議員の選挙における当該都道府県の区域内のポスター掲示場の数	三千枚	八百枚	百五十枚
法第百六十四条の五第三項第三号の標旗の数	一	一	一	一
法第百九十七条の二第二項の報酬の支給を受けることができる者の員数	五十人	三十四人	九人	五人

2　前項の表に掲げる区域を区域として行われる同項の再選挙（以下この条において単に「再選挙」という。）のうち、一の都道府県の区域を区域として行われるもの又は一の指定都市の区域を区域として行われるものにおいては、参議院名簿届出政党等は、総務省令で定めるところにより、法第百四十九条第三項の新聞広告をすることができる。

3　再選挙のうち、一の都道府県の区域を区域として行われるもの及び一の指定都市の区域を区域として行われるもの以外のものにおいては、参議院名簿届出政党等は、法第百四十九条第三項の規定にかかわらず、新聞広告をすることができない。

4　再選挙においては、参議院名簿届出政党等は、法第五十条第三項の規定にかかわらず、政見放送をすることができない。

5　再選挙のうち、一の都道府県の区域を区域として行われるもの又は一の指定都市の区域を区域として行われるものにおいては、法第百七十六条の規定にかかわらず、当該都道府県又は当該指定都市の区域を包括する都道府県の区域を単位として通用する特殊乗車券（同条の特殊乗車券であつて、運賃及び国土交通大臣が定める急行料金を支払うことなく利用することができる特殊乗車券でないものをいう。）十五枚を交付し、その他のものにおいては、同条の特殊乗車券及び特殊航空券は、交付しない。

6　再選挙に第百九条の四第二項及び第四項の規定を適用する場合には、同条第二項第一号及び第二号イ中「以上（参議院比例代表選出議員の選挙又は参議院合同選挙区選挙にあつては、三台以上）」とあるのは「以上」と、「一台（参議院比例代表選出議員の選挙又は参議院合同選挙区選挙にあつては、いずれか二台）」とあるのは「一台」と、同号ハ中「以上（参議院比例代表選出議員の選挙又は参議院合同選挙区選挙にあつては、三人以上）」とあるのは「以上」と、「一人（参議院比例代表選出議員の選挙又は参議院合同選挙区選挙にあつては、いずれか二人）」とあるのは「一人」と、同条第四項中「六万四千五百円（参議院比例代表選出議員の選挙又は参議院合同選挙区選挙にあつては、十二万九千円）」とあるのは「六万四千五百円」とする。

7　再選挙に第百九条の七第二項及び第三項の規定を適用する場合には、同条第二項中「法第百四十二条第一項第一号から第二号までの選挙の区分に応じ当該各号に定める枚数」とあるのは「第百三十二条の三の二第一項の表法第百四十二条第一項第一号の二の通常葉書の数の項中同表の下欄に掲げる再選挙の行われる区域の区分に応じそれぞれ当該下欄に定める枚数」と、同条第三項中「同条第一項第一号から第二号までの選挙の区分に応じ当該各号に定める枚数を超える場合には、当該各号に定める枚数」とあるのは「第百三十二条の三の二第一項の表法第百四十二条第一項第一号の二の通常葉書の数の項中同表の下欄に掲げる再選挙の行われる区域の区分に応じそれぞれ当該下欄に定める枚数を超える場合には、当該下欄に定める枚数」とする。

8　再選挙に第百九条の八において準用する第百九条の七第二項及び第三項の規定を適用する場合には、同条第二項中「法第百四十二条第一項第一号から第二号までの選挙の区分に応じ当該各号に定める枚数」とあるのは「第百三十二条の三の二第一項の表法第百四十二条第一項第一号の二のビラの数の項中同表の下欄に掲げる再選挙の行われる区域の区分に応じそれぞれ当該下欄に定める枚数」と、同条第三項中「同条第一項第一号から第二号までの選挙の区分に応じ当該各号に定める枚数を超える場合には、当該各号に定める枚数」とあるのは「第百三十二条の三の二第一項の表法第百四十二条第一項第一号の二のビラの数の項中同表の下欄に掲げる再選挙の行われる区域の区分に応じそれぞれ当該下欄に定める枚数を超える場合には、当該下欄に定める枚数」とする。

9　再選挙に第百十条の三において読み替えて準用する第百十条の二第二項及び第三項の規定を適用する場合には、同条第二項中「以内（参議院比例代表選出議員の選挙又は参議院合同選挙区選挙にあつては、八以内）」とあるのは「以内」と、同条第三項中「四（参議院比例代表選出議員の選挙又は参議院合同選挙区選挙にあつては、八）」とあるのは「四」とする。

10　再選挙に第百十条の四第二項及び第三項の規定を適用する場合には、同条第二項中「七万枚」とあるのは「第百三十二条の三の二第一項の表法第百四十四条第一項第二号の二のポスターの数の項中同表の下欄に掲げる再選挙の行われる区域の区分に応じそれぞれ当該下欄に定める枚数」と、同項第二号中「三十七円」とあるのは「三十七円と二十万二千四百九十円を第百三十二条の三の二第一項の表法第百四十四条第一項第二号の二のポスターの数の項中同表の下欄に掲げる再選挙の行われる区域の区分に応じそれぞれ当該下欄に定める枚数で除して得た金額（一円未満の端数がある場合には、その端数は、一円とする。）との合計金額」と、同条第三項第二号中「七万枚を超える場合には、七万枚」とあるのは「第百三十二条の三の二第一項の表法第百四十四条第一項第二号の二のポスターの数の項中同表の下欄に掲げる再選挙の行われる区域の区分に応じそれぞれ当該下欄に定める枚数を超える場合には、当該下欄に定める枚数」とする。

（参議院選挙区選出議員又は都道府県知事の再選挙に関する法第十三章の規定等の特例）

第百三十二条の四　参議院選挙区選出議員又は都道府県知事の選挙の一部無効による再選挙においては、次の表の上欄に掲げる事項は、同表の下欄に掲げる当該再選挙の行われる区域の区分に応じ、それぞれ当該下欄に定めるところによる。

事項	再選挙の行われる区域			
	一の都道府県の区域（参議院合同選挙区選挙により選出される参議院選挙区選出議員の再選挙が行われる場合に限る。）	一の指定都市の区域	一の指定都市以外の市の区域又はその一部の区域	一の町村の区域又はその一部の区域
法第百三十一条第一項第四号の選挙事務所の数	一箇所	一箇所	一箇所	一箇所
法第百四十一条第一項第一号の自動車又は船舶及び拡声機の数	自動車一台又は船舶一隻及び拡声機一そろい	自動車一台又は船舶一隻及び拡声機一そろい	自動車一台又は船舶一隻及び拡声機一そろい	自動車一台又は船舶一隻及び拡声機一そろい
法第百四十二条第一項	当該都道府県の区域内の衆議院小選挙区選出議員の選挙区の数が一である場合			

第二号又は第三号の通常葉書の数	には三万五千枚、当該選挙区の数が一を超える場合にはその一を増すごとに二千五百枚を三万五千枚に加えた数	一万枚	四千五百枚	六百枚
法第百四十二条第一項第二号又は第三号のビラの数	当該都道府県の区域内の衆議院小選挙区選出議員の選挙区の数が一である場合には十万枚、当該選挙区の数が一を超える場合にはその一を増すごとに一万五千枚を十万枚に加えた数（その数が三十万枚を超える場合には、三十万枚）	三万枚	一万三千枚	千八百枚
法第百六十四条の二第三項の立札及び看板の類の数	五	五	五	五
法第百六十四条の五第三項第一号の標旗の数	一	一	一	一
法第百九十七条の二第二項の報酬の支給を受けることができる者の員数	五十人	三十四人	九人	五人

2　前条第二項から第五項までの規定は、前項の表に掲げる区域を区域として行われる同項の再選挙（以下この条において単に「再選挙」という。）について準用する。この場合において、再選挙（参議院合同選挙区選挙に係るものに限る。）のうち、一の都道府県の区域を区域として行われるもの又は一の指定都市の区域を区域として行われるものにおいては、法第百四十九条第四項の新聞広告の回数は、同項の規定にかかわらず、五回に限るものとする。

3　再選挙のうち、一の都道府県の区域を区域として行われるもの及び一の指定都市の区域を区域として行われるもの以外のものにおいては、法第百五十一条第一項の経歴放送は、行わない。

4　再選挙（参議院選挙区選出議員の選挙に係るものに限る。以下この条において同じ。）に第百九条の四第二項及び第四項の規定を適用する場合には、同条第二項第一号及び第二号イ中「以上（参議院比例代表選出議員の選挙又は参議院合同選挙区選挙にあつては、三台以上）」とあるのは「以上」と、「一台（参議院比例代表選出議員の選挙又は参議院合同選挙区選挙にあつては、いずれか二台）」とあるのは「一台」と、同号ハ中「以上（参議院比例代表選出議員の選挙又は参議院合同選挙区選挙にあつては、三人以上）」とあるのは「以上」と、「一人（参議院比例代表選出議員の選挙又は参議院合同選挙区選挙にあつては、いずれか二人）」とあるのは「一人」と、同条第四項中「六万四千五百円（参議院比例代表選出議員の選挙又は参議院合同選挙区選挙にあつては、十二万九千円）」とあるのは「六万四千五百円」とする。

5　再選挙に第百九条の七第二項及び第三項の規定を適用する場合には、同条第二項中「法第百四十二条第一項第一号から第二号までの選挙の区分に応じ当該各号に定める枚数」とあるのは「第百三十二条の四第一項の表法第百四十二条第一項第二号又は第三号の通常葉書の数の項中同表の下欄に掲げる再選挙の行われる区域の区分に応じそれぞれ当該下欄に定める枚数」と、同条第三項中「同条第一項第一号から第二号までの選挙の区分に応じ当該各号に定める枚数を超える場合には、当該各号に定める枚数」とあるのは「第百三十二条の四第一項の表法第百四十二条第一項第二号又は第三号の通常葉書の数の項中同表の下欄に掲げる再選挙の行われる区域の区分に応じそれぞれ当該下欄に定める枚数を超える場合には、当該下欄に定める枚数」とする。

6　再選挙に第百九条の八において準用する第百九条の七第二項及び第三項の規定を適用する場合には、同条第二項中「法第百四十二条第一項第一号から第二号までの選挙の区分に応じ当該各号に定める枚数」とあるのは「第百三十二条の四第一項の表法第百四十二条第一項第二号又は第三号のビラの数の項中同表の下欄に掲げる再選挙の行われる区域の区分に応じそれぞれ当該下欄に定める枚数」と、同条第三項中「同条第一項第一号から第二号までの選挙の区分に応じ当該各号に定める枚数を超える場合には、当該各号に定める枚数」とあるのは「第百三十二条の四第一項の表法第百四十二条第一項第二号又は第三号のビラの数の項中同表の下欄に掲げる再選挙の行われる区域の区分に応じそれぞれ当該下欄に定める枚数を超える場合には、当該下欄に定める枚数」とする。

7　再選挙に第百十条の二第二項及び第三項の規定を適用する場

合には、同条第二項中「法第百三十一条第一項の規定により設置することができる選挙事務所の数に三を乗じて得た数の範囲内」とあるのは「三以内」と、同条第三項中「法第百三十一条第一項の規定により設置することができる選挙事務所の数に三を乗じて得た数」とあり、及び「当該三を乗じて得た数」とあるのは「三」とする。

8　再選挙に第百十条の三において読み替えて準用する第百十条の二第二項及び第三項の規定を適用する場合には、同条第二項中「以内（参議院比例代表選出議員の選挙又は参議院合同選挙区選挙にあつては、八以内）」とあるのは「以内」と、同条第三項中「四（参議院比例代表選出議員の選挙又は参議院合同選挙区選挙にあつては、八）」とあるのは「四」とする。

9　再選挙に第百十条の四第二項及び第三項の規定を適用する場合には、これらの規定中「当該選挙区」とあるのは、「当該選挙の行われる区域」とする。

10　再選挙に第百二十五条の三において読み替えて準用する第百二十五条の二第二項及び第三項の規定を適用する場合には、同条第二項中「以内（参議院合同選挙区選挙にあつては、十以内）」とあるのは「以内」と、同条第三項中「五（参議院合同選挙区選挙にあつては、十）」とあるのは「五」とする。

（都道府県の議会の議員の再選挙に関する法第十三章の規定等の特例）

第百三十二条の五　都道府県の議会の議員の選挙の一部無効による再選挙においては、次の表の上欄に掲げる事項は、同表の下欄に掲げる当該再選挙の行われる区域の区分に応じ、それぞれ当該下欄に定めるところによる。

事項	再選挙の行われる区域	
	一の市の区域又はその一部の区域	一の町村の区域又はその一部の区域
法第百四十二条第一項第四号の通常葉書の数	二千二百枚	六百枚
法第百四十二条第一項第四号のビラの数	六千五百枚	千八百枚
法第百四十四条第一項第三号のポスターの数	四百枚	百五十枚
法第百九十七条の二第二項の報酬の支給を受けることができる者の員数	五人	四人

2　前項の表に掲げる区域を区域として行われる同項の再選挙においては、候補者は、法第百四十九条第四項の規定にかかわらず、新聞広告をすることができない。

（指定都市の議会の議員又は長の再選挙に関する法第十三章の規定等の特例）

第百三十二条の六　指定都市の議会の議員又は長の選挙の一部無効による再選挙においては、次の表の上欄に掲げる事項は、同表の下欄に掲げる当該再選挙の行われる区域の区分及び当該再選挙の種類に応じ、それぞれ当該下欄に定めるところによる。

事項	再選挙の行われる区域及び再選挙の種類		
	一の区の区域	一の区の一部の区域	
	長の選挙	議会の議員の選挙	長の選挙
法第百四十二条第一項第五号の通常葉書の数	四千五百枚	五百五十枚	二千二百枚
法第百四十二条第一項第五号のビラの数	一万三千枚	千六百枚	六千五百枚
法第百四十四条第一項第三号のポスターの数	八百枚	四百枚	四百枚
法第百九十七条の二第二項の報酬の支給を受けることができる者の員数	九人	五人	五人

2　前条第二項の規定は、前項の表に掲げる区域を区域として行われる同項の再選挙について準用する。

（指定都市以外の市の議会の議員又は長の再選挙に関する法第十三章の規定等の特例）

第百三十二条の七　指定都市以外の市の議会の議員又は長の選挙の一部無効による再選挙においては、次の表の上欄に掲げる事項は、同表の下欄に掲げる当該再選挙の種類に応じ、それぞれ当該下欄に定めるところによる。

事項	再選挙の種類	
	議会の議員の選挙	長の選挙
法第百四十二条第一項第六号の通常葉書の数	五百五十枚	二千二百枚
法第百四十二条第一項第六号のビラの数	千六百枚	六千五百枚
法第百四十四条第一項第三号のポスターの数	四百枚	四百枚

法第百九十七条の二第二項の報酬の支給を受けることができる者の員数	四人	四人

2 第百三十二条の五第二項の規定は、前項の再選挙について準用する。

（町村の議会の議員又は長の再選挙に関する法第十三章の規定等の特例）

第百三十二条の八 町村の議会の議員又は長の選挙の一部無効による再選挙においては、次の表の上欄に掲げる事項は、同表の下欄に掲げる再選挙の種類に応じ、それぞれ当該下欄に定めるところによる。

事項	再選挙の種類	
	議会の議員の選挙	長の選挙
法第百四十二条第一項第七号の通常葉書の数	二百枚	六百枚
法第百四十二条第一項第七号のビラの数	六百枚	千八百枚
法第百四十四条第一項第四号のポスターの数	百五十枚	百五十枚
法第百九十七条の二第二項の報酬の支給を受けることができる者の員数	二人	四人

2 第百三十二条の五第二項の規定は、前項の再選挙について準用する。

（二以上の区域を区域として行われる再選挙の特例）

第百三十二条の九 選挙の一部無効による再選挙が二以上の都道府県、指定都市、指定都市以外の市若しくはその一部又は町村若しくはその一部の区域を区域として行われる場合においては、次の表の上欄に掲げる当該再選挙の行われる区域の区分に応じ、当該区域をそれぞれ当該下欄に掲げる区域とみなして、第百三十二条の二から第百三十二条の六までの規定を適用する。

㈠	当該区域に一の都道府県の区域（衆議院比例代表選出議員の選挙においては、一の府県の区域）が含まれている場合	一の都道府県の区域（衆議院比例代表選出議員の選挙においては、一の府県の区域）
㈡	㈠に掲げる場合を除くほか、当該区域に一の指定都市の区域が含まれている場合	一の指定都市の区域
㈢	㈠及び㈡に掲げる場合を除くほか、当該区域に一の指定都市以外の市の区域が含まれている場合	一の指定都市以外の市の区域
㈣	㈠から㈢までに掲げる場合を除くほか、当該区域に一の指定都市以外の市の一部の区域が含まれている場合	一の指定都市以外の市の一部の区域
㈤	㈠から㈣までに掲げる場合を除くほか、当該区域に一の町村の区域が含まれている場合	一の町村の区域
㈥	㈠から㈤までに掲げる場合を除くほか、当該区域に一の町村の一部の区域が含まれている場合	一の町村の一部の区域

2 前項の場合において、当該再選挙を行うべき区域が広範囲に散在している等特別の事情があるため、画一的に同項の規定により難いと認められるときは、当該再選挙に関する事務を管理する選挙管理委員会（衆議院小選挙区選出議員又は参議院選挙区選出議員の再選挙については総務大臣、衆議院比例代表選出議員又は参議院比例代表選出議員の再選挙については中央選挙管理会）は、当該再選挙を必要とするに至つた選挙に関する法第十三章に規定する選挙運動の規制の範囲内において、第百三十二条の二から第百三十二条の六までに規定する事項について、特別の定めをすることができる。

3 前項の規定により特別の定めをした場合においては、当該再選挙に関する事務を管理する選挙管理委員会（衆議院小選挙区選出議員又は参議院選挙区選出議員の再選挙については総務大臣、衆議院比例代表選出議員又は参議院比例代表選出議員の再選挙については中央選挙管理会）は、当該再選挙の期日の告示前に、これを告示しておかなければならない。

（選挙の一部無効に関する通知）

第百三十二条の十 選挙の一部が無効となつた場合においては、当該選挙に関する事務を管理する選挙管理委員会（衆議院比例代表選出議員又は参議院比例代表選出議員の選挙については中央選挙管理会、参議院合同選挙区選挙については当該選挙に関する事務を管理する参議院合同選挙区選挙管理委員会）は、当該争訟に関する決定若しくは裁決の確定した後又は法第二百二十条第一項後段の規定による通知を受けた後、直ちに、その旨を当該選挙長に通知しなければならない。

（選挙を行うべき区域に異動を生じた場合の本章の規定の適用）

第百三十二条の十一 選挙の一部無効に因る再選挙を行うべき区域に異動が生じた場合においては、異動前の区域について本章の規定を適用する。

第十三章の三　再立候補の場合の特例

（再立候補の場合における選挙運動の特例）

第百三十二条の十二　衆議院比例代表選出議員の選挙以外の選挙において、公職の候補者たることを辞した者（公職の候補者たることを辞したものとみなされた者を含む。）が再び当該選挙の公職の候補者となつた場合、候補者届出政党の届出に係る候補者であつた者で、当該候補者届出政党が当該届出を取り下げたもの（当該届出が取り下げられたものとみなされたものを含む。）若しくは当該候補者届出政党の届出が却下されたもの（法第八十六条第九項第三号に掲げる事由により却下されたものを除く。）が再び当該選挙の候補者となつた場合又は参議院名簿届出政党等の届出に係る候補者であつた者で公職の候補者たる参議院名簿登載者（法第八十六条の三第一項後段の規定により優先的に当選人となるべき候補者としてその氏名及び当選人となるべき順位が参議院名簿に記載されている者を除く。以下この項及び次条において同じ。）でなくなつたものが再び当該選挙の候補者たる参議院名簿登載者となつた場合には、その者に係る次に掲げる事項に関する法第百四十二条第一項、第百四十四条第一項、第百四十九条第一項及び第四項、第百五十条第九項、第百五十一条第二項並びに第百六十四条の規定の適用については、それぞれ、公職の候補者たることを辞する前（公職の候補者たることを辞したものとみなされる前を含む。次条第一項において同じ。）と再び当該選挙の公職の候補者となつた後、当該候補者届出政党が当該届出を取り下げる前（当該届出が取り下げられたものとみなされる前を含む。次条第一項において同じ。）若しくは当該候補者届出政党の届出が却下される前（法第八十六条第九項第三号に掲げる事由により却下される前を除く。次条第一項において同じ。）と再び当該選挙の候補者となつた後又は公職の候補者たる参議院名簿登載者でなくなる前と再び当該選挙の候補者たる参議院名簿登載者となつた後とを通じて計算するものとする。

一　通常葉書の数
二　選挙運動のために使用するビラの数
三　選挙運動のために使用するポスターの数
四　新聞広告の回数
五　政見放送の回数
六　経歴放送の回数
七　個人演説会の施設の無料使用の回数

2　前項の場合における再び当該選挙の公職の候補者となつた者（以下この項及び次条において「再立候補者」という。）に対しては、法第百三十一条第三項の規定による標札、法第百四十二条第七項及び第百四十四条第二項の規定による証紙、法第百六十四条の五第三項の規定による標旗並びに法第百七十六条の規定による特殊乗車券又は特殊航空券の交付は、新たに行わないものとする。ただし、再立候補者が法第百七十七条第一項の規定により通常葉書、証紙又は特殊乗車券若しくは特殊航空券を返還した者である場合には、当該再立候補者の請求に基づき、その返還に係るものを再交付するものとする。

（再立候補の場合における選挙運動費用等の特例）

第百三十二条の十三　再立候補者に係る選挙運動に関するすべての寄附及びその他の収入並びに支出に関する法第百八十五条、第百八十九条及び第二百四十七条の規定の適用については、それぞれ、公職の候補者たることを辞する前と再び当該選挙の公職の候補者となつた後、当該候補者届出政党が当該届出を取り下げる前若しくは当該候補者届出政党の届出が却下される前と再び当該選挙の候補者となつた後又は公職の候補者たる参議院名簿登載者でなくなる前と再び当該選挙の候補者たる参議院名簿登載者となつた後とを通じて、会計帳簿に記載し、報告書を提出し、及び計算するものとする。

2　再立候補者が法第百八十条第一項の規定により新たに出納責任者を選任した場合においては、当該再立候補者が前に公職の候補者たることを辞したとき（公職の候補者を辞したものとみなされたときを含む。）、当該候補者届出政党が当該届出を取り下げたとき（当該届出が取り下げられたものとみなされたときを含む。）若しくは当該候補者届出政党の届出が却下されたとき（法第八十六条第九項第三号に掲げる事由により却下されたときを除く。）又は公職の候補者たる参議院名簿登載者でなくなつたときに出納責任者又はこれに代わつてその職務を行う者であつたものが辞任し、又は解任されたものとみなして、法第百九十条の規定を適用する。

第十四章　補則

（選挙に関する常時啓発事業の委託）

第百三十三条　総務大臣又は中央選挙管理会は、法第六条第一項の規定に基づいて行うべき選挙に関する啓発、周知等の事業（以下「選挙に関する常時啓発事業」という。）を参議院合同選挙区選挙管理委員会、都道府県若しくは市町村の選挙管理委員会又は総務大臣が適当と認める団体に委託して行わせることができる。

2　参議院合同選挙区選挙管理委員会又は都道府県若しくは市町村の選挙管理委員会は、前項の規定により選挙に関する常時啓発事業の委託を受けた場合には、遅滞なくその旨を、参議院合同選挙区選挙管理委員会にあつては各合同選挙区都道府県の知事に、都道府県の選挙管理委員会にあつては都道府県知事に、市町村の選挙管理委員会にあつては市町村長に、それぞれ報告しなければならない。

（常時啓発事業委託費の交付）

第百三十四条　国は、前条の規定によつて総務大臣又は中央選挙管理会が選挙に関する常時啓発事業を委託した場合においては、その実施に要する経費（以下「常時啓発事業委託費」という。）を交付するものとする。

2　前項の規定によつて国が交付すべき常時啓発事業委託費のうち市町村に交付すべきものの交付に関する事務は、都道府県知事に行わせるものとする。

（選挙に関する常時啓発事業の実施に対する指示等）

第百三十五条　選挙に関する常時啓発事業の目的を達成するため必要があると認めるときは、総務大臣は、選挙に関する常時啓発事業の委託を受けたものに対し、当該選挙に関する常時啓発事業の実施について必要な指示を行い、若しくは報告書の提出を求め、又は部下の職員をして実地に調査させることができる。但し、これらの措置で中央選挙管理会が委託した選挙に関する常時啓発事業に係るものにあつては、中央選挙管理会の申出に基いて行うものとする。

（委託に関する事務等の委任）

第百三十六条　総務大臣又は中央選挙管理会は、市町村（指定都

市を除く。以下本条中同じ。）の選挙管理委員会に対する選挙に関する常時啓発事業の委託に関する事務を都道府県の選挙管理委員会に行わせることができる。

２　前項に規定するものの外、前条の事務で市町村の選挙管理委員会に係るものは、都道府県の選挙管理委員会に行わせるものとする。但し、特に必要がある場合においては、総務大臣が自ら行うことを妨げない。

（総務省令への委任）

第百三十七条　前四条に規定するものの外、選挙に関する常時啓発事業の実施に関し必要な事項は、総務省令で定める。

（特別区に対する市に関する規定の適用）

第百三十八条　この政令中市に関する規定は、特別区に適用する。

（市町村の組合に対する法及びこの政令の適用）

第百三十九条　市町村の組合に対する法及びこの政令の規定の適用については、当該組合を組織する市町村又は市町村の選挙管理委員会は、法第九条第二項、第十一条第三項（他の市町村において在外選挙人名簿の登録がされている者に関する部分を除く。）、第十九条第二項及び第四項、第二十一条第五項、第二十二条第一項から第三項まで並びに第二十六条から第二十九条までの規定並びに第一条の三、第十一条から第十七条まで、第十八条（第三項中在外選挙人名簿に関する部分を除く。）及び第十九条から第二十二条の二までに規定する市町村又は市町村の選挙管理委員会とみなす。

（地方公共団体の組合に対するこの政令の適用）

第百四十条　地方公共団体の組合の選挙については、法又はこの政令に特別の定がある場合を除く外、都道府県の加入するものにあつてはこの政令中都道府県に関する規定、市及び特別区の加入するもので都道府県の加入しないものにあつてはこの政令中市に関する規定、その他のものにあつてはこの政令中町村に関する規定を、それぞれ適用する。

（財産区の議会の議員の選挙事務の管理）

第百四十一条　地方自治法第二百九十五条に規定する条例で定めるものを除くほか、この政令中町村の議会の議員の選挙に関する規定は、財産区の議会の議員の選挙に適用する。

２　財産区の議会の議員の選挙に関する事務は、その属する市町村又は特別区の選挙管理委員会が管理するものとする。

（指定都市の区及び総合区に対する法の適用）

第百四十一条の二　指定都市においては、法第十一条第三項（住所及び在外選挙人名簿の登録に関する部分を除く。）、第十五条の二第四項、第十七条から第十九条まで、第二十条第二項、第二十一条第一項（住所移転者に関する部分を除く。）及び第五項、第二十二条第一項から第三項まで、第二十四条第一項及び第二項、第二十五条第一項及び第二項、第二十六条、第二十七条（市の区域に関する部分を除く。）、第二十八条（市の区域に関する部分を除く。）、第二十八条の二から第三十条まで、第三十条の二第一項、第三項及び第五項、第三十条の三第二項、第三十条の五第一項、第三項、第五項及び第六項、第三十条の六、第三十条の八第一項及び第二項、第三十条の十第二項、第三十条の十一、第三十七条から第四十一条まで、第四十一条の二第一項から第四項まで、第四十八条の二第一項から第四項まで及び第七項、第四十九条第三項、第七項、第九項及び第十項並びに第四十九条の二第三項、法第四十八条の二第五項の規定により読み替えて適用される法第五十五条、法第六十一条から第六十四条まで、第七十一条、第百三十条第二項、第百四十四条の二第一項から第五項まで、第百六十三条、第百七十条及び第百七十五条、法第二十五条第四項又は第三十条の九第二項において準用する法第二百十九条第一項並びに法第二百七十条第一項ただし書及び第二百七十条の二の規定の適用については、それぞれ区及び総合区の区域を市の区域と、区及び総合区の長を市長と、区及び総合区の選挙管理委員会を市の選挙管理委員会と、区及び総合区の事務所を市役所とみなし、法第六条第一項及び第二項、第百三十四条第一項、第百四十七条、第二百一条の十一第十一項、第二百一条の十四第二項、第二百六十一条の二並びに第二百六十三条（第二号に係る部分に限る。）の規定の適用については、区及び総合区の選挙管理委員会は市の選挙管理委員会に含まれるものとし、法第十一条第三項（住所に関する部分に限る。）及び第三十条の十三第一項（在外選挙人名簿の登録に関する部分に限る。）の規定の適用については、区及び総合区は市に含まれるものとする。

２　指定都市においては、法第十三条第三項及び第四項、第十五条の二第一項、第三十条の四第二項、第三十条の五第四項、第三十条の十第一項、第三十条の十三第一項（在外選挙人名簿の登録に関する部分を除く。）、第三十条の十四第一項並びに第四十四条第三項の規定の適用については、区及び総合区を市とみなす。

（指定都市に対するこの政令の適用）

第百四十一条の三　指定都市においては、第二条第一項及び第二項、第三条、第二十三条の二第一項、第二十三条の三の二第三項、第二十三条の五、第二十三条の五の二第一項及び第三項、第二十三条の九第一項、第二十三条の十第一項、第二十三条の十三第二項、第二十三条の十四、第二十三条の十七第一項、第二十六条第二項、第二十九条第一項（市の区域に関する部分を除く。）、第三十条、第三十四条の二第一項（選挙人名簿の登録に関する部分に限る。）、第三十四条の三第一項、第三十五条第一項、第五十条、第五十六条、第六十五条の十四、第百十一条、第百三十二条の二、第百四十二条の二第一項並びに第百四十四条の規定中市に関する規定並びに第百二十七条の二第一項（都道府県の議会の議員の選挙に関する部分を除く。）及び第二項（都道府県の議会の議員の選挙に適用される場合を除く。）、第百三十二条の三から第百三十二条の四まで並びに第百三十二条の九（都道府県の議会の議員の選挙に適用される場合を除く。）の規定中指定都市以外の市に関する規定は、指定都市の区及び総合区に適用する。

２　指定都市においては、第十条の二第一項、第二項及び第五項、第十九条第四項、第二十六条の四、第四十六条第一項、第二項及び第四項、第四十八条第一項、第二項及び第四項、第四十九条第一項から第三項まで、第五項、第六項及び第八項、第四十九条の十二第一項から第三項まで、第五項、第六項及び第八項、第六十六条第一項、第六十七条第三項及び第四項、第七十条の三第一項から第五項まで、第七十条の四第一項、第七十条の五第一項、第七十条の六第一項及び第六項、第七十条の七第一項、第七十七条第二項、第七十八条第一項、第二項及び第四項、第九十二条第一項、第二項及び第五項から第七項まで、第九十九条第一項及び第二項、第百条第一項及び第二項、第百一条第二項及び第三項、第百十九条第二項、第百二十一条、第百二十五条、第百二十六条第一項、第百二十九条の五第二項並びに第百三十一条第一項の規定を除き、この政令中市の選挙管理委員会に関する規定は、区及び総合区の選挙管理委員会に適用する。

3　指定都市に対し第百三十二条の五の規定を適用する場合における市の区域並びに指定都市に対し第百二十七条の二第一項（都道府県の議会の議員の選挙に関する部分に限る。）及び第二項（都道府県の議会の議員の選挙に適用される場合に限る。）並びに第百三十二条の九（都道府県の議会の議員の選挙に適用される場合に限る。）の規定を適用する場合における指定都市以外の市の区域は、法第十五条第九項の指定都市の区域を二以上の区域に分けた区域とする。

（国外における時間の取扱い）

第百四十一条の四　法第二百六十九条の二に規定する衆議院議員又は参議院議員の選挙に関する期日の国外における取扱いについては、当該在外公館の所在地において用いられている時間によるものとする。

2　法第三十条の九第一項において準用する法第二十五条第一項に規定する期日の国外における取扱いについては、当該選挙人の住所がある地において用いられている時間によるものとする。

3　法若しくはこの政令又はこれらに基づく命令の規定によつて在外公館の長のする行為又は在外公館の長に対してする行為に係る時間の取扱いについては、当該在外公館の所在地において用いられている時間によるものとする。

（在外公館等における在外投票の時間等）

第百四十二条　法第四十九条第一項若しくは第七項の規定による投票、同条第八項の規定による投票（第五十九条の六の二第二号に掲げる船員が行うものに限る。）又は法第四十九条第九項の規定による投票に関し船員又は南極調査員が国外において行う行為は、第五十五条第四項第一号の船舶若しくは同条第六項に規定する指定船舶等の船長（当該船長が同条第八項の規定に該当する場合又は事故があり、若しくは欠けた場合には、当該船長の職務を代理すべき者）で同条第四項若しくは第六項に規定する不在者投票管理者となるべきもの又は南極地域調査組織の長が船員又は南極調査員の投票の便宜を考慮して定める時間内に行わなければならない。

2　法第四十九条第四項の規定による投票に関し特定国外派遣隊員が国外において行う行為は、特定国外派遣組織の長が特定国外派遣隊員の選挙権の適正な行使を妨げないよう配慮して定める時間内に行わなければならない。

3　法第四十九条第八項の規定による投票（第五十九条の六の二第一号に掲げる船員が行うものに限る。）に関し船員が国外において行う行為は、第五十九条の六の三第三項の規定により投票送信用紙及び投票送信用紙用封筒並びに確認書を交付した指定市町村の選挙管理委員会の委員長が船員の投票の便宜及び投票の公正な実施の確保を考慮して定める時間内に行わなければならない。

4　法第四十九条の二第一項第一号の規定による投票は、午前九時三十分から午後五時までの間にしなければならない。

5　前項に規定する時間により難い特別の事情があると認められる在外公館等投票記載場所については、総務省令・外務省令で、法第四十九条の二第一項第一号の規定による投票をしなければならない時間を別に定めることができる。

6　法若しくはこの政令又はこれらに基づく命令の規定により領事官に対して行う行為は、当該領事官がその管轄する区域の慣習、休日その他の地域の実情等を考慮して定める時間内に行わなければならない。

7　領事官は、前項に規定する時間を定めようとするときは、あらかじめ総務大臣及び外務大臣の承認を受けなければならない。

（不在者投票の時間に行うことができる行為）

第百四十二条の二　法第二百七十条の二第一項の政令で定めるものは、次に掲げる行為とする。ただし、第四号から第七号まで、第十一号及び第十二号に掲げる行為については、当該行為を行おうとする地の市町村の全部又は一部の区域が含まれる区域を区域として行われる選挙の期日の公示又は告示があつた日の翌日から当該選挙の期日の前日までの間に行うものに限る。

一　第五十条第一項の規定による投票用紙及び投票用封筒の交付の請求

二　第五十条第二項の規定による投票用紙及び投票用封筒の交付の請求

三　第五十条第四項の規定による投票用紙及び投票用封筒の交付の請求

四　第五十一条第一項の規定による投票用紙及び投票用封筒の交付の請求

五　第五十一条第二項において準用する第五十条第四項の規定による投票用紙及び投票用封筒の交付の請求

六　第五十六条第一項の規定による投票用紙及び投票用封筒の提示（当該提示に併せてする同項の規定による不在者投票証明書の提出その他の行為及び当該提示に引き続いて行う同条第四項の規定による代理投票の申請、同条第一項、第四項又は第五項の規定による投票用封筒の提出その他の行為を含む。）

七　第五十六条第二項の規定による投票用封筒の提出（同条第四項の規定による代理投票の申請、同項又は同条第五項の規定による投票用封筒の提出その他の行為を含む。）

八　第五十七条第一項の規定により第五十六条第二項の規定に準じて行う投票用封筒の提出（第五十七条第三項において準用する第五十六条第四項の規定による代理投票の申請、第五十七条第三項において準用する第五十六条第四項又は第五項の規定による投票用封筒の提出その他の行為を含む。）

九　第五十七条第二項の規定による不在者投票証明書の提出（当該提出に引き続いて同項の規定により第五十六条第二項の規定に準じて行う投票用封筒の提出、第五十七条第三項において準用する第五十六条第四項の規定による代理投票の申請、第五十七条第三項において準用する第五十六条第四項又は第五項の規定による投票用封筒の提出その他の行為を含む。）

十　第五十九条の五の四第五項の規定による投票用紙及び投票用封筒の交付の請求

十一　第五十九条の六第二項の規定による投票送信用紙及び投票送信用紙用封筒の交付の請求

十二　第五十九条の八第二項の規定による投票送信用紙及び投票送信用紙用封筒の交付の請求

2 市町村の選挙管理委員会は、法第二百七十条の二第一項の規定により午前六時三十分から午前八時三十分までの間で午前八時三十分と異なる時刻を定める場合又は午後八時から午後十時までの間で午後八時と異なる時刻を定める場合には、前項各号に掲げる行為について、それぞれ午前八時三十分又は午後八時と異なる時刻を定めることができる。ただし、次に掲げる行為については、それぞれ同一の時刻を定めなければならない。

一 前項第二号に掲げる行為及び同項第八号に掲げる行為

二 前項第四号に掲げる行為及び同項第七号に掲げる行為

3 法第二百七十条の二第二項の政令で定めるものは、第一項第四号から第七号まで、第十一号及び第十二号に掲げる行為（同項ただし書に規定する期間内に行うものを除く。）とする。

（不在者投票の時間の特例を定めた場合の告示）

第百四十二条の三 市町村の選挙管理委員会は、法第二百七十条の二第一項の規定により午前六時三十分から午前八時三十分までの間で午前八時三十分と異なる時刻を定めた場合又は午後五時から午後十時までの間で午後八時と異なる時刻を定めた場合には、直ちに当該定めた時刻を告示しなければならない。

第百四十三条 削除〔平二六・二政令二二〕

（人口の定義）

第百四十四条 法及びこの政令における人口は、官報で公示された最近の国勢調査又はこれに準ずる全国的な人口調査の結果による人口による。ただし、官報公示の人口の調査期日以後において都道府県、郡又は市町村の境界に変更があつた場合においては、地方自治法施行令第百七十六条又は第百七十七条の規定によつて都道府県知事が告示した人口による。

（選挙人名簿等の様式）

第百四十五条 選挙人名簿、在外選挙人名簿、投票録、開票録、選挙録、当選証書その他法及びこの政令の規定による届出書等の様式については、総務省令で定める。

（青ケ島村等における選挙の特例）

第百四十六条 東京都八丈支庁管内青ケ島村においては、法第百十九条第一項の規定により二以上の東京都の選挙を同時に行う場合又は同条第二項の規定により東京都の選挙と同時に同村の選挙を行う場合における東京都の当該選挙の投票用紙は、第九十七条の規定にかかわらず、東京都選挙管理委員会の定めるところにより、青ケ島村選挙管理委員会が調製することができる。

2 東京都八丈支庁管内青ケ島村及び小笠原支庁管内小笠原村並びに沖縄県島尻郡南大東村、同郡北大東村、宮古郡多良間村及び八重山郡与那国町においては、開票管理者は、第七十四条の規定にかかわらず、開票録の写を法第六十六条第三項の規定による報告と別に送付することができる。

（事務の区分）

第百四十七条 この政令の規定により地方公共団体が処理することとされている事務のうち、次に掲げるものは、地方自治法第二条第九項第一号に規定する第一号法定受託事務とする。

一 衆議院議員又は参議院議員の選挙に関し、都道府県が処理することとされている事務

二 都道府県が第十九条第三項及び第二十二条（これらの規定を第二十三条の十六において読み替えて準用する場合を含む。）の規定により処理することとされている事務、第二十三条の二第二項の規定により処理することとされている事務並びに第百十条の五第四項及び第五項の規定により処理することとされている事務（衆議院議員又は参議院議員の選挙における公職の候補者又は公職の候補者となろうとする者（公職にある者を含む。以下この号において「国の選挙の公職の候補者等」という。）及び法第百九十九条の五第一項に規定する後援団体で当該国の選挙の公職の候補者等に係るものの政治活動のために掲示される法第百四十三条第十六項第一号に規定する立札及び看板の類に係る事務に限る。）

三 都道府県、指定都市又は中核市が第五十九条の二第一号及び第二号並びに第五十九条の三の二第一項の規定により処理することとされている事務

四 衆議院議員又は参議院議員の選挙に関し、市町村が処理することとされている事務

五 選挙人名簿又は在外選挙人名簿に関し、市町村が処理することとされている事務

六 市町村が第五十九条の三第一項、第四項及び第五項、第五十九条の三の二第二項及び第四項から第六項まで並びに第五十九条の三の三第一項及び第三項の規定により処理することとされている事務

2 この政令の規定により、都道府県の議会の議員又は長の選挙に関し、市町村が処理することとされている事務は、地方自治法第二条第九項第二号に規定する第二号法定受託事務とする。

附 則

1 この政令は、昭和二十五年五月一日から施行する。

2 法附則第六項に規定する政令で定める日は、平成六年五月一日とする。

附 則〔平二八・三・二五政令七八〕（抄）

（施行期日）

第一条 この政令は、平成二十八年四月一日から施行する。〔ただし書略〕

附 則〔平二八・三・三一政令一〇三〕（抄）

（施行期日）

1 この政令は、平成二十八年四月一日から施行する。

附 則〔平二八・四・八政令一九四〕

（施行期日）

1 この政令は、公布の日から施行する。

（適用区分）

2 この政令による改正後の公職選挙法施行令の規定は、この政令の施行の日以後その期日を公示され又は告示される選挙について適用し、同日の前日までにその期日を公示され又は告示された選挙については、なお従前の例による。

附 則〔平二八・五・二政令二一〇〕

（施行期日）

1 この政令は、公職選挙法の一部を改正する法律（平成二十八年法律第二十五号）附則第一条ただし書に規定する規定の施行の日〔平二八・五・一三〕から施行する。

（適用区分）

2 この政令による改正後の公職選挙法施行令第百二十九条第四項及び第五項（同条第六項において準用する場合を含む。）の規定は、この政令の施行の日以後その期日を公示され又は告示される選挙について適用し、この政令の施行の日の前日までにその期日を公示され又は告示された選挙については、なお従前の例による。

附　則（平二八・五・二七政令二二七）（抄）

（施行期日）

第一条　この政令は、公職選挙法等の一部を改正する法律（平成二十七年法律第四十三号）の施行の日〔平二八・六・一九〕から施行する。ただし、第十一条の改正規定及び次条第四項の規定は、平成二十八年六月一日から施行する。

（適用区分等）

第二条　この政令による改正後の公職選挙法施行令（以下この条において「新令」という。）の規定（新令第一条の三、第十一条、第十五条及び第十六条の規定を除く。）、次条の規定による改正後の地方自治法施行令（昭和二十二年政令第十六号）の規定、附則第四条の規定による改正後の最高裁判所裁判官国民審査法施行令（昭和二十三年政令第百二十二号）第十九条の規定、附則第五条の規定による改正後の漁業法施行令（昭和二十五年政令第三十号）第六条の二、第七条の二第二項、第九条及び第二十三条の規定、附則第六条の規定による改正後の地方公共団体の議会の議員及び長の選挙に係る電磁的記録式投票機を用いて行う投票方法等の特例に関する法律施行令（平成十四年政令第十九号）第二条（第三項を除く。）及び第四条第二項の規定、附則第七条の規定による改正後の市町村の合併の特例に関する法律施行令（平成十七年政令第五十五号）第十九条及び第二十二条の規定並びに附則第八条の規定による改正後の大都市地域における特別区の設置に関する法律施行令（平成二十五年政令第四十二号）第五条及び第八条の規定は、この政令の施行の日（以下この項及び次項において「施行日」という。）の翌日以後初めてその期日を公示される衆議院議員の総選挙の期日の公示の日又は施行日の翌日以後初めてその期日を公示される参議院議員の通常選挙の期日の公示の日のうちいずれか早い日（以下この項及び第四項において「公示日」という。）以後その期日を公示され又は告示される選挙、投票又は審査について適用し、公示日の前日までにその期日を公示され又は告示された選挙、投票又は審査については、なお従前の例による。

2　新令第十五条の規定は、公職選挙法第二十二条の規定による選挙人名簿の登録で当該登録に係る基準日（選挙人名簿に登録される資格の決定の基準となる日をいう。以下この項において同じ。）が施行日の翌日以後初めてその期日を公示される衆議院議員の総選挙又は施行日の翌日以後初めてその期日を公示される参議院議員の通常選挙のうちその期日の公示の日が早いものにおける同条第二項の規定による選挙人名簿の登録（以下この項及び次項において「次回の国政選挙における登録」という。）に係る基準日以後であるものに係る縦覧に供する書面の写しの閲覧について適用し、同条の規定による選挙人名簿の登録で当該登録に係る基準日が次回の国政選挙における登録に係る基準日前であるものに係る縦覧に供する書面の写しの閲覧については、なお従前の例による。

3　新令第十六条の規定は、次回の国政選挙における登録以後に行う選挙人名簿に登録されている者の表示の消除について適用し、次回の国政選挙における登録前に行う選挙人名簿に登録されている者の表示の消除については、なお従前の例による。

4　新令第十一条の規定による調査及び整理の基準となる毎年三月、六月、九月及び十二月の一日が前条ただし書に規定する規定の施行の日から公示日の前々日までの間にある場合における新令第十一条の規定の適用については、同条中「を調査し、」とあるのは「、年齢満十八年のもの及び年齢満十九年のもの（第一号に掲げる者でその登録月の次の登録月の前月の末日までに年齢満二十年になるものを除く。）にあつては公職選挙法施行令の一部を改正する政令（平成二十八年政令第二百二十七号）附則第二条第二項に規定する次回の国政選挙における登録（以下この条において「次回の国政選挙における登録」という。）及び法第二十二条第二項の規定による選挙人名簿の登録で当該登録に係る基準日（被登録資格の決定の基準となる日をいう。以下この条において同じ。）が次回の国政選挙における登録に係る基準日以後であるものを行う場合のため、第一号に掲げる者のうち年齢満十九年のものでその登録月の次の登録月の前月の末日までに年齢満二十年になるものにあつては」と、「ための」とあるのは「ため、これらの者について調査し、」とする。

附　則（平二九・四・七政令一三一）（抄）

（施行期日）

第一条　この政令は、公職選挙法の一部を改正する法律（平成二十八年法律第二十五号）及び公職選挙法の一部を改正する法律（平成二十八年法律第九十三号）の施行の日（平成二十九年四月十日）から施行する。

（適用区分）

第二条　この政令による改正後の公職選挙法施行令（次項において「新令」という。）第五十条第六項、第五十一条及び第五十五条第九項の規定は、この政令の施行の日（以下この条において「施行日」という。）以後その期日を公示され又は告示される選挙について適用し、施行日の前日までにその期日を公示され又は告示された選挙については、なお従前の例による。

2　新令第五十五条第六項及び第八項、第五十九条の六から第五十九条の六の四まで、第六十条第二項、第六十三条第三項並びに第百四十二条第一項及び第三項の規定は、施行日以後その期日を公示される衆議院議員の総選挙又は参議院議員の通常選挙について適用し、施行日の前日までにその期日を公示された衆議院議員の総選挙又は参議院議員の通常選挙については、なお従前の例による。

附　則（平二九・五・三一政令一五三）（抄）

（施行期日）

第一条　この政令は、公職選挙法及び最高裁判所裁判官国民審査法の一部を改正する法律の施行の日（平成二十九年六月一日）から施行する。

（適用区分）

第二条　この政令による改正後の公職選挙法施行令（以下この条において「新令」という。）第十四条の規定は、基準日（選挙人名簿に登録される資格（選挙人の年齢を除く。）の決定の基準となる日をいう。以下この項及び次項において同じ。）がこの政令の施行の日（以下この条において「施行日」という。）以後である選挙人名簿の登録について適用し、基準日が施行日前である選挙人名簿の登録については、なお従前の例による。

2　基準日が施行日前である選挙人名簿の登録に係る縦覧については、なお従前の例による。

3　新令第二十一条の規定は、調製の期日が施行日以後である選挙人名簿の再調製について適用し、調製の期日が施行日前である選挙人名簿の再調製については、なお従前の例による。

4　縦覧開始の日が施行日以前である在外選挙人名簿の登録に係る縦覧については、なお従前の例による。

5　新令第二十三条の十六第一項において準用する新令第二十一条第一項の規定は、調製の期日が施行日以後である在外選挙人名簿の再調製について適用し、調製の期日が施行日前である在外選挙人名簿の再調製については、なお従前の例による。

6　新令第三十四条の二第一項、第三十四条の三、第三十五条第一項、第五十条第五項、第五十三条第一項、第五十九条の四第三項及び第四項並びに第五十九条の五の四第三項、第六項及び第七項の規定並びに次条の規定による改正後の地方自治法施行令（昭和二十二年政令第十六号）の規定は、施行日以後その期日を公示され又は告示される選挙又は投票について適用し、施行日の前日までにその期日を公示され又は告示された選挙又は投票については、なお従前の例による。

附　則（平二九・七・一四政令一九〇）（抄）

（施行期日）

第一条　この政令は、衆議院議員選挙区画定審議会設置法及び公職選挙法の一部を改正する法律（平成二十八年法律第四十九号）附則第一条ただし書に規定する規定の施行の日（平二九・七・一）から施行する。

（適用区分）

第二条　この政令による改正後の公職選挙法施行令（次項において「新令」という。）第二条第一項、別表第三及び別表第五の規定は、この政令の施行の日（以下この条において「施行日」という。）以後初めてその期日を公示される衆議院議員の総選挙から適用し、施行日の前日までにその期日を公示された衆議院議員の総選挙及び施行日以後初めてその期日を公示される衆議院議員の総選挙の期日の公示の日の前日までにその期日を告示される衆議院議員の選挙については、なお従前の例による。

2　新令の規定（新令第二条第一項、別表第三及び別表第五の規定を除く。）、次条の規定による改正後の地方自治法施行令（昭和二十二年政令第十六号）の規定、附則第四条の規定による改正後の最高裁判所裁判官国民審査法施行令（昭和二十三年政令第百二十二号）第十一条の規定、附則第五条の規定による改正後の漁業法施行令（昭和二十五年政令第三十号）第九条及び第二十三条の規定、附則第六条の規定による改正後の市町村の合併の特例に関する法律施行令（平成十七年政令第五十五号）第二十一条第一項及び第二十二条の規定、附則第七条の規定による改正後の日本国憲法の改正手続に関する法律施行令（平成二十二年政令第百三十五号）の規定並びに附則第八条の規定による改正後の大都市地域における特別区の設置に関する法律施行令（平成二十五年政令第四十二号）第七条第一項及び第八条の規定は、施行日以後その期日を公示され又は告示される選挙、投票又は審査について適用し、施行日の前日までにその期日を公示され又は告示された選挙、投票又は審査については、なお従前の例による。

附　則（平三〇・三・二二政令五四）

この政令は、平成三十年四月一日から施行する。

附　則（平三〇・五・二三政令一六八）（抄）

（施行期日）

1　この政令は、公職選挙法及び最高裁判所裁判官国民審査法の一部を改正する法律附則第一条第二号に掲げる規定の施行の日（平成三十年六月一日）から施行する。

附　則（平三〇・七・二五政令二一五）

（施行期日）

1　この政令は、平成三十一年三月一日から施行する。

（適用区分）

2　この政令による改正後の公職選挙法施行令第百九条の六（第三号に係る部分に限る。）、第百三十二条の五第一項、第百三十二条の六第一項及び第百三十二条の七第一項の規定は、この政令の施行の日以後その期日を告示される都道府県又は市（特別区を含む。以下この項において同じ。）の議会の議員の選挙について適用し、この政令の施行の日の前日までにその期日を告示された都道府県又は市の議会の議員の選挙については、なお従前の例による。

附　則（平三〇・一〇・二四政令二九九）（抄）

（施行期日）

第一条　この政令は、公職選挙法の一部を改正する法律の施行の日（平三〇・一〇・二五）から施行する。

（適用区分）

第二条　この政令による改正後の公職選挙法施行令（以下この条において「新令」という。）の規定（新令第九十二条第六項（第一号に係る部分に限る。）の規定を除く。）は、この政令の施行の日（次項において「施行日」という。）以後初めてその期日を公示される参議院議員の通常選挙から適用し、当該選挙の公示の日の前日までにその期日を告示される参議院議員の選挙については、なお従前の例による。

2　新令第九十二条第六項（第一号に係る部分に限る。）の規定は、施行日以後その期日を公示され又は告示される衆議院議員の選挙について適用し、施行日の前日までにその期日を公示され又は告示された衆議院議員の選挙については、なお従前の例による。

附　則（平三〇・一二・二一政令三四四）（抄）

（施行期日）

1　この政令は、公職選挙法の一部を改正する法律の施行の日（平成三十年十二月二十五日）から施行する。

（適用区分）

2　この政令による改正後の公職選挙法施行令第八十八条の五第三項（第一号に係る部分に限る。）、第八十八条の六第二項、第百十一条の四第二項、第百十一条の五第一項から第三項まで、第百十一条の六から第百十一条の八まで並びに第百二十九条第七項及び第九項の規定は、この政令の施行の日以後その期日を公示され又は告示される参議院議員の選挙について適用し、この政令の施行の日の前日までにその期日を公示され又は告示された参議院議員の選挙については、なお従前の例による。

附　則（令元・五・三一政令一五）（抄）

（施行期日）

第一条　この政令は、令和元年六月一日から施行する。

（適用区分）

第二条　この政令による改正後の公職選挙法施行令の規定、次条の規定による改正後の地方自治法施行令（昭和二十二年政令第十六号）の規定、附則第四条の規定による改正後の最高裁判所裁判官国民審査法施行令（昭和二十三年政令第百二十二号）第十二条第一項及び第二十五条の規定、附則第五条の規定による改正後の漁業法施行令（昭和二十五年政令第三十号）第二十一条第二項及び第二十三条の規定、附則第六条の規定による改正後の市町村の合併の特例に関する法律施行令（平成十七年政令第五十五号）第十九条から第二十二条までの規定並びに附則第七条の規定による改正後の大都市地域における特別区の設置に関する法律施行令（平成二十五年政令第四十二号）第五条から第八条までの規定は、この政令の施行の日以後その期日を公示され又は告示される選挙、投票又は審査について適用し、この政令の施行の日の前日までにその期日を公示され又は告示された選挙、投票又は審査については、なお従前の例による。

附　則（令元・一〇・二四政令一三六）（抄）

改正　令元・一二・一〇政令一七七

（施行期日）

1　この政令は、特定複合観光施設区域整備法附則第一条第三号に掲げる規定の施行の日（令和二年一月七日）から施行する。

附　則（令元・一一・八政令一五六）（抄）

（施行期日）

第一条　この政令は、令和二年四月一日から施行する。〔ただし書略〕

附　則（令二・九・一六政令二八二）

（施行期日）

1　この政令は、公職選挙法の一部を改正する法律（令和二年法律第四十五号）の施行の日（令二・一二・一二）から施行する。

（適用区分）

2　この政令による改正後の公職選挙法施行令の規定は、この政令の施行の日以後その期日を告示される町村の議会の議員の選挙について適用し、この政令の施行の日の前日までにその期日を告示された町村の議会の議員の選挙については、なお従前の例による。

附　則（令三・二・一五政令二九）（抄）

この政令は、公布の日から施行する。〔ただし書略〕

附　則（令四・三・三〇政令一二八）（抄）

（施行期日）

第一条　この政令は、令和五年四月一日から施行する。

附　則（令四・三・三〇政令一二九）（抄）

（施行期日）

1　この政令は、令和五年四月一日から施行する。

附　則（令四・四・六政令一七二）

（施行期日）

1　この政令は、公布の日から施行する。

（適用区分）

2　この政令による改正後の公職選挙法施行令の規定は、この政令の施行の日（以下「施行日」という。）以後その期日を公示され又は告示される選挙について適用し、施行日の前日までにその期日を公示され又は告示された選挙については、なお従前の例による。

附　則（令四・一〇・五政令三二三）（抄）

（施行期日）

第一条　この政令は、旅券法の一部を改正する法律の施行の日（令和五年三月二十七日）から施行する。

附　則（令四・一二・二三政令三八七）

（施行期日）

第一条　この政令は、公職選挙法の一部を改正する法律（令和四年法律第八十九号）の施行の日〔令四・一二・二八〕から施行する。ただし、第四十九条の八及び第五十二条の改正規定並びに次条第二項の規定は、令和五年三月一日から施行する。

（適用区分）

第二条　この政令による改正後の公職選挙法施行令（次項において「新令」という。）第百十条の五第一項第二号、別表第三及び別表第五の規定は、この政令の施行の日（以下この項において「施行日」という。）以後初めてその期日を公示される衆議院議員の総選挙から適用し、施行日の前日までにその期日を公示された衆議院議員の総選挙及び施行日以後初めてその期日を公示される衆議院議員の総選挙の期日の公示の日の前日までにその期日を告示される衆議院議員の選挙については、なお従前の例による。

2　新令第四十九条の八及び第五十二条の規定は、前条ただし書に規定する規定の施行の日以後その期日を公示され又は告示される選挙について適用し、同条ただし書に規定する規定の施行の日の前日までにその期日を公示され又は告示された選挙については、なお従前の例による。

附　則（令五・二・一〇政令三三）（抄）

（施行期日）

第一条　この政令は、最高裁判所裁判官国民審査法の一部を改正する法律の施行の日（令和五年二月十七日）から施行する。

附　則（令五・四・七政令一六三）（抄）

（施行期日）

第一条　この政令は、令和六年四月一日から施行する。

附　則（令六・一・一九政令一一）

この政令は、公布の日から起算して六月を経過した日から施行する。

附　則（令六・一・一九政令一二）（抄）

（施行期日）

第一条　この政令は、令和六年四月一日から施行する。

附　則（令六・五・二四政令一九〇）（抄）

（施行期日）

1　この政令は、令和六年五月二十七日から施行する。

別表〔略〕

住民関係法

其の三に曰く、初めて戸籍、計帳、班田収授の法を造る。凡そ五十戸を里と為し、里毎に長一人を置く、戸口を按へ撿め、農桑を課殖せ、非違を禁察し、賦役を催駈すことを掌れ。〔下略〕

——「改新の詔」——より

〔戸籍に関する一般的規定の最初。貢租の制度を定めたもの。後に有名な天智天皇の「庚午年籍」が作成され、身分制度の維持、犯罪・浮浪人の取締りに利用された。当時は六年に一度、三通ずつ作り、三十年間の保存とされていた。〕

▽細　目　次△

〇住民基本台帳法

昭四二・七・二五
法　八　一

最終改正　令六・六・二一法六〇

目次〔略〕

第一章　総則

（目的）

第一条　この法律は、市町村（特別区を含む。以下同じ。）において、[1]住民の[2]居住関係の公証、選挙人名簿の登録その他の[3]住民に関する事務の処理の基礎とするとともに住民の住所に関する[4]届出等の簡素化を図り、あわせて住民に関する記録の適正な管理を図るため、住民に関する記録を[5]正確かつ統一的に行う住民基本台帳の制度を定め、もつて住民の利便を増進するとともに、国及び地方公共団体の行政の合理化に資することを目的とする。

＊　本条—一部改正〔昭六〇・六法七六〕

【参照条文】
※　自治法一三の二

【注　釈】

1）○「住民の居住関係の公証」とは、地方公共団体の住民の居住関係を公に証明することをいう。

2）○「居住関係」とは、住民の住所、住所の異動その他住所に関する事項、世帯等住所に関係ある生活関係のほか、住民個人の同一性を明らかにする氏名、生年月日、男女の別、戸籍の表示等をも含む。

3）○「住民に関する事務の処理の基礎とする」とは、住民の住所等を住民基本台帳に記録することにより、各種の行政事務処理の基礎とすることをいう。

4）○「届出等の簡素化」とは、住民の住所の変更等に伴う各種届出について、別々の届出を要せず一つの届出で済ませようとすることをいう。

5）○「正確かつ統一的に行う」とは、住民に関する各種の台帳を統合して、住民に関する正確で統一的な記録を整備することをいう。

（国及び都道府県の責務）

第二条　国及び都道府県は、市町村の[1]住民の住所又は[2]世帯若しくは世帯主の変更及びこれらに伴う[3]住民の権利又は義務の異動[4]その他の住民としての地位の変更に関する市町村長の異動その他の住民としての地位の変更に関する市町村長（特別区の区長を含む。以下同じ。）その他の市町村の執行機関に対する届出その他の行為（次条第三項及び第二十一条の四において「住民としての地位の変更に関する届出」と総称する。）が全て一の行為により行われ、かつ、住民に関する事務の処理が全て住民基本台帳に基づいて行われるように、法制上[5]その他必要な措置を講じなければならない。

＊　本条—一部改正〔昭四四・五法三〇、平一一・八法一三三、令元・五法一六〕

【参照条文】
※　法三一 1・2・4

【注　釈】

1）○「住民の住所の変更」とは、転入、転居、転出による変更をいう。

2）○「世帯若しくは世帯主の変更」とは、世帯の構成員のいずれかに変更を生ずる場合又は残された世帯の世帯主に変更があつた場合をいう。

3）○「住民の権利又は義務の異動」とは、市町村の住民としての権利又は義務の取得又は消滅等をいう。

4）○「その他の住民としての地位の変更」とは、市町村の住民であることに伴い、市町村長、委員会その他市町村の機関の管理し、又は執行する事務の対象となる地位の変更であって、「住民の権利又は義務の異動」に含まれないものをいう。

5）○「その他必要な措置」とは、通達等行政運営上の措置をいう。

（市町村長等の責務）

第三条　市町村長は、常に、住民基本台帳を整備し、住民に関する[1]正確な記録が行われるように努めるとともに、住民に関する記録の管理が適正に行われるように[2]必要な措置を講ずるよう努めなければならない。

2　市町村長その他の市町村の執行機関は、住民基本台帳に基づいて住民に関する事務を管理し、又は執行するとともに、住民からの届出その他の行為に関する[3]事務の処理の合理化に努めなければならない。

3　住民は、常に、住民としての地位の変更に関する届出を正確に行うように努めなければならず、虚偽の届出その他住民基本台帳の正確性を阻害するような行為をしてはならない。

4　何人も、第十一条第一項に規定する住民基本台帳の一部の写しの閲覧又は第十二条第一項に規定する住民票の写し若しくは住民票記載事項証明書、第十五条の四第一項に規定する除票の写し若しくは除票記載事項証明書、第二十条第一項に規定する戸籍の附票の写し、第二十一条の三第一項に規定する戸籍の附票の除票の写しその他のこの法律の規定により交付される書類の交付により知り得た事項を使用するに当たつて、個人の基本的人権を尊重するよう努めなければならない。

＊　三項—追加〔昭四四・五法三〇〕、一項—一部改正〔昭六〇・六法七六〕、四項—追加〔昭六〇・六法七六〕、四項—一部改

正〔平六・六法六七〕、二・四項一部改正〔平一一・八法一三三〕、三・四項一部改正〔令元・五法一六〕

【参照条文】

法五・六・一〇〜一五・二〇・三四・三六の二・四九・五〇・五二　令六の二

【注　釈】

1）○「正確な記録が行われる」とは、住民基本台帳に記載された内容と住民の居住関係の事実が合致することをいう。

2）○「必要な措置」とは、住民基本台帳の一部の写しの閲覧や住民票の写し等の交付制度の適正な運用に加え、例えば、住民票が調製されている磁気ディスクの保護、住民基本台帳の電子計算機処理システムへの外部からの侵入防止、個人情報保護のためのセキュリティ研修の実施など、市町村長が住民基本台帳事務を処理するに当たって住民記録の適正な管理の観点から講ずべき所要の措置を広く指すものである。

3）○「事務の処理の合理化」とは、例えば、住民基本台帳に係る受付を含む総合窓口の設置など事務処理体制の整備、出張所等と本庁との間や窓口課との間のオンライン化など事務処理環境の整備、住民基本台帳の電子計算機処理による合理化など、窓口事務の合理化に資するものを広く指すものである。

（住民の住所に関する法令の規定の解釈）

第四条　住民の住所[2]に関する法令の規定は、地方自治法（昭和二十二年法律第六十七号）第十条第一項に規定する住民[1]の住所[1]と異なる意義の住所を定めるものと解釈してはならない。

【参照条文】

自治法一〇Ⅰ　民法二二

【注釈・通知・判例】

1）○「住所」とは、地方自治法第一〇条第一項に規定する「住所」と同一であり、民法第二二条と同様に各人の生活の本拠をいう。

2）○「住民の住所に関する法令の規定」とは、地方公共団体の住民の住所について規定した公職選挙法第九条第二項、地方税法第二四条第一項第一号及び第二九四条第一項第一号、国民健康保険法第五条、高齢者の医療の確保に関する法律第五〇条、介護保険法第九条、国民年金法第七条、児童手当法第四条、学校教育法施行令第一条及び第二条等の関係法令の規定をいう。

※●ある地がある人の住所なりやはその地をもつて生活の本拠となす意思とその意思の実現即ちその地に常住する事実の存否により決すべきであり、いかなる状況が存すればかかる意思ありと認めらるべきかは事実問題で一定の具体的標準はない。（大九・七・二三大審判）

※●住所所在地の認定は各般の客観的事実を総合して判断すべきものであつて、ある者が間断なくその場所に居住することを要するものではなく、また単に滞在日数の多いかどうかによつてのみ判断すべきものでもないけれども、客観的施設の有無によつてのみ判断すべきものでもない。（昭二七・四・一五最裁判）

※●およそ法令において人の住所につき法律上の効果を規定している場合、反対の解釈をなすべき特段の事由のないかぎり、その住所とは各人の生活の本拠をさすものと解する。（昭二九・一〇・二〇最裁判）

※●選挙権の要件としての住所は、その人の生活に最も関係の深い一般的生活、全生活の中心をもつてその者の住所と解すべく、私生活面の住所、事業活動面の住所、政治活動面の住所等を分離して判断すべきではない。（昭三五・三・二二最裁判）

※●職業訓練法に定める職業訓練所に入所し、家族と離れて寄宿舎に居住しながら職業訓練をうけている訓練生の住所は、特段の事情のない限り、訓練期間が一年未満の者については、入所前の居住地、訓練期間が一年以上の者については寄宿舎にあると認められる。（昭四三・三・二六通知）

※●病院、療養所等に入院、入所している者の住所は、医師の診断により一年以上の長期、かつ、継続的な入院治療を要すると認められる場合を除き、原則として家族の居住地にある。（昭四六・三・三一通知）

※●勤務する事務所又は事業所との関係上家族と離れて居住している者の住所は、本人の日常生活関係、家族との連絡状況等の実情を調査確認して認定するものであるが、確定困難な者で、毎週土曜日、日曜日のごとく勤務日以外には家族のもとにおいて生活をともにする者については、家族の居住地にある。（昭四六・三・三一通知）

※●勉学のため寮、下宿等に居住する者の住所は、その寮、下宿等が家族の居住地に近接する地にあり、休暇以外にもしばしば帰宅する必要がある等特段の事情のある場合を除き、居住する寮、下宿等の所在地にある。（昭四六・三・三一通知）

第二章　住民基本台帳

（住民基本台帳の備付け）

第五条　市町村は、住民基本台帳を備え、その住民[1]につき、第七条及び第三十条の四十五の規定により記載をすべきものとされる事項を記録するものとする。

＊本条一部改正〔平二一・七法七七〕

【参照条文】

※自治法一三の二　【住民―自治法一〇Ⅰ】【記載事項―法七・三〇の四五】【適用除外―法三九　令三三】

住基法

【注 釈】

1) ○「住民」とは、市町村の区域内に住所を有する者をいうが、本法では自然人に限られ、法人は含まない。また、日本の国籍を有しない者のうち本法第三〇条の四五の表の上欄に掲げる者以外の者及び日本の国籍を有する者のうち皇族等の戸籍法の適用を受けない者は、本法の適用を受けない。

（住民基本台帳の作成）

第六条 市町村長は、個人を単位とする住民票[2]を世帯[3]ごとに編成して、住民基本台帳[1]を作成しなければならない。

2 市町村長は、適当であると認めるときは、前項の住民票[2]の全部又は一部につき世帯[3]を単位とすることができる。

3 市町村長は、政令で定めるところにより、第一項の住民票を磁気ディスク（これに準ずる方法により一定の事項を確実に記録しておくことができる物を含む。以下同じ。）をもつて調製することができる。

＊ 三項＝追加（昭六〇・六法七六）、三項＝一部改正（平六・六法六七）

【参照条文】

法一〇の二 令二・一六・三四

【注釈・通知・判例】

1) ○「住民基本台帳」とは、その市町村の住民全体の住民票を世帯ごとに編成して作成する公簿をいう。

2) ○「住民票」とは、個々の住民につき、その住民に関する氏名、住所等の事項を記載する帳票をいう。

3) ○「世帯」とは、居住と生計をともにする社会生活上の単位をいう。

※ ●住込み店員等で定まつた給与の支給を受けず、子弟同様の待遇を受けている者については、同居の雇主と同一の地に住所があり、かつ、当該雇主と生計を一にしていると認められる場合は、同一の世帯を構成している。（昭四六・三・三一通知）

※ ●公務員が職務上作成する文書であつて、権利義務に関するある事実を証明する効力を有する文書は刑法第一五七条第一項にいう「権利義務ニ関スル公正証書」であり、住民登録法による住民票は同条項にいう「権利義務ニ関スル公正証書」に当たると解するのを相当とする。（昭三六・六・二〇最裁判（要旨））

㊟ 次条中、点線の囲み部分は、令和五年六月九日から起算して二年を超えない範囲内において政令で定める日から施行となる。

（住民票の記載事項）

第七条 住民票には、次に掲げる事項について記載（前条第三項の規定により磁気ディスクをもつて調製する住民票にあつては、記録。以下同じ。）をする。

一 氏名[1]

一の二 氏名の振り仮名（戸籍法（昭和二十二年法律第二百二十四号）第十三条第一項第二号に規定する氏名の振り仮名をいう。以下同じ。）

二 出生の年月日[2]

三 男女の別[2]

四 世帯主[3]についてはその旨、世帯主[3]でない者については世帯主の氏名及び世帯主との続柄[4]

五 戸籍の表示[5]。ただし、本籍のない者及び本籍の明らかでない者については、その旨

六 住民となつた年月日

七 住所[6]及び一の市町村の区域内において新たに住所[6]を変更した者については、その住所[6]を定めた年月日

八 新たに市町村の区域内に住所[6]を定めた者については、その住所[6]を定めた旨の届出の年月日（職権で住民票の記載をした者については、その年月日）及び従前の住所[6]

八の二 個人番号（行政手続における特定の個人を識別するための番号の利用等に関する法律（平成二十五年法律第二十七号。以下「番号利用法」という。）第二条第五項に規定する個人番号をいう。以下同じ。）

九 選挙人名簿に登録された者については、その旨

十 国民健康保険の被保険者（国民健康保険法（昭和三十三年法律第百九十二号）第五条及び第六条の規定による国民健康保険の被保険者をいう。第二十八条及び第三十一条第三項において同じ。）である者については、その資格に関する事項で政令で定めるもの

十の二 後期高齢者医療の被保険者（高齢者の医療の確保に関する法律（昭和五十七年法律第八十号）第五十条及び第五十一条の規定による後期高齢者医療の被保険者をいう。第二十八条の二及び第三十一条第三項において同じ。）である者については、その資格に関する事項で政令で定めるもの

十の三 介護保険の被保険者（介護保険法（平成九年法律第百二十三号）第九条の規定による介護保険の被保険者（同条第二号に規定する第二号被保険者を除く。）をいう。第二十八条の三及び第三十一条第三項において同じ。）である者については、その資格に関する事項で政令で定めるもの

十一 国民年金の被保険者（国民年金法（昭和三十四年法律第百四十一号）第七条その他政令で定める法令の規定による国民年金の被保険者（同条第一項第二号に規定する第二号被保険者及び同項第三号に規定する第三号被保険者を除く。）をいう。第二十九条及び第三十一条第三項において同じ。）である者については、その資格に関

する事項で政令で定めるもの

十一の二　児童手当の支給を受けている者（児童手当法（昭和四十六年法律第七十三号）第七条の規定により認定を受けた受給資格者（同条第二項に規定する施設等受給資格者にあつては、同項第二号に掲げる里親に限る。）をいう。第二十九条の二及び第三十一条第三項において同じ。）については、その受給資格に関する事項で政令で定めるもの

十二　米穀の配給を受ける者（主要食糧の需給及び価格の安定に関する法律（平成六年法律第百十三号）第四十条第一項の規定に基づく政令の規定により米穀の配給が実施される場合におけるその配給に基づき米穀の配給を受ける者で政令で定めるものをいう。第三十条及び第三十一条第三項において同じ。）については、その米穀の配給に関する事項で政令で定めるもの

十三　住民票コード（番号、記号その他の符号であつて総務省令で定めるものをいう。以下同じ。）

十四　前各号に掲げる事項のほか、政令で定める事項

＊　一一号の二―追加〔昭四六・五法七三〕、一二号―全改〔昭五六・六法八二〕、一〇・一一・一一の二・一二号―一部改正〔昭五八・一二法八三〕、一一号―一部改正〔昭六〇・五法三四〕、本条―一部改正〔昭六〇・六法七六〕、七・八号―一部改正〔昭六〇・六法七六〕、一三号―追加〔昭六〇・六法七六〕、本条―一部改正〔平六・六法六七〕、一二号―一部改正〔平六・一二法一一三〕、一〇号の二―追加〔平九・一二法一二四〕、一一号―一部改正〔平一一・七法八七〕、一一号―一部改正・旧一三号―一四号に繰下・一三号―追加〔平一一・八法一三三〕、一三号―一部改正〔平一一・一二法一六〇〕、一二号―一部改正〔平一五・七法一〇三〕、一〇号の二―一部改正して一〇号の三に繰下・一〇号の二―追加〔平一八・六法八三〕、八号の二―追加〔平二五・五法二八〕、一号の二―追加〔令五・六法四八〕

【参照条文】

【記載事項】令三～六の二・三〇の一三～三〇の一七　規則四五　戸籍法九　【個人番号】番号利用法二5　【選挙人名簿】法一〇　【国保被保険者】国保法五～八　国保則一　【後期高齢者医療被保険者】高齢者の医療の確保に関する法律五〇～五三　【介護被保険者】介護保険法九～一一　【国年被保険者】年金法七～一一の二　年金法附則三～七の四　国民年金法等の一部を改正する法律（昭六〇法三四）附則六　【児童手当の支給を受けている者】児童手当法七・児童手当法施行規則七　【米穀の配給を受ける者】主要食糧の需給及び価格の安定に関する法律四〇1　【住民票コード】法三〇の二、規則一

【注　釈】

1）○「氏名」は、日本の国籍を有する者については、戸籍に記載されている氏名を記載し、字体も同一とする。外国人住民については、法務省が発行する在留カード、特別永住者証明書等に記載された内容を確認して記載を行う。

2）○「出生の年月日」及び「男女の別」も戸籍、在留カード、特別永住者証明書等の記載と一致しなければならない。

3）○「世帯主」とは、主として世帯の生計を維持する者であつて、その世帯を代表する者として社会通念上妥当と認められるものをいう。

4）○「世帯主との続柄」とは、当該世帯における世帯主と世帯員との身分上の関係をいう。

5）○「戸籍の表示」とは、戸籍筆頭者の氏名及び本籍をいう。

6）○「住所」は、都道府県、郡、市（特別区を含む。）、区（指定都市の区をいう。）及び町村の名称並びに市町村の町又は字の区域の名称のほか、住居表示に関する法律（昭和三七年法律一一九号）に基づく住居表示が実施された区域においては、街区符号及び住居番号、その他の区域においては地番により表示する。

（住民票の記載等）

第八条　住民票の記載[1]、消除[2]又は記載の修正[3]（以下「住民票の記載等」という。）は、第三十条の三第一項及び第二項、第三十条の四第三項並びに第三十条の五の規定によるほか、政令で定めるところにより、第四章若しくは第四章の四の規定による届出に基づき、又は職権で行うものとする。

＊　本条―一部改正〔平六・六法六七、平一一・八法一三三、平二一・七法七七、平二五・五法二八、令元・五法一六〕

【参照条文】

※令七～一三

【注釈・運用】

1）○「住民票の記載」とは、一般的には、新たに市町村の区域内に住所を定めた者その他市町村の住民基本台帳に記録されるべき者について住民票を作成すること等をいう。

2）○「住民票の消除」とは、その市町村の住民基本台帳に記録されている者が転出をし、又は死亡したときその他その者について市町村の住民基本台帳の記録から除くべき事由が生じたときに、その者の住民票の記録の全部を抹消すること等をいう。

3）○「住民票の記載の修正」とは、住民票に記載されている事項を修正することをいい、特定の住民に関する住民票の記載事項の一部（例えば、児童手当に関する部分）を新たに記載し、又は消除することも含まれる。

※　○日本国籍を有することが明らかな者で、氏名、本籍等が明らかでない者については、不明事項である旨明記したうえ住民票の記載を行なうこととして差し支えない。

住基法

（住民票の記載等のための市町村長間の通知）
第九条 市町村長は、他の市町村から当該市町村の区域内に住所を変更した者につき住民票の記載をしたときは、遅滞なく、その旨を当該他の市町村の市町村長に通知しなければならない。
2 市町村長は、その市町村の住民以外の者について戸籍[1]に関する届書、申請書[2]その他の書類[3]を受理し、又は職権[4]で戸籍の記載若しくは記録をした場合において、その者の住所地で住民票の記載等をすべきときは、遅滞なく、当該住民票の記載等をすべき事項をその住所地の市町村長に通知しなければならない。
3 前二項の規定による通知は、総務省令（前項の規定による通知にあつては、総務省令・法務省令。以下この項において同じ。）で定めるところにより、市町村長の使用に係る電子計算機（入出力装置を含む。以下同じ。）から電気通信回線を通じて相手方である他の市町村の市町村長の使用に係る電子計算機に送信することによつて行うものとする。ただし、総務省令で定める場合にあつては、この限りでない。

＊ 二項一部改正〔平六・六法六七〕、三項追加〔平一一・八法一三三〕、三項一部改正〔平一一・一二法一六〇〕、二・三項一部改正〔令元・五法一六〕

【参照条文】
※ 令一二2Ⅰ・一三2・3 規則二
【戸籍に関する届書―戸籍法四九・六〇・六一・六六・七〇・七三・七四・七六・七七・七七の二・八六・九四・九五・九八・九九・一〇〇・一〇二・一〇二の二・一〇三・一〇七・一〇七の二・一〇八・一一〇 皇族の身分を離れた者及び皇族となつた者の戸籍に関する法律五・七 【戸籍に関する申請書―戸籍法一一三・一一四・一一六1 【戸籍に関するその他の書類―戸籍法五五・七五・八九・九〇・九二・九三・一〇五・一一六・一一八 【戸籍に関する職権記載―戸籍法二四・四四・四五 【戸籍の記録―戸籍法一一九

【注 釈】
1）○「戸籍に関する届書」とは、戸籍法に規定する出生届、認知届、養子縁組届、養子離縁届、婚姻届、離婚届、死亡届、失踪届、復氏届、入籍届、分籍届、国籍取得届、帰化届、国籍喪失届、改氏届、改名届、転籍届、就籍届その他の届出の届書をいい、皇族の身分を離れた者及び皇族となつた者の戸籍に関する法律に規定する皇族の身分の離脱または戸籍の届出の届書を含む。
2）○「戸籍に関する申請書」とは、戸籍の訂正の申請書をいう。
3）○「戸籍に関するその他の書類」とは、戸籍記載の請求書、出生及び死亡に関する航海日誌の謄本、死亡に関する各種の報告書、国籍喪失に関する報告書、戸籍の記載を命ずる裁判の判決書等をいう。
4）○「職権で戸籍の記載をする場合」とは、届出がない場合、戸籍の訂正の申請がない場合、戸籍の記載の錯誤又は遺漏が市町村長の過誤による場合、行政区画、土地の名称又は地番号の変更があつた場合等をいう。

（選挙人名簿の登録等に関する選挙管理委員会の通知）
第十条 市町村の選挙管理委員会は、公職選挙法（昭和二十五年法律第百号）第二十二条第一項若しくは第三項、第二十四条第二項若しくは第二十六条の規定により選挙人名簿に登録したとき、又は同項若しくは同法第二十八条の規定により選挙人名簿から抹消したときは、遅滞なく、その旨を当該市町村の市町村長に通知しなければならない。

＊ 本条一部改正〔昭四四・五法三〇、平二八・一二法九四〕

【参照条文】
※ 令一二2Ⅱ 選挙法二二・二六・二八

（住民票の改製）
第十条の二 市町村長は、必要があると認めるときは、住民票を改製することができる。

＊ 本条追加〔令元・五法一六〕

（国又は地方公共団体の機関の請求による住民基本台帳の一部の写しの閲覧）
第十一条 国又は地方公共団体の機関は、法令で定める事務の遂行のために必要である場合には、市町村長に対し、当該市町村が備える住民基本台帳のうち第七条第一号から第三号まで及び第七号に掲げる事項（同号に掲げる事項については、住所とする。以下この項において同じ。）に係る部分の写し（第六条第三項の規定により磁気ディスクをもつて住民票を調製することにより住民基本台帳を作成している市町村にあつては、当該住民基本台帳に記録されている事項のうち第七条第一号から第三号まで及び第七号に掲げる事項を記載した書類。以下この条、次条及び第五十条において「住民基本台帳の一部の写し」という。）を当該国又は地方公共団体の機関の職員で当該国又は地方公共団体の機関が指定するものに閲覧させることを請求することができる。
2 前項の規定による請求は、総務省令で定めるところにより、次に掲げる事項を明らかにしてしなければならない。
一 当該請求をする国又は地方公共団体の機関の名称
二 請求事由（当該請求が犯罪捜査に関するものその他特別の事情により請求事由を明らかにすることが事務の性

住基法

質上困難であるもの（次項において「犯罪捜査等のための請求」という。）にあつては、法令で定める事務の遂行のために必要である旨及びその根拠となる法令の名称）

三　住民基本台帳の一部の写しを閲覧する者の職名及び氏名

四　前三号に掲げるもののほか、総務省令で定める事項

3　市町村長は、毎年少なくとも一回、第一項の規定による請求に係る住民基本台帳の一部の写しの閲覧（犯罪捜査等のための請求に係るものを除く。）の状況について、当該請求をした国又は地方公共団体の機関の名称、請求事由の概要その他総務省令で定める事項を公表するものとする。

＊本条―全改〔昭六〇・六法七六〕、三項―一部改正〔平六・六法六七〕、一項―一部改正・旧三項―削る・旧四項―一部改正し三項に繰上〔平一一・八法一三三〕、二項―一部改正〔平一一・一二法一六〇〕、一項―一部改正・二・三項―全改〔平一八・六法七四〕、一項―一部改正〔平二五・五法二八〕

【参照条文】

令一四　住民基本台帳の一部の写しの閲覧並びに住民票の写し等及び除票の写し等の交付に関する省令一・三

【通知】

※●消除された住民票については、その閲覧の請求に応じる必要はない。（昭四二・一〇・四通知）

※「請求が犯罪捜査に関するものその他特別の事情により請求事由を明らかにすることが事務の性質上困難であるもの」の典型的な事務としては、「国又は地方公共団体の機関による住民基本台帳の一部の写しの閲覧の請求における請求事由を明らかにすることが事務の性質上困難であるものの例示について」（平一八・一〇・四通知）がある。

※「法令で定める事務の遂行のために必要である旨及びその根拠となる法令の名称」については、市町村長の判断によるものであるが、「法令で定める事務の遂行のために必要である旨」を明らかにするためには、当該請求を必要とする事務の内容を示せば足り、例えば、「犯罪捜査のため」等と記載することが考えられる。また、「その根拠となる法令の名称」は、「刑事訴訟法第百九十七条第二項」等と記載することが考えられる（平一八・九・一五通知）

（個人又は法人の申出による住民基本台帳の一部の写しの閲覧）

第十一条の二　市町村長は、次に掲げる活動を行うために住民基本台帳の一部の写しを閲覧することが必要である旨の申出があり、かつ、当該申出を相当と認めるときは、当該申出を行う者（以下この条及び第五十条において「申出者」という。）が個人の場合にあつては当該申出者又はその指定する者に、当該申出者が法人（法人でない団体で代表者又は管理人の定めのあるものを含む。以下この条及び第十二条の三第四項において同じ。）の場合にあつては当該法人の役職員又は構成員（他の法人と共同して申出をする場合にあつては、当該他の法人の役職員又は構成員を含む。）で当該法人が指定するものに、その活動に必要な限度において、住民基本台帳の一部の写しを閲覧させることができる。

一　統計調査、世論調査、学術研究その他の調査研究のうち、総務大臣が定める基準に照らして公益性が高いと認められるものの実施

二　公共的団体が行う地域住民の福祉の向上に寄与する活動のうち、公益性が高いと認められるものの実施

三　営利以外の目的で行う居住関係の確認のうち、訴訟の提起その他特別の事情による居住関係の確認として市町村長が定めるものの実施

2　前項の申出は、総務省令で定めるところにより、次に掲げる事項を明らかにしてしなければならない。

一　申出者の氏名及び住所（申出者が法人の場合にあつては、その名称、代表者又は管理人の氏名及び主たる事務所の所在地）

二　住民基本台帳の一部の写しの閲覧により知り得た事項（以下この条及び第五十条において「閲覧事項」という。）の利用の目的

三　住民基本台帳の一部の写しを閲覧する者（以下この条及び第五十条において「閲覧者」という。）の氏名及び住所

四　閲覧事項の管理の方法

五　申出者が法人の場合にあつては、当該法人の役職員又は構成員のうち閲覧事項を取り扱う者の範囲

六　前項第一号に掲げる活動に係る申出の場合にあつては、調査研究の成果の取扱い

七　前各号に掲げるもののほか、総務省令で定める事項

3　個人である申出者は、前項第二号に掲げる利用の目的（以下この条及び第五十条において「利用目的」という。）を達成するために当該申出者及び閲覧者以外の者に閲覧事項を取り扱わせることが必要な場合には、第一項の申出をする際に、その旨並びに閲覧事項を取り扱う者として当該申出者が指定する者の氏名及び住所をその市町村長に申し出ることができる。

4　前項の規定による申出を受けた市町村長は、当該申出に相当な理由があると認めるときは、その申出を承認することができる。この場合において、当該承認を受けた申出者は、当該申出者が指定した者（当該承認を受けた者に限る。以下この条及び第五十条において「個人閲覧事項取扱

者」という。）にその閲覧事項を取り扱わせることができる。

5 法人である申出者は、閲覧者及び第二項第五号に掲げる範囲に属する者のうち当該申出者が指定するもの（以下この条及び第五十条において「法人閲覧事項取扱者」という。）以外の者にその閲覧事項を取り扱わせてはならない。

6 申出者は、閲覧者、個人閲覧事項取扱者又は法人閲覧事項取扱者による閲覧事項の漏えいの防止その他の閲覧事項の適切な管理のために必要な措置を講じなければならない。

7 申出者、閲覧者、個人閲覧事項取扱者又は法人閲覧事項取扱者は、本人の事前の同意を得ないで、当該閲覧事項を利用目的以外の目的のために利用し、又は当該閲覧事項に係る申出者、閲覧者、個人閲覧事項取扱者及び法人閲覧事項取扱者以外の者に提供してはならない。

8 市町村長は、閲覧者若しくは申出者が偽りその他不正の手段により第一項の規定による住民基本台帳の一部の写しの閲覧をし、若しくはさせた場合又は申出者、閲覧者、個人閲覧事項取扱者若しくは法人閲覧事項取扱者が前項の規定に違反した場合において、個人の権利利益を保護するため必要があると認めるときは、当該閲覧事項に係る申出者、当該閲覧をし、若しくはさせた者又は当該違反行為をした者に対し、当該閲覧事項が利用目的以外の目的で利用され、又は当該閲覧事項に係る申出者、閲覧者、個人閲覧事項取扱者及び法人閲覧事項取扱者以外の者に提供されないようにするための措置を講ずることを勧告することができる。

9 市町村長は、前項の規定による勧告を受けた者が正当な理由がなくてその勧告に係る措置を講じなかつた場合において、個人の権利利益が不当に侵害されるおそれがあると認めるときは、その者に対し、その勧告に係る措置を講ずることを命ずることができる。

10 市町村長は、前二項の規定にかかわらず、閲覧者若しくは申出者が偽りその他不正の手段により第一項の規定による住民基本台帳の一部の写しの閲覧をし、若しくはさせた場合又は申出者、閲覧者、個人閲覧事項取扱者若しくは法人閲覧事項取扱者が第七項の規定に違反した場合において、個人の権利利益が不当に侵害されることを防止するため特に措置を講ずる必要があると認めるときは、当該閲覧事項に係る申出者、当該閲覧をし、若しくはさせた者又は当該違反行為をした者に対し、当該閲覧事項が利用目的以外の目的で利用され、又は当該閲覧事項に係る申出者、閲覧者、個人閲覧事項取扱者及び法人閲覧事項取扱者以外の者に提供されないようにするための措置を講ずることを命ずることができる。

11 市町村長は、この条の規定の施行に必要な限度において、申出者に対し、必要な報告をさせることができる。

12 市町村長は、毎年少なくとも一回、第一項の申出に係る住民基本台帳の一部の写しの閲覧（同項第三号に掲げる活動に係るものを除く。）の状況について、申出者の氏名（申出者が法人の場合にあつては、その名称及び代表者又は管理人の氏名）、利用目的の概要その他総務省令で定める事項を公表するものとする。

*本条―追加〔平一八・六法七四〕、一項―一部改正〔平一九・六法七五〕、一～五項―一部改正〔平二五・五法二八〕

【参照条文】

住民基本台帳の一部の写しの閲覧並びに住民票の写し等及び除票の写し等の交付に関する省令二・三

【通知】

1 「公共的団体」とは、公共的な活動を営む団体といい得るものであれば足り、法人であるか否かは問わない。なお、地方自治法（昭和二十二年法律第六十七号）第百五十七条に規定する普通地方公共団体の長が指揮監督することができる「公共的団体等」については、農業協同組合、森林組合、漁業協同組合、生活協同組合、商工会議所等の産業経済団体、社会福祉協議会、社会福祉団体、赤十字社等の厚生社会事業団体、教育団体、青年団、婦人会、文化団体、スポーツ団体等の教育文化スポーツ団体等、いやしくも公共的な活動を行うものはすべてこれに含まれ、法人たると否とを問わないとされている（昭二四・二・七行政実例等）。法第十一条の二第一項第二号に規定する「公共的団体」についても、同様の団体が該当するもの（平一八・九・一五通知）。

2 「訴訟の提起その他特別の事情による居住関係の確認」とは、訴訟を提起する際に相手方の居住関係を確認する場合のほか、マンションの管理組合が管理業務を行うために当該マンションの居住者を確認する必要があって、他に手段がない場合や間違った郵便物が配達されるといった事情がある場合に、自らの住所に勝手に住所をおいている者がいないかどうかを確認したいといった申出があった場合を想定している（平一八・九・一五通知）。

（本人等の請求による住民票の写し等の交付）

第十二条 市町村が備える住民基本台帳に記録されている者（当該市町村の市町村長がその者が属していた世帯について世帯を単位とする住民票を作成している場合にあつては、当該住民票から除かれた者（その者に係る全部の記載が市町村長の過誤によつてされ、かつ、当該記載が消除された者を除く。）を含む。次条第一項において同じ。）は、当該市町村の市町村長に対し、自己又は自己と同一の世帯に属する者に係る住民票の写し（第六条第三項の規定により磁気ディスクをもつて住民票を調製している市町村にあつては、当該住民票に記録されている事項を記載した書類。以下同じ。）又は住民票に記載をした事項に関する証明書（以下「住民票記載事項証明書」という。）の交付を請求することができる。

2　前項の規定による請求は、総務省令で定めるところにより、次に掲げる事項を明らかにしてしなければならない。

一　当該請求をする者の氏名及び住所

二　現に請求の任に当たつている者が、請求をする者の代理人であるときその他請求をする者と異なる者であるときは、当該請求の任に当たつている者の氏名及び住所

三　当該請求の対象とする者の氏名

四　前三号に掲げるもののほか、総務省令で定める事項

3　第一項の規定による請求をする場合において、現に請求の任に当たつている者は、市町村長に対し、個人番号カード（番号利用法第二条第七項に規定する個人番号カードをいう。以下同じ。）を提示する方法その他の総務省令で定める方法により、当該請求の任に当たつている者が本人であることを明らかにしなければならない。

4　前項の場合において、現に請求の任に当たつている者が、請求をする者の代理人であるときその他請求をする者と異なる者であるときは、当該請求の任に当たつている者は、市町村長に対し、総務省令で定める方法により、請求をする者の依頼により又は法令の規定により当該請求の任に当たるものであることを明らかにする書類を提示し、又は提出しなければならない。

5　市町村長は、特別の請求がない限り、第一項に規定する住民票の写しの交付の請求があつたときは、第七条第四号、第五号及び第八号の二から第十四号までに掲げる事項の全部又は一部の記載を省略した同項に規定する住民票の写しを交付することができる。

6　市町村長は、第一項の規定による請求が不当な目的によることが明らかなときは、これを拒むことができる。

7　第一項の規定による請求をしようとする者は、郵便その他の総務省令で定める方法により、同項に規定する住民票の写し又は住民票記載事項証明書の送付を求めることができる。

＊ 本条―全改〔昭六〇・六法七六〕、一項―一部改正〔平六・六法六七〕、一項―一部改正・二項―追加・旧二～五項―一部改正し一項ずつ繰下〔平一一・八法一三三〕、三項―一部改正〔平一一・一二法一六〇〕、六項―一部改正〔平一四・七法一〇〇〕、見出し―全改・二・三項―全改・四項―追加・旧四～六項―一部改正し一項ずつ繰下〔平一九・六法七五〕、三・五項―一部改正〔平二五・五法二八〕、一・五項―一部改正〔令元・五法一六〕

【参照条文】

法七　令一五　住民基本台帳の一部の写しの閲覧並びに住民票の写し等及び除票の写し等の交付に関する省令四～七

【通知】

※ 本人又は本人と同一の世帯に属する者から、法第十二条第五項に規定する特別の請求があった場合、本人等請求においては、基本的に請求事由を明らかにすることを要しないものとされているが、使途により記載が認められる事項が異なるため、使用目的を任意に聞くことは差し支えない（平二〇・四・二八通知）。

（国又は地方公共団体の機関の請求による住民票の写し等の交付）

第十二条の二　国又は地方公共団体の機関は、法令で定める事務の遂行のために必要である場合には、市町村長に対し、当該市町村が備える住民基本台帳に記録されている者に係る住民票の写しで第七条第八号の二及び第十三号に掲げる事項の記載を省略したもの又は住民票記載事項証明書で同条第一号から第八号まで、第九号から第十二号まで及び第十四号に掲げる事項に関するものの交付を請求することができる。

2　前項の規定による請求は、総務省令で定めるところにより、次に掲げる事項を明らかにしてしなければならない。

一　当該請求をする国又は地方公共団体の機関の名称

二　現に請求の任に当たつている者の職名及び氏名

三　当該請求の対象とする者の氏名及び住所

四　請求事由（当該請求が犯罪捜査に関するものその他特別の事情により請求事由を明らかにすることが事務の性質上困難であるものにあつては、法令で定める事務の遂行のために必要である旨及びその根拠となる法令の名称）

五　前各号に掲げるもののほか、総務省令で定める事項

3　第一項の規定による請求をする場合において、現に請求の任に当たつている者は、市町村長に対し、国又は地方公共団体の機関の職員であることを示す書類を提示する方法その他の総務省令で定める方法により、当該請求の任に当たつている者が本人であることを明らかにしなければならない。

4　市町村長は、特別の請求がない限り、第一項に規定する住民票の写しの交付の請求があつたときは、第七条第四号、第五号、第九号から第十二号まで及び第十四号に掲げる事項の全部又は一部の記載を省略した同項に規定する住民票の写しを交付することができる。

5　第一項の規定による請求をしようとする国又は地方公共団体の機関は、郵便その他の総務省令で定める方法により、同項に規定する住民票の写し又は住民票記載事項証明

書の送付を求めることができる。

＊本条―追加〔平一九・六法七五〕、一項―一部改正〔平二五・五法二八〕、四項―一部改正〔令元・五法一六〕

【参照条文】

法七　令一五　住民基本台帳の一部の写しの閲覧並びに住民票の写し等及び除票の写し等の交付に関する省令七～九

【通知】

※国の機関には、国のすべての行政機関のほか、国会及び裁判所が含まれ、地方公共団体の機関には、執行機関、附属機関のほか、議会も含まれる（平二〇・四・二五通知）。

※警察又は裁判所の職員等が、刑事訴訟法第百九十七条第二項に基づき、「捜査関係事項照会書」を持参して、住民票に記載されている情報の照会を行う場合などは、住民基本台帳法とは別異の手続によるものとして、各事案に適用される法令の解釈の問題として取り扱うことが適当である。なお、刑事訴訟法第百九十七条第二項に定める事務の遂行のために必要であるとしても、法第十二条の二第二項に掲げる事項が記載された公文書により、住民票の写し等の交付を請求する旨が明らかな場合においては、法第十二条の二の規定に基づく請求として取り扱われる（平二〇・四・二八通知）。

※「請求が犯罪捜査に関するものその他特別の事情により請求事由を明らかにすることが事務の性質上困難であるもの」とは、「国又は地方公共団体の機関による住民基本台帳の一部の写しの閲覧の請求における請求事由を明らかにすることが事務の性質上困難であるものの例示について」（平一八・一〇・四通知）と同様なものと考えている（平二〇・四・二八通知）。

（本人等以外の者の申出による住民票の写し等の交付）

第十二条の三　市町村長は、前二条の規定によるもののほか、当該市町村が備える住民基本台帳について、次に掲げる者から、住民票の写しで基礎証明事項（第七条第一号から第三号まで及び第六号から第八号までに掲げる事項をいう。以下この項及び第七項において同じ。）のみが表示されたもの又は住民票記載事項証明書で基礎証明事項に関するものが必要である旨の申出があり、かつ、当該申出を相当と認めるときは、当該申出をする者に当該住民票の写し又は住民票記載事項証明書を交付することができる。

一　自己の権利を行使し、又は自己の義務を履行するために住民票の記載事項を確認する必要がある者

二　国又は地方公共団体の機関に提出する必要がある者

三　前二号に掲げる者のほか、住民票の記載事項を利用する正当な理由がある者

2　市町村長は、前二条及び前項の規定によるもののほか、当該市町村が備える住民基本台帳について、特定事務受任者から、受任している事件又は事務の依頼者が同項各号に掲げる者に該当することを理由として、同項に規定する住民票の写し又は住民票記載事項証明書が必要である旨の申出があり、かつ、当該申出を相当と認めるときは、当該特定事務受任者に当該住民票の写し又は住民票記載事項証明書を交付することができる。

3　前項に規定する「特定事務受任者」とは、弁護士（弁護士法人及び弁護士・外国法事務弁護士共同法人を含む。）、司法書士（司法書士法人を含む。）、土地家屋調査士（土地家屋調査士法人を含む。）、税理士（税理士法人を含む。）、社会保険労務士（社会保険労務士法人を含む。）、弁理士（弁理士法人を含む。）、海事代理士又は行政書士（行政書士法人を含む。）をいう。

4　第一項又は第二項の申出は、総務省令で定めるところにより、次に掲げる事項を明らかにしてしなければならない。

一　申出者（第一項又は第二項の申出をする者をいう。以下この条において同じ。）の氏名及び住所（申出者が法人の場合にあつては、その名称、代表者又は管理人の氏名及び主たる事務所の所在地）

二　現に申出の任に当たつている者が、申出者の代理人であるときその他申出者と異なる者であるときは、当該申出の任に当たつている者の氏名及び住所

三　当該申出の対象とする者の氏名及び住所

四　第一項に規定する住民票の写し又は住民票記載事項証明書の利用の目的

五　第二項の申出の場合にあつては、前項に規定する特定事務受任者の受任している事件又は事務についての資格及び業務の種類並びに依頼者の氏名又は名称（当該受任している事件又は事務についての業務が裁判手続又は裁判外手続における民事上若しくは行政上の紛争処理の手続についての代理業務その他の政令で定める業務であるときは、当該事件又は事務についての資格及び業務の種類）

六　前各号に掲げるもののほか、総務省令で定める事項

5　第一項又は第二項の申出をする場合において、現に申出の任に当たつている者は、市町村長に対し、個人番号カードを提示する方法その他の総務省令で定める方法により、当該申出の任に当たつている者が本人であることを明らかにしなければならない。

6　前項の場合において、現に申出の任に当たつている者が、申出者の代理人であるときその他申出者と異なる者であるときは、当該申出の任に当たつている者は、市町村長

に対し、総務省令で定める方法により、申出者の依頼により又は法令の規定により当該申出の任に当たるものであることを明らかにする書類を提示し、又は提出しなければならない。

7　申出者は、第四項第四号に掲げる利用の目的を達成するため、基礎証明事項のほか基礎証明事項以外の事項（第七条第八号の二及び第十三号に掲げる事項を除く。以下この項において同じ。）の全部若しくは一部が表示された住民票の写し又は基礎証明事項のほか基礎証明事項以外の事項の全部若しくは一部を記載した住民票記載事項証明書が必要である場合には、第一項又は第二項の申出をする際に、その旨を市町村長に申し出ることができる。

8　市町村長は、前項の規定による申出を相当と認めるときは、第一項に規定する住民票の写し又は住民票記載事項証明書に代えて、前項に規定する住民票の写し又は住民票記載事項証明書を交付することができる。

9　第一項又は第二項の申出をしようとする者は、郵便その他の総務省令で定める方法により、第一項に規定する住民票の写し又は住民票記載事項証明書の送付を求めることができる。

＊本条…追加〔平一九・六法七五〕、五・七項…一部改正〔平二五・五法二八〕、三項…一部改正〔令二・五法三三、令三・五法四二〕

【参照条文】

法七・一一の二　令一五・一五の二　住民基本台帳の一部の写しの閲覧並びに住民票の写し等及び除票の写し等の交付に関する省令七・一〇～一二

【通　知】

※　主たる事務所とは、その申出に係る業務に関して主要なものの意味であり、本店、支店、営業所、事業所等が含まれるものと解して差し支えない（平二〇・四・二五通知）。

※　利用の目的は、法第十二条の三第一項各号に掲げる場合に該当するかどうかを判断するために明らかにさせる。したがって、例えば「債権回収・保全のため」といった抽象的な記載だけでは具体性があるとはいえず、住民票のどの部分をどのような目的に利用するかが明らかとなる程度の記載があることを要する。具体的には、自己の権利を行使し、又は自己の義務を履行するために住民票の記載事項を確認する必要がある場合は、権利又は義務の発生原因及び内容並びに権利の行使又は義務の履行のために住民票の記載事項の確認を必要とする理由、国又は地方公共団体の機関に提出する必要がある場合は、提出すべき国又は地方公共団体の機関及び提出を必要とする理由、住民票の記載事項を利用する正当な理由がある場合は、住民票の記載事項の利用目的及び方法並びにその利用を必要とする理由を明らかにさせることが考えられる（平二〇・四・二五通知）。

（本人等の請求に係る住民票の写しの交付の特例）

第十二条の四　住民基本台帳に記録されている者は、その者が記録されている住民基本台帳を備える市町村の市町村長（以下この条において「住所地市町村長」という。）以外の市町村長に対し、自己又は自己と同一の世帯に属する者に係る住民票の写しで第七条第五号、第九号から第十二号まで及び第十四号に掲げる事項の記載を省略したものの交付を請求することができる。この場合において、当該請求をする者は、総務省令で定めるところにより、個人番号カード又は総務省令で定める書類を提示してこれをしなければならない。

2　前項の請求を受けた市町村長（以下この条において「交付地市町村長」という。）は、政令で定める事項を同項の請求をした者の住所地市町村長に通知しなければならない。

3　前項の規定による通知を受けた住所地市町村長は、政令で定める事項を交付地市町村長に通知しなければならない。

4　前項の規定による通知を受けた交付地市町村長は、政令で定めるところにより、第一項の請求に係る住民票の写しを作成して、同項の請求をした者に交付するものとする。この場合において、交付地市町村長は、特別の請求がない限り、第七条第四号、第八号の二及び第十三号に掲げる事項の全部又は一部の記載を省略した同項に規定する住民票の写しを交付することができる。

5　第二項又は第三項の規定による通知は、総務省令で定めるところにより、交付地市町村長又は住所地市町村長の使用に係る電子計算機から電気通信回線を通じて相手方である住所地市町村長又は交付地市町村長の使用に係る電子計算機に送信することによって行うものとする。

6　第十二条第二項（第二号を除く。）及び第六項の規定は、第一項の規定による請求について準用する。この場合において、同条第六項中「市町村長」とあるのは、「第十二条の四第二項に規定する交付地市町村長」と読み替えるものとする。

＊本条…追加〔平一一・八法一三三〕、一・五項…一部改正〔平一一・一二法一六〇〕、見出し・六項…全改・旧一二条の二…一二条の四に繰下〔平一九・六法七五〕、一・四項…一部改正〔平二五・五法二八〕、四項…一部改正〔令元・五法一六〕

【参照条文】

法七・一二　令一五の三・一五の四　規則四・五　番号利用法一七

（住民基本台帳の脱漏等に関する都道府県知事の通報）

第十二条の五　都道府県知事は、その事務を管理し、又は執行するに当たつて、当該都道府県の区域内の市町村の住民基本台帳に脱漏若しくは誤載があり、又は住民票に誤記若しくは記載漏れがあることを知つたときは、遅滞なく、その旨を当該住民基本台帳を備える市町村の市町村長に通報しなければならない。

＊本条…追加〔平一一・八法一三三〕、旧一二条の三…一二条の五に繰下〔平一九・六法七五〕

（住民基本台帳の脱漏等に関する委員会の通報）

第十三条　市町村の委員会[1]（地方自治法第百三十八条の四第一項に規定する委員会をいう。第二十条の三において同じ。）は、その事務を管理し、又は執行するに当たつて、住民基本台帳に脱漏若しくは誤載があり、又は住民票に誤記若しくは記載漏れがあると認めるときは、遅滞なく、その旨を当該市町村の市町村長に通報しなければならない。

＊本条…一部改正〔令元・五法一六〕

【参照条文】
※自治法一三八の四1・一八〇の五1及び3

【注　釈】
1）○「市町村の委員会」とは、地方自治法第一三八条の四第一項に規定する市町村に設置される委員会をいい、教育委員会、選挙管理委員会、農業委員会、固定資産評価審査委員会、人事委員会又は公平委員会をいう。

（住民基本台帳の正確な記録を確保するための措置）

第十四条　市町村長は、その事務を管理し、及び執行することにより、又は第十条若しくは前二条の規定による通知若しくは通報若しくは第三十四条第一項若しくは第二項の調査によつて、住民基本台帳に脱漏若しくは誤載があり、又は住民票に誤記若しくは記載漏れがあることを知つたときは、届出義務者に対する届出の催告その他住民基本台帳の正確な記録を確保するため必要な措置を講じなければならない。

2　住民基本台帳に記録されている者は、自己又は自己と同一の世帯に属する者に係る住民票に誤記又は記載漏れがあることを知つたときは、その者が記録されている住民基本台帳を備える市町村の市町村長に対してその旨を申し出ることができる。

＊二項…追加〔昭六〇・六法七六〕、一・二項…一部改正〔平一一・八法一三三〕

【参照条文】
※法一〇・一〇の二・一二の五・一三・三四1・2・令一二3・一六

（選挙人名簿との関係）

第十五条　選挙人名簿の登録は、住民基本台帳に記録されている者又は公職選挙法第二十一条第二項に規定する住民基本台帳に記録されていた者で選挙権を有するものについて行うものとする。

2　市町村長は、第八条の規定により住民票の記載等をしたときは、遅滞なく、当該住民票の記載等で選挙人名簿の登録に関係がある事項を当該市町村の選挙管理委員会に通知しなければならない。

3　市町村の選挙管理委員会は、前項の規定により通知された事項を不当な目的に使用されることがないよう努めなければならない。

＊二項…追加〔昭四四・五法三〇〕、三項…追加〔昭六〇・六法七六〕、一項…一部改正〔平一八・二法八〕、二項…一部改正〔令元・五法一六〕

【参照条文】
※法八・一三　選挙法二一・二二・二六

【通　知】
※●市町村長は、選挙人名簿の登録に関し、満年齢十九年以上の者について住民票の記載等をしたときは、その者の氏名、生年月日、男女の別、住所、本籍、届出の年月日又は記載等を行なつた年月日を選挙管理委員会に通知しなければならない。（昭四二・一〇・四通知）

（除票簿）

第十五条の二　市町村長は、住民票（世帯を単位とする住民票にあつては、その全部）を消除したとき、又は住民票を改製したときは、その消除した住民票又は改製前の住民票（以下「除票」と総称する。）を住民基本台帳から除いて別につづり、除票簿として保存しなければならない。

2　第六条第三項の規定により磁気ディスクをもつて住民票を調製している市町村にあつては、磁気ディスクをもつて調製した除票を蓄積して除票簿とすることができる。

＊本条…追加〔令元・五法一六〕

（除票の記載事項）

第十五条の三　除票には、当該除票に係る住民票に記載をしていた事項のほか、当該住民票を消除した事由（転出（市町村の区域外へ住所を移すことをいう。以下同じ。）の場合にあつては、転出により消除した旨及び転出先の住所）及びその事由の生じた年月日（第二十四条の規定による届出に基づき住民票を消除した場合にあつては、転出の予定年月日）又は改製した旨及びその年月日の記載（前条第二項の規定により磁気ディスクをもつて調製する除票にあつては、記録。以下同じ。）をする。

2　第九条第一項の規定による通知を受けた市町村長は、当該通知に係る除票に転出をした旨の記載をする。

＊本条―追加〔令元・五法一六〕

（除票の写し等の交付）

第十五条の四　市町村が保存する除票に記載されている者は、当該市町村の市町村長に対し、その者に係る除票の写し（第十五条の二第二項の規定により磁気ディスクをもつて除票を調製している市町村にあつては、当該除票に記録されている事項を記載した書類。次項及び第三項並びに第四十六条第二号において同じ。）又は除票に記載をした事項に関する証明書（次項及び第三項並びに同号において「除票記載事項証明書」という。）の交付を請求することができる。

2　国又は地方公共団体の機関は、法令で定める事務の遂行のために必要である場合には、市町村長に対し、当該市町村が保存する除票の写しで第七条第八号の二及び第十三号に掲げる事項の記載を省略したもの又は除票記載事項証明書で同条第一号から第八号まで、第九号から第十二号まで及び第十四号に掲げる事項その他政令で定める事項に関するものの交付を請求することができる。

3　市町村長は、前二項の規定によるもののほか、当該市町村が保存する除票について、次に掲げる者から、除票の写しで除票基礎証明事項（第七条第一号から第三号まで及び第六号から第八号までに掲げる事項その他政令で定める事項をいう。以下この項において同じ。）のみが表示されたもの又は除票記載事項証明書で除票基礎証明事項に関するものが必要である旨の申出があり、かつ、当該申出を相当と認めるときは、当該申出をする者に当該除票の写し又は除票記載事項証明書を交付することができる。

一　自己の権利を行使し、又は自己の義務を履行するために除票の記載事項を確認する必要がある者

二　国又は地方公共団体の機関に提出する必要がある者

三　前二号に掲げる者のほか、除票の記載事項を利用する正当な理由がある者

4　市町村長は、前三項の規定によるもののほか、当該市町村が保存する除票について、第十二条の三第三項に規定する特定事務受任者から、受任している事件又は事務の依頼者が前項各号に掲げる者に該当することを理由として、同項に規定する除票の写し又は除票記載事項証明書が必要である旨の申出があり、かつ、当該申出を相当と認めるときは、当該特定事務受任者に当該除票の写し又は除票記載事項証明書を交付することができる。

5　第十二条第二項から第七項までの規定は第一項の請求について、第十二条の二第二項から第五項までの規定は第二項の請求について、第十二条の三第四項から第九項までの規定は前二項の申出について、それぞれ準用する。この場合において、これらの規定中「住民票の写し」とあるのは「除票の写し」と、「住民票記載事項証明書」とあるのは「除票記載事項証明書」と読み替えるほか、次の表の上欄に掲げる規定中同表の中欄に掲げる字句は、それぞれ同表の下欄に掲げる字句に読み替えるものとする。

第十二条第二項第三号	氏名	氏名その他の当該請求に係る除票を特定するために必要な事項
第十二条第五項	第一項	第十五条の四第一項
第十二条第七項	同項	第十五条の四第一項
第十二条の二第二項第三号	住所	住所その他の当該請求に係る除票を特定するために必要な事項
第十二条の二第四項	第一項	第十五条の四第二項
第十二条の二第五項	同項	第十五条の四第二項
第十二条の三第四項第三号	住所	住所その他の当該申出に係る除票を特定するために必要な事項
第十二条の三第四項第四号	第一項	第十五条の四第三項
第十二条の三第七項	、基礎証明事項	、除票基礎証明事項（第十五条の四第三項に規定する除票基礎証明事項をいう。以下この項において同じ。）
	基礎証明事項以外	除票基礎証明事項以外
	表示された	表示された第十五条の

		四第一項に規定する
	又は基礎証明事項	又は除票基礎証明事項
第十二条の三第八項及び第九項	第一項に	第十五条の四第三項に

＊本条―追加〔令元・五法一六〕

第三章　戸籍の附票

（戸籍の附票の作成）

第十六条　市町村長は、その[1]市町村の区域内に本籍を有する者につき、その戸籍を単位として、戸籍の附票を作成しなければならない。

2　市町村長は、政令で定めるところにより、前項の戸籍の附票を磁気ディスクをもつて調製することができる。

＊二項―追加〔平六・六法六七〕

【参照条文】

※　法附則五　令一八・二二　戸籍法六

【注　釈】

1）○「その市町村の区域内に本籍を有する者」とは、その市町村の区域内に本籍を有するすべての者をいう。

㊟　次条中、点線の囲み部分は、令和五年六月九日から起算して二年を超えない範囲内において政令で定める日から施行となる。

（戸籍の附票の記載事項）

第十七条　戸籍の附票には、次に掲げる事項について記載（前条第二項の規定により磁気ディスクをもつて調製する戸籍の附票にあつては、記録。以下同じ。）をする。

一　戸籍の表示[1]

二　氏名[2]

二の二　氏名の振り仮名

三　住所[3]（国外に転出をする旨の第二十四条の規定による届出（次号及び第七号において「国外転出届」という。）をしたことによりいずれの市町村においても住民基本台帳に記録されていない者（以下「国外転出者」という。）にあつては、国外転出者である旨）

四　住所を定めた年月日[4]（国外転出者にあつては、その国外転出届に記載された転出の予定年月日）

五　出生の年月日

六　男女の別

七　住民票に記載された住民票コード（国外転出者にあつては、その国外転出届をしたことにより消除された住民票に記載されていた住民票コード。第三十条の三十七及び第三十条の三十八において同じ。）

八　前各号に掲げる事項のほか、政令で定める事項

＊本条―一部改正〔平六・六法六七、令元・五法一六〕、二の二・八号―追加〔令五・六法四八〕

【参照条文】

※　法一六　戸籍法九・一三

【注　釈】

1）○「戸籍の表示」とは、戸籍法第九条に規定されている戸籍の表示と同一であり、戸籍筆頭者の氏名及び本籍をもつて戸籍の表示として記載する。

2）○「氏名」とは、戸籍に記載されている名のみを各人の名の欄に記載し、字体も戸籍と同一とする。

3）○「住所」とは、現住所を記入するものであるが、住民票記載の住所と一致するものでなければならない。

4）○「住所を定めた年月日」とは、住所欄に記載された住所を定めた年月日である。

（戸籍の附票の記載事項の特例等）

第十七条の二　戸籍の附票には、前条に規定する事項のほか、公職選挙法第三十条の六第一項の規定に基づいて在外選挙人名簿に登録された者、同条第二項の規定に基づいて在外選挙人名簿への登録の移転（同法第三十条の二第三項に規定する在外選挙人名簿への登録の移転をいう。以下この条において同じ。）がされた者及び日本国憲法の改正手続に関する法律（平成十九年法律第五十一号）第三十七条第一項の規定に基づいて在外投票人名簿に登録された者については、その旨及び当該登録又は在外選挙人名簿への登録の移転がされた市町村名を記載しなければならない。

2　市町村の選挙管理委員会は、公職選挙法第三十条の六第一項の規定により在外選挙人名簿に登録したとき、同条第二項の規定により在外選挙人名簿への登録の移転をしたとき、若しくは同法第三十条の十一の規定により在外選挙人名簿から抹消したとき、又は日本国憲法の改正手続に関する法律第三十七条第一項の規定により在外投票人名簿に登録したとき、若しくは同法第四十二条の規定により在外投票人名簿から抹消したときは、遅滞なく、その旨を当該登録若しくは在外選挙人名簿への登録の移転がされ、又は抹消された者の本籍地の市町村長に通知しなければならない。

＊本条―追加〔平一〇・五法四七〕、一部改正〔平一九・五法五一、平二八・一二法九四〕

（戸籍の附票の記載等）

第十八条 戸[1,2,3]籍の附票の記載、消除又は記載の修正（第三十条の四十一第一項において「戸籍の附票の記載等」という。）は、職権で行うものとする。

＊本条―一部改正〔平六・六法六七、令元・五法一六〕

【参照条文】

※ 令一八～二〇

【注 釈】

1）○「戸籍の附票の記載」とは、新たに戸籍が編製されたときに戸籍の附票を作成すること又は一の戸籍の附票を作成した後にその戸籍に入った者があるときにその戸籍の附票にその者に関する記載をすることをいう。

2）○「戸籍の附票の消除」とは、一の戸籍にある者の全部又は一部がその戸籍から除かれたときにその戸籍の附票の全部又は一部を消除することをいう。

3）○「戸籍の附票の記載の修正」とは、戸籍の附票の記載事項に変更があつた場合又は戸籍の附票に誤記若しくは記載漏れがあつた場合に、その記載の修正をすることをいう。

（戸籍の附票の記載の修正等のための市町村長間の通知）

第十九条 住所地の市町村長は、住民票の記載等をした場合に、本籍地において戸籍の附票の記載の修正をすべきときは、遅滞なく、当該修正をすべき事項を本籍地の市町村長に通知しなければならない。

2 前項の規定により通知を受けた事項が戸籍の記載又は記録と合わないときは、本籍地の市町村長は、遅滞なく、その旨を住所地の市町村長に通知しなければならない。

3 本籍が一の市町村から他の市町村に転属したときは、原籍地の市町村長は、遅滞なく、戸籍の附票に記載をしてある事項を新本籍地の市町村長に通知しなければならない。

4 前三項の規定による通知は、総務省令・法務省令（前二項の規定による通知にあつては、総務省令。以下この項において同じ。）で定めるところにより、市町村長の使用に係る電子計算機から電気通信回線を通じて相手方である他の市町村長の使用に係る電子計算機に送信することによつて行うものとする。ただし、総務省令で定める場合にあつては、この限りでない。

＊見出し・二・三項―一部改正〔平六・六法六七〕、四項―追加〔平二一・七法七七〕、四項―一部改正〔令元・五法一六〕

（戸籍の附票の改製）

第十九条の二 市町村長は、必要があると認めるときは、戸籍の附票を改製することができる。

＊本条―追加〔令元・五法一六〕

（機構への戸籍の附票の記載事項の提供）

第十九条の三 本籍地の市町村長は、番号利用法第二十一条の二第二項（番号利用法第二十六条において準用する場合を含む。）の規定による通知（番号利用法第十九条第八号又は第九号に規定する情報提供者又は条例事務関係情報提供者が番号利用法第九条第三項の法務大臣である場合におけるものに限る。）を受けたときは、政令で定めるところにより、当該通知に係る者の戸籍の附票に記載をされている第十七条第二号、第三号、第五号及び第六号に掲げる事項を地方公共団体情報システム機構（以下「機構」という。）に提供するものとする。

＊本条―追加〔令元・五法一六〕、一部改正〔令三・五法三七〕

㊟ 次条中、点線の左側は、令和五年六月九日から起算して二年を超えない範囲内において政令で定める日から施行となる。

（戸籍の附票の写しの交付）

第二十条 市町村が備える戸籍の附票に記録されている者（当該戸籍の附票から除かれた者（その者に係る全部の記載が市町村長の過誤によつてされ、かつ、当該記載が消除された者を除く。）を含む。次項において同じ。）又はその配偶者、直系尊属若しくは直系卑属は、当該市町村の市町村長に対し、これらの者に係る戸籍の附票の写し（第十六条第二項の規定により磁気ディスクをもつて戸籍の附票を調製している市町村にあつては、当該戸籍の附票に記録されている事項を記載した書類。次項及び第三項並びに第四十六条第二号において同じ。）の交付を請求することができる。

2 国又は地方公共団体の機関は、法令で定める事務の遂行のために必要である場合には、市町村長に対し、当該市町村が備える戸籍の附票に記録されている者に係る戸籍の附票の写しで第十七条第七号に掲げる事項の記載を省略したものの交付を請求することができる。

3 市町村長は、前二項の規定によるもののほか、当該市町村が備える戸籍の附票について、次に掲げる者から、戸籍の附票の写しで第十七条第二号から第六号までに掲げる事項のみが表示されたものが必要である旨の申出があり、かつ、当該申出を相当と認めるときは、当該申出をする者に当該戸籍の附票の写しを交付することができる。

一 自己の権利を行使し、又は自己の義務を履行するために戸籍の附票の記載事項を確認する必要がある者

二　国又は地方公共団体の機関に提出する必要がある者
三　前二号に掲げる者のほか、戸籍の附票の記載事項を利用する正当な理由がある者

4　市町村長は、前三項の規定によるもののほか、当該市町村が備える戸籍の附票について、第十二条の三第三項に規定する特定事務受任者から、受任している事件又は事務の依頼者が前項各号に掲げる者に該当することを理由として、同項に規定する戸籍の附票の写しが必要である旨の申出があり、かつ、当該申出を相当と認めるときは、当該特定事務受任者に当該戸籍の附票の写しを交付することができる。

5　第十二条第二項から第七項までの規定は第一項の請求について、第十二条の二第二項から第五項までの規定は第二項の請求について、第十二条の三第四項から第九項までの規定は前二項の申出について、それぞれ準用する。この場合において、これらの規定中「総務省令」とあるのは「総務省令・法務省令」と、「住民票の写し又は住民票記載事項証明書」とあるのは「戸籍の附票の写し」と読み替えるほか、次の表の上欄に掲げる規定中同表の中欄に掲げる字句は、それぞれ同表の下欄に掲げる字句に読み替えるものとする。

上欄	中欄	下欄
第十二条第五項	第一項	第二十条第一項
	住民票の写し	戸籍の附票の写し
	第七条第四号、第五号及び第八号の二から第十四号までに掲げる	第十七条第一号、第七号及び第八号に掲げる事項並びに第十七条の二第一項の規定により記載された
	同項	第二十条第一項
第十二条第七項	同項	第二十条第一項
第十二条の二第四項	第一項	第二十条第二項
	住民票の写し	戸籍の附票の写し
	第七条第四号、第五号、第九号から第十二号まで及び第十四号に掲げる	第十七条第一号に掲げる事項及び第八号に掲げる事項並びに第十七条の二第一項の規定により記載された
	同項	第二十条第二項
第十二条の二第五項	同項	第二十条第二項
第十二条の三第四項第四号	第一項	第二十条第三項
第十二条の三第七項	基礎証明事項のほか基礎証明事項以外の事項（第七条第八号の二及び第十三号に掲げる事項を除く。以下この項において同じ。）の全部若しくは一部が表示された住民票の写し又は基礎証明事項のほか基礎証明事項以外の事項の全部若しくは一部を記載した住民票記載事項証明書	第十七条第二号から第六号までに掲げる事項のほか同条第一号に掲げる事項及び第八号に掲げる事項並びに第十七条の二第一項の規定により記載された事項の全部又は一部が表示された第二十条第一項に規定する戸籍の附票の写し
第十二条の三第八項及び第九項	第一項に	第二十条第三項に

＊本条―全改〔平一一・八法一三三〕、五項―一部改正〔平一一・一二法一六〇〕、一項―一部改正〔平一八・六法七四〕、全改〔平一九・六法七五〕、一項―一部改正〔平二五・五法二八〕、一～四項―一部改正・五項―全改〔令元・五法一六〕、五項―一部改正〔令五・六法四八〕

【参照条文】
※法一二～一二の三　令一二　戸籍の附票の写し又は戸籍の附票の除票の写しの交付に関する省令

【参　考】
○戸籍の附票の閲覧の制度は、昭和六〇年法律第七

六号により廃止された。

（戸籍の附票の脱漏等に関する都道府県知事の通報）

第二十条の二　都道府県知事は、その事務を管理し、又は執行するに当たつて、当該都道府県の区域内の市町村が備える戸籍の附票に脱漏、誤載、誤記又は記載漏れがあることを知つたときは、遅滞なく、その旨を当該市町村の市町村長に通報しなければならない。

＊本条＝追加〔令元・五法一六〕

（戸籍の附票の脱漏等に関する委員会の通報）

第二十条の三　市町村の委員会は、その事務を管理し、又は執行するに当たつて、戸籍の附票に脱漏、誤載、誤記又は記載漏れがあると認めるときは、遅滞なく、その旨を当該市町村の市町村長に通報しなければならない。

＊本条＝追加〔令元・五法一六〕

（戸籍の附票の正確な記録を確保するための措置）

第二十条の四　市町村長は、その事務を管理し、及び執行することにより、又は第十七条の二第二項若しくは前二条の規定による通知若しくは通報によつて、戸籍の附票に脱漏、誤載、誤記又は記載漏れがあることを知つたときは、住所地の市町村長への確認その他戸籍の附票の正確な記録を確保するため必要な措置を講じなければならない。

2　戸籍の附票に記録されている者は、自己又はその配偶者、直系尊属若しくは直系卑属に係る戸籍の附票に誤記又は記載漏れがあることを知つたときは、その者が記録されている戸籍の附票を備える市町村の市町村長に対してその旨を申し出ることができる。

＊本条＝追加〔令元・五法一六〕

（戸籍の附票の除票簿）

第二十一条　市町村長は、戸籍の附票の全部を消除したとき、又は戸籍の附票を改製したときは、その消除した戸籍の附票又は改製前の戸籍の附票（以下「戸籍の附票の除票」と総称する。）をつづり、戸籍の附票の除票簿として保存しなければならない。

2　第十六条第二項の規定により磁気ディスクをもつて戸籍の附票を調製している市町村にあつては、磁気ディスクをもつて調製した戸籍の附票の除票を蓄積して戸籍の附票の除票簿とすることができる。

＊本条＝追加〔令元・五法一六〕

（戸籍の附票の除票の記載事項）

第二十一条の二　戸籍の附票の除票には、当該戸籍の附票の除票に係る戸籍の附票に記載をしていた事項のほか、当該戸籍の附票を消除した旨及びその年月日又は改製した旨及びその年月日の記載（前条第二項の規定により磁気ディスクをもつて調製する戸籍の附票の除票にあつては、記録。以下同じ。）をする。

＊本条＝追加〔令元・五法一六〕

㊟次条中、点線の左側は、令和五年六月九日から起算して二年を超えない範囲内において政令で定める日から施行となる。

（戸籍の附票の除票の写しの交付）

第二十一条の三　市町村が保存する戸籍の附票の除票に記載されている者又はその配偶者、直系尊属若しくは直系卑属は、当該市町村の市町村長に対し、これらの者に係る戸籍の附票の除票の写し（第二十一条第二項の規定により磁気ディスクをもつて戸籍の附票の除票を調製している市町村にあつては、当該戸籍の附票の除票に記録されている事項を記載した書類。次項及び第三項並びに第四十六条第二号において同じ。）の交付を請求することができる。

2　国又は地方公共団体の機関は、法令で定める事務の遂行のために必要である場合には、市町村長に対し、当該市町村が保存する戸籍の附票の除票の写しで第十七条第七号に掲げる事項の記載を省略したものの交付を請求することができる。

3　市町村長は、前二項の規定によるもののほか、当該市町村が保存する戸籍の附票の除票について、次に掲げる者から、当該戸籍の附票の除票の写しで第十七条第二号から第六号までに掲げる事項のみが表示されたものが必要である旨の申出があり、かつ、当該申出を相当と認めるときは、当該申出をする者に当該戸籍の附票の除票の写しを交付することができる。

一　自己の権利を行使し、又は自己の義務を履行するために戸籍の附票の除票の記載事項を確認する必要がある者

二　国又は地方公共団体の機関に提出する必要がある者

三　前二号に掲げる者のほか、戸籍の附票の除票の記載事項を利用する正当な理由がある者

4　市町村長は、前三項の規定によるもののほか、当該市町村が保存する戸籍の附票の除票について、第十二条の三第三項に規定する特定事務受任者から、受任している事件又は事務の依頼者が前項各号に掲げる者に該当することを理由として、同項に規定する戸籍の附票の除票の写しが必要である旨の申出があり、かつ、当該申出を相当と認めるときは、当該特定事務受任者に当該戸籍の附票の除票の写しを交付することができる。

5　第十二条第二項から第七項までの規定は第一項の請求について、第十二条の二第二項から第五項までの規定は第二項の請求について、第十二条の三第四項から第九項までの

規定は前二項の申出について、それぞれ準用する。この場合において、これらの規定中「総務省令」とあるのは「総務省令・法務省令」と、「住民票の写し又は住民票記載事項証明書」とあるのは「戸籍の附票の除票の写し」と読み替えるほか、次の表の上欄に掲げる規定中同表の中欄に掲げる字句は、それぞれ同表の下欄に掲げる字句に読み替えるものとする。

第十二条第二項第三号	氏名	氏名その他の当該請求に係る戸籍の附票の除票を特定するために必要な事項
第十二条第五項	第一項	第二十一条の三第一項
	住民票の写し	戸籍の附票の除票の写し
	第七条第四号、第五号及び第八号の二から第十四号までに掲げる	第十七条第一号、及び第第七号に掲七号及び第八号げる事項並びに第十七条の二第一項の規定により記載された
	同項	第二十一条の三第一項
第十二条第七項	同項	第二十一条の三第一項
第十二条の二第二項第三号	住所	住所その他の当該請求に係る戸籍の附票の除票を特定するために必要な事項
第十二条の二第四項	第一項	第二十一条の三第二項
	住民票の写し	戸籍の附票の除票の写し
	第七条第四号、第五号、第九号から第十二号まで及び第十四号に掲げる	第十七条第一号に掲及びげる事項及び第八号に掲げる事項並びに第十七条の二第一項の規定により記載された
	同項	第二十一条の三第二項
第十二条の二第五項	同項	第二十一条の三第二項
第十二条の三第四項第三号	住所	住所その他の当該申出に係る戸籍の附票の除票を特定するために必要な事項
第十二条の三第四項第四号	第一項	第二十一条の三第三項
第十二条の三第七項	基礎証明事項のほか基礎証明事項以外の事項（第七条第八号の二及び第十三号に掲げる事項を除く。以下この項において同じ。）の全部若しくは一部が表示された住民票の写し又は基礎証明事項のほか基礎証明事項以外の事項の全部若しくは一部を記載した住民票記載事項証明書	第十七条第二号から第六号までに掲げる事項のほか同条第一号に掲げる事項及び及び第八号に掲げる事項並びに第十七条の二第一項の規定により記載された事項の全部又は一部が表示された第二十一条の三第一項に規定する戸籍の附票の除票の写し
第十二条の三第八項及び第九項	第一項に	第二十一条の三第三項に

＊本条―追加〔令元・五法一六〕、五項―一部改正〔令五・六法四八〕

第四章　届出

（住民としての地位の変更に関する届出の原則）

第二十一条の四　住民[1]としての地位の変更に関する届出は、全て[2]この章及び第四章の四に定める届出によつて行うものとする。

＊本条―一部改正〔平二一・七法七七〕、一部改正・旧二一条―二一条の四に繰下〔令元・五法一六〕

【参照条文】

※法一・二・二二～三〇・三〇の四六～三〇の四八　選挙法二一1　国保法九14　年金法一二3　高齢者の医療の確保に関する法律五四10　介護保険法一二5　児童手当法則八

【注釈】

1）○「住民としての地位の変更に関する届出」とは、市町村の住民の住所又は世帯若しくは世帯主の変更及びこれらに伴う住民の権利又は義務の異動その他の住民としての地位の変更に関する市町村長、その他市町村の執行機関に対する届出その他の行為をいう。

2）○「この章及び第四章の四に定める届出」とは、転入届、転居届、転出届及び世帯変更届並びに本法第四章の四に定める中長期在留者等が住所を定めた場合の転入届の特例、住所を有する者が中長期在留者となった場合の特例及び外国人住民の世帯主との続柄の変更の届出のことをいう。

（転入届）

第二十二条　転入[1]（新たに市町村の区域内に住所を定めることをいい、出生による場合を除く。以下この条及び第三十条の四十六において同じ。）をした者は、転入をした日から十四日以内に、次に掲げる事項（いずれの市町村においても住民基本台帳に記録されたことがない者にあつては、第一号から第五号まで及び第七号に掲げる事項）を市町村長に届け出なければならない。

一　氏名
二　住所
三　転入[2]をした年月日
四　従前[3]の住所
五　世帯主についてはその旨、世帯主でない者については世帯主の氏名及び世帯主との続柄
六　転入前の住民票コード（転入をした者につき直近に住民票の記載をした市町村長が、当該住民票に直近に記載した住民票コードをいう。）
七　国外から転入[1]をした者その他政令で定める者については、前各号に掲げる事項のほか政令で定める事項

2　前項の規定による届出をする者（同項第七号の者を除く。）は、住所の異動に関する文書で政令で定めるものを添えて、同項の届出をしなければならない。

＊一・二項―一部改正〔平一一・八法一三三〕、一項―一部改正〔平二一・七法七七〕

【参照条文】

※法附則六　令二二～二四　規則五二1

【注釈】

1）○「転入」とは、新たに市町村の区域内に住所を定めることをいい、出生による場合を除くものである。

2）○「転入をした年月日」とは、新たに市町村の区域内に住所を定めた年月日をいう。

3）○「従前の住所」とは、その市町村の区域内に住所を定める従前の住所地をいい、原則として転出証明書に記載された旧住所地と一致するものである。

（転居届）

第二十三条　転居[1]（一の市町村の区域内において住所を変更することをいう。以下この条において同じ。）をした者は、転居をした日から十四日以内に、次に掲げる事項を市町村長に届け出なければならない。

一　氏名
二　住所
三　転居[1]をした年月日
四　従前の住所
五　世帯主についてはその旨、世帯主でない者については世帯主の氏名及び世帯主との続柄

【参照条文】

規則五二1

【注釈・運用】

1）○「転居」とは、一の市町村の区域内において住所を変更することをいう。

※○アパート、マンション等の高層建築物に住んでいて、住民票に「○○アパート一号室」と記載されている者が、同アパート三号室に部屋替えした場合でも、転居届をしなければならない。

（転出届）

第二十四条　転出[1]をする者は、あらかじめ、その氏名、転出先[2]及び転出[3]の予定年月日を市町村長に届け出なければならない。

＊本条―一部改正〔令元・五法一六〕

【参照条文】

※令二三・二四　法附則六
規則五二1

【注釈・運用】

1）○「転出」とは、市町村の区域外に住所を移すことをいう。

2）○「あらかじめ」とは、転出することが確定した後その住所を去るまでの間をいい、急に住所を異動することが決定し、その住所を去るまでの間に届出をする暇がないような場合で、転出後十四日以内に届出をしたものも含む。

3）○「転出の予定年月日」とは、転出届を行なう際に予定している転出の日をいう。

※ ○転出証明書の交付を受けた者で、転出証明書を亡失し、滅失し、汚損し、又は破損したときは、その再交付を受けることができる。

（個人番号カードの交付を受けている者等に関する転入届の特例）

第二十四条の二 個人番号カードの交付を受けている者が転出届（前条の規定による届出をいう。以下この条において同じ。）をした場合においては、最初の転入届（当該転出届をした日後その者が最初に行う第二十二条第一項の規定による届出をいう。以下この条において同じ。）については、第二十二条第二項の規定は、適用しない。ただし、政令で定める場合にあつては、この限りでない。

2 個人番号カードの交付を受けている世帯主が行う当該世帯主に関する転出届に併せて、その世帯に属する他の者（以下この項及び第二十六条において「世帯員」という。）であつて個人番号カードの交付を受けていないものが転出届をした場合においては、最初の世帯員に関する転入届（当該転出届をした日後当該世帯員が最初に行う第二十二条第一項の規定による届出であつて、当該世帯主が当該世帯主に関する最初の転入届に併せて第二十六条第一項又は第二項の規定により当該世帯員に代わつて行うものをいう。以下この条において同じ。）については、第二十二条第二項の規定は、適用しない。ただし、政令で定める場合にあつては、この限りでない。

3 前二項の規定による転出届を受けた市町村長は、政令で定める事項を前条の規定により届け出られた転出先に係る市町村の長（以下この条において「転入予定地市町村長」という。）に通知しなければならない。

4 転入予定地市町村長は、第一項又は第二項の規定による転出届をした者が当該転入予定地市町村長に最初の転入届又は最初の世帯員に関する転入届（次項において「最初の転入届等」という。）をすることなく、前項の規定による通知があつた日から政令で定める期間が経過したときは、同項の規定により通知された事項を消去しなければならない。

5 最初の転入届等を受けた市町村長（以下この条において「転入地市町村長」という。）が第三項の規定による通知を受けていない場合又は同項の規定により通知された事項を前項の規定により消去している場合には、当該転入地市町村長は、最初の転入届等を受けた旨を当該最初の転入届等に係る転出届を受けた市町村長（以下この条において「転出地市町村長」という。）に通知しなければならない。

6 転出地市町村長は、前項の規定による通知があつたときは、第三項に規定する事項を転入地市町村長に通知しなければならない。

7 第三項の規定による通知は、総務省令で定めるところにより、第一項又は第二項の規定による転出届を受けた市町村長の使用に係る電子計算機から電気通信回線を通じて相手方である転入予定地市町村長の使用に係る電子計算機に送信することによつて、前二項の規定による通知は、総務省令で定めるところにより、転入地市町村長又は転出地市町村長の使用に係る電子計算機から電気通信回線を通じて相手方である転出地市町村長又は転入地市町村長の使用に係る電子計算機に送信することによつて、それぞれ行うものとする。

＊本条―追加〔平一一・八法一三三〕、一・五項―一部改正〔平一一・一二法一六〇〕、見出し・一～三項―一部改正〔平二一・七法七七〕、見出し・一・二項―一部改正〔平二五・五法二八〕、三・四項―追加・旧三～五項―一部改正し二項ずつ繰下〔令三・五法三七〕

【参照条文】法二四 令二四の二・二四の三 規則六・七

（世帯変更届）

第二十五条 第二十二条第一項及び第二十三条の場合を除くほか、その属する世帯又はその世帯主に変更があつた者（政令で定める者を除く。）は、その変更があつた日から十四日以内に、その氏名、変更があつた事項及び変更があつた年月日を市町村長に届け出なければならない。

＊本条―一部改正〔平一一・八法一三三、平二一・七法七七〕

【参照条文】

※ 法二二～二四 令二五 規則五―1

【注　釈】

※ ○世帯変更届は、新たに世帯を設けた場合、他の世帯に属することとなつた場合及び世帯主を変更した場合で、住所の異動を伴わない場合に行う。

（世帯主が届出を行う場合）

第二十六条 世帯主は、世帯員に代わつて、この章又は第四章の四の規定による届出をすることができる。

2 世帯員がこの章又は第四章の四の規定による届出をすることができないときは、世帯主が世帯員に代わつて、その届出をしなければならない。

＊一項—一部改正〔平一一・八法一三三〕、二項—一部改正〔平二一・七法七七〕、一・二項—一部改正〔令元・五法一六〕

【参照条文】

※法二二〜二四・二五

【注釈・運用】

1）○「この章又は第四章の四の規定による届出」とは、転入届、転居届、転出届及び世帯変更届並びに本法第四章の四に定める中長期在留者等が住所を定めた場合の転入届の特例、住所を有する者が中長期在留者となった場合の特例及び外国人住民の世帯主との続柄の変更の届出のことをいう。

2）○「世帯員がこの章（注・第四章）又は第四章の四の規定による届出をすることができないとき」とは、幼児等単独で届出をするに必要な能力すなわち意思能力を欠く者であるとき、病気又はその他の不可抗力な事由により届出をすることができないとき等をいう。

※○代理人による届出については、届出義務者の法定代理人であると、委任代理人であるとを問わず有効である。

※○届出義務者でないものからの届出は、適法な届出ではないが、市町村長は、この届出を資料として、職権で住民票の記載等をすることができる。

（届出の方式等）

第二十七条　この章又は第四章の四の規定による届出は、政令で定めるところにより、書面でしなければならない。

2　市町村長は、この章又は第四章の四の規定による届出がされる場合において、現に届出の任に当たつている者に対し、総務省令で定めるところにより、当該届出の任に当たつている者が本人であるかどうかの確認をするため、当該届出の任に当たつている者を特定するために必要な氏名その他の総務省令で定める事項を示す書類の提示若しくは提出又はこれらの事項についての説明を求めるものとする。

3　前項の場合において、市町村長は、現に届出の任に当たつている者が、届出をする者の代理人であるときその他届出をする者と異なる者であるとき（現に届出の任に当たつている者が届出をする者と同一の世帯に属する者であるときを除く。）は、当該届出の任に当たつている者に対し、総務省令で定めるところにより、届出をする者の依頼により又は法令の規定により当該届出の任に当たるものであることを明らかにするために必要な事項を示す書類の提示若しくは提出又は当該事項についての説明を求めるものとする。

＊見出し—全改・二・三項—追加〔平一九・六法七五〕、一・二項—一部改正〔平二一・七法七七、令元・五法一六〕

【参照条文】

※法二二〜二四・二五　令二六・三四　規則八〜八の三

【注釈・運用】

1）○「この章（注・第四章）又は第四章の四の規定による届出」とは、転入届、転居届、転出届及び世帯変更届をいう。

※○届出書には、法令等によつて統合されている届出のみでなく、その市町村において住民の便宜のために適当と認める事項、例えば、上水道敷設の申込、し尿処理の申出等一の事由に基づく届出等をできるだけ一つにとりまとめることが適当である。

（国民健康保険の被保険者である者に係る届出の特例）

第二十八条　この章又は第四章の四の規定による届出をすべき者が国民健康保険の被保険者であるときは、その者は、当該届出に係る書面に、その資格を証する事項で政令で定めるものを付記するものとする。

＊本条—一部改正〔平二一・七法七七、令元・五法一六〕

【参照条文】

※法二二〜二四・二五　令二七・三〇　国保法五・六・九

【注釈・運用】

1）○「国民健康保険の被保険者」とは、市町村の区域に住所を有し、かつ、国民健康保険法第六条の規定に該当しない者をいう。

※○職業については、詳細に記す必要はなく、国民健康保険法第六条の規定に該当していないことがわかる程度の記入をすればよい。

（後期高齢者医療の被保険者である者に係る届出の特例）

第二十八条の二　この章又は第四章の四の規定による届出をすべき者が後期高齢者医療の被保険者であるときは、その者は、当該届出に係る書面に、その資格を証する事項で政令で定めるものを付記するものとする。

＊本条—追加〔平一八・六法八三〕、一部改正〔平二一・七法七七、令元・五法一六〕

【参照条文】

※法二二〜二四・二五　令二七の二・三〇　高齢者の医療の確保に関する法律五四

（介護保険の被保険者である者に係る届出の特例）

第二十八条の三　この章又は第四章の四の規定による届出をすべき者が介護保険の被保険者であるときは、その者は、当該届出に係る書面に、その資格を証する事項で政令で定めるものを付記するものとする。

＊本条—追加〔平九・一二法一二四〕、旧二八条の二—二八条の三に繰下〔平一八・六法八三〕、一部改正〔平一一・七法七七、令元・五法一六〕

【参照条文】
法二二～二四・二五　令二七の三・三〇　介護保険法一二

（国民年金の被保険者である者に係る届出の特例）

第二十九条　この章又は第四章の四の規定による届出をすべき者が国民年金の被保険者であるときは、その者は、当該届出に係る書面に、その資格を証する事項その他必要な事項で政令で定めるものを付記するものとする。

＊本条—一部改正〔平一一・七法七七、令元・五法一六〕

【参照条文】
※法二二～二四・二五　令二八・三〇　年金法一二

【注　釈】
1）○「国民年金の被保険者」とは、国民年金法第七条第一号に規定する第一号被保険者及び同法附則第五条の規定による任意加入被保険者をいう。

（児童手当の支給を受けている者に係る届出の特例）

第二十九条の二　この章又は第四章の四の規定による届出をすべき者が児童手当の支給を受けている者であるときは、その者は、当該届出に係る書面に、その受給資格に関する事項で政令で定めるものを付記するものとする。

＊本条—追加〔昭四六・五法七三〕、一部改正〔平一一・七法七七、令元・五法一六〕

【参照条文】
※法二二～二四・二五　令二九・三〇　児童手当法則八

（米穀の配給を受ける者に係る届出の特例）

第三十条　この章又は第四章の四の規定による届出をすべき者が米穀の配給を受ける者であるときは、その者は、当該届出に係る書面に、米穀の配給に関する事項で政令で定めるものを付記するものとする。

＊本条—一部改正〔昭五六・六法八一、平一一・七法七七、令元・五法一六〕

【参照条文】
※法二二～二四・二五　主要食糧の需給及び価格の安定に関する法律四〇

【注　釈】
1）○「米穀の配給を受ける者」とは、主要食糧の需給及び価格の安定に関する法律第八三条〔現—第四〇条〕第一項の規定に基づく政令の規定により米穀の配給が実施される場合におけるその配給に基づき米穀の配給を受ける者で政令で定めるものをいう。

第四章の二　本人確認情報の処理及び利用等

＊本章—追加〔平一一・八法一三三〕

第一節　住民票コード

＊本節—追加〔平一一・八法一三三〕

（住民票コードの指定）

第三十条の二　機構は、総務省令で定めるところにより、市町村長ごとに、当該市町村長が住民票に記載することのできる住民票コードを指定し、これを当該市町村長に通知するものとする。

2　機構は、前項の規定による住民票コードの指定を行う場合には、市町村長に対して指定する住民票コードが当該指定前に指定した住民票コードと重複しないようにしなければならない。

＊本条—追加〔平二五・五法二八〕、一項—一部改正〔令元・五法一七〕

【参照条文】
規則九

（住民票コードの記載等）

第三十条の三　市町村長は、次項に規定する場合を除き、住民票の記載をする場合には、当該記載に係る者につき直近に住民票の記載をした市町村長が当該住民票に直近に記載した住民票コードを記載するものとする。

2　市町村長は、新たにその市町村の住民基本台帳に記録されるべき者につき住民票の記載をする場合において、その者がいずれの市町村においても住民基本台帳に記録されたことがない者であるときは、その者に係る住民票に前条第一項の規定により機構から指定された住民票コードのうちから選択するいずれか一の住民票コードを記載するものとする。この場合において、市町村長は、当該記載に係る者以外の者に係る住民票に記載した住民票コードと異なる住民票コードを選択して記載するものとする。

3　市町村長は、前項の規定により住民票コードを記載したときは、速やかに、当該記載に係る者に対し、その旨及び当該住民票コードを書面により通知しなければならない。

＊本条—追加〔平一一・八法一三三〕、二項—一部改正・旧三〇条の二—三〇条の三に繰下〔平二五・五法二八〕

【参照条文】
令三〇の二・三〇の四　規則一

住基法

（住民票コードの記載の変更請求）

第三十条の四　住民基本台帳に記録されている者は、その者が記録されている住民基本台帳を備える市町村の市町村長に対し、その者に係る住民票に記載されている住民票コードの記載の変更を請求することができる。

２　前項の規定による住民票コードの記載の変更の請求（以下この条において「変更請求」という。）をしようとする者は、政令で定めるところにより、その旨その他総務省令で定める事項を記載した変更請求書を、その者が記録されている住民基本台帳を備える市町村の市町村長に提出しなければならない。

３　市町村長は、前項の変更請求書の提出があつた場合には、当該変更請求をした者に係る住民票に従前記載されていた住民票コードに代えて、第三十条の二第一項の規定により機構から指定された住民票コードのうちから選択するいずれか一の新たな住民票コードをその者に係る住民票に記載するものとする。この場合において、市町村長は、当該記載に係る者以外の者に係る住民票に記載した住民票コードと異なる住民票コードを選択して記載するものとする。

４　市町村長は、前項の規定により新たな住民票コードを記載したときは、速やかに、当該変更請求をした者に対し、住民票コードの記載の変更をした旨及び新たに記載された住民票コードを書面により通知しなければならない。

＊本条—追加〔平一一・八法一三三〕、二項—一部改正〔平一一・一二法一六〇〕、三項—一部改正・旧三〇条の三—三〇条の四に繰下〔平二五・五法二八〕

【参照条文】　令三〇の三　規則九の二・一〇・五二1

（政令への委任）

第三十条の五　前三条に定めるもののほか、住民票コードの記載に関し必要な事項は、政令で定める。

＊本条—追加〔平一一・八法一三三〕、一部改正・旧三〇条の四—三〇条の五に繰下〔平二五・五法二八〕

【参照条文】　令三〇の四

第二節　本人確認情報の通知及び保存等

＊本節—追加〔平二五・五法二八〕

（市町村長から都道府県知事への本人確認情報の通知等）

第三十条の六　市町村長は、住民票の記載、消除又は第七条第一号から第三号まで、第七号、第八号の二及び第十三号に掲げる事項（同条第七号に掲げる事項については、住所とする。以下この項において同じ。）の全部若しくは一部についての記載の修正を行つた場合には、当該住民票の記載等に係る本人確認情報（住民票に記載されている同条第一号から第三号まで、第七号、第八号の二及び第十三号に掲げる事項（住民票の消除を行つた場合には、当該住民票に記載されていたこれらの事項）並びに住民票の記載等に関する事項で政令で定めるものをいう。以下同じ。）を都道府県知事に通知するものとする。

２　前項の規定による通知は、総務省令で定めるところにより、市町村長の使用に係る電子計算機から電気通信回線を通じて都道府県知事の使用に係る電子計算機に送信することによつて行うものとする。

３　第一項の規定による通知を受けた都道府県知事は、総務省令で定めるところにより、当該通知に係る本人確認情報を磁気ディスクに記録し、これを当該通知の日から政令で定める期間保存しなければならない。

４　都道府県知事は、前項の規定により都道府県知事が保存する本人確認情報であつて同項の規定による保存期間が経過していないもの（以下「都道府県知事保存本人確認情報」という。）の全部又は一部が滅失したときは、当該都道府県知事保存本人確認情報の回復に必要な措置を講じなければならない。

＊本条—追加〔平一一・八法一三三〕、二・三項—一部改正〔平一一・一二法一六〇〕、見出し・一項—一部改正・旧三〇条の五—三〇条の六に繰下〔平二五・五法二八〕、四項—追加〔令元・五法一六〕

【参照条文】　令三〇の五・三〇の六・三四　規則一一～一三

（都道府県知事から機構への本人確認情報の通知等）

第三十条の七　都道府県知事は、前条第一項の規定による通知に係る本人確認情報を、機構に通知するものとする。

２　前項の規定による通知は、総務省令で定めるところにより、都道府県知事の使用に係る電子計算機から電気通信回線を通じて機構の使用に係る電子計算機に送信することによつて行うものとする。

３　第一項の規定による通知を受けた機構は、総務省令で定めるところにより、当該通知に係る本人確認情報を磁気ディスクに記録し、これを当該通知の日から政令で定める期間保存しなければならない。

４　機構は、前項の規定により機構が保存する本人確認情報であつて同項の規定による保存期間が経過していないもの（以下「機構保存本人確認情報」という。）の全部又は一部が滅失したときは、当該機構保存本人確認情報の回復に必要な措置を講じなければならない。

＊本条—追加〔平二五・五法二八〕、四項—追加〔令元・五法一六〕

【参照条文】
令三〇の七　規則一四・一五

（本人確認情報の誤りに関する機構の通報）
第三十条の八　機構は、その事務を管理し、又は執行するに当たつて、都道府県知事保存本人確認情報に誤りがあることを知つたときは、遅滞なく、その旨を当該都道府県知事に通報するものとする。

＊本条—追加〔平二五・五法二八〕、一部改正〔令元・五法一六〕

第三節　本人確認情報の提供及び利用等

＊本節—追加〔平二五・五法二八〕

（国の機関等への本人確認情報の提供）
第三十条の九　機構は、別表第一の上欄に掲げる国の機関又は法人から同表の下欄に掲げる事務の処理に関し求めがあつたときは、政令で定めるところにより、機構保存本人確認情報のうち住民票コード以外のものを提供するものとする。ただし、個人番号については、当該同表の上欄に掲げる国の機関又は法人が番号利用法第九条第一項の規定により個人番号を利用することができる場合に限り、提供するものとする。

＊本条—追加〔平二五・五法二八〕、一部改正〔令元・五法一六〕

【参照条文】
令三〇の八　規則一六

（デジタル庁への住民票コードの提供）
第三十条の九の二　機構は、デジタル庁から番号利用法第二十一条第二項又は第二十一条の二第一項（これらの規定を番号利用法第二十六条において準用する場合を含む。）の規定による事務の処理に関し求めがあつたときは、政令で定めるところにより、当該求めに係る者の住民票に記載された住民票コードを提供するものとする。
2　機構は、前項又は第三十条の四十四の二の規定により提供した住民票コードが記載された住民票について当該住民票コードの記載の修正が行われたことを知つたときは、デジタル庁に対し、修正前及び修正後の住民票コードを提供するものとする。
3　前二項に規定する場合において、機構は、機構保存本人確認情報を利用することができる。

＊本条—追加〔平二五・五法二八〕、一・二項—一部改正〔令元・五法一六〕、見出し・一・二項—一部改正〔令三・五法三六〕

（通知都道府県の区域内の市町村の執行機関への本人確認情報の提供）
第三十条の十　機構は、次の各号のいずれかに該当する場合には、政令で定めるところにより、本人確認情報を第三十条の七第一項の規定により通知した都道府県知事が統括する都道府県（以下「通知都道府県」という。）の区域内の市町村の市町村長その他の執行機関に対し、機構保存本人確認情報（第一号から第三号までに掲げる場合にあつては、住民票コードを除く。）を提供するものとする。ただし、第一号に掲げる場合にあつては、個人番号については、当該市町村長その他の市町村の執行機関が番号利用法第九条第一項の規定により個人番号を利用することができる場合に限り、提供するものとする。
一　通知都道府県の区域内の市町村の市町村長その他の執行機関であつて別表第二の上欄に掲げるものから同表の下欄に掲げる事務の処理に関し求めがあつたとき。
二　通知都道府県の区域内の市町村の市町村長その他の執行機関から番号利用法第九条第二項の規定に基づき条例で定める事務の処理に関し求めがあつたとき。
三　通知都道府県の区域内の市町村の市町村長から番号利用法第十七条第一項の規定に基づき国外転出者に係る個人番号カードの交付に関する事務の処理に関し求めがあつたとき。
四　通知都道府県の区域内の市町村の市町村長から住民基本台帳に関する事務の処理に関し求めがあつたとき。
2　前項（第四号に係る部分に限る。）の規定による通知都道府県の区域内の市町村の市町村長への機構保存本人確認情報の提供は、総務省令で定めるところにより、機構の使用に係る電子計算機から電気通信回線を通じて当該市町村長の使用に係る電子計算機に送信することによつて行うものとする。ただし、特別の求めがあつたときは、この限りでない。

＊本条—追加〔平二五・五法二八〕、一部改正〔平二七・九法六五、令元・五法一六〕

【参照条文】
令三〇の九　規則一七・二〇

（通知都道府県以外の都道府県の執行機関への本人確認情報の提供）
第三十条の十一　機構は、次の各号のいずれかに該当する場合には、政令で定めるところにより、通知都道府県以外の都道府県の都道府県知事その他の執行機関に対し、機構保存本人確認情報（第一号及び第二号に掲げる場合にあつては、住民票コードを除く。）を提供するものとする。ただし、第一号に掲げる場合にあつては、個人番号については、当該都道府県知事その他の都道府県の執行機関が番号利用法第九条第一項の規定により個人番号を利用することができる場合に限り、提供するものとする。

一　通知都道府県以外の都道府県の都道府県知事その他の執行機関であつて別表第三の上欄に掲げるものから同表の下欄に掲げる事務の処理に関し求めがあつたとき。

二　通知都道府県以外の都道府県の都道府県知事その他の執行機関から番号利用法第九条第二項の規定に基づき条例で定める事務の処理に関し求めがあつたとき。

三　通知都道府県以外の都道府県の都道府県知事から第三十条の二十二第二項の規定による事務の処理に関し求めがあつたとき。

2　前項（第三号に係る部分に限る。）の規定による通知都道府県以外の都道府県の都道府県知事への機構保存本人確認情報の提供は、総務省令で定めるところにより、機構の使用に係る電子計算機から電気通信回線を通じて当該都道府県知事の使用に係る電子計算機に送信することによつて行うものとする。ただし、特別の求めがあつたときは、この限りでない。

＊本条―追加〔平二五・五法二八〕、一部改正〔平二七・九法六五〕

【参照条文】
令三〇の一〇　規則一八・二〇の二

（通知都道府県以外の都道府県の区域内の市町村の執行機関への本人確認情報の提供）

第三十条の十二　機構は、次の各号のいずれかに該当する場合には、政令で定めるところにより、通知都道府県以外の都道府県の区域内の市町村の市町村長その他の執行機関に対し、機構保存本人確認情報（第一号から第三号までに掲げる場合にあつては、住民票コードを除く。）を提供するものとする。ただし、第一号に掲げる場合にあつては、個人番号については、当該市町村長その他の市町村の執行機関が番号利用法第九条第一項の規定により個人番号を利用することができる場合に限り、提供するものとする。

一　通知都道府県以外の都道府県の区域内の市町村の市町村長その他の執行機関であつて別表第四の上欄に掲げるものから通知都道府県以外の都道府県の都道府県知事を経て同表の下欄に掲げる事務の処理に関し求めがあつたとき。

二　通知都道府県以外の都道府県の区域内の市町村の市町村長その他の執行機関から番号利用法第九条第二項の規定に基づき条例で定める事務の処理に関し求めがあつたとき。

三　通知都道府県以外の都道府県の区域内の市町村の市町村長から番号利用法第十七条第一項の規定に基づき国外転出者に係る個人番号カードの交付に関する事務の処理に関し求めがあつたとき。

四　通知都道府県以外の都道府県の区域内の市町村の市町村長から通知都道府県以外の都道府県の都道府県知事を経て住民基本台帳に関する事務の処理に関し求めがあつたとき。

2　前項（第四号に係る部分に限る。）の規定による通知都道府県以外の都道府県の区域内の市町村の市町村長への機構保存本人確認情報の提供は、総務省令で定めるところにより、機構の使用に係る電子計算機から電気通信回線を通じて当該市町村長の使用に係る電子計算機に送信することによつて行うものとする。ただし、特別の求めがあつたときは、この限りでない。

＊本条―追加〔平二五・五法二八〕、一部改正〔平二七・九法六五、令元・五法一六〕

【参照条文】
令三〇の一一　規則一九・二〇の三

（都道府県の条例による本人確認情報の提供）

第三十条の十三　都道府県知事は、当該都道府県の区域内の市町村の市町村長その他の執行機関であつて条例で定めるものから条例で定める事務の処理に関し求めがあつたときは、条例で定めるところにより、当該市町村長その他の市町村の執行機関に対し、都道府県知事保存本人確認情報（住民票コード及び個人番号を除く。以下この条において同じ。）を提供するものとする。

2　都道府県知事は、他の都道府県の都道府県知事その他の執行機関であつて条例で定めるものから条例で定める事務の処理に関し求めがあつたときは、条例で定めるところにより、当該都道府県知事その他の都道府県の執行機関に対し、都道府県知事保存本人確認情報を提供するものとする。

3　都道府県知事は、他の都道府県の区域内の市町村の市町村長その他の執行機関であつて条例で定めるものから他の都道府県の都道府県知事を経て条例で定める事務の処理に関し求めがあつたときは、条例で定めるところにより、当該市町村長その他の市町村の執行機関に対し、都道府県知事保存本人確認情報を提供するものとする。

＊本条―追加〔平二五・五法二八〕、一部改正〔平二七・九法六五〕

（市町村の条例による本人確認情報の提供）

第三十条の十四　市町村長は、他の市町村の市町村長その他の執行機関であつて条例で定めるものから条例で定める事務の処理に関し求めがあつたときは、条例で定めるところにより、当該市町村長その他の市町村の執行機関に対し、本人確認情報（住民票コード及び個人番号を除く。）を提供するものとする。

＊本条—追加〔平一一・八法一三三〕、一部改正・旧三〇条の六—三〇条の一四に繰下〔平二五・五法二八〕、一部改正〔平二七・九法六五〕

（本人確認情報の利用）

第三十条の十五　都道府県知事は、次の各号のいずれかに該当する場合には、都道府県知事保存本人確認情報（住民票コードを除く。次項並びに次条第二項及び第三項において同じ。）を利用することができる。ただし、個人番号については、当該都道府県知事が番号利用法第九条第一項又は第二項の規定により個人番号を利用することができる場合に限り、利用することができるものとする。

一　別表第五に掲げる事務を遂行するとき。

二　条例で定める事務を遂行するとき。

三　本人確認情報の利用につき当該本人確認情報に係る本人が同意した事務を遂行するとき。

四　統計資料の作成を行うとき。

2　都道府県知事は、次の各号のいずれかに該当する場合には、第一号に掲げる場合にあつては政令で定めるところにより、第二号に掲げる場合にあつては条例で定めるところにより、都道府県知事以外の当該都道府県の執行機関に対し、都道府県知事保存本人確認情報を提供するものとする。ただし、個人番号については、当該都道府県の執行機関が番号利用法第九条第一項又は第二項の規定により個人番号を利用することができる場合に限り、提供するものとする。

一　都道府県知事以外の当該都道府県の執行機関であつて別表第六の上欄に掲げるものから同表の下欄に掲げる事務の処理に関し求めがあつたとき。

二　都道府県知事以外の当該都道府県の執行機関であつて条例で定めるものから条例で定める事務の処理に関し求めがあつたとき。

3　機構は、機構保存本人確認情報を、第三十条の四十二第四項又は第三十条の四十四の十一第三項の規定による事務に利用することができる。

4　機構は、機構保存本人確認情報（個人番号を除く。）を、電子署名等に係る地方公共団体情報システム機構の認証業務に関する法律（平成十四年法律第百五十三号）第八条、第十一条、第十二条、第十三条、第十五条第二項、第十六条の七、第十六条の十、第十六条の十一、第十六条の十四第二項、第十八条第四項及び第五項、第二十七条、第三十条、第三十一条、第三十四条第二項、第三十五条の七、第三十五条の十、第三十五条の十四第二項並びに第三十七条第三項の規定による事務に利用することができる。

5　機構は、機構保存本人確認情報を、番号利用法第八条第二項及び第十六条の二の規定による事務その他の番号利用法第三十八条の二第一項に規定する機構処理事務のうち総務省令で定めるものに利用することができる。

＊本条—追加〔平一一・八法一三三〕、見出し—一部改正・三・四項—追加〔平一四・一二法一五三〕、見出し・一・四項—一部改正・二・三項全改・四項—削る・旧五項—四項に繰上〔平二五・五法二八〕、四項—一部改正〔平二九・五法三六〕、三項—追加・旧三項—四項に繰下・旧四項—五項に繰下〔令元・五法一六〕、旧三・四項（新四・五項）—一部改正〔令三・五法三七〕、一・新三項—一部改正〔令五・六法四八〕

【参照条文】

令三〇の一二　規則二一・二一の二

（準法定事務処理者への本人確認情報の提供等）

第三十条の十五の二　機構は、国の機関若しくは別表第一の上欄に掲げる法人、市町村長その他の市町村の執行機関又は通知都道府県以外の都道府県の都道府県知事その他の執行機関であつて、準法定事務（別表第一から別表第四までの各項の下欄、別表第五各号及び別表第六の各項の下欄に掲げる事務（以下この項において「別表事務」という。）に準ずる事務（個別の法律の規定に基づく事務を除き、番号利用法第九条第一項の規定により個人番号を利用することができる事務であつて当該事務の性質が当該別表事務と同一であることその他政令で定める基準に適合するものに限る。）をいう。以下同じ。）のうち総務省令で定めるものを処理する者として総務省令で定めるもの（以下「準法定事務処理者」という。）から当該準法定事務の処理に関し求めがあつたときは、政令で定めるところにより、機構保存本人確認情報のうち住民票コード以外のものを提供するものとする。

2　都道府県知事は、準法定事務のうち総務省令で定めるものを遂行するときは、都道府県知事保存本人確認情報を利用することができる。

3　都道府県知事は、都道府県知事以外の当該都道府県の執行機関であつて、準法定事務のうち総務省令で定めるものを処理する者として総務省令で定めるものから当該準法定事務の処理に関し求めがあつたときは、政令で定めるところにより、都道府県知事保存本人確認情報を提供するものとする。

＊ 本条—追加〔令五・六法四八〕

（報告書の公表）

第三十条の十六 機構は、毎年少なくとも一回、第三十条の九、第三十条の九の二及び前条第一項（国の機関又は別表第一の上欄に掲げる法人に限る。（準法定事務処理者）第三十条の二十三、第三十条の二十八第一項及び第三十条の三十第二項において同じ。）への機構保存本人確認情報の提供に係る部分に限る。）の規定による機構保存本人確認情報及び住民票コードの提供の状況について、総務省令で定めるところにより、報告書を作成し、これを公表しなければならない。

＊ 本条—追加〔平二五・五法二八〕、一部改正〔令五・六法四八〕

【参照条文】 規則二二

（本人確認情報管理規程）

第三十条の十七 機構は、この章及び第三十七条第二項の規定により機構が処理することとされている事務（以下「本人確認情報処理事務」という。）の実施に関し総務省令で定める事項について本人確認情報管理規程を定め、総務大臣の認可を受けなければならない。これを変更しようとするときも、同様とする。

2 総務大臣は、前項の規定により認可をした本人確認情報管理規程が本人確認情報処理事務の適正かつ確実な実施上不適当となつたと認めるときは、機構に対し、これを変更すべきことを命ずることができる。

＊ 本条—追加〔平二五・五法二八〕、一項—一部改正〔令元・五法一六〕

【参照条文】 規則二三

（帳簿の備付け）

第三十条の十八 機構は、総務省令で定めるところにより、本人確認情報処理事務に関する事項で総務省令で定めるものを記載した帳簿を備え、保存しなければならない。

＊ 本条—追加〔平二五・五法二八〕

【参照条文】 規則二四

（監督命令等）

第三十条の十九 総務大臣は、本人確認情報処理事務の適正な実施を確保するため必要があると認めるときは、機構に対し、本人確認情報処理事務の実施に関し監督上必要な命令をすることができる。

＊ 本条—追加〔平二五・五法二八〕

（報告及び立入検査）

第三十条の二十 総務大臣は、本人確認情報処理事務の適正な実施を確保するため必要があると認めるときは、機構に対し、本人確認情報処理事務の実施の状況に関し必要な報告を求め、又はその職員に、機構の事務所に立ち入り、本人確認情報処理事務の実施の状況若しくは帳簿、書類その他の物件を検査させることができる。

2 前項の規定により立入検査をする職員は、その身分を示す証明書を携帯し、関係人の請求があつたときは、これを提示しなければならない。

3 第一項の規定による立入検査の権限は、犯罪捜査のために認められたものと解釈してはならない。

＊ 本条—追加〔平二五・五法二八〕

（都道府県知事に対する技術的な助言等）

第三十条の二十一 機構は、都道府県知事に対し、第三十条の六第一項の規定による通知に係る本人確認情報の電子計算機処理（電子計算機を使用して行われる情報の入力、蓄積、編集、加工、修正、更新、検索、消去、出力又はこれらに類する処理をいう。以下同じ。）に関し必要な技術的な助言及び情報の提供を行うものとする。

＊ 本条—追加〔平二五・五法二八〕

（市町村間の連絡調整等）

第三十条の二十二 都道府県知事は、第三十条の六第二項の規定による電気通信回線を通じた本人確認情報の送信その他この章に規定する市町村の事務の処理に関し、当該都道府県の区域内の市町村相互間における必要な連絡調整を行うものとする。

2 都道府県知事は、当該都道府県の区域内の市町村の市町村長に対し、住民基本台帳に住民に関する正確な記録が行われるよう、必要な協力をするものとする。

3 機構は、都道府県知事に対し、当該都道府県の区域内の市町村の住民基本台帳に住民に関する正確な記録が行われるよう、必要な協力をしなければならない。

＊ 本条—追加〔平二五・五法二八〕

（本人確認情報等の提供に関する手数料）

第三十条の二十三 機構は、第三十条の九、第三十条の九の二第一項又は第三十条の十五の二第一項に規定する求めを行う別表第一の上欄に掲げる国の機関若しくは法人若しくは準法定事務処理者又はデジタル庁から、総務大臣の認可を受けて定める額の手数料を徴収することができる。

＊本条—追加〔平二五・五法二八〕、一部改正〔令三・五法三六、令五・六法四八〕

第四節　本人確認情報の保護

＊本節—追加〔平一一・八法一三三〕

（本人確認情報の安全確保）

第三十条の二十四　都道府県知事は、第三十条の六第一項の規定による通知に係る本人確認情報の電子計算機処理等（電子計算機処理又は情報の入力のための準備作業若しくは磁気ディスクの保管をいう。以下同じ。）を行うに当たつては、当該本人確認情報の漏えい、滅失及び毀損の防止その他の当該本人確認情報の適切な管理のために必要な措置を講じなければならない。

2　機構は、第三十条の七第一項の規定による通知に係る本人確認情報の電子計算機処理等を行うに当たつては、当該本人確認情報の漏えい、滅失及び毀損の防止その他の当該本人確認情報の適切な管理のために必要な措置を講じなければならない。

3　前二項の規定は、都道府県知事又は機構から第三十条の六第一項又は第三十条の七第一項の規定による通知に係る本人確認情報の電子計算機処理等の委託（二以上の段階にわたる委託を含む。）を受けた者が受託した業務を行う場合について準用する。

＊本条—追加〔平一一・八法一三三〕、一・二項—一部改正・旧三〇条の二九—三〇条の二四に繰上〔平二五・五法二八〕

（本人確認情報の提供及び利用の制限）

第三十条の二十五　都道府県知事は、第三十条の十三、第三十条の十五第一項若しくは第二項、第三十条の十五の二第二項若しくは第三項又は第三十七条第二項の規定により都道府県知事保存本人確認情報を提供し、又は利用する場合を除き、第三十条の六第一項の規定による通知に係る本人確認情報を提供し、又は利用してはならない。

2　機構は、第三十条の九から第三十条の十二まで、第三十条の十五第三項から第五項まで、第三十条の十五の二第一項又は第三十七条第二項の規定により機構保存本人確認情報又は住民票コードを提供し、又は利用する場合を除き、第三十条の七第一項の規定による通知に係る本人確認情報を提供し、又は利用してはならない。

＊本条—追加〔平一一・八法一三三〕、一・二項—一部改正・旧三〇条の三〇—三〇条の二五に繰上〔平二五・五法二八〕、二項—一部改正〔令元・五法一六〕、一・二項—一部改正〔令五・六法四八〕

（本人確認情報の電子計算機処理等に従事する市町村若しくは都道府県又は機構の職員等の秘密保持義務）

第三十条の二十六　本人確認情報の電子計算機処理等に関する事務に従事する市町村の職員若しくは職員であつた者又は第三十条の六第一項の規定による通知に係る本人確認情報の電子計算機処理等に関する事務に従事する都道府県の職員若しくは職員であつた者は、その事務に関して知り得た本人確認情報に関する秘密又は本人確認情報の電子計算機処理等に関する秘密を漏らしてはならない。

2　市町村長若しくは都道府県知事から本人確認情報若しくは第三十条の六第一項の規定による通知に係る本人確認情報の電子計算機処理等の委託（二以上の段階にわたる委託を含む。）を受けた者若しくはその役員若しくは職員又はこれらの者であつた者は、その委託された業務に関して知り得た本人確認情報に関する秘密又は本人確認情報の電子計算機処理等に関する秘密を漏らしてはならない。

3　機構の役員若しくは職員（地方公共団体情報システム機構法（平成二十五年法律第二十九号）第二十五条第一項に規定する本人確認情報保護委員会の委員を含む。）又はこれらの職にあつた者は、本人確認情報処理事務に関して知り得た秘密を漏らしてはならない。

4　機構から第三十条の七第一項の規定による通知に係る本人確認情報の電子計算機処理等の委託（二以上の段階にわたる委託を含む。）を受けた者若しくはその役員若しくは職員又はこれらの者であつた者は、その委託された業務に関して知り得た本人確認情報に関する秘密又は本人確認情報の電子計算機処理等に関する秘密を漏らしてはならない。

＊本条—追加〔平一一・八法一三三〕、見出し・一・二条—一部改正・三・四項—追加・旧三〇条の三一—三〇条の二六に繰上〔平二五・五法二八〕

（本人確認情報に係る住民に関する記録の保護）

第三十条の二十七　都道府県知事の委託（二以上の段階にわたる委託を含む。）を受けて行う第三十条の六第一項の規定による通知に係る本人確認情報の電子計算機処理等に関する事務に従事している者又は従事していた者は、その事務に関して知り得た事項をみだりに他人に知らせ、又は不当な目的に使用してはならない。

2　機構の委託（二以上の段階にわたる委託を含む。）を受けて行う第三十条の七第一項の規定による通知に係る本人確認情報の電子計算機処理等に関する事務に従事している者又は従事していた者は、その事務に関して知り得た事項をみだりに他人に知らせ、又は不当な目的に使用してはならない。

＊本条—追加〔平一一・八法一三三〕、一部改正・二項—追加・旧三〇条の三二—三〇条の二七に繰上〔平二五・五法二八〕

（受領者等による本人確認情報等の安全確保）

第三十条の二十八　第三十条の九、第三十条の十から第三十条の十四まで、第三十条の十五第二項若しくは第三十条の十五の二第一項若しくは第三項の規定により本人確認情報の提供を受けた市町村長その他の市町村の執行機関、都道府県知事その他の都道府県の執行機関若しくは別表第一の上欄に掲げる国の機関若しくは法人若しくは準法定事務処理者又は第三十条の九の二の規定により住民票コードの提供を受けたデジタル庁（以下「受領者」という。）がこれらの規定により提供を受けた本人確認情報又は住民票コード（以下「受領した本人確認情報等」という。）の電子計算機処理等を行うに当たつては、受領者は、受領した本人確認情報等の漏えい、滅失及び毀損の防止その他の当該受領した本人確認情報等の適切な管理のために必要な措置を講じなければならない。

2　前項の規定は、受領者から受領した本人確認情報等の電子計算機処理等の委託（二以上の段階にわたる委託を含む。）を受けた者が受託した業務を行う場合について準用する。

＊本条—追加〔平一一・八法一三三〕、一・二項—一部改正・旧三〇条の三三—三〇条の二八に繰上〔平二五・五法二八〕、一項—一部改正〔令三・五法三六、令五・六法四八〕

（受領者の本人確認情報等の利用及び提供の制限）

第三十条の二十九　受領者は、その者が処理する事務であつてこの法律の定めるところにより当該事務の処理に関し本人確認情報等（本人確認情報又は住民票コードをいう。次条第二項及び第三項において同じ。）の提供を求めることができることとされているものの遂行に必要な範囲内で、受領した本人確認情報等を利用し、又は提供するものとし、当該事務の処理以外の目的のために受領した本人確認情報等の全部又は一部を利用し、又は提供してはならない。

＊本条—追加〔平一一・八法一三三〕、見出し・本条—一部改正・旧三〇条の三四—三〇条の二九に繰上〔平二五・五法二八〕

（本人確認情報等の電子計算機処理等に従事する受領者の職員等の秘密保持義務）

第三十条の三十　第三十条の九、第三十条の十から第三十条の十四まで、第三十条の十五第二項又は第三十条の十五の二第一項若しくは第三項の規定により市町村長その他の市町村の執行機関又は都道府県知事その他の都道府県の執行機関が提供を受けた本人確認情報の電子計算機処理等に関する事務に従事する市町村又は都道府県の職員又は職員であつた者は、その事務に関して知り得た本人確認情報に関する秘密又は本人確認情報の電子計算機処理等に関する秘密を漏らしてはならない。

2　第三十条の九、第三十条の九の二又は第三十条の十五の二第一項の規定により別表第一の上欄に掲げる国の機関若しくは法人若しくは準法定事務処理者又はデジタル庁が提供を受けた本人確認情報等の電子計算機処理等に関する事務に従事する同欄に掲げる国の機関の職員若しくは職員であつた者、同欄に掲げる法人の役員若しくは職員若しくはこれらの職にあつた者、準法定事務処理者の役員若しくは職員若しくはこれらの職にあつた者又はデジタル庁の職員若しくは職員であつた者は、その事務に関して知り得た本人確認情報等に関する秘密又は本人確認情報等の電子計算機処理等に関する秘密を漏らしてはならない。

3　受領者から受領した本人確認情報等の電子計算機処理等の委託（二以上の段階にわたる委託を含む。）を受けた者若しくはその役員若しくは職員又はこれらの者であつた者は、その委託された業務に関して知り得た本人確認情報等に関する秘密又は本人確認情報等の電子計算機処理等に関する秘密を漏らしてはならない。

＊本条—追加〔平一一・八法一三三〕、見出し・一～三項—一部改正・旧三〇条の三五—三〇条の三〇に繰上〔平二五・五法二八〕、二項—一部改正〔令三・五法三六〕、一・二項—一部改正〔令五・六法四八〕

（受領した本人確認情報等に係る住民に関する記録の保護）

第三十条の三十一　受領者の委託（二以上の段階にわたる委託を含む。）を受けて行う受領した本人確認情報等の電子計算機処理等に関する事務に従事している者又は従事していた者は、その事務に関して知り得た事項をみだりに他人に知らせ、又は不当な目的に使用してはならない。

＊本条—追加〔平一一・八法一三三〕、見出し・本条—一部改正・旧三〇条の三六—三〇条の三一に繰上〔平二五・五法二八〕

（自己の本人確認情報の開示）

第三十条の三十二　何人も、都道府県知事又は機構に対し、第三十条の六第三項又は第三十条の七第三項の規定により磁気ディスクに記録されている自己に係る本人確認情報について、書面により、その開示（自己に係る本人確認情報が存在しないときにその旨を知らせることを含む。以下同じ。）を請求することができる。

2　都道府県知事又は機構は、前項の開示の請求（以下この項及び次条第一項において「開示請求」という。）があつたときは、開示請求をした者（以下この項及び次条第二項において「開示請求者」という。）に対し、書面により、当該開示請求に係る本人確認情報について開示をしなければならない。ただし、開示請求者の同意があるときは、書面以外の方法により開示をすることができる。

＊ 本条―追加〔平一一・八法一三三〕、一・二項―一部改正・旧三〇条の三七―三〇条の三二に繰上〔平二五・五法二八〕

（開示の期限）

第三十条の三十三 前条第二項の規定による開示は、開示請求を受理した日から起算して三十日以内にしなければならない。

2 都道府県知事又は機構は、事務処理上の困難その他正当な理由により前項に規定する期間内に開示をすることができないときは、同項に規定する期間内に、開示請求者に対し、同項の期間内に開示をすることができない理由及び開示の期限を書面により通知しなければならない。

＊ 本条―追加〔平一一・八法一三三〕、一・二項―一部改正・旧三〇条の三八―三〇条の三三に繰上〔平二五・五法二八〕

（開示の手数料）

第三十条の三十四 第三十条の三十二第一項の規定により機構に対し自己に係る本人確認情報の開示を請求する者は、機構が総務大臣の認可を受けて定める額の手数料を納めなければならない。

＊ 本条―追加〔平一一・八法一三三〕、一部改正〔平一一・一二法一六〇〕、見出し・本条―一部改正・旧三〇条の三九―三〇条の三四に繰上〔平二五・五法二八〕

（自己の本人確認情報の訂正）

第三十条の三十五 都道府県知事又は機構は、第三十条の三十二第二項の規定により開示を受けた者から、書面により、開示に係る本人確認情報についてその内容の全部又は一部の訂正、追加又は削除の申出があつたときは、遅滞なく調査を行い、その結果を当該申出をした者に対し、書面で通知するものとする。

＊ 本条―追加〔平一一・八法一三三〕、一部改正・旧三〇条の四〇―三〇条の三五に繰上〔平二五・五法二八〕

（苦情処理）

第三十条の三十六 都道府県知事又は機構は、この法律の規定（第三章及び次章を除く。）により都道府県が処理する事務又は本人確認情報処理事務の実施に関する苦情の適切かつ迅速な処理に努めなければならない。

＊ 本条―追加〔平二五・五法二八〕、一部改正〔令元・五法一六〕

（住民票コードの告知要求制限）

第三十条の三十七 市町村長は、この法律の規定による事務の遂行のため必要がある場合を除き、何人に対しても、当該市町村の住民以外の者に係る住民票に記載された住民票コードを告知することを求めてはならない。

2 都道府県知事は、この法律の規定による事務の遂行のため必要がある場合を除き、何人に対しても、その者又はその者以外の者に係る住民票に記載された住民票コードを告知することを求めてはならない。

3 機構は、この法律の規定により機構が処理することとされている事務の遂行のため必要がある場合を除き、何人に対しても、その者又はその者以外の者に係る住民票に記載された住民票コードを告知することを求めてはならない。

4 総務省は、その処理する事務であつてこの法律の定めるところにより当該事務の処理に関し住民票コードの提供を求めることができることとされているものの遂行のため必要がある場合を除き、何人に対しても、その者又はその者以外の者に係る住民票に記載された住民票コードを告知することを求めてはならない。

＊ 本条―追加〔平二五・五法二八〕、三項―一部改正〔令元・五法一六〕

（住民票コードの利用制限等）

第三十条の三十八 市町村長、都道府県知事、機構又は総務省（以下この条において「市町村長等」という。）以外の者は、何人も、自己と同一の世帯に属する者以外の者（以下この条において「第三者」という。）に対し、当該第三者又は当該第三者以外の者に係る住民票に記載された住民票コードを告知することを求めてはならない。

2 市町村長等以外の者は、何人も、その者が業として行う行為に関し、その者に対し売買、貸借、雇用その他の契約（以下この項において「契約」という。）の申込みをしようとする第三者若しくは申込みをする第三者又はその者と契約の締結をした第三者に対し、当該第三者又は当該第三者以外の者に係る住民票に記載された住民票コードを告知することを求めてはならない。

3 市町村長等以外の者は、何人も、業として、住民票コードの記録されたデータベース（第三者に係る住民票に記載された住民票コードを含む当該第三者に関する情報の集合物であつて、それらの情報を電子計算機を用いて検索することができるように体系的に構成したものをいう。以下この項において同じ。）であつて、当該データベースに記録された情報が他に提供されることが予定されているものを構成してはならない。

4 都道府県知事は、前二項の規定に違反する行為が行われた場合において、当該行為をした者が更に反復してこれらの規定に違反する行為をするおそれがあると認めるときは、当該行為をした者に対し、当該行為を中止することを勧告し、又は当該行為が中止されることを確保するために必要な措置を講ずることを勧告することができる。

5　都道府県知事は、前項の規定による勧告を受けた者がその勧告に従わないときは、第三十条の四十第一項に規定する都道府県の審議会の意見を聴いて、その者に対し、期限を定めて、当該勧告に従うべきことを命ずることができる。

＊本条―追加〔平二五・五法二八〕

（報告及び検査）

第三十条の三十九　都道府県知事は、前条第四項又は第五項の規定による措置に関し必要があると認めるときは、その必要と認められる範囲内において、同条第二項又は第三項の規定に違反していると認めるに足りる相当の理由がある者に対し、必要な事項に関し報告を求め、又はその職員に、これらの規定に違反していると認めるに足りる相当の理由がある者の事務所若しくは事業所に立ち入り、帳簿、書類その他の物件を検査させることができる。

2　前項の規定により立入検査をする職員は、その身分を示す証明書を携帯し、関係人の請求があつたときは、これを提示しなければならない。

3　第一項の規定による立入検査の権限は、犯罪捜査のために認められたものと解釈してはならない。

＊本条―追加〔平二五・五法二八〕

（都道府県の審議会の設置）

第三十条の四十　都道府県に、第三十条の六第一項の規定による通知に係る本人確認情報の保護に関する審議会（以下この条において「都道府県の審議会」という。）を置く。

2　都道府県の審議会は、この法律の規定（次章を除く。）によりその権限に属させられた事項を調査審議するほか、都道府県知事の諮問に応じ、当該都道府県における第三十条の六第一項の規定による通知に係る本人確認情報の保護に関する事項を調査審議し、及びこれらの事項に関して都道府県知事に建議することができる。

3　都道府県の審議会の組織及び運営に関し必要な事項は、条例で定める。

＊本条―追加〔平二五・五法二八〕、二項―一部改正〔令元・五法一六〕

第四章の三　附票本人確認情報の処理及び利用等

＊本章―追加〔令元・五法一六〕

㊟　次条中、点線の左側は、令和五年六月九日から起算して二年を超えない範囲内において政令で定める日から施行となる。

（市町村長から都道府県知事への附票本人確認情報の通知等）

第三十条の四十一　市町村長は、戸籍の附票の記載、消除又は第十七条第二号から第三号まで〔、第三号〕及び第五号から第七号までに掲げる事項の全部若しくは一部についての記載の修正を行つた場合には、当該戸籍の附票の記載等に係る附票本人確認情報（戸籍の附票に記載されている同条第二号から第三号まで〔、第三号〕及び第五号から第七号までに掲げる事項（戸籍の附票の消除を行つた場合には、当該戸籍の附票に記載されていたこれらの事項）並びに戸籍の附票の記載等に関する事項で政令で定めるものをいう。以下同じ。）を都道府県知事に通知するものとする。

2　前項の規定による通知は、総務省令で定めるところにより、市町村長の使用に係る電子計算機から電気通信回線を通じて都道府県知事の使用に係る電子計算機に送信することによつて行うものとする。

3　第一項の規定による通知を受けた都道府県知事は、総務省令で定めるところにより、当該通知に係る附票本人確認情報を磁気ディスクに記録し、これを当該通知の日から政令で定める期間保存しなければならない。

4　都道府県知事は、前項の規定により都道府県知事が保存する附票本人確認情報であつて同項の規定による保存期間が経過していないもの（以下「都道府県知事保存附票本人確認情報」という。）の全部又は一部が滅失したときは、当該都道府県知事保存附票本人確認情報の回復に必要な措置を講じなければならない。

＊本条―追加〔令元・五法一六〕、一項―一部改正〔令五・六法四八〕

（都道府県知事から機構への附票本人確認情報の通知等）

第三十条の四十二　都道府県知事は、前条第一項の規定による通知に係る附票本人確認情報を、機構に通知するものとする。

2　前項の規定による通知は、総務省令で定めるところにより、都道府県知事の使用に係る電子計算機から電気通信回線を通じて機構の使用に係る電子計算機に送信することによつて行うものとする。

3　第一項の規定による通知を受けた機構は、総務省令で定めるところにより、当該通知に係る附票本人確認情報を磁気ディスクに記録し、これを当該通知の日から政令で定める期間保存しなければならない。

4　機構は、前項の規定により機構が保存する附票本人確認情報であつて同項の規定による保存期間が経過していないもの（以下「機構保存附票本人確認情報」という。）の全部又は一部が滅失したときは、当該機構保存附票本人確認情報の回復に必要な措置を講じなければならない。

＊　本条―追加〔令元・五法一六〕

（附票本人確認情報の誤りに関する機構の通報）

第三十条の四十三　機構は、その事務を管理し、又は執行するに当たつて、都道府県知事保存附票本人確認情報に誤りがあることを知つたときは、遅滞なく、その旨を当該都道府県知事保存附票本人確認情報を保存する都道府県知事に通報するものとする。

＊　本条―追加〔令元・五法一六〕

（国の機関等への附票本人確認情報の提供）

第三十条の四十四　機構は、別表第一の上欄に掲げる国の機関又は法人から同表の下欄に掲げる事務の処理であつて国外転出者に係るものに関し求めがあつたときは、政令で定めるところにより、機構保存附票本人確認情報のうち住民票コード以外のものを提供するものとする。

＊　本条―追加〔令元・五法一六〕

（デジタル庁への住民票コードの提供）

第三十条の四十四の二　機構は、デジタル庁から番号利用法第二十一条第二項又は第二十一条の二第一項（これらの規定を番号利用法第二十六条において準用する場合を含む。）の規定による事務の処理であつて国外転出者に係るものに関し求めがあつたときは、政令で定めるところにより、当該求めに係る者の戸籍の附票に記載された住民票コードを提供するものとする。この場合において、機構は、機構保存附票本人確認情報を利用することができる。

＊　本条―追加〔令元・五法一六〕、一部改正〔令三・五法三六〕

（附票通知都道府県の区域内の市町村の執行機関への附票本人確認情報の提供）

第三十条の四十四の三　機構は、次の各号のいずれかに該当する場合には、政令で定めるところにより、附票本人確認情報を第三十条の四十二第一項の規定により通知した都道府県知事が統括する都道府県（以下「附票通知都道府県」という。）の区域内の市町村の市町村長その他の執行機関に対し、機構保存附票本人確認情報（第一号及び第二号に掲げる場合にあつては、住民票コードを除く。）を提供するものとする。

一　附票通知都道府県の区域内の市町村の市町村長その他の執行機関であつて別表第二の上欄に掲げるものから同表の下欄に掲げる事務の処理であつて国外転出者に係るものに関し求めがあつたとき。

二　附票通知都道府県の区域内の市町村の市町村長その他の執行機関から番号利用法第九条第二項の規定に基づき条例で定める事務の処理であつて国外転出者に係るものに関し求めがあつたとき。

三　附票通知都道府県の区域内の市町村の市町村長から戸籍の附票に関する事務の処理に関し求めがあつたとき。

2　前項（第三号に係る部分に限る。）の規定による附票通知都道府県の区域内の市町村の市町村長への機構保存附票本人確認情報の提供は、総務省令で定めるところにより、機構の使用に係る電子計算機から電気通信回線を通じて当該市町村長の使用に係る電子計算機に送信することによつて行うものとする。ただし、特別の求めがあつたときは、この限りでない。

＊　本条―追加〔令元・五法一六〕

（附票通知都道府県以外の都道府県の執行機関への附票本人確認情報の提供）

第三十条の四十四の四　機構は、次の各号のいずれかに該当する場合には、政令で定めるところにより、附票通知都道府県以外の都道府県の都道府県知事その他の執行機関に対し、機構保存附票本人確認情報（第一号及び第二号に掲げる場合にあつては、住民票コードを除く。）を提供するものとする。

一　附票通知都道府県以外の都道府県の都道府県知事その他の執行機関であつて別表第三の上欄に掲げるものから同表の下欄に掲げる事務の処理であつて国外転出者に係るものに関し求めがあつたとき。

二　附票通知都道府県以外の都道府県の都道府県知事その他の執行機関から番号利用法第九条第二項の規定に基づき条例で定める事務の処理であつて国外転出者に係るものに関し求めがあつたとき。

三　附票通知都道府県以外の都道府県の都道府県知事から第三十条の四十四の十一第二項の規定による事務の処理に関し求めがあつたとき。

2　前項（第三号に係る部分に限る。）の規定による附票通知都道府県以外の都道府県の都道府県知事への機構保存附票本人確認情報の提供は、総務省令で定めるところにより、機構の使用に係る電子計算機から電気通信回線を通じて当該都道府県知事の使用に係る電子計算機に送信することによつて行うものとする。ただし、特別の求めがあつたときは、この限りでない。

＊本条―追加〔令元・五法一六〕、一項一部改正〔令五・六法四八〕

（附票通知都道府県以外の都道府県の区域内の市町村の執行機関への附票本人確認情報の提供）

第三十条の四十四の五　機構は、次の各号のいずれかに該当する場合には、政令で定めるところにより、附票通知都道府県以外の都道府県の区域内の市町村の市町村長その他の執行機関に対し、機構保存附票本人確認情報（第一号及び第二号に掲げる場合にあつては、住民票コードを除く。）を提供するものとする。

一　附票通知都道府県以外の都道府県の区域内の市町村の市町村長その他の執行機関であつて別表第四の上欄に掲げるものから附票通知都道府県以外の都道府県の都道府県知事を経て同表の下欄に掲げる事務の処理であつて国外転出者に係るものに関し求めがあつたとき。

二　附票通知都道府県以外の都道府県の区域内の市町村の市町村長その他の執行機関から番号利用法第九条第二項の規定に基づき条例で定める事務の処理であつて国外転出者に係るものに関し求めがあつたとき。

三　附票通知都道府県以外の都道府県の区域内の市町村の市町村長から附票通知都道府県以外の都道府県の都道府県知事を経て戸籍の附票に関する事務の処理に関し求めがあつたとき。

2　前項（第三号に係る部分に限る。）の規定による附票通知都道府県以外の都道府県の区域内の市町村の市町村長への機構保存附票本人確認情報の提供は、総務省令で定めるところにより、機構の使用に係る電子計算機から電気通信回線を通じて当該市町村長の使用に係る電子計算機に送信することによつて行うものとする。ただし、特別の求めがあつたときは、この限りでない。

＊本条―追加〔令元・五法一六〕

（附票本人確認情報の利用）

第三十条の四十四の六　都道府県知事は、次の各号のいずれかに該当する場合には、都道府県知事保存附票本人確認情報（住民票コードを除く。次項並びに次条第二項及び第三項において同じ。）を利用することができる。

一　別表第五に掲げる事務を遂行するとき（国外転出者に係る事務を処理する場合に限る。）。

二　条例で定める事務を遂行するとき（国外転出者に係る事務を処理する場合に限る。）。

三　附票本人確認情報の利用につき当該附票本人確認情報に係る本人が同意した事務を遂行するとき（国外転出者に係る事務を処理する場合に限る。）。

四　統計資料（国外転出者に係るものに限る。）の作成を行うとき。

2　都道府県知事は、次の各号のいずれかに該当する場合には、第一号に掲げる場合にあつては政令で定めるところにより、第二号に掲げる場合にあつては条例で定めるところにより、都道府県知事以外の当該都道府県の執行機関に対し、都道府県知事保存附票本人確認情報を提供するものとする。

一　都道府県知事以外の当該都道府県の執行機関であつて別表第六の上欄に掲げるものから同表の下欄に掲げる事務の処理であつて国外転出者に係るものに関し求めがあつたとき。

二　都道府県知事以外の当該都道府県の執行機関であつて条例で定めるものから条例で定める事務の処理であつて国外転出者に係るものに関し求めがあつたとき。

3　都道府県知事は、都道府県知事保存附票本人確認情報（住民票コードに限る。）を、第三十条の十五第一項若しくは第二項又は第三十条の十五の二第二項若しくは第三項の規定による事務（これらの規定により、前二項又は次条第二項若しくは第三項の規定により利用し、又は提供する都道府県知事保存附票本人確認情報に係る者の個人番号を利用し、又は提供する場合に限る。）に利用することができる。

4　機構は、都道府県知事から第三十条の六第四項の規定による事務の処理に関し求めがあつたときは、政令で定めるところにより、当該都道府県知事に対し、機構保存附票本人確認情報を提供するものとする。

5　機構は、機構保存附票本人確認情報を、第三十条の七第四項又は第三十条の二十二第三項の規定による事務に利用することができる。

6　機構は、機構保存附票本人確認情報（住民票コードに限る。）を、第三十条の九、第三十条の十から第三十条の十二まで又は第三十条の十五の二第一項の規定による事務（これらの規定により、第三十条の四十四、前三条又は次条第一項の規定により提供される機構保存附票本人確認情報に係る者の個人番号を提供する場合に限る。）に利用することができる。

7　機構は、機構保存附票本人確認情報を、電子署名等に係る地方公共団体情報システム機構の認証業務に関する法律第八条、第十二条、第十三条、第十八条第三項、第二十七条、第三十条、第三十一条及び第三十四条第二項の規定による事務の処理であつて国外転出者に係るものに利用することができる。

8　機構は、機構保存附票本人確認情報を、番号利用法第三十八条の二第一項に規定する機構処理事務のうち総務省令で定めるものの処理であつて国外転出者に係るものに利用することができる。

＊本条—追加〔令元・五法一六〕、一・三・六項—一部改正〔令五・六法四八〕

（準法定事務処理者への附票本人確認情報の提供等）

第三十条の四十四の七　機構は、準法定事務処理者から第三十条の十五の二第一項に規定する総務省令で定める準法定事務の処理であつて国外転出者に係るものに関し求めがあつたときは、政令で定めるところにより、機構保存附票本人確認情報のうち住民票コード以外のものを提供するものとする。

2　都道府県知事は、第三十条の十五の二第二項に規定する総務省令で定める準法定事務を遂行するとき（国外転出者に係る事務を処理する場合に限る。）は、都道府県知事保存附票本人確認情報を利用することができる。

3　都道府県知事は、第三十条の十五の二第三項に規定する総務省令で定める者から同項に規定する総務省令で定める準法定事務の処理であつて国外転出者に係るものに関し求めがあつたときは、都道府県知事保存附票本人確認情報を提供するものとする。

＊本条—追加〔令五・六法四八〕

（報告書の公表）

第三十条の四十四の八　機構は、毎年少なくとも一回、第三十条の四十四、第三十条の四十四の二及び前条第一項（準法定事務処理者（国の機関又は別表第一の上欄に掲げる法人に限る。第三十条の四十四の十二において同じ。）への機構保存附票本人確認情報の提供に係る部分に限る。）の規定による機構保存附票本人確認情報及び住民票コードの提供の状況について、総務省令で定めるところにより、報告書を作成し、これを公表しなければならない。

＊本条—追加〔令元・五法一六〕、一部改正・旧三〇条の四四の七—三〇条の四四の八に繰下〔令五・六法四八〕

（本人確認情報処理事務に関する規定の準用）

第三十条の四十四の九　第三十条の十七から第三十条の二十までの規定は、この章の規定により機構が処理することとされている事務について準用する。

＊本条—追加〔令元・五法一六〕、一部改正・旧三〇条の四四の八—三〇条の四四の九に繰下〔令五・六法四八〕

（都道府県知事に対する技術的な助言等）

第三十条の四十四の十　機構は、都道府県知事に対し、第三十条の四十一第一項の規定による通知に係る附票本人確認情報の電子計算機処理に関し必要な技術的な助言及び情報の提供を行うものとする。

＊本条—追加〔令元・五法一六〕、一部改正・旧三〇条の四四の九—三〇条の四四の一〇に繰下〔令五・六法四八〕

（市町村間の連絡調整等）

第三十条の四十四の十一　都道府県知事は、第三十条の四十一第二項の規定による電気通信回線を通じた附票本人確認情報の送信その他この章に規定する市町村の事務の処理に関し、当該都道府県の区域内の市町村相互間における必要な連絡調整を行うものとする。

2　都道府県知事は、当該都道府県の区域内の市町村の市町村長に対し、戸籍の附票に正確な記録が行われるよう、必要な協力をするものとする。

3　機構は、都道府県知事に対し、当該都道府県の区域内の市町村が備える戸籍の附票に正確な記録が行われるよう、必要な協力をしなければならない。

＊本条—追加〔令元・五法一六〕、一部改正・旧三〇条の四四の一〇—三〇条の四四の一一に繰下〔令五・六法四八〕

（附票本人確認情報の提供に関する手数料）

第三十条の四十四の十二　機構は、第三十条の四十四、第三十条の四十四の二又は第三十条の四十四の七第一項に規定する求めを行う別表第一の上欄に掲げる国の機関若しくは法人若しくは準法定事務処理者又はデジタル庁から、総務大臣の認可を受けて定める額の手数料を徴収することができる。

＊本条—追加〔令元・五法一六〕、一部改正〔令三・五法三六〕、一部改正・旧三〇条の四四の一一—三〇条の四四の一二に繰下〔令五・六法四八〕

（附票本人確認情報の保護）

第三十条の四十四の十三　前章第四節（第三十条の三十七から第三十条の三十九までを除く。）の規定は、附票本人確認情報の保護について準用する。この場合において、これらの規定中「受領者」とあるのは「附票情報受領者」と、「受領した本人確認情報等」とあるのは「受領した附票本人確認情報等」と読み替えるほか、次の表の上欄に掲げる規定中同表の中欄に掲げる字句は、それぞれ同表の下欄に掲げる字句に読み替えるものとする。

第三十条の二十四第一項	第三十条の六第一項	第三十条の四十一第一項
第三十条の二十	第三十条の七第一	第三十条の四十二

四第二項	項	第一項
第三十条の二十四第三項	第三十条の六第一項又は第三十条の七第一項	第三十条の四十一第一項又は第三十条の四十二第一項
第三十条の二十五第一項	第三十条の十三、第三十条の十五第一項若しくは第二項、第三十条の十五の二第二項若しくは第三項又は第三十七条第二項	第三十条の四十四の六第一項から第三項まで又は第三十条の四十四の七第二項若しくは第三項
	都道府県知事保存本人確認情報	都道府県知事保存附票本人確認情報
	第三十条の六第一項	第三十条の四十一第一項
第三十条の二十五第二項	第三十条の九から第三十条の十二まで、第三十条の十五第三項から第五項まで、第三十条の十五の二第一項又は第三十七条第二項	第三十条の四十四から第三十条の四十四の五まで、第三十条の四十四の六第四項から第八項まで又は第三十条の四十四の七第一項
	機構保存本人確認情報	機構保存附票本人確認情報
	第三十条の七第一項	第三十条の四十二第一項
第三十条の二十六第一項及び第二項	第三十条の六第一項	第三十条の四十一第一項
第三十条の二十六第三項	本人確認情報処理事務	次章の規定により機構が処理することとされている事務
第三十条の二十六第四項	第三十条の七第一項	第三十条の四十二第一項
第三十条の二十七第一項	第三十条の六第一項	第三十条の四十一第一項
第三十条の二十七第二項	第三十条の七第一項	第三十条の四十二第一項
第三十条の二十八第一項	第三十条の九、第三十条の十から第三十条の十四まで、第三十条の十五第二項若しくは第三十条の十五の二第一項若しくは第三項	第三十条の四十四、第三十条の四十四の三から第三十条の四十四の五まで、第三十条の四十四の六第二項若しくは第四項若しくは第三十条の四十四の七第一項若しくは第三項
	第三十条の九の二	第三十条の四十四の二
第三十条の二十九（見出しを含む。）	本人確認情報等の利用	附票本人確認情報等の利用
	本人確認情報等（本人確認情報	附票本人確認情報等（附票本人確認情報
第三十条の三十第一項	第三十条の十から第三十条の十四まで、第三十条の十五第二項又は第三十条の十五の二第一項若しくは第三項	第三十条の四十四の三から第三十条の四十四の五まで、第三十条の四十四の六第二項若しくは第四項又は第三十条の四十四の七第一項若しくは第三項
第三十条の三十第二項	第三十条の九、第三十条の九の二又は第三十条の十五の二第一項	第三十条の四十四、第三十条の四十四の二又は第三十条の四十四の七第一項

住基法

	本人確認情報等	附票本人確認情報等
第三十条の三十第三項	本人確認情報等に	附票本人確認情報等に
	又は本人確認情報等	又は附票本人確認情報等
第三十条の三十二第一項	第三十条の六第三項又は第三十条の七第三項	第三十条の四十一第三項又は第三十条の四十二第三項
第三十条の三十六	この法律の規定（第三章及び次章を除く。）	第三章及び次章の規定
	本人確認情報処理事務	同章の規定により機構が処理することとされている事務
第三十条の四十第一項	第三十条の六第一項	第三十条の四十一第一項
第三十条の四十第二項	この法律の規定（次章を除く。）	次章の規定
	第三十条の六第一項	第三十条の四十一第一項

＊本条―追加〔令元・五法一六〕、一部改正・旧三〇条の四四の一二―三〇条の四四の一三に繰下〔令五・六法四八〕

第四章の四　外国人住民に関する特例

＊本章―追加〔平二一・七法七七〕、旧四章の三―四章の四に繰下〔令元・五法一六〕

㊟　次条中、点線の左側は令和五年六月九日から起算して二年を超えない範囲内において政令で定める日から、実線の左側は令和六年六月二一日から起算して二年を超えない範囲内において政令で定める日から施行となる。

（外国人住民に係る住民票の記載事項の特例）

第三十条の四十五　日本の国籍を有しない者のうち次の表の上欄に掲げるものであつて市町村の区域内に住所を有するもの（以下「外国人住民」という。）に係る住民票には、第七条の規定にかかわらず、同条各号（第一号の二、第五号、第六号及び第九号を除く。）に掲げる事項、国籍等（国籍の属する国又は出入国管理及び難民認定法（昭和二十六年政令第三百十九号。以下この章において「入管法」という。）第二条第五号ロに規定する地域をいう。以下同じ。）、外国人住民となつた年月日（外国人住民が同表の上欄に掲げる者となつた年月日又は住民となつた年月日のうち、いずれか遅い年月日をいう。以下同じ。）及び同表の上欄に掲げる者の区分に応じそれぞれ同表の下欄に掲げる事項について記載をする。

上欄	下欄
中長期在留者（入管法第十九条の三に規定する中長期在留者をいう。以下この表において同じ。）	一　中長期在留者である旨 二　入管法第十九条の三に[6]規定する在留カード（総[7]務省令で定める場合にあつては、総[7]務省令で定める書類）に記載されている　記載され、又は記録されている　在留資格、在留期間及び在留期間の満了の日並びに在留カードの番号
特別永住者[1]（日本国との平和条約に基づき日本の国籍を離脱した者等の出入国管理に関する特例法（平成三年法律第七十一号。以下この章において「入管特例法」という。）に定める特別永住者をいう。以下この表において同じ。）	一　特別永住者である旨 二　入管特例法第七条第一項に規定する特別永住者証明書に記載されている特[8]別永住者証明書の番号
一時庇護許可者[2]（入管法第十八条の二第一項の許可を受けた者をいう。以下この表及び次条において同じ。）又は仮[3]滞在許可者（入管法第六十一条の二の四第一項の許可を受けた者をいう。以下この表において同じ。）	一　一時庇護許可者又は仮滞在許可者である旨 二　入管法第十八条の二第四項に規定する上陸期間又は入管法第六十一条[9]の二の四第二項に規定する仮[10]滞在許可書に記載されている仮[11]滞在期間
出生[4]による経過滞在者（国	出生による経過滞在者又は

内において出生した日本の国籍を有しない者のうち入管法第二十二条の二第一項の規定により在留することができるものをいう。以下この表及び次条において同じ。）又は国籍喪失[5]による経過滞在者（日本の国籍を失つた者のうち同項の規定により在留することができるものをいう。以下この表及び次条において同じ。）	国籍喪失による経過滞在者である旨

＊本条―追加〔平二一・七法七七〕、一部改正〔令五・六法四八〕

【注　釈】

1）○「特別永住者」とは、日本国との平和条約に基づき日本の国籍を離脱した者等の出入国管理に関する特例法（以下「入管特例法」という。）第二条に規定する平和条約国籍離脱者及び平和条約国籍離脱者の子孫で同法第三条から第五条までの規定により本邦で永住することができるとされている者であり、いわゆる在日韓国・朝鮮人及び在日台湾人並びにその子孫等をいう。

2）○「一時庇護許可者」とは、一時庇護のための上陸の許可を受けた者をいう（入管法第一八条の二第一項）。

3）○「仮滞在許可者」とは、仮に本邦に滞在することの許可を受けた者をいう（入管法第六一条の二の四第一項）。

4）○「出生による経過滞在者」とは、出生により上陸の手続きを経ることなく本邦に在留することとなる外国人をいう（入管法第二二条の二第一項）。

5）○「国籍喪失による経過滞在者」とは、日本の国籍を離脱したことにより上陸の手続きを経ることなく本邦に在留することとなる外国人をいう（入管法第二二条の二第一項）。

6）○「在留カード」とは、入管法第一九条の三の規定により、出入国在留管理庁長官が在留管理に必要な情報を正確かつ継続的に把握する必要がある外国人としての中長期在留者に対して交付する身分証明書としてのカードをいう。

7）○「総務省令で定める場合」とは、出入国在留管理庁長官が中長期在留者に対して出入国港において在留カードを交付できない場合とし（住民基本台帳法施行規則第四七条第一項）、同欄の「総務省令で定める書類」とは、入管法第一九条の六に規定する上陸許可の証印又は許可を受けた中長期在留者が所持する旅券で後日在留カードを交付する旨が記載されたものとされている（住民基本台帳法施行規則第四七条第二項）。

8）○「特別永住者証明書」とは、入管特例法第七条の規定により、出入国在留管理庁長官が特別永住者に対して交付する身分証明書をいう。

9）○「上陸期間」とは、一時庇護のための上陸の許可に係る期間をいい、六月を超えない範囲で定めるものとされ（出入国管理及び難民認定法施行規則第一八条第五項第一号）、上陸期間の変更も可能とされている。

10）○「仮滞在許可書」とは、入国審査官が仮滞在許可者に対して交付する許可書をいう（入管法第六一条の二の四第二項）。

11）○「仮滞在期間」とは、仮に本邦に滞在することの許可に係る期間をいい、六月を超えない範囲で定めるものとされ（出入国管理及び難民認定法施行規則第五六条の二第二項）、仮滞在期間の更新も可能とされている（入管法第六一条の二の四第四項）。

（中長期在留者等が住所を定めた場合の転入届の特例）

第三十条の四十六　前条の表の上欄に掲げる者（出生による経過滞在者又は国籍喪失による経過滞在者を除く。以下この条及び次条において「中長期在留者等[1]」という。）が国外から転入をした場合（これに準ずる場合として総務省令で定める場合を含む。）には、当該中長期在留者等は、第二十二条の規定にかかわらず、転入をした日から十四日以内に、同条第一項第一号、第二号及び第五号に掲げる事項、出生の年月日、男女の別、国籍等、外国人住民となつた年月日並びに同表の上欄に掲げる者の区分に応じそれぞれ同表の下欄に掲げる事項を市町村長に届け出なければならない。この場合において、当該中長期在留者等は、市町村長に対し、同表の上欄に掲げる者の区分に応じそれぞれ同表の下欄に規定する在留カード、特別永住者証明書又は仮滞在許可書（一時庇護許可者にあつては、入管法第十八[2]条の二第三項に規定する一時庇護許可書）を提示しなければならない。

＊本条―追加〔平二一・七法七七〕

【参照条文】

規則四八・五二1

【注　釈】

1）○「中長期在留者等」とは、本法第三〇条の四五の表の上欄に掲げる中長期在留者、特別永住者又は一時庇護許可者若しくは仮滞在許可者であり、同表の上欄に掲げる出生による経過滞在者又は国籍喪失による経過滞在者が除かれている。

2）○「入管法第一八条の二第三項に規定する一時庇護許可書」とは、入国審査官が一時庇護許可者に交付する許可書をいう（出入国管理及び難民認定法第一八条の二第三項）。

（住所を有する者が中長期在留者等となつた場合の届出）

第三十条の四十七　日本の国籍を有しない者（第三十条の四十五の表の上欄に掲げる者を除く。）で市町村の区域内に住所を有するものが中長期在留者等となつた場合には、当該中長期在留者等となつた者は、中長期在留者等となつた日から十四日以内に、第二十二条第一項第一号、第二号及び第五号に掲げる事項、出生の年月日、男女の別、国籍等、外国人住民となつた年月日並びに同表の上欄に掲げる者の区分に応じそれぞれ同表の下欄に掲げる事項を市町村長に届け出なければならない。この場合においては、前条後段の規定を準用する。

＊本条—追加〔平二一・七法七七〕

【参照条文】
規則五二1

（外国人住民の世帯主との続柄の変更の届出）

第三十条の四十八　第二十二条第一項、第二十三条、第二十五条及び前二条の場合を除くほか、世帯主でない外国人住民であつてその世帯主（外国人住民であるものに限る。）との続柄に変更があつたものは、その変更があつた日から十四日以内に、世帯主との続柄を証する文書を添えて、その氏名、世帯主との続柄及び変更があつた年月日を市町村長に届け出なければならない。ただし、政令で定める場合にあつては、この限りでない。

＊本条—追加〔平二一・七法七七〕

【参照条文】
令三〇の一八　規則四九・五二1

【注　釈】
1）○「世帯主…との続柄」とは、当該世帯における世帯主と世帯員との身分上の関係をいう。

（外国人住民の世帯主との続柄を証する文書の提出）

第三十条の四十九　世帯主でない外国人住民であつてその世帯主が外国人住民であるものは、第二十二条第一項、第二十三条、第二十五条、第三十条の四十六又は第三十条の四十七の規定による届出をするときは、世帯主との続柄を証する文書を添えて、これらの規定に規定する届出をしなければならない。ただし、政令で定める場合にあつては、この限りでない。

＊本条—追加〔平二一・七法七七〕

【参照条文】
令三〇の一九　規則四九・五〇

【注　釈】
1）○「世帯主との続柄」とは、当該世帯における世帯主と世帯員との身分上の関係をいう。

㊟次条中、点線の左側は、令和五年六月九日から起算して二年を超えない範囲内において政令で定める日から施行となる。

（外国人住民に係る住民票の記載の修正等のための出入国在留管理庁長官からの通知）

第三十条の五十　出入国在留管理庁長官は、入管法及び入管特例法に定める事務を管理し、又は執行するに当たつて、外国人住民についての第七条第一号から第三号まで／第七条第一号、第二号及び第三号に掲げる事項、国籍等又は第三十条の四十五の表の下欄に掲げる事項に変更があつたこと又は誤りがあることを知つたときは、遅滞なく、その旨を当該外国人住民が記録されている住民基本台帳を備える市町村の市町村長に通知しなければならない。

＊本条—追加〔平二一・七法七七〕、見出し・本条一部改正〔平三〇・一二法一〇二〕、一部改正〔令五・六法四八〕

㊟次条中、点線の左側は、令和五年六月九日から起算して二年を超えない範囲内において政令で定める日から施行となる。

（外国人住民についての適用の特例）

第三十条の五十一　外国人住民に係る次の表の上欄に掲げる規定の適用については、これらの規定中同表の中欄に掲げる字句は、それぞれ同表の下欄に掲げる字句とする。

第十二条第五項（第十五条の四第五項において準用する場合を含む。）	、第五号及び第八号の二から第十四号まで	、第八号の二及び第十号から第十四号までに掲げる事項、第三十条の四十五に規定する国籍等並びに同条の表の下欄
第十二条の二第一項	第八号まで／から第八号まで、第九号から第十二号まで及び第十四号	第四号／、第二号から第四号まで、第七号、第八号、第十号から第十二号まで及び第十四号に掲げる事項、第三十条の四十五に規定する国籍等及び外国人住民となつた年月日並びに同条の表の下欄
第十二条の	第五号、第九号か	第十号から第十二号ま

二第四項（第十五条の四第五項において準用する場合を含む。）	ら第十二号まで及び第十四号	で及び第十四号に掲げる事項、第三十条の四十五に規定する国籍等並びに同条の表の下欄
第十二条の三第一項	及び第六号から第三号まで及び第六号から第八号までに掲げる事項	、第七号第二号、第三号、第七号及び第八号に掲げる事項並びに第三十条の四十五に規定する外国人住民となつた年月日
第十二条の四第一項	第七条第五号、第九号から第十二号まで及び第十四号	第七条第十号から第十二号まで及び第十四号
第十二条の四第四項	事項	事項、第三十条の四十五に規定する国籍等並びに同条の表の下欄に掲げる事項
第十五条の四第二項	第八号まで、から第八号まで第九号から第十二号まで及び第十四号	第四号、第二号から第四号まで、第七号、第八号、第十号から第十二号まで及び第十四号に掲げる事項、第三十条の四十五に規定する国籍等及び外国人住民となつた年月日並びに同条の表の下欄
第十五条の四第三項	及び第六号から第三号まで及び第六号から第八号までに掲げる事項	、第七号第二号、第三号、第七号及び第八号に掲げる事項並びに第三十条の四十五に規定する外国人住民となつた年月日

＊　本条…追加〔平二一・七法七七〕、一部改正〔平二五・五法二八、令元・五法一六、令五・六法四八〕

第五章　雑則

（国又は都道府県の指導等）

第三十一条　国は都道府県及び市町村に対し、都道府県は市町村に対し、この法律の目的を達成するため、この法律の規定により都道府県又は市町村が処理する事務について、必要な指導を行うものとする。

2　主務大臣は都道府県知事又は市町村長に対し、都道府県知事は市町村長に対し、前項の事務に関し必要があると認めるときは、報[3]告を求め、又は助言若[2]しくは勧告をすることができる。

3　主務大臣は、前項の規定による助言又は勧告をしようとするときは、国民健康保険の被保険者、後期高齢者医療の被保険者、介護保険の被保険者及び国民年金の被保険者に関する事項については厚生労働大臣、児童手当の支給を受けている者に関する事項については内閣総理大臣、米穀の配給を受ける者に関する事項については農林水産大臣に協議するものとする。

4　都道府県知事は主務大臣に対し、市町村長は主務大臣又は都道府県知事に対し、第二項の規定による助言又は勧告を求めることができる。

＊　本条…追加〔昭五八・一二法八三〕、三項…一部改正〔平九・一二法一二四〕、一・二・四項…一部改正〔平一一・八法一三二〕、三項…一部改正〔平一一・一二法一六〇、平一八・六法八三、令四・六法七六〕

【注　釈】

1）○「必要な指導」の具体的内容は、本条第二項に基づき報告の徴取、助言又は勧告を行うことをいう。

2）○「助言若しくは勧告」とは、主務大臣又は都道府県知事が、本法の施行に関し、市町村長に対し、適切と認める客観的に妥当性のある行為又は措置を実施するように促したり、又はそれを実施するについて必要な事項を示したりすることをいう。

3）○「報告」とは、本法第三七条の規定による資料の提供を求める場合とは異なりその範囲も広く、住民基本台帳に記録されている事項のみに限定されず、この法律の目的を達成するために必要であると認められる限りにおいて、本法の施行に関する事務処理の状況のすべてを含む。

（行政手続法の適用除外）

第三十二条　この法律の規定により市町村長がする処分については、行政手続法（平成五年法律第八十八号）第二章及び第三章の規定は、適用しない。

＊ 本条…追加〔平五・一一法八九〕、旧三一条の二―三三条に繰下〔令元・五法一六〕

【参照条文】

※ 行政手続法五～三一

（関係市町村長の意見が異なる場合の措置）

第三十三条　市町村長は、住民の住所の認定について他の市町村長と意見を異にし、その協議がととのわないときは、都道府県知事（関係市町村が二以上の都道府県の区域内の市町村である場合には、主務大臣）に対し、その決定を求める旨を申し出なければならない。

2　主務大臣又は都道府県知事は、前項の申出を受けた場合には、その申出を受けた日から六十日以内に決定をしなければならない。

3　前項の決定は、文書をもつてし、その理由を附して関係市町村長に通知しなければならない。

4　関係市町村長は、第二項の決定に不服があるときは、前項の通知を受けた日から三十日以内に裁判所に出訴することができる。

【参照条文】

※ 地税法八

（調査）

第三十四条　市町村長は、定期に[1]、第七条及び第三十条の四十五の規定により記載をすべきものとされる事項について調査をするものとする。

2　市町村長は、前項に定める場合のほか、必要があると認める[2]ときは、いつでも第七条及び第三十条の四十五の規定により記載をすべきものとされる事項について調査をすることができる。

3　市町村長は、前二項の調査に当たり、必要があると認める[2]ときは、当該職員[3]をして、関係人[4]に対し、質問をさせ、又は文書の提示を求めさせることができる。

4　当該職員[3]は、前項の規定により質問をし、又は文書の提示を求める場合には、その身分を示す証明書を携帯し、関係人の請求があつたときは、これを提示しなければならない。

＊ 三・四項…一部改正〔平一八・六法五三〕、一・二項…一部改正〔平一一・七法七七〕

【参照条文】

※ 法七

【注　釈】

1）○「定期に」とは、一定の時期においてという意であり、法律上は毎年行うことは義務づけてはいないが、原則としては、毎年行われることが望ましい。

2）○「必要があると認めるとき」とは、住民から届出があつた場合においてその届出が事実に反する疑いのある場合、市町村長がその事務を管理執行するに当たり、又は委員会等他の行政機関から通知又は通報を受けた場合において、住民票の記載事項に事実に反する疑いがある場合等、市町村長が必要と認める限りその理由には特別の制限はない。

3）○「当該職員」とは、住民基本台帳に関する調査事務に従事する市町村の職員で市町村長から住民基本台帳に関する調査に関し関係人に対し質問し又は文書の提示を要求する権限を授権された者をいう。

4）○「関係人」とは、本人、本人と同一の世帯に属する者、同居人、寄宿舎の管理人等当該調査の対象となる事実に関係を有する者を指す。

（秘密を守る義務）

第三十五条　住民基本台帳に関する調査に関する事務に従事している者又は従事していた者は、その事務に関して知り得た秘密を漏らしてはならない。

【参照条文】

※ 法三四

（住民に関する記録の保護）

第三十六条　市町村長の委託（二以上の段階にわたる委託を含む。）を受けて行う住民基本台帳又は戸籍の附票に関する事務の処理に従事している者又は従事していた者は、その事務に関して知り得た事項をみだりに他人に知らせ、又は不当な目的に使用してはならない。

＊ 本条…追加〔昭六〇・六法七六〕、一部改正〔平六・六法六七、平二五・五法二八〕

（住民票に記載されている事項の安全確保等）

第三十六条の二　市町村長は、住民基本台帳又は戸籍の附票に関する事務の処理に当たつては、住民票、除票、戸籍の附票又は戸籍の附票の除票に記載されている事項の漏えい、滅失及び毀損の防止その他の住民票又は戸籍の附票に記載されている事項の適切な管理のために必要な措置を講じなければならない。

2　前項の規定は、市町村長から住民基本台帳又は戸籍の附票に関する事務の処理の委託（二以上の段階にわたる委託を含む。）を受けた者が受託した業務を行う場合について準用する。

＊ 本条…追加〔平一一・八法一三三〕、一・二項…一部改正〔平二五・五法二八〕、一項…一部改正〔令元・五法一六〕

（苦情処理）

第三十六条の三　市町村長は、この法律の規定により市町村が処理する事務の実施に関する苦情の適切かつ迅速な処理に努めなければならない。

＊ 本条―追加〔平一一・八法一三三〕

（資料の提供）

第三十七条 国の行政機関又は都道府県知事は、それぞれの所掌事務について必要があるときは、市町村長に対し、住民基本台帳に記録されている事項又は除票に記載されている事項に関して資料の提供を求めることができる。

2 国の行政機関は、その所掌事務について必要があるときは、都道府県知事又は機構に対し、それぞれ都道府県知事保存本人確認情報又は機構保存本人確認情報に関して資料の提供を求めることができる。

＊ 旧三六条を三七条に繰下〔昭六〇・六法七六〕、二項―追加〔平一一・八法一三三〕、二項―一部改正〔平二五・五法二八〕、一項―一部改正〔令元・五法一六〕

（指定都市の特例）

第三十八条 地方自治法第二百五十二条の十九第一項の指定都市（以下「指定都市」という。）に対するこの法律の規定で政令で定めるものの適用については、区及び総合区を市と、区及び総合区の区域を市の区域と、区長及び総合区長を市長とみなす。

2 前項に定めるもののほか、指定都市に対するこの法律の規定の適用については、政令で特別の定めをすることができる。

＊ 一項―一部改正〔平一四・一二法一五二、平一九・六法七五、平二六・五法四二〕

【参照条文】

※ 令三二・三三 自治法二五二の一九

【運用】

※ ○法第三条第一項の住民基本台帳の整備に関する責務及び法第一四条の住民基本台帳の正確性の確保のための措置義務は、市長と区長がともに有する。

（適用除外）

第三十九条 この法律は、日本の国籍を有しない者のうち第三十条の四十五の表の上欄に掲げる者以外のものその他政令で定める者については、適用しない。

＊ 本条―一部改正〔平二一・七法七七〕

【参照条文】

※ 令三三

（主務大臣）

第四十条 この法律において、主務大臣は、総務大臣とする。ただし、第九条第二項の規定による通知に関する事項及び第三章に規定する戸籍の附票に関する事項については、総務大臣及び法務大臣とする。

＊ 本条―一部改正〔平一一・一二法一六〇〕

【参照条文】

※ 法九2・一六～二一の三・三一・三三2

（政令への委任）

第四十一条 この法律の実施のための手続その他その施行に関し必要な事項は、政令で定める。

【参照条文】

※ 令三五

（事務の区分）

第四十一条の二 第十九条の三の規定により市町村が処理することとされている事務は、地方自治法第二条第九項第一号に規定する第一号法定受託事務とする。

＊ 本条―追加〔令元・五法一七〕

第六章 罰則

㊟ 次条中、点線の左側は、令和四年六月一七日から起算して三年を超えない範囲内において政令で定める日〔令七・六・一〕から施行となる。

第四十二条 第三十条の二十六又は第三十条の三十（これらの規定を第三十条の四十四の十三において準用する場合を含む。）の規定に違反して秘密を漏らした者は、二年以下の懲役 拘禁刑又は百万円以下の罰金に処する。

＊ 本条―追加〔平一一・八法一三三〕、一部改正〔平二五・五法二八、令元・五法一六、令四・六法六八、令五・六法四八〕

㊟ 次条中、点線の左側は、令和四年六月一七日から起算して三年を超えない範囲内において政令で定める日〔令七・六・一〕から施行となる。

第四十三条 次の各号のいずれかに該当する者は、一年以下の懲役 拘禁刑又は五十万円以下の罰金に処する。

一 第三十条の三十八第五項の規定による命令に違反した者

二 次に掲げる者であつて、その事務に関して知り得た事項を自己又は第三者の不正な利益を図る目的で提供し、又は盗用したもの

イ 住民基本台帳又は戸籍の附票に関する事務に従事する市町村の職員又は職員であつた者

ロ　市町村長の委託（二以上の段階にわたる委託を含む。）を受けて行う住民基本台帳又は戸籍の附票に関する事務の処理に従事している者又は従事していた者

ハ　第三十条の六第一項の規定による通知に係る本人確認情報又は第三十条の四十一第一項の規定による通知に係る附票本人確認情報の電子計算機処理等に関する事務に従事する都道府県の職員又は職員であつた者

ニ　都道府県知事の委託（二以上の段階にわたる委託を含む。）を受けて行う第三十条の六第一項の規定による通知に係る本人確認情報又は第三十条の四十一第一項の規定による通知に係る附票本人確認情報の電子計算機処理等に関する事務に従事している者又は従事していた者

ホ　本人確認情報又は附票本人確認情報の電子計算機処理等に関する事務に従事する機構の役員若しくは職員又はこれらの職にあつた者

ヘ　機構の委託（二以上の段階にわたる委託を含む。）を受けて行う第三十条の七第一項の規定による通知に係る本人確認情報又は第三十条の四十二第一項の規定による通知に係る附票本人確認情報の電子計算機処理等に関する事務に従事している者又は従事していた者

ト　受領した本人確認情報等又は受領した附票本人確認情報等の電子計算機処理等に関する事務に従事する受領者又は第三十条の四十四の十三において準用する第三十条の二十八第一項に規定する附票情報受領者（チにおいて「附票情報受領者」という。）の職員又は職員であつた者

チ　受領者又は附票情報受領者の委託（二以上の段階にわたる委託を含む。）を受けて行う受領した本人確認情報等又は第三十条の四十四の十三において準用する第三十条の二十八第一項に規定する受領した附票本人確認情報等の電子計算機処理等に関する事務に従事している者又は従事していた者

＊ 本条―追加〔平一一・八法一三三〕、一部改正・旧四四条―四三条に繰上〔平二五・五法二八〕、全改〔令元・五法一六〕、一部改正〔令四・六法六八、令五・六法四八〕

㊟ 次条中、点線の左側は、令和四年六月一七日から起算して三年を超えない範囲内において政令で定める日〔令七・六・一〕から施行となる。

第四十四条　第三十五条の規定に違反して秘密を漏らした者は、一年以下の懲役/拘禁刑又は三十万円以下の罰金に処する。

＊ 見出し―削除・本条―一部改正・旧四二条―四五条に繰下〔平一一・八法一三三〕、旧四五条―四四条に繰上〔平二五・五法二八〕、一部改正〔令四・六法六八〕

【参照条文】
※ 地公法三四１・六〇

㊟ 次条中、点線の左側は、令和四年六月一七日から起算して三年を超えない範囲内において政令で定める日〔令七・六・一〕から施行となる。

第四十五条　第十一条の二第九項又は第十項の規定による命令に違反した者は、六月以下の懲役/拘禁刑又は三十万円以下の罰金に処する。

＊ 本条―追加〔平一八・六法七四〕、旧四六条―四五条に繰上〔平二五・五法二八〕、一部改正〔令四・六法六八〕

第四十六条　次の各号のいずれかに該当する者は、三十万円以下の罰金に処する。

一　第十一条の二第十一項若しくは第三十条の三十九第一項の規定による報告をせず、若しくは虚偽の報告をし、又は同項の規定による検査を拒み、妨げ、若しくは忌避した者

二　偽りその他不正の手段により、第十二条から第十二条の三まで（これらの規定を第三十条の五十一の規定により読み替えて適用する場合を含む。）に規定する住民票の写し若しくは住民票記載事項証明書の交付を受け、第十二条の四（第三十条の五十一の規定により読み替えて適用する場合を含む。）に規定する住民票の写しの交付を受け、第十五条の四（第三十条の五十一の規定により読み替えて適用する場合を含む。）に規定する除票の写し若しくは除票記載事項証明書の交付を受け、第二十条に規定する戸籍の附票の写しの交付を受け、又は第二十一条の三に規定する戸籍の附票の除票の写しの交付を受けた者

＊ 本条―追加〔平一八・六法七四〕、全改〔平一九・六法七五〕、一・二号―一部改正〔平二一・七法七七〕、一・二号―一部改正・旧四七条―四六条に繰上〔平二五・五法二八〕、二号―一部改正〔令元・五法一六〕

第四十七条　次の各号のいずれかに該当するときは、その違反行為をした機構の役員又は職員は、三十万円以下の罰金に処する。

一　第三十条の十八（第三十条の四十四の九において準用する場合を含む。）の規定に違反して帳簿を備えず、帳簿に記載せず、若しくは帳簿に虚偽の記載をし、又は帳簿を保存しなかつたとき。

二　第三十条の二十第一項（第三十条の四十四の九において準用する場合を含む。以下この号において同じ。）の規定による報告をせず、若しくは虚偽の報告をし、又は

同項の規定による検査を拒み、妨げ、若しくは忌避したとき。

＊ 本条―追加〔平一一・八法一三三〕、旧四六条―四八条に繰下〔平一八・六法七四〕、一・二号―一部改正・三号―削る・旧四八条―四七条に繰上〔平二五・五法二八〕、一・二号―一部改正〔令元・五法一六、令五・六法四八〕

第四十八条　法人（法人でない団体で代表者又は管理人の定めのあるものを含む。以下この項において同じ。）の代表者若しくは管理人又は法人若しくは人の代理人、使用人その他の従業者が、その法人又は人の業務に関して第四十三条第一号、第四十五条又は第四十六条第一号の違反行為をしたときは、その行為者を罰するほか、その法人又は人に対し各本条の罰金刑を科する。

2　法人でない団体について前項の規定の適用がある場合には、その代表者又は管理人が、その訴訟行為につき法人でない団体を代表するほか、法人を被告人又は被疑者とする場合の刑事訴訟に関する法律の規定を準用する。

＊ 本条―追加〔平一一・八法一三三〕、一部改正・二項―追加・旧四八条―四九条に繰下〔平一八・六法七四〕、一項―一部改正〔平一九・六法七五〕、一項―一部改正・旧四九条―四八条に繰上〔平二五・五法二八〕、一項―一部改正〔令元・五法一六〕

第四十九条　第三十四条第三項の規定による質問に対し、答弁をせず、若しくは虚偽[1]の陳述をし、又は文書の提示を拒み、妨げ、忌避[2]し、若しくは虚偽の文書を提示した者は、五万円以下の罰金に処する。

＊ 旧四三条―四九条に繰下〔平一一・八法一三三〕、旧四九条―五〇条に繰下〔平一八・六法七四〕、旧五〇条―四九条に繰上〔平二五・五法二八〕

【注　釈】

1）○「虚偽」とは、うそ、いつわりであって、真実でないことをいう。

2）○「拒み、妨げ、忌避」とは、当該職員の職務の円滑な執行の妨げとなる行為をいう。この場合、「拒み、妨げ」は、当該職員の提示要求に対して、何らかの積極的行動に出た場合をいい、「忌避」は、そういう積極的行動がない場合をいう。

第四十九条の二　第四十二条（第三十条の三十第二項（第三十条の四十四の十三において準用する場合を含むものとし、別表第一の四十一の項の下欄に掲げる事務の処理に関し外務省が提供を受けた本人確認情報又は附票本人確認情報の電子計算機処理等に関する事務に従事する外務省の職員又は職員であった者に係る部分に限る。）に係る部分に限る。）及び第四十三条（第二号ト（当該事務に従事する外務省の職員又は職員であった者に係る部分に限る。）に係る部分に限る。）の規定は、日本国外においてこれらの条の罪を犯した者にも適用する。

＊ 本条―追加〔令五・六法四八〕

第五十条　偽りその他不正の手段により第十一条の二第一項の規定による住民基本台帳の一部の写しの閲覧をし、若しくはさせた者又は同条第七項の規定に違反して、当該閲覧事項を利用目的以外の目的のために利用し、若しくは当該閲覧事項に係る申出者、閲覧者、個人閲覧事項取扱者及び法人閲覧事項取扱者以外の者に提供した者は、三十万円以下の過料に処する。ただし、第四十五条の規定により刑を科すべきときは、この限りでない。

＊ 本条―追加〔平一八・六法七四〕、一部改正・旧五一条―五〇条に繰上〔平二五・五法二八〕

第五十一条　偽りその他不正の手段により第三十条の三十二第二項（第三十条の四十四の十三において準用する場合を含む。）の規定による開示を受けた者は、十万円以下の過料に処する。

＊ 本条―追加〔昭六〇・六法七六〕、一部改正・旧四四条―五〇条に繰下〔平一一・八法一三三〕、一部改正・旧五〇条―五二条に繰下〔平一八・六法七四〕、一部改正〔平一九・六法七五〕、一部改正・旧五二条―五一条に繰上〔平二五・五法二八〕、一部改正〔令元・五法一六、令五・六法四八〕

第五十二条　第二十二条から第二十四条まで、第二十五条又は第三十条の四十六から第三十条の四十八までの規定による届出に関し虚偽の届出（第二十八条から第三十条までの規定による付記を含む。）をした者は、他の法令の規定により刑を科すべき場合を除き[1]、五万円以下の過料に処する。

2　正当な理由がなくて[2]第二十二条から第二十四条まで、第二十五条又は第三十条の四十六から第三十条の四十八までの規定による届出をしない者は、五万円以下の過料に処する。

＊ 一項―一部改正〔昭四四・五法三〇、昭六〇・六法七六〕、二項―一部改正〔昭六〇・六法七六〕、三項―削る〔昭六〇・六法七六〕、旧四四条―四五条に繰下〔昭六〇・六法七六〕、一・二項―一部改正・旧四五条―五一条に繰下〔平一一・八法一三三〕、旧五一条―五三条に繰下〔平一八・六法七四〕、一・二項―一部改正〔平二一・七法七七〕、旧五三条―五二条に繰上〔平二五・五法二八〕

【参照条文】

※ 刑法六五・一五六・一五七　戸籍法一三五

【注　釈】

1）○「他の法令の規定により刑を科すべき場合」とは、刑法第一五七条の公正証書等不実記載罪、同未遂罪又は公職選挙法第二三六条の詐偽登録罪をいう。

2）○「正当な理由」とは、震災、風水害等不可抗力により届出ができない場合、本人の病気により届出ができない場合等をいう。

第五十三条 前三条の規定による過料についての裁判は、簡易裁判所がする。

＊ 本条―追加〔昭六〇・六法七六〕、旧四六条―五二条に繰下〔平一一・八法一三三〕、本条―一部改正〔平一六・一二法一五二〕、一部改正・旧五二条―五四条に繰下〔平一八・六法七四〕、旧五四条―五三条に繰上〔平二五・五法二八〕

【参照条文】
戸籍法一三八

附 則（抄）

（**施行期日**）

第一条 この法律は、公布の日から起算して六月をこえない範囲内において政令で定める日（以下「施行日」という。）〔昭四二・一一・一〇〕から施行する。ただし、第十五条の規定はこの法律の公布の日から起算して二年をこえない範囲内において政令で定める日〔昭四四・七・二〇〕から、附則第十一条（地方税法（昭和二十五年法律第二百二十六号）第八条第一項の改正部分を除く。）の規定は昭和四十五年一月一日から施行する。

【参照条文】
※ 令附則一 住民基本台帳法の一部の施行期日を定める政令

（**住民登録法及び住民登録法施行法の廃止**）

第二条 住民登録法（昭和二十六年法律第二百十八号）及び住民登録法施行法（昭和二十七年法律第百六号）は、廃止する。

【参照条文】
※ 令附則二

（**住民登録法の廃止に伴う経過措置**）

第三条 施行日前にした旧住民登録法の規定に基づく届出その他の行為は、この法律の相当規定に基づいてされたものとみなす。

2 施行日前にした旧住民登録法の規定に違反する行為に対する罰則の適用については、なお従前の例による。

3 前二項に定めるもののほか、住民登録法の廃止に伴い必要な経過措置は、政令で定める。

【参照条文】
※ 令附則三・四

（**住民基本台帳に関する経過措置**）

第四条 市町村長は、昭和四十四年三月三十一日までに、施行日の前日現在における住民（同日後において転出をした者を除く。）につき、住民票を作成しなければならない。この場合においては、第七条第六号に掲げる事項の記載を省略することができる。

2 市町村長は、前項の規定により住民票を作成したときは、直ちに、その旨を告示しなければならない。

3 前項の規定による告示がされるまでの間は、第六条に規定する住民票及び旧住民登録法の規定による住民票を住民基本台帳とみなす。この場合において、第六条に規定する住民票については、第七条第九号から第十二号までに掲げる事項の記載を省略することができる。

4 前項の場合におけるこの法律の規定の適用その他この法律の施行に関し必要な経過措置は、この附則に定めるもののほか、政令で定める。

【参照条文】
※ 令附則五・六

（**戸籍の附票に関する経過措置**）

第五条 旧住民登録法の規定による戸籍の附票は、この法律の規定による戸籍の附票とみなす。

（**住所の異動に関する届出に関する経過措置**）

第六条 施行日から起算して七日を経過する日までの間に転出をする者（国外に転出をする者を除く。）については、第二十四条の規定は、適用しない。

2 前項の者及び施行日前に転出をした者については、第二十二条第二項の規定は、適用しない。

（**介護保険の被保険者に関する特例**）

第七条 当分の間、第七条第十号の三の規定の適用については、同号中「介護保険法（平成九年法律第百二十三号）第九条」とあるのは「介護保険法（平成九年法律第百二十三号）第九条及び介護保険法施行法（平成九年法律第百二十四号）第十一条第一項」と、「同条第二号」とあるのは「介護保険法第九条第二号」とする。

＊ 本条―追加〔平九・一二法一二四〕、一部改正〔平一八・六法八三〕

別表第一（第三十条の九、第三十条の二十三、第三十条の二十八、第三十条の三十、第三十条の四十四、第三十条の四十四の十二、第三十条の四十四の十三関係）

提供を受ける国の機関又は法人	事務
一　被災者生活再建支援法（平成十年法律第六十六号）第六条第一項に規定する支援法人	被災者生活再建支援法による同法第三条第一項の被災者生活再建支援金の支給に関する事務であつて総務省令で定めるもの
一の二　金融庁又は財務省	銀行法（昭和五十六年法律第五十九号）による同法第五十二条の三十六第一項の許可若しくは同法第五十二条の三十九第一項の届出、同法第五十二条の六十の三の登録若しくは同法第五十二条の六十の七第二項の届出又は同法第五十二条の六十一の二の登録若しくは同法第五十二条の六十一の六第一項の届出に関する事務であつて総務省令で定めるもの
一の三　金融庁又は財務省	長期信用銀行法（昭和二十七年法律第百八十七号）による同法第十六条の五第一項の許可又は同法第十七条において準用する銀行法第五十二条の三十九第一項の届出に関する事務であつて総務省令で定めるもの
一の四　金融庁又は財務省	信用金庫法（昭和二十六年法律第二百三十八号）による同法第八十五条の二第一項の許可若しくは同法第八十九条第五項において準用する銀行法第五十二条の三十九第一項の届出、信用金庫法第八十五条の三第一項の登録若しくは同法第八十九条第七項において準用する銀行法第五十二条の六十の七第二項の届出又は信用金庫法第八十五条の四第一項の登録若しくは同法第八十九条第九項において準用する銀行法第五十二条の六十一の六第一項の届出に関する事務であつて総務省令で定めるもの
一の五　金融庁若しくは財務省又は厚生労働省	労働金庫法（昭和二十八年法律第二百二十七号）による同法第八十九条の三第一項の許可若しくは同法第九十四条第三項において準用する銀行法第五十二条の三十九第一項の届出又は労働金庫法第八十九条の五第一項の登録若しくは同法第九十四条第五項において準用する銀行法第五十二条の六十一の六第一項の届出に関する事務であつて総務省令で定めるもの
一の六　金融庁又は財務省	協同組合による金融事業に関する法律（昭和二十四年法律第百八十三号）による同法第六条の三第一項の許可若しくは同法第六条の四の二第一項において準用する銀行法第五十二条の三十九第一項の届出、協同組合による金融事業に関する法律第六条の四の三第一項の登録若しくは同法第六条の五第一項において準用する銀行法第五十二条の六十の七第二項の届出又は協同組合による金融事業に関する法律第六条の五の二第一項の登録若しくは同法第六条の五の十第一項において準用する銀行法第五十二条の六十一の六第一項の届出に関する事務であつて総務省令で定めるもの
一の七　金融庁若しくは財務省又は農林水産省	農業協同組合法（昭和二十二年法律第百三十二号）による同法第九十二条の二第一項の許可若しくは同法第九十二条の四第一項において準用する銀行法第五十二条の三十九第一項の届出又は農業協同組合法第九十二条の五の二第一項の登録若しくは同法第九十二条の五の九第一項において準用する銀行法第五十二条の六十一の六第一項の届出に関する事務であつて総務省令で定めるもの
一の八　金融庁若しくは財務省又は農林水産省	水産業協同組合法（昭和二十三年法律第二百四十二号）による第百六条第一項の許可若しくは同法第百八条第一項において準用する銀行法第五十二条の三十九第一項の届出又は水産業協同組合法第百十条第一項の登録若しくは同法第百十七条第一項において準用する銀行法第五十二条の六十一の六第一項の届出に関する事務であつて総務省令で定めるもの
一の九　金融庁若しくは財務省又は農林水産省	農林中央金庫法（平成十三年法律第九十三号）による同法第九十五条の二第一項の許可若しくは同法第九十五条の四第一項において準用する銀行法第五十二条の三十九第一項の届出又は農林中央金庫法第九十五条の五の二第一項の登録若しくは同法第九十五条の五の十第一項において準用する銀行法第五十二条の六十一の六第一項の届出に関する事務であつて総務省令で定めるもの
一の十　金融庁若しくは財務省又は経済産業省	株式会社商工組合中央金庫法（平成十九年法律第七十四号）による同法第六十条の三の登録又は同法第六十条の七第一項の届出に関する事務であつて総務省令で定めるもの
二　金融庁又は財務省	保険業法（平成七年法律第百五号）による同法第二百七十六条又は第二百八十六条の登録に関する事務であつて総務省令で定めるもの

三 金融庁又は財務省	㊟ 本項中、点線の左側は、令和六年五月二二日から起算して一年を超えない範囲内において政令で定める日から施行となる。 金融商品取引法（昭和二十三年法律第二十五号）による同法第二十九条の登録、同法第三十一条第一項若しくは第三十二条第一項（同法第三十二条の四及び第五十七条の二十六第一項において準用する場合を含む。）若しくは第三項の届出、同法第三十三条の二の登録、同法第三十三条の六第一項、第五十条の二第一項、第五十七条の十三第一項若しくは第五十七条の十四の届出、同法第五十九条第一項、第六十条第一項若しくは第六十条の十四第一項の許可、同法第六十条の五第一項（同法第六十条の十四第二項において準用する場合を含む。）、第六十三条第二項若しくは第八項（同法第六十三条の三第二項において準用する場合を含む。）、第六十三条の二第二項若しくは第三項（同法第六十三条の三第二項において準用する場合を含む。）、第六十三条の三第一項、第六十三条の九第一項若しくは第七項（同法第六十三条の十一第二項において準用する場合を含む。）、第六十三条の十第二項若しくは第三項（同法第六十三条の十一第二項において準用する場合を含む。）若しくは第六十三条の十一第一項の届出、同法第六十四条第一項の登録、同法第六十四条の四の届出、同法第六十六条の登録、同法第六十六条の五第一項若しくは第六十六条の十九第一項の届出、同法第六十六条の二十七の登録、同法第六十六条の三十一第一項若しくは第六十六条の四十第一項の届出、同法第六十六条の五十の登録、同法第六十六条の五十四第一項若しくは第六十六条の六十一第一項の届出、同法第六十六条の七十一の登録、同法第六十六条の七十五第一項若しくは第六十六条の八十三第一項の届出、同法第六十七条の二第二項の認可、同法第七十八条第一項の認定、同法第七十九条の三十第一項の認可、同法第八十条第一項の免許、同法第百一条の十七第一項の認可、同法第百二条の十四の認可、同法第百三条の二第三項若しくは第百三条の三第一項の届出、同法第百六条の三第一項の認可、同条第三項（同法第百六条の十第四項及び第百六条の十七第四項において準用する場合を含む。）の届出、同法第百六条の十第一項若しくは第三項ただし書の認可、同法第百六条の十四第三項若しくは第百六条の十五の届出、同法第百六条の十七第一項若しくは第百四十条第一項の認可、同法第百四十九条第二項の届出、同法第百五十五条第一項の認可、同法第百五十五条の七の届出、同法第百五十六条の二の免許、同法第百五十六条の五の三第一項の届出、同法第百五十六条の五の五第一項の認可、同条第三項の届出、同条第四項ただし書の認可、同法第百五十六条の十三の届出、同法第百五十六条の二十の二の免許、同法第百五十六条の二十の十一の届出、同法第百五十六条の二十の十六第一項の認可、同法第百五十六条の二十の二十一第二項の届出、同法第百五十六条の二十四第一項の免許、同法第百五十六条の二十八第三項の届出、同法第百五十六条の六十七第一項の指定又は同法第百五十六条の七十七第一項、第百五十六条の八十六第一項若しくは第四項若しくは附則第三条の三第一項の届出に関する事務であつて総務省令で定めるもの
四 削除	
五 金融庁又は財務省	投資信託及び投資法人に関する法律（昭和二十六年法律第百九十八号）による第六十九条第一項の届出、同法第百八十七条の登録又は同法第百九十一条第一項、第二百二十条第一項若しくは第二百二十一条第一項の届出に関する事務であつて総務省令で定めるもの
六 削除	
七 削除	
八 金融庁又は財務省	信託業法（平成十六年法律第百五十四号）による同法第三条の免許、同法第七条第一項の登録、同条第三項（同法第五十条の二第二項及び第五十四条第二項において準用する場合を含む。）の更新、同法第十二条第一項若しくは第二項若しくは第十七条第一項（同法第二十条において準用する場合を含む。）の届出、同法第二十六条第一項、第三十七条第一項、第三十八条第一項若しくは第三十九条第一項（同条第五項（同法第六十三条第二項において準用する場合を含む。）及び同法第六十三条第二項において準用する場合を含む。）の認可、同法第五十条の二第一項の登録、同法第五十二条第一項の登録、同法第五十三条第一項の免許、同法第五十四条第一項の登録、同法第五十六条第一項若しくは第二項の届出、同法第六十七条第一項の登録又は同法第七十一条第一項の届出に関する事務であつて総務省令で定めるもの
九 金融庁又は財務省	貸金業法（昭和五十八年法律第三十二号）による同法第三条第一項の登録、同条第二項の更新、同法第八条第一項の届出、同法第二十四条の七第一項の試験の実施、同法第二十四条の八第二項の申請、同法第二十四条の十第一項の認可、同法第二十四条の二十五第一項の登録、同法第二十四条の

住基法

	二十八の申請、同法第二十四条の三十二第一項の更新、同法第二十四条の三十六第一項の登録、同法第二十四条の三十九第一項の更新、同法第二十四条の四十一の届出、同法第二十六条第二項の認可、同法第三十三条第二項の届出又は同法第四十一条の十四第一項の申請に関する事務であつて総務省令で定めるもの
十　削除	
十一　金融庁又は財務省	資産の流動化に関する法律（平成十年法律第百五号）による同法第三条第一項、第九条第一項若しくは第十一条第一項の届出又は特定目的会社による特定資産の流動化に関する法律等の一部を改正する法律（平成十二年法律第九十七号）附則第二条第一項の規定によりなおその効力を有するものとされる同法第一条の規定による改正前の特定目的会社による特定資産の流動化に関する法律による同法第九条第一項の届出若しくは同法第十一条第一項の変更登録に関する事務であつて総務省令で定めるもの
十二　金融庁又は財務省	資金決済に関する法律（平成二十一年法律第五十九号）による同法第七条の登録、同法第十一条第一項の届出、同法第三十七条の登録、同法第四十一条第四項の届出、同法第六十二条の三の登録、同法第六十二条の七第四項の届出、同法第六十三条の二の登録、同法第六十三条の六第二項の届出、同法第六十三条の二十三の許可、同法第六十三条の三十三第二項の届出、同法第六十四条第一項の免許、同法第七十七条の届出又は同法第八十七条の認定に関する事務であつて総務省令で定めるもの
十二の二　金融庁又は財務省	金融サービスの提供及び利用環境の整備等に関する法律（平成十二年法律第百一号）による同法第十二条の登録、同法第十六条第三項の届出、同法第四十条の認定、同法第七十五条第一項の登録又は同法第七十七条において準用する金融商品取引法第六十四条の四の届出に関する事務であつて総務省令で定めるもの
十三　預金保険機構	預金保険法（昭和四十六年法律第三十四号）による同法第五十五条の二第一項の預金等に係る債権の額の把握に関する事務であつて総務省令で定めるもの
十三の二　預金保険機構	公的給付の支給等の迅速かつ確実な実施のための預貯金口座の登録等に関する法律（令和三年法律第三十八号）による同法第十二条第一項第二号の個人番号の確認に関する事務であつて総務省令で定めるもの
十三の三　預金保険機構	預貯金者の意思に基づく個人番号の利用による預貯金口座の管理等に関する法律（令和三年法律第三十九号）による同法第三条第四項、第五条第三項、第七条第三項若しくは第八条第三項の通知又は同法第九条第一項の規定による情報の提供に関する事務であつて総務省令で定めるもの
十四　農水産業協同組合貯金保険機構	農水産業協同組合貯金保険法（昭和四十八年法律第五十三号）による同法第五十七条の二第一項の貯金等に係る債権の額の把握に関する事務であつて総務省令で定めるもの
十五　金融庁又は財務省	公認会計士法（昭和二十三年法律第百三号）による同法第三十四条の九の二若しくは第三十四条の十第二項の届出又は同法第三十四条の二十四若しくは第三十四条の二十八第一項の登録に関する事務であつて総務省令で定めるもの
十五の二　デジタル庁	公的給付の支給等の迅速かつ確実な実施のための預貯金口座の登録等に関する法律による同法第三条第一項の公的給付支給等口座登録簿への登録に関する事務であつて総務省令で定めるもの
十五の三　公的給付の支給等の迅速かつ確実な実施のための預貯金口座の登録等に関する法律第十条に規定する特定公的給付の支給を実施する国の機関又は法人	公的給付の支給等の迅速かつ確実な実施のための預貯金口座の登録等に関する法律による同法第十条の特定公的給付の支給を実施するための基礎とする情報の管理に関する事務であつて総務省令で定めるもの
十六　総務省	恩給法（大正十二年法律第四十八号。他の法律において準用する場合を含む。）による年金である給付又は一時金の支給に関する事務であつて総務省令で定めるもの
十七　総務省	執行官法の一部を改正する法律（平成十九年法律第十八号）附則第三条第一項の規定によりなお従前の例により支給されることとされる同法による改正前の執行官法（昭和四十一年法律第百十一号）附則第十三条の規定による年金である給付の

	支給に関する事務であつて総務省令で定めるもの
十八　総務省	国会議員互助年金法を廃止する法律（平成十八年法律第一号）又は同法附則第二条第一項の規定によりなおその効力を有することとされる旧国会議員互助年金法（昭和三十三年法律第七十号）による年金である給付の支給に関する事務であつて総務省令で定めるもの
十八の二　日本行政書士会連合会	行政書士法（昭和二十六年法律第四号）による同法第六条第一項の行政書士の登録に関する事務であつて総務省令で定めるもの
十九　地方公務員共済組合及び全国市町村職員共済組合連合会	地方公務員等共済組合法（昭和三十七年法律第百五十二号）第五十三条第一項の短期給付若しくは同法第七十六条の退職等年金給付の支給、同法第百十二条第一項若しくは第百十二条の二第一項の福祉事業の実施若しくは同法附則第十九条の二第二項の一時金の支給、地方公務員等共済組合法の長期給付等に関する施行法（昭和三十七年法律第百五十三号）第三条第一項、第二項、第四項若しくは第七項若しくは第三条の二の年金である給付の支給又は被用者年金制度の一元化等を図るための厚生年金保険法等の一部を改正する法律（平成二十四年法律第六十三号）附則第六十条第五項、第六十一条第一項若しくは第六十五条第一項の年金である給付の支給に関する事務であつて総務省令で定めるもの
二十　地方公務員等共済組合法の一部を改正する法律（平成二十三年法律第五十六号）附則第二十三条第一項第三号に規定する存続共済会	地方公務員等共済組合法の一部を改正する法律附則第二十三条第一項第一号又は第二号に規定する給付のうち年金である給付の支給に関する事務であつて総務省令で定めるもの
二十一　地方公務員共済組合及び全国市町村職員共済組合連合会	介護保険法による特別徴収に関する事務であつて総務省令で定めるもの
二十二　地方公務員共済組合連合会	介護保険法による特別徴収に関する事務であつて総務省令で定めるもの
二十三　地方公務員災害補償基金	地方公務員災害補償法（昭和四十二年法律第百二十一号）による公務上の災害若しくは通勤による災害に対する補償又は福祉事業の実施に関する事務であつて総務省令で定めるもの
二十四　総務省	電気通信事業法（昭和五十九年法律第八十六号）による同法第九条の登録、同法第十三条第五項の届出、同法第四十六条第三項（同法第七十二条第二項において準用する場合を含む。）の交付、同法第百十七条第一項の認定又は同法第百二十二条第五項の届出に関する事務であつて総務省令で定めるもの
二十五　総務省	日本電信電話株式会社等に関する法律（昭和五十九年法律第八十五号）による同法第十条第三項の届出に関する事務であつて総務省令で定めるもの
二十六　総務省	電波法（昭和二十五年法律第百三十一号）による同法第四条の免許、同法第四条の二第二項の届出、同法第八条第一項の予備免許、同法第二十四条の六第二項（同法第二十四条の十三第二項において準用する場合を含む。）の届出、同法第二十七条の二十一第一項の登録、同法第三十七条の検定、同法第四十一条第一項の免許又は同法第四十八条の二第一項の船舶局無線従事者証明に関する事務であつて総務省令で定めるもの
二十七　消防法（昭和二十三年法律第百八十六号）第十三条の七第二項に規定する指定試験機関	消防法による危険物取扱者試験の実施に関する事務であつて総務省令で定めるもの
二十八　消防法第十七条の十一第三項に規定する指定試	消防法による消防設備士試験の実施に関する事務であつて総務省令で定めるもの

験機関	
二十九　消防団員等公務災害補償等共済基金又は消防団員等公務災害補償等責任共済等に関する法律（昭和三十一年法律第百七号）第二条第三項に規定する指定法人	消防団員等公務災害補償等責任共済等に関する法律による消防団員等福祉事業の実施に関する事務であつて総務省令で定めるもの
三十　法務省	司法試験法（昭和二十四年法律第百四十号）による司法試験又は司法試験予備試験の実施に関する事務であつて総務省令で定めるもの
三十一　法務省	不動産登記法（平成十六年法律第百二十三号）による同法第十四条第一項の地図の作成、同法第二十九条第一項の調査、不動産の表題登記（同法第二条第二十号に規定する表題登記をいう。）、表題部所有者（同条第十号に規定する表題部所有者をいう。以下この欄において同じ。）の氏名若しくは名称若しくは住所についての変更の登記若しくは更正の登記、表題部所有者についての更正の登記、所有権の保存若しくは移転の登記、同法第七十六条の三第三項の登記、同法第七十六条の四の符号の表示、登記名義人の氏名若しくは名称若しくは住所についての変更の登記若しくは更正の登記、同法第百三十一条第一項の申請又は同法第百三十三条第一項、第百三十六条第一項、第百四十条第一項若しくは第百四十四条第一項の通知に関する事務であつて総務省令で定めるもの
三十二　法務省	船舶法（明治三十二年法律第四十六号）附則第三十四条第一項の規定による登記に関する事務であつて総務省令で定めるもの
三十三　法務省	工場抵当法（明治三十八年法律第五十四号。鉱業抵当法（明治三十八年法律第五十五号）、漁業財団抵当法（大正十四年法律第九号）及び港湾運送事業法（昭和二十六年法律第百六十一号）において準用する場合を含む。）による所有権の保存の登記に関する事務であつて総務省令で定めるもの
三十四　法務省	立木に関する法律（明治四十二年法律第二十二号）による所有権の保存の登記に関する事務であつて総務省令で定めるもの
三十五　法務省	道路交通事業抵当法（昭和二十七年法律第二百四号）による所有権の保存の登記に関する事務であつて総務省令で定めるもの
三十六　法務省	建設機械抵当法（昭和二十九年法律第九十七号）による登記に関する事務であつて総務省令で定めるもの
三十七　法務省	観光施設財団抵当法（昭和四十三年法律第九十一号）による所有権の保存の登記に関する事務であつて総務省令で定めるもの
三十八　法務省	後見登記等に関する法律（平成十一年法律第百五十二号）による同法第七条又は第八条の登記に関する事務であつて総務省令で定めるもの
三十八の二　法務省	所有者不明土地の利用の円滑化等に関する特別措置法（平成三十年法律第四十九号）による同法第四十四条第一項の探索に関する事務であつて総務省令で定めるもの
三十八の三　法務省	表題部所有者不明土地の登記及び管理の適正化に関する法律（令和元年法律第十五号）による同法第三条第一項の探索に関する事務であつて総務省令で定めるもの
三十九　法務省	供託法（明治三十二年法律第十五号）による同法第八条第一項の還付又は同条第二項の取戻しに関する事務であつて総務省令で定めるもの
四十　法務省	出入国管理及び難民認定法による同法第七条の二第一項の交付、同法第二十条第三項（同法第二十二条の二第三項（同法第二十二条の三において準用する場合を含む。）において準用する場合を含む。）、第二十一条第三項若しくは第二十二条第二項（同法第二十二条の二第四項（同法第二十二条の三において準用する場合を含む。）において準用する場合を含む。）の許可又は同法第二十二条の四第一項の在留資格の取消しに関する事務であつて総務省令で定めるもの
四十の二　出入国在留管理庁	出入国管理及び難民認定法による同法第十九条の二十三第一項の登録、同条第二項の更新又は同法第十九条の二十七第一項の届出に関する事務であつて総務省令で定めるもの
四十の三	日本国との平和条約に基づき日本の国籍を離脱し

住基法

出入国在留管理庁	た者等の出入国管理に関する特例法による同法第四条第一項若しくは第五条第一項の許可又は同法第七条第一項の特別永住者証明書の交付に関する事務であつて総務省令で定めるもの
四十の四　出入国在留管理庁、厚生労働省又は外国人技能実習機構 外国人育成就労機構	㊟　本項中、点線の左側は、令和六年六月二一日から起算して三年を超えない範囲内において政令で定める日から施行となる。 外国人の技能実習の適正な実施及び技能実習生の保護に関する法律 外国人の育成就労の適正な実施及び育成就労外国人の保護に関する法律（平成二十八年法律第八十九号）による同法第八条第一項若しくは第十一条第一項の技能実習計画の認定 第十一条第一項に規定する育成就労認定又は同法第三十二条第三項 第三十二条第一項の届出に関する事務であつて総務省令で定めるもの
四十の五　法務省、厚生労働省又は外国人技能実習機構 外国人育成就労機構	㊟　本項中、点線の左側は、令和六年六月二一日から起算して三年を超えない範囲内において政令で定める日から施行となる。 外国人の技能実習の適正な実施及び技能実習生の保護に関する法律 外国人の育成就労の適正な実施及び育成就労外国人の保護に関する法律による同法第二十三条第一項若しくは第三十二条第一項 項の許可又は同法第三十一条第二項の更新に関する事務であつて総務省令で定めるもの
四十一　外務省	旅券法（昭和二十六年法律第二百六十七号）による同法第三条第一項の発給、同法第九条第一項の渡航先の追加又は同法第十六条若しくは第十七条第一項の届出に関する事務であつて総務省令で定めるもの
四十一の二　外務省	㊟　本項中、点線の左側は、令和六年五月二四日から起算して二年を超えない範囲内において政令で定める日から施行となる。 国際的な子の奪取の民事上の側面に関する条約の実施に関する法律（平成二十五年法律第四十八号）による同法第四条第一項の外国返還援助、同法第十一条第一項の日本国返還援助、同法第十六条第一項の日本国面会交流援助 日本国交流援助又は同法第二十一条第一項の外国面会交流援助 外国交流援助に関する事務であつて総務省令で定めるもの
四十一の三　国税庁	国税収納金整理資金に関する法律（昭和二十九年法律第三十六号）による同法第九条第一項の国税等の徴収若しくは収納又は同法第十一条第四項において準用する会計法（昭和二十二年法律第三十五号）第二十一条第一項の債権者への支払に関する事務であつて総務省令で定めるもの
四十一の四　国家公務員共済組合	国家公務員共済組合法（昭和三十三年法律第百二十八号）による同法第五十条第一項の短期給付の支給又は同法第九十八条第一項の福祉事業の実施に関する事務であつて総務省令で定めるもの
四十二　国家公務員共済組合連合会	国家公務員共済組合法第七十四条の退職等年金給付若しくは同法附則第十三条の二第二項の一時金の支給、国家公務員共済組合法の長期給付に関する施行法（昭和三十三年法律第百二十九号）第三条の年金である給付の支給又は被用者年金制度の一元化等を図るための厚生年金保険法等の一部を改正する法律附則第三十六条第五項、第三十七条第一項若しくは第四十一条第一項の年金である給付の支給に関する事務であつて総務省令で定めるもの
四十三　国家公務員共済組合連合会	旧令による共済組合等からの年金受給者のための特別措置法（昭和二十五年法律第二百五十六号）による年金である給付の支給に関する事務であつて総務省令で定めるもの
四十四　厚生年金保険法等の一部を改正する法律（平成八年法律第八十二号）附則第三十二条第二項に規定する存続組合又は同法附則第四十八条第一項に規定する指定基金	厚生年金保険法等の一部を改正する法律附則第三十二条第二項第一号又は第三号に規定する年金である給付（当該給付に相当するものとして支給されるものを含む。）に係る権利の決定若しくは支給の停止の解除又は受給権者に係る届出に関する事務であつて総務省令で定めるもの
四十四の二　国税庁	国税通則法（昭和三十七年法律第六十六号）その他の国税（同法第二条第一号に規定する国税をいう。以下この欄において同じ。）に関する法律による国税の納付義務の確定、納税の猶予、担保の提供、還付又は充当、附帯税（同条第四号に規定する附帯税をいう。）の減免、調査（犯則事件の

	調査を含む。）、不服審査その他の国税の賦課又は徴収に関する事務であつて総務省令で定めるもの
四十四の三　社債、株式等の振替に関する法律（平成十三年法律第七十五号）第二条第二項に規定する振替機関	国税通則法による同法第七十四条の十三の四第一項の加入者情報の管理又は同条第二項の加入者の個人番号等の提供に関する事務であつて総務省令で定めるもの
四十四の四　国税審議会	税理士法（昭和二十六年法律第二百三十七号）による同法第十二条第一項の税理士試験の執行に関する事務であつて総務省令で定めるもの
四十四の五　日本税理士会連合会	税理士法による同法第十八条の税理士の登録に関する事務であつて総務省令で定めるもの
四十四の六　国税庁	税理士法による同法第五十五条第一項又は第二項の報告の徴取又は質問若しくは検査に関する事務であつて総務省令で定めるもの
四十四の七　国税庁	酒税法（昭和二十八年法律第六号）による同法第七条第一項、第八条又は第九条第一項の免許に関する事務であつて総務省令で定めるもの
四十五　財	関税法（昭和二十九年法律第六十一号）による同
務省	法第二十四条第二項の許可に関する事務であつて総務省令で定めるもの
四十六　財務省	たばこ事業法（昭和五十九年法律第六十八号）による同法第十一条第一項若しくは第二十条の登録、同法第十四条第三項若しくは第十五条（これらの規定を同法第二十一条において準用する場合を含む。）の届出、同法第二十二条第一項の許可又は同法第二十七条第三項の届出に関する事務であつて総務省令で定めるもの
四十七　財務省	塩事業法（平成八年法律第三十九号）による同法第五条第一項、第十六条第一項若しくは第十九条第一項の登録、同法第八条第三項若しくは第九条第一項（これらの規定を同法第十七条及び第二十条において準用する場合を含む。）の届出又は同法第十五条第一項若しくは第二項若しくは第十八条第一項若しくは第二項の届出に関する事務であつて総務省令で定めるもの
四十七の二　国税庁	地方税法による同法附則第九条の四第一項の譲渡割の賦課徴収又は譲渡割に関する調査（犯則事件の調査を含む。）に関する事務であつて総務省令で定めるもの
四十七の三　文部科学省	特別支援学校への就学奨励に関する法律（昭和二十九年法律第百四十四号）による同法第二条第四項の特別支援学校への就学のため必要な経費の支弁に関する事務であつて総務省令で定めるもの
四十七の四　独立行政法人日本スポーツ振興セ	独立行政法人日本スポーツ振興センター法（平成十四年法律第百六十二号）による同法第十五条第一項第七号又は同法附則第八条第一項の災害共済給付の支給に関する事務であつて総務省令で定めるもの
ンター	
四十七の五　独立行政法人日本学生支援機構	独立行政法人日本学生支援機構法（平成十五年法律第九十四号）による同法第十三条第一項第一号の学資の貸与及び支給に関する事務であつて総務省令で定めるもの
四十七の六　文部科学省	高等学校等就学支援金の支給に関する法律（平成二十二年法律第十八号）による同法第十四条第一項及び第二項の規定により読み替えて適用する同法第六条第一項の就学支援金の支給に関する事務であつて総務省令で定めるもの
四十八　日本私立学校振興・共済事業団	私立学校教職員共済法（昭和二十八年法律第二百四十五号）第二十条第一項の短期給付、同条第二項の退職等年金給付若しくは同法第二十五条において準用する国家公務員共済組合法附則第十三条の二第二項の一時金の支給若しくは私立学校教職員共済法第二十六条第一項若しくは第二項の福祉事業の実施又は被用者年金制度の一元化等を図るための厚生年金保険法等の一部を改正する法律附則第七十八条第三項若しくは第七十九条の年金である給付の支給に関する事務であつて総務省令で定めるもの
四十九　文部科学省	博物館法（昭和二十六年法律第二百八十五号）による同法第五条第一項第三号の認定に関する事務であつて総務省令で定めるもの
五十　文部科学省又は技術士法（昭和五十八年	技術士法による技術士試験の実施に関する事務であつて総務省令で定めるもの

住基法

法律第二十五号）第十一条第一項に規定する指定試験機関	
五十一 文部科学省又は技術士法第四十条第一項に規定する指定登録機関	技術士法による技術士又は技術士補の登録に関する事務であつて総務省令で定めるもの
五十二 削除	
五十三 文化庁	万国著作権条約の実施に伴う著作権法の特例に関する法律（昭和三十一年法律第八十六号）による同法第五条第一項の許可に関する事務であつて総務省令で定めるもの
五十四 文化庁又はプログラムの著作物に係る登録の特例に関する法律（昭和六十一年法律第六十五号）第五条第一項に規定する指定登録機関	著作権法（昭和四十五年法律第四十八号）による同法第七十五条第一項又は第七十七条の登録に関する事務であつて総務省令で定めるもの
五十五 文化庁	著作権法による同法第八十八条第一項又は同法第百四条において準用する同法第七十七条の登録に関する事務であつて総務省令で定めるもの
五十六 文化庁	著作権等管理事業法（平成十二年法律第百三十一号）による同法第三条の登録又は同法第七条第一項の届出に関する事務であつて総務省令で定めるもの
五十七 文化庁	美術品の美術館における公開の促進に関する法律（平成十年法律第九十九号）による同法第三条第一項の登録又は同法第五条第二項の届出に関する事務であつて総務省令で定めるもの
五十七の二 社会保険診療報酬支払基金又は国民健康保険団体連合会	㊟ 本項は、令和六年六月一九日から起算して三年を超えない範囲内において政令で定める日から施行となる。 母子保健法（昭和四十年法律第百四十一号）による同法第八条の三第一項の情報の収集若しくは整理又は利用若しくは提供に関する事務であつて総務省令で定めるもの
五十七の二┆五十七の三 厚生労働省	㊟ 本項中、点線の左側は、令和六年六月一九日から起算して三年を超えない範囲内において政令で定める日から施行となる。 医療法（昭和二十三年法律第二百五号）による同法第五条の二第一項の認定に関する事務であつて総務省令で定めるもの
五十七の三┆五十七の四 厚生労働省	㊟ 本項中、点線の左側は、令和六年六月一九日から起算して三年を超えない範囲内において政令で定める日から施行となる。 医師法（昭和二十三年法律第二百一号）による同法第二条の医師の免許、同法第九条の医師国家試験の実施又は同法第十六条の六第一項の登録に関する事務であつて総務省令で定めるもの
五十七の四┆五十七の五 厚生労働省	㊟ 本項中、点線の左側は、令和六年六月一九日から起算して三年を超えない範囲内において政令で定める日から施行となる。 歯科医師法（昭和二十三年法律第二百二号）による同法第二条の歯科医師の免許、同法第九条の歯科医師国家試験の実施又は同法第十六条の四第一項の登録に関する事務であつて総務省令で定めるもの
五十七の五┆五十七の六 厚生労働省	㊟ 本項中、点線の左側は、令和六年六月一九日から起算して三年を超えない範囲内において政令で定める日から施行となる。 死体解剖保存法（昭和二十四年法律第二百四号）による同法第二条第一項第一号の認定に関する事務であつて総務省令で定めるもの
五十七の六┆五十七の七 厚生労働省	㊟ 本項中、点線の左側は、令和六年六月一九日から起算して三年を超えない範囲内において政令で定める日から施行となる。 保健師助産師看護師法（昭和二十三年法律第二百三号）による同法第七条第一項の保健師の免許、同条第二項の助産師の免許、同条第三項の看護師の免許又は同法第十七条の保健師国家試験、助産師国家試験若しくは看護師国家試験の実施に関する事務であつて総務省令で定めるもの

項	事務
五十七の七 五十七の八　厚生労働省	㊟本項中、点線の左側は、令和六年六月一九日から起算して三年を超えない範囲内において政令で定める日から施行となる。 看護師等の人材確保の促進に関する法律（平成四年法律第八十六号）による同法第九条第一項の都道府県による看護師等の資質の向上及び就業の促進のための取組の支援に関する事務であつて総務省令で定めるもの
五十七の八 五十七の九　厚生労働省又は歯科衛生士法（昭和二十三年法律第二百四号）第八条の二第一項に規定する指定登録機関	㊟本項中、点線の左側は、令和六年六月一九日から起算して三年を超えない範囲内において政令で定める日から施行となる。 歯科衛生士法による同法第三条の歯科衛生士の免許に関する事務であつて総務省令で定めるもの
五十七の九 五十七の十　厚生労働省又は歯科衛生士法第十二条の四第一項に規定する指定試験機関	㊟本項中、点線の左側は、令和六年六月一九日から起算して三年を超えない範囲内において政令で定める日から施行となる。 歯科衛生士法による同法第十条の試験の実施に関する事務であつて総務省令で定めるもの
五十七の十 五十七の十一　厚生労働省	㊟本項中、点線の左側は、令和六年六月一九日から起算して三年を超えない範囲内において政令で定める日から施行となる。 診療放射線技師法（昭和二十六年法律第二百二十六号）による同法第三条の診療放射線技師の免許又は同法第十七条の試験の実施に関する事務であつて総務省令で定めるもの
五十七の十一 五十七の十二　厚生労働省又は歯科技工士法（昭和三十年法律第百六十八号）第九条の二第一項に規定する指定登録機関	㊟本項中、点線の左側は、令和六年六月一九日から起算して三年を超えない範囲内において政令で定める日から施行となる。 歯科技工士法による同法第三条の歯科技工士の免許に関する事務であつて総務省令で定めるもの
五十七の十二 五十七の十三　厚生労働省又は歯科技工士法第十五条の三第一項に規定する指定試験機関	㊟本項中、点線の左側は、令和六年六月一九日から起算して三年を超えない範囲内において政令で定める日から施行となる。 歯科技工士法による同法第十一条の試験の実施に関する事務であつて総務省令で定めるもの
五十七の十三 五十七の十四　厚生労働省	㊟本項中、点線の左側は、令和六年六月一九日から起算して三年を超えない範囲内において政令で定める日から施行となる。 臨床検査技師等に関する法律（昭和三十三年法律第七十六号）による同法第十一条の試験の実施又は臨床検査技師等に関する法律の一部を改正する法律（平成十七年法律第三十九号）附則第三条第三項の規定によりなおその効力を有するものとされた同法の規定による改正前の臨床検査技師等に関する法律第五条の登録に関する事務であつて総務省令で定めるもの
五十七の十四 五十七の十五　厚生労働省	㊟本項中、点線の左側は、令和六年六月一九日から起算して三年を超えない範囲内において政令で定める日から施行となる。 理学療法士及び作業療法士法（昭和四十年法律第百三十七号）による同法第三条の理学療法士若しくは作業療法士の免許又は同法第九条の理学療法士国家試験若しくは作業療法士国家試験の実施に関する事務であつて総務省令で定めるもの
五十七の十五 五十七の十六　厚生労働省	㊟本項中、点線の左側は、令和六年六月一九日から起算して三年を超えない範囲内において政令で定める日から施行となる。 視能訓練士法（昭和四十六年法律第六十四号）による同法第三条の視能訓練士の免許又は同法第十条の試験の実施に関する事務であつて総務省令で定めるもの

五十七の十六 五十七の十七	厚生労働省	㊟本項中、点線の左側は、令和六年六月一九日から起算して三年を超えない範囲内において政令で定める日から施行となる。 臨床工学技士法（昭和六十二年法律第六十号）による同法第三条の臨床工学技士の免許に関する事務であつて総務省令で定めるもの
五十七の十七 五十七の十八	厚生労働省又は臨床工学技士法第十七条第一項に規定する指定試験機関	㊟本項中、点線の左側は、令和六年六月一九日から起算して三年を超えない範囲内において政令で定める日から施行となる。 臨床工学技士法による同法第十条の試験の実施に関する事務であつて総務省令で定めるもの
五十七の十八 五十七の十九	厚生労働省	㊟本項中、点線の左側は、令和六年六月一九日から起算して三年を超えない範囲内において政令で定める日から施行となる。 義肢装具士法（昭和六十二年法律第六十一号）による同法第三条の義肢装具士の免許に関する事務であつて総務省令で定めるもの
五十七の十九 五十七の二十	厚生労働省又は義肢装具士法第十七条第一項に規定する指定試験機関	㊟本項中、点線の左側は、令和六年六月一九日から起算して三年を超えない範囲内において政令で定める日から施行となる。 義肢装具士法による同法第十条の試験の実施に関する事務であつて総務省令で定めるもの
五十七の二十 五十七の二十一	厚生労働省又は救急救命士法（平成三年法律第三十六号）第十二条第一項に規定する登録機関	㊟本項中、点線の左側は、令和六年六月一九日から起算して三年を超えない範囲内において政令で定める日から施行となる。 救急救命士法による同法第三条の救急救命士の免許に関する事務であつて総務省令で定めるもの
五十七の二十一 五十七の二十二	厚生労働省又は救急救命士法第三十七条第一項に規定する指定試験機関	㊟本項中、点線の左側は、令和六年六月一九日から起算して三年を超えない範囲内において政令で定める日から施行となる。 救急救命士法による同法第三十条の試験の実施に関する事務であつて総務省令で定めるもの
五十七の二十二 五十七の二十三	厚生労働省又は言語聴覚士法（平成九年法律第百三十二号）第十二条第一項に規定する登録機関	㊟本項中、点線の左側は、令和六年六月一九日から起算して三年を超えない範囲内において政令で定める日から施行となる。 言語聴覚士法による同法第三条の言語聴覚士の免許に関する事務であつて総務省令で定めるもの
五十七の二十三 五十七の二十四	厚生労働省又は言語聴覚士法第三十六条第一項に規定する指定試験機関	㊟本項中、点線の左側は、令和六年六月一九日から起算して三年を超えない範囲内において政令で定める日から施行となる。 言語聴覚士法による同法第二十九条の試験の実施に関する事務であつて総務省令で定めるもの
五十七の二十四 五十七の二十五	厚生労働省又はあん	㊟本項中、点線の左側は、令和六年六月一九日から起算して三年を超えない範囲内において政令で定める日から施行となる。 あん摩マツサージ指圧師、はり師、きゆう師等に関する法律による同法第二条第一項のあん摩マツサージ指圧師国家試験、はり師国家試験又はきゆ

摩マッサージ指圧師、はり師、きゆう師等に関する法律第三条の四第一項に規定する指定試験機関

う師国家試験の実施に関する事務であつて総務省令で定めるもの

五十七の二　五十七の二　十五　十六　厚生労働省又はあん摩マッサージ指圧師、はり師、きゆう師等に関する法律第三条の二十三第一項に規定する指定登録機関

㊟　本項中、点線の左側は、令和六年六月一九日から起算して三年を超えない範囲内において政令で定める日から施行となる。

あん摩マッサージ指圧師、はり師、きゆう師等に関する法律による同法第二条第一項のあん摩マッサージ指圧師、はり師又はきゆう師の免許に関する事務であつて総務省令で定めるもの

五十七の二　五十七の二　十六　十七　厚生労働省又は柔道整復師法（昭和四十五年法律第十九号）第八条の二第一項に規定する指定登録機関

㊟　本項中、点線の左側は、令和六年六月一九日から起算して三年を超えない範囲内において政令で定める日から施行となる。

柔道整復師法による同法第三条の柔道整復師の免許に関する事務であつて総務省令で定めるもの

五十七の二　五十七の二　十七　十八　厚生労働省又は柔道整復師法第十三条の三第一項に規定する指定試験機関

㊟　本項中、点線の左側は、令和六年六月一九日から起算して三年を超えない範囲内において政令で定める日から施行となる。

柔道整復師法による同法第十条の試験の実施に関する事務であつて総務省令で定めるもの

五十七の二　五十七の二　十八　十九　社会保険診療報酬支払基金又は国民健康保険団体連合会

㊟　本項は、令和四年一二月九日から起算して三年六月を超えない範囲内において政令で定める日から施行となるが、このうち点線の左側は令和六年六月一九日から起算して三年を超えない範囲内において政令で定める日から施行となる。

予防接種法（昭和二十三年法律第六十八号）による同法第五十七条第一項第一号の情報の収集若しくは整理又は利用若しくは提供に関する事務であつて総務省令で定めるもの

五十七の二　五十七の二　五十七の三　十八　十九　十　厚生労働省

㊟　本項中、点線の左側は令和四年一二月九日から起算して三年六月を超えない範囲内において政令で定める日から、実線の左側は令和六年六月一九日から起算して三年を超えない範囲内において政令で定める日から施行となる。

新型インフルエンザ予防接種による健康被害の救済に関する特別措置法（平成二十一年法律第九十八号）による同法第三条第一項の給付の支給に関する事務であつて総務省令で定めるもの

五十七の二　五十七の三　五十七の三　十九　十　十一　社会保険診療報酬支払基金

㊟　本項中、点線の左側は令和四年一二月九日から起算して三年六月を超えない範囲内において政令で定める日から、実線の左側は令和六年六月一九日から起算して三年を超えない範囲内において政令で定める日から施行となる。

特定B型肝炎ウイルス感染者給付金等の支給に関する特別措置法（平成二十三年法律第百二十六号）による同法第三条第一項の特定B型肝炎ウイルス感染者給付金、同法第七条第一項の訴訟手当金、同法第八条第一項の追加給付金若しくは同法第十九条の定期検査費等の支給又は同法第十六条第一項の特定B型肝炎ウイルス感染者定期検査費等受給者証の交付に関する事務であつて総務省令で定めるもの

五十七の三　五十七の三　五十七の三　十　十一　十二　厚

㊟　本項中、点線の左側は令和四年一二月九日から起算して三年六月を超えない範囲内において政令で定める日から、実線の左側は令和六年六月一九日から起算して三年を超えない範囲内において政令で定める日から施行となる。

新型インフルエンザ等対策特別措置法（平成二十

生労働省	四年法律第三十一号）による同法第二十八条第一項の予防接種の実施に関する事務であつて総務省令で定めるもの
五十七の三 五十七の三 五十七の三 十一 十二 十三 厚生労働省	㊟ 本項中、点線の左側は令和四年一二月九日から起算して三年六月を超えない範囲内において政令で定める日から、実線の左側は令和六年六月一九日から起算して三年を超えない範囲内において政令で定める日から施行となる。 原子爆弾被爆者に対する援護に関する法律（平成六年法律第百十七号）による同法第十八条第一項の一般疾病医療費の支給に関する事務であつて総務省令で定めるもの
五十七の三 五十七の三 五十七の三 十二 十三 十四 厚生労働省	㊟ 本項中、点線の左側は令和四年一二月九日から起算して三年六月を超えない範囲内において政令で定める日から、実線の左側は令和六年六月一九日から起算して三年を超えない範囲内において政令で定める日から施行となる。 栄養士法（昭和二十二年法律第二百四十五号）による同法第二条第三項の管理栄養士の免許又は同法第五条の二の管理栄養士国家試験の実施に関する事務であつて総務省令で定めるもの
五十七の三 五十七の三 五十七の三 十三 十四 十五 調理師法（昭和三十三年法律第百四十七号）	㊟ 本項中、点線の左側は令和四年一二月九日から起算して三年六月を超えない範囲内において政令で定める日から、実線の左側は令和六年六月一九日から起算して三年を超えない範囲内において政令で定める日から施行となる。 調理師法による同法第三条の二第一項の調理師試験の実施に関する事務であつて総務省令で定めるもの
第三条の二第二項に規定する指定試験機関	
五十七の三 五十七の三 五十七の三 十四 十五 十六 厚生労働省又は調理師法第八条の三第二項に規定する団体	㊟ 本項中、点線の左側は令和四年一二月九日から起算して三年六月を超えない範囲内において政令で定める日から、実線の左側は令和六年六月一九日から起算して三年を超えない範囲内において政令で定める日から施行となる。 調理師法による同法第八条の三第一項の審査に関する事務であつて総務省令で定めるもの
五十七の三 五十七の三 五十七の三 十五 十六 十七 製菓衛生師法（昭和四十一年法律第百十五号）第四条第二項に規定する指定試験機	㊟ 本項中、点線の左側は令和四年一二月九日から起算して三年六月を超えない範囲内において政令で定める日から、実線の左側は令和六年六月一九日から起算して三年を超えない範囲内において政令で定める日から施行となる。 製菓衛生師法による同法第四条第一項の製菓衛生師試験の実施に関する事務であつて総務省令で定めるもの
関	
五十七の三 五十七の三 五十七の三 十六 十七 十八 厚生労働省	㊟ 本項中、点線の左側は令和四年一二月九日から起算して三年六月を超えない範囲内において政令で定める日から、実線の左側は令和六年六月一九日から起算して三年を超えない範囲内において政令で定める日から施行となる。 建築物における衛生的環境の確保に関する法律（昭和四十五年法律第二十号）による同法第七条第一項の建築物環境衛生管理技術者免状の交付に関する事務であつて総務省令で定めるもの
五十七の三 五十七の三 五十七の三 十七 十八 十九 厚生労働省又は建築物における衛生的環境の確保に関する法律第八条第三項に規定する指定試験機関	㊟ 本項中、点線の左側は令和四年一二月九日から起算して三年六月を超えない範囲内において政令で定める日から、実線の左側は令和六年六月一九日から起算して三年を超えない範囲内において政令で定める日から施行となる。 建築物における衛生的環境の確保に関する法律による同法第八条第一項の建築物環境衛生管理技術者試験の実施に関する事務であつて総務省令で定めるもの
五十七の三 五十七の三 五十七の四 十八 十九 十 厚	㊟ 本項中、点線の左側は令和四年一二月九日から起算して三年六月を超えない範囲内において政令で定める日から、実線の左側は令和六年六月一九日から起算して三年を超えない範囲内において政令で定める日から施行となる。 理容師法による同法第二条の免許に関する事務で

（厚）生労働省又は理容師法（昭和二十二年法律第二百三十四号）第五条の三第一項に規定する指定登録機関	（…）あつて総務省令で定めるもの
五十七の三十九┆五十七の四十｜五十七の四十一 厚生労働省又は理容師法第四条の二第一項に規定する指定試験機関	㊟ 本項中、点線の左側は令和四年一二月九日から起算して三年六月を超えない範囲内において政令で定める日から、実線の左側は令和六年六月一九日から起算して三年を超えない範囲内において政令で定める日から施行となる。 理容師法による同法第三条第一項の理容師試験の実施に関する事務であつて総務省令で定めるもの
五十七の四十┆五十七の四十一｜五十七の四十二 厚生労働省又は美容師法（昭和三十二年法律第百六十三号）第五条の三第一項に規定する指定登録機関	㊟ 本項中、点線の左側は令和四年一二月九日から起算して三年六月を超えない範囲内において政令で定める日から、実線の左側は令和六年六月一九日から起算して三年を超えない範囲内において政令で定める日から施行となる。 美容師法による同法第三条第一項の免許に関する事務であつて総務省令で定めるもの
五十七の四十一┆五十七の四十二｜五十七の四十三 厚生労働省又は美容師法第四条の二第一項に規定する指定試験機関	㊟ 本項中、点線の左側は令和四年一二月九日から起算して三年六月を超えない範囲内において政令で定める日から、実線の左側は令和六年六月一九日から起算して三年を超えない範囲内において政令で定める日から施行となる。 美容師法による同法第四条第一項の美容師試験の実施に関する事務であつて総務省令で定めるもの
五十七の四十二┆五十七の四十三｜五十七の四十四 クリーニング業法（昭和二十五年法律第二百七号）第七条の二第一項に規定する指定試験機関	㊟ 本項中、点線の左側は令和四年一二月九日から起算して三年六月を超えない範囲内において政令で定める日から、実線の左側は令和六年六月一九日から起算して三年を超えない範囲内において政令で定める日から施行となる。 クリーニング業法による同法第七条第一項のクリーニング師の試験の実施に関する事務であつて総務省令で定めるもの
五十八 厚生労働省	医薬品、医療機器等の品質、有効性及び安全性の確保等に関する法律（昭和三十五年法律第百四十五号）による同法第十九条の二第一項の承認、同法第十九条の三の届出、同法第二十三条の二の十七第一項の承認、同法第二十三条の二の十八の届出、同法第二十三条の三十七第一項の承認又は同法第二十三条の三十八の届出に関する事務であつて総務省令で定めるもの
五十九 独立行政法人医薬品医療機器総合機構	独立行政法人医薬品医療機器総合機構法（平成十四年法律第百九十二号）による同法第十五条第一項第一号イの副作用救済給付、同項第二号イの感染救済給付、同法附則第十八条第一項第一号の給付金若しくは同項第二号の追加給付金の支給又は同法附則第十五条第一項第一号の委託を受けて行う事業若しくは同法附則第十七条第一項の委託を受けて行う事業の実施に関する事務であつて総務省令で定めるもの
五十九の二 厚生労働省	薬剤師法（昭和三十五年法律第百四十六号）による同法第二条の薬剤師の免許又は同法第十一条の試験の実施に関する事務であつて総務省令で定めるもの

六十 厚生労働省	労働安全衛生法（昭和四十七年法律第五十七号）による同法第十二条第一項、第十四条又は第六十一条第一項の免許に関する事務であつて総務省令で定めるもの
六十一 厚生労働省又は労働安全衛生法第七十五条の二第一項に規定する指定試験機関	労働安全衛生法による同法第七十五条第二項に規定する免許試験の実施に関する事務であつて総務省令で定めるもの
六十一の二 厚生労働省又は労働安全衛生法第八十三条の二に規定する指定コンサルタント試験機関	労働安全衛生法による同法第八十二条第一項の労働安全コンサルタント試験又は同法第八十三条第一項の労働衛生コンサルタント試験の実施に関する事務であつて総務省令で定めるもの
六十一の三 厚生労働省又は労働安全衛生法第八十五条の二第一項に規定する指定登録機関	労働安全衛生法による同法第八十四条第一項の労働安全コンサルタント又は労働衛生コンサルタントの登録に関する事務であつて総務省令で定めるもの
六十二 厚生労働省又は作業環境測定法（昭和五十年法律第二十八号）第三十二条の二第二項に規定する指定登録機関	作業環境測定法による同法第七条の作業環境測定士の登録に関する事務であつて総務省令で定めるもの
六十二の二 厚生労働省又は作業環境測定法第二十条第二項に規定する指定試験機関	作業環境測定法による同法第十四条第一項の試験の実施に関する事務であつて総務省令で定めるもの
六十三 厚生労働省	労働者災害補償保険法（昭和二十二年法律第五十号）による同法第七条第一項の保険給付の支給又は同法第二十九条第一項の社会復帰促進等事業の実施に関する事務であつて総務省令で定めるもの
六十三の二 独立行政法人勤労者退職金共済機構	中小企業退職金共済法（昭和三十四年法律第百六十号）による同法第十条第一項、第三十条第二項若しくは第四十三条第一項の退職金、同法第十六条第一項若しくは第三十条第三項の解約手当金又は同法第三十一条第二項の差額の支給に関する事務であつて総務省令で定めるもの
六十四 厚生労働省又は独立行政法人労働者健康安全機構	賃金の支払の確保等に関する法律（昭和五十一年法律第三十四号）による同法第七条の未払賃金の立替払に関する事務であつて総務省令で定めるもの
六十五 厚生労働省	石綿による健康被害の救済に関する法律（平成十八年法律第四号）による同法第五十九条第一項の特別遺族給付金の支給に関する事務であつて総務省令で定めるもの
六十五の二 厚生労働省	特定石綿被害建設業務労働者等に対する給付金等の支給に関する法律（令和三年法律第七十四号）による同法第三条第一項の給付金又は同法第九条第一項の追加給付金の支給に関する事務であつて総務省令で定めるもの
六十六 厚生労働省	職業安定法（昭和二十二年法律第百四十一号）による同法第五条第三号の職業紹介若しくは同条第五号の職業指導、同法第三十条第一項若しくは第三十三条第一項の許可、同法第三十二条の六第三項（同法第三十三条第四項において準用する場合を含む。）の更新又は同法第三十二条の七第一項（同法第三十三条第四項において準用する場合を含む。）の届出に関する事務であつて総務省令で定めるもの

六十七 厚生労働省	労働者派遣事業の適正な運営の確保及び派遣労働者の保護等に関する法律（昭和六十年法律第八十八号）による同法第五条第一項の許可、同法第十条第二項の更新又は同法第十一条第一項（労働者派遣事業の適正な運営の確保及び派遣労働者の保護等に関する法律等の一部を改正する法律（平成二十七年法律第七十三号）附則第六条第二項の規定により読み替えて適用する場合を含む。）の届出に関する事務であつて総務省令で定めるもの
六十七の二 厚生労働省又は独立行政法人高齢・障害・求職者雇用支援機構	障害者の雇用の促進等に関する法律（昭和三十五年法律第百二十三号）による同法第二章第二節の職業紹介等、同法第十九条第一項の障害者職業センターの設置及び運営、同法第四十九条第一項の納付金関係業務若しくは同法第七十三条第一項若しくは第七十四条第一項の納付金関係業務に相当する業務の実施、同法第七十四条の二第一項の在宅就業障害者特例調整金若しくは同法附則第四条第二項の報奨金等の支給又は同法第七十四条の三第一項の登録に関する事務であつて総務省令で定めるもの
六十八 厚生労働省	労働施策の総合的な推進並びに労働者の雇用の安定及び職業生活の充実等に関する法律（昭和四十一年法律第百三十二号）による同法第十八条の職業転換給付金の支給又は同法第二十四条第三項若しくは第二十五条第一項の再就職援助計画の認定に関する事務であつて総務省令で定めるもの
六十九 厚生労働省	㊟ 本項中、点線の左側は、令和七年四月一日から施行となる。 雇用保険法（昭和四十九年法律第百十六号）による同法第十条第一項の失業等給付又は同法第六十一条の六第一項の 育児休業給付 / 育児休業等給付 の支給に関する事務であつて総務省令で定めるもの
七十 厚生労働省又は独立行政法人高齢・障害・求職者雇用支援機構	雇用保険法による同法第六十二条の雇用安定事業又は同法第六十三条若しくは第六十四条の能力開発事業の実施に関する事務であつて総務省令で定めるもの
七十の二 厚生労働省	港湾労働法（昭和六十三年法律第四十号）による同法第九条第二項の港湾労働者証の交付に関する事務であつて総務省令で定めるもの
七十一 厚生労働省又は職業能力開発促進法（昭和四十四年法律第六十四号）第四十七条第一項に規定する指定試験機関	職業能力開発促進法による同法第四十四条第一項の技能検定の実施又は同法第四十九条の合格証書の交付に関する事務であつて総務省令で定めるもの
七十一の二 厚生労働省又は職業能力開発促進法第三十条の五第一項に規定する登録試験機関	職業能力開発促進法による同法第三十条の四第一項のキャリアコンサルタント試験の実施に関する事務であつて総務省令で定めるもの
七十一の三 厚生労働省又は職業能力開発促進法第三十条の二十四第一項に規定する指定登録機関	職業能力開発促進法による同法第三十条の十九第一項のキャリアコンサルタントの登録に関する事務であつて総務省令で定めるもの
七十一の四 厚生労働省又は独立行政法人高齢・障害・求職者雇用支援機構	職業訓練の実施等による特定求職者の就職の支援に関する法律（平成二十三年法律第四十七号）による同法第四条第一項の認定又は同法第十一条の就職支援計画の作成若しくは同法第十二条の就職支援措置の実施に関する事務であつて総務省令で定めるもの
七十一の五 児童手当法第十七条第一項の表の第一号の	児童手当法による同法第十七条第一項の規定により読み替えて適用する同法第八条第一項の児童手当の支給に関する事務であつて総務省令で定めるもの

下欄に規定する者	
七十一の六　社会保険診療報酬支払基金又は国民健康保険団体連合会	生活保護法（昭和二十五年法律第百四十四号）による同法第八十条の四第一項の情報の収集若しくは整理又は利用若しくは提供に関する事務であつて総務省令で定めるもの
七十一の七　市町村社会福祉協議会又は都道府県社会福祉協議会	社会福祉法（昭和二十六年法律第四十五号）による同法第二条第二項第七号の生計困難者に対して無利子又は低利で資金を融通する事業の実施に関する事務であつて総務省令で定めるもの
七十一の八　厚生労働省又は社会福祉士及び介護福祉士法（昭和六十二年法律第三十号）第十条第一項に規定する指定試験機関	社会福祉士及び介護福祉士法による同法第五条の社会福祉士試験の実施に関する事務であつて総務省令で定めるもの
七十一の九　厚生労働省又は社会福祉士及び介護福祉士法第三十五条第一項に規定する指定登録機関	社会福祉士及び介護福祉士法による同法第二十八条の社会福祉士の登録に関する事務であつて総務省令で定めるもの
七十一の十　厚生労働省又は社会福祉士及び介護福祉士法第四十一条第一項に規定する指定試験機関	社会福祉士及び介護福祉士法による同法第四十条第一項の介護福祉士試験の実施に関する事務であつて総務省令で定めるもの
七十一の十一　厚生労働省又は社会福祉士及び介護福祉士法第四十三条第一項に規定する指定登録機関	社会福祉士及び介護福祉士法による同法第四十二条第一項の介護福祉士の登録に関する事務であつて総務省令で定めるもの
七十一の十二　厚生労働省	特別児童扶養手当等の支給に関する法律（昭和三十九年法律第百三十四号）による同法第三条第一項の特別児童扶養手当の支給に関する事務であつて総務省令で定めるもの
七十一の十三　厚生労働省	精神保健及び精神障害者福祉に関する法律（昭和二十五年法律第百二十三号）による同法第十八条第一項の指定に関する事務であつて総務省令で定めるもの
七十一の十四　厚生労働省又は精神保健福祉士法（平成九年法律第百三十一号）第十条第一項に規定する指定試験機関	精神保健福祉士法による同法第五条の試験の実施に関する事務であつて総務省令で定めるもの
七十一の十五　厚生労働省又は精神保健福祉士法第三十五条第一項に規定する指定	精神保健福祉士法による同法第二十八条の精神保健福祉士の登録に関する事務であつて総務省令で定めるもの

登録機関	
七十一の十六　文部科学省及び厚生労働省又は公認心理師法（平成二十七年法律第六十八号）第十条第一項に規定する指定試験機関	公認心理師法による同法第五条の試験の実施に関する事務であつて総務省令で定めるもの
七十一の十七　文部科学省、厚生労働省又は公認心理師法第三十六条第一項に規定する指定登録機関	公認心理師法による同法第二十八条の公認心理師の登録に関する事務であつて総務省令で定めるもの
七十一の十八　介護保険法第六十九条の二十七第一項に規定する指定試験実施機関	介護保険法による同法第六十九条の二第一項の試験の実施に関する事務であつて総務省令で定めるもの
七十一の十九　介護保険法第六十九条の三十三第一項に規定する指定研修実施機関	介護保険法による同法第六十九条の二第一項又は第六十九条の八第二項の研修の実施に関する事務であつて総務省令で定めるもの
七十一の二十　社会保険診療報酬支払基金又は国民健康保険団体連合会	介護保険法による同法第百十五条の四十五第二項第七号の事業の実施に関する事務であつて総務省令で定めるもの
七十二　厚生労働省及び日本年金機構	健康保険法（大正十一年法律第七十号）による同法第五条第二項又は第百二十三条第二項の業務の実施に関する事務であつて総務省令で定めるもの
七十二の二　全国健康保険協会及び健康保険組合	健康保険法による同法第五十二条若しくは第百二十七条の保険給付の支給、同法第百五十条第一項の保健事業若しくは同条第五項の福祉事業の実施又は同法第百八十三条の保険料等の徴収に関する事務であつて総務省令で定めるもの
七十二の三　厚生労働省	健康保険法による同法第六十四条の登録に関する事務であつて総務省令で定めるもの
七十二の四　厚生労働省及び日本年金機構	船員保険法（昭和十四年法律第七十三号）による同法第四条第二項の業務の実施に関する事務であつて総務省令で定めるもの
七十三　全国健康保険協会	船員保険法による同法第二十九条の保険給付の支給、同法第百十一条第一項の保健事業若しくは同条第五項の福祉事業の実施、同法第百三十七条の保険料等の徴収若しくは同法附則第五条第一項の障害前払一時金若しくは同条第二項の遺族前払一時金の支給又は雇用保険法等の一部を改正する法律（平成十九年法律第三十号）附則第三十九条の規定によりなお従前の例によるものとされた同法第四条の規定による改正前の船員保険法による保険給付の支給に関する事務であつて総務省令で定めるもの
七十三の二　社会保険診療報酬支払基金	社会保険診療報酬支払基金法（昭和二十三年法律第百二十九号）による同法第十五条第一項第六号に掲げる業務として行う健康保険法第二百五条の四第一項第二号、船員保険法第百五十三条の十第一項第二号、私立学校教職員共済法第四十七条の三第一項第二号、国家公務員共済組合法第百十四条の二第一項第二号、国民健康保険法第百十三条の三第一項第一号、地方公務員等共済組合法第百四十四条の三十三第一項第二号又は高齢者の医療の確保に関する法律第百六十五条の二第一項第一号の情報の収集又は整理に関する事務であつて総務省令で定めるもの

七十三の三　国民健康保険組合	国民健康保険法による同法第四章の保険給付の支給、同法第七十六条第二項の保険料の徴収又は同法第八十二条第一項の保健事業の実施に関する事務であつて総務省令で定めるもの
七十三の四　国民健康保険団体連合会	健康保険法による同法第二百五条の四第一項第二号の情報の収集若しくは整理、船員保険法による同法第百五十三条の十第一項第二号の情報の収集若しくは整理、私立学校教職員共済法による同法第四十七条の三第一項第二号の情報の収集若しくは整理、国家公務員共済組合法による同法第百十四条の二第一項第二号の情報の収集若しくは整理、国民健康保険法による同法第百十三条の三第一項第一号の情報の収集若しくは整理、地方公務員等共済組合法による同法第百四十四条の三十三第一項第二号の情報の収集若しくは整理又は高齢者の医療の確保に関する法律による同法第百六十五条の二第一項第一号の情報の収集若しくは整理に関する事務であつて総務省令で定めるもの
七十三の五　社会保険診療報酬支払基金又は国民健康保険団体連合会	防衛省の職員の給与等に関する法律（昭和二十七年法律第二百六十六号）による同法第二十二条第三項第二号の情報の収集若しくは整理又は利用若しくは提供に関する事務であつて総務省令で定めるもの
七十三の六　厚生労働省及び日本年金機構	国民年金法等の一部を改正する法律（昭和六十年法律第三十四号）附則第八十七条第二項の規定により厚生年金保険の実施者たる政府が支給するものとされた年金である給付若しくは一時金に係る権利の裁定若しくは支給の停止の解除又は受給権者に係る届出に関する事務であつて総務省令で定めるもの
七十四　厚生労働省及び日本年金機構、地方公務員共済組合及び全国市町村職員共済組合連合会、国家公務員共済組合連合会並びに日本私立学校振興・共済事業団	厚生年金保険法（昭和二十九年法律第百十五号）による被保険者に係る届出、年金である給付若しくは一時金に係る権利の裁定若しくは支給の停止の解除、受給権者に係る届出又は同法第八十九条の保険料その他徴収金の徴収に関する事務であつて総務省令で定めるもの
七十五　厚生労働省及び日本年金機構	厚生年金保険法等の一部を改正する法律（平成八年法律第八十二号）附則第十六条第三項又は第七項の規定により厚生年金保険の実施者たる政府が支給するものとされた年金である給付に係る権利の決定若しくは支給の停止の解除又は受給権者に係る届出に関する事務であつて総務省令で定めるもの
七十六　厚生労働省及び日本年金機構	厚生年金保険制度及び農林漁業団体職員共済組合制度の統合を図るための農林漁業団体職員共済組合法等を廃止する等の法律（平成十三年法律第百一号）附則第十六条第三項の規定により厚生年金保険の実施者たる政府が支給するものとされた年金である給付に係る権利の決定若しくは支給の停止の解除又は受給権者に係る届出に関する事務であつて総務省令で定めるもの
七十七　厚生労働省及び日本年金機構	国民年金法による被保険者に係る届出、年金である給付若しくは一時金に係る権利の裁定若しくは支給の停止の解除、受給権者に係る届出、同法第九十五条の保険料その他徴収金の徴収、同法第百十九条の三の設立の認可又は同法第百三十九条の届出に関する事務であつて総務省令で定めるもの
七十七の二　確定給付企業年金法（平成十三年法律第五十号）第九十一条の二第一項に規定する企業年金連合会	確定給付企業年金法による同法第九十一条の十八第一項各号若しくは第二項各号に掲げる業務として行う年金である給付若しくは一時金の支給若しくは同条第六項の規定による同法第九十三条の情報の収集、整理若しくは分析又は公的年金制度の健全性及び信頼性の確保のための厚生年金保険法等の一部を改正する法律（平成二十五年法律第六十三号）附則第七十八条第一項第二号に掲げる業務として行う年金である給付若しくは一時金の支給若しくは同条第三項の規定による同法附則第五条第一項の規定によりなおその効力を有するものとされた同法第一条の規定による改正前の厚生年金保険法第百三十条第五項の情報の収集、整理若しくは分析に関する事務であつて総務省令で定めるもの
七十七の三　確定給付企業年金法第九十一条の二第一項に規定す	確定拠出年金法（平成十三年法律第八十八号）による同法第四十八条の三の規定による同法第四十八条の二の情報の収集、整理又は分析に関する事務であつて総務省令で定めるもの

る企業年金連合会	
七十七の四　公的年金制度の健全性及び信頼性の確保のための厚生年金保険法等の一部を改正する法律附則第三条第十三号に規定する存続連合会	公的年金制度の健全性及び信頼性の確保のための厚生年金保険法等の一部を改正する法律附則第四十条第一項第一号から第四号まで、第二項第一号、第二号若しくは第四号から第六号まで若しくは第三項第一号、第二号若しくは第四号から第七号までに掲げる業務として行う年金である給付若しくは一時金の支給又は同条第六項の規定による同法附則第五条第一項の規定によりなおその効力を有するものとされた同法第一条の規定による改正前の厚生年金保険法第百三十条第五項の情報の収集、整理若しくは分析、公的年金制度の健全性及び信頼性の確保のための厚生年金保険法等の一部を改正する法律附則第四十条第七項の規定による同法附則第三十八条第三項の規定により読み替えて適用する同法第二条の規定による改正後の確定給付企業年金法第九十三条の情報の収集、整理若しくは分析若しくは公的年金制度の健全性及び信頼性の確保のための厚生年金保険法等の一部を改正する法律附則第四十条第八項の規定による同法附則第三十八条第三項の規定により読み替えて適用する同法附則第百二条の規定による改正後の確定拠出年金法第四十八条の二の情報の収集、整理若しくは分析に関する事務であつて総務省令で定めるもの
七十七の五　国民年金基金連合会	国民年金法による同法第百三十七条の十五第一項の規定による年金である給付若しくは一時金の支給又は同条第二項第二号に掲げる業務として行う同法第百二十八条第五項の情報の収集、整理若しくは分析に関する事務であつて総務省令で定めるもの
七十七の六　国民年金基金連合会	確定拠出年金法による同法第六十六条第一項（同条第二項において準用する場合を含む。）の届出、同法第六十七条第一項の個人型年金加入者等に関する原簿若しくは同条第二項の個人型年金加入者等に関する帳簿の記録及び保存又は同法第七十三条において準用する同法第二章第五節の年金である給付若しくは一時金若しくは同法附則第三条第二項の脱退一時金の支給に関する事務であつて総務省令で定めるもの
七十七の七　厚生労働省及び日本年金機構	特定障害者に対する特別障害給付金の支給に関する法律（平成十六年法律第百六十六号）による同法第三条第一項の特別障害給付金の支給に関する事務であつて総務省令で定めるもの
七十七の八　石炭鉱業年金基金	石炭鉱業年金基金法（昭和四十二年法律第百三十五号）による年金である給付又は一時金の支給に関する事務であつて総務省令で定めるもの
七十七の九　厚生労働省及び日本年金機構、地方公務員共済組合、全国市町村職員共済組合連合会及び地方公務員共済組合連合会、国家公務員共済組合及び国家公務員共済組合連合会又は日本私立学校振興・共済事業団	社会保障協定の実施に伴う厚生年金保険法等の特例等に関する法律（平成十九年法律第百四号）による同法第五十九条第一項の文書の受理及び送付又は同法第六十条第一項若しくは第二項の保有情報の提供に関する事務であつて総務省令で定めるもの
七十七の十　厚生労働省及び日本年金機構	厚生年金保険の保険給付及び国民年金の給付に係る時効の特例等に関する法律（平成十九年法律第百十一号）による同法第一条の保険給付又は同法第二条の給付の支給に関する事務であつて総務省令で定めるもの
七十七の十一　厚生労働省及び日本年金機構	厚生年金保険の保険給付及び保険料の納付の特例等に関する法律（平成十九年法律第百三十一号）による同法第二条第八項の特例納付保険料の徴収に関する事務であつて総務省令で定めるもの
七十七の十二　厚生労働省及び日本年金機構	厚生年金保険の保険給付及び国民年金の給付の支払の遅延に係る加算金の支給に関する法律（平成二十一年法律第三十七号）による同法第二条の保険給付遅延特別加算金又は同法第三条の給付遅延特別加算金の支給に関する事務であつて総務省令で定めるもの
七十七の十三　厚生労働省及び日本年	年金生活者支援給付金の支給に関する法律（平成二十四年法律第百二号）による同法第二条第一項の老齢年金生活者支援給付金、同法第十条第一項の補足的老齢年金生活者支援給付金、同法第十五

金機構、地方公務員共済組合及び全国市町村職員共済組合連合会、国家公務員共済組合連合会又は日本私立学校振興・共済事業団	条第一項の障害年金生活者支援給付金又は同法第二十条第一項の遺族年金生活者支援給付金の支給に関する事務であつて総務省令で定めるもの
七十七の十四　厚生労働省又は全国社会保険労務士会連合会	社会保険労務士法（昭和四十三年法律第八十九号）による同法第十条第一項の社会保険労務士試験又は同法第十三条の三第一項の紛争解決手続代理業務試験の実施に関する事務であつて総務省令で定めるもの
七十七の十五　全国社会保険労務士会連合会	社会保険労務士法による同法第十四条の二第一項の社会保険労務士の登録又は同法第十四条の十一の三第一項の付記に関する事務であつて総務省令で定めるもの
七十七の十六　厚生労働省及び日本年金機構	中国残留邦人等の円滑な帰国の促進並びに永住帰国した中国残留邦人等及び特定配偶者の自立の支援に関する法律（平成六年法律第三十号）による同法第六条第一項の永住帰国旅費、同法第七条の自立支度金、同法第十三条第三項の一時金若しくは同法第十八条第一項の一時帰国旅費の支給又は同法第十三条第二項若しくは第四項の保険料の納付に関する事務であつて総務省令で定めるもの
七十八　厚生労働省	戦傷病者戦没者遺族等援護法（昭和二十七年法律第百二十七号）による同法第五条の援護に関する事務であつて総務省令で定めるもの
七十八の二　厚生労働省	未帰還者留守家族等援護法（昭和二十八年法律第百六十一号）による同法第五条第一項の留守家族手当、同法第十五条の帰郷旅費、同法第十六条第一項の葬祭料、同法第十七条第一項の遺骨引取経費又は同法第二十六条の障害一時金の支給に関する事務であつて総務省令で定めるもの
七十八の三　厚生労働省	戦没者等の妻に対する特別給付金支給法（昭和三十八年法律第六十一号）による同法第三条の特別給付金の支給に関する事務であつて総務省令で定めるもの
七十八の四　厚生労働省	戦傷病者特別援護法（昭和三十八年法律第百六十八号）による同法第九条の援護に関する事務であつて総務省令で定めるもの
七十八の五　厚生労働省	戦没者等の遺族に対する特別弔慰金支給法（昭和四十年法律第百号）による同法第三条の特別弔慰金の支給に関する事務であつて総務省令で定めるもの
七十八の六　厚生労働省	戦傷病者等の妻に対する特別給付金支給法（昭和四十一年法律第百九号）による同法第三条第一項の特別給付金の支給に関する事務であつて総務省令で定めるもの
七十八の七　厚生労働省	戦没者の父母等に対する特別給付金支給法（昭和四十二年法律第五十七号）による同法第三条の特別給付金の支給に関する事務であつて総務省令で定めるもの
七十九　農林水産省	卸売市場法（昭和四十六年法律第三十五号）による同法第四条第一項若しくは第六条第一項の認定又は同条第二項の届出に関する事務であつて総務省令で定めるもの
八十　農林水産省又は経済産業省	商品先物取引法（昭和二十五年法律第二百三十九号）による同法第九条の許可、同法第十九条第一項の届出、同法第七十八条の許可、同法第八十五条第一項の届出、同法第九十六条の十九第一項の認可、同条第三項（同法第九十六条の二十五第四項及び第九十六条の三十一第四項において準用する場合を含む。）の届出、同法第九十六条の二十五第一項若しくは第三項ただし書の認可、同法第九十六条の二十八第三項若しくは第九十六条の二十九の届出、同法第九十六条の三十一第一項、第百三十二条第一項若しくは第百四十五条第一項の認可、同法第百六十七条の許可、同法第百七十一条の届出、同法第百九十条第一項の許可、同法第百九十五条第一項の届出、同法第二百条第一項の登録、同条第七項の更新、同法第二百二十五条第一項若しくは第二百二十八条第一項の認可、同法第二百四十条の二第一項の登録、同法第二百四十五条若しくは第二百七十九条第一項の認可、同法第二百八十三条第三項の届出、同法第三百三十二条第一項の許可、同法第三百三十五条第二項（同法第三百四十五条において準用する場合を含む。）の届出又は同法第三百四十二条第一項の許可に関する事務であつて総務省令で定めるもの
八十一　農林水産省	商品投資に係る事業の規制に関する法律（平成三年法律第六十六号）による同法第三条の許可、同

又は経済産業省	法第八条第一項の更新又は同法第十条の届出に関する事務であつて総務省令で定めるもの
八十一の二　独立行政法人農業者年金基金	独立行政法人農業者年金基金法（平成十四年法律第百二十七号）による農業者年金事業の給付若しくは同法附則第六条第一項第一号の給付の支給又は同法第四十四条の保険料その他徴収金の徴収に関する事務であつて総務省令で定めるもの
八十二　農林漁業団体職員共済組合	厚生年金保険制度及び農林漁業団体職員共済組合制度の統合を図るための農林漁業団体職員共済組合法等を廃止する等の法律による年金である給付（同法附則第十六条第三項の規定により厚生年金保険の実施者たる政府が支給するものとされた年金である給付を除く。）若しくは一時金の支給又は同法附則第五十七条第一項の特例業務負担金の徴収に関する事務であつて総務省令で定めるもの
八十三　農林水産省	森林法（昭和二十六年法律第二百四十九号）による同法第二十五条第一項若しくは第二項の指定、同法第二十六条第一項若しくは第二項の指定の解除、同法第三十二条第一項（同法第三十三条の三及び第四十四条において準用する場合を含む。）の意見書の提出又は同法第三十三条の二第一項（同法第四十四条において準用する場合を含む。）の変更に関する事務であつて総務省令で定めるもの
八十四　経済産業省	計量法（平成四年法律第五十一号）による同法第四十条第一項若しくは第四十六条第一項の届出、同法第四十二条第一項（同法第四十六条第二項において準用する場合を含む。）の届出又は同法第六十二条第一項（同法第百三十三条において準用する場合を含む。）の届出に関する事務であつて総務省令で定めるもの
八十五　国立研究開発法人産業技術総合研究所又は日本電気計器検定所	計量法による同法第七十九条第一項（同法第八十一条第三項において準用する場合を含む。）の届出に関する事務であつて総務省令で定めるもの
八十六　経済産業省	アルコール事業法（平成十二年法律第三十六号）による同法第三条第一項、第十六条第一項、第二十一条第一項若しくは第二十六条第一項の許可又は同法第八条第二項（同法第二十条、第二十五条及び第三十条において準用する場合を含む。）の届出に関する事務であつて総務省令で定めるもの
八十七　経済産業省又は環境省	フロン類の使用の合理化及び管理の適正化に関する法律（平成十三年法律第六十四号）による同法第五十条第一項の許可、同法第五十二条第一項の更新、同法第五十三条第三項の届出、同法第六十三条第一項の許可、同法第六十五条第一項の更新又は同法第六十六条第三項の届出に関する事務であつて総務省令で定めるもの
八十七の二　経済産業省又は独立行政法人情報処理推進機構	情報処理の促進に関する法律（昭和四十五年法律第九十号）による同法第十五条第一項の情報処理安全確保支援士の登録に関する事務であつて総務省令で定めるもの
八十八　経済産業省	鉱業法（昭和二十五年法律第二百八十九号）による同法第二十一条第一項、第四十条第三項、第四十一条第一項若しくは第五十一条の二第一項の許
	可、同法第五十一条の三第一項の届出、同法第五十九条第一項の登録、同法第七十七条第一項の認可又は同法第八十四条第一項の登録に関する事務であつて総務省令で定めるもの
八十九　経済産業省	石油の備蓄の確保等に関する法律（昭和五十年法律第九十六号）による同法第十六条の登録又は同法第二十条第三項の届出に関する事務であつて総務省令で定めるもの
九十　経済産業省	深海底鉱業暫定措置法（昭和五十七年法律第六十四号）による同法第四条第一項の許可、同法第十条第二項若しくは第三項若しくは第十五条の届出、同法第十八条第一項の認可又は同法第四十条の認定に関する事務であつて総務省令で定めるもの
九十一　経済産業省	火薬類取締法（昭和二十五年法律第百四十九号）による同法第三十一条第三項の試験（経済産業大臣が行うものに限る。）の実施に関する事務であつて総務省令で定めるもの
九十二　火薬類取締法第三十一条の三第一項に規定する指定試験機関	火薬類取締法による同法第三十一条第三項の試験の実施に関する事務であつて総務省令で定めるもの
九十三　高圧ガス保安協会	高圧ガス保安法（昭和二十六年法律第二百四号）第五十九条の二十八第一項第四号の四に規定する液化石油ガスの保安の確保及び取引の適正化に関する法律（昭和四十二年法律第百四十九号）第三

住基法

	十八条の四の二第一項の免状交付事務の実施に関する事務であつて総務省令で定めるもの
九十四 経済産業省	電気工事士法（昭和三十五年法律第百三十九号）による同法第四条の二第一項の交付又は同条第七項の書換えに関する事務であつて総務省令で定めるもの
九十五 経済産業省	電気工事業の業務の適正化に関する法律（昭和四十五年法律第九十六号）による同法第三条第一項若しくは第三項の登録又は同法第十条第一項の届出に関する事務であつて総務省令で定めるもの
九十六 経済産業省又は環境省	特定家庭用機器再商品化法（平成十年法律第九十七号）による同法第二十三条第一項又は第二十四条第一項の認定に関する事務であつて総務省令で定めるもの
九十六の二 国土交通省	所有者不明土地の利用の円滑化等に関する特別措置法による同法第四十二条第一項の命令若しくは選任の請求、同条第二項若しくは第五項の命令の請求又は地域福利増進事業等（同法第四十三条第一項に規定する地域福利増進事業等をいう。以下同じ。）の実施の準備に関する事務であつて総務省令で定めるもの
九十七 国土交通省	建設業法（昭和二十四年法律第百号）による建設業の許可に関する事務であつて総務省令で定めるもの
九十八 国土交通省又は建設業法第二十七条の二第一項に規定する指定試験機関	建設業法による技術検定の実施に関する事務であつて総務省令で定めるもの
九十九 国土交通省又は建設業法第二十七条の十九第一項に規定する指定資格者証交付機関	建設業法による監理技術者資格者証の交付に関する事務であつて総務省令で定めるもの
百 国土交通省	浄化槽法（昭和五十八年法律第四十三号）による浄化槽設備士免状の交付に関する事務であつて総務省令で定めるもの
百一 国土交通省	宅地建物取引業法（昭和二十七年法律第百七十六号）による宅地建物取引業の免許に関する事務であつて総務省令で定めるもの
百一の二 国土交通省及び環境省	水道法（昭和三十二年法律第百七十七号）による同法第二十五条の五第一項の給水装置工事主任技術者免状の交付に関する事務であつて総務省令で定めるもの
百一の三 国土交通省及び環境省又は水道法第二十五条の十二第一項に規定する指定試験機関	水道法による同法第二十五条の六第一項の給水装置工事主任技術者試験の実施に関する事務であつて総務省令で定めるもの
百二 国土交通省又はマンションの管理の適正化の推進に関する法律（平成十二年法律第百四十九号）第三十六条第一項に規定する指定登録機関	マンションの管理の適正化の推進に関する法律による同法第三十条第一項の登録に関する事務であつて総務省令で定めるもの
百三 国土交通省	マンションの管理の適正化の推進に関する法律による同法第四十四条第一項若しくは第三項又は第五十九条第一項の登録に関する事務であつて総務省令で定めるもの
百三の二 国土交通省	住宅宿泊事業法（平成二十九年法律第六十五号）による同法第二十二条第一項の登録又は同法第二十六条第一項の届出に関する事務であつて総務省令で定めるもの
百三の三	賃貸住宅の管理業務等の適正化に関する法律（令

国土交通省	和二年法律第六十号）による同法第三条第一項の登録又は同法第七条第一項の届出に関する事務であつて総務省令で定めるもの
百四　観光庁	旅行業法（昭和二十七年法律第二百三十九号）による旅行業の登録に関する事務であつて総務省令で定めるもの
百五　観光庁又は旅行業法第四十一条第二項に規定する旅行業協会	旅行業法による旅行業務取扱管理者試験の実施に関する事務であつて総務省令で定めるもの
百五の二　観光庁	住宅宿泊事業法による同法第四十六条第一項の登録又は同法第五十条第一項の届出に関する事務であつて総務省令で定めるもの
百六　観光庁	国際観光ホテル整備法（昭和二十四年法律第二百七十九号）によるホテル又は旅館の登録に関する事務であつて総務省令で定めるもの
百七　国土交通省	不動産の鑑定評価に関する法律（昭和三十八年法律第百五十二号）による同法第八条の不動産鑑定士試験の実施、同法第十五条若しくは第十八条の登録、同法第十九条の届出又は同法第二十二条第一項若しくは第三項、第二十六条第一項若しくは第二十七条第一項の登録に関する事務であつて総務省令で定めるもの
百七の二　地方住宅供給公社	公営住宅法（昭和二十六年法律第百九十三号）による同法第十五条の公営住宅の管理（同法第四十七条第一項の規定に基づき公営住宅を管理する事業主体の同意を得て、その事業主体に代わつて行う当該公営住宅の管理に限る。）に関する事務であつて総務省令で定めるもの
百八　国土交通省	建築基準法（昭和二十五年法律第二百一号）による同法第十二条の二第一項の建築物調査員資格者証若しくは同法第十二条の三第三項の建築設備等検査員資格者証の交付、同法第七十七条の五十八第一項若しくは第七十七条の六十（同法第七十七条の六十六第二項において準用する場合を含む。）の登録、同法第七十七条の六十一（同法第七十七条の六十六第二項において準用する場合を含む。）の届出又は同法第七十七条の六十六第一項の登録に関する事務であつて総務省令で定めるもの
百九　国土交通省	建築士法（昭和二十五年法律第二百二号）による同法第四条第一項若しくは第五項の免許、同法第五条第一項の登録、同条第二項の交付、同法第五条の二第一項若しくは第二項若しくは第八条の二の届出、同法第九条第一項第一号の申請又は同法第十条の三第一項若しくは第二項の交付に関する事務であつて総務省令で定めるもの
百十　建築士法第十条の四第一項に規定する中央指定登録機関	建築士法による同法第十条の四第一項に規定する一級建築士登録等事務に関する事務であつて総務省令で定めるもの
百十一　建築士法第十条の二十第一項に規定する都道府県指定登録機関	建築士法による同法第十条の二十第一項に規定する二級建築士等登録事務に関する事務であつて総務省令で定めるもの
百十二　建築士法第二十六条の三第一項に規定する指定事務所登録機関	建築士法による同法第二十六条の三第一項に規定する事務所登録等事務に関する事務であつて総務省令で定めるもの
百十三　国土交通省	道路運送車両法（昭和二十六年法律第百八十五号）による同法第十二条第一項の変更登録、同法第五十五条第一項の技能検定の実施、同法第五十九条第一項の新規検査、同法第六十七条第一項の変更記録、同法第七十一条第四項の交付又は同法第九十七条の三第一項の届出に関する事務であつて総務省令で定めるもの
百十四　国土交通省	自動車損害賠償保障法（昭和三十年法律第九十七号）による同法第七十二条第一項第一号又は第二号の損害の塡補に関する事務であつて総務省令で定めるもの
百十四の二　国土交通省	海事代理士法（昭和二十六年法律第三十二号）による同法第九条第一項の海事代理士の登録に関する事務であつて総務省令で定めるもの
百十五　国土交通省	船舶法による同法第五条の二第一項の検認又は同法第十五条の仮船舶国籍証書に関する事務であつて総務省令で定めるもの

百十六　国土交通省又は小型船舶検査機構	小型船舶の登録等に関する法律（平成十三年法律第百二号）による同法第六条第一項の新規登録、同法第九条第一項の変更登録又は同法第十条第一項の移転登録に関する事務であつて総務省令で定めるもの
百十七　国土交通省	小型船舶の登録等に関する法律による同法第二十五条第一項の交付又は同条第五項の検認に関する事務であつて総務省令で定めるもの
百十七の二　国土交通省	船員法（昭和二十二年法律第百号）による同法第八十二条の二第三項第一号の試験の実施、同項第二号の認定、同法第百十八条第三項第一号の試験の実施又は同項第二号の認定に関する事務であつて総務省令で定めるもの
百十七の三　国土交通省	船舶職員及び小型船舶操縦者法（昭和二十六年法律第百四十九号）による同法第七条第一項（同法第二十三条第七項において準用する場合を含む。）の登録及び海技免状の交付、同法第十二条の海技試験の実施又は同法第二十三条の五の登録及び小型船舶操縦免許証の交付に関する事務であつて総務省令で定めるもの
百十八　国土交通省	航空法（昭和二十七年法律第二百三十一号）による同法第五条の新規登録、同法第七条の変更登録、同法第七条の二の移転登録、同法第八条第一項の抹消登録、同法第二十二条の航空従事者技能証明、同法第三十一条第一項の航空身体検査証明、同法第三十五条第一項第一号の許可、同法第百三十二条の四第一項の登録、同法第百三十二条の六第一項の登録の更新、同法第百三十二条の八第一項の届出又は同法第百三十二条の十一第一項の登録の抹消に関する事務であつて総務省令で定めるもの
百十八の二　国土交通省又は航空法第百三十二条の五十六第二項に規定する指定試験機関	航空法による同法第百三十二条の四十七第一項（同法第百三十二条の五十二第二項において準用する場合を含む。）の試験の実施に関する事務であつて総務省令で定めるもの
百十九　気象庁	気象業務法（昭和二十七年法律第百六十五号）による同法第十七条第一項の許可又は同法第二十四条の二十の登録に関する事務であつて総務省令で定めるもの
百十九の二　環境省	廃棄物の処理及び清掃に関する法律（昭和四十五年法律第百三十七号）による同法第九条の八第一項の認定、同条第八項（同法第十五条の四の二第三項において準用する場合を含む。）の届出、同法第九条の九第一項若しくは第六項の認定、同条第八項（同法第十五条の四の三第三項において準用する場合を含む。）の届出、同法第九条の十第一項の認定、同条第六項（同法第十五条の四の四第三項において準用する場合を含む。）の届出又は同法第十五条の四の二第一項、第十五条の四の三第一項若しくは第十五条の四の四第一項の認定に関する事務であつて総務省令で定めるもの
百二十　独立行政法人環境再生保全機構	石綿による健康被害の救済に関する法律による同法第三条の救済給付の支給又は同法第四条第一項若しくは第二十二条第一項の認定に関する事務であつて総務省令で定めるもの
百二十一　原子力規制委員会	放射性同位元素等の規制に関する法律（昭和三十二年法律第百六十七号）による同法第三十五条第二項から第四項までの交付又は同条第九項の再交付に関する事務であつて総務省令で定めるもの
百二十一の二　防衛省	防衛省の職員の給与等に関する法律による同法第二十二条第一項の給付若しくは支給、同法第二十七条の二の支給、同法第二十七条の七第一項の追給、同法第二十七条の十一第一項から第三項までの支給又は同条第八項の追給に関する事務であつて総務省令で定めるもの
百二十二　国家公務員法（昭和二十二年法律第百二十号）第四十八条に規定する試験機関	国家公務員法による同法第四十二条の採用試験の実施に関する事務であつて総務省令で定めるもの
百二十三　人事院若しくは国家公務員災害補償法（昭和二十六年法律第百九十一	国家公務員災害補償法（防衛省の職員の給与等に関する法律において準用する場合を含む。）による公務上の災害若しくは通勤による災害に対する補償又は福祉事業の実施に関する事務であつて総務省令で定めるもの

号）第三条第一項に規定する実施機関又は防衛省	

別表第二（第三十条の十、第三十条の四十四の三関係）

提供を受ける通知都道府県又は附票通知都道府県の区域内の市町村の市町村長その他の執行機関	事務
一 市町村長	新型インフルエンザ等対策特別措置法による同法第二十八条第一項の予防接種の実施に関する事務であつて総務省令で定めるもの
一の二 市町村長	災害対策基本法（昭和三十六年法律第二百二十三号）による同法第八十六条の十五第一項の安否情報の回答、同法第九十条の二第一項の罹災証明書の交付又は同法第九十条の三第一項の被災者台帳の作成に関する事務であつて総務省令で定めるもの
一の三 災害救助法（昭和二十二年法律第百十八号）第二条の二第一項に規定する救助実施市（別表第四の一の三の項において「救助実施市」という。）の長	災害救助法による同法第二条の二第一項の救助又は同法第十二条の扶助金の支給に関する事務であつて総務省令で定めるもの
一の四 災害救助法第十一条に規定する災害発生市町村等（以下この項及び別表第四の一の四の項において「災害発生市町村等」という。）の長	災害救助法による同法第二条第一項若しくは第二項の救助又は同法第十二条の扶助金の支給に関する事務のうち、同法第十三条第一項の規定により災害発生市町村等の長が行うこととされたものに関する事務であつて総務省令で定めるもの
一の五 市町村長	被災者生活再建支援法による同法第三条第一項の被災者生活再建支援金の支給に関する事務のうち、同法第四条第二項の規定により市町村長が行うこととされたものに関する事務であつて総務省令で定めるもの
一の六 市町村長	災害弔慰金の支給等に関する法律（昭和四十八年法律第八十二号）による同法第三条第一項の災害弔慰金若しくは同法第八条第一項の災害障害見舞金の支給又は同法第十条第一項の災害援護資金の

	貸付けに関する事務であつて総務省令で定めるもの
一の七 市町村長	㊟ 本項中、点線の左側は令和七年四月一日から、実線の左側は令和八年四月一日から施行となる。 子ども・子育て支援法（平成二十四年法律第六十五号）による による同法第十条の二の妊婦のための支援給付、同法第十一条の子どものための教育・保育給付若しくは同法 給付、同法第三十条の二の子育てのための施設等利用給付若しくは同法第三十条の十二の乳の支給 児等のための支援給付の支給又は同法第五十九条の地域子ども・子育て支援事業の実施に関する事務であつて総務省令で定めるもの
一の八 指定都市の長	特定非営利活動促進法（平成十年法律第七号）による同法第十条第一項の認証、同法第二十三条第二項の届出又は同法第三十四条第三項の認証に関する事務であつて総務省令で定めるもの
一の九 市町村長その他の執行機関	公的給付の支給等の迅速かつ確実な実施のための預貯金口座の登録等に関する法律による同法第十条の特定公的給付の支給を実施するための基礎とする情報の管理に関する事務であつて総務省令で定めるもの
一の十 市町村長	公職選挙法による同法第九条第三項の規定により都道府県の議会の議員及び長の選挙権を有する者が従前住所を有していた現に選挙人名簿に登録されている市町村において当該都道府県の議会の議員又は長の選挙の投票をする場合に同法第四十四条第三項の規定により提示することとされている文書の交付に関する事務であつて総務省令で定めるもの
二 選挙管理委員会	公職選挙法による同法第九条第三項の規定により都道府県の議会の議員及び長の選挙権を有する者に当該都道府県の議会の議員又は長の選挙の同法第四十四条、第四十八条の二若しくは第四十九条又は特定患者等の郵便等を用いて行う投票方法の特例に関する法律（令和三年法律第八十二号）第三条第一項の規定による投票を行わせることに関する事務であつて総務省令で定めるもの
二の二 市町村長	地方税法その他の地方税に関する法律及びこれらの法律に基づく条例又は森林環境税及び森林環境譲与税に関する法律（平成三十一年法律第三号）による地方税若しくは森林環境税の賦課徴収又は地方税若しくは森林環境税に関する調査（犯則事件の調査を含む。）に関する事務であつて総務省令で定めるもの
三 市町村長	消防組織法（昭和二十二年法律第二百二十六号）による非常勤消防団員に係る損害補償又は非常勤消防団員に係る退職報償金の支給に関する事務であつて総務省令で定めるもの
三の二 教育委員会	学校保健安全法（昭和三十三年法律第五十六号）による同法第二十四条の医療に要する費用についての援助に関する事務であつて総務省令で定めるもの
四 市町村長	㊟ 本項中、点線の左側は、令和四年一二月九日から起算して三年六月を超えない範囲内において政令で定める日から施行となる。 予防接種法（昭和二十三年法律第六十八号）による同法第五条第一項若しくは第六条第一項から第三項までの予防接種の実施、同法第十五条第一項の給付の支給又は同法第二十八条 第五十二条の実費の徴収に関する事務であつて総務省令で定めるもの
四の二 保健所を設置する市又は特別区の長	感染症の予防及び感染症の患者に対する医療に関する法律（平成十年法律第百十四号）による同法第十九条第一項若しくは第三項、第二十条第一項若しくは第二項（これらの規定を同法第二十六条において準用する場合を含む。）若しくは第四十六条第一項若しくは第二項の入院の勧告若しくは入院の措置、同法第三十七条第一項、第三十七条の二第一項、第四十四条の三の二第一項若しくは第五十条の三第一項の費用の負担又は同法第四十二条第一項、第四十四条の三の三第一項若しくは第五十条の四第一項の療養費の支給に関する事務であつて総務省令で定めるもの
五 広島市又は長崎市の長	原子爆弾被爆者に対する援護に関する法律による同法第二条第三項の被爆者健康手帳の交付、同法第七条の健康診断、同法第三十八条の居宅生活支援事業若しくは同法第三十九条の養護事業の実施又は同法第二十四条第一項の医療特別手当、同法第二十五条第一項の特別手当、同法第二十六条第一項の原子爆弾小頭症手当、同法第二十七条第一項の健康管理手当、同法第二十八条第一項の保健手当、同法第三十一条の介護手当若しくは同法第三十二条の葬祭料の支給に関する事務であつて総務省令で定めるもの
五の二 市町村長	水道法による同法第二十五条の二第一項（同法第二十五条の三の二第四項において準用する場合を含む。）の申請又は同法第二十五条の七の届出に関する事務であつて総務省令で定めるもの

五の三	国家戦略特別区域法（平成二十五年法律第百七号）第十二条の五第十二項に規定する試験実施指定都市の長	国家戦略特別区域法による同法第十二条の五第八項において準用する児童福祉法（昭和二十二年法律第百六十四号）第十八条の十八第一項の登録に関する事務であつて総務省令で定めるもの
五の四	市町村長	児童福祉法による同法第二十一条の五の三第一項の障害児通所給付費、同法第二十一条の五の四第一項の特例障害児通所給付費、同法第二十一条の五の十二第一項の高額障害児通所給付費、同法第二十一条の五の二十九第一項の肢体不自由児通所医療費、同法第二十四条の二十六第一項の障害児相談支援給付費若しくは同法第二十四条の二十七第一項の特例障害児相談支援給付費の支給、同法第二十一条の六の障害福祉サービスの提供、同法第二十四条第一項の保育所における保育の実施若しくは同条第五項若しくは第六項の措置又は同法第五十六条第二項の費用の徴収若しくは同条第六項若しくは第七項の処分に関する事務であつて総務省令で定めるもの
五の五	市長（特別区の区長を含む。以下同じ。）又は社会福祉法に規定する福祉に関する事務所（以下「福祉事務所」という。）を管理する町村長	児童福祉法による同法第二十二条第一項の助産施設における助産又は同法第二十三条第一項の母子生活支援施設における保護の実施に関する事務であつて総務省令で定めるもの
五の六	指定都市若しくは中核市（地方自治法第二百五十二条の二十二第一項に規定する中核市をいう。以下同じ。）又は児童福祉法第五十九条の四第一項に規定する児童相談所設置市（以下「児童相談所設置市」という。）の長	児童福祉法による同法第六条の四第一号の養育里親若しくは同条第二号の養子縁組里親の登録若しくは同条第三号の里親の認定、同法第十一条第一項第二号ハの児童及びその家庭についての調査及び判定、同法第十九条の二第一項の小児慢性特定疾病医療費の支給、同法第二十条第一項の療育の給付、同法第二十四条の二第一項の障害児入所給付費、同法第二十四条の六第一項の高額障害児入所給付費、同法第二十四条の七第一項の特定入所障害児食費等給付費若しくは同法第二十四条の二十第一項の障害児入所医療費の支給、同法第三十三条の六第一項の児童自立生活援助の実施又は同法第五十六条第一項の負担能力の認定若しくは同条第二項の費用の徴収に関する事務のうち、同法第五十九条の四第一項の規定により指定都市若しくは中核市又は児童相談所設置市の長が行うこととされたものに関する事務であつて総務省令で定めるもの
五の七	市長又は福祉事務所を管理する町村長	児童扶養手当法（昭和三十六年法律第二百三十八号）による同法第四条第一項の児童扶養手当の支給に関する事務であつて総務省令で定めるもの
五の八	市町村長その他の執行機関	児童手当法による同法第八条第一項（同法第十七条第一項の規定により読み替えて適用する場合を含む。）の児童手当の支給に関する事務であつて総務省令で定めるもの
五の九	市町村長	母子及び父子並びに寡婦福祉法（昭和三十九年法律第百二十九号）による同法第十七条第一項、第三十一条の七第一項又は第三十三条第一項の便宜の供与に関する事務であつて総務省令で定めるもの
五の十	市長又は福祉事務所を管理する町村長	母子及び父子並びに寡婦福祉法による同法第三十一条（同法第三十一条の十において準用する場合を含む。）の給付金の支給に関する事務であつて総務省令で定めるもの
五の十一	指定都市又は中核市の長	母子及び父子並びに寡婦福祉法による同法第十三条第一項、第三十一条の六第一項若しくは第三十二条第一項又は附則第三条第一項若しくは第六条第一項の資金の貸付けに関する事務のうち、同法第四十六条の規定により指定都市又は中核市の長が行うこととされたものに関する事務であつて総務省令で定めるもの

五の十二　市町村長	㊟　本項中、点線の左側は、令和六年六月一九日から起算して三年を超えない範囲内において政令で定める日から施行となる。 母子保健法（昭和四十年法律第百四十一号）による同法第九条の二第一項の相談、同条第二項の支援、同法第十条の保健指導、同法第十一条、第十七条第一項若しくは第十九条第一項の訪問指導、同法第十二条若しくは第十三条の健康診査、同法第十五条若しくは第十八条の届出、同法第十六条第一項の母子健康手帳の交付、同法第十七条の二第一項の産後ケア事業の実施、同法第二十条第一項の養育医療の給付若しくは養育医療に要する費用の支給、同法第二十一条の四第一項の費用の徴収又は同法第二十二条第一項のこども家庭センターの事業の実施に関する事務であつて総務省令で定めるもの
五の十三　市長又は福祉事務所を管理する町村長	生活保護法による同法第十九条第一項の保護の決定及び実施、同法第五十五条の四第一項の就労自立給付金若しくは同法第五十五条の五第一項の進学・就職準備給付金の支給、同法第五十五条の八第一項の被保護者健康管理支援事業の実施、同法第六十三条の保護に要する費用の返還又は同法第七十七条第一項、第七十七条の二第一項、第七十八条第一項から第三項まで若しくは第七十八条の二第一項若しくは第二項の徴収金の徴収に関する事務であつて総務省令で定めるもの
五の十四　町村長（福祉事務所を管理する町村長を除く。）	生活保護法による同法第二十四条第十項の申請の経由に関する事務であつて総務省令で定めるもの
五の十五　市町村長	一　身体障害者福祉法（昭和二十四年法律第二百八十三号）による同法第十八条の障害福祉サービスの提供、障害者支援施設等への入所等の措置又は同法第三十八条第一項の費用の徴収に関する事務であつて総務省令で定めるもの 二　身体障害者福祉法による同法第十五条第四項の身体障害者手帳の交付に関する事務のうち、同条第十項の規定に基づく政令により市町村長が行うこととされたものに関する事務であつて総務省令で定めるもの
五の十六　指定都市又は中核市の長	身体障害者福祉法による同法第十五条第四項の身体障害者手帳の交付に関する事務のうち、同法第四十三条の二の規定により指定都市又は中核市の長が行うこととされたものに関する事務であつて総務省令で定めるもの
五の十七　指定都市の長	精神保健及び精神障害者福祉に関する法律による同法第十八条第一項の指定又は同法第二十七条第一項若しくは第二項の診察、同法第二十九条第一項若しくは第二十九条の二第一項の入院措置、同法第三十一条の費用の徴収、同法第三十八条の四の退院等の請求若しくは同法第四十五条第二項の精神障害者保健福祉手帳の交付に関する事務のうち同法第五十一条の十二第一項の規定により指定都市の長が行うこととされたものに関する事務であつて総務省令で定めるもの
五の十八　市町村長（指定都市の長を除く。）	精神保健及び精神障害者福祉に関する法律による同法第四十五条第二項の精神障害者保健福祉手帳の交付に関する事務のうち、同条第六項の規定に基づく政令により市町村長が行うこととされているものに関する事務であつて総務省令で定めるもの
五の十九　指定都市又は中核市の長	知的障害者福祉法（昭和三十五年法律第三十七号）による同法第十一条第一項第二号ハの知的障害者の判定に関する事務であつて総務省令で定めるもの
五の二十　市町村長	知的障害者福祉法による同法第十五条の四の障害福祉サービスの提供、同法第十六条第一項第二号の障害者支援施設等への入所等の措置又は同法第二十七条の費用の徴収に関する事務であつて総務省令で定めるもの
五の二十一　市長又は福祉事務所を管理する町村長	特別児童扶養手当等の支給に関する法律による同法第十七条の障害児福祉手当若しくは同法第二十六条の二の特別障害者手当の支給又は国民年金法等の一部を改正する法律（昭和六十年法律第三十四号）による同法附則第九十七条第一項の福祉手当の支給に関する事務であつて総務省令で定めるもの
五の二十二　市町村長	特別児童扶養手当等の支給に関する法律による同法第三条第一項の特別児童扶養手当の支給に関する事務のうち、同法第三十八条の規定により市町村長が行うこととされたものに関する事務であつて総務省令で定めるもの
五の二十三　市町村長	障害者の日常生活及び社会生活を総合的に支援するための法律（平成十七年法律第百二十三号）による同法第六条の自立支援給付の支給又は同法第七十七条の地域生活支援事業の実施に関する事務であつて総務省令で定めるもの
五の二十四	障害者の日常生活及び社会生活を総合的に支援す

住基法

指定都市若しくは中核市又は児童相談所設置市の長	るための法律による同法第六条の自立支援給付の支給又は同法第七十八条の地域生活支援事業の実施に関する事務のうち、同法第百六条の規定により指定都市若しくは中核市又は児童相談所設置市の長が行うこととされたものに関する事務であつて総務省令で定めるもの
五の二十五 市町村長	老人福祉法（昭和三十八年法律第百三十三号）による同法第十条の四若しくは第十一条の措置又は同法第二十八条第一項の費用の徴収に関する事務であつて総務省令で定めるもの
五の二十六 市町村長	㊟ 本項中、点線の左側は、令和五年五月一九日から起算して四年を超えない範囲内において政令で定める日から施行となる。 介護保険法による同法第十八条の保険給付の支給、同法第百十五条の四十五第一項の地域支援事業の実施、同条第二項第七号の事業の実施又は同法第百二十九条第一項の保険料の徴収に関する事務であつて総務省令で定めるもの
五の二十七 市町村長	国民健康保険法による同法第四章の保険給付の支給、同法第七十六条第一項の保険料の徴収又は同法第八十二条第一項の保健事業の実施に関する事務であつて総務省令で定めるもの
五の二十八 市町村長	高齢者の医療の確保に関する法律による同法第五十六条の後期高齢者医療給付の支給、同法第百四条第一項の保険料の徴収又は同法第百二十五条第一項の高齢者保健事業若しくは同条第五項の事業の実施に関する事務であつて総務省令で定めるもの
五の二十九 市長又は福祉事務所を管理する町村長	中国残留邦人等の円滑な帰国の促進並びに永住帰国した中国残留邦人等及び特定配偶者の自立の支援に関する法律による同法第十四条第一項若しくは第三項の支援給付若しくは同法第十五条第一項の配偶者支援金の支給、中国残留邦人等の円滑な帰国の促進及び永住帰国後の自立の支援に関する法律の一部を改正する法律（平成十九年法律第百二十七号。以下この項、別表第三の七の十六の項、別表第四の四の二十九の項及び別表第五第十号の四において「平成十九年改正法」という。）による平成十九年改正法附則第四条第一項の支援給付の支給又は中国残留邦人等の円滑な帰国の促進及び永住帰国後の自立の支援に関する法律の一部を改正する法律（平成二十五年法律第百六号。以下この項、別表第三の七の十六の項、別表第四の四の二十九の項及び別表第五第十号の四において「平成二十五年改正法」という。）附則第二条第一項の規定によりなお従前の例によることとされた平成二十五年改正法による改正前の中国残留邦人等の円滑な帰国の促進及び永住帰国後の自立の支援に関する法律による同法第十四条第一項の支援給付の支給、平成二十五年改正法附則第二条第二項の規定によりなお従前の例によることとされた平成二十五年改正法による改正前の中国残留邦人等の円滑な帰国の促進及び永住帰国後の自立の支援に関する法律による同法第十四条第三項の支援給付の支給若しくは平成二十五年改正法による平成二十五年改正法附則第二条第三項の支援給付若しくは平成二十五年改正法附則第三条第一項の配偶者支援金の支給に関する事務であつて総務省令で定めるもの
五の三十 町村長（福祉事務所を管理する町村長を除く。）	中国残留邦人等の円滑な帰国の促進並びに永住帰国した中国残留邦人等及び特定配偶者の自立の支援に関する法律による同法第十四条第四項（第十五条第三項において準用する場合を含む。）の規定によりその例によることとされた生活保護法第二十四条第十項の申請の経由に関する事務であつて総務省令で定めるもの
五の三十一 市町村長	中国残留邦人等の円滑な帰国の促進並びに永住帰国した中国残留邦人等及び特定配偶者の自立の支援に関する法律による同法第十三条第二項若しくは第四項の保険料の納付又は同条第三項の一時金の支給に関する事務のうち、同条第五項の規定に基づく政令により市町村長が行うこととされたものに関する事務であつて総務省令で定めるもの
五の三十二 市町村長	戦傷病者戦没者遺族等援護法による同法第五条の援護に関する事務のうち、同法第五十一条の規定に基づく政令により市町村長が行うこととされたものに関する事務であつて総務省令で定めるもの
五の三十三 市町村長	戦没者等の妻に対する特別給付金支給法による同法第三条の特別給付金の支給に関する事務のうち、同法第十三条の規定に基づく政令により市町村長が行うこととされたものに関する事務であつて総務省令で定めるもの
五の三十四 市町村長	戦没者等の遺族に対する特別弔慰金支給法による同法第三条の特別弔慰金の支給に関する事務のうち、同法第十五条の規定に基づく政令により市町村長が行うこととされたものに関する事務であつて総務省令で定めるもの
五の三十五 市町村長	戦傷病者等の妻に対する特別給付金支給法による同法第三条第一項の特別給付金の支給に関する事務のうち、同法第十三条の規定に基づく政令により市町村長が行うこととされたものに関する事務であつて総務省令で定めるもの

五の三十六 市町村長	戦没者の父母等に対する特別給付金支給法による同法第三条の特別給付金の支給に関する事務のうち、同法第十六条の規定に基づく政令により市町村長が行うこととされたものに関する事務であつて総務省令で定めるもの
五の三十七 市町村長	農地法（昭和二十七年法律第二百二十九号）による同法第四十二条第一項の命令に関する事務であつて総務省令で定めるもの
五の三十八 農業委員会	農地法による同法第三十二条第一項若しくは第三十三条第一項の利用意向調査の実施又は同法第五十二条の二第一項の農地台帳の作成に関する事務であつて総務省令で定めるもの
五の三十九 農業委員会	農地中間管理事業の推進に関する法律（平成二十五年法律第百一号）による同法第二十二条の二第二項の探索に関する事務であつて総務省令で定めるもの
五の四十 市町村長	森林法による同法第百九十一条の四第一項の林地台帳の作成に関する事務であつて総務省令で定めるもの
五の四十一 市町村長	森林経営管理法（平成三十年法律第三十五号）による同法第四条第一項の経営管理権集積計画の作成、同法第五条の経営管理意向調査の実施、同法第十条若しくは第二十四条の探索、同法第三十五条第一項の経営管理実施権配分計画の作成又は同法第四十二条第一項の命令に関する事務であつて総務省令で定めるもの
六 指定都市の長	大規模小売店舗立地法（平成十年法律第九十一号）による同法第五条第一項、第六条第二項、第八条第七項、第九条第四項又は附則第五条第一項（同条第三項において準用する場合を含む。）の届出に関する事務であつて総務省令で定めるもの
六の二 市町村長	所有者不明土地の利用の円滑化等に関する特別措置法による同法第三十八条第一項の災害等防止措置の勧告、同法第四十二条第一項の命令若しくは選任の請求、同条第二項、第三項若しくは第五項の命令の請求、地域福利増進事業等の実施の準備又は同法第四十三条第二項の土地所有者等関連情報の提供に関する事務であつて総務省令で定めるもの
六の三 保健所を設置する市又は特別区の長	住宅宿泊事業法による同法第三条第一項又は第四項の届出に関する事務であつて総務省令で定めるもの
七 市町村長	通訳案内士法（昭和二十四年法律第二百十号）による同法第五十七条において準用する同法第十八条の登録、同法第五十七条において準用する同法第二十三条第一項の届出又は同法第五十七条において準用する同法第二十四条の再交付に関する事務であつて総務省令で定めるもの
七の二 市町村長	国土調査法（昭和二十六年法律第百八十号）による同法第六条第三項の指定を受けた地籍調査又は同法第六条の四第一項の地籍調査に関する事務であつて総務省令で定めるもの
八 市町村長	公営住宅法による同法第十五条の公営住宅の管理に関する事務であつて総務省令で定めるもの
八の二 市町村長	住宅地区改良法（昭和三十五年法律第八十四号）による同法第二十九条第一項の改良住宅の管理又は同条第三項の改良住宅の家賃若しくは敷金の決定若しくは変更若しくは収入超過者に対する措置に関する事務であつて総務省令で定めるもの
八の三 市町村長	特定優良賃貸住宅の供給の促進に関する法律（平成五年法律第五十二号）による同法第十八条第二項の賃貸住宅の管理に関する事務であつて総務省令で定めるもの
九 指定都市又は中核市の長	高齢者の居住の安定確保に関する法律（平成十三年法律第二十六号）による同法第五条第一項の登録、同条第二項の更新又は同法第五十二条第一項の認可に関する事務であつて総務省令で定めるもの
九の二 市町村長	空家等対策の推進に関する特別措置法（平成二十六年法律第百二十七号）による同法第九条第一項の調査に関する事務であつて総務省令で定めるもの
十 公害健康被害の補償等に関する法律（昭和四十八年法律第百十一号）第四条第三項の政令で定める市（特別区を含む。）の長	公害健康被害の補償等に関する法律による同法第三条第一項の補償給付の支給又は同法第四条第一項若しくは第二項の認定に関する事務であつて総務省令で定めるもの

十一 廃棄物の処理及び清掃に関する法律第二十四条の二第一項の政令で定める市の長	廃棄物の処理及び清掃に関する法律による同法第八条第一項若しくは第九条第一項の許可、同法第九条の二の四第一項の認定、同法第九条の五第一項（同法第十五条の四において準用する場合を含む。）の許可、同法第九条の六第一項（同法第十五条の四において準用する場合を含む。）の認可、同法第九条の七第二項（同法第十五条の四において準用する場合を含む。）の届出、同法第十二条の七第一項若しくは第七項の認定、同条第九項の届出、同法第十四条第一項の許可、同条第二項の更新、同条第六項の許可、同条第七項の更新、同法第十四条の二第一項の許可、同条第三項において準用する同法第七条の二第三項の届出、同法第十四条の四第一項の許可、同条第二項の更新、同条第六項の許可、同条第七項の更新、同法第十四条の五第一項の許可、同条第三項において準用する同法第七条の二第三項の届出、同法第十五条第一項若しくは第十五条の二の六第一項の許可、同条第三項において準用する同法第九条第三項の届出、同法第十五条の三の三第一項の認定、同法第十七条の二第一項の届出又は同法第二十条の二第一項の登録に関する事務のうち、同法第二十四条の二第一項の規定により同項の政令で定める市の長が行うこととされたものの実施に関する事務であつて総務省令で定めるもの

別表第三（第三十条の十一、第三十条の四十四の四関係）

提供を受ける通知都道府県及び附票通知都道府県以外の都道府県の都道府県知事その他の執行機関	事務
一 都道府県知事	新型インフルエンザ等対策特別措置法による同法第二十八条第一項の予防接種の実施に関する事務であつて総務省令で定めるもの
一の二 都道府県知事	災害対策基本法による同法第八十六条の十五第一項の安否情報の回答に関する事務であつて総務省令で定めるもの
一の三 都道府県知事	災害救助法による同法第二条第一項若しくは第二項の救助又は同法第十二条の扶助金の支給に関する事務であつて総務省令で定めるもの
一の四 都道府県知事	被災者生活再建支援法による同法第三条第一項の被災者生活再建支援金の支給に関する事務であつて総務省令で定めるもの
一の五 都道府県知事	特定非営利活動促進法による同法第十条第一項の認証、同法第二十三条第二項の届出又は同法第三十四条第三項の認証に関する事務であつて総務省令で定めるもの
二 都道府県知事	労働金庫法による同法第八十九条の三第一項の許可又は同法第九十四条第三項において準用する銀行法第五十二条の三十九第一項の届出に関する事務であつて総務省令で定めるもの
三 都道府県知事	貸金業法による同法第三条第一項の登録、同条第二項の更新又は同法第八条第一項の届出に関する事務であつて総務省令で定めるもの
三の二 都道府県知事その他の執行機関	公的給付の支給等の迅速かつ確実な実施のための預貯金口座の登録等に関する法律による同法第十条の特定公的給付の支給を実施するための基礎とする情報の管理に関する事務であつて総務省令で定めるもの
四 都道府県知事	恩給法（他の法律において準用する場合を含む。）による年金である給付又は一時金の支給に関する事務であつて総務省令で定めるもの
四の二 都道府県知事	地方税法その他の地方税に関する法律及びこれらの法律に基づく条例又は特別法人事業税及び特別法人事業譲与税に関する法律（平成三十一年法律第四号）による地方税若しくは特別法人事業税の賦課徴収又は地方税若しくは特別法人事業税に関する調査（犯則事件の調査を含む。）に関する事務であつて総務省令で定めるもの
四の三 都道府県知事	地方税法等の一部を改正する等の法律（平成二十八年法律第十三号）附則第三十一条第二項の規定によりなおその効力を有するものとされた同法第九条の規定による廃止前の地方法人特別税等に関する暫定措置法（平成二十年法律第二十五号）第三章の地方法人特別税の賦課徴収又は地方法人特別税に関する調査（犯則事件の調査を含む。）に関する事務であつて総務省令で定めるもの
五 都道府	消防法による危険物取扱者免状の交付、危険物取

住基法

県知事	扱者試験の実施、消防設備士免状の交付又は消防設備士試験の実施に関する事務であつて総務省令で定めるもの
五の二　教育委員会	特別支援学校への就学奨励に関する法律による同法第二条第一項の特別支援学校への就学のため必要な経費の支弁に関する事務であつて総務省令で定めるもの
五の三　教育委員会	学校保健安全法による同法第二十四条の医療に要する費用についての援助に関する事務であつて総務省令で定めるもの
五の四　教育委員会	教育職員免許法（昭和二十四年法律第百四十七号）による同法第八条第一項若しくは第三項の記入、同法第十一条第一項から第三項までの取上げ、同条第四項の通知、同法第十三条第一項の公告及び通知、同条第二項の記入又は同法第十五条の書換若しくは再交付に関する事務であつて総務省令で定めるもの
五の五　都道府県知事又は教育委員会	高等学校等就学支援金の支給に関する法律による同法第六条第一項の就学支援金の支給に関する事務であつて総務省令で定めるもの
五の六　都道府県知事	死体解剖保存法による同法第二条第一項第一号の認定に関する事務であつて総務省令で定めるもの
五の七　都道府県知事	保健師助産師看護師法による同法第八条の准看護師の免許又は同法第十七条の准看護師試験の実施に関する事務であつて総務省令で定めるもの
五の八　都道府県知事	㊟　本項中、点線の左側は、令和四年一二月九日から起算して三年六月を超えない範囲内において政令で定める日から施行となる。 予防接種法による同法第六条第一項から第三項までの予防接種の実施又は同法第二十八条（第五十二条）の実費の徴収に関する事務であつて総務省令で定めるもの
五の九　都道府県知事	感染症の予防及び感染症の患者に対する医療に関する法律による同法第十九条第一項若しくは第三項、第二十条第一項若しくは第二項（これらの規定を同法第二十六条において準用する場合を含む。）若しくは第四十六条第一項若しくは第二項の入院の勧告若しくは入院の措置、同法第三十七条第一項、第三十七条の二第一項、第四十四条の三の二第一項若しくは第五十条の三第一項の費用の負担又は同法第四十二条第一項、第四十四条の三の三第一項若しくは第五十条の四第一項の療養費の支給に関する事務であつて総務省令で定めるもの
五の十　都道府県知事	難病の患者に対する医療等に関する法律（平成二十六年法律第五十号）による同法第五条第一項の特定医療費の支給、同法第六条第一項の指定医の指定又は同法第二十八条第二項の指定難病要支援者証明事業の実施に関する事務であつて総務省令で定めるもの
六　都道府県知事	原子爆弾被爆者に対する援護に関する法律による同法第二条第三項の被爆者健康手帳の交付、同法第七条の健康診断、同法第三十八条の居宅生活支援事業若しくは同法第三十九条の養護事業の実施又は同法第二十四条第一項の医療特別手当、同法第二十五条第一項の特別手当、同法第二十六条第一項の原子爆弾小頭症手当、同法第二十七条第一項の健康管理手当、同法第二十八条第一項の保健手当、同法第三十一条の介護手当若しくは同法第三十二条の葬祭料の支給に関する事務であつて総務省令で定めるもの
六の二　都道府県知事	原子爆弾被爆者に対する援護に関する法律による同法第十八条第一項の一般疾病医療費の支給に関する事務のうち、同法第五十一条の規定により都道府県知事が行うこととされたものに関する事務であつて総務省令で定めるもの
六の三　都道府県知事	栄養士法による同法第二条第一項の栄養士の免許に関する事務であつて総務省令で定めるもの
六の四　都道府県知事	調理師法による同法第三条の調理師の免許又は同法第三条の二第一項の調理師試験の実施に関する事務であつて総務省令で定めるもの
六の五　都道府県知事	製菓衛生師法による同法第三条の製菓衛生師の免許又は同法第四条第一項の製菓衛生師試験の実施に関する事務であつて総務省令で定めるもの
六の六　都道府県知事	クリーニング業法による同法第六条のクリーニング師の免許又は同法第七条第一項のクリーニング師の試験の実施に関する事務であつて総務省令で定めるもの
六の七　都道府県知事	水道法による同法第二十五条の二第一項（同法第二十五条の三の二第四項において準用する場合を含む。）の申請又は同法第二十五条の七の届出に関する事務であつて総務省令で定めるもの
六の八　都道府県知事	医薬品、医療機器等の品質、有効性及び安全性の確保等に関する法律による同法第三十六条の八第一項の試験の実施又は同条第二項の登録に関する

	事務であつて総務省令で定めるもの
六の九 都道府県知事	労働施策の総合的な推進並びに労働者の雇用の安定及び職業生活の充実等に関する法律による同法第十八条の職業転換給付金の支給に関する事務であつて総務省令で定めるもの
七 都道府県知事	職業能力開発促進法による職業訓練指導員の免許、職業訓練指導員試験の実施又は技能検定試験の実施その他技能検定に関する業務（同法第四十六条第二項の政令で定めるものに限る。）の実施に関する事務であつて総務省令で定めるもの
七の二 都道府県知事	児童福祉法による同法第六条の四第一号の養育里親若しくは同条第二号の養子縁組里親の登録若しくは同条第三号の里親の認定、同法第十一条第一項第二号ハの児童及びその家庭についての調査及び判定、同法第十八条の十八第一項の保育士の登録、同法第十九条の二第一項の小児慢性特定疾病医療費の支給、同法第十九条の三第一項の指定医の指定、同法第十九条の二十二第四項の小児慢性特定疾病要支援者証明事業の実施、同法第二十条第一項の療育の給付、同法第二十四条の二第一項の障害児入所給付費、同法第二十四条の六第一項の高額障害児入所給付費、同法第二十四条の七第一項の特定入所障害児食費等給付費若しくは同法第二十四条の二十第一項の障害児入所医療費の支給、同法第三十三条の六第一項の児童自立生活援助の実施又は同法第五十六条第一項の負担能力の認定若しくは同条第二項の費用の徴収に関する事務であつて総務省令で定めるもの
七の三 国家戦略特別区域法第十二条の五第六項に規定する国家戦略特別区域限定保育士試験を実施する都道府県知事	国家戦略特別区域法による同法第十二条の五第八項において準用する児童福祉法第十八条の十八第一項の登録に関する事務であつて総務省令で定めるもの
七の四 都道府県知事	児童福祉法による同法第二十二条第一項の助産施設における助産又は同法第二十三条第一項の母子生活支援施設における保護の実施に関する事務であつて総務省令で定めるもの
七の五 都道府県知事	児童扶養手当法による同法第四条第一項の児童扶養手当の支給に関する事務であつて総務省令で定めるもの
七の六 都道府県知事その他の執行機関	児童手当法による同法第十七条第一項の規定により読み替えて適用する同法第八条第一項の児童手当の支給に関する事務であつて総務省令で定めるもの
七の七 都道府県知事	母子及び父子並びに寡婦福祉法による同法第十三条第一項、第三十一条の六第一項若しくは第三十二条第一項若しくは附則第三条第一項若しくは第六条第一項の資金の貸付け、同法第十七条第一項、第三十一条の七第一項若しくは第三十三条第一項の便宜の供与又は同法第三十一条（同法第三十一条の十において準用する場合を含む。）の給付金の支給に関する事務であつて総務省令で定めるもの
七の八 都道府県知事	母体保護法（昭和二十三年法律第百五十六号）による同法第十五条第一項の指定に関する事務であつて総務省令で定めるもの
七の九 都道府県知事	生活保護法による同法第十九条第一項の保護の決定及び実施、同法第五十五条の四第一項の就労自立給付金若しくは同法第五十五条の五第一項の進学・就職準備給付金の支給、同法第五十五条の八第一項の被保護者健康管理支援事業の実施、同法第六十三条の保護に要する費用の返還又は同法第七十七条第一項、第七十七条の二第一項、第七十八条第一項から第三項まで若しくは第七十八条の二第一項若しくは第二項の徴収金の徴収に関する事務であつて総務省令で定めるもの
七の十 都道府県知事	身体障害者福祉法による同法第十五条第四項の身体障害者手帳の交付に関する事務であつて総務省令で定めるもの
七の十一 都道府県知事	精神保健及び精神障害者福祉に関する法律による同法第十八条第一項の指定、同法第二十七条第一項若しくは第二項の診察、同法第二十九条第一項若しくは第二十九条の二第一項の入院措置、同法第三十一条の費用の徴収、同法第三十八条の四の退院等の請求又は同法第四十五条第二項の精神障害者保健福祉手帳の交付に関する事務であつて総務省令で定めるもの
七の十二 都道府県知事	知的障害者福祉法による同法第十一条第一項第二号ハの知的障害者の判定に関する事務であつて総務省令で定めるもの
七の十三 都道府県	特別児童扶養手当等の支給に関する法律による同法第三条第一項の特別児童扶養手当、同法第十七

知事	条の障害児福祉手当若しくは同法第二十六条の二の特別障害者手当の支給又は国民年金法等の一部を改正する法律（昭和六十年法律第三十四号）による同法附則第九十七条第一項の福祉手当の支給に関する事務であつて総務省令で定めるもの
七の十四 都道府県知事	障害者の日常生活及び社会生活を総合的に支援するための法律による同法第六条の自立支援給付の支給又は同法第七十八条の地域生活支援事業の実施に関する事務であつて総務省令で定めるもの
七の十五 都道府県知事	介護保険法による同法第六十九条の二第一項の試験若しくは研修の実施若しくは介護支援専門員の登録、同法第六十九条の七第二項、第六十九条の八第二項若しくは同項ただし書の研修の実施又は同法第百十八条第三項第三号の事業の実施に関する事務であつて総務省令で定めるもの
七の十六 都道府県知事	中国残留邦人等の円滑な帰国の促進並びに永住帰国した中国残留邦人等及び特定配偶者の自立の支援に関する法律による同法第十四条第一項若しくは第三項の支援給付若しくは同法第十五条第一項の配偶者支援金の支給、平成十九年改正法による平成十九年改正法附則第四条第一項の支援給付の支給又は平成二十五年改正法附則第二条第一項の規定によりなお従前の例によることとされた平成二十五年改正法による改正前の中国残留邦人等の円滑な帰国の促進及び永住帰国後の自立の支援に関する法律による同法第十四条第一項の支援給付の支給、平成二十五年改正法附則第二条第二項の規定によりなお従前の例によることとされた平成二十五年改正法による改正前の中国残留邦人等の円滑な帰国の促進及び永住帰国後の自立の支援に関する法律による同法第十四条第三項の支援給付の支給若しくは平成二十五年改正法による平成二十五年改正法附則第二条第三項の支援給付若しくは平成二十五年改正法附則第三条第一項の配偶者支援金の支給に関する事務であつて総務省令で定めるもの
七の十七 都道府県知事	戦傷病者戦没者遺族等援護法による同法第五条の援護に関する事務のうち、同法第五十条第一項の規定又は同法第五十一条の規定に基づく政令により都道府県知事が行うこととされたものに関する事務であつて総務省令で定めるもの
七の十八 都道府県知事	未帰還者留守家族等援護法による同法第五条第一項の留守家族手当、同法第十五条の帰郷旅費、同法第十六条第一項の葬祭料、同法第十七条第一項の遺骨引取経費又は同法第二十六条の障害一時金の支給に関する事務のうち、同法第三十四条の二の規定により都道府県知事が行うこととされたものに関する事務であつて総務省令で定めるもの
七の十九 都道府県知事	戦没者等の妻に対する特別給付金支給法による同法第三条の特別給付金の支給に関する事務のうち、同法第十二条の規定又は同法第十三条の規定に基づく政令により都道府県知事が行うこととされたものに関する事務であつて総務省令で定めるもの
七の二十 都道府県知事	戦傷病者特別援護法による同法第九条の援護に関する事務のうち、同法第二十八条の規定により都道府県知事が行うこととされたものに関する事務であつて総務省令で定めるもの
七の二十一 都道府県知事	戦没者等の遺族に対する特別弔慰金支給法による同法第三条の特別弔慰金の支給に関する事務のうち、同法第十四条の規定又は同法第十五条の規定に基づく政令により都道府県知事が行うこととされたものに関する事務であつて総務省令で定めるもの
七の二十二 都道府県知事	戦傷病者等の妻に対する特別給付金支給法による同法第三条第一項の特別給付金の支給に関する事務のうち、同法第十二条の規定又は同法第十三条の規定に基づく政令により都道府県知事が行うこととされたものに関する事務であつて総務省令で定めるもの
七の二十三 都道府県知事	戦没者の父母等に対する特別給付金支給法による同法第三条の特別給付金の支給に関する事務のうち、同法第十五条の規定又は同法第十六条の規定に基づく政令により都道府県知事が行うこととされたものに関する事務であつて総務省令で定めるもの
七の二十四 都道府県知事	卸売市場法による同法第十三条第一項若しくは同法第十四条において準用する同法第六条第一項の認定又は同条第二項の届出に関する事務であつて総務省令で定めるもの
八 都道府県知事	家畜商法（昭和二十四年法律第二百八号）による同法第五条の登録に関する事務であつて総務省令で定めるもの
九 都道府県知事	森林法による同法第二十五条の二第一項若しくは第二項の指定、同法第二十六条の二第一項若しくは第二項の指定の解除、同法第二十七条第二項（同法第三十三条の三及び第四十四条において準用する場合を含む。）の経由、同法第三十二条第一項（同法第三十三条の三及び第四十四条において準用する場合を含む。）の経由若しくは意見書の提出又は同法第三十三条の二第一項の変更に関する事務であつて総務省令で定めるもの

十　都道府県知事	計量法による同法第四十条第二項（同法第四十二条第三項において準用する場合を含む。）の経由、同法第四十六条第一項の届出、同条第二項において準用する同法第四十二条第一項の届出、同法第五十一条第一項の届出、同条第二項において準用する同法第四十二条第一項の届出、同法第百十四条において準用する同法第六十二条第一項の届出又は同法第百六十八条の八の規定により都道府県知事が行うこととされた事務の実施に関する事務であつて総務省令で定めるもの
十一　都道府県知事	大規模小売店舗立地法による同法第五条第一項、第六条第二項、第八条第七項、第九条第四項又は附則第五条第一項（同条第三項において準用する場合を含む。）の届出に関する事務であつて総務省令で定めるもの
十二　都道府県知事	フロン類の使用の合理化及び管理の適正化に関する法律による同法第二十七条第一項の登録、同法第三十条第一項の更新又は同法第三十一条第一項の届出に関する事務であつて総務省令で定めるもの
十三　都道府県知事	火薬類取締法による同法第三十一条第三項の試験（都道府県知事が行うものに限る。）の実施に関する事務であつて総務省令で定めるもの
十四　都道府県知事	電気工事士法による同法第四条第二項の交付又は同条第七項の書換えに関する事務であつて総務省令で定めるもの
十五　都道府県知事	電気工事業の業務の適正化に関する法律による同法第三条第一項若しくは第三項の登録又は同法第十条第一項の届出に関する事務であつて総務省令で定めるもの
十六　都道府県知事	液化石油ガスの保安の確保及び取引の適正化に関する法律による同法第三十八条の四第一項の交付又は同条第五項の書換えに関する事務であつて総務省令で定めるもの
十六の二　都道府県知事	所有者不明土地の利用の円滑化等に関する特別措置法による同法第六条若しくは第七条第一項の許可、同法第十条第一項若しくは第十九条第一項の申請、同法第二十二条第一項の承認、同法第二十七条第一項若しくは第三十七条第一項の申請、同法第四十二条第一項の命令若しくは選任の請求、同条第二項若しくは第五項の命令の請求、地域福利増進事業等の実施の準備又は同法第四十三条第二項の土地所有者等関連情報の提供に関する事務であつて総務省令で定めるもの
十七　都道府県知事	建設業法による建設業の許可に関する事務であつて総務省令で定めるもの
十八　都道府県知事	浄化槽法による浄化槽工事業の登録に関する事務であつて総務省令で定めるもの
十九　都道府県知事	建設工事に係る資材の再資源化等に関する法律（平成十二年法律第百四号）による同法第二十一条第一項の登録又は同法第二十五条第一項の届出に関する事務であつて総務省令で定めるもの
二十　都道府県知事	宅地建物取引業法による宅地建物取引業の免許又は宅地建物取引士資格の登録に関する事務であつて総務省令で定めるもの
二十一　都道府県知事	旅行業法第六十七条の規定により都道府県知事が行うこととされた事務の実施に関する事務であつて総務省令で定めるもの
二十一の二　都道府県知事	住宅宿泊事業法による同法第三条第一項又は第四項の届出に関する事務であつて総務省令で定めるもの
二十一の三　都道府県知事	通訳案内士法による同法第十八条（同法第五十七条において準用する場合を含む。）の登録、同法第二十三条第一項（同法第五十七条において準用する場合を含む。）の届出又は同法第二十四条（同法第五十七条において準用する場合を含む。）の再交付に関する事務であつて総務省令で定めるもの
二十二　都道府県知事	不動産の鑑定評価に関する法律による同法第二十二条第一項若しくは第三項、同法第二十六条第一項又は同法第二十七条第一項の登録に関する事務であつて総務省令で定めるもの
二十二の二　都道府県知事	国土調査法による同法第五条第四項の指定を受けた地籍調査又は同法第六条の四第一項の地籍調査に関する事務であつて総務省令で定めるもの
二十三　都道府県知事	公営住宅法による同法第十五条の公営住宅の管理に関する事務であつて総務省令で定めるもの
二十三の二　都道府県知事	住宅地区改良法による同法第二十九条第一項の改良住宅の管理又は同条第三項の改良住宅の家賃若しくは敷金の決定若しくは変更若しくは収入超過者に対する措置に関する事務であつて総務省令で定めるもの
二十三の三　都道府	特定優良賃貸住宅の供給の促進に関する法律による同法第十八条第二項の賃貸住宅の管理に関する

県知事	事務であつて総務省令で定めるもの
二十四　都道府県知事	高齢者の居住の安定確保に関する法律による同法第五条第一項の登録、同条第二項の更新又は同法第五十二条第一項の認可に関する事務であつて総務省令で定めるもの
二十五　都道府県知事	建築基準法による同法第七十七条の六十三第一項の経由に関する事務であつて総務省令で定めるもの
二十六　都道府県知事	建築士法による同法第四条第三項若しくは第五項の免許、同法第五条第一項の登録、同条第二項の交付、同法第五条の二第一項若しくは第二項若しくは第八条の二の届出、同法第九条第一項第一号の申請、同法第二十三条第一項若しくは第三項の登録又は同法第二十三条の五第一項若しくは第二十三条の七の届出に関する事務であつて総務省令で定めるもの
二十七　都道府県知事	公害健康被害の補償等に関する法律による同法第三条第一項の補償給付の支給又は同法第四条第一項若しくは第二項の認定に関する事務であつて総務省令で定めるもの
二十八　都道府県知事	廃棄物の処理及び清掃に関する法律による同法第八条第一項若しくは第九条第一項の許可、同法第九条の二の四第一項の認定、同法第九条の五第一項（同法第十五条の四において準用する場合を含む。）の許可、同法第九条の六第一項（同法第十五条の四において準用する場合を含む。）の認可、同法第九条の七第二項（同法第十五条の四において準用する場合を含む。）の届出、同法第十二条の七第一項若しくは第七項の認定、同条第九項の届出、同法第十四条第一項の許可、同条第二項の更新、同条第六項の許可、同条第七項の更新、同法第十四条の二第一項の許可、同条第三項において準用する同法第七条の二第三項の届出、同法第十四条の四第一項の許可、同条第二項の更新、同条第六項の許可、同条第七項の更新、同法第十四条の五第一項の許可、同条第三項において準用する同法第七条の二第三項の届出、同法第十五条第一項若しくは第十五条の二の六第一項の許可、同条第三項において準用する同法第九条第三項の届出、同法第十五条の三の三第一項の認定、同法第十七条の二第一項の届出又は同法第二十条の二第一項の登録に関する事務であつて総務省令で定めるもの
二十九　福島県知事	福島復興再生特別措置法による同法第四十九条の健康管理調査の実施に関する事務であつて総務省令で定めるもの

別表第四（第三十条の十二、第三十条の四十四の五関係）

提供を受ける通知都道府県及び附票通知都道府県以外の都道府県の区域内の市町村の市町村長その他の執行機関	事務
一　市町村長	新型インフルエンザ等対策特別措置法による同法第二十八条第一項の予防接種の実施に関する事務であつて総務省令で定めるもの
一の二　市町村長	災害対策基本法による同法第八十六条の十五第一項の安否情報の回答、同法第九十条の二第一項の罹災証明書の交付又は同法第九十条の三第一項の被災者台帳の作成に関する事務であつて総務省令で定めるもの
一の三　救助実施市の長	災害救助法による同法第二条の二第一項の救助又は同法第十二条の扶助金の支給に関する事務であつて総務省令で定めるもの
一の四　災害発生市町村等の長	災害救助法による同法第二条第一項若しくは第二項の救助又は同法第十二条の扶助金の支給に関する事務のうち、同法第十三条第一項の規定により災害発生市町村等の長が行うこととされたものに関する事務であつて総務省令で定めるもの
一の五　市町村長	被災者生活再建支援法による同法第三条第一項の被災者生活再建支援金の支給に関する事務のう

	ち、同法第四条第二項の規定により市町村長が行うこととされたものに関する事務であつて総務省令で定めるもの
一の六　市町村長	災害弔慰金の支給等に関する法律による同法第三条第一項の災害弔慰金若しくは同法第八条第一項の災害障害見舞金の支給又は同法第十条第一項の災害援護資金の貸付けに関する事務であつて総務省令で定めるもの
一の七　市町村長	㊟　本項中、点線の左側は令和七年四月一日から、実線の左側は令和八年四月一日から施行となる。 子ども・子育て支援法による同法第十条の二の妊婦のための支援給付、同法第十一条の子どものための教育・保育給付、若しくは同法第三十条の二の子育てのための施設等利用給付の支給若しくは同法第三十条の十二の乳児等のための支援給付の支給又は同法第五十九条の地域子ども・子育て支援事業の実施に関する事務であつて総務省令で定めるもの
一の八　指定都市の長	特定非営利活動促進法による同法第十条第一項の認証、同法第二十三条第二項の届出又は同法第三十四条第三項の認証に関する事務であつて総務省令で定めるもの
一の九　市町村長その他の執行機関	公的給付の支給等の迅速かつ確実な実施のための預貯金口座の登録等に関する法律による同法第十条の特定公的給付の支給を実施するための基礎とする情報の管理に関する事務であつて総務省令で定めるもの
一の十　市町村長	公職選挙法による同法第九条第三項の規定により都道府県の議会の議員及び長の選挙権を有する者が従前住所を有していた現に選挙人名簿に登録されている市町村において当該都道府県の議会の議員又は長の選挙の投票をする場合に同法第四十四条第三項の規定により提示することとされている文書の交付に関する事務であつて総務省令で定めるもの
一の十一　市町村長	地方税法その他の地方税に関する法律及びこれらの法律に基づく条例又は森林環境税及び森林環境譲与税に関する法律による地方税若しくは森林環境税の賦課徴収又は地方税若しくは森林環境税に関する調査（犯則事件の調査を含む。）に関する事務であつて総務省令で定めるもの
二　市町村長	消防組織法による非常勤消防団員に係る損害補償又は非常勤消防団員に係る退職報償金の支給に関する事務であつて総務省令で定めるもの
二の二　教育委員会	学校保健安全法による同法第二十四条の医療に要する費用についての援助に関する事務であつて総務省令で定めるもの
三　市町村長	㊟　本項中、点線の左側は、令和四年一二月九日から起算して三年六月を超えない範囲内において政令で定める日から施行となる。 予防接種法による同法第五条第一項若しくは第六条第一項から第三項までの予防接種の実施、同法第十五条第一項の給付の支給又は同法第二十八条第五十二条の実費の徴収に関する事務であつて総務省令で定めるもの
三の二　保健所を設置する市又は特別区の長	感染症の予防及び感染症の患者に対する医療に関する法律による同法第十九条第一項若しくは第三項、第二十条第一項若しくは第二項（これらの規定を同法第二十六条において準用する場合を含む。）若しくは第四十六条第一項若しくは第二項の入院の勧告若しくは入院の措置、同法第三十七条第一項、第三十七条の二第一項、第四十四条の三の二第一項若しくは第五十条の三第一項の費用の負担又は同法第四十二条第一項、第四十四条の三の三第一項若しくは第五十条の四第一項の療養費の支給に関する事務であつて総務省令で定めるもの
四　広島市又は長崎市の長	原子爆弾被爆者に対する援護に関する法律による同法第二条第三項の被爆者健康手帳の交付、同法第七条の健康診断、同法第三十八条の居宅生活支援事業若しくは同法第三十九条の養護事業の実施又は同法第二十四条第一項の医療特別手当、同法第二十五条第一項の特別手当、同法第二十六条第一項の原子爆弾小頭症手当、同法第二十七条第一項の健康管理手当、同法第二十八条第一項の保健手当、同法第三十一条の介護手当若しくは同法第三十二条の葬祭料の支給に関する事務であつて総務省令で定めるもの
四の二　市町村長	水道法による同法第二十五条の二第一項（同法第二十五条の三の二第四項において準用する場合を含む。）の申請又は同法第二十五条の七の届出に関する事務であつて総務省令で定めるもの
四の三　国家戦略特別区域法第十二条の五第十	国家戦略特別区域法による同法第十二条の五第八項において準用する児童福祉法第十八条の十八第一項の登録に関する事務であつて総務省令で定めるもの

二項に規定する試験実施指定都市の長	
四の四　市町村長	児童福祉法による同法第二十一条の五の三第一項の障害児通所給付費、同法第二十一条の五の四第一項の特例障害児通所給付費、同法第二十一条の五の十二第一項の高額障害児通所給付費、同法第二十一条の五の二十九第一項の肢体不自由児通所医療費、同法第二十四条の二十六第一項の障害児相談支援給付費若しくは同法第二十四条の二十七第一項の特例障害児相談支援給付費の支給、同法第二十一条の六の障害福祉サービスの提供、同法第二十四条第一項の保育所における保育の実施若しくは同条第五項若しくは第六項の措置又は同法第五十六条第二項の費用の徴収若しくは同条第六項若しくは第七項の処分に関する事務であつて総務省令で定めるもの
四の五　市長又は福祉事務所を管理する町村長	児童福祉法による同法第二十二条第一項の助産施設における助産又は同法第二十三条第一項の母子生活支援施設における保護の実施に関する事務であつて総務省令で定めるもの
四の六　指定都市若しくは中核市又は児童相談所設置市の長	児童福祉法による同法第六条の四第一号の養育里親若しくは同条第二号の養子縁組里親の登録若しくは同条第三号の里親の認定、同法第十一条第一項第二号ハの児童及びその家庭についての調査及び判定、同法第十九条の二第一項の小児慢性特定疾病医療費の支給、同法第二十条第一項の療育の給付、同法第二十四条の二第一項の障害児入所給付費、同法第二十四条の六第一項の高額障害児入所給付費、同法第二十四条の七第一項の特定入所障害児食費等給付費若しくは同法第二十四条の二十第一項の障害児入所医療費の支給、同法第三十三条の六第一項の児童自立生活援助の実施又は同法第五十六条第一項の負担能力の認定若しくは同条第二項の費用の徴収に関する事務のうち、同法第五十九条の四第一項の規定により指定都市若しくは中核市又は児童相談所設置市の長が行うこととされたものに関する事務であつて総務省令で定めるもの
四の七　市長又は福祉事務所を管理する町村長	児童扶養手当法による同法第四条第一項の児童扶養手当の支給に関する事務であつて総務省令で定めるもの
四の八　市町村長その他の執行機関	児童手当法による同法第八条第一項（同法第十七条第一項の規定により読み替えて適用する場合を含む。）の児童手当の支給に関する事務であつて総務省令で定めるもの
四の九　市町村長	母子及び父子並びに寡婦福祉法による同法第十七条第一項、第三十一条の七第一項又は第三十三条第一項の便宜の供与に関する事務であつて総務省令で定めるもの
四の十　市長又は福祉事務所を管理する町村長	母子及び父子並びに寡婦福祉法による同法第三十一条（同法第三十一条の十において準用する場合を含む。）の給付金の支給に関する事務であつて総務省令で定めるもの
四の十一　指定都市又は中核市の長	母子及び父子並びに寡婦福祉法による同法第十三条第一項、第三十一条の六第一項若しくは第三十二条第一項又は附則第三条第一項若しくは第六条第一項の資金の貸付けに関する事務のうち、同法第四十六条の規定により指定都市又は中核市の長が行うこととされたものに関する事務であつて総務省令で定めるもの
四の十二　市町村長	母子保健法による同法第九条の二第一項の相談、同条第二項の支援、同法第十条の保健指導、同法第十一条、第十七条第一項若しくは第十九条第一項の訪問指導、同法第十二条若しくは第十三条の健康診査、同法第十五条若しくは第十八条の届出、同法第十六条第一項の母子健康手帳の交付、同法第十七条の二第一項の産後ケア事業の実施、同法第二十条第一項の養育医療の給付若しくは養育医療に要する費用の支給、同法第二十一条の四第一項の費用の徴収又は同法第二十二条第一項のこども家庭センターの事業の実施に関する事務であつて総務省令で定めるもの
四の十三　市長又は福祉事務所を管理する町村長	生活保護法による同法第十九条第一項の保護の決定及び実施、同法第五十五条の四第一項の就労自立給付金若しくは同法第五十五条の五第一項の進学・就職準備給付金の支給、同法第五十五条の八第一項の被保護者健康管理支援事業の実施、同法第六十三条の保護に要する費用の返還又は同法第七十七条第一項、第七十七条の二第一項、第七十八条第一項から第三項まで若しくは第七十八条の二第一項若しくは第二項の徴収金の徴収に関する事務であつて総務省令で定めるもの
四の十四　町村長（福祉事務所を管理する町	生活保護法による同法第二十四条第十項の申請の経由に関する事務であつて総務省令で定めるもの

村長を除く。)	
四の十五 市町村長	一 身体障害者福祉法による同法第十八条の障害福祉サービスの提供、障害者支援施設等への入所等の措置又は同法第三十八条第一項の費用の徴収に関する事務であつて総務省令で定めるもの 二 身体障害者福祉法による同法第十五条第四項の身体障害者手帳の交付に関する事務のうち、同条第十項の規定に基づく政令により市町村長が行うこととされたものに関する事務であつて総務省令で定めるもの
四の十六 指定都市又は中核市の長	身体障害者福祉法による同法第十五条第四項の身体障害者手帳の交付に関する事務のうち、同法第四十三条の二の規定により指定都市又は中核市の長が行うこととされたものに関する事務であつて総務省令で定めるもの
四の十七 指定都市の長	精神保健及び精神障害者福祉に関する法律による同法第十八条第一項の指定又は同法第二十七条第一項若しくは第二項の診察、同法第二十九条第一項若しくは第二十九条の二第一項の入院措置、同法第三十一条の費用の徴収、同法第三十八条の四の退院等の請求若しくは同法第四十五条第二項の精神障害者保健福祉手帳の交付に関する事務のうち同法第五十一条の十二第一項の規定により指定都市の長が行うこととされたものに関する事務であつて総務省令で定めるもの
四の十八 市町村長(指定都市の長を除く。)	精神保健及び精神障害者福祉に関する法律による同法第四十五条第二項の精神障害者保健福祉手帳の交付に関する事務のうち、同条第六項の規定に基づく政令により市町村長が行うこととされているものに関する事務であつて総務省令で定めるもの
四の十九 指定都市又は中核市の長	知的障害者福祉法による同法第十一条第一項第二号ハの知的障害者の判定に関する事務であつて総務省令で定めるもの
四の二十 市町村長	知的障害者福祉法による同法第十五条の四の障害福祉サービスの提供、同法第十六条第一項第二号の障害者支援施設等への入所等の措置又は同法第二十七条の費用の徴収に関する事務であつて総務省令で定めるもの
四の二十一 市長又は福祉事務所を管理する町村長	特別児童扶養手当等の支給に関する法律による同法第十七条の障害児福祉手当若しくは同法第二十六条の二の特別障害者手当の支給又は国民年金法等の一部を改正する法律(昭和六十年法律第三十四号)による同法附則第九十七条第一項の福祉手当の支給に関する事務であつて総務省令で定めるもの
四の二十二 市町村長	特別児童扶養手当等の支給に関する法律による同法第三条第一項の特別児童扶養手当の支給に関する事務のうち、同法第三十八条の規定により市町村長が行うこととされたものに関する事務であつて総務省令で定めるもの
四の二十三 市町村長	障害者の日常生活及び社会生活を総合的に支援するための法律による同法第六条の自立支援給付の支給又は同法第七十七条の地域生活支援事業の実施に関する事務であつて総務省令で定めるもの
四の二十四 指定都市若しくは中核市又は児童相談所設置市の長	障害者の日常生活及び社会生活を総合的に支援するための法律による同法第六条の自立支援給付の支給又は同法第七十八条の地域生活支援事業の実施に関する事務のうち、同法第百六条の規定により指定都市若しくは中核市又は児童相談所設置市の長が行うこととされたものに関する事務であつて総務省令で定めるもの
四の二十五 市町村長	老人福祉法による同法第十条の四若しくは第十一条の措置又は同法第二十八条第一項の費用の徴収に関する事務であつて総務省令で定めるもの
四の二十六 市町村長	介護保険法による同法第十八条の保険給付の支給、同法第百十五条の四十五第一項の地域支援事業の実施、同条第二項第七号の事業の実施又は同法第百二十九条第一項の保険料の徴収に関する事務であつて総務省令で定めるもの ㊟ 本項中、点線の左側は、令和五年五月一九日から起算して四年を超えない範囲内において政令で定める日から施行となる。
四の二十七 市町村長	国民健康保険法による同法第四章の保険給付の支給、同法第七十六条第一項の保険料の徴収又は同法第八十二条第一項の保健事業の実施に関する事務であつて総務省令で定めるもの
四の二十八 市町村長	高齢者の医療の確保に関する法律による同法第五十六条の後期高齢者医療給付の支給、同法第百四条第一項の保険料の徴収又は同法第百二十五条第一項の高齢者保健事業若しくは同条第五項の事業の実施に関する事務であつて総務省令で定めるもの
四の二十九 市長又は福祉事	中国残留邦人等の円滑な帰国の促進並びに永住帰国した中国残留邦人等及び特定配偶者の自立の支援に関する法律による同法第十四条第一項若しく

務所を管理する町村長	は第三項の支援給付若しくは同法第十五条第一項の配偶者支援金の支給、平成十九年改正法による平成十九年改正法附則第四条第一項の支援給付の支給又は平成二十五年改正法附則第二条第一項の規定によりなお従前の例によることとされた平成二十五年改正法による改正前の中国残留邦人等の円滑な帰国の促進及び永住帰国後の自立の支援に関する法律による同法第十四条第一項の支援給付の支給、平成二十五年改正法附則第二条第二項の規定によりなお従前の例によることとされた平成二十五年改正法による改正前の中国残留邦人等の円滑な帰国の促進及び永住帰国後の自立の支援に関する法律による同法第十四条第三項の支援給付の支給若しくは平成二十五年改正法による平成二十五年改正法附則第二条第三項の支援給付若しくは平成二十五年改正法附則第三条第一項の配偶者支援金の支給に関する事務であつて総務省令で定めるもの
四の三十 町村長（福祉事務所を管理する町村長を除く。）	中国残留邦人等の円滑な帰国の促進並びに永住帰国した中国残留邦人等及び特定配偶者の自立の支援に関する法律による同法第十四条第四項（第十五条第三項において準用する場合を含む。）の規定によりその例によることとされた生活保護法第二十四条第十項の申請の経由に関する事務であつて総務省令で定めるもの
四の三十一 市町村長	中国残留邦人等の円滑な帰国の促進並びに永住帰国した中国残留邦人等及び特定配偶者の自立の支援に関する法律による同法第十三条第二項若しくは第四項の保険料の納付又は同条第三項の一時金の支給に関する事務のうち、同条第五項の規定に基づく政令により市町村長が行うこととされたものに関する事務であつて総務省令で定めるもの
四の三十二 市町村長	戦傷病者戦没者遺族等援護法による同法第五条の援護に関する事務のうち、同法第五十一条の規定に基づく政令により市町村長が行うこととされたものに関する事務であつて総務省令で定めるもの
四の三十三 市町村長	戦没者等の妻に対する特別給付金支給法による同法第三条の特別給付金の支給に関する事務のうち、同法第十三条の規定に基づく政令により市町村長が行うこととされたものに関する事務であつて総務省令で定めるもの
四の三十四 市町村長	戦没者等の遺族に対する特別弔慰金支給法による同法第三条の特別弔慰金の支給に関する事務のうち、同法第十五条の規定に基づく政令により市町村長が行うこととされたものに関する事務であつて総務省令で定めるもの
四の三十五 市町村長	戦傷病者等の妻に対する特別給付金支給法による同法第三条第一項の特別給付金の支給に関する事務のうち、同法第十三条の規定に基づく政令により市町村長が行うこととされたものに関する事務であつて総務省令で定めるもの
四の三十六 市町村長	戦没者の父母等に対する特別給付金支給法による同法第三条の特別給付金の支給に関する事務のうち、同法第十六条の規定に基づく政令により市町村長が行うこととされたものに関する事務であつて総務省令で定めるもの
四の三十七 市町村長	農地法による同法第四十二条第一項の命令に関する事務であつて総務省令で定めるもの
四の三十八 農業委員会	農地法による同法第三十二条第一項若しくは第三十三条第一項の利用意向調査の実施又は同法第五十二条の二第一項の農地台帳の作成に関する事務であつて総務省令で定めるもの
四の三十九 農業委員会	農地中間管理事業の推進に関する法律による同法第二十二条の二第二項の探索に関する事務であつて総務省令で定めるもの
四の四十 市町村長	森林法による同法第百九十一条の四第一項の林地台帳の作成に関する事務であつて総務省令で定めるもの
四の四十一 市町村長	森林経営管理法による同法第四条第一項の経営管理権集積計画の作成、同法第五条の経営管理意向調査の実施、同法第十条若しくは第二十四条の探索、同法第三十五条第一項の経営管理実施権配分計画の作成又は同法第四十二条第一項の命令に関する事務であつて総務省令で定めるもの
五 指定都市の長	大規模小売店舗立地法による同法第五条第一項、第六条第二項、第八条第七項、第九条第四項又は附則第五条第一項（同条第三項において準用する場合を含む。）の届出に関する事務であつて総務省令で定めるもの
五の二 市町村長	所有者不明土地の利用の円滑化等に関する特別措置法による同法第三十八条第一項の災害等防止措置の勧告、同法第四十二条第一項の命令若しくは選任の請求、同条第二項、第三項若しくは第五項の命令の請求、地域福利増進事業等の実施の準備又は同法第四十三条第二項の土地所有者等関連情報の提供に関する事務であつて総務省令で定めるもの
五の三 保健所を設	住宅宿泊事業法による同法第三条第一項又は第四項の届出に関する事務であつて総務省令で定める

住基法

置する市又は特別区の長	もの
六　市町村長	通訳案内士法による同法第五十七条において準用する同法第十八条の登録、同法第五十七条において準用する同法第二十三条第一項の届出又は同法第五十七条において準用する同法第二十四条の再交付に関する事務であつて総務省令で定めるもの
六の二　市町村長	国土調査法による同法第六条第三項の指定を受けた地籍調査又は同法第六条の四第一項の地籍調査に関する事務であつて総務省令で定めるもの
七　市町村長	公営住宅法による同法第十五条の公営住宅の管理に関する事務であつて総務省令で定めるもの
七の二　市町村長	住宅地区改良法による同法第二十九条第一項の改良住宅の管理又は同条第三項の改良住宅の家賃若しくは敷金の決定若しくは変更若しくは収入超過者に対する措置に関する事務であつて総務省令で定めるもの
七の三　市町村長	特定優良賃貸住宅の供給の促進に関する法律による同法第十八条第二項の賃貸住宅の管理に関する事務であつて総務省令で定めるもの
八　指定都市又は中核市の長	高齢者の居住の安定確保に関する法律による同法第五条第一項の登録、同条第二項の更新又は同法第五十二条第一項の認可に関する事務であつて総務省令で定めるもの
八の二　市町村長	空家等対策の推進に関する特別措置法による同法第九条第一項の調査に関する事務であつて総務省令で定めるもの
九　公害健康被害の補償等に関する法律第四条第三項の政令で定める市（特別区を含む。）の長	公害健康被害の補償等に関する法律による同法第三条第一項の補償給付の支給又は同法第四条第一項若しくは第二項の認定に関する事務であつて総務省令で定めるもの
十　廃棄物の処理及び清掃に関する法律第二十四条の二第一項の政令で定める市の長	廃棄物の処理及び清掃に関する法律による同法第八条第一項若しくは第九条第一項の許可、同法第九条の二の四第一項の認定、同法第九条の五第一項（同法第十五条の四において準用する場合を含む。）の許可、同法第九条の六第一項（同法第十五条の四において準用する場合を含む。）の認可、同法第九条の七第二項（同法第十五条の四において準用する場合を含む。）の届出、同法第十二条の七第一項若しくは第七項の認定、同条第九項の届出、同法第十四条第一項の許可、同条第二項の更新、同条第六項の許可、同条第七項の更新、同法第十四条の二第一項の許可、同条第三項において準用する同法第七条の二第三項の届出、同法第十四条の四第一項の許可、同条第二項の更新、同条第六項の許可、同条第七項の更新、同法第十四条の五第一項の許可、同条第三項において準用する同法第七条の二第三項の届出、同法第十五条第一項若しくは第十五条の二の六第一項の許可、同条第三項において準用する同法第九条第三項の届出、同法第十五条の三の三第一項の認定、同法第十七条の二第一項の届出又は同法第二十条の二第一項の登録に関する事務のうち、同法第二十四条の二第一項の規定により同項の政令で定める市の長が行うこととされたものの実施に関する事務であつて総務省令で定めるもの

別表第五（第三十条の十五、第三十条の四十四の六関係）

一　新型インフルエンザ等対策特別措置法による同法第二十八条第一項の予防接種の実施に関する事務であつて総務省令で定めるもの

一の二　災害対策基本法による同法第八十六条の十五第一項の安否情報の回答に関する事務であつて総務省令で定めるもの

一の三　災害救助法による同法第二条第一項若しくは第二項の救助又は同法第十二条の扶助金の支給に関する事務であつて総務省令で定めるもの

一の四　被災者生活再建支援法による同法第三条第一項の被災者生活再建支援金の支給に関する事務であつて総務省令で定めるもの

一の五　特定非営利活動促進法による同法第十条第一項の認証、同法第二十三条第二項の届出又は同法第三十四条第三項の認証に関する事務であつて総務省令で定めるもの

二　労働金庫法による同法第八十九条の三第一項の許可又は同法第九十四条第三項において準用する銀行法第五十二条の三十九第一項の届出に関する事務であつて総務省令で定めるもの

三　貸金業法による同法第三条第一項の登録、同条第二項の更新又は同法第八条第一項の届出に関する事務であつて総務省令で定めるもの

三の二　公的給付の支給等の迅速かつ確実な実施のための預貯金口座の登録等に関する法律による同法第十条の特定公的給付の支給を実施するための基礎とする情報の管理に関する事務であつて総務省令で定めるもの

四　恩給法（他の法律において準用する場合を含む。）による年金である給付又は一時金の支給に関する事務であつて総務省令で定めるもの

四の二　地方税法その他の地方税に関する法律及びこれらの法律に基づく条例又は特別法人事業税及び特別法人事業譲与税に関する法律による地方税若しくは特別法人事業税の賦課徴収又は地方税若しくは特別法人事業税に関する調査（犯則事件の調査を含む。）に関する事務であつて総務省令で定めるもの

四の三　地方税法等の一部を改正する等の法律（平成二十八年法律第十三号）附則第三十一条第二項の規定によりなおその効力を有するものとされた同法第九条の規定による廃止前の地方法人特別税等に関する暫定措置法第三章の地方法人特別税の賦課徴収又は地方法人特別税に関する調査（犯則事件の調査を含む。）に関する事務であつて総務省令で定めるもの

五　消防法による危険物取扱者免状の交付、危険物取扱者試験の実施、消防設備士免状の交付又は消防設備士試験の実施に関する事務であつて総務省令で定めるもの

六　旅券法による同法第三条第一項の発給、同法第九条第一項の渡航先の追加又は同法第十七条第一項の届出に関する事務であつて総務省令で定めるもの

六の二　高等学校等就学支援金の支給に関する法律による同法第六条第一項の就学支援金の支給に関する事務であつて総務省令で定めるもの

六の三　死体解剖保存法による同法第二条第一項第一号の認定に関する事務であつて総務省令で定めるもの

六の四　保健師助産師看護師法による同法第八条の准看護師の免許又は同法第十七条の准看護師試験の実施に関する事務であつて総務省令で定めるもの

㊟ 本号中、点線の左側は、令和四年一二月九日から起算して三年六月を超えない範囲内において政令で定める日から施行となる。

六の五　予防接種法による同法第六条第一項から第三項までの予防接種の実施又は同法第二十八条｜第五十二条の実費の徴収に関する事務であつて総務省令で定めるもの

六の六　感染症の予防及び感染症の患者に対する医療に関する法律による同法第十九条第一項若しくは第三項、第二十条第一項若しくは第二項（これらの規定を同法第二十六条において準用する場合を含む。）若しくは第四十六条第一項若しくは第二項の入院の勧告若しくは入院の措置、同法第三十七条第一項、第三十七条の二第一項、第四十四条の三の二第一項若しくは第五十条の三第一項の費用の負担又は同法第四十二条第一項、第四十四条の三の三第一項若しくは第五十条の四第一項の療養費の支給に関する事務であつて総務省令で定めるもの

六の七　難病の患者に対する医療等に関する法律による同法第五条第一項の特定医療費の支給、同法第六条第一項の指定医の指定又は同法第二十八条第二項の指定難病要支援者証明事業の実施に関する事務であつて総務省令で定めるもの

七　原子爆弾被爆者に対する援護に関する法律による同法第二条第三項の被爆者健康手帳の交付、同法第七条の健康診断、同法第三十八条の居宅生活支援事業若しくは同法第三十九条の養護事業の実施又は同法第二十四条第一項の医療特別手当、同法第二十五条第一項の特別手当、同法第二十六条第一項の原子爆弾小頭症手当、同法第二十七条第一項の健康管理手当、同法第二十八条第一項の保健手当、同法第三十一条の介護手当若しくは同法第三十二条の葬祭料の支給に関する事務であつて総務省令で定めるもの

七の二　原子爆弾被爆者に対する援護に関する法律による同法第十八条第一項の一般疾病医療費の支給に関する事務のうち、同法第五十一条の規定により都道府県知事が行うこととされたものに関する事務であつて総務省令で定めるもの

七の三　栄養士法による同法第二条第一項の栄養士の免許に関する事務であつて総務省令で定めるもの

七の四　調理師法による同法第三条の調理師の免許又は同法第三条の二第一項の調理師試験の実施に関する事務であつて総務省令で定めるもの

七の五　製菓衛生師法による同法第三条の製菓衛生師の免許又は同法第四条第一項の製菓衛生師試験の実施に関する事務であつて総務省令で定めるもの

七の六　クリーニング業法による同法第六条のクリーニング師の免許又は同法第七条第一項のクリーニング師の試験の実施に関する事務であつて総務省令で定めるもの

七の七　水道法による同法第二十五条の二第一項（同法第二十五条の三の二第四項において準用する場合を含む。）の申請又は同法第二十五条の七の届出に関する事務であつて総務省令で定めるもの

七の八　医薬品、医療機器等の品質、有効性及び安全性の確保等に関する法律による同法第三十六条の八第一項の試験の実施又は同条第二項の登録に関する事務であつて総務省令で定めるもの

七の九　労働施策の総合的な推進並びに労働者の雇用の安定及び職業生活の充実等に関する法律による同法第十八条の職業転換給付金の支給に関する事務であつて総務省令で定めるもの

八　職業能力開発促進法による職業訓練指導員の免許、職業訓練指導員試験の実施又は技能検定試験の実施その他技能検定に関する業務（同法第四十六条第二項の政令で定めるものに限る。）の実施に関する事務であつて総務省令で定めるもの

八の二　児童福祉法による同法第六条の四第一号の養育里親若しくは同条第二号の養子縁組里親の登録若しくは同条第三号の里親の認定、同法第十一条第一項第二号ハの児童及びその家庭についての調査及び判定、同法第十八条の十八第一項の保育士の登録、同法第十九条の二第一項の小児慢性特定疾病医療費の支給、同法第十九条の三第一項の指定医の指定、同法第十九条の二十二第四項の小児慢性特定疾病要支援者証明事業の実施、同法第二十条第一項の療育の給付、同法第二十四条の二第一項の障害児入所給付費、同法第二十四条の六第一項の高額障害児入所給付費、同法第二十四条の七第一項の特定入所障害児食費等給付費若しくは同法第二十四条の二十第一項の障害児入所医療費の支給、同法第三十三条の六第一項の児童自立生活援助の実施又は同法第五十六条第一項の負担能力の認定若しくは同条第二項の費用の徴収に関する事務であつて総務省令で定めるもの

八の三　国家戦略特別区域法による同法第十二条の五第八項において準用する児童福祉法第十八条の十八第一項の登録に関する事務であつて総務省令で定めるもの

八の四　児童福祉法による同法第二十二条第一項の助産施設における助産又は同法第二十三条第一項の母子生活支援施設における保護の実施に関する事務であつて総務省令で定めるもの

九　児童扶養手当法による同法第四条第一項の児童扶養手当の支給に関する事務であつて総務省令で定めるもの

九の二　児童手当法による同法第十七条第一項の規定により読み替えて適用する同法第八条第一項の児童手当の支給に関する事務であつて総務省令で定めるもの

九の三　母子及び父子並びに寡婦福祉法による同法第十三条第一項、第三十一条の六第一項若しくは第三十二条第一項若しくは附則第三条第一項若しくは第六条第一項の資金の貸付け、同法第十七条第一項、第三十一条の七第一項若しくは第三十三条第一項の便宜の供与又は同法第三十一条（同法第三十一条の十において準用する場合を含む。）の給付金の支給に関する事務であつて総務省令で定めるもの

九の四　母体保護法による同法第十五条第一項の指定に関する事務であつて総務省令で定めるもの

九の五　生活保護法による同法第十九条第一項の保護の決定及び実施、同法第五十五条の四第一項の就労自立給付金若しくは同法第五十五条の五第一項の進学・就職準備給付金の支給、同法第五十五条の八第一項の被保護者健康管理支援事業の実施、同法第六十三条の保護に要する費用の返還又は同法第七十七条第一項、第七十七条の二第一項、第七十八条第一項から第三項まで若しくは第七十八条の二第一項若しくは第二項の徴収金の徴収に関する事務であつて総務省令で定めるもの

九の六　身体障害者福祉法による同法第十五条第四項の身体障害者手帳の交付に関する事務であつて総務省令で定めるもの

九の七　精神保健及び精神障害者福祉に関する法律による同法第十八条第一項の指定、同法第二十七条第一項若しくは第二項の診察、同法第二十九条第一項若しくは第二十九条の二第一項の入院措置、同法第三十一条の費用の徴収、同法第三十八条の四の退院等の請求又は同法第四十五条第二項の精神障害者保健福祉手帳の交付に関する事務であつて総務省令で定めるもの

九の八　知的障害者福祉法による同法第十一条第一項第二号ハの知的障害者の判定に関する事務であつて総務省令で定めるもの

十　特別児童扶養手当等の支給に関する法律による同法第三条第一項の特別児童扶養手当、同法第十七条の障害児福祉手当若しくは同法第二十六条の二の特別障害者手当の支給又は国民年金法等の一部を改正する法律（昭和六十年法律第三十四号）による同法附則第九十七条第一項の福祉手当の支給に関する事務であつて総務省令で定めるもの

十の二　障害者の日常生活及び社会生活を総合的に支援するための法律による同法第六条の自立支援給付の支給又は同法第七十八条の地域生活支援事業の実施に関する事務であつて総務省令で定めるもの

十の三　介護保険法による同法第六十九条の二第一項の試験若しくは研修の実施若しくは介護支援専門員の登録、同法第六十九条の七第二項、第六十九条の八第二項若しくは同項ただし書の研修の実施又は同法第百十八条第三項第三号の事業の実施に関する事務であつて総務省令で定めるもの

十の四　中国残留邦人等の円滑な帰国の促進並びに永住帰国した中国残留邦人等及び特定配偶者の自立の支援に関する法律による同法第十四条第一項若しくは第三項の支援給付若しくは同法第十五条第一項の配偶者支援金の支給、平成十九年改正法による平成十九年改正法附則第四条第一項の支援給付の支給又は平成二十五年改正法附則第二条第一項の規定によりなお従前の例によることとされた平成二十五年改正法による改正前の中国残留邦人等の円滑な帰国の促進及び永住帰国後の自立の支援に関する法律による同法第十四条第一項の支援給付の支給、平成二十五年改正法附則第二条第二項の規定によりなお従前の例によることとされた平成二十五年改正法による改正前の中国残留邦人等の円滑な帰国の促進及び永住帰国後の自立の支援に関する法律による同法第十四条第三項の支援給付の支給若しくは平成

二十五年改正法による平成二十五年改正法附則第二条第三項の支援給付若しくは平成二十五年改正法附則第三条第一項の配偶者支援金の支給に関する事務であつて総務省令で定めるもの

十の五　戦傷病者戦没者遺族等援護法による同法第五条の援護に関する事務のうち、同法第五十条第一項の規定又は同法第五十一条の規定に基づく政令により都道府県知事が行うこととされたものに関する事務であつて総務省令で定めるもの

十の六　未帰還者留守家族等援護法による同法第五条第一項の留守家族手当、同法第十五条の帰郷旅費、同法第十六条第一項の葬祭料、同法第十七条第一項の遺骨引取経費又は同法第二十六条の障害一時金の支給に関する事務のうち、同法第三十四条の二の規定により都道府県知事が行うこととされたものに関する事務であつて総務省令で定めるもの

十の七　戦没者等の妻に対する特別給付金支給法による同法第三条の特別給付金の支給に関する事務のうち、同法第十二条の規定又は同法第十三条の規定に基づく政令により都道府県知事が行うこととされたものに関する事務であつて総務省令で定めるもの

十の八　戦傷病者特別援護法による同法第九条の援護に関する事務のうち、同法第二十八条の規定により都道府県知事が行うこととされたものに関する事務であつて総務省令で定めるもの

十の九　戦没者等の遺族に対する特別弔慰金支給法による同法第三条の特別弔慰金の支給に関する事務のうち、同法第十四条の規定又は同法第十五条の規定に基づく政令により都道府県知事が行うこととされたものに関する事務であつて総務省令で定めるもの

十の十　戦傷病者等の妻に対する特別給付金支給法による同法第三条第一項の特別給付金の支給に関する事務のうち、同法第十二条の規定又は同法第十三条の規定に基づく政令により都道府県知事が行うこととされたものに関する事務であつて総務省令で定めるもの

十の十一　戦没者の父母等に対する特別給付金支給法による同法第三条の特別給付金の支給に関する事務のうち、同法第十五条の規定又は同法第十六条の規定に基づく政令により都道府県知事が行うこととされたものに関する事務であつて総務省令で定めるもの

十の十二　卸売市場法による同法第十三条第一項若しくは同法第十四条において準用する同法第六条第一項の認定又は同条第二項の届出に関する事務であつて総務省令で定めるもの

十一　家畜商法による同法第三条第一項の免許又は同法第五条の登録に関する事務であつて総務省令で定めるもの

十二　林業種苗法（昭和四十五年法律第八十九号）による同法第十条第一項の登録に関する事務であつて総務省令で定めるもの

十三　森林法による同法第二十五条の二第一項若しくは第二項の指定、同法第二十六条の二第一項若しくは第二項の指定の解除、同法第二十七条第二項（同法第三十三条の三及び第四十四条において準用する場合を含む。）の経由、同法第三十二条第一項（同法第三十三条の三及び第四十四条において準用する場合を含む。）の経由若しくは意見書の提出又は同法第三十三条の二第一項の変更に関する事務であつて総務省令で定めるもの

十四　計量法による同法第四十条第二項（同法第四十二条第三項において準用する場合を含む。）の経由、同法第四十六条第一項の届出、同条第二項において準用する同法第四十二条第一項の届出、同法第五十一条第一項の届出、同条第二項において準用する同法第四十二条第一項の届出、同法第百十四条において準用する同法第六十二条第一項の届出又は同法第百六十八条の八の規定により都道府県知事が行うこととされた事務の実施に関する事務であつて総務省令で定めるもの

十五　大規模小売店舗立地法による同法第五条第一項、第六条第二項、第八条第七項、第九条第四項又は附則第五条第一項（同条第三項において準用する場合を含む。）の届出に関する事務であつて総務省令で定めるもの

十六　フロン類の使用の合理化及び管理の適正化に関する法律による同法第二十七条第一項の登録、同法第三十条第一項の更新又は同法第三十一条第一項の届出に関する事務であつて総務省令で定めるもの

十七　火薬類取締法による同法第三十一条第三項の試験（都道府県知事が行うものに限る。）の実施に関する事務であつて総務省令で定めるもの

十八　電気工事士法による同法第四条第二項の交付又は同条第七項の書換えに関する事務であつて総務省令で定めるもの

十九　電気工事業の業務の適正化に関する法律による同法第三条第一項若しくは第三項の登録又は同法第十条第一項の届出に関する事務であつて総務省令で定めるもの

二十　液化石油ガスの保安の確保及び取引の適正化に関する法律による同法第三十八条の四第一項の交付又は同条第五項の書換えに関する事務であつて総務省令で定めるもの

二十の二　所有者不明土地の利用の円滑化等に関する特別措置法による同法第六条若しくは第七条第一項の許可、同法第十条第一項若しくは第十九条第一項の申請、同法第二十二条第一項の承認、同法第二十七条第一項若しくは第三十七条第一項の申請、同法第四十二条第一項の命令若しくは選任の請求、同条第二項若しくは第五項の命令の請求、地域福利増進事業等の実施の準備又は同法第四十三条第二項の土地所有者等関連情報の提供に関する事務であつて総務省令で定めるもの

二十一　建設業法による建設業の許可に関する事務であつて総務省令で定めるもの

二十二　浄化槽法による浄化槽工事業の登録に関する事務であつて総務省令で定めるもの

二十三　建設工事に係る資材の再資源化等に関する法律による同法第二十一条第一項の登録又は同法第二十五条第一項の届出に関する事務であつて総務省令で定めるもの

二十四　宅地建物取引業法による宅地建物取引業の免許又は宅地建物取引士資格の登録に関する事務であつて総務省令で定めるもの

二十五　旅行業法第六十七条の規定により都道府県知事が行

うこととされた事務の実施に関する事務であつて総務省令で定めるもの

二十五の二　住宅宿泊事業法による同法第三条第一項又は第四項の届出に関する事務であつて総務省令で定めるもの

二十六　通訳案内士法による同法第十八条（同法第五十七条において準用する場合を含む。）の登録、同法第二十三条第一項（同法第五十七条において準用する場合を含む。）の届出又は同法第二十四条（同法第五十七条において準用する場合を含む。）の再交付に関する事務であつて総務省令で定めるもの

二十七　不動産の鑑定評価に関する法律による同法第二十二条第一項若しくは第三項、同法第二十六条第一項又は同法第二十七条第一項の登録に関する事務であつて総務省令で定めるもの

二十七の二　国土調査法による同法第五条第四項の指定を受けた地籍調査又は同法第六条の四第一項の地籍調査に関する事務であつて総務省令で定めるもの

二十八　公営住宅法による同法第十五条の公営住宅の管理に関する事務であつて総務省令で定めるもの

二十八の二　住宅地区改良法による同法第二十九条第一項の改良住宅の管理又は同条第三項の改良住宅の家賃若しくは敷金の決定若しくは変更若しくは収入超過者に対する措置に関する事務であつて総務省令で定めるもの

二十八の三　特定優良賃貸住宅の供給の促進に関する法律による同法第十八条第二項の賃貸住宅の管理に関する事務であつて総務省令で定めるもの

二十九　高齢者の居住の安定確保に関する法律による同法第五条第一項の登録、同条第二項の更新又は同法第五十二条第一項の認可に関する事務であつて総務省令で定めるもの

三十　建築基準法による同法第七十七条の六十三第一項の経由に関する事務であつて総務省令で定めるもの

三十一　建築士法による同法第四条第三項若しくは第五項の免許、同法第五条第一項若しくは第二十三条第一項若しくは第三項の登録、同法第五条第二項の交付、同法第五条の二第一項若しくは第二項若しくは第八条の二若しくは第二十三条の五第一項若しくは第二十三条の七の届出又は同法第九条第一項第一号の申請に関する事務であつて総務省令で定めるもの

三十二　公害健康被害の補償等に関する法律による同法第三条第一項の補償給付の支給又は同法第四条第一項若しくは第二項の認定に関する事務であつて総務省令で定めるもの

三十三　廃棄物の処理及び清掃に関する法律による同法第八条第一項若しくは第九条第一項の許可、同法第九条の二の四第一項の認定、同法第九条の五第一項（同法第十五条の四において準用する場合を含む。）の許可、同法第九条の六第一項（同法第十五条の四において準用する場合を含む。）の認可、同法第九条の七第二項（同法第十五条の四において準用する場合を含む。）の届出、同法第十二条の七第一項若しくは第七項の認定、同条第九項の届出、同法第十四条第一項の許可、同条第二項の更新、同条第六項の許可、同条第七項の更新、同法第十四条の二第一項の許可、同条第三項において準用する同法第七条の二第三項の届出、同法第十四条の四第一項の許可、同条第二項の更新、同条第六項の許可、同条第七項の更新、同法第十四条の五第一項の許可、同条第三項において準用する同法第七条の二第三項の届出、同法第十五条第一項若しくは第十五条の二の六第一項の許可、同条第三項において準用する同法第九条第三項の届出、同法第十五条の三の三第一項の認定、同法第十七条の二第一項の届出又は同法第二十条の二第一項の登録に関する事務であつて総務省令で定めるもの

三十四　福島復興再生特別措置法による同法第四十九条の健康管理調査の実施に関する事務であつて総務省令で定めるもの

別表第六（第三十条の十五、第三十条の四十四の六関係）

提供を受ける都道府県知事以外の都道府県の執行機関	事務
一　都道府県知事以外の執行機関	公的給付の支給等の迅速かつ確実な実施のための預貯金口座の登録等に関する法律による同法第十条の特定公的給付の支給を実施するための基礎とする情報の管理に関する事務であつて総務省令で定めるもの
二　教育委員会	特別支援学校への就学奨励に関する法律による同法第二条第一項の特別支援学校への就学のため必要な経費の支弁に関する事務であつて総務省令で定めるもの
三　教育委員会	学校保健安全法による同法第二十四条の医療に要する費用についての援助に関する事務であつて総務省令で定めるもの
四　教育委員会	教育職員免許法による同法第八条第一項若しくは第三項の記入、同法第十一条第一項から第三項までの取上げ、同条第四項の通知、同法第十三条第一項の公告及び通知、同条第二項の記入又は同法第十五条の書換若しくは再交付に関する事務であつて総務省令で定めるもの
五　教育委員会	高等学校等就学支援金の支給に関する法律による同法第六条第一項の就学支援金の支給に関する事務であつて総務省令で定めるもの
六　都道府	児童手当法による同法第十七条第一項の規定によ

住基法

県知事以外の執行機関	り読み替えて適用する同法第八条第一項の児童手当の支給に関する事務であつて総務省令で定めるもの

附　則（平一一・八・一八法一三三）（抄）
最終改正　平二五・五・三一法二八

（施行期日等）

第一条　この法律は、公布の日から起算して三年を超えない範囲内において政令で定める日〔平一四・八・五〕から施行する。ただし、次の各号に掲げる規定は、当該各号に定める日から施行する。

一　次項の規定　公布の日

二〜五　〔略〕

2　この法律の施行に当たつては、政府は、個人情報の保護に万全を期するため、速やかに、所要の措置を講ずるものとする。

（転入届に関する経過措置）

第二条　この法律の施行の日（以下「施行日」という。）前に住民基本台帳に記録されたことがある者であつて施行日以後いずれの市町村（特別区を含む。以下同じ。）においても住民基本台帳に記録されていなかつたもの（この法律の施行の際現に住民基本台帳に記録されていた者であつて政令で定めるものを含む。附則第四条において「施行日以後住民基本台帳に記録されていなかつた者」という。）が施行日以後最初に住民基本台帳法第二十二条第一項の規定による届出をする場合における同項の規定の適用については、同項中「いずれの市町村においても住民基本台帳に記録されたことがない者にあつては」とあるのは、「いずれの市町村においても住民基本台帳に記録されたことがない者及び住民基本台帳法の一部を改正する法律（平成十一年法律第百三十三号）附則第二条に規定する施行日以後住民基本台帳に記録されていなかつた者にあつては」とする。

（住民票コードの記載に関する経過措置）

第三条　市町村長（特別区の区長を含む。以下同じ。）は、施行日に、この法律の施行の際現に住民基本台帳に記録されている者（政令で定める者を除く。）に係る住民票に新法第三十条の七第一項の規定により都道府県知事から指定された新法第七条第十三号に規定する住民票コード（以下「住民票コード」という。）のうちから選択するいずれか一の住民票コードを記載するものとする。この場合においては、市町村長は、当該記載に係る者以外の者に係る住民票に記載した住民票コードと異なる住民票コードを選択して記載するものとする。

第四条　市町村長は、新たにその市町村の住民基本台帳に記録されるべき者につき住民票の記載をする場合において、その者が施行日以後住民基本台帳に記録されていなかつた者であるときは、住民基本台帳法第三十条の三第一項の規定にかかわらず、その者に係る住民票に同法第三十条の二第一項の規定により地方公共団体情報システム機構から指定された住民票コードのうちから選択するいずれか一の住民票コードを記載するものとする。この場合においては、市町村長は、当該記載に係る者以外の者に係る住民票に記載した住民票コードと異なる住民票コードを選択して記載するものとする。

第五条　市町村長は、前二条の規定により住民票コードを記載したときは、速やかに、当該記載に係る者に対し、その旨及び当該住民票コードを書面により通知しなければならない。

（指定情報処理機関に関する経過措置）

第六条　施行日前に指定情報処理機関の指定がされた場合においては、指定情報処理機関は、新法第三十条の十第一項の規定にかかわらず、施行日の前日までの間は、同項第三号から第七号までに掲げる事務を行わないものとする。

（本人確認情報の処理及び利用等の準備行為）

第七条　市町村長、都道府県知事及び指定情報処理機関は、施行日前においても、新法第四章の二に規定する事務の実施に必要な準備行為をすることができる。

（指定都市の特例）

第八条　地方自治法（昭和二十二年法律第六十七号）第二百五十二条の十九第一項の指定都市に対する附則第二条から第五条まで及び前条の規定の適用については、政令で特別の定めをすることができる。

（その他の経過措置の政令への委任）

第九条　附則第二条から前条までに定めるもののほか、この法律の施行に伴い必要な経過措置は、政令で定める。

附　則（平二一・七・一〇法七四）（抄）
改正　平二三・六・二四法七四

（施行期日）

第一条　この法律は、公布の日から起算して一年六月を超えない範囲内において政令で定める日〔平二三・一・一〕（以下「施行日」という。）から施行する。ただし、次の各号に掲げる規定は、当該各号に定める日から施行する。
一・二　〔略〕
三　〔前略〕附則第三十二条中住民基本台帳法（昭和四十二年法律第八十一号）別表第一の改正規定（八十の項中「第八十五条第一項の届出、同法」の下に「第九十六条の十九第一項の認可、同条第三項（同法第九十六条の二十五第四項及び第九十六条の三十一第四項において準用する場合を含む。）の届出、同法第九十六条の二十五第一項若しくは第三項ただし書の認可、同法第九十六条の二十八第三項若しくは第九十六条の二十九の届出、同法第九十六条の三十一第一項」を加える部分に限る。）〔中略〕の規定　公布の日から起算して一年を超えない範囲内において政令で定める日〔平二二・七・一〕

附　則（平二一・七・一五法七七）（抄）

改正　令元・五・三一法一六

（施行期日）
第一条　この法律は、公布の日から起算して三年を超えない範囲内において政令で定める日〔平二四・七・九〕から施行する。ただし、次の各号に掲げる規定は、当該各号に定める日から施行する。
一　目次の改正規定、第五条及び第八条の改正規定、第十九条に一項を加える改正規定、第二十一条、第二十二条第一項、第二十六条、第二十七条第一項及び第二項並びに第二十八条から第三十条までの改正規定、第四章の二の次に一章を加える改正規定、第三十四条第一項及び第二項、第三十九条並びに第四十七条第二号の改正規定、第五十三条の改正規定（同条第一項の改正規定（「第二十四条の二第一項若しくは第二項又は」を削る部分に限る。）を除く。）並びに別表第一の四十の項の改正規定並びに次条第二項及び第三項、附則第四条から第十条まで〔中略〕の規定　出入国管理及び難民認定法及び日本国との平和条約に基づき日本の国籍を離脱した者等の出入国管理に関する特例法の一部を改正する等の法律（平成二十一年法律第七十九号。以下「入管法等改正法」という。）の施行の日〔平二四・七・九〕
二　附則第三条及び第二十三条の規定　この法律の公布の日又は入管法等改正法の公布の日のいずれか遅い日〔平二一・七・一五〕

（適用区分等）
第二条　この法律による改正後の住民基本台帳法（以下「新法」という。）第二十四条の二及び第三十条の四十四第五項から第十一項までの規定は、この法律の施行の日以後に同条第三項の規定により同条第一項に規定する住民基本台帳カード（以下この項において「住基カード」という。）の交付を受ける者及びこの法律の施行の際現に条例利用住基カード（この法律による改正前の住民基本台帳法第三十条の四十四第八項の規定による利用が行われている住基カードをいう。以下この項において同じ。）以外の住基カードの交付を受けている者について適用し、この法律の施行の際現に条例利用住基カードの交付を受けている者については、なお従前の例による。
2　新法第二十二条及び第三十条の四十六の規定は、新法第三十条の四十五に規定する外国人住民（以下「外国人住民」という。）が前条第一号に定める日（以下「第一号施行日」という。）以後に新法第二十二条第一項に規定する転入をした場合について適用する。
3　新法第三十条の四十七の規定は、外国人住民が第一号施行日以後に新法第三十条の四十六に規定する中長期在留者等になった場合について適用する。

（外国人住民に係る住民票に関する経過措置）
第三条　市町村長（特別区の区長を含む。以下同じ。）は、附則第一条第二号に定める日から第一号施行日の前日までの範囲内において政令で定める日〔平二四・五・七〕（以下この条において「基準日」という。）現在において次の各号に掲げる要件のいずれにも該当する者につき、基準日後速やかに、個人を単位として、新法第七条第一号から第四号まで、第七号、第八号、第十号から第十一号の二まで及び第十四号に掲げる事項、国籍等（新法第三十条の四十五に規定する国籍等をいう。以下同じ。）並びに新法第三十条の四十五の表の上欄に掲げる者の区分に応じそれぞれ同表の下欄に掲げる事項を記載した仮住民票を作成しなければならない。
一　当該市町村（特別区を含む。以下同じ。）の外国人登録原票（外国人登録法（昭和二十七年法律第百二十五号）第四条第一項に規定する外国人登録原票をいう。以下この条において同じ。）に登録されていること。
二　第一号施行日において当該市町村の外国人住民に該当する者であると見込まれること。
2　市町村長は、基準日後第一号施行日の前日までの間に、前項各号に掲げる要件のいずれにも該当することとなった者につき、同項に規定する仮住民票（以下「仮住民票」という。）を作成することができる。
3　仮住民票の記載は、外国人登録原票、新法第七条第十号から第十一号の二までに規定する国民健康保険の被保険者の資格、後期高齢者医療の被保険者の資格、介護保険の被保険者の資格、国民年金の被保険者の資格及び児童手当の支給を受けている者の受給資格に関する記録並びに次項の規定により法務大臣から提供を受けた情報に基づき行うものとする。
4　法務大臣は、市町村長から仮住民票の作成に関し求めがあったときは、新法第七条第一号から第三号までに掲げる事項、国籍等又は新法第三十条の四十五の表の下欄に掲げる事項に関する情報を提供するものとする。
5　市町村長は、第一項又は第二項の規定により仮住民票を作成したときは、その作成の対象とされた者に対し、直ちに、その者に係る仮住民票の記載事項を通知しなければならない。
6　前各項に定めるもののほか、仮住民票の記載、消除又は記載の修正その他の仮住民票に関し必要な事項は、政令で定める。
第四条　前条の規定により作成した仮住民票は、第一号施行日において、住民票になるものとする。
2　市町村長は、前項の住民票に係る外国人住民と同一の世帯に属する日本の国籍を有する者の住民票について、同項の住民票が作成されたことに伴い新法第七条第四号に掲げる事項に変更が生じたときは、第一号施行日において記載の修正をしなければならない。

3　新法第六条第二項の規定により世帯を単位とする住民票を作成している市町村長は、外国人住民及び日本の国籍を有する者が属する世帯については、同条第一項及び第二項の規定にかかわらず、第一号施行日以後世帯を単位とする住民票に外国人住民の記載をするために必要な期間に限り、個人を単位とする第一項の住民票と世帯を単位とする日本の国籍を有する者に係る住民票を世帯ごとに編成して、住民基本台帳を作成することをもって、世帯を単位とする住民票の作成に代えることができる。

第五条　附則第一条第一号に掲げる規定の施行の際現に外国人住民である者（第一号施行日の前日までに第一号施行日における住所地の市町村長から附則第三条第五項の規定による通知を受けた者であって総務省令で定めるものを除く。）は、第一号施行日から十四日以内に、新法第二十二条第一項第一号、第二号及び第五号に掲げる事項、出生の年月日、男女の別、国籍等並びに新法第三十条の四十五の表の上欄に掲げる者の区分に応じそれぞれ同表の下欄に掲げる事項を市町村長に届け出なければならない。この場合においては、新法第三十条の四十六後段の規定を準用する。

2　前項の規定による届出は、新法第四章の三の規定による届出とみなして、新法第八条、第二十六条、第二十七条第一項及び第二項並びに第二十八条から第二十九条の二までの規定を適用する。

第六条　附則第四条第一項の住民票又は前条の規定の適用を受ける外国人住民に係る住民票については、新法第三十条の四十五の規定にかかわらず、外国人住民となった年月日（同条に規定する外国人住民となった年月日をいう。）に代えて、第一号施行日を記載するものとする。

第七条　入管法等改正法附則第十五条第一項の規定により在留カード（出入国管理及び難民認定法（昭和二十六年政令第三百十九号）第十九条の三に規定する在留カードをいう。以下この条において同じ。）とみなされている外国人登録証明書（入管法等改正法第四条の規定による廃止前の外国人登録法に規定する外国人登録証明書をいう。以下この条において同じ。）又は入管法等改正法附則第二十八条第一項の規定により特別永住者証明書（日本国との平和条約に基づき日本の国籍を離脱した者等の出入国管理に関する特例法（平成三年法律第七十一号）第七条第一項に規定する特別永住者証明書をいう。以下この条において同じ。）とみなされている外国人登録証明書は、それぞれ在留カード又は特別永住者証明書とみなして、住民基本台帳法第四章の四及び第六章の規定並びに附則第五条第一項後段において準用する新法第三十条の四十六後段の規定を適用する。

第八条　地方自治法（昭和二十二年法律第六十七号）第二百五十二条の十九第一項の指定都市に対する附則第三条から第五条までの規定の適用については、区を市と、区長を市長とみなす。

（外国人住民についての本人確認情報の利用等に関する規定の適用の特例）

第九条　外国人住民については、第一号施行日から起算して一年を超えない範囲内において政令で定める日〔平二五・七・七〕までは、新法第十二条の四、第二十四条の二、第四章の二及び第三十条の四十五（新法第七条第十三号に係る部分に限る。）の規定は、適用しない。

（過料）

第十条　附則第五条第一項の規定による届出に関し虚偽の届出（同条第二項の規定により適用するものとされた新法第二十八条から第二十九条の二までの規定による付記を含む。）をした者は、その行為について刑を科すべき場合を除き、五万円以下の過料に処する。

2　正当な理由がなくて附則第五条第一項の規定による届出をしない者は、五万円以下の過料に処する。

3　前二項の規定による過料についての裁判は、簡易裁判所がする。

（過料に関する経過措置）

第十一条　この法律の施行の日前にした行為に対する過料に関する規定の適用については、なお従前の例による。

（政令への委任）

第十二条　附則第二条から前条までに定めるもののほか、この法律の施行に伴い必要な経過措置は、政令で定める。

（検討）

第二十三条　政府は、現に本邦に在留する外国人であって出入国管理及び難民認定法第五十四条第二項の規定により仮放免をされ当該仮放免の日から一定期間を経過したものその他の現に本邦に在留する外国人であって同法又は日本国との平和条約に基づき日本の国籍を離脱した者等の出入国管理に関する特例法の規定により本邦に在留することができる者以外のものについて、入管法等改正法附則第六十条第一項の趣旨を踏まえ、第一号施行日以後においてもなおその者が行政上の便益を受けられることとなるようにするとの観点から、必要に応じて、その者に係る記録の適正な管理の在り方について検討を加え、その結果に基づいて必要な措置を講ずるものとする。

附　則〔平二二・五・一九法三二〕（抄）

（施行期日）

第一条　この法律は、公布の日から起算して一年を超えない範囲内において政令で定める日〔平二三・四・一〕から施行する。ただし、次の各号に掲げる規定は、当該各号に定める日から施行する。

一～三　〔略〕

四　〔前略〕附則第十条中住民基本台帳法（昭和四十二年法律第八十一号）別表第一の三の項の改正規定（「又は同法第百五十六条の二十八第三項の届出」を「、同法第百五十六条の二十八第三項の届出、同法第百五十六条の六十七第一項の指定又は同法第百五十六条の七十七第一項の届出」に改める部分に限る。）〔中略〕　公布の日から起算して二年六月を超えない範囲内において政令で定める日〔平二四・一一・一〕

附　則〔平二二・五・一九法三四〕（抄）

（施行期日）

第一条　この法律は、公布の日から起算して一年を超えない範囲内において政令で定める日〔平二三・四・一〕から施行する。〔ただし書略〕

附　則（平二三・三・三一法一四）（抄）

（施行期日）

第一条　この法律は、平成二十三年四月一日（この法律の公布の日が同月一日後となる場合には、公布の日）から施行する。

附　則（平二三・四・二七法二六）（抄）

（施行期日）

第一条　この法律は、平成二十三年十月一日から施行する。〔ただし書略〕

附　則（平二三・四・二八法三二）（抄）

（施行期日）

第一条　この法律は、公布の日から起算して六月を超えない範囲内において政令で定める日〔平二三・一〇・二〇〕から施行する。

附　則（平二三・五・二〇法四七）（抄）

改正　令六・五・一七法二六

（施行期日）

第一条　この法律は、平成二十三年十月一日から施行する。ただし、〔中略〕附則第八条中住民基本台帳法（昭和四十二年法律第八十一号）別表第一の七十一の項の次に一項を加える改正規定並びに附則第九条〔中略〕の規定は、公布の日から施行する。

㊟　次条中、点線の左側は、令和七年四月一日から施行となる。

（住民基本台帳法の一部改正に伴う経過措置）

第九条　この法律の公布の日から施行日の前日までの間においては、前条の規定による改正後の住民基本台帳法別表第一の七十一の二の項中「独立行政法人高齢・障害・求職者雇用支援機構」とあるのは「独立行政法人雇用・能力開発機構」と、「第四条第一項の認定」とあるのは「附則第三条第一項の相当認定」とする。

第五条から第十二条まで　削除

附　則（平二三・五・二七法五六）（抄）

（施行期日）

第一条　この法律は、平成二十三年六月一日から施行する。〔ただし書略〕

附　則（平二三・六・二二法七〇）（抄）

（施行期日）

第一条　この法律は、平成二十四年四月一日から施行する。〔ただし書略〕

附　則（平二三・六・二九法八一）（抄）

（施行期日）

第一条　この法律は、公布の日から起算して二月を超えない範囲内において政令で定める日〔平二三・八・一〕から施行する。

附　則（平二三・七・二二法八四）（抄）

（施行期日）

第一条　この法律は、公布の日から起算して六月を超えない範囲内において政令で定める日〔平二四・一・二一〕から施行する。〔ただし書略〕

附　則（平二三・七・二二法八五）（抄）

（施行期日）

第一条　この法律は、公布の日から施行する。〔ただし書略〕

附　則（平二三・八・一〇法九三）（抄）

（施行期日）

第一条　この法律は、公布の日から施行する。〔ただし書略〕

附　則（平二三・八・三〇法一〇五）（抄）

改正　平二三・六・二二法七〇

（施行期日）

第一条　この法律は、公布の日から施行する。〔ただし書略〕

附　則（平二三・八・三〇法一〇七）（抄）

（施行期日）

第一条　この法律は、平成二十三年十月一日から施行する。〔ただし書略〕

附　則（平二三・一二・一六法一二六）（抄）

（施行期日）

第一条　この法律は、公布の日から起算して一月を超えない範囲内において政令で定める日〔平二四・一・一三〕から施行する。〔ただし書略〕

附　則（平二四・三・三一法一三）（抄）

（施行期日）

第一条　この法律は、平成二十四年四月一日から施行する。〔ただし書略〕

附　則（平二四・三・三一法一四）（抄）

改正　平二五・五・三一法二八

（施行期日）

第一条　この法律は、平成二十四年四月一日から施行する。〔ただし書略〕

附　則（平二四・三・三一法一五）（抄）

（施行期日）

第一条　この法律は、公布の日から施行する。ただし、次の各号に掲げる規定は、当該各号に定める日から施行する。

一　〔前略〕附則〔中略〕第八条から第十三条まで〔中略〕の規定　公布の日から起算して二月を超えない範囲内において政令で定める日〔平二四・五・三〇〕

二〜七　〔略〕

附　則（平二四・四・六法二七）（抄）

（施行期日）

第一条　この法律は、公布の日から起算して六月を超えない範囲内において政令で定める日〔平二四・一〇・一〕から施行する。〔ただし書略〕

附　則（平二四・八・二二法六三）（抄）

改正　平二五・五・三一法二八

（施行期日）

第一条　この法律は、平成二十七年十月一日から施行する。〔ただし書略〕

附　則（平二四・八・二二法六七）（抄）

最終改正　平二五・一二・一三法一一二

住基法

この法律は、子ども・子育て支援法の施行の日〔平二七・四・一〕から施行する。ただし、次の各号に掲げる規定は、当該各号に定める日から施行する。

一～四　〔略〕

五　第三十五条の規定　行政手続における特定の個人を識別するための番号の利用等に関する法律の施行に伴う関係法律の整備等に関する法律（平成二十五年法律第二十八号）附則第三号に掲げる規定の施行の日又は施行日のいずれか遅い日〔平二八・一・一〕

附　則（平二四・九・五法七六）（抄）

（施行期日）

第一条　この法律は、公布の日から起算して六月を超えない範囲内において政令で定める日〔平二四・一一・一〕から施行する。〔ただし書略〕

附　則（平二四・九・一二法八六）（抄）

（施行期日）

第一条　この法律は、公布の日から起算して一年六月を超えない範囲内において政令で定める日〔平二六・三・一〕から施行する。ただし、次の各号に掲げる規定は、当該各号に定める日から施行する。

一・二　〔略〕

三　〔前略〕附則〔中略〕第十一条〔中略〕の規定　公布の日から起算して三年を超えない範囲内において政令で定める日〔平二七・九・一〕

附　則（平二四・一一・二六法九六）（抄）

改正　平二五・五・三一法二八

（施行期日）

第一条　この法律は、平成二十五年一月一日から施行する。〔ただし書略〕

附　則（平二四・一一・二六法九七）（抄）

改正　平二五・五・三一法二八

（施行期日）

第一条　この法律は、平成二十七年十月一日から施行する。〔ただし書略〕

附　則（平二四・一一・二六法九八）（抄）

改正　平二五・五・三一法二八

（施行期日）

第一条　この法律は、平成二十七年十月一日から施行する。〔ただし書略〕

附　則（平二四・一一・二六法一〇二）（抄）

最終改正　平二七・三・三一法九

（施行期日）

第一条　この法律は、社会保障の安定財源の確保等を図る税制の抜本的な改革を行うための消費税法の一部を改正する等の法律（平成二十四年法律第六十八号）附則第一条第二号に掲げる規定の施行の日〔平三一・一〇・一〕から施行する。〔ただし書略〕

附　則（平二五・三・三〇法八）（抄）

（施行期日）

第一条　この法律は、平成二十五年四月一日から施行する。〔ただし書略〕

附　則（平二五・五・一〇法一一）（抄）

（施行期日）

第一条　この法律は、公布の日から施行する。

附　則（平二五・五・三一法二八）（抄）

最終改正　平二六・四・二三法二八

この法律は、番号利用法〔行政手続における特定の個人を識別するための番号の利用等に関する法律（平成二五年法律第二七号）〕の施行の日〔平二七・一〇・五〕から施行する。ただし、次の各号に掲げる規定は、当該各号に定める日から施行する。

一　第三十三条から第四十二条まで〔中略〕及び第五十条の規定　公布の日

二　〔略〕

三　〔前略〕第十九条、第二十条〔中略〕の規定　番号利用法附則第一条第四号に掲げる規定の施行の日〔平二八・一・一〕

四　第二十一条及び第二十二条の規定　番号利用法附則第一条第五号に掲げる規定の施行の日〔平二九・五・三〇〕

○行政手続における特定の個人を識別するための番号の利用等に関する法律の施行に伴う関係法律の整備等に関する法律

平二五・五・三一
法　二　八

最終改正　令元・五・三一法一六

（番号利用法の施行に伴う住民基本台帳法の特例）

第十七条　地方公共団体情報システム機構（次条及び第三十二条において「機構」という。）は、住民基本台帳法第三十条の七第四項に規定する機構保存本人確認情報を、番号利用法附則第三条第四項において準用する番号利用法第八条第二項の規定による事務に利用することができる。

2　市町村長は、番号利用法附則第三条第一項から第三項までの規定により個人番号を指定したときは、当該個人番号を当該個人番号に係る者の住民票に記載するものとする。

（住民基本台帳法の一部改正に伴う経過措置）

第十八条　この法律の施行前に第十六条の規定による改正前の住民基本台帳法（以下この条において「旧住民基本台帳法」という。）第三十条の七第一項の規定に基づき都道府県知事又は指定情報処理機関（旧住民基本台帳法第三十条の十第一項に規定する指定情報処理機関をいう。以下この条において同じ。）が指定した住民票コードは、第十六条の規定による改正後の住民基本台帳法（この条において「新住民基本台帳法」という。）第三十条の二第一項の規定により機構が指定した住民票コードとみなす。

2　旧住民基本台帳法第三十条の五第一項の規定による通知に係る旧本人確認情報（同項に規定する本人確認情報をいう。以下同じ。）又は旧住民基本台帳法第三十条の十一第一項の規定による通知に係る旧本人確認情報は、それぞれ新住民基本台帳法第三十条の六第一項の規定による通知に係る本人確認情報（同項に規定する本人確認情報をいう。以下同じ。）又は新住民基本台帳法第三十条の七第一項の規定による通知に係る本人確認情報とみなす。

3　この法律の施行の際現に旧住民基本台帳法第三十条の五第三項の規定により都道府県知事が保存している旧本人確認情報又は旧住民基本台帳法第三十条の十一第三項の規定により指定情報処理機関が保存している旧本人確認情報は、それぞれ新住民基本台帳法第三十条の六第三項の規定により都道府県知事が保存する本人確認情報又は新住民基本台帳法第三十条の七第三項の規定により機構が保存する本人確認情報とみなす。

4　次の表の上欄に掲げる者については、同表の下欄に掲げる旧住民基本台帳法の規定は、なおその効力を有する。

指定情報処理機関の役員又は職員（旧住民基本台帳法第三十条の十五第一項に規定する本人確認情報保護委員会の委員を含む。）であった者	第三十条の十七第一項
指定情報処理機関から旧住民基本台帳法第三十条の十一第一項の規定による通知に係る旧本人確認情報の電子計算機処理等（旧住民基本台帳法第三十条の十七第二項に規定する電子計算機処理等をいう。以下この表において同じ。）の委託を受けた者であった者又は当該委託を受けた者の役員若しくは職員であった者	第三十条の十七第二項
旧本人確認情報の電子計算機処理等に関する事務に従事する市町村の職員であった者又は旧住民基本台帳法第三十条の五第一項の規定による通知に係る旧本人確認情報の電子計算機処理等に関する事務に従事する都道府県の職員であった者	第三十条の三十一第一項
市町村長若しくは都道府県知事から旧本人確認情報若しくは旧住民基本台帳法第三十条の五第一項の規定による通知に係る旧本人確認情報の電子計算機処理等の委託を受けた者であった者又は当該委託を受けた者の役員若しくは職員であった者	第三十条の三十一第二項
都道府県知事又は指定情報処理機関の委託を受けて行う旧住民基本台帳法第三十条の五第一項又は第三十条の十一第一項の規定による通知に係る旧本人確認情報の電子計算機処理等に関する事務に従事していた者	第三十条の三十二
受領者（旧住民基本台帳法第三十条の三十三第一項に規定する受領者をいう。以下この表において同じ。）	第三十条の三十三第一項
旧住民基本台帳法第三十条の三十三第一項に規定する受領した本人確認情報（以下この表において「受領した旧本人確認情報」という。）の電子計算機処理等について受領者から委託を受けた者	第三十条の三十三第二項において準用する同条第一項
受領者	第三十条の三十四
旧住民基本台帳法第三十条の六、第三十条の七第四項から第六項まで又は第三十条の八第二項の規定により市町村長その他の市町村の執行機関又は都道府県知事その他の都道府県の執行機関が提供を受けた旧本人確認情報の電子計算機処理等に関する事務に従事する市町村又は都道府県の職員であった者	第三十条の三十五第一項
旧住民基本台帳法第三十条の七第三項の規定により旧住民基本台帳法別表第一の上欄に掲げる国の機関又は法人が提供を受けた旧本人確認情報の電子計算機処理等に関する事務に従事する同欄に掲げる国の機関の職員であった者又は同欄に掲げる法人の役員若しくは職員であった者	第三十条の三十五第二項
受領した旧本人確認情報の電子計算機処理等について受領者から委託を受けた者であった者又は当該委託を受けた者の役員若しくは職員であった者	第三十条の三十五第三項
受領者の委託を受けて行う受領した旧本人確認情報の電子計算機処理等に関する事務に従事していた者	第三十条の三十六

5　旧住民基本台帳法第三十条の十第四項に規定する情報提供手数料であって、この法律の施行の際まだ収受されていないものについては、なお従前の例による。

6　この法律の施行の際現に旧住民基本台帳法第三十条の二十一の規定により指定情報処理機関が保存している帳簿は、新住民基本台帳法第三十条の十八の規定により機構が保存する帳簿とみなす。

7　この法律の施行の際現に旧住民基本台帳法第三十条の二十二第一項の規定により指定情報処理機関に対してされている命令又は旧住民基本台帳法第三十条の二十三第一項の規定により指定情報処理機関に対してされている報告の求めは、それぞれ新住民基本台帳法第三十条の十九の規定により機構に対してされた命令又は新住民基本台帳法第三十条の二十第一項の規定により機構に対してされた報告の求めとみなす。

8　この法律の施行の際現に旧住民基本台帳法第三十条の三十七第一項の規定により指定情報処理機関に対してされている開示の請求又は旧住民基本台帳法第三十条の四十の規定により指定情報処理機関に対してされている申出は、それぞれ新住民基本台帳法第三十条の三十二第一項の規定により機構に対してされた開示の請求又は新住民基本台帳法第三十条の三十五の規定により機構に対してされた申出とみなす。

9　この法律の施行の際現に都道府県知事が本人確認情報処理事務（旧住民基本台帳法第三十条の十第一項に規定する本人確認情報処理事務をいう。以下この項において同じ。）を行っている場合における当該都道府県知事から機構に対する本人確認情報処理事務の引継ぎその他の必要な事項は、総務省令で定める。

（住民基本台帳法の一部改正に伴う経過措置）

第二十条　第三号施行日前に前条の規定による改正前の住民基本台帳法（以下この条及び第二十二条において「第三号旧住民基本台帳法」という。）第三十条の四十四第三項の規定により交付された住民基本台帳カード（次項において「住民基本台帳カード」という。）については、なお従前の例による。

2　住民基本台帳カードは、前項の規定によりなお従前の例によることとされた第三号旧住民基本台帳法第三十条の四十四第九項の規定によりその効力を失う時又は当該住民基本台帳カードの交付を受けた者が番号利用法第十七条第一項の規定により番号利用法第二条第七項に規定する個人番号カードの交付を受ける時のいずれか早い時までの間は、同項に規定する個人番号カードとみなして、前条の規定による改正後の住民基本台帳法（以下この条において「第三号新住民基本台帳法」という。）の規定を適用する。

3　第三号施行日から附則第四号に掲げる規定の施行の日（以下「第四号施行日」という。）の前日までの間に住民基本台帳法別表第一の上欄に掲げる国の機関又は法人（第三号旧住民基本台帳法別表第一の上欄に掲げられていた国の機関又は法人に限る。以下この項において同じ。）から第三号新住民基本台帳法第三十条の九に規定する求めがあった場合における第三号新住民基本台帳法の規定の適用については、同条中「（以下「機構保存本人確認情報」という。）のうち住民票コード以外のもの」とあるのは「（以下「機構保存本人確認情報」という。）」と、第三号新住民基本台帳法第三十条の三十八第一項中「又は機構」とあるのは「、機構又は別表第一の上欄に掲げる国の機関若しくは法人」とする。この場合において、住民基本台帳法別表第一の上欄に掲げる国の機関又は法人は、その処理する事務であってこの項の規定により読み替えて適用する第三号新住民基本台帳法の定めるところにより当該事務の処理に関し本人確認情報の提供を求めることができることとされているものの遂行のため必要がある場合を除き、何人に対しても、その者又はその者以外の者に係る住民票に記載された住民票コードを告知することを求めてはならない。

4　第三号施行日から第四号施行日の前日までの間に住民基本台帳法別表第二の上欄に掲げる市町村長その他の市町村の執行機関（第三号旧住民基本台帳法別表第二の上欄に掲げられていた市町村長その他の市町村の執行機関に限る。）から第三号新住民基本台帳法第三十条の十第一項第一号に規定する求めがあった場合における住民基本台帳法第三十条の十第一項並びに第三号新住民基本台帳法第三十条の三十七第一項及び第三十条の三十八第一項の規定の適用については、住民基本台帳法第三十条の十第一項中「第一号及び第二号」とあるのは「第二号」と、第三号新住民基本台帳法第三十条の三十七第一項中「市町村長」とあるのは「市町村長その他の市町村の執行機関」と、「この法律の規定による事務」とあるのは「この法律の規定による事務又はその処理する事務であってこの法律の定めるところにより当該事務の処理に関し本人確認情報の提供を求めることができることとされているもの」と、第三号新住民基本台帳法第三十条の三十八第一項中「市町村長」とあるのは「市町村長その他の市町村の執行機関」とする。

5　第三号施行日から第四号施行日の前日までの間に住民基本台帳法別表第三の上欄に掲げる都道府県知事その他の都道府県の執行機関（第三号旧住民基本台帳法別表第三の上欄に掲げられていた都道府県知事その他の都道府県の執行機関に限る。）から第三号新住民基本台帳法第三十条の十一第一項第一号に規定する求めがあった場合における住民基本台帳法第三十条の十一第一項並びに第三号新住民基本台帳法第三十条の三十七第二項及び第三十条の三十八第一項の規定の適用については、住民基本台帳法第三十条の十一第一項中「第一号及び第二号」とあるのは「第二号」と、第三号新住民基本台帳法第三十条の三十七第二項中「都道府県知事」とあるのは「都道府県知事その他の都道府県の執行機関」と、「この法律の規定による事務」とあるのは「この法律の規定による事務又はその処理する事務であってこの法律の定めるところにより当該事務の処理に関し本人確認情報の提供を求めることができることとされているもの」と、第三号新住民基本台帳法第三十条の三十八第一項中「都道府県知事」とあるのは「都道府県知事その他の都道府県の執行機関」とする。

6　第三号施行日から第四号施行日の前日までの間に住民基本台帳法別表第四の上欄に掲げる市町村長その他の市町村の執行機関（第三号旧住民基本台帳法別表第四の上欄に掲げられていた市町村長その他の市町村の執行機関に限る。）から第三号新住民基本台帳法第三十条の十二第一項第一号に規定する求めがあった場合における住民基本台帳法第三十条の十二第一項並びに第三号新住民基本台帳法第三十条の三十七第一項及び第三十条の三十八第一項の規定の適用については、住民基本台帳法第三十条の十二第一項中「第一号及び第二号」とあるのは「第二号」と、第三号新住民基本台帳法第三十条の三十七第一項中「市町村長」とあるのは「市町村長その他の市町村の執行機関」と、「この法律の規定による事務」とあるのは「この法律の規定による事務又はその処理する事務であってこの法律の定めるところにより当該事務の処理に関し本人確認情報の提供を求めることができることとされているもの」と、第三号新住民基本台帳法第三十条の三十八第一項中「市町村長」とあるのは「市町村長その他の市町村の執行機関」とする。

7　第三号施行日から第四号施行日の前日までの間に住民基本台帳法第三十条の十四に規定する他の市町村の市町村長その他の執行機関であって条例で定めるもの（第三号旧住民基本台帳法第三十条の十四に規定する他の市町村の市町村長その他の執行機関であって条例で定めるものであったものに限る。）から住民基本台帳法第三十条の十四に規定する求めがあった場合における同条並びに第三号新住民基本台帳法第三十条の三十七第一項及び第三十条の三十八第一項の規定の適用については、住民基本台帳法第三十条の十四中「住民票コード及び個人番号」とあるのは「個人番号」と、第三号新住民基本台帳法第三十条の三十七第一項中「市町村長」とあるのは「市町村長その他の市町村の執行機関」と、「この法律の規定による事務」とあるのは「この法律の規定による事務又はその処理する事務であってこの法律の定めるところにより当該事務の処理に関し本人確認情報の提供を求めることができることとされているもの」と、第三号新住民基本台帳法第三十条の三十八第一項中「市町村長、」とあるのは「市町村長その他の市町村の執行機関、」とする。

8　第三号施行日から第四号施行日の前日までの間に住民基本台帳法第三十条の十三第一項に規定する当該都道府県の区域内の市町村の市町村長その他の執行機関であつて条例で定めるもの（第三号旧住民基本台帳法第三十条の十三第一項に規定する当該都道府県の区域内の市町村の市町村長その他の執行機関であつて条例で定めるものであつたものに限る。）、住民基本台帳法第三十条の十三第二項に規定する他の都道府県の都道府県知事その他の執行機関であつて条例で定めるもの（第三号旧住民基本台帳法第三十条の十三第二項に規定する他の都道府県の都道府県知事その他の執行機関であつて条例で定めるものであつたものに限る。）若しくは住民基本台帳法第三十条の十三第三項に規定する他の都道府県の区域内の市町村の市町村長その他の執行機関であつて条例で定めるもの（第三号旧住民基本台帳法第三十条の十三第三項に規定する他の都道府県の区域内の市町村の市町村長その他の執行機関であつて条例で定めるものであつたものに限る。）又は第三号新住民基本台帳法第三十条の十五第二項に規定する都道府県知事以外の当該都道府県の執行機関であつて条例で定めるもの（第三号旧住民基本台帳法第三十条の十五第二項に規定する都道府県知事以外の当該都道府県の執行機関であつて条例で定めるものであつたものに限る。）からこれらの規定に規定する求めがあつた場合における住民基本台帳法第三十条の十三第一項並びに第三号新住民基本台帳法第三十条の十五第一項、第三十条の三十七第一項及び第二項並びに第三十条の三十八第一項の規定の適用については、住民基本台帳法第三十条の十三第一項中「住民票コード及び個人番号」とあるのは「個人番号」と、第三号新住民基本台帳法第三十条の十五第一項中「都道府県知事保存本人確認情報（住民票コードを除く。次項において同じ。）」とあるのは「都道府県知事保存本人確認情報」と、第三号新住民基本台帳法第三十条の三十七第一項中「市町村長」とあるのは「市町村長その他の市町村の執行機関」と、「この法律の規定による事務」とあるのは「この法律の規定による事務又はその処理する事務であつてこの法律の定めるところにより当該事務の処理に関し本人確認情報の提供を求めることができることとされているもの」と、同条第二項中「都道府県知事」とあるのは「都道府県知事その他の都道府県の執行機関」と、「この法律の規定による事務」とあるのは「この法律の規定による事務又はその処理する事務であつてこの法律の定めるところにより当該事務の処理に関し本人確認情報の提供を求めることができることとされているもの」と、第三号新住民基本台帳法第三十条の三十八第一項中「市町村長、都道府県知事」とあるのは「市町村長その他の市町村の執行機関、都道府県知事その他の都道府県の執行機関」とする。

9　第三号施行日から第四号施行日の前日までの間における第三号新住民基本台帳法の規定の適用については、第三号新住民基本台帳法第三十条の十五第一項中「都道府県知事保存本人確認情報（住民票コードを除く。次項において同じ。）」とあるのは「都道府県知事保存本人確認情報」と、第三号新住民基本台帳法第三十条の三十七第二項中「この法律の規定による事務」とあるのは「この法律の規定による事務又はその処理する事務であつてこの法律の定めるところにより当該事務の処理に関し本人確認情報の提供を求めることができることとされているもの」とする。

（住民基本台帳法の一部改正に伴う経過措置）

第二十二条　当分の間、住民基本台帳法別表第一の上欄に掲げる国の機関又は法人（第三号旧住民基本台帳法別表第一の上欄に掲げられていた国の機関又は法人に限る。）から住民基本台帳法第三十条の九に規定する求めがあつた場合における同法の規定の適用については、同条中「機構保存本人確認情報のうち住民票コード以外のもの」とあるのは「機構保存本人確認情報」と、同法第三十条の三十七第四項中「総務省」とあるのは「別表第一の上欄に掲げる国の機関若しくは法人又は総務省」と、「住民票コードの提供」とあるのは「本人確認情報又は住民票コードの提供」と、同法第三十条の三十八第一項中「機構又は総務省」とあるのは「機構、別表第一の上欄に掲げる国の機関若しくは法人又は総務省」とする。

2　当分の間、住民基本台帳法別表第二の上欄に掲げる市町村長その他の市町村の執行機関（第三号旧住民基本台帳法別表第二の上欄に掲げられていた市町村長その他の市町村の執行機関に限る。）から住民基本台帳法第三十条の十第一項第一号に規定する求めがあつた場合における同法の規定の適用については、同項中「第一号から第三号まで」とあるのは「第二号及び第三号」と、同法第三十条の三十七第一項中「市町村長」とあるのは「市町村長その他の市町村の執行機関」と、「この法律の規定による事務」とあるのは「この法律の規定による事務又はその処理する事務であつてこの法律の定めるところにより当該事務の処理に関し本人確認情報の提供を求めることができることとされているもの」と、同法第三十条の三十八第一項中「市町村長、」とあるのは「市町村長その他の市町村の執行機関、」とする。

3　当分の間、前条の規定による改正後の住民基本台帳法（以下この条において「第四号新住民基本台帳法」という。）別表第三の上欄に掲げる都道府県知事その他の都道府県の執行機関（第三号旧住民基本台帳法別表第三の上欄に掲げられていた都道府県知事その他の都道府県の執行機関に限る。）から第四号新住民基本台帳法第三十条の十一第一項第一号に規定する求めがあつた場合における第四号新住民基本台帳法の規定の適用については、同項中「第一号及び第二号」とあるのは「第二号」と、第四号新住民基本台帳法第三十条の三十七第二項中「都道府県知事」とあるのは「都道府県知事その他の都道府県の執行機関」と、「この法律の規定による事務」とあるのは「この法律の規定による事務又はその処理する事務であつてこの法律の定めるところにより当該事務の処理に関し本人確認情報の提供を求めることができることとされているもの」と、第四号新住民基本台帳法第三十条の三十八第一項中「都道府県知事」とあるのは「都道府県知事その他の都道府県の執行機関」とする。

4　当分の間、住民基本台帳法別表第四の上欄に掲げる市町村長その他の市町村の執行機関（第三号旧住民基本台帳法別表第四の上欄に掲げられていた市町村長その他の市町村の執行機関に限る。）から住民基本台帳法第三十条の十二第一項第一号に規定する求めがあった場合における同法の規定の適用については、同項中「第一号から第三号まで」とあるのは「第二号及び第三号」と、同法第三十条の三十七第一項中「市町村長」とあるのは「市町村長その他の市町村の執行機関」と、「この法律の規定による事務」とあるのは「この法律の規定による事務又はその処理する事務であつてこの法律の定めるところにより当該事務の処理に関し本人確認情報の提供を求めることができることとされているもの」と、同法第三十条の三十八第一項中「市町村長、」とあるのは「市町村長その他の市町村の執行機関、」とする。

5　当分の間、第四号新住民基本台帳法第三十条の十四に規定する他の市町村の市町村長その他の執行機関であって条例で定めるもの（第三号旧住民基本台帳法第三十条の十四に規定する他の市町村の市町村長その他の執行機関であって条例で定めるものであったものに限る。）から第四号新住民基本台帳法第三十条の十四の規定による求めがあった場合における第四号新住民基本台帳法の規定の適用については、同条中「住民票コード及び個人番号」とあるのは「個人番号」と、第四号新住民基本台帳法第三十条の三十七第一項中「市町村長」とあるのは「市町村長その他の市町村の執行機関」と、「この法律の規定による事務」とあるのは「この法律の規定による事務又はその処理する事務であつてこの法律の定めるところにより当該事務の処理に関し本人確認情報の提供を求めることができることとされているもの」と、第四号新住民基本台帳法第三十条の三十八第一項中「市町村長、」とあるのは「市町村長その他の市町村の執行機関、」とする。

6　当分の間、第四号新住民基本台帳法第三十条の十三第一項に規定する当該都道府県の区域内の市町村の市町村長その他の執行機関であって条例で定めるもの（第三号旧住民基本台帳法第三十条の十三第一項に規定する当該都道府県の区域内の市町村の市町村長その他の執行機関であって条例で定めるものであったものに限る。）、第四号新住民基本台帳法第三十条の十三第二項に規定する他の都道府県の都道府県知事その他の執行機関であって条例で定めるもの（第三号旧住民基本台帳法第三十条の十三第二項に規定する他の都道府県の都道府県知事その他の執行機関であって条例で定めるものであったものに限る。）若しくは第四号新住民基本台帳法第三十条の十三第三項に規定する他の都道府県の区域内の市町村の市町村長その他の執行機関であって条例で定めるもの（第三号旧住民基本台帳法第三十条の十三第三項に規定する他の都道府県の区域内の市町村の市町村長その他の執行機関であって条例で定めるものであったものに限る。）又は第四号新住民基本台帳法第三十条の十五第二項に規定する都道府県知事以外の当該都道府県の執行機関であって条例で定めるもの（第三号旧住民基本台帳法第三十条の十五第二項に規定する都道府県知事以外の当該都道府県の執行機関であって条例で定めるものであったものに限る。）からこれらの規定に規定する求めがあった場合における第四号新住民基本台帳法の規定の適用については、第四号新住民基本台帳法第三十条の十三第一項中「住民票コード及び個人番号」とあるのは「個人番号」と、第四号新住民基本台帳法第三十条の十五第一項中「都道府県知事保存本人確認情報（住民票コードを除く。次項において同じ。）」とあるのは「都道府県知事保存本人確認情報」と、第四号新住民基本台帳法第三十条の三十七第一項中「市町村長」とあるのは「市町村長その他の市町村の執行機関」と、「この法律の規定による事務」とあるのは「この法律の規定による事務又はその処理する事務であつてこの法律の定めるところにより当該事務の処理に関し本人確認情報の提供を求めることができることとされているもの」と、同条第二項中「都道府県知事」とあるのは「都道府県知事その他の都道府県の執行機関」と、「この法律の規定による事務」とあるのは「この法律の規定による事務又はその処理する事務であつてこの法律の定めるところにより当該事務の処理に関し本人確認情報の提供を求めることができることとされているもの」と、第四号新住民基本台帳法第三十条の三十八第一項中「市町村長、都道府県知事」とあるのは「市町村長その他の市町村の執行機関、都道府県知事その他の都道府県の執行機関」とする。

7　当分の間、第四号新住民基本台帳法の規定の適用については、第四号新住民基本台帳法第三十条の十五第一項中「都道府県知事保存本人確認情報（住民票コードを除く。次項において同じ。）」とあるのは「都道府県知事保存本人確認情報」と、第四号新住民基本台帳法第三十条の三十七第二項中「この法律の規定による事務」とあるのは「この法律の規定による事務又はその処理する事務であつてこの法律の定めるところにより当該事務の処理に関し本人確認情報の提供を求めることができることとされているもの」とする。

（政令への委任）

第五十条　この法律に定めるもののほか、この法律の施行に伴い必要な経過措置（罰則に関する経過措置を含む。）は、政令で定める。

附　則（平二五・六・一二法三九）（抄）

改正　平二六・四・二五法三〇

（施行期日）

第一条　この法律は、公布の日から起算して二年を超えない範囲内において政令で定める日〔平二七・四・一〕から施行する。〔ただし書略〕

附　則（平二五・六・一九法四八）（抄）

（施行期日）

第一条　この法律は、条約が日本国について効力を生ずる日〔平二六・四・一〕から施行する。

附　則（平二五・六・二一法五四）（抄）

（施行期日）

第一条　この法律は、公布の日から施行する。ただし、次の各号に掲げる規定は、当該各号に定める日から施行する。

一　〔前略〕附則〔中略〕第十条〔中略〕の規定　公布の日から起算して六月を超えない範囲内において政令で定める日〔平二五・一〇・一〕

二〜四　〔略〕

五　附則第二十一条の規定　行政手続における特定の個人を識別するための番号の利用等に関する法律の施行に伴う関係法律の整備等に関する法律（平成二十五年法律第二十八号）の公布の日又は第一号に掲げる規定の施行の日のいずれか遅い日〔平二五・一〇・一〕

附　則（平二五・六・二六法六三）（抄）

改正　平二五・五・三一法二八

（施行期日）
第一条　この法律は、公布の日から起算して一年を超えない範囲内において政令で定める日〔平二六・四・一〕から施行する。〔ただし書略〕

附　則（平二五・六・二八法六九）（抄）

（施行期日）
第一条　この法律は、公布の日から起算して一年を超えない範囲内において政令で定める日〔平二六・三・二〇〕から施行する。

附　則（平二五・一一・二七法八四）（抄）

（施行期日）
第一条　この法律は、公布の日から起算して一年を超えない範囲内において政令で定める日〔平二六・一・二五〕から施行する。〔ただし書略〕

附　則（平二五・一二・一三法一〇六）（抄）

（施行期日）
第一条　この法律は、平成二十六年十月一日から施行する。

附　則（平二六・三・三一法六）（抄）

（施行期日）
第一条　この法律は、平成二十六年四月一日から施行する。〔ただし書略〕

附　則（平二六・四・二五法三〇）（抄）

（施行期日）
第一条　この法律は、公布の日から起算して三月を超えない範囲内において政令で定める日〔平二六・七・三〕から施行する。〔ただし書略〕

附　則（平二六・五・三〇法四二）（抄）

（施行期日）
第一条　この法律は、公布の日から起算して二年を超えない範囲内において政令で定める日〔平二八・四・一〕から施行する。〔ただし書略〕

附　則（平二六・五・三〇法四四）（抄）

（施行期日）
第一条　この法律は、公布の日から起算して一年を超えない範囲内において政令で定める日〔平二七・五・二九〕から施行する。〔ただし書略〕

附　則（平二六・六・一三法六七）（抄）

（施行期日）
第一条　この法律は、独立行政法人通則法の一部を改正する法律（平成二十六年法律第六十六号。以下「通則法改正法」という。）の施行の日〔平二七・四・一〕から施行する。〔ただし書略〕

附　則（平二六・六・一三法六九）（抄）

（施行期日）
第一条　この法律は、行政不服審査法（平成二十六年法律第六十八号）の施行の日〔平二八・四・一〕から施行する。

附　則（平二六・六・二五法八一）（抄）

（施行期日）
第一条　この法律は、公布の日から起算して一年を超えない範囲内において政令で定める日〔平二七・四・一〕から施行する。

附　則（平二六・六・二五法八三）（抄）

（施行期日）
第一条　この法律は、公布の日又は平成二十六年四月一日のいずれか遅い日〔平二六・六・二五〕から施行する。ただし、次の各号に掲げる規定は、当該各号に定める日から施行する。
一・二　〔略〕
三　〔前略〕附則〔中略〕第六十六条〔中略〕の規定　平成二十七年四月一日
四〜七　〔略〕

附　則（平二六・六・二七法九一）（抄）

（施行期日）
第一条　この法律は、公布の日から起算して一年を超えない範囲内において政令で定める日〔平二七・六・二五〕から施行する。

附　則（平二七・五・七法一七）（抄）

（施行期日）
第一条　この法律は、平成二十八年四月一日から施行する。〔ただし書略〕

（調整規定）
第二十六条　施行日が行政手続における特定の個人を識別するための番号の利用等に関する法律の施行に伴う関係法律の整備等に関する法律（平成二十五年法律第二十八号）附則第三号に掲げる規定の施行の日前である場合には、前条（住民基本台帳法別表第一の六十四の項の改正規定に限る。）の規定は、適用しない。
2　前項の場合において、行政手続における特定の個人を識別するための番号の利用等に関する法律の施行に伴う関係法律の整備等に関する法律第十九条のうち住民基本台帳法別表第一の六十四の項の改正規定中「独立行政法人労働者健康福祉機構」とあるのは、「独立行政法人労働者健康安全機構」とする。

附　則（平二七・五・七法二〇）（抄）

（施行期日）
第一条　この法律は、公布の日から施行する。

附　則（平二七・五・二二法二六）（抄）

（施行期日）
第一条　この法律は、公布の日から起算して一年を超えない範囲内において政令で定める日〔平二八・五・二一〕から施行する。〔ただし書略〕

附　則（平二七・五・二九法三一）（抄）

（施行期日）
第一条　この法律は、平成三十年四月一日から施行する。ただし、次の各号に掲げる規定は、それぞれ当該各号に定める日から施行する。
一　〔略〕
二　〔前略〕附則〔中略〕第五十一条〔中略〕の規定　平成二十八年四月一日
三　〔略〕

附　則（平二七・六・三法三二）（抄）

（施行期日）
第一条　この法律は、公布の日から起算して一年を超えない範囲内において政令で定める日〔平二八・三・一〕から施行する。

附　則（平二七・七・一五法五六）（抄）

（**施行期日**）

第一条　この法律は、公布の日から起算して三月を超えない範囲内において政令で定める日〔平二七・九・一〕から施行する。〔ただし書略〕

附　則（平二七・九・九法六五）（抄）

改正　平二九・五・二四法三六

（**施行期日**）

第一条　この法律は、公布の日から起算して二年を超えない範囲内において政令で定める日〔平二九・五・三〇〕から施行する。ただし、次の各号に掲げる規定は、当該各号に定める日から施行する。

一・二　〔略〕

三　〔前略〕附則〔中略〕第十九条〔中略〕の規定　番号利用法附則第一条第四号に掲げる規定の施行の日〔平二八・一・一〕

四　〔略〕

五　〔前略〕附則第十九条の三〔中略〕の規定　番号利用法附則第一条第五号に掲げる規定の施行の日〔平二九・五・三〇〕

六　〔前略〕附則〔中略〕第二十条の規定　公布の日から起算して三年を超えない範囲内において政令で定める日〔平三〇・一・一〕

附　則（平二七・九・一八法七三）（抄）

（**施行期日**）

第一条　この法律は、平成二十七年九月三十日から施行する。〔ただし書略〕

附　則（平二八・二・三法八）（抄）

（**施行期日**）

第一条　この法律は、公職選挙法等の一部を改正する法律（平成二十七年法律第四十三号）の施行の日〔平二八・六・一九〕から施行する。

附　則（平二八・三・三一法一三）（抄）

最終改正　令二・三・三一法五

（**施行期日**）

第一条　この法律は、平成二十八年四月一日から施行する。ただし、次の各号に掲げる規定は、当該各号に定める日から施行する。

一～五の三　〔略〕

五の四　〔前略〕附則〔中略〕第四十二条から第四十八条まで〔中略〕の規定　令和元年十月一日

五の四の二～十五　〔略〕

附　則（平二八・六・三法六二）（抄）

（**施行期日**）

第一条　この法律は、公布の日から起算して一年を超えない範囲内において政令で定める日〔平二九・四・一〕から施行する。

附　則（平二八・六・三法六三）（抄）

（**施行期日**）

第一条　この法律は、平成二十九年四月一日から施行する。〔ただし書略〕

附　則（平二八・一一・二八法八九）（抄）

（**施行期日**）

第一条　この法律は、公布の日から起算して一年を超えない範囲内において政令で定める日〔平二九・一一・一〕から施行する。〔ただし書略〕

附　則（平二八・一二・二法九四）（抄）

（**施行期日**）

第一条　この法律は、公布の日から起算して六月を超えない範囲内において政令で定める日〔平二九・六・一〕から施行する。ただし、次の各号に掲げる規定は、当該各号に定める日から施行する。

一　〔略〕

二　〔前略〕附則第八条中住民基本台帳法（昭和四十二年法律第八十一号）第十七条の二の改正規定〔中略〕　公布の日から起算して一年六月を超えない範囲内において政令で定める日〔平三〇・六・一〕

附　則（平二九・三・三一法九）（抄）

（**施行期日**）

第一条　この法律は、平成二十九年四月一日から施行する。〔ただし書略〕

附　則（平二九・四・一四法一五）（抄）

（**施行期日**）

第一条　この法律は、公布の日から起算して三年を超えない範囲内において政令で定める日〔平三一（令元）・九・一〕から施行する。ただし、次の各号に掲げる規定は、当該各号に定める日から施行する。

一　〔前略〕附則〔中略〕第二十五条の規定　公布の日又は平成二十九年四月一日のいずれか遅い日

二～四　〔略〕

附　則（平二九・五・二四法三六）（抄）

（**施行期日**）

第一条　この法律は、公布の日から起算して一月を超えない範囲内において政令で定める日〔平二九・五・二九〕から施行する。〔ただし書略〕

附　則（平二九・五・二四法三七）（抄）

（**施行期日**）

第一条　この法律は、公布の日から起算して一年を超えない範囲内において政令で定める日〔平三〇・四・一〕から施行する。〔ただし書略〕

附　則（平二九・六・二法四九）（抄）

（**施行期日**）

第一条　この法律は、公布の日から起算して一年を超えない範囲内において政令で定める日〔平三〇・六・一〕から施行する。〔ただし書略〕

附　則（平二九・六・二法五〇）（抄）

（**施行期日**）

第一条　この法律は、公布の日から起算して九月を超えない範囲内において政令で定める日〔平三〇・一・四〕から施行する。〔ただし書略〕

附　則（平二九・六・二法五二）（抄）

（**施行期日**）

第一条　この法律は、平成三十年四月一日から施行する。〔ただし書略〕

附　則（平二九・六・一六法六五）（抄）

（施行期日）
第一条　この法律は、公布の日から起算して一年を超えない範囲内において政令で定める日〔平三〇・六・一五〕から施行する。〔ただし書略〕

（住民基本台帳法の一部改正に伴う調整規定）
第八条　施行日が通訳案内士法及び旅行業法の一部を改正する法律（平成二十九年法律第五十号。次項において「通訳案内士法等改正法」という。）の施行の日前である場合には、前条のうち住民基本台帳法別表第三中二十一の二の項を二十一の三の項とし、二十一の項の次に次のように加える改正規定中「別表第三中」とあるのは、「別表第三中二十一の三の項を二十一の四の項とし、」とする。
2　前項の場合において、通訳案内士法等改正法附則第八条のうち、住民基本台帳法別表第三の二十一の二の項の改正規定中「同表の二十一の二の項」とあるのは「同表の二十一の三の項」と、「二十一の二　都道府県知事」とあるのは「二十一の三　都道府県知事」と、同表の二十一の三の項及び二十六の二の項を削る改正規定中「別表第三の二十一の三の項」とあるのは「別表第三の二十一の四の項」とする。

附　則（平三〇・六・八法四四）（抄）

（施行期日）
第一条　この法律は、平成三十年十月一日から施行する。ただし、次の各号に掲げる規定は、当該各号に定める日から施行する。
一　〔前略〕附則第十七条中住民基本台帳法（昭和四十二年法律第八十一号）別表第二の五の十一の項、別表第三の七の七の項、別表第四の四の十一の項及び別表第五第九号の四の改正規定（いずれも「就労自立給付金」の下に「若しくは同法第五十五条の五第一項の進学準備給付金」を加える部分に限る。）〔中略〕の規定　公布の日
二〜五　〔略〕

附　則（平三〇・六・一五法五二）（抄）

（施行期日）
第一条　この法律は、平成三十一年四月一日から施行する。ただし、附則第四条の規定は、卸売市場法及び食品流通構造改善促進法の一部を改正する法律（平成三十年法律第六十二号）の公布の日又はこの法律の施行の日のいずれか遅い日〔平三一・四・一〕から施行する。

附　則（平三〇・六・二二法六二）（抄）

（施行期日）
第一条　この法律は、公布の日から起算して六月を超えない範囲内において政令で定める日から施行する。ただし、次の各号に掲げる規定は、当該各号に定める日〔平三〇・一〇・二二〕から施行する。
一・二　〔略〕
三　〔前略〕附則〔中略〕第十五条から第十八条まで〔中略〕の規定　公布の日から起算して二年を超えない範囲内において政令で定める日〔平三二（令二）・六・二二〕

附　則（平三〇・六・二七法六六）（抄）

（施行期日）
第一条　この法律は、公布の日から起算して一年を超えない範囲内において政令で定める日〔平三一（令元）・六・一〕から施行する。ただし、次の各号に掲げる規定は、当該各号に定める日から施行する。
一・二　〔略〕
三　〔前略〕附則〔中略〕第十五条の規定　平成三十一年一月一日
四・五　〔略〕

附　則（平三〇・七・六法七一）（抄）

（施行期日）
第一条　この法律は、平成三十一年四月一日から施行する。ただし、次の各号に掲げる規定は、当該各号に定める日から施行する。
一　〔前略〕附則〔中略〕第十五条の規定〔中略〕　公布の日
二・三　〔略〕

（罰則に関する経過措置）
第二十九条　この法律（附則第一条第三号に掲げる規定にあっては、当該規定）の施行前にした行為並びにこの附則の規定によりなお従前の例によることとされる場合及びこの附則の規定によりなおその効力を有することとされる場合におけるこの法律の施行後にした行為に対する罰則の適用については、なお従前の例による。

附　則（平三〇・一二・一四法九三）（抄）

（施行期日）
第一条　この法律は、公布の日から起算して二年を超えない範囲内において政令で定める日〔令二・三・一〕から施行する。

附　則（平三〇・一二・一四法九五）（抄）

（施行期日）
第一条　この法律は、公布の日から起算して二年を超えない範囲内において政令で定める日〔令二・一二・一〕から施行する。〔ただし書略〕

附　則（平三〇・一二・一四法一〇二）（抄）

（施行期日）
第一条　この法律は、平成三十一年四月一日から施行する。〔ただし書略〕

附　則（平三一・三・二九法三）（抄）
改正　令二・三・三一法五

（施行期日）
第一条　この法律は、平成三十一年四月一日から施行する。ただし、〔中略〕附則〔中略〕第九条から第十六条まで〔中略〕の規定は、令和六年一月一日から施行する。

附　則（平三一・三・二九法四）（抄）
改正　令二・三・三一法五

（施行期日）
第一条　この法律は、令和元年十月一日から施行する。ただし、次の各号に掲げる規定は、当該各号に定める日から施行する。
一　附則第二十四条の規定　公布の日
二　〔略〕

附　則（平三一・三・二九法六）（抄）
改正　令二・三・三一法八

（施行期日）

第一条　この法律は、平成三十一年四月一日から施行する。ただし、次の各号に掲げる規定は、当該各号に定める日から施行する。

一～六　〔略〕

七　次に掲げる規定　令和二年四月一日

イ～ハ　〔略〕

ニ　〔前略〕附則第百九条〔中略〕の規定

ホ～ト　〔略〕

八～十七　〔略〕

附　則（令元・五・一七法六）（抄）

（施行期日）

第一条　この法律は、公布の日から起算して九月を超えない範囲内において政令で定める日〔令元・一〇・一〕から施行する。ただし、次の各号に掲げる規定は、当該各号に定める日から施行する。

一　〔略〕

二　〔前略〕附則第九条から第十一条までの規定　公布の日から起算して一年を超えない範囲内において政令で定める日〔令元・一一・二〇〕

附　則（令元・五・一七法七）（抄）

（施行期日）

第一条　この法律は、平成三十一年十月一日から施行する。ただし、〔中略〕附則〔中略〕第八条から第十条までの規定〔中略〕は、公布の日から施行する。

（住民基本台帳法の一部改正に伴う経過措置）

第九条　この法律の公布の日から施行日の前日までの間においては、前条の規定による改正後の住民基本台帳法別表第二の一の五の項及び別表第四の一の五の項中「若しくは同法第三十条の二の子育てのための施設等利用給付の支給又は」とあるのは「の支給」と、「実施」とあるのは「実施又は子ども・子育て支援法の一部を改正する法律（令和元年法律第七号）による同法附則第二条の認定」とする。

（住民基本台帳法の一部改正に伴う調整規定）

第十条　この法律の公布の日が災害救助法の一部を改正する法律（平成三十年法律第五十二号）の施行の日前である場合には、附則第八条中「別表第二の一の五の項及び別表第四の一の五の項」とあるのは、「別表第二の一の三の項及び別表第四の一の三の項」とする。

２　前項の場合において、この法律の公布の日から災害救助法の一部を改正する法律の施行の日の前日までの間は、前条中「別表第二の一の五の項及び別表第四の一の五の項」とあるのは、「別表第二の一の三の項及び別表第四の一の三の項」とする。

附　則（令元・五・二二法九）（抄）

改正　令二・六・一二法五二

（施行期日）

第一条　この法律は、令和二年四月一日から施行する。〔ただし書略〕

附　則（令元・五・二四法一四）（抄）

（施行期日）

第一条　この法律は、公布の日から起算して一年を超えない範囲内において政令で定める日〔令二・四・一〕から施行する。ただし、次の各号に掲げる規定は、当該各号に定める日から施行する。

一～五　〔略〕

六　〔前略〕附則〔中略〕第十八条〔中略〕の規定　公布の日から起算して四年を超えない範囲内において政令で定める日〔令五・一・一〕

附　則（令元・五・三一法一六）（抄）

（施行期日）

第一条　この法律は、公布の日から起算して九月を超えない範囲内において政令で定める日〔令元・一二・一六〕から施行する。ただし、次の各号に掲げる規定は、当該各号に定める日から施行する。

一　第二条中住民基本台帳法別表第一の改正規定（同表の五十七の四の項を同表の五十七の五の項とし、同表の五十七の三の項の次に次のように加える部分に限る。）、同法別表第二の改正規定（第十号に掲げる部分を除く。）、同法別表第三の改正規定（同号に掲げる部分を除く。）、同法別表第四の改正規定（同号に掲げる部分を除く。）及び同法別表第五の改正規定（同号に掲げる部分を除く。）〔中略〕並びに附則第三条〔中略〕及び第八十条の規定　公布の日

二　第二条中住民基本台帳法目次の改正規定（「第十五条」を「第十五条の四」に、「第二十条」を「第二十一条の三」に、「第二十一条」を「第二十一条の四」に改める部分に限る。）、同法第二条及び第三条の改正規定、同法第十条の次に一条を加える改正規定、同法第十二条第一項及び第五項、第十二条の二第四項並びに第十二条の四第四項の改正規定、同法第二章中第十五条の次に三条を加える改正規定、同法第十九条の次に一条を加える改正規定、同法第二十条第一項の改正規定、同法第二十一条の改正規定（「すべて」を「全て」に改める部分に限る。）、同条を同法第二十一条の四とする改正規定、同法第三章に三条を加える改正規定（第二十一条の三第五項の表第十二条第五項の項、第十二条の二第四項の項及び第十二条の三第七項の項に係る部分を除く。）並びに同法第二十四条、第三十条の五十一、第三十六条の二第一項、第三十七条第一項、第四十三条、第四十六条第二号及び第四十八条第一項の改正規定〔中略〕並びに附則第四条第一項、第二項、第五項から第七項まで、第十一項及び第十二項〔中略〕の規定　公布の日から起算して二十日を経過した日

三～六　〔略〕

七　第二条中住民基本台帳法別表第一の四十四の三の項の次に次のように加える改正規定　平成三十三年一月一日

八　〔略〕

九　第二条中住民基本台帳法第十七条の改正規定（同条に三号を加える部分（第五号及び第六号に係る部分に限る。）に限る。）、同法第二十条第二項から第五項までの改正規定及び同法第三章に三条を加える改正規定（第二号に掲げる部分を除く。）並びに附則第四条第四項及び第八項の規定　公布の日から起算して三年を超えない範囲内において政令で定める日〔令四・一・一一〕

十　第二条中住民基本台帳法目次の改正規定（第二号に掲げる部分を除く。）、同法第八条、第九条、第十三条及び第十五条第二項の改正規定、同法第十七条の改正規定（前号に

掲げる部分を除く。）、同法第十八条及び第十九条第四項の改正規定、同法第二十条の次に三条を加える改正規定、同法第二十一条の改正規定（第二号に掲げる部分を除く。）、同法第二十六条から第三十条までの改正規定、同法第三十条の六に一項を加える改正規定、同法第三十条の七に一項を加える改正規定、同法第三十条の八から第三十条の十まで、第三十条の十二、第三十条の十五、第三十条の十七第一項、第三十条の二十五第二項、第三十条の三十六、第三十条の三十七第三項及び第三十条の四十第二項の改正規定、同法第三十条の四十一から第三十条の四十四までを削る改正規定、同法第四章の三を同法第四章の四とし、同法第四章の二の次に一章を加える改正規定、同法第四十二条、第四十七条及び第五十一条の改正規定、同法別表第一の改正規定（「第三十条の三十」の下に「、第三十条の四十四、第三十条の四十四の十一、第三十条の四十四の十二」を加える部分に限る。）、同法別表第二の改正規定（「第三十条の十」の下に「、第三十条の四十四の三」を加える部分及び同表の提供を受ける通知都道府県の区域内の市町村の市町村長その他の執行機関の欄に係る部分に限る。）、同法別表第三の改正規定（「第三十条の十一」の下に「、第三十条の四十四の四」を加える部分及び同表の提供を受ける通知都道府県以外の都道府県の都道府県知事その他の執行機関の欄に係る部分に限る。）、同法別表第四の改正規定（「第三十条の十二」の下に「、第三十条の四十四の五」を加える部分及び同表の提供を受ける通知都道府県以外の都道府県の区域内の市町村の市町村長その他の執行機関の欄に係る部分に限る。）、同法別表第五の改正規定（「第三十条の十五」の下に「、第三十条の四十四の六」を加える部分に限る。）並びに同法別表第六の改正規定〔中略〕並びに附則第四条第三項、第九項及び第十項〔中略〕、第六十五条、第六十九条〔中略〕の規定　公布の日から起算して五年を超えない範囲内において政令で定める日〔令六・五・二七〕

（住民基本台帳法の一部改正に伴う準備行為）

第三条　市町村長（特別区の区長を含む。以下同じ。）は、附則第一条第九号に掲げる規定の施行の日（次条において「第九号施行日」という。）前においても、第二条の規定による改正後の住民基本台帳法（次項及び次条において「新住民基本台帳法」という。）第十七条（第五号及び第六号に係る部分に限る。）に規定する事務の実施のために必要な準備行為をすることができる。

2　市町村長、都道府県知事及び地方公共団体情報システム機構は、附則第一条第十号に掲げる規定の施行の日（次条及び附則第五条において「第十号施行日」という。）前においても、新住民基本台帳法第十七条（第三号、第四号及び第七号に係る部分に限る。）及び第四章の三に規定する事務の実施のために必要な準備行為をすることができる。

（住民基本台帳法の一部改正に伴う経過措置）

第四条　新住民基本台帳法第十五条の二の規定は、附則第一条第二号に掲げる規定の施行の日（以下この条において「第二号施行日」という。）前に市町村長が消除した住民票又は住民票を改製した場合における改製前の住民票であって、同号に掲げる規定の施行の際現に市町村長が保存しているものについても適用する。

2　市町村長がその除票（新住民基本台帳法第十五条の二第一項に規定する除票をいう。以下この項において同じ。）に係る住民票を消除し、又は改製した日から起算して五年を経過している除票については、公布の日から起算して三年を超えない範囲内において政令で定める日〔令四・一・一一〕までの間は、新住民基本台帳法第十五条の四の規定は、適用しない。

3　市町村長は、第十号施行日において現に当該市町村（特別区を含む。以下この項及び第九項において同じ。）が備える戸籍の附票であって、番号利用法の施行の日以後いずれの市町村においても住民基本台帳に記録されたことがない者に係るものについては、新住民基本台帳法第十七条の規定にかかわらず、第十号施行日以後新住民基本台帳法第三十条の三第一項の規定によりその者に係る住民票に同法第七条第十三号に規定する住民票コードが記載され、同法第十九条第一項の規定による通知が行われるまでの間は、新住民基本台帳法第十七条第七号に掲げる事項を記載しないものとする。

4　第九号施行日から第十号施行日の前日までの間における新住民基本台帳法第二十条第二項及び第五項の規定の適用については、同条第二項中「戸籍の附票の写しで第十七条第七号に掲げる事項の記載を省略したもの」とあるのは「戸籍の附票の写し」と、同条第五項の表第十二条第五項の項中「及び第七号に掲げる事項並びに」とあるのは「に掲げる事項及び」とする。

5　新住民基本台帳法第二十一条の規定は、第二号施行日前に市町村長が消除した戸籍の附票又は戸籍の附票を改製した場合における改製前の戸籍の附票であって、附則第一条第二号に掲げる規定の施行の際現に市町村長が保存しているものについても適用する。

6　市町村長がその戸籍の附票の除票（新住民基本台帳法第二十一条第一項に規定する戸籍の附票の除票をいう。以下この項において同じ。）に係る戸籍の附票を消除し、又は改製した日から起算して五年を経過している戸籍の附票の除票については、公布の日から起算して三年を超えない範囲内において政令で定める日〔令四・一・一一〕までの間は、新住民基本台帳法第二十一条の三の規定は、適用しない。

7　第二号施行日から第九号施行日の前日までの間における新住民基本台帳法第二十一条の三第二項から第五項までの規定の適用については、同条第二項中「戸籍の附票の除票の写しで第十七条第七号に掲げる事項の記載を省略したもの」とあり、及び同条第三項中「戸籍の附票の除票の写しで第十七条第二号から第六号までに掲げる事項のみが表示されたもの」とあるのは「戸籍の附票の除票の写し」と、同条第四項中「として、同項に規定する」とあるのは「として、」と、同条第五項中「第七項まで」とあるのは「第四項まで、第六項及び第七項」と、「から第五項まで」とあるのは「、第三項及び第五項」と、「第九項まで」とあるのは「第六項まで及び第九項」と、同項の表第十二条の三第八項及び第九項の項中「第十二条の三第八項及び第九項」とあるのは「第十二条の三第九項」とする。

8　第九号施行日から第十号施行日の前日までの間における新住民基本台帳法第二十一条の三第二項及び第五項の規定の適用については、同条第二項中「戸籍の附票の除票の写しで第十七条第七号に掲げる事項の記載を省略したもの」とあるのは「戸籍の附票の除票の写し」と、同条第五項の表第十二条第五項の項中「及び第七号に掲げる事項並びに」とあるのは「に掲げる事項及び」とする。

9　市町村長は、第十号施行日において現に当該市町村が備える戸籍の附票に記録されている者であって、番号利用法の施行の日以後いずれの市町村においても住民基本台帳に記録されたことがないものについては、新住民基本台帳法第三十条の四十一第一項の規定にかかわらず、その者に係る同項に規定する附票本人確認情報（新住民基本台帳法第十七条第七号に掲げる事項を除く。）を都道府県知事に通知するものとする。

10　前項の規定による通知は、新住民基本台帳法第三十条の四十一第一項の規定による通知とみなす。

11　第二号施行日から施行日の前日までの間における住民基本台帳法第三十二条の規定の適用については、同条中「作成」とあるのは、「作成並びに除票及び戸籍の附票の除票の保存」とする。

12　第二号施行日から第十号施行日の前日までの間における新住民基本台帳法第四十三条第二号（ハからチまでに係る部分に限る。）の規定の適用については、同号ハ及びニ中「本人確認情報又は第三十条の四十一第一項の規定による通知に係る附票本人確認情報」とあり、同号ホ中「本人確認情報又は附票本人確認情報」とあり、並びに同号ヘ中「本人確認情報又は第三十条の四十二第一項の規定による通知に係る附票本人確認情報」とあるのは「本人確認情報」と、同号ト中「又は受領した附票本人確認情報等の電子計算機処理等」とあるのは「の電子計算機処理等」と、「受領者又は第三十条の四十四の十二において準用する第三十条の二十八第一項に規定する附票情報受領者」とあるのは「受領者」と、同号チ中「又は第三十条の四十四の十二において準用する第三十条の二十八第一項に規定する受領した附票本人確認情報等の電子計算機処理等」とあるのは「の電子計算機処理等」とする。

附則（令元・五・三一法一七）（抄）

（施行期日）

第一条　この法律は、公布の日から起算して二十日を経過した日から施行する。ただし、次の各号に掲げる規定は、当該各号に定める日から施行する。

一　附則第十五条の規定　この法律の公布の日又は情報通信技術の活用による行政手続等に係る関係者の利便性の向上並びに行政運営の簡素化及び効率化を図るための行政手続等における情報通信の技術の利用に関する法律等の一部を改正する法律（令和元年法律第十六号。第四号において「情報通信技術利用法改正法」という。）の公布の日〔令和元年五月三一日〕のいずれか遅い日

二　〔略〕

三　〔前略〕の規定　公布の日から起算して三年を超えない範囲内において政令で定める日〔令三・九・一三〕

四　附則〔中略〕第六条（住民基本台帳法（昭和四十二年法律第八十一号）第三十条の九の二第一項の改正規定を除く。）〔中略〕の規定　前号に掲げる規定の施行の日又は情報通信技術利用法改正法〔令元法一六〕附則第一条第九号に掲げる規定の施行の日〔令和四年一月一一日〕のいずれか遅い日

五　〔略〕

附則（令元・六・七法二八）（抄）

（施行期日）

第一条　この法律は、公布の日から起算して一年を超えない範囲内において政令で定める日〔令二・五・一〕から施行する。〔ただし書略〕

附則（令元・六・一四法三七）（抄）

（施行期日）

第一条　この法律は、公布の日から起算して三月を経過した日から施行する。〔ただし書略〕

附則（令二・三・三一法一四）（抄）

（施行期日）

第一条　この法律は、令和二年四月一日から施行する。〔ただし書略〕

附則（令二・五・二九法三三）（抄）

（施行期日）

第一条　この法律は、公布の日から起算して二年六月を超えない範囲内において政令で定める日〔令四・一一・一〕から施行する。〔ただし書略〕

附則（令二・六・五法四〇）（抄）

（施行期日）

第一条　この法律は、令和四年四月一日から施行する。ただし、次の各号に掲げる規定は、当該各号に定める日から施行する。

一～六　〔略〕

七　〔前略〕附則第九十二条中住民基本台帳法（昭和四十二年法律第八十一号）別表第一の七十七の四の項の改正規定　令和四年五月一日

八～十一　〔略〕

附則（令二・六・一〇法四一）（抄）

（施行期日）

第一条　この法律は、公布の日から起算して三月を経過した日から施行する。〔ただし書略〕

附則（令二・六・一二法五〇）（抄）

（施行期日）

第一条　この法律は、公布の日から起算して一年六月を超えない範囲内において政令で定める日〔令三・一一・一〕から施行する。ただし、次の各号に掲げる規定は、当該各号に定める日から施行する。

一　〔略〕

二　〔前略〕附則〔中略〕第二十一条（住民基本台帳法（昭和四十二年法律第八十一号）別表第一の十二の項の改正規定に限る。）〔中略〕の規定　公布の日から起算して一年を超えない範囲内において政令で定める日〔令三・五・一〕

附則（令二・六・一九法六〇）（抄）

（施行期日）

第一条　この法律は、公布の日から起算して一年を超えない範囲内において政令で定める日〔令三・六・一五〕から施行する。〔ただし書略〕

附則（令二・六・二四法六一）（抄）

（施行期日）

第一条　この法律は、公布の日から起算して二年を超えない範囲内において政令で定める日〔令四・六・二〇〕から施行する。ただし、次の各号に掲げる規定は、当該各号に定める日から施行する。

一・二　〔略〕

三　〔前略〕附則〔中略〕第九条及び第十条の規定　公布の日から起算して一年六月を超えない範囲内において政令で定める日〔令三・一二・二〇〕

（住民基本台帳法の一部改正に伴う経過措置）

第十条　附則第一条第三号に掲げる規定の施行の日から施行日の前日までの間においては、前条の規定による改正後の住民基本台帳法別表第一の百十八の項中「、同法第百三十一条の六第一項の登録、同法第百三十一条の八第一項の登録の更新、同法第百三十一条の十第一項の届出又は同法第百三十一条の十三第一項の登録の抹消」とあるのは、「又は無人航空機等の飛行による危害の発生を防止するための航空法及び重要施設の周辺地域の上空における小型無人機等の飛行の禁止に関する法律の一部を改正する法律（令和二年法律第六十一号）附則第三条第二項の登録」とする。

附　則（令二・一二・九法七五）（抄）

（施行期日）

第一条　この法律は、公布の日から施行する。

附　則（令三・四・二八法二四）（抄）

（施行期日）

第一条　この法律は、公布の日から起算して二年を超えない範囲内において政令で定める日〔令五・四・一〕から施行する。ただし、次の各号に掲げる規定は、当該各号に定める日から施行する。

一　〔略〕

二　〔前略〕附則〔中略〕第二十二条及び第二十三条の規定　公布の日から起算して三年を超えない範囲内において政令で定める日〔令六・四・一〕

三　〔略〕

（住民基本台帳法の一部改正に伴う経過措置）

第二十三条　第二号施行日から第三号施行日の前日までの間における前条の規定による改正後の住民基本台帳法別表第一の三十一の項の規定の適用については、同項中「登記、同法第七十六条の四の符号の表示」とあるのは、「登記」とする。

附　則（令三・五・一〇法三〇）（抄）

（施行期日）

第一条　この法律は、公布の日から起算して一月を超えない範囲内において政令で定める日〔令三・五・二〇〕から施行する。〔ただし書略〕

附　則（令三・五・一九法三六）（抄）

（施行期日）

第一条　この法律は、令和三年九月一日から施行する。ただし、附則第六十条の規定は、公布の日から施行する。

（住民基本台帳法の一部改正に伴う秘密保持義務に関する経過措置）

第十五条　この法律の施行前に前条の規定による改正前の住民基本台帳法（以下この条及び次条において「旧住民基本台帳法」という。）第三十条の九の二の規定により提供を受けた住民基本台帳法第七条第十三号に規定する住民票コード（以下この条及び次条において「住民票コード」という。）の同法第三十条の二十四第一項に規定する電子計算機処理等（以下この条及び次条において「電子計算機処理等」という。）に関する事務に従事していた総務省の職員又は職員であった者に係る旧住民基本台帳法第三十条の三十第二項の規定によるその事務に関して知り得た住民票コードに関する秘密又は住民票コードの電子計算機処理等に関する秘密を漏らしてはならない義務については、この法律の施行後も、なお従前の例による。

（住民基本台帳法の一部改正に伴う罰則に関する経過措置）

第十六条　この法律の施行前に旧住民基本台帳法第三十条の九の二の規定により提供を受けた住民票コードの電子計算機処理等に関する事務に従事していた総務省の職員又は職員であった者がこの法律の施行後にした行為に対する罰則の適用については、なお従前の例による。

（罰則の適用に関する経過措置）

第五十九条　この法律の施行前にした行為に対する罰則の適用については、なお従前の例による。

（政令への委任）

第六十条　附則第十五条、第十六条、第五十一条及び前三条に定めるもののほか、この法律の施行に関し必要な経過措置（罰則に関する経過措置を含む。）は、政令で定める。

（検討）

第六十一条　政府は、この法律の施行後十年を経過した場合において、この法律の施行の状況及びデジタル社会の形成の状況を勘案し、デジタル庁の在り方について検討を加え、必要があると認めるときは、その結果に基づいて必要な措置を講ずるものとする。

附　則（令三・五・一九法三七）（抄）

（施行期日）

第一条　この法律は、令和三年九月一日から施行する。ただし、次の各号に掲げる規定は、当該各号に定める日から施行する。

一　第二十七条（住民基本台帳法別表第一から別表第五までの改正規定に限る。）〔中略〕並びに附則〔中略〕第五十九条から第六十三条まで〔中略〕の規定　公布の日

二・三　〔略〕

四　〔前略〕附則〔中略〕第二十九条（住民基本台帳法第三十条の十五第三項の改正規定を除く。）〔中略〕の規定　公布の日から起算して一年を超えない範囲内において、各規定につき、政令で定める日〔令四・五・一八〕

五・六　〔略〕

七　第二十七条（住民基本台帳法第二十四条の二の改正規定及び同法第三十条の十五第三項の改正規定に限る。）〔中略〕並びに附則〔中略〕第二十九条（住民基本台帳法第三十条の十五第三項の改正規定に限る。）〔中略〕の規定　公布の日から起算して二年を超えない範囲内において、各規定につき、政令で定める日〔第二四条の二の改正規定の施行日は、令五・二・六、附則第二九条に定める同法第三〇条の一五第三項の改正規定の施行日は、令五・五・八、第二七条に定める同法第三〇条の一五第三項の改正規定の施行日は、令五・五・一一〕

八・九　〔略〕

十　第二十八条〔中略〕の規定　公布の日から起算して四年を

超えない範囲内において政令で定める日〔令六・五・二七〕

附　則（令三・五・一九法三八）（抄）

（施行期日）

第一条　この法律は、公布の日から施行する。ただし、次の各号に掲げる規定は、当該各号に定める日から施行する。

一　〔略〕

二　〔前略〕附則第七条（住民基本台帳法（昭和四十二年法律第八十一号）別表第一の十三の項の次に次のように加える改正規定を除く。）〔中略〕の規定　公布の日から起算して二年を超えない範囲内において政令で定める日〔令四・一・一〕

三　〔前略〕附則〔中略〕第七条（住民基本台帳法別表第一の十三の項の次に次のように加える改正規定に限る。）の規定　公布の日から起算して三年を超えない範囲内において政令で定める日〔令六・四・一〕

附　則（令三・五・一九法三九）（抄）

（施行期日）

第一条　この法律は、公布の日から起算して三年を超えない範囲内において政令で定める日〔令六・四・一〕から施行する。〔ただし書略〕

附　則（令三・五・二一法四二）（抄）

（施行期日）

第一条　この法律は、公布の日から起算して一年を超えない範囲内において政令で定める日〔令四・四・一〕から施行する。〔ただし書略〕

附　則（令三・五・二六法四四）（抄）

（施行期日）

第一条　この法律は、公布の日から起算して三月を経過した日から施行する。〔ただし書略〕

附　則（令三・五・二六法四六）（抄）

（施行期日）

第一条　この法律は、公布の日から起算して六月を超えない範囲内において政令で定める日〔令三・一一・二二〕から施行する。〔ただし書略〕

附　則（令三・六・一一法六五）（抄）

（施行期日）

第一条　この法律は、公布の日から起算して九月を超えない範囲内において政令で定める日〔令四・三・一〇〕から施行する。ただし、次の各号に掲げる規定は、当該各号に定める日から施行する。

一〜三　〔略〕

四　〔前略〕附則〔中略〕第十八条〔中略〕の規定　公布の日から起算して一年六月を超えない範囲内において政令で定める日〔令四・一二・五〕

附　則（令三・六・一一法六六）（抄）

（施行期日）

第一条　この法律は、令和四年一月一日から施行する。ただし、次の各号に掲げる規定は、当該各号に定める日から施行する。

一　〔前略〕附則第二十一条中住民基本台帳法（昭和四十二年法律第八十一号）別表第一の十九の項及び別表第二から別表第五までの改正規定〔中略〕　公布の日

二〜五　〔略〕

六　〔前略〕附則第二十二条〔中略〕の規定　公布の日から起算して三年を超えない範囲内において政令で定める日〔令六・三・一〕

附　則（令三・六・一六法七四）（抄）

（施行期日）

第一条　この法律は、公布の日から起算して一年を超えない範囲内において政令で定める日〔令四・一・一九〕から施行する。〔ただし書略〕

附　則（令三・六・一八法八二）（抄）

（施行期日）

1　この法律は、公布の日から起算して五日を経過した日から施行する。

附　則（令四・四・二〇法二六）（抄）

（施行期日）

第一条　この法律は、令和五年三月三十一日までの間において政令で定める日〔令五・三・一六〕から施行する。ただし、次の各号に掲げる規定は、当該各号に定める日から施行する。

一　〔略〕

二　〔前略〕附則第三条から第六条までの規定　公布の日から起算して二年を超えない範囲内において政令で定める日〔令六・四・一〕

附　則（令四・四・二七法三三）（抄）

（施行期日）

第一条　この法律は、公布の日から起算して一年を超えない範囲内において政令で定める日〔令五・三・二七〕から施行する。

附　則（令四・五・二〇法四四）（抄）

（施行期日）

第一条　この法律は、公布の日から起算して三月を経過した日から施行する。〔ただし書略〕

附　則（令四・六・一〇法六一）（抄）

（施行期日）

第一条　この法律は、公布の日から起算して一年を超えない範囲内において政令で定める日〔令五・六・一〕から施行する。〔ただし書略〕

附　則（令四・六・一〇法六三）（抄）

（施行期日）

第一条　この法律は、公布の日から起算して九月を超えない範囲内において政令で定める日〔令四・一〇・一〕から施行する。

附　則（令四・六・一五法六五）（抄）

（施行期日）

第一条　この法律は、令和五年四月一日から施行する。〔ただし書略〕

附　則（令四・六・一五法六六）（抄）

（施行期日）

第一条　この法律は、令和六年四月一日から施行する。〔ただし書略〕

附　則（令四・六・一七法六八）（抄）

（施行期日）

1　この法律は、刑法等一部改正法施行日〔令七・六・一〕から施行する。〔ただし書略〕

附　則（令四・六・一七法七〇）（抄）

（施行期日）

第一条　この法律は、公布の日から起算して一年を超えない範囲

内において政令で定める日〔令五・六・一六〕から施行する。〔ただし書略〕

附 則（令四・六・二二法七六）（抄）

（施行期日）

第一条 この法律は、こども家庭庁設置法（令和四年法律第七十五号）の施行の日〔令五・四・一〕から施行する。〔ただし書略〕

附 則（令四・一二・九法九六）（抄）

改正 令五・六・一九法四八

（施行期日）

第一条 この法律は、令和六年四月一日から施行する。ただし、次の各号に掲げる規定は、当該各号に定める日から施行する。

一 〔前略〕附則第三十一条中住民基本台帳法（昭和四十二年法律第八十一号）別表第二の四の項、別表第三の五の五の項、別表第四の三の項及び別表第五第六号の三の改正規定〔中略〕及び第四十二条の規定 公布の日

二・三 〔略〕

四 〔前略〕附則第三十二条及び第三十三条の規定 公布の日から起算して三年六月を超えない範囲内において政令で定める日

（住民基本台帳法の一部改正に伴う調整規定）

第三十三条 附則第一条第四号に掲げる規定の施行の日がデジタル社会の形成を図るための関係法律の整備に関する法律（令和三年法律第三十七号）附則第一条第十号に掲げる規定の施行の日前である場合には、前条のうち、住民基本台帳法別表第一の改正規定中「五十七の二十二の項を五十七の二十三の項とし、五十七の十八の項から五十七の二十一の項」とあるのは「五十七の五の項を五十七の六の項とし、五十七の二の項から五十七の四の項」と、「五十七の十七の項」とあるのは「五十七の項」と、「五十七の十八 社会保険診療報酬支払基金」とあるのは「五十七の二 社会保険診療報酬支払基金」と、同法別表第三の五の六の項、別表第四の三の項及び別表第五第六号の四の改正規定中「五の六の項」とあるのは「五の五の項」と、「第六号の四」とあるのは「第六号の三」とする。

2 前項の場合において、デジタル社会の形成を図るための関係法律の整備に関する法律第二十八条のうち、住民基本台帳法別表第一中五十七の五の項を五十七の二十一の項とし、同項の次に次のように加える改正規定中「五十七の五の項を五十七の二十一の項」と、「五十七の二十二」とあるのは「五十七の六の項を五十七の二十二の項」と、「五十七の二十二」とあるのは「五十七の二十三」と、同表中五十七の四の項を五十七の二十の項とし、五十七の三の項を五十七の十九の項とし、五十七の二の項を五十七の十八の項とし、五十七の項の次に次のように加える改正規定中「五十七の四の項を五十七の二十の項とし、五十七の三の項を五十七の十九の項とし、五十七の二の項を五十七の十八の項とし」とあるのは「五十七の五の項を五十七の二十一の項とし、五十七の二の項から五十七の四の項までを十六項ずつ繰り下げ」とする。

附 則（令四・一二・一六法一〇四）（抄）

（施行期日）

第一条 この法律は、令和六年四月一日から施行する。〔ただし書略〕

附 則（令五・五・八法一九）（抄）

（施行期日）

第一条 この法律は、令和六年四月一日から施行する。〔ただし書略〕

附 則（令五・五・一九法三一）（抄）

（施行期日）

第一条 この法律は、令和六年四月一日から施行する。ただし、次の各号に掲げる規定は、当該各号に定める日から施行する。

一～五 〔略〕

六 〔前略〕附則第二十九条の規定 公布の日から起算して四年を超えない範囲内において政令で定める日

七 〔略〕

附 則（令五・六・九法四八）（抄）

（施行期日）

第一条 この法律は、公布の日から起算して一年三月を超えない範囲内において政令で定める日〔令六・五・二七〕から施行する。ただし、次の各号に掲げる規定は、当該各号に定める日から施行する。

一・二 〔略〕

三 第三条中住民基本台帳法第七条の改正規定、同法第十七条の改正規定、同法第二十条第五項の改正規定、同法第二十一条の三第五項の改正規定、同法第三十条の四十一第一項の改正規定、同法第三十条の四十五の改正規定、同法第三十条の五十の改正規定及び同法第三十条の五十一の改正規定並びに〔中略〕附則第四条〔中略〕の規定 公布の日から起算して二年を超えない範囲内において政令で定める日

四 〔略〕

（住民基本台帳法の一部改正に伴う電子署名等に係る地方公共団体情報システム機構の認証業務に関する法律の適用に関する経過措置）

第四条 附則第一条第三号に掲げる規定の施行の日（以下「第三号施行日」という。）から同条第四号に掲げる規定の施行の日（次条第三項において「第四号施行日」という。）の前日までの間における次の表の上欄に掲げる電子署名等に係る地方公共団体情報システム機構の認証業務に関する法律（次条において「公的個人認証法」という。）の規定の適用については、これらの規定中同表の中欄に掲げる字句は、それぞれ同表の下欄に掲げる字句とする。

第三条第二項及び第二十二条第二項	から第三号まで	、第二号、第三号
第三条の二第二項、第七条第一項第三号、第十二条第一号、第十六条の二第二項、第十六条の六第一項第	から第三号まで	、第二号、第三号
	から第六号まで	及び第三号から第六号まで

三号、第二十二条の二第二項及び第三十五条の二第二項		
第七条第二項及び第十六条の六第二項	「及び	「、第三号及び
	から第六号まで	及び第三号から第六号まで
	「に	「及び第三号に
	及びその	並びにその

附　則（令五・六・一六法五八）（抄）

（施行期日）

第一条　この法律は、公布の日から施行する。ただし、次の各号に掲げる規定は、当該各号に定める日から施行する。

一　〔前略〕第四条の規定〔中略〕　公布の日から起算して三月を経過した日

二・三　〔略〕

附　則（令五・一一・二九法七九）（抄）

（施行期日）

第一条　この法律は、公布の日から起算して一年を超えない範囲内において政令で定める日から施行する。ただし、次の各号に掲げる規定は、当該各号に定める日から施行する。

一　〔略〕

二　〔前略〕附則第四十五条〔中略〕の規定　公布の日から起算して三月を超えない範囲内において政令で定める日〔令六・二・一〕

三～五　〔略〕

附　則（令六・四・二四法二〇）（抄）

（施行期日）

第一条　この法律は、公布の日の翌日から施行する。

附　則（令六・四・二四法二一）（抄）

（施行期日）

第一条　この法律は、令和七年四月一日から施行する。ただし、次の各号に掲げる規定は、当該各号に定める日から施行する。

一　〔前略〕附則〔中略〕第五条〔中略〕の規定　公布の日

二・三　〔略〕

附　則（令六・五・二二法三二）（抄）

（施行期日）

第一条　この法律は、公布の日から起算して一年を超えない範囲内において政令で定める日から施行する。〔ただし書略〕

附　則（令六・五・二四法三三）（抄）

（施行期日）

第一条　この法律は、公布の日から起算して二年を超えない範囲内において政令で定める日から施行する。〔ただし書略〕

附　則（令六・六・一二法四七）（抄）

（施行期日）

第一条　この法律は、令和六年十月一日から施行する。ただし、次の各号に掲げる規定は、当該各号に定める日から施行する。

一～三　〔略〕

四　次に掲げる規定　令和七年四月一日

イ～リ　〔略〕

ヌ　附則第二十七条中住民基本台帳法（昭和四十二年法律第八十一号）別表第一の六十九の項の改正規定並びに同法別表第二の一の七の項及び別表第四の一の七の項の改正規定（「による」を「による同法第十条の二の妊婦のための支援給付、」に改める部分に限る。）

ル～ツ　〔略〕

五　次に掲げる規定　令和八年四月一日

イ～リ　〔略〕

ヌ　附則第二十七条中住民基本台帳法別表第二の一の七の項及び別表第四の一の七の項の改正規定（「による」を「による同法第十条の二の妊婦のための支援給付、」に改める部分を除く。）

ル～ネ　〔略〕

六　〔略〕

附　則（令六・六・一九法五三）（抄）

（施行期日）

第一条　この法律は、令和七年四月一日から施行する。ただし、次の各号に掲げる規定は、当該各号に定める日から施行する。

一　〔略〕

二　〔前略〕附則〔中略〕第十条（住民基本台帳法（昭和四十二年法律第八十一号）別表第二の五の十二の項の改正規定（「交付」の下に「、同法第十七条の二第一項の産後ケア事業の実施」を加える部分に限る。）及び同法別表第四の四の十二の項の改正規定に限る。）〔中略〕の規定　公布の日から起算して三月を経過した日

三　〔略〕

四　〔前略〕附則第十条（同号〔第二号〕に掲げる改正規定を除く。）の規定　公布の日から起算して三年を超えない範囲内において政令で定める日

五　〔略〕

附　則（令六・六・二一法五九）（抄）

（施行期日）

第一条　この法律は、公布の日から起算して二年を超えない範囲内において政令で定める日から施行する。〔ただし書略〕

附　則（令六・六・二一法六〇）（抄）

（施行期日）

第一条　この法律は、公布の日から起算して三年を超えない範囲内において政令で定める日から施行する。〔ただし書略〕

財政法関係

法律に実質及び形体の二元素あり。一国の法律は、果して国利を興し民福を進むべき条規を具うるや否やの問題は、是れ法律の実質問題なり。一国の法令は、果して簡明正確なる法文を成し、人民をしてた易く権利義務のあるところを知らしむるに足るや否やの問題は、是れ法律の形体問題なり。法律の実質は善良なるも若しその形体にして完備ならざれば疑義百出争訟熄まず、酷吏は常に法を曲げ、奸民は屢々法網を免るるの弊を生ぜん。法律の形体は完備せるも若しその実質にして善良ならざれば、峻法酷律にして倍々その害毒を逞しうせしむるの害あらん。

—穂積陳重—

▽細目次△

○地方財政法

昭二三・七・七
法一〇九

最終改正 令六・六・一二法四七

（この法律の目的）

第一条 この法律は、地方公共団体の財政（以下地方財政という。）の運営、国の財政と地方財政との関係等に関する基本原則を定め、もつて地方財政の健全性を確保し、地方自治の発達に資することを目的とする。

【参照条文】
【地方公共団体―自治法一の三 【地方公共団体の財政の運営に関する事項―自治法第二編第九章
※ 憲法九二 自治法二四三の四

（地方財政運営の基本）

第二条 地方公共団体は、その財政の健全な運営に努め、いやしくも国の政策に反し、又は国の財政若しくは他の地方公共団体の財政に累を及ぼすような施策を行つてはならない。

2 国は、地方財政の自主的な且つ健全な運営を助長することに努め、いやしくもその自律性をそこない、又は地方公共団体に負担を転嫁するような施策を行つてはならない。

【参照条文】
①・②【※本条に反するような場合の措置―法二六
※ 法九～一三 健全化法

（予算の編成）

第三条 地方公共団体は、法令の定めるところに従い、且つ、合理的な基準によりその経費を算定し、これを予算に計上しなければならない。

2 地方公共団体は、あらゆる資料に基いて正確にその財源を捕そくし、且つ、経済の現実に即応してその収入を算定し、これを予算に計上しなければならない。

【参照条文】
①・②【予算―自治法二一五 【※予算編成上の留意事項―法二 【※総計予算主義―自治法二一〇 【※本条に反するような場合の措置―法二六
※ 自治令第二編第五章第一節及び第三節

（予算の執行等）

第四条 地方公共団体の経費は、その目的を達成するための必要且つ最少の限度をこえて、これを支出してはならない。

2 地方公共団体の収入は、適実且つ厳正に、これを確保しなければならない。

【参照条文】
①・②【必要最少限度の支出―自治法二14 【※支出手続―自治法二三二の三～二三二の六 【※収入手続―自治法二三一～二三一の三
【※本条に反するような場合の措置―法二六 自治法二四二・二四二の二
※ 法二 自治令第二編第五章第三節及び第四節

（地方公共団体における年度間の財政運営の考慮）

第四条の二 地方公共団体は、予算を編成し、若しくは執行し、又は支出の増加若しくは収入の減少の原因となる行為をしようとする場合においては、当該年度のみならず、翌年度以降における財政の状況をも考慮して、その健全な運営をそこなうことがないようにしなければならない。

【参照条文】
【予算の編成―法三 自治法二一一 【予算の執行―法四 【債務の負担―自治法二一四
※ 法二・四の三・四の四・七 自治法二一〇・二一二～二二二 自治令一四四～一五二

（地方公共団体における年度間の財源の調整）

第四条の三 地方公共団体は、当該地方公共団体の当該年度における地方交付税の額とその算定に用いられた基準財政収入額との合算額が、当該地方交付税の算定に用いられた基準財政需要額を著しく超えることとなるとき、又は当該地方公共団体の当該年度における一般財源の額（普通税、地方揮発油譲与税、石油ガス譲与税、自動車重量譲与税、特別法人事業譲与税、特別とん譲与税、国有資産等所在市町村交付金、国有資産等所在都道府県交付金、国有提供施設等所在市町村助成交付金及び地方交付税又は特別区財政調整交付金の額の合算額をいう。以下同じ。）が当該地方公共団体の前年度における一般財源の額を超えることとなる場合において、当該超過額が新たに増加した当該地方公共団体の義務に属する経費に係る一般財源の額を著しく超えることとなるときは、その著しく超えることとなる額を、災害により生じた経費の財源若しくは災害により生じた減収を埋めるための財源、前年度末までに生じた歳入欠陥を埋めるための財源又は緊急に実施することが必要となつた大規模な土木その他の建設事業の経費その他必要やむを得ない理由により生じた経費の財源に充てる場合のほか、翌年度以降における財政の健全な運営に資するため、積み立て、長期にわたる財源の育成のためにする財産の取得等のための経費の財源に充て、又は償還期限を繰り上げて行う地方債の償還の財源に充てなければならない。

2 前項の規定により積み立てた金額（次項及び次条におい

て「積立金」という。）から生ずる収入は、全て積立金に繰り入れなければならない。

3　積立金は、銀行その他の金融機関への預金、国債証券、地方債証券、政府保証債券（その元本の償還及び利息の支払について政府が保証する債券をいう。）その他の証券の買入れ等の確実な方法により運用しなければならない。

【参照条文】
①【基準財政収入額―交付税法一四　【基準財政需要額―交付税法一一　【地方債―自治法二三〇
②【基金―自治法二四一
③【基金の運用―自治法二四一2
※　法二・四の二・七

（積立金の処分）

第四条の四　積立金は、次の各号の一に掲げる場合に限り、これを処分することができる。

一　経済事情の著しい変動等により財源が著しく不足する場合において当該不足額をうめるための財源に充てるとき。

二　災害により生じた経費の財源又は災害により生じた減収をうめるための財源に充てるとき。

三　緊急に実施することが必要となつた大規模な土木その他の建設事業の経費その他必要やむを得ない理由により生じた経費の財源に充てるとき。

四　長期にわたる財源の育成のためにする財産の取得等のための経費の財源に充てるとき。

五　償還期限を繰り上げて行なう地方債の償還の財源に充てるとき。

【参照条文】
【基金の処分―自治法二四一3　【※基金の積立て―法四の三
※　法七

（割当的寄附金等の禁止）

第四条の五　国（国の地方行政機関及び裁判所法（昭和二十二年法律第五十九号）第二条に規定する下級裁判所を含む。）は地方公共団体又はその住民に対し、地方公共団体は他の地方公共団体又は住民に対し、直接であると間接であるとを問わず、寄附金（これに相当する物品等を含む。）を割り当てて強制的に徴収（これに相当する行為を含む。）するようなことをしてはならない。

【参照条文】
【国の地方団体に対する負担転嫁の禁止―法二2　【都道府県の市町村に対する負担転嫁の禁止―法二七の二　【住民に対する負担転嫁の禁止―法二七の三・二七の四

（地方債の制限）

第五条　地方公共団体の歳出は、地方債以外の歳入をもつて、その財源としなければならない。ただし、次に掲げる場合においては、地方債をもつてその財源とすることができる。

一　交通事業、ガス事業、水道事業その他地方公共団体の行う企業（以下「公営企業」という。）に要する経費の財源とする場合

二　出資金及び貸付金の財源とする場合（出資又は貸付けを目的として土地又は物件を買収するために要する経費の財源とする場合を含む。）

三　地方債の借換えのために要する経費の財源とする場合

四　災害応急事業費、災害復旧事業費及び災害救助事業費の財源とする場合

五　学校その他の文教施設、保育所その他の厚生施設、消防施設、道路、河川、港湾その他の土木施設等の公共施設又は公用施設の建設事業費（公共的団体又は国若しくは地方公共団体が出資している法人で政令で定めるものが設置する公共施設の建設事業に係る負担又は助成に要する経費を含む。）及び公共用若しくは公用に供する土地又はその代替地としてあらかじめ取得する土地の購入費（当該土地に関する所有権以外の権利を取得するために要する経費を含む。）の財源とする場合

【参照条文】
【地方債―自治法二三〇　【本条以外に地方債を財源とすることができる場合―法三三～三三の六の三　健全化法一二1　旧合併特例法一一の二　辺地財特法五　【政令―令1
※　法二・四の二・四の三

（地方債の償還年限）

第五条の二　前条第五号の規定により起こす同号の建設事業費に係る地方債の償還年限は、当該地方債を財源として建設した公共施設又は公用施設の耐用年数を超えないようにしなければならない。当該地方債を借り換える場合においても、同様とする。

【参照条文】
【償還年限―自治法二三〇2　健全化法一二2　※公企法二三　【耐用年数―公企則一五　【地方債の制限―法五
※　法七

（地方債の協議等）

第五条の三　地方公共団体は、地方債を起こし、又は起こそうとし、若しくは起こした地方債の起債の方法、利率若し

地財法

くは償還の方法を変更しようとする場合には、政令で定めるところにより、総務大臣又は都道府県知事に協議しなければならない。ただし、軽微な場合その他の総務省令で定める場合は、この限りでない。

2 前項の規定による協議は、地方債の起債の目的、限度額、起債の方法、資金、利率、償還の方法その他政令で定める事項を明らかにして行うものとする。

3 実質公債費比率が政令で定める数値未満である地方公共団体（実質赤字額が政令で定める額を超えるもの、連結実質赤字比率が政令で定める数値を超えるもの又は将来負担比率が地方公共団体の財政の健全化に関する法律（平成十九年法律第九十四号）第二条第五号の規定に基づく政令で定める数値以上のものを除く。第五項及び第六項において「協議不要対象団体」という。）は、政令で定める公的資金（以下この条において「特定公的資金」という。）以外の資金をもつて地方債を起こし、又は特定公的資金以外の資金をもつて起こそうとし、若しくは起こした地方債の起債の方法、利率若しくは償還の方法を変更しようとする場合（特定公的資金をもつて起こすことについて、第一項の規定による協議において同意を得、又は次条第一項若しくは第三項から第五項まで若しくは同法第十三条第一項に規定する許可を得た地方債の資金を変更し、第七項に規定する公的資金以外の資金をもつて地方債を起こそうとする場合を除く。）には、第一項の規定にかかわらず、同項の規定による協議をすることを要しない。

4 前項において、次の各号に掲げる用語の意義は、当該各号に定めるところによる。

一 実質公債費比率 政令で定める地方債に係る元利償還金（政令で定めるものを除く。以下この号において「地方債の元利償還金」という。）の額と地方債の元利償還金に準ずるものとして政令で定めるもの（以下この号において「準元利償還金」という。）の額との合算額から地方債の元利償還金又は準元利償還金の財源に充当することのできる特定の歳入に相当する金額と地方交付税法（昭和二十五年法律第二百十一号）の定めるところにより地方債の元利償還金及び準元利償還金に係る経費として普通交付税の額の算定に用いる基準財政需要額に算入される額として総務省令で定めるところにより算定した額（特別区にあつては、これに相当する額として総務大臣が定める額とする。以下この号において「算入公債費等の額」という。）との合算額を控除した額を標準的な規模の収入の額として政令で定めるところにより算定した額から算入公債費等の額を控除した額で除して得た数値で当該年度前三年度内の各年度に係るものを合算したものの三分の一の数値

二 実質赤字額 当該年度の前年度の歳入（政令で定めるところにより算定した歳入をいう。以下この号において同じ。）が歳出（政令で定めるところにより算定した歳出をいう。以下この号において同じ。）に不足するため当該年度の歳入を繰り上げてこれに充てた額並びに実質上当該年度の前年度の歳入が歳出に不足するため、当該年度の前年度に支払うべき債務でその支払を当該年度に繰り延べた額及び当該年度の前年度に執行すべき事業に係る歳出に係る予算の額で当該年度に繰り越した額の合算額

三 連結実質赤字比率 地方公共団体の財政の健全化に関する法律第二条第二号に規定する連結実質赤字比率

四 将来負担比率 地方公共団体の財政の健全化に関する法律第二条第四号に規定する将来負担比率

5 次に掲げる公営企業を経営する協議不要対象団体は、特定公的資金以外の資金をもつて当該公営企業に要する経費の財源とする地方債を起こし、又は特定公的資金以外の資金をもつて起こそうとし、若しくは起こした当該公営企業に要する経費の財源とする地方債の起債の方法、利率若しくは償還の方法を変更しようとする場合には、第三項の規定にかかわらず、第一項の規定による協議をしなければならない。

一 地方公営企業法（昭和二十七年法律第二百九十二号）第二条第一項に規定する地方公営企業及び地方公営企業以外の企業で同条第二項又は第三項の規定により同法の規定の全部又は一部を適用するもので、政令で定めるところにより算定した当該年度の前年度の資金の不足額が政令で定めるところにより算定した額を超えるもの

二 前号に掲げるもののほか、第六条に規定する公営企業で政令で定めるもののうち政令で定めるところにより算定した当該年度の前年度の資金の不足額が政令で定めるところにより算定した額を超えるもの

6 協議不要対象団体は、特定公的資金以外の資金をもつて地方債を起こし、又は特定公的資金以外の資金をもつて起こそうとし、若しくは起こした地方債の起債の方法、利率若しくは償還の方法を変更しようとする場合において第三項の規定により第一項の規定による協議をしないときは、政令で定めるところにより、あらかじめ、地方債の起債の目的、限度額、起債の方法、資金、利率、償還の方法その他政令で定める事項を総務大臣又は都道府県知事に届け出なければならない。ただし、軽微な場合その他の総務省令で定める場合は、この限りでない。

7 地方公共団体は、次の各号に掲げる地方債についてのみ、当該各号に定める公的資金（政令で定める公的資金をいう。以下この項において同じ。）を借り入れることがで

きる。

一　第一項の規定による協議において総務大臣又は都道府県知事の同意を得た地方債　当該同意に係る公的資金

二　前項の規定による届出がされた地方債のうち、総務大臣又は都道府県知事が第一項の規定による協議を受けたならば同意をすることとなると認められる地方債　当該届出に係る特定公的資金以外の公的資金

8　前項各号に掲げる地方債に係る元利償還に要する経費は、地方交付税法第七条の定めるところにより、同条第二号の地方団体の歳出総額の見込額に算入されるものとする。

9　地方公共団体が、第一項の規定による協議の上、総務大臣又は都道府県知事の同意を得ないで、地方債を起こし、又は起こそうとし、若しくは起こした地方債の起債の方法、利率若しくは償還の方法を変更しようとする場合には、当該地方公共団体の長は、その旨をあらかじめ議会に報告しなければならない。ただし、地方公共団体の長において特に緊急を要するため議会を招集する時間的余裕がないことが明らかであると認める場合その他政令で定める場合には、当該地方公共団体が、当該同意を得ないで、地方債を起こし、又は起こそうとし、若しくは起こした地方債の起債の方法、利率若しくは償還の方法を変更した後に、次の会議においてその旨を議会に報告することをもつて足りる。

10　総務大臣は、毎年度、政令で定めるところにより、総務大臣又は都道府県知事が第一項の規定による協議における同意並びに次条第一項及び第三項から第五項まで並びに地方公共団体の財政の健全化に関する法律第十三条第一項に規定する許可をするかどうかを判断するために必要とされる基準を定め、並びに第七項各号に掲げる地方債並びに次条第一項及び第三項から第五項まで並びに同法第十三条第一項の規定により許可をする地方債の予定額の総額その他政令で定める事項に関する書類を作成し、これらを公表するものとする。

11　総務大臣は、第一項の規定による協議における総務大臣の同意並びに前項に規定する基準の作成及び同項の書類の作成については、地方財政審議会の意見を聴かなければならない。

【参照条文】
①【政令】令二
②【政令】令三
③【政令】令四・五・六・七・三〇1
④【政令】令一〇・一一・一二・一三・一四　【普通交付税】交付税法六の二1　【基準財政需要額】交付税法一一～一三
⑤【政令】令一五・一六・三〇2・3
⑥【政令】令一七・一八
⑦【政令】令一八の二
⑨【政令】令一九
⑩【政令】令二〇
⑪【地方財政審議会】総務省設置法九

（地方債についての関与の特例）

第五条の四　次に掲げる地方公共団体は、地方債を起こし、又は起こそうとし、若しくは起こした地方債の起債の方法、利率若しくは償還の方法を変更しようとする場合には、政令で定めるところにより、総務大臣又は都道府県知事の許可を受けなければならない。この場合においては、前条第一項の規定による協議又は同条第六項の規定による届出をすることを要しない。

一　前条第四項第二号に規定する実質赤字額が政令で定めるところにより算定した額以上である地方公共団体

二　前条第四項第一号に規定する実質公債費比率が政令で定める数値以上である地方公共団体

三　地方債の元利償還金の支払を遅延している地方公共団体

四　過去において地方債の元利償還金の支払を遅延したことがある地方公共団体のうち、将来において地方債の元利償還金の支払を遅延するおそれのあるものとして政令で定めるところにより総務大臣が指定したもの

五　前条第一項の規定による協議をせず、又はこの項及び第三項から第五項までの規定による許可を受けずに、地方債を起こし、又は起こそうとし、若しくは起こした地方債の起債の方法、利率若しくは償還の方法を変更した地方公共団体のうち、政令で定めるところにより総務大臣が指定したもの

六　前条第一項の規定による協議をし、若しくは同条第六項の規定による届出をし、又はこの項及び第三項から第五項までの規定による許可を受けるに当たつて、当該協議若しくは届出又は許可に関する書類に虚偽の記載をすることその他不正の行為をした地方公共団体のうち、政令で定めるところにより総務大臣が指定したもの

2　総務大臣は、前項第四号から第六号までの規定による指定の必要がなくなつたと認めるときは、政令で定めるところにより、当該指定を解除するものとする。

3　経営の状況が悪化した公営企業で次に掲げるものを経営する地方公共団体（第一項各号に掲げるものを除く。）は、当該公営企業に要する経費の財源とする地方債を起こし、又は起こそうとし、若しくは起こした地方債の起債の方法、利率若しくは償還の方法を変更しようとする場合に

地財法

は、政令で定めるところにより、総務大臣又は都道府県知事の許可を受けなければならない。この場合においては、前条第一項の規定による協議又は同条第六項の規定による届出をすることを要しない。

一 地方公営企業法第二条第一項に規定する地方公営企業のうち繰越欠損金があるもの並びに地方公営企業以外の企業で同条第二項又は第三項の規定により同法の規定の全部又は一部を適用するもののうち繰越欠損金があるもの及び当該年度において新たに同法の規定の全部又は一部を適用したもので、政令で定めるところにより算定した当該年度の前年度の資金の不足額が政令で定めるところにより算定した額以上であるもの

二 前号に掲げるもののほか、第六条に規定する公営企業で政令で定めるもののうち政令で定めるところにより算定した当該年度の前年度の資金の不足額が政令で定めるところにより算定した額以上であるもの

4 普通税（地方消費税、道府県たばこ税、市町村たばこ税、鉱区税、特別土地保有税及び法定外普通税を除く。）の税率のいずれかが標準税率未満である地方公共団体（第一項各号に掲げるものを除く。）は、第五条第五号に規定する経費の財源とする地方債を起こし、又は起こそうとし、若しくは起こした地方債の起債の方法、利率若しくは償還の方法を変更しようとする場合には、政令で定めるところにより、総務大臣又は都道府県知事の許可を受けなければならない。この場合においては、前条第一項の規定による協議又は同条第六項の規定による届出をすることを要しない。

5 地方税法（昭和二十五年法律第二百二十六号）第五条第二項に掲げる税のうち同法第七百三十四条第一項及び第二項（第二号に係る部分に限る。）の規定により都が課するもの（特別土地保有税を除く。）の税率のいずれかが標準税率未満である場合において、特別区（第一項各号に掲げるもの及び前項の規定により許可を受けなければならないものとされるものを除く。）は、第五条第五号に規定する経費の財源とする地方債を起こし、又は起こそうとし、若しくは起こした地方債の起債の方法、利率若しくは償還の方法を変更しようとするときは、政令で定めるところにより、都知事の許可を受けなければならない。この場合においては、前条第一項の規定による協議又は同条第六項の規定による届出をすることを要しない。

6 前条第一項ただし書の規定は、第一項及び第三項から前項までの規定により許可を受けなければならないものとされる場合について、同条第七項（第一号に係る部分に限る。）の規定は、第一項及び第三項から前項までに規定する許可を得た地方債について、同条第八項の規定は、第一項及び第三項から前項までに規定する許可を得た地方債に係る元利償還に要する経費について、それぞれ準用する。

7 総務大臣は、第一項、第三項及び第四項の総務大臣の許可並びに第一項第四号から第六号までの規定による指定及び第二項の規定による指定の解除については、地方財政審議会の意見を聴かなければならない。

【参照条文】
①【政令―令二一～二四・二九2・三〇1
②【政令―令二五
③【政令―令二一・二六・二七・三〇2・3
④【政令―令二一 【普通税―地税法四2・3・五2・3 【標準税率―地税法一1Ｖ
⑤【政令―令二八
⑦【地方財政審議会―総務省設置法九
※ 法三三の五の七1・三三の八1 健全化法一三1

（証券発行の方法による地方債）
第五条の五 地方債を起こす場合においては、地方公共団体は、証券を発行する方法によつて地方債を起こす場合においては、政令の定めるところにより、募集、売出し又は交付の方法によることができる。

2 前項の証券は、割引の方法によつて発行することができる。

【参照条文】
①【政令―令三三～四五
※ 法五の六

（会社法の準用）
第五条の六 会社法（平成十七年法律第八十六号）第六百八十三条、第七百一条、第七百五条第一項から第三項まで及び第七百九条の規定は、前条第一項の地方債について準用する。この場合において、これらの規定中「会社」とあるのは「地方公共団体」と、「社債原簿管理人」とあるのは「地方債原簿管理人」と、「社債原簿」とあるのは「地方債原簿」と、「社債管理者」とあるのは「地方債の募集又は管理の委託を受けた者」と、「社債権者」とあるのは「地方債権者」と、「社債券」とあるのは「地方債証券」と読み替えるものとする。

（地方債証券の共同発行）
第五条の七 証券を発行する方法によつて地方債を起こす場合においては、二以上の地方公共団体は、議会の議決を経て共同して証券を発行することができる。この場合においては、これらの地方公共団体は、連帯して当該地方債の償還及び利息の支払の責めに任ずるものとする。

【参照条文】
【証券発行の地方債―法五の五 令三三～四五

（政令への委任）

第五条の八　第五条から前条までに定めるもののほか、地方債の発行に関し必要な事項は、政令で定める。

【参照条文】【政令―令二〇4・二九～三二・三二の二

（公営企業の経営）

第六条　公営企業で政令で定めるものについては、その経理は、特別会計を設けてこれを行い、その経費は、その性質上当該公営企業の経営に伴う収入をもつて充てることが適当でない経費及び当該公営企業の性質上能率的な経営を行なつてもなおその経営に伴う収入のみをもつて充てることが客観的に困難であると認められる経費を除き、当該企業の経営に伴う収入（第五条の規定による地方債による収入を含む。）をもつてこれに充てなければならない。但し、災害その他特別の事由がある場合において議会の議決を経たときは、一般会計又は他の特別会計からの繰入による収入をもつてこれに充てることができる。

【参照条文】【政令―令四六　【特別会計―自治法二〇九　公企法一七　国民健康保険法一〇　【※特別会計の弾力条項―自治法二一八4　公企法二四3　【一般会計―自治法二〇九1

（剰余金）

第七条　地方公共団体は、各会計年度において歳入歳出の決算上剰余金を生じた場合においては、当該剰余金のうち二分の一を下らない金額は、これを剰余金を生じた翌翌年度までに、積み立て、又は償還期限を繰り上げて行なう地方債の償還の財源に充てなければならない。

2　第四条の三第二項及び第三項並びに第四条の四の規定は、前項の規定により積み立てた金額について準用する。

3　前条の公営企業について、歳入歳出の決算上剰余金を生じた場合においては、第一項の規定にかかわらず、議会の議決を経て、その全部又は一部を一般会計又は他の特別会計に繰り入れることができる。

4　第一項及び前項の剰余金の計算については、政令でこれを定める。

【参照条文】①【会計年度―自治法二〇八1　公企法一九　【決算上剰余金―自治法二三三の二　公企法三二　【償還期限―法五の二
③【一般会計・特別会計―自治法二〇九
④【政令―令四七・四八

（財産の管理及び運用）

第八条　地方公共団体の財産は、常に良好の状態においてこれを管理し、その所有の目的に応じて最も効率的に、これを運用しなければならない。

【参照条文】【財産の管理―自治法二三七2・二三八の四・二三八の五

（地方公共団体がその全額を負担する経費）

第九条　地方公共団体の事務（地方自治法（昭和二十二年法律第六十七号）第二百五十二条の十七の二第一項及び第二百九十一条の二第二項の規定に基づき、都道府県が条例の定めるところにより、市町村の処理することとした事務及び都道府県の加入しない同法第二百八十四条第一項の広域連合（第二十八条第二項及び第三項において「広域連合」という。）の処理することとした事務を除く。）を行うために要する経費については、当該地方公共団体が全額これを負担する。ただし、次条から第十条の四までに規定する事務を行うために要する経費については、この限りでない。

【参照条文】【地方公共団体の事務―自治法二2　【※本条の特例―法二四　【※経費の支弁―自治法二三二1

※　法二

㊟　次条中、点線の左側は令和七年四月一日から、実線の左側は令和八年四月一日から施行となる。

（国がその全部又は一部を負担する法令に基づいて実施しなければならない事務に要する経費）

第十条　地方公共団体が法令に基づいて実施しなければならない事務であつて、国と地方公共団体相互の利害に関係がある事務のうち、その円滑な運営を期するためには、なお、国が進んで経費を負担する必要がある次に掲げるものについては、国が、その経費の全部又は一部を負担する。

一　義務教育職員の給与（退職手当、退職年金及び退職一時金並びに旅費を除く。）に要する経費
二　削除
三　義務教育諸学校の建物の建築に要する経費
四　生活保護に要する経費
五　感染症の予防に要する経費
六　臨時の予防接種並びに予防接種を受けたことによる疾病、障害及び死亡について行う給付に要する経費
七　精神保健及び精神障害者の福祉に要する経費
八　麻薬、大麻及びあへんの慢性中毒者の医療に要する経費
九　身体障害者の更生援護に要する経費

十　女性相談支援センターに要する経費
十一　知的障害者の援護に要する経費
十二　後期高齢者医療の療養の給付並びに入院時食事療養費、入院時生活療養費、保険外併用療養費、療養費、訪問看護療養費、特別療養費、移送費、高額療養費及び高額介護合算療養費の支給並びに財政安定化基金への繰入れに要する経費
十三　介護保険の介護給付及び予防給付並びに財政安定化基金への繰入れに要する経費
十四　児童一時保護所、未熟児、小児慢性特定疾病児童等、身体障害児及び結核にかかつている児童の保護、児童福祉施設（地方公共団体の設置する保育所及び幼保連携型認定こども園を除く。）並びに里親に要する経費
十五　児童手当に要する経費
十六　国民健康保険の療養の給付並びに入院時食事療養費、入院時生活療養費、保険外併用療養費、療養費、訪問看護療養費、特別療養費、移送費、高額療養費及び高額介護合算療養費の支給、前期高齢者納付金及び後期高齢者支援金並びに介護納付金の納付、特定健康診査及び特定保健指導並びに財政安定化基金への繰入れに要する経費
十七　原子爆弾の被爆者に対する介護手当の支給及び介護手当に係る事務の処理に要する経費
十八　重度障害児に対する障害児福祉手当及び特別障害者に対する特別障害者手当の支給に要する経費
十九　児童扶養手当に要する経費
二十　職業能力開発校及び障害者職業能力開発校の施設及び設備に要する経費
二十一　家畜伝染病予防に要する経費
二十二　民有林の森林計画、保安林の整備その他森林の保続培養に要する経費
二十三　森林病害虫等の防除に要する経費
二十四　国土交通大臣が定める特定計画又は国土調査事業十箇年計画に基づく地籍調査に要する経費
二十五　特別支援学校への就学奨励に要する経費
二十六　公営住宅の家賃の低廉化に要する経費
二十七　消防庁長官の指示により出動した緊急消防援助隊の活動に要する経費
二十八　武力攻撃事態等における国民の保護のための措置及び緊急対処事態における緊急対処保護措置に要する経費並びにこれらに係る損失の補償若しくは実費の弁償、損害の補償又は損失の補てんに要する経費並びに国の機関と共同して行う国民の保護のための措置及び緊急対処保護措置についての訓練に要する経費
二十九　高等学校等就学支援金の支給に要する経費
三十　新型インフルエンザ等緊急事態における埋葬及び火葬に要する経費並びに新型インフルエンザ等対策に係る臨時の医療施設における医療の提供、損失の補償若しくは実費の弁償又は損害の補償に要する経費
三十一　地域における医療及び介護の総合的な確保の促進に関する基金への繰入れに要する経費
三十二　指定難病に係る特定医療費の支給に要する経費
三十三　子どものための教育・保育給付
妊婦のための支援給付に要する経費、子どものための教育・保育給付
に要する経費（地方公共団体の設置する教育・保育施設に係るものを除く。）及び
除く。）、
子育てのための施設等利用給付に要する経費（地方公共団体又は公立大学法人の設置する認定こども園、幼稚園又は特別支援学校に係るものを除く。）
及び乳児等のための支援給付に要する経費
三十四　生活困窮者自立相談支援事業に要する経費及び生活困窮者住居確保給付金の支給に要する経費
三十五　都道府県知事の確認を受けた専門学校（地方公共団体又は地方独立行政法人が設置するものを除く。）に係る授業料等減免に要する経費

【参照条文】
【地方公共団体が法令に基づいて実施する事務―自治法二2　【負担割合を定める規定―法一一　【※経費負担に関する他の規定―法九～一三　【負担金の交付時期―法一九1　令四九　【※北海道に関する特例―法三五　令附則八
※　法一七～一九・二一・二二・二四・二五・三四　健全化法一四2・3

（国がその全部又は一部を負担する建設事業に要する経費）
第十条の二　地方公共団体が国民経済に適合するように総合的に樹立された計画に従つて実施しなければならない法律又は政令で定める土木その他の建設事業に要する次に掲げる経費については、国が、その経費の全部又は一部を負担する。
一　道路、河川、砂防、海岸、港湾等に係る重要な土木施設の新設及び改良に要する経費
二　林地、林道、漁港等に係る重要な農林水産業施設の新設及び改良に要する経費
二の二　地すべり防止工事及びぼた山崩壊防止工事に要する経費

地財法

三　重要な都市計画事業に要する経費
四　公営住宅の建設に要する経費
五　児童福祉施設その他社会福祉施設の建設に要する経費
六　土地改良及び開拓に要する経費

【参照条文】
【負担割合を定める規定―法一一
【負担割合等を定めた法律又は政令の例
Ⅰ　道路法五〇　河川法六〇　砂防法一三・一四　海岸法二七　同令八　港湾法四二
Ⅱ　森林法四六　漁港漁場整備法二〇
Ⅱの二　地すべり等防止法二九
Ⅲ　土地区画整理法一一八
Ⅳ　公営住宅法七1・八1・2
Ⅴ　児福法五三　同令三九　生活保護法七五　身体障害者福祉法三七の二　知的障害者福祉法二六　老人福祉法二六
Ⅵ　土地改良法一二六
【都道府県の行なう建設事業に対する市町村の負担―法二七
【※北海道に関する特例―法三五　【負担金の交付時期―法一九1　令四九
なお、一〇条の参照条文参照

（**国がその一部を負担する災害に係る事務に要する経費**）
第十条の三　地方公共団体が実施しなければならない法律又は政令で定める災害に係る事務で、地方税法又は地方交付税法によつてはその財政需要に適合した財源を得ることが困難なものを行うために要する次に掲げる経費については、国が、その経費の一部を負担する。
一　災害救助事業に要する経費
二　災害弔慰金及び災害障害見舞金に要する経費
三　道路、河川、砂防、海岸、港湾等に係る土木施設の災害復旧事業に要する経費
四　林地荒廃防止施設、林道、漁港等に係る農林水産業施設の災害復旧事業に要する経費
五　都市計画事業による施設の災害復旧に要する経費
六　公営住宅の災害復旧に要する経費
七　学校の災害復旧に要する経費
八　社会福祉施設及び保健衛生施設の災害復旧に要する経費
九　土地改良及び開拓による施設又は耕地の災害復旧に要する経費

【参照条文】
【負担割合を定める規定―法一一
【負担割合等を定めた法律又は政令の例
Ⅰ　災害救助法二一
Ⅱ　災害弔慰金の支給等に関する法律七・九
Ⅲ～Ⅴ　公共土木施設災害復旧事業費国庫負担法四・四の二　同令二
Ⅵ　公営住宅法八
Ⅶ　公立学校施設災害復旧費国庫負担法三
Ⅷ　農林水産業施設災害復旧事業費国庫補助の暫定措置に関する法律　三・三の二
【※北海道に関する特例―法三五　【負担金の交付時期―法一九1　令四九
なお、一〇条の参照条文参照

（**地方公共団体が負担する義務を負わない経費**）
第十条の四　専ら国の利害に関係のある事務を行うために要する次に掲げるような経費については、地方公共団体は、その経費を負担する義務を負わない。
一　国会議員の選挙、最高裁判所裁判官国民審査及び国民投票に要する経費
二　国が専らその用に供することを目的として行う統計及び調査に要する経費
三　検疫に要する経費
四　医薬品の検定に要する経費
五　あへんの取締に要する経費（第十条第八号に係るものを除く。）
六　国民年金、雇用保険及び特別児童扶養手当に要する経費
七　土地の農業上の利用関係の調整に要する経費
八　未引揚邦人の調査に要する経費

【参照条文】
【国の財源措置義務―自治法二三二2　【※本条の特例―附則（昭二七法一四七）3　令附則一七　【※北海道に関する特例―法三五
※　法二・九～一〇の三・一一～一三・一七～二二・二五・二六

（**国と地方公共団体とが経費を負担すべき割合等の規定**）
第十一条　第十条から第十条の三までに規定する経費の種目、算定基準及び国と地方公共団体とが負担すべき割合は、法律又は政令で定めなければならない。

【参照条文】
【負担割合の特例
※　法一七～一九　後特法三　義務教育費国庫負担法　道路法
なお、一〇条から一〇条の三までの参照条文参照

（**地方公共団体が負担すべき経費の財政需要額への算入**）
第十一条の二　第十条から第十条の三までに規定する経費のうち、地方公共団体が負担すべき部分（第十条第十二号に

掲げる経費のうち地方公共団体が負担すべき部分にあつては後期高齢者医療の財政安定化基金拠出金をもつて充てるべき部分を、同条第十三号に掲げる経費のうち地方公共団体が負担すべき部分にあつては介護保険の財政安定化基金拠出金をもつて充てるべき部分を除く。）は、地方交付税法の定めるところにより地方公共団体に交付すべき地方交付税の額の算定に用いる財政需要額に算入するものとする。ただし、第十条第十六号に掲げる経費（国民健康保険に関する特別会計への繰入れに要する経費のうち、国民健康保険の財政の安定化及び調整を行うもの、高額医療費負担対象額に係るもの、所得の少ない者、六歳に達する日以後の最初の三月三十一日以前である被保険者又は出産する予定の被保険者若しくは出産した被保険者について行う保険料又は国民健康保険税の減額に係るもの、所得の少ない者の数に応じて国民健康保険の財政の状況その他の事情を勘案して行うもの並びに特定健康診査及び特定保健指導に要するもの並びに財政安定化基金への繰入れに要する経費のうち都道府県の負担に係るものを除く。）、第十条の二第四号に掲げる経費及び第十条の三第六号に掲げる経費については、この限りでない。

【参照条文】
【財政需要額―交付税法一一～一三・一五 【国の財源措置義務―自治法二三二2
※ 交付税法一〇

（地方公共団体が処理する権限を有しない事務に要する経費）
第十二条 地方公共団体が処理する権限を有しない事務を行うために要する経費については、法律又は政令で定めるものを除く外、国は、地方公共団体に対し、その経費を負担させるような措置をしてはならない。

2 前項の経費は、次に掲げるようなものとする。
一 国の機関の設置、維持及び運営に要する経費
二 警察庁に要する経費
三 防衛省に要する経費
四 海上保安庁に要する経費
五 司法及び行刑に要する経費
六 国の教育施設及び研究施設に要する経費

【参照条文】
① 【負担転嫁の禁止―法二2 【法律又は政令の定の例―道路法五〇 河川法五九 海岸法二六 砂防法一四 地すべり等防止法二八 漁港漁場整備法二〇 森林法四六 土地改良法九〇 公共土木施設災害復旧事業費国庫負担法四
※ 法四の五・九・一七の二・二一・二四・二六
② 【国の機関の設置とその運営費―自治法一五六4・5

（新たな事務に伴う財源措置）
第十三条 地方公共団体又はその経費を地方公共団体が負担する国の機関が法律又は政令に基づいて新たな事務を行う義務を負う場合においては、国は、そのために要する財源について必要な措置を講じなければならない。

2 前項の財源措置について不服のある地方公共団体は、内閣を経由して国会に意見書を提出することができる。

3 内閣は、前項の意見書を受け取つたときは、その意見を添えて、遅滞なく、これを国会に提出しなければならない。

【参照条文】
① 【国の財源措置義務―自治法二三二2
※ 法二一・二二

第十四条及び第十五条 削除〔昭二七・五法一四七〕

（補助金の交付）
第十六条 国は、その施策を行うため特別の必要があると認めるとき又は地方公共団体の財政上特別の必要があると認めるときに限り、当該地方公共団体に対して、補助金を交付することができる。

【参照条文】
※ 法一八・一九

（国の負担金の支出）
第十七条 国は、第十条から第十条の四までに規定する事務で地方公共団体又はその経費を地方公共団体が負担する国の機関が行うものについて第十条から第十条の四までの規定により国が負担する金額（以下「国の負担金」という。）を、当該地方公共団体に対して支出するものとする。

【参照条文】
【地方公共団体が経費を負担する国の機関の例―災害救助法一八3
※ 法一七の二～一九

（地方公共団体の負担金）
第十七条の二 国が第十条の二及び第十条の三に規定する事務を自ら行う場合において、地方公共団体が法律又は政令の定めるところによりその経費の一部を負担するときは、当該地方公共団体は、その負担する金額（以下「地方公共団体の負担金」という。）を国に対して支出するものとする。

2 国の行う河川、道路、砂防、港湾等の土木事業で地方公共団体を利するものに対する当該地方公共団体の負担金の予定額は、当該工事の着手前にあらかじめ当該地方公共団体に通知しなければならない。事業計画の変更等により負担金の予定額に著しい変更があつた場合も、同様とする。

地財法

3　地方公共団体は、前項の通知を受けた場合において負担金の予定額に不服があるときは、総務大臣を経由して、内閣に対し意見を申し出ることができる。

【参照条文】
①【国が自ら行う場合の例―道路法一二・一三1　海岸法六1　地すべり等防止法一〇1　河川法九1　港湾法五二1　【地方公共団体の負担金の例―道路法五〇1　河川法五九・六〇　砂防法一四2　港湾法五二2　地すべり等防止法二七　海岸法二六1　森林法四六1　土地改良法九〇1　同令五二　【負担金の算定方法等―道路法五三1　同令二一　河川法六四　同令三六　海岸法二九　同令一〇　地すべり等防止法三二　同令九

（国の支出金の算定の基礎）

第十八条　国の負担金、補助金等の地方公共団体に対する支出金（以下国の支出金という。）の額は、地方公共団体が当該国の支出金に係る事務を行うために必要で且つ充分な金額を基礎として、これを算定しなければならない。

【参照条文】
※　法二

（国の支出金の支出時期）

第十九条　国の支出金は、その支出金を財源とする経費の支出時期に遅れないように、これを支出しなければならない。

2　前項の規定は、地方公共団体の負担金等の国に対する支出金にこれを準用する。

【参照条文】
①【国の支出金の支出時期―令四九　【支出の方法―令四九　会計法二二　予決令五七・五八

（委託工事の場合における準用規定）

第二十条　前二条の規定は、国の工事をその委託を受けて地方公共団体が行う場合及び地方公共団体の工事をその委託を受けて国が行う場合において、国又は地方公共団体の負担に属する支出金に、これを準用する。

（支出金の算定又は支出時期等に関する意見書の提出）

第二十条の二　国の支出金又は前条の国の負担に属する支出金の算定、支出時期、支出金の交付に当つて附された条件その他支出金の交付に当つてされた指示その他の行為について不服のある地方公共団体は、総務大臣を経由して内閣に対し意見を申し出、又は内閣を経由して国会に意見書を提出することができる。

2　第十三条第三項の規定は、前項の場合にこれを準用する。

【参照条文】
①【国の支出金の算定―法一八　【支出時期―法一九1　令四九　【交付条件―適正化法七

（地方公共団体の負担を伴う法令案）

第二十一条　内閣総理大臣及び各省大臣は、その管理する事務で地方公共団体の負担を伴うものに関する法令案について、法律案及び政令案にあつては閣議を求める前、命令案にあつては公布の前、あらかじめ総務大臣の意見を求めなければならない。

2　総務大臣は、前項に規定する法令案のうち重要なものについて意見を述べようとするときは、地方財政審議会の意見を聴かなければならない。

【参照条文】
①【新たな事務に伴う財源措置―法一三　【地方公共団体の負担を伴う経費の見積―法二二　【総務省の所掌事務―総務省設置法四
②【地方財政審議会―総務省設置法九

（地方公共団体の負担を伴う経費の見積書）

第二十二条　内閣総理大臣及び各省大臣は、その所掌に属する歳入歳出及び国庫債務負担行為の見積のうち地方公共団体の負担を伴う事務に関する部分については、財政法（昭和二十二年法律第三十四号）第十七条第二項に規定する書類及び同法第三十五条第二項に規定する調書を財務大臣に送付する際、総務大臣の意見を求めなければならない。

2　総務大臣は、前項に規定する書類及び調書のうち重要なものについて意見を述べようとするときは、地方財政審議会の意見を聴かなければならない。

【参照条文】
①【新たな事務に伴う財源措置―法一三　【地方公共団体の負担を伴う法令案―法二一　【総務省の所掌事務―総務省設置法四
②【地方財政審議会―総務省設置法九
※　法一七・三五

（国の営造物に関する使用料）

第二十三条　地方公共団体が管理する国の営造物で当該地方公共団体がその管理に要する経費を負担するものについては、当該地方公共団体は、条例の定めるところにより、当該営造物の使用について使用料を徴収することができる。

2　前項の使用料は、当該地方公共団体の収入とする。

【参照条文】
①【地方公共団体が管理する国の営造物の例―河川法三二　道路法三九　港湾法五四　【使用料―自治法二二五・二二八1　法二四

（国が使用する地方公共団体の財産等に関する使用料）

第二十四条　国が地方公共団体の財産又は公の施設を使用するときは、当該地方公共団体の定めるところにより、国においてその使用料を負担しなければならない。但し、当該地方公共団体の議会の同意があつたときは、この限りでない。

【参照条文】

【地方公共団体の財産の使用―自治法二三八の四2・二三八の五1】【公の施設の使用―自治法二四四】【使用料―自治法二二五】【議会の同意―自治法九六1ⅣⅥ】

※　法八　自治法二三七2・二四四の二

（負担金等の使用）

第二十五条　国の負担金及び補助金並びに地方公共団体の負担金は、法令の定めるところに従い、これを使用しなければならない。

2　地方公共団体が前項の規定に従わなかつたときは、その部分については、国は、当該地方公共団体に対し、その負担金又は補助金の全部又は一部を交付せず又はその返還を命ずることができる。

3　地方公共団体の負担金について、国が第一項の規定に従わなかつたときは、その部分については、当該地方公共団体は、国に対し当該負担金の全部又は一部を支出せず又はその返還を請求することができる。

【参照条文】

①【国の負担金及び補助金―法一〇～一〇の四・一六・一七・一八～二〇の二】【地方公共団体の負担金―法一七の二・二一・三〇】【法令の定の例―適正化法一一・一三・一六】

②【負担金・補助金の返還命令―令五〇Ⅰ・Ⅱ　適正化法一八】

③【負担金の返還請求―令五〇Ⅱ】

（地方交付税の減額）

第二十六条　地方公共団体が法令の規定に違背して著しく多額の経費を支出し、又は確保すべき収入の徴収等を怠つた場合においては、総務大臣は、当該地方公共団体に対して交付すべき地方交付税の額を減額し、又は既に交付した地方交付税の額の一部の返還を命ずることができる。

2　前項の規定により減額し、又は返還を命ずる地方交付税の額は、当該法令の規定に違背して支出し、又は徴収等を怠つた額をこえることができない。

3　総務大臣は、第一項の規定により地方交付税の額を減額し、又は地方交付税の額の一部の返還を命じようとするときは、地方財政審議会の意見を聴かなければならない。

【参照条文】

①【地方財政運営の基本―法二】【予算の執行等―法四三】【交付税の減額又は返還―令五〇Ⅲ　交付税法二〇の三】

③【地方財政審議会―総務省設置法九】

（都道府県の行う建設事業に対する市町村の負担）

第二十七条　都道府県の行う土木その他の建設事業（高等学校の施設の建設事業を除く。）でその区域内の市町村を利するものについては、都道府県は、当該建設事業による受益の限度において、当該市町村に対し、当該建設事業に要する経費の一部を負担させることができる。

2　前項の経費について市町村が負担すべき金額は、当該市町村の意見を聞き、当該都道府県の議会の議決を経て、これを定めなければならない。

3　前項の規定による市町村が負担すべき金額について不服がある市町村は、当該金額の決定があつた日から二十一日以内に、総務大臣に対し、異議を申し出ることができる。

4　総務大臣は、前項の異議の申出を受けた場合において特別の必要があると認めるときは、当該市町村の負担すべき金額を更正することができる。

5　地方自治法第二百五十七条の規定は、前項の場合に、これを準用する。

6　総務大臣は、第四項の規定により市町村の負担すべき金額を更正しようとするときは、地方財政審議会の意見を聴かなければならない。

【参照条文】

①【都道府県の行う土木その他の建設事業―法一〇の二】【市町村に負担させることができない経費―法二七の二】【市町村の都道府県に対する支出―法二九2】

※【分担金―自治法二二四】

※　法二八の二

（都道府県が市町村に負担させてはならない経費）

第二十七条の二　都道府県は、国又は都道府県が実施し、国及び都道府県がその経費を負担する道路、河川、砂防、港湾及び海岸に係る土木施設についての大規模かつ広域にわたる事業で政令で定めるものに要する経費で都道府県が負担すべきものとされているものの全部又は一部を市町村に負担させてはならない。

【参照条文】

【政令―令五一】【割当的寄附金等の禁止―法四の五】

※　法二七・二八の二　道路法五二　砂防法一五　海岸法二八　港湾法四二

（都道府県が住民にその負担を転嫁してはならない経費）

第二十七条の三　都道府県は、当該都道府県立の高等学校の施設の建設事業費について、住民に対し、直接であると間接であるとを問わず、その負担を転嫁してはならない。

【参照条文】
【割当的寄附金等の禁止―法四の五
※　法九・二七・二七の二

（市町村が住民にその負担を転嫁してはならない経費）

第二十七条の四　市町村は、法令の規定に基づき当該市町村の負担に属するものとされている経費で政令で定めるものについて、住民に対し、直接であると間接であるとを問わず、その負担を転嫁してはならない。

【参照条文】
【政令―令五二　【割当的寄附金等の禁止―法四の五
※　法九

（都道府県がその事務を市町村等が行うこととする場合の経費）

第二十八条　都道府県がその事務を市町村が行うこととする場合においては、都道府県は、当該市町村に対し、その事務を執行するに要する経費の財源について必要な措置を講じなければならない。

2　前項の規定は、都道府県がその事務を都道府県の加入しない広域連合が行うこととする場合について準用する。

3　前二項の財源措置について不服のある市町村又は都道府県の加入しない広域連合は、関係都道府県知事を経由して、総務大臣に意見書を提出することができる。

4　都道府県知事は、前項の意見書を受け取つたときは、その意見を添えて、遅滞なく、これを総務大臣に提出しなければならない。

5　前項の意見は、当該都道府県の議会の議決を経て、これを定めなければならない。

【参照条文】
①【条例による事務処理の特例―自治法二五二の一七の二
②【広域連合による事務の処理等―自治法二九一の二②
※　法二・一三・二七　自治法二三二2

（地方公共団体相互間における経費の負担関係）

第二十八条の二　地方公共団体は、法令の規定に基づき経費の負担区分が定められている事務について、他の地方公共団体に対し、当該事務の処理に要する経費の負担を転嫁し、その他地方公共団体相互の間における経費の負担区分をみだすようなことをしてはならない。

【参照条文】
【地方財政運営の基本―法二　【割当的寄附金等の禁止―法四の五

（都道府県及び市町村の負担金の支出）

第二十九条　都道府県は、法律又は政令の定めるところにより、その区域内の市町村の行う事務に要する経費について都道府県が負担する金額（以下都道府県の負担金という。）を、当該市町村に対して支出するものとする。

2　市町村は、第二十七条第一項の規定により都道府県に対して、負担する金額（以下市町村の負担金という。）を、当該都道府県に対して支出するものとする。

【参照条文】
①【都道府県の負担する経費の例―児福法五〇・五五　生活保護法七一・七三　予防接種法二六　身体障害者福祉法三六・三七
②※　道路法五三3　海岸法二九
※【地方団体の経費支弁義務―自治法二三二1

（都道府県及び市町村の負担金等における準用規定）

第三十条　第十八条、第十九条及び第二十五条の規定は、都道府県及び市町村の負担金並びに都道府県が市町村に対して交付する補助金等の支出金に、これを準用する。

（地方財政の状況に関する報告）

第三十条の二　内閣は、毎年度地方財政の状況を明らかにして、これを国会に報告しなければならない。

2　総務大臣は、前項に規定する地方財政の状況に関する報告の案を作成しようとするときは、地方財政審議会の意見を聴かなければならない。

【参照条文】
②【地方財政審議会―総務省設置法九

（事務の区分）

第三十条の三　都道府県が第五条の三第一項の規定により処理することとされている事務（都道府県が申出を受けた協議に係るものに限る。）、同条第六項の規定により処理することとされている事務（都道府県に対する届出に係るものに限る。）、同条第七項（第一号に係る部分に限る。）の規定により処理することとされている事務（都道府県の行う同意に係るものに限る。）、第五条の四第一項、第三項及び第四項の規定により処理することとされている事務（都道府県の行う許可に係るものに限る。）並びに同条第五項の規定により処理することとされている事務は、地方自治法第二条第九項第一号に規定する第一号法定受託事務とする。

【参照条文】

【法定受託事務―自治法二9・別表第一】

附　則（抄）

（施行期日）

第三十一条　この法律は、公布の日から、これを施行する。但し、第十四条及び第十五条の規定は、昭和二十四年度分から、これを施行する。

（**当せん金付証票の発売**）

第三十二条　都道府県並びに地方自治法第二百五十二条の十九第一項の指定都市及び戦災による財政上の特別の必要を勘案して総務大臣が指定する市は、当分の間、公共事業その他公益の増進を目的とする事業で地方行政の運営上緊急に推進する必要があるものとして総務省令で定める事業の財源に充てるため必要があるときは、当せん金付証票法（昭和二十三年法律第百四十四号）の定めるところにより、当せん金付証票を発売することができる。

（**公営競技を行う地方公共団体の納付金**）

第三十二条の二　地方公共団体は、昭和四十五年度から令和七年度までの間に法律の定めるところにより公営競技を行うときは、地方債の利子の軽減に資するための資金として、毎年度、政令で定めるところにより、当該公営競技の収益のうちから、その売得金又は売上金の額に千分の十二以内において政令で定める率を乗じて得た金額に相当する金額を地方公共団体金融機構に納付するものとする。

【参照条文】
【政令―令附則二】

（**個人の道府県民税又は市町村民税に係る特別減税等に伴う地方債の特例**）

第三十三条　地方公共団体は、平成六年度及び平成七年度に限り、地方税法等の一部を改正する法律（平成六年法律第百十一号。次条第一項及び第三十三条の四第一項において「地方税法等改正法」という。）第一条の規定による改正前の地方税法（次項第一号並びに次条第二項及び第三項において「旧地方税法」という。）附則第三条の四の規定による個人の道府県民税若しくは市町村民税に係る特別減税又は租税特別措置法（昭和三十二年法律第二十六号）第八十六条の四第一項に規定する普通乗用自動車の譲渡等に係る消費税の税率の特例の適用期間の終了による平成六年度における消費税の収入の減少に伴う都道府県若しくは市町村に対して譲与される消費譲与税の額の減少による当該各年度の減収額を埋めるため、第五条の規定にかかわらず、地方債を起こすことができる。

2　前項の規定により起こすことができる当該各年度の地方債の額は、次に掲げる額の合算額とする。

一　旧地方税法附則第三条の四の規定の適用がないものとした場合における当該地方公共団体の当該各年度の個人の道府県民税又は市町村民税の所得割の収入見込額から当該地方公共団体の当該各年度の個人の道府県民税又は市町村民税の所得割の収入見込額を控除した額として自治省令で定めるところにより算定した額

二　租税特別措置法第八十六条の四第一項に規定する普通乗用自動車の譲渡等に係る消費税の税率の特例の適用期間の終了による平成六年度における消費税の収入の減少に伴う当該各年度における都道府県及び市町村に対して譲与すべき消費譲与税の額の減少による当該地方公共団体の当該各年度の消費譲与税の減少額として自治省令で定めるところにより算定した額

（**個人の道府県民税又は市町村民税に係る減税に伴う地方債の特例**）

第三十三条の二　地方公共団体は、平成六年度から平成八年度までの間に限り、地方税法等改正法の施行による個人の道府県民税又は市町村民税に係る当該各年度の減収額を埋めるため、第五条の規定にかかわらず、地方債を起こすことができる。

2　前項の規定により起こすことができる当該各年度の地方債の額は、旧地方税法の規定を適用するものとした場合における当該地方公共団体の当該各年度の個人の道府県民税又は市町村民税の所得割の収入見込額から当該地方公共団体の当該各年度の個人の道府県民税又は市町村民税の所得割の収入見込額（平成八年度においては、地方税法等の一部を改正する法律（平成八年法律第十二号）第一条の規定による改正後の地方税法（次条において「平成八年改正後の地方税法」という。）附則第三条の四の規定の適用がないものとした場合における当該地方公共団体の同年度の個人の道府県民税又は市町村民税の所得割の収入見込額）を控除した額として自治省令で定めるところにより算定した額とする。

3　平成八年度において前項の控除した額を算定する場合における平成八年度分の個人の道府県民税又は市町村民税に係る旧地方税法の規定の適用については、旧地方税法第二十三条第四項及び第二百九十二条第四項中「前年」とあるのは、「前々年」とする。

（**個人の道府県民税又は市町村民税に係る特別減税に伴う地方債の特例**）

第三十三条の三　地方公共団体は、平成八年度に限り、平成八年改正後の地方税法附則第三条の四の規定による個人の道府県民税又は市町村民税に係る特別減税による同年度の減収額を埋めるため、第五条の規定にかかわらず、地方債を起こすことができる。

2 前項の規定により起こすことができる平成八年度の地方債の額は、平成八年改正後の地方税法附則第三条の四の規定の適用がないものとした場合における当該地方公共団体の同年度の個人の道府県民税又は市町村民税の所得割の収入見込額から当該地方公共団体の同年度の個人の道府県民税又は市町村民税の所得割の収入見込額を控除した額として自治省令で定めるところにより算定した額とする。

（**平成九年度における地方債の特例**）

第三十三条の四 地方公共団体は、平成九年度に限り、当該地方公共団体の同年度の地方消費税又は地方消費税交付金（地方税法第七十二条の百十五の規定により市町村に対し交付するものとされる地方消費税に係る交付金をいう。以下この条、第三十三条の五の九及び第三十三条の五の十三において同じ。）の収入見込額及び消費譲与税相当額（地方税法等改正法附則第十四条第一項の規定により同年度に譲与される廃止前の消費譲与税に相当する額をいう。以下この条において同じ。）の収入見込額の合算額が当該地方公共団体の平成十年度以降の各年度の地方消費税又は地方消費税交付金の収入見込額に比して過少であることにより財政の安定が損なわれることのないよう、適正な財政運営を行うにつき必要とされる財源に充てるため、第五条の規定にかかわらず、地方債を起こすことができる。

2 前項の規定により起こすことができる平成九年度の地方債の額は、都道府県にあつては当該都道府県の同年度の地方消費税の収入見込額及び消費譲与税相当額の収入見込額の合算額から地方消費税交付金の交付見込額を控除した額が当該都道府県の平成十年度以降の各年度の地方消費税の収入見込額から地方消費税交付金の交付見込額を控除した額に比して過少と認められる額として、地方税法第七十二条の百十四第一項に規定する消費に相当する額を基礎として自治省令で定める方法により算定した額とし、市町村にあつては当該市町村の平成九年度の地方消費税交付金の収入見込額及び消費譲与税相当額の収入見込額の合算額が当該市町村の平成十年度以降の各年度の地方消費税交付金の収入見込額に比して過少と認められる額として、同法第七十二条の百十五第一項に規定する人口及び従業者数を基礎として自治省令で定める方法により算定した額とする。

（**個人の道府県民税又は市町村民税に係る特別減税等に伴う地方債の特例**）

第三十三条の五 地方公共団体は、平成十年度及び平成十一年度に限り、地方税法の一部を改正する法律（平成十一年法律第十五号。次項において「地方税法改正法」という。）による改正前の地方税法（以下この条において「旧地方税法」という。）附則第三条の四の規定による個人の道府県民税又は市町村民税に係る特別減税による当該各年度の減収額及び旧地方税法附則第十一条の四第十三項及び第十四項の規定による不動産取得税の減額に係る平成十年度の減収額を埋めるため、第五条の規定にかかわらず、地方債を起こすことができる。

2 前項の規定により起こすことができる平成十年度及び平成十一年度の地方債の額は、都道府県にあつては第一号に掲げる額とし、市町村にあつては第二号に掲げる額とする。

一 イ及びロに掲げる額の合算額（平成十一年度にあつては、イに掲げる額）

イ 旧地方税法附則第三条の四の規定の適用がないものとした場合における当該都道府県の当該各年度の個人の道府県民税の所得割の収入見込額から当該都道府県の当該各年度の個人の道府県民税の所得割の収入見込額を控除した額として自治省令で定めるところにより算定した額

ロ 旧地方税法附則第十一条の四第十三項及び第十四項の規定の適用がないものとした場合における当該都道府県の平成十年度の不動産取得税の収入見込額から当該都道府県の同年度の不動産取得税の収入見込額を控除した額として自治省令で定めるところにより算定した額

二 旧地方税法附則第三条の四の規定の適用がないものとした場合における当該市町村の当該各年度の個人の市町村民税の所得割の収入見込額から当該市町村の当該各年度の個人の市町村民税の所得割の収入見込額を控除した額として自治省令で定めるところにより算定した額

（**令和五年度から令和七年度までの間における地方債の特例等**）

第三十三条の五の二 地方公共団体は、令和五年度から令和七年度までの間に限り、第五条ただし書の規定により起こす地方債のほか、適正な財政運営を行うにつき必要とされる財源に充てるため、地方交付税法附則第六条の三第一項の規定により控除する額についての同項の規定に従つて総務省令で定める方法により算定した額の範囲内で、地方債を起こすことができる。

2 前項の規定により地方公共団体が起こすことができることとされた地方債の元利償還金に相当する額については、地方交付税法の定めるところにより、当該地方公共団体に交付すべき地方交付税の額の算定に用いる基準財政需要額に算入するものとする。

（**地方税の減収に伴う地方債の特例**）

第三十三条の五の三 地方公共団体は、当分の間、各年度において、都道府県にあつては道府県民税の法人税割及び利子割、法人の行う事業に対する事業税並びに特別法人事業譲与税の減収により、市町村にあつては市町村民税の法人税割、地方税法第七十一条の二十六の規定により市町村に対し交付するものとされる利子割に係る交付金及び同法第七十二条の七十六又は第七百三十四条第四項の規定により市町村に対し交付するものとされる法人の行う事業に対する事業税に係る交付金（第三十三条の五の九において「法人事業税交付金」という。）の減収により、第五条ただし書の規定により地方債を起こしても、なお適正な財政運営を行うにつき必要とされる財源に不足を生ずると認められる場合には、その不足額に充てるため、同条の規定にかかわらず、当該不足を生ずると認められる額として総務省令で定めるところにより算定した額の範囲内で、地方債を起こすことができる。

（**地方税法等の改正に伴う地方債の特例**）

第三十三条の五の四　地方公共団体は、当分の間、地方税法等の一部を改正する法律（平成十五年法律第九号）及び所得税法等の一部を改正する法律（平成十五年法律第八号）の施行による地方税に係る各年度の減収額を埋めるため、第五条の規定にかかわらず、当該各年度の減収額を勘案して総務省令で定めるところにより算定した額の範囲内で、地方債を起こすことができる。

（**退職手当の財源に充てるための地方債の特例**）

第三十三条の五の五　地方公共団体は、平成十八年度から令和七年度までの間に限り、当該各年度に支給すべき退職手当（都道府県にあつては市町村立学校職員給与負担法（昭和二十三年法律第百三十五号）第一条及び第二条の規定に基づき都道府県が負担する退職手当を含み、市町村にあつては当該都道府県が負担する退職手当を除く。以下この条及び第三十三条の八において同じ。）の合計額が著しく多額であることにより財政の安定が損なわれることのないよう、退職手当（公営企業に係るものを除く。）の財源に充てるため、第五条の規定にかかわらず、当該年度に支給すべき退職手当の合計額のうち著しく多額であると認められる部分として総務省令で定めるところにより算定した額の範囲内で、地方債を起こすことができる。

（**廃止前暫定措置法に係る地方債の特例**）

第三十三条の五の六　都道府県は、令和元年度に限り、地方税法等の一部を改正する等の法律（平成二十八年法律第十三号。以下この条及び第三十三条の五の十において「平成二十八年地方税法等改正法」という。）第九条の規定による廃止前の地方法人特別税等に関する暫定措置法（平成二十年法律第二十五号。以下この条において「廃止前暫定措置法」という。）第三章及び第四章並びに平成二十八年地方税法等改正法附則第三十一条第二項の規定によりなおその効力を有するものとされる廃止前暫定措置法第三章及び平成二十八年地方税法等改正法附則第三十二条の規定によりなおその効力を有するものとされる廃止前暫定措置法第四章の規定による減収額がある場合には、当該減収額を埋めるため、第五条の規定にかかわらず、当該減収額を勘案して総務省令で定めるところにより算定した額の範囲内で、地方債を起こすことができる。

（**公営企業の廃止等に係る地方債の特例**）

第三十三条の五の七　地方公共団体（都道府県、市町村及び特別区に限る。以下この条において同じ。）は、平成二十一年度から平成二十五年度まで（総務省令で定めるところにより、次の各号に掲げる行為を行うことその他の総務省令で定める事項を定めた計画を平成二十六年五月三十一日までに総務大臣に提出して、その承認を受けた地方公共団体にあつては、平成二十一年度から平成二十八年度まで）の間に限り、次の各号に掲げる行為が当該地方公共団体の将来における財政の健全な運営に資すると認められる場合には、当該各号に定める経費の財源に充てるため、第五条の規定にかかわらず、地方債を起こすことができる。

一　当該地方公共団体が経営する公営企業（地方公共団体の財政の健全化に関する法律第二条第二号イに規定する公営企業に限る。次号において同じ。）の廃止　当該廃止に伴い一般会計又は他の特別会計において一時に負担する必要がある経費として総務省令で定める経費

二　当該地方公共団体が加入する地方公共団体の組合が経営する公営企業の廃止　当該廃止に伴い当該地方公共団体が当該地方公共団体の組合に対して交付する負担金又は補助金のうち、前号に定める経費に相当する経費の財源に充てる必要があると認められるものとして総務省令で定めるもの

三　当該地方公共団体が単独で又は他の地方公共団体と共同して設立した地方道路公社又は土地開発公社（以下この号及び次号において「公社」という。）の解散又は当該公社が行う業務の一部の廃止　当該地方公共団体がその元金若しくは利子の支払を保証し、又は損失補償を行つている当該公社の借入金の償還に要する経費のうち、当該解散又は廃止を行うために当該地方公共団体が負担する必要があると認められるものとして総務省令で定めるもの及び当該解散又は廃止を行うために当該地方公共団体が当該公社に対する当該地方公共団体の貸付金であつて総務省令で定めるものに係る債務を免除する必要がある場合において当該債務を免除するため必要となる経費

四　当該地方公共団体がその借入金について損失補償を行つている法人（公社及び地方独立行政法人を除く。以下この号において同じ。）及び当該地方公共団体が貸付金

の貸付けを行つている法人の解散（破産手続その他の総務省令で定める手続によりこれらの法人が清算をする場合に限る。以下この号において同じ。）又はこれらの法人の事業の再生（再生手続その他の総務省令で定める手続によるものに限る。以下この号において同じ。）　当該地方公共団体がその借入金について損失補償を行つている法人の借入金について当該解散又は事業の再生に伴い当該地方公共団体と当該法人の債権者との損失補償に係る契約に基づき負担する必要がある損失補償に要する経費及び当該解散又は事業の再生に伴い当該地方公共団体が貸付金の貸付けを行つている法人に対する当該地方公共団体の貸付金であつて総務省令で定めるものが償還されないこととなつたため必要となる経費

2　地方公共団体は、前項の規定による地方債（当該地方債の借換えのために要する経費の財源に充てるために起こす地方債を含む。）を起こし、又は起こそうとし、若しくは起こした地方債の起債の方法、利率若しくは償還の方法を変更しようとする場合には、第五条の三第一項及び第六項並びに第五条の四第一項の規定にかかわらず、政令で定めるところにより、総務大臣又は都道府県知事の許可を受けなければならない。ただし、軽微な場合その他の総務省令で定める場合は、この限りでない。

3　地方公共団体は、前項に規定する許可の申請をしようとするときは、あらかじめ、議会の議決を経なければならない。

4　第二項に規定する許可を受けようとする地方公共団体は、第一項各号に掲げる行為により見込まれる財政の健全化の効果、第五条の三第四項第一号に規定する実質公債費比率及び同項第四号に規定する将来負担比率の将来の見通し、これらの比率を抑制するために必要な措置その他の総務省令で定める事項を定めた計画を作成し、これを第二項に規定する許可の申請書に添えて提出しなければならない。

5　第五条の三第七項（第一号に係る部分に限る。）の規定は、第二項に規定する許可を得た地方債について、同条第八項の規定は、第二項に規定する許可を得た地方債に係る元利償還に要する経費について、それぞれ準用する。

6　総務大臣は、第二項の総務大臣の許可については、地方財政審議会の意見を聴かなければならない。

7　第二項の規定により都道府県が処理することとされている事務（都道府県の行う許可に係るものに限る。）は、地方自治法第二条第九項第一号に規定する第一号法定受託事務とする。

（**公共施設等の除却に係る地方債の特例**）

第三十三条の五の八　地方公共団体は、当分の間、公共施設、公用施設その他の当該地方公共団体が所有する建築物その他の工作物（公営企業に係るものを除く。以下この条において「公共施設等」という。）の除却であつて、総務省令で定める事項を定めた当該地方公共団体における公共施設等の総合的かつ計画的な管理に関する計画に基づいて行われるものに要する経費の財源に充てるため、第五条の規定にかかわらず、地方債を起こすことができる。

（**地方税法の改正に伴う地方債の特例**）

第三十三条の五の九　地方公共団体は、当分の間、各年度において、社会保障の安定財源の確保等を図る税制の抜本的な改革を行うための地方税法及び地方交付税法の一部を改正する法律（平成二十四年法律第六十九号）、地方税法等の一部を改正する法律（平成二十六年法律第四号）及び地方税法等の一部を改正する等の法律（平成二十八年法律第十三号）の施行により、都道府県にあつては道府県民税の法人税割の減収額及び法人事業税交付金の交付額の合算額が地方消費税の増収額を超える場合には、市町村にあつては市町村民税の法人税割の減収額が法人事業税交付金の収入額及び地方消費税交付金の増収額の合算額を超える場合には、これらの減収により財政の安定が損なわれることのないよう、適正な財政運営を行うにつき必要とされる財源に充てるため、第五条の規定にかかわらず、総務省令で定めるところにより算定した額の範囲内で、地方債を起こすことができる。

（**特別法人事業税及び特別法人事業譲与税に関する法律等の施行等に伴う地方債の特例**）

第三十三条の五の十　都道府県は、当分の間、各年度において、特別法人事業税及び特別法人事業譲与税に関する法律（平成三十一年法律第四号）及び地方税法等の一部を改正する法律（平成三十一年法律第二号）の施行並びに平成二十八年地方税法等改正法附則第三十一条第二項の規定によりなおその効力を有するものとされる廃止前暫定措置法第三章の規定により、法人の行う事業に対する事業税の減収額が特別法人事業譲与税の収入額を超える場合には、これによる減収額を埋めるため、第五条の規定にかかわらず、当該減収額を勘案して総務省令で定めるところにより算定した額の範囲内で、地方債を起こすことができる。

（**河川等におけるしゆんせつ等に係る地方債の特例**）

第三十三条の五の十一　地方公共団体は、令和二年度から令和六年度までの間に限り、河川（河川法（昭和三十九年法律第百六十七号）第三条第一項に規定する河川（同法第百条の規定により同法の二級河川に関する規定が準用される河川を含む。）及び同法第百条の二第一項に規定する普通河川をいう。）、ダム（同法第三条第二項に規定する河川管理施設であるダムをいう。）、砂防設備（砂防法（明治三十

年法律第二十九号）第一条に規定する砂防設備をいう。）、治山事業（森林法（昭和二十六年法律第二百四十九号）第十条の十五第四項第四号に規定する治山事業をいう。）により設置された施設、農業用ため池（農業用ため池の管理及び保全に関する法律（平成三十一年法律第十七号）第二条第一項に規定する農業用ため池をいう。）その他総務省令で定める施設において実施されるしゆんせつ及び樹木の伐採（以下この条において「河川等におけるしゆんせつ等」という。）に係る事業であつて、総務省令で定める事項を定めた当該地方公共団体における河川等におけるしゆんせつ等に関する計画に基づいて行われるものに要する経費のうち総務省令で定めるものの財源に充てるため、第五条の規定にかかわらず、地方債を起こすことができる。

（地方税法附則第五十九条第一項の規定による徴収の猶予等に伴う地方債の特例）

第三十三条の五の十二 地方公共団体は、令和二年度及び令和三年度に限り、地方税法附則第五十九条第一項（地方税法等の一部を改正する法律（令和二年法律第二十六号）附則第二条の規定により読み替えて適用する場合を含む。）の規定による徴収の猶予をする場合及び国が新型コロナウイルス感染症等の影響に対応するための国税関係法律の臨時特例に関する法律（令和二年法律第二十五号）第三条第一項（同法附則第二条の規定により読み替えて適用する場合を含む。）の規定により読み替えて適用される国税通則法（昭和三十七年法律第六十六号）第四十六条第一項の規定による納税の猶予をする場合には、地方公共団体のこれらによる減収額を埋めるため、第五条の規定にかかわらず、当該減収額を勘案して総務省令で定めるところにより算定した額の範囲内で、地方債を起こすことができる。

（令和二年度における地方消費税等の減収に伴う地方債の特例）

第三十三条の五の十三 地方公共団体は、令和二年度に限り、都道府県にあつては地方消費税、不動産取得税、道府県たばこ税、ゴルフ場利用税、軽油引取税、地方税法第四百八十五条の十三第一項の規定により都道府県に対し交付するものとされる市町村たばこ税に係る交付金、地方揮発油譲与税及び航空機燃料譲与税の減収により、市町村にあつては市町村たばこ税、地方消費税交付金、同法第百三条の規定によりゴルフ場所在の市町村に対し交付するものとされるゴルフ場利用税に係る交付金、同法第百四十四条の六十第一項の規定により道路法（昭和二十七年法律第百八十号）第七条第三項に規定する指定市に対し交付するものとされる軽油引取税に係る交付金、地方揮発油譲与税及び航空機燃料譲与税の減収により、第五条ただし書の規定により地方債を起こしても、なお適正な財政運営を行うにつき必要とされる財源に不足を生ずると認められる場合には、その不足額に充てるため、同条の規定にかかわらず、当該不足を生ずると認められる額として総務省令で定めるところにより算定した額の範囲内で、地方債を起こすことができる。

（鉱害復旧事業に係る地方債の特例）

第三十三条の六 地方公共団体が地方公共団体以外の者が施行する鉱害復旧事業につき石炭鉱業の構造調整の完了等に伴う関係法律の整備等に関する法律（平成十二年法律第十六号。以下この条において「整備法」という。）附則第二条第一項の規定によりなおその効力を有するものとされる整備法第二条の規定による廃止前の臨時石炭鉱害復旧法（昭和二十七年法律第二百九十五号。以下この条において「旧復旧法」という。）第五十三条の規定により負担するために要する経費若しくは整備法附則第二条第三項の規定によりなお従前の例によることとされる応急工事に関し旧復旧法第五十三条の三第一項の規定により支弁するために要する経費又は都道府県が整備法附則第二条第一項若しくは第四項の規定によりなおその効力を有するものとされる旧復旧法第九十四条第二項の規定により補助金を交付するために要する経費については、第五条の規定にかかわらず、当分の間、地方債をもつてその財源とすることができる。

（国の無利子貸付金に係る地方債の特例）

第三十三条の六の二 地方公共団体は、別に法律で定めるところにより、国から日本電信電話株式会社の株式の売払収入の活用による社会資本の整備の促進に関する特別措置法（昭和六十二年法律第八十六号）第二条第一項に規定する公共的建設事業に要する費用に充てるための無利子の資金の貸付けを受ける場合に限り、当該費用のうち当該貸付けを受ける資金の額に相当する部分については、第五条の規定にかかわらず、当分の間、地方債をもつてその財源とすることができる。

（石綿健康等被害防止事業に係る地方債の特例）

第三十三条の六の三 地方公共団体が石綿による人の健康又は生活環境に係る被害の防止に資する事業で総務省令で定めるものを行うために要する経費については、第五条の規定にかかわらず、当分の間、地方債をもつてその財源とすることができる。

（地方債の許可等）

第三十三条の七 平成十七年度までの間における第五条第五号の規定の適用については、同号中「学校その他の文教施設」とあるのは、「普通税（地方消費税、道府県たばこ税、市町村たばこ税、鉱区税、特別土地保有税及び法定外普通税を除く。）の税率がいずれも標準税率以上である地方公共団体において、学校その他の文教施設」とする。

地財法

2　前項に規定する年度までの間、特別区が地方債をもつて同項の規定により読み替えられる第五条第五号に掲げる事業費及び購入費の財源とすることができる場合は、地方税法第五条第二項に掲げる税のうち同法第七百三十四条第一項及び第二項（第二号に係る部分に限る。）の規定により都が課するもの（特別土地保有税を除く。）の税率がいずれも標準税率以上である場合でなければならない。

3　第五条の三、第五条の四及び第三十条の三の規定は、第一項に規定する年度までの間、適用しない。

4　第一項に規定する年度までの間、地方公共団体は、地方債を起こし、又は起こそうとし、若しくは起こした地方債の起債の方法、利率若しくは償還の方法を変更しようとする場合には、政令で定めるところにより、総務大臣又は都道府県知事の許可を受けなければならない。ただし、軽微な場合その他の総務省令で定める場合は、この限りでない。

5　総務大臣は、前項の総務大臣の許可については、地方財政審議会の意見を聴かなければならない。

6　総務大臣又は都道府県知事が第四項の規定により許可をした地方債に係る元利償還に要する経費並びに自治大臣又は都道府県知事が中央省庁等改革関係法施行法（平成十一年法律第百六十号）第百八十条の規定による改正前の地方財政法第三十三条の七第四項及び地方分権の推進を図るための関係法律の整備等に関する法律（平成十一年法律第八十七号）第一条の規定による改正前の地方自治法第二百五十条の規定によつて許可をした地方債に係る元利償還に要する経費は、平成十八年度以後における第五条の三第八項の規定の適用については、同項に規定する地方債に係る元利償還に要する経費とみなす。

7　第四項の規定により都道府県が処理することとされている事務（都道府県の行う許可に係るものに限る。）は、地方自治法第二条第九項第一号に規定する第一号法定受託事務とする。

（退職手当の財源に充てるための地方債についての関与の特例）

第三十三条の八　地方公共団体は、平成十八年度から令和七年度までの間（次項において「特例期間」という。）に限り、退職手当の財源に充てるための地方債（当該地方債の借換えのために要する経費の財源に充てるために起こす地方債を含む。）を起こし、又は起こそうとし、若しくは起こした地方債の起債の方法、利率若しくは償還の方法を変更しようとする場合には、第五条の三第一項及び第六項並びに第五条の四第一項及び第三項の規定にかかわらず、政令で定めるところにより、総務大臣又は都道府県知事の許可を受けなければならない。ただし、軽微な場合その他の総務省令で定める場合は、この限りでない。

2　前項の許可を受けようとする地方公共団体は、当該年度以後特例期間内における各年度に支給すべき退職手当の合計額の見込額、職員の数の現況及び将来の見通し、給与の適正化に関する事項その他の総務省令で定める事項を定めた計画を作成し、これを同項に規定する許可の申請書に添えて提出しなければならない。

3　第五条の三第七項（第一号に係る部分に限る。）の規定は、第一項に規定する許可を得た地方債について、同条第八項の規定は、第一項に規定する許可を得た地方債に係る元利償還に要する経費について、それぞれ準用する。

4　総務大臣は、第一項の総務大臣の許可については、地方財政審議会の意見を聴かなければならない。

5　第一項の規定により都道府県が処理することとされている事務（都道府県の行う許可に係るものに限る。）は、地方自治法第二条第九項第一号に規定する第一号法定受託事務とする。

（地方債の許可の基準等の特例）

第三十三条の八の二　平成二十八年度における第五条の三第三項及び第十項の規定の適用については、同条第三項中「第五項まで若しくは」とあるのは「第五項まで、第三十三条の五の七第二項若しくは第三十三条の八第一項若しくは」と、同条第十項中「第五項まで」とあるのは「第五項まで、第三十三条の五の七第二項並びに第三十三条の八第一項」とする。

2　平成二十九年度から令和七年度までにおける第五条の三第三項及び第十項の規定の適用については、同条第三項中「第五項まで若しくは」とあるのは「第五項まで若しくは第三十三条の八第一項若しくは」と、同条第十項中「第五項まで」とあるのは「第五項まで並びに第三十三条の八第一項」とする。

（旧資金運用部資金等の繰上償還に係る措置）

第三十三条の九　政府は、平成二十二年度から平成二十四年度までの間に、地方公共団体に対して貸し付けられた旧資金運用部資金（資金運用部資金法等の一部を改正する法律（平成十二年法律第九十九号）第一条の規定による改正前の資金運用部資金法（昭和二十六年法律第百号）第六条第一項に規定する資金運用部資金をいう。以下この項において同じ。）若しくは旧簡易生命保険資金（旧簡易生命保険特別会計法（昭和十九年法律第十二号）第七条第一項に規定する積立金をいう。以下この項において同じ。）又は平成五年八月三十一日までに当該地方公共団体に対して貸し付けられた旧公営企業金融公庫資金（地方公共団体金融機構法（平成十九年法律第六十四号）附則第九条第一項の規定による解散前の公営企業金融公庫の資金をいう。以下この項において同じ。）のうち年利五パーセント以上のものについて繰上償還を行おうとする旨の申出があつた場合において、当該地方公共団体から行政の簡素化及び効率化に関して政令で定める事項を定めた計画が提出され、当該計画の内容が当該地方公共団体の行財政改革に相当程度資するものであり、かつ、当該計画の円滑な実施のため地方債の金利に係る負担の軽減が必要であると認めるときは、政令で定めるところにより、当該繰上償還に係る資金が旧資金運用部資金であるときは当該繰上償還に応ずるものとし、当該繰上償還に係る資金が旧簡易生命保険資金又は旧公営企業金融公庫資金であるときは独立行政法人郵便貯金簡易生命保険管理・郵便局ネットワーク支援機構又は地方公共団体金融機構に対して繰上償還に応ずるよう要請するものとする。

2　前項の場合において、政府は、繰上償還に応ずるために必要な金銭として繰上償還に係る地方債の元金償還金以外の金銭を受領しないものとする。

3　前項の規定は、独立行政法人郵便貯金簡易生命保険管理・郵便局ネットワーク支援機構又は地方公共団体金融機構が第一項の規定に基づく政府の要請により繰上償還に応ずる場合について準用する。

（地方公共団体がその全額を負担する経費の特例）

第三十四条　地方公共団体が行う引揚者への援護に要する経費については、第九条の規定にかかわらず、当分の間、国が、その経費の全部又は一部を負担する。

2　前項に規定する経費の種目、算定基準及び国と地方公共団体とが負担すべき割合は、法律又は政令で定めなければならない。

【参照条文】
※　引揚者給付金等支給法

（北海道に関する特例）

第三十五条　左に掲げる経費は、当分の間、第十条から第十条の四までの規定にかかわらず、なお、従前の例による。

一　政令で定める北海道の開発に要する経費

二　政令で定める北海道の河川、道路、砂防、港湾等の土木事業、災害応急事業及び災害復旧事業に要する経費

【参照条文】
Ⅰ【政令—令附則八1・3
Ⅱ【政令—令附則八2・3

（児童扶養手当に要する経費に係る特例）

第三十六条　児童扶養手当法の一部を改正する法律（昭和六十年法律第四十八号）附則第五条に規定する費用については、第十条の規定にかかわらず、国が、その全額を負担する。

（病床転換助成事業に要する経費に係る特例）

第三十七条　高齢者の医療の確保に関する法律（昭和五十七年法律第八十号）附則第二条に規定する政令で定める日までの間における第十条第十六号の規定の適用については、同号中「及び後期高齢者支援金」とあるのは、「、後期高齢者支援金及び病床転換支援金」とする。

（子ども手当に要する経費に係る特例）

第三十八条　平成二十三年度における子ども手当の支給等に関する特別措置法（平成二十三年法律第百七号）の規定が適用される場合における第十条第十五号の規定の適用については、同号中「児童手当」とあるのは、「児童手当及び子ども手当」とする。

附　則（昭二七・五・二三法一四七）（抄）
改正　平二一・七・一五法七九

1　この法律は、公布の日から施行する。

2　この法律施行の際、改正後の地方財政法第十条から第十条の三まで及び第三十四条第一項に規定する経費の種目、算定基準及び国と地方公共団体とが負担すべき割合並びに改正後の地方財政法第十七条の二第一項の規定に該当する場合において地方公共団体が負担すべき割合で法律又は政令で定められていないものについては、昭和二十八年三月三十一日までの間は、なお、従前の例による。

3　改正後の地方財政法第十条の四第七号に掲げる経費のうち政令で定めるものについては、当分の間、同条の規定にかかわらず、地方公共団体の負担とする。改正後の地方財政法第十一条の二の規定は、この場合について準用する。

附　則（昭二七・七・三一法二六二）（抄）

1　この法律は、自治庁設置法（昭和二十七年法律第二百六十一号）施行の日〔昭二七・八・一〕から施行する。

5　この法律施行の際現に効力を有する地方財政委員会規則又は全国選挙管理委員会規則は、この法律の施行後は、それぞれ、政令をもつて規定すべき事項を規定するものについては政令としての、総理府令をもつて規定すべき事項を規定するものについては総理府令としての効力を有するものとする。

附　則（昭三一・五・二一法九八）

この法律は、公布の日から施行する。ただし、第一条の規定による改正後の地方財政法第十条の規定中義務教育職員の恩給に係る部分は、昭和三十一年七月一日以後において退職し、又は在職中死亡した者に係る恩給から適用する。

附　則（昭三六・六・八法一一一）（抄）

1　この法律は、公布の日から施行し、改正後の地方交付税法の規定は、昭和三十六年度分の地方交付税から適用する。

3　改正前の地方財政法第三十三条第一項の規定により昭和三十五年度において地方債を起こした市町村は、改正後の地方財政法第五条の規定にかかわらず、昭和三十六年度にあつては当該地方債の額の三分の二の額、昭和三十七年度にあつては当該地方債の額の三分の一の額の地方債を起こすことがで

きる。ただし、これらの額は、政令で定める額以上であることを要するものとし、これらの額に政令で定める額未満の端数があるときは、その端数金額を切り捨てるものとする。

4 前項の規定による地方債については、国は、毎年度、当該年度分の元利償還金の額に相当する額の地方債元利補給金を当該市町村に交付するものとする。

5 附則第三項の規定による地方債は、国が資金運用部資金をもつてその金額を引き受けるものとする。

6 市町村は、附則第三項の規定による地方債を起こす場合においては、地方自治法（昭和二十二年法律第六十七号）第二百五十条の規定にかかわらず、自治大臣の許可を受けなければならない。この場合においては、自治大臣は、あらかじめ、大蔵大臣に協議しなければならない。

7 附則第三項の規定による地方債の利息の定率及び償還の方法並びに附則第四項の規定による地方債元利補給金の交付の方法その他前四項の規定の施行に関し必要な事項は、政令で定める。

8 改正前の地方財政法第三十三条第一項の規定により起こした地方債に係る地方債元利補給金の交付については、なお従前の例による。

附 則（昭四七・六・二三法九六）（抄）

（施行期日）

1 この法律は、昭和四十八年一月一日から施行する。

附 則（昭四八・四・二六法二三）（抄）

（施行期日）

第一条 この法律は、〔中略〕昭和四十八年七月一日〔中略〕から施行する。

附 則（昭四八・八・三〇法七一）（抄）

（施行期日）

第一条 この法律は、〔中略〕公布の日から起算して六月をこえない範囲内において政令で定める日〔昭四八・一二・一〕から施行する。

附 則（昭四九・三・三〇法一九）（抄）

（施行期日）

第一条 この法律は、昭和四十九年四月一日から施行する。〔ただし書略〕

附 則（昭四九・六・二二法八九）（抄）

（施行期日）

第一条 この法律は、昭和四十九年九月一日から施行する。〔ただし書略〕

附 則（昭四九・六・二五法九二）（抄）

（施行期日）

第一条 この法律は、公布の日から起算して六月を超えない範囲内において政令で定める日〔昭四九・一二・二四〕から施行する。〔ただし書略〕

附 則（昭四九・一二・二八法一一七）

この法律は、昭和五十年四月一日から施行する。

附 則（昭五〇・六・二七法四七）（抄）

（施行期日）

第一条 この法律は、昭和五十年十月一日から施行する。〔ただし書略〕

附 則（昭五一・五・一五法二〇）（抄）

1 この法律は、公布の日から施行する。

附 則（昭五一・六・一一法六五）

この法律は、公布の日から施行する。

附 則（昭五一・六・一九法六九）（抄）

（施行期日等）

第一条 この法律は、公布の日から施行する。ただし、第二条、第三条及び附則第三条から附則第五条までの規定は、公布の日から起算して一年を超えない範囲内において政令で定める日〔昭五二・二・二五〕から施行する。

2 〔略〕

附 則（昭五三・五・一法三八）（抄）

1 この法律は、公布の日から施行する。〔ただし書略〕

附 則（昭五三・五・八法四〇）（抄）

（施行期日）

第一条 この法律は、昭和五十三年十月一日から施行する。〔ただし書略〕

附 則（昭五四・三・三一法一二）（抄）

（施行期日）

第一条 この法律は、〔中略〕当該各号に定める日から施行する。

一 〔前略〕附則第二十八条の規定〔中略〕 昭和五十四年四月十六日

二・三 〔略〕

附 則（昭五七・七・一六法六六）

この法律は、昭和五十七年十月一日から施行する。

附 則（昭五七・八・一七法八〇）（抄）

（施行期日）

第一条 この法律は、公布の日から起算して一年六月を超えない範囲内において政令で定める日〔昭五八・二・一〕から施行する。〔ただし書略〕

附 則（昭五八・五・四法二八）（抄）

1 この法律は、公布の日から施行〔中略〕する。

附 則（昭五八・五・四法二九）（抄）

（施行期日等）

第一条 この法律は、〔中略〕公布の日から施行する。

附 則（昭五八・一二・二法七八）（抄）

1 この法律（第一条を除く。）は、昭和五十九年七月一日から施行する。

附 則（昭五九・八・一四法七七）（抄）

（施行期日）

第一条 この法律は、公布の日から起算して三月を超えない範囲内において政令で定める日〔昭五九・一〇・一〕から施行する。〔ただし書略〕

附 則（昭五九・九・六法七八）（抄）

（施行期日等）

第一条 この法律は、公布の日から施行し、〔中略〕昭和五十九年四月一日から適用する。

附 則（昭五九・一二・二五法八八）（抄）

（施行期日）

第一条 この法律は、昭和六十年四月一日から施行する。

（地方財政法の一部改正に伴う経過措置）

第十三条 前条の規定による改正後の地方財政法第四条の三第一項の規定は、昭和六十一年度以後の年度における同項の規定による一般財源の額の算定について適用し、昭和六十年度までにおける同項の規定による一般財源の額の算定については、なお従前の例による。

附 則（昭六〇・五・一法三四）（抄）

（施行期日）

第一条 この法律は、昭和六十一年四月一日（以下「施行日」という。）から施行する。〔ただし書略〕

附 則（昭六〇・五・一八法三七）（抄）

（施行期日等）

1 この法律は、公布の日から施行する。

附 則（昭六〇・五・三一法四四）（抄）

（施行期日）

1 この法律は、公布の日から施行する。ただし、第二条中地方財政法第三十二条の改正規定及び第三条の規定並びに附則第五項から第七項まで及び第九項の規定は、昭和六十年十月一日から施行する。

（地方財政法及び当せん金附証票法の一部改正に伴う経過措置）

5 第二条の規定による改正後の地方財政法第三十二条の規定並びに第三条の規定による改正後の当せん金付証票法第四条、第五条第二項、第七条第一項第七号、第九条第八号及び第十一条の規定は、昭和六十年十月一日以後の日を発売日の初日とする当せん金付証票について適用し、同年九月三十日以前の日を発売日の初日とする当せん金付証票については、なお従前の例による。

附 則（昭六〇・六・七法四八）（抄）

（施行期日等）

第一条 この法律は、昭和六十年八月一日から施行する。〔ただし書略〕

附 則（昭六〇・六・八法五六）（抄）

（施行期日）

第一条 この法律は、〔中略〕公布の日から施行する。

附 則（昭六一・一二・四法九四）（抄）

（施行期日）

第一条 この法律は、昭和六十二年四月一日から施行する。

（政令への委任）

第十一条 附則第二条から前条までに定めるもののほか、この法律の施行に関し必要な経過措置は、政令で定める。

（罰則に関する経過措置）

第十二条 この法律の施行前にした行為並びにこの附則の規定によりなお従前の例によることとされる地方税及びこの附則の規定によりなお効力を有することとされる旧法の規定に係る地方税に係るこの法律の施行後にした行為に対する罰則の適用については、なお従前の例による。

（地方財政法の一部改正に伴う経過措置）

第十五条 前条の規定による改正後の地方財政法第四条の三第一項の規定は、昭和六十四年度以後の年度における同項の規定による一般財源の額の算定について適用し、昭和六十三年度までにおける同項の規定による一般財源の額の算定については、なお従前の例による。

附 則（昭六二・六・一法四一）（抄）

（施行期日）

第一条 この法律は、昭和六十三年四月一日から施行する。〔後略〕

（その他の経過措置の政令への委任）

第三十一条 この附則に定めるもののほか、この法律の施行に伴い必要な経過措置は、政令で定める。

附 則（昭六二・九・二二法九五）（抄）

1 この法律は、公布の日から施行〔中略〕する。

附 則（昭六二・九・二六法九八）（抄）

（施行期日）

第一条 この法律は、公布の日から起算して一年を超えない範囲内において政令で定める日〔昭六三・七・一〕から施行する。〔ただし書略〕

附 則（昭六三・五・二〇法四八）（抄）

1 この法律は、公布の日から施行〔中略〕する。

附 則（昭六三・一二・三〇法一一〇）（抄）

（施行期日）

第一条 この法律は、昭和六十四年四月一日から施行する。〔ただし書略〕

附 則（昭六三・一二・三〇法一一一）（抄）

（施行期日）

第一条 この法律は、昭和六十四年四月一日から施行する。

附 則（平元・四・一〇法二二）（抄）

（施行期日等）

1 この法律は、公布の日から施行する。

附 則（平二・六・二二法三七）（抄）

1 この法律は、公布の日から施行し、第一条の規定による改正後の地方交付税法の規定は、平成二年度分の地方交付税から適用する。

附 則（平四・三・三一法二〇）（抄）

（施行期日）

1 この法律は平成四年四月一日から施行する。

附 則（平四・六・三法六七）（抄）

（施行期日）

第一条 この法律は、平成五年四月一日から施行する。〔ただし書略〕

附 則（平五・三・三一法八）（抄）

（施行期日等）

1 この法律は、平成五年四月一日から施行する。

附 則（平五・六・一四法六三）

この法律は、商法等の一部を改正する法律の施行の日〔平五・一〇・一〕から施行する。

附 則（平六・三・三一法一五）（抄）

（施行期日）

第一条 この法律は、平成六年四月一日から施行する。〔ただし書略〕

附 則（平六・六・二九法四九）（抄）

（施行期日）

1 この法律中、〔中略〕第二章の規定は地方自治法の一部を改正する法律中地方自治法第三編第三章の改正規定の施行の日〔平七・六・一五〕から施行する。

附 則（平六・六・二九法五六）（抄）

（施行期日）

第一条 この法律は、平成六年十月一日から施行する。〔ただし

書略〕

附　則（平六・七・一法八四）（抄）

（施行期日）

第一条　この法律は、〔中略〕平成九年四月一日から施行する。

附　則（平六・一二・二法一一一）（抄）

（施行期日）

第一条　この法律は、平成七年四月一日から施行する。ただし、次の各号に掲げる規定〔第二条の規定〕は、当該各号に定める日〔平七・一・一〕から施行する。

（地方財政法の一部改正に伴う経過措置）

第十八条　前条の規定による改正後の地方財政法第四条の三第一項の規定は、平成九年度以後の年度における同項の規定による一般財源の額の算定について適用し、平成八年度における同項の規定による一般財源の額の算定については、なお従前の例による。この場合において、平成九年度における同項の規定による一般財源の額の算定については、同項中「地方交付税の額の合算額」とあるのは、「地方交付税の額の合算額に地方税法等の一部を改正する法律（平成六年法律第百十一号）附則第十四条第一項の規定により譲与される廃止前の消費譲与税に相当する額を加えた額」とする。

附　則（平七・三・二三法四一）（抄）

（施行期日）

第一条　この法律は、公布の日から施行する。

附　則（平七・三・三一法五四）（抄）

（施行期日）

第一条　この法律は、平成八年四月一日から施行する。

附　則（平七・五・一九法九四）（抄）

（施行期日）

第一条　この法律は、平成七年七月一日から施行する。〔ただし書略〕

附　則（平八・三・三一法一二）（抄）

（施行期日）

第一条　この法律は、平成八年四月一日から施行する。〔ただし書略〕

附　則（平八・三・三一法二八）（抄）

（施行期日）

第一条　この法律は、平成八年四月一日から施行する。

附　則（平九・三・二八法一〇）（抄）

（施行期日）

第一条　この法律は、公布の日から施行する。

附　則（平九・一二・一七法一二四）（抄）

この法律は、介護保険法の施行の日〔平一二・四・一〕から施行する。〔ただし書略〕

附　則（平一〇・一・三〇法二）

この法律は、公布の日から施行する。

附　則（平一〇・三・三一法三〇）（抄）

第一条　この法律は、平成十年四月一日から施行する。

附　則（平一〇・五・八法五四）（抄）

（施行期日）

第一条　この法律は、平成十二年四月一日から施行する。〔ただし書略〕

（地方財政法の一部改正に伴う経過措置）

第三条　第二条の規定による改正後の地方財政法第四条の三第一項の規定は、平成十三年度以後の年度における同項の規定による一般財源の額の算定について適用し、平成十二年度までにおける同項の規定による一般財源の額の算定については、なお従前の例による。

附　則（平一〇・五・二九法八五）

この法律は、平成十年五月三十一日から施行する。

附　則（平一〇・六・一七法一〇九）（抄）

（施行期日）

第一条　この法律は、公布の日から施行する。〔ただし書略〕

附　則（平一〇・九・二八法一一〇）

この法律は、平成十一年四月一日から施行する。

附　則（平一〇・一〇・二法一一四）（抄）

（施行期日）

第一条　この法律は、平成十一年四月一日から施行する。〔ただし書略〕

附　則（平一一・三・三一法一五）（抄）

（施行期日）

第一条　この法律は、平成十一年四月一日から施行する。〔ただし書略〕

附　則（平一一・七・一六法八七）（抄）

（施行期日）

第一条　この法律は、平成十二年四月一日から施行する。〔ただし書略〕

（地方財政法の一部改正に伴う経過措置）

第百五十条　第四百五十七条の規定による改正後の地方財政法第三十三条の七第四項の規定は、平成十二年度の地方債から適用する。

附　則（平一一・一二・二二法一六〇）（抄）

（施行期日）

第一条　この法律〔中略〕は、平成十三年一月六日から施行する。〔ただし書略〕

附　則（平一二・三・三一法一六）（抄）

（施行期日）

第一条　この法律は、公布の日から施行する。ただし、〔中略〕附則〔中略〕第十二条、〔中略〕の規定は平成十四年三月三十一日から、〔中略〕施行する。

附　則（平一三・三・三〇法九）（抄）

（施行期日）

第一条　この法律は、公布の日から施行する。ただし、第三条のうち地方財政法第十条の改正規定中第一号の四を削り、第一号の三を第三号とし、第一号の二を第二号とする部分〔中略〕の規定は、平成十四年四月一日から施行する。

（地方財政法等の一部改正に伴う経過措置）

第四条　第三条の規定（附則第一条ただし書に規定する改正規定を除く。）による改正後の地方財政法の規定、附則第八条の規定による改正後の地域保健法（昭和二十二年法律第百一号）の規定、附則第十一条の規定による改正後の産業教育振興法（昭和二十六年法律第二百二十八号）の規定及び附則第十四条の規定による改正後の売春防止法（昭和三十一年法律第百十八号）の規定は、平成十三年度以降の年度の予算に係る国の負担又は補助（平成十二年度以前の年度における事務又は事業の実施により平成十三年度以降の年度に支出される国の負担及び平成十二年度以前の年度の国庫債務負担行為に基づき平成十三年度以降の年度に支出すべきものとされた国の負担を除く。）について適用し、平成十二年度以前の年度における事務又は事業の実施により平成十三年度以降の年度に支出される国の負担、平成十二年度以前の年度の国庫債務負担行為に基づき平成十三年度以降の年度に支出すべきものとされた国の負担及び平成十二年度以前の年度の歳出予算に係る国の負担で平成十三年度以降の年度に繰り越されたものについては、なお従前の例による。

附　則（平一四・二・八法一）（抄）

（施行期日）

第一条　この法律は、公布の日から施行する。

附　則（平一四・七・三一法九八）（抄）

（施行期日）

第一条　この法律は、公社法の施行の日（平一五・四・一）から施行する。〔ただし書略〕

（地方財政法の一部改正に伴う経過措置）

第十条　第四十四条の規定による改正後の地方財政法第四条の三第一項の規定は、平成十六年度以後の年度における同項の規定による一般財源の額の算定について適用し、平成十五年度までにおける同項の規定による一般財源の額の算定については、なお従前の例による。

附　則（平一四・八・二法一〇二）（抄）

（施行期日）

第一条　この法律は、平成十四年十月一日から施行する。ただし、附則〔中略〕第七十七条の規定は平成十五年四月一日から〔中略〕施行する。

附　則（平一五・二・五法一）

この法律は、公布の日から施行する。

附　則（平一五・三・三一法九）（抄）

（施行期日）

第一条　この法律は、平成十五年四月一日から施行する。〔ただし書略〕

附　則（平一五・三・三一法一〇）（抄）

（施行期日）

第一条　この法律は、公布の日から施行する。〔ただし書略〕

附　則（平一五・三・三一法一二）（抄）

（施行期日）

第一条　この法律は、平成十五年四月一日から施行する。

附　則（平一五・六・一八法八四）（抄）

（施行期日）

第一条　この法律〔中略〕は、次の各号に掲げる規定は、当該各号に定める日から施行する。

一　〔前略〕附則第五条の規定　平成十六年四月一日

附　則（平一六・三・三一法一六）（抄）

（施行期日）

第一条　この法律は、平成十六年四月一日から施行する。

附　則（平一六・三・三一法一七）（抄）

（施行期日）

第一条　この法律は、平成十六年四月一日から施行する。〔ただし書略〕

附　則（平一六・三・三一法一八）（抄）

（施行期日）

第一条　この法律は、公布の日から施行する。

附　則（平一六・三・三一法二一）（抄）

（施行期日）

第一条　この法律は、平成十六年四月一日から施行する。

附　則（平一六・六・一八法一一二）（抄）

（施行期日）

第一条　この法律は、公布の日から起算して三月を超えない範囲内において政令で定める日（平一六・九・一七）から施行する。

附　則（平一七・三・三一法一二）（抄）

（施行期日）

第一条　この法律は、公布の日から施行する。〔ただし書略〕

附　則（平一七・四・一法二五）（抄）

（施行期日）

第一条　この法律は、平成十七年四月一日から施行する。

附　則（平一七・七・二六法八七）（抄）

この法律は、会社法の施行の日（平一八・五・一）から施行する。〔ただし書略〕

附　則（平一七・一〇・二一法一〇二）（抄）

（施行期日）

第一条　この法律は、郵政民営化法の施行の日（平一九・一〇・一）から施行する。〔ただし書略〕

附　則（平一八・二・一〇法五）（抄）

（施行期日）

第一条　この法律は、公布の日から起算して八月を超えない範囲内において政令で定める日（平一八・一〇・一）から施行する。ただし、次の各号に掲げる規定は、当該各号に定める日から施行する。

一　第二条の規定　公布の日

二　〔略〕

附　則（平一八・三・三一法八）（抄）

（施行期日）

第一条　この法律は、平成十八年四月一日から施行する。〔ただし書略〕

附　則（平一八・三・三一法一八）（抄）

（施行期日）

第一条　この法律は、平成十八年四月一日から施行する。

附　則（平一八・三・三一法二〇）（抄）

（施行期日）

第一条　この法律は、平成十八年四月一日から施行する。

附　則（平一八・六・七法五三）（抄）

（施行期日）

第一条　この法律は、平成十九年四月一日から施行する。ただし、次の各号に掲げる規定は、当該各号に定める日から施行する。〔略〕

一　〔略〕

二　〔前略〕附則第二十二条〔中略〕の規定　公布の日から起算して一年を超えない範囲内において政令で定める日〔平一八・一二・二四〕

附　則（平一八・六・二一法八〇）（抄）

（施行期日）

第一条　この法律は、平成十九年四月一日から施行する。

地財法

附　則（平一八・六・二一法八三）（抄）

（施行期日）

第一条　この法律は、平成十八年十月一日から施行する。ただし、次の各号に掲げる規定は、それぞれ当該各号に定める日から施行する。

一　〔前略〕附則〔中略〕第百二十四条〔中略〕の規定　公布の日

二・三　〔略〕

四　〔前略〕附則〔中略〕　第百二十六条〔中略〕の規定　平成二十年四月一日

五・六〔略〕

附　則（平一八・一二・八法一〇六）（抄）

（施行期日）

第一条　この法律は、公布の日から起算して六月を超えない範囲内において政令で定める日（平一九・六・一）から施行する。ただし、〔中略〕附則第十四条から第二十三条までの規定は、平成十九年四月一日から施行する。

附　則（平一八・一二・二二法一一八）（抄）

（施行期日）

第一条　この法律は、公布の日から起算して三月を超えない範囲内において政令で定める日（平一九・一・九）から施行する。〔ただし書略〕

附　則（平一九・三・三一法二四）（抄）

（施行期日）

第一条　この法律は、平成十九年四月一日から施行する。ただし、附則第五条の規定は、平成二十年四月一日から施行する。

（地方財政法の一部改正に伴う経過措置）

第五条　平成二十年度及び平成二十一年度に限り、第三条の規定による改正後の地方財政法第三十三条の九の規定は、旧簡易生命保険資金（旧簡易生命保険特別会計法（昭和十九年法律第十二号）第七条第一項に規定する積立金をいう。）について準用する。この場合において、同条第一項中「同じ。」とあるのは「同じ。」若しくは旧簡易生命保険資金（旧簡易生命保険特別会計法（昭和十九年法律第十二号）第七条第一項に規定する積立金をいう。以下この項において同じ。）」と、「公営企業金融公庫の資金であるときは公営企業金融公庫」とあるのは「旧簡易生命保険資金又は公営企業金融公庫の資金であるときは独立行政法人郵便貯金・簡易生命保険管理機構（第三項において「機構」という。）又は公営企業金融公庫」と、同条第三項中「公営企業金融公庫」とあるのは「機構又は公営企業金融公庫」と読み替えるものとする。

附　則（平一九・五・三〇法六四）（抄）

（施行期日）

第一条　この法律は、公布の日から施行する。ただし、〔中略〕附則〔中略〕第三十一条から第三十四条まで〔中略〕の規定は、平成二十年十月一日から施行する。

附　則（平一九・六・二二法九四）（抄）

（施行期日）

第一条　この法律は、平成二十一年四月一日から施行する。〔ただし書略〕

附　則（平二〇・二・一四法四）

この法律は、公布の日から施行する。

附　則（平二〇・四・三〇法二五）（抄）

（施行期日）

第一条　この法律は、平成二十年十月一日から施行する。

附　則（平二〇・五・二八法四一）（抄）

（施行期日）

第一条　この法律は、公布の日から起算して三月を超えない範囲内において政令で定める日（平二〇・八・二七）から施行する。

附　則（平二一・三・三一法九）（抄）

（施行期日）

第一条　この法律は、平成二十一年四月一日から施行する。〔ただし書略〕

（地方財政法の一部改正に伴う経過措置）

第二十一条　前条の規定による改正後の地方財政法（次項において「新地方財政法」という。）第四条の三第一項の規定は、平成二十一年度以後の年度における同項の規定による一般財源の額の算定について適用し、平成二十年度までにおける同項の規定による一般財源の額の算定については、なお従前の例による。

2　平成二十一年度及び平成二十二年度に限り、地方特例交付金等の地方財政の特別措置に関する法律（平成十一年法律第十七号）第十条の規定により読み替えられた新地方財政法第四条の三第一項の規定の適用については、同項中「普通税、地方特例交付金、地方揮発油譲与税、石油ガス譲与税、自動車重量譲与税」とあるのは、「普通税（自動車取得税及び軽油引取税を除く。）、地方特例交付金」とする。

附　則（平二一・三・三一法一〇）（抄）

（施行期日）

第一条　この法律は、平成二十一年四月一日から施行する。ただし、〔中略〕附則〔中略〕第七条から第十五条までの規定は、公布の日から起算して三月を超えない範囲内において政令で定める日（平二一・六・一）から施行する。

附　則（平二一・六・二四法五七）（抄）

（施行期日）

第一条　この法律は、公布の日から起算して六月を超えない範囲内において政令で定める日（平二一・一二・一五）から施行する。

附　則（平二一・七・一五法七九）（抄）

（施行期日）

第一条　この法律は、公布の日から起算して三年を超えない範囲内において政令で定める日（平二四・七・九）から施行する。〔ただし書略〕

附　則（平二二・三・三一法五）（抄）

（施行期日）

第一条　この法律は、平成二十二年四月一日から施行する。

附　則（平二二・三・三一法一八）（抄）

（施行期日）

1　この法律は、平成二十二年四月一日から施行する。

附　則（平二二・三・三一法一九）（抄）

（施行期日）

第一条　この法律は、平成二十二年四月一日から施行する。〔ただし書略〕

附　則（平二二・五・一九法三五）（抄）

（施行期日）

第一条　この法律は、公布の日から施行する。〔ただし書略〕

附　則（平二三・三・三一法五）（抄）

（施行期日）

第一条　この法律は、平成二十三年四月一日から施行する。〔ただし書略〕

附　則（平二三・三・三一法一四）（抄）

（施行期日）

第一条　この法律は、平成二十三年四月一日（この法律の公布の日が同月一日後となる場合には、公布の日）から施行する。

附　則（平二三・五・二法三五）（抄）

（施行期日）

第一条　この法律は、公布の日から起算して三月を超えない範囲内において政令で定める日〔平二三・八・一〕から施行する。〔ただし書略〕

附　則（平二三・八・三〇法一〇五）（抄）

（施行期日）

第一条　この法律は、公布の日から施行する。ただし、次の各号に掲げる規定は、当該各号に定める日から施行する。

一～五　〔略〕

六　〔前略〕第十五条〔中略〕並びに附則第十四条〔中略〕の規定　公布の日から起算して一年を超えない範囲内において政令で定める日〔平二四・二・一〕

（地方財政法の一部改正に伴う経過措置）

第十四条　第十五条の規定による改正後の地方財政法の規定は、附則第一条第六号に掲げる規定の施行の日の属する年度の翌年度の地方債から適用し、当該年度の前年度以前の年度の地方債については、なお従前の例による。

附　則（平二三・八・三〇法一〇七）（抄）

（施行期日）

第一条　この法律は、平成二十三年十月一日から施行する。〔ただし書略〕

附　則（平二四・三・三一法二四）（抄）

（施行期日）

第一条　この法律は、平成二十四年四月一日から施行する。〔ただし書略〕

附　則（平二四・四・六法二八）（抄）

（施行期日）

第一条　この法律は、公布の日から施行する。ただし、〔中略〕附則第六条の規定は、平成二十七年四月一日から施行する。

附　則（平二四・五・一一法三一）（抄）

（施行期日）

第一条　この法律は、公布の日から起算して一年を超えない範囲内において政令で定める日〔平二五・四・一三〕から施行する。

附　則（平二四・八・二二法六七）（抄）

この法律は、子ども・子育て支援法の施行の日〔平二七・四・一〕から施行する。〔ただし書略〕

附　則（平二五・三・三〇法三）（抄）

（施行期日）

第一条　この法律は、平成二十五年四月一日から施行する。ただし、次の各号に掲げる規定は、当該各号に定める日から施行する。

一・二　〔略〕

三　〔前略〕附則〔中略〕第十八条〔中略〕の規定　平成二十八年一月一日

四～九　〔略〕

附　則（平二五・一二・四法九〇）（抄）

（施行期日）

第一条　この法律は、平成二十六年四月一日から施行する。

附　則（平二五・一二・一三法一〇五）（抄）

最終改正　平三〇・六・八法四四

（施行期日）

第一条　この法律は、平成二十七年四月一日から施行する。〔ただし書略〕

附　則（平二六・三・三一法五）（抄）

（施行期日）

第一条　この法律は、平成二十六年四月一日から施行する。〔ただし書略〕

附　則（平二六・五・三〇法四七）（抄）

（施行期日）

第一条　この法律は、平成二十七年一月一日から施行する。〔ただし書略〕

附　則（平二六・五・三〇法五〇）（抄）

（施行期日）

第一条　この法律は、平成二十七年一月一日から施行する。〔ただし書略〕

附　則（平二六・六・二五法八三）（抄）

（施行期日）

第一条　この法律は、公布の日又は平成二十六年四月一日のいずれか遅い日から施行する。〔ただし書略〕

附　則（平二七・三・三一法三）（抄）

（施行期日）

第一条　この法律は、平成二十七年四月一日から施行する。

附　則（平二七・五・二九法三一）（抄）

（施行期日）

第一条　この法律は、平成三十年四月一日から施行する。〔ただし書略〕

附　則（平二八・三・三一法一三）（抄）

最終改正　令二・三・三一法五

（施行期日）

第一条　この法律は、平成二十八年四月一日から施行する。ただし、次の各号に掲げる規定は、当該各号に定める日から施行する。

一～五の二　〔略〕

五の三　第七条（次号に掲げる改正規定を除く。）〔中略〕の規定　平成三十一年四月一日

五の四　〔前略〕第七条中地方財政法第三十三条の四第一項の改正規定及び同法第三十三条の五の八の次に一条を加える改正規定〔中略〕　令和元年十月一日

五の四の二　〔略〕

五の五　第七条の二〔中略〕の規定　令和二年四月一日

六～十五　〔略〕

附　則（平二八・三・三一法一四）（抄）

（施行期日）

第一条　この法律は、平成二十八年四月一日から施行する。〔ただし書略〕

附　則（平二九・三・三一法三）（抄）

（施行期日）

第一条　この法律は、平成二十九年四月一日から施行する。〔ただし書略〕

附　則（平三〇・六・八法四一）（抄）

（施行期日）

第一条　この法律は、公布の日から起算して六月を超えない範囲内において政令で定める日〔平三〇・一二・一〕から施行する。ただし、次の各号に掲げる規定は、当該各号に定める日から施行する。

一　〔略〕

二　〔前略〕附則第四条から第八条まで〔中略〕の規定　平成三十一年四月一日

附　則（平三一・三・二九法四）（抄）

改正　令二・三・三一法五

（施行期日）

第一条　この法律は、令和元年十月一日から施行する。ただし、次の各号に掲げる規定は、当該各号に定める日から施行する。

一　附則第二十四条の規定　公布の日

二　附則第十一条（地方財政法（昭和二十三年法律第百九号）第四条の三第一項及び第三十三条の五の三の改正規定に限る。）、第十二条第一項〔中略〕の規定　平成三十二年四月一日

（地方財政法の一部改正に伴う経過措置）

第十二条　前条の規定による改正後の地方財政法（次項において「新地方財政法」という。）第四条の三第一項の規定は、平成三十二年度以後の年度における同項の規定による一般財源の額の算定について適用し、平成三十一年度までにおける前条の規定による改正前の地方財政法第四条の三第一項の規定による一般財源の額の算定については、なお従前の例による。

2　施行日から平成三十二年三月三十一日までの間における新地方財政法第三十三条の五の六及び第三十三条の五の十の規定の適用については、新地方財政法第三十三条の五の六中「この条及び第三十三条の五の十」とあるのは「この条」と、新地方財政法第三十三条の五の十中「施行並びに平成二十八年地方税法等改正法附則第三十一条第二項の規定によりなおその効力を有するものとされる廃止前暫定措置法第三章の規定」とあるのは「施行」とする。

附　則（令元・五・一七法七）（抄）

（施行期日）

第一条　この法律は、平成三十一年十月一日から施行する。〔ただし書略〕

附　則（令元・五・一七法八）（抄）

（施行期日）

第一条　この法律は、社会保障の安定財源の確保等を図る税制の抜本的な改革を行うための消費税法の一部を改正する等の法律（平成二十四年法律第六十八号）附則第一条第二号に掲げる規定の施行の日〔平三一（令元）・一〇・一〕の属する年の翌年の四月一日までの間において政令で定める日〔令二・四・一〕から施行する。〔ただし書略〕

附　則（令二・三・三一法六）（抄）

（施行期日）

第一条　この法律は、令和二年四月一日から施行する。

附　則（令二・四・三〇法二六）（抄）

（施行期日）

第一条　この法律は、公布の日から施行する。〔ただし書略〕

附　則（令三・二・三法三）

この法律は、公布の日から施行する。

附　則（令三・二・三法五）（抄）

（施行期日）

第一条　この法律は、公布の日から起算して十日を経過した日から施行する。〔ただし書略〕

附　則（令三・三・三一法八）（抄）

（施行期日）

第一条　この法律は、令和三年四月一日から施行する。

附　則（令三・六・一一法六六）（抄）

（施行期日）

第一条　この法律は、令和四年一月一日から施行する。ただし、次の各号に掲げる規定は、当該各号に定める日から施行する。

一　〔略〕

二　〔前略〕附則〔中略〕第十七条〔中略〕の規定〔中略〕　令和四年四月一日

三～六　〔略〕

附　則（令四・五・二五法五二）（抄）

（施行期日）

第一条　この法律は、令和六年四月一日から施行する。〔ただし書略〕

附　則（令五・三・三一法二）（抄）

（施行期日）

第一条　この法律は、令和五年四月一日から施行する。

附　則（令五・五・一九法三一）（抄）

（施行期日）

第一条　この法律は、令和六年四月一日から施行する。ただし、次の各号に掲げる規定は、当該各号に定める日から施行する。

一・二　〔略〕

三　〔前略〕附則〔中略〕第二十五条の規定　令和六年一月一日

四～七　〔略〕

附　則（令五・一二・六法八三）（抄）

（施行期日）

第一条　この法律は、公布の日から施行する。

附　則（令六・六・一二法四七）（抄）

（施行期日）

第一条　この法律は、令和六年十月一日から施行する。ただし、次の各号に掲げる規定は、当該各号に定める日から施行する。

一～三　〔略〕

四　次に掲げる規定　令和七年四月一日

イ～ト　〔略〕

チ　附則第二十二条中地方財政法（昭和二十三年法律第百

九号）第十条第三十三号の改正規定（「子どものための教育・保育給付」を「妊婦のための支援給付に要する経費、子どものための教育・保育給付」に改める部分に限る。）
リ〜ツ 〔略〕
五 次に掲げる規定 令和八年四月一日
イ〜チ 〔略〕
リ 附則第二十二条中地方財政法第十条第三十三号の改正規定（「子どものための教育・保育給付」を「妊婦のための支援給付に要する経費、子どものための教育・保育給付」に改める部分を除く。）
ヌ〜ネ 〔略〕
六 〔略〕

○地方公共団体の手数料の標準に関する政令

平一二・一・二一
政令一六

最終改正　令六・六・二八政令二三八

地方自治法第二百二十八条第一項の手数料について全国的に統一して定めることが特に必要と認められるものとして政令で定める事務（以下「標準事務」という。）は、次の表の上欄に掲げる事務とし、同項の当該標準事務に係る事務のうち政令で定めるもの（以下「手数料を徴収する事務」という。）は、同表の上欄に掲げる標準事務についてそれぞれ同表の中欄に掲げる事務とし、同項の政令で定める金額は、同表の中欄に掲げる手数料を徴収する事務についてそれぞれ同表の下欄に掲げる金額とする。

標準事務	手数料を徴収する事務	金額
一　削除		
二　削除		
三　削除		
四　削除		
五　削除		
六　船員法第百四条第一項の規定により市町村が処理する事務に関する政令（昭和二十八年政令第二百六十号）第一項第三号の規定に基づく船員手帳に関する事務	1　船員法第百四条第一項の規定により市町村が処理する事務に関する政令第一項第三号の規定に基づく船員手帳の交付	千九百五十円
	2　船員法第百四条第一項の規定により市町村が処理する事務に関する政令第一項第三号の規定に基づく船員手帳の再交付	千九百五十円
	3　船員法第百四条第一項の規定により市町村が処理する事務に関する政令第一項第三号の規定に基づく船員手帳の書換え	千九百五十円
	4　船員法第百四条第一項の規定により市町村が処理する事務に関する政令第一項第三号の規定に基づく船員手帳の訂正	四百三十円
七　児童福祉法（昭和二十二年法律第百六十四号）第十八条の八第二項の規定に基づく保育士試験の実施に関する事務	1　児童福祉法第十八条の八第二項の規定に基づく保育士試験の実施	一万二千七百円
	2　児童福祉法施行令（昭和二十三年政令第七十四号）第二十一条の規定に基づく内閣府令の規定による保育士試験の全部の免除の申請に対する審査	二千四百円
七の二　児童福祉法第十八条の十八第三項並びに児童福祉法施行令第十七条第一項及び第十八条第一項の規定に基づく保育士の登録に関する事務	1　児童福祉法第十八条の十八第三項の規定に基づく保育士の登録の申請に対する審査	四千二百円
	2　児童福祉法施行令第十七条第一項の規定に基づく保育士登録証の書換え交付	千六百円

	3 児童福祉法施行令第十八条第一項の規定に基づく保育士登録証の再交付	千百円
八 戸籍法（昭和二十二年法律第二百二十四号）第十条第一項及び第十条の二第一項から第五項まで（これらの規定を同法第十二条の二において準用する場合を含む。）、第四十八条第一項及び第二項（これらの規定を同法第百十七条において準用する場合を含む。）、第百二十条第一項、第百二十条の二第一項、第百二十条の三第一項及び第二項、第百二十条の六第一項並びに第百二十六条の規定に基づく戸籍に関する事務	1 戸籍法第十条第一項、第十条の二第一項から第五項まで若しくは第百二十六条の規定に基づく戸籍の謄本若しくは抄本の交付又は同法第百二十条第一項、第百二十条の二第一項若しくは第百二十六条の規定に基づく戸籍証明書の交付	一通につき四百五十円
	2 戸籍法第十条第一項、第十条の二第一項から第五項まで又は第百二十六条の規定に基づく戸籍に記載した事項に関する証明書の交付	証明事項一件につき三百五十円
	3 戸籍法第百二十条の三第二項の規定に基づく戸籍電子証明書提供用識別符号の発行（情報通信技術を活用した行政の推進等に関する法律（平成十四年法律第百五十一号）第七条第一項の規定により同法第六条第一項に規定する電子情報処理組織を使用する方法（総務省令で定めるものに限る。以下この項において同じ。）により戸籍電子証明書提供用識別符号の発行を行う場合（当該発行に係る戸籍電子証明書の請求が同条第一項の規定により同項に規定する電子情報処理組織を使用する方法により行われた場合に限る。）における当該発行及び戸籍電子証明書提供用識別符号の発行に係る戸籍電子証明書の請求を行う者が同時に当該戸籍電子証明書が証明する事項と同一の事項を証明する戸籍の謄本若しくは抄本又は戸籍証明書の請求を行う場合における当該発行を除く。）	戸籍電子証明書提供用識別符号一件につき四百円
	4 戸籍法第十二条の二において準用する同法第十条第一項若しくは第十条の二第一項から第五項までの規定若しくは同法第百二十六条の規定に基づく除かれた戸籍の謄本若しくは抄本の交付又は同法第百二十条第一項、第百二十条の二第一項若しくは第百二十六条の規定に基づく除籍証明書の交付	一通につき七百五十円
	5 戸籍法第十二条の二において準用する同法第十条第一項若しくは第十条の二第一項から第五項までの規定又は同法第百二十六条の規定に基づく除かれた戸籍に記載した事項に関する証明書の交付	証明事項一件につき四百五十円
	6 戸籍法第百二十条の三第二項の規定に基づく除籍電子証	除籍電子証明書提供用識別符号一件につき七百円

	明書提供用識別符号の発行（情報通信技術を活用した行政の推進等に関する法律第七条第一項の規定により同法第六条第一項に規定する電子情報処理組織を使用する方法により除籍電子証明書提供用識別符号の発行を行う場合（当該発行に係る除籍電子証明書の請求が同項の規定により同項に規定する電子情報処理組織を使用する方法により行われた場合に限る。）における当該発行及び除籍電子証明書提供用識別符号の発行に係る除籍電子証明書の請求を行う者が同時に当該除籍電子証明書が証明する事項と同一の事項を証明する除かれた戸籍の謄本若しくは抄本又は除籍証明書の請求を行う場合における当該発行を除く。）	
	7　戸籍法第四十八条第一項（同法第百十七条において準用する場合を含む。）の規定に基づく届出若しくは申請の受理の証明書の交付、同法第四十八条第二項（同法第百十七条において準用する場合を含む。）若しくは第百二十六条の規定に基づく届書その他市町村長の受理した書類に記載した事項の証明書の交付又は同法第百二十条の六第一項の規定に基づく届書等情報の内容の証明書の交付	一通につき三百五十円（婚姻、離婚、養子縁組、養子離縁又は認知の届出の受理について、請求により法務省令で定める様式による上質紙を用いる場合にあっては、一通につき千四百円）
	8　戸籍法第四十八条第二項（同法第百十七条において準用する場合を含む。）の規定に基づく届書その他市町村長の受理した書類を閲覧に供する事務又は同法第百二十条の六第一項の規定に基づく届書等情報の内容を表示したものを閲覧に供する事務	書類又は届書等情報の内容を表示したもの一件につき三百五十円
九　風俗営業等の規制及び業務の適正化等に関する法律（昭和二十三年法律第百二十二号）第五条第四項の規定に基づく許可証の再交付又は同法第九条第四項の規定に基づく許可証の書換えに関する事務	1　風俗営業等の規制及び業務の適正化等に関する法律第五条第四項の規定に基づく許可証の再交付	千二百円
	2　風俗営業等の規制及び業務の適正化等に関する法律第九条第四項の規定に基づく許可証の書換え	千五百円
十　風俗営業等の規制及び業務の適正化等に関する法律第七条第一項及び第五項の規定に基づく風俗営業の相続に係る承認に関する事務	風俗営業等の規制及び業務の適正化等に関する法律第七条第一項の規定に基づく風俗営業の相続に係る承認の申請に対する審査	九千円（当該申請を行う者が当該都道府県において同時に他の風俗営業等の規制及び業務の適正化等に関する法律第七条第一項の規定に基づく承認の申請を行う場合における当該他の同項の規定に基づく承認の申請に係る審査にあっては、三千八百円）
十一　風俗営業等の規制及び業務の適正化等に関する法律第七条の二	風俗営業等の規制及び業務の適正化等に関する法律第七条の二第一項の規定に基づく風俗営業	一万二千円（当該申請を行う者が当該都道府県において同時に他の風俗営業等の規制及び業務の適正

第一項及び同条第三項において準用する同法第七条第五項の規定に基づく風俗営業者たる法人の合併に係る承認に関する事務	者たる法人の合併に係る承認の申請に対する審査	化等に関する法律第七条の二第一項の規定に基づく承認の申請を行う場合における当該他の同項の規定に基づく承認の申請に係る審査にあっては、三千八百円）
十一の二　風俗営業等の規制及び業務の適正化等に関する法律第七条の三第一項及び同条第三項において準用する同法第七条第五項の規定に基づく風俗営業者たる法人の分割に係る承認に関する事務	風俗営業等の規制及び業務の適正化等に関する法律第七条の三第一項の規定に基づく風俗営業者たる法人の分割に係る承認の申請に対する審査	一万二千円（当該申請を行う者が当該都道府県において同時に他の風俗営業等の規制及び業務の適正化等に関する法律第七条の三第一項の規定に基づく承認の申請を行う場合における当該他の同項の規定に基づく承認の申請に係る審査にあっては、三千八百円）
十二　風俗営業等の規制及び業務の適正化等に関する法律第九条第一項の規定に基づく営業所の構造又は設備の変更の承認に関する事務	風俗営業等の規制及び業務の適正化等に関する法律第九条第一項の規定に基づく営業所の構造又は設備の変更の承認の申請に対する審査	九千九百円
十三　風俗営業等の規制及び業務の適正化等に関する法律第十条の二第一項、第三項及び第五項の規定に基づく特例風俗営業者の認定に関する事務	1　風俗営業等の規制及び業務の適正化等に関する法律第十条の二第一項の規定に基づく特例風俗営業者の認定の申請に対する審査	一万三千円（当該申請を行う者が当該都道府県において同時に他の風俗営業等の規制及び業務の適正化等に関する法律第十条の二第一項の規定に基づく認定の申請を行う場合における当該他の同項の規定に基づく認定の申請に係る審査にあっては、一万円）
	2　風俗営業等の規制及び業務の適正化等に関する法律第十条の二第五項の規定に基づく認定証の再交付	千二百円
十四　風俗営業等の規制及び業務の適正化等に関する法律第二十四条第六項の規定に基づく営業所の管理者に対する講習に関する事務	風俗営業等の規制及び業務の適正化等に関する法律第二十四条第六項の規定に基づく営業所の管理者に対する講習	講習一時間につき六百五十円
十四の二　風俗営業等の規制及び業務の適正化等に関する法律第二十七条第四項（同法第三十一条の十二第二項において準用する場合を含む。）又は第三十一条の二第四項（同法第三十一条の七第二項及び第三十一条の十七第二項において準用する場合を含む。）の規定に基づく届出書の提出があった旨を記載した書面の交付に関する事務	1　風俗営業等の規制及び業務の適正化等に関する法律第二十七条第四項（同法第三十一条の十二第二項において準用する場合を含む。）又は第三十一条の二第四項（同法第三十一条の七第二項及び第三十一条の十七第二項において準用する場合を含む。）の規定に基づく同法第二十七条第一項、第三十一条の二第一項、第三十一条の七第一項、第三十一条の十二第一項又は第三十一条の十七第一項の届出書の提出があった旨を記載した書面の交付	次に掲げる当該書面の交付を受ける者の区分に応じ、それぞれ次に定める金額 イ　風俗営業等の規制及び業務の適正化等に関する法律第二条第六項又は第九項の営業を営もうとする者　一万千九百円 ロ　風俗営業等の規制及び業務の適正化等に関する法律第二条第七項第一号の営業を営もうとする者で当該営業につき受付所を設けようとするもの　三千四百円と八千五百円に受付所の数を乗じて得た額との合計額 ハ　風俗営業等の規制及び業務の適正化等に関する法律第二条第七項、第八項若しくは第十項の営業を営もうとする者（ロに掲げる者を除く。）又は風俗営業等の規制及び業務の適正化等に関する法律の一部を改正する法律（平成十七年法律第百十九号）附則第三条第二項の規定により風俗営業等の規制及び業務の適正化等に関する法律第二十七条

事務	手数料を徴収する事務	金額
		第一項、第三十一条の二第一項、第三十一条の七第一項、第三十一条の十二第一項若しくは第三十一条の十七第一項の届出書を提出したものとみなされる者　三千四百円
	2　風俗営業等の規制及び業務の適正化等に関する法律第二十七条第四項（同法第三十一条の十二第二項において準用する場合を含む。）又は第三十一条の二第四項（同法第三十一条の七第二項及び第三十一条の十七第二項において準用する場合を含む。）の規定に基づく同法第二十七条第二項（同法第三十一条の十二第二項において準用する場合を含む。）又は第三十一条の二第二項（同法第三十一条の七第二項及び第三十一条の十七第二項において準用する場合を含む。）の届出書の提出があった旨を記載した書面の交付	イ　変更に係る事項が受付所の新設に係るものである場合　千九百円と八千五百円に当該新設に係る受付所の数を乗じて得た額との合計額 ロ　その他の場合　千五百円
	3　風俗営業等の規制及び業務の適正化等に関する法律第二十七条第四項（同法第三十一条の十二第二項において準用する場合を含む。）又は第三十一条の二第四項（同法第三十一条の七第二項及び第三十一条の十七第二項において準用する場合を含む。）の規定に基づく届出書の提出があった旨を記載した書面の再交付	千二百円
十四の三　風俗営業等の規制及び業務の適正化等に関する法律第三十一条の二十二の規定に基づく特定遊興飲食店営業の許可に関する事務	風俗営業等の規制及び業務の適正化等に関する法律第三十一条の二十二の規定に基づく特定遊興飲食店営業の許可の申請に対する審査	次に掲げる当該審査の区分に応じ、それぞれ次に定める金額（当該申請を行う者が当該都道府県において同時に他の風俗営業等の規制及び業務の適正化等に関する法律第三十一条の二十二の規定に基づく許可の申請を行う場合における当該他の同条の規定に基づく許可の申請に係る審査にあっては、それぞれ当該金額から八千七百円を減じた金額） イ　三月以内の期間を限って営む風俗営業等の規制及び業務の適正化等に関する法律第三十一条の二十二の規定に基づく特定遊興飲食店営業の許可の申請に係る審査　一万四千円（同法第三十一条の二十三において準用する同法第四条第三項の規定が適用される営業所につき当該申請を行う場合における当該申請に係る審査にあっては、二万八百円） ロ　その他の審査　二万四千円（風俗営業等の規制及び業務の適正化等に関する法律第三十一条の二十三において準用する同法第四条第三項の規定が適用される営業所につき同法第三十一条の二十二の規定に基づく許可の申請を行う場合における当該申請に係る審査にあっては、三

事務	審査	金額
		万八百円）
十四の四　風俗営業等の規制及び業務の適正化等に関する法律第三十一条の二十三において準用する同法第五条第四項の規定に基づく許可証の再交付又は同法第三十一条の二十三において準用する同法第九条第四項の規定に基づく許可証の書換えに関する事務	1　風俗営業等の規制及び業務の適正化等に関する法律第三十一条の二十三において準用する同法第五条第四項の規定に基づく許可証の再交付	千百円
	2　風俗営業等の規制及び業務の適正化等に関する法律第三十一条の二十三において準用する同法第九条第四項の規定に基づく許可証の書換え	千四百円
十四の五　風俗営業等の規制及び業務の適正化等に関する法律第三十一条の二十三において準用する同法第七条第一項及び第五項の規定に基づく特定遊興飲食店営業の相続に係る承認に関する事務	風俗営業等の規制及び業務の適正化等に関する法律第三十一条の二十三において準用する同法第七条第一項の規定に基づく特定遊興飲食店営業の相続に係る承認の申請に対する審査	八千七百円（当該申請を行う者が当該都道府県において同時に他の風俗営業等の規制及び業務の適正化等に関する法律第三十一条の二十三において準用する同法第七条第一項の規定に基づく承認の申請を行う場合における当該他の同項の規定に基づく承認の申請に係る審査にあっては、三千八百円）
十四の六　風俗営業等の規制及び業務の適正化等に関する法律第三十一条の二十三において準用する同法第七条の二第一項及び同法第三十一条の二十三において準用する同法第七条の二第三項において準用する同法第七条第五項の規定に基づく特定遊興飲食店営業者たる法人の合併に係る承認に関する事務	風俗営業等の規制及び業務の適正化等に関する法律第三十一条の二十三において準用する同法第七条の二第一項の規定に基づく特定遊興飲食店営業者たる法人の合併に係る承認の申請に対する審査	一万二千円（当該申請を行う者が当該都道府県において同時に他の風俗営業等の規制及び業務の適正化等に関する法律第三十一条の二十三において準用する同法第七条の二第一項の規定に基づく承認の申請を行う場合における当該他の同項の規定に基づく承認の申請に係る審査にあっては、三千三百円）
十四の七　風俗営業等の規制及び業務の適正化等に関する法律第三十一条の二十三において準用する同法第七条の三第一項及び同法第三十一条の二十三において準用する同法第七条の三第三項において準用する同法第七条第五項の規定に基づく特定遊興飲食店営業者たる法人の分割に係る承認に関する事務	風俗営業等の規制及び業務の適正化等に関する法律第三十一条の二十三において準用する同法第七条の三第一項の規定に基づく特定遊興飲食店営業者たる法人の分割に係る承認の申請に対する審査	一万二千円（当該申請を行う者が当該都道府県において同時に他の風俗営業等の規制及び業務の適正化等に関する法律第三十一条の二十三において準用する同法第七条の三第一項の規定に基づく承認の申請を行う場合における当該他の同項の規定に基づく承認の申請に係る審査にあっては、三千三百円）
十四の八　風俗営業等の規制及び業務の適正化等に関する法律第三十一条の二十三において準用する同法第九条第一項の規定に基づく営業所の構造又は設備の変更の承認に関する事務	風俗営業等の規制及び業務の適正化等に関する法律第三十一条の二十三において準用する同法第九条第一項の規定に基づく営業所の構造又は設備の変更の承認の申請に対する審査	九千九百円
十四の九　風俗営業等の規制及び業務の適正化等に関する法律第三十一条の二十三において準用する同法第十条の	1　風俗営業等の規制及び業務の適正化等に関する法律第三十一条の二十三において準用する同法第十条の二第一項の規定に基づく特例特定遊興飲	一万三千円（当該申請を行う者が当該都道府県において同時に他の風俗営業等の規制及び業務の適正化等に関する法律第三十一条の二十三において準用する同法第十条

事務	手数料を徴収する事務	金額
二第一項、第三項及び第五項の規定に基づく特例特定遊興飲食店営業者の認定に関する事務	食店営業者の認定の申請に対する審査	の二第一項の規定に基づく認定の申請を行う場合における当該他の同項の規定に基づく認定の申請に係る審査にあっては、一万円）
	2 風俗営業等の規制及び業務の適正化等に関する法律第三十一条の二十三において準用する同法第十条の二第五項の規定に基づく認定証の再交付	千百円
十四の十 風俗営業等の規制及び業務の適正化等に関する法律第三十一条の二十三において準用する同法第二十四条第六項の規定に基づく営業所の管理者に対する講習に関する事務	風俗営業等の規制及び業務の適正化等に関する法律第三十一条の二十三において準用する同法第二十四条第六項の規定に基づく営業所の管理者に対する講習	講習一時間につき六百五十円
十五 消防法（昭和二十三年法律第百八十六号）第十条第一項ただし書の規定に基づく指定数量以上の危険物を仮に貯蔵し、又は取り扱う場合の承認に関する事務	消防法第十条第一項ただし書の規定に基づく指定数量以上の危険物を仮に貯蔵し、又は取り扱う場合の承認の申請に対する審査	五千四百円
十六 消防法第十一条第一項前段の規定に基づく危険物の製造所、貯蔵所又は取扱所の設置の許可に関する事務	1 消防法第十一条第一項前段の規定に基づく製造所の設置の許可の申請に対する審査	イ 指定数量の倍数が十以下の製造所の設置の許可の申請に係る審査 三万九千円 ロ 指定数量の倍数が十を超え五十以下の製造所の設置の許可の申請に係る審査 五万二千円 ハ 指定数量の倍数が五十を超え百以下の製造所の設置の許可の申請に係る審査 六万六千円 ニ 指定数量の倍数が百を超え二百以下の製造所の設置の許可の申請に係る審査 七万七千円 ホ 指定数量の倍数が二百を超える製造所の設置の許可の申請に係る審査 九万二千円
	2 消防法第十一条第一項前段の規定に基づく貯蔵所の設置の許可の申請に対する審査	イ 屋内貯蔵所の設置の許可の申請に係る審査 次に掲げる屋内貯蔵所の区分に応じ、それぞれ次に定める金額 (1) 指定数量の倍数が十以下の屋内貯蔵所 二万円 (2) 指定数量の倍数が十を超え五十以下の屋内貯蔵所 二万六千円 (3) 指定数量の倍数が五十を超え百以下の屋内貯蔵所 三万九千円 (4) 指定数量の倍数が百を超え二百以下の屋内貯蔵所 五万二千円 (5) 指定数量の倍数が二百を超える屋内貯蔵所 六万六千円 ロ 屋外タンク貯蔵所（特定屋外タンク貯蔵所、準特定屋外タンク貯蔵所及び岩盤タンクに係る屋外タンク貯蔵所を除く。）の設置の許可の申請に係る審査 次に掲げる屋外タンク貯蔵所の区分に応じ、それぞれ次に定める金額

(1) 指定数量の倍数が百以下の屋外タンク貯蔵所　二万円

(2) 指定数量の倍数が百を超え一万以下の屋外タンク貯蔵所　二万六千円

(3) 指定数量の倍数が一万を超える屋外タンク貯蔵所　三万九千円

ハ　準特定屋外タンク貯蔵所（岩盤タンクに係る屋外タンク貯蔵所を除く。）の設置の許可の申請に係る審査　五十七万円

ニ　特定屋外タンク貯蔵所（浮き屋根を有する特定屋外貯蔵タンクのうち総務省令で定めるものに係る特定屋外タンク貯蔵所（ホにおいて「浮き屋根式特定屋外タンク貯蔵所」という。）、浮き蓋付きの特定屋外貯蔵タンクのうち総務省令で定めるものに係る特定屋外タンク貯蔵所（ホにおいて「浮き蓋付特定屋外タンク貯蔵所」という。）及び岩盤タンクに係る屋外タンク貯蔵所を除く。）の設置の許可の申請に係る審査　次に掲げる特定屋外タンク貯蔵所の区分に応じ、それぞれ次に定める金額

(1) 危険物の貯蔵最大数量が千キロリットル以上五千キロリットル未満の特定屋外タンク貯蔵所　八十八万円

(2) 危険物の貯蔵最大数量が五千キロリットル以上一万キロリットル未満の特定屋外タンク貯蔵所　百七万円

(3) 危険物の貯蔵最大数量が一万キロリットル以上五万キロリットル未満の特定屋外タンク貯蔵所　百二十万円

(4) 危険物の貯蔵最大数量が五万キロリットル以上十万キロリットル未満の特定屋外タンク貯蔵所　百五十二万円

(5) 危険物の貯蔵最大数量が十万キロリットル以上二十万キロリットル未満の特定屋外タンク貯蔵所　百七十八万円

(6) 危険物の貯蔵最大数量が二十万キロリットル以上三十万キロリットル未満の特定屋外タンク貯蔵所　四百七万円

(7) 危険物の貯蔵最大数量が三十万キロリットル以上四十万キロリットル未満の特定屋外タンク貯蔵所　五百三十四万円

(8) 危険物の貯蔵最大数量が四十万キロリットル以上の特定屋外タンク貯蔵所　六百四十九万円

ホ　浮き屋根式特定屋外タンク貯蔵所及び浮き蓋付特定屋外タンク貯蔵所の設置の許可の申請に係る審査　次に掲げる浮き屋根式特定屋外タンク貯蔵所及び浮き蓋付特定屋外タンク貯蔵所の区分に応じ、それぞれ次に定める金額

(1) 危険物の貯蔵最大数量が千

キロリットル以上五千キロリットル未満の浮き屋根式特定屋外タンク貯蔵所及び浮き蓋付特定屋外タンク貯蔵所　百四十五万円

(2) 危険物の貯蔵最大数量が五千キロリットル以上一万キロリットル未満の浮き屋根式特定屋外タンク貯蔵所及び浮き蓋付特定屋外タンク貯蔵所　百七十二万円

(3) 危険物の貯蔵最大数量が一万キロリットル以上五万キロリットル未満の浮き屋根式特定屋外タンク貯蔵所及び浮き蓋付特定屋外タンク貯蔵所　百九十二万円

(4) 危険物の貯蔵最大数量が五万キロリットル以上十万キロリットル未満の浮き屋根式特定屋外タンク貯蔵所及び浮き蓋付特定屋外タンク貯蔵所　二百三十六万円

(5) 危険物の貯蔵最大数量が十万キロリットル以上二十万キロリットル未満の浮き屋根式特定屋外タンク貯蔵所及び浮き蓋付特定屋外タンク貯蔵所　二百七十四万円

(6) 危険物の貯蔵最大数量が二十万キロリットル以上三十万キロリットル未満の浮き屋根式特定屋外タンク貯蔵所及び浮き蓋付特定屋外タンク貯蔵所　五百六十四万円

(7) 危険物の貯蔵最大数量が三十万キロリットル以上四十万キロリットル未満の浮き屋根式特定屋外タンク貯蔵所及び浮き蓋付特定屋外タンク貯蔵所　七百二十四万円

(8) 危険物の貯蔵最大数量が四十万キロリットル以上の浮き屋根式特定屋外タンク貯蔵所及び浮き蓋付特定屋外タンク貯蔵所　八百七十九万円

へ　岩盤タンクに係る屋外タンク貯蔵所の設置の許可の申請に係る審査　次に掲げる屋外タンク貯蔵所の区分に応じ、それぞれ次に定める金額

(1) 危険物の貯蔵最大数量が四十万キロリットル未満の屋外タンク貯蔵所　五百九十三万円

(2) 危険物の貯蔵最大数量が四十万キロリットル以上五十万キロリットル未満の屋外タンク貯蔵所　七百四十七万円

(3) 危険物の貯蔵最大数量が五十万キロリットル以上の屋外タンク貯蔵所　千九十万円

ト　屋内タンク貯蔵所の設置の許可の申請に係る審査　二万六千円

チ　地下タンク貯蔵所の設置の許可の申請に係る審査　次に掲げる地下タンク貯蔵所の区分に応じ、それぞれ次に定める金額

(1) 指定数量の倍数が百以下の

地下タンク貯蔵所　二万六千円

(2) 指定数量の倍数が百を超える地下タンク貯蔵所　三万九千円

リ 簡易タンク貯蔵所の設置の許可の申請に係る審査　一万三千円

ヌ 移動タンク貯蔵所（ルに規定する移動タンク貯蔵所を除く。）の設置の許可の申請に係る審査　二万六千円

ル 積載式移動タンク貯蔵所又は航空機若しくは船舶の燃料タンクに直接給油するための給油設備を備えた移動タンク貯蔵所の設置の許可の申請に係る審査　三万九千円

ヲ 屋外貯蔵所の設置の許可の申請に係る審査　一万三千円

3 消防法第十一条第一項前段の規定に基づく取扱所の設置の許可の申請に対する審査

イ 給油取扱所（屋内給油取扱所を除く。）の設置の許可の申請に係る審査　五万二千円

ロ 屋内給油取扱所の設置の許可の申請に係る審査　六万六千円

ハ 第一種販売取扱所の設置の許可の申請に係る審査　二万六千円

ニ 第二種販売取扱所の設置の許可の申請に係る審査　三万三千円

ホ 移送取扱所の設置の許可の申請に係る審査　次に掲げる移送取扱所の区分に応じ、それぞれ次に定める金額

(1) 危険物を移送するための配管の延長（当該配管の起点又は終点が二以上ある場合には、任意の起点から任意の終点までの当該配管の延長のうち最大のもの。以下この項から十八の項まで及び二十二の項において同じ。）が十五キロメートル以下の移送取扱所（危険物を移送するための配管に係る最大常用圧力が〇・九五メガパスカル以上のものであって、かつ、危険物を移送するための配管の延長が七キロメートル以上のものを除く。）　二万千円

(2) 危険物を移送するための配管に係る最大常用圧力が〇・九五メガパスカル以上であって、かつ、危険物を移送するための配管の延長が七キロメートル以上十五キロメートル以下の移送取扱所　八万七千円

(3) 危険物を移送するための配管の延長が十五キロメートルを超える移送取扱所　八万七千円に危険物を移送するための配管の延長が十五キロメートル又は十五キロメートルに満たない端数を増すごとに二万二千円を加えた金額

ヘ 一般取扱所の設置の許可の申請に係る審査　次に掲げる一般

		取扱所の区分に応じ、それぞれ次に定める金額 (1) 指定数量の倍数が十以下の一般取扱所 三万九千円 (2) 指定数量の倍数が十を超え五十以下の一般取扱所 五万二千円 (3) 指定数量の倍数が五十を超え百以下の一般取扱所 六万六千円 (4) 指定数量の倍数が百を超え二百以下の一般取扱所 七万七千円 (5) 指定数量の倍数が二百を超える一般取扱所 九万二千円
十七 消防法第十一条第一項後段の規定に基づく危険物の製造所、貯蔵所又は取扱所の位置、構造又は設備の変更の許可に関する事務	1 消防法第十一条第一項後段の規定に基づく製造所の位置、構造又は設備の変更の許可の申請に対する審査	十六の項の1の下欄に掲げる製造所の区分に応じ、それぞれ当該手数料の金額の二分の一に相当する金額
	2 消防法第十一条第一項後段の規定に基づく貯蔵所の位置、構造又は設備の変更の許可の申請に対する審査	十六の項の2の下欄に掲げる貯蔵所の区分（特定屋外タンク貯蔵所、準特定屋外タンク貯蔵所又は岩盤タンクに係る屋外タンク貯蔵所にあっては、総務省令で定める場合には、十六の項の2のロに掲げる屋外タンク貯蔵所の区分）に応じ、それぞれ当該手数料の金額の二分の一に相当する金額
	3 消防法第十一条第一項後段の規定に基づく取扱所の位置、構造又は設備の変更の許可の申請に対する審査	十六の項の3の下欄に掲げる取扱所の区分に応じ、それぞれ当該手数料の金額の二分の一に相当する金額
十八 消防法第十一条第五項及び危険物の規制に関する政令（昭和三十四年政令第三百六号）第八条第三項の規定に基づく危険物の製造所、貯蔵所又は取扱所の完成検査に関する事務	1 消防法第十一条第五項の規定に基づく製造所の設置の許可に係る完成検査	十六の項の1の下欄に掲げる製造所の区分に応じ、それぞれ当該手数料の金額の二分の一に相当する金額
	2 消防法第十一条第五項の規定に基づく貯蔵所の設置の許可に係る完成検査	イ 屋外タンク貯蔵所にあっては、十六の項の2のロに掲げる屋外タンク貯蔵所の区分に応じ、それぞれ当該手数料の金額の二分の一に相当する金額 ロ その他の貯蔵所にあっては、十六の項の2の下欄に掲げる貯蔵所の区分に応じ、それぞれ当該手数料の金額の二分の一に相当する金額
	3 消防法第十一条第五項の規定に基づく取扱所の設置の許可に係る完成検査	十六の項の3の下欄に掲げる取扱所の区分に応じ、それぞれ当該手数料の金額の二分の一に相当する金額
	4 消防法第十一条第五項の規定に基づく製造所の位置、構造又は設備の変更の許可に係る完成検査	十六の項の1の下欄に掲げる製造所の区分に応じ、それぞれ当該手数料の金額の四分の一に相当する金額
	5 消防法第十一条第五項の規定に基づく貯蔵所の位置、構造又は設備の変更の許可に係る完成検査	イ 屋外タンク貯蔵所にあっては、十六の項の2のロに掲げる屋外タンク貯蔵所の区分に応じ、それぞれ当該手数料の金額の四分の一に相当する金額 ロ その他の貯蔵所にあっては、十六の項の2の下欄に掲げる貯蔵所の区分に応じ、それぞれ当

		該手数料の金額の四分の一に相当する金額
	6　消防法第十一条第五項の規定に基づく取扱所の位置、構造又は設備の変更の許可に係る完成検査	十六の項の3の下欄に掲げる取扱所の区分に応じ、それぞれ当該手数料の金額の四分の一に相当する金額
十九　消防法第十一条第五項ただし書の規定に基づく危険物の製造所、貯蔵所又は取扱所の仮使用の承認に関する事務	消防法第十一条第五項ただし書の規定に基づく製造所、貯蔵所又は取扱所の仮使用の承認の申請に対する審査	五千四百円
二十　消防法第十一条の二第一項及び危険物の規制に関する政令第八条の二第七項の規定に基づく危険物の製造所、貯蔵所又は取扱所の完成検査前検査に関する事務	1　消防法第十一条の二第一項の規定に基づく製造所、貯蔵所又は取扱所の設置の許可に係る完成検査前検査	イ　水張検査　次に掲げるタンクの区分に応じ、それぞれ次に定める金額 (1)　容量一万リットル以下のタンク　六千円 (2)　容量一万リットルを超え百万リットル以下のタンク　一万千円 (3)　容量百万リットルを超え二百万リットル以下のタンク　一万五千円 (4)　容量二百万リットルを超えるタンク　一万五千円に百万リットル又は百万リットルに満たない端数を増すごとに四千四百円を加えた金額 ロ　水圧検査　次に掲げるタンクの区分に応じ、それぞれ次に定める金額 (1)　容量六百リットル以下のタンク　六千円 (2)　容量六百リットルを超え一万リットル以下のタンク　一万千円 (3)　容量一万リットルを超え二万リットル以下のタンク　一万五千円 (4)　容量二万リットルを超えるタンク　一万五千円に一万リットル又は一万リットルに満たない端数を増すごとに四千四百円を加えた金額 ハ　基礎・地盤検査　次に掲げる特定屋外タンク貯蔵所の区分に応じ、それぞれ次に定める金額 (1)　危険物の貯蔵最大数量が千キロリットル以上五千キロリットル未満の特定屋外タンク貯蔵所　四十二万円 (2)　危険物の貯蔵最大数量が五千キロリットル以上一万キロリットル未満の特定屋外タンク貯蔵所　五十六万円 (3)　危険物の貯蔵最大数量が一万キロリットル以上五万キロリットル未満の特定屋外タンク貯蔵所　七十三万円 (4)　危険物の貯蔵最大数量が五万キロリットル以上十万キロリットル未満の特定屋外タンク貯蔵所　九十六万円 (5)　危険物の貯蔵最大数量が十万キロリットル以上二十万キロリットル未満の特定屋外タンク貯蔵所　百九万円

(6)　危険物の貯蔵最大数量が二十万キロリットル以上三十万キロリットル未満の特定屋外タンク貯蔵所　百六十六万円
(7)　危険物の貯蔵最大数量が三十万キロリットル以上四十万キロリットル未満の特定屋外タンク貯蔵所　百九十万円
(8)　危険物の貯蔵最大数量が四十万キロリットル以上の特定屋外タンク貯蔵所　二百十二万円
ニ　溶接部検査　次に掲げる特定屋外タンク貯蔵所の区分に応じ、それぞれ次に定める金額
(1)　危険物の貯蔵最大数量が千キロリットル以上五千キロリットル未満の特定屋外タンク貯蔵所　五十三万円
(2)　危険物の貯蔵最大数量が五千キロリットル以上一万キロリットル未満の特定屋外タンク貯蔵所　六十八万円
(3)　危険物の貯蔵最大数量が一万キロリットル以上五万キロリットル未満の特定屋外タンク貯蔵所　百三万円
(4)　危険物の貯蔵最大数量が五万キロリットル以上十万キロリットル未満の特定屋外タンク貯蔵所　百四十一万円
(5)　危険物の貯蔵最大数量が十万キロリットル以上二十万キロリットル未満の特定屋外タンク貯蔵所　百七十八万円

(6)　危険物の貯蔵最大数量が二十万キロリットル以上三十万キロリットル未満の特定屋外タンク貯蔵所　三百四十三万円
(7)　危険物の貯蔵最大数量が三十万キロリットル以上四十万キロリットル未満の特定屋外タンク貯蔵所　四百十九万円
(8)　危険物の貯蔵最大数量が四十万キロリットル以上の特定屋外タンク貯蔵所　四百八十万円
ホ　岩盤タンク検査　次に掲げる屋外タンク貯蔵所の区分に応じ、それぞれ次に定める金額
(1)　危険物の貯蔵最大数量が四十万キロリットル未満の屋外タンク貯蔵所　九百三十二万円
(2)　危険物の貯蔵最大数量が四十万キロリットル以上五十万キロリットル未満の屋外タンク貯蔵所　千二百六十万円
(3)　危険物の貯蔵最大数量が五十万キロリットル以上の屋外タンク貯蔵所　千七百三十万円

2　消防法第十一条の二第一項の規定に基づく製造所、貯蔵所又は取扱所の位置、構造又は設備の変更の許可に係る完成検査前検査		イ　水張検査　この項の1のイに掲げるタンクの区分に応じ、それぞれ当該手数料の金額と同一の金額 ロ　水圧検査　この項の1のロに掲げるタンクの区分に応じ、そ

事務	手数料を徴収する事務	金額
		れぞれ当該手数料の金額と同一の金額 ハ 基礎・地盤検査 この項の1のハに掲げる特定屋外タンク貯蔵所の区分に応じ、それぞれ当該手数料の金額の二分の一に相当する金額 ニ 溶接部検査 この項の1のニに掲げる特定屋外タンク貯蔵所の区分に応じ、それぞれ当該手数料の金額の二分の一に相当する金額 ホ 岩盤タンク検査 この項の1のホに掲げる屋外タンク貯蔵所の区分に応じ、それぞれ当該手数料の金額の二分の一に相当する金額
二十一 消防法第十三条の二第三項、第十三条の三第三項及び第十三条の二十三並びに危険物の規制に関する政令第三十四条及び第三十五条第一項の規定に基づく危険物取扱者に関する事務	1 消防法第十三条の二第三項の規定に基づく危険物取扱者免状の交付	二千九百円
	2 危険物の規制に関する政令第三十四条の規定に基づく危険物取扱者免状の書換え	七百円（危険物の規制に関する政令第三十三条第五号に掲げる事項に係る書換えにあっては、総務省令で定める金額）
	3 危険物の規制に関する政令第三十五条第一項の規定に基づく危険物取扱者免状の再交付	千九百円
	4 消防法第十三条の三第三項の規定に基づく危険物取扱者試験の実施	イ 甲種危険物取扱者試験 七千二百円 ロ 乙種危険物取扱者試験 五千三百円 ハ 丙種危険物取扱者試験 四千二百円
	5 消防法第十三条の二十三の規定に基づく危険物の取扱作業の保安に関する講習	五千三百円
二十二 消防法第十四条の三第一項及び第二項の規定に基づく特定屋外タンク貯蔵所又は移送取扱所の保安に関する検査に関する事務	消防法第十四条の三第一項又は第二項の規定に基づく特定屋外タンク貯蔵所又は移送取扱所の保安に関する検査	イ 特定屋外タンク貯蔵所（岩盤タンクに係る屋外タンク貯蔵所を除く。）の保安に関する検査 次に掲げる特定屋外タンク貯蔵所の区分に応じ、それぞれ次に定める金額 (1) 危険物の貯蔵最大数量が千キロリットル以上五千キロリットル未満の特定屋外タンク貯蔵所 三十二万円 (2) 危険物の貯蔵最大数量が五千キロリットル以上一万キロリットル未満の特定屋外タンク貯蔵所 四十六万円 (3) 危険物の貯蔵最大数量が一万キロリットル以上五万キロリットル未満の特定屋外タンク貯蔵所 七十五万円 (4) 危険物の貯蔵最大数量が五万キロリットル以上十万キロリットル未満の特定屋外タンク貯蔵所 百二万円 (5) 危険物の貯蔵最大数量が十万キロリットル以上二十万キロリットル未満の特定屋外タンク貯蔵所 百三十万円 (6) 危険物の貯蔵最大数量が二

		十万キロリットル以上三十万キロリットル未満の特定屋外タンク貯蔵所　三百十五万円 (7)　危険物の貯蔵最大数量が三十万キロリットル以上四十万キロリットル未満の特定屋外タンク貯蔵所　三百八十七万円 (8)　危険物の貯蔵最大数量が四十万キロリットル以上の特定屋外タンク貯蔵所　四百四十六万円 ロ　岩盤タンクに係る特定屋外タンク貯蔵所の保安に関する検査　次に掲げる特定屋外タンク貯蔵所の区分に応じ、それぞれ次に定める金額 (1)　危険物の貯蔵最大数量が千キロリットル以上四十万キロリットル未満の特定屋外タンク貯蔵所　二百六十九万円 (2)　危険物の貯蔵最大数量が四十万キロリットル以上五十万キロリットル未満の特定屋外タンク貯蔵所　三百二十三万円 (3)　危険物の貯蔵最大数量が五十万キロリットル以上の特定屋外タンク貯蔵所　四百八十三万円 ハ　移送取扱所の保安に関する検査　次に掲げる移送取扱所の区分に応じ、それぞれ次に定める金額 (1)　危険物を移送するための配管に係る最大常用圧力が〇・九五メガパスカル以上であって、かつ、危険物を移送するための配管の延長が七キロメートル以上十五キロメートル以下の移送取扱所　七万円 (2)　危険物を移送するための配管の延長が十五キロメートルを超える移送取扱所　七万円に危険物を移送するための配管の延長が十五キロメートル又は十五キロメートルに満たない端数を増すごとに一万七千円を加えた金額
二十三　消防法第十七条の七第一項、第十七条の八第三項及び第十七条の十並びに消防法施行令（昭和三十六年政令第三十七号）第三十六条の五及び第三十六条の六第一項の規定に基づく消防設備士に関する事務	1　消防法第十七条の七第一項の規定に基づく消防設備士免状の交付	二千九百円
	2　消防法施行令第三十六条の五の規定に基づく消防設備士免状の書換え	七百円（消防法施行令第三十六条の四第五号に掲げる事項に係る書換えにあっては、総務省令で定める金額）
	3　消防法施行令第三十六条の六第一項の規定に基づく消防設備士免状の再交付	千九百円
	4　消防法第十七条の八第三項の規定に基づく消防設備士試験の実施	イ　甲種消防設備士試験　六千六百円 ロ　乙種消防設備士試験　四千四百円
	5　消防法第十七条の十の規定に基づく工事整備対象設備等	七千円

	の工事又は整備に関する講習	
二十四 保健師助産師看護師法（昭和二十三年法律第二百三号）第十八条及び第二十八条（これらの規定を同法第六十条第一項において準用する場合を含む。）の規定に基づく准看護師試験に関する事務	1 保健師助産師看護師法第十八条（同法第六十条第一項において準用する場合を含む。）の規定に基づく准看護師試験の実施	六千九百円
	2 保健師助産師看護師法第十八条及び第二十八条（これらの規定を同法第六十条第一項において準用する場合を含む。）の規定に基づく准看護師試験合格証明書の交付	三千円
二十五 建設業法（昭和二十四年法律第百号）第三条第一項及び第三項の規定に基づく建設業の許可に関する事務	1 建設業法第三条第一項の規定に基づく建設業の許可の申請に対する審査	九万円（既に他の建設業について当該都道府県知事がした許可と建設業法第三条第一項各号に掲げる区分を同じくする建設業の許可の申請に係る審査にあっては、五万円）
	2 建設業法第三条第三項の規定に基づく建設業の許可の更新の申請に対する審査	五万円
二十六 建設業法第二十五条第二項の規定に基づく建設工事の請負契約に関する紛争に係るあっせん、調停及び仲裁に関する事務	1 建設業法第二十五条第二項の規定に基づくあっせん	あっせんを求める事項の価額（価額を算定することができないときは、五百万円とみなす。）に応じて、次に定めるところにより算出して得た金額（あっせんを求める事項の価額が増加するときは、増加後の価額に応じて算出して得た額から増加前の価額に応じて算出して得た額を控除した金額） イ あっせんを求める事項の価額が百万円まで 一万円 ロ あっせんを求める事項の価額が百万円を超え五百万円までの部分 その価額一万円までごとに 二十円 ハ あっせんを求める事項の価額が五百万円を超え二千五百万円までの部分 その価額一万円までごとに 十五円 ニ あっせんを求める事項の価額が二千五百万円を超える部分 その価額一万円までごとに 十円
	2 建設業法第二十五条第二項の規定に基づく調停	調停を求める事項の価額（価額を算定することができないときは、五百万円とみなす。）に応じて、次に定めるところにより算出して得た金額（調停を求める事項の価額が増加するときは、増加後の価額に応じて算出して得た額から増加前の価額に応じて算出して得た額を控除した金額） イ 調停を求める事項の価額が百万円まで 二万円 ロ 調停を求める事項の価額が百万円を超え五百万円までの部分 その価額一万円までごとに 四十円 ハ 調停を求める事項の価額が五百万円を超え一億円までの部分 その価額一万円までごとに 二十五円 ニ 調停を求める事項の価額が一

		億円を超える部分　その価額一万円までごとに　十五円
	3　建設業法第二十五条第二項の規定に基づく仲裁	仲裁を求める事項の価額（価額を算定することができないときは、五百万円とみなす。）に応じて、次に定めるところにより算出して得た金額（仲裁を求める事項の価額が増加するときは、増加後の価額に応じて算出して得た額から増加前の価額に応じて算出して得た額を控除した金額） イ　仲裁を求める事項の価額が百万円まで　五万円 ロ　仲裁を求める事項の価額が百万円を超え五百万円までの部分　その価額一万円までごとに　百円 ハ　仲裁を求める事項の価額が五百万円を超え一億円までの部分　その価額一万円までごとに　六十円 ニ　仲裁を求める事項の価額が一億円を超える部分　その価額一万円までごとに　二十円
二十七　建設業法第二十七条の二十六第一項の規定に基づく経営規模等評価に関する事務	建設業法第二十七条の二十六第一項の規定に基づく経営規模等評価	八千百円と二千三百円に評価に係る建設業の種類数を乗じて得た額との合計額
二十七の二　建設業法第二十七条の二十九第一項の規定に基づく総合評定値の通知に関する事務	建設業法第二十七条の二十九第一項の規定に基づく総合評定値の通知	四百円と二百円に通知に係る建設業の種類数を乗じて得た額との合計額

事務		
二十八　古物営業法（昭和二十四年法律第百八号）第三条、第五条第二項及び第四項並びに第七条第五項の規定に基づく古物営業の許可に関する事務	1　古物営業法第三条の規定に基づく古物営業の許可の申請に対する審査	一万九千円
	2　古物営業法第五条第四項の規定に基づく許可証の再交付	千三百円
	3　古物営業法第七条第五項の規定に基づく許可証の書換え	千五百円
二十八の二　古物営業法第二十一条の五第一項及び第二十一条の六第一項の規定に基づく古物競りあっせん業に係る業務の実施の方法の認定に関する事務	古物営業法第二十一条の五第一項又は第二十一条の六第一項の規定に基づく古物競りあっせん業に係る業務の実施の方法の認定の申請に対する審査	一万七千円
二十九　火薬類取締法施行令（昭和二十五年政令第三百二十三号）第十六条第一項第一号の規定に基づく火薬類取締法（昭和二十五年法律第百四十九号）第三条に規定する火薬類の製造の許可に関する事務	火薬類取締法施行令第十六条第一項第一号の規定に基づく火薬類取締法第三条に規定する火薬類の製造の許可の申請に対する審査	二十二万円
三十　火薬類取締法第五条の規定に基づく火薬類の販売営業の許可に関する事務	火薬類取締法第五条の規定に基づく火薬類の販売営業の許可の申請に対する審査	イ　競技用紙雷管のみの販売営業の許可の申請に係る審査　二万五千円 ロ　その他の販売営業の許可の申

		請に係る審査　十一万円
三十一　火薬類取締法第十二条第一項の規定に基づく火薬庫の設置、移転又はその構造若しくは設備の変更の許可に関する事務	1　火薬類取締法第十二条第一項の規定に基づく火薬庫の設置又は移転の許可の申請に対する審査	七万三千円
	2　火薬類取締法第十二条第一項の規定に基づく火薬庫の構造又は設備の変更の許可の申請に対する審査	八千三百円
三十二　火薬類取締法施行令第十六条第一項第一号の規定に基づく火薬類取締法第十五条第一項及び第二項に規定する火薬類の製造施設の完成検査又は同条第一項及び第二項の規定に基づく火薬庫の完成検査に関する事務	1　火薬類取締法施行令第十六条第一項第一号の規定に基づく火薬類取締法第十五条第一項又は第二項に規定する火薬類の製造施設の完成検査	四万千円
	2　火薬類取締法第十五条第一項又は第二項の規定に基づく火薬庫の完成検査	イ　設置又は移転の工事に係る完成検査　四万千円 ロ　構造又は設備の変更の工事に係る完成検査　二万三千円
三十三　火薬類取締法第十七条第一項及び第四項の規定に基づく火薬類の譲渡し又は譲受けの許可に関する事務	1　火薬類取締法第十七条第一項の規定に基づく火薬類の譲渡しの許可の申請に対する審査	千二百円
	2　火薬類取締法第十七条第一項の規定に基づく火薬類の譲受けの許可の申請に対する審査	イ　火工品のみの譲受けの許可の申請に係る審査　二千四百円 ロ　その他の譲受けの許可の申請に係る審査　次に掲げる場合の区分に応じ、それぞれ次に定める金額 (1)　申請に係る火薬類（火工品を除く。）の数量が二十五キログラム以下の場合　三千五百円 (2)　その他の場合　六千九百円
三十四　火薬類取締法第十九条第一項の規定に基づく運搬証明書の交付に関する事務	火薬類取締法第十九条第一項の規定に基づく運搬証明書の交付	二千百円
三十五　火薬類取締法第二十四条第一項の規定に基づく火薬類の輸入の許可に関する事務	火薬類取締法第二十四条第一項の規定に基づく火薬類の輸入の許可の申請に対する審査	イ　申請に係る火薬及び爆薬の数量が二十五キログラム以下の場合　一万二千円 ロ　その他の場合　二万五千円
三十六　火薬類取締法第二十五条第一項の規定に基づく火薬類の消費の許可に関する事務	火薬類取締法第二十五条第一項の規定に基づく煙火の消費の許可の申請に対する審査	七千九百円
三十七　火薬類取締法第三十一条第三項及び同条第七項において準用する同法第十七条第八項の規定に基づく丙種火薬類製造保安責任者免状に係る火薬類製造保安責任者又は火薬類取扱保安責任者に関する事務	1　火薬類取締法第三十一条第三項の規定に基づく丙種火薬類製造保安責任者免状又は火薬類取扱保安責任者免状に係る試験の実施	一万八千円
	2　火薬類取締法第三十一条第三項の規定に基づく丙種火薬類製造保安責任者免状又は火薬類取扱保安責任者免状の交付	二千四百円
	3　火薬類取締法第三十一条第七項において準用する同法第十七条第八項の規定に基づく	二千四百円

	丙種火薬類製造保安責任者免状又は火薬類取扱保安責任者免状の再交付	
三十七の二　火薬類取締法施行令第十六条第一項第一号の規定に基づく火薬類取締法第三十五条第一項に規定する特定施設に係る保安検査又は同項の規定に基づく火薬庫に係る保安検査に関する事務	火薬類取締法施行令第十六条第一項第一号の規定に基づく火薬類取締法第三十五条第一項に規定する特定施設に係る保安検査又は同項の規定に基づく火薬庫に係る保安検査	四万千円
三十八　質屋営業法（昭和二十五年法律第百五十八号）第二条第一項並びに第八条第一項及び第四項の規定に基づく質屋営業の許可又は同法第四条第一項及び第八条第二項の規定に基づく営業内容の変更に関する事務	1　質屋営業法第二条第一項の規定に基づく質屋営業の許可の申請に対する審査	二万二千円
	2　質屋営業法第四条第一項の規定に基づく営業所の移転の許可の申請に対する審査	一万二千円
	3　質屋営業法第四条第一項の規定に基づく管理者の新設又は変更の許可の申請に対する審査	五千七百円
	4　質屋営業法第八条第二項の規定に基づく同法第四条第二項の規定による届出に係る許可証の書換え	千五百円
	5　質屋営業法第八条第四項の規定に基づく許可証の再交付	千三百円
三十九　建築士法（昭和二十五年法律第二百二号）第四条第三項、第五条第一項及び第二項並びに第十三条の規定に基づく二級建築士又は木造建築士の免許に関する事務	1　建築士法第四条第三項の規定に基づく二級建築士又は木造建築士の免許	二万四千四百円
	2　建築士法第十三条の規定に基づく二級建築士試験又は木造建築士試験の実施	一万八千五百円
四十　採石法（昭和二十五年法律第二百九十一号）第三十二条の十三第一項の規定に基づく業務管理者試験の実施に関する事務	採石法第三十二条の十三第一項の規定に基づく業務管理者試験の実施	八千百円
四十一　削除		
四十二　削除		
四十三　削除		
四十四　行政書士法（昭和二十六年法律第四号）第三条第二項の規定に基づく行政書士試験の施行に関する事務	行政書士法第三条第二項の規定に基づく行政書士試験の施行	一万四百円
四十五　道路運送車両法（昭和二十六年法律第百八十五号）第三十四条第二項及び第三十五条第四項（これらの規定を同法第七十三条第二項において準用する	道路運送車両法第三十四条第二項（同法第七十三条第二項において準用する場合を含む。）の規定に基づく臨時運行の許可の申請に対する審査	一両につき七百五十円

場合を含む。）の規定に基づく臨時運行の許可に関する事務		
四十六　高圧ガス保安法（昭和二十六年法律第二百四号）第五条第一項の規定に基づく高圧ガスの製造の許可に関する事務	高圧ガス保安法第五条第一項の規定に基づく高圧ガスの製造の許可の申請に対する審査	次に掲げる当該申請を行う者の区分に応じ、それぞれ次に定める金額 イ　高圧ガス保安法第五条第一項第一号に該当する者（ロに掲げる者を除く。）　次に掲げる設備の区分に応じ、それぞれ次に定める金額 (1)　処理容積（圧縮、液化その他の方法で一日に処理することができるガスの容積をいう。以下この項、四十七の項及び五十三の項において同じ。）が千万立方メートル以上の設備　五十六万円 (2)　処理容積が百万立方メートル以上千万立方メートル未満の設備　三十四万円 (3)　処理容積が五十万立方メートル以上百万立方メートル未満の設備　二十二万円 (4)　処理容積が十万立方メートル以上五十万立方メートル未満の設備　十四万円 (5)　処理容積が二万五千立方メートル以上十万立方メートル未満の設備　十一万円 (6)　処理容積が五千立方メートル以上二万五千立方メートル未満の設備　八万六千円 (7)　処理容積が千立方メートル以上五千立方メートル未満の設備　六万八千円
		(8)　処理容積が二百立方メートル以上千立方メートル未満の設備　五万四千円 (9)　処理容積が百立方メートル以上二百立方メートル未満の設備　三万千円 ロ　同号に該当する者であって移動式製造設備（高圧ガスの製造のための設備で移動することができるように設計したものをいう。以下この項、四十七の項及び五十三の項において同じ。）のみを使用して高圧ガスの製造をするもの　次に掲げる設備の区分に応じ、それぞれ次に定める金額（当該移動式製造設備について液化石油ガスの保安の確保及び取引の適正化に関する法律（昭和四十二年法律第百四十九号）第三十七条の四第一項の許可を受けた者の許可の申請に対する審査にあっては、六千円） (1)　処理容積が千万立方メートル以上の設備　九万千円 (2)　処理容積が五百万立方メートル以上千万立方メートル未満の設備　七万五千円 (3)　処理容積が百万立方メートル以上五百万立方メートル未満の設備　六万円 (4)　処理容積が五十万立方メートル以上百万立方メートル未満の設備　四万四千円

事務	手数料を徴収する事務	金額
		(5) 処理容積が十万立方メートル以上五十万立方メートル未満の設備　二万七千円 (6) 処理容積が二万五千立方メートル以上十万立方メートル未満の設備　二万千円 (7) 処理容積が五千立方メートル以上二万五千立方メートル未満の設備　一万六千円 (8) 処理容積が千立方メートル以上五千立方メートル未満の設備　一万三千円 (9) 処理容積が二百立方メートル以上千立方メートル未満の設備　一万千円 (10) 処理容積が百立方メートル以上二百立方メートル未満の設備　七千四百円 ハ　同条第一項第二号に該当する者　次に掲げる設備の区分に応じ、それぞれ次に定める金額 (1) 冷凍能力が三千トン以上の設備　十一万円 (2) 冷凍能力が千トン以上三千トン未満の設備　八万七千円 (3) 冷凍能力が三百トン以上千トン未満の設備　六万八千円 (4) 冷凍能力が百トン以上三百トン未満の設備　五万四千円 (5) 冷凍能力が二十トン以上百トン未満の設備　三万六千円
四十七　高圧ガス保安法第十四条第一項の規定に基づく高圧ガスの製造のための施設の位置、構造若しくは設備の変更の工事又は製造をする高圧ガスの種類若しくは製造の方法の変更の許可に関する事務	高圧ガス保安法第十四条第一項の規定に基づく高圧ガスの製造のための施設の位置、構造若しくは設備の変更の工事又は製造をする高圧ガスの種類若しくは製造の方法の変更の許可の申請に対する審査	次に掲げる当該申請を行う者の区分に応じ、それぞれ次に定める金額 イ　高圧ガス保安法第五条第一項第一号に該当する同項の許可を受けた者（ロに掲げる者を除く。）　次に掲げる場合の区分に応じ、それぞれ次に定める金額 (1) 変更後の処理容積が変更前の処理容積（当該変更が設備の全部又は一部を撤去し、当該撤去する設備に代えて新たに設備を設置するものである場合にあっては、変更前の処理容積から当該撤去する設備に係る処理容積を控除した容積。以下この項において同じ。）に比して千万立方メートル以上増加する場合　三十七万円 (2) 変更後の処理容積が変更前の処理容積に比して百万立方メートル以上千万立方メートル未満増加する場合　二十二万円 (3) 変更後の処理容積が変更前の処理容積に比して五十万立方メートル以上百万立方メートル未満増加する場合　十五万円 (4) 変更後の処理容積が変更前の処理容積に比して十万立方メートル以上五十万立方メートル未満増加する場合　九万三千円 (5) 変更後の処理容積が変更前の処理容積に比して二万五千立方メートル以上十万立方メ

ートル未満増加する場合　六万九千円

(6) 変更後の処理容積が変更前の処理容積に比して五千立方メートル以上二万五千立方メートル未満増加する場合　六万千円

(7) 変更後の処理容積が変更前の処理容積に比して千立方メートル以上五千立方メートル未満増加する場合　五万七千円

(8) 変更後の処理容積が変更前の処理容積に比して二百立方メートル以上千立方メートル未満増加する場合　三万九千円

(9) 変更後の処理容積が変更前の処理容積に比して二百立方メートル未満増加する場合　二万六千円

(10) その他の場合　一万六千円

ロ　同号に該当する同条第一項の許可を受けた者であって移動式製造設備のみを使用して高圧ガスの製造をするもの　次に掲げる場合の区分に応じ、それぞれ次に定める金額

(1) 変更後の処理容積が変更前の処理容積に比して千万立方メートル以上増加する場合　六万五千円

(2) 変更後の処理容積が変更前の処理容積に比して五百万立方メートル以上千万立方メートル未満増加する場合　五万三千円

(3) 変更後の処理容積が変更前の処理容積に比して百万立方メートル以上五百万立方メートル未満増加する場合　四万四千円

(4) 変更後の処理容積が変更前の処理容積に比して五十万立方メートル以上百万立方メートル未満増加する場合　三万千円

(5) 変更後の処理容積が変更前の処理容積に比して十万立方メートル以上五十万立方メートル未満増加する場合　一万八千円

(6) 変更後の処理容積が変更前の処理容積に比して二万五千立方メートル以上十万立方メートル未満増加する場合　一万四千円

(7) 変更後の処理容積が変更前の処理容積に比して五千立方メートル以上二万五千立方メートル未満増加する場合　一万二千円

(8) 変更後の処理容積が変更前の処理容積に比して千立方メートル以上五千立方メートル未満増加する場合　九千二百円

(9) 変更後の処理容積が変更前の処理容積に比して二百立方メートル以上千立方メートル

未満増加する場合　八千二百円

(10) 変更後の処理容積が変更前の処理容積に比して二百立方メートル未満増加する場合　五千百円

(11) その他の場合　三千二百円

ハ 同項第二号に該当する同項の許可を受けた者　次に掲げる場合の区分に応じ、それぞれ次に定める金額

(1) 変更後の冷凍能力が変更前の冷凍能力（当該変更が設備の全部又は一部を撤去し、当該撤去する設備に代えて新たに設備を設置するものである場合にあっては、変更前の冷凍能力から当該撤去する設備に係る冷凍能力を控除した能力。以下この項において同じ。）に比して三千トン以上増加する場合　六万九千円

(2) 変更後の冷凍能力が変更前の冷凍能力に比して千トン以上三千トン未満増加する場合　六万二千円

(3) 変更後の冷凍能力が変更前の冷凍能力に比して三百トン以上千トン未満増加する場合　五万五千円

(4) 変更後の冷凍能力が変更前の冷凍能力に比して百トン以上三百トン未満増加する場合　三万八千円

(5) 変更後の冷凍能力が変更前の冷凍能力に比して百トン未満増加する場合　三万円

(6) その他の場合　一万六千円

事務	手数料を徴収する事務	金額
四十八　高圧ガス保安法第十六条第一項の規定に基づく高圧ガスの貯蔵所の設置の許可に関する事務	高圧ガス保安法第十六条第一項の規定に基づく高圧ガスの貯蔵所の設置の許可の申請に対する審査	二万五千円
四十九　高圧ガス保安法第十九条第一項の規定に基づく第一種貯蔵所の位置、構造又は設備の変更の工事の許可に関する事務	高圧ガス保安法第十九条第一項の規定に基づく第一種貯蔵所の位置、構造又は設備の変更の工事の許可の申請に対する審査	イ 変更後の貯蔵容積が変更前の貯蔵容積に比して増加する場合　一万四千円 ロ その他の場合　一万千円
五十　高圧ガス保安法第二十条第一項及び第三項の規定に基づく高圧ガスの製造のための施設又は第一種貯蔵所の完成検査に関する事務	1 高圧ガス保安法第二十条第一項の規定に基づく高圧ガスの製造のための施設の完成検査	四十六の項の下欄に掲げる高圧ガスの製造の許可の申請を行う者及び設備の区分に応じ、それぞれ当該手数料の金額の四分の三に相当する金額（高圧ガス保安法第五条第一項の許可に係る液化石油ガスの製造のための施設であって、液化石油ガスの保安の確保及び取引の適正化に関する法律第三十七条の三第一項の完成検査を受け、同法第三十七条の技術上の基準に適合していると認められたものの完成検査にあっては、六千百円）
	2 高圧ガス保安法第二十条第一項の規定に基づく第一種貯蔵所の完成検査	一万八千七百五十円

事務	手数料を徴収する事務	金額
	3　高圧ガス保安法第二十条第三項の規定に基づく高圧ガスの製造のための施設の完成検査	四十七の項の下欄に掲げる高圧ガスの製造のための施設の位置、構造若しくは設備の変更の工事又は製造をする高圧ガスの種類若しくは製造の方法の変更の許可の申請を行う者及び場合の区分に応じ、それぞれ当該手数料の金額の四分の三に相当する金額（高圧ガス保安法第十四条第一項の許可に係る液化石油ガスの製造のための施設であって、液化石油ガスの保安の確保及び取引の適正化に関する法律第三十七条の三第一項の完成検査を受け、同法第三十七条の技術上の基準に適合していると認められたものの完成検査にあっては、六千百円）
	4　高圧ガス保安法第二十条第三項の規定に基づく第一種貯蔵所の完成検査	四十九の項の下欄に掲げる場合の区分に応じ、それぞれ当該手数料の金額の四分の三に相当する金額
五十一　高圧ガス保安法第二十二条第一項の規定に基づく輸入をした高圧ガス及びその容器の検査に関する事務	高圧ガス保安法第二十二条第一項の規定に基づく輸入をした高圧ガス及びその容器の検査	イ　容積千立方メートル以上（液化ガスにあっては、質量十トン以上）の高圧ガスに係る検査　二万七千円 ロ　容積三百立方メートル以上千立方メートル未満（液化ガスにあっては、質量三トン以上十トン未満）の高圧ガスに係る検査　二万千円 ハ　容積三百立方メートル未満（液化ガスにあっては、質量三トン未満）の高圧ガスに係る検査　一万三千円
五十二　高圧ガス保安法施行令（平成九年政令第二十号）第十八条第二項第一号の規定に基づく製造保安責任者免状の交付及び同号の規定に基づく高圧ガス保安法第三十一条第二項に規定する製造保安責任者試験の実施又は同法第二十九条の規定に基づく販売主任者免状の交付及び同法第三十一条第二項の規定に基づく販売主任者試験の実施に関する事務	1　高圧ガス保安法施行令第十八条第二項第一号の規定に基づく製造保安責任者免状の交付	三千四百円
	2　高圧ガス保安法施行令第十八条第二項第一号の規定に基づく製造保安責任者免状の再交付	二千四百円
	3　高圧ガス保安法第二十九条の規定に基づく販売主任者免状の交付	三千四百円
	4　高圧ガス保安法第二十九条の規定に基づく販売主任者免状の再交付	二千四百円
	5　高圧ガス保安法施行令第十八条第二項第一号の規定に基づく高圧ガス保安法第三十一条第二項に規定する製造保安責任者試験の実施	イ　乙種化学責任者免状に係る製造保安責任者試験　一万千六百円（情報通信技術を活用した行政の推進等に関する法律第六条第一項の規定により同項に規定する電子情報処理組織を使用して受験願書を提出する場合（以下この項及び八十七の項において「電子情報処理組織により受験願書を提出する場合」という。）にあっては、一万千百円） ロ　丙種化学責任者免状に係る製造保安責任者試験　一万三百円（電子情報処理組織により受験願書を提出する場合にあっては、九千八百円）

標準事務	手数料を徴収する事務	金額
		ハ　乙種機械責任者免状に係る製造保安責任者試験　一万千六百円（電子情報処理組織により受験願書を提出する場合にあっては、一万千百円） ニ　第二種冷凍機械責任者免状に係る製造保安責任者試験　一万千六百円（電子情報処理組織により受験願書を提出する場合にあっては、一万千百円） ホ　第三種冷凍機械責任者免状に係る製造保安責任者試験　一万三百円（電子情報処理組織により受験願書を提出する場合にあっては、九千八百円）
	6　高圧ガス保安法第三十一条第二項の規定に基づく販売主任者試験の実施	イ　第一種販売主任者免状に係る販売主任者試験　九千円（電子情報処理組織により受験願書を提出する場合にあっては、八千五百円） ロ　第二種販売主任者免状に係る販売主任者試験　七千二百円（電子情報処理組織により受験願書を提出する場合にあっては、六千七百円）
五十三　高圧ガス保安法第三十五条第一項の規定に基づく特定施設の保安検査に関する事務	高圧ガス保安法第三十五条第一項の規定に基づく特定施設の保安検査	次に掲げる当該申請を行う者の区分に応じ、それぞれ次に定める金額 イ　高圧ガス保安法第五条第一項第一号に該当する同項の許可を受けた者（ロに掲げる者を除く。）　次に掲げる設備の区分に応じ、それぞれ次に定める金額 (1)　処理容積が千万立方メートル以上の設備　六十一万円 (2)　処理容積が百万立方メートル以上千万立方メートル未満の設備　三十七万円 (3)　処理容積が五十万立方メートル以上百万立方メートル未満の設備　二十五万円 (4)　処理容積が十万立方メートル以上五十万立方メートル未満の設備　十五万円 (5)　処理容積が二万五千立方メートル以上十万立方メートル未満の設備　十二万円 (6)　処理容積が五千立方メートル以上二万五千立方メートル未満の設備　九万五千円 (7)　処理容積が千立方メートル以上五千立方メートル未満の設備　七万五千円 (8)　処理容積が二百立方メートル以上千立方メートル未満の設備　六万円 (9)　処理容積が百立方メートル以上二百立方メートル未満の設備　三万三千円 ロ　同号に該当する同項の許可を受けた者であって移動式製造設備のみを使用して高圧ガスの製造をするもの　次に掲げる設備の区分に応じ、それぞれ次に定める金額 (1)　処理容積が千万立方メートル以上の設備　九万五千円 (2)　処理容積が五百万立方メー

		トル以上千万立方メートル未満の設備　八万円 (3) 処理容積が百万立方メートル以上五百万立方メートル未満の設備　六万四千円 (4) 処理容積が五十万立方メートル以上百万立方メートル未満の設備　四万七千円 (5) 処理容積が十万立方メートル以上五十万立方メートル未満の設備　三万千円 (6) 処理容積が二万五千立方メートル以上十万立方メートル未満の設備　二万二千円 (7) 処理容積が五千立方メートル以上二万五千立方メートル未満の設備　二万円 (8) 処理容積が千立方メートル以上五千立方メートル未満の設備　一万五千円 (9) 処理容積が二百立方メートル以上千立方メートル未満の設備　一万二千円 (10) 処理容積が百立方メートル以上二百立方メートル未満の設備　七千七百円 ハ　同項第二号に該当する同項の許可を受けた者　次に掲げる設備の区分に応じ、それぞれ次に定める金額 (1) 冷凍能力が三千トン以上の設備　十二万円 (2) 冷凍能力が千トン以上三千トン未満の設備　九万五千円 (3) 冷凍能力が三百トン以上千トン未満の設備　七万六千円 (4) 冷凍能力が百トン以上三百トン未満の設備　六万円 (5) 冷凍能力が二十トン以上百トン未満の設備　四万二千円
五十四　高圧ガス保安法施行令第十八条第二項第三号の規定に基づく高圧ガス保安法第四十四条第一項並びに第四十五条第一項及び第二項に規定する容器検査又は同令第十八条第二項第四号の規定に基づく同法第四十九条第一項、第三項及び第四項に規定する容器再検査に関する事務	高圧ガス保安法施行令第十八条第二項第三号の規定に基づく高圧ガス保安法第四十四条第一項に規定する容器検査又は同令第十八条第二項第四号の規定に基づく同法第四十九条第一項に規定する容器再検査	イ　温度零下五十度以下の液化ガスを充てんするための容器に係る容器検査又は容器再検査　次に掲げる容器の区分に応じ、それぞれ次に定める金額 (1) 内容積千リットル以上の容器　一個につき一万六千円に千リットル又は千リットルに満たない端数を増すごとに千六百円を加えた金額 (2) 内容積五百リットル以上千リットル未満の容器　一個につき一万六千円 (3) 内容積五百リットル未満の容器　一個につき六千六百円 ロ　繊維強化プラスチック複合容器、圧縮天然ガス自動車燃料装置用容器又は圧縮水素自動車燃料装置用容器（イに規定する容器を除く。）に係る容器検査又は容器再検査　次に掲げる容器の区分に応じ、それぞれ次に定める金額 (1) 内容積百五十リットル以上の容器　一個につき三百二十円に十リットル又は十リットルに満たない端数を増すごとに五十七円を加えた金額 (2) 内容積三十リットル以上百

		五十リットル未満の容器　一個につき三百二十円 (3)　内容積五リットル以上三十リットル未満の容器　一個につき二百六十円 (4)　内容積一リットル以上五リットル未満の容器　一個につき百六十円 (5)　内容積一リットル未満の容器　一個につき百五十円 ハ　高強度鋼容器（イ又はロに規定する容器を除く。）に係る容器検査又は容器再検査　次に掲げる容器の区分に応じ、それぞれ次に定める金額 (1)　内容積三十リットル以上の容器　一個につき二百十円に十リットル又は十リットルに満たない端数を増すごとに三円を加えた金額 (2)　内容積五リットル以上三十リットル未満の容器　一個につき二百十円 (3)　内容積一リットル以上五リットル未満の容器　一個につき百六十円 (4)　内容積一リットル未満の容器　一個につき百四十円 ニ　その他の容器に係る容器検査又は容器再検査　次に掲げる容器の区分に応じ、それぞれ次に定める金額 (1)　内容積千リットル以上の容器　一個につき七千百円に千リットル又は千リットルに満たない端数を増すごとに三百八十円を加えた金額 (2)　内容積五百リットル以上千リットル未満の容器　一個につき七千百円 (3)　内容積百五十リットル以上五百リットル未満の容器　一個につき八百円 (4)　内容積三十リットル以上百五十リットル未満の容器　一個につき二百十円 (5)　内容積五リットル以上三十リットル未満の容器　一個につき百七十円 (6)　内容積一リットル以上五リットル未満の容器　一個につき百十円 (7)　内容積一リットル未満の容器　一個につき八十円
五十五　高圧ガス保安法施行令第十八条第二項第六号の規定に基づく高圧ガス保安法第四十九条の二第一項及び第四十九条の三第一項に規定する附属品検査又は同令第十八条第二項第七号の規定に基づく同法第四十九条の四第一項及び第三項に規定する附属品再検査に関する事務	高圧ガス保安法施行令第十八条第二項第六号の規定に基づく高圧ガス保安法第四十九条の二第一項に規定する附属品検査又は同令第十八条第二項第七号の規定に基づく同法第四十九条の四第一項に規定する附属品再検査	イ　圧縮天然ガス自動車燃料装置用容器、圧縮水素自動車燃料装置用容器又は圧縮水素運送自動車用容器に装置される附属品に係る附属品検査又は附属品再検査　次に掲げる容器の区分に応じ、それぞれ次に定める金額 (1)　内容積百五十リットル以上の容器　一個につき三十一円 (2)　内容積百五十リットル未満の容器　一個につき二十四円 ロ　その他の容器に装置される附属品に係る附属品検査又は附属品再検査　次に掲げる容器の区

		分に応じ、それぞれ次に定める金額 (1) 内容積千リットル以上の容器 一個につき千百円 (2) 内容積五百リットル以上千リットル未満の容器 一個につき五百四十円 (3) 内容積五百リットル未満の容器 一個につき二十一円
五十六 高圧ガス保安法施行令第十八条第二項第八号の規定に基づく高圧ガス保安法第五十条第三項に規定する容器検査所の登録に関する事務	高圧ガス保安法施行令第十八条第二項第八号の規定に基づく高圧ガス保安法第五十条第三項に規定する容器検査所の登録又は登録の更新の申請に対する審査	一万六千円
五十七 高圧ガス保安法施行令第十八条第二項第三号の規定に基づく高圧ガス保安法第五十四条第二項に規定する容器に充てんする高圧ガスの種類又は圧力の変更に係る刻印等に関する事務	高圧ガス保安法施行令第十八条第二項第三号の規定に基づく高圧ガス保安法第五十四条第二項に規定する容器に充てんする高圧ガスの種類又は圧力の変更に係る刻印等	千四百円
五十八 覚醒剤取締法(昭和二十六年法律第二百五十二号)第四条第一項及び第五条第二項(これらの規定を同法第三十条の五において準用する場合を含む。)の規定に基づく覚醒剤製造業者、覚醒剤原料輸入業者、覚醒剤原料輸出業者又は覚醒剤原料製造業者の指定に係る経由に関する事務	覚醒剤取締法第四条第一項(同法第三十条の五において準用する場合を含む。)の規定に基づく覚醒剤製造業者、覚醒剤原料輸入業者、覚醒剤原料輸出業者又は覚醒剤原料製造業者の指定の申請に係る経由	一万七千六百円
五十九 覚醒剤取締法第十一条第一項(同法第三十条の五において準用する場合を含む。)の規定に基づく覚醒剤製造業者、覚醒剤原料輸入業者、覚醒剤原料輸出業者又は覚醒剤原料製造業者の指定証の再交付に係る経由に関する事務	覚醒剤取締法第十一条第一項(同法第三十条の五において準用する場合を含む。)の規定に基づく覚醒剤製造業者、覚醒剤原料輸入業者、覚醒剤原料輸出業者又は覚醒剤原料製造業者の指定証の再交付に係る経由	二千九百円
六十 宅地建物取引業法(昭和二十七年法律第百七十六号)第三条第一項及び第三項並びに第六条の規定に基づく宅地建物取引業の免許に関する事務	1 宅地建物取引業法第三条第一項の規定に基づく宅地建物取引業の免許の申請に対する審査	三万三千円(当該申請を情報通信技術を活用した行政の推進等に関する法律第六条第一項の規定により同項に規定する電子情報処理組織を使用する方法により行う場合における当該申請に係る審査にあっては、二万六千五百円)
	2 宅地建物取引業法第三条第三項の規定に基づく宅地建物取引業の免許の更新の申請に対する審査	三万三千円(当該申請を情報通信技術を活用した行政の推進等に関する法律第六条第一項の規定により同項に規定する電子情報処理組織を使用する方法により行う場合における当該申請に係る審査にあっては、二万六千五百円)

事務	手数料を徴収する事務	金額
六十一　宅地建物取引業法第十六条第一項、第十八条第一項、第十九条の二、第二十条、第二十二条の二第一項及び第五項並びに第二十二条の三第一項の規定に基づく宅地建物取引士に関する事務	1　宅地建物取引業法第十六条第一項の規定に基づく宅地建物取引士資格試験の実施	八千二百円
	2　宅地建物取引業法第十八条第一項の規定に基づく宅地建物取引士資格登録簿への登録	三万七千円
	3　宅地建物取引業法第十九条の二の規定に基づく登録の移転の申請に対する審査	八千円
	4　宅地建物取引業法第二十二条の二第一項又は第五項の規定に基づく宅地建物取引士証の交付の申請に対する審査	四千五百円
	5　宅地建物取引業法第二十二条の三第一項の規定に基づく宅地建物取引士証の有効期間の更新の申請に対する審査	四千五百円
六十二　建設機械抵当法施行令（昭和二十九年政令第二百九十四号）第八条及び第九条第一項並びに附則第二項（同令第八条及び第九条第一項の規定に係る部分に限る。）の規定に基づく建設機械の打刻又は検認に関する事務	建設機械抵当法施行令第八条及び附則第二項（同令第八条の規定に係る部分に限る。）の規定に基づく建設機械の打刻又は検認の申請に対する審査	一個につき三万六千円
六十三　削除		
六十四　養ほう振興法（昭和三十年法律第百八十号）第四条第一項の規定に基づく転飼の許可に関する事務	養ほう振興法第四条第一項の規定に基づく転飼の許可の申請に対する審査	一場所につき百五十円にほう群数を乗じて得た金額（その金額が二千三百円を超えるときは、二千三百円）
六十五　核原料物質、核燃料物質及び原子炉の規制に関する法律（昭和三十二年法律第百六十六号）第五十九条第五項、第九項及び第十項の規定に基づく運搬証明書に関する事務	1　核原料物質、核燃料物質及び原子炉の規制に関する法律第五十九条第五項の規定に基づく運搬証明書の交付	一万五千円
	2　核原料物質、核燃料物質及び原子炉の規制に関する法律第五十九条第九項の規定に基づく運搬証明書の書換え	五千四百円
	3　核原料物質、核燃料物質及び原子炉の規制に関する法律第五十九条第十項の規定に基づく運搬証明書の再交付	二千二百円
六十六　銃砲刀剣類所持等取締法（昭和三十三年法律第六号）第四条第一項、第四条の四第一項、第六条第一項、第七条第一項及び第二項並びに第七条の三第二項の規定に基づく銃砲等又は刀剣類の所持の許可に関する事務	1　銃砲刀剣類所持等取締法第四条第一項の規定に基づく銃砲等又は刀剣類の所持の許可の申請に対する審査	イ　銃砲刀剣類所持等取締法第四条第一項第一号の規定による猟銃又は空気銃の所持の許可を現に受けている者に対する同号の規定に基づく猟銃又は空気銃の所持の許可の申請に係る審査　六千八百円（当該申請を行う者が当該都道府県において同時に他の同号の規定に基づく猟銃又は空気銃の所持の許可の申請を行う場合における当該他の同号の規定に基づく猟銃又は空気銃の所持の許可の申請に係る審査

事務	金額
	にあっては、四千三百円） ロ　銃砲刀剣類所持等取締法第四条第一項第一号の規定によるクロスボウの所持の許可を現に受けている者に対する同号の規定に基づくクロスボウの所持の許可の申請に係る審査　六千八百円（当該申請を行う者が当該都道府県において同時に他の同号の規定に基づくクロスボウの所持の許可の申請を行う場合における当該他の同号の規定に基づくクロスボウの所持の許可の申請に係る審査にあっては、四千三百円） ハ　その他の者に対する許可の申請に係る審査　一万五百円（当該申請を行う者が当該都道府県において同時に他の銃砲刀剣類所持等取締法第四条第一項規定に基づく許可の申請を行う場合における当該他の同項の規定に基づく許可の申請に係る審査にあっては、六千七百円）
2　銃砲刀剣類所持等取締法第六条第一項の規定に基づく国際競技に参加するため入国する外国人の銃砲等又は刀剣類の所持の許可の申請に対する審査	三千九百円（当該申請を行う者が当該都道府県において同時に他の銃砲刀剣類所持等取締法第六条第一項の規定に基づく許可の申請を行う場合における当該他の同項の規定に基づく許可の申請に係る審査にあっては、千八百円）
3　銃砲刀剣類所持等取締法第七条第二項の規定に基づく許可証の書換え	千六百円
4　銃砲刀剣類所持等取締法第七条第二項の規定に基づく許可証の再交付	千九百円
5　銃砲刀剣類所持等取締法第七条の三第二項の規定に基づく同法第四条第一項第一号の規定による猟銃若しくは空気銃又はクロスボウの所持の許可の更新の申請に対する審査	イ　新たな許可証の交付を伴う銃砲刀剣類所持等取締法第七条の三第一項の規定に基づく猟銃又は空気銃の所持の許可の更新の申請に係る審査　七千二百円（当該申請を行う者が当該都道府県において同時に他の同項の規定に基づく猟銃又は空気銃の所持の許可の更新の申請を行う場合における当該他の同項の規定に基づく猟銃又は空気銃の所持の許可の更新の申請に係る審査及び当該申請を行う者が当該都道府県において同時に同法第四条第一項第一号の規定に基づく猟銃又は空気銃の所持の許可の申請を行う場合における当該同法第七条の三第一項の規定に基づく猟銃又は空気銃の所持の許可の更新の申請に係る審査にあっては、四千八百円） ロ　新たな許可証の交付を伴う銃砲刀剣類所持等取締法第七条の三第一項の規定に基づくクロスボウの所持の許可の更新の申請に係る審査　七千二百円（当該申請を行う者が当該都道府県において同時に他の同項の規定に基づくクロスボウの所持の許可

の更新の申請を行う場合における当該他の同項の規定に基づくクロスボウの所持の許可の更新の申請に係る審査及び当該申請を行う者が当該都道府県において同時に同法第四条第一項第一号の規定に基づくクロスボウの所持の許可の申請を行う場合における当該同法第七条の三第一項の規定に基づくクロスボウの所持の許可の更新の申請に係る審査にあっては、四千八百円）

ハ　新たな許可証の交付を伴わない銃砲刀剣類所持等取締法第七条の三第一項の規定に基づく猟銃又は空気銃の所持の許可の更新の申請に係る審査　六千八百円（当該申請を行う者が当該都道府県において同時に他の同項の規定に基づく猟銃又は空気銃の所持の許可の更新の申請を行う場合における当該他の同項の規定に基づく猟銃又は空気銃の所持の許可の更新の申請に係る審査及び当該申請を行う者が当該都道府県において同時に同法第四条第一項第一号の規定に基づく猟銃又は空気銃の所持の許可の申請を行う場合における当該同法第七条の三第一項の規定に基づく猟銃又は空気銃の所持の許可の更新の申請に係る審査にあっては、四千四百円）

ニ　新たな許可証の交付を伴わない銃砲刀剣類所持等取締法第七条の三第一項の規定に基づくクロスボウの所持の許可の更新の申請に係る審査　六千八百円（当該申請を行う者が当該都道府県において同時に他の同項の規定に基づくクロスボウの所持の許可の更新の申請を行う場合における当該他の同項の規定に基づくクロスボウの所持の許可の更新の申請に係る審査及び当該申請を行う者が当該都道府県において同時に同法第四条第一項第一号の規定に基づくクロスボウの所持の許可の申請を行う場合における当該同法第七条の三第一項の規定に基づくクロスボウの所持の許可の更新の申請に係る審査にあっては、四千四百円）

六十六の二　銃砲刀剣類所持等取締法第四条の三第一項（同法第七条の三第三項において準用する場合を含む。）の規定に基づく認知機能に関する検査に関する事務	銃砲刀剣類所持等取締法第四条の三第一項（同法第七条の三第三項において準用する場合を含む。）の規定に基づく認知機能に関する検査	六百五十円
六十七　銃砲刀剣類所持等取締法第五条の三第一項及び第二項の規定に基づく猟銃及び空気銃の取扱いに関する講習会の開催に関する事務	銃砲刀剣類所持等取締法第五条の三第一項の規定に基づく猟銃及び空気銃の取扱いに関する講習会の開催	イ　現に銃砲刀剣類所持等取締法第四条第一項第一号の規定による許可を受けて猟銃又は空気銃を所持している者及び同法第五条の二第三項第二号又は第三号に掲げる者に対する講習会　三

務		千円 ロ その他の者に対する講習会 六千九百円
六十七の二 銃砲刀剣類所持等取締法第五条の三の二第一項及び第二項の規定に基づくクロスボウの取扱いに関する講習会の開催に関する事務	銃砲刀剣類所持等取締法第五条の三の二第一項の規定に基づくクロスボウの取扱いに関する講習会の開催	イ 現に銃砲刀剣類所持等取締法第四条第一項第一号の規定による許可を受けてクロスボウを所持している者に対する講習会 三千円 ロ その他の者に対する講習会 六千九百円
六十八 銃砲刀剣類所持等取締法第五条の四第一項及び第二項の規定に基づく猟銃の操作及び射撃に関する技能検定の実施に関する事務	銃砲刀剣類所持等取締法第五条の四第一項の規定に基づく猟銃の操作及び射撃に関する技能検定の実施	二万二千円
六十八の二 銃砲刀剣類所持等取締法第五条の五第一項及び第二項の規定に基づく猟銃の操作及び射撃の技能に関する講習に関する事務	銃砲刀剣類所持等取締法第五条の五第一項の規定に基づく猟銃の操作及び射撃の技能に関する講習	一万四千円
六十九 銃砲刀剣類所持等取締法第九条の五第二項の規定に基づく射撃教習を受ける資格の認定に関する事務	銃砲刀剣類所持等取締法第九条の五第二項の規定に基づく射撃教習を受ける資格の認定の申請に対する審査	八千九百円
七十 銃砲刀剣類所持等取締法第九条の十第二項の規定に基づく射撃練習を行う資格の認定に関する事務	銃砲刀剣類所持等取締法第九条の十第二項の規定に基づく射撃練習を行う資格の認定の申請に対する審査	八千九百円
七十の二 銃砲刀剣類所持等取締法第九条の十三第一項及び第二項並びに同条第三項において準用する同法第七条第二項の規定に基づく年少射撃資格の認定に関する事務	1 銃砲刀剣類所持等取締法第九条の十三第一項の規定に基づく年少射撃資格の認定の申請に対する審査	九千六百円（当該申請を行う者が当該都道府県において同時に他の銃砲刀剣類所持等取締法第九条の十三第一項の規定に基づく年少射撃資格の認定の申請を行う場合における当該他の同項の規定に基づく年少射撃資格の認定の申請に係る審査にあっては、五千九百円）
	2 銃砲刀剣類所持等取締法第九条の十三第三項において準用する同法第七条第二項の規定に基づく年少射撃資格認定証の書換え	千八百円
	3 銃砲刀剣類所持等取締法第九条の十三第三項において準用する同法第七条第二項の規定に基づく年少射撃資格認定証の再交付	千九百円
七十の三 銃砲刀剣類所持等取締法第九条の十四第一項及び第二項の規定に基づく年少射撃資格の認定のための講習会の開催に関する事務	銃砲刀剣類所持等取締法第九条の十四第一項の規定に基づく年少射撃資格の認定のための講習会の開催	九千八百円
七十の四 銃砲刀剣類所持等取締法第九条の十六第一項の規定に基づ	銃砲刀剣類所持等取締法第九条の十六第一項の規定に基づく射撃練習を行う資格の認定の申請	九千三百円（当該申請を行う者が当該都道府県において同時に他の銃砲刀剣類所持等取締法第九条の

く射撃練習を行う資格の認定に関する事務	に対する審査	十六第一項の規定に基づく射撃練習を行う資格の認定の申請を行う場合における当該他の同項の規定に基づく射撃練習を行う資格の認定の申請に係る審査にあっては、五千六百円）
七十一　銃砲刀剣類所持等取締法第十四条第一項並びに第十五条第一項及び第二項の規定に基づく古式銃砲又は刀剣類の登録に関する事務	1　銃砲刀剣類所持等取締法第十四条第一項の規定に基づく古式銃砲又は刀剣類の登録の申請に対する審査	六千三百円
	2　銃砲刀剣類所持等取締法第十五条第二項の規定に基づく登録証の再交付	三千五百円
七十二　銃砲刀剣類所持等取締法第十八条の二第一項の規定に基づく刀剣類の製作の承認に関する事務	銃砲刀剣類所持等取締法第十八条の二第一項の規定に基づく刀剣類の製作の承認の申請に対する審査	八百円
七十二の二　道路交通法（昭和三十五年法律第百五号）第五十一条の八第一項及び第六項の規定に基づく登録に関する事務	1　道路交通法第五十一条の八第一項の規定に基づく登録の申請に対する審査	二万三千円
	2　道路交通法第五十一条の八第六項の規定に基づく登録の更新の申請に対する審査	二万三千円
七十二の三　道路交通法第五十一条の十三第一項の規定に基づく駐車監視員に関する事務	1　道路交通法第五十一条の十三第一項の規定に基づく駐車監視員資格者証の交付の申請に対する審査	九千九百円
	2　道路交通法第五十一条の十三第一項第一号イの規定に基づく放置車両の確認等に関する技能及び知識に関して行う講習	二万円
	3　道路交通法第五十一条の十三第一項第一号ロの規定に基づく認定の申請に対する審査	四千五百円
	4　道路交通法第五十一条の十三第一項の規定に基づく駐車監視員資格者証の書換え交付	二千百円
	5　道路交通法第五十一条の十三第一項の規定に基づく駐車監視員資格者証の再交付	千八百円
七十二の四　道路交通法第七十五条の十二第一項の規定に基づく特定自動運行の許可に関する事務	道路交通法第七十五条の十二第一項の規定に基づく特定自動運行の許可の申請に対する審査	七万九千二百円
七十二の五　道路交通法第七十五条の十六第一項の規定に基づく特定自動運行計画の変更の許可に関する事務	道路交通法第七十五条の十六第一項の規定に基づく特定自動運行計画の変更の許可の申請に対する審査	七万八千五百円
七十三　電気工事士法（昭和三十五年法律第百三十九号）第四条第二項並びに電気工事士法施行令（昭和三十五	1　電気工事士法第四条第二項の規定に基づく電気工事士免状の交付	イ　第一種電気工事士免状　六千円 ロ　第二種電気工事士免状　五千三百円

年政令第二百六十号）第四条第一項及び第五条の規定に基づく電気工事士免状に関する事務	2　電気工事士法施行令第四条第一項の規定に基づく電気工事士免状の再交付	二千七百円
	3　電気工事士法施行令第五条の規定に基づく電気工事士免状の書換え	二千七百円
七十四　削除		
七十五　不動産の鑑定評価に関する法律（昭和三十八年法律第百五十二号）第二十二条第一項の規定に基づく不動産鑑定業者の登録又は同条第三項の規定に基づく更新の登録に関する事務	1　不動産の鑑定評価に関する法律第二十二条第一項の規定に基づく不動産鑑定業者の登録の申請に対する審査	一万五千六百円
	2　不動産の鑑定評価に関する法律第二十二条第三項の規定に基づく更新の登録の申請に対する審査	一万二千四百円
七十六　液化石油ガスの保安の確保及び取引の適正化に関する法律第三条第一項の規定に基づく液化石油ガス販売事業に係る登録に関する事務	液化石油ガスの保安の確保及び取引の適正化に関する法律第三条第一項の規定に基づく液化石油ガス販売事業に係る登録の申請に対する審査	三万千円
七十七　液化石油ガスの保安の確保及び取引の適正化に関する法律第三条の二第三項の規定に基づく液化石油ガス販売事業者登録簿の謄本の交付又は閲覧に関する事務	1　液化石油ガスの保安の確保及び取引の適正化に関する法律第三条の二第三項の規定に基づく液化石油ガス販売事業者登録簿の謄本の交付	一通につき六百三十円
	2　液化石油ガスの保安の確保及び取引の適正化に関する法律第三条の二第三項の規定に基づく液化石油ガス販売事業者登録簿を閲覧に供する事務	一回につき四百六十円
七十八　液化石油ガスの保安の確保及び取引の適正化に関する法律第二十九条第一項及び第三十二条第一項の規定に基づく保安機関の認定又は同法第三十三条第一項の規定に基づく保安機関の保安業務に係る一般消費者等の数の増加の認可に関する事務	1　液化石油ガスの保安の確保及び取引の適正化に関する法律第二十九条第一項の規定に基づく保安機関の認定の申請に対する審査	三万四千円と六千九百円に新たに行う保安業務区分の数を乗じて得た額との合計額
	2　液化石油ガスの保安の確保及び取引の適正化に関する法律第三十二条第一項の規定に基づく保安機関の認定の更新の申請に対する審査	一万四千円と六千九百円に保安業務区分の数を乗じて得た額との合計額
	3　液化石油ガスの保安の確保及び取引の適正化に関する法律第三十三条第一項の規定に基づく保安機関の保安業務に係る一般消費者等の数の増加の認可の申請に対する審査	二万円と六千九百円に保安業務区分の数を乗じて得た額との合計額
七十九　液化石油ガスの保安の確保及び取引の適正化に関する法律第三十五条の六第一項の規定に基づく保安確保機器の設置及び管理の方法の認定に関する事務	液化石油ガスの保安の確保及び取引の適正化に関する法律第三十五条の六第一項の規定に基づく保安確保機器の設置及び管理の方法の認定の申請に対する審査	イ　当該申請を行う者が販売契約を締結している一般消費者等の数が千戸未満の場合　五万五千円 ロ　当該申請を行う者が販売契約を締結している一般消費者等の数が千戸以上一万戸未満の場合　八万円 ハ　当該申請を行う者が販売契約を締結している一般消費者等の数が一万戸以上の場合　九万八

		千円
八十　液化石油ガスの保安の確保及び取引の適正化に関する法律第三十六条第一項の規定に基づく貯蔵施設又は特定供給設備の設置の許可に関する事務	液化石油ガスの保安の確保及び取引の適正化に関する法律第三十六条第一項の規定に基づく貯蔵施設又は特定供給設備の設置の許可の申請に対する審査	二万千円に貯蔵施設又は特定供給設備の数を乗じて得た金額
八十一　液化石油ガスの保安の確保及び取引の適正化に関する法律第三十七条の二第一項の規定に基づく貯蔵施設の位置、構造若しくは設備の変更又は特定供給設備の位置、構造、設備若しくは装置の変更の許可に関する事務	液化石油ガスの保安の確保及び取引の適正化に関する法律第三十七条の二第一項の規定に基づく貯蔵施設の位置、構造若しくは設備の変更又は特定供給設備の位置、構造、設備若しくは装置の変更の許可の申請に対する審査	一万五千円に変更に係る貯蔵施設又は特定供給設備の数を乗じて得た金額
八十二　液化石油ガスの保安の確保及び取引の適正化に関する法律第三十七条の三第一項の規定に基づく貯蔵施設又は特定供給設備の完成検査に関する事務	1　液化石油ガスの保安の確保及び取引の適正化に関する法律第三十七条の三第一項の規定に基づく同法第三十六条第一項の許可に係る貯蔵施設又は特定供給設備の完成検査	三万千円に貯蔵施設又は特定供給設備（高圧ガス保安法第二十条第一項若しくは第三項又は同法第三十九条の二十二第一項の規定に基づき完成検査を受け、又は自ら行い、同法第八条第一号の技術上の基準に適合していると認められた液化石油ガスに係る施設（以下この項において「完成検査合格施設」という。）であるものを除く。）の数を乗じて得た額と五千八百円に完成検査合格施設である貯蔵施設又は特定供給設備の数を乗じて得た額との合計額
	2　液化石油ガスの保安の確保及び取引の適正化に関する法律第三十七条の三第一項の規定に基づく同法第三十七条の二第一項の許可に係る貯蔵施設又は特定供給設備の完成検査	二万四千円に変更に係る貯蔵施設又は特定供給設備（完成検査合格施設であるものを除く。）の数を乗じて得た額と五千八百円に完成検査合格施設である変更に係る貯蔵施設又は特定供給設備の数を乗じて得た額との合計額
八十三　液化石油ガスの保安の確保及び取引の適正化に関する法律第三十七条の四第一項の規定に基づく充てん設備による液化石油ガスの充てんの許可に関する事務	液化石油ガスの保安の確保及び取引の適正化に関する法律第三十七条の四第一項の規定に基づく充てん設備による液化石油ガスの充てんの許可の申請に対する審査	二万八千円に充てん設備の数を乗じて得た金額
八十四　液化石油ガスの保安の確保及び取引の適正化に関する法律第三十七条の四第三項において準用する同法第三十七条の二第一項の規定に基づく充てん設備の所在地、構造、設備又は装置の変更の許可に関する事務	液化石油ガスの保安の確保及び取引の適正化に関する法律第三十七条の四第三項において準用する同法第三十七条の二第一項の規定に基づく充てん設備の所在地、構造、設備又は装置の変更の許可の申請に対する審査	一万七千円に変更に係る充てん設備の数を乗じて得た金額
八十五　液化石油ガスの保安の確保及び取引の適正化に関する法律第三十七条の四第四項において準用する同法第三十七条の三第一項の	1　液化石油ガスの保安の確保及び取引の適正化に関する法律第三十七条の四第四項において準用する同法第三十七条の三第一項の規定に基づく同法第三十七条の四第一項の許	三万六千円に充てん設備の数を乗じて得た金額

規定に基づく充てん設備の完成検査に関する事務	可に係る充てん設備の完成検査	
	2 液化石油ガスの保安の確保及び取引の適正化に関する法律第三十七条の四第四項において準用する同法第三十七条の三第一項の規定に基づく同法第三十七条の四第三項において準用する同法第三十七条の二第一項の許可に係る充てん設備の完成検査	二万七千円に変更に係る充てん設備の数を乗じて得た金額
八十六 液化石油ガスの保安の確保及び取引の適正化に関する法律第三十七条の六第一項の規定に基づく充てん設備の保安検査に関する事務	液化石油ガスの保安の確保及び取引の適正化に関する法律第三十七条の六第一項の規定に基づく充てん設備の保安検査	二万七千円に検査に係る充てん設備の数を乗じて得た金額
八十七 液化石油ガスの保安の確保及び取引の適正化に関する法律第三十八条の四第一項及び第五項並びに第三十八条の五第二項の規定に基づく液化石油ガス設備士に関する事務	1 液化石油ガスの保安の確保及び取引の適正化に関する法律第三十八条の四第一項の規定に基づく液化石油ガス設備士免状の交付	三千三百円
	2 液化石油ガスの保安の確保及び取引の適正化に関する法律第三十八条の四第一項及び第五項の規定に基づく液化石油ガス設備士免状の再交付	二千三百円
	3 液化石油ガスの保安の確保及び取引の適正化に関する法律第三十八条の四第一項及び第五項の規定に基づく液化石油ガス設備士免状の書換え	千二百円
	4 液化石油ガスの保安の確保及び取引の適正化に関する法律第三十八条の五第二項の規定に基づく液化石油ガス設備士試験の実施	二万三千二百円（電子情報処理組織により受験願書を提出する場合にあっては、二万二千七百円）
八十八 砂利採取法（昭和四十三年法律第七十四号）第十六条及び第二十条第一項の規定に基づく砂利の採取計画に関する事務（河川管理者として行うものに限る。）	1 砂利採取法第十六条の規定に基づく砂利の採取計画の認可の申請に対する審査（河川管理者として行うものに限る。）	三万三千九百円
	2 砂利採取法第二十条第一項の規定に基づく砂利の採取計画の変更の認可の申請に対する審査（河川管理者として行うものに限る。）	一万五千円
八十九 職業能力開発促進法（昭和四十四年法律第六十四号）第二十八条第一項及び第三項の規定に基づく職業訓練指導員免許に関する事務	1 職業能力開発促進法第二十八条第一項の規定に基づく職業訓練指導員免許の申請に対する審査	二千三百円
	2 職業能力開発促進法第二十八条第三項の規定に基づく免許証の再交付	二千円
九十 職業能力開発促進法第三十条第一項の規定に基づく職業訓練指導員試験の実施に関す	職業能力開発促進法第三十条第一項の規定に基づく職業訓練指導員試験の実施	イ 実技試験 一万五千八百円 ロ 学科試験 三千百円

事務	手数料を徴収する事務	金額
る事務		
九十一　職業能力開発促進法施行令（昭和四十四年政令第二百五十八号）第二条第一号及び第二号の規定に基づく技能検定に関する事務	1　職業能力開発促進法施行令第二条第一号の規定に基づく技能検定試験の実施	イ　実技試験　一万八千二百円 ロ　学科試験　三千百円
	2　職業能力開発促進法施行令第二条第二号の規定に基づく合格証書の再交付	二千円
九十二　電気工事業の業務の適正化に関する法律（昭和四十五年法律第九十六号）第三条第一項及び第三項、第七条第一項、第十条第二項並びに第十二条の規定に基づく電気工事業者の登録又は更新の登録に関する事務	1　電気工事業の業務の適正化に関する法律第三条第一項の規定に基づく電気工事業者の登録の申請に対する審査	二万二千円
	2　電気工事業の業務の適正化に関する法律第三条第三項の規定に基づく更新の登録の申請に対する審査	一万二千円
	3　電気工事業の業務の適正化に関する法律第十条第二項の規定に基づく登録証の訂正	二千二百円
	4　電気工事業の業務の適正化に関する法律第十二条の規定に基づく登録証の再交付	二千二百円
九十三　電気工事業の業務の適正化に関する法律第十六条の規定に基づく登録電気工事業者登録簿の謄本の交付又は閲覧に関する事務	1　電気工事業の業務の適正化に関する法律第十六条の規定に基づく登録電気工事業者登録簿の謄本の交付	用紙一枚につき六百円
	2　電気工事業の業務の適正化に関する法律第十六条の規定に基づく登録電気工事業者登録簿を閲覧に供する事務	一回につき四百四十円
九十三の二　廃棄物の処理及び清掃に関する法律（昭和四十五年法律第百三十七号）第十二条の七第一項の規定に基づく二以上の事業者による産業廃棄物の処理に係る特例の認定に関する事務	廃棄物の処理及び清掃に関する法律第十二条の七第一項の規定に基づく二以上の事業者による産業廃棄物の処理に係る特例の認定の申請に対する審査	十四万七千円
九十三の三　廃棄物の処理及び清掃に関する法律第十二条の七第七項の規定に基づく二以上の事業者による産業廃棄物の処理に係る特例の認定に係る事項の変更の認定に関する事務	廃棄物の処理及び清掃に関する法律第十二条の七第七項の規定に基づく二以上の事業者による産業廃棄物の処理に係る特例の認定に係る事項の変更の認定の申請に対する審査	十三万四千円
九十四　廃棄物の処理及び清掃に関する法律第十四条第一項、第二項、第六項及び第七項の規定に基づく産業廃棄物処理業の許可に関する事務	1　廃棄物の処理及び清掃に関する法律第十四条第一項の規定に基づく産業廃棄物収集運搬業の許可の申請に対する審査	八万千円
	2　廃棄物の処理及び清掃に関する法律第十四条第二項の規定に基づく産業廃棄物収集運搬業の許可の更新の申請に対する審査	七万三千円
	3　廃棄物の処理及び清掃に関	十万円

	する法律第十四条第六項の規定に基づく産業廃棄物処分業の許可の申請に対する審査	
	4 廃棄物の処理及び清掃に関する法律第十四条第七項の規定に基づく産業廃棄物処分業の許可の更新の申請に対する審査	九万四千円
九十五 廃棄物の処理及び清掃に関する法律第十四条の二第一項の規定に基づく産業廃棄物処理業の事業の範囲の変更の許可に関する事務	1 廃棄物の処理及び清掃に関する法律第十四条の二第一項の規定に基づく産業廃棄物収集運搬業の事業の範囲の変更の許可の申請に対する審査	七万千円
	2 廃棄物の処理及び清掃に関する法律第十四条の二第一項の規定に基づく産業廃棄物処分業の事業の範囲の変更の許可の申請に対する審査	九万二千円
九十六 廃棄物の処理及び清掃に関する法律第十四条の四第一項、第二項、第六項及び第七項の規定に基づく特別管理産業廃棄物処理業の許可に関する事務	1 廃棄物の処理及び清掃に関する法律第十四条の四第一項の規定に基づく特別管理産業廃棄物収集運搬業の許可の申請に対する審査	八万千円
	2 廃棄物の処理及び清掃に関する法律第十四条の四第二項の規定に基づく特別管理産業廃棄物収集運搬業の許可の更新の申請に対する審査	七万四千円
	3 廃棄物の処理及び清掃に関する法律第十四条の四第六項の規定に基づく特別管理産業廃棄物処分業の許可の申請に対する審査	十万円
	4 廃棄物の処理及び清掃に関する法律第十四条の四第七項の規定に基づく特別管理産業廃棄物処分業の許可の更新の申請に対する審査	九万五千円
九十七 廃棄物の処理及び清掃に関する法律第十四条の五第一項の規定に基づく特別管理産業廃棄物処理業の事業の範囲の変更の許可に関する事務	1 廃棄物の処理及び清掃に関する法律第十四条の五第一項の規定に基づく特別管理産業廃棄物収集運搬業の事業の範囲の変更の許可の申請に対する審査	七万二千円
	2 廃棄物の処理及び清掃に関する法律第十四条の五第一項の規定に基づく特別管理産業廃棄物処分業の事業の範囲の変更の許可の申請に対する審査	九万五千円
九十八 廃棄物の処理及び清掃に関する法律第十五条第一項の規定に基づく産業廃棄物処理施設の設置の許可に関する事務	廃棄物の処理及び清掃に関する法律第十五条第一項の規定に基づく産業廃棄物処理施設の設置の許可の申請に対する審査	イ 廃棄物の処理及び清掃に関する法律第十五条第四項に規定する産業廃棄物処理施設の設置の許可の申請に係る審査　十四万円 ロ その他の産業廃棄物処理施設の設置の許可の申請に係る審査　十二万円
九十九 廃棄物の処理及	廃棄物の処理及び清掃に関する	イ 廃棄物の処理及び清掃に関す

び清掃に関する法律第十五条の二の六第一項の規定に基づく産業廃棄物処理施設の設置の許可に係る事項の変更の許可に関する事務	法律第十五条の二の六第一項の規定に基づく産業廃棄物処理施設の設置の許可に係る事項の変更の許可の申請に対する審査	る法律第十五条第四項に規定する産業廃棄物処理施設の設置の許可に係る事項の変更の許可の申請に係る審査　十三万円 ロ　その他の産業廃棄物処理施設の設置の許可に係る事項の変更の許可の申請に係る審査　十一万円
百　積立式宅地建物販売業法（昭和四十六年法律第百十一号）第三条第一項及び第八条の規定に基づく積立式宅地建物販売業の許可に関する事務	積立式宅地建物販売業法第三条第一項の規定に基づく積立式宅地建物販売業の許可の申請に対する審査	八万円
百一　警備業法（昭和四十七年法律第百十七号）第四条及び第七条第一項の規定に基づく警備業の認定に関する事務	1　警備業法第四条の規定に基づく警備業の認定の申請に対する審査	二万三千円
	2　警備業法第七条第一項の規定に基づく認定の有効期間の更新の申請に対する審査	二万三千円
百二　警備業法第二十二条第二項、第五項、第六項及び第八項の規定に基づく警備員指導教育責任者に関する事務	1　警備業法第二十二条第二項の規定に基づく警備員指導教育責任者資格者証の交付の申請に対する審査	九千八百円
	2　警備業法第二十二条第二項第一号の規定に基づく警備員指導教育責任者講習	講習一時間につき千二百円
	3　警備業法第二十二条第五項の規定に基づく警備員指導教育責任者資格者証の書換え	千八百円
	4　警備業法第二十二条第六項の規定に基づく警備員指導教育責任者資格者証の再交付	千八百円
	5　警備業法第二十二条第八項の規定に基づく警備員の指導及び教育に関する講習	五千円
百三　警備業法第四十二条第二項並びに同条第三項において準用する同法第二十二条第五項及び第六項の規定に基づく機械警備業務管理者に関する事務	1　警備業法第四十二条第二項の規定に基づく機械警備業務管理者資格者証の交付の申請に対する審査	九千八百円
	2　警備業法第四十二条第二項第一号の規定に基づく機械警備業務管理者講習	三万九千円
	3　警備業法第四十二条第三項において準用する同法第二十二条第五項の規定に基づく機械警備業務管理者資格者証の書換え	千八百円
	4　警備業法第四十二条第三項において準用する同法第二十二条第六項の規定に基づく機械警備業務管理者資格者証の再交付	千八百円
百四　石油コンビナート等災害防止法（昭和五十年法律第八十四号）	石油コンビナート等災害防止法第十五条第二項の規定に基づく流出油等防止堤又はその他の特	イ　流出油等防止堤の検査　五万三千円にその延長一キロメートル又は一キロメートルに満たな

第十五条第二項の規定に基づく特定防災施設等の検査に関する事務	定防災施設等のうち総務省令で定めるものの検査	い端数を増すごとに二万六千円を加えた金額 ロ その他の特定防災施設等のうち総務省令で定めるものの検査 総務省令で定める金額
百四の二 貸金業法（昭和五十八年法律第三十二号）第三条第一項及び第二項の規定に基づく貸金業者の登録に関する事務	1 貸金業法第三条第一項の規定に基づく貸金業者の登録の申請に対する審査	十五万円
	2 貸金業法第三条第二項の規定に基づく貸金業者の登録の更新の申請に対する審査	十五万円
百五 不動産特定共同事業法（平成六年法律第七十七号）第三条第一項の規定に基づく不動産特定共同事業の許可に関する事務	不動産特定共同事業法第三条第一項の規定に基づく不動産特定共同事業の許可の申請に対する審査	八万円
百五の二 不動産特定共同事業法第四十一条第一項及び第三項の規定に基づく小規模不動産特定共同事業の登録に関する事務	1 不動産特定共同事業法第四十一条第一項の規定に基づく小規模不動産特定共同事業の登録の申請に対する審査	六万円
	2 不動産特定共同事業法第四十一条第三項の規定に基づく小規模不動産特定共同事業の登録の更新の申請に対する審査	六万円
百六 自動車運転代行業の業務の適正化に関する法律（平成十三年法律第五十七号）第四条の規定に基づく自動車運転代行業の認定に関する事務	自動車運転代行業の業務の適正化に関する法律第四条の規定に基づく自動車運転代行業の認定の申請に対する審査	一万二千円
百六の二 使用済自動車の再資源化等に関する法律（平成十四年法律第八十七号）第六十条第一項及び第二項の規定に基づく解体業の許可に関する事務	1 使用済自動車の再資源化等に関する法律第六十条第一項の規定に基づく解体業の許可の申請に対する審査	七万八千円
	2 使用済自動車の再資源化等に関する法律第六十条第二項の規定に基づく解体業の許可の更新の申請に対する審査	七万円
百六の三 使用済自動車の再資源化等に関する法律第六十七条第一項及び第二項の規定に基づく破砕業の許可に関する事務	1 使用済自動車の再資源化等に関する法律第六十七条第一項の規定に基づく破砕業の許可の申請に対する審査	八万四千円
	2 使用済自動車の再資源化等に関する法律第六十七条第二項の規定に基づく破砕業の許可の更新の申請に対する審査	七万七千円
百六の四 使用済自動車の再資源化等に関する法律第七十条第一項の規定に基づく破砕業の事業の範囲の変更の許可に関する事務	使用済自動車の再資源化等に関する法律第七十条第一項の規定に基づく破砕業の事業の範囲の変更の許可の申請に対する審査	六万七千円
百七 鳥獣の保護及び管理並びに狩猟の適正化に関する法律（平成十	1 鳥獣の保護及び管理並びに狩猟の適正化に関する法律第四十一条の規定に基づく狩猟	イ 鳥獣の保護及び管理並びに狩猟の適正化に関する法律第四十九条各号に掲げる者の狩猟免許

四年法律第八十八号）第三十九条第一項、第四十一条、第四十三条、第四十六条第二項及び第五十一条の規定に基づく狩猟免許に関する事務	免許の申請に対する審査	の申請に係る審査　三千九百円 ロ　その他の者の狩猟免許の申請に係る審査　五千二百円
	2　鳥獣の保護及び管理並びに狩猟の適正化に関する法律第四十六条第二項の規定に基づく狩猟免状の再交付	千円
	3　鳥獣の保護及び管理並びに狩猟の適正化に関する法律第五十一条第一項の規定に基づく狩猟免許の更新の申請に対する審査	二千九百円
百八　鳥獣の保護及び管理並びに狩猟の適正化に関する法律第五十五条第一項、第六十条及び第六十一条第五項の規定に基づく狩猟者の登録に関する事務	1　鳥獣の保護及び管理並びに狩猟の適正化に関する法律第五十五条第一項の規定に基づく狩猟者の登録	千八百円
	2　鳥獣の保護及び管理並びに狩猟の適正化に関する法律第六十一条第五項の規定に基づく狩猟者登録証の再交付	千百円
	3　鳥獣の保護及び管理並びに狩猟の適正化に関する法律第六十一条第五項の規定に基づく狩猟者記章の再交付	千円

備考
一　この表中の用語の意義及び字句の意味は、それぞれ上欄に規定する法律（これに基づく政令を含む。）又は政令における用語の意義及び字句の意味によるものとする。
二　この表の下欄に掲げる金額は、当該下欄に特別の計算単位の定めのあるものについてはその計算単位についての金額とし、その他のものについては一件についての金額とする。

附　則（抄）

1　この政令は、平成十二年四月一日から施行する。

○地方公共団体の手数料の標準に関する政令に規定する総務省令で定める金額等を定める省令

平一二・二・四
自治令五

最終改正 令五・一二・六総務令八二

第一条 この省令において使用する用語は、地方公共団体の手数料の標準に関する政令（以下「令」という。）において使用する用語の例による。

第一条の二 令本則の表八の項の3の総務省令で定める電子情報処理組織を使用する方法は、行政手続における特定の個人を識別するための番号の利用等に関する法律（平成二十五年法律第二十七号）附則第六条第三項に規定する情報提供等記録開示システム（以下この条において「情報提供等記録開示システム」という。）を使用する方法（戸籍電子証明書提供用識別符号の発行又は令本則の表八の項の6の除籍電子証明書提供用識別符号の発行を行う場合にあっては電子情報処理組織により自動的に特定した当該戸籍電子証明書提供用識別符号又は除籍電子証明書提供用識別符号を情報提供等記録開示システムを通じて発行する方法に限る。）とする。

第一条の三 令本則の表十六の項の2の下欄の浮き屋根を有する特定屋外貯蔵タンクのうち総務省令で定めるものは、危険物の規制に関する規則（昭和三十四年総理府令第五十五号。以下次条及び第二条において「規則」という。）第二十条の四第二項第三号に定める構造を有しなければならない特定屋外貯蔵タンクとする。

第一条の四 令本則の表十六の項の2の下欄の浮き蓋付きの特定屋外貯蔵タンクのうち総務省令で定めるものは、規則第二十二条の二第一号ハに定める構造を有しなければならない特定屋外貯蔵タンクとする。

第二条 令本則の表十七の項の2の下欄の総務省令で定める場合は、次の各号に掲げる屋外タンク貯蔵所の区分に応じ、当該各号に定める場合とする。

一 特定屋外タンク貯蔵所及び準特定屋外タンク貯蔵所（次号に掲げるものを除く。） 屋外貯蔵タンクのタンク本体並びに基礎及び地盤（地中タンク（規則第四条第三項第四号に規定する地中タンクをいう。）に係る特定屋外タンク貯蔵所及び準特定屋外タンク貯蔵所にあってはタンク本体及び地盤、海上タンク（規則第三条第二項第一号に規定する海上タンクをいう。）に係る特定屋外タンク貯蔵所及び準特定屋外タンク貯蔵所にあってはタンク本体及び定置設備（規則第四条第三項第六号の二に規定する定置設備をいう。）（定置設備の地盤を含む。））の変更以外の変更に係る消防法（昭和二十三年法律第百八十六号）第十一条第一項後段の規定に基づく変更の許可の申請（以下この条において「変更許可申請」という。）に係る審査の場合

二 岩盤タンクに係る屋外タンク貯蔵所 岩盤タンクのタンク本体の変更以外の変更に係る変更許可申請に係る審査の場合

三 危険物の規制に関する政令等の一部を改正する政令（平成六年政令第二百十四号。以下この号及び次号において「六年政令」という。）附則第七項に規定する旧基準の特定屋外タンク貯蔵所（同項第一号に掲げるものに限る。） 平成二十一年十二月三十一日（同項第一号括弧書に掲げる旧基準の特定屋外タンク貯蔵所にあっては、当該旧基準の特定屋外タンク貯蔵所における危険物の貯蔵及び取扱いを再開する日の前日。これらの日前に当該旧基準の特定屋外タンク貯蔵所の構造及び設備が六年政令附則第二項第一号に規定する新基準（以下この号及び次号において「六年新基準」という。）に適合することとなった場合にあっては、当該適合することとなった日）までに行われた変更許可申請（当該旧基準の特定屋外タンク貯蔵所の構造及び設備を六年新基準に適合させるためのもの、第一条の二に規定する特定屋外貯蔵タンクに係る特定屋外タンク貯蔵所の浮き屋根に係るもの並びに前条に規定する特定屋外貯蔵タンクに係る特定屋外タンク貯蔵所の浮き蓋に係るものを除く。）に係る審査の場合

四 六年政令附則第七項に規定する旧基準の特定屋外タンク貯蔵所（同項第二号に掲げるものに限る。） 平成二十五年十二月三十一日（同項第二号括弧書に掲げる旧基準の特定屋外タンク貯蔵所にあっては、当該旧基準の特定屋外タンク貯蔵所における危険物の貯蔵及び取扱いを再開する日の前日。これらの日前に当該旧基準の特定屋外タンク貯蔵所の構造及び設備が六年新基準に適合することとなった場合にあっては、当該適合することとなった日）までに行われた変更許可申請（当該旧基準の特定屋外タンク貯蔵所の構造及び設備を六年新基準に適合させるためのもの、第一条の二に規定する特定屋外貯蔵タンクに係る特定屋外タンク貯蔵所の浮き屋根に係るもの並びに前条に規定する特定屋外貯蔵タンクに係る特定屋外タンク貯蔵所の浮き蓋に係るものを除く。）に係る審査の場合

五 危険物の規制に関する政令の一部を改正する政令（平成十一年政令第三号。以下この号において「十一年政令」という。）附則第二項に規定する旧基準の準特定屋外タンク貯蔵所（同項第一号に掲げるものに限る。） 平成二十九年三月三十一日（同項第一号括弧書に掲げる旧基準の準特定屋外タンク貯蔵所にあっては、当該旧基準の準特定屋外タンク貯蔵所における危険物の貯蔵及び取扱いを再開する日の前日。これらの日前に当該旧基準の準特定屋外タンク貯蔵所の構造及び設備が十一年政令附則第二項に規定する新基準（以下この号において「十一年新基準」という。）に適合することとなった場合にあっては、当該適合することとなった日）までに行われた変更許可申請（当該旧基準の準特定屋外タンク貯蔵所の構造及び設備を十一年新基準に適合させるためのものを除く。）に係る審査の場合

第三条 令本則の表二十一の項の2の下欄の総務省令で定める額は、千六百円とする。

第四条 令本則の表二十三の項の2の下欄の総務省令で定める額は、千六百円とする。

第五条 令本則の表百四の項のその他の特定防災施設等のうち総務省令で定めるものは、次の各号に掲げるものとし、同項の下

欄のロの総務省令で定める金額は、当該各号に定める金額とする。

一　消火栓を有し、かつ、貯水槽を有しない屋外給水施設（石油コンビナート等における特定防災施設等及び防災組織等に関する省令（昭和五十一年自治省令第十七号）第一条に規定する消火用屋外給水施設をいう。以下この条において同じ。）　三万八千円に配管の延長一キロメートル又は一キロメートルに満たない端数を増すごとに八千五百円を加えた金額

二　貯水槽を有し、かつ、消火栓を有しない屋外給水施設　二万二千円に貯水槽一基につき四千五百円を加えた金額

三　消火栓及び貯水槽を有する屋外給水施設　四万六千円に配管の延長一キロメートル又は一キロメートルに満たない端数を増すごとに八千五百円及び貯水槽一基につき四千五百円を加えた金額

附　則

この省令は、平成十二年四月一日から施行する。

○地方交付税法

昭二五・五・三〇
法　二一一

最終改正　令六・五・二九法四〇

（この法律の目的）

第一条　この法律は、地方団体が自主的にその財産を管理し、事務を処理し、及び行政を執行する権能をそこなわずに、その財源の均衡化を図り、及び地方交付税の交付の基準の設定を通じて地方行政の計画的な運営を保障することによつて、地方自治の本旨の実現に資するとともに、地方団体の独立性を強化することを目的とする。

（用語の意義）

第二条　この法律において、次の各号に掲げる用語の意義は、当該各号に定めるところによる。

一　地方交付税　第六条の規定により算定した所得税、法人税、酒税及び消費税のそれぞれの一定割合の額並びに地方法人税の額で地方団体がひとしくその行うべき事務を遂行することができるように国が交付する税をいう。

二　地方団体　都道府県及び市町村をいう。

三　基準財政需要額　各地方団体の財政需要を合理的に測定するために、当該地方団体について第十一条の規定により算定した額をいう。

四　基準財政収入額　各地方団体の財政力を合理的に測定するために、当該地方団体について第十四条の規定により算定した額をいう。

五　測定単位　地方行政の種類ごとに設けられ、かつ、この種類ごとにその量を測定する単位で、毎年度の普通交付税を交付するために用いるものをいう。

六　単位費用　道府県又は市町村ごとに、標準的条件を備えた地方団体が合理的、かつ、妥当な水準において地方行政を行う場合又は標準的な施設を維持する場合に要する経費を基準とし、補助金、負担金、手数料、使用料、分担金その他これらに類する収入及び地方税の収入のうち基準財政収入額に相当するもの以外のものを財源とすべき部分を除いて算定した各測定単位の単位当たりの費用（当該測定単位の数値につき第十三条第一項の規定の適用があるものについては、当該規定を適用した後の測定単位の単位当たりの費用）で、普通交付税の算定に用いる地方行政の種類ごとの経費の額を決定するために、測定単位の数値に乗ずべきものをいう。

（運営の基本）

第三条　総務大臣は、常に各地方団体の財政状況の的確な把握に努め、地方交付税（以下「交付税」という。）の総額を、この法律の定めるところにより、財政需要額が財政収入額をこえる地方団体に対し、衡平にその超過額を補てんすることを目途として交付しなければならない。

2　国は、交付税の交付に当つては、地方自治の本旨を尊重し、条件をつけ、又はその使途を制限してはならない。

3　地方団体は、その行政について、合理的、且つ、妥当な水準を維持するように努め、少くとも法律又はこれに基く政令により義務づけられた規模と内容とを備えるようにしなければならない。

（総務大臣の権限と責任）

第四条　総務大臣は、この法律を実施するため、次に掲げる権限と責任とを有する。

一　毎年度分として交付すべき交付税の総額を見積もること。

二　各地方団体に交付すべき交付税の額を決定し、及びこれを交付すること。

三　第十条、第十五条、第十九条又は第二十条の二に規定する場合において、各地方団体に対する交付税の額を変更し、減額し、又は返還させること。

四　第十八条に定める地方団体の審査の申立てを受理し、これに対する決定をすること。

五　第十九条第七項（第二十条の二第四項において準用する場合を含む。）に定める異議の申出を受理し、これに対する決定をすること。

六　第二十条に定める意見の聴取を行うこと。

七　交付税の総額の見積り及び各地方団体に交付すべき交付税

の額の算定のために必要な資料を収集し、及び整備すること。

八　収集した資料に基づき、常に地方財政の状況を把握し、交付税制度の運用について改善を図ること。

九　前各号に定めるもののほか、この法律に定める事項

（交付税の算定に関する資料）

第五条　都道府県知事は、総務省令で定めるところにより、当該都道府県の基準財政需要額及び基準財政収入額に関する資料、特別交付税の額の算定に用いる資料その他必要な資料を総務大臣に提出するとともに、これらの資料の基礎となる事項を記載した台帳をそなえておかなければならない。

2　市町村長は、総務省令で定めるところにより、当該市町村の基準財政需要額及び基準財政収入額に関する資料、特別交付税の額の算定に用いる資料その他必要な資料を都道府県知事に提出するとともに、これらの資料の基礎となる事項を記載した台帳をそなえておかなければならない。

3　都道府県知事は、前項の規定により提出された資料を審査し、総務大臣に送付しなければならない。

4　基準財政需要額の中に含まれる経費に係る地方行政に関係がある国の行政機関（内閣府、宮内庁並びに内閣府設置法（平成十一年法律第八十九号）第四十九条第一項及び第二項の機関、デジタル庁並びに国家行政組織法（昭和二十三年法律第百二十号）第三条第二項の機関をいう。以下「関係行政機関」という。）は、総務大臣が要求した場合においては、その所管に係る行政に関し、総務大臣の要求に係る交付税の総額の算定又は交付に関し必要な資料を総務大臣に提出しなければならない。

（交付税の総額）

第六条　所得税及び法人税の収入額のそれぞれ百分の三十三・一、酒税の収入額の百分の五十、消費税の収入額の百分の一九・五並びに地方法人税の収入額をもつて交付税とする。

2　毎年度分として交付すべき交付税の総額は、当該年度における所得税及び法人税の収入見込額のそれぞれ百分の三十三・一、酒税の収入見込額の百分の五十、消費税の収入見込額の百分の一九・五並びに地方法人税の収入見込額に相当する額の合算額に当該年度の前年度以前の年度における交付税で、まだ交付していない額を加算し、又は当該前年度以前の年度において交付すべきであつた額を超えて交付した額を当該合算額から減額した額とする。

（交付税の種類等）

第六条の二　交付税の種類は、普通交付税及び特別交付税とする。

2　毎年度分として交付すべき普通交付税の総額は、前条第二項の額の百分の九十四に相当する額とする。

3　毎年度分として交付すべき特別交付税の総額は、前条第二項の額の百分の六に相当する額とする。

（特別交付税の額の変更等）

第六条の三　毎年度分として交付すべき普通交付税の総額が第十条第二項本文の規定によつて各地方団体について算定した額の合算額をこえる場合においては、当該超過額は、当該年度の特別交付税の総額に加算するものとする。

2　毎年度分として交付すべき普通交付税の総額が引き続き第十条第二項本文の規定によつて各地方団体について算定した額の合算額と著しく異なることとなつた場合においては、地方財政若しくは地方行政に係る制度の改正又は第六条第一項に定める率の変更を行うものとする。

（歳入歳出総額の見込額の提出及び公表の義務）

第七条　内閣は、毎年度左に掲げる事項を記載した翌年度の地方団体の歳入歳出総額の見込額に関する書類を作成し、これを国会に提出するとともに、一般に公表しなければならない。

一　地方団体の歳入総額の見込額及び左の各号に掲げるその内訳

イ　各税目ごとの課税標準額、税率、調定見込額及び徴収見込額

ロ　使用料及び手数料

ハ　起債額

ニ　国庫支出金

ホ　雑収入

二　地方団体の歳出総額の見込額及び左の各号に掲げるその内訳

イ　歳出の種類ごとの総額及び前年度に対する増減額

ロ　国庫支出金に基く経費の総額

ハ　地方債の利子及び元金償還金

（交付税の額の算定期日）

第八条　各地方団体に対する交付税の額は、毎年度四月一日現在により、算定する。

（廃置分合又は境界変更の場合の交付税の措置）

第九条　前条の期日後において、地方団体の廃置分合又は境界変更があつた場合における当該地方団体に対する交付税の措置については、左の各号の定めるところによる。

一　廃置分合に因り一の地方団体の区域がそのまま他の地方団体の区域となつたときは、当該廃置分合の期日後は、当該廃置分合前の地方団体に対して交付すべきであつた交付税の額は、当該地方団体の区域が新たに属することとなつた地方団体に交付する。

二　廃置分合に因り一の地方団体の区域が分割されたとき、又は境界変更があつたときは、当該廃置分合又は境界変更の期日後は、当該廃置分合又は境界変更前の地方団体に対し交付すべきであつた交付税の額は、総務省令で定めるところにより、廃置分合若しくは境界変更に係る区域又は境界変更に係る区域を除いた当該地方団体の区域を基礎とする独立の地方団体がそれぞれ当該年度の四月一日に存在したものと仮定した場合において、これらの地方団体に対し交付すべきであつた交付税の額にあん分し、当該あん分した額を廃置分合若しくは境界変更に係る区域が属することとなつた地方団体又は境界変更に係る区域が属していた地方団体に対し、それぞれ交付する。

（普通交付税の額の算定）

第十条　普通交付税は、毎年度、基準財政需要額が基準財政収入額をこえる地方団体に対して、次項に定めるところにより交付する。

2　各地方団体に対して交付すべき普通交付税の額は、当該地方団体の基準財政需要額が基準財政収入額をこえる額（以下本項中「財源不足額」という。）とする。ただし、各地方団体について算定した財源不足額の合算額が普通交付税の総額をこえる場合においては、次の式により算定した額とする。

当該地方団体の財源不足額－当該地方団体の基準財政需要額
　財源不足額の合算額－普通交付税の総額
×基準財政需要額が基準財政収入額をこえる地方団体の基準財
　政需要額の合算額

3　総務大臣は、前二項の規定により交付すべき普通交付税の額を、遅くとも毎年八月三十一日までに決定しなければならない。但し、交付税の総額の増加その他特別の事由がある場合においては、九月一日以後において、普通交付税の額を決定し、又は既に決定した普通交付税の額を変更することができる。

4　総務大臣は、前項の規定により普通交付税の額を決定し、又は変更したときは、これを当該地方団体に通知しなければならない。

5　第三項ただし書の規定により一部の地方団体について既に決定した普通交付税の額を変更した場合においては、それがために他の地方団体について既に決定している普通交付税の額を変更することはしないものとする。

6　当該年度分として交付すべき普通交付税の総額が第二項但書の規定により算定した各地方団体に対して交付すべき普通交付税の合算額に満たない場合においては、当該不足額は、当該年度の特別交付税の総額を減額してこれに充てるものとする。

（基準財政需要額の算定方法）

第十一条　基準財政需要額は、測定単位の数値を第十三条の規定により補正し、これを当該測定単位ごとの単位費用に乗じて得た額を当該地方団体について合算した額とする。

（測定単位及び単位費用）

第十二条　地方行政に要する経費のうち各地方団体の財政需要を合理的に測定するために経費の種類を区分してその額を算定するもの（次項において「個別算定経費」という。）の測定単位は、地方団体の種類ごとに次の表の経費の種類の欄に掲げる経費について、それぞれその測定単位の欄に定めるものとする。

地方団体の種類	経費の種類	測定単位
道府県	一　警察費	警察職員数
	二　土木費 　1　道路橋りよう費	道路の面積 道路の延長
	2　河川費	河川の延長
	3　港湾費	港湾における係留施設の延長 港湾における外郭施設の延長 漁港における係留施設の延長 漁港における外郭施設の延長
	4　その他の土木費	人口
	三　教育費 　1　小学校費	教職員数
	2　中学校費	教職員数
	3　高等学校費	教職員数 生徒数
	4　特別支援学校費	教職員数 学級数
	5　その他の教育費	人口 高等専門学校及び大学の学生の数 私立の学校の幼児、児童及び生徒の数
	四　厚生労働費 　1　生活保護費	町村部人口
	2　社会福祉費	人口
	3　衛生費	人口
	4　こども子育て費	十八歳以下人口
	5　高齢者保健福祉費	六十五歳以上人口 七十五歳以上人口
	6　労働費	人口
	五　産業経済費 　1　農業行政費	農家数
	2　林野行政費	公有以外の林野の面積 公有林野の面積
	3　水産行政費	水産業者数
	4　商工行政費	人口
	六　総務費 　1　徴税費	世帯数
	2　恩給費	恩給受給権者数
	3　地域振興費	人口
	七　災害復旧費	災害復旧事業費の財源に充てるため発行について同意又は許可を得た地方債（発行について地方財政法（昭和二十三年法律第百九号）第五条の三第六項の規定による届出がされた地方債のうち同条第一項の規定による協議を受けたならば同条第十項に規定する基準に照らして同意をすることとなると認められるものとして総務大臣が指定するものを含む。以下同じ。）に係る元利償還金（償還期限の満了の日において元金の全部を償還することとして発行について同意又は許可を得た地方債にあつては、その償還が元金均等半年賦償還の方法によることとした場合における元利償還金に相

		当する額。以下同じ。）
	八 補正予算債償還費	平成四年度から平成十年度までの各年度において国の補正予算等に係る事業費の財源に充てるため発行を許可された地方債に係る元利償還金
		平成十六年度から令和五年度までの各年度において国の補正予算等に係る事業費の財源に充てるため発行について同意又は許可を得た地方債の額
	九 地方税減収補塡債償還費	地方税の減収補塡のため平成十六年度から令和五年度までの各年度において特別に発行について同意又は許可を得た地方債の額
	十 財源対策債償還費	平成十六年度から令和五年度までの各年度の財源対策のため当該各年度において発行について同意又は許可を得た地方債の額
	十一 減税補塡債償還費	個人の道府県民税に係る特別減税等による平成六年度から平成八年度まで及び平成十六年度から平成十八年度までの各年度の減収を補塡するため当該各年度において特別に起こすことができることとされた地方債の額
	十二 臨時財政対策債償還費	臨時財政対策のため平成十六年度から令和五年度までの各年度において特別に起こすことができることとされた地方債の額
	十三 東日本大震災全国緊急防災施策等債償還費	平成二十五年度から令和五年度までの各年度において東日本大震災全国緊急防災施策等に要する費用に充てるため発行について同意又は許可を得た地方債の額
	十四 国土強靱化施策債償還費	令和元年度から令和五年度までの各年度において国土強靱化施策に要する費用に充てるため発行について同意又は許可を得た地方債の額
市町村	一 消防費	人口
	二 土木費 1 道路橋りよう費	道路の面積
		道路の延長
	2 港湾費	港湾における係留施設の延長
		港湾における外郭施設の延長
		漁港における係留施設の延長
		漁港における外郭施設の延長
	3 都市計画費	都市計画区域における人口
	4 公園費	人口
		都市公園の面積
	5 下水道費	人口
	6 その他の土木費	人口
	三 教育費 1 小学校費	児童数
		学級数
		学校数
	2 中学校費	生徒数
		学級数
		学校数
	3 高等学校費	教職員数
		生徒数
	4 その他の教育費	人口
	四 厚生費 1 生活保護費	市部人口
	2 社会福祉費	人口
	3 保健衛生費	人口
	4 こども子育て費	十八歳以下人口
	5 高齢者保健福祉費	六十五歳以上人口
		七十五歳以上人口
	6 清掃費	人口
	五 産業経済費 1 農業行政費	農家数
	2 林野水産行政費	林業及び水産業の従業者数
	3 商工行政費	人口
	六 総務費 1 徴税費	世帯数
	2 戸籍住民基本台帳費	戸籍数
		世帯数
	3 地域振興費	人口
		面積
	七 災害復旧費	災害復旧事業費の財源に充てるため発行について同意又は許可を得た地方債に係る元利償還金
	八 辺地対策事業債償還費	辺地対策事業費の財源に充てるため発行について同意又は許可を得た地方債に係る元利償還金
	九 補正予算債償還費	平成四年度から平成十年度までの各年度において国の

	補正予算等に係る事業費の財源に充てるため発行を許可された地方債に係る元利償還金 平成十六年度から令和五年度までの各年度において国の補正予算等に係る事業費の財源に充てるため発行について同意又は許可を得た地方債の額
十　地方税減収補塡債償還費	地方税の減収補塡のため平成十七年度から令和五年度までの各年度において特別に発行について同意又は許可を得た地方債の額
十一　財源対策債償還費	平成十三年度から令和五年度までの各年度の財源対策のため当該各年度において発行について同意又は許可を得た地方債の額
十二　減税補塡債償還費	個人の市町村民税に係る特別減税等による平成六年度から平成八年度まで及び平成十六年度から平成十八年度までの各年度の減収を補塡するため当該各年度において特別に起こすことができることとされた地方債の額
十三　臨時財政対策債償還費	臨時財政対策のため平成十三年度から令和五年度までの各年度において特別に起こすことができることとされた地方債の額
十四　東日本大震災全国緊急防災施策等債償還費	平成二十五年度から令和五年度までの各年度において東日本大震災全国緊急防災施策等に要する費用に充てるため発行について同意又は許可を得た地方債の額
十五　国土強靱化施策債償還費	令和元年度から令和五年度までの各年度において国土強靱化施策に要する費用に充てるため発行について同意又は許可を得た地方債の額

2　地方行政に要する経費のうち個別算定経費以外のものの測定単位は、道府県又は市町村ごとに、人口及び面積とする。

3　前二項の測定単位の数値は、次の表の上欄に掲げる測定単位につき、それぞれ中欄に定める算定の基礎により、下欄に掲げる表示単位に基づいて、総務省令で定めるところにより算定する。

測定単位の種類	測定単位の数値の算定の基礎	表示単位
一　人口	官報で公示された最近の国勢調査の結果による当該地方団体の人口	人
二　面積	国土地理院において公表した最近の当該地方団体の面積	平方キロメートル
三　警察職員数	警察法（昭和二十九年法律第百六十二号）第五十七条に規定する政令で定める基準により算定した当該道府県の警察職員数	人
四　道路の面積	道路法（昭和二十七年法律第百八十号）第二十八条に規定する道路台帳（以下「道路台帳」という。）に記載されている道路で当該地方団体が管理するものの面積	千平方メートル
五　道路の延長	道路台帳に記載されている道路で当該地方団体が管理するものの延長	キロメートル
六　河川の延長	河川法（昭和三十九年法律第百六十七号）第十二条第二項に規定する河川現況台帳に記載されている河川で当該地方団体がその経費を負担するものの河岸のうち、当該地方団体の区域内に所在するものの延長	キロメートル
七　港湾における係留施設の延長	港湾法（昭和二十五年法律第二百十八号）第四十八条の二第一項の港湾台帳（以下「港湾台帳」という。）に記載されている係留施設の延長で当該地方団体が経費を負担する港湾に係るもの	メートル
八　港湾における外郭施設の延長	港湾台帳に記載されている外郭施設（港湾法第二条第五項第九号の二に掲げる廃棄物処理施設のうち廃棄物埋立護岸を含む。）の延長で当該地方団体が経費を負担する港湾に係るもの	メートル
九　漁港における係留施設の延長	漁港及び漁場の整備等に関する法律（昭和二十五年法律第百三十七号）第三十六条の二第一項の漁港台帳（以下「漁港台帳」という。）に記載されている係留施設の延長で当該地方団体が経費を負担する漁港に係るもの	メートル
十　漁港における外郭施設の延長	漁港台帳に記載されている外郭施設の延長で当該地方団体が経費を負担する漁港に係るもの	メートル
十一　都市計画区域における人口	最近の国勢調査の結果による当該地方団体の人口で都市計画法（昭和四十三年法律第百号）第四条第二項の都市計画区域に係るもの	人

十二 都市公園の面積	都市公園法（昭和三十一年法律第七十九号）第十七条第一項に規定する都市公園台帳に記載されている都市公園で当該市町村が管理するものの面積	千平方メートル
十三 小学校の教職員数	公立義務教育諸学校の学級編制及び教職員定数の標準に関する法律（昭和三十三年法律第百十六号）に規定する学級編制の標準及び教職員定数の標準により算定した当該道府県の区域内の市町村立の小学校（義務教育学校の前期課程を含む。次号から第十六号までにおいて同じ。）の教職員に係る当該道府県の定数	人
十四 小学校の児童数	最近の統計法（平成十九年法律第五十三号）第二条第六項に規定する基幹統計調査（以下「基幹統計調査」という。）で学校に係るもの（以下「学校基本調査」という。）の結果による当該市町村立の小学校に在学する学齢児童の数	人
十五 小学校の学級数	公立義務教育諸学校の学級編制及び教職員定数の標準に関する法律に規定する学級編制の標準により算定した当該市町村立の小学校の学級数	学級
十六 小学校の学校数	最近の学校基本調査の結果による当該市町村立の小学校の数	校
十七 中学校の教職員数	公立義務教育諸学校の学級編制及び教職員定数の標準に関する法律に規定する学級編制の標準及び教職員定数の標準により算定した当該道府県の区域内の市町村立の中学校、義務教育学校の後期課程及び中等教育学校の前期課程並びに当該道府県立の中学校（学校教育法（昭和二十二年法律第二十六号）第七十一条の規定により高等学校における教育と一貫した教育を施すもの及び夜間その他特別の時間において主として学齢を経過した者に対して指導を行うための教育課程を実施するものに限る。）及び中等教育学校の前期課程の教職員に係る当該道府県の定数	人
十八 中学校の生徒数	最近の学校基本調査の結果による当該市町村立の中学校（義務教育学校の後期課程及び中等教育学校の前期課程を含む。次号及び第二十号において同じ。）に在学する学齢生徒の数	人
十九 中学校の学級数	公立義務教育諸学校の学級編制及び教職員定数の標準に関する法律に規定する学級編制の標準により算定した当該市町村立の中学校の学級数	学級
二十 中学校の学校数	最近の学校基本調査の結果による当該市町村立の中学校の数	校
二十一 高等学校の教職員数	道府県にあつては公立高等学校の適正配置及び教職員定数の標準等に関する法律（昭和三十六年法律第百八十八号）の規定により算定した当該道府県立の高等学校（中等教育学校の後期課程を含む。以下この号において同じ。）の教職員定数（地方自治法（昭和二十二年法律第六十七号）第二百五十二条の十九第一項の指定都市（以下「指定都市」という。）以外の当該道府県の区域内の市町村立の高等学校の定時制の課程に係る校長、副校長、教頭、主幹教諭、指導教諭、教諭、助教諭及び講師の数を含む。）、市町村にあつては公立高等学校の適正配置及び教職員定数の標準等に関する法律の規定により算定した当該市町村立の高等学校の教職員定数（指定都市以外の市町村にあつては、当該市町村立の高等学校の定時制の課程に係る校長、副校長、教頭、主幹教諭、指導教諭、教諭、助教諭及び講師の数を除く。）	人
二十二 高等学校の生徒数	最近の学校基本調査の結果による当該地方団体立の高等学校（中等教育学校の後期課程を含む。）の全日制の課程又は定時制の課程に在学する生徒の数	人
二十三 特別支援学校の教職員数	公立義務教育諸学校の学級編制及び教職員定数の標準に関する法律に規定する学級編制の標準及び教職員定数の標準により算定した当該道府県の区域内の公立の特別支援学校の小学部及び中学部の教職員に係る当該道府県の定数並びに公立高等学校の適正配置及び教職員定数の標準等に関する法律に規定する教職員定数の標準により算定した当該道府県の区域内の公立の特別支援学校の高等部の教職員に係る当該道府県の定数	人
二十四 特別支援学校の学級数	公立義務教育諸学校の学級編制及び教職員定数の標準に関する法律に規定する学級編制の標準により	学級

項目	内容	単位
	算定した当該道府県立の特別支援学校の小学部及び中学部の学級数並びに最近の学校基本調査の結果による当該道府県立の特別支援学校の高等部の学級数	
二十五 高等専門学校及び大学の学生の数	最近の学校基本調査の結果による当該道府県立の高等専門学校（当該道府県が地方独立行政法人法（平成十五年法律第百十八号）第六条第三項に規定する設立団体である同法第六十八条第一項の公立大学法人の設置する高等専門学校を含む。）及び短期大学の学科及び専攻科並びに大学（当該道府県が同法第六条第三項に規定する設立団体である同法第六十八条第一項の公立大学法人の設置する大学を含む。）の学部、専攻科及び大学院に在学する学生の数	人
二十六 私立の学校の幼児、児童及び生徒の数	最近の学校基本調査の結果による当該道府県の区域内の私立の幼稚園（子ども・子育て支援法（平成二十四年法律第六十五号）第二十七条第一項の確認を受けたものを除く。）、小学校、中学校、義務教育学校、高等学校、中等教育学校及び特別支援学校に在学する幼児、児童及び生徒の数	人
二十七 町村部人口	官報で公示された最近の国勢調査の結果による当該道府県の人口のうち町村（社会福祉法（昭和二十六年法律第四十五号）に規定する福祉に関する事務所を設置する町村（次号において「福祉事務所設置町村」という。）を除く。）に係るもの	人
二十八 市部人口	官報で公示された最近の国勢調査の結果による当該市（福祉事務所設置町村を含む。）の人口	人
二十九 十八歳以下人口	最近の国勢調査の結果による当該地方団体の十八歳以下の人口	人
三十 六十五歳以上人口	最近の国勢調査の結果による当該地方団体の六十五歳以上の人口	人
三十一 七十五歳以上人口	最近の国勢調査の結果による当該地方団体の七十五歳以上の人口	人
三十二 農家数	最近の農業に係る基幹統計調査（以下「農林業センサス」という。）の結果による当該地方団体の農家（農地法（昭和二十七年法律第二百二十九号）第二条第三項に規定する農地所有適格法人を含む。）の数	戸
三十三 公有以外の林野の面積	最近の農林業センサスの結果による当該道府県の林野（国有林野並びに道府県及び分収林特別措置法（昭和三十三年法律第五十七号）第十条第二号に掲げる森林整備法人（以下「森林整備法人」という。）の所管する林野を除く。）の面積	ヘクタール
三十四 公有林野の面積	最近の農林業センサスの結果による当該道府県の区域内の道府県及び森林整備法人の所管する林野の面積	ヘクタール
三十五 水産業者数	最近の漁業に係る基幹統計調査の結果による当該道府県の水産業者数	人
三十六 林業及び水産業の従業者数	最近の国勢調査の結果による当該市町村の林業及び水産業の従業者数	人
三十七 戸籍数	当該市町村の戸籍法（昭和二十二年法律第二百二十四号）第七条の規定により戸籍簿につづられた戸籍及び同法第百十九条第二項の規定により戸籍簿に蓄積された戸籍の数	籍
三十八 世帯数	最近の国勢調査の結果による当該市町村の世帯数	世帯
三十九 恩給受給権者数	恩給法（大正十二年法律第四十八号）を準用する法律の規定により当該年度の前年度において当該道府県から恩給を受ける権利を有する者及び当該道府県の退職年金に関する条例により当該年度の前年度において当該道府県から退職年金を受ける権利を有する者の数	人
四十 災害復旧事業費の財源に充てるため発行について同意又は許可を得た地方債に係る元利償還金	(1) 国庫の負担金を受けて施行した災害復旧事業に係る経費又は国の行う災害復旧事業に係る負担金に充てるため発行について同意又は許可を得た地方債（平成二十三年度から令和五年度までの各年度において発行について同意又は許可を得た地方債で総務大臣の指定するものを除く。）の当該年度における元利償還金及び国庫の負担金を受けないで施行した災害復旧事業に係る経費に充てるため発行について同意又は許可を得た地方債（平成二十二年度から令和五年度までの各年度において発行について同意又は許可を得た地方債で総務大臣の指定するものを	千円

交付税法

	除く。）の当該年度における元利償還金（(6)に掲げるものを除く。） (2)　国庫の負担金を受けて施行した地盤沈下、地盤変動若しくは海岸侵食の防除のための事業に係る経費又は国の行う地盤沈下、地盤変動若しくは海岸侵食の防除のための事業に係る負担金に充てるため発行について同意又は許可を得た地方債（平成二十三年度から令和五年度までの各年度において発行について同意又は許可を得た地方債で総務大臣の指定するものを除く。）の当該年度における元利償還金 (3)　国庫の負担金を受けて施行した災害に伴う緊急の砂防事業、地すべり対策事業、治山事業若しくは河川事業に係る経費又は国の行う災害に伴う緊急の砂防事業、地すべり対策事業、治山事業若しくは河川事業に係る負担金に充てるため起こした地方債で総務大臣の指定するものの当該年度における元利償還金 (4)　国庫の負担金を受けて施行した特殊土壌地帯災害防除及び振興臨時措置法（昭和二十七年法律第九十六号）第三条第一項の事業計画に基づく事業に係る経費又は国の行う当該計画に基づく事業に係る負担金に充てるため起こした地方債で総務大臣の指定するものの当該年度における元利償還金 (5)　国庫の補助金を受けて施行した臨時石炭鉱害復旧法（昭和二十七年法律第二百九十五号）の規定に基づく鉱害復旧事業に係る経費又は地方公共団体以外の者が施行する鉱害復旧事業につき同法第五十三条の規定により負担し、若しくは同法第五十三条の三第一項の規定により支弁するために要する経費若しくは同法第九十四条第二項の規定により補助金を交付するために要する経費に充てるため起こした地方債の当該年度における元利償還金 (6)　激甚災害に対処するための特別の財政援助等に関する法律（昭和三十七年法律第百五十号）第二十四条第一項及び第二項に規定する地方債の当該年度における元利償還金	
四十一　辺地対策事業費の財源に充てるため発行について同意又は許可を得た地方債に係る元利償還金	辺地に係る公共的施設の総合整備のための財政上の特別措置等に関する法律（昭和三十七年法律第八十八号）第六条に規定する地方債に係る当該年度における元利償還金	千円
四十二　平成四年度から平成十年度までの各年度において国の補正予算等に係る事業費の財源に充てるため発行を許可された地方債に係る元利償還金	国庫の負担金若しくは補助金を受けて施行した事業に係る経費又は国等の行う事業に係る負担金に充てるため平成四年度から平成十年度までの各年度において発行を許可された地方債で当該国庫の負担金若しくは補助金又は国等の行う事業が当該各年度の国の補正予算により追加された歳出又は国の公共事業等予備費の使用に係るもののうち総務大臣が指定するものに係る当該年度における元利償還金	千円
四十三　平成十六年度から令和五年度までの各年度において国の補正予算等に係る事業費の財源に充てるため発行について同意又は許可を得た地方債の額	国庫の負担金若しくは補助金を受けて施行した事業に係る経費又は国等の行う事業に係る負担金に充てるため平成十六年度から令和五年度までの各年度において発行について同意又は許可を得た地方債で当該国庫の負担金若しくは補助金又は国等の行う事業が当該各年度の国の補正予算により追加された歳出又は国の公共事業等予備費の使用に係るもののうち総務大臣が指定するものの額	千円
四十四　地方税の減収補塡のため平成十六年度から令和五年度までの各年度において特別に発行について同意又は許可を得た地方債の額	(1)　道府県にあつては道府県民税の法人税割及び利子割、法人の行う事業に対する事業税、地方法人特別譲与税並びに特別法人事業譲与税の減収補塡のため平成十六年度から令和五年度までの各年度において特別に発行について同意又は許可を得た地方債の額の百分の七十五に相当する額、市町村にあつては市町村民税の法人税割、地方税法（昭和二十五年法律第二百二十六号）第七十一条の二十六の規定により市町村に対し交付するものとされる利子割に係る交付金	千円

(以下「利子割交付金」という。)及び同法第七十二条の七十六又は第七百三十四条第四項の規定により市町村に対し交付するものとされる法人の行う事業に対する事業税に係る交付金(以下「法人事業税交付金」という。)の減収補塡のため平成十七年度から令和五年度までの各年度において特別に発行について同意又は許可を得た地方債の額の百分の七十五に相当する額

(2)　道府県にあつては地方消費税、不動産取得税、道府県たばこ税、ゴルフ場利用税、軽油引取税、地方税法第四百八十五条の十三第一項の規定により都道府県に対し交付するものとされる市町村たばこ税に係る交付金(第十四条第一項及び第三項において「市町村たばこ税都道府県交付金」という。)、地方揮発油譲与税及び航空機燃料譲与税の減収補塡のため令和二年度において特別に発行について同意又は許可を得た地方債の額、市町村にあつては市町村たばこ税、同法第七十二条の百十五の規定により市町村に対し交付するものとされる地方消費税に係る交付金(第十四条第一項及び第三項において「地方消費税交付金」という。)、同法第百三条の規定によりゴルフ場所在の市町村に対し交付するものとされるゴルフ場利用税に係る交付金(第十四条第一項及び第三項において「ゴルフ場利用税交付金」という。)、同法第百四十四条の六十第一項の規定により道路法第七条第三項に規定する指定市(第十四条第一項において「指定市」という。)に対し交付するものとされる軽油引取税に係る交付金(第十四条第一項及び第三項において「軽油引取税交付金」という。)、地方揮発油譲与税及び航空機燃料譲与税の減収補塡のため令和二年度において特別に発行について同意又は許可を得た地方債の額

四十五　平成十三年度から令和五年度までの各年度の財源対策のため当該各年度において発行について同意又は許可を得た地方債の額

一般公共事業、空港整備事業、公園緑地整備事業、義務教育施設及び廃棄物処理施設の建設事業等に係る経費に充てるため平成十三年度から令和五年度までの各年度において発行について同意又は許可を得た地方債のうち当該各年度の財源対策のため発行について同意又は許可を得た地方債として総務大臣が指定するものの額　千円

四十六　個人の道府県民税又は市町村民税に係る特別減税等による平成六年度から平成八年度まで及び平成十六年度から平成十八年度までの各年度の減収を補塡するため当該各年度において特別に起こすことができることとされた地方債の額

(1)　地方税法等の一部を改正する法律(平成六年法律第百十一号。以下この号において「地方税法等改正法」という。)第一条の規定による改正前の地方税法附則第三条の四の規定による個人の道府県民税又は市町村民税に係る特別減税による平成六年度及び平成七年度の減収額　千円

(2)　所得税法等の一部を改正する法律(平成十九年法律第六号)第十二条の規定による改正前の租税特別措置法(昭和三十二年法律第二十六号)第八十六条の四第一項に規定する普通乗用自動車の譲渡等に係る消費税の税率の特例の適用期間の終了による平成六年度における消費税の収入の減少に伴う道府県又は市町村に対して譲与される消費譲与税の額の減少による同年度及び平成七年度の減収額

(3)　地方税法等改正法の施行による個人の道府県民税又は市町村民税の平成六年度から平成八年度までの各年度の減収額

(4)　地方税法及び国有資産等所在市町村交付金法の一部を改正する法律(平成九年法律第九号)第一条の規定による改正前の地方税法附則第三条の四の規定による個人の道府県民税又は市町村民税に係る特別減税による平成八年度の減収額

(5)　地方交付税法等の一部を改正する法律(平成十八年法律第八号)第八条による改正前の地方特例交付金等の地方財政の特別措置に関する法律(平成十一年法律第十七号)第十三条の規定により平成十六年度から平成十八年度までの各年度において起こすことができることとされた

地方債の額

(6) 地方財政法第三十三条の五の四の規定により平成十六年度から平成十八年度までの各年度において起こすことができることとされた地方債の額

四十七 臨時財政対策のため平成十六年度から令和五年度までの各年度において特別に起こすことができることとされた地方債の額

(1) 地方交付税法等の一部を改正する法律（平成十九年法律第二十四号）第三条の規定による改正前の地方財政法第三十三条の五の二第一項の規定により平成十六年度から平成十八年度までの各年度において起こすことができることとされた地方債の額　千円

(2) 地方交付税法等の一部を改正する法律（平成二十二年法律第五号）第三条の規定による改正前の地方財政法第三十三条の五の二第一項の規定により平成十九年度から平成二十一年度までの各年度において起こすことができることとされた地方債の額

(3) 地方交付税法等の一部を改正する法律（平成二十三年法律第五号）第三条の規定による改正前の地方財政法第三十三条の五の二第一項の規定により平成二十二年度において起こすことができることとされた地方債の額

(4) 地方交付税法等の一部を改正する法律（平成二十六年法律第五号）第五条の規定による改正前の地方財政法第三十三条の五の二第一項の規定により平成二十三年度から平成二十五年度までの各年度において起こすことができることとされた地方債の額

(5) 地方交付税法等の一部を改正する法律（平成二十九年法律第三号）第三条の規定による改正前の地方財政法第三十三条の五の二第一項の規定により平成二十六年度から平成二十八年度までの各年度において起こすことができることとされた地方債の額

(6) 地方交付税法等の一部を改正する法律（令和二年法律第六号）第三条の規定による改正前の地方財政法第三十三条の五の二第一項の規定により平成二十九年度から令和元年度までの各年度において起こすことができることとされた地方債の額

(7) 地方交付税法等の一部を改正する法律（令和五年法律第二号）第三条の規定による改正前の地方財政法第三十三条の五の二第一項の規定により令和二年度から令和四年度までの各年度において起こすことができることとされた地方債の額

(8) 地方財政法第三十三条の五の二第一項の規定により令和五年度において起こすことができることとされた地方債の額

四十八 平成二十五年度から令和五年度までの各年度において東日本大震災全国緊急防災施策等に要する費用に充てるため発行について同意又は許可を得た地方債の額

(1) 東日本大震災（平成二十三年三月十一日に発生した東北地方太平洋沖地震及びこれに伴う原子力発電所の事故による災害をいう。以下同じ。）からの復興を図ることを目的として東日本大震災復興基本法（平成二十三年法律第七十六号）第二条に定める基本理念に基づき平成二十五年度から平成二十七年度までの間において実施する施策のうち全国的に、かつ、緊急に実施する防災及び減災のための施策に要する費用に充てるため平成二十五年度から平成二十七年度までの各年度において発行について同意又は許可を得た地方債で総務大臣の指定するものの額　千円

(2) 全国的に、かつ、緊急に実施する防災及び減災のための施策に要する費用に充てるため平成二十五年度から令和五年度までの各年度において発行について同意又は許可を得た地方債で総務大臣の指定するものの額（(1)に掲げるものを除く。）

四十九 令和元年度から令和五年度までの各年度において国土強靱化施策に要する費用に充てるため発行について同意又は許可を得た地方債の額

全国的に、かつ、緊急に実施する国土強靱化のための施策に要する費用に充てるため令和元年度から令和五年度までの各年度において発行について同意又は許可を得た地方債で総務大臣の指定するものの額　千円

4　第一項の測定単位ごとの単位費用は、別表第一に定めるとおりとする。

5　第二項の測定単位ごとの単位費用は、別表第二に定めるとおりとする。

6　地方行政に係る制度の改正その他特別の事由により前二項の単位費用を変更する必要が生じた場合には、国会の閉会中であるときに限り、政令で前二項の単位費用についての特例を設けることができる。この場合においては、政府は、次の国会でこの法律を改正する措置をとらなければならない。

（測定単位の数値の補正）

第十三条　面積、高等学校の生徒数その他の測定単位で、そのうちに種別があり、かつ、その種別ごとに単位当たりの費用に差があるものについては、その種別ごとの単位当たりの費用の差に応じ当該測定単位の数値を補正することができる。

2　前項の測定単位の数値の補正（以下「種別補正」という。）は、当該測定単位の種別ごとの数値に、その単位当たりの費用の割合を基礎として総務省令で定める率を乗じて行うものとする。

3　前条第三項及び前二項の規定により算定された測定単位の数値は、地方団体ごとに、当該測定単位につき次に掲げる事項を基礎として次項に定める方法により算定した補正係数を乗じて補正するものとする。

一　人口その他測定単位の数値の多少による段階

二　人口密度、道路一キロメートル当たりの自動車台数その他これらに類するもの

三　地方団体の態容

四　寒冷度及び積雪度

4　前項の測定単位の数値に係る補正係数は、経費の種類ごとに、かつ、測定単位ごとにそれぞれ次に定める方法を基礎として、総務省令で定めるところにより算定した率とする。

一　前項第一号の補正（以下「段階補正」という。）は、当該行政に要する経費の額が測定単位の数値の増減に応じて逓減し、又は逓増するものについて行うものとし、当該段階補正に係る係数は、超過累退又は超過累進の方法により総務省令で定める率を用いて算定した数値を当該率を用いないで算定した数値で除して算定する。この場合において、行政権能等の差があることにより経費の額が割高又は割安となるため第三号イの補正の適用される経費については、当該経費の測定単位の数値に当該割高となり、又は割安となる度合に応じて総務省令で定める率を乗じた数値を用いて当該段階補正に係る係数を算定することができるものとする。

二　前項第二号の補正（以下「密度補正」という。）は、当該行政に要する経費の額が人口密度、道路一キロメートル当たりの自動車台数その他これらに類するもの（以下この号において「人口密度等」という。）の増減に応じて逓減し、又は逓増するものについて行うものとし、当該密度補正に係る係数は、超過累退又は超過累進の方法により総務省令で定める率を用いて算定した人口密度等を当該率を用いないで算定した人口密度等で除して算定する。

三　前項第三号の補正（以下「態容補正」という。）は、当該行政に要する経費の測定単位当たりの額が、地方団体の態容に応じてそれぞれ割高となり、又は割安となるものについて行うものとし、当該態容補正に係る係数は、次に掲げるところにより算定する。

イ　道府県の態容に係るものにあつては、当該道府県の区域内の市町村について行政の質及び量の差又は行政権能等の差に基づいて割高となり、又は割安となる度合を基礎として市町村の全部又は一部の種類に応じ、総務省令で定める率を当該区域内の市町村の種類ごとの測定単位の数値（当該市町村の種類ごとの測定単位の数値によることができないか、又は適当でないと認められる経費で総務省令で定めるものについては、人口その他総務省令で定める数値）に乗じて得た数値を合算した数値を当該率を乗じないで算定した市町村ごとの数値を合算した数値で除して算定する。

ロ　市町村の態容に係るものにあつては、行政の質及び量の差又は行政権能等の差に基づいてその割高となり、又は割安となる度合を基礎として市町村の種類に応じ、総務省令で定める率を乗じて算定した数値を当該率を乗じないで算定した数値で除して算定する。

ハ　小学校費、中学校費、社会福祉費その他の経費で総務省令で定めるものに係るものにあつては、人口の年齢別構成、公共施設の整備の状況その他地方団体の態容に応じて当該経費を必要とする度合について、総務省令で定める指標により測定した総務省令で定める率を乗じて算定した数値を当該率を乗じないで算定した数値で除して算定する。

四　前項第四号の補正（以下「寒冷補正」という。）は、当該行政に要する経費の測定単位当たりの額が寒冷又は積雪の度合により割高となるものについて行うものとし、当該寒冷補正に係る係数は、その割高となる給与の差、寒冷の差又は積雪の差ごとに、地域の区分に応じてそれぞれの割高となる度合を基礎として総務省令で定める率を当該地域における測定単位の数値（当該地域における測定単位の数値によることができないか、又は適当でないと認められる経費で総務省令で定めるものについては、人口）に乗じて得た数を当該率を用いないで算定した数値で除して得た数値の合計数に一を加えて算定する。

5　前条第一項の測定単位の数値については、第十一項に定めるもののほか、地方団体の種類ごとに次の表の経費の種類の欄に掲げる経費に係る測定単位の欄に掲げる測定単位につき、それぞれ補正の種類の欄に掲げる補正を行うものとする。

地方団体の種類	経費の種類	測定単位	補正の種類
道府県	一　警察費	警察職員数	段階補正
	二　土木費 1　道路橋りよう費	道路の面積	密度補正、態容補正及び寒冷補正
		道路の延長	態容補正及び寒冷補正
	2　河川費	河川の延長	態容補正
	3　港湾費	港湾における係留施設の延長	種別補正
		港湾における外	態容補正

	郭施設の延長	
	漁港における外郭施設の延長	態容補正
4 その他の土木費	人口	段階補正及び密度補正
三 教育費		
1 小学校費	教職員数	態容補正及び寒冷補正
2 中学校費	教職員数	密度補正、態容補正及び寒冷補正
3 高等学校費	教職員数	態容補正及び寒冷補正
	生徒数	態容補正
4 特別支援学校費	教職員数	態容補正及び寒冷補正
	学級数	密度補正
5 その他の教育費	人口	段階補正、密度補正及び態容補正
	高等専門学校及び大学の学生の数	種別補正
	私立の学校の幼児、児童及び生徒の数	種別補正
四 厚生労働費		
1 生活保護費	町村部人口	密度補正及び寒冷補正
2 社会福祉費	人口	段階補正、密度補正及び態容補正
3 衛生費	人口	段階補正、密度補正及び態容補正
4 こども子育て費	十八歳以下人口	段階補正、密度補正及び態容補正
5 高齢者保健福祉費	六十五歳以上人口	段階補正、密度補正及び態容補正
	七十五歳以上人口	密度補正
6 労働費	人口	段階補正
五 産業経済費		
1 農業行政費	農家数	段階補正、密度補正及び態容補正
2 林野行政費	公有以外の林野の面積	段階補正、密度補正及び態容補正
3 水産行政費	水産業者数	段階補正
4 商工行政費	人口	段階補正及び態容補正
六 総務費		
1 徴税費	世帯数	段階補正
2 地域振興費	人口	段階補正、密度補正、態容補正及び寒冷補正
七 災害復旧費	災害復旧事業費の財源に充てるため発行について同意又は許可を得た地方債に係る元利償還金	種別補正
八 補正予算債償還費	平成十六年度から令和五年度までの各年度において国の補正予算等に係る事業費の財源に充てるため発行について同意又は許可を得た地方債の額	種別補正
九 地方税減収補填債償還費	地方税の減収補填のため平成十六年度から令和五年度までの各年度において特別に発行について同意又は許可を得た地方債の額	種別補正
十 財源対策債償還費	平成十六年度から令和五年度までの各年度の財源対策のため当該各年度において発行について同意又は許可を得た地方債の額	種別補正
十一 減税補填債償還費	個人の道府県民税に係る特別減税等による平成六年度から平成八年度まで及び平成十六年度から平成十八年度までの各年度の減収を補填するため当該各年度において特別に起こすことができることとされた地方債の額	種別補正
十二 臨時財政対策債償還費	臨時財政対策のため平成十六年度から令和五年度までの各年度において特別に起こすことがで	種別補正

交付税法

	きることとされた地方債の額	
十三 東日本大震災全国緊急防災施策等債償還費	平成二十五年度から令和五年度までの各年度において東日本大震災全国緊急防災施策等に要する費用に充てるため発行について同意又は許可を得た地方債の額	種別補正
十四 国土強靭化施策債償還費	令和元年度から令和五年度までの各年度において国土強靭化施策に要する費用に充てるため発行について同意又は許可を得た地方債の額	種別補正
市町村		
一 消防費	人口	段階補正、密度補正及び態容補正
二 土木費		
1 道路橋りよう費	道路の面積	種別補正、態容補正及び寒冷補正
	道路の延長	態容補正及び寒冷補正
2 港湾費	港湾における係留施設の延長	種別補正、態容補正及び寒冷補正
	港湾における外郭施設の延長	態容補正
	漁港における係留施設の延長	態容補正及び寒冷補正
	漁港における外郭施設の延長	態容補正
3 都市計画費	都市計画区域における人口	態容補正
4 公園費	人口	態容補正
5 下水道費	人口	密度補正及び態容補正
6 その他の土木費	人口	段階補正、密度補正及び態容補正
三 教育費		
1 小学校費	児童数	密度補正
	学級数	態容補正及び寒冷補正
2 中学校費	生徒数	密度補正
	学級数	態容補正及び寒冷補正
3 高等学校費	教職員数	種別補正、態容補正及び寒冷補正
	生徒数	種別補正、態容補正及び寒冷補正
4 その他の教育費	人口	段階補正、密度補正及び態容補正
四 厚生費		
1 生活保護費	市部人口	段階補正、密度補正、態容補正及び寒冷補正
2 社会福祉費	人口	段階補正、密度補正及び態容補正
3 保健衛生費	人口	段階補正、密度補正及び態容補正
4 こども子育て費	十八歳以下人口	段階補正、密度補正及び態容補正
5 高齢者保健福祉費	六十五歳以上人口	段階補正、密度補正及び態容補正
	七十五歳以上人口	密度補正
6 清掃費	人口	密度補正及び態容補正
五 産業経済費		
1 農業行政費	農家数	段階補正、密度補正、態容補正及び寒冷補正
2 林野水産行政費	林業及び水産業の従業者数	密度補正、態容補正及び寒冷補正
3 商工行政費	人口	段階補正及び態容補正
六 総務費		
1 徴税費	世帯数	段階補正、密度補正及び態容補正
2 戸籍住民基本台帳費	戸籍数	段階補正、密度補正及び態容補正
	世帯数	段階補正、密度補正及び態容補正
3 地域振興費	人口	段階補正、密度補正、態容補正及び寒冷補正
	面積	種別補正、態容補正及び寒冷補正
七 災害復旧費	災害復旧事業費の財源に充てるため発行について同意又は許可を得た地方債に係る元利償還金	種別補正
八 補正予算債償還費	平成十六年度から令和五年度までの各年度において国の補正予算等に係る事業	種別補正

		費の財源に充てるため発行について同意又は許可を得た地方債の額	
	九 地方税減収補塡債償還費	地方税の減収補塡のため平成十七年度から令和五年度までの各年度において特別に発行について同意又は許可を得た地方債の額	種別補正
	十 財源対策債償還費	平成十三年度から令和五年度までの各年度の財源対策のため当該各年度において発行について同意又は許可を得た地方債の額	種別補正
	十一 減税補塡債償還費	個人の市町村民税に係る特別減税等による平成六年度から平成八年度まで及び平成十六年度から平成十八年度までの各年度の減収を補塡するため当該各年度において特別に起こすことができることとされた地方債の額	種別補正
	十二 臨時財政対策債償還費	臨時財政対策のため平成十六年度から令和五年度までの各年度において特別に起こすことができることとされた地方債の額	種別補正
	十三 東日本大震災全国緊急防災施策等債償還費	平成二十五年度から令和五年度までの各年度において東日本大震災全国緊急防災施策等に要する費用に充てるため発行について同意又は許可を得た地方債の額	種別補正
	十四 国土強靱化施策債償還費	令和元年度から令和五年度までの各年度において国土強靱化施策に要する費用に充てるため発行について同意又は許可を得た地方債の額	種別補正

6 前条第二項の測定単位の数値については、道府県又は市町村ごとに、人口にあつては段階補正を、面積にあつては種別補正を行うものとする。

7 段階補正、密度補正、態容補正及び寒冷補正のうち二以上を併せて行う場合には、測定単位の数値に係る補正係数は、二以上の事由を通じて一の率を定め、又は各事由ごとに算定した率（二以上の事由を通じて定めた率を含む。）を総務省令で定めるところにより連乗し、又は加算して得た率によるものとする。

8 態容補正を行う場合には、第四項第三号の市町村は、総務省令で定めるところにより、人口集中地区人口、経済構造その他行政の質及び量の差を表現する指標ごとに算定した点数に基づいて区分し、又はその有する行政権能等の差によつて区分するものとする。

9 寒冷補正を行う場合には、第四項第四号の地域は、総務省令で定めるところにより、給与の差、寒冷の差及び積雪の差ごとに、市町村の区域によつて区分するものとする。

10 人口、学校数その他の測定単位の数値が急激に増加し、又は減少した地方団体、廃置分合又は境界変更のあつた地方団体及び組合（地方自治法第二百八十四条第一項の一部事務組合又は広域連合をいう。）を組織している地方団体に係る補正係数の算定方法及び測定単位の数値の補正後の数値の算定方法については、総務省令で前各項の規定の特例を設けることができる。

11 災害復旧費に係る測定単位の数値については、総務省令で定めるところにより、当該数値の当該地方団体の税収入額に対する比率に応じ、補正するものとする。

12 前各項に定めるもののほか、補正係数の算定方法につき必要な事項は、総務省令で定める。

（基準財政収入額の算定方法）

第十四条 基準財政収入額は、道府県にあつては基準税率をもつて算定した当該道府県の普通税（法定外普通税を除く。）の収入見込額（利子割の収入見込額については基準税率をもつて算定した当該道府県の利子割の収入見込額から利子割交付金の交付見込額の百分の七十五に相当する額を控除した額とし、配当割の収入見込額については基準税率をもつて算定した当該道府県の配当割の収入見込額から地方税法第七十一条の四十七の規定により市町村に対し交付するものとされる配当割に係る交付金（以下この項及び第三項において「配当割交付金」という。）の交付見込額の百分の七十五に相当する額を控除した額とし、株式等譲渡所得割の収入見込額については基準税率をもつて算定した当該道府県の株式等譲渡所得割の収入見込額から同法第七十一条の六十七の規定により市町村に対し交付するものとされる株式等譲渡所得割に係る交付金（以下この項及び第三項において「株式等譲渡所得割交付金」という。）の交付見込額の百分の七十五に相当する額を控除した額とし、法人の行う事業に対する事業税の収入見込額については基準税率をもつて算定した当該道府県の法人の行う事業に対する事業税の収入見込額から当該収入見込額を基礎として同法第七十二条の七十六の規定の例により算定した法人事業税交付金の交付見込額を控除した額とし、地方消費税の収入見込額については基準税率をもつて算定した当該道府県の地方消費税の収入見込額から地方消費税交付金の交付見込額の百分の七十五に相当する額を控除した額とし、ゴルフ場利用税の収入見込額については基準税率をもつて算定した当該道府県のゴルフ場利用税の収入見込額からゴルフ場利用税交付金の交付見込額の百分の七十五に相当する額を控除した額とし、指定市を包括する道府県の軽油引取税の収入見込額については基準税率をもつて算定した当該道府県の軽油引取税の収入見込額から軽油引取税交付金の交付見込額の百分の七十五に相当する額を控除した額とし、環境性能割の収入見込額については基準税率をもつて算定した当該道府県の環境性能割の収入見込額から同法第百七十七条の六の規定により市町村に対し交付するものとされる環境性能割に係る交付金（以下「環境性能割交付金」という。）の交付見込額の百分の七十五に相当する額を控除した額とする。）、当該道府県の市町村たばこ税都道府県交付金の収入見込額の百分の七十五の額、当該道府県の特別法人事業譲与税の収入見込額の百分の七十五の額、当該道府県の地方揮発油譲与税、石油ガス譲与税、自動車重量譲与税、航空機燃料譲与税及び森林環境譲与税の収入見込額並びに基準率をもつて算定した当該道府県の国有資産等所在市町村交付金法（昭和三十一年法律第八十二号）第十四条第一項の国有資産等所在都道府県交付金（次項及び第三項において「都道府県交付金」という。）の収入見込額の合算額、市町村にあつては基準税率をもつて算定した当該市町村の普通税（法定外普通税を除く。）及び事業所税の収入見込額（市町村たばこ税の収入見込額については、基準税率をもつて算定した当該市町村の市町村たばこ税の収入見込額から市町村たばこ税都道府県交付金の交付見込額の百分の七十五に相当する額を控除した額とする。）、当該市町村の利子割交付金の収入見込額の百分の七十五の額、当該市町村の配当割交付金の収入見込額の百分の七十五の額、当該市町村の株式等譲渡所得割交付金の収入見込額の百分の七十五の額、基準税率をもつて算定した当該市町村を包括する道府県の法人の行う事業に対する事業税の収入見込額を基礎として地方税法第七十二条の七十六の規定の例により算定した当該市町村の法人事業税交付金の収入見込額、当該市町村の地方消費税交付金の収入見込額の百分の七十五の額、当該市町村のゴルフ場利用税交付金の収入見込額の百分の七十五の額、当該市町村の環境性能割交付金の収入見込額の百分の七十五の額、当該市町村の地方揮発油譲与税、特別とん譲与税、自動車重量譲与税、航空機燃料譲与税及び森林環境譲与税の収入見込額並びに基準率をもつて算定した国有資産等所在市町村交付金法第二条第一項の国有資産等所在市町村交付金（以下この条において「市町村交付金」という。）の収入見込額の合算額（指定市については、基準税率をもつて算定した当該指定市の普通税（法定外普通税を除く。）及び事業所税の収入見込額（市町村たばこ税の収入見込額については、基準税率をもつて算定した当該指定市の市町村たばこ税の収入見込額から市町村たばこ税都道府県交付金の交付見込額の百分の七十五に相当する額を控除した額とする。）、当該指定市の利子割交付金の収入見込額の百分の七十五の額、当該指定市の配当割交付金の収入見込額の百分の七十五の額、当該指定市の株式等譲渡所得割交付金の収入見込額の百分の七十五の額、基準税率をもつて算定した当該指定市を包括する道府県の法人の行う事業に対する事業税の収入見込額を基礎として地方税法第七十二条の七十六の規定の例により算定した当該指定市の法人事業税交付金の収入見込額、当該指定市の地方消費税交付金の収入見込額の百分の七十五の額、当該指定市のゴルフ場利用税交付金の収入見込額の百分の七十五の額、当該指定市の軽油引取税交付金の収入見込額の百分の七十五の額、当該指定市の環境性能割交付金の収入見込額の百分の七十五の額、当該指定市の地方揮発油譲与税、特別とん譲与税、石油ガス譲与税、自動車重量譲与税、航空機燃料譲与税及び森林環境譲与税の収入見込額並びに基準率をもつて算定した当該指定市の市町村交付金の収入見込額の合算額）とする。

2　前項の基準税率は、地方税法第一条第一項第五号に規定する標準税率（標準税率の定めのない地方税については、同法に定める税率とする。）の道府県税にあつては百分の七十五に相当する率（同法第七十二条の二十四の四に規定する課税標準により課する事業税については、当該道府県が同法第七十二条の二十四の七第十項の規定により定める税率を基礎として総務省令で定める率の百分の七十五に相当する率とする。）、市町村税にあつては百分の七十五に相当する率とし、前項の基準率は、都道府県交付金にあつては国有資産等所在市町村交付金法第三条第一項に規定する率の百分の七十五に相当する率、市町村交付金にあつては同項に規定する率の百分の七十五に相当する率とする。

3　第一項の基準財政収入額は、次の表の上欄に掲げる地方団体につき、それぞれ同表の中欄に掲げる収入の項目ごとに、当該下欄に掲げる算定の基礎により、総務省令で定める方法により、算定するものとする。

地方団体の種類	収入の項目	基準税額等の算定の基礎
	一　道府県民税	
	1　均等割	前年度分の均等割の課税の基礎となつた納税義務者数
	2　所得割	前年度分の所得割の課税の基礎となつた納税義務者等の数及び課税標準等の額
	3　法人税割	当該道府県の区域内に事務所又は事業所を有する法人に係る前年度分の法人税割の課税標準等の額
	4　利子割	前年度の利子割の課税標準等の額
	5　配当割	前年度の配当割の課税標準等の額
	6　株式等譲	前年度の株式等譲渡所得割の課税

地方団体の種類	収入の項目	標準等の額
	渡所得割	標準等の額
	二 事業税	
	1 個人の行う事業に対する事業税	前年度分の個人の事業税の課税の基礎となつた課税標準の数値及び納税義務者数
	2 法人の行う事業に対する事業税	当該道府県の区域内に事務所又は事業所を有する法人に係る前年度分の事業税の課税標準等の数値
	三 軽自動車税	
	1 環境性能割	前年度中における当該市町村の区域内に定置場を有した軽自動車の取得件数
	2 種別割	当該市町村の区域内に定置場を有する軽自動車の種類別の台数
	四 不動産取得税	前年度及び前々年度における不動産取得税の課税標準等の額
	五 道府県たばこ税	前年度の道府県たばこ税の課税標準数量
	六 ゴルフ場利用税	当該道府県に所在するゴルフ場の延利用人員
	七 軽油引取税	前年度の軽油引取税に係る課税標準たる数量
	八 自動車税	
	1 環境性能割	前年度中における当該道府県の区域内に定置場を有した自動車（地方税法第百四十五条第三号に規定する自動車をいう。以下この号において同じ。）の取得件数
	2 種別割	当該道府県の区域内に定置場を有する自動車の台数
道府県	九 鉱区税	鉱業法（昭和二十五年法律第二百八十九号）第五十九条に規定する鉱業原簿に登録されている鉱区の面積（地方税法附則第十三条に規定する鉱区にあつては、当該鉱区に係る河床の延長）及び日本国と大韓民国との間の両国に隣接する大陸棚の南部の共同開発に関する協定の実施に伴う石油及び可燃性天然ガス資源の開発に関する特別措置法（昭和五十三年法律第八十一号）第三十二条に規定する特定鉱業原簿に登録されている共同開発鉱区の面積
	十 固定資産税	当該道府県の区域内における地方税法第三百四十九条の四に規定する大規模の償却資産又は同法第三百四十九条の五に規定する新設大規模償却資産で同法第七百四十条の規定により当該道府県が固定資産税を課することができるものに係る当該年度の固定資産税の課税標準となるべき額の合計額から同法第三百四十九条の四又は第三百四十九条の五の規定により市町村が課することができる固定資産税の課税標準額を控除した額
	十一 市町村たばこ税都道府県交付金	当該都道府県が包括する市町村の前年度の市町村たばこ税の課税標準数量等
	十二 特別法人事業譲与税	前年度の特別法人事業譲与税の譲与額
	十三 地方揮発油譲与税	前年度の地方揮発油譲与税の譲与額
	十四 石油ガス譲与税	前年度の石油ガス譲与税の譲与額
	十五 自動車重量譲与税	前年度の自動車重量譲与税の譲与額
	十六 航空機燃料譲与税	前年度の航空機燃料譲与税の譲与額
	十七 森林環境譲与税	前年度の森林環境譲与税の譲与額
	十八 都道府県交付金	当該道府県の区域内における国有資産等所在市町村交付金法第五条第一項に規定する大規模の償却資産又は同法第六条第一項に規定する新設大規模償却資産で同法第十四条第一項の規定により当該道府県に都道府県交付金が交付されるべきものに係る当該年度の交付金算定標準額（同法第三条第二項に規定する交付金算定標準額をいう。以下この号において同じ。）の合計額から同法第五条又は第六条の規定により市町村に交付されるべき市町村交付金に係る当該大規模の償却資産又は新設大規模償却資産の交付金算定標準額を控除した額
	一 市町村民税	
	1 均等割	前年度分の均等割の課税の基礎となつた納税義務者数
	2 所得割	前年度分の所得割の課税の基礎となつた納税義務者等の数及び課税標準等の額
	3 法人税割	当該市町村の区域内に事務所又は事業所を有する法人に係る前年度分の法人税割の課税標準等の額
	二 固定資産税	
	1 土地	当該市町村における土地の地目ごとの一平方メートル当たりの平均価格及びその地積
	2 家屋	当該市町村における家屋の一平方メートル当たりの平均価格及び床

3 償却資産	面積 (1) 地方税法第三百八十九条の規定により総務大臣又は都道府県知事が価格を決定し、決定した価格を配分するもの 当該配分額 (2) その他の償却資産 当該市町村が課することができる固定資産税の課税標準となるべき額
三 軽自動車税 1 環境性能割	前年度中における当該市町村の区域内に定置場を有した三輪以上の地方税法第四百四十二条第五号に規定する軽自動車の取得件数
2 種別割	当該市町村の区域内に定置場を有する地方税法第四百四十二条第三号に規定する軽自動車等の種類別の台数
四 市町村たばこ税	前年度の市町村たばこ税の課税標準数量
五 鉱産税	鉱物の生産量及び山元価格
六 特別土地保有税	前年度における特別土地保有税の課税標準額
七 事業所税	前年度における事業所税の課税標準額（当該年度において新たに事業所税を課することとなる市にあつては、当該年度における事業所税の課税標準となるべき事業所床面積及び従業者給与総額）
市町村	
八 利子割交付金	前年度の利子割交付金の交付額
九 配当割交付金	前年度の配当割交付金の交付額
十 株式等譲渡所得割交付金	前年度の株式等譲渡所得割交付金の交付額
十一 法人事業税交付金	当該市町村を包括する道府県の区域内に事務所又は事業所を有する法人に係る前年度分の事業税の課税標準等の数値並びに前年度の法人事業税交付金の交付額の算定に用いた当該道府県の従業者数及び当該市町村の従業者数
十二 地方消費税交付金	前年度の地方消費税交付金の交付額
十三 ゴルフ場利用税交付金	当該市町村に所在するゴルフ場の延利用人員
十四 軽油引取税交付金	前年度の軽油引取税交付金の交付額
十五 環境性能割交付金	前年度の環境性能割交付金の交付額
十六 地方揮発油譲与税	前年度の地方揮発油譲与税の譲与額
十七 特別とん譲与税	前年度の特別とん譲与税の譲与額
十八 石油ガス譲与税	前年度の石油ガス譲与税の譲与額
十九 自動車重量譲与税	前年度の自動車重量譲与税の譲与額
二十 航空機燃料譲与税	前年度の航空機燃料譲与税の譲与額
二十一 森林環境譲与税	前年度の森林環境譲与税の譲与額
二十二 市町村交付金	国有資産等所在市町村交付金法第七条、第八条又は第十条第一項の規定により各省各庁の長又は地方公共団体の長が当該固定資産の所在地の市町村長に通知した固定資産の価格

（地方税の課税免除等に伴う基準財政収入額の算定方法の特例）

第十四条の二 地方税法第六条の規定により、市町村が次の各号に掲げる土地若しくは家屋に対する固定資産税を課さなかつた場合又は当該固定資産税に係る不均一の課税をした場合において、その措置が政令で定める場合に該当するものと認められるときは、前条の規定による当該市町村の各年度における基準財政収入額は、同条の規定にかかわらず、当該市町村の当該各年度の減収額のうち総務省令で定めるところにより算定した額を同条の規定による当該市町村の当該各年度（その措置が総務省令で定める日以後において行なわれたときは、当該減収額について当該各年度の翌年度）における基準財政収入額となるべき額から控除した額とする。

一 文化財保護法（昭和二十五年法律第二百十四号）第百九条第一項の規定により指定を受けた史跡、名勝若しくは天然記念物又は同条第二項の規定により指定を受けた特別史跡、特別名勝若しくは特別天然記念物である土地

二 古都における歴史的風土の保存に関する特別措置法（昭和四十一年法律第一号）第六条第一項の規定により指定を受けた特別保存地区（同法第八条の規定により、特別保存地区として同法の規定が適用される地区を含む。）の区域内における家屋又は土地

（特別交付税の額の算定）

第十五条 特別交付税は、第十一条に規定する基準財政需要額の算定方法によつては捕捉されなかつた特別の財政需要があること、第十四条の規定により算定された基準財政収入額のうちに著しく過大に算定された財政収入があること、交付税の額の算定期日後に生じた災害（その復旧に要する費用が国の負担によるものを除く。）等のため特別の財政需要があり、又は財政収入の減少があることその他特別の事情があることにより、基準財政需要額又は基準財政収入額の算定方法の画一性のため生ずる基準財政需要額の算定過大又は基準財政収入額の算定過少を考慮しても、なお、普通交付税の額が財政需要に比して過少であると認められる地方団体に対して、総務省令で定めるところにより、当該事情を考慮して交付する。

2　総務大臣は、総務省令で定めるところにより、前項の規定により各地方団体に交付すべき特別交付税の額を、毎年度、二回に分けて決定するものとし、その決定は、第一回目は十二月中に、第二回目は三月中に行わなければならない。この場合において、第一回目の特別交付税の額の決定は、その総額が当該年度の特別交付税の総額のおおむね三分の一に相当する額以内の額となるように行うものとする。

3　激甚災害に対処するための特別の財政援助等に関する法律第二条第一項に規定する激甚災害その他の事由であつて、関係地方団体の財政運営に特に著しい影響を及ぼし、又は及ぼすおそれがあると認められるものが発生したことにより、前項の規定により難い場合における関係地方団体に交付すべき特別交付税の額の決定については、総務省令で定めるところにより、決定時期及び決定時期ごとに決定すべき額に関し特例を設けることができる。

4　総務大臣は、第二項前段又は前項の規定により特別交付税の額を決定したときは、これを当該地方団体に通知しなければならない。

（交付時期）

第十六条　交付税は、毎年度、左の表の上欄に掲げる時期に、それぞれの下欄に定める額を交付する。ただし、四月及び六月において交付すべき交付税については、当該年度において交付すべき普通交付税の額が前年度の普通交付税の額に比して著しく減少することとなると認められる地方団体又は前年度においては普通交付税の交付を受けたが、当該年度においては普通交付税の交付を受けないこととなると認められる地方団体に対しては、当該交付すべき額の全部又は一部を交付しないことができる。

交付時期	交付時期ごとに交付すべき額
四月及び六月	前年度の当該地方団体に対する普通交付税の額に当該年度の交付税の総額の前年度の交付税の総額に対する割合を乗じて得た額のそれぞれ四分の一に相当する額
九月	当該年度において交付すべき当該地方団体に対する普通交付税の額から四月及び六月に交付した普通交付税の額を控除した残額の二分の一に相当する額
十一月	当該年度において交付すべき当該地方団体に対する普通交付税の額から既に交付した普通交付税の額を控除した額
十二月	前条第二項の規定により十二月中に総務大臣が決定する額
三月	前条第二項の規定により三月中に総務大臣が決定する額

2　当該年度の国の予算の成立しないこと、国の予算の追加又は修正により交付税の総額に変更があつたこと、大規模な災害があつたこと等の事由により、前項の規定により難い場合における交付税の交付時期及び交付時期ごとに交付すべき額については、国の暫定予算の額及びその成立の状況、交付税の総額の変更の程度、前年度の交付税の額、大規模な災害による特別の財政需要の額等を参しやくして、総務省令で定めるところにより、特例を設けることができる。

3　道府県又は市町村が前二項の規定により各交付時期に交付を受けた交付税の額が当該年度分として交付を受けるべき交付税の額をこえる場合においては、当該道府県又は市町村は、その超過額を遅滞なく、国に還付しなければならない。

4　第一項の場合において、四月一日以前一年内及び四月二日から当該年度の普通交付税の四月又は六月に交付すべき額が交付されるまでの間に地方団体の廃置分合又は境界変更があつた場合における前年度の関係地方団体の交付税の額の算定方法は、第九条の規定に準じ、総務省令で定める。

（市町村交付税の算定及び交付に関する都道府県知事の義務）

第十七条　都道府県知事は、政令で定めるところにより、当該都道府県の区域内における市町村に対し交付すべき交付税の額の算定及び交付に関する事務を取り扱わなければならない。

2　都道府県知事は、前項の事務を取り扱うため当該市町村の財政状況を的確に知つているように努めなければならない。

（国税に関する書類の閲覧又は記録）

第十七条の二　都道府県知事が前条第一項の規定により市町村に対し交付すべき交付税の額を算定する場合において、市町村に係る第十四条の基準財政収入額を算定するため、政府に対し、その基礎に用いる国税の課税の基礎となるべき所得額及び課税額に関する書類を閲覧し、又は記録することを請求したときは、政府は、関係書類を都道府県知事又はその指定する職員に閲覧させ、又は記録させるものとする。

（交付税の額の算定に用いた資料に関する検査）

第十七条の三　総務大臣は、都道府県及び政令で定める市町村について、交付税の額の算定に用いた資料に関し、検査を行わなければならない。

2　都道府県知事は、当該都道府県の区域内における市町村（前項の政令で定める市町村を除く。）について、交付税の額の算定に用いた資料に関し検査を行い、その結果を総務大臣に報告しなければならない。

（交付税の額の算定方法に関する意見の申出）

第十七条の四　地方団体は、交付税の額の算定方法に関し、総務大臣に対し意見を申し出ることができる。この場合において、市町村にあつては、当該意見の申出は、都道府県知事を経由してしなければならない。

2　総務大臣は、前項の意見の申出を受けた場合においては、これを誠実に処理するとともに、その処理の結果を、地方財政審議会に、第二十三条の規定により意見を聴くに際し、報告しなければならない。

（交付税の額に関する審査の申立て）

第十八条　地方団体は、第十条第四項又は第十五条第四項の規定により交付税の額の決定又は変更の通知を受けた場合において、当該地方団体に対する交付税の額の算定の基礎について不服があるときは、通知を受けた日から三十日以内に、総務大臣に対し審査を申し立てることができる。この場合において、市町村にあつては、当該審査の申立ては、都道府県知事を経由してしなければならない。

2　総務大臣は、前項の審査の申立てを受けた場合においては、その申立てを受けた日から三十日以内にこれを審査して、その結果を当該地方団体に通知しなければならない。この場合において、市町村の審査の申立てに係るものにあつては、当該通知は、都道府県知事を経由してしなければならない。

（交付税の額の算定に用いる数の錯誤等）

第十九条　総務大臣は、第十条第四項の規定により普通交付税の額を通知した後において、又は前条第一項の規定による審査の申立てを受けた際に、普通交付税の額の算定の基礎に用いた数について錯誤があつたことを発見した場合（当該錯誤に係る数を普通交付税の額の算定の基礎に用いた年度（次項において「交付年度」という。）以後五箇年度内に発見した場合に限る。）で、当該地方団体について基準財政需要額又は基準財政収入額を増加し、又は減少する必要が生じたときは、錯誤があつたことを発見した年度又はその翌年度において、総務省令で定めるところにより、それぞれその増加し、又は減少すべき額を当該地方団体に交付すべき普通交付税の額の算定に用いられるべき基準財政需要額若しくは基準財政収入額に加算し、又はこれらから減額した額をもつて当該地方団体の当該年度における基準財政需要額又は基準財政収入額とすることができる。

2　普通交付税の額の算定の基礎に用いた数について錯誤があつたことを発見した年度又はその翌年度においては、総務大臣は、総務省令で定めるところにより、前項の規定が適用される地方団体で、同項の規定を適用しない場合でも当該地方団体に交付すべき普通交付税の額の算定に用いられるべき当該年度の基準財政収入額が基準財政需要額をこえるもの又は同項の規定が適用される結果基準財政収入額が基準財政需要額をこえることとなる地方団体について、交付年度分として交付を受けた普通交付税の額が交付を受けるべきであつた普通交付税の額に満たないときは、当該不足額を限度として、これを当該年度の交付税から交付し、交付年度分として交付を受けた普通交付税の額が交付を受けるべきであつた普通交付税の額をこえるときは、当該超過額を限度として、これを返還させることができる。但し、返還させる場合においては、その方法について、あらかじめ、当該地方団体の意見を聞かなければならない。

3　廃置分合又は境界変更のあつた市町村及び錯誤に係る額が著しく多額である地方団体に対する前二項の規定の適用については、総務省令で特例を設けることができる。

4　地方団体がその提出に係る交付税の算定に用いる資料につき作為を加え、又は虚偽の記載をすることによつて、不当に交付税の交付を受けた場合においては、総務大臣は、当該地方団体が受けるべきであつた額を超過する部分（「超過額」という。以下本項及び次項において同じ。）については、当該事実を発見したとき、直ちに当該超過額を返還させなければならない。

5　前項の場合において、当該地方団体は、当該超過額に、当該地方団体が当該地方交付税を受領した日の翌日から返還の日までの期間の日数に応じ、年十・九五パーセントの割合を乗じて計算した金額に相当する加算金を国に納付しなければならない。ただし、当該地方交付税の交付を受けた後災害があつたことその他特別の理由によりやむを得ない事情があると認められるときは、総務大臣は、当該加算金を減免し、又は期限を指定して延納を許可することができる。

6　総務大臣は、前五項の規定による措置をする場合においては、その理由、金額その他必要な事項を当該地方団体に対し文書をもつて示さなければならない。この場合において、前二項の規定に該当する地方団体は、総務大臣が示した文書の記載事項をその住民に周知させなければならない。

7　地方団体は、第一項から第五項までの場合においては、前項の文書を受け取つた日から三十日以内に、総務大臣に対し異議を申し出ることができる。この場合において、市町村にあつては、当該異議の申出は、都道府県知事を経由してしなければならない。

8　総務大臣は、前項の異議の申出を受けた場合においては、その申出を受けた日から三十日以内に決定をして、当該団体にこれを通知しなければならない。この場合において、市町村の異議の申出に係るものにあつては、当該通知は、都道府県知事を経由してしなければならない。

（交付税の額の減額等の意見の聴取）

第二十条　総務大臣は、第十条第三項及び第四項、第十五条第二項から第四項まで並びに前二条に規定する措置をとる場合において必要があると認めるときは、関係地方団体について意見の聴取をすることができる。

2　総務大臣は、第十条第三項、第十五条第二項及び第三項、第十八条第二項並びに前条第一項から第五項まで及び第八項の規定による決定又は処分について関係地方団体が十分な証拠を添えて衡平又は公正を欠くものがある旨を申し出たときは、公開による意見の聴取を行わなければならない。

3　総務大臣は、前項の意見の聴取の結果、同項の申出に正当な理由があると認めるときは、当該決定又は処分を取消し、又は変更しなければならない。

4　前三項に定めるものを除くほか、意見の聴取の手続その他意見の聴取に関し必要な事項は、総務省令で定める。

（関係行政機関の勧告等）

第二十条の二　関係行政機関は、その所管に関係がある地方行政につき、地方団体が法律又はこれに基く政令により義務づけられた規模と内容とを備えることを怠つているために、その地方行政の水準を低下させていると認める場合においては、当該地方団体に対し、これを備えるべき旨の勧告をすることができる。

2　関係行政機関は、前項の勧告をしようとする場合においては、あらかじめ総務大臣に通知しなければならない。

3　地方団体が第一項の勧告に従わなかつた場合においては、関係行政機関は、総務大臣に対し、当該地方団体に対し交付すべき交付税の額の全部若しくは一部を減額し、又は既に交付した交付税の全部若しくは一部を返還させることを請求することができる。

4　総務大臣は、前項の請求があつたときは、当該地方団体の弁明を聞いた上、災害その他やむを得ない事由があると認められる場合を除き、当該地方団体に対し交付すべき交付税の額の全部若しくは一部を減額し、又は既に交付した交付税の全部若しくは一部を返還させなければならない。第十九条第六項から第八項までの規定は、この場合について準用する。

5　前項の規定により減額し、又は返還させる交付税の額は、当該行政につき法律又はこれに基く政令により義務づけられた規模と内容とを備えることを怠つたことに因り、その地方行政の水準を低下させたために不用となるべき額をこえることができない。

（減額し、又は返還された交付税の額の措置）

第二十条の三　前条第四項又は地方財政法第二十六条第一項の規定により、交付すべき交付税の額の全部又は一部を減額した場合においては、その減額した額は、当該年度の特別交付税の総額に算入する。

2　第十九条第二項から第五項まで、前条第四項又は地方財政法第二十六条第一項の規定により、すでに交付した交付税の額の全部若しくは一部を返還させ、又は加算金を納付させた場合においては、その返還され、又は納付された額は、当該返還され、若しくは納付された年度の翌年度又は翌翌年度において、第六条第二項の規定により当該年度分として交付すべき交付税の総額に算入し、当該算入した年度の特別交付税の総額に算入する。

（都の特例）

第二十一条　都にあつては、道府県に対する交付税の算定に関してはその全区域を道府県と、市町村に対する交付税の算定に関してはその特別区の存する区域を市町村と、それぞれみなして算定した基準財政需要額の合算額及び基準財政収入額の合算額をもつてその基準財政需要額及び基準財政収入額とする。

（端数計算）

第二十二条　毎年度分として交付すべき交付税の総額又は各地方団体に対して交付すべき交付税の額を算定する場合及び各地方団体に対して交付税を交付する場合並びに加算金を納付させる場合において、五百円未満の端数があるときはその端数金額を切り捨て、五百円以上千円未満の端数があるときはその端数金額を千円として計算するものとする。

（地方財政審議会の意見の聴取）

第二十三条　総務大臣は、次に掲げる場合には、地方財政審議会の意見を聴かなければならない。

一　交付税の交付に関する命令の制定又は改廃の立案をしようとするとき。

二　第七条に規定する翌年度の地方団体の歳入歳出総額の見込額に関する書類の原案を作成しようとするとき。

三　第十条又は第十五条の規定により各地方団体に交付すべき交付税の額を決定し、又は変更しようとするとき。

四　第十八条第二項の規定により地方団体の審査の申立てについて決定をしようとするとき。

五　第十九条第四項の規定により交付税を返還させようとするとき。

六　第十九条第八項（第二十条の二第四項において準用する場合を含む。）の規定により地方団体の異議の申出について決定をしようとするとき。

七　第二十条第三項の規定により同条第二項に規定する決定又は処分を取り消し、又は変更しようとするとき。

八　第二十条の二第四項の規定により交付税を減額し、又は返還させようとするとき。

（事務の区分）

第二十四条　第五条第三項、第十七条第一項、第十七条の三第二項、第十七条の四第一項後段、第十八条第一項後段及び第二項後段の規定並びに第十九条第七項後段及び第八項後段（これらの規定を第二十条の二第四項及び附則第十五条第四項において準用する場合を含む。）の規定により都道府県が処理することとされている事務は、地方自治法第二条第九項第一号に規定する第一号法定受託事務とする。

附　則（抄）

（施行期日）

第一条　この法律は、公布の日から施行し、昭和二十五年四月一日から適用する。

（関係法律の廃止）

第二条　地方配付税法（昭和二十三年法律第百十一号）及び地方配付税配付金特別会計法（昭和十五年法律第六十七号）は、廃止する。

（交付税の総額についての特例措置）

第三条　政府は、地方財政の状況等にかんがみ、当分の間、第六条第二項の規定により算定した交付税の総額について、法律の定めるところにより、交付税の総額の安定的な確保に資するため必要な特例措置を講ずることとする。

（令和六年度分の交付税の総額の特例）

第四条　令和六年度に限り、同年度分として交付すべき交付税の総額は、第一号から第三号までに掲げる額の合算額に五千億円を加算した額から第四号から第七号までに掲げる額の合算額を減額した額に東日本大震災に係る災害復旧事業、復興事業その他の事業の実施のため特別の財政需要があること及び東日本大震災のため財政収入の減少があることを考慮して地方団体に対して交付する特別交付税（附則第十三条第一項並びに第十五条第一項及び第二項において「震災復興特別交付税」という。）に充てるための六百十一億千七百二十万七千円を加算した額とする。

一　第六条第二項の規定により算定した額

二　地方交付税法等の一部を改正する法律（令和六年法律第五号）第一条の規定による改正前の地方交付税法（以下「旧法」という。）附則第四条の二第一項及び第三項の規定において令和六年度分の交付税の総額に加算することとされていた額　九百八十八億円

三　令和六年度における借入金の額に相当する額　二十八兆千百二十二億九千五百四十万八千円

四　令和五年度における借入金の額に相当する額　二十八兆六千百二十二億九千五百四十万八千円

五　令和六年度における特別会計に関する法律（平成十九年法律第二十三号）第十五条第一項の規定による交付税及び譲与税配付金特別会計の一時借入金に係る利子及び同法附則第四条第一項の規定による借入金に係る利子の支払に充てるため必要な額　千九百六十五億円

六　旧法附則第四条の二第四項の規定において令和六年度分の交付税の総額から減額することとされていた額　二千四百六十億七千七百八万二千円

七　旧法附則第四条の二第四項の規定において令和七年度から令和二十六年度までの各年度分の交付税の総額から減額することとされていた額の合算額から次条第四項の規定において当該各年度分の交付税の総額から減額することとされている額の合算額を控除した額に相当する額　二千二百二十三億五十四万三千円

2　令和六年度分として交付すべき交付税の総額に係る第六条第

二項の規定による額の算定については、旧法附則第四条の二第五項の規定において同年度における第六条第二項に規定する合算額から減額することとされていた四百四十九億百七十二万円を減額する。

（令和七年度以降の各年度分の交付税の総額の特例等）

第四条の二　令和七年度以降の各年度分の交付税の総額は、当分の間、第六条第二項の規定により算定した額に百五十四億円を加算した額とする。

2　令和七年度から令和三十六年度までの各年度に限り、当該各年度分として交付すべき交付税の総額は、前項の規定による額に第一号に掲げる額を加算した額から第二号及び第三号に掲げる額の合算額を減額した額とする。

一　当該各年度における借入金の額に相当する額

二　当該各年度の前年度における借入金の額に相当する額

三　当該各年度における特別会計に関する法律第十五条第一項の規定による交付税及び譲与税配付金特別会計の一時借入金に係る利子の支払に充てるため必要な額

3　令和七年度から令和十四年度までの各年度分の交付税の総額は、前項の規定による額に次の表の上欄に掲げる当該各年度に応ずる同表の下欄に定める金額を加算した額とする。

年度	金額
令和七年度	七百七十五億円
令和八年度	五百三十五億円
令和九年度	五百四十八億円
令和十年度	五百九十九億円
令和十一年度	九百六十一億円
令和十二年度	九百六十一億円
令和十三年度	三億円
令和十四年度	三億円

4　地方交付税法等の一部を改正する法律（平成二十一年法律第十号）第一条の規定による改正前の地方交付税法附則第四条第一項第六号に掲げる額に相当する額、地方交付税法等の一部を改正する法律（平成二十二年法律第五号）第一条の規定による改正前の地方交付税法附則第四条第一項第五号に掲げる額に相当する額、地方交付税法等の一部を改正する法律（令和二年法律第六号）第一条の規定による改正前の地方交付税法附則第四条第三号に掲げる額に相当する額及び地方交付税法等の一部を改正する法律（令和三年法律第八号）第一条の規定による改正前の地方交付税法附則第四条第四号に掲げる額に相当する額を令和七年度から令和二十六年度までの間に交付税の総額から減額するため、当該各年度における交付税の総額は、令和七年度及び令和八年度にあつては前項の規定による額から二千四百六十億七千七百八万二千円を、令和九年度から令和十二年度までの各年度にあつては同項の規定による額から二千二百十九億千三百八十万二千円を、令和十三年度から令和二十六年度までの各年度にあつては同項の規定による額から五百八十五億七千三百二十二万円をそれぞれ減額した額とする。

5　令和七年度から令和十八年度までの各年度分として交付すべき交付税の総額に係る第六条第二項の規定による額の算定については、同項に規定する当該年度の前年度以前の年度において交付すべきであつた額を超えて交付された額のうち、平成二十八年度において交付すべきであつた額を超えて交付された額のうち八百九十八億三百四十四万円及び令和元年度において交付すべきであつた額を超えて交付された額である四千八百十一億八百七十八万二千円について、令和七年度及び令和八年度にあつては同項に規定する合算額から四百四十九億百七十二万円を、令和九年度から令和十七年度までの各年度にあつては同項に規定する合算額から四百八十一億千八十七万八千円を、令和十八年度にあつては同項に規定する合算額から四百八十一億千八十八万円をそれぞれ減額する。

6　第二項第一号及び第二号の借入金の額は、特別会計に関する法律附則第四条第一項の規定による借入金の額としてそれぞれ当該各年度及び当該各年度の前年度の予算で定める額とする。

（令和七年度における臨時財政対策のための特例加算）

第四条の三　令和七年度において、地方財政の状況等に鑑み、交付税の総額の確保を図るため必要があるときは、同年度分の交付税の総額については、前条第四項の規定による額に、一般会計から交付税及び譲与税配付金特別会計に繰り入れることが必要なものとして、臨時財政対策のための特例加算額を加算するものとする。

2　前項の臨時財政対策のための特例加算額は、地方財政法第三十三条の五の二第一項に規定する地方債（第一号において「臨時財政対策債」という。）で令和七年度において総務大臣又は都道府県知事が発行について同意又は許可をするもの（発行について同法第五条の三第六項の規定による届出がされるもののうち、同条第一項の規定による協議を受けたならば同意をすることとなると認められるものを含む。）の予定額の総額から次に掲げる額の合算額を控除した額に相当する額として法律で定めるものとする。

一　第十二条第三項の表第四十七号(1)から(7)までに規定する地方債及び臨時財政対策債に係る令和七年度における元利償還金の支払に充てるため必要な額の総額の見込額

二　その他総務大臣及び財務大臣が協議して定める額

（特別の地方債に係る償還費の基準財政需要額への算入）

第五条　当分の間、各地方団体に対して交付すべき普通交付税の額の算定に用いる第十一条の規定による基準財政需要額は、同条の規定によつて算定した額に、次の表の上欄に掲げる経費の種類につきそれぞれ同表の中欄に掲げる測定単位の数値を同表の下欄に掲げる単位費用に乗じて得た額を当該地方団体について合算した額とする。

経費の種類	測定単位	単位費用
一　地域改善対策特定事業債等償還費	地域改善対策特定事業費、地域改善対策事業費又は同和対策事業費の財源に充てるため発行を許可された地方債に係る元利償還金	千円につき　八〇〇円

二 過疎地域の持続的発展等のための地方債償還費	過疎地域の持続的発展等のための事業費の財源に充てるため発行について同意又は許可を得た地方債に係る元利償還金	千円につき 七〇〇
三 公害防止事業債償還費	公害防止事業費の財源に充てるため発行について同意又は許可を得た地方債に係る元利償還金	千円につき 五〇〇
四 石油コンビナート等特別防災区域に係る緑地等の設置のための地方債償還費	石油コンビナート等特別防災区域に係る緑地等の設置のための事業費の財源に充てるため発行について同意又は許可を得た地方債に係る元利償還金	千円につき 五〇〇
五 地震対策緊急整備事業債償還費	地震対策緊急整備事業費の財源に充てるため発行について同意又は許可を得た地方債に係る元利償還金	千円につき 五〇〇
六 被災者生活再建支援法人への拠出のための地方債償還費	被災者生活再建支援法人に対する拠出の財源に充てるため発行について同意又は許可を得た地方債に係る元利償還金	千円につき 八〇〇
七 合併特例債償還費	合併市町村の建設のための事業費の財源に充てるため発行について同意又は許可を得た地方債に係る元利償還金	千円につき 七〇〇
八 原子力発電施設等立地地域の振興のための地方債償還費	原子力発電施設等立地地域の振興のための事業費の財源に充てるため発行について同意又は許可を得た地方債に係る元利償還金	千円につき 七〇〇

2 前項に規定する測定単位の数値は、次の表の上欄に掲げる測定単位につき、それぞれ同表の中欄に定める算定の基礎により、同表の下欄に掲げる表示単位に基づいて、総務省令の定めるところにより算定する。

測定単位の種類	測定単位の算定の基礎	表示単位
一 地域改善対策特定事業費、地域改善対策事業費又は同和対策事業費の財源に充てるため発行を許可された地方債に係る元利償還金	地域改善対策特定事業費、地域改善対策事業費又は同和対策事業費の財源に充てるため発行を許可された地方債で地域改善対策特定事業に係る国の財政上の特別措置に関する法律（昭和六十二年法律第二十二号）第五条、旧地域改善対策特別措置法（昭和五十七年法律第十六号）第五条又は旧同和対策事業特別措置法（昭和四十四年法律第六十号）第十条の規定により総務大臣が指定したものに係る当該年度における元利償還金	千円
二 過疎地域の持続的発展等のための事業費の財源に充てるため発行について同意又は許可を得た地方債に係る元利償還金	過疎地域の持続的発展等のための事業費の財源に充てるため発行について同意又は許可を得た地方債で過疎地域の持続的発展の支援に関する特別措置法（令和三年法律第十九号）第十四条第三項（同法附則第五条において準用する場合を含む。）若しくは旧過疎地域自立促進特別措置法（平成十二年法律第十五号）第十二条第三項（同法附則第五条第二項において準用する場合を含む。）の規定により総務大臣が指定したもの又は旧過疎地域活性化特別措置法（平成二年法律第十五号）第十二条第二項（同法附則第十二項又は旧過疎地域自立促進特別措置法附則第十七条の規定による改正前の市町村の合併の特例に関する法律（昭和四十年法律第六号）第十二条において準用する場合を含む。）若しくは旧過疎地域振興特別措置法（昭和五十五年法律第十九号）第十二条第二項（同法附則第七項において準用する場合を含む。）の規定により自治大臣が指定したものに係る当該年度における元利償還金	千円
三 公害防止事業費の財源に充てるため発行について同意又は許可を得た地方債に係る元利償還金	公害防止事業費の財源に充てるため発行について同意又は許可を得た地方債で旧公害の防止に関する事業に係る国の財政上の特別措置に関する法律（昭和四十六年法律第七十号）第五条の規定により総務大臣が指定したものに係る当該年度における元利償還金	千円
四 石油コンビナート等特別防災区域に係る緑地等の設置のための事	石油コンビナート等特別防災区域に係る緑地等の設置のための事業費の財源に充てるため発行について同意又は許可を得た地方債で石油コンビナート等災害防止法（昭	千円

業費の財源に充てるため発行について同意又は許可を得た地方債に係る元利償還金	和五十年法律第八十四号）第三十六条第二項の規定により総務大臣が指定したものに係る当該年度における元利償還金	
五　地震対策緊急整備事業費の財源に充てるため発行について同意又は許可を得た地方債に係る元利償還金	地震対策緊急整備事業費の財源に充てるため発行について同意又は許可を得た地方債で地震防災対策強化地域における地震対策緊急整備事業に係る国の財政上の特別措置に関する法律（昭和五十五年法律第六十三号）第六条の規定により総務大臣が指定したものに係る当該年度における元利償還金	千円
六　被災者生活再建支援法人に対する拠出の財源に充てるため発行について同意又は許可を得た地方債に係る元利償還金	被災者生活再建支援法（平成十年法律第六十六号）第六条第一項に基づき内閣総理大臣が指定した被災者生活再建支援法人に対する拠出の財源に充てるため発行について同意又は許可を得た地方債のうち総務大臣が指定したものに係る元利償還金	千円
七　合併市町村の建設のための事業費の財源に充てるため発行について同意又は許可を得た地方債に係る元利償還金	合併市町村の建設のための事業費の財源に充てるため発行について同意又は許可を得た地方債で旧市町村の合併の特例に関する法律第十一条の二第二項（同法附則第二条第二項の規定によりなおその効力を有するものとされる場合を含む。）の規定により総務大臣が指定したものに係る当該年度における元利償還金	千円
八　原子力発電施設等立地地域の振興のための事業費の財源に充てるため発行について同意又は許可を得た地方債に係る元利償還金	原子力発電施設等立地地域の振興のための事業費の財源に充てるため発行について同意又は許可を得た地方債で原子力発電施設等立地地域の振興に関する特別措置法（平成十二年法律第百四十八号）第八条の規定により総務大臣が指定したものに係る当該年度における元利償還金	千円

（地域の元気創造事業費の基準財政需要額への算入）

第五条の二　当分の間、各地方団体に対して交付すべき普通交付税の額の算定に用いる第十一条の規定による基準財政需要額は、同条の規定によつて算定した額に、次の表に掲げる地方団体の種類、経費の種類及び測定単位ごとの単位費用に次項の規定により算定した測定単位の数値を乗じて得た額を加算した額とする。

地方団体の種類	経費の種類	測定単位	単位費用
道府県	地域の元気創造事業費	人口	一人につき　九五〇円
市町村	地域の元気創造事業費	人口	一人につき　二、五三〇円

2　前項の測定単位の数値は、次の表の上欄に掲げる測定単位につき、同表の中欄に定める算定の基礎により、同表の下欄に掲げる表示単位に基づいて、総務省令で定めるところにより算定する。ただし、当該測定単位の数値は、人口の多少による段階その他の事情を参酌して、総務省令で定めるところにより、その数値を補正することができる。

測定単位	測定単位の数値の算定の基礎	表示単位
人口	官報で公示された最近の国勢調査の結果による当該地方団体の人口	人

（人口減少等特別対策事業費の基準財政需要額への算入）

第五条の三　当分の間、各地方団体に対して交付すべき普通交付税の額の算定に用いる第十一条の規定による基準財政需要額は、同条の規定により算定した額に、次の表に掲げる地方団体の種類、経費の種類及び測定単位ごとの単位費用に次項の規定により算定した測定単位の数値を乗じて得た額を加算した額とする。

地方団体の種類	経費の種類	測定単位	単位費用
道府県	人口減少等特別対策事業費	人口	一人につき　一、七〇〇円
市町村	人口減少等特別対策事業費	人口	一人につき　三、四〇〇円

2　前項の測定単位の数値は、次の表の上欄に掲げる測定単位につき、同表の中欄に定める算定の基礎により、同表の下欄に掲げる表示単位に基づいて、総務省令で定めるところにより算定する。ただし、当該測定単位の数値は、人口の多少による段階

その他の事情を参酌して、総務省令で定めるところにより、その数値を補正することができる。

測定単位	測定単位の数値の算定の基礎	表示単位
人口	官報で公示された最近の国勢調査の結果による当該地方団体の人口	人

（地域社会再生事業費の基準財政需要額への算入）

第五条の四 当分の間、各地方団体に対して交付すべき普通交付税の額の算定に用いる第十一条の規定による基準財政需要額は、同条の規定により算定した額に、次の表に掲げる地方団体の種類、経費の種類及び測定単位ごとの単位費用に次項の規定により算定した測定単位の数値を乗じて得た額を加算した額とする。

地方団体の種類	経費の種類	測定単位	単位費用
道府県	地域社会再生事業費	人口	一人につき 一、九五〇円
市町村	地域社会再生事業費	人口	一人につき 一、九五〇円

2 前項の測定単位の数値は、次の表の上欄に掲げる測定単位につき、同表の中欄に定める算定の基礎により、同表の下欄に掲げる表示単位に基づいて、総務省令で定めるところにより算定する。ただし、当該測定単位の数値は、人口の多少による段階その他の事情を参酌して、総務省令で定めるところにより、その数値を補正することができる。

測定単位	測定単位の数値の算定の基礎	表示単位
人口	官報で公示された最近の国勢調査の結果による当該地方団体の人口	人

（地域デジタル社会推進費の基準財政需要額への算入）

第六条 令和六年度及び令和七年度に限り、各地方団体に対して交付すべき普通交付税の額の算定に用いる第十一条の規定による基準財政需要額は、同条の規定により算定した額に、次の表に掲げる地方団体の種類、経費の種類及び測定単位ごとの単位費用に次項の規定により算定した測定単位の数値を乗じて得た額を加算した額とする。

地方団体の種類	経費の種類	測定単位	単位費用
道府県	地域デジタル社会推進費	人口	一人につき 五二〇円
市町村	地域デジタル社会推進費	人口	一人につき 七六〇円

2 前項の測定単位の数値は、次の表の上欄に掲げる測定単位につき、同表の中欄に定める算定の基礎により、同表の下欄に掲げる表示単位に基づいて、総務省令で定めるところにより算定する。ただし、当該測定単位の数値は、人口の多少による段階その他の事情を参酌して、総務省令で定めるところにより、その数値を補正することができる。

測定単位	測定単位の数値の算定の基礎	表示単位
人口	官報で公示された最近の国勢調査の結果による当該地方団体の人口	人

（臨時財政対策債償還費に係る基準財政需要額の算定方法の特例）

第六条の二 令和六年度分及び令和七年度分の交付税に係る基準財政需要額の算定については、第十一条中「当該測定単位ごとの単位費用に乗じて得た額」とあるのは、「当該測定単位ごとの単位費用に乗じて得た額（次条第一項に規定する臨時財政対策債償還費については、令和六年度にあつては地方交付税法及び特別会計に関する法律の一部を改正する法律（令和五年法律第八十三号）附則第二条の規定により算定した同条第一項に規定する臨時財政対策債償還基金費の額（以下この条において「基金費の額」という。）の百分の五十に相当する額（以下この条において「控除額」という。）を控除した額とし、令和七年度にあつては基金費の額から令和六年度における控除額を控除した額を控除した額とする。）」とする。

（令和六年度分及び令和七年度分の交付税に係る基準財政需要額の算定方法の特例）

第六条の三 令和六年度分及び令和七年度分の交付税に限り、道府県及び市町村の基準財政需要額は、令和六年度にあつては第十一条の規定により算定した額から、道府県にあつては第一号に掲げる額を、市町村にあつては第二号に掲げる額を控除した額とし、令和七年度にあつては同条の規定により算定した額から法律で定めるところにより算定した額を控除した額とする。

一 二千三百九十九億三千五百五十万四千円に当該道府県の控除前財源不足額（この条の規定の適用がないものとした場合における基準財政需要額が基準財政収入額を超える額（当該額が零を下回る場合には、零とする。）をいう。以下この条において同じ。）を各道府県の控除前財源不足額の合算額で除して得た割合を乗じて得た額

二　二千百四十四億八千七百七十九万九千円に当該市町村の控除前財源不足額を各市町村の控除前財源不足額の合算額で除して得た割合を乗じて得た額

2　控除前財源不足額については、当該地方団体における次の各号に掲げる数値を合算したものの五分の一の数値に応じ、総務省令で定めるところにより、補正することができる。

一　令和五年度における基準財政収入額を旧法附則第六条の三の規定の適用がないものとした場合における当該年度の基準財政需要額で除して得た数値

二　令和四年度における基準財政収入額を地方交付税法等の一部を改正する法律（令和五年法律第二号）第一条の規定による改正前の地方交付税法附則第六条の二の規定の適用がないものとした場合における当該年度の基準財政需要額で除して得た数値

三　令和三年度における基準財政収入額を地方交付税法等の一部を改正する法律（令和四年法律第二号）第一条の規定による改正前の地方交付税法附則第六条の二の規定の適用がないものとした場合における当該年度の基準財政需要額で除して得た数値

四　令和二年度における基準財政収入額を地方交付税法等の一部を改正する法律（令和三年法律第八号）第一条の規定による改正前の地方交付税法附則第六条の規定の適用がないものとした場合における当該年度の基準財政需要額で除して得た数値

五　令和元年度における基準財政収入額を地方交付税法等の一部を改正する法律（令和二年法律第六号）第一条の規定による改正前の地方交付税法附則第六条の二の規定の適用がないものとした場合における当該年度の基準財政需要額で除して得た数値

3　都にあつては、その全区域を道府県とその特別区の存する区域を市町村とそれぞれみなして算定したこの条の規定の適用がないものとした場合における基準財政需要額の合算額が、その全区域を道府県とその特別区の存する区域を市町村とそれぞれみなして算定した基準財政収入額の合算額を超える額（当該額が零を下回る場合には、零とする。）をもつて、総務省令で定めるところにより、その控除前財源不足額とする。

（交通安全対策特別交付金の基準財政収入額への算入）

第六条の四　当分の間、各地方団体に対して交付すべき普通交付税の額の算定に用いる第十四条の規定による基準財政収入額は、同条第一項の規定により算定した額に、道路交通法（昭和三十五年法律第百五号）附則第十六条第一項の規定による交通安全対策特別交付金の収入見込額を加算した額とする。

2　前項に規定する交通安全対策特別交付金の収入見込額は、前年度において各地方団体に交付された道路交通法附則第十六条第一項の規定による交通安全対策特別交付金の額を算定の基礎として総務省令で定める方法により、算定するものとする。

（分離課税所得割交付金の基準財政収入額への算入）

第七条　当分の間、各地方団体に対して交付すべき普通交付税の額の算定に用いる第十四条の規定による基準財政収入額は、指定都市を包括する道府県にあつては同条第一項の規定により算定した額から当該道府県の地方税法附則第七条の四の規定により指定都市に対し交付するものとされる分離課税に係る所得割に係る交付金（以下この条において「分離課税所得割交付金」という。）の交付見込額として総務省令で定めるところにより算定した額を控除した額とし、指定都市にあつては同項の規定により算定した額に当該指定都市の分離課税所得割交付金の収入見込額として総務省令で定めるところにより算定した額を加算した額とする。

（個人の道府県民税及び市町村民税の所得割に係る基準財政収入額の算定方法の特例）

第七条の二　当分の間、指定都市を包括する各道府県に対して交付すべき普通交付税の額の算定に用いる第十四条の規定による基準財政収入額は、同条第一項の規定により算定した額に第二号に掲げる額から第三号に掲げる額を控除した額の百分の二十五に相当する額を加算した額から、第二号に掲げる額から第一号に掲げる額を控除した額の百分の二十五に相当する額を控除した額とし、指定都市を包括する道府県以外の各道府県に対して交付すべき普通交付税の額の算定に用いる同条の規定による基準財政収入額は、同項の規定により算定した額に同号に掲げる額から第三号に掲げる額を控除した額の百分の二十五に相当する額を加算した額とする。

一　各年度の個人の道府県民税の所得割の収入見込額として総務省令で定めるところにより算定した額

二　個人の道府県民税の所得割について地方税法及び航空機燃料譲与税法の一部を改正する法律（平成二十九年法律第二号。附則第七条の四において「平成二十九年地方税法等改正法」という。）第一条の規定による改正前の地方税法（次項第二号において「平成二十九年改正前の地方税法」という。）第三十五条の規定の適用があるものとした場合における各年度の個人の道府県民税の所得割の収入見込額として総務省令で定めるところにより算定した額

三　個人の道府県民税の所得割について地方税法第三十七条の規定の適用がなく、かつ、地方税法等の一部を改正する法律（平成十八年法律第七号）第一条の規定による改正前の地方税法（次項第三号において「平成十八年改正前の地方税法」という。）第三十五条及び第五十条の四の規定の適用があるものとした場合における各年度の個人の道府県民税の所得割の収入見込額として総務省令で定めるところにより算定した額

2　当分の間、各指定都市に対して交付すべき普通交付税の額の算定に用いる第十四条の規定による基準財政収入額は、第二号に掲げる額が第三号に掲げる額を超える場合には同条第一項の規定により算定した額に第一号に掲げる額から第三号に掲げる額を控除した額の百分の二十五に相当する額を加算した額とし、同号に掲げる額が第二号に掲げる額を超える場合には同項の規定により算定した額から当該超える額の百分の二十五に相当する額を控除した額に、第一号に掲げる額から第二号に掲げる額を控除した額の百分の二十五に相当する額を加算した額とし、指定都市以外の各市町村に対して交付すべき普通交付税の額の算定に用いる同条の規定による基準財政収入額は、第一号に掲げる額が第三号に掲げる額を超える場合には同項の規定により算定した額に当該超える額の百分の二十五に相当する額を加算した額とし、同号に掲げる額が第一号に掲げる額を超える場合には同項の規定により算定した額から当該超える額の百分の二十五に相当する額を控除した額とする。

一　各年度の個人の市町村民税の所得割の収入見込額として総務省令で定めるところにより算定した額

二　個人の市町村民税の所得割について平成二十九年改正前の地方税法第三百十四条の三の規定の適用があるものとした場合における各年度の個人の市町村民税の所得割の収入見込額として総務省令で定めるところにより算定した額

三　個人の市町村民税の所得割について地方税法第三百十四条の六の規定の適用がなく、かつ、平成十八年改正前の地方税法附則第四十条第五項の規定により読み替えられた平成十八年改正前の地方税法第三百十四条の三及び第三百二十八条の三の規定の適用があるものとした場合における各年度の個人の市町村民税の所得割の収入見込額として総務省令で定めるところにより算定した額

（地方消費税及び地方消費税交付金に係る基準財政収入額の算定方法の特例）

第七条の三　当分の間、各道府県に対して交付すべき普通交付税の額の算定に用いる第十四条の規定による基準財政収入額は、同条第一項の規定によつて算定した額に、地方税法第七十二条の百十五第二項に規定する合計額の見込額から同項の規定により当該道府県内の市町村に交付する額の見込額を控除した額の百分の二十五に相当する額を加算した額とする。

2　当分の間、各市町村に対して交付すべき普通交付税の算定に用いる第十四条の規定による基準財政収入額は、同条第一項の規定によつて算定した額に、地方税法第七十二条の百十五第二項の規定により道府県から交付を受ける額の見込額の百分の二十五に相当する額を加算した額とする。

（令和六年度における基準財政収入額の算定方法の特例）

第七条の四　令和六年度分の交付税に限り、各地方団体に対して交付すべき普通交付税の額の算定に用いる第十四条の規定による基準財政収入額は、同条第一項の規定により算定した額に、道府県にあつては第一号に掲げる額の百分の七十五の額、市町村にあつては第二号に掲げる額の百分の七十五の額を加算した額とする。

一　イからチまでに掲げる額の合算額

イ　地方税法の一部を改正する法律（平成二十三年法律第三十号。以下この条において「平成二十三年法律第三十号」という。）、地方税法の一部を改正する法律（平成二十三年法律第百二十号。以下この条において「平成二十三年法律第百二十号」という。）、地方税法及び国有資産等所在市町村交付金法の一部を改正する法律（平成二十四年法律第十七号。以下この条において「平成二十四年地方税法等改正法」という。）、地方税法の一部を改正する法律（平成二十五年法律第三号。以下この条において「平成二十五年地方税法改正法」という。）、地方税法等の一部を改正する法律（平成三十一年法律第二号。以下この条において「平成三十一年地方税法等改正法」という。）、地方税法等の一部を改正する法律（令和二年法律第五号。次号において「令和二年法律第五号」という。）、地方税法等の一部を改正する法律（令和二年法律第二十六号。次号において「令和二年法律第二十六号」という。）、地方税法等の一部を改正する法律（令和三年法律第七号。以下この条において「令和三年地方税法等改正法」という。）、地方税法等の一部を改正する法律（令和四年法律第一号。以下この条において「令和四年地方税法等改正法」という。）、地方税法等の一部を改正する法律（令和五年法律第一号。次号において「令和五年地方税法等改正法」という。）、地方税法等の一部を改正する法律（令和六年法律第四号。以下この条において「令和六年地方税法等改正法」という。）、東日本大震災の被災者等に係る国税関係法律の臨時特例に関する法律（平成二十三年法律第二十九号。以下この条において「震災特例法」という。）、東日本大震災の被災者等に係る国税関係法律の臨時特例に関する法律の一部を改正する法律（平成二十三年法律第百十九号。以下この条において「震災特例法改正法」という。）、所得税法等の一部を改正する法律（平成二十五年法律第五号。以下この条において「平成二十五年所得税法等改正法」という。）、所得税法等の一部を改正する法律（平成二十六年法律第十号。以下この条において「平成二十六年所得税法等改正法」という。）、所得税法等の一部を改正する法律（平成二十七年法律第九号。以下この条において「平成二十七年所得税法等改正法」という。）、所得税法等の一部を改正する法律（平成二十八年法律第十五号。以下この条において「平成二十八年所得税法等改正法」という。）、所得税法等の一部を改正する等の法律（平成二十九年法律第四号。以下この条において「平成二十九年所得税法等改正法」という。）、所得税法等の一部を改正する法律（平成三十一年法律第六号。以下この条において「平成三十一年所得税法等改正法」という。）、所得税法等の一部を改正する法律（令和二年法律第八号。以下この条において「令和二年所得税法等改正法」という。）、新型コロナウイルス感染症等の影響に対応するための国税関係法律の臨時特例に関する法律（令和二年法律第二十五号。次号において「新型コロナウイルス感染症特例法」という。）、所得税法等の一部を改正する法律（令和三年法律第十一号。以下この条において「令和三年所得税法等改正法」という。）、所得税法等の一部を改正する法律（令和四年法律第四号。次号において「令和四年所得税法等改正法」という。）、所得税法等の一部を改正する法律（令和五年法律第三号。以下この条において「令和五年所得税法等改正法」という。）及び所得税法等の一部を改正する法律（令和六年法律第八号。以下この条において「令和六年所得税法等改正法」という。）の施行による個人の道府県民税に係る令和六年度の東日本大震災に係る減収見込額として総務省令で定めるところにより算定した額

ロ　平成二十三年法律第三十号、地方税法等の一部を改正する等の法律（平成二十八年法律第十三号。以下この条において「平成二十八年地方税法等改正法」という。）、令和三年地方税法等改正法、震災特例法、震災特例法改正法、租税特別措置法等の一部を改正する法律（平成二十四年法律第十六号。以下この条において「平成二十四年租税特別措置法等改正法」という。）、平成二十五年所得税法等改正法、平成二十六年所得税法等改正法、平成二十七年所得税法等改正法、平成二十八年所得税法等改正法、平成二十九年所得税法等改正法、平成三十一年所得税法等改正法、令和二年所得税法等改正法、令和三年所得税法等改正法、令和五年所得税法等改正法及び令和六年所得税法等改正法の

施行による法人の道府県民税に係る令和六年度の東日本大震災に係る減収見込額として総務省令で定めるところにより算定した額

ハ　震災特例法、震災特例法改正法、平成二十五年所得税法等改正法、平成二十六年所得税法等改正法、平成二十七年所得税法等改正法、平成二十八年所得税法等改正法、平成二十九年所得税法等改正法、平成三十一年所得税法等改正法、令和三年所得税法等改正法及び令和五年所得税法等改正法の施行による個人の行う事業に対する事業税に係る令和六年度の東日本大震災に係る減収見込額として総務省令で定めるところにより算定した額

ニ　平成二十三年法律第三十号、平成二十八年地方税法等改正法、令和三年地方税法等改正法、震災特例法、震災特例法改正法、平成二十四年租税特別措置法等改正法、平成二十五年所得税法等改正法、平成二十六年所得税法等改正法、平成二十七年所得税法等改正法、平成二十八年所得税法等改正法、平成二十九年所得税法等改正法、平成三十一年所得税法等改正法、令和三年所得税法等改正法、令和五年所得税法等改正法及び令和六年所得税法等改正法の施行による法人の行う事業に対する事業税に係る令和六年度の東日本大震災に係る減収見込額として総務省令で定めるところにより算定した額

ホ　平成二十三年法律第三十号、東日本大震災における原子力発電所の事故による災害に対処するための地方税法及び東日本大震災に対処するための特別の財政援助及び助成に関する法律の一部を改正する法律（平成二十三年法律第九十六号。以下この条において「平成二十三年法律第九十六号」という。）、平成二十三年法律第百二十号、平成二十四年地方税法等改正法、平成二十五年地方税法改正法、地方税法等の一部を改正する法律（平成二十六年法律第四号。以下この条において「平成二十六年地方税法等改正法」という。）、地方税法等の一部を改正する法律（平成二十七年法律第二号）、平成二十八年地方税法等改正法、平成二十九年地方税法等改正法、平成三十一年地方税法等改正法、令和三年地方税法等改正法及び令和四年地方税法等改正法の施行による不動産取得税に係る令和六年度の東日本大震災に係る減収見込額として総務省令で定めるところにより算定した額

ヘ　平成二十三年法律第三十号、平成二十三年法律第九十六号、平成二十四年地方税法等改正法、平成二十六年地方税法等改正法、平成二十八年地方税法等改正法及び平成三十一年地方税法等改正法の施行による自動車税に係る令和六年度の東日本大震災に係る減収見込額として総務省令で定めるところにより算定した額

ト　平成二十三年法律第三十号、平成二十三年法律第九十六号、平成二十三年法律第百二十号、平成二十四年地方税法等改正法、平成二十八年地方税法等改正法、平成三十一年地方税法等改正法、令和三年地方税法等改正法、令和四年地方税法等改正法及び令和六年地方税法等改正法の施行による固定資産税に係る令和六年度の東日本大震災に係る減収見込額として総務省令で定めるところにより算定した額

チ　平成二十三年法律第三十号、平成二十八年地方税法等改正法、令和三年地方税法等改正法、震災特例法、震災特例法改正法、平成二十四年租税特別措置法等改正法、平成二十五年所得税法等改正法、平成二十六年所得税法等改正法、平成二十七年所得税法等改正法、平成二十八年所得税法等改正法、平成二十九年所得税法等改正法、平成三十一年所得税法等改正法、令和三年所得税法等改正法、令和五年所得税法等改正法及び令和六年所得税法等改正法の施行による特別法人事業譲与税に係る令和六年度の東日本大震災に係る減収見込額として総務省令で定めるところにより算定した額

二　イからへまでに掲げる額の合算額

イ　平成二十三年法律第三十号、平成二十三年法律第百二十号、平成二十四年地方税法等改正法、平成二十五年地方税法改正法、平成三十一年地方税法等改正法、令和二年法律第五号、令和二年法律第二十六号、令和三年地方税法等改正法、令和四年地方税法等改正法、令和五年地方税法等改正法、令和六年地方税法等改正法、震災特例法、震災特例法改正法、平成二十五年所得税法等改正法、平成二十六年所得税法等改正法、平成二十七年所得税法等改正法、平成二十八年所得税法等改正法、平成二十九年所得税法等改正法、平成三十一年所得税法等改正法、令和二年所得税法等改正法、新型コロナウイルス感染症特例法、令和三年所得税法等改正法、令和四年所得税法等改正法、令和五年所得税法等改正法及び令和六年所得税法等改正法の施行による個人の市町村民税に係る令和六年度の東日本大震災に係る減収見込額として総務省令で定めるところにより算定した額

ロ　平成二十三年法律第三十号、平成二十八年地方税法等改正法、令和三年地方税法等改正法、震災特例法、震災特例法改正法、平成二十四年租税特別措置法等改正法、平成二十五年所得税法等改正法、平成二十六年所得税法等改正法、平成二十七年所得税法等改正法、平成二十八年所得税法等改正法、平成二十九年所得税法等改正法、平成三十一年所得税法等改正法、令和二年所得税法等改正法、令和三年所得税法等改正法、令和五年所得税法等改正法及び令和六年所得税法等改正法の施行による法人の市町村民税に係る令和六年度の東日本大震災に係る減収見込額として総務省令で定めるところにより算定した額

ハ　平成二十三年法律第三十号、平成二十三年法律第九十六号、平成二十三年法律第百二十号、平成二十四年地方税法等改正法、平成二十五年地方税法改正法、平成二十六年地方税法等改正法、平成二十八年地方税法等改正法、平成三十一年地方税法等改正法、令和三年地方税法等改正法、令和四年地方税法等改正法及び令和六年地方税法等改正法の施行による固定資産税に係る令和六年度の東日本大震災に係る減収見込額として総務省令で定めるところにより算定した額

ニ　平成二十三年法律第三十号、平成二十三年法律第九十六号、平成二十四年地方税法等改正法、平成二十六年地方税法等改正法、平成二十八年地方税法等改正法及び平成三十一年地方税法等改正法の施行による軽自動車税に係る令和六年度の東日本大震災に係る減収見込額として総務省令で定めるところにより算定した額

ホ 平成二十三年法律第三十号、平成二十八年地方税法等改正法、令和三年地方税法等改正法、震災特例法、震災特例法改正法、平成二十四年租税特別措置法等改正法、平成二十五年所得税法等改正法、平成二十六年所得税法等改正法、平成二十七年所得税法等改正法、平成二十八年所得税法等改正法、平成二十九年所得税法等改正法、平成三十一年所得税法等改正法、令和三年所得税法等改正法、令和五年所得税法等改正法及び令和六年所得税法等改正法の施行による法人事業税交付金に係る令和六年度の東日本大震災に係る減収見込額として総務省令で定めるところにより算定した額

ヘ 平成三十一年地方税法等改正法の施行による環境性能割交付金に係る令和六年度の東日本大震災に係る減収見込額として総務省令で定めるところにより算定した額

（基準税額等の算定方法の特例）

第八条 当分の間、第十四条第三項の表の中欄に掲げる収入の項目のうち、道府県民税の所得割、法人税割及び利子割、法人の行う事業に対する事業税、特別法人事業譲与税、市町村民税の所得割及び法人税割、利子割交付金、法人事業税交付金並びに特別とん譲与税に係る同表の基準税額等（以下この条において「基準税額等」という。）を算定する場合において、これらの収入の項目に係る当該年度の前年度分の基準税額等（道府県民税の法人税割及び利子割、法人の行う事業に対する事業税並びに特別法人事業譲与税にあつてはこれらの収入の項目に係る同年度分の基準税額等からこれらの収入の項目の減収補塡のため同年度において特別に発行について同意又は許可を得た地方債の額の百分の七十五に相当する額を控除した額とし、市町村民税の法人税割、利子割交付金及び法人事業税交付金にあつては当該収入の項目に係る同年度分の基準税額等からこれらの収入の項目の減収補塡のため同年度において特別に発行について同意又は許可を得た地方債の額の百分の七十五に相当する額を控除した額とする。）のうち算定過少又は算定過大と認められる額として総務省令の定めるところにより算定した額について第十五条第一項の規定による当該前年度の特別交付税の算定の基礎に算入されなかつた部分に相当する額があるときは、当該算入されなかつた部分に相当する額（当該部分に相当する額のうち、当該年度及び当該年度の翌年度において同項の規定により特別交付税の算定の基礎に算入される額がある場合には、当該算入される額に相当する額を除く。）を総務省令で定めるところにより当該年度以後三年度以内の年度分の基準税額等に加算し、又は減額することができる。

（特別土地保有税に係る基準税額等の算定方法の特例）

第八条の二 当分の間、第十四条第三項の表の中欄に掲げる収入の項目のうち、特別土地保有税に係る同表の基準税額等は算定しないものとする。

（沖縄県に係る基準財政需要額の算定方法等の特例）

第九条 沖縄県及び沖縄県の区域内の市町村に対して交付すべき昭和四十七年度から令和十三年度までの各年度分の普通交付税の額を算定する場合においては、第十二条第三項の測定単位の算定方法、第十三条の測定単位の数値の補正、第十四条の基準財政収入額の算定方法その他普通交付税の額の算定上必要な事項について、総務省令で特例を設けることができる。

（特定被災地方公共団体に係る基準財政需要額及び基準財政収入額の算定方法の特例）

第九条の二 東日本大震災に対処するための特別の財政援助及び助成に関する法律（平成二十三年法律第四十号）第二条第二項に規定する特定被災地方公共団体に対して交付すべき令和六年度分の普通交付税の額を算定する場合において、第十二条第三項の測定単位の数値の算定の基礎及び算定方法、第十三条の測定単位の数値の補正又は第十四条第三項の表の基準税額等の算定の基礎及び算定方法によることができず、又は適当でないと認められるときは、これらの事項について、総務省令で特例を設けることができる。

（新たに指定された指定都市に係る基準税額等の算定基礎の特例）

第十条 新たに指定された指定都市に対して交付すべき当該指定があつた日の属する年度分の普通交付税の額を算定する場合において、第十四条第三項に規定する基準税額等の算定の基礎によることができず又は適当でないと認められるときは、当該算定の基礎について、総務省令で特例を設けることができる。

（令和六年度分の普通交付税及び特別交付税の総額の特例）

第十一条 令和六年度に限り、同年度分として交付すべき普通交付税の総額は、同年度分として交付すべき交付税の総額から返還金等の額（第二十条の三第二項の規定により同年度分の交付税の総額に算入される額をいう。以下この条において同じ。）及び令和六年度震災復興特別交付税額（旧法附則第十二条第一項の規定により令和六年度分として交付すべき交付税の総額に加算された旧法附則第十一条に規定する令和五年度震災復興特別交付税額の一部及び附則第四条第一項に規定する震災復興特別交付税に充てるための六百十一億千七百二十万七千円の合算額をいう。以下この条及び次条において同じ。）の合算額を控除した額の百分の九十四に相当する額とし、令和六年度分として交付すべき特別交付税の総額は、同年度分として交付すべき交付税の総額から返還金等の額及び令和六年度震災復興特別交付税額の合算額を控除した額の百分の六に相当する額に返還金等の額及び令和六年度震災復興特別交付税額の合算額を加算した額とする。

（令和六年度震災復興特別交付税額の一部の令和七年度における交付等）

第十二条 令和六年度分として交付すべき交付税の総額のうち令和六年度震災復興特別交付税額については、東日本大震災に係る災害復旧事業、復興事業その他の事業の実施状況を勘案して総務大臣が定める額以内の額を令和六年度内に交付しないで、当該総務大臣が定める額以内の額（旧法附則第十二条第一項の規定により令和六年度分として交付すべき交付税の総額に加算された旧法附則第十一条に規定する令和五年度震災復興特別交付税額の一部のうち、令和六年度内に交付しない額を除く。）を第六条第二項の当該年度の前年度以前の年度における交付税でまだ交付していない額として、令和七年度分として交付すべき交付税の総額に加算して交付することができる。

2 前項の規定により令和六年度震災復興特別交付税額の一部を令和七年度分の交付税の総額に加算して交付する場合には、同年度分として交付すべき普通交付税の総額は、同項の規定による令和六年度震災復興特別交付税額の一部の加算がなかつたものとした場合における令和七年度分の交付税の総額から返還金

等の額（第二十条の三第二項の規定により同年度分の交付税の総額に算入される額をいう。以下この項において同じ。）を控除した額の百分の九十四に相当する額とし、同年度分として交付すべき特別交付税の総額は、前項の規定による令和六年度震災復興特別交付税額の一部の加算がなかつたものとした場合における令和七年度分の交付税の総額から返還金等の額を控除した額の百分の六に相当する額に返還金等の額及び同項の規定により加算された令和六年度震災復興特別交付税額の一部の合算額を加算した額とする。

（震災復興特別交付税の額の決定時期及び決定時期ごとに決定すべき額の特例）

第十三条　令和六年度及び令和七年度において、各地方団体に交付すべき震災復興特別交付税の額の決定については、第十五条第二項の規定にかかわらず、東日本大震災に係る災害復旧事業、復興事業その他の事業の実施状況及び東日本大震災のための財政収入の減少の状況を勘案して、総務省令で定めるところにより、決定時期及び決定時期ごとに決定すべき額に関し特例を設けるものとする。

2　前項の場合における第十五条、第十六条、第十八条から第二十条まで、第二十三条及び第二十四条の規定の適用については、第十五条第二項中「額を」とあるのは「額（附則第四条第一項に規定する震災復興特別交付税の額を除く。以下この項において同じ。）を」と、「当該年度の特別交付税の総額」とあるのは「、令和六年度にあつては同年度の特別交付税の総額から附則第十一条に規定する令和六年度震災復興特別交付税額を、令和七年度にあつては同年度の特別交付税の総額から附則第十二条第一項の規定により加算された附則第十一条に規定する令和六年度震災復興特別交付税額の一部をそれぞれ控除した額」と、同条第四項中「又は前項」とあるのは「若しくは前項又は附則第十三条第一項」と、第二十条第一項中「前二条」とあるのは「前二条並びに附則第十三条第一項」と、同条第二項中「第八項」とあるのは「第八項並びに附則第十三条第一項」と、第二十三条第三号中「又は第十五条」とあるのは「若しくは第十五条又は附則第十三条第一項」とする。

（令和六年度及び令和七年度における交付時期ごとに交付すべき額の特例）

第十四条　令和六年度及び令和七年度における第十六条第一項の規定の適用については、同項の表四月及び六月の項中「の前年度の交付税の総額」とあるのは、令和六年度にあつては「から附則第十一条に規定する令和六年度震災復興特別交付税額を控除した額の前年度の交付税の総額から地方交付税法等の一部を改正する法律（令和六年法律第五号）第一条の規定による改正前の地方交付税法附則第十一条に規定する令和五年度震災復興特別交付税額のうち令和五年度において交付された額を控除した額」と、令和七年度にあつては「から附則第十二条第一項の規定により加算された附則第十一条に規定する令和六年度震災復興特別交付税額の一部を控除した額の前年度の交付税の総額から同条に規定する令和六年度震災復興特別交付税額のうち令和六年度において交付された額を控除した額」とする。

（震災復興特別交付税の額の加算、減額及び返還）

第十五条　令和六年度及び令和七年度において、総務大臣は、東日本大震災に係る災害復旧事業、復興事業その他の事業の実績、東日本大震災のための財政収入の減少の状況その他の事由により、平成二十三年度以降に地方団体に交付した震災復興特別交付税の額が、当該地方団体に交付すべきであつた震災復興特別交付税の額に満たないときは当該満たない額を、当該地方団体に交付すべきであつた震災復興特別交付税の額を超えるときは当該超える額（次項及び第三項において「超過交付額」という。）を、総務省令で定めるところにより、総務省令で定める時期に当該地方団体に交付すべき震災復興特別交付税の額に加算し、又はこれから減額した額をもつて当該時期に当該地方団体に交付すべき震災復興特別交付税の額とすることができる。

2　前項の場合において、総務大臣は、超過交付額が総務省令で定める時期に交付すべき震災復興特別交付税の額を超える地方団体について、総務省令で定めるところにより、当該超える額を限度として、総務大臣が定める額を返還させることができる。ただし、当該地方団体から当該額を返還させる場合には、その方法について、あらかじめ、当該地方団体の意見を聴かなければならない。

3　令和八年度以降の各年度において、総務大臣は、超過交付額が生じた地方団体について、総務省令で定めるところにより、当該超過交付額を返還させることができる。ただし、当該地方団体から当該超過交付額を返還させる場合には、その方法について、あらかじめ、当該地方団体の意見を聴かなければならない。

4　前二項の場合においては、第十九条第三項、第六項前段、第七項及び第八項並びに第二十条の規定を準用する。

5　第二項及び第三項の場合における第四条及び第二十三条の規定の適用については、第四条第三号中「第十九条」とあるのは「第十九条（附則第十五条第四項において準用する場合を含む。）」と、同条第五号中「第二十条の二第四項」とあるのは「第二十条の二第四項及び附則第十五条第四項」と、同条第六号中「第二十条」とあるのは「第二十条（附則第十五条第四項において準用する場合を含む。）」と、第二十三条第六号中「第二十条の二第四項」とあるのは「第二十条の二第四項及び附則第十五条第四項」と、同条第七号中「の規定により同条第二項」とあるのは「（附則第十五条第四項において準用する場合を含む。）の規定により第二十条第二項（附則第十五条第四項において準用する場合を含む。）」とする。

附　則（平二四・三・三一法一八）（抄）

（施行期日）

第一条　この法律は、平成二十四年四月一日から施行する。〔ただし書略〕

（地方交付税法の一部改正に伴う経過措置）

第二条　第一条の規定による改正後の地方交付税法の規定は、平成二十四年度分の地方交付税から適用し、平成二十三年度分までの地方交付税については、なお従前の例による。

附　則（平二四・八・二二法六九）（抄）

最終改正　令二・三・三一法五

（施行期日）

第一条　この法律は、平成二十六年四月一日から施行する。ただし、次の各号に掲げる規定は、当該各号に定める日から施行する。

一　附則第十九条の規定　公布の日

二　〔前略〕第四条の規定並びに附則〔中略〕第十六条〔中略〕の規定　平成三十一年四月一日
三　〔略〕
四　第五条の規定並びに附則第十七条〔中略〕の規定　令和二年四月一日

（第三条の規定による地方交付税法の一部改正に伴う経過措置）
第十五条　第三条の規定による改正後の地方交付税法の規定は、平成二十六年度分の地方交付税から適用し、平成二十五年度分までの地方交付税については、なお従前の例による。

（第四条の規定による地方交付税法の一部改正に伴う経過措置）
第十六条　第四条の規定による改正後の地方交付税法の規定は、令和元年度分の地方交付税から適用し、平成三十年度分までの地方交付税については、なお従前の例による。

（第五条の規定による地方交付税法の一部改正に伴う経過措置）
第十七条　第五条の規定による改正後の地方交付税法の規定は、令和二年度分の地方交付税から適用し、令和元年度分までの地方交付税については、なお従前の例による。

（地方消費税率の引上げに当たっての措置）
第十九条　地方消費税率の引上げに当たっては、経済状況を好転させることを条件として実施するため、物価が持続的に下落する状況からの脱却及び経済の活性化に向けて、平成二十三年度から令和二年度までの平均において名目の経済成長率で三パーセント程度かつ実質の経済成長率で二パーセント程度を目指した望ましい経済成長の在り方に早期に近づけるための総合的な施策の実施その他の必要な措置を講ずる。
2　税制の抜本的な改革の実施等により、財政による機動的対応が可能となる中で、我が国経済の需要と供給の状況、地方消費税率の引上げによる経済への影響等を踏まえ、成長戦略並びに事前防災及び減災等に資する分野に資金を重点的に配分することなど、我が国経済の成長等に向けた施策を検討する。

附　則（平二五・三・六法一）

（施行期日）
1　この法律は、公布の日から施行する。

（平成二十四年度分として交付すべき地方交付税の総額の一部の平成二十五年度における交付等）
2　平成二十四年度分として交付すべき地方交付税の総額のうち第一条の規定による改正後の地方交付税法（以下この項において「新法」という。）附則第十一条に規定する平成二十四年度震災復興特別交付税額以外の額については、第一号に掲げる額から第二号に掲げる額を控除した額以内の額を、同年度内に交付しないで、新法第六条第二項の当該年度の前年度以前の年度における地方交付税でまだ交付していない額として、平成二十五年度分として交付すべき地方交付税の総額に加算して交付することができる。この場合における平成二十四年度における地方交付税の交付については、新法附則第十一条の規定にかかわらず、同号に掲げる額から同号ロに規定する平成二十四年度当初通常収支分交付税額及び四千九百十九万五千円を控除した額を普通交付税として交付することができる。
一　新法附則第四条の規定により算定された平成二十四年度分の地方交付税の総額から新法附則第十一条に規定する平成二十四年度震災復興特別交付税額を控除した額
二　イ及びロに掲げる額の合算額
イ　平成二十四年度分に係る新法第十条第二項本文の規定により各地方団体に対して交付すべき普通交付税の額の合算額
ロ　平成二十四年度当初通常収支分交付税額（平成二十四年度の交付税及び譲与税配付金特別会計の当初予算に計上された地方交付税交付金の額から第一条の規定による改正前の地方交付税法附則第四条第一項に規定する震災復興特別交付税に充てるための五千四百九十億二千九百七十八万九千円を控除した額及び東日本大震災に対処する等のための平成二十三年度分の地方交付税の総額の特例等に関する法律（平成二十三年法律第四十一号）第五条の規定に基づき平成二十四年度分として交付すべき地方交付税の総額に加算された額の合算額をいう。）から返還金等の額（当該地方交付税交付金の額のうち新法第二十条の三第二項の規定により地方交付税の総額に算入する額として同予算に計上された額をいう。以下この号において同じ。）を控除した額の百分の六に相当する額に返還金等の額及び四千九百十九万五千円を加算した額

附　則（平二五・三・三〇法四）（抄）

（施行期日）
第一条　この法律は、平成二十五年四月一日から施行する。

（地方交付税法の一部改正に伴う経過措置）
第二条　第一条の規定による改正後の地方交付税法の規定は、平成二十五年度分の地方交付税から適用し、平成二十四年度分までの地方交付税については、なお従前の例による。

（地域の元気づくり推進費の基準財政需要額への算入）
第三条　平成二十五年度に限り、各地方団体に対して交付すべき普通交付税の額の算定に用いる地方交付税法第十一条の規定による基準財政需要額は、同条の規定によって算定した額に、次の表に掲げる地方団体の種類、経費の種類及び測定単位ごとの単位費用に次項の規定により算定した測定単位の数値を乗じて得た額を加算した額とする。

地方団体の種類	経費の種類	測定単位	単位費用
道府県	地域の元気づくり推進費	人口	一人につき　五六円
市町村	地域の元気づくり推進費	人口	一人につき　二六円

2　前項の測定単位の数値は、次の表の上欄に掲げる測定単位につき、同表の中欄に定める算定の基礎により、同表の下欄に掲げる表示単位に基づいて、総務省令で定めるところにより算定する。ただし、当該測定単位の数値は、人口の多少による段階その他の事情を参酌して、総務省令で定めるところにより、そ

の数値を補正することができる。

測定単位	測定単位の数値の算定の基礎	表示単位
人口	官報で公示された最近の国勢調査の結果による当該地方団体の人口	人

附　則（平二六・二・一七法二）

（施行期日）

1　この法律は、公布の日から施行する。

（平成二十五年度分として交付すべき地方交付税の総額の一部の平成二十六年度における交付等）

2　平成二十五年度分として交付すべき地方交付税の総額のうちこの法律の規定による改正後の地方交付税法（以下この項において「新法」という。）附則第十一条に規定する平成二十五年度震災復興特別交付税額以外の額については、第一号に掲げる額から第二号に掲げる額を控除した額以内の額を、同年度内に交付しないで、新法第六条第二項の当該年度の前年度以前の年度における地方交付税でまだ交付していない額として、平成二十六年度分として交付すべき地方交付税の総額に加算して交付することができる。この場合における平成二十五年度における地方交付税の交付については、新法附則第十一条の規定にかかわらず、同号に掲げる額から同号ロに規定する平成二十五年度当初通常収支分交付税額を控除した額を普通交付税として交付することができる。

一　新法附則第四条の規定により算定された平成二十五年度分の地方交付税の総額から新法附則第十一条に規定する平成二十五年度震災復興特別交付税額を控除した額

二　イ及びロに掲げる額の合算額

イ　平成二十五年度分に係る新法第十条第二項本文の規定により各地方団体に対して交付すべき普通交付税の額の合算額

ロ　平成二十五年度当初通常収支分交付税額（平成二十五年度の交付税及び譲与税配付金特別会計の当初予算に計上された地方交付税交付金の額からこの法律の規定による改正前の地方交付税法附則第四条第一項に規定する震災復興特別交付税に充てるための六千五十三億二百四十二万二千円を控除した額及び地方交付税法及び特別会計に関する法律の一部を改正する法律（平成二十五年法律第一号）附則第二項の規定に基づき平成二十五年度分として交付すべき地方交付税の総額に加算された額の合算額をいう。）から返還金等の額（当該地方交付税交付金の額のうち新法第二十条の三第二項の規定により地方交付税の総額に算入する額として同予算に計上された額をいう。以下この号において同じ。）を控除した額の百分の六に相当する額に返還金等の額を加算した額

附　則（平二六・三・三一法五）（抄）

（施行期日）

第一条　この法律は、平成二十六年四月一日から施行する。ただし、第二条〔中略〕並びに附則第四条〔中略〕の規定は、平成二十六年十月一日から施行する。

（第一条の規定による地方交付税法の一部改正に伴う経過措置）

第二条　第一条の規定による改正後の地方交付税法の規定は、平成二十六年度分の地方交付税から適用し、平成二十五年度分までの地方交付税については、なお従前の例による。

（平成二十六年度における基準財政収入額の算定方法の特例）

第三条　平成二十六年度分の地方交付税に係る地方交付税法第十四条の規定による基準財政収入額の算定に限り、同条第三項の表市町村の項第十一号中「前年度の地方消費税交付金の交付額」とあるのは、「当該年度の地方消費税交付金の交付見込額として総務大臣が定める額」とする。

（第二条の規定による地方交付税法の一部改正に伴う経過措置）

第四条　第二条の規定による改正後の地方交付税法の規定は、平成二十六年度分の地方交付税から適用する。

附　則（平二七・二・一二法一）

（施行期日）

1　この法律は、公布の日から施行する。

（平成二十六年度分として交付すべき地方交付税の総額の一部の平成二十七年度における交付等）

2　平成二十六年度分として交付すべき地方交付税の総額のうちこの法律の規定による改正後の地方交付税法（以下この項において「新法」という。）附則第十一条に規定する平成二十六年度震災復興特別交付税額以外の額については、第一号に掲げる額から第二号に掲げる額を控除した額以内の額を、同年度内に交付しないで、新法第六条第二項の当該年度の前年度以前の年度における地方交付税でまだ交付していない額として、平成二十七年度分として交付すべき地方交付税の総額に加算して交付することができる。この場合における平成二十六年度における地方交付税の交付については、新法附則第十一条の規定にかかわらず、同号に掲げる額から同号ロに規定する平成二十六年度当初通常収支分交付税額を控除した額を普通交付税として交付することができる。

一　新法附則第四条の規定により算定された平成二十六年度分の地方交付税の総額から新法附則第十一条に規定する平成二十六年度震災復興特別交付税額を控除した額

二　イ及びロに掲げる額の合算額

イ　平成二十六年度分に係る新法第十条第二項本文の規定により各地方団体に対して交付すべき普通交付税の額の合算額

ロ　平成二十六年度当初通常収支分交付税額（平成二十六年度の交付税及び譲与税配付金特別会計の当初予算に計上された地方交付税交付金の額からこの法律の規定による改正前の地方交付税法附則第四条第一項に規定する震災復興特別交付税に充てるための五千七百二十三億三千二百二十一万五千円を控除した額及び地方交付税法の一部を改正する法律（平成二十六年法律第二号）附則第二項の規定に基づき平成二十六年度分として交付すべき地方交付税の総額に加算された額の合算額をいう。）から返還金等の額（当該地方交付税交付金の額のうち新法第二十条の三第二項の規定により地方交付税の総額に算入する額として同予算に計上された額をいう。以下この号において同じ。）を控除した額の百分の六に相当する額に返還金等の額を加算した額

附　則（平二七・三・三一法三）（抄）

（施行期日）

第一条　この法律は、平成二十七年四月一日から施行する。

（地方交付税法の一部改正に伴う経過措置）

第二条　第一条の規定による改正後の地方交付税法（次条において「新地方交付税法」という。）の規定は、平成二十七年度分の地方交付税から適用し、平成二十六年度分までの地方交付税については、なお従前の例による。

（平成二十七年度における基準財政収入額の算定方法の特例）

第三条　平成二十七年度分の地方交付税に係る新地方交付税法第十四条の規定による基準財政収入額の算定に限り、同条第三項の表市町村の項第十一号中「前年度の地方消費税交付金の交付額」とあるのは、「当該年度の地方消費税交付金の交付見込額として総務大臣が定める額」とする。

附　則（平二七・九・四法六三）（抄）

（施行期日）

第一条　この法律は、平成二十八年四月一日から施行する。〔ただし書略〕

附　則（平二八・一・二六法四）

（施行期日）

1　この法律は、公布の日から施行する。

（平成二十七年度分として交付すべき地方交付税の総額の一部の平成二十八年度における交付等）

2　平成二十七年度分として交付すべき地方交付税の総額のうちこの法律による改正後の地方交付税法（以下この項において「新法」という。）附則第十一条に規定する平成二十七年度震災復興特別交付税額以外の額については、第一号に掲げる額から第二号に掲げる額を控除した額以内の額を、同年度内に交付しないで、新法第六条第二項の当該年度の前年度以前の年度における地方交付税でまだ交付していない額として、平成二十八年度分として交付すべき地方交付税の総額に加算して交付することができる。この場合における平成二十七年度における地方交付税の交付については、新法附則第十一条の規定にかかわらず、同号に掲げる額から同号ロに規定する平成二十七年度当初通常収支分交付税額を控除した額を普通交付税として交付することができる。

一　新法附則第四条の規定により算定された平成二十七年度分として交付すべき地方交付税の総額から新法附則第十一条に規定する平成二十七年度震災復興特別交付税額を控除した額

二　イ及びロに掲げる額の合算額

　イ　平成二十七年度分に係る新法第十条第二項本文の規定により各地方団体に対して交付すべき普通交付税の額の合算額

　ロ　平成二十七年度当初通常収支分交付税額（平成二十七年度の交付税及び譲与税配付金特別会計の当初予算に計上された地方交付税交付金の額からこの法律による改正前の地方交付税法附則第四条第一項に規定する震災復興特別交付税に充てるための五千八百九十八億千八百五万六千円を控除した額及び地方交付税法の一部を改正する法律（平成二十七年法律第一号）附則第二項の規定に基づき平成二十七年度分として交付すべき地方交付税の総額に加算された額の合算額をいう。）から返還金等の額（当該地方交付税交付金の額のうち新法第二十条の三第二項の規定により地方交付税の総額に算入する額として同予算に計上された額をいう。以下この号において同じ。）を控除した額の百分の六に相当する額に返還金等の額を加算した額

附　則（平二八・三・三一法一三）（抄）

最終改正　令二・三・三一法五

（施行期日）

第一条　この法律は、平成二十八年四月一日から施行する。ただし、次の各号に掲げる規定は、当該各号に定める日から施行する。

一～五の二　〔略〕

五の三　〔前略〕附則第三十七条、第三十七条の三第一項〔中略〕の規定　平成三十一年四月一日

五の四　〔前略〕附則〔中略〕第三十七条の三第二項〔中略〕の規定　令和元年十月一日

五の四の二　〔略〕

五の五　〔前略〕附則〔中略〕第三十七条の二、第三十八条〔中略〕の規定　令和二年四月一日

六～十五　〔略〕

（地方交付税法の一部改正に伴う経過措置）

第三十七条の三　附則第三十七条の規定による改正後の地方交付税法（昭和二十五年法律第二百十一号）第十四条第一項及び第三項の規定は、令和元年度分の地方交付税に係る同条の規定による基準財政収入額の算定から適用し、平成三十年度分までの地方交付税に係る附則第三十七条の規定による改正前の地方交付税法第十四条の規定による基準財政収入額の算定については、なお従前の例による。

2　令和元年度分の地方交付税について、附則第一条第五号の四に掲げる規定の施行の日以後において、地方交付税法第十条第三項ただし書の規定により、普通交付税の額を決定し、又は既に決定した普通交付税の額を変更する場合における同法第十四条の規定による基準財政収入額の算定に係る同条第一項及び第三項の規定の適用については、次の表の上欄に掲げる同条の規定中同表の中欄に掲げる字句は、それぞれ同表の下欄に掲げる字句とする。

第一項	、自動車取得税	、地方税法等の一部を改正する等の法律（平成二十八年法律第十三号）第二条の規定による改正前の地方税法（以下この項及び第三項において「改正前地方税法」という。）に規定する自動車取得税
	同法第百四十三条	改正前地方税法第百四十三条
	地方税法等の一部を改正する等の法律（平成二十八年法律第十三号）第二条の規定によ	環境性能割

	る改正後の地方税法（以下この項及び第三項において「改正後地方税法」という。）第百四十五条第一号に規定する環境性能割（以下この項及び第三項の表道府県の項第九号の二において「環境性能割」という。）	
	から改正後地方税法	から同法
	道府県の地方税法	道府県の同法
第三項の表道府県の項第七号	地方税法	改正前地方税法
第三項の表道府県の項第九号	自動車税	改正前地方税法に規定する自動車税
	地方税法	改正前地方税法
第三項の表道府県の項第九号の二	改正後地方税法に規定する自動車税	自動車税
	（改正後地方税法	（地方税法
	改正後地方税法第百四十五条第二号に規定する種別割	種別割
第三項の表市町村の項	軽自動車税	改正前地方税法に規定する軽自動車税
第三号	地方税法	改正前地方税法
第三項の表市町村の項第三号の二	改正後地方税法に規定する軽自動車税の改正後地方税法第四百四十二条第一号に規定する	軽自動車税の
	改正後地方税法第四百四十二条第五号	地方税法第四百四十二条第五号

第三十八条　附則第三十七条の二の規定により改正後の地方交付税法（次項において「二年新地方交付税法」という。）第十四条第一項及び第三項の規定は、令和二年度分の地方交付税に係る同条の規定による基準財政収入額の算定から適用し、令和元年度分までの地方交付税に係る附則第三十七条の二の規定による改正前の地方交付税法（次項において「二年旧地方交付税法」という。）第十四条の規定による基準財政収入額の算定については、なお従前の例による。

2　二年新地方交付税法附則第八条の規定は、令和二年度以降の年度分に係る同条に規定する基準税額等のうち算定過少又は算定過大と認められる額の算定について適用し、平成二十九年度分、平成三十年度分及び令和元年度分に係る二年旧地方交付税法附則第八条に規定する基準税額等のうち算定過少又は算定過大と認められる額の算定については、なお従前の例による。

3　令和二年度分の地方交付税に係る地方交付税法第十四条の規定による基準財政収入額の算定に係る同条第一項及び第三項の規定の適用については、次の表の上欄に掲げる同条の規定中同表の中欄に掲げる字句は、それぞれ同表の下欄に掲げる字句とする。

第一項	同法第七十二条の七十六	地方税法等の一部を改正する等の法律（平成二十八年法律第十三号。以下この項において「平成二十八年地方税法等改正法」という。）附則第六条第二項の規定により読み替えられた地方税法第七十二条の七十六
	地方税法第七十二条の七十六	平成二十八年地方税法等改正法附則第六条第二項の規定により読み替えられた地方税法第七十二条の七十六
第三項の表道府県の項第八号及び同表市町村の項第三号	前年度中	当該年度中
	取得件数	取得見込件数として総務大臣が定める数
第三項の表市町村の項第十一号	並びに前年度の法人事業税交付金の交付額の算定に用いた当該道府県の従業者数及び当該市町村の従業者数	及び当該市町村の市町村民税の法人税割額
第三項の表市町村の項第十五号	前年度の環境性能割交付金の交付額	当該年度の環境性能割交付金の交付見込額として総務大臣が定める額

4　令和三年度分の地方交付税に係る地方交付税法第十四条の規定による基準財政収入額の算定に係る同条第一項及び第三項の規定の適用については、次の表の上欄に掲げる同条の規定中同表の中欄に掲げる字句は、それぞれ同表の下欄に掲げる字句とする。

第一項	同法第七十二条の七十六	地方税法等の一部を改正する等の法律（平成二十八年法律第十三号。以下この項において「平成二十八年地方税法等改正法」という。）附則第六条第三項の規定により読み替えられた地方税法第七十二条の七十六
	地方税法第七十二条の七十六	平成二十八年地方税法等改正法附則第六条第三項の規定により読み替えられた地方税法第七十二条の七十六
第三項の表市町村の項第十一号	並びに前年度の法人事業税交付金の交付額の算定に用いた	、当該年度における
	市町村の従業者数	市町村の従業者数として総務大臣が定める数並びに当該市町村の市町村民税の法人税割額

5　令和四年度分の地方交付税に係る地方交付税法第十四条の規定による基準財政収入額の算定に係る同条第一項及び第三項の規定の適用については、次の表の上欄に掲げる同条の規定中同表の中欄に掲げる字句は、それぞれ同表の下欄に掲げる字句とする。

第一項	同法第七十二条の七十六	地方税法等の一部を改正する等の法律（平成二十八年法律第十三号。以下この項において「平成二十八年地方税法等改正法」という。）附則第六条第三項の規定により読み替えられた地方税法第七十二条の七十六
	地方税法第七十二条の七十六	平成二十八年地方税法等改正法附則第六条第三項の規定により読み替えられた地方税法第七十二条の七十六
第三項の表市町村の項第十一号	数値並びに	数値、
	市町村の従業者数	市町村の従業者数並びに当該市町村の市町村民税の法人税割額

附　則（平二八・三・三一法一四）（抄）

（施行期日）

第一条　この法律は、平成二十八年四月一日から施行する。〔ただし書略〕

（地方交付税法の一部改正に伴う経過措置）

第二条　第一条の規定による改正後の地方交付税法（次条において「新地方交付税法」という。）の規定は、平成二十八年度分の地方交付税から適用し、平成二十七年度分までの地方交付税については、なお従前の例による。この場合において、第一条の規定による改正前の地方交付税法（以下この条において「旧地方交付税法」という。）附則第十一条に規定する平成二十七年度震災復興特別交付税額に係る旧地方交付税法附則第十二条第一項の規定の適用については、同項中「第六条第二項」とあるのは、「当該総務大臣が定める額以内の額（旧法附則第十二条第一項の規定により平成二十七年度分として交付すべき交付税の総額に加算された旧法附則第十一条に規定する平成二十六年度震災復興特別交付税額の一部から附則第四条第一項第八号に掲げる額を控除した額のうち、平成二十七年度内に交付しない額を除く。）を、第六条第二項」とする。

（平成二十八年度における基準財政収入額の算定方法の特例）

第三条　平成二十八年度分の地方交付税に係る新地方交付税法第十四条の規定による基準財政収入額の算定に係る同条第三項の規定の適用については、同項の表市町村の項第十一号中「前年度の地方消費税交付金の交付額」とあるのは、「当該年度の地方消費税交付金の交付見込額として総務大臣が定める額」とする。

2　平成二十八年度分の地方交付税に係る新地方交付税法第十四条の規定による基準財政収入額の算定に係る地方法人特別税等に関する暫定措置法（平成二十年法律第二十五号）第三十九条の規定の適用については、同条中「前年度の地方法人特別譲与税の譲与額」とあるのは、「当該年度の地方法人特別譲与税の見込額として総務大臣が定める額」とする。

附　則（平二八・五・二〇法四四）（抄）

（施行期日）

第一条　この法律は、平成二十九年四月一日から施行する。〔ただし書略〕

附　則（平二八・一〇・一九法七五）

この法律は、公布の日から施行する。

附　則（平二九・二・八法一）

この法律は、公布の日から施行する。

附　則（平二九・三・三一法三）（抄）

（施行期日）

第一条　この法律は、平成二十九年四月一日から施行する。ただし、第一条中地方交付税法附則第七条の二の改正規定は、平成三十年四月一日から施行する。

（地方交付税法の一部改正に伴う経過措置）

第二条　第一条の規定による改正後の地方交付税法（以下この条及び次条において「新地方交付税法」という。）の規定（新地方交付税法附則第七条の二の規定を除く。）は、平成二十九年度分の地方交付税から適用し、平成二十八年度分までの地方交付税については、なお従前の例による。

2　新地方交付税法附則第七条の二の規定は、平成三十年度分の地方交付税から適用し、平成二十九年度分までの地方交付税については、なお従前の例による。

（平成二十九年度及び平成三十年度における基準財政収入額の算定方法の特例）

第三条　平成二十九年度分及び平成三十年度分の地方交付税における各地方団体に対して交付すべき普通交付税の額の算定に用いる新地方交付税法第十四条の規定による基準財政収入額は、地方自治法（昭和二十二年法律第六十七号）第二百五十二条の十九第一項の市（以下この項において「指定都市」という。）を包括する都道府県にあっては新地方交付税法第十四条第一項の規定により算定した額から当該都道府県の地方税法及び航空機燃料譲与税法の一部を改正する法律（平成二十九年法律第二号）附則第五条第七項の規定により指定都市に対し交付するものとされる道府県民税の所得割に係る交付金（以下この項において「道府県民税所得割臨時交付金」という。）の交付見込額として総務省令で定めるところにより算定した額を控除した額とし、指定都市にあっては新地方交付税法第十四条第一項の規定により算定した額に当該指定都市の道府県民税所得割臨時交付金の収入見込額として総務省令で定めるところにより算定した額を加算した額とする。

2　平成二十九年度分の地方交付税に係る新地方交付税法第十四条の規定による基準財政収入額の算定に係る同条第三項の規定の適用については、同項の表市町村の項第十一号中「前年度の地方消費税交付金の交付額」とあるのは、「当該年度の地方消費税交付金の交付見込額として総務大臣が定める額」とする。

3　平成二十九年度分の地方交付税に係る新地方交付税法第十四条の規定による基準財政収入額の算定に係る地方法人特別税等に関する暫定措置法（平成二十年法律第二十五号）第三十九条の規定の適用については、同条中「前年度の地方法人特別譲与税の譲与額」とあるのは、「当該年度の地方法人特別譲与税の見込額として総務大臣が定める額」とする。

附　則（平三〇・三・三一法四）（抄）

（施行期日）

第一条　この法律は、平成三十年四月一日から施行する。

（地方交付税法の一部改正に伴う経過措置）

第二条　第一条の規定による改正後の地方交付税法（次条において「新地方交付税法」という。）の規定は、平成三十年度分の地方交付税から適用し、平成二十九年度分までの地方交付税については、なお従前の例による。

（平成三十年度における基準財政収入額の算定方法の特例）

第三条　平成三十年度分の地方交付税に係る新地方交付税法第十四条の規定による基準財政収入額の算定に係る同条第三項の規定の適用については、同項の表市町村の項第十一号中「前年度の地方消費税交付金の交付額」とあるのは、「当該年度の地方消費税交付金の交付見込額として総務大臣が定める額」とする。

附　則（平三一・三・二九法二）（抄）

改正　令二・三・三一法五

（施行期日）

第一条　この法律は、平成三十一年四月一日から施行する。ただし、次の各号に掲げる規定は、当該各号に定める日から施行する。

一～八　〔略〕

九　〔前略〕附則〔中略〕第三十条第三項の規定　令和十六年四月一日

十～十三　〔略〕

（地方交付税法の一部改正に伴う経過措置等）

第三十条　前条の規定による改正後の地方交付税法（次項及び第三項において「新地方交付税法」という。）第十四条第一項及び第三項の規定は、令和元年度分の地方交付税に係る同条の規定による基準財政収入額の算定から適用し、平成三十年度分までの地方交付税に係る前条の規定による改正前の地方交付税法第十四条の規定による基準財政収入額の算定については、なお従前の例による。

2　令和元年度分の地方交付税に係る新地方交付税法第十四条の規定による基準財政収入額の算定に係る同条第三項の規定の適用については、同項の表道府県の項第十五号中「前年度の自動車重量譲与税の譲与額」とあるのは、「当該年度の自動車重量譲与税の譲与見込額として総務大臣が定める額」とする。

3　令和十六年度分の地方交付税に係る新地方交付税法第十四条の規定による基準財政収入額の算定に係る同条第三項の規定の適用については、同項の表道府県の項第十三号中「前年度の地方揮発油譲与税の譲与額」とあるのは、「当該年度の地方揮発油譲与税の譲与見込額として総務大臣が定める額」とする。

附　則（平三一・三・二九法三）（抄）

改正　令二・三・三一法五

（施行期日）

第一条　この法律は、平成三十一年四月一日から施行する。〔ただし書略〕

（地方交付税法の一部改正に伴う経過措置）

第七条　前条の規定による改正後の地方交付税法（次項において「新地方交付税法」という。）第十四条第一項及び第三項の規定は、令和元年度分の地方交付税に係る同条の規定による基準財政収入額の算定から適用し、平成三十年度分までの地方交付税に係る前条の規定による改正前の地方交付税法第十四条の規定による基準財政収入額の算定については、なお従前の例による。

2　令和元年度分の地方交付税に係る新地方交付税法第十四条の規定による基準財政収入額の算定に係る同条第三項の規定の適用については、同項の表道府県の項第七号中「前年度の森林環境譲与税の譲与額」とあるのは「当該年度の森林環境譲与税の譲与見込額として総務大臣が定める額」と、同表市町村の項第二十一号中「前年度の森林環境譲与税の譲与額」とあるのは「当該年度の森林環境譲与税の譲与見込額として総務大臣が定める額」とする。

附　則（平三一・三・二九法四）（抄）

改正　令二・三・三一法五

（施行期日）

第一条　この法律は、令和元年十月一日から施行する。ただし、次の各号に掲げる規定は、当該各号に定める日から施行する。

一　〔略〕

二　附則〔中略〕第十三条から第十五条までの規定　平成三十

二年四月一日

（地方交付税法の一部改正に伴う経過措置）

第十四条　前条の規定による改正後の地方交付税法（次項及び第三項において「新地方交付税法」という。）第十四条第一項及び第三項の規定は、令和二年度分の地方交付税に係る同条の規定による基準財政収入額の算定から適用し、令和元年度分までの地方交付税に係る前条の規定による改正前の地方交付税法（次項において「旧地方交付税法」という。）第十四条の規定による基準財政収入額の算定については、なお従前の例による。

２　新地方交付税法附則第八条の規定は、令和二年度以降の年度分に係る同条に規定する基準税額等のうち算定過小又は算定過大と認められる額の算定について適用し、平成二十九年度分、平成三十年度分及び令和元年度分に係る旧地方交付税法附則第八条に規定する基準税額等のうち算定過小又は算定過大と認められる額の算定については、なお従前の例による。この場合において、平成二十九年度分、平成三十年度分及び令和元年度分に係る同条の規定の適用については、同条中「当該年度以後三年度以内の年度分の基準税額等」とあるのは、「当該年度以後三年度以内の年度分の基準税額等（令和二年度以降の年度分においては特別法人事業税及び特別法人事業譲与税に関する法律（平成三十一年法律第四号）附則第十三条による改正後の第十四条第三項の表の中欄に掲げる収入の項目のうち、特別法人事業譲与税に係る同表の基準税額等を含む。）」とする。

３　令和二年度分の地方交付税に係る新地方交付税法第十四条の規定による基準財政収入額の算定に係る同条第三項の規定の適用については、同項の表道府県の項第十二号中「前年度の特別法人事業譲与税の譲与額」とあるのは、「当該年度の特別法人事業譲与税の譲与見込額として総務大臣が定める額」とする。

附　則（平三一・三・二九法五）（抄）

改正　令二・二・五法一

（施行期日）

第一条　この法律は、平成三十一年四月一日から施行する。

（地方交付税法の一部改正に伴う経過措置）

第二条　第一条の規定による改正後の地方交付税法（次条において「新地方交付税法」という。）の規定は、令和元年度分の地方交付税から適用し、平成三十年度分までの地方交付税については、なお従前の例による。

（令和元年度における基準財政収入額の算定方法の特例）

第三条　令和元年度分の地方交付税に係る新地方交付税法第十四条の規定による基準財政収入額の算定に係る同条第三項の規定の適用については、同項の表市町村の項第十一号中「前年度の地方消費税交付金の交付額」とあるのは、「当該年度の地方消費税交付金の交付見込額として総務大臣が定める額」とする。

２　この法律の施行の日（附則第五条第二項において「施行日」という。）から地方税法等の一部を改正する法律（平成三十一年法律第二号）附則第一条第二号に掲げる規定の施行の日の前日までの間における新地方交付税法附則第七条の四の規定の適用については、同条第一号ヘ中「平成二十八年地方税法等改正法第二条の規定による改正前の地方税法（次号ホにおいて「平成二十八年改正前の地方税法」という。）に規定する自動車取得税」とあるのは「自動車取得税」と、同号リ中「平成二十八年地方税法等改正法第九条の規定による廃止前の地方法人特別譲与税」とあるのは「地方法人特別譲与税」と、同条第二号ホ中「平成二十八年改正前の地方税法に規定する自動車取得税交付金」とあるのは「自動車取得税交付金」と、同号ヘ中「地方税法第百七十七条の六」とあるのは「平成三十一年地方税法等改正法第二条の規定による改正後の地方税法第百七十七条の六」とする。

附　則（令二・二・五法一）（抄）

（施行期日）

１　この法律は、公布の日から施行する。

附　則（令二・三・三一法五）（抄）

（施行期日）

第一条　この法律は、令和二年四月一日から施行する。〔ただし書略〕

附　則（令二・三・三一法六）（抄）

（施行期日）

第一条　この法律は、令和二年四月一日から施行する。

（地方交付税法の一部改正に伴う経過措置）

第二条　第一条の規定による改正後の地方交付税法の規定は、令和二年度分の地方交付税から適用し、令和元年度分までの地方交付税については、なお従前の例による。

附　則（令三・二・三法三）

この法律は、公布の日から施行する。

附　則（令三・三・三一法八）（抄）

（施行期日）

第一条　この法律は、令和三年四月一日から施行する。

（地方交付税法の一部改正に伴う経過措置）

第二条　第一条の規定による改正後の地方交付税法（次条において「新地方交付税法」という。）の規定は、令和三年度分の地方交付税から適用し、令和二年度分までの地方交付税については、なお従前の例による。

（令和三年度における基準財政収入額の算定方法の特例）

第三条　令和三年度分の地方交付税に係る新地方交付税法第十四条の規定による基準財政収入額の算定に係る同条第三項の規定の適用については、同項の表道府県の項第十二号中「前年度の特別法人事業譲与税の譲与額」とあるのは「当該年度の特別法人事業譲与税の譲与見込額として総務大臣が定める額」と、同項第十七号中「前年度の森林環境譲与税の譲与額」とあるのは「当該年度の森林環境譲与税の譲与見込額として総務大臣が定める額」と、同表市町村の項第十二号中「前年度の地方消費税交付金の交付額」とあるのは「当該年度の地方消費税交付金の交付見込額として総務大臣が定める額」と、同項第二十一号中「前年度の森林環境譲与税の譲与額」とあるのは「当該年度の森林環境譲与税の譲与見込額として総務大臣が定める額」とする。

附　則（令三・三・三一法一九）（抄）

（施行期日）

第一条　この法律は、令和三年四月一日から施行する。

（地方交付税法の一部改正等）

第十条　〔施行済〕

２　前項の規定による改正後の地方交付税法附則第五条の規定は、令和三年度分の地方交付税から適用する。

附　則（令三・五・一九法三六）（抄）

（施行期日）

第一条　この法律は、令和三年九月一日から施行する。〔ただし書略〕

附　則（令三・一二・二四法八八）

（施行期日）

第一条　この法律は、公布の日から施行する。

（臨時経済対策費及び臨時財政対策債償還基金費の基準財政需要額への算入）

第二条　令和三年度に限り、各地方団体に対して交付すべき普通交付税の額の算定に用いる第一条の規定による改正後の地方交付税法（次条において「新法」という。）第十一条の規定による基準財政需要額は、同条の規定により算定した額に、次の表に掲げる地方団体の種類、経費の種類及び測定単位ごとの単位費用に次項の規定により算定した測定単位の数値を乗じて得た額を加算した額とする。

地方団体の種類	経費の種類	測定単位	単位費用
道府県	一　臨時経済対策費	人口	一人につき　一、七〇〇円
	二　臨時財政対策債償還基金費	臨時財政対策のため令和三年度において特別に起こすことができることとされた地方債の額	千円につき　二五四
市町村	一　臨時経済対策費	人口	一人につき　一、七〇〇円
	二　臨時財政対策債償還基金費	臨時財政対策のため令和三年度において特別に起こすことができることとされた地方債の額	千円につき　二五四

2　前項の測定単位の数値は、次の表の上欄に掲げる測定単位につき、同表の中欄に定める算定の基礎により、同表の下欄に掲げる表示単位に基づいて、総務省令で定めるところにより算定する。ただし、臨時経済対策費に係る測定単位の数値は、人口の多少による段階その他の事情を参酌して、総務省令で定めるところにより、その数値を補正することができる。

測定単位	測定単位の数値の算定の基礎	表示単位
一　人口	官報で公示された最近の国勢調査の結果による当該地方団体の人口	人
二　臨時財政対策のため令和三年度において特別に起こすことができることとされた地方債の額	地方財政法（昭和二十三年法律第百九号）第三十三条の五の二第一項の規定により令和三年度において起こすことができることとされた地方債の額	千円

（令和三年度分として交付すべき地方交付税の総額の一部の令和四年度における交付）

第三条　令和三年度分として交付すべき地方交付税の総額のうち新法附則第十一条に規定する令和三年度震災復興特別交付税額以外の額については、第一号に掲げる額から第二号に掲げる額を控除した額以内の額を、同年度内に交付しないで、新法第六条第二項の当該年度の前年度以前の年度における地方交付税でまだ交付していない額として、令和四年度分として交付すべき地方交付税の総額に加算して交付することができる。

一　新法附則第四条の規定により算定された令和三年度分として交付すべき地方交付税の総額から新法附則第十一条に規定する令和三年度震災復興特別交付税額を控除した額

二　イ及びロに掲げる額の合算額

イ　令和三年度分に係る新法第十条第二項本文の規定により各地方団体に対して交付すべき普通交付税の額の合算額

ロ　イに規定する合算額から一兆五千億円を控除した額の九十四分の六に相当する額に新法第二十条の三第二項の規定により令和三年度分の地方交付税の総額に算入された額を加算した額

附　則（令四・三・三一法一）（抄）

（施行期日）

第一条　この法律は、令和四年四月一日から施行する。〔ただし書略〕

附　則（令四・三・三一法二）（抄）

（施行期日）

第一条　この法律は、令和四年四月一日から施行する。

（地方交付税法の一部改正に伴う経過措置）

第二条　第一条の規定による改正後の地方交付税法（次条において「新地方交付税法」という。）の規定は、令和四年度分の地方交付税から適用し、令和三年度分までの地方交付税については、なお従前の例による。

（令和四年度における基準財政収入額の算定方法の特例）

第三条　令和四年度分の地方交付税に係る新地方交付税法第十四条の規定による基準財政収入額の算定に係る同条第三項の規定の適用については、同項の表道府県の項第十二号中「前年度の特別法人事業譲与税の譲与額」とあるのは「当該年度の特別法人事業譲与税の譲与見込額として総務大臣が定める額」と、同項第十七号中「前年度の森林環境譲与税の譲与額」とあるのは「当該年度の森林環境譲与税の譲与見込額として総務大臣が定める額」と、同表市町村の項第十二号中「前年度の地方消費税交付金の交付額」とあるのは「当該年度の地方消費税交付金の交付見込額として総務大臣が定める額」と、同項第二十一号中「前年度の森林環境譲与税の譲与額」とあるのは「当該年度の森林環境譲与税の譲与見込額として総務大臣が定める額」とする。

附 則（令四・六・二二法七六）（抄）

（施行期日）

第一条 この法律は、こども家庭庁設置法（令和四年法律第七十五号）の施行の日〔令五・四・一〕から施行する。〔ただし書略〕

附 則（令四・一一・一八法八七）（抄）

（施行期日）

第一条 この法律は、公布の日から起算して一月を超えない範囲内において政令で定める日〔令四・一二・一六〕から施行する。〔ただし書略〕

附 則（令四・一二・九法九五）

（施行期日）

第一条 この法律は、公布の日から施行する。

（臨時経済対策費の基準財政需要額への算入）

第二条 令和四年度に限り、各地方団体に対して交付すべき普通交付税の額の算定に用いる地方交付税法（次条において「法」という。）第十一条の規定による基準財政需要額は、同条の規定により算定した額に、次の表に掲げる地方団体の種類、経費の種類及び測定単位ごとの単位費用に次項の規定により算定した測定単位の数値を乗じて得た額を加算した額とする。

地方団体の種類	経費の種類	測定単位	単位費用
道府県	臨時経済対策費	人口	一人につき 一、八〇〇円
市町村	臨時経済対策費	人口	一人につき 一、八〇〇円

2 前項の測定単位の数値は、次の表の上欄に掲げる測定単位につき、同表の中欄に定める算定の基礎により、同表の下欄に掲げる表示単位に基づいて、総務省令で定めるところにより算定する。ただし、当該測定単位の数値は、人口の多少による段階その他の事情を参酌して、総務省令で定めるところにより、その数値を補正することができる。

測定単位	測定単位の数値の算定の基礎	表示単位
人口	官報で公示された最近の国勢調査の結果による当該地方団体の人口	人

（令和四年度分として交付すべき地方交付税の総額の一部の令和五年度における交付）

第三条 令和四年度分として交付すべき地方交付税の総額のうち法附則第十一条に規定する令和四年度震災復興特別交付税額以外の額については、第一号に掲げる額から第二号に掲げる額を控除した額以内の額を、同年度内に交付しないで、法第六条第二項の当該年度の前年度以前の年度における地方交付税でまだ交付していない額として、令和五年度分として交付すべき地方交付税の総額に加算して交付することができる。

一 法附則第四条の規定により算定された令和四年度分として交付すべき地方交付税の総額から法附則第十一条に規定する令和四年度震災復興特別交付税額を控除した額

二 イ及びロに掲げる額の合算額

イ 令和四年度分に係る法第十条第二項本文の規定により各地方団体に対して交付すべき普通交付税の額の合算額

ロ イに規定する合算額の九十四分の六に相当する額に法第二十条の三第二項の規定により令和四年度分の地方交付税の総額に算入された額を加算した額

附 則（令五・三・三一法二）（抄）

（施行期日）

第一条 この法律は、令和五年四月一日から施行する。

（地方交付税法の一部改正に伴う経過措置）

第二条 第一条の規定による改正後の地方交付税法の規定は、令和五年度分の地方交付税から適用し、令和四年度分までの地方交付税については、なお従前の例による。

附 則（令五・五・二六法三四）（抄）

（施行期日）

第一条 この法律は、公布の日から起算して一年を超えない範囲内において政令で定める日〔令六・四・一〕から施行する。〔ただし書略〕

附 則（令五・一二・六法八三）（抄）

（施行期日）

第一条 この法律は、公布の日から施行する。

（臨時経済対策費及び臨時財政対策債償還基金費の基準財政需要額への算入）

第二条 令和五年度に限り、各地方団体に対して交付すべき普通交付税の額の算定に用いる第一条の規定による改正後の地方交付税法（次条において「新法」という。）第十一条の規定により算定される基準財政需要額は、同条の規定により算定した額に、次の表に掲げる地方団体の種類、経費の種類及び測定単位ごとの単位費用に次項の規定により算定した測定単位の数値を乗じて得た額を加算した額とする。

地方団体の種類	経費の種類	測定単位	単位費用
道府県	一 臨時経済対策費	人口	一人につき 九五〇円
	二 臨時財政対策債償還基金費	臨時財政対策のため平成十六年度から令和五年度までの各年度において特別に起こすことができることとされた地方債の額	千円につき 二
			円

市町村	一 臨時経済対策費	人口	一人につき	九五〇
	二 臨時財政対策債償還基金費	臨時財政対策のため平成十六年度から令和五年度までの各年度において特別に起こすことができることとされた地方債の額	千円につき	二

2 前項の測定単位の数値は、次の表の上欄に掲げる測定単位につき、同表の中欄に定める算定の基礎により、同表の下欄に掲げる表示単位に基づいて、総務省令で定めるところにより算定する。ただし、当該測定単位の数値は、臨時経済対策費に係るものにあっては人口の多少による段階その他の事情を参酌して、臨時財政対策債償還基金費に係るものにあっては当該測定単位に係る種別ごとの単位当たりの費用の差に応じて、総務省令で定めるところにより、その数値を補正することができる。

測定単位	測定単位の数値の算定の基礎	表示単位
一 人口	官報で公示された最近の国勢調査の結果による当該地方団体の人口	人
二 臨時財政対策のため平成十六年度から令和五年度までの各年度において特別に起こすことができることとされた地方債の額	(1) 地方交付税法等の一部を改正する法律（平成十九年法律第二十四号）第三条の規定による改正前の地方財政法（昭和二十三年法律第百九号）第三十三条の五の二第一項の規定により平成十六年度から平成十八年度までの各年度において起こすことができることとされた地方債の額 (2) 地方交付税法等の一部を改正する法律（平成二十二年法律第五号）第三条の規定による改正前の地方財政法第三十三条の五の二第一項の規定により平成十九年度から平成二十一年度までの各年度において起こすことができることとされた地方債の額 (3) 地方交付税法等の一部を改正する法律（平成二十三年法律第五号）第三条の規定による改正前の地方財政法第三十三条の五の二第一項の規定により平成二十二年度において起こすことができることとされた地方債の額 (4) 地方交付税法等の一部を改正する法律（平成二十六年法律第五号）第五条の規定による改正前の地方財政法第三十三条の五の二第一項の規定により平成二十三年度から平成二十五年度までの各年度において起こすことができることとされた地方債の額 (5) 地方交付税法等の一部を改正する法律（平成二十九年法律第三号）第三条の規定による改正前の地方財政法第三十三条の五の二第一項の規定により平成二十六年度から平成二十八年度までの各年度において起こすことができることとされた地方債の額 (6) 地方交付税法等の一部を改正する法律（令和二年法律第六号）第三条の規定による改正前の地方財政法第三十三条の五の二第一項の規定により平成二十九年度から令和元年度までの各年度において起こすことができることとされた地方債の額 (7) 地方交付税法等の一部を改正する法律（令和五年法律第二号）第三条の規定による改正前の地方財政法第三十三条の五の二第一項の規定により令和二年度から令和四年度までの各年度において起こすことができることとされた地方債の額 (8) 地方財政法第三十三条の五の二第一項の規定により令和五年度において起こすことができることとされた地方債の額	千円

（令和五年度分として交付すべき地方交付税の総額の一部の令和六年度における交付）

第三条 令和五年度分として交付すべき地方交付税の総額のうち新法附則第十一条に規定する令和五年度震災復興特別交付税額以外の額については、第一号に掲げる額から第二号に掲げる額を控除した額以内の額を、同年度内に交付しないで、新法第六条第二項の当該年度の前年度以前の年度における地方交付税でまだ交付していない額として、令和六年度分として交付すべき地方交付税の総額に加算して交付することができる。

一 新法附則第四条の規定により算定された令和五年度分として交付すべき地方交付税の総額から新法附則第十一条に規定

する令和五年度震災復興特別交付税額を控除した額

二　イ及びロに掲げる額の合算額

イ　令和五年度分に係る新法第十条第二項本文の規定により各地方団体に対して交付すべき普通交付税の額の合算額

ロ　イに規定する合算額から三千億円を控除した額の九十四分の六に相当する額に新法第二十条の三第二項の規定により令和五年度分の地方交付税の総額に算入された額及び百五十億円を加算した額

附　則（令六・三・三〇法五）（抄）

（施行期日）

第一条　この法律は、令和六年四月一日から施行する。

（地方交付税法の一部改正に伴う経過措置）

第二条　第一条の規定による改正後の地方交付税法（次条において「新地方交付税法」という。）の規定は、令和六年度分の地方交付税から適用し、令和五年度分までの地方交付税については、なお従前の例による。

（令和六年度における基準財政収入額の算定方法の特例）

第三条　令和六年度分の地方交付税に係る新地方交付税法第十四条の規定による基準財政収入額の算定に係る同条第三項の規定の適用については、同項の表道府県の項第十六号中「前年度の航空機燃料譲与税の譲与額」とあるのは「当該年度の航空機燃料譲与税の譲与見込額として総務大臣が定める額」と、同項第十七号中「前年度の森林環境譲与税の譲与額」とあるのは「当該年度の森林環境譲与税の譲与見込額として総務大臣が定める額」と、同表市町村の項第十二号中「前年度の地方消費税交付金の交付額」とあるのは「当該年度の地方消費税交付金の交付見込額として総務大臣が定める額」と、同項第二十号中「前年度の航空機燃料譲与税の譲与額」とあるのは「当該年度の航空機燃料譲与税の譲与見込額として総務大臣が定める額」と、同項第二十一号中「前年度の森林環境譲与税の譲与額」とあるのは「当該年度の森林環境譲与税の譲与見込額として総務大臣が定める額」とする。

附　則（令六・五・二九法四〇）（抄）

（施行期日）

第一条　この法律は、公布の日から起算して六月を超えない範囲内において政令で定める日から施行する。〔ただし書略〕

別表第一（第十二条第四項関係）

地方団体の種類	経費の種類	測定単位	単位費用
			円
道府県	一　警察費	警察職員数	一人につき　八、六八七、〇〇〇
	二　土木費　1　道路橋りよう費	道路の面積	千平方メートルにつき　一三七、〇〇〇
		道路の延長	一キロメートルにつき　一、八九三、〇〇〇
	2　河川費	河川の延長	一キロメートルにつき　一九二、〇〇〇
	3　港湾費	港湾における係留施設の延長	一メートルにつき　二九、五〇〇
		港湾における外郭施設の延長	一メートルにつき　五、二〇〇
		漁港における係留施設の延長	一メートルにつき　一〇、二〇〇
		漁港における外郭施設の延長	一メートルにつき　四、六二〇
	4　その他の土木費	人口	一人につき　一、二八〇
	三　教育費　1　小学校費	教職員数	一人につき　五、九八八、〇〇〇
	2　中学校費	教職員数	一人につき　五、九〇九、〇〇〇
	3　高等学校費	教職員数	一人につき　六、七三六、〇〇〇
		生徒数	一人につき　六二、一〇〇
	4　特別支援	教職員数	一人につき

		五、五八三、〇〇〇
学校費	学級数	一学級につき 二、一八八、〇〇〇
5 その他の教育費	人口	一人につき 二、一八〇
	高等専門学校及び大学の学生の数	一人につき 二四〇、〇〇〇
	私立の学校の幼児、児童及び生徒の数	一人につき 三二二、七四〇
四 厚生労働費		
1 生活保護費	町村部人口	一人につき 九、四五〇
2 社会福祉費	人口	一人につき 七、五一〇
3 衛生費	人口	一人につき 一四、九〇〇
4 こども子育て費	十八歳以下人口	一人につき 九八、六〇〇
5 高齢者保健福祉費	六十五歳以上人口	一人につき 五八、二〇〇
	七十五歳以上人口	一人につき 九八、三〇〇
6 労働費	人口	一人につき 四五〇
五 産業経済費		
1 農業行政費	農家数	一戸につき 一一七、〇〇〇
2 林野行政費	公有以外の林野の面積	一ヘクタールにつき 五、三一〇
	公有林野の面積	一ヘクタールにつき 一五、五〇〇
3 水産行政費	水産業者数	一人につき 三六五、〇〇〇
4 商工行政費	人口	一人につき 二、〇五〇
六 総務費		
1 徴税費	世帯数	一世帯につき 五、七一〇
2 恩給費	恩給受給権者数	一人につき 八二九、〇〇〇
3 地域振興費	人口	一人につき 五五三
七 災害復旧費	災害復旧事業費の財源に充てるため発行について同意又は許可を得た地方債に係る元利償還金	千円につき 九五〇
八 補正予算債償還費	平成四年度から平成十年度までの各年度において国の補正予算等に係る事業費の財源に充てるため発行を許可された地方債に係る元利償還金	千円につき 八〇〇
	平成十六年度から令和五年度までの各年度において国の補正予算等に係る事業費の財源に充てるため発行について同意又は許可を得た地方債の額	千円につき 三三
九 地方税減収補填債償還費	地方税の減収補填のため平成十六年度から令和五年度までの各年度において特別に発行について同意又は許可を得た地方債の額	千円につき 六〇
十 財源対策債償還費	平成十六年度から令和五年度までの各年度の財源対策のため当該各年度において発行について同意又は許可を得た地方債の額	千円につき 三三
十一 減税補填債償還費	個人の道府県民税に係る特別減税等による平成六年度から平成八年度まで及び平成十六年度から平成十八年度までの各年度の減収を補填するため当該各年度において特別に起こすことができることとされた地方債の額	千円につき 五九
十二 臨時財政対策債償還費	臨時財政対策のため平成十六年度から令和五年度までの各年度において特別に起こすことができることとされ	千円につき 六〇

地方団体の種類	地方行政の種類	測定単位	単位費用
		た地方債の額	
	十三 東日本大震災全国緊急防災施策等債償還費	平成二十五年度から令和五年度までの各年度において東日本大震災全国緊急防災施策等に要する費用に充てるため発行について同意又は許可を得た地方債の額	千円につき 四二
	十四 国土強靱化施策債償還費	令和元年度から令和五年度までの各年度において国土強靱化施策に要する費用に充てるため発行について同意又は許可を得た地方債の額	千円につき 一六
市町村	一 消防費	人口	一人につき 一一、八〇〇円
	二 土木費 1 道路橋りよう費	道路の面積	千平方メートルにつき 七一、九〇〇
		道路の延長	一キロメートルにつき 一八六、〇〇〇
	2 港湾費	港湾における係留施設の延長	一メートルにつき 二八、三〇〇
		港湾における外郭施設の延長	一メートルにつき 五、三〇〇
		漁港における係留施設の延長	一メートルにつき 一〇、〇〇〇
		漁港における外郭施設の延長	一メートルにつき 三、二六〇
	3 都市計画費	都市計画区域における人口	一人につき 九八一
	4 公園費	人口	一人につき 五三八
		都市公園の面積	千平方メートルにつき 三七、六〇〇
	5 下水道費	人口	一人につき 一〇五
	6 その他の土木費	人口	一人につき 一、四二〇
	三 教育費 1 小学校費	児童数	一人につき 五一、三〇〇
		学級数	一学級につき 八一八、〇〇〇
		学校数	一校につき 一三、七〇八、〇〇〇
	2 中学校費	生徒数	一人につき 四七、四〇〇
		学級数	一学級につき 一、〇三五、〇〇〇
		学校数	一校につき 一二、〇二九、〇〇〇
	3 高等学校費	教職員数	一人につき 六、五五四、〇〇〇
		生徒数	一人につき 七八、五〇〇
	4 その他の教育費	人口	一人につき 四、四二〇
	四 厚生費 1 生活保護費	市部人口	一人につき 九、四三〇
	2 社会福祉費	人口	一人につき 八、〇五〇
	3 保健衛生費	人口	一人につき 七、一八〇
	4 こども子育て費	十八歳以下人口	一人につき 一五九、〇〇〇
	5 高齢者保健福祉費	六十五歳以上人口	一人につき 七二、一〇〇
		七十五歳以上人口	一人につき 八四、九〇〇
	6 清掃費	人口	一人につき 五、一六〇
	五 産業経済費 1 農業行政費	農家数	一戸につき 九二、〇〇〇
	2 林野水産行政費	林業及び水産業の従業者数	一人につき 五三五、〇〇〇
	3 商工行政費	人口	一人につき 一、三六〇
	六 総務費 1 徴税費	世帯数	一世帯につき 四、一一〇
	2 戸籍住民基本台帳費	戸籍数	一籍につき 一、一一〇
		世帯数	一世帯につき 二、〇九〇
	3 地域振興費	人口	一人につき 一、七四〇
		面積	一平方キロメートルにつき 一、〇二四、〇〇〇
	七 災害復旧費	災害復旧事業費の財源に充てるため発行について同意又は許可を得た地方債に係る元利償還金	千円につき 九五〇
	八 辺地対策事業債償還費	辺地対策事業費の財源に充てるため発行について同意又は許可	千円につき 八〇〇

	を得た地方債に係る元利償還金		
九　補正予算債償還費	平成四年度から平成十年度までの各年度において国の補正予算等に係る事業費の財源に充てるため発行を許可された地方債に係る元利償還金	千円につき	八〇〇
	平成十六年度から令和五年度までの各年度において国の補正予算等に係る事業費の財源に充てるため発行について同意又は許可を得た地方債の額	千円につき	三三
十　地方税減収補塡債償還費	地方税の減収補塡のため平成十七年度から令和五年度までの各年度において特別に発行について同意又は許可を得た地方債の額	千円につき	二九
十一　財源対策債償還費	平成十三年度から令和五年度までの各年度の財源対策のため当該各年度において発行について同意又は許可を得た地方債の額	千円につき	三三
十二　減税補塡債償還費	個人の市町村民税に係る特別減税等による平成六年度から平成八年度まで及び平成十六年度から平成十八年度までの各年度の減収を補塡するため当該各年度において特別に起こすことができることとされた地方債の額	千円につき	六〇
十三　臨時財政対策債償還費	臨時財政対策のため平成十六年度から令和五年度までの各年度において特別に起こすことができることとされた地方債の額	千円につき	六〇
十四　東日本大震災全国緊急防災施策等債償還費	平成二十五年度から令和五年度までの各年度において東日本大震災全国緊急防災施策等に要する費用に充てるため発行について同意又は許可を得た地方債の額	千円につき	五二
十五　国土強靱化施策債償還費	令和元年度から令和五年度までの各年度において国土強靱化施策に要する費用に充てるため発行について同意又は許可を得た地方債の額	千円につき	二七

別表第二（第十二条第五項関係）

地方団体の種類	測定単位	単位費用
道府県	人口	一人につき 九、七四〇円
	面積	一平方キロメートルにつき 一、〇六二、〇〇〇
市町村	人口	一人につき 一九、四〇〇円
	面積	一平方キロメートルにつき 二、三〇〇、〇〇〇

○地方公共団体の財政の健全化に関する法律

平一九・六・二二
法　九　四

最終改正　令六・六・二六法六五

目次〔略〕

第一章　総則

（目的）

第一条　この法律は、地方公共団体の財政の健全性に関する比率の公表の制度を設け、当該比率に応じて、地方公共団体が財政の早期健全化及び財政の再生並びに公営企業の経営の健全化を図るための計画を策定する制度を定めるとともに、当該計画の実施の促進を図るための行財政上の措置を講ずることにより、地方公共団体の財政の健全化に資することを目的とする。

（定義）

第二条　この法律において、次の各号に掲げる用語の意義は、当該各号に定めるところによる。

一　実質赤字比率　地方公共団体（都道府県、市町村及び特別区に限る。以下この章から第三章までにおいて同じ。）の当該年度の前年度の歳入（一般会計及び特別会計のうち次に掲げるもの以外のもの（以下「一般会計等」という。）に係る歳入で、一般会計等の相互間の重複額を控除した純計によるものをいう。以下この号において同じ。）が歳出（一般会計等に係る歳出で、一般会計等の相互間の重複額を控除した純計によるものをいう。以下この号において同じ。）に不足するため当該年度の前年度の歳入を繰り上げてこれに充てた額並びに実質上当該年度の前年度の歳入が歳出に不足するため、当該年度の前年度に支払うべき債務でその支払を当該年度に繰り延べた額及び当該年度の前年度に執行すべき事業に係る歳出に係る予算の額で当該年度に繰り越した額の合算額（以下「実質赤字額」という。）を当該年度の前年度の地方財政法（昭和二十三年法律第百九号）第五条の三第四項第一号に規定する標準的な規模の収入の額として政令で定めるところにより算定した額（以下「標準財政規模の額」という。）で除して得た数値

イ　地方公営企業法（昭和二十七年法律第二百九十二号）第二条の規定により同法の規定の全部又は一部を適用する企業（以下「法適用企業」という。）に係る特別会計

ロ　地方財政法第六条に規定する政令で定める公営企業のうち法適用企業以外のもの（次号において「法非適用企業」という。）に係る特別会計

ハ　イ及びロに掲げるもののほか、政令で定める特別会計

二　連結実質赤字比率　地方公共団体の連結実質赤字額（イ及びロに掲げる額の合算額がハ及びニに掲げる額の合算額を超える場合における当該超える額をいう。第四号において同じ。）を当該年度の前年度の標準財政規模の額で除して得た数値

イ　一般会計及び公営企業（法適用企業及び法非適用企業をいう。以下同じ。）に係る特別会計以外の特別会計ごとの当該年度の前年度の決算において、当該年度の前年度の歳入が歳出に不足するため当該年度の歳入を繰り上げてこれに充てた額並びに実質上当該年度の前年度の歳入が歳出に不足するため、当該年度の前年度に支払うべき債務でその支払を当該年度に繰り延べた額及び当該年度の前年度に執行すべき事業に係る歳出に係る予算の額で当該年度に繰り越した額の合算額がある場合にあっては、当該合算額を合計した額

ロ　公営企業に係る特別会計ごとの当該年度の前年度の決算において、政令で定めるところにより算定した資金の不足額がある場合にあっては、当該資金の不足額を合計した額

ハ　一般会計又は公営企業に係る特別会計以外の特別会計ごとの当該年度の前年度の決算において、歳入額（当該年度に繰り越して使用する経費に係る歳出の財源に充てるために繰り越すべき金額を除く。）が歳出額を超える場合にあっては、当該超える額を合計した額

ニ　公営企業に係る特別会計ごとの当該年度の前年度の決算において、政令で定めるところにより算定した資金の剰余額がある場合にあっては、当該資金の剰余額を合計した額

三　実質公債費比率　地方公共団体の地方財政法第五条の三第四項第一号に規定する地方債の元利償還金（以下この号において「地方債の元利償還金」という。）の額と同項第一号に規定する準元利償還金（以下この号において「準元利償還金」という。）の額との合算額から地方債の元利償還金又は準元利償還金の財源に充当することのできる特定の歳入に相当する金額と地方交付税法（昭和二十五年法律第二百十一号）の定めるところにより地方債の元利償還金及び準元利償還金に係る経費として普通交付税の額の算定に用いる基準財政需要額に算入される額として総務省令で定めるところにより算定した額（特別区にあっては、これに相当する額として総務大臣が定める額とする。以下この号及び次号において「算入公債費等の額」という。）との合算額を控除した額を標準財政規模の額から算入公債費等の額を控除した額で除して得た数値で当該年度前三年度内の各年度に係るものを合算したものの三分の一の数値

四　将来負担比率　地方公共団体のイからヌまでに掲げる額の合算額がルからワまでに掲げる額の合算額を超える場合における当該超える額を当該年度の前年度の標準財政規模の額から算入公債費等の額を控除した額で除して得た数値

イ　当該年度の前年度末における一般会計等に係る地方債の現在高

ロ　当該年度の前年度末における地方自治法（昭和二十二年法律第六十七号）第二百十四条に規定する債務負担行為（チに規定する設立法人以外の者のために債務を負担する行為を除く。）に基づく支出予定額（地方財政法第五条各号に規定する経費その他の政令で定める経費の支出に係るものとして総務省令で定めるところにより算定した額に限る。）

ハ　当該年度の前年度末までに起こした一般会計等以外の特別会計に係る地方債の元金の償還に充てるため、一般会計等からの繰入れが必要と見込まれる金額の合計額として総務省令で定めるところにより算定した額

ニ 当該年度の前年度末までに当該地方公共団体が加入する地方公共団体の組合が起こした地方債の元金の償還に充てるため、当該地方公共団体による負担又は補助が必要と見込まれる金額の合計額として総務省令で定めるところにより算定した額

ホ 当該年度の前年度の末日における当該地方公共団体の職員(地方自治法第二百四条第一項の者をいい、都道府県にあっては市町村立学校職員給与負担法(昭和二十三年法律第百三十五号)第一条及び第二条に規定する職員を含み、市町村及び特別区にあっては当該職員を除く。)の全員が同日において自己の都合により退職するものと仮定した場合に支給すべき退職手当の額のうち、当該地方公共団体の一般会計等において実質的に負担することが見込まれるものとして総務省令で定めるところにより算定した額

ヘ 当該年度の前年度末における当該地方公共団体が単独で又は他の地方公共団体と共同して設立した法人で政令で定めるもの(以下この号において「設立法人」という。)の負債の額のうち、当該設立法人の財務内容その他の経営の状況を勘案して当該地方公共団体の一般会計等において実質的に負担することが見込まれるものとして総務省令で定めるところにより算定した額

ト 当該年度の前年度末における当該地方公共団体が受益権を有する地方自治法第二百二十一条第三項に規定する信託で政令で定めるもの(チにおいて「受益権を有する信託」という。)に係る負債の額のうち、当該信託に係る信託財産の状況を勘案して当該地方公共団体の一般会計等において実質的に負担することが見込まれるものとして総務省令で定めるところにより算定した額

チ 当該年度の前年度末における設立法人以外の者(受益権を有する信託の受託者を除く。以下チにおいて同じ。)のために負担している債務の額及び当該年度の前年度に当該前年度内に償還すべきものとして当該地方公共団体の一般会計等から設立法人以外の者に対して貸付けを行った貸付金の額のうち、当該設立法人以外の者の財務内容その他の経営の状況を勘案して当該地方公共団体の一般会計等において実質的に負担することが見込まれるものとして総務省令で定めるところにより算定した額

リ 連結実質赤字額

ヌ 当該年度の前年度末における当該地方公共団体が加入する地方公共団体の組合の連結実質赤字額に相当する額のうち、当該地方公共団体の一般会計等において実質的に負担することが見込まれるものとして総務省令で定めるところにより算定した額

ル イに規定する地方債の償還額又はロからチまでに掲げる額に充てることができる地方自治法第二百四十一条の基金として総務省令で定めるものの当該年度の前年度末における残高の合計額

ヲ イに規定する地方債の償還額又はロからニまでに掲げる額に充てることができる特定の歳入の見込額に相当する額として総務省令で定めるところにより算定した額

ワ 地方交付税法の定めるところにより、イに規定する地方債の償還、ロに規定する債務負担行為に基づく支出、ハに規定する一般会計等からの繰入れ又はニに規定する地方公共団体による負担若しくは補助に要する経費として普通交付税の額の算定に用いる基準財政需要額に算入されることが見込まれる額として総務省令で定めるところにより算定した額(特別区にあっては、これに相当する額として総務大臣が定める額とする。)

五 早期健全化基準 財政の早期健全化(地方公共団体が、財政収支が不均衡な状況その他の財政状況が悪化した状況において、自主的かつ計画的にその財政の健全化を図ることをいう。以下同じ。)を図るべき基準として、実質赤字比率、連結実質赤字比率、実質公債費比率及び将来負担比率のそれぞれについて、政令で定める数値をいう。

六 財政再生基準 財政の再生(地方公共団体が、財政収支の著しい不均衡その他の財政状況の著しい悪化により自主的な財政の健全化を図ることが困難な状況において、計画的にその財政の健全化を図ることをいう。以下同じ。)を図るべき基準として、実質赤字比率、連結実質赤字比率及び実質公債費比率のそれぞれについて、早期健全化基準の数値を超えるものとして政令で定める数値をいう。

(健全化判断比率の公表等)

第三条 地方公共団体の長は、毎年度、前年度の決算の提出を受けた後、速やかに、実質赤字比率、連結実質赤字比率、実質公債費比率及び将来負担比率(以下「健全化判断比率」という。)並びにその算定の基礎となる事項を記載した書類を監査委員の審査に付し、その意見を付けて当該健全化判断比率を議会に報告するとともに、当該健全化判断比率を公表しなければならない。

2 前項の規定による意見の決定は、監査委員の合議によるものとする。

3 地方公共団体の長は、第一項の規定により公表した健全化判断比率を、速やかに、都道府県及び地方自治法第二百五十二条の十九第一項の指定都市(以下「指定都市」という。)の長にあっては総務大臣に、指定都市を除く市町村(第二十九条を除き、以下「市町村」という。)及び特別区の長にあっては都道府県知事に報告しなければならない。この場合において、当該報告を受けた都道府県知事は、速やかに、当該健全化判断比率を総務大臣に報告しなければならない。

4 都道府県知事は、毎年度、前項前段の規定による報告を取りまとめ、その概要を公表するものとする。

5 総務大臣は、毎年度、第三項の規定による報告を取りまとめ、その概要を公表するものとする。

6 地方公共団体は、健全化判断比率の算定の基礎となる事項を記載した書類をその事務所に備えて置かなければならない。

7 包括外部監査対象団体(地方自治法第二百五十二条の三十六第四項に規定する包括外部監査対象団体をいう。以下同じ。)においては、包括外部監査人(同法第二百五十二条の二十九に規定する包括外部監査人をいう。以下同じ。)は、同法第二百五十二条の三十七第一項の規定による監査のため必要があると認めるときは、第一項の規定により公表された健全化判断比率及びその算定の基礎となる事項を記載した書類について調査することができる。

第二章　財政の早期健全化

（財政健全化計画）

第四条　地方公共団体は、健全化判断比率のいずれかが早期健全化基準以上である場合（当該健全化判断比率のいずれかが財政再生基準以上である場合を除く。）には、当該健全化判断比率を公表した年度の末日までに、当該年度を初年度とする財政の早期健全化のための計画（以下「財政健全化計画」という。）を定めなければならない。ただし、この項の規定により既に財政健全化計画を定めている場合、第八条第一項の規定により同項の財政再生計画を定めている場合その他政令で定める場合は、この限りでない。

2　財政健全化計画は、財政の状況が悪化した要因の分析の結果を踏まえ、財政の早期健全化を図るため必要な最小限度の期間内に、実質赤字額がある場合にあっては一般会計等における歳入と歳出との均衡を実質的に回復することを、連結実質赤字比率、実質公債費比率又は将来負担比率が早期健全化基準以上である場合にあってはそれぞれの比率を早期健全化基準未満とすることを目標として、次に掲げる事項について定めるものとする。

一　健全化判断比率が早期健全化基準以上となった要因の分析
二　計画期間
三　財政の早期健全化の基本方針
四　実質赤字額がある場合にあっては、一般会計等における歳入と歳出との均衡を実質的に回復するための方策
五　連結実質赤字比率、実質公債費比率又は将来負担比率が早期健全化基準以上である場合にあっては、それぞれの比率を早期健全化基準未満とするための方策
六　各年度ごとの前二号の方策に係る歳入及び歳出に関する計画
七　各年度ごとの健全化判断比率の見通し
八　前各号に掲げるもののほか、財政の早期健全化に必要な事項

3　財政健全化計画は、その達成に必要な各会計ごとの取組が明らかになるよう定めなければならない。

（財政健全化計画の策定手続等）

第五条　財政健全化計画は、地方公共団体の長が作成し、議会の議決を経て定めなければならない。財政健全化計画を変更する場合も、同様とする。

2　地方公共団体は、財政健全化計画を定めたときは、速やかに、これを公表するとともに、都道府県及び指定都市にあっては総務大臣に、市町村及び特別区にあっては都道府県知事に、報告しなければならない。この場合において、当該報告を受けた都道府県知事は、速やかに、当該財政健全化計画の概要を総務大臣に報告しなければならない。

3　前項の規定は、財政健全化計画を変更した場合（政令で定める軽微な変更をした場合を除く。）について準用する。

4　都道府県知事は、毎年度、第二項前段（前項において準用する場合を含む。）の規定による報告を取りまとめ、その概要を公表するものとする。

5　総務大臣は、毎年度、第二項（第三項において準用する場合を含む。）の規定による報告を取りまとめ、その概要を公表するものとする。

（財政健全化計画の実施状況の報告等）

第六条　財政健全化計画を定めている地方公共団体（以下「財政健全化団体」という。）の長は、毎年九月三十日までに、前年度における決算との関係を明らかにした財政健全化計画の実施状況を議会に報告し、かつ、これを公表するとともに、都道府県及び指定都市の長にあっては総務大臣に、市町村及び特別区の長にあっては都道府県知事に当該財政健全化計画の実施状況を報告しなければならない。この場合において、当該報告を受けた都道府県知事は、速やかに、その要旨を総務大臣に報告しなければならない。

2　都道府県知事は、毎年度、前項前段の規定による報告を取りまとめ、その概要を公表するものとする。

3　総務大臣は、毎年度、第一項の規定による報告を取りまとめ、その概要を公表するものとする。

（国等の勧告等）

第七条　総務大臣又は都道府県知事は、前条第一項前段の規定による報告を受けた財政健全化団体の財政健全化計画の実施状況を踏まえ、当該財政健全化団体の財政の早期健全化が著しく困難であると認められるときは、当該財政健全化団体の長に対し、必要な勧告をすることができる。

2　総務大臣は、前項の勧告をしたときは、速やかに、当該勧告の内容を公表するものとする。

3　都道府県知事は、第一項の勧告をしたときは、速やかに、当該勧告の内容を公表するとともに、総務大臣に報告しなければならない。

4　財政健全化団体の長は、第一項の勧告を受けたときは、速やかに、当該勧告の内容を当該財政健全化団体の議会に報告するとともに、監査委員（包括外部監査対象団体である財政健全化団体にあっては、監査委員及び包括外部監査人）に通知しなければならない。

第三章　財政の再生

（財政再生計画）

第八条　地方公共団体は、実質赤字比率、連結実質赤字比率及び実質公債費比率（以下「再生判断比率」という。）のいずれかが財政再生基準以上である場合には、当該再生判断比率を公表した年度の末日までに、当該年度を初年度とする財政の再生のための計画（以下「財政再生計画」という。）を定めなければならない。ただし、この項の規定により既に財政再生計画を定めている場合は、この限りでない。

2　財政健全化団体が前項の規定により財政再生計画を定めたときは、当該財政健全化団体の財政健全化計画は、その効力を失う。

3　財政再生計画は、財政の状況が著しく悪化した要因の分析の結果を踏まえ、財政の再生を図るため必要な最小限度の期間内に、実質赤字額がある場合にあっては一般会計等における歳入と歳出との均衡を実質的に回復することを、連結実質赤字比率、実質公債費比率又は将来負担比率が早期健全化基準以上である場合にあってはそれぞれの比率を早期健全化基準未満とすることを、第十二条第二項に規定する再生振替特例債を起こす場合にあっては当該再生振替特例債の償還を完了することを目標として、次に掲げる事項について定めるものとする。ただ

し、第四号ホに掲げる事項については、財政の再生のため特に必要と認められる地方公共団体に限る。

一 再生判断比率が財政再生基準以上となった要因の分析

二 計画期間

三 財政の再生の基本方針

四 次に掲げる計画（ロ及びハに掲げる計画にあっては、実施の要領を含む。次号において同じ。）及びこれに伴う歳入又は歳出の増減額

イ 事務及び事業の見直し、組織の合理化その他の歳出の削減を図るための措置に関する計画

ロ 当該年度以降の年度分の地方税その他の収入について、その徴収成績を通常の成績以上に高めるための計画

ハ 当該年度の前年度以前の年度分の地方税その他の収入で滞納に係るものの徴収計画

ニ 使用料及び手数料の額の変更、財産の処分その他の歳入の増加を図るための措置に関する計画

ホ 地方税法（昭和二十五年法律第二百二十六号）第四条第二項若しくは第五条第二項に掲げる普通税について標準税率を超える税率で課し、又は同法第四条第三項若しくは第五条第三項の規定による普通税を課することによる地方税の増収計画

五 前号の計画及びこれに伴う歳入又は歳出の増減額を含む各年度ごとの歳入及び歳出に関する総合的な計画

六 第十二条第二項に規定する再生振替特例債を起こす場合には、当該再生振替特例債の各年度ごとの償還額

七 各年度ごとの健全化判断比率の見通し

八 前各号に掲げるもののほか、財政の再生に必要な事項

4 財政再生計画は、その達成に必要な各会計ごとの取組が明らかになるよう定めなければならない。

（財政再生計画の策定手続等）

第九条 財政再生計画は、地方公共団体の長が作成し、議会の議決を経て定めなければならない。財政再生計画を変更する場合も、同様とする。

2 地方公共団体は、財政再生計画を定めたときは、速やかに、これを公表するとともに、総務大臣に（市町村及び特別区にあっては、都道府県知事を経由して総務大臣に）報告しなければならない。

3 前項の規定は、財政再生計画を変更した場合（政令で定める軽微な変更をした場合を除く。）について準用する。

4 財政再生計画を定めている地方公共団体（以下「財政再生団体」という。）の長は、財政再生計画に基づいて予算を調製しなければならない。

（財政再生計画の同意）

第十条 地方公共団体は、財政再生計画について、議会の議決を経て、総務大臣に（市町村及び特別区にあっては、都道府県知事を通じて総務大臣に）協議し、その同意を求めることができる。

2 総務大臣は、財政再生計画について同意をするかどうかを判断するための基準を定め、これを公表するものとする。

3 総務大臣は、第一項の規定による協議を受けた財政再生計画が、前項の基準に照らして適当なものであると認められるときは、これに同意するものとする。

4 総務大臣は、第二項の基準の作成及び前項の同意については、地方財政審議会の意見を聴かなければならない。

5 地方公共団体は、第三項の同意を得たときは、速やかに、その旨を公表しなければならない。

6 地方公共団体は、第三項の同意を得ている財政再生計画を変更しようとするときは、あらかじめ、総務大臣に協議し、その同意を得なければならない。ただし、災害その他緊急やむを得ない理由により、あらかじめ、総務大臣に協議し、その同意を得る時間的余裕がないときは、事後において、遅滞なく、その変更について総務大臣に協議し、その同意を得なければならない。

7 第二項から第五項までの規定は、前項の変更の同意について準用する。

（地方債の起債の制限）

第十一条 地方公共団体は、再生判断比率のいずれかが財政再生基準以上であり、かつ、前条第三項（同条第七項において準用する場合を含む。以下同じ。）の同意を得ていないときは、地方財政法その他の法律の規定にかかわらず、地方債をもってその歳出の財源とすることができない。ただし、災害復旧事業費の財源とする場合その他の政令で定める場合においては、この限りでない。

（再生振替特例債）

第十二条 財政再生団体は、その財政再生計画につき第十条第三項の同意を得ている場合に限り、収支不足額（標準財政規模の額に、実質赤字比率と連結実質赤字比率から連結実質赤字比率について早期健全化基準として定める数値を控除して得た数値とのいずれか大きい数値を乗じて得た額を基準として総務省令で定める額をいう。）を地方債に振り替えることによって、当該収支不足額を財政再生計画の計画期間内に計画的に解消するため、地方財政法第五条の規定にかかわらず、当該収支不足額の範囲内で、地方債を起こすことができる。

2 前項の地方債（当該地方債の借換えのために要する経費の財源に充てるために起こす地方債を含む。次項において「再生振替特例債」という。）は、財政再生計画の計画期間内に償還しなければならない。

3 国は、再生振替特例債については、法令の範囲内において、資金事情の許す限り、適切な配慮をするものとする。

（地方債の起債の許可）

第十三条 財政再生団体及び財政再生計画を定めていない地方公共団体であって再生判断比率のいずれかが財政再生基準以上である地方公共団体は、地方債を起こし、又は起こそうとし、若しくは起こした地方債の起債の方法、利率若しくは償還の方法を変更しようとする場合には、政令で定めるところにより、総務大臣の許可を受けなければならない。この場合においては、地方財政法第五条の三第一項の規定による協議をすること及び同条第六項の規定による届出をすること並びに同法第五条の四第一項及び第三項から第五項までに規定する許可を受けることを要しない。

2 財政再生計画につき第十条第三項の同意を得ている財政再生団体についての前項の許可は、当該財政再生計画に定める各年度ごとの歳入に関する計画その他の地方債に関連する事項及び当該財政再生計画の実施状況を勘案して行うものとする。

3 地方財政法第五条の三第七項（第一号に係る部分に限る。）

の規定は、第一項に規定する許可を得た地方債について、同条第八項の規定は、第一項に規定する許可を得た地方債に係る元利償還に要する経費について、それぞれ準用する。

4　総務大臣は、第一項の総務大臣の許可については、地方財政審議会の意見を聴かなければならない。

（財政再生団体に係る通知等）

第十四条　総務大臣は、第九条第二項の規定により財政再生計画の報告を受けたときは、速やかに、当該財政再生計画を定めた地方公共団体の名称を各省各庁の長（財政法（昭和二十二年法律第三十四号）第二十条第二項に規定する各省各庁の長をいう。以下この条において同じ。）に通知しなければならない。

2　各省各庁の長は、土木事業その他の政令で定める事業を財政再生団体に負担金を課して国が直轄で行おうとするときは、当該事業の実施に着手する前（年度を分けて実施する場合にあっては、年度ごとの事業の実施に着手する前）に、あらかじめ、当該事業に係る経費の総額及び当該財政再生団体の負担額を総務大臣に通知しなければならない。当該事業の事業計画の変更により財政再生団体の負担額に著しい変更を生ずる場合も、同様とする。

3　総務大臣は、前項の規定による通知を受けた場合において当該通知に係る事項が財政再生計画に与える影響を勘案して必要と認めるときは、各省各庁の長に対し、意見を述べることができる。

（財政再生計画についての公表）

第十五条　総務大臣は、毎年度、第九条第二項（同条第三項において準用する場合を含む。）の規定により報告を受けた財政再生計画の内容並びに第十条第一項及び第六項の規定による協議の結果を公表するものとする。

（事務局等の組織の簡素化）

第十六条　財政再生団体は、財政再生計画で定めるところにより、当該財政再生団体の長の補助機関である職員を、当該財政再生団体の議会若しくは当該財政再生団体に執行機関として置かれる委員会及び委員並びに当該委員会の管理に属する機関（以下この条において「委員会等」という。）の事務を補助する職員と兼ねさせ、若しくは当該議会若しくは委員会等の事務を補助する職員に充て、又は当該議会若しくは委員会等の事務に従事させることができる。

（長と議会との関係）

第十七条　地方公共団体の議会の議決が次に掲げる場合に該当するときは、当該地方公共団体の長は、地方自治法第百七十六条及び第百七十七条の規定によるもののほか、それぞれ当該議決があった日から起算して十日以内に、理由を示してこれを再議に付することができる。

一　財政再生計画の策定又は変更に関する議案を否決したとき。

二　第十条第一項の規定による協議に関する議案を否決したとき。

三　財政再生計画の達成ができなくなると認められる議決をしたとき。

（財政再生計画の実施状況の報告等）

第十八条　財政再生団体の長は、毎年九月三十日までに、前年度における決算との関係を明らかにした財政再生計画の実施状況を議会に報告し、かつ、これを公表するとともに、総務大臣に（市町村及び特別区の長にあっては、都道府県知事を経由して総務大臣に）当該財政再生計画の実施状況を報告しなければならない。

2　総務大臣は、毎年度、前項の報告を取りまとめ、その概要を公表するものとする。

（財政再生計画の実施状況の調査等）

第十九条　総務大臣は、必要に応じ、財政再生計画の実施状況について調査し、又は報告を求めることができる。

（国の勧告等）

第二十条　総務大臣は、財政再生団体の財政の運営がその財政再生計画に適合しないと認められる場合その他財政再生団体の財政の再生が困難であると認められる場合においては、当該財政再生団体の長に対し、予算の変更、財政再生計画の変更その他必要な措置を講ずることを勧告することができる。

2　財政再生団体の長は、前項の規定による勧告を受けたときは、速やかに、当該勧告の内容を当該財政再生団体の議会に報告するとともに、監査委員（包括外部監査対象団体である財政再生団体にあっては、監査委員及び包括外部監査人）に通知しなければならない。

3　第一項の規定による勧告を受けた財政再生団体の長は、当該勧告に基づいて講じた措置について、総務大臣に報告しなければならない。

4　総務大臣は、前項の規定による報告を受けたときは、速やかに、当該報告の内容を公表するものとする。

（国及び他の地方公共団体の配慮）

第二十一条　国及び他の地方公共団体は、財政再生団体が財政再生計画を円滑に実施することができるよう配慮するものとする。

第四章　公営企業の経営の健全化

（資金不足比率の公表等）

第二十二条　公営企業を経営する地方公共団体の長は、毎年度、当該公営企業の前年度の決算の提出を受けた後、速やかに、資金不足比率及びその算定の基礎となる事項を記載した書類を監査委員の審査に付し、その意見を付けて当該資金不足比率を議会に報告し、かつ、当該資金不足比率を公表しなければならない。

2　前項に規定する「資金不足比率」とは、公営企業ごとに、政令で定めるところにより算定した当該年度の前年度の資金の不足額を政令で定めるところにより算定した当該年度の前年度の事業の規模で除して得た数値をいう。

3　第三条第二項から第七項までの規定は、資金不足比率について準用する。

（経営健全化計画）

第二十三条　地方公共団体は、公営企業（事業を開始する前の公営企業を除き、法適用企業にあっては、繰越欠損金があるものに限る。）の資金不足比率が公営企業の経営の健全化を図るべき基準として政令で定める数値（以下「経営健全化基準」という。）以上である場合には、当該公営企業について、当該資金不足比率を公表した年度の末日までに、当該年度を初年度とする公営企業の経営の健全化のための計画（以下「経営健全化計画」という。）を定めなければならない。ただし、この項の規定により既に当該公営企業について経営健全化計画を定めている場合その他政令で定める場合は、この限りでない。

2　経営健全化計画は、当該公営企業の経営の状況が悪化した要因の分析の結果を踏まえ、当該公営企業の経営の健全化を図るため必要な最小限度の期間内に、資金不足比率を経営健全化基準未満とすることを目標として、次に掲げる事項について定めるものとする。

一　資金不足比率が経営健全化基準以上となった要因の分析

二　計画期間

三　経営の健全化の基本方針

四　資金不足比率を経営健全化基準未満とするための方策

五　各年度ごとの前号の方策に係る収入及び支出に関する計画

六　各年度ごとの資金不足比率の見通し

七　前各号に掲げるもののほか、経営の健全化に必要な事項

（準用）

第二十四条　第五条から第七条までの規定は、経営健全化計画について準用する。この場合において、第六条第一項並びに第七条第一項及び第四項中「財政健全化団体」とあるのは「経営健全化団体」と、同条第一項中「財政の早期健全化」とあるのは「公営企業の経営の健全化」と読み替えるものとする。

第五章　雑則

（財政健全化計画又は財政再生計画と経営健全化計画との調整）

第二十五条　財政健全化団体又は財政再生団体である地方公共団体は、経営健全化計画を定めるに当たっては、当該経営健全化計画と当該財政健全化計画又は財政再生計画との整合性の確保を図らなければならない。

2　経営健全化計画を定めている地方公共団体（次条において「経営健全化団体」という。）は、財政健全化計画又は財政再生計画を定めるに当たっては、当該財政健全化計画又は財政再生計画と当該経営健全化計画との整合性の確保を図らなければならない。

（地方自治法の監査の特例）

第二十六条　財政健全化計画、財政再生計画又は経営健全化計画を定めなければならない地方公共団体の長は、これらの計画を定めるに当たっては、あらかじめ、当該地方公共団体の財政の健全化のために改善が必要と認められる事務の執行について、監査委員に対し、地方自治法第百九十九条第六項の監査の要求をしなければならない。この場合においては、同法第二百五十二条の四十一第一項中「第百九十九条第六項」とあるのは「地方公共団体の財政の健全化に関する法律（平成十九年法律第九十四号）第二十六条第一項の規定に基づく第百九十九条第六項」と、「監査委員の監査に代えて契約に基づく監査によることができることを条例により定める普通地方公共団体」とあるのは「同法の規定により財政健全化計画、財政再生計画又は経営健全化計画を定めなければならない地方公共団体」と、「同項の要求をする場合において、特に必要があると認めるときは、その理由を付して、併せて」とあるのは「同項の要求と併せて、理由を付して」と、「求めることができる」とあるのは「求めなければならない」と読み替えて、同法第二編第十五章の規定を適用する。

2　財政健全化団体、財政再生団体又は経営健全化団体（以下この項において「財政健全化団体等」という。）が包括外部監査対象団体である場合にあっては、当該財政健全化団体等の包括外部監査人は、地方自治法第二百五十二条の三十七第一項の規定による監査をするに当たっては、同条第二項の規定によるほか、当該財政健全化団体等の財務に関する事務の執行及び当該財政健全化団体等の経営に係る事業の管理が財政の早期健全化、財政の再生又は公営企業の経営の健全化を図る観点から適切であるかどうかに、特に、意を用いなければならない。

（財政の早期健全化等が完了した団体の報告等）

第二十七条　財政健全化計画による財政の早期健全化が完了した地方公共団体の長は、財政健全化計画による財政の早期健全化が完了した年度の翌年度の九月三十日までに、当該年度の前年度における決算との関係を明らかにした財政健全化計画の実施状況及び財政の早期健全化が完了した後の当該地方公共団体の財政の運営の方針を記載した書類（以下この項において「財政健全化計画完了報告書」という。）を添えて、財政の早期健全化が完了した旨を議会に報告し、かつ、当該財政健全化計画完了報告書を公表するとともに、都道府県及び指定都市の長にあっては総務大臣に、市町村及び特別区の長にあっては都道府県知事に、当該財政健全化計画完了報告書を添えて財政の早期健全化が完了した旨を報告しなければならない。この場合において、当該報告を受けた都道府県知事は、速やかに、その要旨を総務大臣に報告しなければならない。

2　都道府県知事は、毎年度、前項前段の規定による報告を取りまとめ、その概要を公表するものとする。

3　総務大臣は、毎年度、第一項の規定による報告を取りまとめ、その概要を公表するものとする。

4　財政再生計画による財政の再生が完了した地方公共団体の長は、財政再生計画による財政の再生が完了した年度の翌年度の九月三十日までに、当該年度の前年度における決算との関係を明らかにした財政再生計画の実施状況及び財政の再生が完了した後の当該地方公共団体の財政の運営の方針を記載した書類（以下この項において「財政再生計画完了報告書」という。）を添えて、財政の再生が完了した旨を議会に報告し、かつ、当該財政再生計画完了報告書を公表するとともに、総務大臣に（市町村及び特別区の長にあっては、都道府県知事を経由して総務大臣に）当該財政再生計画完了報告書を添えて、財政の再生が完了した旨を報告しなければならない。

5　総務大臣は、毎年度、前項の規定による報告を取りまとめ、その概要を公表するものとする。

6　第一項から第三項までの規定は、経営健全化計画について準用する。この場合において、第一項中「財政の早期健全化」とあるのは「公営企業の経営の健全化」と、「地方公共団体の財政の運営」とあるのは「公営企業の経営」と、「財政健全化計画完了報告書」とあるのは「経営健全化計画完了報告書」と読み替えるものとする。

（都道府県が処理する事務）

第二十八条　この法律に規定する総務大臣の権限に属する事務のうち市町村及び特別区に係るものの一部は、政令で定めるところにより、都道府県知事が行うこととすることができる。

（政令への委任）

第二十九条　この法律に定めるもののほか、市町村の廃置分合又

は境界変更があった場合におけるこの法律の規定の適用その他この法律の施行に関し必要な事項は、政令で定める。

附　則（抄）

（施行期日）

第一条　この法律は、平成二十一年四月一日から施行する。ただし、第二条、第三条及び第二十二条の規定は、公布の日から起算して一年を超えない範囲内において政令で定める日〔平二〇・四・一〕から施行する。

（適用区分）

第二条　第四条、第八条及び第二十三条の規定は、平成二十年度以後の年度分の決算に基づき算定した実質赤字比率、連結実質赤字比率、実質公債費比率若しくは将来負担比率又は資金不足比率が早期健全化基準、財政再生基準又は経営健全化基準以上である場合について適用する。

（地方財政再建促進特別措置法の廃止）

第三条　地方財政再建促進特別措置法（昭和三十年法律第百九十五号）は、廃止する。

（地方財政再建促進特別措置法の廃止に伴う経過措置）

第四条　この法律の施行の際現に存する前条の規定による廃止前の地方財政再建促進特別措置法（以下「旧再建法」という。）第二十二条第二項の規定によりその例によることとされた旧再建法第二条第一項に規定する財政再建計画については、当該財政再建計画に係る地方公共団体が第四条又は第八条の規定により財政健全化計画又は財政再生計画を定めるまでの間は、なお従前の例による。この場合において、当該地方公共団体のうち再生判断比率のいずれかが財政再生基準以上である地方公共団体については、当該財政再生計画が定められるまでの間、第十一条の規定は、適用しない。

第五条及び第六条　削除

（地方債の起債の許可の特例）

第七条　平成二十八年度における第十三条第一項の規定の適用については、同項中「第五項まで」とあるのは、「第五項まで、第三十三条の五の七第二項並びに第三十三条の八第一項」とする。

2　平成二十九年度から平成三十七年度までにおける第十三条第一項の規定の適用については、同項中「第五項まで」とあるのは、「第五項まで並びに第三十三条の八第一項」とする。

○会計法（抄）

昭二二・三・三一
法三五

最終改正　令元・五・三一法一六

第四章　契約

第二十九条　各省各庁の長は、第十条の規定によるほか、その所掌に係る売買、貸借、請負その他の契約に関する事務を管理する。

第二十九条の二　各省各庁の長は、政令の定めるところにより、当該各省各庁所属の職員に前条の契約に関する事務を委任することができる。

②　各省各庁の長は、必要があるときは、政令の定めるところにより、他の各省各庁所属の職員に前項の事務を委任することができる。

③　各省各庁の長は、必要があるときは、政令の定めるところにより、当該各省各庁所属の職員又は他の各省各庁所属の職員に、契約担当官（各省各庁の長又は第一項若しくは前項の規定により委任された職員をいう。以下同じ。）の事務の一部を分掌させることができる。

④　第四条の二第四項の規定は、前三項の場合に、これを準用する。

⑤　第三項の規定により契約担当官の事務の一部を分掌する職員は、分任契約担当官という。

第二十九条の三　契約担当官及び支出負担行為担当官（以下「契約担当官等」という。）は、売買、貸借、請負その他の契約を締結する場合においては、第三項及び第四項に規定する場合を除き、公告して申込みをさせることにより競争に付さなければならない。

②　前項の競争に加わろうとする者に必要な資格及び同項の公告の方法その他同項の競争について必要な事項は、政令でこれを定める。

③　契約の性質又は目的により競争に加わるべき者が少数で第一項の競争に付する必要がない場合及び同項の競争に付すること

が不利と認められる場合においては、政令の定めるところにより、指名競争に付するものとする。

④　契約の性質又は目的が競争を許さない場合、緊急の必要により競争に付することができない場合及び競争に付することが不利と認められる場合においては、政令の定めるところにより、随意契約によるものとする。

⑤　契約に係る予定価格が少額である場合その他政令で定める場合においては、第一項及び第三項の規定にかかわらず、政令の定めるところにより、指名競争に付し又は随意契約によることができる。

第二十九条の四　契約担当官等は、前条第一項、第三項又は第五項の規定により競争に付そうとする場合においては、その競争に加わろうとする者をして、その者の見積る契約金額の百分の五以上の保証金を納めさせなければならない。ただし、その必要がないと認められる場合においては、政令の定めるところにより、その全部又は一部を納めさせないことができる。

②　前項の保証金の納付は、政令の定めるところにより、国債又は確実と認められる有価証券その他の担保の提供をもつて代えることができる。

第二十九条の五　第二十九条の三第一項、第三項又は第五項の規定による競争（以下「競争」という。）は、特に必要がある場合においてせり売りに付するときを除き、入札の方法をもつてこれを行なわなければならない。

②　前項の規定により入札を行なう場合においては、入札者は、その提出した入札書の引換え、変更又は取消しをすることができない。

第二十九条の六　契約担当官等は、競争に付する場合においては、政令の定めるところにより、契約の目的に応じ、予定価格の制限の範囲内で最高又は最低の価格をもつて申込みをした者を契約の相手方とするものとする。ただし、国の支払の原因となる契約のうち政令で定めるものについて、相手方となるべき者の申込みに係る価格によつては、その者により当該契約の内容に適合した履行がされないおそれがあると認められるとき、又はその者と契約を締結することが公正な取引の秩序を乱すこととなるおそれがあつて著しく不適当であると認められるときは、政令の定めるところにより、予定価格の制限の範囲内の価格をもつて申込みをした他の者のうち最低の価格をもつて申込みをした者を当該契約の相手方とすることができる。

②　国の所有に属する財産と国以外の者の所有する財産との交換に関する契約その他その性質又は目的から前項の規定により難い契約については、同項の規定にかかわらず、政令の定めるところにより、価格及びその他の条件が国にとつて最も有利なもの（同項ただし書の場合にあつては、次に有利なもの）をもつて申込みをした者を契約の相手方とすることができる。

第二十九条の七　第二十九条の四の規定により納付された保証金（その納付に代えて提供された担保を含む。）のうち、落札者（前条の規定により契約の相手方とする者をいう。以下次条において同じ。）の納付に係るものは、その者が契約を結ばないときは、国庫に帰属するものとする。

第二十九条の八　契約担当官等は、競争により落札者を決定したとき、又は随意契約の相手方を決定したときは、政令の定めるところにより、契約の目的、契約金額、履行期限、契約保証金に関する事項その他必要な事項を記載した契約書を作成しなければならない。ただし、政令で定める場合においては、これを省略することができる。

②　前項の規定により契約書を作成する場合においては、契約担当官等が契約の相手方とともに契約書に記名押印しなければ、当該契約は、確定しないものとする。

第二十九条の九　契約担当官等は、国と契約を結ぶ者をして、契約金額の百分の十以上の契約保証金を納めさせなければならない。ただし、他の法令に基づき延納が認められる場合において、確実な担保が提供されるとき、その者が物品の売払代金を即納する場合その他政令で定める場合においては、その全部又は一部を納めさせないことができる。

②　第二十九条の四第二項の規定は、前項の契約保証金の納付について、これを準用する。

第二十九条の十　前条の規定により納付された契約保証金（その納付に代えて提供された担保を含む。）は、これを納付した者がその契約上の義務を履行しないときは、国庫に帰属するものとする。ただし、損害の賠償又は違約金について契約で別段の定めをしたときは、その定めたところによるものとする。

第二十九条の十一　契約担当官等は、工事又は製造その他についての請負契約を締結した場合においては、政令の定めるところにより、自ら又は補助者に命じて、契約の適正な履行を確保するため必要な監督をしなければならない。

②　契約担当官等は、前項に規定する請負契約又は物件の買入れその他の契約については、政令の定めるところにより、自ら又は補助者に命じて、その受ける給付の完了の確認（給付の完了前に代価の一部を支払う必要がある場合において行なう工事若しくは製造の既済部分又は物件の既納部分の確認を含む。）をするため必要な検査をしなければならない。

③　前二項の場合において、契約の目的たる物件の給付の完了後相当の期間内に当該物件につき破損、変質、性能の低下その他の事故が生じたときは取替え、補修その他必要な措置を講ずる旨の特約があり、当該給付の内容が担保されると認められる契約については、政令の定めるところにより、第一項の監督又は前項の検査の一部を省略することができる。

④　各省各庁の長は、特に必要があるときは、政令の定めるところにより、第一項の監督及び第二項の検査を、当該契約に係る契約担当官等及びその補助者以外の当該各省各庁所属の職員又は他の各省各庁所属の職員に行なわせることができる。

⑤　契約担当官等は、特に必要があるときは、政令の定めるところにより、国の職員以外の者に第一項の監督及び第二項の検査を委託して行なわせることができる。

第二十九条の十二　契約担当官等は、政令の定めるところにより、翌年度以降にわたり、電気、ガス若しくは水の供給又は電気通信役務の提供を受ける契約を締結することができる。この場合においては、各年度におけるこれらの経費の予算の範囲内においてその給付を受けなければならない。

第五章　時効

第三十条　金銭の給付を目的とする国の権利で、時効に関し他の法律に規定がないものは、これを行使することができる時から五年間行使しないときは、時効によって消滅する。国に対する権利で、金銭の給付を目的とするものについても、また同様とする。

第三十一条　金銭の給付を目的とする国の権利の時効による消滅については、別段の規定がないときは、時効の援用を要せず、また、その利益を放棄することができないものとする。国に対する権利で、金銭の給付を目的とするものについても、また同様とする。

②　金銭の給付を目的とする国の権利について、消滅時効の完成猶予、更新その他の事項（前項に規定する事項を除く。）に関し、適用すべき他の法律の規定がないときは、民法の規定を準用する。国に対する権利で、金銭の給付を目的とするものについても、また同様とする。

第三十二条　法令の規定により、国がなす納入の告知は、時効の更新の効力を有する。

第六章　国庫金及び有価証券

第三十三条　各省各庁の長は、債権の担保として徴するもののほか、法律又は政令の規定によるのでなければ、公有若しくは私有の現金又は有価証券を保管することができない。

第七章　出納官吏

第四十一条　出納官吏が、その保管に係る現金を亡失した場合において、善良な管理者の注意を怠つたときは、弁償の責を免れることができない。

②　出納官吏は、単に自ら事務を執らないことを理由としてその責を免れることができない。ただし、分任出納官吏、出納官吏代理又は出納員の行為については、この限りでない。

第四十二条　各省各庁の長は、出納官吏がその保管に係る現金を亡失したときは、政令の定めるところにより、これを財務大臣及び会計検査院に通知しなければならない。

第四十三条　各省各庁の長は、出納官吏の保管に係る現金の亡失があつた場合においては、会計検査院の検定前においても、その出納官吏に対して弁償を命ずることができる。

②　前項の場合において、会計検査院が出納官吏に対し弁償の責がないと検定したときは、その既納に係る弁償金は、直ちに還付しなければならない。

第四十四条　分任出納官吏、出納官吏代理及び出納員は、その行為については、自らその責に任ずる。

第四十五条　出納官吏に関する規定は、出納員について、これを準用する。

第八章　雑則

第四十八条　国は、政令の定めるところにより、その歳入、歳出、歳入歳出外現金、支出負担行為、支出負担行為の確認又は認証、契約（支出負担行為に該当するものを除く。以下同じ。）、繰越しの手続及び繰越明許費に係る翌年度にわたる債務の負担の手続に関する事務を、都道府県の知事又は知事の指定する職員が行うこととすることができる。

②　前項の規定により都道府県が行う歳入、歳出、歳入歳出外現金、支出負担行為、支出負担行為の確認又は認証、契約、繰越しの手続及び繰越明許費に係る翌年度にわたる債務の負担の手続に関する事務については、この法律及びその他の会計に関する法令中、当該事務の取扱に関する規定を準用する。

③　第一項の規定により都道府県が行うこととされる事務は、地方自治法（昭和二十二年法律第六十七号）第二条第九項第一号に規定する第一号法定受託事務とする。

第四十九条の二　この法律又はこの法律に基づく命令の規定により作成することとされている書類等（書類、計算書その他文字、図形その他の人の知覚によつて認識することができる情報が記載された紙その他の有体物をいう。次項及び次条において同じ。）については、当該書類等に記載すべき事項を記録した電磁的記録（電子的方式、磁気的方式その他人の知覚によつては認識することができない方式で作られる記録であつて、電子計算機による情報処理の用に供されるものとして財務大臣が定めるものをいう。同項及び同条第一項において同じ。）の作成をもつて、当該書類等の作成に代えることができる。この場合において、当該電磁的記録は、当該書類等とみなす。

②　前項の規定により書類等が電磁的記録で作成されている場合の記名押印については、記名押印に代えて氏名又は名称を明らかにする措置であつて財務大臣が定める措置をとらなければならない。

第四十九条の三　この法律又はこの法律に基づく命令の規定による書類等の提出については、当該書類等が電磁的記録で作成されている場合には、電磁的方法（電子情報処理組織を使用する方法その他の情報通信の技術を利用する方法であつて財務大臣が定めるものをいう。次項において同じ。）をもつて行うことができる。

②　前項の規定により書類等の提出が電磁的方法によつて行われたときは、当該書類等の提出を受けるべき者の使用に係る電子計算機に備えられたファイルへの記録がされた時に当該提出を受けるべき者に到達したものとみなす。

○予算決算及び会計令（抄）

昭二二・四・三〇
勅令一六五

最終改正 令五・六・二三政令二一二

第一章 総則

第一節 定義

第一条 この勅令において、次の各号に掲げる用語の意義は、当該各号に定めるところによる。
一 各省各庁の長 財政法（昭和二十二年法律第三十四号）第二十条第二項に規定する各省各庁の長をいう。
二 官署支出官 第四十条第一項の規定により同項第一号に掲げる事務を委任された職員をいう。
三 センター支出官 第四十条第一項の規定により同項第二号に掲げる事務を委任された職員をいう。
四 契約担当官等 会計法（昭和二十二年法律第三十五号）第二十九条の三第一項に規定する契約担当官等をいう。

第二節 会計年度所属区分

（歳入の会計年度所属区分）
第一条の二 歳入の会計年度所属は、次の区分による。
一 納期の一定している収入はその納期末日（民法（明治二十九年法律第八十九号）第百四十二条、国税通則法（昭和三十七年法律第六十六号）第十条第二項又は行政機関の休日に関する法律（昭和六十三年法律第九十一号）第二条の規定の適用又は準用がないものとした場合の納期末日をいう。）の属する年度
二 随時の収入で納入告知書を発するものは納入告知書を発した日の属する年度
三 随時の収入で納入告知書を発しないものは領収した日の属する年度
② 前項第一号の収入で納入告知書を発すべきものについて、納期所属の会計年度において納入告知書を発しなかつたときは、当該収入は納入告知書を発した日の属する会計年度の歳入に組み入れるものとする。
③ 法令の規定により他の会計又は資金から繰り入れるべき収入及び印紙をもつてする歳入金納付に関する法律（昭和二十三年法律第百四十二号）第三条第五項の規定により納付される収入は、前二項の規定にかかわらず、その収入を計上した予算の属する会計年度の歳入に繰り入れるものとする。

（歳出の会計年度所属区分）
第二条 歳出の会計年度所属は、次の区分による。
一 国債の元利、年金、恩給の類は支払期日の属する年度
二 諸払戻金、欠損補塡金、償還金の類はその決定をした日の属する年度
三 給与（予備自衛官及び即応予備自衛官に対する給与を除く。）、旅費、手数料の類はその支給すべき事実の生じた時の属する年度
四 使用料、保管料、電灯電力料の類はその支払の原因たる事実の存した期間の属する年度
五 工事製造費、物件の購入代価、運賃の類及び補助費の類で相手方の行為の完了があつた後交付するものはその支払をなすべき日の属する年度
六 前各号に該当しない費用で繰替払をしたものはその繰替払をした日の属する年度、その他のものは小切手を振り出し又は国庫金振替書若しくは支払指図書を発した日の属する年度
② 法令の規定により他の会計又は資金に繰り入れるべき経費は、前項の規定にかかわらず、その支出を計上した予算の属する会計年度の歳出として支出するものとする。

第三節 出納整理期限

（歳入金の収納期限）
第三条 出納官吏又は出納員において毎会計年度所属の歳入金を収納するのは、翌年度の四月三十日限りとする。

（歳出金の支出期限）
第四条 支出官において毎会計年度に属する経費を精算して支出するのは、翌年度の四月三十日限りとする。ただし、国庫内における移換のためにする支出又は会計法第二十条第一項の規定により歳出金に繰替使用した現金の補てんのためにする支出については、翌年度の五月三十一日まで、小切手を振り出し又は国庫金振替書若しくは支払指図書を発することができる。

（歳出金の支払期限）
第五条 出納官吏又は出納員において毎会計年度所属の歳出金を支払うのは、翌年度の四月三十日限りとする。

（返納金の戻入期限）
第六条 会計法第九条但書の規定により支出済となつた歳出金の返納金を、支払つた歳出の金額に戻入するのは、翌年度の四月三十日限りとする。

第二章 予算

第二節 予算の執行

（移用又は流用の承認）
第十七条 各省各庁の長は、財政法第三十三条第一項但書又は第二項の規定に基く移用又は流用について財務大臣の承認を受けようとするときは、移用又は流用を必要とする理由、科目及び金額を明らかにした書類を財務大臣に送付しなければならない。

第六章 支出負担行為及び支出

第五節 支出の特例

（資金前渡のできる経費の指定）
第五十一条 会計法第十七条の規定により主任の職員に現金支払をさせるため、その資金を当該職員に前渡することができるのは、次に掲げる経費に限る。ただし、第四号に掲げる経費（庁中常用の雑費に限る。以下この条において同じ。）及び第七号に掲げる経費に充てる資金について主任の職員において手持ちすることができる金額は、第四号に掲げる経費に充てる資金にあつては三百万円を、第七号に掲げる経費に充てる資金にあつては同号に規定する直営又は請負の区分ごとにそれぞれ五百万円を限度とする。
一 船舶に属する経費
二 外国で支払う経費
三 交通通信の不便な地方で支払う経費
四 庁中常用の雑費及び旅費
五 場所の一定しない事務所の経費

六　職員に支給する給与及び児童手当法（昭和四十六年法律第七十三号）の規定による児童手当
六の二　法令の規定に基づいて行う試験に要する経費
七　各庁直営の工事、製造又は造林に必要な経費及び各庁の五百万円以下の請負に付する工事、製造又は造林に必要な経費
七の二　国が行う工事又は造林に関連して買収する土地又は土地に定着する物件に関する権利の代価で一件の金額が三百万円以下のもの
七の三　国が行う工事又は造林に関する補償金（土地収用法（昭和二十六年法律第二百十九号）第九十条の三（同法第百三十八条第一項において準用する場合を含む。）の規定による加算金を含む。）で各省各庁の長が財務大臣に協議して指定するもの
七の四　健康保険法（大正十一年法律第七十号）第百六十一条第一項若しくは第百六十九条第一項、船員保険法（昭和十四年法律第七十三号）第百二十五条第一項若しくは厚生年金保険法（昭和二十九年法律第百十五号）第八十二条第一項の規定により政府が事業主若しくは船舶所有者として負担すべき保険料又は徴収法第十五条第一項、第二項若しくは第四項、第十六条、第十七条、第十九条第三項若しくは第五項若しくは第二十三条第一項若しくは子ども・子育て支援法（平成二十四年法律第六十五号）第六十九条第二項の規定により政府が事業主若しくは一般事業主として納付すべき保険料若しくは拠出金
八　諸払戻金
八の二　諸謝金
九　刑事収容施設及び被収容者等の処遇に関する法律（平成十七年法律第五十号）第九十八条（同法第二百八十八条において準用する場合を含む。第五十三条第四号において同じ。）の規定による作業報奨金及び少年院法（平成二十六年法律第五十八号）第二十五条第三項の規定による報奨金
九の二　刑事収容施設及び被収容者等の処遇に関する法律第百条（同法第八十二条第二項（同法第二百八十八条及び第二百八十九条第一項において準用する場合を含む。）及び第二百八十八条において準用する場合を含む。第五十三条第四号の二において同じ。）又は少年院法第四十二条の規定による手当金
十　矯正施設（拘置所、刑務所、少年刑務所、少年院及び少年鑑別所をいう。第五十三条第五号において同じ。）の被収容者の護送費及び食糧費並びにその者に支給する帰住旅費、保護観察に付されている者（更生保護法（平成十九年法律第八十八号）第八十五条第一項に規定する更生緊急保護を受ける者を含む。第五十三条第五号において同じ。）の被服費並びにその者に支給する食事費及び帰住旅費並びに出入国管理及び難民認定法（昭和二十六年政令第三百十九号）の規定により収容される者の護送費及び食糧費
十一　証人、鑑定人、通訳人、参考人、参与員、調停委員、鑑定委員、翻訳人、司法委員、裁判所の選任した代理人、裁判員、補充裁判員、選任予定裁判員、裁判員候補者、検察審査員若しくはその補充員、検察審査会法（昭和二十三年法律第百四十七号）に基づいて専門的助言を求められた者又は家事事件手続法（平成二十三年法律第五十二号）に基づいて調査の嘱託を受け若しくは報告を求められた者に支給する旅費その他の給与
十一の二　少年法（昭和二十三年法律第百六十八号）第二十九条の規定により補導の委託を受けた者に支給する費用
十二　防衛省（大臣官房及び各局を除く。）に関する経費
十三　次に掲げる経費（前各号に掲げる経費に該当するものを除く。）
イ　供託法（明治三十二年法律第十五号）第二条に規定する供託書その他の法令の規定による書面を添えて支払うこととされている経費
ロ　イに掲げるもののほか、電気事業者（電気事業法（昭和三十九年法律第百七十号）第二条第一項第十七号に規定する電気事業者をいう。）の料金の請求その他の請求について、当該請求に関する書面を添えて支払う必要がある経費
ハ　イ及びロに掲げるもののほか、債権者の請求により特に現金支払をする必要がある経費

（資金前渡の限度額等）
第五十二条　前条（同条第十三号を除く。）の規定により資金を前渡する限度額については、次の各号の定めるところによる。
一　常時の費用に係るものは、毎一月分以内の金額を予定して交付しなければならない。ただし、外国で支払う経費、交通通信の不便な地方で支払う経費又は支払場所の一定しない経費は、事務の必要により六月分以内を交付することができる。
二　随時の費用に係るものは、所要の金額を予定し、事務上差し支えのない限りなるべく分割して交付しなければならない。
②　前条第十三号に掲げる経費については、財務大臣の定めるところにより、その都度、必要な資金を前渡することができる。

（年度開始前に資金交付のできる経費の指定）
第五十三条　会計法第十八条第一項の規定により会計年度開始前に主任の職員に対し資金を交付することができる経費は、次に掲げるものに限る。
一　船舶に属する経費
二　外国で支払う経費
三　交通通信の不便な地方で支払う経費
四　刑事収容施設及び被収容者等の処遇に関する法律第九十八条の規定による作業報奨金及び少年院法第二十五条第三項の規定による報奨金
四の二　刑事収容施設及び被収容者等の処遇に関する法律第百条又は少年院法第四十二条の規定による手当金
五　矯正施設の被収容者に支給する帰住旅費並びに保護観察に付されている者に支給する食事費及び帰住旅費
六　防衛省（大臣官房及び各局を除く。）に関する経費

（年度開始前の資金交付の手続）
第五十四条　各省各庁の長は、会計法第十八条第一項の規定により会計年度開始前において、主任の職員に対し資金を交付しようとするときは、その前渡を要する経費の金額を定め計算書を作製し、これを財務大臣に送付しなければならない。

（前渡資金の繰替使用）
第五十五条　各省各庁の長は、左に掲げる経費の支払をなさしめるため、出納官吏をしてその保管に係る前渡の資金を繰り替え使用せしめることができる。

一　旅費
二　埋葬費
②　前項の規定による前渡の資金の繰替使用に関する手続は、各省各庁の長が財務大臣に協議してこれを定める。

（前金払のできる経費の指定）
第五十七条　会計法第二十二条の規定により前金払をすることができるのは、次に掲げる経費に限る。ただし、第八号から第十五号までに掲げる経費について前金払をする場合においては、各省各庁の長は、財務大臣に協議することを要する。
一　外国から購入する機械、機械部品、航空機、航空機部品、航空機専用工具、図書、標本又は実験用材料の代価（購入契約に係る機械、機械部品、航空機、航空機部品、航空機専用工具、図書、標本又は実験用材料を当該契約の相手方が外国から直接購入しなければならない場合におけるこれらの物の代価を含む。）
二　定期刊行物の代価、定額制供給に係る電燈電力料及び日本放送協会に対し支払う受信料
三　土地又は家屋の借料
四　運賃
五　国の買収又は収用に係る土地の上に存する物件の移転料
六　官公署に対し支払う経費（第七号の二、第八号又は第十号に掲げる経費に該当するものを除く。）
七　外国で研究又は調査に従事する者に支給する学資金その他の給与
七の二　職員のために研修又は講習を実施する者に対し支払う経費（次号に掲げる経費に該当するものを除く。）
八　委託費
九　交通至難の場所に勤務する者又は船舶に乗り組む者に支給する給与
十　補助金（補助金等に係る予算の執行の適正化に関する法律第二条第一項第四号の規定に基づき補助金等として指定された助成金を含む。次条第四号において同じ。）、負担金及び交付金
十一　諸謝金
十二　破産法（平成十六年法律第七十五号）第二十三条第一項の規定により国庫から支弁する破産手続の費用のうち破産管財人（破産管財人代理を含む。）及び保全管理人（保全管理人代理を含む。）に交付するもの
十三　国が行う工事又は造林に関連して買収する土地又は土地に定着する物件に関する権利（不動産登記法（平成十六年法律第百二十三号）第三条各号に掲げる権利で各庁において同法による登記の嘱託をする場合にその嘱託情報と併せて登記所に提供しなければならない情報を取得したものに限る。）の代価
十四　外国において調度品の製造又は修理をさせる場合で納入までに長期間を要するときにおけるその代価
十五　外国で支払う経費のうち次に掲げるもの（前各号に掲げる経費に該当するものを除く。）
イ　物品の購入代価
ロ　機械又は器具の借料又は修理費
ハ　建物（附帯設備を含む。）の維持修繕費
ニ　放送の受信、廃棄物の収集その他の役務の提供に対する代価
ホ　国際会議等のために借り受ける施設又は航空機の借料

（概算払のできる経費の指定）
第五十八条　会計法第二十二条の規定により概算払をすることができるのは、次に掲げる経費に限る。ただし、第三号から第六号までに掲げる経費について概算払をする場合においては、各省各庁の長は、財務大臣に協議することを要する。
一　旅費
二　官公署に対し支払う経費（次号から第六号までに掲げる経費を除く。）
三　委託費
四　補助金、負担金及び交付金
五　損害賠償金
六　民事訴訟法（平成八年法律第百九号）第八十二条第一項に規定する訴訟上の救助により納付を猶予された裁判費用のうち鑑定に必要な費用及び刑事訴訟法（昭和二十三年法律第百三十一号）第百七十三条第一項に規定する鑑定に必要な費用

第七章　契約

第一節　総則

（契約事務の委任）
第六十八条　各省各庁の長は、会計法第二十九条の二第一項又は第三項の規定により、当該各省各庁所属の職員に契約に関する事務を委任し、又は分掌させる場合において、必要があるときは、同条第一項又は第三項の権限を、内閣府設置法（平成十一年法律第八十九号）第五十条の委員長若しくは長官、同法第四十三条若しくは第五十七条（宮内庁法（昭和二十二年法律第七十号）第十八条第一項において準用する場合を含む。）の地方支分部局の長、宮内庁長官、宮内庁法第十七条第一項の地方支分部局の長、国家行政組織法（昭和二十三年法律第百二十号）第六条の委員長若しくは長官、同法第九条の地方支分部局の長又はこれらに準ずる職員（第百三十九条の三第三項において「外局の長等」という。）に委任することができる。
2　第二十六条第三項の規定は、各省各庁の長が会計法第二十九条の二第二項又は第三項の規定により他の各省各庁所属の職員に契約に関する事務を委任し、又は分掌させる場合に、第二十六条第四項の規定は、同法第二十九条の二第四項において準用する同法第四条の二第四項の規定により当該契約に関する事務の委任又は分掌が他の各省各庁所属の職員について官職の指定により行なわれる場合に、それぞれ準用する。

（契約審査委員の指定）
第六十九条　各省各庁の長は、当該各省各庁所属の職員又は他の各省各庁所属の職員のうちから、各省各庁の長の委任を受けた当該各省各庁所属の職員は、当該各省各庁所属の職員のうちから、必要があるときは、契約担当官等が第八十六条第二項（第九十八条において準用する場合を含む。）の規定により意見を求めた場合にその意見を表示すべき職員（以下「契約審査委員」という。）を指定しなければならない。
2　各省各庁の長は、前項の規定により他の各省各庁所属の職員を契約審査委員に指定しようとするときは、当該職員及びその官職について、あらかじめ、当該他の各省各庁の長の同意を経なければならない。

3　第一項の場合において、各省各庁の長又はその委任を受けた職員は、当該各省各庁又は他の各省各庁に置かれた官職を指定することにより、その官職にある者を契約審査委員とすることができる。この場合においては、前項の規定による同意は、その指定しようとする官職についてあれば足りる。

4　契約審査委員は、一の契約担当官等について三人とする。ただし、他の契約担当官等に係るものについて兼ねることを妨げない。

5　各省各庁の長又はその委任を受けた職員は、契約審査委員を指定したときは、その旨を関係の契約担当官等に通知しなければならない。

第二節　一般競争契約

第一款　一般競争参加者の資格

（一般競争に参加させることができない者）

第七十条　契約担当官等は、売買、貸借、請負その他の契約につき会計法第二十九条の三第一項の競争（以下「一般競争」という。）に付するときは、特別の理由がある場合を除くほか、次の各号のいずれかに該当する者を参加させることができない。

一　当該契約を締結する能力を有しない者

二　破産手続開始の決定を受けて復権を得ない者

三　暴力団員による不当な行為の防止等に関する法律（平成三年法律第七十七号）第三十二条第一項各号に掲げる者

（一般競争に参加させないことができる者）

第七十一条　契約担当官等は、一般競争に参加しようとする者が次の各号のいずれかに該当すると認められるときは、その者について三年以内の期間を定めて一般競争に参加させないことができる。その者を代理人、支配人その他の使用人として使用する者についても、また同様とする。

一　契約の履行に当たり故意に工事、製造その他の役務を粗雑に行い、又は物件の品質若しくは数量に関して不正の行為をしたとき。

二　公正な競争の執行を妨げたとき又は公正な価格を害し若しくは不正の利益を得るために連合したとき。

三　落札者が契約を結ぶこと又は契約者が契約を履行することを妨げたとき。

四　監督又は検査の実施に当たり職員の職務の執行を妨げたとき。

五　正当な理由がなくて契約を履行しなかつたとき。

六　契約により、契約の後に代価の額を確定する場合において、当該代価の請求を故意に虚偽の事実に基づき過大な額で行つたとき。

七　この項（この号を除く。）の規定により一般競争に参加できないこととされている者を契約の締結又は契約の履行に当たり、代理人、支配人その他の使用人として使用したとき。

2　契約担当官等は、前項の規定に該当する者を入札代理人として使用する者を一般競争に参加させないことができる。

（各省各庁の長が定める一般競争参加者の資格）

第七十二条　各省各庁の長又はその委任を受けた職員は、必要があるときは、工事、製造、物件の買入れその他についての契約の種類ごとに、その金額等に応じ、工事、製造又は販売等の実績、従業員の数、資本の額その他の経営の規模及び経営の状況に関する事項について一般競争に参加する者に必要な資格を定めることができる。

2　各省各庁の長又はその委任を受けた職員は、前項の規定により資格を定めた場合においては、その定めるところにより、定期に又は随時に、一般競争に参加しようとする者の申請をまつて、その者が当該資格を有するかどうかを審査しなければならない。

3　各省各庁の長又はその委任を受けた職員は、第一項の資格を有する者の名簿を作成するものとする。

4　各省各庁の長又はその委任を受けた職員は、第一項の規定により一般競争に参加する者に必要な資格を定めたときは、その基本となるべき事項並びに第二項に規定する申請の時期及び方法等について公示しなければならない。

（契約担当官等が定める一般競争参加者の資格）

第七十三条　契約担当官等は、一般競争に付そうとする場合において、契約の性質又は目的により、当該競争を適正かつ合理的に行なうため特に必要があると認めるときは、各省各庁の長の定めるところにより、前条第一項の資格を有する者につき、さらに当該競争に参加する者に必要な資格を定め、その資格を有する者により当該競争を行なわせることができる。

第二款　公告及び競争

（入札の公告）

第七十四条　契約担当官等は、入札の方法により一般競争に付そうとするときは、その入札期日の前日から起算して少なくとも十日前に官報、新聞紙、掲示その他の方法により公告しなければならない。ただし、急を要する場合においては、その期間を五日までに短縮することができる。

（入札について公告する事項）

第七十五条　前条の規定による公告は、次に掲げる事項についてするものとする。

一　競争入札に付する事項

二　競争に参加する者に必要な資格に関する事項

三　契約条項を示す場所

四　競争執行の場所及び日時

五　会計法第二十九条の四第一項の保証金（以下「入札保証金」という。）に関する事項

（入札の無効）

第七十六条　契約担当官等は、第七十四条の公告において、当該公告に示した競争に参加する者に必要な資格のない者のした入札及び入札に関する条件に違反した入札は無効とする旨を明らかにしなければならない。

（入札保証金の納付の免除）

第七十七条　契約担当官等は、会計法第二十九条の四第一項ただし書の規定により、次に掲げる場合においては、入札保証金の全部又は一部を納めさせないことができる。

一　一般競争に参加しようとする者が保険会社との間に国を被保険者とする入札保証保険契約を結んだとき。

二　第七十二条第一項の資格を有する者による一般競争に付する場合において、落札者が契約を結ばないこととなるおそれがないと認められるとき。

（入札保証金に代わる担保）

第七十八条　会計法第二十九条の四第二項の規定により契約担当官等が入札保証金の納付に代えて提供させることができる担保は、国債のほか、次に掲げるものとする。

一　政府の保証のある債券
二　銀行、株式会社商工組合中央金庫、農林中央金庫又は全国を地区とする信用金庫連合会の発行する債券
三　銀行が振り出し又は支払保証をした小切手
四　その他確実と認められる担保で財務大臣の定めるもの
2　前項の担保の価値及びその提供の手続は、別に定めるものを除くほか、財務大臣の定めるところによる。

（予定価格の作成）
第七十九条　契約担当官等は、その競争入札に付する事項の価格（第九十一条第一項の競争にあつては交換しようとするそれぞれの財産の価格の差額とし、同条第二項の競争にあつては財務大臣の定めるものとする。以下次条第一項において同じ。）を当該事項に関する仕様書、設計書等によつて予定し、その予定価格を記載し、又は記録した書面をその内容が認知できない方法により、開札の際これを開札場所に置かなければならない。

（予定価格の決定方法）
第八十条　予定価格は、競争入札に付する事項の価格の総額について定めなければならない。ただし、一定期間継続してする製造、修理、加工、売買、供給、使用等の契約の場合においては、単価についてその予定価格を定めることができる。
2　予定価格は、契約の目的となる物件又は役務について、取引の実例価格、需給の状況、履行の難易、数量の多寡、履行期間の長短等を考慮して適正に定めなければならない。

（開札）
第八十一条　契約担当官等は、公告に示した競争執行の場所及び日時に、入札者を立ち会わせて開札をしなければならない。この場合において、入札者が立ち会わないときは、入札事務に関係のない職員を立ち会わせなければならない。

（再度入札）
第八十二条　契約担当官等は、開札をした場合において、各人の入札のうち予定価格の制限に達した価格の入札がないときは、直ちに、再度の入札をすることができる。

第三款　落札者の決定等

（落札者の決定）
第八十三条　落札となるべき同価の入札をした者が二人以上あるときは、契約担当官等は、直ちに、当該入札者にくじを引かせて落札者を定めなければならない。
2　前項の場合において、当該入札者のうちくじを引かない者があるときは、これに代わつて入札事務に関係のない職員にくじを引かせることができる。

（最低価格の入札者を落札者としないことができる契約）
第八十四条　会計法第二十九条の六第一項ただし書に規定する国の支払の原因となる契約のうち政令で定めるものは、予定価格が一千万円（各省各庁の長が財務大臣と協議して一千万円を超える金額を定めたときは、当該金額）を超える工事又は製造その他についての請負契約とする。

（契約内容に適合した履行がされないおそれがあるため最低価格の入札者を落札者としない場合の手続）
第八十五条　各省各庁の長は、会計法第二十九条の六第一項ただし書の規定により、必要があるときは、前条に規定する契約について、相手方となるべき者の申込みに係る価格によつては、その者により当該契約の内容に適合した履行がされないこととなるおそれがあると認められる場合の基準を作成するものとする。

第八十六条　契約担当官等は、第八十四条に規定する契約に係る競争を行なつた場合において、契約の相手方となるべき者の申込みに係る価格が、前条の基準に該当することとなつたときは、その者により当該契約の内容に適合した履行がされないおそれがあるかどうかについて調査しなければならない。
2　契約担当官等は、前項の調査の結果、その者により当該契約の内容に適合した履行がされないおそれがあると認めたときは、その調査の結果及び自己の意見を記載し、又は記録した書面を契約審査委員に提出し、その意見を求めなければならない。

第八十七条　契約審査委員は、前条第二項の規定により、契約担当官等から意見を求められたときは、必要な審査をし、書面によつて意見を表示しなければならない。

第八十八条　契約担当官等は、前条の規定により表示された契約審査委員の意見のうちの多数が自己の意見と同一であつた場合においては、予定価格の制限の範囲内で最低の価格をもつて申込みをした者を落札者とせず、予定価格の制限の範囲内の価格をもつて申込みをした他の者のうち最低の価格をもつて申込みをした者（以下「次順位者」という。）を落札者とするものとする。
2　契約担当官等は、契約審査委員の意見のうちの多数が自己の意見と異なる場合においても、当該契約の相手方となるべき者により当該契約の内容に適合した履行がされないおそれがあると認めたことについて合理的な理由があるときは、次順位者を落札者とすることができる。

（公正な取引の秩序を乱すこととなるおそれがあるため最低価格の入札者を落札者としない場合の手続）
第八十九条　契約担当官等は、第八十四条に規定する契約に係る競争を行なつた場合において、契約の相手方となるべき者と契約を締結することが公正な取引の秩序を乱すこととなるおそれがあつて著しく不適当であると認めたときは、その理由及び自己の意見を記載し、又は記録した書面を当該各省各庁の長に提出し、その者を落札者としないことについて承認を求めなければならない。
2　契約担当官等は、前項の承認があつたときは、次順位者を落札者とするものとする。

（最低入札者を落札者としなかつた場合の書面の提出）
第九十条　契約担当官等は、次の各号に掲げる場合においては、遅滞なく、当該競争に関する調書を作成し、当該各号に掲げる書面の写しを添え、これを当該各省各庁の長を経由して財務大臣及び会計検査院に提出しなければならない。
一　第八十八条の規定により次順位者を落札者としたとき。第八十六条第二項に規定する調査の結果及び自己の意見を記載し、又は記録した書面並びに第八十七条に規定する契約審査委員の意見を記載し、又は記録した書面
二　前条の規定により次順位者を落札者としたとき。同条に規定する理由及び自己の意見を記載し、又は記録した書面並びに当該各省各庁の長の承認があつたことを証する書面

（交換等についての契約を競争に付して行なう場合の落札者の決定）
第九十一条　契約担当官等は、会計法第二十九条の六第二項の規

定により、国の所有に属する財産と国以外の者の所有する財産との交換に関する契約については、それぞれの財産の見積価格の差額が国にとつて最も有利な申込みをした者を落札者とすることができる。

2 契約担当官等は、会計法第二十九条の六第二項の規定により、その性質又は目的から同条第一項の規定により難い契約で前項に規定するもの以外のものについては、各省各庁の長が財務大臣に協議して定めるところにより、価格その他の条件が国にとつて最も有利なものをもつて申込みをした者を落札者とすることができる。

（再度公告入札の公告期間）

第九十二条 契約担当官等は、入札者若しくは落札者がない場合又は落札者が契約を結ばない場合において、さらに入札に付そうとするときは、第七十四条の公告の期間を五日までに短縮することができる。

（せり売り）

第九十三条 契約担当官等は、動産の売払いについて特に必要があると認めるときは、本節の規定に準じ、せり売りに付することができる。

第三節 指名競争契約

（指名競争に付することができる場合）

第九十四条 会計法第二十九条の三第五項の規定により指名競争に付することができる場合は、次に掲げる場合とする。

一 予定価格が五百万円を超えない工事又は製造をさせるとき。

二 予定価格が三百万円を超えない財産を買い入れるとき。

三 予定賃借料の年額又は総額が百六十万円を超えない物件を借り入れるとき。

四 予定価格が百万円を超えない財産を売り払うとき。

五 予定賃貸料の年額又は総額が五十万円を超えない物件を貸し付けるとき。

六 工事又は製造の請負、財産の売買及び物件の賃借以外の契約でその予定価格が二百万円を超えないものをするとき。

2 随意契約によることができる場合においては、指名競争に付することを妨げない。

（指名競争参加者の資格）

第九十五条 各省各庁の長又はその委任を受けた職員は、工事、製造、物件の買入れその他について契約の種類ごとに、その金額等に応じ、第七十二条第一項に規定する事項について、指名競争に参加する者に必要な資格を定めなければならない。

2 第七十二条第二項及び第三項の規定は、各省各庁の長又はその委任を受けた職員が前項の規定により資格を定めた場合に準用する。

3 前項の場合において、第一項の資格が第七十二条第一項の資格と同一である等のため、前項において準用する同条第二項及び第三項の規定による資格の審査及び名簿の作成を要しないと認められるときは、当該資格の審査及び名簿の作成は、行なわず、同条第二項及び第三項の規定による資格の審査及び名簿の作成をもつて代えるものとする。

4 各省各庁の長又はその委任を受けた職員は、年間の契約の件数が僅少であることその他特別の事情がある契約担当官等に係る指名競争については、当該競争に参加する者に必要な資格及びその審査に関し第一項及び第二項に定めるところと異なる定めをし、又は当該競争に参加する資格を有する者の名簿を作成しないことができる。

（指名基準）

第九十六条 各省各庁の長又はその委任を受けた職員は、契約担当官等が前条の資格を有する者のうちから競争に参加する者を指名する場合の基準を定めなければならない。

2 各省各庁の長又はその委任を受けた職員は、前項の基準を定めたときは、財務大臣に通知しなければならない。

（競争参加者の指名）

第九十七条 契約担当官等は、指名競争に付するときは、第九十五条の資格を有する者のうちから、前条第一項の基準により、競争に参加する者をなるべく十人以上指名しなければならない。

2 前項の場合においては、第七十五条第一号及び第三号から第五号までに掲げる事項をその指名する者に通知しなければならない。

（一般競争に関する規定の準用）

第九十八条 第七十条、第七十一条及び第七十六条から第九十一条までの規定は、指名競争の場合に準用する。

第四節 随意契約

（随意契約によることができる場合）

第九十九条 会計法第二十九条の三第五項の規定により随意契約によることができる場合は、次に掲げる場合とする。

一 国の行為を秘密にする必要があるとき。

二 予定価格が二百五十万円を超えない工事又は製造をさせるとき。

三 予定価格が百六十万円を超えない財産を買い入れるとき。

四 予定賃借料の年額又は総額が八十万円を超えない物件を借り入れるとき。

五 予定価格が五十万円を超えない財産を売り払うとき。

六 予定賃貸料の年額又は総額が三十万円を超えない物件を貸し付けるとき。

七 工事又は製造の請負、財産の売買及び物件の貸借以外の契約でその予定価格が百万円を超えないものをするとき。

八 運送又は保管をさせるとき。

九 沖縄振興開発金融公庫その他特別の法律により特別の設立行為をもつて設立された法人のうち財務大臣の指定するものとの間で契約をするとき。

十 農場、工場、学校、試験所、刑務所その他これらに準ずるものの生産に係る物品を売り払うとき。

十一 国の需要する物品の製造、修理、加工又は納入に使用させるため必要な物品を売り払うとき。

十二 法律の規定により財産の譲与又は無償貸付けをすることができる者にその財産を売り払い又は有償で貸し付けるとき。

十三 非常災害による罹災者に国の生産に係る建築材料を売り払うとき。

十四 罹災者又はその救護を行なう者に災害の救助に必要な物件を売り払い又は貸し付けるとき。

十五 外国で契約をするとき。

十六 都道府県及び市町村その他の公法人、公益法人、農業協同組合又は農業協同組合連合会から直接に物件を買い入れ又は借り入れるとき。

十六の二 慈善のため設立した救済施設から直接に物件を買い入れ若しくは借り入れ又は慈善のため設立した救済施設から役務の提供を受けるとき。
十七 開拓地域内における土木工事をその入植者の共同請負に付するとき。
十八 事業協同組合、事業協同小組合若しくは協同組合連合会又は商工組合若しくは商工組合連合会の保護育成のためこれらの者から直接に物件を買い入れるとき。
十九 学術又は技芸の保護奨励のため必要な物件を売り払い又は貸し付けるとき。
二十 産業又は開拓事業の保護奨励のため、必要な物件を売り払い若しくは貸し付け、又は生産者から直接にその生産に係る物品を買い入れるとき。
二十一 公共用、公用又は公益事業の用に供するため必要な物件を直接に公共団体又は事業者に売り払い、貸し付け又は信託するとき。
二十二 土地、建物又は林野若しくはその産物を特別の縁故がある者に売り払い又は貸し付けるとき。
二十三 事業経営上の特別の必要に基づき、物品を買い入れ若しくは製造させ、造林をさせ又は土地若しくは建物を借り入れるとき。
二十四 法律又は政令の規定により問屋業者に販売を委託し又は販売させるとき。
二十五 国が国以外の者に委託した試験研究の成果に係る特許権及び実用新案権の一部を当該試験研究を受託した者に売り払うとき。

第九十九条の二 契約担当官等は、競争に付しても入札者がないとき、又は再度の入札をしても落札者がないときは、随意契約によることができる。この場合においては、契約保証金及び履行期限を除くほか、最初競争に付するときに定めた予定価格その他の条件を変更することができない。

第九十九条の三 契約担当官等は、落札者が契約を結ばないときは、その落札金額の制限内で随意契約によることができる。この場合においては、履行期限を除くほか、最初競争に付するときに定めた条件を変更することができない。

（分割契約）
第九十九条の四 前二条の場合においては、予定価格又は落札金額を分割して計算することができる場合に限り、当該価格又は金額の制限内で数人に分割して契約をすることができる。

（予定価格の決定）
第九十九条の五 契約担当官等は、随意契約によろうとするときは、あらかじめ第八十条の規定に準じて予定価格を定めなければならない。

（見積書の徴取）
第九十九条の六 契約担当官等は、随意契約によろうとするときは、なるべく二人以上の者から見積書を徴さなければならない。

第五節 契約の締結

（契約書の記載事項）
第百条 会計法第二十九条の八第一項本文の規定により契約担当官等が作成すべき契約書には、契約の目的、契約金額、履行期限及び契約保証金に関する事項のほか、次に掲げる事項を記載しなければならない。ただし、契約の性質又は目的により該当のない事項については、この限りでない。
一 契約履行の場所
二 契約代金の支払又は受領の時期及び方法
三 監督及び検査
四 履行の遅滞その他債務の不履行の場合における遅延利息、違約金その他の損害金、履行の追完、代金の減額及び契約の解除
五 危険負担
六 契約に関する紛争の解決方法
七 その他必要な事項
2 前項に定めるもののほか、契約書の記載その他その作成に関する細目は、財務大臣の定めるところによる。

（契約書の作成を省略することができる場合）
第百条の二 会計法第二十九条の八第一項ただし書の規定により契約書の作成を省略することができる場合は、次に掲げる場合とする。
一 第七十二条第一項の資格を有する者による一般競争契約又は指名競争契約若しくは随意契約で、契約金額が百五十万円（外国で契約するときは、二百万円）を超えないものをするとき。
二 せり売りに付するとき。
三 物品を売り払う場合において、買受人が代金を即納してその物品を引き取るとき。
四 第一号に規定するもの以外の随意契約について各省各庁の長が契約書を作成する必要がないと認めるとき。
2 各省各庁の長は、前項第四号の規定による認定をしようとするときは、財務大臣に協議しなければならない。
3 財務大臣は、前項の協議が整つたときは、会計検査院に通知しなければならない。

（契約保証金の納付の免除）
第百条の三 契約担当官等は、会計法第二十九条の九第一項ただし書の規定により、次に掲げる場合においては、契約保証金の全部又は一部を納めさせないことができる。
一 契約の相手方が保険会社との間に国を被保険者とする履行保証保険契約を結んだとき。
二 契約の相手方から委託を受けた保険会社、銀行、農林中央金庫その他財務大臣の指定する金融機関と工事履行保証契約を結んだとき。
三 第七十二条第一項の資格を有する者による一般競争に付し、若しくは指名競争若しくはせり売りに付し、又は随意契約による場合において、その必要がないと認められるとき。

（契約保証金に代わる担保）
第百条の四 第七十八条の規定は、契約担当官等が契約保証金の納付に代えて担保を提供させる場合に準用する。

第六節 契約の履行

（売払代金の完納時期）
第百一条 国の所有に属する財産の売払代金は、法律又は政令に特別の規定がある場合を除くほか、その引渡しの時まで又は移転の登記若しくは登録の時までに、完納させなければならない。

（貸付料の納付時期）
第百一条の二 財産の貸付料は、法律又は政令に特別の規定があ

る場合を除くほか、前納させなければならない。ただし、貸付期間が六月以上にわたるものについては、分割して定期に前納させることができる。

（監督の方法）

第百一条の三　会計法第二十九条の十一第一項に規定する工事又は製造その他についての請負契約の適正な履行を確保するため必要な監督（以下本節において「監督」という。）は、契約担当官等が、自ら又は補助者に命じて、立会い、指示その他の適切な方法によつて行なうものとする。

（検査の方法）

第百一条の四　会計法第二十九条の十一第二項に規定する工事若しくは製造その他についての請負契約又は物件の買入れその他の契約についての給付の完了の確認（給付の完了前に代価の一部を支払う必要がある場合において行なう工事若しくは製造の既済部分又は物件の既納部分の確認を含む。）をするため必要な検査（以下本節において「検査」という。）は、契約担当官等が、自ら又は補助者に命じて、契約書、仕様書及び設計書その他の関係書類に基づいて行なうものとする。

（検査の一部省略）

第百一条の五　会計法第二十九条の十一第三項に規定する特約により給付の内容が担保されると認められる契約のうち財務大臣の定める物件の買入れに係るものについては、数量以外のものの検査を省略することができる。

（監督及び検査を契約担当官等及びその補助者以外の職員に行なわせる場合の手続等）

第百一条の六　第六十八条第一項の規定は、各省各庁の長が会計法第二十九条の十一第四項の規定により当該契約に係る契約担当官等及びその補助者以外の当該各省各庁所属の職員に監督又は検査を行なわせる場合に、第二十六条第三項の規定は、各省各庁の長が同法第二十九条の十一第四項の規定により他の各省各庁所属の職員に監督又は検査を行なわせる場合に、それぞれ準用する。

2　前項に規定する場合において、各省各庁の長又はその委任を受けた職員は、当該各省各庁又は他の各省各庁に置かれた官職を指定することにより、その官職にある者に監督又は検査を行なわせることができる。この場合においては、同項において準用する第二十六条第三項の規定による同意は、その指定しようとする官職及び行なわせようとする事務の範囲についてあれば足りる。

3　各省各庁の長又はその委任を受けた職員は、監督又は検査を当該契約に係る契約担当官等及びその補助者以外の当該各省各庁所属の職員又は他の各省各庁所属の職員に行なわせることとしたときは、当該契約担当官等にその旨並びに当該監督又は検査を行なわせることとした職員の官職及び氏名を、当該監督又は検査を行なわせることとした職員に関係の契約担当官等の官職及び氏名を、それぞれ通知しなければならない。

（監督の職務と検査の職務の兼職禁止）

第百一条の七　契約担当官等から検査を命ぜられた補助者及び各省各庁の長又はその委任を受けた職員から検査を命ぜられた職員の職務は、特別の必要がある場合を除き、契約担当官等から監督を命ぜられた補助者及び各省各庁の長又はその委任を受けた職員から監督を命ぜられた職員の職務と兼ねることができない。

（監督及び検査の委託）

第百一条の八　契約担当官等は、会計法第二十九条の十一第五項の規定により、特に専門的な知識又は技能を必要とすることその他の理由により国の職員によつて監督又は検査を行なうことが困難であり又は適当でないと認められる場合においては、国の職員以外の者に委託して当該監督又は検査を行なわせることができる。

（検査調書の作成）

第百一条の九　契約担当官等、契約担当官等から検査を命ぜられた補助者及び各省各庁の長又はその委任を受けた職員から検査を命ぜられた職員は、検査を完了した場合においては、財務大臣の定める場合を除くほか、検査調書を作成しなければならない。

2　前項の規定により検査調書を作成すべき場合においては、当該検査調書に基づかなければ、支払をすることができない。

（部分払の限度額）

第百一条の十　契約により、工事若しくは製造その他についての請負契約に係る既済部分又は物件の買入契約に係る既納部分に対し、その完済前又は完納前に代価の一部を支払う必要がある場合における当該支払金額は、工事又は製造その他についての請負契約にあつてはその既済部分に対する代価の十分の九、物件の買入契約にあつてはその既納部分に対する代価をこえることができない。ただし、性質上可分の工事又は製造その他についての請負契約に係る完済部分にあつては、その代価の全額までを支払うことができる。

第七節　雑則

（競争に参加させないことができる者についての報告等）

第百二条　契約担当官等は、その取扱いに係る契約に関し、第七十一条の規定に該当すると認められる者があつたときは、財務大臣の定めるところにより、その事実を詳細に記載し、又は記録した書面により当該各省各庁の長に報告しなければならない。

2　各省各庁の長は、前項の報告を受けた場合において、その報告に係る者が第七十一条の規定に該当すると認めたときは、その事実を記載し、又は記録した書面を財務大臣に送付しなければならない。

3　財務大臣は、前項の書面の送付を受けたときは、これを取りまとめて関係の各省各庁の長に送付するものとする。

（長期継続契約ができるもの）

第百二条の二　契約担当官等は、会計法第二十九条の十二の規定により、翌年度以降にわたり、次に掲げる電気、ガス若しくは水又は電気通信役務について、その供給又は提供を受ける契約を締結することができる。

一　電気事業法第二条第一項第十七号に規定する電気事業者が供給する電気

二　ガス事業法第二条第十二項に規定するガス事業者が供給するガス

三　水道法第三条第五項に規定する水道事業者又は工業用水道事業法第二条第五項に規定する工業用水道事業者が供給する水

四　電気通信事業法（昭和五十九年法律第八十六号）第二条第五号に規定する電気通信事業者が提供する電気通信役務（財

務大臣の定めるものを除く。）

（競争参加者の資格等を定めようとする場合の財務大臣への協議）

第百二条の三　各省各庁の長は、第七十二条第一項の一般競争に参加する者に必要な資格、第八十五条の基準若しくは第九十五条第一項の指名競争に参加する者に必要な資格を定めようとするとき、又は同条第四項の規定による定めをしようとするときは、あらかじめ、財務大臣に協議しなければならない。この場合において、その定めようとする事項が競争に参加する者に必要な資格であるときは、当該協議は、その資格の基本となるべき事項についてあれば足りる。

（指名競争に付し又は随意契約によろうとする場合の財務大臣への協議）

第百二条の四　各省各庁の長は、契約担当官等が指名競争に付し又は随意契約によろうとする場合においては、あらかじめ、財務大臣に協議しなければならない。ただし、次に掲げる場合は、この限りでない。

一　契約の性質又は目的により競争に加わるべき者が少数で一般競争に付する必要がない場合において、指名競争に付そうとするとき。

二　一般競争に付することを不利と認めて指名競争に付そうとする場合において、その不利と認める理由が次のイからハまでの一に該当するとき。

イ　関係業者が通謀して一般競争の公正な執行を妨げることとなるおそれがあること。

ロ　特殊の構造の建築物等の工事若しくは製造又は特殊の品質の物件等の買入れであつて検査が著しく困難であること。

ハ　契約上の義務違反があるときは国の事業に著しく支障をきたすおそれがあること。

三　契約の性質若しくは目的が競争を許さない場合又は緊急の必要により競争に付することができない場合において、随意契約によろうとするとき。

四　競争に付することを不利と認めて随意契約によろうとする場合において、その不利と認める理由が次のイからニまでの一に該当するとき。

イ　現に契約履行中の工事、製造又は物品の買入れに直接関連する契約を現に履行中の契約者以外の者に履行させることが不利であること。

ロ　随意契約によるときは、時価に比べて著しく有利な価格をもつて契約をすることができる見込みがあること。

ハ　買入れを必要とする物品が多量であつて、分割して買い入れなければ売惜しみその他の理由により価格を騰貴させるおそれがあること。

ニ　急速に契約をしなければ、契約をする機会を失い、又は著しく不利な価格をもつて契約をしなければならないこととなるおそれがあること。

五　第九十四条第一項各号に掲げる場合において、指名競争に付そうとするとき。

六　第九十四条第二項の規定により、随意契約によることができる場合において、指名競争に付そうとするとき。

七　第九十九条第一号から第十八号まで、第九十九条の二又は第九十九条の三の規定により随意契約によろうとするとき。

（各省各庁の組織相互間の契約に準ずる行為）

第百二条の五　各省各庁の組織相互の間において行なう契約に準ずる行為については、契約の例により取り扱うものとする。ただし、次に掲げる行為は、行なわないことができる。

一　第七十二条第二項（第九十五条第二項において準用する場合を含む。）の規定による競争に参加する者に必要な資格の審査

二　入札保証金又は契約保証金の納付

三　契約書の作成

四　競争に付すること。

第九章　出納官吏

第二節　責任

（弁償責任の検定の請求）

第百十五条　会計法第四十三条第一項（同法第四十五条において準用する場合を含む。）の場合において、弁償を命ぜられた出納官吏又は出納員は、その責を免かれるべき理由があると信ずるときは、その理由を明らかにする書類及び計算書を作製し、証拠書類を添え、各省各庁の長を経由してこれを会計検査院に送付し、その検定を求めることができる。

②　各省各庁の長は、前項の場合においても、その命じた弁償を猶予しない。

（現金の亡失の通知）

第百十五条の二　各省各庁の長は、出納官吏がその保管に係る現金を亡失した場合には、会計検査院又は財務大臣の定めるところにより、その旨をそれぞれ会計検査院又は財務大臣に通知しなければならない。

第十一章　雑則

（都道府県が行う国の会計事務）

第百四十条　会計法第四十八条第一項の規定により都道府県知事又は知事の指定する職員が行うこととすることができる国の歳出に関する事務は、歳出金の支出に関する事務のうち支出の決定の事務とする。

②　各省各庁の長は、会計法第四十八条第一項の規定により国の歳入の徴収及び歳出の支出に関する事務を都道府県の知事又は知事の指定する職員が行うこととなる事務として定める場合には、当該知事又は知事の指定する職員が行うこととなる事務の範囲について、あらかじめ財務大臣に協議しなければならない。

③　各省各庁の長は、会計法第四十八条第一項の規定により国の歳入、歳出、歳入歳出外現金、支出負担行為、支出負担行為の確認又は認証、契約（支出負担行為に係るものを除く。）、繰越しの手続及び繰越明許費に係る翌年度にわたる債務の負担の手続に関する事務を都道府県の知事又は知事の指定する職員が行うこととなる事務として定める場合には、当該知事又は知事の指定する職員が行うこととなる事務の範囲を明らかにして、当該知事又は知事の指定する職員がこれらの事務を行うこととなることについて、あらかじめ当該知事の同意を求めなければならない。

④　都道府県の知事は、各省各庁の長から前項の規定により同意を求められた場合には、その内容について同意をするかどうかを決定し、同意をするときは、知事が自ら行う場合を除き、事

務を行う職員を指定するものとする。この場合において、当該知事は、都道府県に置かれた職を指定することにより、その職にある者に事務を取り扱わせることができる。

⑤　前項の場合において、都道府県の知事は、同意をする決定をしたときは同意をする旨及び事務を行う者（同項後段の規定により都道府県に置かれた職を指定した場合においてはその職）を、同意をしない決定をしたときは同意をしない旨を各省各庁の長に通知するものとする。

⑥　各省各庁の長は、前項の通知（国の歳入の徴収、歳出の支出、繰越しの手続及び繰越明許費に係る翌年度にわたる債務の負担の手続に関する事務に係るものに限る。）があつたときは、その通知の内容について財務大臣に通知するものとし、財務大臣は、当該通知（都道府県の知事が同意をする決定をしたもので、繰越しの手続及び繰越明許費に係る翌年度にわたる債務の負担の手続に関する事務に係るものに限る。）があつたときは、その通知の内容について関係の財務局長又は福岡財務支局長に通知するものとする。

○政府契約の支払遅延防止等に関する法律

昭二四・一二・一二
法　二　五　六

最終改正　令元・五・三一法一六

（目的）

第一条　この法律は、政府契約の支払遅延防止等その公正化をはかるとともに、国の会計経理事務処理の能率化を促進し、もつて国民経済の健全な運行に資することを目的とする。

（定義）

第二条　この法律において「政府契約」とは、国を当事者の一方とする契約で、国以外の者のなす工事の完成若しくは作業その他の役務の給付又は物件の納入に対し国が対価の支払をなすべきものをいう。

（政府契約の原則）

第三条　政府契約の当事者は、各々の対等な立場における合意に基いて公正な契約を締結し、信義に従つて誠実にこれを履行しなければならない。

（政府契約の必要的内容事項）

第四条　政府契約の当事者は、前条の趣旨に従い、その契約の締結に際しては、給付の内容、対価の額、給付の完了の時期その他必要な事項のほか、次に掲げる事項を書面（電磁的記録（電子的方式、磁気的方式その他人の知覚によつては認識することができない方式で作られる記録であつて、電子計算機による情報処理の用に供されるものをいう。以下この条において同じ。）（財務省令で定めるものに限る。）を含む。第十条において同じ。）により明らかにしなければならない。ただし、他の法令により契約書（その作成に代えて電磁的記録の作成がされている場合における当該電磁的記録を含む。）の作成を省略することができるものについては、この限りでない。

一　契約の目的たる給付の完了の確認又は検査の時期

二　対価の支払の時期

三　各当事者の履行の遅滞その他債務の不履行の場合における遅延利息、違約金その他の損害金

四　契約に関する紛争の解決方法

（給付の完了の確認又は検査の時期）

第五条　前条第一号の時期は、国が相手方から給付を終了した旨の通知を受けた日から工事については十四日、その他の給付については十日以内の日としなければならない。

2　国が相手方のなした給付を検査しその給付の内容の全部又は一部が契約に違反し又は不当であることを発見したときは、国は、その是正又は改善を求めることができる。この場合においては、前項の時期は、国が相手方から是正又は改善した給付を終了した旨の通知を受けた日から前項の規定により約定した期間以内の日とする。

（支払の時期）

第六条　第四条第二号の時期は、国が給付の完了の確認又は検査を終了した後相手方から適法な支払請求を受けた日から工事代金については四十日、その他の給付に対する対価については三十日（以下この規定又は第七条の規定により約定した期間を「約定期間」という。）以内の日としなければならない。

2　国が相手方の支払請求を受けた後、その請求の内容の全部又は一部が不当であることを発見したときは、国は、その事由を明示してその請求を拒否する旨を相手方に通知するものとする。この場合において、その請求の内容の不当が軽微な過失によるときにあつては、当該請求の拒否を通知した日から国が相手方の不当な内容を改めた支払請求を受けた日までの期間は、約定期間に算入しないものとし、その請求の内容の不当が相手方の故意又は重大な過失によるときにあつては、適法な支払請求があつたものとしないものとする。

（時期の定の特例）

第七条　契約の性質上前二条の規定によることが著しく困難な特殊の内容を有するものについては、当事者の合意により特別の期間の定をすることができる。但し、その期間は、前二条の最長期間に一・五を乗じた日数以内の日としなければならない。

（支払遅延に対する遅延利息の額）

第八条　国が約定の支払時期までに対価を支払わない場合の遅延

利息の額は、約定の支払時期到来の日の翌日から支払をする日までの日数に応じ、当該未支払金額に対し財務大臣が銀行の一般貸付利率を勘案して決定する率を乗じて計算した金額を下るものであつてはならない。但し、その約定の支払時期までに支払をしないことが天災地変等やむを得ない事由に因る場合は、特に定めない限り、当該事由の継続する期間は、約定期間に算入せず、又は遅延利息を支払う日数に計算しないものとする。

2　前項の規定により計算した遅延利息の額が百円未満であるときは、遅延利息を支払うことを要せず、その額に百円未満の端数があるときは、その端数を切り捨てるものとする。

（完了の確認又は検査の遅延）

第九条　国が約定の時期までに給付の完了の確認又は検査をしないときは、その時期を経過した日から完了の確認又は検査をした日までの期間の日数は、約定期間の日数から差し引くものとし、又当該遅延期間が約定期間の日数を越える場合には、約定期間は満了したものとみなし、国は、その越える日数に応じ前条の計算の例に準じ支払遅延に関し約定した利率をもつて計算した金額を相手方に対し支払わなければならない。

（定をしなかつた場合）

第十条　政府契約の当事者が第四条ただし書の規定により、同条第一号から第三号までに掲げる事項を書面により明らかにしないときは、同条第一号の時期は、相手方が給付を終了し国がその旨の通知を受けた日から十日以内の日、同条第二号の時期は、相手方が支払請求をした日から十五日以内の日と定めたものとみなし、同条第三号中国が支払時期までに対価を支払わない場合の遅延利息の額は、第八条の計算の例に準じ同条第一項の財務大臣の決定する率をもつて計算した金額と定めたものとみなす。政府契約の当事者が第四条ただし書の場合を除き同条第一号から第三号までに掲げる事項を書面により明らかにしないときも同様とする。

（国の過払額に対する利息の加算）

第十一条　国が前金払又は概算払をなした場合においてその支払済金額が支払確定金額を超過し当該契約の相手方がその超過額を返納告知のあつた期限までに返納しないときは、その相手方は、その期限の翌日からこれを国に返納する日までの期間に応じ、当該未返納金額に対し第八条第一項に定める率と同じ率を乗じて計算した金額を加算して国に返納しなければならない。

（電磁的方法による手続）

第十一条の二　第五条、第六条及び第十条の規定に基づき相手方が行う通知又は請求が電磁的方法（電子情報処理組織を使用する方法その他の情報通信の技術を利用する方法であつて財務省令で定めるものをいう。次項において同じ。）により行われたときは、国の使用に係る電子計算機に備えられたファイルへの記録がされた時に国に到達したものとみなす。

2　第六条第二項の規定に基づき国が行う通知が電磁的方法により行われたときは、相手方の使用に係る電子計算機に備えられたファイルへの記録がされた時に当該相手方に到達したものとみなす。

（財務大臣の監督）

第十二条　財務大臣は、この法律の適正な実施を確保し政府契約に基く支払の遅延を防止するため、各省各庁（財政法（昭和二十二年法律第三十四号）第二十一条に規定する各省各庁をいう。）及び公団に対し支払の状況について報告を徴し、実地監査を行い、又は必要に応じ、閣議の決定を経て支払について必要な指示をすることができる。

2　財務大臣は、前項の目的をもつて政府契約の相手方に対して支払の状況について報告させ、又は必要に応じ実地調査をすることができる。

（懲戒処分）

第十三条　国の会計事務を処理する職員が故意又は過失により国の支払を著しく遅延させたと認めるときは、その職員の任命権者は、その職員に対し懲戒処分をしなければならない。

2　会計検査院は、検査の結果国の会計事務を処理する職員が故意又は過失により国の支払を著しく遅延させたと認める事件でその職員の任命権者がその職員を前項の規定により処分していないものを発見したときは、その任命権者に当該職員の懲戒処分を要求しなければならない。

（この法律の準用）

第十四条　この法律（第十二条及び前条第二項を除く。）の規定は、地方公共団体のなす契約に準用する。

附　則（抄）

1　この法律は、公布の日から施行する。

2　政府契約でこの法律施行前において国が相手方から給付を終了した旨の通知を受け、なお完了の確認又は検査をしないものがあるとき、又は相手方から適法な支払請求書を受理し、なお支払をしないものがあるときは、第四条第一号及び第二号に掲げる時期は、この法律施行の日からそれぞれ第五条及び第六条の最長期間以内の日と定めたものとみなし、支払遅延に対する遅延利息の率について第八条第一項の率を下るものがあるときは、その率と定めたものとみなす。但し、第七条の規定により、その制限内で特別の期間の定をすることを妨げない。

3　国が支払確定金額を超過する支払をなしたものでこの法律施行前に返納告知に指定した期限が経過し、なお相手方が返納しないものがあるときは、その相手方は、この法律施行の日から第十一条の規定により計算した金額を加算して国に返納しなければならない。

○補助金等に係る予算の執行の適正化に関する法律

昭三〇・八・二七
法　一　七　九

最終改正　令四・六・一七法六八

目次〔略〕

第一章　総則

（この法律の目的）

第一条　この法律は、補助金等の交付の申請、決定等に関する事項その他補助金等に係る予算の執行に関する基本的事項を規定することにより、補助金等の交付の不正な申請及び補助金等の不正な使用の防止その他補助金等に係る予算の執行並びに補助金等の交付の決定の適正化を図ることを目的とする。

（定義）

第二条　この法律において「補助金等」とは、国が国以外の者に対して交付する次に掲げるものをいう。

一　補助金

二　負担金（国際条約に基く分担金を除く。）

三　利子補給金

四　その他相当の反対給付を受けない給付金であつて政令で定めるもの

2　この法律において「補助事業等」とは、補助金等の交付の対象となる事務又は事業をいう。

3　この法律において「補助事業者等」とは、補助事業等を行う者をいう。

4　この法律において「間接補助金等」とは、次に掲げるものをいう。

一　国以外の者が相当の反対給付を受けないで交付する給付金で、補助金等を直接又は間接にその財源の全部又は一部とし、かつ、当該補助金等の交付の目的に従つて交付するもの

二　利子補給金又は利子の軽減を目的とする前号の給付金の交付を受ける者が、その交付の目的に従い、利子を軽減して融通する資金

5　この法律において「間接補助事業等」とは、前項第一号の給付金の交付又は同項第二号の資金の融通の対象となる事務又は事業をいう。

6　この法律において「間接補助事業者等」とは、間接補助事業等を行う者をいう。

7　この法律において「各省各庁」とは、財政法（昭和二十二年法律第三十四号）第二十一条に規定する各省各庁をいい、「各省各庁の長」とは、同法第二十条第二項に規定する各省各庁の長をいう。

（関係者の責務）

第三条　各省各庁の長は、その所掌の補助金等に係る予算の執行に当つては、補助金等が国民から徴収された税金その他の貴重な財源でまかなわれるものであることに特に留意し、補助金等が法令及び予算で定めるところに従つて公正かつ効率的に使用されるように努めなければならない。

2　補助事業者等及び間接補助事業者等は、補助金等が国民から徴収された税金その他の貴重な財源でまかなわれるものであることに留意し、法令の定及び補助金等の交付の目的又は間接補助金等の交付若しくは融通の目的に従つて誠実に補助事業等又は間接補助事業等を行うように努めなければならない。

（他の法令との関係）

第四条　補助金等に関しては、他の法律又はこれに基く命令若しくはこれを実施するための命令に特別の定のあるものを除くほか、この法律の定めるところによる。

第二章　補助金等の交付の申請及び決定

（補助金等の交付の申請）

第五条　補助金等の交付の申請（契約の申込を含む。以下同じ。）をしようとする者は、政令で定めるところにより、補助事業等の目的及び内容、補助事業等に要する経費その他必要な事項を記載した申請書に各省各庁の長が定める書類を添え、各省各庁の長に対しその定める時期までに提出しなければならない。

（補助金等の交付の決定）

第六条　各省各庁の長は、補助金等の交付の申請があつたときは、当該申請に係る書類等の審査及び必要に応じて行う現地調査等により、当該申請に係る補助金等の交付が法令及び予算で定めるところに違反しないかどうか、補助事業等の目的及び内容が適正であるかどうか、金額の算定に誤がないかどうか等を調査し、補助金等を交付すべきものと認めたときは、すみやかに補助金等の交付の決定（契約の承諾の決定を含む。以下同じ。）をしなければならない。

2　各省各庁の長は、補助金等の交付の申請が到達してから当該申請に係る補助金等の交付の決定をするまでに通常要すべき標準的な期間（法令により当該各省各庁の長と異なる機関が当該申請の提出先とされている場合は、併せて、当該申請が当該提出先とされている機関の事務所に到達してから当該各省各庁の長に到達するまでに通常要すべき標準的な期間）を定め、かつ、これを公表するよう努めなければならない。

3　各省各庁の長は、第一項の場合において、適正な交付を行うため必要があるときは、補助金等の交付の申請に係る事項につき修正を加えて補助金等の交付の決定をすることができる。

4　前項の規定により補助金等の交付の申請に係る事項につき修正を加えてその交付の決定をするに当つては、その申請に係る当該補助事業等の遂行を不当に困難とさせないようにしなければならない。

（補助金等の交付の条件）

第七条　各省各庁の長は、補助金等の交付の決定をする場合において、法令及び予算で定める補助金等の交付の目的を達成するため必要があるときは、次に掲げる事項につき条件を附するものとする。

一　補助事業等に要する経費の配分の変更（各省各庁の長の定める軽微な変更を除く。）をする場合においては、各省各庁の長の承認を受けるべきこと。

二　補助事業等を行うため締結する契約に関する事項その他補助事業等に要する経費の使用方法に関する事項

三　補助事業等の内容の変更（各省各庁の長の定める軽微な変更を除く。）をする場合においては、各省各庁の長の承認を受けるべきこと。

四　補助事業等を中止し、又は廃止する場合においては、各省各庁の長の承認を受けるべきこと。

五　補助事業等が予定の期間内に完了しない場合又は補助事業等の遂行が困難となつた場合においては、すみやかに各省各庁の長に報告してその指示を受けるべきこと。

2　各省各庁の長は、補助事業等の完了により当該補助事業者等に相当の収益が生ずると認められる場合においては、当該補助金等の交付の目的に反しない場合に限り、その交付した補助金等の全部又は一部に相当する金額を国に納付すべき旨の条件を附することができる。

3　前二項の規定は、これらの規定に定める条件のほか、各省各庁の長が法令及び予算で定める補助金等の交付の目的を達成するため必要な条件を附することを妨げるものではない。

4　補助金等の交付の決定に附する条件は、公正なものでなければならず、いやしくも補助金等の交付の目的を達成するため必要な限度をこえて不当に補助事業者等に対し干渉をするようなものであつてはならない。

（決定の通知）

第八条　各省各庁の長は、補助金等の交付の決定をしたときは、すみやかにその決定の内容及びこれに条件を附した場合にはその条件を補助金等の交付の申請をした者に通知しなければならない。

（申請の取下げ）

第九条　補助金等の交付の申請をした者は、前条の規定による通知を受領した場合において、当該通知に係る補助金等の交付の決定の内容又はこれに附された条件に不服があるときは、各省各庁の長の定める期日までに、申請の取下げをすることができる。

2　前項の規定による申請の取下げがあつたときは、当該申請に係る補助金等の交付の決定は、なかつたものとみなす。

（事情変更による決定の取消等）

第十条　各省各庁の長は、補助金等の交付の決定をした場合において、その後の事情の変更により特別の必要が生じたときは、補助金等の交付の決定の全部若しくは一部を取り消し、又はその決定の内容若しくはこれに附した条件を変更することができる。ただし、補助事業等のうちすでに経過した期間に係る部分については、この限りでない。

2　各省各庁の長が前項の規定により補助金等の交付の決定を取り消すことができる場合は、天災地変その他補助金等の交付の決定後生じた事情の変更により補助事業等の全部又は一部を継続する必要がなくなつた場合その他政令で定める特に必要な場合に限る。

3　各省各庁の長は、第一項の規定による補助金等の交付の決定の取消により特別に必要となつた事務又は事業に対しては、政令で定めるところにより、補助金等を交付するものとする。

4　第八条の規定は、第一項の処分をした場合について準用する。

第三章　補助事業等の遂行等

（補助事業等及び間接補助事業等の遂行）

第十一条　補助事業者等は、法令の定並びに補助金等の交付の決定の内容及びこれに附した条件その他法令に基く各省各庁の長の処分に従い、善良な管理者の注意をもつて補助事業等を行わなければならず、いやしくも補助金等の他の用途への使用（利子補給金にあつては、その交付の目的となつている融資又は利子の軽減をしないことにより、補助金等の交付の目的に反してその交付を受けたことになることをいう。以下同じ。）をしてはならない。

2　間接補助事業者等は、法令の定及び間接補助金等の交付又は融通の目的に従い、善良な管理者の注意をもつて間接補助事業等を行わなければならず、いやしくも間接補助金等の他の用途への使用（利子の軽減を目的とする第二条第四項第一号の給付金にあつては、その交付の目的となつている融資又は利子の軽減をしないことにより間接補助金等の交付の目的に反してその交付を受けたことになることをいい、同項第二号の資金にあつては、その融通の目的に従つて使用しないことにより不当に利子の軽減を受けたことになることをいう。以下同じ。）をしてはならない。

（状況報告）

第十二条　補助事業者等は、各省各庁の長の定めるところにより、補助事業等の遂行の状況に関し、各省各庁の長に報告しなければならない。

（補助事業等の遂行等の命令）

第十三条　各省各庁の長は、補助事業者等が提出する報告等により、その者の補助事業等が補助金等の交付の決定の内容又はこれに附した条件に従つて遂行されていないと認めるときは、その者に対し、これらに従つて当該補助事業等を遂行すべきことを命ずることができる。

2　各省各庁の長は、補助事業者等が前項の命令に違反したときは、その者に対し、当該補助事業等の遂行の一時停止を命ずることができる。

（実績報告）

第十四条　補助事業者等は、各省各庁の長の定めるところにより、補助事業等が完了したとき（補助事業等の廃止の承認を受けたときを含む。）は、補助事業等の成果を記載した補助事業等実績報告書に各省各庁の長の定める書類を添えて各省各庁の長に報告しなければならない。補助金等の交付の決定に係る国の会計年度が終了した場合も、また同様とする。

（補助金等の額の確定等）

第十五条　各省各庁の長は、補助事業等の完了又は廃止に係る補助事業等の成果の報告を受けた場合においては、報告書等の書類の審査及び必要に応じて行う現地調査等により、その報告に係る補助事業等の成果が補助金等の交付の決定の内容及びこれに附した条件に適合するものであるかどうかを調査し、適合すると認めたときは、交付すべき補助金等の額を確定し、当該補助事業者等に通知しなければならない。

（是正のための措置）

第十六条　各省各庁の長は、補助事業等の完了又は廃止に係る補助事業等の成果の報告を受けた場合において、その報告に係る補助事業等の成果が補助金等の交付の決定の内容及びこれに附した条件に適合しないと認めるときは、当該補助事業等につき、これに適合させるための措置をとるべきことを当該補助事業者等に対して命ずることができる。

２　第十四条の規定は、前項の規定による命令に従つて行う補助事業等について準用する。

第四章　補助金等の返還等

（決定の取消）

第十七条　各省各庁の長は、補助事業者等が、補助金等の他の用途への使用をし、その他補助事業等に関して補助金等の交付の決定の内容又はこれに附した条件その他法令又はこれに基く各省各庁の長の処分に違反したときは、補助金等の交付の決定の全部又は一部を取り消すことができる。

２　各省各庁の長は、間接補助事業者等が、間接補助金等の他の用途への使用をし、その他間接補助事業等に関して法令に違反したときは、補助事業者等に対し、当該間接補助金等に係る補助金等の交付の決定の全部又は一部を取り消すことができる。

３　前二項の規定は、補助事業等について交付すべき補助金等の額の確定があつた後においても適用があるものとする。

４　第八条の規定は、第一項又は第二項の規定による取消をした場合について準用する。

（補助金等の返還）

第十八条　各省各庁の長は、補助金等の交付の決定を取り消した場合において、補助事業等の当該取消に係る部分に関し、すでに補助金等が交付されているときは、期限を定めて、その返還を命じなければならない。

２　各省各庁の長は、補助事業者等に交付すべき補助金等の額を確定した場合において、すでにその額をこえる補助金等が交付されているときは、期限を定めて、その返還を命じなければならない。

３　各省各庁の長は、第一項の返還の命令に係る補助金等の交付の決定の取消が前条第二項の規定によるものである場合において、やむを得ない事情があると認めるときは、政令で定めるところにより、返還の期限を延長し、又は返還の命令の全部若しくは一部を取り消すことができる。

（加算金及び延滞金）

第十九条　補助事業者等は、第十七条第一項の規定又はこれに準ずる他の法律の規定による処分に関し、補助金等の返還を命ぜられたときは、政令で定めるところにより、その命令に係る補助金等の受領の日から納付の日までの日数に応じ、当該補助金等の額（その一部を納付した場合におけるその後の期間については、既納額を控除した額）につき年十・九五パーセントの割合で計算した加算金を国に納付しなければならない。

２　補助事業者等は、補助金等の返還を命ぜられ、これを納期日までに納付しなかつたときは、政令で定めるところにより、納期日の翌日から納付の日までの日数に応じ、その未納付額につき年十・九五パーセントの割合で計算した延滞金を国に納付しなければならない。

３　各省各庁の長は、前二項の場合において、やむを得ない事情があると認めるときは、政令で定めるところにより、加算金又は延滞金の全部又は一部を免除することができる。

（他の補助金等の一時停止等）

第二十条　各省各庁の長は、補助事業者等が補助金等の返還を命ぜられ、当該補助金等、加算金又は延滞金の全部又は一部を納付しない場合において、その者に対して、同種の事務又は事業について交付すべき補助金等があるときは、相当の限度においてその交付を一時停止し、又は当該補助金等と未納付額とを相殺することができる。

（徴収）

第二十一条　各省各庁の長が返還を命じた補助金等又はこれに係る加算金若しくは延滞金は、国税滞納処分の例により、徴収することができる。

２　前項の補助金等又は加算金若しくは延滞金の先取特権の順位は、国税及び地方税に次ぐものとする。

第五章　雑則

（理由の提示）

第二十一条の二　各省各庁の長は、補助金等の交付の決定の取消し、補助事業等の遂行若しくは一時停止の命令又は補助事業等の是正のための措置の命令をするときは、当該補助事業者等に対してその理由を示さなければならない。

（財産の処分の制限）

第二十二条　補助事業者等は、補助事業等により取得し、又は効用の増加した政令で定める財産を、各省各庁の長の承認を受けないで、補助金等の交付の目的に反して使用し、譲渡し、交換し、貸し付け、又は担保に供してはならない。ただし、政令で定める場合は、この限りでない。

（立入検査等）

第二十三条　各省各庁の長は、補助金等に係る予算の執行の適正を期するため必要があるときは、補助事業者等若しくは間接補助事業者等に対して報告をさせ、又は当該職員にその事務所、事業場等に立ち入り、帳簿書類その他の物件を検査させ、若しくは関係者に質問させることができる。

２　前項の職員は、その身分を示す証票を携帯し、関係者の要求があるときは、これを提示しなければならない。

３　第一項の規定による権限は、犯罪捜査のために認められたものと解してはならない。

（不当干渉等の防止）

第二十四条　補助金等の交付に関する事務その他補助金等に係る予算の執行に関する事務に従事する国又は都道府県の職員は、当該事務を不当に遅延させ、又は補助金等の交付の目的を達成するため必要な限度をこえて不当に補助事業者等若しくは間接補助事業者等に対して干渉してはならない。

（行政手続法の適用除外）

第二十四条の二　補助金等の交付に関する各省各庁の長の処分については、行政手続法（平成五年法律第八十八号）第二章及び第三章の規定は、適用しない。

（不服の申出）

第二十五条　補助金等の交付の決定、補助金等の交付の決定の取消、補助金等の返還の命令その他補助金等の交付に関する各省各庁の長の処分に対して不服のある地方公共団体（港湾法（昭和二十五年法律第二百十八号）に基く港務局を含む。以下同じ。）は、政令で定めるところにより、各省各庁の長に対して不服を申し出ることができる。

２　各省各庁の長は、前項の規定による不服の申出があつたときは、不服を申し出た者に意見を述べる機会を与えた上、必要な措置をとり、その旨を不服を申し出た者に対して通知しなければならない。

3 前項の措置に不服のある者は、内閣に対して意見を申し出ることができる。

（事務の実施）

第二十六条 各省各庁の長は、政令で定めるところにより、補助金等の交付に関する事務の一部を各省各庁の機関に委任することができる。

2 国は、政令で定めるところにより、補助金等の交付に関する事務の一部を都道府県が行うこととすることができる。

3 前項の規定により都道府県が行うこととされる事務は、地方自治法（昭和二十二年法律第六十七号）第二条第九項第一号に規定する第一号法定受託事務とする。

（電磁的記録による作成）

第二十六条の二 この法律又はこの法律に基づく命令の規定により作成することとされている申請書等（申請書、書類その他文字、図形その他の人の知覚によつて認識することができる情報が記載された紙その他の有体物をいう。次条において同じ。）については、当該申請書等に記載すべき事項を記録した電磁的記録（電子的方式、磁気的方式その他人の知覚によつては認識することができない方式で作られる記録であつて、電子計算機による情報処理の用に供されるものとして各省各庁の長が定めるものをいう。同条第一項において同じ。）の作成をもつて、当該申請書等の作成に代えることができる。この場合において、当該電磁的記録は、当該申請書等とみなす。

（電磁的方法による提出）

第二十六条の三 この法律又はこの法律に基づく命令の規定による申請書等の提出については、当該申請書等が電磁的記録で作成されている場合には、電磁的方法（電子情報処理組織を使用する方法その他の情報通信の技術を利用する方法であつて各省各庁の長が定めるものをいう。次項において同じ。）をもつて行うことができる。

2 前項の規定により申請書等の提出が電磁的方法によつて行われたときは、当該申請書等の提出を受けるべき者の使用に係る電子計算機に備えられたファイルへの記録がされた時に当該提出を受けるべき者に到達したものとみなす。

（適用除外）

第二十七条 他の法律又はこれに基く命令若しくはこれを実施するための命令に基き交付する補助金等に関しては、政令で定めるところにより、この法律の一部を適用しないことができる。

（政令への委任）

第二十八条 この法律に定めるもののほか、この法律の施行に関し必要な事項は、政令で定める。

第六章　罰則

第二十九条 偽りその他不正の手段により補助金等の交付を受け、又は間接補助金等の交付若しくは融通を受けた者は、五年以下の懲役若しくは百万円以下の罰金に処し、又はこれを併科する。

2 前項の場合において、情を知つて交付又は融通をした者も、また同項と同様とする。

第三十条 第十一条の規定に違反して補助金等の他の用途への使用又は間接補助金等の他の用途への使用をした者は、三年以下の懲役若しくは五十万円以下の罰金に処し、又はこれを併科する。

第三十一条 次の各号の一に該当する者は、三万円以下の罰金に処する。

一 第十三条第二項の規定による命令に違反した者

二 法令に違反して補助事業等の成果の報告をしなかつた者

三 第二十三条の規定による報告をせず、若しくは虚偽の報告をし、検査を拒み、妨げ、若しくは忌避し、又は質問に対して答弁せず、若しくは虚偽の答弁をした者

第三十二条 法人（法人でない団体で代表者又は管理人の定のあるものを含む。以下この項において同じ。）の代表者又は法人若しくは人の代理人、使用人その他の従業者が、その法人又は人の業務に関し、前三条の違反行為をしたときは、その行為者を罰するほか、当該法人又は人に対し各本条の罰金刑を科する。

2 前項の規定により法人でない団体を処罰する場合においては、その代表者又は管理人が訴訟行為につきその団体を代表するほか、法人を被告人とする場合の刑事訴訟に関する法律の規定を準用する。

第三十三条 前条の規定は、国又は地方公共団体には、適用しない。

2 国又は地方公共団体において第二十九条から第三十一条までの違反行為があつたときは、その行為をした各省各庁の長その他の職員又は地方公共団体の長その他の職員に対し、各本条の刑を科する。

附　則（抄）

1 この法律は、公布の日から起算して三十日を経過した日から施行する。ただし、昭和二十九年度分以前の予算により支出された補助金等及びこれに係る間接補助金等に関しては、適用しない。

2 この法律の施行前に補助金等が交付され、又は補助金等の交付の意思が表示されている事務又は事業に関しては、政令でこの法律の特例を設けることができる。

㊟　次の法律の第一八四条により補助金等に係る予算の執行の適正化に関する法律が改正されたが、刑法等一部改正法施行日〔令七・六・一〕から施行となるため、一部改正法の形式で掲載した。

○刑法等の一部を改正する法律の施行に伴う関係法律の整理等に関する法律

令四・六・一七
法　六八

（印紙犯罪処罰法等の一部改正）
第百八十四条　次に掲げる法律の規定中「懲役」を「拘禁刑」に改める。
一～五　〔略〕
六　補助金等に係る予算の執行の適正化に関する法律（昭和三十年法律第百七十九号）第二十九条第一項及び第三十条
七～三十三　〔略〕

附　則（抄）

（施行期日）
1　この法律は、刑法等一部改正法施行日〔令七・六・一〕から施行する。〔ただし書略〕

○補助金等に係る予算の執行の適正化に関する法律施行令

昭三〇・九・二六
政令　二五五

最終改正　令六・三・二九政令一〇四

（定義）
第一条　この政令において「補助金等」、「補助事業等」、「補助事業者等」、「間接補助金等」、「間接補助事業等」、「間接補助事業者等」、「各省各庁」又は「各省各庁の長」とは、補助金等に係る予算の執行の適正化に関する法律（日本中央競馬会法（昭和二十九年法律第二百五号）第二十条の二、国立研究開発法人情報通信研究機構法（平成十一年法律第百六十二号）第十九条（同法附則第八条第二項の規定により読み替えられる場合を含む。）、独立行政法人エネルギー・金属鉱物資源機構法（平成十四年法律第九十四号）第十二条の二、独立行政法人農畜産業振興機構法（平成十四年法律第百二十六号）第十七条（肉用子牛生産安定等特別措置法（昭和六十三年法律第九十八号）第十五条の二の規定により読み替えられる場合を含む。）、独立行政法人国際協力機構法（平成十四年法律第百三十六号）第三十七条、独立行政法人国際交流基金法（平成十四年法律第百三十七号）第十三条、国立研究開発法人新エネルギー・産業技術総合開発機構法（平成十四年法律第百四十五号）第十八条、独立行政法人中小企業基盤整備機構法（平成十四年法律第百四十七号）第十六条（同法附則第十四条の規定により読み替えられる場合を含む。）、独立行政法人日本学術振興会法（平成十四年法律第百五十九号）第十七条第二項及び附則第二条の六、国立研究開発法人宇宙航空研究開発機構法（平成十四年法律第百六十一号）第二十四条、独立行政法人日本スポーツ振興センター法（平成十四年法律第百六十二号）第二十八条、独立行政法人日本芸術文化振興会法（平成十四年法律第百六十三号）第十七条、独立行政法人福祉医療機構法（平成十四年法律第百六十六号）第十三条、独立行政法人鉄道建設・運輸施設整備支援機構法（平成十四年法律第百八十号）第二十三条、独立行政法人環境再生保全機構法（平成十五年法律第四十三号）第十一条、独立行政法人日本学生支援機構法（平成十五年法律第九十四号）第二十四条、独立行政法人大学改革支援・学位授与機構法（平成十五年法律第百十四号）第二十二条、国立研究開発法人医薬基盤・健康・栄養研究所法（平成十六年法律第百三十五号）第十六条並びに国立研究開発法人日本医療研究開発機構法（平成二十六年法律第四十九号）第十七条の三において準用する場合を含む。以下「法」という。）第二条に規定する補助金等、補助事業等、補助事業者等、間接補助金等、間接補助事業等、間接補助事業者等、各省各庁又は各省各庁の長をいう。

（補助金等とする給付金の指定）
第二条　法第二条第一項第四号に規定する給付金で政令で定めるものは、次に掲げるもの（第五十八号から第二百号までにあつては、当該各号に掲げる予算の目又はこれに準ずるものの経費の支出によるもの）とする。
一　児童福祉法（昭和二十二年法律第百六十四号）第五十六条の四の三第二項に規定する交付金
二　農業保険法（昭和二十二年法律第百八十五号）第十八条及び附則第三条第一項に規定する交付金
三　農業改良助長法（昭和二十三年法律第百六十五号）第六条第一項に規定する協同農業普及事業交付金
四　漁業法（昭和二十四年法律第二百六十七号）第百五十九条第一項（同法第百七十三条において準用する場合を含む。）に規定する交付金
五　電波法（昭和二十五年法律第百三十一号）第七十一条の三第九項の規定による交付金
六　植物防疫法（昭和二十五年法律第百五十一号）第三十五条第一項に規定する交付金
七　旧令による共済組合等からの年金受給者のための特別措置法（昭和二十五年法律第二百五十六号）第七条又は第十一条の規定による交付金
八　社会福祉法（昭和二十六年法律第四十五号）第百六条の八

に規定する交付金
九　農業委員会等に関する法律（昭和二十六年法律第八十八号）第二条第一項に規定する交付金
十　公共土木施設災害復旧事業費国庫負担法（昭和二十六年法律第九十七号）第十三条第二項の規定による交付金
十一　森林法（昭和二十六年法律第二百四十九号）第百九十五条第一項に規定する交付金
十二　離島振興法（昭和二十八年法律第七十二号）第七条の三第二項に規定する交付金
十三　特別支援学校への就学奨励に関する法律（昭和二十九年法律第百四十四号）第二条第四項の規定による給付金
十四　奄美群島振興開発特別措置法（昭和二十九年法律第百八十九号）第九条第二項に規定する交付金
十五　義務教育諸学校等の施設費の国庫負担等に関する法律（昭和三十三年法律第八十一号）第十二条第一項に規定する交付金
十六　国民健康保険法（昭和三十三年法律第百九十二号）第七十二条の規定による交付金
十七　激甚災害に対処するための特別の財政援助等に関する法律（昭和三十七年法律第百五十号）第三条第一項及び第四条第五項の規定による交付金
十八　漁船損害補償法の一部を改正する法律（昭和四十一年法律第四十六号）附則第五項、漁船損害補償法の一部を改正する法律（昭和四十八年法律第五十五号）附則第三項及び漁船損害等補償法の一部を改正する法律（平成十一年法律第四十六号）附則第五条に規定する交付金
十九　石炭鉱業の構造調整の推進等の石炭対策の総合的な実施のための関係法律の整備等に関する法律（平成四年法律第二十三号）附則第五条第一項の規定によりなおその効力を有するものとされる同法第八条の規定による廃止前の石炭鉱業再建整備臨時措置法（昭和四十二年法律第四十九号）第十条第一項の規定による損失補償金
二十　職業能力開発促進法（昭和四十四年法律第六十四号）第九十五条第一項に規定する交付金
二十一　公害健康被害の補償等に関する法律（昭和四十八年法律第百十一号）第五十条の規定による交付金
二十二　発電用施設周辺地域整備法（昭和四十九年法律第七十八号）第七条（同法第十条第四項において準用する場合を含む。）に規定する交付金
二十三　防衛施設周辺の生活環境の整備等に関する法律（昭和四十九年法律第百一号）第九条第二項に規定する特定防衛施設周辺整備調整交付金
二十四　高齢者の医療の確保に関する法律（昭和五十七年法律第八十号）第九十三条第三項、第九十五条第一項及び附則第五条の規定による交付金
二十五　港湾労働法（昭和六十三年法律第四十号）第三十五条の規定による交付金
二十六　介護労働者の雇用管理の改善等に関する法律（平成四年法律第六十三号）第二十三条の規定による交付金
二十七　特定先端大型研究施設の共用の促進に関する法律（平成六年法律第七十八号）第二十一条の規定による交付金
二十八　介護保険法（平成九年法律第百二十三号）第百二十二条第一項、第百二十二条の二及び第百二十二条の三の規定による交付金
二十九　沖縄振興特別措置法（平成十四年法律第十四号）第九十六条第二項に規定する交付金
三十　都市再生特別措置法（平成十四年法律第二十二号）第四十七条第二項に規定する交付金
三十一　独立行政法人水資源機構法（平成十四年法律第百八十二号）第二十一条第一項及び第二十二条第一項の規定による交付金
三十二　次世代育成支援対策推進法（平成十五年法律第百二十号）第十一条第一項に規定する交付金
三十三　地域再生法（平成十七年法律第二十四号）第十三条第一項に規定する交付金
三十四　地域における多様な需要に応じた公的賃貸住宅等の整備等に関する特別措置法（平成十七年法律第七十九号）第七条第二項に規定する交付金
三十五　石綿による健康被害の救済に関する法律（平成十八年法律第四号）第三十二条第一項の規定による交付金のうち同法の規定により独立行政法人環境再生保全機構が行う業務の事務の執行に要する費用に係るもの
三十六　自殺対策基本法（平成十八年法律第八十五号）第十四条に規定する交付金
三十七　道州制特別区域における広域行政の推進に関する法律（平成十八年法律第百十六号）第十九条第一項に規定する交付金
三十八　農山漁村の活性化のための定住等及び地域間交流の促進に関する法律（平成十九年法律第四十八号）第七条第二項に規定する交付金
三十九　広域的地域活性化のための基盤整備に関する法律（平成十九年法律第五十二号）第十九条第二項に規定する交付金
四十　駐留軍等の再編の円滑な実施に関する特別措置法（平成十九年法律第六十七号）第六条に規定する再編交付金
四十一　森林の間伐等の実施の促進に関する特別措置法（平成二十年法律第三十二号）第六条第二項に規定する交付金
四十二　高等学校等就学支援金の支給に関する法律（平成二十二年法律第十八号）第十五条の規定による交付金
四十三　平成二十三年度における子ども手当の支給等に関する特別措置法（平成二十三年法律第百七号）第二十三条に規定する交付金
四十四　東日本大震災復興特別区域法（平成二十三年法律第百二十二号）第七十八条第二項に規定する交付金
四十五　特定Ｂ型肝炎ウイルス感染者給付金等の支給に関する特別措置法（平成二十三年法律第百二十六号）第三十八条の規定による交付金
四十六　福島復興再生特別措置法（平成二十四年法律第二十五号）第三十四条第二項及び第四十六条第二項に規定する交付金
四十七　子ども・子育て支援法（平成二十四年法律第六十五号）第六十六条の二の規定による給付金及び同法第六十八条第三項に規定する交付金
四十八　外国人の技能実習の適正な実施及び技能実習生の保護に関する法律（平成二十八年法律第八十九号）第九十六条の規定による交付金

四十九　地域における大学の振興及び若者の雇用機会の創出による若者の修学及び就業の促進に関する法律（平成三十年法律第三十七号）第十一条に規定する交付金
五十　旧優生保護法に基づく優生手術等を受けた者に対する一時金の支給等に関する法律（平成三十一年法律第十四号）第二十九条の規定による交付金
五十一　アイヌの人々の誇りが尊重される社会を実現するための施策の推進に関する法律（平成三十一年法律第十六号）第十五条第一項に規定する交付金
五十二　大学等における修学の支援に関する法律（令和元年法律第八号）第十条第一号の規定による給付金
五十三　自殺対策の総合的かつ効果的な実施に資するための調査研究及びその成果の活用等の推進に関する法律（令和元年法律第三十二号）第十三条の規定による交付金
五十四　ハンセン病元患者家族に対する補償金の支給等に関する法律（令和元年法律第五十五号）第二十八条の規定による交付金
五十五　公的給付の支給等の迅速かつ確実な実施のための預貯金口座の登録等に関する法律（令和三年法律第三十八号）附則第三条第二項の規定により読み替えて適用される同法第十五条の規定による交付金
五十六　預貯金者の意思に基づく個人番号の利用による預貯金口座の管理等に関する法律（令和三年法律第三十九号）第十三条（同法附則第三条第二項の規定により読み替えて適用される場合を含む。）の規定による交付金
五十七　特定石綿被害建設業務労働者等に対する給付金等の支給に関する法律（令和三年法律第七十四号）第二十条第一項の規定による交付金
五十八　不発弾等処理交付金
五十九　啓発宣伝事業等委託費
六十　特別支援教育就学奨励費交付金（第十三号に掲げる給付金に該当するものを除く。）
六十一　社会事業学校等経営委託費
六十二　生活保護指導監査委託費
六十三　身体障害者福祉促進事業委託費
六十四　衛生関係指導者養成等委託費（医務衛生関係指導者養成等委託のうち救急医療施設医師研修会の委託に係るものを除く。）
六十五　遺族及留守家族等援護事務委託費のうち戦傷病者福祉事業助成委託及び昭和館運営委託に係るもの
六十六　水産業改良普及事業交付金
六十七　後進地域特例法適用団体等補助率差額及び後進地域特例法適用団体補助率差額
六十八　石油貯蔵施設立地対策等交付金
六十九　国連・障害者の十年記念施設運営委託費
七十　電源立地等推進対策交付金
七十一　原子力施設等防災対策等交付金
七十二　森林整備地域活動支援交付金
七十三　電源立地地域対策交付金（第二十二号に掲げる給付金に該当するものを除く。）
七十四　循環型社会形成推進交付金
七十五　農業・食品産業強化対策整備交付金
七十六　農業・食品産業強化対策推進交付金
七十七　自然環境整備交付金
七十八　医療提供体制施設整備交付金
七十九　地域住宅交付金（第三十四号に掲げる給付金に該当するものを除く。）
八十　労働時間等設定改善推進助成金
八十一　農山漁村活性化対策整備交付金（第三十八号に掲げる給付金に該当するものを除く。）
八十二　農山漁村活性化対策推進交付金（第三十八号に掲げる給付金に該当するものを除く。）
八十三　森林整備・林業等振興推進交付金
八十四　水産業強化対策推進交付金
八十五　生物多様性保全推進交付金
八十六　高齢者医療制度円滑運営臨時特例交付金
八十七　地域活性化・生活対策臨時交付金
八十八　子育て支援対策臨時特例交付金
八十九　緊急雇用創出事業臨時特例交付金
九十　妊婦健康診査臨時特例交付金
九十一　地域活性化・経済危機対策臨時交付金
九十二　高等学校授業料減免事業等支援臨時特例交付金
九十三　新型インフルエンザワクチン開発・生産体制整備臨時特例交付金
九十四　地域医療再生臨時特例交付金
九十五　緊急人材育成・就職支援事業臨時特例交付金
九十六　社会福祉施設等耐震化等臨時特例交付金
九十七　農山漁村地域整備交付金
九十八　過疎地域事業補助率差額
九十九　北方領土隣接地域振興等事業補助率差額
百　森林整備・林業等振興整備交付金
百一　水産業強化対策整備交付金
百二　社会資本整備総合交付金（第三十号、第三十四号又は第三十九号に掲げる給付金に該当するものを除く。）
百三　受動喫煙防止対策助成金
百四　被災児童生徒就学支援等臨時特例交付金
百五　被災農家経営再開支援交付金
百六　被災私立高等学校等教育環境整備支援臨時特例交付金
百七　革新的医療機器創出促進等臨時特例交付金
百八　電力基盤高度化等対策交付金
百九　放射線監視設備整備臨時特別交付金
百十　原子力災害影響調査等交付金
百十一　原子力災害健康管理施設整備交付金
百十二　地域経済活性化・雇用創出臨時交付金
百十三　地域経済循環創造事業交付金
百十四　防災・安全社会資本整備交付金（第三十号、第三十四号又は第三十九号に掲げる給付金に該当するものを除く。）
百十五　生物多様性保全回復施設整備交付金
百十六　森林・山村多面的機能発揮対策交付金
百十七　水産多面的機能発揮対策交付金
百十八　原子力災害避難指示区域消防活動費交付金
百十九　防災対策推進後進地域特例法適用団体補助率差額
百二十　防災対策推進社会資本整備総合交付金
百二十一　女性活躍推進交付金
百二十二　福島再生加速化交付金（第四十六号に掲げる給付金

に該当するものを除く。）
百二十三 地域医療対策支援臨時特例交付金
百二十四 道路整備事業後進地域特例法適用団体補助率差額
百二十五 港湾整備事業後進地域特例法適用団体補助率差額
百二十六 森林整備事業後進地域特例法適用団体補助率差額
百二十七 水産基盤整備事業後進地域特例法適用団体補助率差額
百二十八 地域女性活躍推進交付金
百二十九 地方消費者行政推進交付金
百三十 生活基盤施設耐震化等交付金
百三十一 保育所等整備交付金（第一号に掲げる給付金に該当するものを除く。）
百三十二 廃棄物処理施設整備交付金
百三十三 鳥獣捕獲等事業交付金
百三十四 福島原子力災害復興交付金
百三十五 中間貯蔵施設整備等影響緩和交付金
百三十六 教育支援体制整備事業費交付金
百三十七 認定こども園施設整備交付金
百三十八 特定防衛施設周辺整備調整交付金（第二十三号又は第四十号に掲げる給付金に該当するものを除く。）
百三十九 二酸化炭素排出抑制対策事業費交付金
百四十 被災児童生徒就学支援等事業交付金
百四十一 地域子供の未来応援交付金
百四十二 地域少子化対策重点推進交付金
百四十三 地域介護対策支援臨時特例交付金
百四十四 拠点返還地跡地利用推進交付金
百四十五 食料安全保障確立対策推進交付金
百四十六 食料安全保障確立対策整備交付金
百四十七 農地集積・集約化対策整備交付金
百四十八 被災者支援総合交付金
百四十九 特定非営利活動法人等被災者支援交付金
百五十 緊急スクールカウンセラー等活用事業交付金
百五十一 東北観光復興対策交付金
百五十二 九州観光支援交付金
百五十三 特定有人国境離島地域社会維持推進交付金
百五十四 離島漁業再生支援等交付金
百五十五 環境保全施設整備交付金
百五十六 放射線健康影響調査等交付金
百五十七 農林水産業再生支援交付金
百五十八 地方消費者行政強化交付金
百五十九 地域自殺対策強化交付金（第三十六号に掲げる給付金に該当するものを除く。）
百六十 農業水利施設保全管理整備交付金
百六十一 六次産業化市場規模拡大対策整備交付金
百六十二 ブロック塀・冷房設備対応臨時特例交付金
百六十三 外国人受入環境整備交付金
百六十四 農業水利施設保全管理推進交付金
百六十五 地域就職氷河期世代支援加速化交付金
百六十六 性暴力・配偶者暴力被害者等支援交付金
百六十七 特定地域づくり事業推進交付金
百六十八 民間都市開発推進機構補給金
百六十九 新型コロナウイルス感染症対応地方創生臨時交付金
百七十 新型コロナウイルス感染症緊急包括支援交付金
百七十一 新型コロナウイルスワクチン等生産体制整備臨時特例交付金
百七十二 新型コロナウイルス感染症セーフティネット強化交付金
百七十三 成果連動型民間委託契約方式推進交付金
百七十四 過疎地域持続的発展支援交付金
百七十五 農地集積・集約化等対策推進交付金
百七十六 農地集積・集約化等対策整備交付金
百七十七 国産農産物生産基盤強化等対策交付金
百七十八 日本型直接支払交付金
百七十九 デジタル田園都市国家構想推進交付金
百八十 新型コロナウイルス感染症対応協力要請推進交付金
百八十一 新型コロナウイルス感染症対応検査促進交付金
百八十二 福祉・介護職員処遇改善臨時特例交付金
百八十三 国産農産物生産基盤強化等対策整備交付金
百八十四 農林水産業環境政策推進交付金
百八十五 農林水産業環境政策推進整備交付金
百八十六 豪雪地帯安全確保緊急対策交付金
百八十七 保育士等処遇改善臨時特例交付金
百八十八 農林水産物・食品輸出促進対策整備交付金
百八十九 農地利用効率化等支援交付金
百九十 農林水産業環境政策技術開発推進交付金
百九十一 防災・安全交付金（第三十号、第三十四号又は第三十九号に掲げる給付金に該当するものを除く。）
百九十二 妊娠出産子育て支援交付金
百九十三 就学前教育・保育施設整備交付金（第一号に掲げる給付金に該当するものを除く。）
百九十四 地域再犯防止等推進事業交付金
百九十五 農山漁村情報通信環境整備交付金
百九十六 脱炭素成長型経済構造移行推進対策費交付金
百九十七 物価高騰対応重点支援地方創生臨時交付金
百九十八 地域産業基盤整備推進交付金
百九十九 地域福祉推進支援臨時特例交付金
二百 孤独・孤立対策推進交付金

（補助金等の交付の申請の手続）

第三条 法第五条の申請書には、次に掲げる事項を記載しなければならない。
一 申請者の氏名又は名称及び住所
二 補助事業等の目的及び内容
三 補助事業等の経費の配分、経費の使用方法、補助事業等の完了の予定期日その他補助事業等の遂行に関する計画
四 交付を受けようとする補助金等の額及びその算出の基礎
五 その他各省各庁の長（日本中央競馬会、国立研究開発法人情報通信研究機構、独立行政法人エネルギー・金属鉱物資源機構、独立行政法人農畜産業振興機構、独立行政法人国際協力機構、独立行政法人国際交流基金、国立研究開発法人新エネルギー・産業技術総合開発機構、独立行政法人中小企業基盤整備機構、独立行政法人日本学術振興会、国立研究開発法人宇宙航空研究開発機構、独立行政法人日本スポーツ振興センター、独立行政法人日本芸術文化振興会、独立行政法人福祉医療機構、独立行政法人環境再生保全機構、独立行政法人日本学生支援機構、国立研究開発法人医薬基盤・健康・栄養

研究所又は国立研究開発法人日本医療研究開発機構の補助金等に関しては、これらの理事長とし、独立行政法人大学改革支援・学位授与機構の補助金等に関しては、その機構長とする。第九条第二項及び第三項（第十四条第二項において準用する場合を含む。）、第十三条第四号及び第五号並びに第十四条第一項第二号を除き、以下同じ。）が定める事項

2　前項の申請書には、次に掲げる事項を記載した書類を添附しなければならない。

一　申請者の営む主な事業

二　申請者の資産及び負債に関する事項

三　補助事業等の経費のうち補助金等によつてまかなわれる部分以外の部分の負担者、負担額及び負担方法

四　補助事業等の効果

五　補助事業等に関して生ずる収入金に関する事項

六　その他各省各庁の長が定める事項

3　第一項の申請書若しくは前項の書類に記載すべき事項の一部又は同項の規定による添附書類は、各省各庁の長の定めるところにより、省略することができる。

（事業完了後においても従うべき条件）

第四条　各省各庁の長は、補助金等の交付の目的を達成するため必要がある場合には、その交付の条件として、補助事業等の完了後においても従うべき事項を定めるものとする。

2　補助金等が基金造成費補助金等（補助事業者等が基金事業等（複数年度にわたる事務又は事業であつて、各年度の所要額をあらかじめ見込み難く、弾力的な支出が必要であることその他の特段の事情があり、あらかじめ当該複数年度にわたる財源を確保しておくことがその安定的かつ効率的な実施に必要であると認められるものをいう。以下この項において同じ。）の財源として設置する基金に充てる資金として各省各庁の長が交付する補助金等をいう。第三号及び第四号において同じ。）に該当する場合には、前項の補助事業等の完了後においても従うべき事項は、次に掲げる事項とする。

一　基金事業等に係る運営及び管理に関する基本的事項として各省各庁の長が定めるものを公表すべきこと。

二　基金を廃止するまでの間、毎年度、当該基金の額及び基金事業等の実施状況を各省各庁の長に報告すべきこと。

三　基金の額が基金事業等の実施状況その他の事情に照らして過大であると各省各庁の長が認めた場合又は各省各庁の長が定めた基金の廃止の時期が到来したことその他の事情により基金を廃止した場合は、速やかに、交付を受けた基金造成費補助金等の全部又は一部に相当する金額を国に納付すべきこと。

四　前三号に掲げるもののほか、基金造成費補助金等の交付の目的を達成するため必要と認められる事項

（事情変更による決定の取消ができる場合）

第五条　法第十条第二項に規定する政令で定める特に必要な場合は、補助事業者等又は間接補助事業者等が補助事業等又は間接補助事業等を遂行するため必要な土地その他の手段を使用することができないこと、補助事業等又は間接補助事業等に要する経費のうち補助金等又は間接補助金等によつてまかなわれる部分以外の部分を負担することができないことその他の理由により補助事業等又は間接補助事業等を遂行することができない場合（補助事業者等又は間接補助事業者等の責に帰すべき事情による場合を除く。）とする。

（決定の取消に伴う補助金等の交付）

第六条　法第十条第三項の規定による補助金等は、次に掲げる経費について交付するものとする。

一　補助事業等に係る機械、器具及び仮設物の撤去その他の残務処理に要する経費

二　補助事業等を行うため締結した契約の解除により必要となつた賠償金の支払に要する経費

2　前項の補助金等の額の同項各号に掲げる経費の額に対する割合その他の交付については、法第十条第一項の規定による取消に係る補助事業等についての補助金等に準ずるものとする。

（補助事業等の遂行の一時停止）

第七条　各省各庁の長は、法第十三条第二項の規定により補助事業等の遂行の一時停止を命ずる場合においては、補助事業者等が当該補助金等の交付の決定の内容及びこれに附した条件に適合させるための措置を各省各庁の長の指定する期日までにとらないときは、法第十七条第一項の規定により当該補助金等の交付の決定の全部又は一部を取り消す旨を、明らかにしなければならない。

（国の会計年度終了の場合における実績報告）

第八条　法第十四条後段の規定による補助事業等実績報告書には、翌年度以降の補助事業等の遂行に関する計画を附記しなければならない。ただし、その計画が当該補助金等の交付の決定の内容となつた計画に比して変更がないときは、この限りでない。

（補助金等の返還の期限の延長等）

第九条　法第十八条第三項の規定による補助金等の返還の期限の延長又は返還の命令の全部若しくは一部の取消は、補助事業者等の申請により行うものとする。

2　補助事業者等は、前項の申請をしようとする場合には、申請の内容を記載した書面に、当該補助事業等に係る間接補助金等の交付又は融通の目的を達成するためとつた措置及び当該補助金等の返還を困難とする理由その他参考となるべき事項を記載した書類を添えて、これを各省各庁の長（日本中央競馬会、国立研究開発法人情報通信研究機構、独立行政法人エネルギー・金属鉱物資源機構、独立行政法人農畜産業振興機構、独立行政法人国際協力機構、独立行政法人国際交流基金、国立研究開発法人新エネルギー・産業技術総合開発機構、独立行政法人中小企業基盤整備機構、独立行政法人日本学術振興会、国立研究開発法人宇宙航空研究開発機構、独立行政法人日本スポーツ振興センター、独立行政法人日本芸術文化振興会、独立行政法人福祉医療機構、独立行政法人鉄道建設・運輸施設整備支援機構、独立行政法人環境再生保全機構、独立行政法人日本学生支援機構、国立研究開発法人医薬基盤・健康・栄養研究所又は国立研究開発法人日本医療研究開発機構の補助金等に関しては、これらの理事長とし、独立行政法人大学改革支援・学位授与機構の補助金等に関しては、その機構長とする。次項（第十四条第二項において準用する場合を含む。）、第十三条第四号及び第五号並びに第十四条第一項第二号において同じ。）に提出しなければならない。

3　各省各庁の長は、法第十八条第三項の規定により補助金等の返還の期限の延長又は返還の命令の全部若しくは一部の取消を

しようとする場合には、財務大臣に協議しなければならない。

4　日本中央競馬会、国立研究開発法人情報通信研究機構、独立行政法人エネルギー・金属鉱物資源機構、独立行政法人農畜産業振興機構、独立行政法人国際協力機構、独立行政法人国際交流基金、国立研究開発法人新エネルギー・産業技術総合開発機構、独立行政法人中小企業基盤整備機構、独立行政法人日本学術振興会、国立研究開発法人宇宙航空研究開発機構、独立行政法人日本スポーツ振興センター、独立行政法人日本芸術文化振興会、独立行政法人福祉医療機構、独立行政法人鉄道建設・運輸施設整備支援機構、独立行政法人環境再生保全機構、独立行政法人日本学生支援機構、国立研究開発法人医薬基盤・健康・栄養研究所若しくは国立研究開発法人日本医療研究開発機構の理事長又は独立行政法人大学改革支援・学位授与機構の機構長は、法第十八条第三項の規定により補助金等の返還の期限の延長又は返還の命令の全部若しくは一部の取消しをしようとする場合には、前項の規定にかかわらず、日本中央競馬会又は独立行政法人農畜産業振興機構にあつては農林水産大臣、国立研究開発法人宇宙航空研究開発機構にあつては内閣総理大臣、総務大臣、文部科学大臣及び経済産業大臣、国立研究開発法人日本医療研究開発機構にあつては内閣総理大臣、文部科学大臣、厚生労働大臣及び経済産業大臣、国立研究開発法人情報通信研究機構にあつては総務大臣、独立行政法人国際協力機構又は独立行政法人国際交流基金にあつては外務大臣、独立行政法人日本学術振興会、独立行政法人日本スポーツ振興センター、独立行政法人日本芸術文化振興会、独立行政法人日本学生支援機構又は独立行政法人大学改革支援・学位授与機構にあつては文部科学大臣、独立行政法人福祉医療機構又は国立研究開発法人医薬基盤・健康・栄養研究所にあつては厚生労働大臣、独立行政法人エネルギー・金属鉱物資源機構、国立研究開発法人新エネルギー・産業技術総合開発機構又は独立行政法人中小企業基盤整備機構にあつては経済産業大臣、独立行政法人鉄道建設・運輸施設整備支援機構にあつては国土交通大臣、独立行政法人環境再生保全機構にあつては環境大臣の承認を受けなければならない。

5　農林水産大臣、内閣総理大臣、総務大臣、外務大臣、文部科学大臣、厚生労働大臣、経済産業大臣、国土交通大臣又は環境大臣は、前項の承認をしようとする場合には、財務大臣に協議しなければならない。

（加算金の計算）

第十条　補助金等が二回以上に分けて交付されている場合における法第十九条第一項の規定の適用については、返還を命ぜられた額に相当する補助金等は、最後の受領の日に受領したものとし、当該返還を命ぜられた額がその日に受領した額をこえるときは、当該返還を命ぜられた額に達するまで順次さかのぼりそれぞれの受領の日において受領したものとする。

2　法第十九条第一項の規定により加算金を納付しなければならない場合において、補助事業者等の納付した金額が返還を命ぜられた補助金等の額に達するまでは、その納付金額は、まず当該返還を命ぜられた補助金等の額に充てられたものとする。

（延滞金の計算）

第十一条　法第十九条第二項の規定により延滞金を納付しなければならない場合において、返還を命ぜられた補助金等の未納付額の一部が納付されたときは、当該納付の日の翌日以後の期間に係る延滞金の計算の基礎となるべき未納付額は、その納付金額を控除した額によるものとする。

（加算金又は延滞金の免除）

第十二条　第九条の規定は、法第十九条第三項の規定による加算金又は延滞金の全部又は一部の免除について準用する。この場合において、第九条第二項中「当該補助事業等に係る間接補助金等の交付又は融通の目的を達成するため」とあるのは、「当該補助金等の返還を遅延させないため」と読み替えるものとする。

（処分を制限する財産）

第十三条　法第二十二条に規定する政令で定める財産は、次に掲げるものとする。

一　不動産
二　船舶、航空機、浮標、浮さん橋及び浮ドック
三　前二号に掲げるものの従物
四　機械及び重要な器具で、各省各庁の長が定めるもの
五　その他各省各庁の長が補助金等の交付の目的を達成するため特に必要があると認めて定めるもの

（財産の処分の制限を適用しない場合）

第十四条　法第二十二条ただし書に規定する政令で定める場合は、次に掲げる場合とする。

一　補助事業者等が法第七条第二項の規定による条件に基き補助金等の全部に相当する金額を国に納付した場合
二　補助金等の交付の目的及び当該財産の耐用年数を勘案して各省各庁の長が定める期間を経過した場合

2　第九条第三項から第五項までの規定は、前項第二号の期間を定める場合について準用する。

（不服の申出の手続）

第十五条　法第二十五条第一項の規定により不服を申し出ようとする者は、当該不服の申出に係る処分の通知を受けた日（処分について通知がない場合においては、処分があつたことを知つた日）から三十日以内に、当該処分の内容、処分を受けた年月日及び不服の理由を記載した不服申出書に参考となるべき書類を添えて、これを当該処分をした各省各庁の長（法第二十六条第一項の規定により当該処分を委任された機関があるときは当該機関とし、同条第二項の規定により当該処分を行うこととなつた都道府県の知事又は教育委員会があるときは当該知事又は教育委員会とする。以下この条において同じ。）に提出しなければならない。

2　各省各庁の長は、通信、交通その他の状況により前項の期間内に不服を申し出なかつたことについてやむを得ない理由があると認める者については、当該期間を延長することができる。

3　各省各庁の長は、第一項の不服の申出があつた場合において、その申出の方式又は手続に不備があるときは、相当と認められる期間を指定して、その補正をさせることができる。

（事務の委任の範囲及び手続）

第十六条　各省各庁の長は、法第二十六条第一項の規定により、補助金等の交付に関する事務（補助金等の交付の申請の受理、交付の決定及びその取消し、補助事業等の実績報告の受理、補助金等の額の確定、補助金等の返還に関する処分その他補助事業等の監督に関する事務をいう。以下この条及び次条において同じ。）の一部を当該各省各庁の機関（日本中央競馬会、国立

研究開発法人情報通信研究機構、独立行政法人エネルギー・金属鉱物資源機構、独立行政法人農畜産業振興機構、独立行政法人国際協力機構、独立行政法人国際交流基金、国立研究開発法人新エネルギー・産業技術総合開発機構、独立行政法人中小企業基盤整備機構、独立行政法人日本学術振興会、国立研究開発法人宇宙航空研究開発機構、独立行政法人日本スポーツ振興センター、独立行政法人日本芸術文化振興会、独立行政法人福祉医療機構、独立行政法人環境再生保全機構、独立行政法人日本学生支援機構、国立研究開発法人医薬基盤・健康・栄養研究所又は国立研究開発法人日本医療研究開発機構の理事長の事務については日本中央競馬会、国立研究開発法人情報通信研究機構、独立行政法人エネルギー・金属鉱物資源機構、独立行政法人農畜産業振興機構、独立行政法人国際協力機構、独立行政法人国際交流基金、国立研究開発法人新エネルギー・産業技術総合開発機構、独立行政法人中小企業基盤整備機構、独立行政法人日本学術振興会、独立行政法人日本スポーツ振興センター、独立行政法人日本芸術文化振興会、独立行政法人福祉医療機構、独立行政法人環境再生保全機構、独立行政法人日本学生支援機構、国立研究開発法人医薬基盤・健康・栄養研究所又は国立研究開発法人日本医療研究開発機構の機関、独立行政法人大学改革支援・学位授与機構の機構長の補助金等の交付に関する事務については独立行政法人大学改革支援・学位授与機構の機関）に委任することができる。この場合において、各省各庁の地方支分部局に委任しようとするときは、当該補助金等の名称を明らかにして、委任しようとする補助金等の交付に関する事務の内容及び機関について、財務大臣に協議しなければならない。

2　各省各庁の長は、他の法律の規定により当該各省各庁の所掌事務を他の各省各庁の機関が行う場合には、法第二十六条第一項の規定により、当該所掌事務に係る補助金等の交付に関する事務の一部を当該他の各省各庁の機関に委任することができる。この場合においては、当該補助金等の名称を明らかにして、委任しようとする補助金等の交付に関する事務の内容及び機関について、財務大臣に協議しなければならない。

3　日本中央競馬会、国立研究開発法人情報通信研究機構、独立行政法人エネルギー・金属鉱物資源機構、独立行政法人農畜産業振興機構、独立行政法人国際協力機構、独立行政法人国際交流基金、国立研究開発法人新エネルギー・産業技術総合開発機構、独立行政法人中小企業基盤整備機構、独立行政法人日本学術振興会、国立研究開発法人宇宙航空研究開発機構、独立行政法人日本スポーツ振興センター、独立行政法人日本芸術文化振興会、独立行政法人福祉医療機構、独立行政法人環境再生保全機構、独立行政法人日本学生支援機構、国立研究開発法人医薬基盤・健康・栄養研究所若しくは国立研究開発法人日本医療研究開発機構の理事長又は独立行政法人大学改革支援・学位授与機構の機構長は、法第二十六条第一項の規定により補助金等の交付に関する事務の一部を従たる事務所の職員に委任しようとする場合には、当該補助金等の名称を明らかにして、委任しようとする補助金等の交付に関する事務の内容及び職員について、日本中央競馬会又は独立行政法人農畜産業振興機構にあつては農林水産大臣、国立研究開発法人宇宙航空研究開発機構にあつては内閣総理大臣、総務大臣、文部科学大臣及び経済産業大臣、国立研究開発法人日本医療研究開発機構にあつては内閣総理大臣、文部科学大臣、厚生労働大臣及び経済産業大臣、国立研究開発法人情報通信研究機構にあつては総務大臣、独立行政法人国際協力機構又は独立行政法人国際交流基金にあつては外務大臣、独立行政法人日本学術振興会、独立行政法人日本スポーツ振興センター、独立行政法人日本芸術文化振興会、独立行政法人日本学生支援機構又は独立行政法人大学改革支援・学位授与機構にあつては文部科学大臣、独立行政法人福祉医療機構又は国立研究開発法人医薬基盤・健康・栄養研究所にあつては厚生労働大臣、独立行政法人エネルギー・金属鉱物資源機構、国立研究開発法人新エネルギー・産業技術総合開発機構又は独立行政法人中小企業基盤整備機構にあつては経済産業大臣、独立行政法人環境再生保全機構にあつては環境大臣の承認を受けなければならない。

4　第九条第五項の規定は、前項の承認について準用する。

5　各省各庁の長は、法第二十六条第一項の規定により補助金等の交付に関する事務の一部を委任したときは、直ちに、その内容を公示しなければならない。

（都道府県が行う事務の範囲及び手続）

第十七条　各省各庁の長は、法第二十六条第二項の規定により、補助金等の交付に関する事務の一部を都道府県の知事又は教育委員会（以下「知事等」という。）が行うこととすることができる。この場合においては、当該補助金等の名称を明らかにして、知事等が行うこととなる補助金等の交付に関する事務の内容について、財務大臣に協議しなければならない。

2　前項の場合においては、各省各庁の長は、当該補助金等の名称及び知事等が行うこととなる補助金等の交付に関する事務の内容を明らかにして、知事等が補助金等の交付に関する事務を行うこととなることについて、都道府県の知事の同意を求めなければならない。

3　都道府県の知事は、前項の規定により各省各庁の長から同意を求められた場合には、その内容について同意をするかどうかを決定し、同意をする決定をしたときは同意をする旨を、同意をしない決定をしたときは同意をしない旨を各省各庁の長に通知するものとする。

4　各省各庁の長は、法第二十六条第二項の規定により補助金等の交付に関する事務の一部を知事等が行うこととなつたときは、直ちに、その内容を公示しなければならない。

5　法第二十六条第二項の規定により補助金等の交付に関する事務の一部を知事等が行つた場合は、知事等は、各省各庁の長に対し、その旨及びその内容を報告するものとする。

6　法第二十六条第二項の規定により補助金等の交付に関する事務の一部を知事等が行うこととなつた場合においては、法中補助金等の交付に関する事務に係る各省各庁の長に関する規定は、知事等に関する規定として知事等に適用があるものとする。

（都道府県が行うこととなつた場合の事務の実施）

第十八条　各省各庁の長は、法第二十六条第二項の規定により法第二十三条の規定による職権に属する事務を知事等が行うこととなつた場合においても、自ら当該事務を行うことができるものとする。

附　則

1　この政令は、公布の日から施行する。

2　法の施行前に交付された補助金等について法の施行後に返還を命じた場合における法第十九条第一項の加算金の計算については、同項中「受領の日」とあるのは、「この法律の施行の日」と読み替えるものとする。
3　法第十九条から第二十一条までの規定は、法の施行前に補助金等の返還を命じた場合については、適用しない。

○地方税法（抄）

昭二五・七・三一
法　二　二　六

最終改正　令六・六・二六法六五

目次〔略〕

第一章　総則

第一節　通則

（用語）

第一条　この法律において、次の各号に掲げる用語の意義は、当該各号に定めるところによる。

一　地方団体　道府県又は市町村をいう。

二　地方団体の長　道府県知事又は市町村長をいう。

三　徴税吏員　道府県知事若しくはその委任を受けた道府県職員又は市町村長若しくはその委任を受けた市町村職員をいう。

四　地方税　道府県税又は市町村税をいう。

五　標準税率　地方団体が課税する場合に通常よるべき税率でその財政上その他の必要があると認める場合においては、これによることを要しない税率をいい、総務大臣が地方交付税の額を定める際に基準財政収入額の算定の基礎として用いる税率とする。

六　納税通知書　納税者が納付すべき地方税について、その賦課の根拠となつた法律及び当該地方団体の条例の規定、納税者の住所及び氏名、課税標準額、税率、税額、納期、各納期における納付額、納付の場所並びに納期限までに税金を納付しなかつた場合において執られるべき措置及び賦課に不服がある場合における救済の方法を記載した文書で当該地方団体が作成するものをいう。

七　普通徴収　徴税吏員が納税通知書を当該納税者に交付することによつて地方税を徴収することをいう。

八　申告納付　納税者がその納付すべき地方税の課税標準額及び税額を申告し、及びその申告した税金を納付することをいう。

九　特別徴収　地方税の徴収について便宜を有する者にこれを徴収させ、且つ、その徴収すべき税金を納入させることをいう。

十　特別徴収義務者　特別徴収によつて地方税を徴収し、且つ、納入する義務を負う者をいう。

十一　申告納入　特別徴収義務者がその徴収すべき地方税の課税標準額及び税額を申告し、及びその申告した税金を納入することをいう。

十二　納入金　特別徴収義務者が徴収し、且つ、納入すべき地方税をいう。

十三　証紙徴収　地方団体が納税通知書を交付しないでその発行する証紙をもつて地方税を払い込ませることをいう。

十四　地方団体の徴収金　地方税並びにその督促手数料、延滞金、過少申告加算金、不申告加算金、重加算金及び滞納処分費をいう。

2　この法律中道府県に関する規定は都に、市町村に関する規定は特別区に準用する。この場合においては、「道府県」、「道府県税」、「道府県民税」、「道府県たばこ税」、「道府県知事」又は「道府県職員」とあるのは、それぞれ「都」、「都税」、「都民税」、「都たばこ税」、「都知事」又は「都職員」と、「市町村」、「市町村税」、「市町村民税」、「市町村たばこ税」、「市町村長」又は「市町村職員」とあるのは、それぞれ「特別区」、「特別区税」、「特別区民税」、「特別区たばこ税」、「特別区長」又は「特別区職員」と読み替えるものとする。

3　都の市町村及び特別区に対するこの法律の適用については、「道府県知事」とあるのは、「都知事」と読み替えるものとする。

【参照条文】

①【地方団体―自治法一の三】【地方団体の長―自治法一三九】【職員―自治法一七二Ⅰ】【委任―自治法一五三Ⅰ】【基準財政収入額―交付税法二Ⅳ・一四】【滞納処分費―国税徴収法一三六】

※【都等の特例―法第五章第一節　令一・第四章　則一～一の三の四　交付金法一五】

（地方団体の課税権）

第二条　地方団体は、この法律の定めるところによつて、地方税を賦課徴収することができる。

【参照条文】

【地方税―憲法三〇・九二　自治法一〇2・二二三】

（地方税の賦課徴収に関する規定の形式）

第三条　地方団体は、その地方税の税目、課税客体、課税標準、税率その他賦課徴収について定をするには、当該地方団体の条例によらなければならない。

2　地方団体の長は、前項の条例の実施のための手続その他その施行について必要な事項を規則で定めることができる。

【参照条文】

①【条例―憲法九四　自治法一四・一六・九六1Ⅰ】

②【規則―自治法一五・一六】

（地方団体の長の権限の委任）

第三条の二　地方団体の長は、この法律で定めるその権限の一部を、当該地方団体の条例の定めるところによつて、地方自治法（昭和二十二年法律第六十七号）第百五十五条第一項の規定によつて設ける支庁若しくは地方事務所、同法第二百五十二条の二十第一項の規定によつて設ける市の区の事務所、同法第二百五十二条の二十の二第一項の規定によつて設ける市の総合区の事務所又は同法第百五十六条第一項の規定によつて条例で設ける税務に関する事務所の長に委任することができる。

【参照条文】

【条例―自治法一四・一六・九六1Ⅰ】【委任―自治法一五三1】

（道府県が課することができる税目）

第四条　道府県税は、普通税及び目的税とする。

2　道府県は、普通税として、次に掲げるものを課するものとする。ただし、徴収に要すべき経費が徴収すべき税額に比して多額であると認められるものその他特別の事情があるものについては、この限りでない。
一　道府県民税
二　事業税
三　地方消費税
四　不動産取得税
五　道府県たばこ税
六　ゴルフ場利用税
七　軽油引取税
八　自動車税
九　鉱区税
3　道府県は、前項各号に掲げるものを除くほか、別に税目を起こして、普通税を課することができる。
4　道府県は、目的税として、狩猟税を課するものとする。
5　道府県は、前項に規定するものを除くほか、目的税として、水利地益税を課することができる。
6　道府県は、前二項に規定するものを除くほか、別に税目を起こして、目的税を課することができる。

【参照条文】
※【都の特例―法七三四・七三五
※　交付金法一四　地方揮発油譲与税法一　石油ガス譲与税法一　航空機燃料譲与税法一　特別法人事業税及び特別法人事業譲与税に関する法律二九　森林環境税及び森林環境譲与税に関する法律二七

（市町村が課することができる税目）
第五条　市町村税は、普通税及び目的税とする。
2　市町村は、普通税として、次に掲げるものを課するものとする。ただし、徴収に要すべき経費が徴収すべき税額に比して多額であると認められるものその他特別の事情があるものについては、この限りでない。
一　市町村民税
二　固定資産税
三　軽自動車税
四　市町村たばこ税
五　鉱産税
六　特別土地保有税
3　市町村は、前項に掲げるものを除く外、別に税目を起して、普通税を課することができる。
4　鉱泉浴場所在の市町村は、目的税として、入湯税を課するものとする。
5　指定都市等（第七百一条の三十一第一項第一号の指定都市等をいう。）は、目的税として、事業所税を課するものとする。
6　市町村は、前二項に規定するものを除くほか、目的税として、次に掲げるものを課することができる。
一　都市計画税
二　水利地益税
三　共同施設税
四　宅地開発税
五　国民健康保険税
7　市町村は、第四項及び第五項に規定するもの並びに前項各号に掲げるものを除くほか、別に税目を起こして、目的税を課することができる。

【参照条文】
※【都等の特例―法七三四〜七三九
※　交付金法二　国有提供施設等所在市町村助成交付金に関する法律1　特別とん譲与税法一　地方揮発油譲与税法一　石油ガス譲与税法一　自動車重量譲与税法一　航空機燃料譲与税法一　森林環境税及び森林環境譲与税に関する法律二七

（公益等に因る課税免除及び不均一課税）
第六条　地方団体は、公益上その他の事由に因り課税を不適当とする場合においては、課税をしないことができる。
2　地方団体は、公益上その他の事由に因り必要がある場合においては、不均一の課税をすることができる。

【参照条文】
※　鉄道軌道整備法二三　国際観光ホテル整備法三二　合併特例法一六

（受益に因る不均一課税及び一部課税）
第七条　地方団体は、その一部に対して特に利益がある事件に関しては、不均一の課税をし、又はその一部に課税をすることができる。

【参照条文】
※　自治令一五三

（関係地方団体の長の意見が異なる場合の措置）
第八条　地方団体の長は、課税権の帰属その他この法律の規定の適用について他の地方団体の長と意見を異にし、その協議がととのわない場合においては、住民基本台帳法（昭和四十二年法律第八十一号）第三十三条の規定の適用がある場合を除き、総務大臣（関係地方団体が一の道府県の区域内の市町村である場合においては、道府県知事）に対し、その決定を求める旨を申し出なければならない。
2　総務大臣又は道府県知事は、前項の決定を求める旨の申出を受けた場合においては、その申出を受けた日から六十日以内に決定をし、遅滞なく、その旨を関係地方団体の長に通知しなければならない。
3　第一項の申出及び前項の決定は、文書をもつてしなければならない。
4　第二項の規定による道府県知事の決定に不服がある市町村長は、同項の通知を受けた日から三十日以内に総務大臣に裁決を求める旨を申し出ることができる。
5　第二項の通知を郵便又は民間事業者による信書の送達に関する法律（平成十四年法律第九十九号）第二条第六項に規定する一般信書便事業者若しくは同条第九項に規定する特定信書便事業者による同条第二項に規定する信書便（以下「信書便」という。）をもつて発送した場合においてその到達した日が明らかでないときは、その発送した日から四日を経過した日をもつて第二項の通知を受けた日とみなす。この場合において、市町村長が到達した日を立証し得るときは、その立証に係る日をもつて通知を受けた日とみなす。

6　第四項の申出に関する書類を郵便又は信書便をもつて差し出す場合においては、送付に要した日数は、同項の期間に算入しない。

7　総務大臣は、第四項の申出を受けた場合においては、その日から六十日以内にその裁決をしなければならない。

8　総務大臣は、前項の裁決をした場合においては、遅滞なく、その旨を関係地方団体の長に通知しなければならない。

9　総務大臣は、第二項の決定又は第七項の裁決をしようとするときは、地方財政審議会の意見を聴かなければならない。

10　第二項の規定による総務大臣の決定又は第七項の規定による総務大臣の裁決について違法があると認める関係地方団体の長は、その決定又は裁決の通知を受けた日から三十日以内に裁判所に出訴することができる。

（**市町村の廃置分合があつた場合の課税権の承継**）

第八条の二　市町村の廃置分合があつた場合（次条第一項本文の規定に該当する場合を除く。）においては、当該廃置分合により消滅した市町村（以下この条において「消滅市町村」という。）に係る地方団体の徴収金の徴収を目的とする権利（以下この条において「消滅市町村の徴収金に係る権利」という。）は、当該消滅市町村の地域が新たに属することとなつた市町村（以下この条において「承継市町村」という。）の区域によつて、当該承継市町村が承継する。この場合において、消滅市町村の徴収金に係る権利について、消滅市町村がした賦課徴収その他の手続及び消滅市町村に対してした申告、審査請求その他の手続は、それぞれ承継市町村がした賦課徴収その他の手続及び承継市町村に対してした申告、審査請求その他の手続とみなす。

2　前項の規定によつて消滅市町村の徴収金に係る権利を承継する承継市町村が二以上ある場合において、当該承継市町村がそれぞれ承継すべき当該消滅市町村の徴収金に係る権利についての当該承継市町村の長の間において意見を異にし、その協議がととのわないときは、道府県知事（当該承継市町村が二以上の道府県の区域にわたる場合においては、総務大臣）に対し、その決定を求める旨を申し出なければならない。

3　前条第二項から第十項までの規定は、前項の申出及び当該申出に係る道府県知事又は総務大臣の決定について準用する。

4　前三項の規定によつて承継市町村が消滅市町村の徴収金に係る権利を承継する場合においては、当該承継市町村が条例で別段の定めをしない限り、その承継すべき当該消滅市町村に係る地方団体の徴収金の賦課徴収に関しては、当該消滅市町村に係る地方団体の徴収金の賦課徴収に関して定められている消滅市町村の条例、規則その他の定めの例によるものとする。この場合において、承継市町村が第五条第三項の規定によつて課する普通税又は同条第七項の規定によつて課する目的税（以下本項において「法定外税」という。）を課することとしており、かつ、当該承継市町村が承継する当該消滅市町村に係る地方団体の徴収金のうちにこれらと課税客体を同じくする同種の法定外税があるため、同種の法定外税を重複して課することとなるときは、当該消滅市町村に係る法定外税の納税義務者に対しては、当該承継市町村は、当該承継市町村の条例の定めるところによつて、これらの法定外税のうちいずれか一を課するものとしなければならない。

【参照条文】
※【廃置分合―自治法七　自治令五
※　令一の二～一の五

（**市町村の境界変更等があつた場合の課税権の承継**）

第八条の三　市町村の境界変更があつたとき、又は市町村の廃置分合があつた場合で当該廃置分合により新たに設置された市町村の地域の全部若しくは一部が従来属していた市町村がなお存続するときは、当該境界変更があつた区域又は新たに設置された市町村の地域の全部若しくは一部が従来属していた市町村（以下本条において「旧市町村」という。）の当該区域又は地域に係る地方団体の徴収金で次の各号に掲げるもの（第二号に掲げる地方税に係る地方団体の徴収金にあつては、当該境界変更又は廃置分合のあつた日の属する年度分以後の年度分として課されるべきものに限る。）の徴収を目的とする権利は、当該区域又は地域によつて、当該区域又は地域が新たに属することとなつた市町村（以下本条において「新市町村」という。）が承継する。ただし、旧市町村と新市町村が協議の上これと異なる定をしたときは、その定めたところによることができる。

一　申告納付又は申告納入の方法によつて徴収する地方税に係る地方団体の徴収金にあつては、当該境界変更又は廃置分合があつた日前に納期限の到来しないもので当該旧市町村に収入されていないもの

二　前号以外の地方税に係る地方団体の徴収金にあつては、当該境界変更又は廃置分合があつた日前に当該旧市町村に収入されていないもの

2　前条第一項後段及び第二項から第四項までの規定は、前項本文の規定によつて新市町村が旧市町村の地方団体の徴収金に係る権利を承継する場合について、前条第一項後段及び第四項の規定は、前項ただし書の規定による協議によつて新市町村が旧市町村の地方団体の徴収金に係る権利を承継する場合について準用する。

3　前二項の規定によつて新市町村が旧市町村の地方団体の徴収金に係る権利を承継した場合において、当該徴収金を賦課徴収しようとするときは、旧市町村は、新市町村の求に応じ必要な便宜を提供しなければならない。

【参照条文】
※【廃置分合―自治法七　自治令五　【境界変更―自治法七・九～九の三　自治令六
※　令一の二～一の四

（**都道府県の境界変更があつた場合の課税権の承継**）

第八条の四　都道府県の境界にわたつて市町村の設置又は境界の変更があつたため都道府県の境界に変更があつた場合における当該境界変更のあつた区域に係る都道府県の地方団体の徴収金の徴収を目的とする権利の承継については、前二条に規定する方法に準じて関係都道府県が協議して定めるものとする。

2　第八条の規定は前項の協議がととのわない場合について、第八条の二第一項後段及び第四項の規定は前項の協議によつて境

界変更のあつた区域に係る都道府県の地方団体の徴収金の徴収を目的とする権利の承継があつた場合について準用する。

【参照条文】
※【境界変更―自治法六・七3　自治令六

（政令への委任）
第八条の五　前三条に定めるもののほか、市町村の廃置分合若しくは境界変更があつた場合又は都道府県の境界にわたつて市町村の設置若しくは境界の変更があつたため都道府県の境界に変更があつた場合における課税権の承継について必要な事項は、政令で定める。

【参照条文】
【政令の定―令一の二～一の五

第二節　納税義務の承継

（**相続による納税義務の承継**）
第九条　相続（包括遺贈を含む。以下本章において同じ。）があつた場合には、その相続人（包括受遺者を含む。以下本章において同じ。）又は民法（明治二十九年法律第八十九号）第九百五十一条の法人は、被相続人（包括遺贈者を含む。以下本章において同じ。）に課されるべき、又は被相続人が納付し、若しくは納入すべき地方団体の徴収金（以下本章において「被相続人の地方団体の徴収金」という。）を納付し、又は納入しなければならない。ただし、限定承認をした相続人は、相続によつて得た財産を限度とする。

2　前項の場合において、相続人が二人以上あるときは、各相続人は、被相続人の地方団体の徴収金を民法第九百条から第九百二条までの規定によるその相続分によりあん分して計算した額を納付し、又は納入しなければならない。

3　前項の場合において、相続人のうちに相続によつて得た財産の価額が同項の規定により納付し、又は納入すべき地方団体の徴収金の額をこえている者があるときは、その相続人は、そのこえる価額を限度として、他の相続人が同項の規定により納付し、又は納入すべき地方団体の徴収金を納付し、又は納入する責に任ずる。

4　前三項の規定によつて承継する義務は、当該義務に係る申告又は報告の義務を含むものとする。

【参照条文】
※【相続―民法第五編　【相続の開始―民法八八二　【相続人―民法八八六～八九五　【包括遺贈―民法九六四　【限定承認―民法九二二　【遺言―民法九六〇～一〇二七
※　国税通則法五

（**相続人からの徴収の手続**）
第九条の二　納税者又は特別徴収義務者（以下本章（第十三条を除く。）においては、第十一条第一項に規定する第二次納税義務者及び第十六条第一項第六号に規定する保証人を含むものとする。）につき相続があつた場合において、その相続人が二人以上あるときは、これらの相続人は、そのうちから被相続人の地方団体の徴収金の賦課徴収（滞納処分を除く。）及び還付に関する書類を受領する代表者を指定することができる。この場合において、その指定をした相続人は、その旨を地方団体の長に届け出なければならない。

2　地方団体の長は、前項前段の場合において、すべての相続人又はその相続分のうちに明らかでないものがあり、かつ、相当の期間内に同項後段の届出がないときは、相続人の一人を指定し、その者を同項に規定する代表者とすることができる。この場合において、その指定をした地方団体の長は、その旨を相続人に通知しなければならない。

3　前二項に定めるもののほか、第一項に規定する代表者の指定に関し必要な事項は、政令で定める。

4　被相続人の地方団体の徴収金につき、被相続人の死亡後その死亡を知らないでその者の名義でした賦課徴収又は還付に関する処分で書類の送達を要するものは、その相続人の一人にその書類が送達された場合に限り、当該被相続人の地方団体の徴収金につきすべての相続人に対してされたものとみなす。

【参照条文】
③【政令の定―令二
※【相続―民法第五編　【相続人―民法八八六～八九五
※　国税通則法一三　国税通則令四　国税徴収法五一・一三九

（**法人の合併による納税義務の承継**）
第九条の三　法人が合併した場合には、合併後存続する法人又は合併により設立した法人は、合併により消滅した法人（以下本章において「被合併法人」という。）に課されるべき、又は被合併法人が納付し、若しくは納入すべき地方団体の徴収金を納付し、又は納入しなければならない。

2　前項の規定によつて承継する義務は、当該義務に係る申告又は報告の義務を含むものとする。

【参照条文】
①【法人―民法三三～三七　会社法三・四等　【合併―会社法二五一XI・四七四I・七四八・七五〇1・七五四1・七五六1等
※　国税通則法六　国税徴収法一三九

（**信託に係る納税義務の承継**）
第九条の四　信託法（平成十八年法律第百八号）第五十六条第一項各号に掲げる事由により受託者の任務が終了した場合において、新たな受託者（以下この項及び第六項において「新受託者」という。）が就任したときは、当該新受託者は当該受託者に課されるべき、又は当該受託者が納付し、若しくは納入すべき地方団体の徴収金（その納付し、又は納入する義務が信託財産責任負担債務（同法第二条第九項に規定する信託財産責任負担債務をいう。以下この条において同じ。）となるものに限る。以下この条において同じ。）を納付し、又は納入する義務を承継する。

2　受託者が二人以上ある信託において、その一人の任務が信託法第五十六条第一項各号に掲げる事由により終了した場合には、前項の規定にかかわらず、他の受託者のうち、当該任務が終了した受託者（以下この項及び第五項において「任務終了受託者」という。）から信託事務の引継ぎを受けた受託者は、当該任務終了受託者に課されるべき、又は当該任務終了受託者が納付し、若しくは納入すべき地方団体の徴収金を納付し、又は納入する義務を承継する。

3　信託法第五十六条第一項第一号に掲げる事由により受託者の任務が終了した場合には、同法第七十四条第一項に規定する法人は、当該受託者に課されるべき、又は当該受託者が納付し、若しくは納入すべき地方団体の徴収金を納付し、又は納入する義務を承継する。

4　受託者である法人が分割をした場合における分割により受託者としての権利義務を承継した法人は、当該分割をした受託者である法人に課されるべき、又は当該分割をした受託者である法人が納付し、若しくは納入すべき地方団体の徴収金を納付し、又は納入する義務を承継する。

5　第一項又は第二項の規定により地方団体の徴収金を納付し、又は納入する義務が承継された場合にも、第一項の受託者又は任務終了受託者は、自己の固有財産をもつて、その承継された地方団体の徴収金を納付し、又は納入する義務を履行する責任を負う。ただし、当該地方団体の徴収金を納付し、又は納入する義務について、信託法第二十一条第二項の規定により、信託財産に属する財産のみをもつてその履行の責任を負うときは、この限りでない。

6　新受託者は、第一項の規定により地方団体の徴収金を納付し、又は納入する義務を承継した場合には、信託財産に属する財産のみをもつて、その承継された地方団体の徴収金を納付し、又は納入する義務を履行する責任を負う。

【参照条文】
※　国税通則法七の二

第三節　連帯納税義務等

（**連帯納税義務**）

第十条　地方団体の徴収金を連帯して納付し、又は納入する義務については、民法第四百三十六条、第四百三十七条及び第四百四十一条から第四百四十五条までの規定を準用する。

【参照条文】
※　国税通則法八

第十条の二　共有物、共同使用物、共同事業、共同事業により生じた物件又は共同行為に対する地方団体の徴収金は、納税者が連帯して納付する義務を負う。

2　共有物、共同使用物、共同事業又は共同行為に係る地方団体の徴収金は、特別徴収義務者である共有者、共同使用者、共同事業者又は共同行為者が連帯して納入する義務を負う。

3　事業の法律上の経営者が単なる名義人であつて、当該経営者の親族その他当該経営者と特殊の関係のある個人で政令で定めるもの（以下本項において「親族等」という。）が事実上当該事業を経営していると認められる場合においては、前項の規定の適用については、当該経営者と当該親族等とは、共同事業者とみなす。

【参照条文】
①②【共有物―民法二四九〜二六四　【みなす共有物―法一四七2・四四四2
③【政令の定―令三
※　国税通則法九

（**法人の合併等の無効判決に係る連帯納税義務**）

第十条の三　合併又は分割（以下この条において「合併等」という。）を無効とする判決が確定した場合には、当該合併等をした法人は、合併後存続する法人若しくは合併により設立した法人又は分割により事業を承継した法人の当該合併等の日以後に納付し、又は納入する義務の成立した地方団体の徴収金について、連帯して納付し、又は納入する義務を負う。

【参照条文】
※　国税通則法九の二

（**法人の分割に係る連帯納税の責任**）

第十条の四　法人が分割（法人税法（昭和四十年法律第三十四号）第二条第十二号の十に規定する分社型分割を除く。以下この条において同じ。）をした場合には、当該分割により事業を承継した法人（第十四条の九第一項第七号において「分割承継法人」という。）は、当該分割をした法人の次に掲げる地方税（当該地方税に係る督促手数料、延滞金、過少申告加算金、不申告加算金、重加算金及び滞納処分費を含み、その納付し、又は納入する義務が第九条の四第四項の規定により受託者としての権利義務を承継した法人に承継されたもの及びその納付し、又は納入する義務が信託財産限定責任負担債務（信託法第百五十四条に規定する信託財産限定責任負担債務をいう。第十七条の二第一項において同じ。）となるものを除く。）について、連帯して納付し、又は納入する責めに任ずる。ただし、当該分割をした法人から承継した財産（当該分割をした法人から承継した信託財産に属する財産を除く。）の価額を限度とする。

一　分割の日前に納付し、又は納入する義務の成立した地方税（第七十四条の九及び第四百七十二条の規定により申告納付の方法によつて徴収される道府県たばこ税及び市町村たばこ税（次号において「申告納付に係るたばこ税」という。）を除く。）

二　分割の日の属する月の前月末日までに納付する義務の成立した申告納付に係るたばこ税

2　第四条第三項の規定により課する普通税（以下「道府県法定外普通税」という。）若しくは第五条第三項の規定により課する普通税（以下「市町村法定外普通税」という。）又は第四条第六項若しくは第五条第七項の規定により課する目的税（以下「法定外目的税」という。）のうち前項の規定により難いものとして当該地方団体の条例で定めるものに対する同項の規定の適用については、同項第一号中「分割の日前」とあるのは、「分割の日前の日で地方団体の条例で定める日まで」とする。

【参照条文】
※　国税通則法九の三

第四節　第二次納税義務

（第二次納税義務の通則）

第十一条　地方団体の長は、納税者又は特別徴収義務者の地方団体の徴収金を次条から第十一条の十まで又は第十二条の二第二項若しくは第三項の規定により第二次納税義務を有する者（以下「第二次納税義務者」という。）から徴収しようとするときは、その者に対し、納付又は納入すべき金額、納付又は納入の期限及び納付又は納入の場所その他必要な事項を記載した納付又は納入の通知書により告知しなければならない。

2　第二次納税義務者がその地方団体の徴収金を前項の納付又は納入の期限までに完納しないときは、地方団体の長は、第十三条の二の規定により繰上徴収をする場合を除き、その期限後二十日以内に納付又は納入の催告書を発して督促しなければならない。

3　第二次納税義務者の財産の換価は、その財産の価額が著しく減少するおそれがあるときを除き、第一項の納税者又は特別徴収義務者の財産を換価に付した後でなければ、することができない。

4　第二次納税義務者が第一項の告知、第二項の督促又はこれらに係る地方団体の徴収金に関する滞納処分につき出訴したときは、その訴の係属する間は、その財産の換価をすることができない。

5　次条から第十一条の十まで並びに第十二条の二第二項及び第三項の規定は、第二次納税義務者から第一項の納税者又は特別徴収義務者に対してする求償権の行使を妨げない。

【参照条文】
③【財産の換価―国税徴収法八九～一二七
④【訴の係属―民訴一六二
※　国税徴収法三二　国税徴収令一一

（合名会社等の社員の第二次納税義務）

第十一条の二　合名会社若しくは合資会社又は税理士法人、弁護士法人、外国法事務弁護士法人、弁護士・外国法事務弁護士共同法人、監査法人、弁理士法人、司法書士法人、行政書士法人、社会保険労務士法人若しくは土地家屋調査士法人が地方団体の徴収金を滞納した場合において、その財産につき滞納処分をしてもなおその徴収すべき額に不足すると認められるときは、その社員（合資会社及び監査法人にあつては、無限責任社員）は、当該滞納に係る地方団体の徴収金の第二次納税義務を負う。この場合において、その社員は、連帯してその責めに任ずる。

【参照条文】
【合名会社・合資会社―会社法五七五～六七五　【合名会社の社員―会社法五八〇1・五九〇1等　【合資会社の無限責任社員―会社法五八〇1　【連帯責任―法一〇・一〇の二
※　国税徴収法三三

（清算人等の第二次納税義務）

第十一条の三　法人が解散した場合において、その法人に課されるべき、又はその法人が納付し、若しくは納入すべき地方団体の徴収金を納付し、又は納入しないで残余財産の分配又は引渡しをしたときは、その法人に対し滞納処分をしてもなおその徴収すべき額に不足すると認められる場合に限り、清算人及び残余財産の分配又は引渡しを受けた者（前条の規定の適用を受ける者を除く。以下この項において同じ。）は、当該滞納に係る地方団体の徴収金につき第二次納税義務を負う。ただし、清算人は分配又は引渡しをした財産の価額を限度として、残余財産の分配又は引渡しを受けた者はその受けた財産の価額を限度として、それぞれその責めに任ずる。

2　信託法第百七十五条に規定する信託が終了した場合において、その信託に係る清算受託者（同法第百七十七条に規定する清算受託者をいう。以下この項において同じ。）に課されるべき、又はその清算受託者が納付し、若しくは納入すべき地方団体の徴収金（その納付し、又は納入する義務が信託財産責任負担債務となるものに限る。以下この項において同じ。）を納付しないで信託財産に属する財産を残余財産受益者等（同法第百八十二条第二項に規定する残余財産受益者等をいう。以下この項において同じ。）に給付をしたときは、その清算受託者に対し滞納処分をしてもなおその徴収すべき額に不足すると認められる場合に限り、清算受託者（信託財産に属する財産のみをもつて当該地方団体の徴収金を納付し、又は納入する義務を履行する責任を負う清算受託者に限る。以下この項において「特定清算受託者」という。）及び残余財産受益者等は、その滞納に係る地方団体の徴収金につき第二次納税義務を負う。ただし、特定清算受託者は給付をした財産の価額の限度において、残余財産受益者等は給付を受けた財産の価額の限度において、それぞれその責めに任ずる。

【参照条文】
【解散―一般社団法人及び一般財団法人に関する法律一四八・二〇二　会社法四七一・六四一・九二六等
【残余財産の分配等―会社法四八一・四八二・四八四・五〇二・五〇四1・2・六四九・六五五6・六五六・六六四　一般社団法人及び一般財団法人に関する法律二一二・二三九　【清算人―一般社団法人及び一般財団法人に関する法律二〇九・二一二　会社法四七七1・四七八1・2・3・六四六・六四七1・3等
※　国税徴収法三四

（同族会社の第二次納税義務）

第十一条の四　滞納者がその者を判定の基礎となる株主又は社員として選定した場合に法人税法第二条第十号に規定する会社に該当する会社（以下本章において「同族会社」という。）の株式又は出資を有する場合において、その株式又は出資につき次に掲げる理由があり、かつ、その者の財産（当該株式又は出資を除く。）につき滞納処分をしてもなお徴収すべき地方団体の徴収金に不足すると認められるときは、その者の有する当該株式又は出資（当該滞納に係る地方団体の徴収金の法定納期限（この法律又はこれに基づく条例の規定により地方税を納付し、又は納入すべき期限（修正申告、期限後申告、更正若しくは決定、繰上徴収又は徴収の猶予に係る期限その他政令で定める期

地税法

限を除く。）をいい、地方税で納期を分けているものの第二期以降の分については、その第一期分の納期限をいい、督促手数料、延滞金、過少申告加算金、不申告加算金、重加算金及び滞納処分費については、その徴収の基因となつた地方税の当該期限をいう。以下本章において同じ。）の一年前までに取得したものを除く。）の価額を限度として、当該会社は、当該滞納に係る地方団体の徴収金の第二次納税義務を負う。

一　その株式又は出資を再度換価に付してもなお買受人がないこと。

二　その株式若しくは出資の譲渡につき法律若しくは定款に制限があり、又は株券の発行がないため、これらを譲渡することにつき支障があること。

2　前項の同族会社の株式又は出資の価額は、第十一条第一項の納付又は納入の通知書を発する時における当該会社の資産の総額から負債の総額を控除した額をその株式又は出資の数で除した額を基礎として計算した額による。

3　第一項の同族会社であるかどうかの判定は、第十一条第一項の納付又は納入の通知書を発する時の現況による。

【参照条文】
①【地方税で納期を分けているもの―法七二の五一・三二〇・三六二・七〇二の七　【再度換価―国税徴収法一〇七　【株式等の譲渡制限の例―日刊新聞紙の発行を目的とする株式会社の株式の譲渡の制限等に関する法律一　【政令の定―令三の二

（実質課税額等の第二次納税義務）

第十一条の五　滞納者の次の各号に掲げる地方団体の徴収金につき滞納処分をしてもなおその徴収すべき額に不足すると認められるときは、第一号に定める者は同号に規定する収益が生じた財産（その財産の異動により取得した財産及びこれらの財産に基因して取得した財産（以下この条及び次条において「取得財産」という。）を含む。）を限度として、第二号に定める者は同号に規定する貸付けに係る財産（取得財産を含む。）を限度として、第三号に定める者はその受けた利益の額を限度として、第四号に定める者は同号に規定する事業の用に供する財産（取得財産を含む。）を限度として、それぞれその滞納に係る地方団体の徴収金の第二次納税義務を負う。

一　第二十四条の二の二若しくは第二百九十四条の二の二の規定により課された道府県民税若しくは市町村民税の所得割に係る地方団体の徴収金、道府県民税若しくは市町村民税の法人税割で法人税法第十一条の規定により課された法人税の課税に基づいて課されたものに係る地方団体の徴収金又は第七十二条の二の三の規定により課された事業税に係る地方団体の徴収金　その道府県民税若しくは市町村民税の所得割、法人税又は事業税の賦課の基因となつた収益が法律上帰属するとみられる者

二　第七十二条の七十九の規定により課された地方消費税の譲渡割（消費税法（昭和六十三年法律第百八号）第二条第一項第八号に規定する貸付けに係る部分に限る。）に係る地方団体の徴収金　その地方消費税の譲渡割の賦課の基因となつた当該貸付けを法律上行つたとみられる者

三　所得税法（昭和四十年法律第三十三号）第百五十七条の規定による計算がなされた所得に基づいて課された道府県民税若しくは市町村民税の所得割に係る地方団体の徴収金若しくは個人の事業税に係る地方団体の徴収金、法人税法第百三十二条、第百三十二条の二若しくは第百三十二条の三の規定による計算がなされた所得に基づいて課された道府県民税若しくは市町村民税の法人税割に係る地方団体の徴収金若しくは法人の事業税に係る地方団体の徴収金又は第七十二条の四十三の規定により課された法人の事業税に係る地方団体の徴収金　これらの規定により否認された納税者の行為（否認された計算の基礎となつた行為を含む。）につき利益を受けたものとされる者

四　第七百一条の三十三の規定により課された事業所税に係る地方団体の徴収金　その事業所税の賦課の基因となつた事業を法律上行うとみられる者

【参照条文】
※　令四1・2　国税徴収法三六　国税徴収令一二

（共同的な事業者の第二次納税義務）

第十一条の六　次の各号に掲げる者が納税者又は特別徴収義務者の事業の遂行に欠くことができない重要な財産を有し、かつ、当該財産に関して生ずる所得が納税者又は特別徴収義務者の所得となつている場合において、その納税者又は特別徴収義務者がその供されている事業に係る地方団体の徴収金を滞納し、その地方団体の徴収金につき滞納処分をしてもなおその徴収すべき額に不足すると認められるときは、当該各号に掲げる者は、当該財産（取得財産を含む。）を限度として、当該滞納に係る地方団体の徴収金の第二次納税義務を負う。

一　納税者又は特別徴収義務者が個人である場合　その者と生計を一にする配偶者その他の親族で納税者又は特別徴収義務者の経営する事業から所得を受けているもの

二　納税者又は特別徴収義務者がその事実があつた時の現況において同族会社である場合　その判定の基礎となつた株主又は社員

【参照条文】
【取得財産―法一一の五　【同族会社―法一一の四1
※　令四3　国税徴収法三七

（事業を譲り受けた特殊関係者の第二次納税義務）

第十一条の七　納税者又は特別徴収義務者が生計を一にする親族その他納税者又は特別徴収義務者と特殊の関係のある個人又は被支配会社（当該納税者を判定の基礎となる株主又は社員として選定した場合に法人税法第六十七条第二項に規定する会社に該当する会社をいい、これに類する法人を含む。）で政令で定めるものに事業を譲渡し、かつ、その譲受人が同一又は類似の事業を営んでいる場合において、納税者又は特別徴収義務者の当該事業に係る地方団体の徴収金につき滞納処分をしてもなおその徴収すべき額に不足すると認められるときは、その譲受人は、譲受財産の価額の限度において、当該滞納に係る地方団体の徴収金の第二次納税義務を負う。ただし、その譲渡が当該滞納に係る地方団体の徴収金の法定納期限より一年以上前にされている場合は、この限りでない。

地税法

【参照条文】
【同族会社―法一一の四1 【取得財産―法一一の五
【法定納期限―法一一の四1 【政令の定―令五
※ 令四3 国税徴収法三八 国税徴収令一三

（無償又は著しい低額の譲受人等の第二次納税義務）
第十一条の八 滞納者の地方団体の徴収金につき滞納処分をしてもなおその徴収すべき額に不足すると認められる場合において、その不足すると認められることが、当該地方団体の徴収金の法定納期限の一年前の日以後に滞納者がその財産につき行つた政令で定める無償又は著しく低い額の対価による譲渡（担保の目的でする譲渡を除く。）、債務の免除その他第三者に利益を与える処分に基因すると認められるときは、これらの処分により権利を取得し、又は義務を免れた者は、これらの処分により受けた利益が現に存する限度（これらの者がその処分の時にその滞納者の親族その他滞納者と特殊の関係のある個人又は同族会社（これに類する法人を含む。）で政令で定めるものであるときは、これらの処分により受けた利益の限度）において、当該滞納に係る地方団体の徴収金の第二次納税義務を負う。

【参照条文】
【法定納期限―法一一の四1 【政令の定―令六
※ 国税徴収法三九 国税徴収令一四

（偽りその他不正の行為により地方団体の徴収金を免れた株式会社の役員等の第二次納税義務）
第十一条の九 偽りその他不正の行為により地方団体の徴収金を免れ、又は地方団体の徴収金の還付を受けた株式会社、合資会社又は合同会社がその地方団体の徴収金を納付し、又は納入していない場合において、その株式会社、合資会社又は合同会社に対し滞納処分をしてもなおその徴収すべき額に不足すると認められるとき（合資会社にあつては、第十一条の二の無限責任社員に対し滞納処分をしてもなおその徴収すべき額に不足すると認められる場合に限る。）は、その偽りその他不正の行為をしたその株式会社の役員又はその合資会社若しくは合同会社の業務を執行する有限責任社員（その役員又は有限責任社員を判定の基礎となる株主又は社員として選定した場合にその株式会社、合資会社又は合同会社が法人税法第六十七条第二項に規定する会社に該当する場合におけるその役員又は有限責任社員に限る。以下この条において「特定役員等」という。）は、その偽りその他不正の行為により免れ、若しくは還付を受けた地方団体の徴収金の額又はその株式会社、合資会社若しくは合同会社の財産のうち、その偽りその他不正の行為があつた時以後に、その特定役員等が移転を受けたもの及びその特定役員等が移転をしたもの（その株式会社、合資会社又は合同会社の取引の内容その他の事情を勘案して、当該取引の相手方との間で通常の取引の条件に従つて行われたと認められるその株式会社、合資会社又は合同会社の各事業年度の収益に係る売上原価、販売費又は一般管理費の額の基因となる取引その他の政令で定める取引として移転をしたものを除く。）の価額のいずれか低い額を限度として、当該滞納に係る地方団体の徴収金の第二次納税義務を負う。

【参照条文】
【政令で定める取引―令六の二

（自動車等の売主の第二次納税義務）
第十一条の十 第百四十五条第三号に規定する自動車又は第四百四十二条第三号に規定する軽自動車等（以下この条において「自動車等」という。）の買主が当該自動車等に対して課する自動車税の種別割又は軽自動車税の種別割に係る地方団体の徴収金を滞納した場合において、その者の財産につき滞納処分をしてもなおその徴収すべき額に不足すると認められるときは、当該自動車等の売主は、当該自動車等の譲渡価額として政令で定める額を限度として、当該滞納に係る地方団体の徴収金の第二次納税義務を負う。
2 道府県又は市町村は、自動車等の所在及び買主の住所又は居所が不明である場合において、当該自動車等の売主が当該自動車等の売買に係る代金の全部又は一部を受け取ることができなくなつたと認められるときは、当該受け取ることができなくなつたと認められる額を限度として、当該自動車等の売主の前項の規定による第二次納税義務に係る地方団体の徴収金の納付の義務を免除するものとする。
3 前項の規定は、自動車等の売主から同項の規定の適用があるべき旨の申告があり、当該申告が真実であると認められるときに限り、適用する。

【参照条文】
①【政令の定―令六の二

第五節 人格のない社団等の納税義務

（人格のない社団等に対する本章の規定の適用）
第十二条 法人でない社団又は財団で代表者又は管理人の定があるもの（以下本章において「人格のない社団等」という。）は、法人とみなして、本章中法人に関する規定をこれに適用する。

【参照条文】
【人格のない社団―法二四6・七二の二4・二九四8・三一七の六1等 民訴二九・三七等 独禁法九五2
※ 国税通則法三 国税徴収法三

（人格のない社団等の納税義務の承継等）
第十二条の二 法人が人格のない社団等の財産に属する権利義務を包括して承継する場合（第九条の三の規定の適用がある場合を除く。）には、その法人は、その人格のない社団等に課されるべき、又はその人格のない社団等が納付し、若しくは納入すべき地方団体の徴収金（その承継が権利義務の一部であるときは、その額にその承継の時における人格のない社団等の財産のうちにその法人が承継した財産の占める割合を乗じて計算して得た額の地方団体の徴収金）を納付し、又は納入する義務を負う。
2 人格のない社団等が地方団体の徴収金を滞納した場合において、これに属する財産（第三者が名義人となつているため、当該第三者に法律上帰属するとみられる財産を除く。）につき滞納処分をしてもなおその徴収すべき額に不足すると認められるときは、当該第三者は、その法律上帰属するとみられる財産を限度として、当該滞納に係る地方団体の徴収金の第二次納税義務を負う。

3　滞納者である人格のない社団等の財産の払戻又は分配をした場合（第十一条の三の規定の適用がある場合を除く。）において、当該人格のない社団等（前項に規定する第三者を含む。）につき滞納処分をしてもなお徴収すべき額に不足すると認められるときは、当該払戻又は分配を受けた者は、その受けた財産の価額を限度として、当該滞納に係る地方団体の徴収金の第二次納税義務を負う。ただし、その払戻又は分配が当該滞納に係る地方団体の徴収金の法定納期限より一年以上前にされている場合は、この限りでない。

【参照条文】

③【法定納期限―法一一の四1

※　国税通則法七　国税徴収法四一

第六節　納税の告知等

（納付又は納入の告知）

第十三条　地方団体の長は、納税者又は特別徴収義務者から地方団体の徴収金（滞納処分費を除く。）を徴収しようとするときは、これらの者に対し、文書により納付又は納入の告知をしなければならない。この場合においては、当該文書には、この法律に特別の定がある場合のほか、その納付又は納入すべき金額、納付又は納入の期限及び納付又は納入の場所その他必要な事項を記載するものとする。

2　地方団体の徴収金（滞納処分費を除く。）が完納された場合において、滞納処分費につき滞納者の財産を差し押えようとするときは、地方団体の長は、政令で定めるところにより、滞納者に対し、納付の告知をしなければならない。

【参照条文】

①【特別の定―法一1Ⅵ・四三・三一九の二等

②【政令の定―令六の二の二

※　国税通則法三六　国税通則令八　国税徴収法一三八
　国税徴収令五一

㊟　次条中、点線の左側は、令和六年六月一四日から起算して二年六月を超えない範囲内において政令で定める日から施行となる。

（繰上徴収）

第十三条の二　地方団体の長は、次の各号のいずれかに該当するときは、既に納付又は納入の義務の確定した地方団体の徴収金（第三号に該当する場合においては、その納付し、又は納入する義務が信託財産責任負担債務であるものを除く。）でその納期限においてその全額を徴収することができないと認められるものに限り、その納期限前においても、その繰上徴収をすることができる。

一　納税者又は特別徴収義務者の財産につき滞納処分（その例による処分を含む。）、強制執行、担保権の実行としての競売、企業担保権の実行手続、企業価値担保権の実行手続又は破産手続（以下「強制換価手続」という。）が開始されたとき（仮登記担保契約に関する法律（昭和五十三年法律第七十八号）第二条第一項（同法第二十条において準用する場合を含む。）の規定による通知がされたときを含む。）。

二　納税者又は特別徴収義務者につき相続があつた場合において、相続人が限定承認をしたとき。

三　法人である納税者又は特別徴収義務者が解散したとき。

四　その納付し、又は納入する義務が信託財産責任負担債務である地方団体の徴収金に係る信託が終了したとき（信託法第百六十三条第五号に掲げる事由によつて終了したときを除く。）。

五　納税者又は特別徴収義務者が納税管理人を定めないで当該地方団体の区域内に住所、居所、事務所又は事業所を有しないこととなるとき（納税管理人を定めることを要しない場合を除く。）。

六　納税者又は特別徴収義務者が不正に地方団体の徴収金の賦課徴収を免れ、若しくは免れようとし、又は地方団体の徴収金の還付を受け、若しくは受けようとしたと認められたとき。

2　前項に規定する既に納付又は納入の義務の確定した地方団体の徴収金とは、次に掲げるものとする。

一　納付又は納入の告知（第十一条第一項（これを準用する場合を含む。）の規定による告知を含む。）をした地方団体の徴収金

二　申告又は更正若しくは決定の通知があつた申告納付に係る地方税

三　特別徴収義務者が徴収した個人の市町村民税（これと併せて課する個人の道府県民税を含む。）

四　課税すべき売渡し又は消費その他の処分があつた道府県たばこ税及び市町村たばこ税

五　課税すべき行為又は事実があつた特別徴収の方法によつて徴収される道府県税及び市町村税

3　地方団体の長は、第一項の規定により繰上徴収をしようとするときは、その旨を納税者又は特別徴収義務者に告知しなければならない。この場合において、すでに納付又は納入の告知をしているときは、納期限の変更を告知しなければならない。

【参照条文】

①【破産手続の開始―破産法三〇1　【競売の開始―民事執行法四五等　【相続・相続人・限定承認―法九参照条文参照　【法人の解散―法一一の三参照条文参照　【住所―民法二二～二四

③【告知の手続―令六の二の三

※　国税通則法三八

（強制換価の場合の道府県たばこ税等の徴収）

第十三条の三　地方団体の長は、道府県たばこ税若しくは市町村たばこ税が課される製造たばこ又は軽油引取税が課される軽油が、強制換価手続により換価された場合において、当該製造たばこ又は軽油につき道府県たばこ税若しくは市町村たばこ税又は軽油引取税の納税義務が成立するときは、その売却代金のうちから当該道府県たばこ税若しくは市町村たばこ税又は軽油引

取税を徴収することができる。

2　地方団体の長は、前項の規定により道府県たばこ税若しくは市町村たばこ税又は軽油引取税を徴収しようとするときは、あらかじめ、執行機関（滞納処分を執行する行政機関その他の者（以下本章において「行政機関等」という。）、裁判所（民事執行法（昭和五十四年法律第四号）第百六十七条の二第二項に規定する少額訴訟債権執行にあつては、裁判所書記官）、執行官及び破産管財人をいう。以下同じ。）及び特別徴収義務者又は納税者に対し、前項の規定により徴収すべき税額その他必要な事項を通知しなければならない。

3　第一項の換価がされたときは、執行機関に対する前項の通知は交付要求として、特別徴収義務者又は納税者に対する同項の通知は納入又は納付の告知としてそれぞれされたものとみなす。

4　前三項の規定は、道府県法定外普通税若しくは市町村法定外普通税又は法定外目的税のうちその課税客体が売渡し又は引取りに係る物件等道府県たばこ税若しくは市町村たばこ税又は軽油引取税の課税客体に類するもので総務大臣が指定するものについて準用する。

【参照条文】
②【通知の手続―令六の三
※　国税通則法三九　国税通則令一〇　国税徴収法一一

（**指定納付受託者等が委託を受けた場合の徴収の特例**）

第十三条の四　地方自治法第二百三十一条の二の三第一項に規定する指定納付受託者又は第七百四十七条の八第一項に規定する機構指定納付受託者（以下この条において「指定納付受託者等」という。）が同法第二百三十一条の二の二の規定又は第七百四十七条の七の規定による委託を受けた場合において、当該指定納付受託者等が同法第二百三十一条の二の五第一項の規定又は第七百四十七条の十第一項の規定により納付し、又は納入すべき地方団体の徴収金をこれらの規定に規定する指定する日までに完納しないときは、地方団体の長は、地方団体の徴収金を当該指定納付受託者等から徴収するものとする。

2　地方団体の長は、地方自治法第二百三十一条の二の五第一項の規定又は第七百四十七条の十第一項の規定により指定納付受託者等が納付し、又は納入すべき地方団体の徴収金については、当該指定納付受託者等に対して滞納処分をしてもなお徴収すべき残余がある場合でなければ、その残余の額について当該地方団体の徴収金に係る納税者又は特別徴収義務者から徴収することができない。

【参照条文】
※　国税通則法三四の五3・4

第七節　地方税優先の原則及び地方税と他の債権との調整

（**地方税優先の原則**）

第十四条　地方団体の徴収金は、納税者又は特別徴収義務者の総財産について、本節に別段の定がある場合を除き、すべての公課（滞納処分の例により徴収することができる債権に限り、かつ、地方団体の徴収金並びに国税及びその滞納処分費（以下本章において「国税」という。）を除く。以下本章において同じ。）その他の債権に先だつて徴収する。

【参照条文】
【別段の定め―法一四の二～一四の四・一四の九～一四の一五・一四の一七・一四の二〇　【公課―関税法一一　健康保険法一八〇4　自治法二三一の三等　【地方団体の徴収金―法一1ⅩⅣ　【国税―国税通則法二Ⅰ
※　国税徴収法八

（**強制換価手続の費用の優先**）

第十四条の二　納税者又は特別徴収義務者の財産につき強制換価手続が行われた場合において、地方団体の徴収金の交付要求をしたときは、その地方団体の徴収金は、その手続により配当すべき金銭（以下本章において「換価代金」という。）につき、当該強制換価手続に係る費用に次いで徴収する。

【参照条文】
【強制換価手続―法一三の二1Ⅰ　【交付要求―国税徴収法八二　【換価代金―国税徴収法一二九1
【強制換価手続に係る費用―国税徴収法一三六
※　国税徴収法九

㊟　次条中、点線の左側は、令和六年六月一四日から起算して二年六月を超えない範囲内において政令で定める日から施行となる。

（**直接の滞納処分費の優先**）

第十四条の三　納税者又は特別徴収義務者の財産を地方団体の徴収金の滞納処分により換価したときは、その滞納処分に係る滞納処分費（督促手数料を含む。第十四条の五第二項及び第十四条の二十において同じ。）は、次条、第十四条の八から第十四条の十一まで、第十四条の十二の二第一項、第十四条の十三から第十四条の十五まで及び第十四条の十七の規定にかかわらず、その換価代金につき、他の地方団体の徴収金、国税その他の債権に先立つて徴収する。

【参照条文】
※　国税徴収法一〇

㊟　次条中、点線の左側は、令和六年六月一四日から起算して二年六月を超えない範囲内において政令で定める日から施行となる。

（**強制換価の場合の道府県たばこ税等の優先**）

第十四条の四　第十三条の三の規定により徴収する地方団体の徴収金は、第十四条の六から第十四条の十一まで、第十四条の十二の二第一項及び第十四条の十三から第十四条の十五までの規定にかかわらず、その徴収の基因となつた売渡し又は引取り等に係る物件の換価代金につき、他の地方団体の徴収金、国税その他の債権に先立つて徴収する。

【参照条文】

※ 国税通則法三九　国税徴収法一一

（地方団体の徴収金のうちの優先順位）

第十四条の五　地方団体の徴収金を滞納処分により徴収する場合において、当該地方団体の徴収金に配当された金銭を地方税及び当該地方税の延滞金、過少申告加算金、不申告加算金又は重加算金に充てるべきときは、その金銭は、まず地方税に充てるものとする。

2　滞納処分費については、その徴収の基因となつた地方団体の徴収金に先立つて配当し、又は充当する。

【参照条文】

※ 国税通則法六二2　国税徴収法一二九6・一三七

（差押先着手による地方税の優先）

第十四条の六　納税者又は特別徴収義務者の財産につき地方団体の徴収金の滞納処分による差押をした場合において、他の地方団体の徴収金又は国税の交付要求があつたときは、当該差押に係る地方団体の徴収金は、その換価代金につき、当該交付要求に係る地方団体の徴収金又は国税に先だつて徴収する。

2　納税者又は特別徴収義務者の財産につき他の地方団体の徴収金又は国税の滞納処分による差押があつた場合において、地方団体の徴収金の交付要求をしたときは、当該交付要求に係る地方団体の徴収金は、その換価代金につき、当該差押に係る地方団体の徴収金又は国税（第十四条の二の規定の適用を受ける費用を除く。）に次いで徴収する。

【参照条文】

※ 令六の九　国税徴収法一二

（交付要求先着手による地方税の優先）

第十四条の七　納税者又は特別徴収義務者の財産につき強制換価手続（破産手続を除く。）が行われた場合において、地方団体の徴収金及び国税の交付要求があつたときは、その換価代金につき、先にされた交付要求に係る地方団体の徴収金又は国税に先だつて徴収し、後にされた交付要求に係る地方団体の徴収金は、先にされた交付要求に係る地方団体の徴収金又は国税に次いで徴収する。

【参照条文】

※ 令六の九　国税徴収法一三

（担保を徴した地方税の優先）

第十四条の八　地方団体の徴収金につき徴した担保財産があるときは、前二条の規定にかかわらず、当該地方団体の徴収金は、その換価代金につき、他の地方団体の徴収金及び国税に先だつて徴収する。

【参照条文】

【担保の徴収―法一六・一六の三・一四四の二九等

※ 国税徴収法一四

㊟ 次条中、点線の左側は、令和五年六月一四日から起算して五年を超えない範囲内において政令で定める日から施行となる。

（法定納期限等以前に設定された質権の優先）

第十四条の九　納税者又は特別徴収義務者がその財産上に質権を設定している場合において、その質権が地方団体の徴収金の法定納期限等（次の各号に掲げる地方税については、それぞれ当該各号に定める日とし、当該地方税に係る督促手数料、延滞金、過少申告加算金、不申告加算金、重加算金及び滞納処分費については、その徴収の基因となつた地方税に係る当該各号に定める日とし、その他の地方税に係る地方団体の徴収金については、法定納期限とする。以下この章において同じ。）以前に設定されているものであるときは、その地方団体の徴収金は、その換価代金につき、その質権により担保される債権に次いで徴収する。

一　法定納期限後にその納付し、又は納入すべき税額が確定した地方税　その納付又は納入の告知書を発した日（申告により税額が確定されたものについては、その申告があつた日）

二　法定納期限前に繰上徴収に係る告知がされた地方税　その告知により指定された納期限

三　随時に課する地方税　その納付の告知書を発した日

四　第十四条の十八第二項又は第十六条の四第二項（同条第十二項において準用する場合を含む。）の規定により告知し、又は通知した金額の地方税　これらの規定による告知書又は通知書を発した日

五　相続人の固有の財産から徴収する被相続人の地方税及び相続財産から徴収する相続人の固有の地方税（相続があつた日前にその納付し、又は納入すべき税額が確定したものに限る。）　その相続があつた日

六　被合併法人に属していた財産から徴収する合併後存続する法人又は当該合併に係る他の被合併法人の固有の地方税及び合併後存続する法人の固有の財産から徴収する被合併法人の地方税（合併のあつた日前にその納付し、又は納入すべき税額が確定したものに限る。）　その合併のあつた日

七　分割を無効とする判決の確定により当該分割をした法人（以下この号において「分割法人」という。）に属することとなつた財産から徴収する分割法人の固有の地方税及び分割法人の固有の財産から徴収する分割法人の第十条の三に規定する連帯して納付し、又は納入する義務に係る地方税（当該判決が確定した日前にその納付し、又は納入すべき税額が確定したものに限る。）　当該判決が確定した日

八　分割承継法人の当該分割をした法人から承継した財産（以下この号において「承継財産」という。）から徴収する分割承継法人の固有の地方税、分割承継法人の固有の財産から徴収する分割承継法人の第十条の四に規定する連帯して納付し、又は納入する責任（以下この号において「連帯納税責任」という。）に係る地方税及び分割承継法人の承継財産から徴収する分割承継法人の連帯納税責任に係る当該分割に係る他の分割をした法人の地方税（分割のあつた日前にその納付し、又は納入すべき税額が確定したものに限る。）　その分割のあつた日

九　第二次納税義務者又は保証人として納付し、又は納入すべき地方税　第十一条第一項（これを準用する場合を含む。）の納付又は納入の通知書を発した日

2　次の各号に掲げる地方税について前項、次条、第十四条の十四第一項、第十四条の十六第一項、第十四条の十七第一項、第十四条の十八第九項及び第十四条の二十第二号の規定を適用する場合には、当該地方税に係る法定納期限等は、それぞれ当該各号に定める期限又は日とし、当該地方税に係る督促手数料、延滞金、過少申告加算金、不申告加算金、重加算金及び滞納処分費については、その徴収の基因となつた地方税に係る当該各号に定める期限又は日とする。

一　法人税の課税に基づいて課する道府県民税又は市町村民税の法人税割（これらと併せて課する均等割を含む。）　当該法人税の国税徴収法（昭和三十四年法律第百四十七号）第十五条第一項に規定する法定納期限等

二　法人税の課税標準を基準として課する事業税の所得割（これと併せて課する付加価値割及び資本割又は収入割を含む。）　当該法人税の国税徴収法第十五条第一項に規定する法定納期限等

三　所得税の課税標準を基準として課する事業税　当該所得税の国税徴収法第十五条第一項に規定する法定納期限等

四　消費税の課税に基づいて課する地方消費税　当該消費税の国税徴収法第十五条第一項に規定する法定納期限等

五　個人の市町村民税（これと併せて課する個人の道府県民税を含む。以下この号において同じ。）　次に掲げる個人の市町村民税の区分に応じそれぞれ次に定める期限又は日

イ　所得税の課税標準を基準として課する普通徴収の方法によつて徴収する個人の市町村民税（これと併せて課する均等割を含む。）　当該所得税の国税徴収法第十五条第一項に規定する法定納期限等

ロ　第三百二十一条の三の規定により特別徴収の方法によつて徴収する個人の市町村民税　第三百二十一条の四第二項に規定する期限（当該期限後にされた通知に係る特別徴収税額については、当該通知があつた日）

ハ　第三百二十一条の七の二第一項及び第二項並びに第三百二十一条の七の八第一項の規定により特別徴収の方法によつて徴収する個人の市町村民税　第三百二十一条の七の五第一項（第三百二十一条の七の八第三項において準用する場合を含む。）に規定する年金保険者に対する通知の期限

六　第七百六条第二項及び第三項、第七百十八条の七第一項及び第二項並びに第七百十八条の八第一項の規定により特別徴収の方法によつて徴収する国民健康保険税　第七百十八条の三第一項（第七百十八条の六、第七百十八条の七第三項又は第七百十八条の八第三項において準用する場合を含む。）に規定する年金保険者に対する通知の期限

3　第一項の規定は、登記（登録及び電子記録債権法（平成十九年法律第百二号）第二条第一項に規定する電子記録を含む。以下この章において同じ。）をすることができる質権以外の質権については、その質権者が、強制換価手続において、その執行機関に対し、その設定の事実を証明した場合に限り適用する。この場合において、有価証券を目的とする質権以外の質権については、その証明は、次の各号に掲げる書類によつてしなければならない。

一　公正証書

二　登記所又は公証人役場において日付のある印章が押されている私署証書

三　郵便法（昭和二十二年法律第百六十五号）第四十八条第一項の規定により内容証明を受けた証書

四　民法施行法（明治三十一年法律第十一号）第七条第一項において準用する公証人法（明治四十一年法律第五十三号）第六十二条ノ七第四項 / 第六十条第四項の規定により交付を受けた書面

4　前項各号の規定により証明された質権は、第一項の規定の適用については、民法施行法第五条の規定により確定日付があるものとされた日に設定されたものとみなす。

5　第一項の質権を有する者は、第三項の証明をしなかつたため地方団体の徴収金におくれる金額の範囲内においては、第一項の規定により地方団体の徴収金に優先する後順位の質権者に対して優先権を行うことができない。

【参照条文】

①【質権―民法三四二】【法定納期限―法一一の四1】【質権により担保される債権―民法三四六】

③【強制換価手続―法一三の二1Ⅰ】【執行機関―法一三の三2】【証明手続―令六の四】

※　国税徴収法一五　国税徴収令四

（法定納期限等以前に設定された抵当権の優先）

第十四条の十　納税者又は特別徴収義務者が地方団体の徴収金の法定納期限等以前にその財産上に抵当権を設定しているときは、その地方団体の徴収金は、その換価代金につき、その抵当権により担保される債権に次いで徴収する。

【参照条文】

【法定納期限等―法一四の九1・2】【抵当権―民法三六九等】【抵当権により担保される債権―民法三七五】

※　国税徴収法一六

（譲受前に設定された質権又は抵当権の優先）

第十四条の十一　納税者又は特別徴収義務者が質権又は抵当権の設定されている財産を譲り受けたときは、地方団体の徴収金は、その換価代金につき、その質権又は抵当権により担保される債権に次いで徴収する。

2　前項の規定は、登記をすることができる質権以外の質権については、その質権者が、強制換価手続において、その執行機関に対し、同項の譲受前にその質権が設定されている事実を証明した場合に限り適用する。この場合においては、第十四条の九第三項後段及び第四項の規定を準用する。

【参照条文】

②【証明手続―令六の四】

※　国税徴収法一七　国税徴収令四

（質権及び抵当権の優先額の限度等）

第十四条の十二　前三条の規定に基き地方団体の徴収金に先だつ

質権又は抵当権により担保される債権の元本の金額は、その質権者又は抵当権者がその地方団体の徴収金に係る差押又は交付要求の通知を受けた時における債権額を限度とする。ただし、その地方団体の徴収金に優先する他の債権を有する者の権利を害することとなるときは、この限りでない。

2　質権又は抵当権により担保される債権額又は極度額を増加する登記がされた場合には、その登記がされた時において、その増加した債権額又は極度額につき新たに質権又は抵当権が設定されたものとみなして、前三条の規定を適用する。

【参照条文】

※　国税徴収法一八

㊟　次条は、令和六年六月一四日から起算して二年六月を超えない範囲内において政令で定める日から施行となる。

（法定納期限等以前に設定された企業価値担保権の優先等）

第十四条の十二の二　納税者又は特別徴収義務者が地方団体の徴収金の法定納期限等以前にその財産上に企業価値担保権を設定しているときは、その地方団体の徴収金は、その換価代金につき、その企業価値担保権により担保される債権に次いで徴収する。

2　前項の規定に基づき地方団体の徴収金に先立つ企業価値担保権により担保される事業性融資の推進等に関する法律（令和六年法律第五十二号）第六条第四項に規定する特定被担保債権の元本の金額は、その企業価値担保権者がその地方団体の徴収金に係る差押え又は交付要求の通知を受けた時における債権額を限度とする。ただし、その地方団体の徴収金に優先する他の債権を有する者の権利を害することとなるときは、この限りでない。

（**不動産保存の先取特権等の優先**）

第十四条の十三　次に掲げる先取特権が納税者又は特別徴収義務者の財産上にあるときは、地方団体の徴収金は、その換価代金につき、その先取特権により担保される債権に次いで徴収する。

一　不動産保存の先取特権
二　不動産工事の先取特権
三　立木の先取特権に関する法律（明治四十三年法律第五十六号）第一項の先取特権
四　商法（明治三十二年法律第四十八号）第八百二条若しくは第八百四十二条の先取特権、船舶の所有者等の責任の制限に関する法律（昭和五十年法律第九十四号）第九十五条第一項の先取特権又は船舶油濁等損害賠償保障法（昭和五十年法律第九十五号）第五十五条第一項の先取特権
五　地方団体の徴収金に優先する債権のため又は地方団体の徴収金のために動産を保存した者の先取特権

2　前項第三号から第五号までの規定（同項第三号に掲げる先取特権で登記をしたものに係る部分を除く。）は、その先取特権者が、強制換価手続において、その執行機関に対し、その先取特権がある事実を証明した場合に限り適用する。

【参照条文】

①【不動産保存の先取特権―民法三二五Ⅰ・三二六・三三一・三三二・三三七・三三九　【不動産工事の先取特権―民法三二五Ⅱ・三二七・三三一・三三二・三三八・三三九　【動産の保存の先取特権―民法三一一Ⅳ・三二〇　【増価額の評価等―令六の五
②【証明手続―令六の四
※　国税徴収法一九

（**法定納期限等以前にある不動産賃貸の先取特権等の優先**）

第十四条の十四　次に掲げる先取特権が納税者又は特別徴収義務者の財産上に地方団体の徴収金の法定納期限等以前からあるとき、又は納税者若しくは特別徴収義務者がその先取特権のある財産を譲り受けたときは、その地方団体の徴収金は、その換価代金につき、その先取特権により担保される債権に次いで徴収する。

一　不動産賃貸の先取特権その他質権と同一の順位又はこれらに優先する順位の動産に関する特別の先取特権（前条第一項第三号から第五号までに掲げる先取特権を除く。）
二　不動産売買の先取特権
三　借地借家法（平成三年法律第九十号）第十二条又は接収不動産に関する借地借家臨時処理法（昭和三十一年法律第百三十八号）第七条に規定する先取特権
四　登記をした一般の先取特権

2　前条第二項の規定は、前項第一号に掲げる先取特権について準用する。

【参照条文】

①【法定納期限等―法一四の九1・2　【不動産賃貸の先取特権―民法三一I・三一二～三一六・三三一・三四〇　【不動産売買の先取特権―民法三二五Ⅲ・三二八・三三一・三四〇　【登記をした一般の先取特権―民法三〇六～三一〇・三三五・三三六　【証明手続―令六の四
※　国税徴収法二〇

（**留置権の優先**）

第十四条の十五　留置権が納税者又は特別徴収義務者の財産上にある場合において、その財産を滞納処分により換価したときは、その地方団体の徴収金は、その換価代金につき、その留置権により担保されていた債権に次いで徴収する。この場合において、その債権は、質権、抵当権、先取特権又は第十四条の十七第一項に規定する担保のための仮登記により担保される債権に先立つて配当するものとする。

2　前項の規定は、その留置権者が、滞納処分の手続において、その行政機関等に対し、その留置権がある事実を証明した場合に限り適用する。

【参照条文】

①【留置権―民法二九五～三〇二　会社法二〇　商法五二一
②【行政機関等―法一三の三2　【証明手続―令六の四

地税法

※　国税徴収法二二

第十四条の十六（**担保権付財産が譲渡された場合の地方税の徴収**）　納税者又は特別徴収義務者が他に地方団体の徴収金に充てるべき十分な財産がない場合において、その者がその地方団体の徴収金の法定納期限等後に登記した質権又は抵当権を設定した財産を譲渡したときは、納税者又は特別徴収義務者の財産につき滞納処分をしてもなおその地方団体の徴収金に不足すると認められるときに限り、その地方団体の徴収金は、その質権者又は抵当権者から、これらの者がその譲渡に係る財産の強制換価手続においてその質権又は抵当権によつて担保される債権につき配当を受けるべき金額のうちから徴収することができる。

2　前項の規定により徴収することができる金額は、第一号に掲げる金額から第二号に掲げる金額を控除した額をこえることができない。

一　前項の譲渡に係る財産の換価代金から同項に規定する債権が配当を受けるべき金額

二　前号の財産を納税者又は特別徴収義務者の財産とみなし、その財産の換価代金につき前項の地方団体の徴収金の交付要求があつたものとした場合に同項の債権が配当を受けるべき金額

3　地方団体の長は、第一項の規定により地方団体の徴収金を徴収するため、同項の質権者又は抵当権者に代位してその質権又は抵当権を実行することができる。

4　地方団体の長は、第一項の規定により地方団体の徴収金を徴収しようとするときは、その旨を質権者又は抵当権者に通知しなければならない。

5　地方団体の長は、第一項の譲渡に係る財産につき強制換価手続が行われた場合には、同項の規定により徴収することができる金額の地方団体の徴収金につき、執行機関に対し、交付要求をすることができる。

【参照条文】

①【法定納期限等―法一四の九１・２　【強制換価手続―法一三の二１Ⅰ　④【徴収手続―令六の六

※　国税徴収法二二

第十四条の十七（**法定納期限等以前にされた仮登記により担保される債権の優先等**）　地方団体の徴収金の法定納期限等以前に納税者又は特別徴収義務者の財産につき、その者を登記義務者（登録義務者を含む。）として、仮登記担保契約に関する法律第一条に規定する仮登記担保契約に基づく仮登記又は仮登録（以下本条において「担保のための仮登記」という。）がされているときは、その地方団体の徴収金は、その換価代金につき、その担保のための仮登記により担保される債権に次いで徴収する。

2　担保のための仮登記がされている納税者又は特別徴収義務者の財産上に、第十四条の十三第一項各号に掲げる先取特権があるとき、地方団体の徴収金の法定納期限等以前から第十四条の十四第一項各号に掲げる先取特権があるとき、又は地方団体の徴収金の法定納期限等以前に質権若しくは抵当権が設定され、若しくは担保のための仮登記がされているときは、その地方団体の徴収金は、仮登記担保契約に関する法律第三条第一項（同法第二十条において準用する場合を含む。）に規定する清算金に係る換価代金につき、同法第四条第一項（同法第二十条において準用する場合を含む。）の規定により権利が行使されたこれらの先取特権、質権及び抵当権並びに同法第四条第二項（同法第二十条において準用する場合を含む。）において準用する同法第四条第一項の規定により権利が行使された同条第二項に規定する後順位の担保仮登記により担保される債権に次いで徴収する。

3　第十四条の十一第一項の規定は、納税者又は特別徴収義務者が担保のための仮登記がされている財産を譲り受けたときについて、前条（第三項を除く。）の規定は、納税者又は特別徴収義務者が他に地方団体の徴収金に充てるべき十分な財産がない場合において、その者がその地方団体の徴収金の法定納期限等後に担保のための仮登記をした財産を譲渡したときについて、それぞれ準用する。

4　仮登記担保契約に関する法律第一条に規定する仮登記担保契約で、消滅すべき金銭債務がその契約の時に特定されていないものに基づく仮登記及び仮登録は、地方団体の徴収金の滞納処分においては、その効力を有しない。

【参照条文】

①【仮登記―不動産登記法一〇五　【法定納期限等―法一四の九１・２　【徴収手続―令六の六

※　国税徴収法二三

第十四条の十八（**譲渡担保権者の物的納税責任**）　納税者又は特別徴収義務者が地方団体の徴収金を滞納した場合において、その者が譲渡した財産でその譲渡により担保の目的となつているもの（以下この章において「譲渡担保財産」という。）があるときは、その者の財産につき滞納処分をしてもなお徴収すべき地方団体の徴収金に不足すると認められるときに限り、譲渡担保財産から納税者又は特別徴収義務者の地方団体の徴収金を徴収することができる。

2　地方団体の長は、前項の規定により徴収しようとするときは、譲渡担保財産の権利者（以下この条において「譲渡担保権者」という。）に対し、徴収しようとする金額その他必要な事項を記載した文書により告知しなければならない。この場合においては、納税者又は特別徴収義務者に対し、その旨を通知しなければならない。

3　前項の告知書を発した日から十日を経過した日までにその徴収しようとする金額が完納されていないときは、徴税吏員は、譲渡担保権者を第二次納税義務者とみなして、その譲渡担保財産につき滞納処分をすることができる。

4　第十一条第三項から第五項まで及び第十三条の二の規定は、前項の場合について準用する。

5　譲渡担保財産を第一項の納税者又は特別徴収義務者の財産としてした差押えは、同項の要件に該当する場合に限り、第三項の規定による差押えとして滞納処分を続行することができる。この場合において、地方団体の長は、遅滞なく第二項の告知及び通知をしなければならない。

6　地方団体の長は、前項の規定により滞納処分を続行する場合において、譲渡担保財産が次の各号に掲げる財産であるときは、当該各号に定める者に対し、納税者又は特別徴収義務者の財産としてした差押えを第三項の規定による差押えとして滞納処分を続行する旨を通知しなければならない。

一　第三者が占有する動産（国税徴収法第二十四条第五項第一号に規定する動産をいう。以下この号において同じ。）又は有価証券　動産又は有価証券を占有する第三者

二　国税徴収法第六十二条又は第七十三条の規定の適用を受ける財産（これらの財産の権利の移転につき登記を要するものを除く。）　第三債務者又はこれに準ずる者（第十五条の二の三第三項及び第十六条の四第十項において「第三債務者等」という。）

7　地方団体の長は、第五項の規定により滞納処分を続行する場合において、国税徴収法第五十五条第一号又は第三号に掲げる者のうち知れている者があるときは、これらの者に対し、納税者又は特別徴収義務者の財産としてした差押えを第三項の規定による差押えとして滞納処分を続行する旨を通知しなければならない。

8　第二項の規定による告知又は第五項の規定の適用を受ける差押えをした後、納税者又は特別徴収義務者の財産の譲渡により担保される債権が債務不履行その他弁済以外の理由により消滅した場合（譲渡担保財産につき買戻し、再売買の予約その他これらに類する契約を締結している場合において、期限の経過その他その契約の履行以外の理由によりその契約が効力を失つたときを含む。）においても、なお譲渡担保財産として存続するものとみなして、第三項の規定を適用する。

9　第一項の規定は、地方団体の徴収金の法定納期限等以前に、担保の目的でされた譲渡に係る権利の移転の登記がある場合又は譲渡担保権者が地方団体の徴収金の法定納期限等以前に譲渡担保財産となつている事実を、その財産の売却決定の前日までに証明した場合には、適用しない。この場合においては、第十四条の九第三項後段及び第四項の規定を準用する。

10　第一項の規定の適用を受ける譲渡担保権者は、この法律中滞納処分に関する罰及び滞納処分に関する検査拒否等の罪に関する規定の適用については、納税者又は特別徴収義務者とみなす。

【参照条文】
①【調整の特例―令六の九
②【告知書―令六の八
⑧【買戻―民法五七九～五八五
⑨【法定納期限等―法一四の九1・2
【告知の手続―令六の二の三
【証明手続―令六の四
※　国税徴収法二四　国税徴収令四・八・九・二四

（譲渡担保財産の換価の特例等）

第十四条の十九　買戻しの特約のある売買の登記、再売買の予約の請求権の保全のための仮登記（仮登録を含む。）その他これに類する登記（以下本条において「買戻権の登記等」という。）がされている譲渡担保財産のその買戻権の登記等の権利者が滞納者であるときは、その差し押さえた買戻権の登記等に係る権利及び前条第三項の規定により差し押さえたその買戻権の登記等のある譲渡担保財産を一括して換価することができる。

2　前条及び前項に規定するもののほか、譲渡担保財産からする納税者又は特別徴収義務者の地方団体の徴収金の徴収に関し必要な事項は、政令で定める。

【参照条文】
※　令六の九　国税徴収法二五　国税徴収令九

（地方税及び国税等と私債権との競合の調整）

第十四条の二十　強制換価手続において地方団体の徴収金が国税、他の地方団体の徴収金又は公課（以下本条において「国税等」という。）及びその他の債権（以下本条において「私債権」という。）と競合する場合において、本節又は国税徴収法その他の法律の規定により、地方団体の徴収金が国税等に先だち、私債権がその国税等におくれ、かつ、当該地方団体の徴収金に先だつとき、又は地方団体の徴収金が国税等におくれ、私債権がその国税等に先だち、かつ、当該地方団体の徴収金におくれるときは、換価代金の配当については、次に定めるところによる。

一　第十四条の二若しくは第十四条の三に規定する費用若しくは滞納処分費、第十四条の四に規定する地方団体の徴収金（国税徴収法第十一条に規定する国税を含む。）、第十四条の十五の規定の適用を受ける債権、この法律においてその例によるものとされる国税徴収法第五十九条第三項若しくは第四項（同法第七十一条第四項において準用する場合を含む。）の規定の適用を受ける債権又は第十四条の十三の規定の適用を受ける債権があるときは、これらの順序に従い、それぞれこれらに充てる。

二　地方団体の徴収金及び国税等並びに私債権（前号の規定の適用を受けるものを除く。）につき、法定納期限等（国税又は公課のこれに相当する納期限等を含む。）又は設定、登記、譲渡若しくは成立の時期の古いものからそれぞれ順次に本節又は国税徴収法その他の法律の規定を適用して地方団体の徴収金及び国税等並びに私債権に充てるべき金額の総額をそれぞれ定める。

三　前号の規定により定めた地方団体の徴収金及び国税等に充てるべき金額の総額を第十四条若しくは第十四条の六から第十四条の八までの規定又は国税徴収法その他の法律のこれらに相当する規定により、順次地方団体の徴収金及び国税等に充てる。

四　第二号の規定により定めた私債権に充てるべき金額の総額を民法その他の法律の規定により順次私債権に充てる。

【参照条文】
【法定納期限等―法一四の九1・2
※　国税徴収法二六　滞納処分と強制執行等との手続の調整に関する法律

第八節　納税の猶予

（徴収猶予の要件等）

第十五条　地方団体の長は、次の各号のいずれかに該当する事実

がある場合において、その該当する事実に基づき、納税者又は特別徴収義務者が当該地方団体に係る地方団体の徴収金を一時に納付し、又は納入することができないと認められるときは、その納付し、又は納入することができないと認められる金額を限度として、その者の申請に基づき、一年以内の期間を限り、その徴収を猶予することができる。

一　納税者又は特別徴収義務者がその財産につき、震災、風水害、火災その他の災害を受け、又は盗難にかかつたとき。

二　納税者若しくは特別徴収義務者又はこれらの者と生計を一にする親族が病気にかかり、又は負傷したとき。

三　納税者又は特別徴収義務者がその事業を廃止し、又は休止したとき。

四　納税者又は特別徴収義務者がその事業につき著しい損失を受けたとき。

五　前各号のいずれかに該当する事実に類する事実があつたとき。

2　地方団体の長は、納税者又は特別徴収義務者につき、当該地方団体に係る地方団体の徴収金の法定納期限（随時に課する地方税については、その地方税を課することができることとなつた日）から一年を経過した日以後にその納付し、又は納入すべき額が確定した場合において、その納付し、又は納入することができない理由があると認められるときは、その納付し、又は納入することができないと認められる金額を限度として、当該地方団体の徴収金の納期限内にされたその者の申請に基づき、その納期限から一年以内の期間を限り、その徴収を猶予することができる。

3　地方団体の長は、前二項の規定による徴収の猶予（以下この章において「徴収の猶予」という。）をする場合には、当該徴収の猶予に係る地方団体の徴収金の納付又は納入について、当該地方団体の条例で定めるところにより、当該徴収の猶予をする金額を当該徴収の猶予をする期間内において、当該徴収の猶予を受ける者の財産の状況その他の事情からみて合理的かつ妥当なものに分割して納付し、又は納入させることができる。

4　地方団体の長は、徴収の猶予をした場合において、当該徴収の猶予をした期間内に当該徴収の猶予をした金額を納付し、又は納入することができないやむを得ない理由があると認めるときは、当該徴収の猶予を受けた者の申請に基づき、その期間を延長することができる。ただし、その期間は、既にその者につき徴収の猶予をした期間と合わせて二年を超えることができない。

5　地方団体の長は、前項の規定による徴収の猶予をした期間の延長（以下この章において「徴収の猶予期間の延長」という。）をする場合には、当該徴収の猶予期間の延長に係る地方団体の徴収金の納付又は納入について、当該地方団体の条例で定めるところにより、当該徴収の猶予をする金額を当該徴収の猶予期間の延長をする期間内において、当該徴収の猶予期間の延長を受ける者の財産の状況その他の事情からみて合理的かつ妥当なものに分割して納付し、又は納入させることができる。

【参照条文】
②【法定納期限―法一一の四１】【随時に課する地方税の例―法七三の一七等】
※【特別法による徴収猶予―会社更生法一六九】
※　国税通則法四六　国税通則令一五２

（徴収猶予の申請手続等）

第十五条の二　徴収の猶予（前条第一項の規定によるものに限る。）の申請をしようとする者は、同項各号のいずれかに該当する事実があること及びその該当する事実に基づき当該徴収の猶予に係る地方団体の徴収金を一時に納付し、又は納入することができない事情の詳細、当該徴収の猶予を受けようとする金額及びその期間その他の当該地方団体の条例で定める事項を記載した申請書に、当該該当する事実を証するに足りる書類、財産目録、担保の提供に関する書類その他の当該地方団体の条例で定める書類を添付し、これを当該地方団体の長に提出しなければならない。

2　徴収の猶予（前条第二項の規定によるものに限る。）の申請をしようとする者は、当該徴収の猶予に係る地方団体の徴収金を一時に納付し、又は納入することができない事情の詳細、当該徴収の猶予を受けようとする金額及びその期間その他の当該地方団体の条例で定める事項を記載した申請書に、財産目録、担保の提供に関する書類その他の当該地方団体の条例で定める書類を添付し、これを当該地方団体の長に提出しなければならない。

3　徴収の猶予期間の延長を申請しようとする者は、徴収の猶予を受けた期間内に当該徴収の猶予を受けた金額を納付し、又は納入することができないやむを得ない理由、徴収の猶予期間の延長を受けようとする期間その他の当該地方団体の条例で定める事項を記載した申請書に、財産目録、担保の提供に関する書類その他の当該地方団体の条例で定める書類を添付し、これを当該地方団体の長に提出しなければならない。

4　第一項又は前項の規定により添付すべき書類（地方団体の条例で定める書類を除く。）については、これらの規定にかかわらず、前条第一項（第一号、第二号又は第五号（同項第一号又は第二号に該当する事実に類する事実に係る部分に限る。）に係る部分に限る。）の規定による徴収の猶予（以下この項及び第十五条の九第一項において「災害等による徴収の猶予」という。）又は当該災害等による徴収の猶予をした期間の延長をする場合において、当該災害等による徴収の猶予又は当該災害等による徴収の猶予をした期間の延長を受けようとする者が当該添付すべき書類を提出することが困難であると地方団体の長が認めるときは、添付することを要しない。

5　地方団体の長は、第一項から第三項までの規定による申請書の提出があつた場合には、当該申請に係る事項について調査を行い、徴収の猶予若しくは徴収の猶予期間の延長をし、又は徴収の猶予若しくは徴収の猶予期間の延長を認めないものとする。

6　地方団体の長は、第一項から第三項までの規定による申請書の提出があつた場合において、これらの申請書についてその記載に不備があるとき、又はこれらの申請書に添付すべき書類についてその記載に不備があるとき、若しくはその提出がないときは、当該申請書を提出した者に対して当該申請書の訂正又は当該添付すべき書類の訂正若しくは提出を求めることができる。

7　地方団体の長は、前項の規定により申請書の訂正又は添付すべき書類の訂正若しくは提出を求める場合には、その旨を記載した書面により、これを当該申請書を提出した者に通知するものとする。

8　第六項の規定により申請書の訂正又は添付すべき書類の訂正若しくは提出を求められた者は、前項の規定による通知を受けた日から当該地方団体の条例で定める期間内に当該申請書の訂正又は当該添付すべき書類の訂正若しくは提出をしなければならない。この場合において、当該期間内に当該申請書の訂正又は当該添付すべき書類の訂正若しくは提出をしなかつたときは、当該申請書の訂正又は添付すべき書類の訂正若しくは提出を求められた者は、当該期間を経過した日において当該申請を取り下げたものとみなす。

9　地方団体の長は、第一項から第三項までの規定による申請書の提出があつた場合において、当該申請書を提出した者について前条第一項、第二項又は第四項の規定に該当すると認められるときであつても、次の各号のいずれかに該当するときは、徴収の猶予又は徴収の猶予期間の延長を認めないことができる。

一　第十五条の三第一項第一号に掲げる場合に該当するとき。

二　当該申請書を提出した者が、次項の規定による質問に対して答弁せず、若しくは偽りの答弁をし、同項の規定による検査を拒み、妨げ、若しくは忌避し、又は同項の規定による物件の提示若しくは提出の要求に対し、正当な理由がなくこれに応じず、若しくは偽りの記載若しくは記録をした帳簿書類（その作成又は保存に代えて電磁的記録（電子的方式、磁気的方式その他人の知覚によつては認識することができない方式で作られる記録であつて、電子計算機による情報処理の用に供されるものをいう。以下この章において同じ。）の作成又は保存がされている場合における当該電磁的記録を含む。同項において同じ。）その他の物件（その写しを含む。）を提示し、若しくは提出したとき。

三　不当な目的で徴収の猶予又は徴収の猶予期間の延長の申請がされたとき、その他その申請が誠実にされたものでないとき。

四　前三号に掲げるもののほか、これらに類する場合として当該地方団体の条例で定める場合に該当するとき。

10　地方団体の長は、第五項の規定による調査をするため必要があると認めるときは、その必要な限度で、その徴税吏員に、当該申請書を提出した者に質問させ、その者の帳簿書類その他の物件を検査させ、当該物件（その写しを含む。）の提示若しくは提出を求めさせ、又は当該調査において提出された物件を留め置かせることができる。

11　前項の規定により質問、検査又は提示若しくは提出の要求を行う徴税吏員は、その身分を示す証明書を携帯し、関係人の請求があつたときは、これを提示しなければならない。

12　第十項の規定による地方団体の徴税吏員の権限は、犯罪捜査のために認められたものと解してはならない。

【参照条文】

※　国税通則法四六の二　国税通則令一五の二

（徴収猶予の通知）

第十五条の二の二　地方団体の長は、徴収の猶予をし、又は徴収の猶予期間の延長をしたときは、その旨、猶予をする金額、猶予をする期間その他必要な事項を当該徴収の猶予又は当該徴収の猶予期間の延長を受けた者に通知しなければならない。

2　地方団体の長は、前条第一項から第三項までの規定による申請書の提出があつた場合において、徴収の猶予又は徴収の猶予期間の延長を認めないときは、その旨を当該申請書を提出した者に通知しなければならない。

【参照条文】

※　国税通則法四七

（徴収猶予の効果）

第十五条の二の三　地方団体の長は、徴収の猶予をしたときは、当該徴収の猶予をした期間内は、当該徴収の猶予に係る地方団体の徴収金について、新たに督促及び滞納処分（交付要求を除く。）をすることができない。

2　地方団体の長は、徴収の猶予をした場合において、当該徴収の猶予に係る地方団体の徴収金について差し押さえた財産があるときは、当該徴収の猶予を受けた者の申請により、その差押えを解除することができる。

3　地方団体の長は、徴収の猶予をした場合において、当該徴収の猶予に係る地方団体の徴収金について差し押さえた財産のうちに果実を生ずるもの又は有価証券、債権若しくは無体財産権等（国税徴収法第七十二条第一項に規定する無体財産権等をいう。第十六条の四第十項において同じ。）があるときは、第一項の規定にかかわらず、その取得した果実又は第三債務者等から給付を受けた財産で金銭以外のものについて滞納処分を執行し、その財産に係る換価代金等（同法第百二十九条第一項に規定する換価代金等をいう。第十九条の四第四号において同じ。）を当該徴収の猶予に係る地方団体の徴収金に充てることができる。

4　前項の場合において、同項の第三債務者等から給付を受けた財産のうちに金銭があるときは、第一項の規定にかかわらず、当該金銭を当該徴収の猶予に係る地方団体の徴収金に充てることができる。

【参照条文】

①【督促―法六六等　【滞納処分―国税徴収法第五章

③【果実―民法八八・八九

※　国税通則法四八

（徴収猶予の取消し）

第十五条の三　徴収の猶予を受けた者が次の各号のいずれかに該当する場合には、地方団体の長は、当該徴収の猶予を取り消し、当該徴収の猶予に係る地方団体の徴収金を一時に徴収することができる。

一　第十三条の二第一項各号のいずれかに該当する事実がある場合において、その者が当該徴収の猶予に係る地方団体の徴収金を当該徴収の猶予を受けた期間内に完納することができないと認められるとき。

二　第十五条第三項又は第五項の規定により分割して納付し、又は納入することを認めた地方団体の徴収金をその期限までに納付し、又は納入しないとき（地方団体の長がやむを得ない理由があると認めるときを除く。）。

三　当該徴収の猶予に係る地方団体の徴収金につき提供された担保について地方団体の長が第十六条第三項の規定により行つた求めに応じないとき。

四　新たに当該徴収の猶予に係る当該地方団体の徴収金以外に、当該地方団体に係る地方団体の徴収金を滞納したとき（新たに当該地方団体の条例で定める当該地方団体の債権（地方自治法第二百四十条第一項に規定する債権をいう。第十五条の六第二項において同じ。）に係る債務の不履行が生じたときを含み、地方団体の長がやむを得ない理由があると認めるときを除く。）。

五　偽りその他不正な手段により当該徴収の猶予又は徴収の猶予期間の延長の申請がされ、その申請に基づき当該徴収の猶予をし、又は徴収の猶予期間の延長をしたことが判明したとき。

六　徴収の猶予を受けた者の財産の状況その他の事情の変化により当該徴収の猶予を継続することが適当でないと認められるとき。

七　前各号に掲げるもののほか、これらに類する場合として当該地方団体の条例で定める場合に該当するとき。

2　地方団体の長は、前項の規定により徴収の猶予を取り消す場合には、第十三条の二第一項各号のいずれかに該当する事実があるときを除き、あらかじめ、当該徴収の猶予を受けた者の弁明を聞かなければならない。ただし、その者が正当な理由がなくその弁明をしないときは、この限りでない。

3　地方団体の長は、第一項の規定により徴収の猶予を取り消したときは、その旨を当該徴収の猶予の取消しを受けた者に通知しなければならない。

【参照条文】
※　国税通則法四九

（修正申告等に係る道府県民税、市町村民税又は事業税の徴収猶予）

第十五条の四　地方団体の長は、次の各号に掲げる場合において、当該各号の申告書、修正申告書若しくは更正に係る道府県民税及び事業税の額の合計額又は第一号若しくは第二号の申告書若しくは更正に係る市町村民税の額が政令で定める金額に満たないときは、これらの税額につき、偽りその他不正の行為により道府県民税、市町村民税又は事業税を免れた場合その他政令で定める場合を除き、当該申告書若しくは修正申告書を提出した日後又は当該更正に係る納期限後最初に到来する道府県民税、市町村民税又は事業税（この条の規定によりその徴収を猶予されるものを除く。）に係る納付に関する期限まで、その徴収を猶予するものとする。

一　二以上の道府県又は市町村において事務所又は事業所を有する法人が第五十三条第三十四項又は第三百二十一条の八第三十四項の規定による申告書を提出した場合

二　前号の法人が第五十五条第一項若しくは第三項又は第三百二十一条の十一第一項若しくは第三項の規定による更正（第五十八条又は第三百二十一条の十四の規定による修正に基づくものに限る。）を受けた場合

三　二以上の道府県において事務所又は事業所を設けて事業を行う法人が第七十二条の三十一第二項又は第三項の規定による修正申告書を提出した場合

2　前項の規定の適用を受けようとする法人は、同項の申告書若しくは修正申告書又は更正に係る税額の納期限までに、その事務所又は事業所所在の地方団体の長に対し、総務省令で定める届出書を提出しなければならない。

【参照条文】
①【政令の定—令六の九の二
②【届出書—則一の四

（職権による換価の猶予の要件等）

第十五条の五　地方団体の長は、滞納者が次の各号のいずれかに該当すると認められる場合において、その者が当該地方団体に係る地方団体の徴収金の納付又は納入について誠実な意思を有すると認められるときは、その納付し、又は納入すべき地方団体の徴収金（徴収の猶予又は第十五条の六第一項の規定による換価の猶予（以下この章において「申請による換価の猶予」という。）を受けているものを除く。）につき滞納処分による財産の換価を猶予することができる。ただし、その猶予の期間は、一年を超えることができない。

一　その財産の換価を直ちにすることによりその事業の継続又はその生活の維持を困難にするおそれがあるとき。

二　その財産の換価を猶予することが、直ちにその換価をすることに比して、滞納に係る地方団体の徴収金及び最近において納付し、又は納入すべきこととなる他の地方団体の徴収金の徴収上有利であるとき。

2　第十五条第三項から第五項までの規定は、前項の規定による換価の猶予（以下この章において「職権による換価の猶予」という。）について準用する。この場合において、次の表の上欄に掲げる規定中同表の中欄に掲げる字句は、それぞれ同表の下欄に掲げる字句に読み替えるものとする。

第十五条第三項	金額	金額（その納付又は納入を困難とする金額として政令で定める額を限度とする。）
	ことができる	ものとする
第十五条第四項	当該徴収の猶予を受けた者の申請に基づき、その	その
	ことができる	ものとする
第十五条第五項	ことができる	ものとする

【参照条文】
②【差押の解除—国税徴収法七九～八一
【政令の定—令六の九の三
※【特別法による換価の猶予—会社更生法一六九
※　国税徴収法一五一～一五二　国税徴収令五三

地税法

（職権による換価の猶予の手続等）

第十五条の五の二　地方団体の長は、職権による換価の猶予をする場合において、必要があると認めるときは、滞納者に対し、財産目録、担保の提供に関する書類その他の当該地方団体の条例で定める書類の提出を求めることができる。

2　地方団体の長は、前条第二項において読み替えて準用する第十五条第四項の規定により職権による換価の猶予をした期間を延長する場合において、必要があると認めるときは、当該職権による換価の猶予を受けた者に対し、財産目録、担保の提供に関する書類その他の当該地方団体の条例で定める書類の提出を求めることができる。

3　第十五条の二の二第一項の規定は、職権による換価の猶予について準用する。

【参照条文】

※　国税徴収法一五一～一五二

（職権による換価の猶予の効果等）

第十五条の五の三　地方団体の長は、職権による換価の猶予をする場合において、必要があると認めるときは、差押えにより滞納者の事業の継続又は生活の維持を困難にするおそれがある財産の差押えを猶予し、又は解除することができる。

2　第十五条の二の三第三項及び第四項並びに第十五条の三第一項（第五号を除く。）及び第三項の規定は、職権による換価の猶予について準用する。この場合において、次の表の上欄に掲げる規定中同表の中欄に掲げる字句は、それぞれ同表の下欄に掲げる字句に読み替えるものとする。

第十五条の二の三第三項	第一項の規定にかかわらず、その	その
第十五条の二の三第四項	第一項の規定にかかわらず、当該	当該
第十五条の三第一項	次の	第十五条の五第一項の規定に該当しないこととなつた場合又は次の
第十五条の三第一項第二号	第十五条第三項	第十五条の五第二項において読み替えて準用する第十五条第三項

【参照条文】

※　国税徴収法一五一～一五二

（申請による換価の猶予の要件等）

第十五条の六　地方団体の長は、職権による換価の猶予によるほか、滞納者が当該地方団体に係る地方団体の徴収金を一時に納付し、又は納入することによりその事業の継続又はその生活の維持を困難にするおそれがあると認められる場合において、その者が当該地方団体の徴収金の納付又は納入について誠実な意思を有すると認められるときは、当該地方団体の徴収金の納期限から当該地方団体の条例で定める期間内にされたその者の申請に基づき、一年以内の期間を限り、その納付し、又は納入すべき地方団体の徴収金（徴収の猶予を受けているものを除く。）につき滞納処分による財産の換価を猶予することができる。

2　前項の規定は、当該申請に係る地方団体の徴収金以外に、当該地方団体に係る地方団体の徴収金（次の各号に掲げるものを除く。）の滞納がある場合（当該地方団体の条例で定める当該地方団体の債権に係る債務の不履行がある場合を含む。）その他申請による換価の猶予をすることが適当でない場合として当該地方団体の条例で定める場合には、適用しないことができる。

一　徴収の猶予又は申請による換価の猶予を申請中の地方団体の徴収金

二　徴収の猶予、職権による換価の猶予又は申請による換価の猶予を受けている地方団体の徴収金（第十五条の三第一項第四号（前条第二項又は第十五条の六の三第二項において準用する場合を含む。）に該当し、徴収の猶予、職権による換価の猶予又は申請による換価の猶予が取り消されることとなる場合の当該地方団体の徴収金を除く。）

3　第十五条第三項から第五項までの規定は、申請による換価の猶予について準用する。この場合において、次の表の上欄に掲げる規定中同表の中欄に掲げる字句は、それぞれ同表の下欄に掲げる字句に読み替えるものとする。

第十五条第三項	金額	金額（その納付又は納入を困難とする金額として政令で定める額を限度とする。）
	ことができる	ものとする
第十五条第五項	ことができる	ものとする

【参照条文】

【政令の定】令六の九の三

※　国税徴収法一五一の二・一五二

（申請による換価の猶予の申請手続等）

第十五条の六の二　申請による換価の猶予の申請をしようとする者は、当該申請による換価の猶予に係る地方団体の徴収金を一時に納付し、又は納入することによりその事業の継続又はその生活の維持が困難となる事情の詳細、納付又は納入が困難である金額、当該申請による換価の猶予を受けようとする期間その他の当該地方団体の条例で定める事項を記載した申請書に、財産目録、担保の提供に関する書類その他の当該地方団体の条例で定める書類を添付し、これを当該地方団体の長に提出しなければならない。

2　前条第三項において準用する第十五条第四項の規定により申請による換価の猶予をした期間の延長を申請しようとする者

は、申請による換価の猶予を受けた期間内に当該申請による換価の猶予を受けた金額を納付し、又は納入することができないやむを得ない理由、申請による換価の猶予をした期間の延長を受けようとする期間その他の当該地方団体の条例で定める事項を記載した申請書に、財産目録、担保の提供に関する書類その他の当該地方団体の条例で定める書類を添付し、これを当該地方団体の長に提出しなければならない。

3　第十五条の二第五項から第九項まで及び第十五条の二の二の規定は、申請による換価の猶予について準用する。この場合において、次の表の上欄に掲げる規定中同表の中欄に掲げる字句は、それぞれ同表の下欄に掲げる字句に読み替えるものとする。

第十五条の二第五項及び第六項	第一項から第三項まで	第十五条の六の二第一項又は第二項
第十五条の二第九項	第一項から第三項まで	第十五条の六の二第一項又は第二項
	前条第一項、第二項又は第四項	第十五条の六第一項又は同条第三項において準用する前条第四項
第十五条の二第九項第一号	第十五条の三第一項第一号	第十五条の六の三第二項において準用する第十五条の三第一項第一号
第十五条の二第九項第二号	次項の規定による	国税徴収法第百四十一条の規定の例により行う徴税吏員の
	同項の規定による検査	同条の規定の例により行う徴税吏員の検査
	又は同項の規定による	又は同条の規定の例により行う徴税吏員の
	含む。同項において同じ	含む
第十五条の二の二第二項	前条第一項から第三項まで	第十五条の六の二第一項又は第二項

【参照条文】
※　国税徴収法一五一の二・一五二

（申請による換価の猶予の効果等）

第十五条の六の三　地方団体の長は、申請による換価の猶予をする場合において、必要があると認めるときは、差押えにより滞納者の事業の継続又は生活の維持を困難にするおそれがある財産の差押えを猶予し、又は解除することができる。

2　第十五条の二の三第三項及び第四項並びに第十五条の三第一項及び第三項の規定は、申請による換価の猶予について準用する。この場合において、次の表の上欄に掲げる規定中同表の中欄に掲げる字句は、それぞれ同表の下欄に掲げる字句に読み替えるものとする。

第十五条の二の三第三項	第一項の規定にかかわらず、その	その
第十五条の二の三第四項	第一項の規定にかかわらず、当該	当該
第十五条の三第一項第二号	第十五条第三項	第十五条の六第三項において読み替えて準用する第十五条第三項

【参照条文】
※　国税徴収法一五一の二・一五二

（滞納処分の停止の要件等）

第十五条の七　地方団体の長は、滞納者につき次の各号のいずれかに該当する事実があると認めるときは、滞納処分の執行を停止することができる。

一　滞納処分をすることができる財産がないとき。

二　滞納処分をすることによつてその生活を著しく窮迫させるおそれがあるとき。

三　その所在及び滞納処分をすることができる財産がともに不明であるとき。

2　地方団体の長は、前項の規定により滞納処分の執行を停止したときは、その旨を滞納者に通知しなければならない。

3　地方団体の長は、第一項第二号の規定により滞納処分の執行を停止した場合において、その停止に係る地方団体の徴収金について差し押さえた財産があるときは、その差押えを解除しなければならない。

4　第一項の規定により滞納処分の執行を停止した地方団体の徴収金を納付し、又は納入する義務は、その執行の停止が三年間継続したときは、消滅する。

5　第一項第一号の規定により滞納処分の執行を停止した場合において、その地方団体の徴収金が限定承認に係るものであるとき、その他その地方団体の徴収金を徴収することができないことが明らかであるときは、地方団体の長は、前項の規定にかかわらず、その地方団体の徴収金を納付し、又は納入する義務を直ちに消滅させることができる。

【参照条文】
③【差押の解除―国税徴収法七九～八一
④【時効―法一八

⑤【限定承認―民法九二二
※　国税徴収法一五三

（滞納処分の停止の取消）

第十五条の八　地方団体の長は、前条第一項各号の規定により滞納処分の執行を停止した後三年以内に、その停止に係る滞納者につき同項各号に該当する事実がないと認めるときは、その執行の停止を取り消さなければならない。

2　地方団体の長は、前項の規定により滞納処分の執行の停止を取り消したときは、その旨を滞納者に通知しなければならない。

【参照条文】
※　国税徴収法一五四

（納税の猶予の場合の延滞金の免除）

第十五条の九　災害等による徴収の猶予若しくは第十五条の七第一項の規定による滞納処分の執行の停止をした場合又は事業の廃止等による徴収の猶予（徴収の猶予のうち災害等による徴収の猶予以外のものをいう。以下この項において同じ。）若しくは職権による換価の猶予若しくは申請による換価の猶予をした場合には、その猶予又は停止をした地方税に係る延滞金額のうち、それぞれ、当該災害等による徴収の猶予若しくは執行の停止をした期間に対応する部分の金額に相当する金額又は当該事業の廃止等による徴収の猶予若しくは職権による換価の猶予若しくは申請による換価の猶予をした期間（延滞金が年十四・六パーセントの割合により計算される期間に限る。）に対応する部分の金額の二分の一に相当する金額は、免除する。ただし、第十五条の三第一項（第十五条の五の三第二項及び第十五条の六の三第二項において読み替えて準用する場合を含む。）又は前条第一項の規定による取消しの基因となるべき事実が生じた場合には、その生じた日以後の期間に対応する部分の金額については、地方団体の長は、その免除をしないことができる。

2　徴収の猶予、職権による換価の猶予又は申請による換価の猶予をした場合において、納税者又は特別徴収義務者が次の各号のいずれかに該当するときは、地方団体の長は、その猶予をした地方税に係る延滞金（前項の規定による免除に係る部分を除く。）につき、猶予した期間（当該地方税を当該期間内に納付し、又は納入しなかつたことについてやむを得ない理由があると地方団体の長が認める場合には、猶予の期限の翌日から当該やむを得ない理由がなくなつた日までの期間を含む。）に対応する部分の金額でその納付又は納入が困難と認められるものを限度として免除することができる。

一　納税者又は特別徴収義務者の財産の状況が著しく不良で、納期又は弁済期の到来した他の地方団体に係る地方団体の徴収金、国税、公課又は債務について軽減又は免除をしなければ、その事業の継続又は生活の維持が著しく困難になると認められる場合において、その軽減又は免除がされたとき。

二　納税者若しくは特別徴収義務者の事業又は生活の状況によりその延滞金額の納付又は納入を困難とするやむを得ない理由があると認められるとき。

3　第二十条の九の三第五項ただし書の規定により徴収を猶予した場合には、その猶予をした地方税に係る延滞金につき、その猶予をした期間（延滞金が年十四・六パーセントの割合により計算される期間に限るものとし、前二項の規定により延滞金の免除がされた場合には、当該免除に係る期間に該当する期間を除く。）に対応する部分の金額の二分の一に相当する金額は、免除する。

4　地方団体の長は、滞納に係る地方団体の徴収金の全額を徴収するために必要な財産につき差押えをした場合又は納付し、若しくは納入すべき地方団体の徴収金の額に相当する担保の提供を受けた場合には、その差押え又は担保の提供に係る地方税を計算の基礎とする延滞金につき、その差押え又は担保の提供がされている期間（延滞金が年十四・六パーセントの割合により計算される期間に限るものとし、前三項の規定により延滞金の免除がされた場合には、当該免除に係る期間に該当する期間を除く。）に対応する部分の金額の二分の一に相当する金額を限度として、免除することができる。

【参照条文】
※【延滞金の免除―法七三の二五4・一四四の二九3
【延滞金の免除額の特例―法附則三の二2
※　国税通則法六三

第九節　納税の猶予に伴う担保等

（担保の徴取）

第十六条　地方団体の長は、徴収の猶予、職権による換価の猶予又は申請による換価の猶予をする場合には、その猶予に係る金額に相当する担保で次に掲げるものを徴さなければならない。ただし、その猶予に係る金額、期間その他の事情を勘案して担保を徴する必要がない場合として当該地方団体の条例で定める場合は、この限りでない。

一　国債及び地方債

二　地方団体の長が確実と認める社債（特別の法律により設立された法人が発行する債券を含む。）その他の有価証券

三　土地

四　保険に付した建物、立木、船舶、航空機、自動車及び建設機械

五　鉄道財団、工場財団、鉱業財団、軌道財団、運河財団、漁業財団、港湾運送事業財団、道路交通事業財団及び観光施設財団

六　地方団体の長が確実と認める保証人の保証

2　前項の規定により担保を徴する場合において、その猶予に係る地方団体の徴収金につき差し押さえた財産があるときは、その担保の額は、その猶予をする金額からその財産の価額を控除した額を限度とする。

3　地方団体の長は、第一項の規定により担保を徴した場合において、担保財産の価額若しくは保証人の資力の減少その他の理由により猶予に係る金額の納付若しくは納入を担保することができないと認めるとき、又は第十五条の二の三第二項、第十五条の五の三第一項若しくは第十五条の六の三第一項の規定により差押えを解除したときは、納税者又は特別徴収義務者に対し、増担保の提供、保証人の変更その他担保を確保するため必要な行為を求めることができる。

4　前三項に定めるもののほか、担保の提供について必要な事項

は、政令で定める。

【参照条文】

④【政令の定―令六の一〇

※ 国税通則法五〇・五一 国税通則令一六

（納付又は納入の委託）

第十六条の二 納税者又は特別徴収義務者が次に掲げる地方団体の徴収金を納付し、又は納入するため、地方団体の長が定める有価証券（地方自治法第二百三十一条の二第三項又は第五項の規定により地方団体の歳入の納付に使用することができる証券を除く。）を提供して、その証券の取立てとその取り立てた金銭による当該地方団体の徴収金の納付又は納入を委託しようとする場合には、徴税吏員は、その証券が最近において確実に取り立てることができるものであると認められるときに限り、その委託を受けることができる。この場合において、その証券の取立てにつき費用を要するときは、その委託をしようとする者は、その費用の額に相当する金額を併せて提供しなければならない。

一 徴収の猶予、職権による換価の猶予又は申請による換価の猶予に係る地方団体の徴収金

二 納付又は納入の委託をしようとする有価証券の支払期日以後に納期限の到来する地方団体の徴収金

三 滞納に係る地方団体の徴収金（第一号に掲げるものを除く。）で、その納付又は納入につき納税者又は特別徴収義務者が誠実な意思を有し、かつ、その納付又は納入の委託を受けることが地方団体の徴収金の徴収上有利と認められるもの

2 徴税吏員は、前項の委託を受けたときは、総務省令で定める様式による納付受託証書又は納入受託証書を納税者又は特別徴収義務者に交付しなければならない。

3 徴税吏員は、第一項の委託を受けた場合において、必要があるときは、確実と認める金融機関にその取立て及び納付又は納入の再委託をすることができる。

4 第一項の委託があつた場合において、その委託に係る有価証券の提供により同項第一号に掲げる地方団体の徴収金につき前条第一項各号に掲げる担保の提供の必要がないと認められるに至つたときは、その認められる限度において当該担保の提供があつたものとすることができる。

【参照条文】

②【総務省令の定め―則一の六

※ 自治法二三一の二 自治令一五六・一五七

国税通則法五五

（保全担保）

第十六条の三 次に掲げる地方税の納税者又は特別徴収義務者がこれらの地方税に係る地方団体の徴収金を滞納した場合において、その後その者に課されるべきこれらの地方団体の徴収金の徴収を確保することができないと認められるときは、地方団体の長は、その地方団体の徴収金の担保として、金額及び期限を指定して、その者に第十六条第一項各号に掲げるもの又は金銭の提供を命ずることができる。

一 道府県たばこ税

二 ゴルフ場利用税

三 軽油引取税

四 市町村たばこ税

五 入湯税

六 特別徴収の方法によつて徴収する道府県法定外普通税若しくは市町村法定外普通税又は法定外目的税

2 前項の規定により指定する金額は、その提供を命ずる月の前月分の当該地方団体の徴収金の額の三倍に相当する金額（その金額が前年におけるその提供を命ずる月に対応する月分及びその後二月分の当該地方団体の徴収金として納入し、又は納付すべき金額に満たないときは、その金額）を限度とする。

3 第十六条第三項及び第四項の規定は、第一項の規定による担保について準用する。

4 地方団体の長は、第一項の規定により同項に規定する地方団体の徴収金の担保の提供を命じた場合において、納税者又は特別徴収義務者がその指定された期限までにその命ぜられた担保の提供をしないときは、その地方団体の徴収金に関し、その者の財産で抵当権の目的となるものにつき、同項の規定により指定した金額を限度として抵当権を設定することを文書で納税者又は特別徴収義務者に通知することができる。

5 前項の通知があつたときは、その通知を受けた納税者又は特別徴収義務者は、同項の抵当権を設定したものとみなす。この場合において、地方団体の長は、抵当権の設定の登記を関係機関に嘱託しなければならない。

6 前項後段の場合（次項に規定する場合を除く。）においては、その嘱託に係る書面には、第四項の文書が同項の納税者又は特別徴収義務者に到達したことを証する書面を添付しなければならない。

7 第五項後段の場合において、不動産登記法（平成十六年法律第百二十三号）第十六条第二項（他の法令において準用する場合を含む。）において準用する同法第十八条の規定による嘱託をするときは、その嘱託情報と併せて第四項の文書が同項の納税者又は特別徴収義務者に到達したことを証する情報を提供しなければならない。この場合においては、同法第百十六条第一項の規定にかかわらず、登記義務者の承諾を得ることを要しない。

8 地方団体の長は、第一項の規定による担保の提供又は第五項の規定による抵当権の設定（以下「担保の提供等」という。）があつた場合において、第一項の命令に係る地方団体の徴収金の滞納がない期間が継続して三月に達したときは、その担保を解除しなければならない。

9 地方団体の長は、担保の提供等があつた納税者又は特別徴収義務者の資力その他の事情の変化により担保の提供等の必要がなくなつたと認めるときは、前項の規定にかかわらず、直ちにその解除をすることができる。

【参照条文】

①【命令等の手続―令六の一一 【担保の提供手続―令六の一〇

※ 国税徴収法一五八 国税徴収令五五

（保全差押え）
第十六条の四　地方団体の徴収金につき納付又は納入の義務があると認められる者が、不正に地方団体の徴収金を免れ、又は地方団体の徴収金の還付を受けたことの嫌疑に基づき、第十六節第一款の規定による差押え、第二十二条の四第一項に規定する記録命令付差押え若しくは領置又は刑事訴訟法（昭和二十三年法律第百三十一号）の規定による押収、領置若しくは逮捕を受けた場合において、その処分に係る地方団体の徴収金の納付し、又は納入すべき額の確定（納付若しくは納入の告知、申告、更正又は決定による確定をいう。以下この条において同じ。）後においては当該地方団体の徴収金の徴収を確保することができないと認められるときは、地方団体の長は、当該地方団体の徴収金の納付し、又は納入すべき額の確定前に、その確定をすると見込まれる地方団体の徴収金の金額のうちその徴収を確保するためあらかじめ滞納処分をすることを要すると認める金額（以下この条において「保全差押金額」という。）を決定することができる。この場合においては、徴税吏員は、その金額を限度として、その者の財産を直ちに差し押さえることができる。

2　地方団体の長は、前項の規定により保全差押金額を決定するときは、当該保全差押金額を同項に規定する納付又は納入の義務があると認められる者に文書で通知しなければならない。

3　前項の通知をした場合において、その納付又は納入の義務があると認められる者がその通知に係る保全差押金額に相当する担保として第十六条第一項各号に掲げるもの又は金銭を提供してその差押えをしないことを求めたときは、徴税吏員は、その差押えをすることができない。

4　徴税吏員は、第一号又は第二号に該当するときは第一項の規定による差押えを、第三号に該当するときは同号に規定する担保を、それぞれ解除しなければならない。

一　第一項の規定による差押えを受けた者が、前項に規定する担保を提供して、その差押えの解除を請求したとき。

二　第二項の通知をした日から一年を経過した日までに、その差押えに係る地方団体の徴収金の納付し、又は納入すべき額の確定がされないとき。

三　第二項の通知をした日から一年を経過した日までに、保全差押金額について提供されている担保に係る地方団体の徴収金の納付し、又は納入すべき額の確定がされないとき。

5　徴税吏員は、第一項の規定による差押えを受けた者又は第三項若しくは前項第一号の担保の提供をした者につき、その資力その他の事情の変化により、その差押え又は担保の徴取の必要がなくなつたと認められることとなつたときは、その差押え又は担保を解除することができる。

6　第一項の規定による差押え又は第三項若しくは第四項第一号の担保の提供があつた場合において、その差押え又は担保の提供に係る地方団体の徴収金の納付し、又は納入すべき額の確定がされたときは、その差押え又は担保の提供は、その地方団体の徴収金を徴収するためにされたものとみなす。

7　第十六条第二項から第四項までの規定は、第三項又は第四項第一号の規定により提供される担保について準用する。

8　第一項の規定により差し押さえた財産は、その差押えに係る地方団体の徴収金の納付し、又は納入すべき額の確定後でなければ、換価することができない。

9　第一項の場合において、差し押さえるべき財産に不足があると認められるときは、地方団体の長は、差押えに代えて交付要求をすることができる。この場合においては、その交付要求であることを明らかにしなければならない。

10　地方団体の長は、第一項の規定により差し押さえた金銭（有価証券、債権又は無体財産権等の差押えにより第三債務者等から給付を受けた金銭を含む。）がある場合において、その差押えに係る地方団体の徴収金の納付し、又は納入すべき額の確定をしていないときは、これを供託しなければならない。

11　第一項に規定する地方団体の徴収金の納付し、又は納入すべき額として確定をした金額が保全差押金額に満たない場合において、その差押えを受けた者がその差押えにより損害を受けたときは、地方団体は、その損害を賠償する責めに任ずる。この場合において、その額は、その差押えにより通常生ずべき損失の額とする。

12　前各項の規定は、所得税、法人税又は消費税について国税通則法（昭和三十七年法律第六十六号）第三十八条第三項の規定による差押えがされた場合において、当該所得税の課税標準を基準として課する個人の道府県民税若しくは市町村民税の所得割（これらと併せて課する均等割を含む。）、当該法人税の課税に基づいて課する法人の道府県民税若しくは市町村民税の法人税割（これらと併せて課する均等割を含む。）、当該所得税の課税標準を基準として課する個人の行う事業に対する事業税、当該法人税の課税標準を基準として課する法人の行う事業に対する事業税の所得割（これと併せて課する付加価値割及び資本割又は収入割を含む。）又は当該消費税の課税に基づいて課する地方消費税につき、これらに係る納付義務の確定後においてはこれらの徴収を確保することができないと認められるときについて準用する。この場合において、第四項第二号及び第三号中「一年」とあるのは、「六月」と読み替えるものとする。

【参照条文】
②【手続―令六の一二
⑨【交付要求―法六八4・七二の六八4　国税徴収法八二等
⑩【供託―供託法二
⑪【損害賠償―国家賠償法五
※　国税徴収法一五九　国税徴収令五六

（担保の処分）
第十六条の五　徴収の猶予、職権による換価の猶予又は申請による換価の猶予を受けた者がその猶予に係る地方団体の徴収金をその猶予の期限までに納付若しくは納入をせず、又は地方団体の長が第十五条の三第一項（第十五条の五の三第二項及び第十五条の六の三第二項において読み替えて準用する場合を含む。）の規定によりその猶予を取り消したことによつて、その猶予に係る地方団体の徴収金を徴収する場合において、その地方団体の徴収金について徴した担保があるときは、地方団体の長は、滞納処分の例によりその担保財産を処分して、その徴収すべき地方団体の徴収金及び担保財産の処分費に充て、又は保証人にその地方団体の徴収金を納付し、若しくは納入させる。

2　前項の場合において、地方団体の長は、担保財産の処分の代金が同項の地方団体の徴収金及び担保財産の処分費に充ててなお不足があると認めるときは、滞納者の他の財産について滞納処分をし、また、保証人がその納付し、又は納入すべき金額を完納しないときは、まず滞納者に対して滞納処分をし、なお不足があるとき、又は不足があると認めるときは、保証人に対して滞納処分をする。

3 前二項の規定は、第十六条の三又は前条第三項若しくは第四項第一号（同条第十二項において準用する場合を含む。）の担保の提供があつた場合において、その担保に係る地方団体の徴収金を徴収するときについて準用する。この場合において、その担保が金銭であるときは、直ちにその地方団体の徴収金に充てる。

4 第十一条の規定は、第一項又は第二項（これらの規定を前項において準用する場合を含む。）の規定により保証人から地方団体の徴収金を徴収する場合について準用する。

【参照条文】
①【滞納処分の例―国税徴収法第五章
※ 国税通則法五二

第十節 還付

（過誤納金の還付）

第十七条 地方団体の長は、過誤納に係る地方団体の徴収金（以下本章において「過誤納金」という。）があるときは、政令で定めるところにより、遅滞なく還付しなければならない。

【参照条文】
【政令の定―令六の一三
※【過誤納金以外の還付金―法五三28・七二の二八4・七三の二8・三二一の八28・三六四6・一四四の三一4・七〇二の八
※ 令一の五
※ 国税通則法五六 国税通則令二二

（過誤納金の充当）

第十七条の二 地方団体の長は、前条の規定により還付すべき場合において、その還付を受けるべき者につき納付し、又は納入すべきこととなつた地方団体の徴収金（その納付し、又は納入する義務が信託財産責任負担債務である地方団体の徴収金に係る過誤納金である場合にはその納付し、又は納入する義務が当該信託財産責任負担債務である地方団体の徴収金に限るものとし、その納付し、又は納入する義務が信託財産責任負担債務である地方団体の徴収金に係る過誤納金でない場合にはその納付し、又は納入する義務が信託財産限定責任負担債務である地方団体の徴収金以外の地方団体の徴収金に限る。以下この条において同じ。）があるときは、前条の規定にかかわらず、過誤納金をその地方団体の徴収金に充当しなければならない。

2 道府県が第七百三十九条の五第一項若しくは第二項（これらの規定を同条第八項において準用する場合を含む。次条第一項第一号及び第三号において同じ。）の規定により当該道府県の個人の道府県民税（第二十四条第一項第二号に掲げる者に対して課する均等割及び第五十条の二の規定により課する所得割に限る。以下この項において同じ。）に係る地方団体の徴収金と併せて徴収した個人の市町村民税（第二百九十四条第一項第二号に掲げる者に対して課する均等割及び第三百二十八条の規定により課する所得割に限る。以下この項において同じ。）に係る地方団体の徴収金又は市町村が第四十一条第一項の規定により当該市町村の個人の市町村民税に係る地方団体の徴収金と併せて徴収した個人の道府県民税に係る地方団体の徴収金に係る納税者又は特別徴収義務者の過誤納金があるときは、道府県知事又は市町村長は、当該過誤納金をそれぞれ当該道府県又は市町村の地方団体の徴収金に係る過誤納金とみなして、それぞれ当該納税者又は特別徴収義務者の納付し、又は納入すべきこととなつた道府県又は市町村の地方団体の徴収金に充当しなければならない。

3 前二項の場合において、その地方団体の徴収金のうちに延滞金があるときは、その過誤納金は、まず延滞金の額の計算の基礎となる地方税に充当しなければならない。

4 前三項の規定による充当は、政令で定める充当をするに適することとなつた時にさかのぼつてその効力を生ずる。

5 地方団体の長は、第一項から第三項までの規定による充当をしたときは、その旨を納税者又は特別徴収義務者に通知しなければならない。

【参照条文】
※ ④【政令の定―令六の一三・六の一四
※【過誤納金以外の還付金の充当―法一七の参照条文参照
※ 令一の五 国税通則法五七 国税通則令二三

（還付金等の充当等の特例）

第十七条の二の二 前条の規定並びに第七十二条の八十八第二項及び第三項、第七十三条の二第九項（第七十三条の二十七第二項及び第七十三条の二十七の四第五項において準用する場合を含む。）、第七十四条の十四第三項、第百四十四条の三十第二項、第百六十四条第七項（第百六十五条第三項において準用する場合を含む。）、第三百六十四条第六項（第七百四十五条第一項において準用する場合を含む。）、第四百五十八条第七項（第四百五十九条第三項において準用する場合を含む。）、第四百七十七条第三項、第六百一条第八項（第六百二条第二項、第六百三条第四項、第六百三条の二第六項、第六百三条の二の二第二項及び第六百二十九条第八項において準用する場合を含む。）、第七百六条の二第二項並びに第七百十八条の十第二項ただし書の規定（これらの規定中充当に係る部分に限る。）その他政令で定める規定は、次の各号のいずれかに該当する還付金又は過誤納金（以下この条において「還付金等」という。）については、適用しない。

一 道府県が第七百三十九条の五第一項又は第二項の規定により併せて徴収した個人の道府県民税（第二十四条第一項第二号に掲げる者に対して課する均等割及び第五十条の二の規定により課する所得割を除く。次号から第四号までにおいて同じ。）に係る地方団体の徴収金、個人の市町村民税（第二百九十四条第一項第二号に掲げる者に対して課する均等割及び第三百二十八条の規定により課する所得割を除く。次号から第四号までにおいて同じ。）に係る地方団体の徴収金及び森林環境税に係る徴収金（森林環境税及び森林環境譲与税に関する法律（平成三十一年法律第三号）第二条第五号に規定する森林環境税に係る徴収金をいう。次号から第四号までにおいて同じ。）に係る過誤納金（以下この号及び次項において「道府県徴収金関係過誤納金」という。）の還付を受けるべき者につき納付し、又は納入すべきこととなつた当該道府県に係る地方団体の徴収金がある場合における当該道府県徴収金関係過誤納金

二　市町村が徴収した個人の市町村民税に係る地方団体の徴収金、第四十一条第一項の規定によりこれと併せて徴収した個人の道府県民税に係る地方団体の徴収金及び森林環境税及び森林環境譲与税に関する法律第七条第一項の規定によりこれらと併せて徴収した森林環境税に係る徴収金に係る過誤納金（以下この号及び第三項において「市町村徴収金関係過誤納金」という。）の還付を受けるべき者につき納付し、又は納入すべきこととなつた当該市町村に係る地方団体の徴収金がある場合における当該市町村徴収金関係過誤納金

三　道府県が徴収した地方団体の徴収金に係る還付金等（第一号に該当するものを除く。）の還付を受けるべき者につき納付し、又は納入すべきこととなつた当該道府県が第七百三十九条の五第一項又は第二項の規定により併せて徴収すべき個人の道府県民税に係る地方団体の徴収金、個人の市町村民税に係る地方団体の徴収金及び森林環境税に係る徴収金（次項及び第四項において「道府県未納徴収金」という。）がある場合における当該還付金等

四　市町村が徴収した地方団体の徴収金に係る還付金等（第二号に該当するものを除く。）の還付を受けるべき者につき納付し、又は納入すべきこととなつた当該市町村が徴収すべき個人の市町村民税に係る地方団体の徴収金、第四十一条第一項の規定によりこれと併せて徴収すべき個人の道府県民税に係る地方団体の徴収金及び森林環境税及び森林環境譲与税に関する法律第七条第一項の規定によりこれらと併せて徴収すべき森林環境税に係る徴収金（第三項及び第五項において「市町村未納徴収金」という。）がある場合における当該還付金等

2　前項第一号に規定する場合には、道府県徴収金関係過誤納金の還付を受けるべき者は、当該還付をすべき道府県知事に対し、当該道府県徴収金関係過誤納金（道府県未納徴収金に係る金額又は納付し、若しくは納入すべきこととなつているその他の当該道府県の地方団体の徴収金に係る金額に相当する額を限度とする。）により道府県未納徴収金又は納付し、若しくは納入すべきこととなつているその他の当該道府県の地方団体の徴収金を納付し、又は納入することを委託したものとみなす。

3　第一項第二号に規定する場合には、市町村徴収金関係過誤納金の還付を受けるべき者は、当該還付をすべき市町村長に対し、当該市町村徴収金関係過誤納金（市町村未納徴収金に係る金額又は納付し、若しくは納入すべきこととなつているその他の当該市町村の地方団体の徴収金に係る金額に相当する額を限度とする。）により市町村未納徴収金又は納付し、若しくは納入すべきこととなつているその他の当該市町村の地方団体の徴収金を納付し、又は納入することを委託したものとみなす。

4　第一項第三号に規定する場合には、同号の還付金等の還付を受けるべき者は、当該還付をすべき道府県知事に対し、当該還付金等（道府県未納徴収金に係る金額に相当する額を限度とする。）により道府県未納徴収金を納付し、又は納入することを委託したものとみなす。

5　第一項第四号に規定する場合には、同号の還付金等の還付を受けるべき者は、当該還付をすべき市町村長に対し、当該還付金等（市町村未納徴収金に係る金額に相当する額を限度とする。）により市町村未納徴収金を納付し、又は納入することを委託したものとみなす。

6　第二項から前項までの規定が適用される場合には、これらの規定による委託納付又は委託納入をするのに適することとなつた時として政令で定める時に、その委託納付又は委託納入に相当する額の還付及び納付又は納入があつたものとみなす。

7　第二項から第五項までの規定が適用される場合には、これらの規定による納付又は納入をした道府県知事又は市町村長は、遅滞なく、その旨をこれらの規定により委託したものとみなされた者に通知しなければならない。

【参照条文】

①【賦課徴収―森林環境税及び森林環境譲与税に関する法律七1
【政令の定―令六の一四の二
⑥【政令の定―令六の一四の三

（地方税の予納額の還付の特例）

第十七条の三　納税者又は特別徴収義務者は、その申出により次に掲げる地方団体の徴収金として納付し、又は納入した金額があるときは、その還付を請求することができない。

一　納付し、又は納入すべき額が確定しているが、その納期が到来していない地方団体の徴収金

二　最近において納付し、又は納入すべき額の確定が確実であると認められる地方団体の徴収金

2　前項各号に掲げる地方団体の徴収金として納付し、又は納入された地方団体の徴収金の全部又は一部につき、法律又は条例の改正その他の理由によりその納付又は納入の必要がないこととなつたときは、その時において過誤納金が納付され、又は納入されたものとみなして、前三条の規定を適用する。

【参照条文】

※　国税通則法五九

（還付加算金）

第十七条の四　地方団体の長は、過誤納金を第十七条又は第十七条の二第一項から第三項までの規定により還付し、又は充当する場合には、次の各号に掲げる過誤納金の区分に従い当該各号に定める日の翌日から地方団体の長が還付のための支出を決定した日又は充当をした日（同日前に充当をするのに適することとなつた日がある場合には、当該適することとなつた日）までの期間の日数に応じ、その金額に年七・三パーセントの割合を乗じて計算した金額（以下「還付加算金」という。）をその還付又は充当をすべき金額に加算しなければならない。

一　更正、決定若しくは賦課決定（普通徴収の方法によつて徴収する地方税の税額を確定する処分をいい、特別徴収の方法

によつて徴収する個人の道府県民税及び市町村民税並びに国民健康保険税に係る特別徴収税額を確定する処分を含む。以下この章において同じ。）、第五十三条第三十三項若しくは第三十五項若しくは第三百二十一条の八第三十三項若しくは第三十五項の規定による申告書（法人税に係る更正又は決定により納付すべき法人税額を課税標準として算定した道府県民税又は市町村民税の法人税割額に係るものに限る。）、第七十二条の三十一第一項若しくは第二項の規定による申告書（収入割のみを申告納付すべき法人以外の法人が当該申告に係る事業税の計算の基礎となつた事業年度に係る法人税の課税標準について税務官署の更正又は決定を受けた場合において、当該更正又は決定に係る法人税の課税標準を基礎として計算した事業税に係るものに限る。）、同条第三項の規定による修正申告書若しくは第七十二条の八十九第一項若しくは第三項の規定による申告書（消費税に係る更正又は決定により納付すべき消費税額を課税標準として算定した地方消費税の譲渡割額に係るものに限る。）の提出又は過少申告加算金、不申告加算金若しくは重加算金（以下この章において「加算金」という。）の決定により、納付し、又は納入すべき額が確定した地方団体の徴収金（当該地方団体の徴収金に係る地方税に係る延滞金を含む。）に係る過納金（次号及び第三号に掲げるものを除く。） 当該過納金に係る地方団体の徴収金の納付又は納入があつた日

二 更正の請求に基づく更正（当該請求に対する処分に係る審査請求又は訴えについての裁決又は判決を含む。）により、納付し、又は納入すべき額が減少した地方税（当該地方税に係る延滞金を含む。次号において同じ。）に係る過納金 その更正の請求があつた日の翌日から起算して三月を経過する日と当該更正があつた日の翌日から起算して一月を経過する日とのいずれか早い日

三 所得税の更正（更正又は決定により納付すべき税額が確定した所得税額につき行われた更正にあつては、更正の請求に基づくものに限る。以下この号及び第五項において同じ。）又は所得税の申告書（所得税法第二条第一項第三十七号に規定する確定申告書及び同項第三十九号に規定する修正申告書をいう。以下この号及び第五項において同じ。）の提出に基因してされた賦課決定により、納付し、又は納入すべき額が減少した地方税に係る過納金 当該賦課決定の基因となつた所得税の更正の通知が発せられた日の翌日から起算して一月を経過する日又は所得税の申告書の提出がされた日の翌日から起算して一月を経過する日

四 前三号に掲げる過納金以外の地方団体の徴収金に係る過誤納金 その過誤納となつた日として政令で定める日の翌日から起算して一月を経過する日

2 前項の場合において、次の各号のいずれかに該当するときは、当該各号に定める期間を同項に規定する期間から控除しなければならない。

一 地方団体の長が過誤納金があることを納税者又は特別徴収義務者に通知した場合において、その通知を発した日から三十日を経過する日までにその過誤納金の還付を請求しないとき その経過する日の翌日から還付の請求があつた日までの期間

二 過誤納金の返還請求権につき民事執行法の規定による差押命令又は差押処分が発せられたとき その差押命令又は差押処分の送達を受けた日の翌日から一週間を経過した日までの期間

三 過誤納金の返還請求権につき仮差押えがされたとき その仮差押えがされている期間

3 二以上の納期又は二回以上の分割納付若しくは分割納入に係る地方団体の徴収金につき過誤納を生じた場合には、その過誤納金については、その過誤納金の額に相当する地方団体の徴収金に達するまで、納付又は納入の日の順序に従い最後に納付又は納入された金額から順次遡つて求めた金額からなるものとみなして、第一項の規定を適用する。

4 適法に納付され、又は納入された地方団体の徴収金が、その適法な納付又は納入に影響を及ぼすことなくその納付し、又は納入すべき額を変更する法律又は条例の規定に基づき過納となつたときは、その過納金については、これを第一項第四号に掲げる過誤納金と、その過納となつた日を同号に定める日とそれぞれみなして、同項の規定を適用する。

5 地方団体の徴収金の納付又は納入があつた場合において、その課税標準の計算の基礎となつた事実のうちに含まれていた無効な行為により生じた経済的成果がその行為の無効であることに基因して失われたこと、当該事実のうちに含まれていた取り消しうべき行為が取り消されたことその他これらに準ずる政令で定める理由に基づき、その地方税について更正（更正の請求に基づく更正を除く。）又は賦課決定（所得税の更正又は所得税の申告書の提出に基因してされた賦課決定を除く。）が行われたときは、その更正又は賦課決定により過納となつた金額に相当する地方団体の徴収金については、その更正又は賦課決定の日の翌日から起算して一月を経過する日（普通徴収の方法によつて徴収する地方税について、当該賦課決定前にこれらの理由に基づき納付すべき税額が過納となる旨の申出があつた場合には、当該一月を経過する日と当該申出のあつた日の翌日から起算して三月を経過する日とのいずれか早い日）を第一項各号に定める日とみなして、同項の規定を適用する。

6 第一項の規定により、個人の市町村民税（第二百九十四条第一項第二号に掲げる者に対して課する均等割及び第三百二十八条の規定により課する所得割を除く。以下この項において同じ。）、第四十一条第一項の規定によりこれと併せて賦課徴収を行う個人の道府県民税（第二十四条第一項第二号に掲げる者に対して課する均等割及び第五十条の二の規定により課する所得割を除く。以下この項において同じ。）及び森林環境税及び森林環境譲与税に関する法律第七条第一項の規定によりこれらと併せて賦課徴収を行う森林環境税に係る還付加算金の計算をする場合には、個人の市町村民税、個人の道府県民税及び森林環境税に係る過誤納金の合算額により行うものとする。

【参照条文】
① 【還付加算金の計算の始期の特例―法七三の二10・七三の二七2・七三の二七の二2・一四四の三一7等
【還付加算金の割合の特例―法附則三の二4
①⑤【政令の定―令六の一五
②【仮差押―民事保全法二〇～二二
④【納付すべき額を変更する法律―法一八三2等

地税法

⑥【賦課徴収―森林環境税及び森林環境譲与税に関する法律七1

※　国税通則法五八　国税通則令二四

第十一節　更正、決定等の期間制限及び消滅時効

第一款　更正、決定等の期間制限

（更正、決定等の期間制限）

第十七条の五　更正又は決定は、法定納期限（随時に課する地方税については、その地方税を課することができることとなつた日。以下この条及び第十八条第一項において同じ。）の翌日から起算して五年を経過した日以後においては、することができない。加算金の決定をすることができる期間についても、また同様とする。

2　前項の規定により更正をすることができないこととなる日前六月以内にされた第二十条の九の三第一項の規定による更正の請求に係る更正は、前項の規定にかかわらず、当該更正の請求があつた日から六月を経過する日まで、することができる。当該更正に伴う加算金の決定をすることができる期間についても、同様とする。

3　賦課決定は、法定納期限の翌日から起算して三年を経過した日以後においては、することができない。

4　地方税の課税標準又は税額を減少させる賦課決定は、前項の規定にかかわらず、法定納期限の翌日から起算して五年を経過する日まですることができる。

5　不動産取得税、固定資産税又は都市計画税に係る賦課決定は、前二項の規定にかかわらず、法定納期限の翌日から起算して五年を経過した日以後においては、することができない。

6　第一項の規定により決定をすることができないこととなる日前三月以内にされた申告納付又は申告納入に係る地方税の申告書の提出に伴つて行われることとなる不申告加算金（第七十一条の十四第六項、第七十一条の三十五第七項、第七十一条の五十五第七項、第七十二条の四十六第六項（第一号に係る部分に限る。）、第七十四条の二十三第六項、第九十条第六項、第百四十四条の四十七第六項、第百七十一条第六項、第二百七十八条第六項、第三百二十八条の十一第六項、第四百六十三条の三第六項、第四百八十三条第六項、第五百三十六条第六項、第六百九条第六項、第六百八十八条第六項、第七百一条の十二第六項、第七百二十一条第六項又は第七百三十三条の十八第七項の規定の適用があるものに限る。）についてする決定は、第一項の規定にかかわらず、当該申告書の提出があつた日から三月を経過する日まで、することができる。

7　偽りその他不正の行為により、その全部若しくは一部の税額を免れ、若しくはその全部若しくは一部の税額の還付を受けた地方税についての更正、決定若しくは賦課決定又は当該地方税に係る加算金の決定は、前各項の規定にかかわらず、法定納期限の翌日から起算して七年を経過する日まですることができる。

【参照条文】

①【法定納期限―法一一の四1　【随時に課する地方税の例―法七三の一七等

※　国税通則法七〇

（更正、決定等の期間制限の特例）

第十七条の六　更正、決定若しくは賦課決定又は加算金の決定で次の各号に掲げるものは、当該各号に定める期間の満了する日が、前条の規定により更正、決定若しくは賦課決定又は加算金の決定をすることができる期間の満了する日後に到来するときは、同条の規定にかかわらず、当該各号に定める期間においても、することができる。

一　更正、決定若しくは賦課決定に係る審査請求についての裁決（第五十九条第二項、第七十二条の五十四第五項若しくは第三百二十一条の十五第二項の規定による決定又は同条第七項の規定による裁決を含む。）又は更正、決定若しくは賦課決定に係る訴えについての判決（以下この号において「裁決等」という。）による原処分の異動に伴つて課税標準又は税額に異動を生ずべき地方税（当該裁決等に係る地方税の属する税目に属するものに限る。）で当該裁決等を受けた者に係るものについての更正、決定若しくは賦課決定又は当該更正若しくは決定に伴う当該地方税に係る加算金の決定　当該裁決等があつた日の翌日から起算して六月間

二　第八条第一項（第八条の四第二項において準用する場合を含む。）又は第八条の二第二項（第八条の三第二項において準用する場合を含む。）の規定による申出に係る決定、裁決又は判決に基づいてする更正、決定又は賦課決定　当該決定、裁決又は判決があつた日の翌日から起算して六月間

三　地方税につきその課税標準の計算の基礎となつた事実のうちに含まれていた無効な行為により生じた経済的成果がその行為の無効であることに基因して失われたこと、当該事実のうちに含まれていた取り消しうべき行為が取り消されたことその他これらに準ずる政令で定める理由に基づいてする更正若しくは賦課決定（その地方税の課税標準又は税額を減少させるものに限る。）又は当該更正に伴う当該地方税に係る加算金の決定　当該理由が生じた日の翌日から起算して三年間

四　第二十条の九の三第一項の規定による更正の請求をすることができる期限について第二十条の五第二項又は第二十条の五の二第一項若しくは第二項の規定の適用がある場合における当該更正の請求に係る更正又は当該更正に伴う加算金の決定　当該更正の請求があつた日の翌日から起算して六月間

2　前項第一号に規定する当該裁決等を受けた者には、当該受けた者が分割等（分割、現物出資、法人税法第二条第十二号の五の二に規定する現物分配又は同法第六十一条の十一第一項の規定の適用を受ける同項に規定する譲渡損益調整資産の譲渡をいう。以下この項において同じ。）に係る分割法人等（同法第二条第十二号の二に規定する分割法人、同条第十二号の四に規定する現物出資法人、同条第十二号の五の二に規定する現物分配法人又は同法第六十一条の十一第一項に規定する譲渡損益調整資産を譲渡した法人をいう。以下この項において同じ。）である場合には当該分割等に係る分割承継法人等（同法第二条第十二号の三に規定する分割承継法人、同条第十二号の五に規定する被現物出資法人、同条第十二号の五の三に規定する被現物分配法人又は同法第六十一条の十一第一項に規定する譲受法人をいう。以下この項において同じ。）を含むものとし、当該受けた者が分割等に係る分割承継法人等である場合には当該分割等

に係る分割法人等を含むものとし、当該受けた者が同法第二条第十二号の七の二に規定する通算法人（以下この項において「通算法人」という。）である場合には他の通算法人を含むものとする。

3　道府県民税若しくは市町村民税の所得割（所得税の課税標準を基準として課するものに限る。）若しくは法人税割、事業税（収入金額を課税標準として課するもの及び法人税が課されない法人に対して課するもの並びに第七十二条の五十第二項の規定により課するものを除く。）又は地方消費税に係る更正、決定又は賦課決定で次の各号に掲げる場合においてするものは、当該各号に定める日の翌日から起算して二年を経過する日が、前条又は第一項の規定により更正、決定又は賦課決定をすることができる期間の満了する日後に到来するときは、前条又は第一項の規定にかかわらず、当該各号に定める日の翌日から起算して二年間においても、することができる。当該所得割若しくは法人税割とあわせて課する均等割に係る更正、決定若しくは賦課決定又は当該事業税若しくは地方消費税に係る加算金の決定についても、また同様とする。

一　所得税、法人税又は消費税について更正（国税通則法第七十条第二項に規定する更正で同条第一項第一号に定める期限から五年を経過した日以後において行われるものを除く。）又は決定があつた場合　当該更正又は決定の通知が発せられた日

二　所得税、法人税又は消費税に係る期限後申告書（所得税法第百二十条第一項に規定する所得税の額の合計額が配当控除の額を超えるときで、同項に規定する控除しきれなかつた外国税額控除の額、控除しきれなかつた源泉徴収税額又は控除しきれなかつた予納税額がある場合において同法第百二十二条第一項、第百二十五条第二項又は第百二十七条第二項の規定により提出する申告書を含む。）又は修正申告書の提出があつた場合　当該提出があつた日

三　所得税、法人税又は消費税に係る不服申立て又は訴えについての決定、裁決又は判決（以下この号において「裁決等」という。）があつた場合（当該裁決等に基づいて当該所得税、法人税又は消費税について更正又は決定があつた場合を除く。）　当該裁決等があつた日

【参照条文】
①【政令の定―令六の一六
※　国税通則法七一　国税通則令三〇

第二款　消滅時効

（地方税の消滅時効）

第十八条　地方団体の徴収金の徴収を目的とする地方団体の権利（以下この款において「地方税の徴収権」という。）は、法定納期限（次の各号に掲げる地方団体の徴収金については、それぞれ当該各号に定める日）の翌日から起算して五年間行使しないことによつて、時効により消滅する。

一　第十七条の五第二項又は前条第一項第一号、第二号若しくは第四号若しくは同条第三項の規定の適用がある地方税若しくは加算金又は当該地方税に係る延滞金　第十七条の五第二項の更正若しくは決定があつた日又は前条第一項第一号の裁決等があつた日、同項第二号の決定、裁決若しくは判決があつた日若しくは同項第四号の更正若しくは決定があつた日若しくは同条第三項各号に定める日

二　第十七条の五第六項の規定の適用がある不申告加算金　同項の決定があつた日

三　督促手数料又は滞納処分費　その地方税の徴収権を行使することができる日

2　前項の場合には、時効の援用を要せず、また、その利益を放棄することができないものとする。

3　地方税の徴収権の時効については、この款に別段の定めがあるものを除き、民法の規定を準用する。

【参照条文】
①③【時効―民法一四四・一六六等　【法定納期限―法一一の四1
※【時効以外の消滅―法一五の七4・5　会社更生法二〇四
※　国税通則法七二

（時効の完成猶予及び更新）

第十八条の二　地方税の徴収権の時効は、次の各号に掲げる処分に係る部分の地方団体の徴収金については、当該各号に定める期間は完成せず、その期間を経過した時から新たにその進行を始める。

一　納付又は納入に関する告知　その告知に指定された納付又は納入に関する期限までの期間

二　督促　督促状又は督促のための納付若しくは納入の催告書を発した日から起算して十日を経過した日（同日前に第十三条の二第一項各号の一に該当する事実が生じた場合において、差押えがされた場合には、そのされた日）までの期間

三　交付要求　その交付要求がされている期間（この法律においてその例によるものとされる国税徴収法第八十二条第二項の規定による通知がされていない期間があるときは、その期間を除く。）

2　前項第三号に掲げる交付要求に係る強制換価手続が取り消された場合においても、同項の規定による時効の完成猶予及び更新は、その効力を妨げられない。

3　地方税の徴収権で、偽りその他不正の行為によりその全部若しくは一部の税額を免れ、又はその全部若しくは一部の税額の還付を受けた地方税（当該地方税に係る延滞金及び加算金を含む。以下この項において同じ。）に係るものの時効は、当該地方税の前条第一項に規定する法定納期限の翌日から起算して二年間は、進行しない。ただし、当該法定納期限の翌日から同日以後二年を経過する日までの期間内に次の各号に掲げる処分又は行為があつた場合においては当該各号に掲げる処分又は行為の区分に応じ当該処分又は行為に係る部分の地方税ごとに当該各号に定める日の翌日から、当該法定納期限までに当該処分又は行為があつた場合においては当該処分又は行為に係る部分の地方税ごとに当該法定納期限の翌日から進行する。

一　納付又は納入に関する告知（延滞金及び加算金に係るものを除く。）　当該告知に係る文書が発せられた日

二　申告納付又は申告納入に係る地方税の申告書の提出　当該申告書が提出された日

4　地方税の徴収権の時効は、徴収の猶予、職権による換価の猶

予又は申請による換価の猶予に係る部分の地方団体の徴収金につき、その猶予がされている期間内は、進行しない。

5 地方税についての地方税の徴収権の時効が完成せず、又は新たにその進行を始めるときは、その完成せず、又は新たにその進行を始める部分の地方税に係る延滞金についての地方税の徴収権の時効は、完成せず、又は新たにその進行を始める。

6 地方税が納付されたときは、その納付された部分の地方税に係る延滞金についての地方税の徴収権の時効は、その納付の時から新たに進行を始める。

【参照条文】

①【法定納期限―法一一の四1　【納付又は納入の告知―法一三・四三・五五4等　【督促―法六六等　【交付要求―国税徴収法八二　法六八4・七二の六八4等

②【強制換価手続―法一三の二1

④【徴収の猶予―法一五・一五の四・七三の二五・一四四の二九　【換価の猶予―法一五の五

※【差押等による時効の完成猶予及び更新―民法一四七～一五四

※【裁判上の請求等による時効の完成猶予及び更新―民法一四七2

※ 国税通則法七三

（還付金の消滅時効）

第十八条の三　地方団体の徴収金の過誤納により生ずる地方団体に対する請求権及びこの法律の規定による還付金に係る地方団体に対する請求権（以下第二十条の九において「還付金に係る債権」という。）は、その請求をすることができる日から五年を経過したときは、時効により消滅する。

2 第十八条第二項及び第三項の規定は、前項の場合について準用する。

【参照条文】

※ 国税通則法七四

第十二節　行政手続法との関係

（行政手続法の適用除外）

第十八条の四　行政手続法（平成五年法律第八十八号）第三条又は第四条第一項に定めるもののほか、地方税に関する法令の規定による処分その他公権力の行使に当たる行為については、同法第二章（第八条を除く。）及び第三章（第十四条を除く。）の規定は、適用しない。

2 行政手続法第三条、第四条第一項又は第三十五条第四項に定めるもののほか、地方団体の徴収金を納付し、又は納入する義務の適正な実現を図るために行われる行政指導（同法第二条第六号に規定する行政指導をいう。）については、同法第三十五条第三項及び第三十六条の規定は、適用しない。

【参照条文】

※ 国税通則法七四の一四

第十三節　不服審査及び訴訟

第一款　不服審査

（行政不服審査法との関係）

第十九条　地方団体の徴収金に関する次の各号に掲げる処分についての審査請求については、この款その他この法律に特別の定めがあるものを除くほか、行政不服審査法（平成二十六年法律第六十八号）の定めるところによる。

一 更正若しくは決定（第五号に掲げるものを除く。）又は賦課決定

二 督促又は滞納処分

三 第五十八条第一項、第二項、第三項若しくは第五項又は第三百二十一条の十四第一項、第二項、第三項若しくは第五項の規定による分割の基準となる従業者数の修正又は決定

四 第五十九条第二項又は第三百二十一条の十五第二項若しくは第七項の規定による分割の基準となる従業者数についての決定又は裁決

五 第七十二条の四十八の二第一項の規定による課税標準額の総額の更正若しくは決定又は同条第三項の規定による分割基準の修正若しくは決定

六 第七十二条の五十四第一項の規定による課税標準とすべき所得の総額の決定又は同条第三項前段の規定による課税標準とすべき所得の決定

七 第七十二条の五十四第五項の規定による課税標準とすべき所得についての決定

八 第三百八十九条第一項、第四百十七条第二項又は第七百四十三条第一項若しくは第二項の規定による価格等の決定若しくは配分又はこれらの修正

九 前各号に掲げるもののほか、地方団体の徴収金の賦課徴収又は還付に関する処分で総務省令で定めるもの

【参照条文】

【特別の定め―法三六四の二6・四三二3等

㊈【総務省令―則一の七

※【全面的に行政不服審査法の適用がある処分―不作為、過料に処する処分、納期前納付の報奨金に関する処分等

※ 国税通則法八〇

（徴税吏員がした処分）

第十九条の二　審査請求に関しては、第三条の二に規定する支庁、地方事務所、市の区の事務所、市の総合区の事務所又は税務に関する事務所に所属する徴税吏員がした処分はその者の所属する支庁等の長がした処分と、その他の徴税吏員がした処分はその者の所属する地方団体の長がした処分とみなす。

第十九条の三　削除

（審査請求期間の特例）

第十九条の四　滞納処分について、次の各号に掲げる処分に関し欠陥があること（第一号に掲げる処分については、これに関する通知が到達しないことを含む。）を理由としてする審査請求は、当該各号に規定する日又は期限後は、することができない。

一 督促　差押えに係る通知を受けた日（その通知がないときは、その差押えがあつたことを知つた日）の翌日から起算して三月を経過した日

二　不動産等（国税徴収法第百四条の二第一項に規定する不動産等をいう。次号において同じ。）についての差押え　その公売期日等（国税徴収法第百十一条に規定する公売期日等をいう。）

三　不動産等についての公告（国税徴収法第百七十一条第一項第三号に掲げる公告をいう。）から売却決定までの処分　換価財産の買受代金の納付の期限

四　換価代金等の配当　換価代金等の交付期日

【参照条文】

※　国税徴収法一七一

（**審査請求の理由の制限**）

第十九条の五　第十九条第三号から第八号までに掲げる処分に基づいてされた更正、決定又は賦課決定についての審査請求においては、同条第三号から第八号までに掲げる処分についての不服を当該更正、決定又は賦課決定についての不服の理由とすることができない。

（**審査請求があつた場合等の通知**）

第十九条の六　第十九条第三号から第八号までに掲げる処分についての審査請求があつた場合においては、その審査請求に対する裁決の権限を有する者は、関係地方団体の長に対し、審査請求があつた旨その他必要な事項を通知しなければならない。この場合においては、審査請求があつた旨その他必要な事項を官報に登載することによつて、当該通知に代えることができる。

2　前項の規定は、同項に規定する審査請求に対する裁決の権限を有する者が当該審査請求に対する裁決をした場合に準用する。

（**審査請求と地方団体の徴収金の賦課徴収との関係**）

第十九条の七　審査請求は、その目的となつた処分に係る地方団体の徴収金の賦課又は徴収の続行を妨げない。ただし、その地方団体の徴収金の徴収のために差し押さえた財産（国税徴収法第八十九条の二第四項に規定する特定参加差押不動産を含む。）の滞納処分（その例による処分を含む。次項において同じ。）による換価は、その財産の価額が著しく減少するおそれがあるとき、又は審査請求をした者から別段の申出があるときを除き、その審査請求に対する裁決があるまで、することができない。

2　審査請求の目的となつた処分に係る地方団体の徴収金について徴収の権限を有する地方団体の長は、審査請求をした者が第十六条第一項各号に掲げる担保を提供して、その地方団体の徴収金につき、滞納処分による差押えをしないこと又は既にされている滞納処分による差押えを解除することを求めた場合においては、相当と認めるときは、その差押えをせず、又はその差押えを解除することができる。

3　第十一条、第十六条第三項及び第四項並びに第十六条の五第一項及び第二項の規定は、前項の規定による担保について準用する。

【参照条文】

※　【担保の提供手続―令六の一〇】

行政不服審査法二五・二六　国税通則法一〇五

（**差押動産等の搬出の制限**）

第十九条の八　国税徴収法第五十八条第二項の規定の例による引渡しの命令を受けた第三者が、その命令に係る財産が滞納者の所有に属していないことを理由として、その命令につき審査請求をしたときは、その審査請求の係属する間は、当該財産の搬出をすることができない。

【参照条文】

※　国税徴収法一七二

第十九条の九　削除

（**不動産等の売却決定等の取消しの制限**）

第十九条の十　第十九条の四第三号に掲げる処分に欠陥があることを理由として滞納処分についての審査請求があつた場合において、その処分は違法ではあるが、次に掲げる場合に該当するときは、地方団体の長は、その審査請求を棄却することができる。

一　その審査請求に係る処分に続いて行われるべき処分（以下この号において「後行処分」という。）が既に行われている場合において、その審査請求に係る処分の違法が軽微なものであり、その後行処分に影響を及ぼさせることが適当でないと認められるとき。

二　換価した財産が公共の用に供されている場合その他審査請求に係る処分を取り消すことにより公の利益に著しい障害を生ずる場合で、その審査請求をした者の受ける損害の程度、その損害の賠償の程度及び方法その他一切の事情を考慮してもなおその処分を取り消すことが公共の福祉に適合しないと認められるとき。

2　前項の規定による審査請求の棄却の裁決には、処分が違法であること及び審査請求を棄却する理由を明示しなければならない。

3　第一項の規定は、地方団体に対する損害賠償の請求を妨げない。

【参照条文】

※　行政不服審査法四五3　国税徴収法一七三

第二款　訴訟

（**行政事件訴訟法との関係**）

第十九条の十一　第十九条に規定する処分に関する訴訟については、本款その他この法律に特別の定めがあるものを除くほか、行政事件訴訟法（昭和三十七年法律第百三十九号）その他の一般の行政事件訴訟に関する法律の定めるところによる。

【参照条文】

【特別の定め―法一一4・四三四等】

※　国税通則法一一四

（**審査請求と訴訟との関係**）

第十九条の十二　第十九条に規定する処分の取消しの訴えは、当該処分についての審査請求に対する裁決を経た後でなければ、提起することができない。

【参照条文】

※ 行政事件訴訟法八1 国税通則法一一五1

（滞納処分に関する出訴期間の特例）

第十九条の十三 第十九条の四の規定は、行政事件訴訟法第八条第二項第二号又は第三号の規定による訴えの提起について準用する。

（原告が行うべき証拠の申出）

第十九条の十四 第十九条第一号、第三号、第五号若しくは第六号に掲げる処分又は加算金の決定に係る行政事件訴訟法第三条第二項に規定する処分の取消しの訴えにおいては、その訴えを提起した者が必要経費又は損金の額の存在その他これに類する自己に有利な事実につきその処分の基礎とされた事実と異なる旨を主張しようとするときは、相手方当事者である地方団体がその処分の基礎となつた事実を主張した日以後遅滞なくその異なる事実を具体的に主張し、併せてその事実を証明すべき証拠の申出をしなければならない。ただし、当該訴えを提起した者が、その責めに帰することができない理由によりその主張又は証拠の申出を遅滞なくすることができなかつたことを証明したときは、この限りでない。

2 前項の訴えを提起した者が同項の規定に違反して行つた主張又は証拠の申出は、民事訴訟法（平成八年法律第百九号）第百五十七条第一項の規定の適用に関しては、同項に規定する時機に後れて提出した攻撃又は防御の方法とみなす。

【参照条文】

※ 国税通則法一一六

第十四節 雑則

（書類の送達）

第二十条 地方団体の徴収金の賦課徴収又は還付に関する書類は、郵便若しくは信書便による送達又は交付送達により、その送達を受けるべき者の住所、居所、事務所又は事業所に送達する。ただし、納税管理人があるときは、地方団体の徴収金の賦課徴収（滞納処分を除く。）又は還付に関する書類については、その住所、居所、事務所又は事業所に送達する。

2 交付送達は、地方団体の職員が、前項の規定により送達すべき場所において、その送達を受けるべき者に書類を交付して行う。ただし、その者に異議がないときは、その他の場所において交付することができる。

3 次の各号に掲げる場合には、交付送達は、前項の規定による交付に代え、当該各号に掲げる行為により行うことができる。

一 送達すべき場所において書類の送達を受けるべき者に出会わない場合 その使用人その他の従業者又は同居の者で書類の受領について相当のわきまえのあるものに書類を交付すること。

二 書類の送達を受けるべき者その他前号に規定する者が送達すべき場所にいない場合又はこれらの者が正当な理由がなく書類の受取を拒んだ場合 送達すべき場所に書類を差し置くこと。

4 通常の取扱いによる郵便又は信書便により第一項に規定する書類を発送した場合には、この法律に特別の定めがある場合を除き、その郵便物又は民間事業者による信書の送達に関する法律第二条第三項に規定する信書便物（第二十条の五の三及び第二十二条の五において「信書便物」という。）は、通常到達すべきであつた時に送達があつたものと推定する。

5 地方団体の長は、前項に規定する場合には、その書類の名称、その送達を受けるべき者の氏名、宛先及び発送の年月日を確認するに足りる記録を作成しておかなければならない。

【参照条文】

①【交付送達―民訴一〇一
④【法律の特別の定―法八5・三二一の一五5等
※【送達の効力―民法九七1 民訴一一二
※ 国税通則法一二 国税通則規一

㊟ 次条中、点線の左側は、令和五年三月三一日から起算して三年三月を超えない範囲内において政令で定める日から施行となる。

（公示送達）

第二十条の二 地方団体の長は、前条の規定により送達すべき書類について、その送達を受けるべき者の住所、居所、事務所及び事業所が明らかでない場合又は外国においてすべき送達につき困難な事情があると認められる場合には、その送達に代えて公示送達をすることができる。

2 公示送達は、送達すべき書類を特定するために必要な情報、
地方団体の長が送達すべき
その送達を受けるべき者の氏名及びその
書類を保管し、いつでも送達を受けるべき者に交付する旨を地（以
方団体の掲示場に掲示して行う
下この項において「公示事項」という。）を総務省令で定める方
法により不特定多数の者が閲覧することができる状態に置く措
置をとるとともに、公示事項が記載された書面を地方団体の掲
示場に掲示し、又は公示事項を地方団体の事務所に設置した電
子計算機の映像面に表示したものの閲覧をすることができる状
態に置く措置をとることによつてする。

3 前項の場合において、掲示を始めた同項の規定による措置を開始した日から起算して七日を経過したときは、書類の送達があつたものとみなす。

【参照条文】

※【公示送達―則一の八 民法九八 民訴一一〇 【期間計算―法二〇の五
※ 国税通則法一四 国税通則規一の二

（市町村が行う道府県税の賦課徴収）

第二十条の三 道府県は、道府県税（個人の道府県民税を除く。以下本条において同じ。）の賦課徴収に関する事務を市町村に

処理させてはならない。ただし、次の各号のいずれかに該当する場合においては、市町村が処理することとすることができる。

一　道府県税の納税義務者又は特別徴収義務者の住所、居所、家屋敷、事務所、事業所又は財産が当該道府県の徴税吏員による賦課徴収を著しく困難とする地域に在ること。

二　市町村が道府県税の賦課徴収に関する事務の一部を処理することに同意したこと。

2　道府県は、前項ただし書の規定によつて道府県税の賦課徴収に関する事務の一部を市町村が処理することとした場合においては、当該市町村においてその事務を行うために要する費用を補償しなければならない。

3　前項の補償は、市町村の請求があつた日から、遅くとも、三十日以内にしなければならない。

【参照条文】

②【事務の委任に伴う経費―法四七　【費用の補償―地財法二八

（他の地方団体への徴収の嘱託）

第二十条の四　地方団体の徴収金を納付し、又は納入すべき者が当該地方団体外に住所、居所、家屋敷、事務所若しくは事業所を有し、又はその者の財産が当該地方団体外に在る場合においては、当該地方団体は、その者の住所、居所、家屋敷、事務所若しくは事業所又はその者の財産の所在地の地方団体にその徴収を嘱託することができる。

2　前項の場合における徴収は、嘱託を受けた地方団体における徴収の例による。

3　第一項の規定によつて徴収を嘱託した場合においては、嘱託に係る事務及び送金に要する費用は、嘱託を受けた地方団体の負担とし、嘱託に係る事務に伴う督促手数料及び滞納処分費は、嘱託を受けた地方団体の収入とする。

（課税標準額、税額等の端数計算）

第二十条の四の二　地方税の課税標準額を計算する場合において、その額に千円未満の端数があるとき、又はその全額が千円未満であるときは、その端数金額又はその全額を切り捨てる。ただし、政令で定める地方税については、この限りでない。

2　延滞金又は加算金の額を計算する場合において、その計算の基礎となる税額に千円未満の端数があるとき、又はその税額の全額が二千円未満であるときは、その端数金額又はその全額を切り捨てる。

3　地方税の確定金額に百円未満の端数があるとき、又はその全額が百円未満であるときは、その端数金額又はその全額を切り捨てる。ただし、政令で定める地方税の確定金額については、その額に一円未満の端数があるとき、又はその全額が一円未満であるときは、その端数金額又はその全額を切り捨てる。

4　滞納処分費の確定金額に百円未満の端数があるとき、又はその全額が百円未満であるときは、その端数金額又はその全額を切り捨てる。

5　延滞金又は加算金の確定金額に百円未満の端数があるとき、又はその全額が千円未満であるときは、その端数金額又はその全額を切り捨てる。

6　地方税の確定金額を、二以上の納期限を定め、一定の金額に分割して納付し、又は納入することとされている場合において、その納期限ごとの分割金額に千円未満の端数があるとき、又はその分割金額の全額が千円未満であるときは、その端数金額又はその全額は、すべて最初の納期限に係る分割金額に合算するものとする。ただし、地方団体が当該地方団体の条例でこれと異なる定めをしたときは、この限りでない。

7　第二項及び第五項の規定は、還付加算金について準用する。この場合において、第二項中「税額」とあるのは、「過誤納金又はこの法律の規定による還付金の額」と読み替えるものとする。

8　第二項、第三項（地方税の確定金額の全額が百円未満であるときにおいて、その全額を切り捨てる部分に限る。）及び前三項の規定の適用については、個人の市町村民税、第四十一条第一項の規定によりこれと併せて徴収する個人の道府県民税及び森林環境税及び森林環境譲与税に関する法律第七条第一項の規定によりこれらと併せて賦課徴収を行う森林環境税又は固定資産税及び第七百二条の八第一項の規定によりこれと併せて徴収する都市計画税については、それぞれ一の地方税とみなす。この場合において、特別徴収の方法によつて徴収する個人の市町村民税、個人の道府県民税及び森林環境税に対する第六項の規定の適用については、同項中「千円」とあるのは、「百円」とする。

9　特別徴収の方法によつて徴収する国民健康保険税については、第六項中「千円」とあるのは、「百円」とする。

【参照条文】

①③【政令の定―令六の一七

※国税通則法一一八・一一九・一二〇　国税通則令四〇

（期間の計算及び期限の特例）

第二十条の五　この法律又はこれに基づく条例に定める期間の計算については、民法第百三十九条から第百四十一条まで及び第百四十三条に定めるところによる。

2　この法律又はこれに基づく条例の規定により定められている期限（政令で定める期限を除く。）が民法第百四十二条に規定する休日その他政令で定める日に該当するときは、この法律又は当該条例の規定にかかわらず、これらの日の翌日をその期限とみなす。

【参照条文】

②【政令の定―令六の一八

※【期間の計算―令六の一九　則一の五　民法一三九～一四三

※国税通則法一〇　国税通則令二

（災害等による期限の延長）

第二十条の五の二　地方団体の長は、災害その他やむを得ない理由により、この法律又はこれに基づく条例に定める申告、申請、請求その他書類の提出（審査請求に関するものを除く。）又は納付若しくは納入に関する期限までに、これらの行為をすることができないと認めるときは、次項の規定の適用がある場合を除き、当該地方団体の条例の定めるところにより、当該期限を延長することができる。

2　総務大臣は、第七百九十条の二の規定による報告があつた場合において、地方税関係手続用電子情報処理組織（第七百六十二条第一号に規定する地方税関係手続用電子情報処理組織をいう。以下この項において同じ。）又は特定徴収金手続用電子情報処理組織（第七百九十条の二に規定する特定徴収金手続用電子情報処理組織をいう。以下この項において同じ。）の故障その他やむを得ない理由により、前項に規定する期限までに同項に規定する行為をすべき者であつて、当該期限までに当該行為のうち、地方税関係手続用電子情報処理組織を使用し、かつ、地方税共同機構（次項において「機構」という。）を経由して行う同号イに掲げる通知又は特定徴収金手続用電子情報処理組織を使用して行う特定徴収金（第七百四十七条の六第二項に規定する特定徴収金をいう。）の納付若しくは納入の全部又は一部を行うことができないと認める者が多数に上ると認めるとき（当該通知が第五十三条第六十五項、第七十二条の三十二第一項、第七十二条の八十九の二第一項又は第三百二十一条の八第六十二項の申告である場合には、それぞれ第五十三条第七十九項、第七十二条の三十二の二第十一項、第七十二条の八十九の三第十一項又は第三百二十一条の八第七十六項の規定による指定を行うことにより、これらの申告を円滑に行うことができると認めるときを除く。）は、対象となる行為、対象者の範囲及び期日を指定して当該期限を延長することができる。この場合において、延長後の期限は、当該理由がなくなつた日から二月を超えてはならない。

3　総務大臣は、前項の規定による指定をしたときは、直ちに、その旨を告示するとともに、地方団体の長及び機構に通知しなければならない。

【参照条文】
※　国税通則法一一　国税通則令三

（**郵送等に係る書類の提出時期の特例**）
第二十条の五の三　この法律又はこれに基づく条例の規定により一定の期限までになすべきものとされている申告、徴収の猶予若しくは申請による換価の猶予の申請又は更正の請求に関する書類その他総務省令で定める書類が郵便又は信書便により提出されたときは、その郵便物又は信書便物の通信日付印により表示された日（その表示がないとき、又はその表示が明らかでないときは、その郵便物又は信書便物について通常要する送付日数を基準としたときにその日に相当するものと認められる日）にその提出がされたものとみなす。

【参照条文】
【徴収の猶予の申請―法一五1　【更正の請求―法二〇の九の三・七二の三三
※　国税通則法二二

（**口座振替に係る納期限の特例**）
第二十条の五の四　申告納付又は申告納入に係る地方税の申告書が当該申告書の提出期限までに提出され、当該申告書の提出により納付し又は納入すべき額の確定した地方団体の徴収金で当該提出期限と同時に納期限の到来するものが、口座振替の方法により政令で定める日までに納付され又は納入された場合には、その納付又は納入の日が納期限後である場合においても、その納付又は納入は納期限においてされたものとみなして、延滞金に関する規定を適用する。

【参照条文】
【政令で定める日―令六の一八の二
※　自治令一五五　国税通則法三四の二　国税通則令七

（**第三者の納付又は納入及びその代位**）
第二十条の六　地方団体の徴収金は、その納税者又は特別徴収義務者のために第三者が納付し、又は納入することができる。

2　地方団体の徴収金の納付若しくは納入について正当な利益を有する第三者又は納税者若しくは特別徴収義務者の同意を得た第三者が納税者又は特別徴収義務者に代つてこれを納付し、又は納入した場合において、その地方団体の徴収金を担保するため抵当権が設定されていたときは、これらの者は、その納付又は納入により、その抵当権につき地方団体に代位することができる。ただし、その抵当権が根抵当である場合において、その担保すべき元本の確定前に納付又は納入があつたときは、この限りでない。

3　前項の場合において、第三者が納税者又は特別徴収義務者の地方団体の徴収金の一部を納付し、又は納入したときは、その残余の地方団体の徴収金は、同項の規定により代位した第三者の債権に先だつて徴収する。

【参照条文】
②【第三者の代位―令六の二〇
※【第三者納付―民法四七四　【代位―民法四九九～五〇四
※　国税通則法四一　国税通則令一一

（**債権者の代位及び詐害行為の取消し**）
第二十条の七　民法第三編第一章第二節第二款及び第三款の規定は、地方団体の徴収金の徴収について準用する。

【参照条文】
※　民法四二三・四二四　国税通則法四二

（**供託**）
第二十条の八　民法第四百九十四条並びに第四百九十五条第一項及び第三項の規定は、この法律又はこれに基く条例の規定により債権者、納税者、特別徴収義務者その他の者に金銭その他の物件を交付し、又は引き渡すべき場合について準用する。

【参照条文】
【供託の手続―供託法　供託規則
※　民法四九四・四九五　国税通則法一二一

（**地方税に関する相殺**）
第二十条の九　地方団体の徴収金と地方団体に対する債権で金銭の給付を目的とするものとは、法律の別段の規定によらなければば、相殺することができない。還付金に係る債権と地方団体に対する債務で金銭の給付を目的とするものについても、また同様とする。

【参照条文】【還付金に係る債権―法一八の三1 【相殺―民法五〇五等
※ 国税通則法一二二

（修正申告等の効力）
第二十条の九の二 修正申告は、すでに確定した納付すべき税額に係る部分の地方税についての納付義務に影響を及ぼさない。

2 すでに確定した納付し、又は納入すべき税額を増加させる更正は、すでに確定した納付し、又は納入すべき税額に係る部分の地方税についての納付又は納入の義務に影響を及ぼさない。

3 すでに確定した納付し、又は納入すべき税額を減少させる更正は、その更正により減少した税額に係る部分以外の部分の地方税についての納付又は納入の義務に影響を及ぼさない。

4 更正又は決定を取り消す処分又は判決は、その処分又は判決により減少した税額に係る部分以外の部分の地方税についての納付又は納入の義務に影響を及ぼさない。

5 前三項の規定は、賦課決定又は加算金の決定について準用する。

【参照条文】
※ 国税通則法二〇・二九・三二5

（更正の請求）
第二十条の九の三 申告納付又は申告納入に係る地方税の申告書（以下この条において「申告書」という。）を提出した者は、当該申告書に記載した課税標準等若しくは税額等の計算が地方税に関する法令の規定に従つていなかつたこと又は当該計算に誤りがあつたことにより、次の各号のいずれかに該当する場合には、当該申告書に係る地方税の法定納期限から五年以内に限り、総務省令の定めるところにより、地方団体の長に対し、その申告に係る課税標準等又は税額等（当該課税標準等又は税額等に関し更正があつた場合には、当該更正後の課税標準等又は税額等）につき更正をすべき旨の請求をすることができる。

一 当該申告書の提出により納付し、又は納入すべき税額（当該税額に関し更正があつた場合には、当該更正後の税額）が過大であるとき。

二 当該申告書に記載した欠損金額等（当該金額等に関し更正があつた場合には、当該更正後の金額等）が過少であるとき、又は当該申告書（当該申告書に関し更正があつた場合には、当該更正に係る通知書）に欠損金額等の記載がなかつたとき。

三 当該申告書に記載したこの法律の規定による還付金の額に相当する税額（当該税額に関し更正があつた場合には、当該更正後の税額）が過少であるとき、又は当該申告書（当該申告書に関し更正があつた場合には、当該更正に係る通知書）に当該還付金の額に相当する税額の記載がなかつたとき。

2 申告書を提出した者又は申告書に記載すべき課税標準等若しくは税額等につき決定を受けた者は、次の各号のいずれかに該当する場合（申告書を提出した者については、当該各号に掲げる期間の満了する日が前項に規定する期間の満了する日後に到来する場合に限る。）には、同項の規定にかかわらず、当該各号に掲げる期間において、その該当することを理由として同項の規定による更正の請求（第七十二条の四十八の二第五項及び第七十二条の五十第三項を除き、以下「更正の請求」という。）をすることができる。

一 その申告、更正又は決定に係る課税標準等又は税額等の計算の基礎となつた事実に関する訴えについての判決（判決と同一の効力を有する和解その他の行為を含む。）により、その事実が当該計算の基礎としたところと異なることが確定したとき。 その確定した日の翌日から起算して二月以内

二 その申告、更正又は決定に係る課税標準等又は税額等の計算に当たつてその申告をし、又は決定を受けた者に帰属するものとされていた所得その他課税物件が他の者に帰属するものとする当該他の者に係る地方税の更正、決定又は賦課決定があつたとき。 当該更正、決定又は賦課決定があつた日の翌日から起算して二月以内

三 その他当該地方税の法定納期限後に生じた前二号に類する政令で定めるやむを得ない理由があるとき。 当該理由が生じた日の翌日から起算して二月以内

3 更正の請求をしようとする者は、その請求に係る更正後の課税標準等又は税額等、その更正の請求をする理由、当該請求をするに至つた事情の詳細、当該請求に係る更正前の納付し、又は納入すべき税額及び申告書に記載すべきこの法律の規定による還付金の額に相当する税額その他参考となるべき事項を記載した更正請求書を地方団体の長に提出しなければならない。

4 地方団体の長は、更正の請求があつた場合には、その請求に係る課税標準等又は税額等につき調査して、更正をし、又は更正をすべき理由がない旨をその請求をした者に通知しなければならない。

5 更正の請求があつた場合においても、地方団体の長は、その請求に係る地方税の地方団体の徴収金の徴収を猶予しない。ただし、地方団体の長において相当の理由があると認めるときは、当該地方団体の徴収金の全部又は一部の徴収を猶予することができる。

6 第一項から第四項までに規定する課税標準等とは、課税標準（この法律又はこれに基づく条例に課税標準額又は課税標準となる数量の定めがある地方税については、課税標準額又は課税標準となる数量）及びこれから控除する金額並びに欠損金額等（この法律若しくはこれに基づく政令の規定により当該事業年度後の事業年度分の道府県民税若しくは市町村民税の法人税割の課税標準となる法人税額の計算上順次繰り越して控除することができる第五十三条第四項若しくは第三百二十一条の八第四項に規定する控除対象通算適用前欠損調整額、第五十三条第九項若しくは第三百二十一条の八第九項に規定する控除対象合併等前欠損調整額、第五十三条第十四項若しくは第三百二十一条の八第十四項に規定する控除対象通算対象所得調整額、第五十三条第二十項若しくは第三百二十一条の八第二十項に規定する控除対象配賦欠損調整額、第五十三条第二十三項第一号若しくは第三百二十一条の八第二十三項第一号に規定する内国法人の控除対象還付法人税額、第五十三条第二十三項第二号若しくは

第三百二十一条の八第二十三項第二号に規定する外国法人の恒久的施設帰属所得に係る控除対象還付法人税額、第五十三条第二十三項第三号若しくは第三百二十一条の八第二十三項第三号に規定する外国法人の恒久的施設非帰属所得に係る控除対象還付法人税額若しくは第五十三条第二十七項若しくは第三百二十一条の八第二十七項に規定する控除対象還付対象欠損調整額又はこの法律若しくはこれに基づく政令の規定により当該事業年度後の事業年度分の法人の行う事業に対して課する事業税の所得割の課税標準となる所得の計算上順次繰り越して控除することができる欠損金額をいう。）をいい、これらの項に規定する税額等とは、納付し、又は納入すべき税額及びその計算上控除する金額並びに申告書に記載すべきこの法律の規定による還付金の額に相当する税額及びその計算の基礎となる税額をいう。

【参照条文】
②【政令の定─令六の二〇の二　【申告納付又は申告納入に係る地方税─法一1Ⅷ・Ⅺ・五三等　【更正─法五五1・3等　【決定─法五五2等　【法定納期限─法一一の四1
※　国税通則法二三　国税通則令六

（一部納付又は納入があつた場合の延滞金の額の計算等）
第二十条の九の四　この法律の規定により延滞金の額を計算する場合において、その計算の基礎となる地方税の一部が納付され、又は納入されているときは、その納付又は納入の日の翌日以後の期間に係る延滞金の額の計算の基礎となる税額は、その納付され、又は納入された税額を控除した金額とする。
2　この法律の規定により納税者又は特別徴収義務者が延滞金をその額の計算の基礎となる地方税に加算して納付し、又は納入すべき場合において、納税者又は特別徴収義務者が納付し、又は納入した金額がその延滞金の額の計算の基礎となる地方税の額に達するまでは、その納付し、又は納入した金額は、まずその計算の基礎となる地方税に充てられたものとする。

【参照条文】
※　国税通則法六二

（延滞金の免除）
第二十条の九の五　第二十条の五の二第一項又は第二項の規定により地方税の納付又は納入に関する期限を延長した場合には、その地方税に係る延滞金のうちその延長をした期間に対応する部分の金額は、免除する。
2　地方団体の長は、次の各号のいずれかに該当する場合には、その地方税に係る延滞金（第十五条の九の規定による免除に係る部分を除く。）につき、当該各号に定める期間に対応する部分の金額を限度として、免除することができる。
一　第十六条の二第三項の規定による有価証券の取立て及び地方団体の徴収金の納付又は納入の再委託を受けた金融機関が当該有価証券の取立てをすべき日後に当該地方団体の徴収金に係る地方税の納付又は納入をした場合（同日後にその納付又は納入があつたことにつき納税者又は特別徴収義務者の責めに帰すべき事由がある場合を除く。）　同日の翌日からその納付又は納入があつた日までの期間
二　納税貯蓄組合法（昭和二十六年法律第百四十五号）第六条第一項の規定による地方税の納付又は納入の委託を受けた同法第二条第二項に規定する指定金融機関（地方税の収納をすることができるものを除く。）がその委託を受けた日後に当該地方税の納付又は納入をした場合（同日後にその納付又は納入があつたことにつき納税者又は特別徴収義務者の責めに帰すべき事由がある場合を除く。）　同日の翌日からその納付又は納入があつた日までの期間
三　前二号のいずれかに該当する事実に類する事実が生じた場合で政令で定める場合　政令で定める期間

【参照条文】
②【政令の定─令六の二〇の三
※　国税通則法六三　国税通則令二六の二

（納税証明書の交付）
第二十条の十　地方団体の長は、地方団体の徴収金と競合する債権に係る担保権の設定その他の目的で、地方団体の徴収金の納付又は納入すべき額その他地方団体の徴収金に関する事項（この法律又はこれに基づく政令の規定により地方団体の徴収金に関して地方団体が備えなければならない帳簿に登録された事項を含む。）のうち政令で定めるものについての証明書の交付を請求する者があるときは、その者に関するものに限り、これを交付しなければならない。

【参照条文】
【政令の定─令六の二一・則一の九
※　国税通則法一二三1　国税通則令四一　国税通則規一三

（事業者等への協力要請）
第二十条の十一　徴税吏員は、この法律に特別の定めがあるものを除くほか、地方税に関する調査について必要があるときは、事業者（特別の法律により設立された法人を含む。）又は官公署に、当該調査に関し参考となるべき簿書及び資料の閲覧又は提供その他の協力を求めることができる。

【参照条文】
※　国税通則法七四の一二

㊟　次条中、点線の左側は、令和六年六月七日から起算して一年を超えない範囲内において政令で定める日から施行となる。

（預貯金者等情報の管理）
第二十条の十一の二　金融機関等（預金保険法（昭和四十六年法律第三十四号）第二条第一項各号に掲げる者及び農水産業協同組合貯金保険法（昭和四十八年法律第五十三号）第二条第一項に規定する農水産業協同組合をいう。以下この条において同じ。）は、政令で定めるところにより、預貯金者等情報（預貯金者等（預金保険法第二条第三項に規定する預金者等及び農水産業協同組合貯金保険法第二条第三項に規定する貯金者等をいう。以下この条において同じ。）の氏名（法人にあつては、名称。次条及び第二十条の十一の四において同じ。）及び住所又

は居所（法人にあつては、事務所又は事業所の所在地。次条及び第二十条の十一の四において同じ。）その他預貯金等（預金保険法第二条第二項に規定する預金等及び農水産業協同組合貯金保険法第二条第二項に規定する貯金等をいう。）の内容に関する事項であつて総務省令で定めるものをいう。）を当該金融機関等が保有する預貯金者等の個人番号（行政手続における特定の個人を識別するための番号の利用等に関する法律（平成二十五年法律第二十七号）第二条第五項に規定する個人番号をいう。次条及び第二十条の十一の四において同じ。）（法人にあつては、法人番号（同法第二条第十五項〔第二条第十六項〕に規定する法人番号をいう。次条及び第二十条の十一の四において同じ。））により検索することができる状態で管理しなければならない。

【参照条文】
【政令の定―令六の二一の二 規一の九の三】
※ 国税通則法七四の一三の二 国税通則令三〇の六 国税通則規一一の四

（口座管理機関の加入者情報の管理）

第二十条の十一の三 口座管理機関（社債、株式等の振替に関する法律（平成十三年法律第七十五号）第二条第四項に規定する口座管理機関（同法第四十四条第一項第十三号に掲げる者を除く。）をいう。以下この条において同じ。）は、政令で定めるところにより、加入者情報（当該口座管理機関の加入者（同法第二条第三項に規定する加入者をいう。以下この条及び次条において同じ。）の氏名及び住所又は居所その他社債等（同法第二条第一項に規定する社債等をいう。次条において同じ。）の内容に関する事項であつて総務省令で定めるものをいう。）を当該口座管理機関が保有する当該加入者の個人番号により検索することができる状態で管理しなければならない。

（振替機関の加入者情報の管理）

第二十条の十一の四 振替機関（社債、株式等の振替に関する法律第二条第二項に規定する振替機関をいう。以下この条において同じ。）は、政令で定めるところにより、加入者情報（当該振替機関又はその下位機関（同法第二条第九項に規定する下位機関をいう。）の加入者の氏名及び住所又は居所その他株式等（社債等のうち総務省令で定めるものをいう。）の内容に関する事項であつて総務省令で定めるものをいう。）を当該振替機関が保有する当該加入者の個人番号により検索することができる状態で管理しなければならない。

（政令への委任）

第二十条の十二 第九条から前条まで及び第十六節に定めるもののほか、これらの規定の実施のための手続その他その執行に関し必要な事項は、政令で定める。

【参照条文】
【政令＝省令への委任―令六の二二】

（事務の区分）

第二十条の十三 この法律の規定により道府県が処理することとされている事務のうち、第三百八十八条第一項の規定により同項に規定する固定資産評価基準の細目を定める事務、第四百十九条第一項に規定する事務及び附則第七十条第二項後段に規定する事務は、地方自治法第二条第九項第一号に規定する第一号法定受託事務とする。

第十五節 罰則

㊟ 次条中、点線の左側は、令和四年六月一七日から起算して三年を超えない範囲内において政令で定める日〔令七・六・一〕から施行となる。

（不納せん動〔不納煽動〕に関する罪）

第二十一条 納税義務者又は特別徴収義務者がすべき課税標準額の申告（これらの申告の修正を含む。以下本条において「申告」と総称する。）をしないこと、虚偽の申告をすること、税金の徴収若しくは納付をしないこと、又は納入金の納入をしないことをせん動した〔煽動した〕者は、三年以下の懲役〔拘禁刑〕又は二十万円以下の罰金に処する。

2 申告をさせないため、虚偽の申告をさせるため、税金の徴収若しくは納付をさせないため、又は納入金の納入をさせないために、暴行又は脅迫を加えた者も、また、前項の懲役〔拘禁刑〕又は罰金に処する。

【参照条文】
【罰金―刑法一五 罰金等臨時措置法二】【懲役―刑法一二】
※【刑法総則の適用―刑法八】
※ 国税通則法一二六

㊟ 次条中、点線の左側は、令和四年六月一七日から起算して三年を超えない範囲内〔令七・六・一〕において政令で定める日から施行となる。

（秘密漏えいに関する罪）

第二十二条 地方税に関する調査（不服申立てに係る事件の審理のための調査及び地方税の犯則事件の調査を含む。）若しくは租税条約等の実施に伴う所得税法、法人税法及び地方税法の特例等に関する法律（昭和四十四年法律第四十六号）の規定に基づいて行う情報の提供のための調査に関する事務又は地方税の徴収に関する事務に従事している者又は従事していた者は、これらの事務に関して知り得た秘密を漏らし、又は窃用した場合においては、二年以下の懲役〔拘禁刑〕又は百万円以下の罰金に処する。

【参照条文】
【秘密―刑法一三四】【懲役・罰金―法二一の参照条文参照】
※【刑法総則の適用―刑法八】
※ 国税通則法一二七

㊟ 次条中、点線の左側は、令和四年六月一七日から起算して三年

を超えない範囲内において政令で定める日（令七・六・一）から施行となる。

（**虚偽の更正の請求に関する罪**）

第二十二条の二　第二十条の九の三第三項に規定する更正請求書に偽りの記載をして地方団体の長に提出したときは、その違反行為をした者は、一年以下の懲役（拘禁刑）又は五十万円以下の罰金に処する。

2　法人の代表者（人格のない社団等の管理人を含む。）又は法人若しくは人の代理人、使用人その他の従業者が、その法人又は人の業務又は財産に関して前項の違反行為をしたときは、その行為者を罰するほか、その法人又は人に対して同項の罰金刑を科する。

3　人格のない社団等について前項の規定の適用がある場合には、その代表者又は管理人がその訴訟行為につきその人格のない社団等を代表するほか、法人を被告人又は被疑者とする場合の刑事訴訟に関する法律の規定を準用する。

【参照条文】
①②【懲役・罰金―法二一の参照条文参照
③【人格のない社団等―法一二
※　国税通則法一二八

第十六節　犯則事件の調査及び処分

第一款　犯則事件の調査

（**質問、検査又は領置等**）

第二十二条の三　当該徴税吏員（地方団体の長がその職務を定めて指定する徴税吏員をいう。以下この節において同じ。）は、地方税に関する犯則事件（第二十二条の七を除き、以下この款において「犯則事件」という。）を調査するため必要があるときは、犯則嫌疑者若しくは参考人（以下この項及び次条第一項において「犯則嫌疑者等」という。）に対して出頭を求め、犯則嫌疑者等に対して質問し、犯則嫌疑者等が所持し、若しくは置き去つた物件を検査し、又は犯則嫌疑者等が任意に提出し、若しくは置き去つた物件を領置することができる。

2　当該徴税吏員は、犯則事件の調査について、官公署又は公私の団体に照会して必要な事項の報告を求めることができる。

（**臨検、捜索又は差押え等**）

第二十二条の四　当該徴税吏員は、犯則事件を調査するため必要があるときは、その所属する地方団体の事務所の所在地を管轄する地方裁判所又は簡易裁判所の裁判官があらかじめ発する許可状により、臨検、犯則嫌疑者等の身体、物件若しくは住居その他の場所の捜索、証拠物若しくは没収すべき物件と思料するものの差押え又は記録命令付差押え（電磁的記録を保管する者その他電磁的記録を利用する権限を有する者に命じて必要な電磁的記録を記録媒体に記録させ、又は印刷させた上、当該記録媒体を差し押さえることをいう。以下この節において同じ。）をすることができる。ただし、参考人の身体、物件又は住居その他の場所については、差し押さえるべき物件の存在を認めるに足りる状況のある場合に限り、捜索をすることができる。

2　当該徴税吏員は、差し押さえるべき物件が電子計算機であるときは、当該電子計算機に電気通信回線で接続している記録媒体であつて、当該電子計算機で作成若しくは変更をした電磁的記録又は当該電子計算機で変更若しくは消去をすることができることとされている電磁的記録を保管するために使用されていると認めるに足りる状況にあるものから、その電磁的記録を当該電子計算機又は他の記録媒体に複写した上、当該電子計算機又は当該他の記録媒体を差し押さえることができる。

3　当該徴税吏員は、前二項の場合において、急速を要するときは、臨検すべき物件若しくは場所、捜索すべき身体、物件若しくは場所、差し押さえるべき物件又は電磁的記録を記録させ、若しくは印刷させるべき者の所在地を管轄する地方裁判所又は簡易裁判所の裁判官があらかじめ発する許可状により、前二項の処分をすることができる。

4　当該徴税吏員は、第一項又は前項の許可状（第二十二条の十九第四項及び第五項を除き、以下この款において「許可状」という。）を請求する場合には、犯則事件が存在すると認められる資料を提供しなければならない。

5　地方裁判所又は簡易裁判所の裁判官は、前項の規定による請求があつた場合には、犯則嫌疑者の氏名（法人については、名称）、罪名並びに臨検すべき物件若しくは場所、捜索すべき身体、物件若しくは場所、差し押さえるべき物件又は記録させ、若しくは印刷させるべき電磁的記録及びこれを記録させ、若しくは印刷させるべき者並びに請求者の官職氏名、有効期間、その期間経過後は執行に着手することができずこれを返還しなければならない旨、交付の年月日及び裁判所名を記載し、自己の記名押印した許可状を当該徴税吏員に交付しなければならない。

6　地方裁判所又は簡易裁判所の裁判官は、第二項の場合においては、許可状に、前項に規定する事項のほか、差し押さえるべき電子計算機に電気通信回線で接続している記録媒体であつて、その電磁的記録を複写すべきものの範囲を記載しなければならない。

7　当該徴税吏員は、許可状をその所属する地方団体の他の当該徴税吏員に交付して、臨検、捜索、差押え又は記録命令付差押えをさせることができる。

（**通信事務を取り扱う者に対する差押え**）

第二十二条の五　当該徴税吏員は、犯則事件を調査するため必要があるときは、許可状の交付を受けて、犯則嫌疑者から発し、又は犯則嫌疑者に対して発した郵便物、信書便物又は電信についての書類で法令の規定に基づき通信事務を取り扱う者が保管し、又は所持するものを差し押さえることができる。

2　当該徴税吏員は、前項の規定に該当しない郵便物、信書便物又は電信についての書類で法令の規定に基づき通信事務を取り扱う者が保管し、又は所持するものについては、犯則事件に関係があると認めるに足りる状況があるものに限り、許可状の交付を受けて、これを差し押さえることができる。

3　当該徴税吏員は、前二項の規定による処分をした場合には、その旨を発信人又は受信人に通知しなければならない。ただし、通知により犯則事件の調査が妨げられるおそれがある場合は、この限りでない。

（**通信履歴の電磁的記録の保全要請**）

第二十二条の六　当該徴税吏員は、差押え又は記録命令付差押えをするため必要があるときは、電気通信を行うための設備を他人の通信の用に供する事業を営む者又は自己の業務のために不特定若しくは多数の者の通信を媒介することのできる電気通信を行うための設備を設置している者に対し、その業務上記録している電気通信の送信元、送信先、通信日時その他の通信履歴の電磁的記録のうち必要なものを特定し、三十日を超えない期間を定めて、これを消去しないよう、書面で求めることができる。この場合において、当該電磁的記録について差押え又は記録命令付差押えをする必要がないと認めるに至つたときは、当該求めを取り消さなければならない。

2 当該徴税吏員は、前項の規定により消去しないよう求める期間については、特に必要があるときは、三十日を超えない範囲内で延長することができる。ただし、消去しないよう求める期間は、通じて六十日を超えることができない。

3 当該徴税吏員は、第一項の規定による求めを行う場合において、必要があるときは、みだりに当該求めに関する事項を漏らさないよう求めることができる。

（現行犯事件の臨検、捜索又は差押え）

第二十二条の七 当該徴税吏員は、間接地方税（軽油引取税その他の政令で定める地方税をいう。以下この節において同じ。）に関する犯則事件について、現に犯則を行い、又は現に犯則を行い終わつた者がある場合において、その証拠となると認められるものを集取するため必要であつて、かつ、急速を要し、許可状の交付を受けることができないときは、その犯則の現場において第二十二条の四第一項の臨検、捜索又は差押えをすることができる。

2 当該徴税吏員は、間接地方税に関する犯則事件について、現に犯則に供した物件若しくは犯則により得た物件を所持し、又は顕著な犯則の跡があつて犯則を行つてから間がないと明らかに認められる者がある場合において、その証拠となると認められるものを集取するため必要であつて、かつ、急速を要し、許可状の交付を受けることができないときは、その者の所持する物件に対して第二十二条の四第一項の臨検、捜索又は差押えをすることができる。

（電磁的記録に係る記録媒体の差押えに代わる処分）

第二十二条の八 当該徴税吏員は、差し押さえるべき物件が電磁的記録に係る記録媒体であるときは、その差押えに代えて次に掲げる処分をすることができる。

一 差し押さえるべき記録媒体に記録された電磁的記録を他の記録媒体に複写し、印刷し、又は移転した上、当該他の記録媒体を差し押さえること。

二 差押えを受ける者に差し押さえるべき記録媒体に記録された電磁的記録を他の記録媒体に複写させ、印刷させ、又は移転させた上、当該他の記録媒体を差し押さえること。

（臨検、捜索又は差押え等に際しての必要な処分）

第二十二条の九 当該徴税吏員は、臨検、捜索、差押え又は記録命令付差押えをするため必要があるときは、錠をはずし、封を開き、その他必要な処分をすることができる。

2 前項の処分は、領置物件、差押物件又は記録命令付差押物件についても、することができる。

（処分を受ける者に対する協力要請）

第二十二条の十 当該徴税吏員は、臨検すべき物件又は差し押さえるべき物件が電磁的記録に係る記録媒体であるときは、臨検又は捜索若しくは差押えを受ける者に対し、電子計算機の操作その他の必要な協力を求めることができる。

（許可状の提示）

第二十二条の十一 当該徴税吏員は、臨検、捜索、差押え又は記録命令付差押えの許可状を、これらの処分を受ける者に提示しなければならない。

（身分の証明）

第二十二条の十二 当該徴税吏員は、この款の規定により質問、検査、領置、臨検、捜索、差押え又は記録命令付差押えをするときは、その身分を証明する証票を携帯し、関係人の請求があつたときは、これを提示しなければならない。

（警察官の援助）

第二十二条の十三 当該徴税吏員は、臨検、捜索、差押え又は記録命令付差押えをするに際し必要があるときは、警察官の援助を求めることができる。

（所有者等の立会い）

第二十二条の十四 当該徴税吏員は、人の住居又は人の看守する邸宅若しくは建造物その他の場所で臨検、捜索、差押え又は記録命令付差押えをするときは、その所有者若しくは管理者（これらの者の代表者、代理人その他これらの者に代わるべき者を含む。）又はこれらの者の使用人若しくは同居の親族で成年に達した者を立ち会わせなければならない。

2 当該徴税吏員は、前項の場合において、同項に規定する者を立ち会わせることができないときは、その隣人で成年に達した者又はその地の警察官若しくは地方公共団体（当該徴税吏員の所属する地方団体を除く。）の職員を立ち会わせなければならない。

3 当該徴税吏員は、第二十二条の七の規定により臨検、捜索又は差押えをする場合において、急速を要するときは、前二項の規定によることを要しない。

4 当該徴税吏員は、女子の身体について捜索をするときは、成年の女子を立ち会わせなければならない。ただし、急速を要する場合は、この限りでない。

（領置目録等の作成等）

第二十二条の十五 当該徴税吏員は、領置、差押え又は記録命令付差押えをしたときは、その目録を作成し、領置物件、差押物件若しくは記録命令付差押物件の所有者、所持者若しくは保管者（第二十二条の八の規定による処分を受けた者を含む。）又はこれらの者に代わるべき者にその謄本を交付しなければならない。

（領置物件等の処置）

第二十二条の十六 当該徴税吏員は、運搬又は保管に不便な領置物件、差押物件又は記録命令付差押物件を、その所有者又は所持者その他当該徴税吏員が適当と認める者に、その承諾を得て、保管証を徴して保管させることができる。

2 地方団体の長は、領置物件又は差押物件が腐敗し、若しくは変質したとき、又は腐敗若しくは変質のおそれがあるときは、政令で定めるところにより、公告した後これを公売に付し、その代金を供託することができる。

（領置物件等の還付等）

第二十二条の十七 当該徴税吏員は、領置物件、差押物件又は記録命令付差押物件について留置の必要がなくなつたときは、その返還を受けるべき者にこれを還付しなければならない。

2 地方団体の長は、前項の領置物件、差押物件又は記録命令付差押物件について、その返還を受けるべき者の住所若しくは居所がわからないため、又はその他の事由によりこれを還付することができない場合には、その旨を公告しなければならない。
3 前項の公告に係る領置物件、差押物件又は記録命令付差押物件について公告の日から六月を経過しても還付の請求がないときは、これらの物件は、これらの物件を領置、差押え又は記録命令付差押えをした当該徴税吏員の所属する地方団体に帰属する。

（移転した上で差し押さえた記録媒体の交付等）
第二十二条の十八 当該徴税吏員は、第二十二条の八の規定により電磁的記録を移転し、又は移転させた上差し押さえた記録媒体について留置の必要がなくなつた場合において、差押えを受けた者と当該記録媒体の所有者、所持者又は保管者とが異なるときは、当該差押えを受けた者に対し、当該記録媒体を交付し、又は当該電磁的記録の複写を許さなければならない。
2 前条第二項の規定は、前項の規定による交付又は複写について準用する。
3 前項において準用する前条第二項の規定による公告の日から六月を経過しても第一項の規定による交付又は複写の請求がないときは、その交付をし、又は複写をさせることを要しない。

（鑑定等の嘱託）
第二十二条の十九 当該徴税吏員は、犯則事件を調査するため必要があるときは、学識経験を有する者に領置物件、差押物件若しくは記録命令付差押物件についての鑑定を嘱託し、又は通訳若しくは翻訳を嘱託することができる。
2 前項の規定による鑑定の嘱託を受けた者（第四項及び第五項において「鑑定人」という。）は、前項の当該徴税吏員の所属する地方団体の事務所の所在地を管轄する地方裁判所又は簡易裁判所の裁判官の許可を受けて、当該鑑定に係る物件を破壊することができる。
3 前項の許可の請求は、当該徴税吏員がしなければならない。
4 地方裁判所又は簡易裁判所の裁判官は、前項の請求があつた場合において、当該請求を相当と認めるときは、犯則嫌疑者の氏名（法人については、名称）、罪名、破壊すべき物件及び鑑定人の氏名並びに請求者の官職氏名、有効期間、その期間経過後は執行に着手することができずこれを返還しなければならない旨、交付の年月日及び裁判所名を記載し、自己の記名押印した許可状を当該徴税吏員に交付しなければならない。
5 鑑定人は、第二項の処分を受ける者に前項の許可状を示さなければならない。

（臨検、捜索又は差押え等の夜間執行の制限）
第二十二条の二十 当該徴税吏員は、許可状に夜間でも執行することができる旨の記載がなければ、日没から日出までの間には、臨検、捜索、差押え又は記録命令付差押えをしてはならない。ただし、第二十二条の七の規定により処分をする場合及び軽油引取税その他の政令で定める地方税について夜間でも公衆が出入りすることができる場所でその公開した時間内にこれらの処分をする場合は、この限りでない。
2 当該徴税吏員は、必要があると認めるときは、日没前に開始した臨検、捜索、差押え又は記録命令付差押えを、日没後まで継続することができる。

（処分中の出入りの禁止）
第二十二条の二十一 当該徴税吏員は、この款の規定により質問、検査、領置、臨検、捜索、差押え又は記録命令付差押えをする間は、何人に対しても、許可を受けないでその場所に出入りすることを禁止することができる。

（執行を中止する場合の処分）
第二十二条の二十二 当該徴税吏員は、臨検、捜索、差押え又は記録命令付差押えの許可状の執行を中止する場合において、必要があるときは、執行が終わるまでその場所を閉鎖し、又は看守者を置くことができる。

（捜索証明書の交付）
第二十二条の二十三 当該徴税吏員は、捜索をした場合において、証拠物又は没収すべき物件がないときは、捜索を受けた者の請求により、その旨の証明書を交付しなければならない。

（調書の作成）
第二十二条の二十四 当該徴税吏員は、この款の規定により質問をしたときは、その調書を作成し、質問を受けた者に閲覧させ、又は読み聞かせて、誤りがないかどうかを問い、質問を受けた者が増減変更の申立てをしたときは、その陳述を調書に記載し、質問を受けた者とともにこれに署名押印しなければならない。ただし、質問を受けた者が署名押印せず、又は署名押印することができないときは、その旨を付記すれば足りる。
2 当該徴税吏員は、この款の規定により検査又は領置をしたときは、その調書を作成し、これに署名押印しなければならない。
3 当該徴税吏員は、この款の規定により臨検、捜索、差押え又は記録命令付差押えをしたときは、その調書を作成し、立会人に示し、立会人とともにこれに署名押印しなければならない。ただし、立会人が署名押印せず、又は署名押印することができないときは、その旨を付記すれば足りる。

（他の地方団体の長への調査の嘱託）
第二十二条の二十五 地方団体の長は、その地方団体の区域外において犯則事件の調査を必要とするときは、これをその地の地方団体の長に嘱託することができる。

第二款 犯則事件の処分

（間接地方税以外の地方税に関する犯則事件についての告発）
第二十二条の二十六 当該徴税吏員は、間接地方税以外の地方税に関する犯則事件の調査により犯則があると思料するときは、検察官に告発しなければならない。

（間接地方税に関する犯則事件についての報告等）
第二十二条の二十七 当該徴税吏員は、間接地方税に関する犯則事件の調査を終えたときは、その調査の結果をその所属する地方団体の長に報告しなければならない。ただし、次の各号のいずれかに該当する場合には、直ちに検察官に告発しなければならない。
一 犯則嫌疑者の居所が明らかでないとき。
二 犯則嫌疑者が逃走するおそれがあるとき。
三 証拠となると認められるものを隠滅するおそれがあるとき。

㊟ 次条中、点線の左側は、令和四年六月一七日から起算して三年を超えない範囲内において政令で定める日〔令七・六・一〕から施行となる。

第二十二条の二十八（**間接地方税に関する犯則事件についての通告処分等**）地方団体の長は、間接地方税に関する犯則事件の調査により犯則の心証を得たときは、その理由を明示し、罰金に相当する金額、没収に該当する物件、追徴金に相当する金額並びに書類の送達並びに差押物件又は記録命令付差押物件の運搬及び保管に要した費用を指定の場所に納付すべき旨を書面により通告しなければならない。この場合において、没収に該当する物件については、納付の申出のみをすべき旨を通告することができる。

2　地方団体の長は、前項の場合において、次の各号のいずれかに該当すると認めるときは、同項の規定にかかわらず、直ちに検察官に告発しなければならない。

一　情状が懲役〔拘禁刑〕の刑に処すべきものであるとき。

二　犯則者が通告の旨を履行する資力がないとき。

3　地方団体の長は、第一項の規定による通告に計算違い、誤記その他これらに類する明白な誤りがあるときは、犯則者が当該通告の旨を履行し、又は前項若しくは次条の規定により告発するまでの間、職権で、当該通告を更正することができる。

4　第一項の規定により通告があつたときは、公訴の時効は、その進行を停止し、犯則者が当該通告を受けた日の翌日から起算して二十日を経過した時からその進行を始める。

5　犯則者は、第一項の通告の旨（第三項の規定による更正があつた場合には、当該更正後の通告の旨。次項及び次条第一項において同じ。）を履行した場合には、同一事件について公訴を提起されない。

6　犯則者は、第一項後段の通告の旨を履行した場合において、没収に該当する物件を所持するときは、公売その他の必要な処分がされるまで、これを保管する義務を負う。ただし、その保管に要する費用は、請求することができない。

第二十二条の二十九（**間接地方税に関する犯則事件についての通告処分の不履行**）地方団体の長は、犯則者が前条第一項の通告（同条第三項の規定による更正があつた場合には、当該更正。以下この条において「通告等」という。）を受けた場合において、当該通告等を受けた日の翌日から起算して二十日以内に当該通告の旨を履行しないときは、検察官に告発しなければならない。ただし、当該期間を経過しても告発前に履行した場合は、この限りでない。

2　犯則者の居所が明らかでないため、若しくは犯則者が通告等に係る書類の受領を拒んだため、又はその他の事由により通告等をすることができないときも、前項と同様とする。

第二十二条の三十（**検察官への引継ぎ**）間接地方税に関する犯則事件は、第二十二条の二十七ただし書の規定による当該徴税吏員の告発又は第二十二条の二十八第二項若しくは前条の規定による地方団体の長の告発を待つて論ずる。

2　第二十二条の二十六の規定による告発又は前項の告発は、書面をもつて行い、第二十二条の二十四各項に規定する調書を添付し、領置物件、差押物件又は記録命令付差押物件があるときは、これを領置目録、差押目録又は記録命令付差押目録とともに検察官に引き継がなければならない。

3　前項の領置物件、差押物件又は記録命令付差押物件が第二十二条の十六第一項の規定による保管に係るものである場合には、同項の保管証をもつて引き継ぐとともに、その旨を同項の規定により当該物件を保管させた者に通知しなければならない。

4　前二項の規定により領置物件、差押物件又は記録命令付差押物件が引き継がれたときは、当該物件は、刑事訴訟法の規定により検察官によつて押収されたものとみなす。

5　第一項の告発は、取り消すことができない。

第二十二条の三十一（**犯則の心証を得ない場合の通知等**）地方団体の長は、間接地方税に関する犯則事件を調査し、犯則の心証を得ない場合には、その旨を犯則嫌疑者に通知しなければならない。この場合において、物件の領置、差押え又は記録命令付差押えがあるときは、その解除を命じなければならない。

附　則（抄）

（**施行期日**）

第一条　この法律は、公布の日から施行し、この法律中に特別の定がある場合を除く外、入場税、遊興飲食税、電気ガス税、鉱産税、木材引取税、広告税、入湯税及び接客人税については昭和二十五年九月一日（特別徴収に係る電気ガス税にあつては、同日以後において収納すべき料金に係る分）から、その他の地方税については昭和二十五年度分からそれぞれ適用する。但し、第七百四十九条第一項及び第二項の規定は、同項の事業の料金について物価統制令（昭和二十一年勅令第百十八号）の規定による統制額がある場合においては、昭和二十五年一月一日の属する事業年度の初日又は同年一月一日以後においてその統制額が改訂されたときは、その改訂の時の属する事業年度分又は昭和二十五年度分若しくは昭和二十六年度分から、その改訂の時が昭和二十四年四月一日以後昭和二十五年一月一日の属する事業年度の初日又は昭和二十五年一月一日前に係るときは、同年一月一日の属する事業年度分から又は昭和二十五年度分及び昭和二十六年度分にそれぞれ適用し、昭和二十四年四月一日以後昭和二十七年一月一日の属する事業年度の初日又は同年一月一日前にその改訂が行われなかつたときは、適用しない。

公営企業法関係

地方公営企業は、常に企業の経済性を発揮するとともに、その本来の目的である公共の福祉を増進するように運営されなければならない。

―公企法「経営の基本原則」より―

▽細目次△

○地方公営企業法

昭二七・八・一
法　二　九　二

最終改正　令六・六・二六法六五

目次〔略〕

第一章　総則

（この法律の目的）

第一条　この法律は、地方公共団体の経営する企業の組織、財務及びこれに従事する職員の身分取扱いその他企業の経営の根本基準並びに企業の経営に関する事務を処理する地方自治法の規定による一部事務組合及び広域連合に関する特例を定め、地方自治の発達に資することを目的とする。

（この法律の適用を受ける企業の範囲）

第二条　この法律は、地方公共団体の経営する企業のうち次に掲げる事業（これらに附帯する事業を含む。以下「地方公営企業」という。）に適用する。

一　水道事業（簡易水道事業を除く。）
二　工業用水道事業
三　軌道事業
四　自動車運送事業
五　鉄道事業
六　電気事業
七　ガス事業

2　前項に定める場合を除くほか、次条から第六条まで、第十七条から第三十五条まで、第四十条から第四十一条まで並びに附則第二項及び第三項の規定（以下「財務規定等」という。）は、地方公共団体の経営する企業のうち病院事業に適用する。

3　前二項に定める場合のほか、地方公共団体は、政令で定める基準に従い、条例（地方自治法（昭和二十二年法律第六十七号）第二百八十四条第一項の一部事務組合（以下「一部事務組合」という。）又は広域連合（以下「広域連合」という。）にあつては、規約）で定めるところにより、その経営する企業に、この法律の規定の全部又は一部を適用することができる。

（経営の基本原則）

第三条　地方公営企業は、常に企業の経済性を発揮するとともに、その本来の目的である公共の福祉を増進するように運営されなければならない。

（地方公営企業の設置）

第四条　地方公共団体は、地方公営企業の設置及びその経営の基本に関する事項は、条例で定めなければならない。

（地方公営企業に関する法令等の制定及び施行）

第五条　地方公営企業に関する法令並びに条例、規則及びその他の規程は、すべて第三条に規定する基本原則に合致するものでなければならない。

（国の配慮）

第五条の二　国の行政機関の長は、地方公営企業の業務に関する処分その他の事務の執行にあたつては、すみやかに適切な措置を講ずる等地方公営企業の健全な運営が図られるように配慮するものとする。

（地方自治法等の特例）

第六条　この法律は、地方公営企業の経営に関して、地方自治法並びに地方財政法（昭和二十三年法律第百九号）及び地方公務員法（昭和二十五年法律第二百六十一号）に対する特例を定めるものとする。

第二章　組織

（管理者の設置）

第七条　地方公営企業を経営する地方公共団体に、地方公営企業の業務を執行させるため、第二条第一項の事業ごとに管理者を置く。ただし、条例で定めるところにより、政令で定める地方公営企業について管理者を置かず、又は二以上の事業を通じて管理者一人を置くことができる。なお、水道事業（簡易水道事業を除く。）及び工業用水道事業を併せて経営する場合又は軌道事業、自動車運送事業及び鉄道事業のうち二以上の事業を併せて経営する場合においては、それぞれ当該併せて経営する事業を通じて管理者一人を置くことを常例とするものとする。

（管理者の選任及び身分取扱い）

第七条の二　管理者は、地方公営企業の経営に関し識見を有する者のうちから、地方公共団体の長が任命する。

2　次の各号のいずれかに該当する者は、管理者となることができない。

一　破産手続開始の決定を受けて復権を得ない者
二　禁錮以上の刑に処せられ、その執行を終わるまで又はその執行を受けることがなくなるまでの者

3　管理者は、衆議院議員若しくは参議院議員又は地方公共団体の議会の議員若しくは常勤の職員若しくは地方公務員法第二十二条の四第一項に規定する短時間勤務の職を占める職員と兼ねることができない。

4　管理者の任期は、四年とする。

5　管理者は、再任されることができる。

6　管理者は、常勤とする。

7　地方公共団体の長は、管理者が心身の故障のため職務の遂行に堪えないと認める場合又は管理者の業務の執行が適当でないため経営の状況が悪化したと認める場合その他管理者がその職に必要な適格性を欠くと認める場合には、これを罷免することができる。

8　地方公共団体の長は、管理者に職務上の義務違反その他管理者たるに適しない非行があると認める場合には、これに対し懲戒処分として戒告、減給、停職又は免職の処分をすることができる。

9　管理者は、前二項の規定による場合を除くほか、その意に反して罷免され、又は懲戒処分を受けることがない。

10　管理者は、第二項各号のいずれかに該当するに至つたときは、その職を失う。

11　地方自治法第百五十九条、第百六十五条第二項及び第百八十条の五第六項から第八項まで並びに地方公務員法第三十条から第三十七条まで及び第三十八条第一項の規定は、管理者について準用する。

（管理者の地位及び権限）

第八条　管理者は、次に掲げる事項を除くほか、地方公営企業の業務を執行し、当該業務の執行に関し当該地方公共団体を代表する。ただし、法令に特別の定めがある場合は、この限りでない。

一　予算を調製すること。
二　地方公共団体の議会の議決を経るべき事件につきその議案を提出すること。
三　決算を監査委員の審査及び議会の認定に付すること。
四　地方自治法第十四条第三項並びに第二百二十八条第二項及び第三項に規定する過料を科すること。
2　第七条ただし書の規定により管理者を置かない地方公共団体においては、管理者の権限は、当該地方公共団体の長が行う。

（管理者の担任する事務）
第九条　管理者は、前条の規定に基いて、地方公営企業の業務の執行に関し、おおむね左に掲げる事務を担任する。
一　その権限に属する事務を分掌させるため必要な分課を設けること。
二　職員の任免、給与、勤務時間その他の勤務条件、懲戒、研修及びその他の身分取扱に関する事項を掌理すること。
三　予算の原案を作成し、地方公共団体の長に送付すること。
四　予算に関する説明書を作成し、地方公共団体の長に送付すること。
五　決算を調製し、地方公共団体の長に提出すること。
六　議会の議決を経るべき事件について、その議案の作成に関する資料を作成し、地方公共団体の長に送付すること。
七　当該企業の用に供する資産を取得し、管理し、及び処分すること。
八　契約を結ぶこと。
九　料金又は料金以外の使用料、手数料、分担金若しくは加入金を徴収すること。
十　予算内の支出をするため一時の借入をすること。
十一　出納その他の会計事務を行うこと。
十二　証書及び公文書類を保管すること。
十三　労働協約を結ぶこと。
十四　当該企業に係る行政庁の許可、認可、免許その他の処分で政令で定めるものを受けること。
十五　前各号に掲げるものを除く外、法令又は当該地方公共団体の条例若しくは規則によりその権限に属する事項

（企業管理規程）
第十条　管理者は、法令又は当該地方公共団体の条例若しくは規則又はその機関の定める規則に違反しない限りにおいて、業務に関し管理規程（以下「企業管理規程」という。）を制定することができる。
第十一条及び第十二条　削除

（代理及び委任）
第十三条　管理者に事故があるとき、又は管理者が欠けたときは、管理者が当該地方公共団体の長の同意を得てあらかじめ指定する上席の職員がその職務を行う。
2　管理者は、その権限に属する事務の一部を第十五条の職員に委任し、又はこれにその職務の一部を臨時に代理させることができる。

（事務の委任）
第十三条の二　管理者は、その権限に属する事務の一部を、当該地方公共団体の経営する他の地方公営企業の管理者に委任することができる。

（事務処理のための組織）
第十四条　地方公営企業を経営する地方公共団体に、管理者の権限に属する事務を処理させるため、条例で必要な組織を設ける。

（補助職員）
第十五条　管理者の権限に属する事務の執行を補助する職員（以下「企業職員」という。）は、管理者が任免する。但し、当該地方公共団体の規則で定める主要な職員を任免する場合においては、あらかじめ、当該地方公共団体の長の同意を得なければならない。
2　企業職員は、管理者が指揮監督する。

（管理者と地方公共団体の長との関係）
第十六条　地方公共団体の長は、当該地方公共団体の住民の福祉に重大な影響がある地方公営企業の業務の執行に関しその福祉を確保するため必要があるとき、又は当該管理者以外の地方公共団体の機関の権限に属する事務の執行と当該地方公営企業の業務の執行との間の調整を図るため必要があるときは、当該管理者に対し、当該地方公営企業の業務の執行について必要な指示をすることができる。

第三章　財務

（特別会計）
第十七条　地方公営企業の経理は、第二条第一項に掲げる事業ごとに特別会計を設けて行なうものとする。但し、同条同項に掲げる事業を二以上経営する地方公共団体においては、政令で定めるところにより条例で二以上の事業を通じて一の特別会計を設けることができる。

（経費の負担の原則）
第十七条の二　次に掲げる地方公営企業の経費で政令で定めるものは、地方公共団体の一般会計又は他の特別会計において、出資、長期の貸付け、負担金の支出その他の方法により負担するものとする。
一　その性質上当該地方公営企業の経営に伴う収入をもつて充てることが適当でない経費
二　当該地方公営企業の性質上能率的な経営を行なつてもなおその経営に伴う収入のみをもつて充てることが客観的に困難であると認められる経費
2　地方公営企業の特別会計においては、その経費は、前項の規定により地方公共団体の一般会計又は他の特別会計において負担するものを除き、当該地方公営企業の経営に伴う収入をもつて充てなければならない。

（補助）
第十七条の三　地方公共団体は、災害の復旧その他特別の理由により必要がある場合には、一般会計又は他の特別会計から地方公営企業の特別会計に補助をすることができる。

（出資）
第十八条　地方公共団体は、第十七条の二第一項の規定によるもののほか、一般会計又は他の特別会計から地方公営企業の特別会計に出資をすることができる。
2　地方公営企業の特別会計は、前項の規定による出資を受けた場合には、利益の状況に応じ、納付金を一般会計又は当該他の特別会計に納付するものとする。

（長期貸付け）
第十八条の二　地方公共団体は、第十七条の二第一項の規定によ

るもののほか、一般会計又は他の特別会計から地方公営企業の特別会計に長期の貸付けをすることができる。

2 地方公営企業の特別会計は、前項の規定による長期の貸付けを受けた場合には、適正な利息を一般会計又は当該他の特別会計に支払わなければならない。

（事業年度）

第十九条 地方公営企業の事業年度は、地方公共団体の会計年度による。

（計理の方法）

第二十条 地方公営企業においては、その経営成績を明らかにするため、すべての費用及び収益を、その発生の事実に基いて計上し、かつ、その発生した年度に正しく割り当てなければならない。

2 地方公営企業においては、その財政状態を明らかにするため、すべての資産、資本及び負債の増減及び異動を、その発生の事実に基き、かつ、適当な区分及び配列の基準並びに一定の評価基準に従つて、整理しなければならない。

3 前項の資産、資本及び負債については、政令で定めるところにより、その内容を明らかにしなければならない。

（料金）

第二十一条 地方公共団体は、地方公営企業の給付について料金を徴収することができる。

2 前項の料金は、公正妥当なものでなければならず、かつ、能率的な経営の下における適正な原価を基礎とし、地方公営企業の健全な運営を確保することができるものでなければならない。

（企業債についての配慮）

第二十二条 国は、地方公営企業の健全な運営を確保するため必要があると認めるときは、地方公共団体が地方公営企業の建設、改良等に要する資金に充てるため起こす地方債（以下「企業債」という。）の償還の繰延べ、借換え等につき、法令の範囲内において、資金事情が許す限り、特別の配慮をするものとする。

（償還期限を定めない企業債）

第二十三条 地方公共団体は、企業債のうち、地方公営企業の建設に要する資金に充てるものについては、償還期限を定めないことができる。この場合においては、当該地方公営企業の毎事業年度における利益の状況に応じ、特別利息をつけることができる。

（予算）

第二十四条 地方公営企業の予算は、地方公営企業の毎事業年度における業務の予定量並びにこれに関する収入及び支出の大綱を定めるものとする。

2 地方公共団体の長は、当該地方公営企業の管理者が作成した予算の原案に基いて毎事業年度地方公営企業の予算を調製し、年度開始前に議会の議決を経なければならない。

3 業務量の増加に因り地方公営企業の業務のため直接必要な経費に不足を生じたときは、管理者は、当該業務量の増加に因り増加する収入に相当する金額を当該企業の業務のため直接必要な経費に使用することができる。この場合においては、遅滞なく、管理者は、当該地方公共団体の長にその旨を報告するものとし、報告を受けた地方公共団体の長は、次の会議においてその旨を議会に報告しなければならない。

（予算に関する説明書）

第二十五条 地方公共団体の長は、地方公営企業の予算を議会に提出する場合においては、当該地方公営企業の管理者が作成した政令で定める予算に関する説明書をあわせて提出しなければならない。

（予算の繰越）

第二十六条 予算に定めた地方公営企業の建設又は改良に要する経費のうち、年度内に支払義務が生じなかつたものがある場合においては、管理者は、その額を翌年度に繰り越して使用することができる。

2 前項の規定による場合を除くほか、毎事業年度の支出予算の金額は、翌事業年度において使用することができない。ただし、支出予算の金額のうち、年度内に支出の原因となる契約その他の行為をし、避け難い事故のため年度内に支払義務が生じなかつたものについては、管理者は、その金額を翌事業年度に繰り越して使用することができる。

3 前二項の規定により予算を繰り越した場合においては、管理者は、地方公共団体の長に繰越額の使用に関する計画について報告をするものとし、報告を受けた地方公共団体の長は、次の会議においてその旨を議会に報告しなければならない。

（出納）

第二十七条 地方公営企業の業務に係る出納は、管理者が行う。ただし、管理者は、地方公営企業の業務の執行上必要がある場合においては、政令で定める金融機関で地方公共団体の長の同意を得て指定したものに、当該地方公営企業の業務に係る公金の出納事務の一部を取り扱わせることができる。

（公金の収納等の監査）

第二十七条の二 監査委員は、必要があると認めるとき、又は管理者の要求があるときは、前条の規定により指定された金融機関が取り扱う地方公営企業の業務に係る公金の収納又は支払の事務について監査することができる。

2 監査委員は、前項の規定により監査をしたときは、監査の結果に関する報告を地方公共団体の議会及び長並びに管理者に提出しなければならない。

（企業出納員及び現金取扱員）

第二十八条 地方公営企業を経営する地方公共団体に、当該地方公営企業の業務に係る出納その他の会計事務をつかさどらせるため、企業出納員及び現金取扱員を置く。ただし、現金取扱員は、置かないことができる。

2 企業出納員及び現金取扱員は、企業職員のうちから、管理者が命ずる。

3 企業出納員は、管理者の命を受けて、出納その他の会計事務をつかさどる。

4 現金取扱員は、上司の命を受けて、企業管理規程で定めた額を限度として当該地方公営企業の業務に係る現金の出納に関する事務をつかさどる。

（一時借入金）

第二十九条 管理者は、予算内の支出をするため、一時の借入をすることができる。

2 前項の規定による借入金は、当該事業年度内に償還しなければならない。但し、資金不足のため償還することができない場合においては、償還することができない金額を限度として、これを借り換えることができる。

3 前項但書の規定により借り換えた借入金は、一年以内に償還しなければならない。但し、借入金をもつてこれを償還するようなことをしてはならない。

（決算）

第三十条　管理者は、毎事業年度終了後二月以内に当該地方公営企業の決算を調製し、証書類、当該年度の事業報告書及び政令で定めるその他の書類と併せて、当該地方公共団体の長に提出しなければならない。

2　地方公共団体の長は、決算及び前項の書類を監査委員の審査に付さなければならない。

3　監査委員は、前項の審査をするに当たつては、地方公営企業の運営が第三条の規定の趣旨に従つてされているかどうかについて、特に、意を用いなければならない。

4　地方公共団体の長は、第二項の規定により監査委員の審査に付した決算を、監査委員の意見を付けて、遅くとも当該事業年度終了後三月を経過した後において最初に招集される定例会である議会の認定（地方自治法第百二条の二第一項の議会においては、遅くとも当該事業年度終了後三月を経過した後の最初の定例日（同条第六項に規定する定例日をいう。）に開かれる会議において議会の認定）に付さなければならない。

5　前項の規定による意見の決定は、監査委員の合議によるものとする。

6　地方公共団体の長は、第四項の規定により決算を議会の認定に付するに当たつては、第二項の規定により監査委員の審査に付した当該年度の事業報告書及び政令で定めるその他の書類を併せて提出しなければならない。

7　地方公共団体の長は、第四項の規定により議会の認定に付した決算の要領を住民に公表しなければならない。

8　地方公共団体の長は、第四項の規定による決算の認定に関する議案が否決された場合において、当該議決を踏まえて必要と認める措置を講じたとき、又は管理者が当該議決を踏まえて必要と認める措置を講じて当該措置の内容を当該地方公共団体の長に報告したときは、速やかに、これらの措置の内容を議会に報告するとともに、公表しなければならない。

9　第一項の決算について作成すべき書類は、当該年度の予算の区分に従つて作成した決算報告書並びに損益計算書、剰余金計算書又は欠損金計算書、剰余金処分計算書又は欠損金処理計算書及び貸借対照表とし、その様式は、総務省令で定める。

（計理状況の報告）

第三十一条　管理者は、毎月末日をもつて試算表その他当該企業の計理状況を明らかにするために必要な書類を作成し、翌月二十日までに当該地方公共団体の長に提出しなければならない。

（剰余金の処分等）

第三十二条　地方公営企業は、毎事業年度利益を生じた場合において前事業年度から繰り越した欠損金があるときは、その利益をもつてその欠損金をうめなければならない。

2　毎事業年度生じた利益の処分は、前項の規定による場合を除くほか、条例の定めるところにより、又は議会の議決を経て、行わなければならない。

3　毎事業年度生じた資本剰余金の処分は、条例の定めるところにより、又は議会の議決を経て、行わなければならない。

4　資本金の額は、議会の議決を経て、減少することができる。

（欠損の処理）

第三十二条の二　地方公営企業は、毎事業年度欠損を生じた場合において前事業年度から繰り越した利益があるときは、その利益をもつてその欠損金をうめなければならない。

（資産の取得、管理及び処分）

第三十三条　地方公営企業の用に供する資産の取得、管理及び処分は、管理者が行う。

2　前項の資産のうちその種類及び金額について政令で定める基準に従い条例で定める重要なものの取得及び処分については、予算で定めなければならない。

3　地方公営企業の用に供する行政財産を地方自治法第二百三十八条の四第七項の規定により使用させる場合に徴収する使用料に関する事項については、管理者が定める。

（公金の徴収等の委託）

第三十三条の二　地方自治法第二百四十三条の二から第二百四十三条の二の六までの規定は、地方公営企業の業務に係る公金の徴収若しくは収納又は支出の事務の委託について準用する。この場合において、同法第二百四十三条の二の四第一項中「他の法律又はこれに基づく政令に特別の定めがあるものを除くほか、政令で定めるもの」とあるのは「地方公営企業の業務に係るもの（指定公金事務取扱者が徴収することにより、その収入の確保及び住民の便益の増進に寄与すると認められるものに限る。）」と、同法第二百四十三条の二の六第一項中「他の法律又はこれに基づく政令に特別の定めがあるものを除くほか、政令で定めるもの」とあるのは「地方公営企業の業務に係るものとして政令で定めるもの」と、同条第三項中「規則」とあるのは「規則又は企業管理規程」と読み替えるものとする。

（職員の賠償責任）

第三十四条　地方自治法第二百四十三条の二の八の規定は、地方公営企業の業務に従事する職員の賠償責任について準用する。この場合において、同条第一項中「規則」とあるのは「規則又は企業管理規程」と、同条第八項中「議会の同意を得て」とあるのは「条例で定める場合には議会の同意を得て」と読み替えるほか、第七条の規定により管理者が置かれている地方公営企業の業務に従事する職員の賠償責任について準用する場合に限り、同法第二百四十三条の二の八第三項中「普通地方公共団体の長」とあるのは「管理者」と、同条第八項中「普通地方公共団体の長」とあるのは「管理者」と、「あらかじめ監査委員の意見を聴き、その意見」とあるのは「管理者があらかじめ監査委員の意見を聴き、普通地方公共団体の長が当該意見」と読み替えるものとする。

（財務規定等が適用される場合の管理者の権限）

第三十四条の二　第二条第二項又は第三項の規定により地方公共団体の経営する企業に財務規定等が適用される場合においては、管理者の権限は、当該地方公共団体の長が行う。ただし、管理者の権限のうち当該企業の出納その他の会計事務及び決算に係るものについては、条例で定めるところにより、その全部又は一部を当該地方公共団体の会計管理者に行わせることができる。

（政令への委任）

第三十五条　この章に定めるものを除く外、地方公営企業の財務に関し必要な事項は、政令で定める。

第四章　職員の身分取扱

（職員の労働関係の特例）

第三十六条　企業職員の労働関係については、地方公営企業等の労働関係に関する法律（昭和二十七年法律第二百八十九号）の定めるところによる。

第三十七条　削除

（給与）

第三十八条　企業職員の給与は、給料及び手当とする。

2　企業職員の給与は、その職務に必要とされる技能、職務遂行の困難度等職務の内容と責任に応ずるものであり、かつ、職員の発揮した能率が充分に考慮されるものでなければならない。

3　企業職員の給与は、生計費、同一又は類似の職種の国及び地方公共団体の職員並びに民間事業の従事者の給与、当該地方公営企業の経営の状況その他の事情を考慮して定めなければならない。

4　企業職員の給与の種類及び基準は、条例で定める。

（他の法律の適用除外等）

第三十九条　企業職員については、地方公務員法第五条、第八条（第一項第四号及び第六号、第三項並びに第五項を除く。）、第十四条第二項、第二十三条の四から第二十六条の三まで、第二十六条の五第三項（同法第二十六条の六第十一項において準用する場合を含む。）、第三十七条、第三十九条第四項、第四十六条から第四十九条まで、第五十二条から第五十六条まで、第五十八条（同条第三項中労働基準法（昭和二十二年法律第四十九号）第十四条第二項及び第三項に係る部分並びに同法第七十五条から第八十八条まで及び船員法（昭和二十二年法律第百号）第八十九条から第九十六条までに係る部分（地方公務員災害補償法（昭和四十二年法律第百二十一号）第二条第一項に規定する者に適用される場合に限る。）を除く。）及び第五十八条の三、地方公務員の育児休業等に関する法律（平成三年法律第百十号）第四条第二項、第七条、第八条、第十四条、第十五条及び第十九条並びに地方公共団体の一般職の任期付研究員の採用等に関する法律（平成十二年法律第五十一号）第六条の規定は、適用しない。

2　企業職員（政令で定める基準に従い地方公共団体の長が定める職にある者を除く。）については、地方公務員法第三十六条の規定は、適用しない。

3　企業職員については、行政不服審査法（平成二十六年法律第六十八号）の規定は、適用しない。ただし、第三十四条において準用する地方自治法第二百四十三条の二の八第三項の規定による処分を受けた場合は、この限りでない。

4　企業職員に対する地方公務員法第八条第一項第四号の規定の適用については、同号中「人事行政の運営」とあるのは、「退職管理」とする。

5　企業職員に対する地方公務員の育児休業等に関する法律第十条第一項及び第十七条の規定の適用については、同項中「次の各号に掲げるいずれかの勤務の形態（一般職の職員の勤務時間、休暇等に関する法律（平成六年法律第三十三号）第六条の規定の適用を受ける国家公務員と同様の勤務の形態によって勤務する職員以外の職員にあっては、第五号に掲げる勤務の形態）」とあるのは「五分の一勤務時間（当該職員の一週間当たりの通常の勤務時間（以下この項において「週間勤務時間」という。）に五分の一を乗じて得た時間に端数処理（五分を最小の単位とし、これに満たない端数を切り上げることをいう。以下この項において同じ。）を行って得た時間をいう。）に二を乗じて得た時間に十分の一勤務時間（週間勤務時間に十分の一を乗じて得た時間に端数処理を行って得た時間をいう。）を加えた時間から八分の一勤務時間（週間勤務時間に八分の一を乗じて得た時間に端数処理を行って得た時間をいう。）に五を乗じて得た時間までの範囲内の時間となるように地方公営企業の管理者が定める勤務の形態」と、同法第十七条中「第十三条から前条まで」とあるのは「第十三条及び前条」とする。

6　企業職員に対する地方公共団体の一般職の任期付職員の採用に関する法律（平成十四年法律第四十八号）第五条第三項の規定の適用については、同項中「承認（第二号にあっては、承認その他の処分）」とあるのは「承認その他の処分」と、同項第一号中「承認」とあるのは「承認に相当する承認その他の処分」と、同項第二号中「条例の規定による承認その他の処分」とあるのは「管理規程による承認その他の処分（当該管理規程を制定していない場合にあっては、同法第六十一条の二第五項の規定による承認）」と、同項第三号中「承認」とあるのは「承認に相当する承認その他の処分」とする。

第五章　一部事務組合及び広域連合に関する特例

（組織に関する特例）

第三十九条の二　地方公営企業の経営に関する事務を共同処理する一部事務組合（以下「企業団」という。）の管理者の名称は、企業長とする。

2　企業団には、第七条の規定にかかわらず、同条の管理者を置かず、当該管理者の権限は、企業長が行う。

3　企業長は、企業団の規約で別段の定めをしない限り、地方公営企業の経営に関し識見を有する者のうちから、企業団を組織する地方公共団体の長が共同して任命するものとする。

4　第七条の二第二項及び第四項から第十項まで、地方自治法第百八十条の五第六項から第八項まで並びに地方公務員法第三十四条の規定は、企業長について準用する。この場合において、第七条の二第七項及び第八項中「地方公共団体の長は」とあるのは、前項に規定する方法により選任される企業長について準用する場合にあっては「企業団を組織する地方公共団体の長は、共同して」と、前項の別段の定めにより選任される企業長について準用する場合にあっては「企業団の規約で定める者は、その規約で定めるところにより」と読み替えるものとする。

5　企業団の監査委員は、企業長が企業団の議会の同意を得て、人格が高潔で、事業の経営管理に関し優れた識見を有する者のうちから選任する。

6　地方公営企業の経営に関する事務を処理する広域連合（以下「広域連合企業団」という。）に対する第七条の規定の適用については、同条ただし書中「政令で定める地方公営企業について管理者」とあるのは、「管理者」とする。

7　企業団又は広域連合企業団の設置があった場合における企業長の選任の時期その他必要な事項は、政令で定める。

（財務に関する特例）

第三十九条の三 企業団又は広域連合企業団においては、地方公営企業の財務以外の財務についても、第十七条から第三十五条まで及び附則第二項の規定を適用する。

2 第十七条の二から第十八条の二までの規定は、企業団又は広域連合企業団を組織する地方公共団体の当該企業団又は広域連合企業団に対する経費の負担、補助、出資及び長期の貸付けについて準用する。

3 前二項の規定は、第二条第二項又は第三項の規定により財務規定等が適用される企業の経営に関する事務を処理する一部事務組合又は広域連合に準用する。

第六章 雑則

（地方自治法の適用除外）

第四十条 地方公営企業の業務に関する契約の締結並びに財産の取得、管理及び処分については、地方自治法第九十六条第一項第五号から第八号まで及び第二百三十七条第二項及び第三項の規定にかかわらず、条例又は議会の議決によることを要しない。

2 地方公営企業の業務に関する負担附きの寄附又は贈与の受領、地方公共団体がその当事者である審査請求その他の不服申立て、訴えの提起、和解、あつせん、調停及び仲裁並びに法律上地方公共団体の義務に属する損害賠償の額の決定については、条例で定めるものを除き、地方自治法第九十六条第一項第九号、第十二号及び第十三号の規定は、適用しない。

（業務の状況の公表）

第四十条の二 管理者は、条例で定めるところにより、毎事業年度少くとも二回以上当該地方公営企業の業務の状況を説明する書類を当該地方公共団体の長に提出しなければならない。この場合においては、地方公共団体の長は、遅滞なく、これを公表しなければならない。

2 前項の規定による公表は、これをもつて、当該地方公営企業に係る地方自治法第二百四十三条の三第一項の規定による普通地方公共団体の長の行う公表とみなす。

（助言等）

第四十条の三 総務大臣は、地方公営企業が第三条に規定する基本原則に合致して経営されるように、地方公営企業を経営する地方公共団体に対し、助言し、又は勧告することができる。

2 総務大臣は、前項の助言又は勧告を行うため必要がある場合においては、地方公営企業を経営する地方公共団体に対し、政令で定めるところにより、当該地方公営企業の経営に関する事項について報告を求めることができる。

（国と地方公営企業を経営する地方公共団体等との関係）

第四十一条 地方公営企業の経営に関し、地方公共団体相互の間で協議がととのわない場合において、関係地方公共団体の申出があるときは、政令で定めるところにより、総務大臣又は都道府県知事は、必要なあつ旋若しくは調停をし、又は必要な勧告をすることができる。

（地方公共企業体）

第四十二条 地方公共団体は、別に法律で定めるところにより、地方公営企業を経営するための地方公共企業体を設けることができる。

附　則（抄）

（施行期日）

1 この法律の施行期日〔昭二七・一〇・一〕は、この法律公布の日から起算して六月をこえない範囲内で政令で定める。

（資産の再評価）

2 地方公営企業の資産は、資産の適正な減価償却の基礎を確立するため、政令で定めるところにより、再評価しなければならない。

（政令への委任）

3 この法律の施行に関し必要な経過措置は、政令で定める。

㊟ 次の法律の第一五四条により地方公営企業法が改正されたが、刑法等一部改正法施行日〔令七・六・一〕から施行となるため、一部改正法の形式で掲載した。

○刑法等の一部を改正する法律の施行に伴う関係法律の整理等に関する法律

令四・六・一七
法　六八

（郵便物運送委託法及び地方公営企業法の一部改正）

第百五十四条 次に掲げる法律の規定中「禁錮」を「拘禁刑」に改める。

一 〔略〕

二 地方公営企業法（昭和二十七年法律第二百九十二号）第七条の二第二項第二号

附　則（抄）

（施行期日）

1 この法律は、刑法等一部改正法施行日〔令七・六・一〕から施行する。〔ただし書略〕

㊟ 次の法律の附則第八条により地方公営企業法が改正されたが、公布の日から起算して二年六月を超えない範囲内において政令で定める日から施行となるため、一部改正法の形式で掲載した。

○地方自治法の一部を改正する法律

令六・六・二六
法　六　五

（地方公営企業法の一部改正）

第八条 地方公営企業法（昭和二十七年法律第二百九十二号）の一部を次のように改正する。

第三十四条中「第二百四十三条の二の八の」を「第二百四十三条の二の九の」に、「第二百四十三条の二の八第三項」を「第二百四十三条の二の九第三項」に改める。

第三十九条第三項ただし書中「第二百四十三条の二の八第三項」を「第二百四十三条の二の九第三項」に改める。

附　則（抄）

（施行期日）

第一条 この法律は、公布の日から起算して三月を経過した日から施行する。ただし、次の各号に掲げる規定は、当該各号に定める日から施行する。

一・二　〔略〕

三　〔前略〕附則〔中略〕第八条〔中略〕の規定　公布の日から起算して二年六月を超えない範囲内において政令で定める日

行政手続関係法

民主主義は政治的概念であるから、一つの全体としての政治的統一、すなわち、立法、統治の規定に関係する。行政の民主化にあっては、重要なのは、ただ、民主的基本理念に対応する、それぞれの諸傾向と改革が遂行されなければならない。

—カール・シュミット—

▽細目次△

◉行政手続法（平五法八八）……一四五五
○行政手続法施行令（平六政令二六五）……一四六三
◉行政機関の保有する情報の公開に関する法律（平一一法四二）……一四六六
◉個人情報の保護に関する法律（平一五法五七）……一四七〇
◉行政不服審査法（平二六法六八）……一五〇六
◉行政事件訴訟法（昭三七法一三九）……一五二六
◉行政代執行法（昭二三法四三）……一五三六
◉請願法（昭二二法一三）……一五三六
◉国家賠償法（昭二二法一二五）……一五三七
◉行政書士法（昭二六法四）……一五三七
○行政書士法施行規則（昭二六総府令五）……一五四九

○行政手続法

平五・一一・一二
法　八　八

最終改正　令六・六・二六法六五

目次〔略〕

第一章　総則

（目的等）

第一条　この法律は、処分、行政指導及び届出に関する手続並びに命令等を定める手続に関し、共通する事項を定めることによって、行政運営における公正の確保と透明性（行政上の意思決定について、その内容及び過程が国民にとって明らかであることをいう。第四十六条において同じ。）の向上を図り、もって国民の権利利益の保護に資することを目的とする。

2　処分、行政指導及び届出に関する手続並びに命令等を定める手続に関しこの法律に規定する事項について、他の法律に特別の定めがある場合は、その定めるところによる。

（定義）

第二条　この法律において、次の各号に掲げる用語の意義は、当該各号に定めるところによる。

一　法令　法律、法律に基づく命令（告示を含む。）、条例及び地方公共団体の執行機関の規則（規程を含む。以下「規則」という。）をいう。

二　処分　行政庁の処分その他公権力の行使に当たる行為をいう。

三　申請　法令に基づき、行政庁の許可、認可、免許その他の自己に対し何らかの利益を付与する処分（以下「許認可等」という。）を求める行為であって、当該行為に対して行政庁が諾否の応答をすべきこととされているものをいう。

四　不利益処分　行政庁が、法令に基づき、特定の者を名あて人として、直接に、これに義務を課し、又はその権利を制限する処分をいう。ただし、次のいずれかに該当するものを除く。

イ　事実上の行為及び事実上の行為をするに当たりその範囲、時期等を明らかにするために法令上必要とされている手続としての処分

ロ　申請により求められた許認可等を拒否する処分その他申請に基づき当該申請をした者を名あて人としてされる処分

ハ　名あて人となるべき者の同意の下にすることとされている処分

ニ　許認可等の効力を失わせる処分であって、当該許認可等の基礎となった事実が消滅した旨の届出があったことを理由としてされるもの

五　行政機関　次に掲げる機関をいう。

イ　法律の規定に基づき内閣に置かれる機関若しくは内閣の所轄の下に置かれる機関、宮内庁、内閣府設置法（平成十一年法律第八十九号）第四十九条第一項若しくは第二項に規定する機関、国家行政組織法（昭和二十三年法律第百二十号）第三条第二項に規定する機関、会計検査院若しくはこれらに置かれる機関又はこれらの機関の職員であって法律上独立に権限を行使することを認められた職員

ロ　地方公共団体の機関（議会を除く。）

六　行政指導　行政機関がその任務又は所掌事務の範囲内において一定の行政目的を実現するため特定の者に一定の作為又は不作為を求める指導、勧告、助言その他の行為であって処分に該当しないものをいう。

七　届出　行政庁に対し一定の事項の通知をする行為（申請に該当するものを除く。）であって、法令により直接に当該通知が義務付けられているもの（自己の期待する一定の法律上の効果を発生させるためには当該通知をすべきこととされているものを含む。）をいう。

八　命令等　内閣又は行政機関が定める次に掲げるものをいう。

イ　法律に基づく命令（処分の要件を定める告示を含む。次条第二項において単に「命令」という。）又は規則

ロ　審査基準（申請により求められた許認可等をするかどうかをその法令の定めに従って判断するために必要とされる基準をいう。以下同じ。）

ハ　処分基準（不利益処分をするかどうか又はどのような不利益処分とするかについてその法令の定めに従って判断するために必要とされる基準をいう。以下同じ。）

ニ　行政指導指針（同一の行政目的を実現するため一定の条件に該当する複数の者に対し行政指導をしようとするときにこれらの行政指導に共通してその内容となるべき事項をいう。以下同じ。）

（適用除外）

第三条　次に掲げる処分及び行政指導については、次章から第四章の二までの規定は、適用しない。

一　国会の両院若しくは一院又は議会の議決によってされる処分

二　裁判所若しくは裁判官の裁判により、又は裁判の執行としてされる処分

三　国会の両院若しくは一院若しくは議会の議決を経て、又はこれらの同意若しくは承認を得た上でされるべきものとされている処分

四　検査官会議で決すべきものとされている処分及び会計検査の際にされる行政指導

五　刑事事件に関する法令に基づいて検察官、検察事務官又は司法警察職員がする処分及び行政指導

六　国税又は地方税の犯則事件に関する法令（他の法令において準用する場合を含む。）に基づいて国税庁長官、国税局長、税務署長、国税庁、国税局若しくは税務署の当該職員、税関長、税関職員又は徴税吏員（他の法令の規定に基づいてこれらの職員の職務を行う者を含む。）がする処分及び行政指導並びに金融商品取引の犯則事件に関する法令（他の法令において準用する場合を含む。）に基づいて証券取引等監視委員会、その職員（当該法令においてその職員とみなされる者を含む。）、財務局長又は財務支局長がする処分及び行政指導

七　学校、講習所、訓練所又は研修所において、教育、講習、訓練又は研修の目的を達成するために、学生、生徒、児童若しくは幼児若しくはこれらの保護者、講習生、訓練生又は研修生に対してされる処分及び行政指導

八　刑務所、少年刑務所、拘置所、留置施設、海上保安留置施

設、少年院又は少年鑑別所において、収容の目的を達成するためにされる処分及び行政指導
九 公務員（国家公務員法（昭和二十二年法律第百二十号）第二条第一項に規定する国家公務員及び地方公務員法（昭和二十五年法律第二百六十一号）第三条第一項に規定する地方公務員をいう。以下同じ。）又は公務員であった者に対してその職務又は身分に関してされる処分及び行政指導
十 外国人の出入国、出入国管理及び難民認定法（昭和二十六年政令第三百十九号）第六十一条の二第一項に規定する難民の認定、同条第二項に規定する補完的保護対象者の認定又は帰化に関する処分及び行政指導
十一 専ら人の学識技能に関する試験又は検定の結果についての処分
十二 相反する利害を有する者の間の利害の調整を目的として法令の規定に基づいてされる裁定その他の処分（その双方を名宛人とするものに限る。）及び行政指導
十三 公衆衛生、環境保全、防疫、保安その他の公益に関わる事象が発生し又は発生する可能性のある現場において警察官若しくは海上保安官又はこれらの公益を確保するために行使すべき権限を法律上直接に与えられたその他の職員によってされる処分及び行政指導
十四 報告又は物件の提出を命ずる処分その他その職務の遂行上必要な情報の収集を直接の目的としてされる処分及び行政指導
十五 審査請求、再調査の請求その他の不服申立てに対する行政庁の裁決、決定その他の処分
十六 前号に規定する処分の手続又は第三章に規定する聴聞若しくは弁明の機会の付与の手続その他の意見陳述のための手続において法令に基づいてされる処分及び行政指導

2 次に掲げる命令等を定める行為については、第六章の規定は、適用しない。
一 法律の施行期日について定める政令
二 恩赦に関する命令
三 命令又は規則を定める行為が処分に該当する場合における当該命令又は規則
四 法律の規定に基づき施設、区間、地域その他これらに類するものを指定する命令又は規則
五 公務員の給与、勤務時間その他の勤務条件について定める命令等
六 審査基準、処分基準又は行政指導指針であって、法令の規定により若しくは慣行として、又は命令等を定める機関の判断により公にされるもの以外のもの

3 第一項各号及び前項各号に掲げるもののほか、地方公共団体の機関がする処分（その根拠となる規定が条例又は規則に置かれているものに限る。）及び行政指導、地方公共団体の機関に対する届出（前条第七号の通知の根拠となる規定が条例又は規則に置かれているものに限る。）並びに地方公共団体の機関が命令等を定める行為については、次章から第六章までの規定は、適用しない。

（国の機関等に対する処分等の適用除外）
第四条 国の機関又は地方公共団体若しくはその機関に対する処分（これらの機関又は団体がその固有の資格において当該処分の名あて人となるものに限る。）及び行政指導並びにこれらの機関又は団体がする届出（これらの機関又は団体がその固有の資格においてすべきこととされているものに限る。）については、この法律の規定は、適用しない。

2 次の各号のいずれかに該当する法人に対する処分であって、当該法人の監督に関する法律の特別の規定に基づいてされるもの（当該法人の解散を命じ、若しくは設立に関する認可を取り消す処分又は当該法人の役員若しくは当該法人の業務に従事する者の解任を命ずる処分を除く。）については、次章及び第三章の規定は、適用しない。
一 法律により直接に設立された法人又は特別の法律により特別の設立行為をもって設立された法人
二 特別の法律により設立され、かつ、その設立に関し行政庁の認可を要する法人のうち、その行う業務が国又は地方公共団体の行政運営と密接な関連を有するものとして政令で定める法人

3 行政庁が法律の規定に基づく試験、検査、検定、登録その他の行政上の事務について当該法律に基づきその全部又は一部を行わせる者を指定した場合において、その指定を受けた者（その者が法人である場合にあっては、その役員）又は職員その他の者が当該事務に従事することに関し公務に従事する職員とみなされるときは、その指定を受けた者に対し当該法律に基づいて当該事務に関し監督上される処分（当該指定を取り消す処分、その指定を受けた者が法人である場合におけるその役員の解任を命ずる処分又はその指定を受けた者の当該事務に従事する者の解任を命ずる処分を除く。）については、次章及び第三章の規定は、適用しない。

4 次に掲げる命令等を定める行為については、第六章の規定は、適用しない。
一 国又は地方公共団体の機関の設置、所掌事務の範囲その他の組織について定める命令等
二 皇室典範（昭和二十二年法律第三号）第二十六条の皇統譜について定める命令等
三 公務員の礼式、服制、研修、教育訓練、表彰及び報償並びに公務員の間における競争試験について定める命令等
四 国又は地方公共団体の予算、決算及び会計について定める命令等（入札の参加者の資格、入札保証金その他の国又は地方公共団体の契約の相手方又は相手方になろうとする者に係る事項を定める命令等を除く。）並びに国又は地方公共団体の財産及び物品の管理について定める命令等（国又は地方公共団体が財産及び物品を貸し付け、交換し、売り払い、譲与し、信託し、若しくは出資の目的とし、又はこれらに私権を設定することについて定める命令等であって、これらの行為の相手方又は相手方になろうとする者に係る事項を定めるものを除く。）
五 会計検査について定める命令等
六 国の機関相互間の関係について定める命令等並びに地方自治法（昭和二十二年法律第六十七号）第二編第十一章に規定する国と普通地方公共団体との関係及び普通地方公共団体相互間の関係その他の国と地方公共団体との関係及び地方公共団体相互間の関係について定める命令等（第一項の規定によりこの法律の規定を適用しないこととされる処分に係る命令等を含む。）

七 第二項各号に規定する法人の役員及び職員、業務の範囲、財務及び会計その他の組織、運営及び管理について定める命令等（これらの法人に対する処分であって、これらの法人の解散を命じ、若しくは設立に関する認可を取り消す処分又はこれらの法人の役員若しくはこれらの法人の業務に従事する者の解任を命ずる処分に係る命令等を除く。）

第二章 申請に対する処分

（審査基準）

第五条 行政庁は、審査基準を定めるものとする。

2 行政庁は、審査基準を定めるに当たっては、許認可等の性質に照らしてできる限り具体的なものとしなければならない。

3 行政庁は、行政上特別の支障があるときを除き、法令により申請の提出先とされている機関の事務所における備付けその他の適当な方法により審査基準を公にしておかなければならない。

（標準処理期間）

第六条 行政庁は、申請がその事務所に到達してから当該申請に対する処分をするまでに通常要すべき標準的な期間（法令により当該行政庁と異なる機関が当該申請の提出先とされている場合は、併せて、当該申請が当該提出先とされている機関の事務所に到達してから当該行政庁の事務所に到達するまでに通常要すべき標準的な期間）を定めるよう努めるとともに、これを定めたときは、これらの当該申請の提出先とされている機関の事務所における備付けその他の適当な方法により公にしておかなければならない。

（申請に対する審査、応答）

第七条 行政庁は、申請がその事務所に到達したときは遅滞なく当該申請の審査を開始しなければならず、かつ、申請書の記載事項に不備がないこと、申請書に必要な書類が添付されていること、申請をすることができる期間内にされたものであることその他の法令に定められた申請の形式上の要件に適合しない申請については、速やかに、申請をした者（以下「申請者」という。）に対し相当の期間を定めて当該申請の補正を求め、又は当該申請により求められた許認可等を拒否しなければならない。

（理由の提示）

第八条 行政庁は、申請により求められた許認可等を拒否する処分をする場合は、申請者に対し、同時に、当該処分の理由を示さなければならない。ただし、法令に定められた許認可等の要件又は公にされた審査基準が数量的指標その他の客観的指標により明確に定められている場合であって、当該申請がこれらに適合しないことが申請書の記載又は添付書類その他の申請の内容から明らかであるときは、申請者の求めがあったときにこれを示せば足りる。

2 前項本文に規定する処分を書面でするときは、同項の理由は、書面により示さなければならない。

（情報の提供）

第九条 行政庁は、申請者の求めに応じ、当該申請に係る審査の進行状況及び当該申請に対する処分の時期の見通しを示すよう努めなければならない。

2 行政庁は、申請をしようとする者又は申請者の求めに応じ、申請書の記載及び添付書類に関する事項その他の申請に必要な情報の提供に努めなければならない。

（公聴会の開催等）

第十条 行政庁は、申請に対する処分であって、申請者以外の者の利害を考慮すべきことが当該法令において許認可等の要件とされているものを行う場合には、必要に応じ、公聴会の開催その他の適当な方法により当該申請者以外の者の意見を聴く機会を設けるよう努めなければならない。

（複数の行政庁が関与する処分）

第十一条 行政庁は、申請の処理をするに当たり、他の行政庁において同一の申請者からされた関連する申請が審査中であることをもって自らすべき許認可等をするかどうかについての審査又は判断を殊更に遅延させるようなことをしてはならない。

2 一の申請又は同一の申請者からされた相互に関連する複数の申請に対する処分について複数の行政庁が関与する場合においては、当該複数の行政庁は、必要に応じ、相互に連絡をとり、当該申請者からの説明の聴取を共同して行う等により審査の促進に努めるものとする。

第三章 不利益処分

第一節 通則

（処分の基準）

第十二条 行政庁は、処分基準を定め、かつ、これを公にしておくよう努めなければならない。

2 行政庁は、処分基準を定めるに当たっては、不利益処分の性質に照らしてできる限り具体的なものとしなければならない。

（不利益処分をしようとする場合の手続）

第十三条 行政庁は、不利益処分をしようとする場合には、次の各号の区分に従い、この章の定めるところにより、当該不利益処分の名あて人となるべき者について、当該各号に定める意見陳述のための手続を執らなければならない。

一 次のいずれかに該当するとき 聴聞

イ 許認可等を取り消す不利益処分をしようとするとき。

ロ イに規定するもののほか、名あて人の資格又は地位を直接にはく奪する不利益処分をしようとするとき。

ハ 名あて人が法人である場合におけるその役員の解任を命ずる不利益処分、名あて人の業務に従事する者の解任を命ずる不利益処分又は名あて人の会員である者の除名を命ずる不利益処分をしようとするとき。

ニ イからハまでに掲げる場合以外の場合であって行政庁が相当と認めるとき。

二 前号イからニまでのいずれにも該当しないとき 弁明の機会の付与

2 次の各号のいずれかに該当するときは、前項の規定は、適用しない。

一 公益上、緊急に不利益処分をする必要があるため、前項に規定する意見陳述のための手続を執ることができないとき。

二 法令上必要とされる資格がなかったこと又は失われるに至ったことが判明した場合に必ずすることとされている不利益処分であって、その資格の不存在又は喪失の事実が裁判所の判決書又は決定書、一定の職に就いたことを証する当該任命権者の書類その他の客観的な資料により直接証明されたものをしようとするとき。

三　施設若しくは設備の設置、維持若しくは管理又は物の製造、販売その他の取扱いについて遵守すべき事項が法令において技術的な基準をもって明確にされている場合において、専ら当該基準が充足されていないことを理由として当該基準に従うべきことを命ずる不利益処分であってその不充足の事実が計測、実験その他客観的な認定方法によって確認されたものをしようとするとき。

四　納付すべき金銭の額を確定し、一定の額の金銭の納付を命じ、又は金銭の給付決定の取消しその他の金銭の給付を制限する不利益処分をしようとするとき。

五　当該不利益処分の性質上、それによって課される義務の内容が著しく軽微なものであるため名あて人となるべき者の意見をあらかじめ聴くことを要しないものとして政令で定める処分をしようとするとき。

（不利益処分の理由の提示）

第十四条　行政庁は、不利益処分をする場合には、その名あて人に対し、同時に、当該不利益処分の理由を示さなければならない。ただし、当該理由を示さないで処分をすべき差し迫った必要がある場合は、この限りでない。

2　行政庁は、前項ただし書の場合においては、当該名あて人の所在が判明しなくなったときその他処分後において理由を示すことが困難な事情があるときを除き、処分後相当の期間内に、同項の理由を示さなければならない。

3　不利益処分を書面でするときは、前二項の理由は、書面により示さなければならない。

第二節　聴聞

（聴聞の通知の方式）

第十五条　行政庁は、聴聞を行うに当たっては、聴聞を行うべき期日までに相当な期間をおいて、不利益処分の名あて人となるべき者に対し、次に掲げる事項を書面により通知しなければならない。

一　予定される不利益処分の内容及び根拠となる法令の条項

二　不利益処分の原因となる事実

三　聴聞の期日及び場所

四　聴聞に関する事務を所掌する組織の名称及び所在地

2　前項の書面においては、次に掲げる事項を教示しなければならない。

一　聴聞の期日に出頭して意見を述べ、及び証拠書類又は証拠物（以下「証拠書類等」という。）を提出し、又は聴聞の期日への出頭に代えて陳述書及び証拠書類等を提出することができること。

二　聴聞が終結する時までの間、当該不利益処分の原因となる事実を証する資料の閲覧を求めることができること。

3　行政庁は、不利益処分の名あて人となるべき者の所在が判明しない場合においては、第一項の規定による通知を、その者の氏名、同項第三号及び第四号に掲げる事項並びに当該行政庁が同項各号に掲げる事項を記載した書面をいつでもその者に交付する旨を当該行政庁の事務所の掲示場に掲示することによって行うことができる。この場合においては、掲示を始めた日から二週間を経過したときに、当該通知がその者に到達したものとみなす。

（代理人）

第十六条　前条第一項の通知を受けた者（同条第三項後段の規定により当該通知が到達したものとみなされる者を含む。以下「当事者」という。）は、代理人を選任することができる。

2　代理人は、各自、当事者のために、聴聞に関する一切の行為をすることができる。

3　代理人の資格は、書面で証明しなければならない。

4　代理人がその資格を失ったときは、当該代理人を選任した当事者は、書面でその旨を行政庁に届け出なければならない。

（参加人）

第十七条　第十九条の規定により聴聞を主宰する者（以下「主宰者」という。）は、必要があると認めるときは、当事者以外の者であって当該不利益処分の根拠となる法令に照らし当該不利益処分につき利害関係を有するものと認められる者（同条第二項第六号において「関係人」という。）に対し、当該聴聞に関する手続に参加することを求め、又は当該聴聞に関する手続に参加することを許可することができる。

2　前項の規定により当該聴聞に関する手続に参加する者（以下「参加人」という。）は、代理人を選任することができる。

3　前条第二項から第四項までの規定は、前項の代理人について準用する。この場合において、同条第二項及び第四項中「当事者」とあるのは、「参加人」と読み替えるものとする。

（文書等の閲覧）

第十八条　当事者及び当該不利益処分がされた場合に自己の利益を害されることとなる参加人（以下この条及び第二十四条第三項において「当事者等」という。）は、聴聞の通知があった時から聴聞が終結する時までの間、行政庁に対し、当該事案についてした調査の結果に係る調書その他の当該不利益処分の原因となる事実を証する資料の閲覧を求めることができる。この場合において、行政庁は、第三者の利益を害するおそれがあるときその他正当な理由があるときでなければ、その閲覧を拒むことができない。

2　前項の規定は、当事者等が聴聞の期日における審理の進行に応じて必要となった資料の閲覧を更に求めることを妨げない。

3　行政庁は、前二項の閲覧について日時及び場所を指定することができる。

（聴聞の主宰）

第十九条　聴聞は、行政庁が指名する職員その他政令で定める者が主宰する。

2　次の各号のいずれかに該当する者は、聴聞を主宰することができない。

一　当該聴聞の当事者又は参加人

二　前号に規定する者の配偶者、四親等内の親族又は同居の親族

三　第一号に規定する者の代理人又は次条第三項に規定する補佐人

四　前三号に規定する者であった者

五　第一号に規定する者の後見人、後見監督人、保佐人、保佐監督人、補助人又は補助監督人

六　参加人以外の関係人

（聴聞の期日における審理の方式）

第二十条　主宰者は、最初の聴聞の期日の冒頭において、行政庁の職員に、予定される不利益処分の内容及び根拠となる法令の条項並びにその原因となる事実を聴聞の期日に出頭した者に対

し説明させなければならない。

2　当事者又は参加人は、聴聞の期日に出頭して、意見を述べ、及び証拠書類等を提出し、並びに主宰者の許可を得て行政庁の職員に対し質問を発することができる。

3　前項の場合において、当事者又は参加人は、主宰者の許可を得て、補佐人とともに出頭することができる。

4　主宰者は、聴聞の期日において必要があると認めるときは、当事者若しくは参加人に対し質問を発し、意見の陳述若しくは証拠書類等の提出を促し、又は行政庁の職員に対し説明を求めることができる。

5　主宰者は、当事者又は参加人の一部が出頭しないときであっても、聴聞の期日における審理を行うことができる。

6　聴聞の期日における審理は、行政庁が公開することを相当と認めるときを除き、公開しない。

（陳述書等の提出）

第二十一条　当事者又は参加人は、聴聞の期日への出頭に代えて、主宰者に対し、聴聞の期日までに陳述書及び証拠書類等を提出することができる。

2　主宰者は、聴聞の期日に出頭した者に対し、その求めに応じて、前項の陳述書及び証拠書類等を示すことができる。

（続行期日の指定）

第二十二条　主宰者は、聴聞の期日における審理の結果、なお聴聞を続行する必要があると認めるときは、さらに新たな期日を定めることができる。

2　前項の場合においては、当事者及び参加人に対し、あらかじめ、次回の聴聞の期日及び場所を書面により通知しなければならない。ただし、聴聞の期日に出頭した当事者及び参加人に対しては、当該聴聞の期日においてこれを告知すれば足りる。

3　第十五条第三項の規定は、前項本文の場合において、当事者又は参加人の所在が判明しないときにおける通知の方法について準用する。この場合において、同条第三項中「不利益処分の名あて人となるべき者」とあるのは「当事者又は参加人」と、「掲示を始めた日から二週間を経過したとき」とあるのは「掲示を始めた日から二週間を経過したとき（同一の当事者又は参加人に対する二回目以降の通知にあっては、掲示を始めた日の翌日）」と読み替えるものとする。

（当事者の不出頭等の場合における聴聞の終結）

第二十三条　主宰者は、当事者の全部若しくは一部が正当な理由なく聴聞の期日に出頭せず、かつ、第二十一条第一項に規定する陳述書若しくは証拠書類等を提出しない場合、又は参加人の全部若しくは一部が聴聞の期日に出頭しない場合には、これらの者に対し改めて意見を述べ、及び証拠書類等を提出する機会を与えることなく、聴聞を終結することができる。

2　主宰者は、前項に規定する場合のほか、当事者の全部又は一部が聴聞の期日に出頭せず、かつ、第二十一条第一項に規定する陳述書又は証拠書類等を提出しない場合において、これらの者の聴聞の期日への出頭が相当期間引き続き見込めないときは、これらの者に対し、期限を定めて陳述書及び証拠書類等の提出を求め、当該期限が到来したときに聴聞を終結することとすることができる。

（聴聞調書及び報告書）

第二十四条　主宰者は、聴聞の審理の経過を記載した調書を作成し、当該調書において、不利益処分の原因となる事実に対する当事者及び参加人の陳述の要旨を明らかにしておかなければならない。

2　前項の調書は、聴聞の期日における審理が行われた場合には各期日ごとに、当該審理が行われなかった場合には聴聞の終結後速やかに作成しなければならない。

3　主宰者は、聴聞の終結後速やかに、不利益処分の原因となる事実に対する当事者等の主張に理由があるかどうかについての意見を記載した報告書を作成し、第一項の調書とともに行政庁に提出しなければならない。

4　当事者又は参加人は、第一項の調書及び前項の報告書の閲覧を求めることができる。

（聴聞の再開）

第二十五条　行政庁は、聴聞の終結後に生じた事情にかんがみ必要があると認めるときは、主宰者に対し、前条第三項の規定により提出された報告書を返戻して聴聞の再開を命ずることができる。第二十二条第二項本文及び第三項の規定は、この場合について準用する。

（聴聞を経てされる不利益処分の決定）

第二十六条　行政庁は、不利益処分の決定をするときは、第二十四条第一項の調書の内容及び同条第三項の報告書に記載された主宰者の意見を十分に参酌してこれをしなければならない。

（審査請求の制限）

第二十七条　この節の規定に基づく処分又はその不作為については、審査請求をすることができない。

（役員等の解任等を命ずる不利益処分をしようとする場合の聴聞等の特例）

第二十八条　第十三条第一項第一号ハに該当する不利益処分に係る聴聞において第十五条第一項の通知があった場合におけるこの節の規定の適用については、名あて人である法人の役員、名あて人の業務に従事する者又は名あて人の会員である者（当該処分において解任し又は除名すべきこととされている者に限る。）は、同項の通知を受けた者とみなす。

2　前項の不利益処分のうち名あて人である法人の役員又は名あて人の業務に従事する者（以下この項において「役員等」という。）の解任を命ずるものに係る聴聞が行われた場合においては、当該処分にその名あて人が従わないことを理由として法令の規定によりされる当該役員等を解任する不利益処分については、第十三条第一項の規定にかかわらず、行政庁は、当該役員等について聴聞を行うことを要しない。

第三節　弁明の機会の付与

（弁明の機会の付与の方式）

第二十九条　弁明は、行政庁が口頭ですることを認めたときを除き、弁明を記載した書面（以下「弁明書」という。）を提出してするものとする。

2　弁明をするときは、証拠書類等を提出することができる。

（弁明の機会の付与の通知の方式）

第三十条　行政庁は、弁明書の提出期限（口頭による弁明の機会の付与を行う場合には、その日時）までに相当な期間をおいて、不利益処分の名あて人となるべき者に対し、次に掲げる事項を書面により通知しなければならない。

一　予定される不利益処分の内容及び根拠となる法令の条項

二　不利益処分の原因となる事実

三　弁明書の提出先及び提出期限（口頭による弁明の機会の付与を行う場合には、その旨並びに出頭すべき日時及び場所）

（聴聞に関する手続の準用）

第三十一条　第十五条第三項及び第十六条の規定は、弁明の機会の付与について準用する。この場合において、第十五条第三項中「第一項」とあるのは「第三十条」と、「同項第三号及び第四号」とあるのは「同条第三号」と、第十六条第一項中「前条第一項」とあるのは「第三十条」と、「同条第三項後段」とあるのは「第三十一条において準用する第十五条第三項後段」と読み替えるものとする。

第四章　行政指導

（行政指導の一般原則）

第三十二条　行政指導にあっては、行政指導に携わる者は、いやしくも当該行政機関の任務又は所掌事務の範囲を逸脱してはならないこと及び行政指導の内容があくまでも相手方の任意の協力によってのみ実現されるものであることに留意しなければならない。

2　行政指導に携わる者は、その相手方が行政指導に従わなかったことを理由として、不利益な取扱いをしてはならない。

（申請に関連する行政指導）

第三十三条　申請の取下げ又は内容の変更を求める行政指導にあっては、行政指導に携わる者は、申請者が当該行政指導に従う意思がない旨を表明したにもかかわらず当該行政指導を継続すること等により当該申請者の権利の行使を妨げるようなことをしてはならない。

（許認可等の権限に関連する行政指導）

第三十四条　許認可等をする権限又は許認可等に基づく処分をする権限を有する行政機関が、当該権限を行使することができない場合又は行使する意思がない場合においてする行政指導にあっては、行政指導に携わる者は、当該権限を行使し得る旨を殊更に示すことにより相手方に当該行政指導に従うことを余儀なくさせるようなことをしてはならない。

（行政指導の方式）

第三十五条　行政指導に携わる者は、その相手方に対して、当該行政指導の趣旨及び内容並びに責任者を明確に示さなければならない。

2　行政指導に携わる者は、当該行政指導をする際に、行政機関が許認可等をする権限又は許認可等に基づく処分をする権限を行使し得る旨を示すときは、その相手方に対して、次に掲げる事項を示さなければならない。

一　当該権限を行使し得る根拠となる法令の条項

二　前号の条項に規定する要件

三　当該権限の行使が前号の要件に適合する理由

3　行政指導が口頭でされた場合において、その相手方から前二項に規定する事項を記載した書面の交付を求められたときは、当該行政指導に携わる者は、行政上特別の支障がない限り、これを交付しなければならない。

4　前項の規定は、次に掲げる行政指導については、適用しない。

一　相手方に対しその場において完了する行為を求めるもの

二　既に文書（前項の書面を含む。）又は電磁的記録（電子的方式、磁気的方式その他人の知覚によっては認識することができない方式で作られる記録であって、電子計算機による情報処理の用に供されるものをいう。）によりその相手方に通知されている事項と同一の内容を求めるもの

（複数の者を対象とする行政指導）

第三十六条　同一の行政目的を実現するため一定の条件に該当する複数の者に対し行政指導をしようとするときは、行政機関は、あらかじめ、事案に応じ、行政指導指針を定め、かつ、行政上特別の支障がない限り、これを公表しなければならない。

（行政指導の中止等の求め）

第三十六条の二　法令に違反する行為の是正を求める行政指導（その根拠となる規定が法律に置かれているものに限る。）の相手方は、当該行政指導が当該法律に規定する要件に適合しないと思料するときは、当該行政指導をした行政機関に対し、その旨を申し出て、当該行政指導の中止その他必要な措置をとることを求めることができる。ただし、当該行政指導がその相手方について弁明その他意見陳述のための手続を経てされたものであるときは、この限りでない。

2　前項の申出は、次に掲げる事項を記載した申出書を提出してしなければならない。

一　申出をする者の氏名又は名称及び住所又は居所

二　当該行政指導の内容

三　当該行政指導がその根拠とする法律の条項

四　前号の条項に規定する要件

五　当該行政指導が前号の要件に適合しないと思料する理由

六　その他参考となる事項

3　当該行政機関は、第一項の規定による申出があったときは、必要な調査を行い、当該行政指導が当該法律に規定する要件に適合しないと認めるときは、当該行政指導の中止その他必要な措置をとらなければならない。

第四章の二　処分等の求め

第三十六条の三　何人も、法令に違反する事実がある場合において、その是正のためにされるべき処分又は行政指導（その根拠となる規定が法律に置かれているものに限る。）がされていないと思料するときは、当該処分をする権限を有する行政庁又は当該行政指導をする権限を有する行政機関に対し、その旨を申し出て、当該処分又は行政指導をすることを求めることができる。

2　前項の申出は、次に掲げる事項を記載した申出書を提出してしなければならない。

一　申出をする者の氏名又は名称及び住所又は居所

二　法令に違反する事実の内容

三　当該処分又は行政指導の内容

四　当該処分又は行政指導の根拠となる法令の条項

五　当該処分又は行政指導がされるべきであると思料する理由

六　その他参考となる事項

3　当該行政庁又は行政機関は、第一項の規定による申出があったときは、必要な調査を行い、その結果に基づき必要があると認めるときは、当該処分又は行政指導をしなければならない。

第五章　届出

（届出）

第三十七条 届出が届出書の記載事項に不備がないこと、届出書に必要な書類が添付されていることその他の法令に定められた届出の形式上の要件に適合している場合は、当該届出が法令により当該届出の提出先とされている機関の事務所に到達したときに、当該届出をすべき手続上の義務が履行されたものとする。

第六章 意見公募手続等

（命令等を定める場合の一般原則）
第三十八条 命令等を定める機関（閣議の決定により命令等が定められる場合にあっては、当該命令等の立案をする各大臣。以下「命令等制定機関」という。）は、命令等を定めるに当たっては、当該命令等がこれを定める根拠となる法令の趣旨に適合するものとなるようにしなければならない。

2 命令等制定機関は、命令等を定めた後においても、当該命令等の規定の実施状況、社会経済情勢の変化等を勘案し、必要に応じ、当該命令等の内容について検討を加え、その適正を確保するよう努めなければならない。

（意見公募手続）
第三十九条 命令等制定機関は、命令等を定めようとする場合には、当該命令等の案（命令等で定めようとする内容を示すものをいう。以下同じ。）及びこれに関連する資料をあらかじめ公示し、意見（情報を含む。以下同じ。）の提出先及び意見の提出のための期間（以下「意見提出期間」という。）を定めて広く一般の意見を求めなければならない。

2 前項の規定により公示する命令等の案は、具体的かつ明確な内容のものであって、かつ、当該命令等の題名及び当該命令等を定める根拠となる法令の条項が明示されたものでなければならない。

3 第一項の規定により定める意見提出期間は、同項の公示の日から起算して三十日以上でなければならない。

4 次の各号のいずれかに該当するときは、第一項の規定は、適用しない。

一 公益上、緊急に命令等を定める必要があるため、第一項の規定による手続（以下「意見公募手続」という。）を実施することが困難であるとき。

二 納付すべき金銭について定める法律の制定又は改正により必要となる当該金銭の額の算定の基礎となるべき金額及び率並びに算定方法についての命令等その他当該法律の施行に関し必要な事項を定める命令等を定めようとするとき。

三 予算の定めるところにより金銭の給付決定を行うために必要となる当該金銭の額の算定の基礎となるべき金額及び率並びに算定方法その他の事項を定める命令等を定めようとするとき。

四 法律の規定により、内閣府設置法第四十九条第一項若しくは第二項若しくは国家行政組織法第三条第二項に規定する委員会又は内閣府設置法第三十七条若しくは第五十四条若しくは国家行政組織法第八条に規定する機関（以下「委員会等」という。）の議を経て定めることとされている命令等であって、相反する利害を有する者の間の利害の調整を目的として、法律又は政令の規定により、これらの者及び公益をそれぞれ代表する委員をもって組織される委員会等において審議を行うこととされているものとして政令で定める命令等を定めようとするとき。

五 他の行政機関が意見公募手続を実施して定めた命令等と実質的に同一の命令等を定めようとするとき。

六 法律の規定に基づき法令の規定の適用又は準用について必要な技術的読替えを定める命令等を定めようとするとき。

七 命令等を定める根拠となる法令の規定の削除に伴い当然必要とされる当該命令等の廃止をしようとするとき。

八 他の法令の制定又は改廃に伴い当然必要とされる規定の整理その他の意見公募手続を実施することを要しない軽微な変更として政令で定めるものを内容とする命令等を定めようとするとき。

（意見公募手続の特例）
第四十条 命令等制定機関は、命令等を定めようとする場合において、三十日以上の意見提出期間を定めることができないやむを得ない理由があるときは、前条第三項の規定にかかわらず、三十日を下回る意見提出期間を定めることができる。この場合においては、当該命令等の案の公示の際その理由を明らかにしなければならない。

2 命令等制定機関は、委員会等の議を経て命令等を定めようとする場合（前条第四項第四号に該当する場合を除く。）において、当該委員会等が意見公募手続に準じた手続を実施したときは、同条第一項の規定にかかわらず、自ら意見公募手続を実施することを要しない。

（意見公募手続の周知等）
第四十一条 命令等制定機関は、意見公募手続を実施して命令等を定めるに当たっては、必要に応じ、当該意見公募手続の実施について周知するよう努めるとともに、当該意見公募手続の実施に関連する情報の提供に努めるものとする。

（提出意見の考慮）
第四十二条 命令等制定機関は、意見公募手続を実施して命令等を定める場合には、意見提出期間内に当該命令等制定機関に対し提出された当該命令等の案についての意見（以下「提出意見」という。）を十分に考慮しなければならない。

（結果の公示等）
第四十三条 命令等制定機関は、意見公募手続を実施して命令等を定めた場合には、当該命令等の公布（公布をしないものにあっては、公にする行為。第五項において同じ。）と同時期に、次に掲げる事項を公示しなければならない。

一 命令等の題名

二 命令等の案の公示の日

三 提出意見（提出意見がなかった場合にあっては、その旨）

四 提出意見を考慮した結果（意見公募手続を実施した命令等の案と定めた命令等との差異を含む。）及びその理由

2 命令等制定機関は、前項の規定にかかわらず、必要に応じ、同項第三号の提出意見に代えて、当該提出意見を整理又は要約したものを公示することができる。この場合においては、当該公示の後遅滞なく、当該提出意見を当該命令等制定機関の事務所における備付けその他の適当な方法により公にしなければならない。

3 命令等制定機関は、前二項の規定により提出意見を公示し又は公にすることにより第三者の利益を害するおそれがあるとき、その他正当な理由があるときは、当該提出意見の全部又は

一部を除くことができる。

4　命令等制定機関は、意見公募手続を実施したにもかかわらず命令等を定めないこととした場合には、その旨（別の命令等の案について改めて意見公募手続を実施しようとする場合にあっては、その旨を含む。）並びに第一項第一号及び第二号に掲げる事項を速やかに公示しなければならない。

5　命令等制定機関は、第三十九条第四項各号のいずれかに該当することにより意見公募手続を実施しないで命令等を定めた場合には、当該命令等の公布と同時期に、次に掲げる事項を公示しなければならない。ただし、第一号に掲げる事項のうち命令等の趣旨については、同項第一号から第四号までのいずれかに該当することにより意見公募手続を実施しなかった場合において、当該命令等自体から明らかでないときに限る。

一　命令等の題名及び趣旨

二　意見公募手続を実施しなかった旨及びその理由

（準用）

第四十四条　第四十二条の規定は第四十条第二項に該当することにより命令等制定機関が自ら意見公募手続を実施しないで命令等を定める場合について、前条第一項から第三項までの規定は第四十条第二項に該当することにより命令等制定機関が自ら意見公募手続を実施しないで命令等を定めた場合について、前条第四項の規定は第四十条第二項に該当することにより命令等制定機関が自ら意見公募手続を実施しないで命令等を定めないこととした場合について準用する。この場合において、第四十二条中「当該命令等制定機関」とあるのは「委員会等」と、前条第一項第二号中「命令等の案の公示の日」とあるのは「委員会等が命令等の案について公示に準じた手続を実施した日」と、同項第四号中「意見公募手続を実施した」とあるのは「委員会等が意見公募手続に準じた手続を実施した」と読み替えるものとする。

（公示の方法）

第四十五条　第三十九条第一項並びに第四十三条第一項（前条において読み替えて準用する場合を含む。）、第四項（前条において準用する場合を含む。）及び第五項の規定による公示は、電子情報処理組織を使用する方法その他の情報通信の技術を利用する方法により行うものとする。

2　前項の公示に関し必要な事項は、総務大臣が定める。

第七章　補則

（地方公共団体の措置）

第四十六条　地方公共団体は、第三条第三項において第二章から前章までの規定を適用しないこととされた処分、行政指導及び届出並びに命令等を定める行為に関する手続について、この法律の規定の趣旨にのっとり、行政運営における公正の確保と透明性の向上を図るため必要な措置を講ずるよう努めなければならない。

附　則

（施行期日）

1　この法律は、公布の日から起算して一年を超えない範囲内において政令で定める日〔平六・一〇・一〕から施行する。

（経過措置）

2　この法律の施行前に第十五条第一項又は第三十条の規定による通知に相当する行為がされた場合においては、当該通知に相当する行為に係る不利益処分の手続に関しては、第三章の規定にかかわらず、なお従前の例による。

3　この法律の施行前に、届出その他政令で定める行為（以下「届出等」という。）がされた後一定期間内に限りすることができることとされている不利益処分に係る当該届出等がされた場合においては、当該不利益処分に係る手続に関しては、第三章の規定にかかわらず、なお従前の例による。

4　前二項に定めるもののほか、この法律の施行に関して必要な経過措置は、政令で定める。

㊟　次の法律の第四四条により行政手続法が改正されたが、公布の日から起算して三年を超えない範囲内において政令で定める日から施行となるため、一部改正法の形式で掲載した。

○デジタル社会の形成を図るための規制改革を推進するためのデジタル社会形成基本法等の一部を改正する法律

令五・六・一六
法　六三

（行政手続法の一部改正）

第四十四条　行政手続法（平成五年法律第八十八号）の一部を次のように改正する。

第十五条第一項中「名あて人」を「名宛人」に改め、同条第三項中「名あて人」を「名宛人」に、「その者の氏名、同項第三号及び第四号に掲げる事項並びに当該行政庁が同項各号に掲げる事項を記載した書面をいつでもその者に交付する旨を当該行政庁の事務所の掲示場に掲示すること」を「公示の方法」に改め、同項後段を削り、同条に次の一項を加える。

4　前項の公示の方法による通知は、不利益処分の名宛人となるべき者の氏名、第一項第三号及び第四号に掲げる事項並びに当該行政庁が同項各号に掲げる事項を記載した書面をいつでもその者に交付する旨（以下この項において「公示事項」という。）を総務省令で定める方法により不特定多数の者が閲覧することができる状態に置くとともに、公示事項が記載された書面を当該行政庁の事務所の掲示場に掲示し、又は公示事項を当該事務所に設置した電子計算機の映像面に表示したものの閲覧をすることができる状態に置く措置をとることによって行うものとする。この場合においては、当該措置を開始した日から二週間を経過したときに、当該通知がその者に到達したものとみなす。

第十六条第一項中「同条第三項後段」を「同条第四項後段」に改める。

第二十二条第三項中「第十五条第三項」及び「同条第三項」の下に「及び第四項」を加え、「名あて人」を「名宛人」に改め、「と、」の下に「同項中」を加え、「掲示を始めた日から二週間を経過した」を削り、「、掲示を始めた」を「、当該措置を開始した」に改める。

第三十一条中「第十五条第三項及び」の下に「第四項並びに」を加え、「同項第三号」を「同条第四項中「第一項第三号」に、「同条第三号」を「第三十条第三号」に、「同条第三項後段」を「同条第四項後段」に、「第十五条第三項後段」を「第十五条第四項後段」に改める。

附　則（抄）

（施行期日）

第一条　この法律は、公布の日から起算して一年を超えない範囲内において政令で定める日〔令六・四・一〕から施行する。ただし、次の各号に掲げる規定は、当該各号に定める日から施行する。

一　〔略〕

二　〔前略〕第四十四条〔中略〕の規定〔中略〕並びに次条〔中略〕の規定　公布の日から起算して三年を超えない範囲内において政令で定める日

（公示送達等の方法に関する経過措置）

第二条　次に掲げる法律の規定は、前条第二号に掲げる規定の施行の日以後にする公示送達、送達又は通知について適用し、同日前にした公示送達、送達又は通知については、なお従前の例による。

一～九　〔略〕

十　第四十四条の規定による改正後の行政手続法第十五条第三項及び第四項（これらの規定を同法又は他の法律において準用する場合を含む。）

十一～十五　〔略〕

○行政手続法施行令

平六・八・五
政令二六五

最終改正　令六・五・一七政令一八六

（申請に対する処分及び不利益処分に関する規定の適用が除外される法人）

第一条　行政手続法（以下「法」という。）第四条第二項第二号の政令で定める法人は、外国人技能実習機構、危険物保安技術協会、行政書士会、漁業共済組合連合会、金融経済教育推進機構、軽自動車検査協会、健康保険組合、健康保険組合連合会、原子力損害賠償・廃炉等支援機構、広域的運営推進機関、広域臨海環境整備センター、港務局、小型船舶検査機構、国民健康保険組合、国民健康保険団体連合会、国民年金基金、国民年金基金連合会、国家公務員共済組合、国家公務員共済組合連合会、市街地再開発組合、自動車安全運転センター、司法書士会、社会保険労務士会、住宅街区整備組合、商工会連合会、水害予防組合、水害予防組合連合、税理士会、石炭鉱業年金基金、全国健康保険協会、全国市町村職員共済組合連合会、全国社会保険労務士会連合会、脱炭素成長型経済構造移行推進機構、地方公務員共済組合、地方公務員共済組合連合会、地方公務員災害補償基金、地方住宅供給公社、地方道路公社、地方独立行政法人、中央職業能力開発協会、中央労働災害防止協会、中小企業団体中央会、土地開発公社、土地改良区、土地改良区連合、土地家屋調査士会、土地区画整理組合、都道府県職業能力開発協会、日本行政書士会連合会、日本銀行、日本下水道事業団、日本公認会計士協会、日本司法書士会連合会、日本商工会議所、日本税理士会連合会、日本赤十字社、日本土地家屋調査士会連合会、日本弁理士会、日本水先人会連合会、農業共済組合、農業共済組合連合会、農水産業協同組合貯金保険機構、防災街区整備事業組合、水先人会、預金保険機構及び労働災害防止協会とする。

（不利益処分をしようとする場合の手続を要しない処分）

第二条　法第十三条第二項第五号の政令で定める処分は、次に掲げる処分とする。

一　法令の規定により行政庁が交付する書類であって交付を受けた者の資格又は地位を証明するもの（以下この号において「証明書類」という。）について、法令の規定に従い、既に交付した証明書類の記載事項の訂正（追加を含む。以下この号において同じ。）をするためにその提出を命ずる処分及び訂正に代えて新たな証明書類の交付をする場合に既に交付した証明書類の返納を命ずる処分

二　届出をする場合に提出することが義務付けられている書類について、法令の規定に従い、当該書類が法令に定められた要件に適合することとなるようにその訂正を命ずる処分

（職員以外に聴聞を主宰することができる者）

第三条　法第十九条第一項の政令で定める者は、次に掲げる者とする。

一　法令に基づき審議会その他の合議制の機関の答申を受けて行うこととされている処分に係る聴聞にあっては、当該合議制の機関の構成員

二　保健師助産師看護師法（昭和二十三年法律第二百三号）第十四条第二項の規定による処分に係る聴聞にあっては、准看護師試験委員

三　歯科衛生士法（昭和二十三年法律第二百四号）第八条第一項の規定による処分に係る聴聞にあっては、歯科衛生士の業務に関する学識経験を有する者

四　医療法（昭和二十三年法律第二百五号）第二十三条の二、第二十四条第一項、第二十四条の二、第二十八条又は第二十九条第一項若しくは第二項の規定による処分に係る聴聞にあっては、診療に関する学識経験を有する者

（意見公募手続を実施することを要しない命令等）

第四条　法第三十九条第四項第四号の政令で定める命令等は、次に掲げる命令等とする。

一　健康保険法（大正十一年法律第七十号）第七十条第一項（同法第八十五条第九項、第八十五条の二第五項、第八十六条第四項、第百十条第七項及び第百四十九条において準用する場合を含む。）及び第三項、第七十二条第一項（同法第八

十五条第九項、第八十五条の二第五項、第八十六条第四項、第百十条第七項及び第百四十九条において準用する場合を含む。）並びに第九十二条第二項（指定訪問看護の取扱いに係る部分に限り、同法第百十一条第三項及び第百四十九条において準用する場合を含む。）の命令等

二　船員保険法（昭和十四年法律第七十三号）第五十四条第二項（同法第六十一条第七項、第六十二条第四項、第六十三条第四項及び第七十六条第六項において準用する場合を含む。）及び第六十五条第十項（同法第七十八条第三項において準用する場合を含む。）の命令等

三　労働基準法（昭和二十二年法律第四十九号）第三十二条の四第三項及び第三十八条の四第三項（同法第四十一条の二第三項において準用する場合を含む。）の命令等

四　労働者災害補償保険法（昭和二十二年法律第五十号）第七条第一項第二号、第二項第二号及び第三号並びに第三項、第八条第二項及び第三項、第八条の二第一項第二号（同号の厚生労働省令に係る部分に限る。）、第二項各号（同法第八条の三第二項において準用する場合を含む。）及び第三項（同法第八条の二第四項（同法第八条の三第二項において準用する場合を含む。）、第八条の三第一項第二号（同号の厚生労働省令に係る部分に限り、同法第八条の四において準用する場合を含む。）、第十二条の二、第十二条の七、第十二条の八第三項第二号及び第四項、第十三条第三項（同法第二十条の三第二項及び第二十二条第二項において準用する場合を含む。）、第十四条第二項（同法第二十条の四第二項及び第二十二条の二第二項において準用する場合を含む。）、第十四条の二（同法第二十条の四第二項及び第二十二条の二第二項において準用する場合を含む。）、第十五条第一項、第十五条の二（同法第二十条の五第三項及び第二十二条の三第三項において準用する場合を含む。）、第十六条の二第一項第四号（同法第二十条の六第三項及び第二十二条の四第三項において準用する場合を含む。）、第十七条（同法第二十条の七第二項及び第二十二条の五第二項において準用する場合を含む。）、第十八条の二（同法第二十条の八第二項及び第二十三条第二項において準用する場合を含む。）、第十九条の二（同法第二十条の九第二項及び第二十四条第二項において準用する場合を含む。）、第二十条、第二十条の三第一項、第二十条の十、第二十二条第一項、第二十五条、第二十六条第一項及び第二項第一号、第二十七条、第二十八条、第二十九条第二項、第三十一条第一項から第三項まで、第三十三条第一号、第三号及び第五号から第七号まで、第三十四条第一項第三号（同法第三十六条第一項第二号において準用する場合を含む。）、第三十五条第一項、第三十七条、第四十六条、第四十七条、第四十九条第一項、第五十条、第五十八条第一項、第五十九条第二項及び第三項（同法第六十条の三第三項及び第六十二条第三項において準用する場合を含む。）、第六十条第二項、第三項（同法第六十条の四第四項及び第六十三条第三項において準用する場合を含む。）及び第四項（同法第六十三条第三項において準用する場合を含む。）並びに第六十条の二第一項、同法第六十条の四第三項において読み替えて適用する同法第二十条の六第三項の規定により読み替えられた同法第十六条の六第一項第二号並びに同法第六十一条第一項、第六十四条第二項及び別表第一各号（同法第二十条の五第三項、第二十条の六第三項、第二十条の八第二項、第二十二条の三第三項、第二十二条の四第三項及び第二十三条第二項において準用する場合を含む。）の命令等

五　国民健康保険法（昭和三十三年法律第百九十二号）第四十条第二項（同法第五十二条第六項、第五十二条の二第三項、第五十三条第三項及び第五十四条の三第二項において準用する場合を含む。）及び第五十四条の二第十項（同法第五十四条の三第二項において準用する場合を含む。）の命令等

六　労働施策の総合的な推進並びに労働者の雇用の安定及び職業生活の充実等に関する法律（昭和四十一年法律第百三十二号）第三十条の二第三項の命令等

七　労働保険の保険料の徴収等に関する法律（昭和四十四年法律第八十四号）第二条第二項、第四条の二、第七条第三号及び第五号、第八条第一項、第九条、第十一条第三項、第十二条第二項、第三項及び第五項、第十二条の二、第十三条、第十四条第一項、第十四条の二第一項、第十五条第一項及び第二項、第十六条（同法附則第五条において準用する場合を含む。）、第十七条第二項（同法第二十条第四項及び第二十一条第三項において準用する場合を含む。）、第十八条、第十九条第一項、第二項、第五項及び第六項、第二十条第一項（同条第二項において準用する場合を含む。）及び第三項、第二十一条の二、第二十二条第五項（同項の第一級保険料日額、第二級保険料日額及び第三級保険料日額の変更に係る部分に限る。）、第三十三条第一項、第三十六条、第三十九条、第四十二条並びに第四十五条の二の命令等

八　高年齢者等の雇用の安定等に関する法律（昭和四十六年法律第六十八号）第二十二条第四号、第二十四条第一項第三号及び第二十五条第一項（同項の計画に係る部分に限る。）の命令等

九　雇用の分野における男女の均等な機会及び待遇の確保等に関する法律（昭和四十七年法律第百十三号）第十条第一項、第十一条第四項、第十一条の三第三項及び第十三条第二項の命令等

十　雇用保険法（昭和四十九年法律第百十六号）第十条の四第一項、第十三条第一項及び第三項、第十八条第三項、第二十条第一項（同項の厚生労働省令で定める理由に係る部分に限る。）及び第二項（同項の厚生労働省令で定める理由に係る部分に限る。）、第二十条の二（同条の厚生労働省令で定める事業及び厚生労働省令で定める者に係る部分に限る。）、第二十二条第二項、第二十四条の二第一項（同項第二号の厚生労働大臣が指定する地域に係る部分を除く。）、第二十五条第一項（同項の政令で定める基準に係る部分に限る。）及び第三項、第二十六条第二項、第二十七条第一項（同項の政令で定める基準に係る部分に限る。）及び第二項、第二十九条第二項、第三十二条第三項（同法第三十七条の四第六項及び第四十条第四項において準用する場合を含む。）、第三十三条第二項（同法第三十七条の四第六項及び第四十条第四項において準用する場合を含む。）、第三十七条の三第一項、第三十七条の五第一項第三号、第三十八条第一項第二号、第三十九条第一項、第五十二条第二項（同法第五十五条第四項において準用する場合を含む。）、第五十六条の三第一項（同項の厚生労

働省令で定める基準に係る部分及び同項第二号の就職が困難な者として厚生労働省令で定めるものに係る部分に限る。）、第六十一条の四第一項（同項の厚生労働省令で定める理由に係る部分に限る。）、第六十一条の七第一項（同項（同条第四項の規定により読み替えて適用する場合を含む。）の厚生労働省令で定める理由に係る部分及び同条第四項の規定により読み替えて適用する同条第一項の厚生労働省令で定める日に係る部分に限る。）及び第二項並びに第六十一条の八第一項（同項の厚生労働省令で定める理由に係る部分に限る。）の命令等並びに同法の施行に関する重要事項に係る命令等

十一　高齢者の医療の確保に関する法律（昭和五十七年法律第八十号）第七十一条第一項（同項の療養の給付の取扱い及び担当に関する基準に係る部分に限る。）、第七十四条第四項、第七十五条第四項、第七十六条第三項及び第七十九条第一項（指定訪問看護の取扱いに係る部分に限る。）の命令等

十二　労働者派遣事業の適正な運営の確保及び派遣労働者の保護等に関する法律（昭和六十年法律第八十八号）第四条第一項第三号、第三十五条の四第一項並びに第四十条の二第一項第二号、第四号及び第五号の命令等

十三　育児休業、介護休業等育児又は家族介護を行う労働者の福祉に関する法律（平成三年法律第七十六号）第二条第一号及び第三号から第五号まで、第五条第二項、第三項及び第四項第二号、第六条第一項第二号（同法第九条の三第二項、第十二条第二項、第十六条の三第二項及び第十六条の六第二項において準用する場合を含む。）及び第三項、第七条第二項及び第三項（同法第九条の四及び第十三条において準用する場合を含む。）、第八条第三項及び第四項（同法第九条の四及び第十四条第三項において準用する場合を含む。）、第九条第二項第一号、第九条の三第三項及び第四項第一号、第九条の五第二項、第四項、第五項及び第六項第一号、第十条、第十二条第三項、第十五条第三項第一号、第十六条の二第一項及び第二項、第十六条の五第一項及び第二項、第十六条の八第一項第二号（同法第十六条の九第一項において準用する場合を含む。）、第三項（同法第十六条の九第一項において準用する場合を含む。）及び第四項第一号（同法第十六条の九第一項において準用する場合を含む。）、第十七条第一項第二号（同法第十八条第一項において準用する場合を含む。）、第三項（同法第十八条第一項において準用する場合を含む。）及び第四項第一号（同法第十八条第一項において準用する場合を含む。）、第十九条第一項第二号（同法第二十条第一項において準用する場合を含む。）及び第三号（同法第二十条第一項において準用する場合を含む。）、第三項（同法第二十条第一項において準用する場合を含む。）並びに第四項第一号（同法第二十条第一項において準用する場合を含む。）、第二十一条第一項、第二十二条第一項第三号、第二十二条の二、第二十三条第一項から第三項まで、第二十五条第一項並びに第二十八条の命令等並びに同法の施行に関する重要事項に係る命令等

十四　短時間労働者及び有期雇用労働者の雇用管理の改善等に関する法律（平成五年法律第七十六号）第十五条第一項の命令等

2　法第三十九条第四項第八号の政令で定める軽微な変更は、次に掲げるものとする。

一　他の法令の制定又は改廃に伴い当然必要とされる規定の整理

二　前号に掲げるもののほか、用語の整理、条、項又は号の繰上げ又は繰下げその他の形式的な変更

附　則

（施行期日）

第一条　この政令は、法の施行の日から施行する。

（雇用保険法に係る意見公募手続を実施することを要しない命令等に関する特例）

第二条　雇用保険法附則第四条第二項の規定の適用がある場合における第四条第一項第十号の規定の適用については、同号中「の命令等」とあるのは、「並びに附則第四条第一項の命令等」とする。

2　雇用保険法附則第五条第四項の規定の適用がある場合における第四条第一項第十号の規定の適用については、同号中「の命令等」とあるのは、「並びに附則第五条第一項（同項の厚生労働大臣が指定する地域に係る部分を除く。）の命令等」とする。

3　雇用保険法附則第十条第二項の規定の適用がある場合における第四条第一項第十号の規定の適用については、同号中「の命令等」とあるのは、「並びに附則第十条第一項の規定により読み替えて適用する同法第五十七条第二項（同項の厚生労働省令で定める者に係る部分に限る。）の命令等」とする。

4　雇用保険法附則第十一条の二第一項の規定の適用がある場合における第四条第一項第十号の規定の適用については、同号中「の命令等」とあるのは、「並びに附則第十一条の二第一項（同項の厚生労働省令で定める者に係る部分に限る。）の命令等」とする。

○行政機関の保有する情報の公開に関する法律

平一一・五・一四
法　四　二

最終改正　令三・五・一九法三七

目次（略）

第一章　総則

（目的）

第一条　この法律は、国民主権の理念にのっとり、行政文書の開示を請求する権利につき定めること等により、行政機関の保有する情報の一層の公開を図り、もって政府の有するその諸活動を国民に説明する責務が全うされるようにするとともに、国民の的確な理解と批判の下にある公正で民主的な行政の推進に資することを目的とする。

（定義）

第二条　この法律において「行政機関」とは、次に掲げる機関をいう。

一　法律の規定に基づき内閣に置かれる機関（内閣府を除く。）及び内閣の所轄の下に置かれる機関

二　内閣府、宮内庁並びに内閣府設置法（平成十一年法律第八十九号）第四十九条第一項及び第二項に規定する機関（これらの機関のうち第四号の政令で定める機関が置かれる機関にあっては、当該政令で定める機関を除く。）

三　国家行政組織法（昭和二十三年法律第百二十号）第三条第二項に規定する機関（第五号の政令で定める機関が置かれる機関にあっては、当該政令で定める機関を除く。）

四　内閣府設置法第三十九条及び第五十五条並びに宮内庁法（昭和二十二年法律第七十号）第十六条第二項の機関並びに内閣府設置法第四十条及び第五十六条（宮内庁法第十八条第一項において準用する場合を含む。）の特別の機関で、政令で定めるもの

五　国家行政組織法第八条の二の施設等機関及び同法第八条の三の特別の機関で、政令で定めるもの

六　会計検査院

2　この法律において「行政文書」とは、行政機関の職員が職務上作成し、又は取得した文書、図画及び電磁的記録（電子的方式、磁気的方式その他人の知覚によっては認識することができない方式で作られた記録をいう。以下同じ。）であって、当該行政機関の職員が組織的に用いるものとして、当該行政機関が保有しているものをいう。ただし、次に掲げるものを除く。

一　官報、白書、新聞、雑誌、書籍その他不特定多数の者に販売することを目的として発行されるもの

二　公文書等の管理に関する法律（平成二十一年法律第六十六号）第二条第七項に規定する特定歴史公文書等

三　政令で定める研究所その他の施設において、政令で定めるところにより、歴史的若しくは文化的な資料又は学術研究用の資料として特別の管理がされているもの（前号に掲げるものを除く。）

第二章　行政文書の開示

（開示請求権）

第三条　何人も、この法律の定めるところにより、行政機関の長（前条第一項第四号及び第五号の政令で定める機関にあっては、その機関ごとに政令で定める者をいう。以下同じ。）に対し、当該行政機関の保有する行政文書の開示を請求することができる。

（開示請求の手続）

第四条　前条の規定による開示の請求（以下「開示請求」という。）は、次に掲げる事項を記載した書面（以下「開示請求書」という。）を行政機関の長に提出してしなければならない。

一　開示請求をする者の氏名又は名称及び住所又は居所並びに法人その他の団体にあっては代表者の氏名

二　行政文書の名称その他の開示請求に係る行政文書を特定するに足りる事項

2　行政機関の長は、開示請求書に形式上の不備があると認めるときは、開示請求をした者（以下「開示請求者」という。）に対し、相当の期間を定めて、その補正を求めることができる。この場合において、行政機関の長は、開示請求者に対し、補正の参考となる情報を提供するよう努めなければならない。

（行政文書の開示義務）

第五条　行政機関の長は、開示請求があったときは、開示請求に係る行政文書に次の各号に掲げる情報（以下「不開示情報」という。）のいずれかが記録されている場合を除き、開示請求者に対し、当該行政文書を開示しなければならない。

一　個人に関する情報（事業を営む個人の当該事業に関する情報を除く。）であって、当該情報に含まれる氏名、生年月日その他の記述等（文書、図画若しくは電磁的記録に記載され、若しくは記録され、又は音声、動作その他の方法を用いて表された一切の事項をいう。次条第二項において同じ。）により特定の個人を識別することができるもの（他の情報と照合することにより、特定の個人を識別することができることとなるものを含む。）又は特定の個人を識別することはできないが、公にすることにより、なお個人の権利利益を害するおそれがあるもの。ただし、次に掲げる情報を除く。

イ　法令の規定により又は慣行として公にされ、又は公にすることが予定されている情報

ロ　人の生命、健康、生活又は財産を保護するため、公にすることが必要であると認められる情報

ハ　当該個人が公務員等（国家公務員法（昭和二十二年法律第百二十号）第二条第一項に規定する国家公務員（独立行政法人通則法（平成十一年法律第百三号）第二条第四項に規定する行政執行法人の役員及び職員を除く。）、独立行政法人等（独立行政法人等の保有する情報の公開に関する法律（平成十三年法律第百四十号。以下「独立行政法人等情報公開法」という。）第二条第一項に規定する独立行政法人等をいう。以下同じ。）の役員及び職員、地方公務員法（昭和二十五年法律第二百六十一号）第二条に規定する地方公務員並びに地方独立行政法人（地方独立行政法人法（平成十五年法律第百十八号）第二条第一項に規定する地

方独立行政法人をいう。以下同じ。）の役員及び職員をいう。）である場合において、当該情報がその職務の遂行に係る情報であるときは、当該情報のうち、当該公務員等の職及び当該職務遂行の内容に係る部分

一の二　個人情報の保護に関する法律（平成十五年法律第五十七号）第六十条第三項に規定する行政機関等匿名加工情報（同条第四項に規定する行政機関等匿名加工情報ファイルを構成するものに限る。以下この号において「行政機関等匿名加工情報」という。）又は行政機関等匿名加工情報の作成に用いた同条第一項に規定する保有個人情報から削除した同法第二条第一項第一号に規定する記述等若しくは同条第二項に規定する個人識別符号

二　法人その他の団体（国、独立行政法人等、地方公共団体及び地方独立行政法人を除く。以下「法人等」という。）に関する情報又は事業を営む個人の当該事業に関する情報であって、次に掲げるもの。ただし、人の生命、健康、生活又は財産を保護するため、公にすることが必要であると認められる情報を除く。

イ　公にすることにより、当該法人等又は当該個人の権利、競争上の地位その他正当な利益を害するおそれがあるもの

ロ　行政機関の要請を受けて、公にしないとの条件で任意に提供されたものであって、法人等又は個人における通例として公にしないこととされているものその他の当該条件を付することが当該情報の性質、当時の状況等に照らして合理的であると認められるもの

三　公にすることにより、国の安全が害されるおそれ、他国若しくは国際機関との信頼関係が損なわれるおそれ又は他国若しくは国際機関との交渉上不利益を被るおそれがあると行政機関の長が認めることにつき相当の理由がある情報

四　公にすることにより、犯罪の予防、鎮圧又は捜査、公訴の維持、刑の執行その他の公共の安全と秩序の維持に支障を及ぼすおそれがあると行政機関の長が認めることにつき相当の理由がある情報

五　国の機関、独立行政法人等、地方公共団体及び地方独立行政法人の内部又は相互間における審議、検討又は協議に関する情報であって、公にすることにより、率直な意見の交換若しくは意思決定の中立性が不当に損なわれるおそれ、不当に国民の間に混乱を生じさせるおそれ又は特定の者に不当に利益を与え若しくは不利益を及ぼすおそれがあるもの

六　国の機関、独立行政法人等、地方公共団体又は地方独立行政法人が行う事務又は事業に関する情報であって、公にすることにより、次に掲げるおそれその他当該事務又は事業の性質上、当該事務又は事業の適正な遂行に支障を及ぼすおそれがあるもの

イ　監査、検査、取締り、試験又は租税の賦課若しくは徴収に係る事務に関し、正確な事実の把握を困難にするおそれ又は違法若しくは不当な行為を容易にし、若しくはその発見を困難にするおそれ

ロ　契約、交渉又は争訟に係る事務に関し、国、独立行政法人等、地方公共団体又は地方独立行政法人の財産上の利益又は当事者としての地位を不当に害するおそれ

ハ　調査研究に係る事務に関し、その公正かつ能率的な遂行を不当に阻害するおそれ

ニ　人事管理に係る事務に関し、公正かつ円滑な人事の確保に支障を及ぼすおそれ

ホ　独立行政法人等、地方公共団体が経営する企業又は地方独立行政法人に係る事業に関し、その企業経営上の正当な利益を害するおそれ

（部分開示）

第六条　行政機関の長は、開示請求に係る行政文書の一部に不開示情報が記録されている場合において、不開示情報が記録されている部分を容易に区分して除くことができるときは、開示請求者に対し、当該部分を除いた部分につき開示しなければならない。ただし、当該部分を除いた部分に有意の情報が記録されていないと認められるときは、この限りでない。

2　開示請求に係る行政文書に前条第一号の情報（特定の個人を識別することができるものに限る。）が記録されている場合において、当該情報のうち、氏名、生年月日その他の特定の個人を識別することができることとなる記述等の部分を除くことにより、公にしても、個人の権利利益が害されるおそれがないと認められるときは、当該部分を除いた部分は、同号の情報に含まれないものとみなして、前項の規定を適用する。

（公益上の理由による裁量的開示）

第七条　行政機関の長は、開示請求に係る行政文書に不開示情報（第五条第一号の二に掲げる情報を除く。）が記録されている場合であっても、公益上特に必要があると認めるときは、開示請求者に対し、当該行政文書を開示することができる。

（行政文書の存否に関する情報）

第八条　開示請求に対し、当該開示請求に係る行政文書が存在しているか否かを答えるだけで、不開示情報を開示することとなるときは、行政機関の長は、当該行政文書の存否を明らかにしないで、当該開示請求を拒否することができる。

（開示請求に対する措置）

第九条　行政機関の長は、開示請求に係る行政文書の全部又は一部を開示するときは、その旨の決定をし、開示請求者に対し、その旨及び開示の実施に関し政令で定める事項を書面により通知しなければならない。

2　行政機関の長は、開示請求に係る行政文書の全部を開示しないとき（前条の規定により開示請求を拒否するとき及び開示請求に係る行政文書を保有していないときを含む。）は、開示をしない旨の決定をし、開示請求者に対し、その旨を書面により通知しなければならない。

（開示決定等の期限）

第十条　前条各項の決定（以下「開示決定等」という。）は、開示請求があった日から三十日以内にしなければならない。ただし、第四条第二項の規定により補正を求めた場合にあっては、当該補正に要した日数は、当該期間に算入しない。

2　前項の規定にかかわらず、行政機関の長は、事務処理上の困難その他正当な理由があるときは、同項に規定する期間を三十日以内に限り延長することができる。この場合において、行政機関の長は、開示請求者に対し、遅滞なく、延長後の期間及び延長の理由を書面により通知しなければならない。

（開示決定等の期限の特例）

第十一条　開示請求に係る行政文書が著しく大量であるため、開示請求があった日から六十日以内にそのすべてについて開示決

定等をすることにより事務の遂行に著しい支障が生ずるおそれがある場合には、前条の規定にかかわらず、行政機関の長は、開示請求に係る行政文書のうちの相当の部分につき当該期間内に開示決定等をし、残りの行政文書については相当の期間内に開示決定等をすれば足りる。この場合において、行政機関の長は、同条第一項に規定する期間内に、開示請求者に対し、次に掲げる事項を書面により通知しなければならない。

一 本条を適用する旨及びその理由

二 残りの行政文書について開示決定等をする期限

（事案の移送）

第十二条 行政機関の長は、開示請求に係る行政文書が他の行政機関により作成されたものであるときその他他の行政機関の長において開示決定等をすることにつき正当な理由があるときは、当該他の行政機関の長と協議の上、当該他の行政機関の長に対し、事案を移送することができる。この場合においては、移送をした行政機関の長は、開示請求者に対し、事案を移送した旨を書面により通知しなければならない。

2 前項の規定により事案が移送されたときは、移送を受けた行政機関の長において、当該開示請求についての開示決定等をしなければならない。この場合において、移送をした行政機関の長が移送前にした行為は、移送を受けた行政機関の長がしたものとみなす。

3 前項の場合において、移送を受けた行政機関の長が第九条第一項の決定（以下「開示決定」という。）をしたときは、当該行政機関の長は、開示の実施をしなければならない。この場合において、移送をした行政機関の長は、当該開示の実施に必要な協力をしなければならない。

（独立行政法人等への事案の移送）

第十二条の二 行政機関の長は、開示請求に係る行政文書が独立行政法人等により作成されたものであるときその他独立行政法人等において独立行政法人等情報公開法第十条第一項に規定する開示決定等をすることにつき正当な理由があるときは、当該独立行政法人等と協議の上、当該独立行政法人等に対し、事案を移送することができる。この場合においては、移送をした行政機関の長は、開示請求者に対し、事案を移送した旨を書面により通知しなければならない。

2 前項の規定により事案が移送されたときは、当該事案については、行政文書を移送を受けた独立行政法人等が保有する独立行政法人等情報公開法第二条第二項に規定する法人文書と、開示請求を移送を受けた独立行政法人等に対する独立行政法人等情報公開法第四条第一項に規定する開示請求とみなして、独立行政法人等情報公開法の規定を適用する。この場合において、独立行政法人等情報公開法第十条第一項中「第四条第二項」とあるのは「行政機関の保有する情報の公開に関する法律（平成十一年法律第四十二号）第四条第二項」と、独立行政法人等情報公開法第十七条第一項中「開示請求をする者又は法人文書」とあるのは「法人文書」と、「により、それぞれ」とあるのは「により」と、「開示請求に係る手数料又は開示」とあるのは「開示」とする。

3 第一項の規定により事案が移送された場合において、移送を受けた独立行政法人等が開示の実施をするときは、移送をした行政機関の長は、当該開示の実施に必要な協力をしなければならない。

（第三者に対する意見書提出の機会の付与等）

第十三条 開示請求に係る行政文書に国、独立行政法人等、地方公共団体、地方独立行政法人及び開示請求者以外の者（以下この条、第十九条第二項及び第二十条第一項において「第三者」という。）に関する情報が記録されているときは、行政機関の長は、開示決定等をするに当たって、当該情報に係る第三者に対し、開示請求に係る行政文書の表示その他政令で定める事項を通知して、意見書を提出する機会を与えることができる。

2 行政機関の長は、次の各号のいずれかに該当するときは、開示決定に先立ち、当該第三者に対し、開示請求に係る行政文書の表示その他政令で定める事項を書面により通知して、意見書を提出する機会を与えなければならない。ただし、当該第三者の所在が判明しない場合は、この限りでない。

一 第三者に関する情報が記録されている行政文書を開示しようとする場合であって、当該情報が第五条第一号ロ又は同条第二号ただし書に規定する情報に該当すると認められるとき。

二 第三者に関する情報が記録されている行政文書を第七条の規定により開示しようとするとき。

3 行政機関の長は、前二項の規定により意見書の提出の機会を与えられた第三者が当該行政文書の開示に反対の意思を表示した意見書を提出した場合において、開示決定をするときは、開示決定の日と開示を実施する日との間に少なくとも二週間を置かなければならない。この場合において、行政機関の長は、開示決定後直ちに、当該意見書（第十九条において「反対意見書」という。）を提出した第三者に対し、開示決定をした旨及びその理由並びに開示を実施する日を書面により通知しなければならない。

（開示の実施）

第十四条 行政文書の開示は、文書又は図画については閲覧又は写しの交付により、電磁的記録についてはその種別、情報化の進展状況等を勘案して政令で定める方法により行う。ただし、閲覧の方法による行政文書の開示にあっては、行政機関の長は、当該行政文書の保存に支障を生ずるおそれがあると認めるときその他正当な理由があるときは、その写しにより、これを行うことができる。

2 開示決定に基づき行政文書の開示を受ける者は、政令で定めるところにより、当該開示決定をした行政機関の長に対し、その求める開示の実施の方法その他の政令で定める事項を申し出なければならない。

3 前項の規定による申出は、第九条第一項に規定する通知があった日から三十日以内にしなければならない。ただし、当該期間内に当該申出をすることができないことにつき正当な理由があるときは、この限りでない。

4 開示決定に基づき行政文書の開示を受けた者は、最初に開示を受けた日から三十日以内に限り、行政機関の長に対し、更に開示を受ける旨を申し出ることができる。この場合においては、前項ただし書の規定を準用する。

（他の法令による開示の実施との調整）

第十五条 行政機関の長は、他の法令の規定により、何人にも開示請求に係る行政文書が前条第一項本文に規定する方法と同一の方法で開示することとされている場合（開示の期間が定めれている場合にあっては、当該期間内に限る。）には、同項本文の規定にかかわらず、当該行政文書については、当該同一の方法による開示を行わない。ただし、当該他の法令の規定に一定の場合には開示をしない旨の定めがあるときは、この限りでない。

2　他の法令の規定に定める開示の方法が縦覧であるときは、当該縦覧を前条第一項本文の閲覧とみなして、前項の規定を適用する。

（手数料）

第十六条　開示請求をする者又は行政文書の開示を受ける者は、政令で定めるところにより、それぞれ、実費の範囲内において政令で定める額の開示請求に係る手数料又は開示の実施に係る手数料を納めなければならない。

2　前項の手数料の額を定めるに当たっては、できる限り利用しやすい額とするよう配慮しなければならない。

3　行政機関の長は、経済的困難その他特別の理由があると認めるときは、政令で定めるところにより、第一項の手数料を減額し、又は免除することができる。

（権限又は事務の委任）

第十七条　行政機関の長は、政令（内閣の所轄の下に置かれる機関及び会計検査院にあっては、当該機関の命令）で定めるところにより、この章に定める権限又は事務を当該行政機関の職員に委任することができる。

第三章　審査請求等

（審理員による審理手続に関する規定の適用除外等）

第十八条　開示決定等又は開示請求に係る不作為に係る審査請求については、行政不服審査法（平成二十六年法律第六十八号）第九条、第十七条、第二十四条、第二章第三節及び第四節並びに第五十条第二項の規定は、適用しない。

2　開示決定等又は開示請求に係る不作為に係る審査請求についての行政不服審査法第二章の規定の適用については、同法第十一条第二項中「第九条第一項の規定により指名された者（以下「審理員」という。）」とあるのは「第四条（行政機関の保有する情報の公開に関する法律（平成十一年法律第四十二号）第二十条第二項の規定に基づく政令を含む。）の規定により引継ぎを受けた行政庁を含む。以下「審査庁」という。）」と、同法第十三条第一項及び第二項中「審理員」とあるのは「審査庁」と、同法第二十五条第七項中「あったとき、又は審理員から第四十条に規定する執行停止をすべき旨の意見書が提出されたとき」とあるのは「あったとき」と、同法第四十四条中「行政不服審査会等」とあるのは「情報公開・個人情報保護審査会（審査庁が会計検査院の長である場合にあっては、別に法律で定める審査会。第五十条第一項第四号において同じ。）」と、「受けたとき（前条第一項の規定による諮問を要しない場合（同項第二号又は第三号に該当する場合を除く。）にあっては審理員意見書が提出されたとき、同項第二号又は第三号に該当する場合にあっては同項第二号又は第三号に規定する議を経たとき）」とあるのは「受けたとき」と、同法第五十条第一項第四号中「審理員意見書又は行政不服審査会等若しくは審議会等」とあるのは「情報公開・個人情報保護審査会」とする。

（審査会への諮問）

第十九条　開示決定等又は開示請求に係る不作為について審査請求があったときは、当該審査請求に対する裁決をすべき行政機関の長は、次の各号のいずれかに該当する場合を除き、情報公開・個人情報保護審査会（審査請求に対する裁決をすべき行政機関の長が会計検査院の長である場合にあっては、別に法律で定める審査会）に諮問しなければならない。

一　審査請求が不適法であり、却下する場合

二　裁決で、審査請求の全部を認容し、当該審査請求に係る行政文書の全部を開示することとする場合（当該行政文書の開示について反対意見書が提出されている場合を除く。）

2　前項の規定により諮問をした行政機関の長は、次に掲げる者に対し、諮問をした旨を通知しなければならない。

一　審査請求人及び参加人（行政不服審査法第十三条第四項に規定する参加人をいう。以下この項及び次条第一項第二号において同じ。）

二　開示請求者（開示請求者が審査請求人又は参加人である場合を除く。）

三　当該審査請求に係る行政文書の開示について反対意見書を提出した第三者（当該第三者が審査請求人又は参加人である場合を除く。）

（第三者からの審査請求を棄却する場合等における手続等）

第二十条　第十三条第三項の規定は、次の各号のいずれかに該当する裁決をする場合について準用する。

一　開示決定に対する第三者からの審査請求を却下し、又は棄却する裁決

二　審査請求に係る開示決定等（開示請求に係る行政文書の全部を開示する旨の決定を除く。）を変更し、当該審査請求に係る行政文書を開示する旨の裁決（第三者である参加人が当該行政文書の開示に反対の意思を表示している場合に限る。）

2　開示決定等又は開示請求に係る不作為についての審査請求については、政令で定めるところにより、行政不服審査法第四条の規定の特例を設けることができる。

（訴訟の移送の特例）

第二十一条　行政事件訴訟法（昭和三十七年法律第百三十九号）第十二条第四項の規定により同項に規定する特定管轄裁判所に開示決定等の取消しを求める訴訟又は開示決定等若しくは開示請求に係る不作為に係る審査請求に対する裁決の取消しを求める訴訟（次項及び附則第二項において「情報公開訴訟」という。）が提起された場合においては、同法第十二条第五項の規定にかかわらず、他の裁判所に同一又は同種若しくは類似の行政文書に係る開示決定等若しくは開示請求に係る不作為に係る審査請求に対する裁決に係る抗告訴訟（同法第三条第一項に規定する抗告訴訟をいう。次項において同じ。）が係属しているときは、当該特定管轄裁判所は、当事者の住所又は所在地、尋問を受けるべき証人の住所、争点又は証拠の共通性その他の事情を考慮して、相当と認めるときは、申立てにより又は職権で、訴訟の全部又は一部について、当該他の裁判所又は同法第十二条第一項から第三項までに定める裁判所に移送することができる。

2　前項の規定は、行政事件訴訟法第十二条第四項の規定により同項に規定する特定管轄裁判所に開示決定等又は開示決定等若

しくは開示請求に係る不作為に係る審査請求に対する裁決に係る抗告訴訟で情報公開訴訟以外のものが提起された場合について準用する。

第四章　補則

（開示請求をしようとする者に対する情報の提供等）

第二十二条　行政機関の長は、開示請求をしようとする者が容易かつ的確に開示請求をすることができるよう、公文書等の管理に関する法律第七条第二項に規定するもののほか、当該行政機関が保有する行政文書の特定に資する情報の提供その他開示請求をしようとする者の利便を考慮した適切な措置を講ずるものとする。

2　総務大臣は、この法律の円滑な運用を確保するため、開示請求に関する総合的な案内所を整備するものとする。

（施行の状況の公表）

第二十三条　総務大臣は、行政機関の長に対し、この法律の施行の状況について報告を求めることができる。

2　総務大臣は、毎年度、前項の報告を取りまとめ、その概要を公表するものとする。

（行政機関の保有する情報の提供に関する施策の充実）

第二十四条　政府は、その保有する情報の公開の総合的な推進を図るため、行政機関の保有する情報が適時に、かつ、適切な方法で国民に明らかにされるよう、行政機関の保有する情報の提供に関する施策の充実に努めるものとする。

（地方公共団体の情報公開）

第二十五条　地方公共団体は、この法律の趣旨にのっとり、その保有する情報の公開に関し必要な施策を策定し、及びこれを実施するよう努めなければならない。

（政令への委任）

第二十六条　この法律に定めるもののほか、この法律の実施のため必要な事項は、政令で定める。

附　則

1　この法律は、公布の日から起算して二年を超えない範囲内において政令で定める日〔平一三・四・一〕から施行する。ただし、第二十三条第一項中両議院の同意を得ることに関する部分、第四十条から第四十二条まで及び次項の規定は、公布の日から施行する。

2　政府は、この法律の施行後四年を目途として、この法律の施行の状況及び情報公開訴訟の管轄の在り方について検討を加え、その結果に基づいて必要な措置を講ずるものとする。

○個人情報の保護に関する法律

平一五・五・三〇
法　五　七

最終改正　令六・六・二一法六〇

目次〔略〕

第一章　総則

（目的）

第一条　この法律は、デジタル社会の進展に伴い個人情報の利用が著しく拡大していることに鑑み、個人情報の適正な取扱いに関し、基本理念及び政府による基本方針の作成その他の個人情報の保護に関する施策の基本となる事項を定め、国及び地方公共団体の責務等を明らかにし、個人情報を取り扱う事業者及び行政機関等についてこれらの特性に応じて遵守すべき義務等を定めるとともに、個人情報保護委員会を設置することにより、行政機関等の事務及び事業の適正かつ円滑な運営を図り、並びに個人情報の適正かつ効果的な活用が新たな産業の創出並びに活力ある経済社会及び豊かな国民生活の実現に資するものであることその他の個人情報の有用性に配慮しつつ、個人の権利利益を保護することを目的とする。

（定義）

第二条　この法律において「個人情報」とは、生存する個人に関する情報であって、次の各号のいずれかに該当するものをいう。

一　当該情報に含まれる氏名、生年月日その他の記述等（文書、図画若しくは電磁的記録（電磁的方式（電子的方式、磁気的方式その他人の知覚によっては認識することができない方式をいう。次項第二号において同じ。）で作られる記録をいう。以下同じ。）に記載され、若しくは記録され、又は音声、動作その他の方法を用いて表された一切の事項（個人識別符号を除く。）をいう。以下同じ。）により特定の個人を識別別することができるもの（他の情報と容易に照合することができ、それにより特定の個人を識別することができることとなるものを含む。）

二　個人識別符号が含まれるもの

2　この法律において「個人識別符号」とは、次の各号のいずれかに該当する文字、番号、記号その他の符号のうち、政令で定めるものをいう。

一　特定の個人の身体の一部の特徴を電子計算機の用に供するために変換した文字、番号、記号その他の符号であって、当該特定の個人を識別することができるもの

二　個人に提供される役務の利用若しくは個人に販売される商品の購入に関し割り当てられ、又は個人に発行されるカードその他の書類に記載され、若しくは電磁的方式により記録された文字、番号、記号その他の符号であって、その利用者若しくは購入者又は発行を受ける者ごとに異なるものとなるように割り当てられ、又は記載され、若しくは記録されることにより、特定の利用者若しくは購入者又は発行を受ける者を識別することができるもの

3　この法律において「要配慮個人情報」とは、本人の人種、信条、社会的身分、病歴、犯罪の経歴、犯罪により害を被った事実その他本人に対する不当な差別、偏見その他の不利益が生じないようにその取扱いに特に配慮を要するものとして政令で定める記述等が含まれる個人情報をいう。

4　この法律において個人情報について「本人」とは、個人情報によって識別される特定の個人をいう。

5　この法律において「仮名加工情報」とは、次の各号に掲げる個人情報の区分に応じて当該各号に定める措置を講じて他の情報と照合しない限り特定の個人を識別することができないように個人情報を加工して得られる個人に関する情報をいう。

一　第一項第一号に該当する個人情報　当該個人情報に含まれる記述等の一部を削除すること（当該一部の記述等を復元することのできる規則性を有しない方法により他の記述等に置き換えることを含む。）。

二　第一項第二号に該当する個人情報　当該個人情報に含まれる個人識別符号の全部を削除すること（当該個人識別符号を復元することのできる規則性を有しない方法により他の記述等に置き換えることを含む。）。

6　この法律において「匿名加工情報」とは、次の各号に掲げる個人情報の区分に応じて当該各号に定める措置を講じて特定の個人を識別することができないように個人情報を加工して得られる個人に関する情報であって、当該個人情報を復元することができないようにしたものをいう。

一　第一項第一号に該当する個人情報　当該個人情報に含まれる記述等の一部を削除すること（当該一部の記述等を復元することのできる規則性を有しない方法により他の記述等に置き換えることを含む。）。

二　第一項第二号に該当する個人情報　当該個人情報に含まれる個人識別符号の全部を削除すること（当該個人識別符号を復元することのできる規則性を有しない方法により他の記述等に置き換えることを含む。）。

7　この法律において「個人関連情報」とは、生存する個人に関する情報であって、個人情報、仮名加工情報及び匿名加工情報のいずれにも該当しないものをいう。

8　この法律において「行政機関」とは、次に掲げる機関をいう。

一　法律の規定に基づき内閣に置かれる機関（内閣府を除く。）及び内閣の所轄の下に置かれる機関

二　内閣府、宮内庁並びに内閣府設置法（平成十一年法律第八十九号）第四十九条第一項及び第二項に規定する機関（これらの機関のうち第四号の政令で定める機関が置かれる機関にあっては、当該政令で定める機関を除く。）

三　国家行政組織法（昭和二十三年法律第百二十号）第三条第二項に規定する機関（第五号の政令で定める機関が置かれる機関にあっては、当該政令で定める機関を除く。）

四　内閣府設置法第三十九条及び第五十五条並びに宮内庁法（昭和二十二年法律第七十号）第十六条第二項の機関並びに内閣府設置法第四十条及び第五十六条（宮内庁法第十八条第一項において準用する場合を含む。）の特別の機関で、政令で定めるもの

五　国家行政組織法第八条の二の施設等機関及び同法第八条の三の特別の機関で、政令で定めるもの

六　会計検査院

9　この法律において「独立行政法人等」とは、独立行政法人通則法（平成十一年法律第百三号）第二条第一項に規定する独立行政法人及び別表第一に掲げる法人をいう。

10　この法律において「地方独立行政法人」とは、地方独立行政法人法（平成十五年法律第百十八号）第二条第一項に規定する地方独立行政法人をいう。

11　この法律において「行政機関等」とは、次に掲げる機関をいう。

一　行政機関

二　地方公共団体の機関（議会を除く。次章、第三章及び第六十九条第二項第三号を除き、以下同じ。）

三　独立行政法人等（別表第二に掲げる法人を除く。第十六条第二項第三号、第六十三条、第七十八条第一項第七号イ及びロ、第八十九条第四項から第六項まで、第百十九条第五項から第七項まで並びに第百二十五条第二項において同じ。）

四　地方独立行政法人（地方独立行政法人法第二十一条第一号に掲げる業務を主たる目的とするもの又は同条第二号若しくは第三号（チに係る部分に限る。）に掲げる業務を目的とするものを除く。第十六条第二項第四号、第六十三条、第七十八条第一項第七号イ及びロ、第八十九条第七項から第九項まで、第百十九条第八項から第十項まで並びに第百二十五条第二項において同じ。）

第二章　国及び地方公共団体の責務等

（基本理念）

第三条　個人情報は、個人の人格尊重の理念の下に慎重に取り扱われるべきものであることに鑑み、その適正な取扱いが図られなければならない。

（国の責務）

第四条　国は、この法律の趣旨にのっとり、国の機関、地方公共団体の機関、独立行政法人等、地方独立行政法人及び事業者等

による個人情報の適正な取扱いを確保するために必要な施策を総合的に策定し、及びこれを実施する責務を有する。

（地方公共団体の責務）

第五条　地方公共団体は、この法律の趣旨にのっとり、国の施策との整合性に配慮しつつ、その地方公共団体の区域の特性に応じて、地方公共団体の機関、地方独立行政法人及び当該区域内の事業者等による個人情報の適正な取扱いを確保するために必要な施策を策定し、及びこれを実施する責務を有する。

（法制上の措置等）

第六条　政府は、個人情報の性質及び利用方法に鑑み、個人の権利利益の一層の保護を図るため特にその適正な取扱いの厳格な実施を確保する必要がある個人情報について、保護のための格別の措置が講じられるよう必要な法制上の措置その他の措置を講ずるとともに、国際機関その他の国際的な枠組みへの協力を通じて、各国政府と共同して国際的に整合のとれた個人情報に係る制度を構築するために必要な措置を講ずるものとする。

第三章　個人情報の保護に関する施策等

第一節　個人情報の保護に関する基本方針

第七条　政府は、個人情報の保護に関する施策の総合的かつ一体的な推進を図るため、個人情報の保護に関する基本方針（以下「基本方針」という。）を定めなければならない。

2　基本方針は、次に掲げる事項について定めるものとする。

一　個人情報の保護に関する施策の推進に関する基本的な方向

二　国が講ずべき個人情報の保護のための措置に関する事項

三　地方公共団体が講ずべき個人情報の保護のための措置に関する基本的な事項

四　独立行政法人等が講ずべき個人情報の保護のための措置に関する基本的な事項

五　地方独立行政法人が講ずべき個人情報の保護のための措置に関する基本的な事項

六　第十六条第二項に規定する個人情報取扱事業者、同条第五項に規定する仮名加工情報取扱事業者及び同条第六項に規定する匿名加工情報取扱事業者並びに第五十一条第一項に規定する認定個人情報保護団体が講ずべき個人情報の保護のための措置に関する基本的な事項

七　個人情報の取扱いに関する苦情の円滑な処理に関する事項

八　その他個人情報の保護に関する施策の推進に関する重要事項

3　内閣総理大臣は、個人情報保護委員会が作成した基本方針の案について閣議の決定を求めなければならない。

4　内閣総理大臣は、前項の規定による閣議の決定があったときは、遅滞なく、基本方針を公表しなければならない。

5　前二項の規定は、基本方針の変更について準用する。

第二節　国の施策

（国の機関等が保有する個人情報の保護）

第八条　国は、その機関が保有する個人情報の適正な取扱いが確保されるよう必要な措置を講ずるものとする。

2　国は、独立行政法人等について、その保有する個人情報の適正な取扱いが確保されるよう必要な措置を講ずるものとする。

（地方公共団体等への支援）

第九条　国は、地方公共団体が策定し、又は実施する個人情報の保護に関する施策及び国民又は事業者等が個人情報の適正な取扱いの確保に関して行う活動を支援するため、情報の提供、地方公共団体又は事業者等が講ずべき措置の適切かつ有効な実施を図るための指針の策定その他の必要な措置を講ずるものとする。

（苦情処理のための措置）

第十条　国は、個人情報の取扱いに関し事業者と本人との間に生じた苦情の適切かつ迅速な処理を図るために必要な措置を講ずるものとする。

（個人情報の適正な取扱いを確保するための措置）

第十一条　国は、地方公共団体との適切な役割分担を通じ、次章に規定する個人情報取扱事業者による個人情報の適正な取扱いを確保するために必要な措置を講ずるものとする。

2　国は、第五章に規定する地方公共団体及び地方独立行政法人による個人情報の適正な取扱いを確保するために必要な措置を講ずるものとする。

第三節　地方公共団体の施策

（地方公共団体の機関等が保有する個人情報の保護）

第十二条　地方公共団体は、その機関が保有する個人情報の適正な取扱いが確保されるよう必要な措置を講ずるものとする。

2　地方公共団体は、その設立に係る地方独立行政法人について、その保有する個人情報の適正な取扱いが確保されるよう必要な措置を講ずるものとする。

（区域内の事業者等への支援）

第十三条　地方公共団体は、個人情報の適正な取扱いを確保するため、その区域内の事業者及び住民に対する支援に必要な措置を講ずるよう努めなければならない。

（苦情の処理のあっせん等）

第十四条　地方公共団体は、個人情報の取扱いに関し事業者と本人との間に生じた苦情が適切かつ迅速に処理されるようにするため、苦情の処理のあっせんその他必要な措置を講ずるよう努めなければならない。

第四節　国及び地方公共団体の協力

第十五条　国及び地方公共団体は、個人情報の保護に関する施策を講ずるにつき、相協力するものとする。

第四章　個人情報取扱事業者等の義務等

第一節　総則

（定義）

第十六条　この章及び第八章において「個人情報データベース等」とは、個人情報を含む情報の集合物であって、次に掲げるもの（利用方法からみて個人の権利利益を害するおそれが少ないものとして政令で定めるものを除く。）をいう。

一　特定の個人情報を電子計算機を用いて検索することができるように体系的に構成したもの

二　前号に掲げるもののほか、特定の個人情報を容易に検索することができるように体系的に構成したものとして政令で定めるもの

2　この章及び第六章から第八章までにおいて「個人情報取扱事

業者」とは、個人情報データベース等を事業の用に供している者をいう。ただし、次に掲げる者を除く。

一　国の機関

二　地方公共団体

三　独立行政法人等

四　地方独立行政法人

3　この章において「個人情報」とは、個人情報データベース等を構成する個人情報をいう。

4　この章において「保有個人データ」とは、個人情報取扱事業者が、開示、内容の訂正、追加又は削除、利用の停止、消去及び第三者への提供の停止を行うことのできる権限を有する個人データであって、その存否が明らかになることにより公益その他の利益が害されるものとして政令で定めるもの以外のものをいう。

5　この章、第六章及び第七章において「仮名加工情報取扱事業者」とは、仮名加工情報を含む情報の集合物であって、特定の仮名加工情報を電子計算機を用いて検索することができるように体系的に構成したものその他特定の仮名加工情報を容易に検索することができるように体系的に構成したものとして政令で定めるもの（第四十一条第一項において「仮名加工情報データベース等」という。）を事業の用に供している者をいう。ただし、第二項各号に掲げる者を除く。

6　この章、第六章及び第七章において「匿名加工情報取扱事業者」とは、匿名加工情報を含む情報の集合物であって、特定の匿名加工情報を電子計算機を用いて検索することができるように体系的に構成したものその他特定の匿名加工情報を容易に検索することができるように体系的に構成したものとして政令で定めるもの（第四十三条第一項において「匿名加工情報データベース等」という。）を事業の用に供している者をいう。ただし、第二項各号に掲げる者を除く。

7　この章、第六章及び第七章において「個人関連情報取扱事業者」とは、個人関連情報を含む情報の集合物であって、特定の個人関連情報を電子計算機を用いて検索することができるように体系的に構成したものその他特定の個人関連情報を容易に検索することができるように体系的に構成したものとして政令で定めるもの（第三十一条第一項において「個人関連情報データベース等」という。）を事業の用に供している者をいう。ただし、第二項各号に掲げる者を除く。

8　この章において「学術研究機関等」とは、大学その他の学術研究を目的とする機関若しくは団体又はそれらに属する者をいう。

第二節　個人情報取扱事業者及び個人関連情報取扱事業者の義務

（利用目的の特定）

第十七条　個人情報取扱事業者は、個人情報を取り扱うに当たっては、その利用の目的（以下「利用目的」という。）をできる限り特定しなければならない。

2　個人情報取扱事業者は、利用目的を変更する場合には、変更前の利用目的と関連性を有すると合理的に認められる範囲を超えて行ってはならない。

（利用目的による制限）

第十八条　個人情報取扱事業者は、あらかじめ本人の同意を得ないで、前条の規定により特定された利用目的の達成に必要な範囲を超えて、個人情報を取り扱ってはならない。

2　個人情報取扱事業者は、合併その他の事由により他の個人情報取扱事業者から事業を承継することに伴って個人情報を取得した場合は、あらかじめ本人の同意を得ないで、承継前における当該個人情報の利用目的の達成に必要な範囲を超えて、当該個人情報を取り扱ってはならない。

3　前二項の規定は、次に掲げる場合については、適用しない。

一　法令（条例を含む。以下この章において同じ。）に基づく場合

二　人の生命、身体又は財産の保護のために必要がある場合であって、本人の同意を得ることが困難であるとき。

三　公衆衛生の向上又は児童の健全な育成の推進のために特に必要がある場合であって、本人の同意を得ることが困難であるとき。

四　国の機関若しくは地方公共団体又はその委託を受けた者が法令の定める事務を遂行することに対して協力する必要がある場合であって、本人の同意を得ることにより当該事務の遂行に支障を及ぼすおそれがあるとき。

五　当該個人情報取扱事業者が学術研究機関等である場合であって、当該個人情報を学術研究の用に供する目的（以下この章において「学術研究目的」という。）で取り扱う必要があるとき（当該個人情報を取り扱う目的の一部が学術研究目的である場合を含み、個人の権利利益を不当に侵害するおそれがある場合を除く。）。

六　学術研究機関等に個人データを提供する場合であって、当該学術研究機関等が当該個人データを学術研究目的で取り扱う必要があるとき（当該個人データを取り扱う目的の一部が学術研究目的である場合を含み、個人の権利利益を不当に侵害するおそれがある場合を除く。）。

（不適正な利用の禁止）

第十九条　個人情報取扱事業者は、違法又は不当な行為を助長し、又は誘発するおそれがある方法により個人情報を利用してはならない。

（適正な取得）

第二十条　個人情報取扱事業者は、偽りその他不正の手段により個人情報を取得してはならない。

2　個人情報取扱事業者は、次に掲げる場合を除くほか、あらかじめ本人の同意を得ないで、要配慮個人情報を取得してはならない。

一　法令に基づく場合

二　人の生命、身体又は財産の保護のために必要がある場合であって、本人の同意を得ることが困難であるとき。

三　公衆衛生の向上又は児童の健全な育成の推進のために特に必要がある場合であって、本人の同意を得ることが困難であるとき。

四　国の機関若しくは地方公共団体又はその委託を受けた者が法令の定める事務を遂行することに対して協力する必要がある場合であって、本人の同意を得ることにより当該事務の遂行に支障を及ぼすおそれがあるとき。

五　当該個人情報取扱事業者が学術研究機関等である場合であって、当該要配慮個人情報を学術研究目的で取り扱う必要があるとき（当該要配慮個人情報を取り扱う目的の一部が学術

研究目的である場合を含み、個人の権利利益を不当に侵害するおそれがある場合を除く。）。

六　学術研究機関等から当該要配慮個人情報を取得する場合であって、当該要配慮個人情報を学術研究目的で取得する必要があるとき（当該要配慮個人情報を取得する目的の一部が学術研究目的である場合を含み、個人の権利利益を不当に侵害するおそれがある場合を除く。）（当該個人情報取扱事業者と当該学術研究機関等が共同して学術研究を行う場合に限る。）。

七　当該要配慮個人情報が、本人、国の機関、地方公共団体、学術研究機関等、第五十七条第一項各号に掲げる者その他個人情報保護委員会規則で定める者により公開されている場合

八　その他前各号に掲げる場合に準ずるものとして政令で定める場合

（取得に際しての利用目的の通知等）

第二十一条　個人情報取扱事業者は、個人情報を取得した場合は、あらかじめその利用目的を公表している場合を除き、速やかに、その利用目的を、本人に通知し、又は公表しなければならない。

2　個人情報取扱事業者は、前項の規定にかかわらず、本人との間で契約を締結することに伴って契約書その他の書面（電磁的記録を含む。以下この項において同じ。）に記載された当該本人の個人情報を取得する場合その他本人から直接書面に記載された当該本人の個人情報を取得する場合は、あらかじめ、本人に対し、その利用目的を明示しなければならない。ただし、人の生命、身体又は財産の保護のために緊急に必要がある場合は、この限りでない。

3　個人情報取扱事業者は、利用目的を変更した場合は、変更された利用目的について、本人に通知し、又は公表しなければならない。

4　前三項の規定は、次に掲げる場合については、適用しない。

一　利用目的を本人に通知し、又は公表することにより本人又は第三者の生命、身体、財産その他の権利利益を害するおそれがある場合

二　利用目的を本人に通知し、又は公表することにより当該個人情報取扱事業者の権利又は正当な利益を害するおそれがある場合

三　国の機関又は地方公共団体が法令の定める事務を遂行することに対して協力する必要がある場合であって、利用目的を本人に通知し、又は公表することにより当該事務の遂行に支障を及ぼすおそれがあるとき。

四　取得の状況からみて利用目的が明らかであると認められる場合

（データ内容の正確性の確保等）

第二十二条　個人情報取扱事業者は、利用目的の達成に必要な範囲内において、個人データを正確かつ最新の内容に保つとともに、利用する必要がなくなったときは、当該個人データを遅滞なく消去するよう努めなければならない。

（安全管理措置）

第二十三条　個人情報取扱事業者は、その取り扱う個人データの漏えい、滅失又は毀損の防止その他の個人データの安全管理のために必要かつ適切な措置を講じなければならない。

（従業者の監督）

第二十四条　個人情報取扱事業者は、その従業者に個人データを取り扱わせるに当たっては、当該個人データの安全管理が図られるよう、当該従業者に対する必要かつ適切な監督を行わなければならない。

（委託先の監督）

第二十五条　個人情報取扱事業者は、個人データの取扱いの全部又は一部を委託する場合は、その取扱いを委託された個人データの安全管理が図られるよう、委託を受けた者に対する必要かつ適切な監督を行わなければならない。

（漏えい等の報告等）

第二十六条　個人情報取扱事業者は、その取り扱う個人データの漏えい、滅失、毀損その他の個人データの安全の確保に係る事態であって個人の権利利益を害するおそれが大きいものとして個人情報保護委員会規則で定めるものが生じたときは、個人情報保護委員会規則で定めるところにより、当該事態が生じた旨を個人情報保護委員会に報告しなければならない。ただし、当該個人情報取扱事業者が、他の個人情報取扱事業者又は行政機関等から当該個人データの取扱いの全部又は一部の委託を受けた場合であって、個人情報保護委員会規則で定めるところにより、当該事態が生じた旨を当該他の個人情報取扱事業者又は行政機関等に通知したときは、この限りでない。

2　前項に規定する場合には、個人情報取扱事業者（同項ただし書の規定による通知をした者を除く。）は、本人に対し、個人情報保護委員会規則で定めるところにより、当該事態が生じた旨を通知しなければならない。ただし、本人への通知が困難な場合であって、本人の権利利益を保護するため必要なこれに代わるべき措置をとるときは、この限りでない。

（第三者提供の制限）

第二十七条　個人情報取扱事業者は、次に掲げる場合を除くほか、あらかじめ本人の同意を得ないで、個人データを第三者に提供してはならない。

一　法令に基づく場合

二　人の生命、身体又は財産の保護のために必要がある場合であって、本人の同意を得ることが困難であるとき。

三　公衆衛生の向上又は児童の健全な育成の推進のために特に必要がある場合であって、本人の同意を得ることが困難であるとき。

四　国の機関若しくは地方公共団体又はその委託を受けた者が法令の定める事務を遂行することに対して協力する必要がある場合であって、本人の同意を得ることにより当該事務の遂行に支障を及ぼすおそれがあるとき。

五　当該個人情報取扱事業者が学術研究機関等である場合であって、当該個人データの提供が学術研究の成果の公表又は教授のためやむを得ないとき（個人の権利利益を不当に侵害するおそれがある場合を除く。）。

六　当該個人情報取扱事業者が学術研究機関等である場合であって、当該個人データを学術研究目的で提供する必要があるとき（当該個人データを提供する目的の一部が学術研究目的である場合を含み、個人の権利利益を不当に侵害するおそれがある場合を除く。）（当該個人情報取扱事業者と当該第三者が共同して学術研究を行う場合に限る。）。

七　当該第三者が学術研究機関等である場合であって、当該第

三者が当該個人データを学術研究目的で取り扱う必要があるとき（当該個人データを取り扱う目的の一部が学術研究目的である場合を含み、個人の権利利益を不当に侵害するおそれがある場合を除く。）。

2 個人情報取扱事業者は、第三者に提供される個人データについて、本人の求めに応じて当該本人が識別される個人データの第三者への提供を停止することとしている場合であって、次に掲げる事項について、個人情報保護委員会規則で定めるところにより、あらかじめ、本人に通知し、又は本人が容易に知り得る状態に置くとともに、個人情報保護委員会に届け出たときは、前項の規定にかかわらず、当該個人データを第三者に提供することができる。ただし、第三者に提供される個人データが要配慮個人情報又は第二十条第一項の規定に違反して取得されたもの若しくは他の個人情報取扱事業者からこの項本文の規定により提供されたもの（その全部又は一部を複製し、又は加工したものを含む。）である場合は、この限りでない。

一 第三者への提供を行う個人情報取扱事業者の氏名又は名称及び住所並びに法人にあっては、その代表者（法人でない団体で代表者又は管理人の定めのあるものにあっては、その代表者又は管理人。以下この条、第三十条第一項第一号及び第三十二条第一項第一号において同じ。）の氏名

二 第三者への提供を利用目的とすること。

三 第三者に提供される個人データの項目

四 第三者に提供される個人データの取得の方法

五 第三者への提供の方法

六 本人の求めに応じて当該本人が識別される個人データの第三者への提供を停止すること。

七 本人の求めを受け付ける方法

八 その他個人の権利利益を保護するために必要なものとして個人情報保護委員会規則で定める事項

3 個人情報取扱事業者は、前項第一号に掲げる事項に変更があったとき又は同項の規定による個人データの提供をやめたときは遅滞なく、同項第三号から第五号まで、第七号又は第八号に掲げる事項を変更しようとするときはあらかじめ、その旨について、個人情報保護委員会規則で定めるところにより、本人に通知し、又は本人が容易に知り得る状態に置くとともに、個人情報保護委員会に届け出なければならない。

4 個人情報保護委員会は、第二項の規定による届出があったときは、個人情報保護委員会規則で定めるところにより、当該届出に係る事項を公表しなければならない。前項の規定による届出があったときも、同様とする。

5 次に掲げる場合において、当該個人データの提供を受ける者は、前各項の規定の適用については、第三者に該当しないものとする。

一 個人情報取扱事業者が利用目的の達成に必要な範囲内において個人データの取扱いの全部又は一部を委託することに伴って当該個人データが提供される場合

二 合併その他の事由による事業の承継に伴って個人データが提供される場合

三 特定の者との間で共同して利用される個人データが当該特定の者に提供される場合であって、その旨並びに共同して利用される個人データの項目、共同して利用する者の範囲、利用する者の利用目的並びに当該個人データの管理について責任を有する者の氏名又は名称及び住所並びに法人にあっては、その代表者の氏名について、あらかじめ、本人に通知し、又は本人が容易に知り得る状態に置いているとき。

6 個人情報取扱事業者は、前項第三号に規定する個人データの管理について責任を有する者の氏名、名称若しくは住所又は法人にあっては、その代表者の氏名に変更があったときは遅滞なく、同号に規定する利用する者の利用目的又は当該責任を有する者を変更しようとするときはあらかじめ、その旨について、本人に通知し、又は本人が容易に知り得る状態に置かなければならない。

（外国にある第三者への提供の制限）

第二十八条 個人情報取扱事業者は、外国（本邦の域外にある国又は地域をいう。以下この条及び第三十一条第一項第二号において同じ。）（個人の権利利益を保護する上で我が国と同等の水準にあると認められる個人情報の保護に関する制度を有している外国として個人情報保護委員会規則で定めるものを除く。以下この条及び同号において同じ。）にある第三者（個人データの取扱いについてこの節の規定により個人情報取扱事業者が講ずべきこととされている措置に相当する措置（第三項において「相当措置」という。）を継続的に講ずるために必要なものとして個人情報保護委員会規則で定める基準に適合する体制を整備している者を除く。以下この項及び次項並びに同号において同じ。）に個人データを提供する場合には、前条第一項各号に掲げる場合を除くほか、あらかじめ外国にある第三者への提供を認める旨の本人の同意を得なければならない。この場合においては、同条の規定は、適用しない。

2 個人情報取扱事業者は、前項の規定により本人の同意を得ようとする場合には、個人情報保護委員会規則で定めるところにより、あらかじめ、当該外国における個人情報の保護に関する制度、当該第三者が講ずる個人情報の保護のための措置その他当該本人に参考となるべき情報を当該本人に提供しなければならない。

3 個人情報取扱事業者は、個人データを外国にある第三者（第一項に規定する体制を整備している者に限る。）に提供した場合には、個人情報保護委員会規則で定めるところにより、当該第三者による相当措置の継続的な実施を確保するために必要な措置を講ずるとともに、本人の求めに応じて当該必要な措置に関する情報を当該本人に提供しなければならない。

（第三者提供に係る記録の作成等）

第二十九条 個人情報取扱事業者は、個人データを第三者（第十六条第二項各号に掲げる者を除く。以下この条及び次条（第三十一条第三項において読み替えて準用する場合を含む。）において同じ。）に提供したときは、個人情報保護委員会規則で定めるところにより、当該個人データを提供した年月日、当該第三者の氏名又は名称その他の個人情報保護委員会規則で定める事項に関する記録を作成しなければならない。ただし、当該個人データの提供が第二十七条第一項各号又は第五項各号のいずれか（前条第一項の規定による個人データの提供にあっては、第二十七条第一項各号のいずれか）に該当する場合は、この限りでない。

2 個人情報取扱事業者は、前項の記録を、当該記録を作成した日から個人情報保護委員会規則で定める期間保存しなければな

らない。

（第三者提供を受ける際の確認等）

第三十条　個人情報取扱事業者は、第三者から個人データの提供を受けるに際しては、個人情報保護委員会規則で定めるところにより、次に掲げる事項の確認を行わなければならない。ただし、当該個人データの提供が第二十七条第一項各号又は第五項各号のいずれかに該当する場合は、この限りでない。

一　当該第三者の氏名又は名称及び住所並びに法人にあっては、その代表者の氏名

二　当該第三者による当該個人データの取得の経緯

2　前項の第三者は、個人情報取扱事業者が同項の規定による確認を行う場合において、当該個人情報取扱事業者に対して、当該確認に係る事項を偽ってはならない。

3　個人情報取扱事業者は、第一項の規定による確認を行ったときは、個人情報保護委員会規則で定めるところにより、当該個人データの提供を受けた年月日、当該確認に係る事項その他の個人情報保護委員会規則で定める事項に関する記録を作成しなければならない。

4　個人情報取扱事業者は、前項の記録を、当該記録を作成した日から個人情報保護委員会規則で定める期間保存しなければならない。

（個人関連情報の第三者提供の制限等）

第三十一条　個人関連情報取扱事業者は、第三者が個人関連情報（個人関連情報データベース等を構成するものに限る。以下この章及び第六章において同じ。）を個人データとして取得することが想定されるときは、第二十七条第一項各号に掲げる場合を除くほか、次に掲げる事項について、あらかじめ個人情報保護委員会規則で定めるところにより確認することをしないで、当該個人関連情報を当該第三者に提供してはならない。

一　当該第三者が個人関連情報取扱事業者から個人関連情報の提供を受けて本人が識別される個人データとして取得することを認める旨の当該本人の同意が得られていること。

二　外国にある第三者への提供にあっては、前号の本人の同意を得ようとする場合において、個人情報保護委員会規則で定めるところにより、あらかじめ、当該外国における個人情報の保護に関する制度、当該第三者が講ずる個人情報の保護のための措置その他当該本人に参考となるべき情報が当該本人に提供されていること。

2　第二十八条第三項の規定は、前項の規定により個人関連情報取扱事業者が個人関連情報を提供する場合について準用する。この場合において、同条第三項中「講ずるとともに、本人の求めに応じて当該必要な措置に関する情報を当該本人に提供し」とあるのは、「講じ」と読み替えるものとする。

3　前条第二項から第四項までの規定は、第一項の規定により個人関連情報取扱事業者が確認する場合について準用する。この場合において、同条第三項中「の提供を受けた」とあるのは、「を提供した」と読み替えるものとする。

（保有個人データに関する事項の公表等）

第三十二条　個人情報取扱事業者は、保有個人データに関し、次に掲げる事項について、本人の知り得る状態（本人の求めに応じて遅滞なく回答する場合を含む。）に置かなければならない。

一　当該個人情報取扱事業者の氏名又は名称及び住所並びに法人にあっては、その代表者の氏名

二　全ての保有個人データの利用目的（第二十一条第四項第一号から第三号までに該当する場合を除く。）

三　次項の規定による求め又は次条第一項（同条第五項において準用する場合を含む。）、第三十四条第一項若しくは第三十五条第一項、第三項若しくは第五項の規定による請求に応じる手続（第三十八条第二項の規定により手数料の額を定めたときは、その手数料の額を含む。）

四　前三号に掲げるもののほか、保有個人データの適正な取扱いの確保に関し必要な事項として政令で定めるもの

2　個人情報取扱事業者は、本人から、当該本人が識別される保有個人データの利用目的の通知を求められたときは、本人に対し、遅滞なく、これを通知しなければならない。ただし、次の各号のいずれかに該当する場合は、この限りでない。

一　前項の規定により当該本人が識別される保有個人データの利用目的が明らかな場合

二　第二十一条第四項第一号から第三号までに該当する場合

3　個人情報取扱事業者は、前項の規定に基づき求められた保有個人データの利用目的を通知しない旨の決定をしたときは、本人に対し、遅滞なく、その旨を通知しなければならない。

（開示）

第三十三条　本人は、個人情報取扱事業者に対し、当該本人が識別される保有個人データの電磁的記録の提供による方法その他の個人情報保護委員会規則で定める方法による開示を請求することができる。

2　個人情報取扱事業者は、前項の規定による請求を受けたときは、本人に対し、同項の規定により当該本人が請求した方法（当該方法による開示に多額の費用を要する場合その他の当該方法による開示が困難である場合にあっては、書面の交付による方法）により、遅滞なく、当該保有個人データを開示しなければならない。ただし、開示することにより次の各号のいずれかに該当する場合は、その全部又は一部を開示しないことができる。

一　本人又は第三者の生命、身体、財産その他の権利利益を害するおそれがある場合

二　当該個人情報取扱事業者の業務の適正な実施に著しい支障を及ぼすおそれがある場合

三　他の法令に違反することとなる場合

3　個人情報取扱事業者は、第一項の規定による請求に係る保有個人データの全部若しくは一部について開示しない旨の決定をしたとき、当該保有個人データが存在しないとき、又は同項の規定により本人が請求した方法による開示が困難であるときは、本人に対し、遅滞なく、その旨を通知しなければならない。

4　他の法令の規定により、本人に対し第二項本文に規定する方法に相当する方法により当該本人が識別される保有個人データの全部又は一部を開示することとされている場合には、当該全部又は一部の保有個人データについては、第一項及び第二項の規定は、適用しない。

5　第一項から第三項までの規定は、当該本人が識別される個人データに係る第二十九条第一項及び第三十条第三項の記録（その存否が明らかになることにより公益その他の利益が害される

ものとして政令で定めるものを除く。第三十七条第二項において「第三者提供記録」という。）について準用する。

（訂正等）

第三十四条 本人は、個人情報取扱事業者に対し、当該本人が識別される保有個人データの内容が事実でないときは、当該保有個人データの内容の訂正、追加又は削除（以下この条において「訂正等」という。）を請求することができる。

2 個人情報取扱事業者は、前項の規定による請求を受けた場合には、その内容の訂正等に関して他の法令の規定により特別の手続が定められている場合を除き、利用目的の達成に必要な範囲内において、遅滞なく必要な調査を行い、その結果に基づき、当該保有個人データの内容の訂正等を行わなければならない。

3 個人情報取扱事業者は、第一項の規定による請求に係る保有個人データの内容の全部若しくは一部について訂正等を行ったとき、又は訂正等を行わない旨の決定をしたときは、本人に対し、遅滞なく、その旨（訂正等を行ったときは、その内容を含む。）を通知しなければならない。

（利用停止等）

第三十五条 本人は、個人情報取扱事業者に対し、当該本人が識別される保有個人データが第十八条若しくは第十九条の規定に違反して取り扱われているとき、又は第二十条の規定に違反して取得されたものであるときは、当該保有個人データの利用の停止又は消去（以下この条において「利用停止等」という。）を請求することができる。

2 個人情報取扱事業者は、前項の規定による請求を受けた場合であって、その請求に理由があることが判明したときは、違反を是正するために必要な限度で、遅滞なく、当該保有個人データの利用停止等を行わなければならない。ただし、当該保有個人データの利用停止等に多額の費用を要する場合その他の利用停止等を行うことが困難な場合であって、本人の権利利益を保護するため必要なこれに代わるべき措置をとるときは、この限りでない。

3 本人は、個人情報取扱事業者に対し、当該本人が識別される保有個人データが第二十七条第一項又は第二十八条の規定に違反して第三者に提供されているときは、当該保有個人データの第三者への提供の停止を請求することができる。

4 個人情報取扱事業者は、前項の規定による請求を受けた場合であって、その請求に理由があることが判明したときは、遅滞なく、当該保有個人データの第三者への提供を停止しなければならない。ただし、当該保有個人データの第三者への提供の停止に多額の費用を要する場合その他の第三者への提供を停止することが困難な場合であって、本人の権利利益を保護するため必要なこれに代わるべき措置をとるときは、この限りでない。

5 本人は、個人情報取扱事業者に対し、当該本人が識別される保有個人データを当該個人情報取扱事業者が利用する必要がなくなった場合、当該本人が識別される保有個人データに係る第二十六条第一項本文に規定する事態が生じた場合その他当該本人が識別される保有個人データの取扱いにより当該本人の権利又は正当な利益が害されるおそれがある場合には、当該保有個人データの利用停止等又は第三者への提供の停止を請求することができる。

6 個人情報取扱事業者は、前項の規定による請求を受けた場合であって、その請求に理由があることが判明したときは、本人の権利利益の侵害を防止するために必要な限度で、遅滞なく、当該保有個人データの利用停止等又は第三者への提供の停止を行わなければならない。ただし、当該保有個人データの利用停止等又は第三者への提供の停止に多額の費用を要する場合その他の利用停止等又は第三者への提供の停止を行うことが困難な場合であって、本人の権利利益を保護するため必要なこれに代わるべき措置をとるときは、この限りでない。

7 個人情報取扱事業者は、第一項若しくは第五項の規定による請求に係る保有個人データの全部若しくは一部について利用停止等を行ったとき若しくは利用停止等を行わない旨の決定をしたとき、又は第三項若しくは第五項の規定による請求に係る保有個人データの全部若しくは一部について第三者への提供を停止したとき若しくは第三者への提供を停止しない旨の決定をしたときは、本人に対し、遅滞なく、その旨を通知しなければならない。

（理由の説明）

第三十六条 個人情報取扱事業者は、第三十二条第三項、第三十三条第三項（同条第五項において準用する場合を含む。）、第三十四条第三項又は前条第七項の規定により、本人から求められ、又は請求された措置の全部又は一部について、その措置をとらない旨を通知する場合又はその措置と異なる措置をとる旨を通知する場合には、本人に対し、その理由を説明するよう努めなければならない。

（開示等の請求等に応じる手続）

第三十七条 個人情報取扱事業者は、第三十二条第二項の規定による求め又は第三十三条第一項（同条第五項において準用する場合を含む。次条第一項及び第三十九条において同じ。）、第三十四条第一項若しくは第三十五条第一項、第三項若しくは第五項の規定による請求（以下この条及び第五十四条第一項において「開示等の請求等」という。）に関し、政令で定めるところにより、その求め又は請求を受け付ける方法を定めることができる。この場合において、本人は、当該方法に従って、開示等の請求等を行わなければならない。

2 個人情報取扱事業者は、本人に対し、開示等の請求等に関し、その対象となる保有個人データ又は第三者提供記録を特定するに足りる事項の提示を求めることができる。この場合において、個人情報取扱事業者は、本人が容易かつ的確に開示等の請求等をすることができるよう、当該保有個人データ又は当該第三者提供記録の特定に資する情報の提供その他本人の利便を考慮した適切な措置をとらなければならない。

3 開示等の請求等は、政令で定めるところにより、代理人によってすることができる。

4 個人情報取扱事業者は、前三項の規定に基づき開示等の請求等に応じる手続を定めるに当たっては、本人に過重な負担を課するものとならないよう配慮しなければならない。

（手数料）

第三十八条 個人情報取扱事業者は、第三十二条第二項の規定による利用目的の通知を求められたとき又は第三十三条第一項の規定による開示の請求を受けたときは、当該措置の実施に関し、手数料を徴収することができる。

2 個人情報取扱事業者は、前項の規定により手数料を徴収する場合は、実費を勘案して合理的であると認められる範囲内において、その手数料の額を定めなければならない。

（事前の請求）

第三十九条　本人は、第三十三条第一項、第三十四条第一項又は第三十五条第一項、第三項若しくは第五項の規定による請求に係る訴えを提起しようとするときは、その訴えの被告となるべき者に対し、あらかじめ、当該請求を行い、かつ、その到達した日から二週間を経過した後でなければ、その訴えを提起することができない。ただし、当該訴えの被告となるべき者がその請求を拒んだときは、この限りでない。

2　前項の請求は、その請求が通常到達すべきであった時に、到達したものとみなす。

3　前二項の規定は、第三十三条第一項、第三十四条第一項又は第三十五条第一項、第三項若しくは第五項の規定による請求に係る仮処分命令の申立てについて準用する。

（個人情報取扱事業者による苦情の処理）

第四十条　個人情報取扱事業者は、個人情報の取扱いに関する苦情の適切かつ迅速な処理に努めなければならない。

2　個人情報取扱事業者は、前項の目的を達成するために必要な体制の整備に努めなければならない。

第三節　仮名加工情報取扱事業者等の義務

（仮名加工情報の作成等）

第四十一条　個人情報取扱事業者は、仮名加工情報（仮名加工情報データベース等を構成するものに限る。以下この章及び第六章において同じ。）を作成するときは、他の情報と照合しない限り特定の個人を識別することができないようにするために必要なものとして個人情報保護委員会規則で定める基準に従い、個人情報を加工しなければならない。

2　個人情報取扱事業者は、仮名加工情報を作成したとき、又は仮名加工情報及び当該仮名加工情報に係る削除情報等（仮名加工情報の作成に用いられた個人情報から削除された記述等及び個人識別符号並びに前項の規定により行われた加工の方法に関する情報をいう。以下この条及び次条第三項において読み替えて準用する第七項において同じ。）を取得したときは、削除情報等の漏えいを防止するために必要なものとして個人情報保護委員会規則で定める基準に従い、削除情報等の安全管理のための措置を講じなければならない。

3　仮名加工情報取扱事業者（個人情報取扱事業者である者に限る。以下この条において同じ。）は、第十八条の規定にかかわらず、法令に基づく場合を除くほか、第十七条第一項の規定により特定された利用目的の達成に必要な範囲を超えて、仮名加工情報（個人情報であるものに限る。以下この条において同じ。）を取り扱ってはならない。

4　仮名加工情報についての第二十一条の規定の適用については、同条第一項及び第三項中「、本人に通知し、又は公表し」とあるのは「公表し」と、同条第四項第一号から第三号までの規定中「本人に通知し、又は公表する」とあるのは「公表する」とする。

5　仮名加工情報取扱事業者は、仮名加工情報である個人データ及び削除情報等を利用する必要がなくなったときは、当該個人データ及び削除情報等を遅滞なく消去するよう努めなければならない。この場合においては、第二十二条の規定は、適用しない。

6　仮名加工情報取扱事業者は、第二十七条第一項及び第二項並びに第二十八条第一項の規定にかかわらず、法令に基づく場合を除くほか、仮名加工情報である個人データを第三者に提供してはならない。この場合において、第二十七条第五項中「前各項」とあるのは「第四十一条第六項」と、同項第三号中「、本人に通知し、又は本人が容易に知り得る状態に置いて」とあるのは「公表して」と、同条第六項中「、本人に通知し、又は本人が容易に知り得る状態に置かなければ」とあるのは「公表しなければ」と、第二十九条第一項ただし書中「第二十七条第一項各号又は第五項各号のいずれか（前条第一項の規定による個人データの提供にあっては、第二十七条第一項各号のいずれか）」とあり、及び第三十条第一項ただし書中「第二十七条第一項各号又は第五項各号のいずれか」とあるのは「法令に基づく場合又は第二十七条第五項各号のいずれか」とする。

7　仮名加工情報取扱事業者は、仮名加工情報を取り扱うに当たっては、当該仮名加工情報の作成に用いられた個人情報に係る本人を識別するために、当該仮名加工情報を他の情報と照合してはならない。

8　仮名加工情報取扱事業者は、仮名加工情報を取り扱うに当たっては、電話をかけ、郵便若しくは民間事業者による信書の送達に関する法律（平成十四年法律第九十九号）第二条第六項に規定する一般信書便事業者若しくは同条第九項に規定する特定信書便事業者による同条第二項に規定する信書便により送付し、電報を送達し、ファクシミリ装置若しくは電磁的方法（電子情報処理組織を使用する方法その他の情報通信の技術を利用する方法であって個人情報保護委員会規則で定めるものをいう。）を用いて送信し、又は住居を訪問するために、当該仮名加工情報に含まれる連絡先その他の情報を利用してはならない。

9　仮名加工情報、仮名加工情報である個人データ及び仮名加工情報である保有個人データについては、第十七条第二項、第二十六条及び第三十二条から第三十九条までの規定は、適用しない。

（仮名加工情報の第三者提供の制限等）

第四十二条　仮名加工情報取扱事業者は、法令に基づく場合を除くほか、仮名加工情報（個人情報であるものを除く。次項及び第三項において同じ。）を第三者に提供してはならない。

2　第二十七条第五項及び第六項の規定は、仮名加工情報の提供を受ける者について準用する。この場合において、同条第五項中「前各項」とあるのは「第四十二条第一項」と、同項第一号中「個人情報取扱事業者」とあるのは「仮名加工情報取扱事業者」と、同項第三号中「、本人に通知し、又は本人が容易に知り得る状態に置いて」とあるのは「公表して」と、同条第六項中「個人情報取扱事業者」とあるのは「仮名加工情報取扱事業者」と、「、本人に通知し、又は本人が容易に知り得る状態に置かなければ」とあるのは「公表しなければ」と読み替えるものとする。

3　第二十三条から第二十五条まで、第四十条並びに前条第七項及び第八項の規定は、仮名加工情報取扱事業者による仮名加工情報の取扱いについて準用する。この場合において、第二十三条中「漏えい、滅失又は毀損」とあるのは「漏えい」と、前条第七項中「ために、」とあるのは「ために、削除情報等を取得し、又は」と読み替えるものとする。

第四節　匿名加工情報取扱事業者等の義務

（匿名加工情報の作成等）

第四十三条　個人情報取扱事業者は、匿名加工情報（匿名加工情報データベース等を構成するものに限る。以下この章及び第六章において同じ。）を作成するときは、特定の個人を識別すること及びその作成に用いる個人情報を復元することができないようにするために必要なものとして個人情報保護委員会規則で定める基準に従い、当該個人情報を加工しなければならない。

2　個人情報取扱事業者は、匿名加工情報を作成したときは、その作成に用いた個人情報から削除した記述等及び個人識別符号並びに前項の規定により行った加工の方法に関する情報の漏えいを防止するために必要なものとして個人情報保護委員会規則で定める基準に従い、これらの情報の安全管理のための措置を講じなければならない。

3　個人情報取扱事業者は、匿名加工情報を作成したときは、個人情報保護委員会規則で定めるところにより、当該匿名加工情報に含まれる個人に関する情報の項目を公表しなければならない。

4　個人情報取扱事業者は、匿名加工情報を作成して当該匿名加工情報を第三者に提供するときは、個人情報保護委員会規則で定めるところにより、あらかじめ、第三者に提供される匿名加工情報に含まれる個人に関する情報の項目及びその提供の方法について公表するとともに、当該第三者に対して、当該提供に係る情報が匿名加工情報である旨を明示しなければならない。

5　個人情報取扱事業者は、匿名加工情報を作成して自ら当該匿名加工情報を取り扱うに当たっては、当該匿名加工情報の作成に用いられた個人情報に係る本人を識別するために、当該匿名加工情報を他の情報と照合してはならない。

6　個人情報取扱事業者は、匿名加工情報を作成したときは、当該匿名加工情報の安全管理のために必要かつ適切な措置、当該匿名加工情報の作成その他の取扱いに関する苦情の処理その他の当該匿名加工情報の適正な取扱いを確保するために必要な措置を自ら講じ、かつ、当該措置の内容を公表するよう努めなければならない。

（匿名加工情報の提供）

第四十四条　匿名加工情報取扱事業者は、匿名加工情報（自ら個人情報を加工して作成したものを除く。以下この節において同じ。）を第三者に提供するときは、個人情報保護委員会規則で定めるところにより、あらかじめ、第三者に提供される匿名加工情報に含まれる個人に関する情報の項目及びその提供の方法について公表するとともに、当該第三者に対して、当該提供に係る情報が匿名加工情報である旨を明示しなければならない。

（識別行為の禁止）

第四十五条　匿名加工情報取扱事業者は、匿名加工情報を取り扱うに当たっては、当該匿名加工情報の作成に用いられた個人情報に係る本人を識別するために、当該個人情報から削除された記述等若しくは個人識別符号若しくは第四十三条第一項若しくは第百十六条第一項（同条第二項において準用する場合を含む。）の規定により行われた加工の方法に関する情報を取得し、又は当該匿名加工情報を他の情報と照合してはならない。

（安全管理措置等）

第四十六条　匿名加工情報取扱事業者は、匿名加工情報の安全管理のために必要かつ適切な措置、匿名加工情報の取扱いに関する苦情の処理その他の匿名加工情報の適正な取扱いを確保するために必要な措置を自ら講じ、かつ、当該措置の内容を公表するよう努めなければならない。

第五節　民間団体による個人情報の保護の推進

（認定）

第四十七条　個人情報取扱事業者、仮名加工情報取扱事業者又は匿名加工情報取扱事業者（以下この章において「個人情報取扱事業者等」という。）の個人情報、仮名加工情報又は匿名加工情報（以下この章において「個人情報等」という。）の適正な取扱いの確保を目的として次に掲げる業務を行おうとする法人（法人でない団体で代表者又は管理人の定めのあるものを含む。次条第三号ロにおいて同じ。）は、個人情報保護委員会の認定を受けることができる。

一　業務の対象となる個人情報取扱事業者等（以下この節において「対象事業者」という。）の個人情報等の取扱いに関する第五十三条の規定による苦情の処理

二　個人情報等の適正な取扱いの確保に寄与する事項についての対象事業者に対する情報の提供

三　前二号に掲げるもののほか、対象事業者の個人情報等の適正な取扱いの確保に関し必要な業務

2　前項の認定は、対象とする個人情報取扱事業者等の事業の種類その他の業務の範囲を限定して行うことができる。

3　第一項の認定を受けようとする者は、政令で定めるところにより、個人情報保護委員会に申請しなければならない。

4　個人情報保護委員会は、第一項の認定をしたときは、その旨（第二項の規定により業務の範囲を限定する認定にあっては、その認定に係る業務の範囲を含む。）を公示しなければならない。

（欠格条項）

第四十八条　次の各号のいずれかに該当する者は、前条第一項の認定を受けることができない。

一　この法律の規定により刑に処せられ、その執行を終わり、又は執行を受けることがなくなった日から二年を経過しない者

二　第百五十五条第一項の規定により認定を取り消され、その取消しの日から二年を経過しない者

三　その業務を行う役員（法人でない団体で代表者又は管理人の定めのあるものの代表者又は管理人を含む。以下この条において同じ。）のうちに、次のいずれかに該当する者があるもの

イ　禁錮以上の刑に処せられ、又はこの法律の規定により刑に処せられ、その執行を終わり、又は執行を受けることがなくなった日から二年を経過しない者

ロ　第百五十五条第一項の規定により認定を取り消された法人において、その取消しの日前三十日以内にその役員であった者でその取消しの日から二年を経過しない者

（認定の基準）

第四十九条　個人情報保護委員会は、第四十七条第一項の認定の申請が次の各号のいずれにも適合していると認めるときでなければ、その認定をしてはならない。

一　第四十七条第一項各号に掲げる業務を適正かつ確実に行う

に必要な業務の実施の方法が定められているものであること。

二　第四十七条第一項各号に掲げる業務を適正かつ確実に行うに足りる知識及び能力並びに経理的基礎を有するものであること。

三　第四十七条第一項各号に掲げる業務以外の業務を行っている場合には、その業務を行うことによって同項各号に掲げる業務が不公正になるおそれがないものであること。

（変更の認定等）

第五十条　第四十七条第一項の認定（同条第二項の規定により業務の範囲を限定する認定を含む。次条第一項及び第百五十五条第一項第五号において同じ。）を受けた者は、その認定に係る業務の範囲を変更しようとするときは、個人情報保護委員会の認定を受けなければならない。ただし、個人情報保護委員会規則で定める軽微な変更については、この限りでない。

2　第四十七条第三項及び第四項並びに前条の規定は、前項の変更の認定について準用する。

（廃止の届出）

第五十一条　第四十七条第一項の認定（前条第一項の変更の認定を含む。）を受けた者（以下この節及び第六章において「認定個人情報保護団体」という。）は、その認定に係る業務（以下この節及び第六章において「認定業務」という。）を廃止しようとするときは、政令で定めるところにより、あらかじめ、その旨を個人情報保護委員会に届け出なければならない。

2　個人情報保護委員会は、前項の規定による届出があったときは、その旨を公示しなければならない。

（対象事業者）

第五十二条　認定個人情報保護団体は、認定業務の対象となることについて同意を得た個人情報取扱事業者等を対象事業者としなければならない。この場合において、第五十四条第四項の規定による措置をとったにもかかわらず、対象事業者が同条第一項に規定する個人情報保護指針を遵守しないときは、当該対象事業者を認定業務の対象から除外することができる。

2　認定個人情報保護団体は、対象事業者の氏名又は名称を公表しなければならない。

（苦情の処理）

第五十三条　認定個人情報保護団体は、本人その他の関係者から対象事業者の個人情報等の取扱いに関する苦情について解決の申出があったときは、その相談に応じ、申出人に必要な助言をし、その苦情に係る事情を調査するとともに、当該対象事業者に対し、その苦情の内容を通知してその迅速な解決を求めなければならない。

2　認定個人情報保護団体は、前項の申出に係る苦情の解決について必要があると認めるときは、当該対象事業者に対し、文書若しくは口頭による説明を求め、又は資料の提出を求めることができる。

3　対象事業者は、認定個人情報保護団体から前項の規定による求めがあったときは、正当な理由がないのに、これを拒んではならない。

（個人情報保護指針）

第五十四条　認定個人情報保護団体は、対象事業者の個人情報等の適正な取扱いの確保のために、個人情報に係る利用目的の特定、安全管理のための措置、開示等の請求等に応じる手続その他の事項又は仮名加工情報若しくは匿名加工情報に係る作成の方法、その情報の安全管理のための措置その他の事項に関し、消費者の意見を代表する者その他の関係者の意見を聴いて、この法律の規定の趣旨に沿った指針（以下この節及び第六章において「個人情報保護指針」という。）を作成するよう努めなければならない。

2　認定個人情報保護団体は、前項の規定により個人情報保護指針を作成したときは、個人情報保護委員会規則で定めるところにより、遅滞なく、当該個人情報保護指針を個人情報保護委員会に届け出なければならない。これを変更したときも、同様とする。

3　個人情報保護委員会は、前項の規定による個人情報保護指針の届出があったときは、個人情報保護委員会規則で定めるところにより、当該個人情報保護指針を公表しなければならない。

4　認定個人情報保護団体は、前項の規定により個人情報保護指針が公表されたときは、対象事業者に対し、当該個人情報保護指針を遵守させるため必要な指導、勧告その他の措置をとらなければならない。

（目的外利用の禁止）

第五十五条　認定個人情報保護団体は、認定業務の実施に際して知り得た情報を認定業務の用に供する目的以外に利用してはならない。

（名称の使用制限）

第五十六条　認定個人情報保護団体でない者は、認定個人情報保護団体という名称又はこれに紛らわしい名称を用いてはならない。

第六節　雑則

（適用除外）

第五十七条　個人情報取扱事業者等及び個人関連情報取扱事業者のうち次の各号に掲げる者については、その個人情報等及び個人関連情報を取り扱う目的の全部又は一部がそれぞれ当該各号に規定する目的であるときは、この章の規定は、適用しない。

一　放送機関、新聞社、通信社その他の報道機関（報道を業として行う個人を含む。）　報道の用に供する目的

二　著述を業として行う者　著述の用に供する目的

三　宗教団体　宗教活動（これに付随する活動を含む。）の用に供する目的

四　政治団体　政治活動（これに付随する活動を含む。）の用に供する目的

2　前項第一号に規定する「報道」とは、不特定かつ多数の者に対して客観的事実を事実として知らせること（これに基づいて意見又は見解を述べることを含む。）をいう。

3　第一項各号に掲げる個人情報取扱事業者等は、個人データ、仮名加工情報又は匿名加工情報の安全管理のために必要かつ適切な措置、個人情報等の取扱いに関する苦情の処理その他の個人情報等の適正な取扱いを確保するために必要な措置を自ら講じ、かつ、当該措置の内容を公表するよう努めなければならない。

（適用の特例）

第五十八条　個人情報取扱事業者又は匿名加工情報取扱事業者のうち次に掲げる者については、第三十二条から第三十九条まで及び第四節の規定は、適用しない。

一　別表第二に掲げる法人
二　地方独立行政法人のうち地方独立行政法人法第二十一条第一号に掲げる業務を主たる目的とするもの又は同条第二号若しくは第三号（チに係る部分に限る。）に掲げる業務を目的とするもの

2　次の各号に掲げる者が行う当該各号に定める業務における個人情報、仮名加工情報又は個人関連情報の取扱いについては、個人情報取扱事業者、仮名加工情報取扱事業者又は個人関連情報取扱事業者による個人情報、仮名加工情報又は個人関連情報の取扱いとみなして、この章（第三十二条から第三十九条まで及び第四節を除く。）及び第六章から第八章までの規定を適用する。
一　地方公共団体の機関　医療法（昭和二十三年法律第二百五号）第一条の五第一項に規定する病院（次号において「病院」という。）及び同条第二項に規定する診療所並びに学校教育法（昭和二十二年法律第二十六号）第一条に規定する大学の運営
二　独立行政法人労働者健康安全機構　病院の運営

（学術研究機関等の責務）
第五十九条　個人情報取扱事業者である学術研究機関等は、学術研究目的で行う個人情報の取扱いについて、この法律の規定を遵守するとともに、その適正を確保するために必要な措置を自ら講じ、かつ、当該措置の内容を公表するよう努めなければならない。

第五章　行政機関等の義務等

第一節　総則

（定義）
第六十条　この章及び第八章において「保有個人情報」とは、行政機関等の職員（独立行政法人等及び地方独立行政法人にあっては、その役員を含む。以下この章及び第八章において同じ。）が職務上作成し、又は取得した個人情報であって、当該行政機関等の職員が組織的に利用するものとして、当該行政機関等が保有しているものをいう。ただし、行政文書（行政機関の保有する情報の公開に関する法律（平成十一年法律第四十二号。以下この章において「行政機関情報公開法」という。）第二条第二項に規定する行政文書をいう。）、法人文書（独立行政法人等の保有する情報の公開に関する法律（平成十三年法律第百四十号。以下この章において「独立行政法人等情報公開法」という。）第二条第二項に規定する法人文書（同項第四号に掲げるものを含む。）をいう。）又は地方公共団体等行政文書（地方公共団体の機関又は地方独立行政法人の職員が職務上作成し、又は取得した文書、図画及び電磁的記録であって、当該地方公共団体の機関又は地方独立行政法人の職員が組織的に用いるものとして、当該地方公共団体の機関又は地方独立行政法人が保有しているもの（行政機関情報公開法第二条第二項各号に掲げるものに相当するものとして政令で定めるものを除く。）をいう。）（以下この章において「行政文書等」という。）に記録されているものに限る。

2　この章及び第八章において「個人情報ファイル」とは、保有個人情報を含む情報の集合物であって、次に掲げるものをいう。
一　一定の事務の目的を達成するために特定の保有個人情報を電子計算機を用いて検索することができるように体系的に構成したもの
二　前号に掲げるもののほか、一定の事務の目的を達成するために氏名、生年月日、その他の記述等により特定の保有個人情報を容易に検索することができるように体系的に構成したもの

3　この章において「行政機関等匿名加工情報」とは、次の各号のいずれにも該当する個人情報ファイルを構成する保有個人情報の全部又は一部（これらの一部に行政機関情報公開法第五条に規定する不開示情報（同条第一号に掲げる情報を除き、同条第二号ただし書に規定する情報を含む。以下この項において同じ。）、独立行政法人等情報公開法第五条に規定する不開示情報（同条第一号に掲げる情報を除き、同条第二号ただし書に規定する情報を含む。）又は地方公共団体の情報公開条例（地方公共団体の機関又は地方独立行政法人の保有する情報の公開を請求する住民等の権利について定める地方公共団体の条例をいう。以下この章において同じ。）に規定する不開示情報（行政機関情報公開法第五条に規定する不開示情報に相当するものをいう。）が含まれているときは、これらの不開示情報に該当する部分を除く。）を加工して得られる匿名加工情報をいう。
一　第七十五条第二項各号のいずれかに該当するもの又は同条第三項の規定により同条第一項に規定する個人情報ファイル簿に掲載しないこととされるものでないこと。
二　行政機関情報公開法第三条に規定する行政機関の長、独立行政法人等情報公開法第二条第一項に規定する独立行政法人等、地方公共団体の機関又は地方独立行政法人に対し、当該個人情報ファイルを構成する保有個人情報が記録されている行政文書等の開示の請求（行政機関情報公開法第三条、独立行政法人等情報公開法第三条又は情報公開条例の規定による開示の請求をいう。）があったとしたならば、これらの者が次のいずれかを行うこととなるものであること。
イ　当該行政文書等に記録されている保有個人情報の全部又は一部を開示する旨の決定をすること。
ロ　行政機関情報公開法第十三条第一項若しくは第二項、独立行政法人等情報公開法第十四条第一項若しくは第二項又は情報公開条例（行政機関情報公開法第十三条第一項又は第二項の規定に相当する規定を設けているものに限る。）の規定により意見書の提出の機会を与えること。
三　行政機関等の事務及び事業の適正かつ円滑な運営に支障のない範囲内で、第百十六条第一項の基準に従い、当該個人情報ファイルを構成する保有個人情報を加工して匿名加工情報を作成することができるものであること。

4　この章において「行政機関等匿名加工情報ファイル」とは、行政機関等匿名加工情報を含む情報の集合物であって、次に掲げるものをいう。
一　特定の行政機関等匿名加工情報を電子計算機を用いて検索することができるように体系的に構成したもの
二　前号に掲げるもののほか、特定の行政機関等匿名加工情報を容易に検索することができるように体系的に構成したものとして政令で定めるもの

5　この章において「条例要配慮個人情報」とは、地方公共団体の機関又は地方独立行政法人が保有する個人情報（要配慮個人

情報を除く。）のうち、地域の特性その他の事情に応じて、本人に対する不当な差別、偏見その他の不利益が生じないようにその取扱いに特に配慮を要するものとして地方公共団体が条例で定める記述等が含まれる個人情報をいう。

第二節　行政機関等における個人情報等の取扱い

（個人情報の保有の制限等）

第六十一条　行政機関等は、個人情報を保有するに当たっては、法令（条例を含む。第六十六条第二項第三号及び第四号、第六十九条第二項第二号及び第三号並びに第四節において同じ。）の定める所掌事務又は業務を遂行するため必要な場合に限り、かつ、その利用目的をできる限り特定しなければならない。

2　行政機関等は、前項の規定により特定された利用目的の達成に必要な範囲を超えて、個人情報を保有してはならない。

3　行政機関等は、利用目的を変更する場合には、変更前の利用目的と相当の関連性を有すると合理的に認められる範囲を超えて行ってはならない。

（利用目的の明示）

第六十二条　行政機関等は、本人から直接書面（電磁的記録を含む。）に記録された当該本人の個人情報を取得するときは、次に掲げる場合を除き、あらかじめ、本人に対し、その利用目的を明示しなければならない。

一　人の生命、身体又は財産の保護のために緊急に必要があるとき。

二　利用目的を本人に明示することにより、本人又は第三者の生命、身体、財産その他の権利利益を害するおそれがあるとき。

三　利用目的を本人に明示することにより、国の機関、独立行政法人等、地方公共団体又は地方独立行政法人が行う事務又は事業の適正な遂行に支障を及ぼすおそれがあるとき。

四　取得の状況からみて利用目的が明らかであると認められるとき。

（不適正な利用の禁止）

第六十三条　行政機関の長（第二条第八項第四号及び第五号の政令で定める機関にあっては、その機関ごとに政令で定める者をいう。以下この章及び第百七十四条において同じ。）、地方公共団体の機関、独立行政法人等及び地方独立行政法人（以下この章及び次章において「行政機関の長等」という。）は、違法又は不当な行為を助長し、又は誘発するおそれがある方法により個人情報を利用してはならない。

（適正な取得）

第六十四条　行政機関の長等は、偽りその他不正の手段により個人情報を取得してはならない。

（正確性の確保）

第六十五条　行政機関の長等は、利用目的の達成に必要な範囲内で、保有個人情報が過去又は現在の事実と合致するよう努めなければならない。

（安全管理措置）

第六十六条　行政機関の長等は、保有個人情報の漏えい、滅失又は毀損の防止その他の保有個人情報の安全管理のために必要かつ適切な措置を講じなければならない。

2　前項の規定は、次の各号に掲げる者が当該各号に定める業務を行う場合における個人情報の取扱いについて準用する。

一　行政機関等から個人情報の取扱いの委託を受けた者　当該委託を受けた業務

二　指定管理者（地方自治法（昭和二十二年法律第六十七号）第二百四十四条の二第三項に規定する指定管理者をいう。）　公の施設（同法第二百四十四条第一項に規定する公の施設をいう。）の管理の業務

三　第五十八条第一項各号に掲げる者　法令に基づき行う業務であって政令で定めるもの

四　第五十八条第二項各号に掲げる者　同項各号に定める業務のうち法令に基づき行う業務であって政令で定めるもの

五　前各号に掲げる者から当該各号に定める業務の委託（二以上の段階にわたる委託を含む。）を受けた者　当該委託を受けた業務

（従事者の義務）

第六十七条　個人情報の取扱いに従事する行政機関等の職員若しくは職員であった者、前条第二項各号に定める業務に従事している者若しくは従事していた者又は行政機関等において個人情報の取扱いに従事している派遣労働者（労働者派遣事業の適正な運営の確保及び派遣労働者の保護等に関する法律（昭和六十年法律第八十八号）第二条第二号に規定する派遣労働者をいう。以下この章及び第百七十六条において同じ。）若しくは従事していた派遣労働者は、その業務に関して知り得た個人情報の内容をみだりに他人に知らせ、又は不当な目的に利用してはならない。

（漏えい等の報告等）

第六十八条　行政機関の長等は、保有個人情報の漏えい、滅失、毀損その他の保有個人情報の安全の確保に係る事態であって個人の権利利益を害するおそれが大きいものとして個人情報保護委員会規則で定めるものが生じたときは、個人情報保護委員会規則で定めるところにより、当該事態が生じた旨を個人情報保護委員会に報告しなければならない。

2　前項に規定する場合には、行政機関の長等は、本人に対し、個人情報保護委員会規則で定めるところにより、当該事態が生じた旨を通知しなければならない。ただし、次の各号のいずれかに該当するときは、この限りでない。

一　本人への通知が困難な場合であって、本人の権利利益を保護するため必要なこれに代わるべき措置をとるとき。

二　当該保有個人情報に第七十八条第一項各号に掲げる情報のいずれかが含まれるとき。

（利用及び提供の制限）

第六十九条　行政機関の長等は、法令に基づく場合を除き、利用目的以外の目的のために保有個人情報を自ら利用し、又は提供してはならない。

2　前項の規定にかかわらず、行政機関の長等は、次の各号のいずれかに該当すると認めるときは、利用目的以外の目的のために保有個人情報を自ら利用し、又は提供することができる。ただし、保有個人情報を利用目的以外の目的のために自ら利用し、又は提供することによって、本人又は第三者の権利利益を不当に侵害するおそれがあると認められるときは、この限りでない。

一　本人の同意があるとき、又は本人に提供するとき。

二　行政機関等が法令の定める所掌事務又は業務の遂行に必要な限度で保有個人情報を内部で利用する場合であって、当該

保有個人情報を利用することについて相当の理由があるとき。

三　他の行政機関、独立行政法人等、地方公共団体の機関又は地方独立行政法人に保有個人情報を提供する場合において、保有個人情報の提供を受ける者が、法令の定める事務又は業務の遂行に必要な限度で提供に係る個人情報を利用し、かつ、当該個人情報を利用することについて相当の理由があるとき。

四　前三号に掲げる場合のほか、専ら統計の作成又は学術研究の目的のために保有個人情報を提供するとき、本人以外の者に提供することが明らかに本人の利益になるとき、その他保有個人情報を提供することについて特別の理由があるとき。

3　前項の規定は、保有個人情報の利用又は提供を制限する他の法令の規定の適用を妨げるものではない。

4　行政機関の長等は、個人の権利利益を保護するため特に必要があると認めるときは、保有個人情報の利用目的以外の目的のための行政機関等の内部における利用を特定の部局若しくは機関又は職員に限るものとする。

（保有個人情報の提供を受ける者に対する措置要求）

第七十条　行政機関の長等は、利用目的のために又は前条第二項第三号若しくは第四号の規定に基づき、保有個人情報を提供する場合において、必要があると認めるときは、保有個人情報の提供を受ける者に対し、提供に係る個人情報について、その利用の目的若しくは方法の制限その他必要な制限を付し、又はその漏えいの防止その他の個人情報の適切な管理のために必要な措置を講ずることを求めるものとする。

（外国にある第三者への提供の制限）

第七十一条　行政機関の長等は、外国（本邦の域外にある国又は地域をいう。以下この条において同じ。）（個人の権利利益を保護する上で我が国と同等の水準にあると認められる個人情報の保護に関する制度を有している外国として個人情報保護委員会規則で定めるものを除く。以下この条において同じ。）にある第三者（第十六条第三項に規定する個人データの取扱いについて前章第二節の規定により同条第二項に規定する個人情報取扱事業者が講ずべきこととされている措置に相当する措置（第三項において「相当措置」という。）を継続的に講ずるために必要なものとして個人情報保護委員会規則で定める基準に適合する体制を整備している者を除く。以下この項及び次項において同じ。）に利用目的以外の目的のために保有個人情報を提供する場合には、法令に基づく場合及び第六十九条第二項第四号に掲げる場合を除くほか、あらかじめ外国にある第三者への提供を認める旨の本人の同意を得なければならない。

2　行政機関の長等は、前項の規定により本人の同意を得ようとする場合には、個人情報保護委員会規則で定めるところにより、あらかじめ、当該外国における個人情報の保護に関する制度、当該第三者が講ずる個人情報の保護のための措置その他当該本人に参考となるべき情報を当該本人に提供しなければならない。

3　行政機関の長等は、保有個人情報を外国にある第三者（第一項に規定する体制を整備している者に限る。）に利用目的以外の目的のために提供した場合には、法令に基づく場合及び第六十九条第二項第四号に掲げる場合を除くほか、個人情報保護委員会規則で定めるところにより、当該第三者による相当措置の継続的な実施を確保するために必要な措置を講ずるとともに、本人の求めに応じて当該必要な措置に関する情報を当該本人に提供しなければならない。

（個人関連情報の提供を受ける者に対する措置要求）

第七十二条　行政機関の長等は、第三者に個人関連情報を提供する場合（当該第三者が当該個人関連情報を個人情報として取得することが想定される場合に限る。）において、必要があると認めるときは、当該第三者に対し、提供に係る個人関連情報について、その利用の目的若しくは方法の制限その他必要な制限を付し、又はその漏えいの防止その他の個人関連情報の適切な管理のために必要な措置を講ずることを求めるものとする。

（仮名加工情報の取扱いに係る義務）

第七十三条　行政機関の長等は、法令に基づく場合を除くほか、仮名加工情報（個人情報であるものを除く。以下この条及び第百二十八条において同じ。）を第三者（当該仮名加工情報の取扱いの委託を受けた者を除く。）に提供してはならない。

2　行政機関の長等は、その取り扱う仮名加工情報の漏えいの防止その他仮名加工情報の安全管理のために必要かつ適切な措置を講じなければならない。

3　行政機関の長等は、仮名加工情報を取り扱うに当たっては、法令に基づく場合を除き、当該仮名加工情報の作成に用いられた個人情報に係る本人を識別するために、削除情報等（仮名加工情報の作成に用いられた個人情報から削除された記述等及び個人識別符号並びに第四十一条第一項の規定により行われた加工の方法に関する情報をいう。）を取得し、又は当該仮名加工情報を他の情報と照合してはならない。

4　行政機関の長等は、仮名加工情報を取り扱うに当たっては、法令に基づく場合を除き、電話をかけ、郵便若しくは民間事業者による信書の送達に関する法律第二条第六項に規定する一般信書便事業者若しくは同条第九項に規定する特定信書便事業者による同条第二項に規定する信書便により送付し、電報を送達し、ファクシミリ装置若しくは電磁的方法（電子情報処理組織を使用する方法その他の情報通信の技術を利用する方法であって個人情報保護委員会規則で定めるものをいう。）を用いて送信し、又は住居を訪問するために、当該仮名加工情報に含まれる連絡先その他の情報を利用してはならない。

5　前各項の規定は、行政機関の長等から仮名加工情報の取扱いの委託（二以上の段階にわたる委託を含む。）を受けた者が受託した業務を行う場合について準用する。

第三節　個人情報ファイル

（個人情報ファイルの保有等に関する事前通知）

第七十四条　行政機関（会計検査院を除く。以下この条において同じ。）が個人情報ファイルを保有しようとするときは、当該行政機関の長は、あらかじめ、個人情報保護委員会に対し、次に掲げる事項を通知しなければならない。通知した事項を変更しようとするときも、同様とする。

一　個人情報ファイルの名称

二　当該機関の名称及び個人情報ファイルが利用に供される事務をつかさどる組織の名称

三　個人情報ファイルの利用目的

四　個人情報ファイルに記録される項目（以下この節において「記録項目」という。）及び本人（他の個人の氏名、生年月日その他の記述等によらないで検索し得る者に限る。次項第九号において同じ。）として個人情報ファイルに記録される個人の範囲（以下この節において「記録範囲」という。）
五　個人情報ファイルに記録される個人情報（以下この節において「記録情報」という。）の収集方法
六　記録情報に要配慮個人情報が含まれるときは、その旨
七　記録情報を当該機関以外の者に経常的に提供する場合には、その提供先
八　次条第三項の規定に基づき、記録項目の一部若しくは第五号若しくは前号に掲げる事項を次条第一項に規定する個人情報ファイル簿に記載しないこととするとき、又は個人情報ファイルを同項に規定する個人情報ファイル簿に掲載しないこととするときは、その旨
九　第七十六条第一項、第九十条第一項又は第九十八条第一項の規定による請求を受理する組織の名称及び所在地
十　第九十条第一項ただし書又は第九十八条第一項ただし書に該当するときは、その旨
十一　その他政令で定める事項
2　前項の規定は、次に掲げる個人情報ファイルについては、適用しない。
一　国の安全、外交上の秘密その他の国の重大な利益に関する事項を記録する個人情報ファイル
二　犯罪の捜査、租税に関する法律の規定に基づく犯則事件の調査又は公訴の提起若しくは維持のために作成し、又は取得する個人情報ファイル
三　当該機関の職員又は職員であった者に係る個人情報ファイルであって、専らその人事、給与若しくは福利厚生に関する事項又はこれらに準ずる事項を記録するもの（当該機関が行う職員の採用試験に関する個人情報ファイルを含む。）
四　専ら試験的な電子計算機処理の用に供するための個人情報ファイル
五　前項の規定による通知に係る個人情報ファイルに記録されている記録情報の全部又は一部を記録した個人情報ファイルであって、その利用目的、記録項目及び記録範囲が当該通知に係るこれらの事項の範囲内のもの
六　一年以内に消去することとなる記録情報のみを記録する個人情報ファイル
七　資料その他の物品若しくは金銭の送付又は業務上必要な連絡のために利用する記録情報を記録した個人情報ファイルであって、送付又は連絡の相手方の氏名、住所その他の送付又は連絡に必要な事項のみを記録するもの
八　職員が学術研究の用に供するためその発意に基づき作成し、又は取得する個人情報ファイルであって、記録情報を専ら当該学術研究の目的のために利用するもの
九　本人の数が政令で定める数に満たない個人情報ファイル
十　第三号から前号までに掲げる個人情報ファイルに準ずるものとして政令で定める個人情報ファイル
十一　第六十条第二項第二号に係る個人情報ファイル
3　行政機関の長は、第一項に規定する事項を通知した個人情報ファイルについて、当該行政機関がその保有をやめたとき、又はその個人情報ファイルが前項第九号に該当するに至ったときは、遅滞なく、個人情報保護委員会に対しその旨を通知しなければならない。

（個人情報ファイル簿の作成及び公表）
第七十五条　行政機関の長等は、政令で定めるところにより、当該行政機関の長等の属する行政機関等が保有している個人情報ファイルについて、それぞれ前条第一項第一号から第七号まで、第九号及び第十号に掲げる事項その他政令で定める事項を記載した帳簿（以下この章において「個人情報ファイル簿」という。）を作成し、公表しなければならない。
2　前項の規定は、次に掲げる個人情報ファイルについては、適用しない。
一　前条第二項第一号から第十号までに掲げる個人情報ファイル
二　前項の規定による公表に係る個人情報ファイルに記録されている記録情報の全部又は一部を記録した個人情報ファイルであって、その利用目的、記録項目及び記録範囲が当該公表に係るこれらの事項の範囲内のもの
三　前号に掲げる個人情報ファイルに準ずるものとして政令で定める個人情報ファイル
3　第一項の規定にかかわらず、行政機関の長等は、記録項目の一部若しくは前条第一項第五号若しくは第七号に掲げる事項を個人情報ファイル簿に記載し、又は個人情報ファイルを個人情報ファイル簿に掲載することにより、利用目的に係る事務又は事業の性質上、当該事務又は事業の適正な遂行に著しい支障を及ぼすおそれがあると認めるときは、その記録項目の一部若しくは事項を記載せず、又はその個人情報ファイルを個人情報ファイル簿に掲載しないことができる。
4　地方公共団体の機関又は地方独立行政法人についての第一項の規定の適用については、同項中「定める事項」とあるのは、「定める事項並びに記録情報に条例要配慮個人情報が含まれているときは、その旨」とする。
5　前各項の規定は、地方公共団体の機関又は地方独立行政法人が、条例で定めるところにより、個人情報ファイル簿とは別の個人情報の保有の状況に関する事項を記載した帳簿を作成し、公表することを妨げるものではない。

第四節　開示、訂正及び利用停止

第一款　開示

（開示請求権）
第七十六条　何人も、この法律の定めるところにより、行政機関の長等に対し、当該行政機関の長等の属する行政機関等の保有する自己を本人とする保有個人情報の開示を請求することができる。
2　未成年者若しくは成年被後見人の法定代理人又は本人の委任による代理人（以下この節において「代理人」と総称する。）は、本人に代わって前項の規定による開示の請求（以下この節及び第百二十七条において「開示請求」という。）をすることができる。

（開示請求の手続）
第七十七条　開示請求は、次に掲げる事項を記載した書面（第三項において「開示請求書」という。）を行政機関の長等に提出してしなければならない。
一　開示請求をする者の氏名及び住所又は居所
二　開示請求に係る保有個人情報が記録されている行政文書等の名称その他の開示請求に係る保有個人情報を特定するに足

る事項

2　前項の場合において、開示請求をする者は、政令で定めるところにより、開示請求に係る保有個人情報の本人であること（前条第二項の規定による開示請求にあっては、開示請求に係る保有個人情報の本人の代理人であること）を示す書類を提示し、又は提出しなければならない。

3　行政機関の長等は、開示請求書に形式上の不備があると認めるときは、開示請求をした者（以下この節において「開示請求者」という。）に対し、相当の期間を定めて、その補正を求めることができる。この場合において、行政機関の長等は、開示請求者に対し、補正の参考となる情報を提供するよう努めなければならない。

（保有個人情報の開示義務）

第七十八条　行政機関の長等は、開示請求があったときは、開示請求に係る保有個人情報に次の各号に掲げる情報（以下この節において「不開示情報」という。）のいずれかが含まれている場合を除き、開示請求者に対し、当該保有個人情報を開示しなければならない。

一　開示請求者（第七十六条第二項の規定により代理人が本人に代わって開示請求をする場合にあっては、当該本人をいう。次号及び第三号、次条第二項並びに第八十六条第一項において同じ。）の生命、健康、生活又は財産を害するおそれがある情報

二　開示請求者以外の個人に関する情報（事業を営む個人の当該事業に関する情報を除く。）であって、当該情報に含まれる氏名、生年月日その他の記述等により開示請求者以外の特定の個人を識別することができるもの（他の情報と照合することにより、開示請求者以外の特定の個人を識別することができることとなるものを含む。）若しくは個人識別符号が含まれるもの又は開示請求者以外の特定の個人を識別することはできないが、開示することにより、なお開示請求者以外の個人の権利利益を害するおそれがあるもの。ただし、次に掲げる情報を除く。

イ　法令の規定により又は慣行として開示請求者が知ることができ、又は知ることが予定されている情報

ロ　人の生命、健康、生活又は財産を保護するため、開示することが必要であると認められる情報

ハ　当該個人が公務員等（国家公務員法（昭和二十二年法律第百二十号）第二条第一項に規定する国家公務員（独立行政法人通則法第二条第四項に規定する行政執行法人の職員を除く。）、独立行政法人等の職員、地方公務員法（昭和二十五年法律第二百六十一号）第二条に規定する地方公務員及び地方独立行政法人の職員をいう。）である場合において、当該情報がその職務の遂行に係る情報であるときは、当該情報のうち、当該公務員等の職及び当該職務遂行の内容に係る部分

三　法人その他の団体（国、独立行政法人等、地方公共団体及び地方独立行政法人を除く。以下この号において「法人等」という。）に関する情報又は開示請求者以外の事業を営む個人の当該事業に関する情報であって、次に掲げるもの。ただし、人の生命、健康、生活又は財産を保護するため、開示することが必要であると認められる情報を除く。

イ　開示することにより、当該法人等又は当該個人の権利、競争上の地位その他正当な利益を害するおそれがあるもの

ロ　行政機関等の要請を受けて、開示しないとの条件で任意に提供されたものであって、法人等又は個人における通例として開示しないこととされているものその他の当該条件を付することが当該情報の性質、当時の状況等に照らして合理的であると認められるもの

四　行政機関の長が第八十二条各項の決定（以下この節において「開示決定等」という。）をする場合において、開示することにより、国の安全が害されるおそれ、他国若しくは国際機関との信頼関係が損なわれるおそれ又は他国若しくは国際機関との交渉上不利益を被るおそれがあると当該行政機関の長が認めることにつき相当の理由がある情報

五　行政機関の長又は地方公共団体の機関（都道府県の機関に限る。）が開示決定等をする場合において、開示することにより、犯罪の予防、鎮圧又は捜査、公訴の維持、刑の執行その他の公共の安全と秩序の維持に支障を及ぼすおそれがあると当該行政機関の長又は地方公共団体の機関が認めることにつき相当の理由がある情報

六　国の機関、独立行政法人等、地方公共団体及び地方独立行政法人の内部又は相互間における審議、検討又は協議に関する情報であって、開示することにより、率直な意見の交換若しくは意思決定の中立性が不当に損なわれるおそれ、不当に国民の間に混乱を生じさせるおそれ又は特定の者に不当に利益を与え若しくは不利益を及ぼすおそれがあるもの

七　国の機関、独立行政法人等、地方公共団体又は地方独立行政法人が行う事務又は事業に関する情報であって、開示することにより、次に掲げるおそれその他当該事務又は事業の性質上、当該事務又は事業の適正な遂行に支障を及ぼすおそれがあるもの

イ　独立行政法人等、地方公共団体の機関又は地方独立行政法人が開示決定等をする場合において、国の安全が害されるおそれ、他国若しくは国際機関との信頼関係が損なわれるおそれ又は他国若しくは国際機関との交渉上不利益を被るおそれ

ロ　独立行政法人等、地方公共団体の機関（都道府県の機関を除く。）又は地方独立行政法人が開示決定等をする場合において、犯罪の予防、鎮圧又は捜査その他の公共の安全と秩序の維持に支障を及ぼすおそれ

ハ　監査、検査、取締り、試験又は租税の賦課若しくは徴収に係る事務に関し、正確な事実の把握を困難にするおそれ又は違法若しくは不当な行為を容易にし、若しくはその発見を困難にするおそれ

ニ　契約、交渉又は争訟に係る事務に関し、国、独立行政法人等、地方公共団体又は地方独立行政法人の財産上の利益又は当事者としての地位を不当に害するおそれ

ホ　調査研究に係る事務に関し、その公正かつ能率的な遂行を不当に阻害するおそれ

ヘ　人事管理に係る事務に関し、公正かつ円滑な人事の確保に支障を及ぼすおそれ

ト　独立行政法人等、地方公共団体が経営する企業又は地方独立行政法人に係る事業に関し、その企業経営上の正当な利益を害するおそれ

2　地方公共団体の機関又は地方独立行政法人についての前項の規定の適用については、同項中「掲げる情報」とあるのは、「掲げる情報（情報公開条例の規定により開示することとされている情報として条例で定めるものを除く。）又は行政機関情報公開法第五条に規定する不開示情報に準ずる情報であって情報公開条例において開示しないこととされているもののうち当該情報公開条例との整合性を確保するために不開示とする必要があるものとして条例で定めるもの」とする。

（部分開示）
第七十九条　行政機関の長等は、開示請求に係る保有個人情報に不開示情報が含まれている場合において、不開示情報に該当する部分を容易に区分して除くことができるときは、開示請求者に対し、当該部分を除いた部分につき開示しなければならない。

2　開示請求に係る保有個人情報に前条第一項第二号の情報（開示請求者以外の特定の個人を識別することができるものに限る。）が含まれている場合において、当該情報のうち、氏名、生年月日その他の開示請求者以外の特定の個人を識別することができることとなる記述等及び個人識別符号の部分を除くことにより、開示しても、開示請求者以外の個人の権利利益が害されるおそれがないと認められるときは、当該部分を除いた部分は、同号の情報に含まれないものとみなして、前項の規定を適用する。

（裁量的開示）
第八十条　行政機関の長等は、開示請求に係る保有個人情報に不開示情報が含まれている場合であっても、個人の権利利益を保護するため特に必要があると認めるときは、開示請求者に対し、当該保有個人情報を開示することができる。

（保有個人情報の存否に関する情報）
第八十一条　開示請求に対し、当該開示請求に係る保有個人情報が存在しているか否かを答えるだけで、不開示情報を開示することとなるときは、行政機関の長等は、当該保有個人情報の存否を明らかにしないで、当該開示請求を拒否することができる。

（開示請求に対する措置）
第八十二条　行政機関の長等は、開示請求に係る保有個人情報の全部又は一部を開示するときは、その旨の決定をし、開示請求者に対し、その旨、開示する保有個人情報の利用目的及び開示の実施に関し政令で定める事項を書面により通知しなければならない。ただし、第六十二条第二号又は第三号に該当する場合における当該利用目的については、この限りでない。

2　行政機関の長等は、開示請求に係る保有個人情報の全部を開示しないとき（前条の規定により開示請求を拒否するとき、及び開示請求に係る保有個人情報を保有していないときを含む。）は、開示をしない旨の決定をし、開示請求者に対し、その旨を書面により通知しなければならない。

（開示決定等の期限）
第八十三条　開示決定等は、開示請求があった日から三十日以内にしなければならない。ただし、第七十七条第三項の規定により補正を求めた場合にあっては、当該補正に要した日数は、当該期間に算入しない。

2　前項の規定にかかわらず、行政機関の長等は、事務処理上の困難その他正当な理由があるときは、同項に規定する期間を三十日以内に限り延長することができる。この場合において、行政機関の長等は、開示請求者に対し、遅滞なく、延長後の期間及び延長の理由を書面により通知しなければならない。

（開示決定等の期限の特例）
第八十四条　開示請求に係る保有個人情報が著しく大量であるため、開示請求があった日から六十日以内にその全てについて開示決定等をすることにより事務の遂行に著しい支障が生ずるおそれがある場合には、前条の規定にかかわらず、行政機関の長等は、開示請求に係る保有個人情報のうちの相当の部分につき当該期間内に開示決定等をし、残りの保有個人情報については相当の期間内に開示決定等をすれば足りる。この場合において、行政機関の長等は、同条第一項に規定する期間内に、開示請求者に対し、次に掲げる事項を書面により通知しなければならない。

一　この条の規定を適用する旨及びその理由
二　残りの保有個人情報について開示決定等をする期限

（事案の移送）
第八十五条　行政機関の長等は、開示請求に係る保有個人情報が当該行政機関の長等が属する行政機関等以外の行政機関等から提供されたものであるとき、その他他の行政機関の長等において開示決定等をすることにつき正当な理由があるときは、当該他の行政機関の長等と協議の上、当該他の行政機関の長等に対し、事案を移送することができる。この場合においては、移送をした行政機関の長等は、開示請求者に対し、事案を移送した旨を書面により通知しなければならない。

2　前項の規定により事案が移送されたときは、移送を受けた行政機関の長等において、当該開示請求についての開示決定等をしなければならない。この場合において、移送をした行政機関の長等が移送前にした行為は、移送を受けた行政機関の長等がしたものとみなす。

3　前項の場合において、移送を受けた行政機関の長等が第八十二条第一項の決定（以下この節において「開示決定」という。）をしたときは、当該行政機関の長等は、開示の実施をしなければならない。この場合において、移送をした行政機関の長等は、当該開示の実施に必要な協力をしなければならない。

（第三者に対する意見書提出の機会の付与等）
第八十六条　開示請求に係る保有個人情報に国、独立行政法人等、地方公共団体、地方独立行政法人及び開示請求者以外の者（以下この条、第百五条第二項第三号及び第百七条第一項において「第三者」という。）に関する情報が含まれているときは、行政機関の長等は、開示決定等をするに当たって、当該情報に係る第三者に対し、政令で定めるところにより、当該第三者に関する情報の内容その他政令で定める事項を通知して、意見書を提出する機会を与えることができる。

2　行政機関の長等は、次の各号のいずれかに該当するときは、開示決定に先立ち、当該第三者に対し、政令で定めるところにより、開示請求に係る当該第三者に関する情報の内容その他政令で定める事項を書面により通知して、意見書を提出する機会を与えなければならない。ただし、当該第三者の所在が判明しない場合は、この限りでない。

一　第三者に関する情報が含まれている保有個人情報を開示しようとする場合であって、当該第三者に関する情報が第七十八条第一項第二号ロ又は同項第三号ただし書に規定する情報に該当すると認められるとき。

二　第三者に関する情報が含まれている保有個人情報を第八十条の規定により開示しようとするとき。

3　行政機関の長等は、前二項の規定により意見書の提出の機会を与えられた第三者が当該第三者に関する情報の開示に反対の意思を表示した意見書を提出した場合において、開示決定をするときは、開示決定の日と開示を実施する日との間に少なくとも二週間を置かなければならない。この場合において、行政機関の長等は、開示決定後直ちに、当該意見書（第百五条において「反対意見書」という。）を提出した第三者に対し、開示決定をした旨及びその理由並びに開示を実施する日を書面により通知しなければならない。

（開示の実施）

第八十七条　保有個人情報の開示は、当該保有個人情報が、文書又は図画に記録されているときは閲覧又は写しの交付により、電磁的記録に記録されているときはその種別、情報化の進展状況等を勘案して行政機関等が定める方法により行う。ただし、閲覧の方法による保有個人情報の開示にあっては、行政機関の長等は、当該保有個人情報が記録されている文書又は図画の保存に支障を生ずるおそれがあると認めるとき、その他正当な理由があるときは、その写しにより、これを行うことができる。

2　行政機関等は、前項の規定に基づく電磁的記録についての開示の方法に関する定めを一般の閲覧に供しなければならない。

3　開示決定に基づき保有個人情報の開示を受ける者は、政令で定めるところにより、当該開示決定をした行政機関の長等に対し、その求める開示の実施の方法その他の政令で定める事項を申し出なければならない。

4　前項の規定による申出は、第八十二条第一項に規定する通知があった日から三十日以内にしなければならない。ただし、当該期間内に当該申出をすることができないことにつき正当な理由があるときは、この限りでない。

（他の法令による開示の実施との調整）

第八十八条　行政機関の長等は、他の法令の規定により、開示請求者に対し開示請求に係る保有個人情報が前条第一項本文に規定する方法と同一の方法で開示することとされている場合（開示の期間が定められている場合にあっては、当該期間内に限る。）には、同項本文の規定にかかわらず、当該保有個人情報については、当該同一の方法による開示を行わない。ただし、当該他の法令の規定に一定の場合には開示をしない旨の定めがあるときは、この限りでない。

2　他の法令の規定に定める開示の方法が縦覧であるときは、当該縦覧を前条第一項本文の閲覧とみなして、前項の規定を適用する。

（手数料）

第八十九条　行政機関の長に対し開示請求をする者は、政令で定めるところにより、実費の範囲内において政令で定める額の手数料を納めなければならない。

2　地方公共団体の機関に対し開示請求をする者は、条例で定めるところにより、実費の範囲内において条例で定める額の手数料を納めなければならない。

3　前二項の手数料の額を定めるに当たっては、できる限り利用しやすい額とするよう配慮しなければならない。

4　独立行政法人等に対し開示請求をする者は、独立行政法人等の定めるところにより、手数料を納めなければならない。

5　前項の手数料の額は、実費の範囲内において、かつ、第一項の手数料の額を参酌して、独立行政法人等が定める。

6　独立行政法人等は、前二項の規定による定めを一般の閲覧に供しなければならない。

7　地方独立行政法人に対し開示請求をする者は、地方独立行政法人の定めるところにより、手数料を納めなければならない。

8　前項の手数料の額は、実費の範囲内において、かつ、第二項の条例で定める手数料の額を参酌して、地方独立行政法人が定める。

9　地方独立行政法人は、前二項の規定による定めを一般の閲覧に供しなければならない。

第二款　訂正

（訂正請求権）

第九十条　何人も、自己を本人とする保有個人情報（次に掲げるものに限る。第九十八条第一項において同じ。）の内容が事実でないと思料するときは、この法律の定めるところにより、当該保有個人情報を保有する行政機関の長等に対し、当該保有個人情報の訂正（追加又は削除を含む。以下この節において同じ。）を請求することができる。ただし、当該保有個人情報の訂正に関して他の法令の規定により特別の手続が定められているときは、この限りでない。

一　開示決定に基づき開示を受けた保有個人情報

二　開示決定に係る保有個人情報であって、第八十八条第一項の他の法令の規定により開示を受けたもの

2　代理人は、本人に代わって前項の規定による訂正の請求（以下この節及び第百二十七条において「訂正請求」という。）をすることができる。

3　訂正請求は、保有個人情報の開示を受けた日から九十日以内にしなければならない。

（訂正請求の手続）

第九十一条　訂正請求は、次に掲げる事項を記載した書面（第三項において「訂正請求書」という。）を行政機関の長等に提出してしなければならない。

一　訂正請求をする者の氏名及び住所又は居所

二　訂正請求に係る保有個人情報の開示を受けた日その他当該保有個人情報を特定するに足りる事項

三　訂正請求の趣旨及び理由

2　前項の場合において、訂正請求をする者は、政令で定めるところにより、訂正請求に係る保有個人情報の本人であること（前条第二項の規定による訂正請求にあっては、訂正請求に係る保有個人情報の本人の代理人であること）を示す書類を提示し、又は提出しなければならない。

3　行政機関の長等は、訂正請求書に形式上の不備があると認めるときは、訂正請求をした者（以下この節において「訂正請求者」という。）に対し、相当の期間を定めて、その補正を求めることができる。

（保有個人情報の訂正義務）

第九十二条　行政機関の長等は、訂正請求があった場合において、当該訂正請求に理由があると認めるときは、当該訂正請求に係る保有個人情報の利用目的の達成に必要な範囲内で、当該

保有個人情報の訂正をしなければならない。

（訂正請求に対する措置）

第九十三条　行政機関の長等は、訂正請求に係る保有個人情報の訂正をするときは、その旨の決定をし、訂正請求者に対し、その旨を書面により通知しなければならない。

2　行政機関の長等は、訂正請求に係る保有個人情報の訂正をしないときは、その旨の決定をし、訂正請求者に対し、その旨を書面により通知しなければならない。

（訂正決定等の期限）

第九十四条　前条各項の決定（以下この節において「訂正決定等」という。）は、訂正請求があった日から三十日以内にしなければならない。ただし、第九十一条第三項の規定により補正を求めた場合にあっては、当該補正に要した日数は、当該期間に算入しない。

2　前項の規定にかかわらず、行政機関の長等は、事務処理上の困難その他正当な理由があるときは、同項に規定する期間を三十日以内に限り延長することができる。この場合において、行政機関の長等は、訂正請求者に対し、遅滞なく、延長後の期間及び延長の理由を書面により通知しなければならない。

（訂正決定等の期限の特例）

第九十五条　行政機関の長等は、訂正決定等に特に長期間を要すると認めるときは、前条の規定にかかわらず、相当の期間内に訂正決定等をすれば足りる。この場合において、行政機関の長等は、同条第一項に規定する期間内に、訂正請求者に対し、次に掲げる事項を書面により通知しなければならない。

一　この条の規定を適用する旨及びその理由

二　訂正決定等をする期限

（事案の移送）

第九十六条　行政機関の長等は、訂正請求に係る保有個人情報が第八十五条第三項の規定に基づく開示に係るものであるとき、その他他の行政機関の長等において訂正決定等をすることにつき正当な理由があるときは、当該他の行政機関の長等と協議の上、当該他の行政機関の長等に対し、事案を移送することができる。この場合においては、移送をした行政機関の長等は、訂正請求者に対し、事案を移送した旨を書面により通知しなければならない。

2　前項の規定により事案が移送されたときは、移送を受けた行政機関の長等において、当該訂正請求についての訂正決定等をしなければならない。この場合において、移送をした行政機関の長等が移送前にした行為は、移送を受けた行政機関の長等がしたものとみなす。

3　前項の場合において、移送を受けた行政機関の長等が第九十三条第一項の決定（以下この項及び次条において「訂正決定」という。）をしたときは、移送をした行政機関の長等は、当該訂正決定に基づき訂正の実施をしなければならない。

（保有個人情報の提供先への通知）

第九十七条　行政機関の長等は、訂正決定に基づく保有個人情報の訂正の実施をした場合において、必要があると認めるときは、当該保有個人情報の提供先に対し、遅滞なく、その旨を書面により通知するものとする。

第三款　利用停止

（利用停止請求権）

第九十八条　何人も、自己を本人とする保有個人情報が次の各号のいずれかに該当すると思料するときは、この法律の定めるところにより、当該保有個人情報を保有する行政機関の長等に対し、当該各号に定める措置を請求することができる。ただし、当該保有個人情報の利用の停止、消去又は提供の停止（以下この節において「利用停止」という。）に関して他の法令の規定により特別の手続が定められているときは、この限りでない。

一　第六十一条第二項の規定に違反して保有されているとき、第六十三条の規定に違反して取り扱われているとき、第六十四条の規定に違反して取得されたものであるとき、又は第六十九条第一項及び第二項の規定に違反して利用されているとき　当該保有個人情報の利用の停止又は消去

二　第六十九条第一項及び第二項又は第七十一条第一項の規定に違反して提供されているとき　当該保有個人情報の提供の停止

2　代理人は、本人に代わって前項の規定による利用停止の請求（以下この節及び第百二十七条において「利用停止請求」という。）をすることができる。

3　利用停止請求は、保有個人情報の開示を受けた日から九十日以内にしなければならない。

（利用停止請求の手続）

第九十九条　利用停止請求は、次に掲げる事項を記載した書面（第三項において「利用停止請求書」という。）を行政機関の長等に提出してしなければならない。

一　利用停止請求をする者の氏名及び住所又は居所

二　利用停止請求に係る保有個人情報の開示を受けた日その他当該保有個人情報を特定するに足りる事項

三　利用停止請求の趣旨及び理由

2　前項の場合において、利用停止請求をする者は、政令で定めるところにより、利用停止請求に係る保有個人情報の本人であること（前条第二項の規定による利用停止請求にあっては、利用停止請求に係る保有個人情報の本人の代理人であること）を示す書類を提示し、又は提出しなければならない。

3　行政機関の長等は、利用停止請求書に形式上の不備があると認めるときは、利用停止請求をした者（以下この節において「利用停止請求者」という。）に対し、相当の期間を定めて、その補正を求めることができる。

（保有個人情報の利用停止義務）

第百条　行政機関の長等は、利用停止請求があった場合において、当該利用停止請求に理由があると認めるときは、当該行政機関の長等の属する行政機関等における個人情報の適正な取扱いを確保するために必要な限度で、当該利用停止請求に係る保有個人情報の利用停止をしなければならない。ただし、当該保有個人情報の利用停止をすることにより、当該保有個人情報の利用目的に係る事務又は事業の性質上、当該事務又は事業の適正な遂行に著しい支障を及ぼすおそれがあると認められるときは、この限りでない。

（利用停止請求に対する措置）

第百一条　行政機関の長等は、利用停止請求に係る保有個人情報の利用停止をするときは、その旨の決定をし、利用停止請求者に対し、その旨を書面により通知しなければならない。

2　行政機関の長等は、利用停止請求に係る保有個人情報の利用停止をしないときは、その旨の決定をし、利用停止請求者に対

し、その旨を書面により通知しなければならない。

（利用停止決定等の期限）

第百二条　前条各項の決定（以下この節において「利用停止決定等」という。）は、利用停止請求があった日から三十日以内にしなければならない。ただし、第九十九条第三項の規定により補正を求めた場合にあっては、当該補正に要した日数は、当該期間に算入しない。

2　前項の規定にかかわらず、行政機関の長等は、事務処理上の困難その他正当な理由があるときは、同項に規定する期間を三十日以内に限り延長することができる。この場合において、行政機関の長等は、利用停止請求者に対し、遅滞なく、延長後の期間及び延長の理由を書面により通知しなければならない。

（利用停止決定等の期限の特例）

第百三条　行政機関の長等は、利用停止決定等に特に長期間を要すると認めるときは、前条の規定にかかわらず、相当の期間内に利用停止決定等をすれば足りる。この場合において、行政機関の長等は、同条第一項に規定する期間内に、利用停止請求者に対し、次に掲げる事項を書面により通知しなければならない。

一　この条の規定を適用する旨及びその理由

二　利用停止決定等をする期限

第四款　審査請求

（審理員による審理手続に関する規定の適用除外等）

第百四条　行政機関の長等（地方公共団体の機関又は地方独立行政法人を除く。次項及び次条において同じ。）に対する開示決定等、訂正決定等、利用停止決定等又は開示請求、訂正請求若しくは利用停止請求に係る不作為に係る審査請求については、行政不服審査法（平成二十六年法律第六十八号）第九条、第十七条、第二十四条、第二章第三節及び第四節並びに第五十条第二項の規定は、適用しない。

2　行政機関の長等に対する開示決定等、訂正決定等、利用停止決定等又は開示請求、訂正請求若しくは利用停止請求に係る不作為に係る審査請求についての行政不服審査法第二章の規定の適用については、同法第十一条第二項中「第九条第一項の規定により指名された者（以下「審理員」という。）」とあるのは「第四条（個人情報の保護に関する法律（平成十五年法律第五十七号）第百七条第二項の規定に基づく政令を含む。）の規定により審査請求がされた行政庁（第十四条の規定により引継ぎを受けた行政庁を含む。以下「審査庁」という。）」と、同法第十三条第一項及び第二項中「審理員」とあるのは「審査庁」と、同法第二十五条第七項中「あったとき、又は審理員から第四十条に規定する執行停止をすべき旨の意見書が提出されたとき」とあるのは「あったとき」と、同法第四十四条中「行政不服審査会等」とあるのは「情報公開・個人情報保護審査会（審査庁が会計検査院長である場合にあっては、別に法律で定める審査会。第五十条第一項第四号において同じ。）」と、「受けたとき（前条第一項の規定による諮問を要しない場合（同項第二号又は第三号に該当する場合を除く。）にあっては審理員意見書が提出されたとき、同項第二号又は第三号に該当する場合にあっては同項第二号又は第三号に規定する議を経たとき）」とあるのは「受けたとき」と、同法第五十条第一項第四号中「審理員意見書又は行政不服審査会等若しくは審議会等」とあるのは「情報公開・個人情報保護審査会」とする。

（審査会への諮問）

第百五条　開示決定等、訂正決定等、利用停止決定等又は開示請求、訂正請求若しくは利用停止請求に係る不作為について審査請求があったときは、当該審査請求に対する裁決をすべき行政機関の長等は、次の各号のいずれかに該当する場合を除き、情報公開・個人情報保護審査会（審査請求に対する裁決をすべき行政機関の長等が会計検査院長である場合にあっては、別に法律で定める審査会）に諮問しなければならない。

一　審査請求が不適法であり、却下する場合

二　裁決で、審査請求の全部を認容し、当該審査請求に係る保有個人情報の全部を開示することとする場合（当該保有個人情報の開示について反対意見書が提出されている場合を除く。）

三　裁決で、審査請求の全部を認容し、当該審査請求に係る保有個人情報の訂正をすることとする場合

四　裁決で、審査請求の全部を認容し、当該審査請求に係る保有個人情報の利用停止をすることとする場合

2　前項の規定により諮問をした行政機関の長等は、次に掲げる者に対し、諮問をした旨を通知しなければならない。

一　審査請求人及び参加人（行政不服審査法第十三条第四項に規定する参加人をいう。以下この項及び第百七条第一項第二号において同じ。）

二　開示請求者、訂正請求者又は利用停止請求者（これらの者が審査請求人又は参加人である場合を除く。）

三　当該審査請求に係る保有個人情報の開示について反対意見書を提出した第三者（当該第三者が審査請求人又は参加人である場合を除く。）

3　前二項の規定は、地方公共団体の機関又は地方独立行政法人について準用する。この場合において、第一項中「情報公開・個人情報保護審査会（審査請求に対する裁決をすべき行政機関の長等が会計検査院長である場合にあっては、別に法律で定める審査会）」とあるのは、「行政不服審査法第八十一条第一項又は第二項の機関」と読み替えるものとする。

（地方公共団体の機関等における審理員による審理手続に関する規定の適用除外等）

第百六条　地方公共団体の機関又は地方独立行政法人に対する開示決定等、訂正決定等、利用停止決定等又は開示請求、訂正請求若しくは利用停止請求に係る不作為に係る審査請求については、行政不服審査法第九条第一項から第三項まで、第十七条、第四十条、第四十二条、第二章第四節及び第五十条第二項の規定は、適用しない。

2　地方公共団体の機関又は地方独立行政法人に対する開示決定等、訂正決定等、利用停止決定等又は開示請求、訂正請求若しくは利用停止請求に係る不作為に係る審査請求についての次の表の上欄に掲げる行政不服審査法の規定の適用については、これらの規定中同表の中欄に掲げる字句は、それぞれ同表の下欄に掲げる字句とするほか、必要な技術的読替えは、政令で定める。

第九条第四項	前項に規定する場合において、審査庁	第四条又は個人情報の保護に関する法律（平成十五年法律第五十七

		号）第百七条第二項の規定に基づく条例の規定により審査請求がされた行政庁（第十四条の規定により引継ぎを受けた行政庁を含む。以下「審査庁」という。）
	前項において読み替えて適用する第三十一条第一項	同法第百六条第二項において読み替えて適用する第三十一条第一項
	前項において読み替えて適用する第三十四条	同法第百六条第二項において読み替えて適用する第三十四条
	前項において読み替えて適用する第三十六条	同法第百六条第二項において読み替えて適用する第三十六条
第十一条第二項	第九条第一項の規定により指名された者（以下「審理員」という。）	審査庁
第十三条第一項及び第二項、第二十八条、第三十条、第三十一条、第三十二条第三項、第三十三条から第三十七条まで、第三十八条第一項から第三項まで及び第五項、第三十九条並びに第四十一条第一項及び第二項	審理員	審査庁
第二十五条第七項	執行停止の申立てがあったとき、又は審理員から第四十条に規定する執行停止をすべき旨の意見書が提出されたとき	執行停止の申立てがあったとき
第二十九条第一項	審理員は、審査庁から指名されたときは、直ちに	審査庁は、審査請求がされたときは、第二十四条の規定により当該審査請求を却下する場合を除き、速やかに
第二十九条第二項	審理員は	審査庁は、審査庁が処分庁等以外である場合にあっては
	提出を求める	提出を求め、審査庁が処分庁等である場合にあっては、相当の期間内に、弁明書を作成する
第二十九条第五項	審理員は	審査庁は、第二項の規定により
	提出があったとき	提出があったとき、又は弁明書を作成したとき
第三十条第三項	参加人及び処分庁等	参加人及び処分庁等（処分庁等が審査庁である場合にあっては、参加人）
	審査請求人及び処分庁等	審査請求人及び処分庁等（処分庁等が審査庁である場合にあっては、審査請求人）
第三十一条第二項	審理関係人	審理関係人（処分庁等が審査庁である場合にあっては、審査請求人及び参加人。以下この節及び第五十条第一項第三号において同じ。）
第四十一条第三項	審理員が	審査庁が
	終結した旨並びに次条第一項に規定する審理員意見書及び事件記録（審査請求書、弁明書その他審査請求に係る事件に関する書類その他の物件のうち政令で定めるものをいう。同条第二項及び第四十三条第二項において同じ。）を審査庁に	終結した旨を通知するものとする

	提出する予定時期を通知するものとする。当該予定時期を変更したときも、同様とする	
第四十四条	行政不服審査会等	第八十一条第一項又は第二項の機関
	受けたとき（前条第一項の規定による諮問を要しない場合（同項第二号又は第三号に該当する場合を除く。）にあっては審理員意見書が提出されたとき、同項第二号又は第三号に該当する場合にあっては同項第二号又は第三号に規定する議を経たとき）	受けたとき
第五十条第一項第四号	審理員意見書又は行政不服審査会等若しくは審議会等	第八十一条第一項又は第二項の機関
第八十一条第三項において準用する第七十四条	第四十三条第一項の規定により審査会に諮問をした審査庁	審査庁

（第三者からの審査請求を棄却する場合等における手続等）

第百七条 第八十六条第三項の規定は、次の各号のいずれかに該当する裁決をする場合について準用する。

一 開示決定に対する第三者からの審査請求を却下し、又は棄却する裁決

二 審査請求に係る開示決定等（開示請求に係る保有個人情報の全部を開示する旨の決定を除く。）を変更し、当該審査請求に係る保有個人情報を開示する旨の裁決（第三者である参加人が当該第三者に関する情報の開示に反対の意思を表示している場合に限る。）

2 開示決定等、訂正決定等、利用停止決定等又は開示請求、訂正請求若しくは利用停止請求に係る不作為についての審査請求については、政令（地方公共団体の機関又は地方独立行政法人にあっては、条例）で定めるところにより、行政不服審査法第四条の規定の特例を設けることができる。

第五款 条例との関係

第百八条 この節の規定は、地方公共団体が、保有個人情報の開示、訂正及び利用停止の手続並びに審査請求の手続に関する事項について、この節の規定に反しない限り、条例で必要な規定を定めることを妨げるものではない。

第五節 行政機関等匿名加工情報の提供等

（行政機関等匿名加工情報の作成及び提供等）

第百九条 行政機関の長等は、この節の規定に従い、行政機関等匿名加工情報（行政機関等匿名加工情報ファイルを構成するものに限る。以下この節において同じ。）を作成することができる。

2 行政機関の長等は、次の各号のいずれかに該当する場合を除き、行政機関等匿名加工情報を提供してはならない。

一 法令に基づく場合（この節の規定に従う場合を含む。）

二 保有個人情報を利用目的のために第三者に提供することができる場合において、当該保有個人情報を加工して作成した行政機関等匿名加工情報を当該第三者に提供するとき。

3 第六十九条の規定にかかわらず、行政機関の長等は、法令に基づく場合を除き、利用目的以外の目的のために削除情報（保有個人情報に該当するものに限る。）を自ら利用し、又は提供してはならない。

4 前項の「削除情報」とは、行政機関等匿名加工情報の作成に用いた保有個人情報から削除した記述等及び個人識別符号をいう。

（提案の募集に関する事項の個人情報ファイル簿への記載）

第百十条 行政機関の長等は、当該行政機関の長等の属する行政機関等が保有している個人情報ファイルが第六十条第三項各号のいずれにも該当すると認めるときは、当該個人情報ファイルについては、個人情報ファイル簿に次に掲げる事項を記載しなければならない。この場合における当該個人情報ファイルについての第七十五条第一項の規定の適用については、同項中「第十号」とあるのは、「第十号並びに第百十条各号」とする。

一 第百十二条第一項の提案の募集をする個人情報ファイルである旨

二 第百十二条第一項の提案を受ける組織の名称及び所在地

（提案の募集）

第百十一条 行政機関の長等は、個人情報保護委員会規則で定めるところにより、定期的に、当該行政機関の長等の属する行政機関等が保有している個人情報ファイル（個人情報ファイル簿に前条第一号に掲げる事項の記載があるものに限る。以下この節において同じ。）について、次条第一項の提案を募集するものとする。

（行政機関等匿名加工情報をその用に供して行う事業に関する提案）

第百十二条 前条の規定による募集に応じて個人情報ファイルを構成する保有個人情報を加工して作成する行政機関等匿名加工情報をその事業の用に供しようとする者は、行政機関の長等に対し、当該事業に関する提案をすることができる。

2 前項の提案は、個人情報保護委員会規則で定めるところにより、次に掲げる事項を記載した書面を行政機関の長等に提出してしなければならない。

一 提案をする者の氏名又は名称及び住所又は居所並びに法人その他の団体にあっては、その代表者の氏名

二 提案に係る個人情報ファイルの名称

三 提案に係る行政機関等匿名加工情報の本人の数

四 前号に掲げるもののほか、提案に係る行政機関等匿名加工情報の作成に用いる第百十六条第一項の規定による加工の方法を特定するに足りる事項

五　提案に係る行政機関等匿名加工情報の利用の目的及び方法その他当該行政機関等匿名加工情報がその用に供される事業の内容
六　提案に係る行政機関等匿名加工情報を前号の事業の用に供しようとする期間
七　提案に係る行政機関等匿名加工情報の漏えいの防止その他当該行政機関等匿名加工情報の適切な管理のために講ずる措置
八　前各号に掲げるもののほか、個人情報保護委員会規則で定める事項
3　前項の書面には、次に掲げる書面その他個人情報保護委員会規則で定める書類を添付しなければならない。
一　第一項の提案をする者が次条各号のいずれにも該当しないことを誓約する書面
二　前項第五号の事業が新たな産業の創出又は活力ある経済社会若しくは豊かな国民生活の実現に資するものであることを明らかにする書面

（欠格事由）
第百十三条　次の各号のいずれかに該当する者は、前条第一項の提案をすることができない。
一　未成年者
二　心身の故障により前条第一項の提案に係る行政機関等匿名加工情報をその用に供して行う事業を適正に行うことができない者として個人情報保護委員会規則で定めるもの
三　破産手続開始の決定を受けて復権を得ない者
四　禁錮以上の刑に処せられ、又はこの法律の規定により刑に処せられ、その執行を終わり、又は執行を受けることがなくなった日から起算して二年を経過しない者
五　第百二十条の規定により行政機関等匿名加工情報の利用に関する契約を解除され、その解除の日から起算して二年を経過しない者
六　法人その他の団体であって、その役員のうちに前各号のいずれかに該当する者があるもの

（提案の審査等）
第百十四条　行政機関の長等は、第百十二条第一項の提案があったときは、当該提案が次に掲げる基準に適合するかどうかを審査しなければならない。
一　第百十二条第一項の提案をした者が前条各号のいずれにも該当しないこと。
二　第百十二条第二項第三号の提案に係る行政機関等匿名加工情報の本人の数が、行政機関等匿名加工情報の効果的な活用の観点からみて個人情報保護委員会規則で定める数以上であり、かつ、提案に係る個人情報ファイルを構成する保有個人情報の本人の数以下であること。
三　第百十二条第二項第三号及び第四号に掲げる事項により特定される加工の方法が第百十六条第一項の基準に適合するものであること。
四　第百十二条第二項第五号の事業が新たな産業の創出又は活力ある経済社会若しくは豊かな国民生活の実現に資するものであること。
五　第百十二条第二項第六号の期間が行政機関等匿名加工情報の効果的な活用の観点からみて個人情報保護委員会規則で定める期間を超えないものであること。
六　第百十二条第二項第五号の提案に係る行政機関等匿名加工情報の利用の目的及び方法並びに同項第七号の措置が当該行政機関等匿名加工情報の本人の権利利益を保護するために適切なものであること。
七　前各号に掲げるもののほか、個人情報保護委員会規則で定める基準に適合するものであること。
2　行政機関の長等は、前項の規定により審査した結果、第百十二条第一項の提案が前項各号に掲げる基準のいずれにも適合すると認めるときは、個人情報保護委員会規則で定めるところにより、当該提案をした者に対し、次に掲げる事項を通知するものとする。
一　次条の規定により行政機関の長等との間で行政機関等匿名加工情報の利用に関する契約を締結することができる旨
二　前号に掲げるもののほか、個人情報保護委員会規則で定める事項
3　行政機関の長等は、第一項の規定により審査した結果、第百十二条第一項の提案が第一項各号に掲げる基準のいずれかに適合しないと認めるときは、個人情報保護委員会規則で定めるところにより、当該提案をした者に対し、理由を付して、その旨を通知するものとする。

（行政機関等匿名加工情報の利用に関する契約の締結）
第百十五条　前条第二項の規定による通知を受けた者は、個人情報保護委員会規則で定めるところにより、行政機関の長等との間で、行政機関等匿名加工情報の利用に関する契約を締結することができる。

（行政機関等匿名加工情報の作成等）
第百十六条　行政機関の長等は、行政機関等匿名加工情報を作成するときは、特定の個人を識別することができないように及びその作成に用いる保有個人情報を復元することができないようにするために必要なものとして個人情報保護委員会規則で定める基準に従い、当該保有個人情報を加工しなければならない。
2　前項の規定は、行政機関等から行政機関等匿名加工情報の作成の委託（二以上の段階にわたる委託を含む。）を受けた者が受託した業務を行う場合について準用する。

（行政機関等匿名加工情報に関する事項の個人情報ファイル簿への記載）
第百十七条　行政機関の長等は、行政機関等匿名加工情報を作成したときは、当該行政機関等匿名加工情報の作成に用いた保有個人情報を含む個人情報ファイルについては、個人情報ファイル簿に次に掲げる事項を記載しなければならない。この場合における当該個人情報ファイルについての第百十条の規定により読み替えて適用する第七十五条第一項の規定の適用については、同項中「並びに第百十条各号」とあるのは、「、第百十条各号並びに第百十七条各号」とする。
一　行政機関等匿名加工情報の概要として個人情報保護委員会規則で定める事項
二　次条第一項の提案を受ける組織の名称及び所在地
三　次条第一項の提案をすることができる期間

（作成された行政機関等匿名加工情報をその用に供して行う事業に関する提案等）
第百十八条　前条の規定により個人情報ファイル簿に同条第一号に掲げる事項が記載された行政機関等匿名加工情報をその事業

の用に供しようとする者は、行政機関の長等に対し、当該事業に関する提案をすることができる。当該行政機関等匿名加工情報について第百十五条の規定により行政機関等匿名加工情報の利用に関する契約を締結した者が、当該行政機関等匿名加工情報をその用に供する事業を変更しようとするときも、同様とする。

2　第百十二条第二項及び第三項並びに第百十三条から第百十五条までの規定は、前項の提案について準用する。この場合において、第百十二条第二項中「次に」とあるのは「第一号及び第四号から第八号までに」と、同項第四号中「前号に掲げるもののほか、提案」とあるのは「提案」と、「の作成に用いる第百十六条第一項の規定による加工の方法を特定する」とあるのは「を特定する」と、同項第八号中「前各号」とあるのは「第一号及び第四号から前号まで」と、第百十四条第一項中「次に」とあるのは「第一号及び第四号から第七号までに」と、同項第七号中「前各号」とあるのは「第一号及び前三号」と、同条第二項中「前項各号」とあるのは「前項第一号及び第四号から第七号まで」と、同条第三項中「第一項各号」とあるのは「第一項第一号及び第四号から第七号まで」と読み替えるものとする。

（手数料）

第百十九条　第百十五条の規定により行政機関等匿名加工情報の利用に関する契約を行政機関の長と締結する者は、政令で定めるところにより、実費を勘案して政令で定める額の手数料を納めなければならない。

2　前条第二項において準用する第百十五条の規定により行政機関等匿名加工情報の利用に関する契約を行政機関の長と締結する者は、政令で定めるところにより、前項の政令で定める額を参酌して政令で定める額の手数料を納めなければならない。

3　第百十五条の規定により行政機関等匿名加工情報の利用に関する契約を地方公共団体の機関と締結する者は、条例で定めるところにより、実費を勘案して政令で定める額を標準として条例で定める額の手数料を納めなければならない。

4　前条第二項において準用する第百十五条の規定により行政機関等匿名加工情報の利用に関する契約を地方公共団体の機関と締結する者は、条例で定めるところにより、前項の政令で定める額を参酌して政令で定める額を標準として条例で定める額の手数料を納めなければならない。

5　第百十五条の規定（前条第二項において準用する場合を含む。第八項及び次条において同じ。）により行政機関等匿名加工情報の利用に関する契約を独立行政法人等と締結する者は、独立行政法人等の定めるところにより、利用料を納めなければならない。

6　前項の利用料の額は、実費を勘案して合理的であると認められる範囲内において、独立行政法人等が定める。

7　独立行政法人等は、前二項の規定による定めを一般の閲覧に供しなければならない。

8　第百十五条の規定により行政機関等匿名加工情報の利用に関する契約を地方独立行政法人と締結する者は、地方独立行政法人の定めるところにより、手数料を納めなければならない。

9　前項の手数料の額は、実費を勘案し、かつ、第三項又は第四項の条例で定める手数料の額を参酌して、地方独立行政法人が定める。

10　地方独立行政法人は、前二項の規定による定めを一般の閲覧に供しなければならない。

（行政機関等匿名加工情報の利用に関する契約の解除）

第百二十条　行政機関の長等は、第百十五条の規定により行政機関等匿名加工情報の利用に関する契約を締結した者が次の各号のいずれかに該当するときは、当該契約を解除することができる。

一　偽りその他不正の手段により当該契約を締結したとき。

二　第百十三条各号（第百十八条第二項において準用する場合を含む。）のいずれかに該当することとなったとき。

三　当該契約において定められた事項について重大な違反があったとき。

（識別行為の禁止等）

第百二十一条　行政機関の長等は、行政機関等匿名加工情報を取り扱うに当たっては、法令に基づく場合を除き、当該行政機関等匿名加工情報の作成に用いられた個人情報に係る本人を識別するために、当該行政機関等匿名加工情報を他の情報と照合してはならない。

2　行政機関の長等は、行政機関等匿名加工情報、第百九条第四項に規定する削除情報及び第百十六条第一項の規定により行った加工の方法に関する情報（以下この条及び次条において「行政機関等匿名加工情報等」という。）の漏えいを防止するために必要なものとして個人情報保護委員会規則で定める基準に従い、行政機関等匿名加工情報等の適切な管理のために必要な措置を講じなければならない。

3　前二項の規定は、行政機関等から行政機関等匿名加工情報等の取扱いの委託（二以上の段階にわたる委託を含む。）を受けた者が受託した業務を行う場合について準用する。

（従事者の義務）

第百二十二条　行政機関等匿名加工情報等の取扱いに従事する行政機関等の職員若しくは職員であった者、前条第三項の委託を受けた業務に従事している者若しくは従事していた者又は行政機関等において行政機関等匿名加工情報等の取扱いに従事している派遣労働者若しくは従事していた派遣労働者は、その業務に関して知り得た行政機関等匿名加工情報等の内容をみだりに他人に知らせ、又は不当な目的に利用してはならない。

（匿名加工情報の取扱いに係る義務）

第百二十三条　行政機関等は、匿名加工情報（行政機関等匿名加工情報を除く。以下この条において同じ。）を第三者に提供するときは、法令に基づく場合を除き、個人情報保護委員会規則で定めるところにより、あらかじめ、第三者に提供される匿名加工情報に含まれる個人に関する情報の項目及びその提供の方法について公表するとともに、当該第三者に対して、当該提供に係る情報が匿名加工情報である旨を明示しなければならない。

2　行政機関等は、匿名加工情報を取り扱うに当たっては、法令に基づく場合を除き、当該匿名加工情報の作成に用いられた個人情報に係る本人を識別するために、当該個人情報から削除された記述等若しくは個人識別符号若しくは第四十三条第一項の規定により行われた加工の方法に関する情報を取得し、又は当該匿名加工情報を他の情報と照合してはならない。

3　行政機関等は、匿名加工情報の漏えいを防止するために必要なものとして個人情報保護委員会規則で定める基準に従い、匿名加工情報の適切な管理のために必要な措置を講じなければならない。

4　前二項の規定は、行政機関等から匿名加工情報の取扱いの委託（二以上の段階にわたる委託を含む。）を受けた者が受託した業務を行う場合について準用する。

第六節　雑則

（適用除外等）

第百二十四条　第四節の規定は、刑事事件若しくは少年の保護事件に係る裁判、検察官、検察事務官若しくは司法警察職員が行う処分、刑若しくは保護処分の執行、更生緊急保護又は恩赦に係る保有個人情報（当該裁判、処分若しくは執行を受けた者、更生緊急保護の申出をした者又は恩赦の上申があった者に係るものに限る。）については、適用しない。

2　保有個人情報（行政機関情報公開法第五条、独立行政法人等情報公開法第五条又は情報公開条例に規定する不開示情報を専ら記録する行政文書等に記録されているものに限る。）のうち、まだ分類その他の整理が行われていないもので、同一の利用目的に係るものが著しく大量にあるためその中から特定の保有個人情報を検索することが著しく困難であるものは、第四節（第四款を除く。）の規定の適用については、行政機関等に保有されていないものとみなす。

（適用の特例）

第百二十五条　第五十八条第二項各号に掲げる者が行う当該各号に定める業務における個人情報、仮名加工情報又は個人関連情報の取扱いについては、この章（第一節、第六十六条第二項（第四号及び第五号（同項第四号に係る部分に限る。）に係る部分に限る。）において準用する同条第一項、第七十五条、前二節、前条第二項及び第百二十七条を除く。）の規定、第百七十六条及び第百八十条の規定（これらの規定のうち第六十六条第二項第四号及び第五号（同項第四号に係る部分に限る。）に定める業務に係る部分を除く。）並びに第百八十一条の規定は、適用しない。

2　第五十八条第一項各号に掲げる者による個人情報又は匿名加工情報の取扱いについては、同項第一号に掲げる者を独立行政法人等と、同項第二号に掲げる者を地方独立行政法人と、それぞれみなして、第一節、第七十五条、前二節、前条第二項、第百二十七条及び次章から第八章まで（第百七十六条、第百八十条及び第百八十一条を除く。）の規定を適用する。

3　第五十八条第一項各号及び第二項各号に掲げる者（同項各号に定める業務を行う場合に限る。）についての第九十八条の規定の適用については、同条第一項第一号中「第六十一条第二項の規定に違反して保有されているとき、第六十三条の規定に違反して取り扱われているとき、第六十四条の規定に違反して取得されたものであるとき、又は第六十九条第一項及び第二項の規定に違反して利用されているとき」とあるのは「第十八条若しくは第十九条の規定に違反して取り扱われているとき、又は第二十条の規定に違反して取得されたものであるとき」と、同項第二号中「第六十九条第一項及び第二項又は第七十一条第一項」とあるのは「第二十七条第一項又は第二十八条」とする。

（権限又は事務の委任）

第百二十六条　行政機関の長は、政令（内閣の所轄の下に置かれる機関及び会計検査院にあっては、当該機関の命令）で定めるところにより、第二節から前節まで（第七十四条及び第四節第四款を除く。）に定める権限又は事務を当該行政機関の職員に委任することができる。

（開示請求等をしようとする者に対する情報の提供等）

第百二十七条　行政機関の長等は、開示請求、訂正請求若しくは利用停止請求又は第百十二条第一項若しくは第百十八条第一項の提案（以下この条において「開示請求等」という。）をしようとする者がそれぞれ容易かつ的確に開示請求等をすることができるよう、当該行政機関の長等の属する行政機関等が保有する保有個人情報の特定又は当該提案に資する情報の提供その他開示請求等をしようとする者の利便を考慮した適切な措置を講ずるものとする。

（行政機関等における個人情報等の取扱いに関する苦情処理）

第百二十八条　行政機関の長等は、行政機関等における個人情報、仮名加工情報又は匿名加工情報の取扱いに関する苦情の適切かつ迅速な処理に努めなければならない。

（地方公共団体に置く審議会等への諮問）

第百二十九条　地方公共団体の機関は、条例で定めるところにより、第三章第三節の施策を講ずる場合その他の場合において、個人情報の適正な取扱いを確保するため専門的な知見に基づく意見を聴くことが特に必要であると認めるときは、審議会その他の合議制の機関に諮問することができる。

第六章　個人情報保護委員会

第一節　設置等

（設置）

第百三十条　内閣府設置法第四十九条第三項の規定に基づいて、個人情報保護委員会（以下「委員会」という。）を置く。

2　委員会は、内閣総理大臣の所轄に属する。

（任務）

第百三十一条　委員会は、行政機関等の事務及び事業の適正かつ円滑な運営を図り、並びに個人情報の適正かつ効果的な活用が新たな産業の創出並びに活力ある経済社会及び豊かな国民生活の実現に資するものであることその他の個人情報の有用性に配慮しつつ、個人の権利利益を保護するため、個人情報の適正な取扱いの確保を図ること（個人番号利用事務等実施者（行政手続における特定の個人を識別するための番号の利用等に関する法律（平成二十五年法律第二十七号。以下「番号利用法」という。）第十二条に規定する個人番号利用事務等実施者をいう。）に対する指導及び助言その他の措置を講ずることを含む。）を任務とする。

（所掌事務）

第百三十二条　委員会は、前条の任務を達成するため、次に掲げる事務をつかさどる。

一　基本方針の策定及び推進に関すること。

二　個人情報取扱事業者における個人情報の取扱い、個人情報取扱事業者及び仮名加工情報取扱事業者における仮名加工情報の取扱い、個人情報取扱事業者及び匿名加工情報取扱事業者における匿名加工情報の取扱い並びに個人関連情報取扱事業者における個人関連情報の取扱いに関する監督、行政機関等における個人情報、仮名加工情報、匿名加工情報及び個人関連情報並びに個人情報、仮名加工情報及び匿名加工情報の取扱いに関する苦情の申出についての必要なあっせん及びその処理を行う事業者への協力に関すること（第四号に掲げるものを除く。）。
三　認定個人情報保護団体に関すること。
四　特定個人情報（番号利用法第二条第八項に規定する特定個人情報をいう。）の取扱いに関する監視又は監督並びに苦情の申出についての必要なあっせん及びその処理を行う事業者への協力に関すること。
五　特定個人情報保護評価（番号利用法第二十七条第一項に規定する特定個人情報保護評価をいう。）に関すること。
六　個人情報の保護及び適正かつ効果的な活用についての広報及び啓発に関すること。
七　前各号に掲げる事務を行うために必要な調査及び研究に関すること。
八　所掌事務に係る国際協力に関すること。
九　前各号に掲げるもののほか、法律（法律に基づく命令を含む。）に基づき委員会に属させられた事務

（職権行使の独立性）
第百三十三条　委員会の委員長及び委員は、独立してその職権を行う。

（組織等）
第百三十四条　委員会は、委員長及び委員八人をもって組織する。
2　委員のうち四人は、非常勤とする。
3　委員長及び委員は、人格が高潔で識見の高い者のうちから、両議院の同意を得て、内閣総理大臣が任命する。
4　委員長及び委員には、個人情報の保護及び適正かつ効果的な活用に関する学識経験のある者、消費者の保護に関して十分な知識と経験を有する者、情報処理技術に関する学識経験のある者、行政分野に関する学識経験のある者、民間企業の実務に関して十分な知識と経験を有する者並びに連合組織（地方自治法第二百六十三条の三第一項の連合組織で同項の規定による届出をしたものをいう。）の推薦する者が含まれるものとする。

（任期等）
第百三十五条　委員長及び委員の任期は、五年とする。ただし、補欠の委員長又は委員の任期は、前任者の残任期間とする。
2　委員長及び委員は、再任されることができる。
3　委員長及び委員の任期が満了したときは、当該委員長及び委員は、後任者が任命されるまで引き続きその職務を行うものとする。
4　委員長又は委員の任期が満了し、又は欠員を生じた場合において、国会の閉会又は衆議院の解散のために両議院の同意を得ることができないときは、内閣総理大臣は、前条第三項の規定にかかわらず、同項に定める資格を有する者のうちから、委員長又は委員を任命することができる。
5　前項の場合においては、任命後最初の国会において両議院の事後の承認を得なければならない。この場合において、両議院の事後の承認が得られないときは、内閣総理大臣は、直ちに、その委員長又は委員を罷免しなければならない。

（身分保障）
第百三十六条　委員長及び委員は、次の各号のいずれかに該当する場合を除いては、在任中、その意に反して罷免されることがない。
一　破産手続開始の決定を受けたとき。
二　この法律又は番号利用法の規定に違反して刑に処せられたとき。
三　禁錮以上の刑に処せられたとき。
四　委員会により、心身の故障のため職務を執行することができないと認められたとき、又は職務上の義務違反その他委員長若しくは委員たるに適しない非行があると認められたとき。

（罷免）
第百三十七条　内閣総理大臣は、委員長又は委員が前条各号のいずれかに該当するときは、その委員長又は委員を罷免しなければならない。

（委員長）
第百三十八条　委員長は、委員会の会務を総理し、委員会を代表する。
2　委員会は、あらかじめ常勤の委員のうちから、委員長に事故がある場合に委員長を代理する者を定めておかなければならない。

（会議）
第百三十九条　委員会の会議は、委員長が招集する。
2　委員会は、委員長及び四人以上の委員の出席がなければ、会議を開き、議決をすることができない。
3　委員会の議事は、出席者の過半数でこれを決し、可否同数のときは、委員長の決するところによる。
4　第百三十六条第四号の規定による認定をするには、前項の規定にかかわらず、本人を除く全員の一致がなければならない。
5　委員長に事故がある場合の第二項の規定の適用については、前条第二項に規定する委員長を代理する者は、委員長とみなす。

（専門委員）
第百四十条　委員会に、専門の事項を調査させるため、専門委員を置くことができる。
2　専門委員は、委員会の申出に基づいて内閣総理大臣が任命する。
3　専門委員は、当該専門の事項に関する調査が終了したときは、解任されるものとする。
4　専門委員は、非常勤とする。

（事務局）
第百四十一条　委員会の事務を処理させるため、委員会に事務局を置く。
2　事務局に、事務局長その他の職員を置く。
3　事務局長は、委員長の命を受けて、局務を掌理する。

（政治運動等の禁止）
第百四十二条　委員長及び委員は、在任中、政党その他の政治団体の役員となり、又は積極的に政治運動をしてはならない。
2　委員長及び常勤の委員は、在任中、内閣総理大臣の許可のある場合を除くほか、報酬を得て他の職務に従事し、又は営利事業を営み、その他金銭上の利益を目的とする業務を行ってはならない。

（秘密保持義務）
第百四十三条　委員長、委員、専門委員及び事務局の職員は、職務上知ることのできた秘密を漏らし、又は盗用してはならな

い。その職務を退いた後も、同様とする。

（給与）

第百四十四条　委員長及び委員の給与は、別に法律で定める。

（規則の制定）

第百四十五条　委員会は、その所掌事務について、法律若しくは政令を実施するため、又は法律若しくは政令の特別の委任に基づいて、個人情報保護委員会規則を制定することができる。

第二節　監督及び監視

第一款　個人情報取扱事業者等の監督

（報告及び立入検査）

第百四十六条　委員会は、第四章（第五節を除く。次条及び第百五十一条において同じ。）の規定の施行に必要な限度において、個人情報取扱事業者、仮名加工情報取扱事業者、匿名加工情報取扱事業者又は個人関連情報取扱事業者（以下この款において「個人情報取扱事業者等」という。）その他の関係者に対し、個人情報、仮名加工情報、匿名加工情報又は個人関連情報（以下この款及び第三款において「個人情報等」という。）の取扱いに関し、必要な報告若しくは資料の提出を求め、又はその職員に、当該個人情報取扱事業者等その他の関係者の事務所その他必要な場所に立ち入らせ、個人情報等の取扱いに関し質問させ、若しくは帳簿書類その他の物件を検査させることができる。

2　前項の規定により立入検査をする職員は、その身分を示す証明書を携帯し、関係人の請求があったときは、これを提示しなければならない。

3　第一項の規定による立入検査の権限は、犯罪捜査のために認められたものと解釈してはならない。

（指導及び助言）

第百四十七条　委員会は、第四章の規定の施行に必要な限度において、個人情報取扱事業者等に対し、個人情報等の取扱いに関し必要な指導及び助言をすることができる。

（勧告及び命令）

第百四十八条　委員会は、個人情報取扱事業者が第十八条から第二十条まで、第二十一条（第一項、第三項及び第四項の規定を第四十一条第四項の規定により読み替えて適用する場合を含む。）、第二十三条から第二十六条まで、第二十七条（第四項を除き、第五項及び第六項の規定を第四十一条第六項の規定により読み替えて適用する場合を含む。）、第二十八条、第二十九条（第一項ただし書の規定を第四十一条第六項の規定により読み替えて適用する場合を含む。）、第三十条（第二項を除き、第一項ただし書の規定を第四十一条第六項の規定により読み替えて適用する場合を含む。）、第三十二条、第三十三条（第一項（第五項において準用する場合を含む。）を除く。）、第三十四条第二項若しくは第三項、第三十五条（第一項、第三項及び第五項を除く。）、第三十八条第二項、第四十一条（第四項及び第五項を除く。）若しくは第四十三条（第六項を除く。）の規定に違反した場合、個人関連情報取扱事業者が第三十一条第一項、同条第二項において読み替えて準用する第二十八条第三項若しくは第三十一条第三項において読み替えて準用する第三十条第三項若しくは第四項の規定に違反した場合、仮名加工情報取扱事業者が第四十二条第一項、同条第二項において読み替えて準用する第二十七条第五項若しくは第六項若しくは第四十二条第三項において読み替えて準用する第二十三条から第二十五条まで若しくは第四十一条第七項若しくは第八項の規定に違反した場合又は匿名加工情報取扱事業者が第四十四条若しくは第四十五条の規定に違反した場合において個人の権利利益を保護するため必要があると認めるときは、当該個人情報取扱事業者等に対し、当該違反行為の中止その他違反を是正するために必要な措置をとるべき旨を勧告することができる。

2　委員会は、前項の規定による勧告を受けた個人情報取扱事業者等が正当な理由がなくてその勧告に係る措置をとらなかった場合において個人の重大な権利利益の侵害が切迫していると認めるときは、当該個人情報取扱事業者等に対し、その勧告に係る措置をとるべきことを命ずることができる。

3　委員会は、前二項の規定にかかわらず、個人情報取扱事業者が第十八条から第二十条まで、第二十三条から第二十六条まで、第二十七条第一項、第二十八条第一項若しくは第三項、第四十一条第一項から第三項まで若しくは第六項から第八項まで若しくは第四十三条第一項、第二項若しくは第五項の規定に違反した場合、個人関連情報取扱事業者が第三十一条第一項若しくは同条第二項において読み替えて準用する第二十八条第三項の規定に違反した場合、仮名加工情報取扱事業者が第四十二条第一項若しくは同条第三項において読み替えて準用する第二十三条から第二十五条まで若しくは第四十一条第七項若しくは第八項の規定に違反した場合又は匿名加工情報取扱事業者が第四十五条の規定に違反した場合において個人の重大な権利利益を害する事実があるため緊急に措置をとる必要があると認めるときは、当該個人情報取扱事業者等に対し、当該違反行為の中止その他違反を是正するために必要な措置をとるべきことを命ずることができる。

4　委員会は、前二項の規定による命令をした場合において、その命令を受けた個人情報取扱事業者等がその命令に違反したときは、その旨を公表することができる。

（委員会の権限の行使の制限）

第百四十九条　委員会は、前三条の規定により個人情報取扱事業者等に対し報告若しくは資料の提出の要求、立入検査、指導、助言、勧告又は命令を行うに当たっては、表現の自由、学問の自由、信教の自由及び政治活動の自由を妨げてはならない。

2　前項の規定の趣旨に照らし、委員会は、個人情報取扱事業者等が第五十七条第一項各号に掲げる者（それぞれ当該各号に定める目的で個人情報等を取り扱う場合に限る。）に対して個人情報等を提供する行為については、その権限を行使しないものとする。

（権限の委任）

第百五十条　委員会は、緊急かつ重点的に個人情報等の適正な取扱いの確保を図る必要があることその他の政令で定める事情があるため、個人情報取扱事業者等に対し、第百四十八条第一項の規定による勧告又は同条第二項若しくは第三項の規定による命令を効果的に行う上で必要があると認めるときは、政令で定めるところにより、第二十六条第一項、第百四十六条第一項、第百六十二条において読み替えて準用する民事訴訟法（平成八年法律第百九号）第九十九条、第百一条、第百三条、第百五条、第百六条、第百八条及び第百九条、第百六十三条並びに第百六十四条の規定による権限を事業所管大臣に委任することができる。

2 事業所管大臣は、前項の規定により委任された権限を行使したときは、政令で定めるところにより、その結果について委員会に報告するものとする。

3 事業所管大臣は、政令で定めるところにより、第一項の規定により委任された権限及び前項の規定による権限について、その全部又は一部を内閣府設置法第四十三条の地方支分部局その他の政令で定める部局又は機関の長に委任することができる。

4 内閣総理大臣は、第一項の規定により委任された権限及び第二項の規定による権限（金融庁の所掌に係るものに限り、政令で定めるものを除く。）を金融庁長官に委任する。

5 金融庁長官は、政令で定めるところにより、前項の規定により委任された権限について、その一部を証券取引等監視委員会に委任することができる。

6 金融庁長官は、政令で定めるところにより、第四項の規定により委任された権限（前項の規定により証券取引等監視委員会に委任されたものを除く。）の一部を財務局長又は財務支局長に委任することができる。

7 証券取引等監視委員会は、政令で定めるところにより、第五項の規定により委任された権限の一部を財務局長又は財務支局長に委任することができる。

8 前項の規定により財務局長又は財務支局長に委任された権限に係る事務に関しては、証券取引等監視委員会が財務局長又は財務支局長を指揮監督する。

9 第五項の場合において、証券取引等監視委員会が行う報告又は資料の提出の要求（第七項の規定により財務局長又は財務支局長が行う場合を含む。）についての審査請求は、証券取引等監視委員会に対してのみ行うことができる。

（事業所管大臣の請求）

第百五十一条 事業所管大臣は、個人情報取扱事業者等に第四章の規定に違反する行為があると認めるときその他個人情報取扱事業者等による個人情報等の適正な取扱いを確保するために必要があると認めるときは、委員会に対し、この法律の規定に従い適当な措置をとるべきことを求めることができる。

（事業所管大臣）

第百五十二条 この款の規定における事業所管大臣は、次のとおりとする。

一 個人情報取扱事業者等が行う個人情報等の取扱いのうち雇用管理に関するものについては、厚生労働大臣（船員の雇用管理に関するものについては、国土交通大臣）及び当該個人情報取扱事業者等が行う事業を所管する大臣、国家公安委員会又はカジノ管理委員会（次号において「大臣等」という。）

二 個人情報取扱事業者等が行う個人情報等の取扱いのうち前号に掲げるもの以外のものについては、当該個人情報取扱事業者等が行う事業を所管する大臣等

第二款 認定個人情報保護団体の監督

（報告の徴収）

第百五十三条 委員会は、第四章第五節の規定の施行に必要な限度において、認定個人情報保護団体に対し、認定業務に関し報告をさせることができる。

（命令）

第百五十四条 委員会は、第四章第五節の規定の施行に必要な限度において、認定個人情報保護団体に対し、認定業務の実施の方法の改善、個人情報保護指針の変更その他の必要な措置をとるべき旨を命ずることができる。

（認定の取消し）

第百五十五条 委員会は、認定個人情報保護団体が次の各号のいずれかに該当するときは、その認定を取り消すことができる。

一 第四十八条第一号又は第三号に該当するに至ったとき。

二 第四十九条各号のいずれかに適合しなくなったとき。

三 第五十五条の規定に違反したとき。

四 前条の命令に従わないとき。

五 不正の手段により第四十七条第一項の認定又は第五十条第一項の変更の認定を受けたとき。

2 委員会は、前項の規定により認定を取り消したときは、その旨を公示しなければならない。

第三款 行政機関等の監視

（資料の提出の要求及び実地調査）

第百五十六条 委員会は、前章の規定の円滑な運用を確保するため必要があると認めるときは、行政機関の長等（会計検査院長を除く。以下この款において同じ。）に対し、行政機関等における個人情報等の取扱いに関する事務の実施状況について、資料の提出及び説明を求め、又はその職員に実地調査をさせることができる。

（指導及び助言）

第百五十七条 委員会は、前章の規定の円滑な運用を確保するため必要があると認めるときは、行政機関の長等に対し、行政機関等における個人情報等の取扱いについて、必要な指導及び助言をすることができる。

（勧告）

第百五十八条 委員会は、前章の規定の円滑な運用を確保するため必要があると認めるときは、行政機関の長等に対し、行政機関等における個人情報等の取扱いについて勧告をすることができる。

（勧告に基づいてとった措置についての報告の要求）

第百五十九条 委員会は、前条の規定により行政機関の長等に対し勧告をしたときは、当該行政機関の長等に対し、その勧告に基づいてとった措置について報告を求めることができる。

（委員会の権限の行使の制限）

第百六十条 第百四十九条第一項の規定の趣旨に照らし、委員会は、行政機関の長等が第五十七条第一項各号に掲げる者（それぞれ当該各号に定める目的で個人情報等を取り扱う場合に限る。）に対して個人情報等を提供する行為については、その権限を行使しないものとする。

第三節 送達

（送達すべき書類）

第百六十一条 第百四十六条第一項の規定による報告若しくは資料の提出の要求、第百四十八条第一項の規定による勧告若しくは同条第二項若しくは第三項の規定による命令、第百五十三条の規定による報告の徴収、第百五十四条の規定による命令又は第百五十五条第一項の規定による取消しは、個人情報保護委員会規則で定める書類を送達して行う。

2 第百四十八条第二項若しくは第三項若しくは第百五十四条の規定による命令又は第百五十五条第一項の規定による取消しに係る行政手続法（平成五年法律第八十八号）第十五条第一項又は第三十条の通知は、同法第十五条第一項及び第二項又は第三

十条の書類を送達して行う。この場合において、同法第十五条第三項（同法第三十一条において読み替えて準用する場合を含む。）の規定は、適用しない。

（送達に関する民事訴訟法の準用）

第百六十二条　前条の規定による送達については、民事訴訟法第九十九条、第百一条、第百三条、第百五条、第百六条、第百八条及び第百九条の規定を準用する。この場合において、同法第九十九条第一項中「執行官」とあるのは「個人情報保護委員会の職員」と、同法第百八条中「裁判長」とあり、及び同法第百九条中「裁判所」とあるのは「個人情報保護委員会」と読み替えるものとする。

（公示送達）

第百六十三条　委員会は、次に掲げる場合には、公示送達をすることができる。

一　送達を受けるべき者の住所、居所その他送達をすべき場所が知れない場合

二　外国（本邦の域外にある国又は地域をいう。以下同じ。）においてすべき送達について、前条において読み替えて準用する民事訴訟法第百八条の規定によることができず、又はこれによっても送達をすることができないと認めるべき場合

三　前条において読み替えて準用する民事訴訟法第百八条の規定により外国の管轄官庁に嘱託を発した後六月を経過してもその送達を証する書面の送付がない場合

2　公示送達は、送達をすべき書類を送達を受けるべき者にいつでも交付すべき旨を委員会の掲示場に掲示することにより行う。

3　公示送達は、前項の規定による掲示を始めた日から二週間を経過することによって、その効力を生ずる。

4　外国においてすべき送達についてした公示送達にあっては、前項の期間は、六週間とする。

（電子情報処理組織の使用）

第百六十四条　委員会の職員が、情報通信技術を活用した行政の推進等に関する法律（平成十四年法律第百五十一号）第三条第九号に規定する処分通知等であって第百六十一条の規定により書類を送達して行うこととしているものに関する事務を、同法第七条第一項の規定により同法第六条第一項に規定する電子情報処理組織を使用して行ったときは、第百六十二条において読み替えて準用する民事訴訟法第百九条の規定による送達に関する事項を記載した書面の作成及び提出に代えて、当該事項を当該電子情報処理組織を使用して委員会の使用に係る電子計算機（入出力装置を含む。）に備えられたファイルに記録しなければならない。

第四節　雑則

（施行の状況の公表）

第百六十五条　委員会は、行政機関の長等に対し、この法律の施行の状況について報告を求めることができる。

2　委員会は、毎年度、前項の報告を取りまとめ、その概要を公表するものとする。

（地方公共団体による必要な情報の提供等の求め）

第百六十六条　地方公共団体は、地方公共団体の機関、地方独立行政法人及び事業者等による個人情報の適正な取扱いを確保するために必要があると認めるときは、委員会に対し、必要な情報の提供又は技術的な助言を求めることができる。

2　委員会は、前項の規定による求めがあったときは、必要な情報の提供又は技術的な助言を行うものとする。

（条例を定めたときの届出）

第百六十七条　地方公共団体の長は、この法律の規定に基づき個人情報の保護に関する条例を定めたときは、遅滞なく、個人情報保護委員会規則で定めるところにより、その旨及びその内容を委員会に届け出なければならない。

2　委員会は、前項の規定による届出があったときは、当該届出に係る事項をインターネットの利用その他適切な方法により公表しなければならない。

3　前二項の規定は、第一項の規定による届出に係る事項の変更について準用する。

（国会に対する報告）

第百六十八条　委員会は、毎年、内閣総理大臣を経由して国会に対し所掌事務の処理状況を報告するとともに、その概要を公表しなければならない。

（案内所の整備）

第百六十九条　委員会は、この法律の円滑な運用を確保するため、総合的な案内所を整備するものとする。

（地方公共団体が処理する事務）

第百七十条　この法律に規定する委員会の権限及び第百五十条第一項又は第四項の規定により事業所管大臣又は金融庁長官に委任された権限に属する事務は、政令で定めるところにより、地方公共団体の長その他の執行機関が行うこととすることができる。

第七章　雑則

（適用範囲）

第百七十一条　この法律は、個人情報取扱事業者、仮名加工情報取扱事業者、匿名加工情報取扱事業者又は個人関連情報取扱事業者が、国内にある者に対する物品又は役務の提供に関連して、国内にある者を本人とする個人情報、当該個人情報として取得されることとなる個人関連情報又は当該個人情報を用いて作成された仮名加工情報若しくは匿名加工情報を、外国において取り扱う場合についても、適用する。

（外国執行当局への情報提供）

第百七十二条　委員会は、この法律に相当する外国の法令を執行する外国の当局（以下この条において「外国執行当局」という。）に対し、その職務（この法律に規定する委員会の職務に相当するものに限る。次項において同じ。）の遂行に資すると認める情報の提供を行うことができる。

2　前項の規定による情報の提供については、当該情報が当該外国執行当局の職務の遂行以外に使用されず、かつ、次項の規定による同意がなければ外国の刑事事件の捜査（その対象たる犯罪事実が特定された後のものに限る。）又は審判（同項において「捜査等」という。）に使用されないよう適切な措置がとられなければならない。

3　委員会は、外国執行当局からの要請があったときは、次の各号のいずれかに該当する場合を除き、第一項の規定により提供した情報を当該要請に係る外国の刑事事件の捜査等に使用することについて同意をすることができる。

一　当該要請に係る刑事事件の捜査等の対象とされている犯罪

が政治犯罪であるとき、又は当該要請が政治犯罪について捜査等を行う目的で行われたものと認められるとき。

二　当該要請に係る刑事事件の捜査等の対象とされている犯罪に係る行為が日本国内において行われたとした場合において、その行為が日本国の法令によれば罪に当たるものでないとき。

三　日本国が行う同種の要請に応ずる旨の要請国の保証がないとき。

4　委員会は、前項の同意をする場合においては、あらかじめ、同項第一号及び第二号に該当しないことについて法務大臣の確認を、同項第三号に該当しないことについて外務大臣の確認を、それぞれ受けなければならない。

（国際約束の誠実な履行等）

第百七十三条　この法律の施行に当たっては、我が国が締結した条約その他の国際約束の誠実な履行を妨げることがないよう留意するとともに、確立された国際法規を遵守しなければならない。

（連絡及び協力）

第百七十四条　内閣総理大臣及びこの法律の施行に関係する行政機関の長（会計検査院長を除く。）は、相互に緊密に連絡し、及び協力しなければならない。

（政令への委任）

第百七十五条　この法律に定めるもののほか、この法律の実施のため必要な事項は、政令で定める。

第八章　罰則

第百七十六条　行政機関等の職員若しくは職員であった者、第六十六条第二項各号に定める業務若しくは第七十三条第五項若しくは第百二十一条第三項の委託を受けた業務に従事している者若しくは従事していた者又は行政機関等において個人情報、仮名加工情報若しくは匿名加工情報の取扱いに従事している派遣労働者若しくは従事していた派遣労働者が、正当な理由がないのに、個人の秘密に属する事項が記録された第六十条第二項第一号に係る個人情報ファイル（その全部又は一部を複製し、又は加工したものを含む。）を提供したときは、二年以下の懲役又は百万円以下の罰金に処する。

第百七十七条　第百四十三条の規定に違反して秘密を漏らし、又は盗用した者は、二年以下の懲役又は百万円以下の罰金に処する。

第百七十八条　第百四十八条第二項又は第三項の規定による命令に違反した場合には、当該違反行為をした者は、一年以下の懲役又は百万円以下の罰金に処する。

第百七十九条　個人情報取扱事業者（その者が法人（法人でない団体で代表者又は管理人の定めのあるものを含む。第百八十四条第一項において同じ。）である場合にあっては、その役員、代表者又は管理人）若しくはその従業者又はこれらであった者が、その業務に関して取り扱った個人情報データベース等（その全部又は一部を複製し、又は加工したものを含む。）を自己若しくは第三者の不正な利益を図る目的で提供し、又は盗用したときは、一年以下の懲役又は五十万円以下の罰金に処する。

第百八十条　第百七十六条に規定する者が、その業務に関して知り得た保有個人情報を自己若しくは第三者の不正な利益を図る目的で提供し、又は盗用したときは、一年以下の懲役又は五十万円以下の罰金に処する。

第百八十一条　行政機関等の職員がその職権を濫用して、専らその職務の用以外の用に供する目的で個人の秘密に属する事項が記録された文書、図画又は電磁的記録を収集したときは、一年以下の懲役又は五十万円以下の罰金に処する。

第百八十二条　次の各号のいずれかに該当する場合には、当該違反行為をした者は、五十万円以下の罰金に処する。

一　第百四十六条第一項の規定による報告若しくは資料の提出をせず、若しくは虚偽の報告をし、若しくは虚偽の資料を提出し、又は当該職員の質問に対して答弁をせず、若しくは虚偽の答弁をし、若しくは検査を拒み、妨げ、若しくは忌避したとき。

二　第百五十三条の規定による報告をせず、又は虚偽の報告をしたとき。

第百八十三条　第百七十六条、第百七十七条及び第百七十九条から第百八十一条までの規定は、日本国外においてこれらの条の罪を犯した者にも適用する。

第百八十四条　法人の代表者又は法人若しくは人の代理人、使用人その他の従業者が、その法人又は人の業務に関して、次の各号に掲げる違反行為をしたときは、行為者を罰するほか、その法人に対して当該各号に定める罰金刑を、その人に対して各本条の罰金刑を科する。

一　第百七十八条及び第百七十九条　一億円以下の罰金刑

二　第百八十二条　同条の罰金刑

2　法人でない団体について前項の規定の適用がある場合には、その代表者又は管理人が、その訴訟行為につき法人でない団体を代表するほか、法人を被告人又は被疑者とする場合の刑事訴訟に関する法律の規定を準用する。

第百八十五条　次の各号のいずれかに該当する者は、十万円以下の過料に処する。

一　第三十条第二項（第三十一条第三項において準用する場合を含む。）又は第五十六条の規定に違反した者

二　第五十一条第一項の規定による届出をせず、又は虚偽の届出をした者

三　偽りその他不正の手段により、第八十五条第三項に規定する開示決定に基づく保有個人情報の開示を受けた者

附　則

（施行期日）

第一条　この法律は、公布の日から施行する。ただし、第四章から第六章まで及び附則第二条から第六条までの規定は、公布の日から起算して二年を超えない範囲内において政令で定める日〔平一七・四・一〕から施行する。

（本人の同意に関する経過措置）

第二条　この法律の施行前になされた本人の個人情報の取扱いに関する同意がある場合において、その同意が第十五条第一項の規定により特定される利用目的以外の目的で個人情報を取り扱うことを認める旨の同意に相当するものであるときは、第十六条第一項又は第二項の同意があったものとみなす。

第三条　この法律の施行前になされた本人の個人情報の取扱いに関する同意がある場合において、その同意が第二十三条第一項の規定による個人データの第三者への提供を認める旨の同意に相当するものであるときは、同項の同意があったものとみな

す。

（通知に関する経過措置）

第四条　第二十三条第二項の規定により本人に通知し、又は本人が容易に知り得る状態に置かなければならない事項に相当する事項について、この法律の施行前に、本人に通知されているときは、当該通知は、同項の規定により行われたものとみなす。

第五条　第二十三条第五項第三号の規定により本人に通知し、又は本人が容易に知り得る状態に置かなければならない事項に相当する事項について、この法律の施行前に、本人に通知されているときは、当該通知は、同号の規定により行われたものとみなす。

（名称の使用制限に関する経過措置）

第六条　この法律の施行の際現に認定個人情報保護団体という名称又はこれに紛らわしい名称を用いている者については、第四十五条の規定は、同条の規定の施行後六月間は、適用しない。

（行政機関等匿名加工情報に関する経過措置）

第七条　都道府県及び地方自治法第二百五十二条の十九第一項の指定都市以外の地方公共団体の機関並びに地方独立行政法人についての第百十条及び第百十一条の規定の適用については、当分の間、第百十条中「行政機関の長等は、」とあるのは「行政機関の長等は、次条の規定による募集をしようとする場合であって、」と、第百十一条中「ものとする」とあるのは「ことができる」とする。

附　則（平二七・九・九法六五）（抄）

改正　令二・六・一二法四四

（施行期日）

第一条　この法律は、公布の日から起算して二年を超えない範囲内において政令で定める日〔平二九・五・三〇〕から施行する。ただし、次の各号に掲げる規定は、当該各号に定める日から施行する。

一　附則第七条第二項、第十条及び第十二条の規定　公布の日

二　第一条〔中略〕並びに附則第五条、第六条、第七条第一項及び第三項、第八条、第九条〔中略〕の規定　平成二十八年一月一日

三　〔略〕

四　次条の規定　公布の日から起算して一年六月を超えない範囲内において政令で定める日〔平二九・三・一〕

五　第三条〔中略〕の規定　番号利用法附則第一条第五号に掲げる規定の施行の日〔平二九・五・三〇〕

六　〔略〕

（通知等に関する経過措置）

第二条　第二条の規定による改正後の個人情報の保護に関する法律（以下「新個人情報保護法」という。）第二十三条第二項の規定により個人データを第三者に提供しようとする者は、この法律の施行の日（以下「施行日」という。）前においても、個人情報保護委員会規則で定めるところにより、同項第五号に掲げる事項に相当する事項について本人に通知するとともに、同項各号に掲げる事項に相当する事項について個人情報保護委員会に届け出ることができる。この場合において、当該通知及び届出は、施行日以後は、同項の規定による通知及び届出とみなす。

（外国にある第三者への提供に係る本人の同意に関する経過措置）

第三条　施行日前になされた本人の個人情報の取扱いに関する同意がある場合において、その同意が新個人情報保護法第二十四条の規定による個人データの外国にある第三者への提供を認める旨の同意に相当するものであるときは、同条の同意があったものとみなす。

（主務大臣がした処分等に関する経過措置）

第四条　施行日前に第二条の規定による改正前の個人情報の保護に関する法律（以下「旧個人情報保護法」という。）又はこれに基づく命令の規定により旧個人情報保護法第三十六条又は第四十九条に規定する主務大臣（以下この条において単に「主務大臣」という。）がした勧告、命令その他の処分又は通知その他の行為は、施行日以後は、新個人情報保護法又はこれに基づく命令の相当規定に基づいて、個人情報保護委員会がした勧告、命令その他の処分又は通知その他の行為とみなす。

2　この法律の施行の際現に旧個人情報保護法又はこれに基づく命令の規定により主務大臣に対してされている申請、届出その他の行為は、施行日以後は、新個人情報保護法又はこれに基づく命令の相当規定に基づいて、個人情報保護委員会に対してされた申請、届出その他の行為とみなす。

3　施行日前に旧個人情報保護法又はこれに基づく命令の規定により主務大臣に対して届出その他の手続をしなければならない事項で、施行日前にその手続がされていないものについては、施行日以後は、これを、新個人情報保護法又はこれに基づく命令の相当規定により個人情報保護委員会に対してその手続をしなければならないとされた事項についてその手続がされていないものとみなして、当該相当規定を適用する。

（特定個人情報保護委員会がした処分等に関する経過措置）

第五条　附則第一条第二号に掲げる規定の施行の日（以下「第二号施行日」という。）前に第四条の規定による改正前の番号利用法（以下この条において「旧番号利用法」という。）又はこれに基づく命令の規定により特定個人情報保護委員会がした勧告、命令その他の処分又は通知その他の行為は、第二号施行日以後は、第四条の規定による改正後の番号利用法（以下この条において「新番号利用法」という。）又はこれに基づく命令の相当規定に基づいて、個人情報保護委員会がした勧告、命令その他の処分又は通知その他の行為とみなす。

2　附則第一条第二号に掲げる規定の施行の際現に旧番号利用法（旧番号利用法第二十九条第一項の規定により読み替えて適用する行政機関の保有する個人情報の保護に関する法律（平成十五年法律第五十八号）を含む。次項において同じ。）又はこれに基づく命令の規定により特定個人情報保護委員会に対してされている申請、届出その他の行為は、第二号施行日以後は、新番号利用法（新番号利用法第二十九条第一項の規定により読み替えて適用する行政機関の保有する個人情報の保護に関する法律を含む。次項において同じ。）又はこれに基づく命令の相当規定に基づいて、個人情報保護委員会に対してされた申請、届出その他の行為とみなす。

3　第二号施行日前に旧番号利用法又はこれに基づく命令の規定により特定個人情報保護委員会に対して届出その他の手続をしなければならない事項で、第二号施行日前にその手続がされていないものについては、第二号施行日以後は、これを、新番号利用法又はこれに基づく命令の相当規定により個人情報保護委

員会に対してその手続をしなければならないとされた事項についてその手続がされていないものとみなして、当該相当規定を適用する。

（特定個人情報保護委員会規則に関する経過措置）

第六条　附則第一条第二号に掲げる規定の施行の際現に効力を有する特定個人情報保護委員会規則は、第二号施行日以後は、個人情報保護委員会規則としての効力を有するものとする。

（委員長又は委員の任命等に関する経過措置）

第七条　附則第一条第二号に掲げる規定の施行の際現に従前の特定個人情報保護委員会の委員長又は委員である者は、それぞれ第二号施行日に、第一条の規定による改正後の個人情報の保護に関する法律（以下この条において「第二号新個人情報保護法」という。）第五十四条第三項の規定により、個人情報保護委員会の委員長又は委員として任命されたものとみなす。この場合において、その任命されたものとみなされる者の任期は、第二号新個人情報保護法第五十五条第一項の規定にかかわらず、第二号施行日における従前の特定個人情報保護委員会の委員長又は委員としてのそれぞれの任期の残任期間と同一の期間とする。

2　附則第一条第二号に掲げる規定の施行に伴い新たに任命されることとなる個人情報保護委員会の委員については、第二号新個人情報保護法第五十四条第三項に規定する委員の任命のために必要な行為は、第二号施行日前においても行うことができる。

3　附則第一条第二号に掲げる規定の施行の際現に従前の特定個人情報保護委員会の事務局の職員である者は、別に辞令を発せられない限り、第二号施行日に、同一の勤務条件をもって、個人情報保護委員会の事務局の相当の職員となるものとする。

（守秘義務に関する経過措置）

第八条　特定個人情報保護委員会の委員長、委員又は事務局の職員であった者に係るその職務上知ることのできた秘密を漏らし、又は盗用してはならない義務については、第二号施行日以後も、なお従前の例による。

（罰則の適用に関する経過措置）

第九条　この法律（附則第一条第二号に掲げる規定にあっては、当該規定）の施行前にした行為及び前条の規定によりなお従前の例によることとされる場合における第二号施行日以後にした行為に対する罰則の適用については、なお従前の例による。

（政令への委任）

第十条　この附則に定めるもののほか、この法律の施行に関し必要な経過措置は、政令で定める。

（事業者等が講ずべき措置の適切かつ有効な実施を図るための指針の策定に当たっての配慮）

第十一条　個人情報保護委員会は、新個人情報保護法第八条に規定する事業者等が講ずべき措置の適切かつ有効な実施を図るための指針を策定するに当たっては、この法律の施行により旧個人情報保護法第二条第三項第五号に掲げる者が新たに個人情報取扱事業者となることに鑑み、特に小規模の事業者の事業活動が円滑に行われるよう配慮するものとする。

（検討）

第十二条　政府は、施行日までに、新個人情報保護法の規定の趣旨を踏まえ、行政機関の保有する個人情報の保護に関する法律第二条第一項に規定する行政機関が保有する同条第二項に規定する個人情報及び独立行政法人等の保有する個人情報の保護に関する法律（平成十五年法律第五十九号）第二条第一項に規定する独立行政法人等が保有する同条第二項に規定する個人情報（以下この条において「行政機関等保有個人情報」と総称する。）の取扱いに関する規制の在り方について、匿名加工情報（新個人情報保護法第二条第九項に規定する匿名加工情報をいい、行政機関等匿名加工情報（行政機関等保有個人情報を加工して得られる匿名加工情報をいう。以下この項において同じ。）を含む。）の円滑かつ迅速な利用を促進する観点から、行政機関等匿名加工情報の取扱いに対する指導、助言等を統一的かつ横断的に個人情報保護委員会に行わせることを含めて検討を加え、その結果に基づいて所要の措置を講ずるものとする。

2　政府は、この法律の施行後三年を目途として、個人情報の保護に関する基本方針の策定及び推進その他の個人情報保護委員会の所掌事務について、これを実効的に行うために必要な人的体制の整備、財源の確保その他の措置の状況を勘案し、その改善について検討を加え、必要があると認めるときは、その結果に基づいて所要の措置を講ずるものとする。

3　政府は、前項に定める事項のほか、この法律の施行後三年を目途として、個人情報の保護に関する国際的動向、情報通信技術の進展、それに伴う個人情報を活用した新たな産業の創出及び発展の状況等を勘案し、新個人情報保護法の施行の状況について検討を加え、必要があると認めるときは、その結果に基づいて所要の措置を講ずるものとする。

4　政府は、附則第一条第六号に掲げる規定の施行後三年を目途として、預金保険法（昭和四十六年法律第三十四号）第二条第一項に規定する金融機関が同条第三項に規定する預金者等から、又は農水産業協同組合貯金保険法（昭和四十八年法律第五十三号）第二条第一項に規定する農水産業協同組合が同条第三項に規定する貯金者等から、適切に個人番号の提供を受ける方策及び第七条の規定による改正後の番号利用法の施行の状況について検討を加え、必要があると認めるときは、その結果に基づいて、国民の理解を得つつ、所要の措置を講ずるものとする。

5　政府は、国の行政機関等が保有する個人情報の安全を確保する上でサイバーセキュリティ（サイバーセキュリティ基本法（平成二十六年法律第百四号）第二条に規定するサイバーセキュリティをいう。）に関する対策の的確な策定及び実施が重要であることに鑑み、国の行政機関等における同法第十三条に規定する基準に基づく対策の策定及び実施に係る体制の整備等について検討を加え、その結果に基づいて所要の措置を講ずるものとする。

6　政府は、新個人情報保護法の施行の状況、第一項の措置の実施の状況その他の状況を踏まえ、新個人情報保護法第二条第一項に規定する個人情報及び行政機関等保有個人情報の保護に関する規定を集約し、一体的に規定することを含め、個人情報の保護に関する法制の在り方について検討するものとする。

附　則（平二八・五・二七法五一）（抄）

（施行期日）

第一条　この法律は、公布の日から起算して一年六月を超えない範囲内において政令で定める日〔平二九・五・三〇〕から施行する。ただし、附則第三条及び第四条の規定は、公布の日から施行する。

（政令への委任）

第三条　前条に定めるもののほか、この法律の施行に関し必要な経過措置は、政令で定める。

（個人情報の一体的な利用促進に係る措置）

第四条　政府は、この法律の公布後二年以内に、個人情報の保護に関する法律（平成十五年法律第五十七号）第二条第五項に規定する個人情報取扱事業者、同項第一号に規定する国の機関、同項第二号に規定する地方公共団体、同項第三号に規定する独立行政法人等及び同項第四号に規定する地方独立行政法人が保有する同条第一項に規定する個人情報が一体的に利用されることが公共の利益の増進及び豊かな国民生活の実現に特に資すると考えられる分野における個人情報の一体的な利用の促進のための措置を講ずる。

２　個人情報の保護に関する法律及び行政手続における特定の個人を識別するための番号の利用等に関する法律の一部を改正する法律（平成二十七年法律第六十五号）の施行の日までの間における前項の規定の適用については、同項中「第二条第五項」とあるのは、「第二条第三項」とする。

附　則（令二・六・一二法四四）（抄）

（施行期日）

第一条　この法律は、公布の日から起算して二年を超えない範囲内において政令で定める日〔令四・四・一〕から施行する。ただし、次の各号に掲げる規定は、当該各号に定める日から施行する。

一　附則第九条から第十一条までの規定　公布の日

二　第一条中個人情報の保護に関する法律第八十四条を削り、同法第八十三条を同法第八十四条とし、同法第八十二条の次に一条を加える改正規定、同法第八十五条の改正規定、同法第八十六条の改正規定及び同法第八十七条の改正規定〔中略〕並びに附則第八条の規定　公布の日から起算して六月を経過した日

三　次条〔中略〕の規定　公布の日から起算して一年六月を超えない範囲内において政令で定める日〔令三・一〇・一〕

（通知等に関する経過措置）

第二条　第一条の規定による改正後の個人情報の保護に関する法律（以下「新個人情報保護法」という。）第二十三条第二項の規定により個人データを第三者に提供しようとする者は、この法律の施行の日（以下「施行日」という。）前においても、個人情報保護委員会規則で定めるところにより、同項第一号、第四号及び第八号に掲げる事項に相当する事項について、本人に通知するとともに、個人情報保護委員会に届け出ることができる。この場合において、当該通知及び届出は、施行日以後は、同項の規定による通知及び届出とみなす。

第三条　新個人情報保護法第二十三条第五項第三号に規定する個人データの管理について責任を有する者の住所及び法人にあっては、その代表者の氏名に相当する事項について、施行日前に、本人に通知されているときは、当該通知は、同号の規定により行われたものとみなす。

（外国にある第三者への提供に係る情報提供等に関する経過措置）

第四条　新個人情報保護法第二十四条第二項の規定は、個人情報取扱事業者が施行日以後に同条第一項の規定により本人の同意を得る場合について適用する。

２　新個人情報保護法第二十四条第三項の規定は、個人情報取扱事業者が施行日以後に個人データを同項に規定する外国にある第三者に提供した場合について適用する。

（個人関連情報の第三者提供に係る本人の同意等に関する経過措置）

第五条　施行日前になされた本人の個人関連情報の取扱いに関する同意がある場合において、その同意が新個人情報保護法第二十六条の二第一項の規定による個人関連情報の第三者への提供を認める旨の同意に相当するものであるときは、同項第一号の同意があったものとみなす。

２　新個人情報保護法第二十六条の二第二項において読み替えて準用する新個人情報保護法第二十四条第三項の規定は、個人関連情報取扱事業者が施行日以後に個人関連情報を同項に規定する外国にある第三者に提供した場合について適用する。

（認定個人情報保護団体の対象事業者に関する経過措置）

第六条　この法律の施行の際現に認定個人情報保護団体の構成員である個人情報取扱事業者等については、施行日において新個人情報保護法第五十一条第一項の同意があったものとみなして、同項の規定を適用する。

（罰則の適用に関する経過措置）

第八条　この法律（附則第一条第二号に掲げる規定にあっては、当該規定）の施行前にした行為に対する罰則の適用については、なお従前の例による。

（政令への委任）

第九条　この附則に定めるもののほか、この法律の施行に関し必要な経過措置は、政令で定める。

（検討）

第十条　政府は、この法律の施行後三年ごとに、個人情報の保護に関する国際的動向、情報通信技術の進展、それに伴う個人情報を活用した新たな産業の創出及び発展の状況等を勘案し、新個人情報保護法の施行の状況について検討を加え、必要があると認めるときは、その結果に基づいて所要の措置を講ずるものとする。

附　則（令三・五・一九法三七）（抄）

（施行期日）

第一条　この法律は、令和三年九月一日から施行する。ただし、次の各号に掲げる規定は、当該各号に定める日から施行する。

一　〔前略〕附則第八条第一項〔中略〕の規定　公布の日

二　〔略〕

三　附則第七条第三項の規定　公布の日から起算して九月を超えない範囲内において政令で定める日〔令四・一・一〕

四　〔前略〕第五十条〔中略〕、附則〔中略〕第七条（第三項を除く。）〔中略〕の規定　公布の日から起算して一年を超えない範囲内において、各規定につき、政令で定める日〔令四・四・一〕

五　〔略〕

六　附則第八条第二項及び第九条第三項の規定　公布の日から起算して一年六月を超えない範囲内において政令で定める日〔令四・一〇・一〕

七　〔前略〕第五十一条並びに附則第九条（第三項を除く。）、第十条〔中略〕の規定　公布の日から起算して二年を超えな

い範囲内において、各規定につき、政令で定める日〔令五・四・一〕

八〜十　〔略〕

（第五十条の規定の施行に伴う経過措置）

第七条　第五十条の規定の施行の日（以下この条において「第五十条施行日」という。）前に別表第二法人等（第五十条改正後個人情報保護法別表第二に掲げる法人、第五十条改正後個人情報保護法第五十八条第二項の規定により第五十条改正後個人情報保護法第十六条第二項に規定する個人情報取扱事業者、同条第五項に規定する仮名加工情報取扱事業者若しくは同条第七項に規定する個人関連情報取扱事業者とみなされる独立行政法人労働者健康安全機構又は同条第八項に規定する学術研究機関等である同条第二項に規定する個人情報取扱事業者をいう。以下この条において同じ。）に対しされた本人の個人情報の取扱いに関する同意がある場合において、その同意が第五十条改正後個人情報保護法第十七条第一項の規定により特定される利用目的以外の目的で個人情報を取り扱うことを認める旨の同意に相当するものであるときは、第五十条施行日において第五十条改正後個人情報保護法第十八条第一項又は第二項の同意があったものとみなす。

2　第五十条施行日前に別表第二法人等に対しされた本人の個人情報の取扱いに関する同意がある場合において、その同意が第五十条改正後個人情報保護法第二十七条第一項の規定による個人データの第三者への提供を認める旨の同意に相当するものであるときは、第五十条施行日において同項の同意があったものとみなす。

3　第五十条改正後個人情報保護法第二十七条第二項の規定により個人データを第三者に提供しようとする別表第二法人等は、第五十条施行日前においても、個人情報保護委員会規則で定めるところにより、同項各号に掲げる事項に相当する事項について、本人に通知するとともに、個人情報保護委員会に届け出ることができる。この場合において、当該通知及び届出は、第五十条施行日以後は、同項の規定による通知及び届出とみなす。

4　第五十条改正後個人情報保護法第二十七条第五項第三号の規定により本人に通知し、又は本人が容易に知り得る状態に置かなければならない事項に相当する事項について、第五十条施行日前に、別表第二法人等により本人に通知されているときは、当該通知は、第五十条施行日以後は、同号の規定による通知とみなす。

5　第五十条施行日前に別表第二法人等に対しされた本人の個人情報の取扱いに関する同意がある場合において、その同意が第五十条改正後個人情報保護法第二十八条第一項の規定による個人データの外国にある第三者への提供を認める旨の同意に相当するものであるときは、第五十条施行日において同項の同意があったものとみなす。

6　第五十条改正後個人情報保護法第二十八条第二項の規定は、別表第二法人等が第五十条施行日以後に第五十条改正後個人情報保護法第二十八条第一項の規定により本人の同意を得る場合について適用する。

7　第五十条改正後個人情報保護法第二十八条第三項の規定は、別表第二法人等が第五十条施行日以後に個人データを同項に規定する外国にある第三者に提供した場合について適用する。

8　第五十条施行日前に別表第二法人等に対しされた本人の個人関連情報の取扱いに関する同意がある場合において、その同意が第五十条改正後個人情報保護法第三十一条第一項第一号の規定による個人関連情報の第三者への提供を認める旨の同意に相当するものであるときは、第五十条施行日において同号の同意があったものとみなす。

9　第五十条改正後個人情報保護法第三十一条第二項において読み替えて準用する第五十条改正後個人情報保護法第二十八条第三項の規定は、別表第二法人等が第五十条施行日以後に個人関連情報を同項に規定する外国にある第三者に提供した場合について適用する。

10　第五十条施行日前に第五十条改正後個人情報保護法第二条第十一項に規定する行政機関等（第五十条改正後個人情報保護法第五十八条第二項の規定により第五十条改正後個人情報保護法第十六条第二項に規定する個人情報取扱事業者とみなされる独立行政法人労働者健康安全機構を除く。以下この条において「行政機関等」という。）に対しされた本人の個人情報の取扱いに関する同意がある場合において、その同意が第五十条改正後個人情報保護法第六十一条第一項の規定により特定される利用目的以外の目的のために保有個人情報を自ら利用し、又は提供することを認める旨の同意に相当するものであるときは、第五十条施行日において第五十条改正後個人情報保護法第六十九条第二項第一号の同意があったものとみなす。

11　第五十条施行日前に行政機関等に対しされた本人の個人情報の取扱いに関する同意がある場合において、その同意が第五十条改正後個人情報保護法第七十一条第一項の規定による保有個人情報の外国にある第三者への提供を認める旨の同意に相当するものであるときは、第五十条施行日において同項の同意があったものとみなす。

12　第五十条改正後個人情報保護法第七十一条第二項の規定は、行政機関等が第五十条施行日以後に第五十条改正後個人情報保護法第七十一条第一項の規定により本人の同意を得る場合について適用する。

13　第五十条改正後個人情報保護法第七十一条第三項の規定は、行政機関等が第五十条施行日以後に保有個人情報を同項に規定する外国にある第三者に提供した場合について適用する。

14　第五十条施行日において現に第五十条改正後個人情報保護法第二条第八項に規定する行政機関が保有している第五十条改正後個人情報保護法第六十条第二項に規定する個人情報ファイルについての第五十条改正後個人情報保護法第七十四条第一項の規定の適用については、同項中「保有しようとする」とあるのは「保有している」と、「あらかじめ」とあるのは「デジタル社会の形成を図るための関係法律の整備に関する法律（令和三年法律第三十七号）第五十条の規定の施行後遅滞なく」とする。

（第五十一条の規定の施行に伴う準備行為）

第八条　国は、第五十一条の規定による改正後の個人情報の保護に関する法律（以下この条、次条及び附則第十条第一項において「第五十一条改正後個人情報保護法」という。）の規定による地方公共団体の機関及び地方独立行政法人の保有する個人情報の適正な取扱いを確保するため、地方公共団体に対して必要な資料の提出を求めることその他の方法により地方公共団体の機関及び地方独立行政法人における第五十一条改正後個人情報保護法の施行のために必要な準備行為の実施状況を把握した上で、必要があると認めるときは、当該準備行為について技術的な助言又は勧告をするものとする。

2　第五十一条改正後個人情報保護法第百六十七条第一項の規定による届出は、第五十一条の規定の施行の日（次条において「第五十一条施行日」という。）前においても行うことができる。

（第五十一条の規定の施行に伴う経過措置）

第九条　第五十一条施行日前に特定地方独立行政法人等（第五十一条改正後個人情報保護法第五十八条第一項第二号に掲げる者又は同条第二項の規定により第五十一条改正後個人情報保護法第十六条第二項に規定する個人情報取扱事業者、同条第五項に規定する仮名加工情報取扱事業者若しくは同条第七項に規定する個人関連情報取扱事業者とみなされる第五十一条改正後個人情報保護法第五十八条第二項第一号に掲げる者をいう。以下この条において同じ。）に対しされた本人の個人情報の取扱いに関する同意がある場合において、その同意が第五十一条改正後個人情報保護法第十七条第一項の規定により特定される利用目的以外の目的で個人情報を取り扱うことを認める旨の同意に相当するものであるときは、第五十一条施行日において第五十一条改正後個人情報保護法第十八条第一項又は第二項の同意があったものとみなす。

2　第五十一条施行日前に特定地方独立行政法人等に対しされた本人の個人情報の取扱いに関する同意がある場合において、その同意が第五十一条改正後個人情報保護法第二十七条第一項の規定による個人データの第三者への提供を認める旨の同意に相当するものであるときは、第五十一条施行日において同項の同意があったものとみなす。

3　第五十一条改正後個人情報保護法第二十七条第二項の規定により個人データを第三者に提供しようとする特定地方独立行政法人等は、第五十一条施行日前においても、個人情報保護委員会規則で定めるところにより、同項各号に掲げる事項に相当する事項について、本人に通知するとともに、個人情報保護委員会に届け出ることができる。この場合において、当該通知及び届出は、第五十一条施行日以後は、同項の規定による通知及び届出とみなす。

4　第五十一条改正後個人情報保護法第二十七条第五項第三号の規定により本人に通知し、又は本人が容易に知り得る状態に置かなければならない事項に相当する事項について、第五十一条施行日前に、特定地方独立行政法人等により本人に通知されているときは、当該通知は、第五十一条施行日以後は、同号の規定による通知とみなす。

5　第五十一条施行日前に特定地方独立行政法人等に対しされた本人の個人情報の取扱いに関する同意がある場合において、その同意が第五十一条改正後個人情報保護法第二十八条第一項の規定による個人データの外国にある第三者への提供を認める旨の同意に相当するものであるときは、第五十一条施行日において同項の同意があったものとみなす。

6　第五十一条改正後個人情報保護法第二十八条第二項の規定は、特定地方独立行政法人等が第五十一条施行日以後に第五十一条改正後個人情報保護法第二十八条第一項の規定により本人の同意を得る場合について適用する。

7　第五十一条改正後個人情報保護法第二十八条第三項の規定は、特定地方独立行政法人等が第五十一条施行日以後に個人データを同項に規定する外国にある第三者に提供した場合について適用する。

8　第五十一条施行日前に特定地方独立行政法人等に対しされた本人の個人関連情報の取扱いに関する同意がある場合において、その同意が第五十一条改正後個人情報保護法第三十一条第一項第一号の規定による個人関連情報の第三者への提供を認める旨の同意に相当するものであるときは、第五十一条施行日において同号の同意があったものとみなす。

9　第五十一条改正後個人情報保護法第三十一条第二項において読み替えて準用する第五十一条改正後個人情報保護法第二十八条第三項の規定は、特定地方独立行政法人等が第五十一条施行日以後に個人関連情報を同項に規定する外国にある第三者に提供した場合について適用する。

10　第五十一条施行日前に第五十一条改正後個人情報保護法第二条第十一項第二号又は第四号に掲げる者（第五十一条改正後個人情報保護法第五十八条第二項の規定により第五十一条改正後個人情報保護法第十六条第二項に規定する個人情報取扱事業者とみなされる第五十一条改正後個人情報保護法第五十八条第二項第一号に掲げる者を除く。以下この条において同じ。）に対しされた本人の個人情報の取扱いに関する同意がある場合において、その同意が第五十一条改正後個人情報保護法第六十一条第一項の規定により特定される利用目的以外の目的のために保有個人情報を自ら利用し、又は提供することを認める旨の同意に相当するものであるときは、第五十一条施行日において第五十一条改正後個人情報保護法第六十九条第二項第一号の同意があったものとみなす。

11　第五十一条施行日前に第五十一条改正後個人情報保護法第二条第十一項第二号又は第四号に掲げる者に対しされた本人の個人情報の取扱いに関する同意がある場合において、その同意が第五十一条改正後個人情報保護法第七十一条第一項の規定による保有個人情報の外国にある第三者への提供を認める旨の同意に相当するものであるときは、第五十一条施行日において同項の同意があったものとみなす。

12　第五十一条改正後個人情報保護法第七十一条第二項の規定は、第五十一条改正後個人情報保護法第二条第十一項第二号又は第四号に掲げる者が第五十一条施行日以後に第五十一条改正後個人情報保護法第七十一条第一項の規定により本人の同意を得る場合について適用する。

13　第五十一条改正後個人情報保護法第七十一条第三項の規定は、第五十一条改正後個人情報保護法第二条第十一項第二号又は第四号に掲げる者が第五十一条施行日以後に保有個人情報を外国にある第三者に提供した場合について適用する。

（第五十一条と条例との関係）

第十条　地方公共団体の条例の規定で、第五十一条改正後個人情報保護法で規制する行為を処罰する旨を定めているものの当該行為に係る部分については、第五十一条の規定の施行と同時に、その効力を失うものとする。

2　前項の規定により条例の規定がその効力を失う場合において、当該地方公共団体が条例で別段の定めをしないときは、その失効前にした違反行為の処罰については、その失効後も、なお従前の例による。

附　則（令五・五・一九法三二）（抄）

（施行期日）

第一条　この法律は、公布の日から起算して三月を超えない範囲内において政令で定める日〔令五・六・三〇〕から施行する。ただし、次の各号に掲げる規定は、当該各号に定める日から施行する。

一　〔略〕

二　〔前略〕附則〔中略〕第十五条〔中略〕の規定　公布の日から起算して九月を超えない範囲内において政令で定める日〔令六・二・一六〕

附　則（令五・六・七法四七）（抄）

（施行期日）

第一条　この法律は、国立健康危機管理研究機構法（令和五年法律第四十六号）の施行の日（以下「施行日」という。）〔令和五年六月七日から起算して三年を超えない範囲内において政令で定める日〕から施行する。〔ただし書略〕

附　則（令五・一一・二九法七九）（抄）

（施行期日）

第一条　この法律は、公布の日から起算して一年を超えない範囲内において政令で定める日から施行する。ただし、次の各号に掲げる規定は、当該各号に定める日から施行する。

一　〔略〕

二　〔前略〕附則〔中略〕第五十五条〔中略〕の規定　公布の日から起算して三月を超えない範囲内において政令で定める日〔令六・二・一〕

三～五　〔略〕

別表第一・第二〔略〕

㊟　次の法律の附則第九五条により個人情報の保護に関する法律が改正されたが、公布の日から起算して四年を超えない範囲内において政令で定める日から施行となるため、一部改正法の形式で掲載した。

○民事訴訟法等の一部を改正する法律

令四・五・二五
法　四　八

（個人情報の保護に関する法律の一部改正）

第九十五条　個人情報の保護に関する法律（平成十五年法律第五十七号）の一部を次のように改正する。

第百五十条第一項中「第九十九条、第百一条」を「第百条第一項、第百一条、第百二条の二」に、「、第百八条及び第百九条」を「及び第百八条」に改める。

第百六十二条中「第九十九条、第百一条」を「第百条第一項、第百一条、第百二条の二」に、「、第百八条及び第百九条」を「及び第百八条」に改め、同条後段を次のように改める。

この場合において、同項中「裁判所」とあり、及び同条中「裁判長」とあるのは「個人情報保護委員会」と、同法第百一条第一項中「執行官」とあるのは「個人情報保護委員会の職員」と読み替えるものとする。

第百六十四条中「第百九条」を「第百条第一項」に改める。

附　則（抄）

（施行期日）

第一条　この法律は、公布の日から起算して四年を超えない範囲内において政令で定める日から施行する。〔ただし書略〕

㊟　次の法律の第一〇九条により個人情報の保護に関する法律が改正されたが、刑法等一部改正法施行日〔令七・六・一〕から施行となるため、一部改正法の形式で掲載した。

○刑法等の一部を改正する法律の施行に伴う関係法律の整理等に関する法律

令四・六・一七
法　六　八

（個人情報の保護に関する法律の一部改正）

第百九条　個人情報の保護に関する法律（平成十五年法律第五十七号）の一部を次のように改正する。

第四十八条第三号イ、第百十三条第四号及び第百三十六条第三号中「禁錮」を「拘禁刑」に改める。

第百七十六条から第百八十一条までの規定中「懲役」を「拘禁刑」に改める。

附　則（抄）

（施行期日）

1　この法律は、刑法等一部改正法施行日〔令七・六・一〕から施行する。〔ただし書略〕

㊟　次の法律の附則第一〇条により個人情報の保護に関する法律が改正されたが、公布の日から起算して一年を超えない範囲内において政令で定める日から施行となるため、一部改正法の形式で掲載した。

○情報通信技術の活用による行政手続等に係る関係者の利便性の向上並びに行政運営の簡素化及び効率化を図るためのデジタル社会形成基本法等の一部を改正する法律

令六・六・七
法　四六

（個人情報の保護に関する法律の一部改正）

第十条　個人情報の保護に関する法律（平成十五年法律第五十七号）の一部を次のように改正する。

第百三十二条第四号中「第二条第八項」を「第二条第九項」に改める。

附　則（抄）

（施行期日）

第一条　この法律は、公布の日から起算して一年三月を超えない範囲内において政令で定める日から施行する。ただし、次の各号に掲げる規定は、当該各号に定める日から施行する。

一　〔略〕

二　〔前略〕附則第八条から第十一条までの規定〔中略〕　公布の日から起算して一年を超えない範囲内において政令で定める日

三　〔略〕

㊟　次の法律の附則第二七条により個人情報の保護に関する法律が改正されたが、公布の日から起算して三年を超えない範囲内において政令で定める日から施行となるため、一部改正法の形式で掲載した。

○出入国管理及び難民認定法及び外国人の技能実習の適正な実施及び技能実習生の保護に関する法律の一部を改正する法律

令六・六・二一
法　六〇

（国立国会図書館法等の一部改正）

第二十七条　次に掲げる法律の規定中「外国人技能実習機構」を「外国人育成就労機構」に、「外国人の技能実習の適正な実施及び技能実習生の保護に関する法律」を「外国人の育成就労の適正な実施及び育成就労外国人の保護に関する法律」に改める。

一～六　〔略〕

七　個人情報の保護に関する法律（平成十五年法律第五十七号）別表第一外国人技能実習機構の項

八　〔略〕

附　則（抄）

（施行期日）

第一条　この法律は、公布の日から起算して三年を超えない範囲内において政令で定める日から施行する。〔ただし書略〕

○行政不服審査法

平二六・六・一三
法　六八

最終改正　令五・六・一六法六三

目次〔略〕

第一章　総則

（目的等）

第一条　この法律は、行政庁の違法又は不当な処分その他公権力の行使に当たる行為に関し、国民が簡易迅速かつ公正な手続の下で広く行政庁に対する不服申立てをすることができるための制度を定めることにより、国民の権利利益の救済を図るとともに、行政の適正な運営を確保することを目的とする。

2　行政庁の処分その他公権力の行使に当たる行為（以下単に「処分」という。）に関する不服申立てについては、他の法律に特別の定めがある場合を除くほか、この法律の定めるところによる。

（処分についての審査請求）

第二条　行政庁の処分に不服がある者は、第四条及び第五条第二項の定めるところにより、審査請求をすることができる。

（不作為についての審査請求）

第三条　法令に基づき行政庁に対して処分についての申請をした者は、当該申請から相当の期間が経過したにもかかわらず、行政庁の不作為（法令に基づく申請に対して何らの処分をもしないことをいう。以下同じ。）がある場合には、次条の定めるところにより、当該不作為についての審査請求をすることができる。

（審査請求をすべき行政庁）

第四条　審査請求は、法律（条例に基づく処分については、条例）に特別の定めがある場合を除くほか、次の各号に掲げる場合の区分に応じ、当該各号に定める行政庁に対してするものとする。

一　処分庁等（処分をした行政庁（以下「処分庁」という。）

又は不作為に係る行政庁（以下「不作為庁」という。）をいう。以下同じ。）に上級行政庁がない場合又は処分庁等が主任の大臣若しくは宮内庁長官若しくは内閣府設置法（平成十一年法律第八十九号）第四十九条第一項若しくは第二項若しくは国家行政組織法（昭和二十三年法律第百二十号）第三条第二項に規定する庁の長である場合　当該処分庁等

二　宮内庁長官又は内閣府設置法第四十九条第一項若しくは第二項若しくは国家行政組織法第三条第二項に規定する庁の長が処分庁等の上級行政庁である場合　宮内庁長官又は当該庁の長

三　主任の大臣が処分庁等の上級行政庁である場合（前二号に掲げる場合を除く。）　当該主任の大臣

四　前三号に掲げる場合以外の場合　当該処分庁等の最上級行政庁

（再調査の請求）

第五条　行政庁の処分につき処分庁以外の行政庁に対して審査請求をすることができる場合において、法律に再調査の請求をすることができる旨の定めがあるときは、当該処分に不服がある者は、処分庁に対して再調査の請求をすることができる。ただし、当該処分について第二条の規定により審査請求をしたときは、この限りでない。

2　前項本文の規定により再調査の請求をしたときは、当該再調査の請求についての決定を経た後でなければ、審査請求をすることができない。ただし、次の各号のいずれかに該当する場合は、この限りでない。

一　当該処分につき再調査の請求をした日（第六十一条において読み替えて準用する第二十三条の規定により不備を補正すべきことを命じられた場合にあっては、当該不備を補正した日）の翌日から起算して三月を経過しても、処分庁が当該再調査の請求につき決定をしない場合

二　その他再調査の請求についての決定を経ないことにつき正当な理由がある場合

（再審査請求）

第六条　行政庁の処分につき法律に再審査請求をすることができる旨の定めがある場合には、当該処分についての審査請求の裁決に不服がある者は、再審査請求をすることができる。

2　再審査請求は、原裁決（再審査請求をすることができる処分についての審査請求の裁決をいう。以下同じ。）又は当該処分（以下「原裁決等」という。）を対象として、前項の法律に定める行政庁に対してするものとする。

（適用除外）

第七条　次に掲げる処分及びその不作為については、第二条及び第三条の規定は、適用しない。

一　国会の両院若しくは一院又は議会の議決によってされる処分

二　裁判所若しくは裁判官の裁判により、又は裁判の執行としてされる処分

三　国会の両院若しくは一院若しくは議会の議決を経て、又はこれらの同意若しくは承認を得た上でされるべきものとされている処分

四　検査官会議で決すべきものとされている処分

五　当事者間の法律関係を確認し、又は形成する処分で、法令の規定により当該処分に関する訴えにおいてその法律関係の当事者の一方を被告とすべきものと定められているもの

六　刑事事件に関する法令に基づいて検察官、検察事務官又は司法警察職員がする処分

七　国税又は地方税の犯則事件に関する法令（他の法令において準用する場合を含む。）に基づいて国税庁長官、国税局長、税務署長、国税庁、国税局若しくは税務署の当該職員、税関長、税関職員又は徴税吏員（他の法令の規定に基づいてこれらの職員の職務を行う者を含む。）がする処分及び金融商品取引の犯則事件に関する法令（他の法令において準用する場合を含む。）に基づいて証券取引等監視委員会、その職員（当該法令においてその職員とみなされる者を含む。）、財務局長又は財務支局長がする処分

八　学校、講習所、訓練所又は研修所において、教育、講習、訓練又は研修の目的を達成するために、学生、生徒、児童若しくは幼児若しくはこれらの保護者、講習生、訓練生又は研修生に対してされる処分

九　刑務所、少年刑務所、拘置所、留置施設、海上保安留置施設、少年院又は少年鑑別所において、収容の目的を達成するためにされる処分

十　外国人の出入国又は帰化に関する処分

十一　専ら人の学識技能に関する試験又は検定の結果についての処分

十二　この法律に基づく処分（第五章第一節第一款の規定に基づく処分を除く。）

2　国の機関又は地方公共団体その他の公共団体若しくはその機関に対する処分で、これらの機関又は団体がその固有の資格において当該処分の相手方となるもの及びその不作為については、この法律の規定は、適用しない。

（特別の不服申立ての制度）

第八条　前条の規定は、同条の規定により審査請求をすることができない処分又は不作為につき、別に法令で当該処分又は不作為の性質に応じた不服申立ての制度を設けることを妨げない。

第二章　審査請求

第一節　審査庁及び審理関係人

（審理員）

第九条　第四条又は他の法律若しくは条例の規定により審査請求がされた行政庁（第十四条の規定により引継ぎを受けた行政庁を含む。以下「審査庁」という。）は、審査庁に所属する職員（第十七条に規定する名簿を作成した場合にあっては、当該名簿に記載されている者）のうちから第三節に規定する審理手続（この節に規定する手続を含む。）を行う者を指名するとともに、その旨を審査請求人及び処分庁等（審査庁以外の処分庁等に限る。）に通知しなければならない。ただし、次の各号のいずれかに掲げる機関が審査庁である場合若しくは条例に基づく処分について条例に特別の定めがある場合又は第二十四条の規定により当該審査請求を却下する場合は、この限りでない。

一　内閣府設置法第四十九条第一項若しくは第二項又は国家行政組織法第三条第二項に規定する委員会

二　内閣府設置法第三十七条若しくは第五十四条又は国家行政組織法第八条に規定する機関

三　地方自治法（昭和二十二年法律第六十七号）第百三十八条

の四第一項に規定する委員会若しくは委員又は同条第三項に規定する機関

2　審査庁が前項の規定により指名する者は、次に掲げる者以外の者でなければならない。

一　審査請求に係る処分若しくは当該処分に係る再調査の請求についての決定に関与した者又は審査請求に係る不作為に係る処分に関与し、若しくは関与することとなる者

二　審査請求人

三　審査請求人の配偶者、四親等内の親族又は同居の親族

四　審査請求人の代理人

五　前二号に掲げる者であった者

六　審査請求人の後見人、後見監督人、保佐人、保佐監督人、補助人又は補助監督人

七　第十三条第一項に規定する利害関係人

3　審査庁が第一項各号に掲げる機関である場合又は同項ただし書の特別の定めがある場合においては、別表第一の上欄に掲げる規定の適用については、これらの規定中同表の中欄に掲げる字句は、それぞれ同表の下欄に掲げる字句に読み替えるものとし、第十七条、第四十条、第四十二条及び第五十条第二項の規定は、適用しない。

4　前項に規定する場合において、審査庁は、必要があると認めるときは、その職員（第二項各号（第一項各号に掲げる機関の構成員にあっては、第一号を除く。）に掲げる者以外の者に限る。）に、前項において読み替えて適用する第三十一条第一項の規定による審査請求人若しくは第十三条第四項に規定する参加人の意見の陳述を聴かせ、前項において読み替えて適用する第三十四条の規定による参考人の陳述を聴かせ、同項において読み替えて適用する第三十五条第一項の規定による検証をさせ、前項において読み替えて適用する第三十六条の規定による第二十八条に規定する審理関係人に対する質問をさせ、又は同項において読み替えて適用する第三十七条第一項若しくは第二項の規定による意見の聴取を行わせることができる。

（法人でない社団又は財団の審査請求）

第十条　法人でない社団又は財団で代表者又は管理人の定めがあるものは、その名で審査請求をすることができる。

（総代）

第十一条　多数人が共同して審査請求をしようとするときは、三人を超えない総代を互選することができる。

2　共同審査請求人が総代を互選しない場合において、必要があると認めるときは、第九条第一項の規定により指名された者（以下「審理員」という。）は、総代の互選を命ずることができる。

3　総代は、各自、他の共同審査請求人のために、審査請求の取下げを除き、当該審査請求に関する一切の行為をすることができる。

4　総代が選任されたときは、共同審査請求人は、総代を通じてのみ、前項の行為をすることができる。

5　共同審査請求人に対する行政庁の通知その他の行為は、二人以上の総代が選任されている場合においても、一人の総代に対してすれば足りる。

6　共同審査請求人は、必要があると認める場合には、総代を解任することができる。

（代理人による審査請求）

第十二条　審査請求は、代理人によってすることができる。

2　前項の代理人は、各自、審査請求人のために、当該審査請求に関する一切の行為をすることができる。ただし、審査請求の取下げは、特別の委任を受けた場合に限り、することができる。

（参加人）

第十三条　利害関係人（審査請求人以外の者であって審査請求に係る処分又は不作為に係る処分の根拠となる法令に照らし当該処分につき利害関係を有するものと認められる者をいう。以下同じ。）は、審理員の許可を得て、当該審査請求に参加することができる。

2　審理員は、必要があると認める場合には、利害関係人に対し、当該審査請求に参加することを求めることができる。

3　審査請求への参加は、代理人によってすることができる。

4　前項の代理人は、各自、第一項又は第二項の規定により当該審査請求に参加する者（以下「参加人」という。）のために、当該審査請求への参加に関する一切の行為をすることができる。ただし、審査請求への参加の取下げは、特別の委任を受けた場合に限り、することができる。

（行政庁が裁決をする権限を有しなくなった場合の措置）

第十四条　行政庁が審査請求がされた後法令の改廃により当該審査請求につき裁決をする権限を有しなくなったときは、当該行政庁は、第十九条に規定する審査請求書又は第二十一条第二項に規定する審査請求録取書及び関係書類その他の物件を新たに当該審査請求につき裁決をする権限を有することとなった行政庁に引き継がなければならない。この場合において、その引継ぎを受けた行政庁は、速やかに、その旨を審査請求人及び参加人に通知しなければならない。

（審理手続の承継）

第十五条　審査請求人が死亡したときは、相続人その他法令により審査請求の目的である処分に係る権利を承継した者は、審査請求人の地位を承継する。

2　審査請求人について合併又は分割（審査請求の目的である処分に係る権利を承継させるものに限る。）があったときは、合併後存続する法人その他の社団若しくは財団若しくは合併により設立された法人その他の社団若しくは財団又は分割により当該権利を承継した法人は、審査請求人の地位を承継する。

3　前二項の場合には、審査請求人の地位を承継した相続人その他の者又は法人その他の社団若しくは財団は、書面でその旨を審査庁に届け出なければならない。この場合には、届出書には、死亡若しくは分割による権利の承継又は合併の事実を証する書面を添付しなければならない。

4　第一項又は第二項の場合において、前項の規定による届出がされるまでの間において、死亡者又は合併前の法人その他の社団若しくは財団若しくは分割をした法人に宛ててされた通知が審査請求人の地位を承継した相続人その他の者又は合併後の法人その他の社団若しくは財団若しくは分割により審査請求人の地位を承継した法人に到達したときは、当該通知は、これらの者に対する通知としての効力を有する。

5　第一項の場合において、審査請求人の地位を承継した相続人その他の者が二人以上あるときは、その一人に対する通知その他の行為は、全員に対してされたものとみなす。

6　審査請求の目的である処分に係る権利を譲り受けた者は、審査庁の許可を得て、審査請求人の地位を承継することができる。

（標準審理期間）

第十六条　第四条又は他の法律若しくは条例の規定により審査庁となるべき行政庁（以下「審査庁となるべき行政庁」という。）は、審査請求がその事務所に到達してから当該審査請求に対する裁決をするまでに通常要すべき標準的な期間を定めるよう努めるとともに、これを定めたときは、当該審査庁となるべき行政庁及び関係処分庁（当該審査請求の対象となるべき処分の権限を有する行政庁であって当該審査庁となるべき行政庁以外のものをいう。次条において同じ。）の事務所における備付けその他の適当な方法により公にしておかなければならない。

（審理員となるべき者の名簿）

第十七条　審査庁となるべき行政庁は、審理員となるべき者の名簿を作成するよう努めるとともに、これを作成したときは、当該審査庁となるべき行政庁及び関係処分庁の事務所における備付けその他の適当な方法により公にしておかなければならない。

第二節　審査請求の手続

（審査請求期間）

第十八条　処分についての審査請求は、処分があったことを知った日の翌日から起算して三月（当該処分について再調査の請求をしたときは、当該再調査の請求についての決定があったことを知った日の翌日から起算して一月）を経過したときは、することができない。ただし、正当な理由があるときは、この限りでない。

2　処分についての審査請求は、処分（当該処分について再調査の請求をしたときは、当該再調査の請求についての決定）があった日の翌日から起算して一年を経過したときは、することができない。ただし、正当な理由があるときは、この限りでない。

3　次条に規定する審査請求書を郵便又は民間事業者による信書の送達に関する法律（平成十四年法律第九十九号）第二条第六項に規定する一般信書便事業者若しくは同条第九項に規定する特定信書便事業者による同条第二項に規定する信書便で提出した場合における前二項に規定する期間（以下「審査請求期間」という。）の計算については、送付に要した日数は、算入しない。

（審査請求書の提出）

第十九条　審査請求は、他の法律（条例に基づく処分については、条例）に口頭ですることができる旨の定めがある場合を除き、政令で定めるところにより、審査請求書を提出してしなければならない。

2　処分についての審査請求書には、次に掲げる事項を記載しなければならない。

一　審査請求人の氏名又は名称及び住所又は居所

二　審査請求に係る処分の内容

三　審査請求に係る処分（当該処分について再調査の請求についての決定を経たときは、当該決定）があったことを知った年月日

四　審査請求の趣旨及び理由

五　処分庁の教示の有無及びその内容

六　審査請求の年月日

3　不作為についての審査請求書には、次に掲げる事項を記載しなければならない。

一　審査請求人の氏名又は名称及び住所又は居所

二　当該不作為に係る処分についての申請の内容及び年月日

三　審査請求の年月日

4　審査請求人が、法人その他の社団若しくは財団である場合、総代を互選した場合又は代理人によって審査請求をする場合には、審査請求書には、第二項各号又は前項各号に掲げる事項のほか、その代表者若しくは管理人、総代又は代理人の氏名及び住所又は居所を記載しなければならない。

5　処分についての審査請求書には、第二項及び前項に規定する事項のほか、次の各号に掲げる場合においては、当該各号に定める事項を記載しなければならない。

一　第五条第二項第一号の規定により再調査の請求についての決定を経ないで審査請求をする場合　再調査の請求をした年月日

二　第五条第二項第二号の規定により再調査の請求についての決定を経ないで審査請求をする場合　その決定を経ないことについての正当な理由

三　審査請求期間の経過後において審査請求をする場合　前条第一項ただし書又は第二項ただし書に規定する正当な理由

（口頭による審査請求）

第二十条　口頭で審査請求をする場合には、前条第二項から第五項までに規定する事項を陳述しなければならない。この場合において、陳述を受けた行政庁は、その陳述の内容を録取し、これを陳述人に読み聞かせて誤りのないことを確認しなければならない。

（処分庁等を経由する審査請求）

第二十一条　審査請求をすべき行政庁が処分庁等と異なる場合における審査請求は、処分庁等を経由してすることができる。この場合において、審査請求人は、処分庁等に審査請求書を提出し、又は処分庁等に対し第十九条第二項から第五項までに規定する事項を陳述するものとする。

2　前項の場合には、処分庁等は、直ちに、審査請求書又は審査請求録取書（前条後段の規定により陳述の内容を録取した書面をいう。第二十九条第一項及び第五十五条において同じ。）を審査庁となるべき行政庁に送付しなければならない。

3　第一項の場合における審査請求期間の計算については、処分庁に審査請求書を提出し、又は処分庁に対し当該事項を陳述した時に、処分についての審査請求があったものとみなす。

（誤った教示をした場合の救済）

第二十二条　審査請求をすることができる処分につき、処分庁が誤って審査請求をすべき行政庁でない行政庁を審査請求をすべき行政庁として教示した場合において、その教示された行政庁に書面で審査請求がされたときは、当該行政庁は、速やかに、審査請求書を処分庁又は審査庁となるべき行政庁に送付し、かつ、その旨を審査請求人に通知しなければならない。

2　前項の規定により処分庁に審査請求書が送付されたときは、処分庁は、速やかに、これを審査庁となるべき行政庁に送付し、かつ、その旨を審査請求人に通知しなければならない。

3　第一項の処分のうち、再調査の請求をすることができない処分につき、処分庁が誤って再調査の請求をすることができる旨を教示した場合において、当該処分庁に再調査の請求がされたときは、処分庁は、速やかに、再調査の請求書（第六十一条において読み替えて準用する第十九条に規定する再調査の請求書をいう。以下この条において同じ。）又は再調査の請求録取書（第六十一条において準用する第二十条後段の規定により陳述の内容を録取した書面をいう。以下この条において同じ。）を審査庁となるべき行政庁に送付し、かつ、その旨を再調査の請求人に通知しなければならない。

4　再調査の請求をすることができる処分につき、処分庁が誤って審査請求をすることができる旨を教示しなかった場合において、当該処分庁に再調査の請求がされた場合であって、再調査の請求人から申立てがあったときは、処分庁は、速やかに、再調査の請求書又は再調査の請求録取書及び関係書類その他の物件を審査庁となるべき行政庁に送付しなければならない。この場合において、その送付を受けた行政庁は、速やかに、その旨を再調査の請求人及び第六十一条において読み替えて準用する第十三条第一項又は第二項の規定により当該再調査の請求に参加する者に通知しなければならない。

5　前各項の規定により審査請求書又は再調査の請求書若しくは再調査の請求録取書が審査庁となるべき行政庁に送付されたときは、初めから審査庁となるべき行政庁に審査請求がされたものとみなす。

（審査請求書の補正）

第二十三条　審査請求書が第十九条の規定に違反する場合には、審査庁は、相当の期間を定め、その期間内に不備を補正すべきことを命じなければならない。

（審理手続を経ないでする却下裁決）

第二十四条　前条の場合において、審査請求人が同条の期間内に不備を補正しないときは、審査庁は、次節に規定する審理手続を経ないで、第四十五条第一項又は第四十九条第一項の規定に基づき、裁決で、当該審査請求を却下することができる。

2　審査請求が不適法であって補正することができないことが明らかなときも、前項と同様とする。

（執行停止）

第二十五条　審査請求は、処分の効力、処分の執行又は手続の続行を妨げない。

2　処分庁の上級行政庁又は処分庁である審査庁は、必要があると認める場合には、審査請求人の申立てにより又は職権で、処分の効力、処分の執行又は手続の続行の全部又は一部の停止その他の措置（以下「執行停止」という。）をとることができる。

3　処分庁の上級行政庁又は処分庁のいずれでもない審査庁は、必要があると認める場合には、審査請求人の申立てにより、処分庁の意見を聴取した上、執行停止をすることができる。ただし、処分の効力、処分の執行又は手続の続行の全部又は一部の停止以外の措置をとることはできない。

4　前二項の規定による審査請求人の申立てがあった場合において、処分、処分の執行又は手続の続行により生ずる重大な損害を避けるために緊急の必要があると認めるときは、審査庁は、執行停止をしなければならない。ただし、公共の福祉に重大な影響を及ぼすおそれがあるとき、又は本案について理由がないとみえるときは、この限りでない。

5　審査庁は、前項に規定する重大な損害を生ずるか否かを判断するに当たっては、損害の回復の困難の程度を考慮するものとし、損害の性質及び程度並びに処分の内容及び性質をも勘案するものとする。

6　第二項から第四項までの場合において、処分の効力の停止は、処分の効力の停止以外の措置によって目的を達することができるときは、することができない。

7　執行停止の申立てがあったとき、又は審理員から第四十条に規定する執行停止をすべき旨の意見書が提出されたときは、審査庁は、速やかに、執行停止をするかどうかを決定しなければならない。

（執行停止の取消し）

第二十六条　執行停止をした後において、執行停止が公共の福祉に重大な影響を及ぼすことが明らかとなったとき、その他事情が変更したときは、審査庁は、その執行停止を取り消すことができる。

（審査請求の取下げ）

第二十七条　審査請求人は、裁決があるまでは、いつでも審査請求を取り下げることができる。

2　審査請求の取下げは、書面でしなければならない。

第三節　審理手続

（審理手続の計画的進行）

第二十八条　審査請求人、参加人及び処分庁等（以下「審理関係人」という。）並びに審理員は、簡易迅速かつ公正な審理の実現のため、審理において、相互に協力するとともに、審理手続の計画的な進行を図らなければならない。

（弁明書の提出）

第二十九条　審理員は、審査庁から指名されたときは、直ちに、審査請求書又は審査請求録取書の写しを処分庁等に送付しなければならない。ただし、処分庁等が審査庁である場合には、この限りでない。

2　審理員は、相当の期間を定めて、処分庁等に対し、弁明書の提出を求めるものとする。

3　処分庁等は、前項の弁明書に、次の各号の区分に応じ、当該各号に定める事項を記載しなければならない。

一　処分についての審査請求に対する弁明書　処分の内容及び理由

二　不作為についての審査請求に対する弁明書　処分をしていない理由並びに予定される処分の時期、内容及び理由

4　処分庁が次に掲げる書面を保有する場合には、前項第一号に掲げる弁明書にこれを添付するものとする。

一　行政手続法（平成五年法律第八十八号）第二十四条第一項の調書及び同条第三項の報告書

二　行政手続法第二十九条第一項に規定する弁明書

5　審理員は、処分庁等から弁明書の提出があったときは、これを審査請求人及び参加人に送付しなければならない。

（反論書等の提出）

第三十条　審査請求人は、前条第五項の規定により送付された弁明書に記載された事項に対する反論を記載した書面（以下「反論書」という。）を提出することができる。この場合において、審理員が、反論書を提出すべき相当の期間を定めたとき

は、その期間内にこれを提出しなければならない。

2　参加人は、審査請求に係る事件に関する意見を記載した書面（第四十条及び第四十二条第一項を除き、以下「意見書」という。）を提出することができる。この場合において、審理員が、意見書を提出すべき相当の期間を定めたときは、その期間内にこれを提出しなければならない。

3　審理員は、審査請求人から反論書の提出があったときはこれを参加人及び処分庁等に、参加人から意見書の提出があったときはこれを審査請求人及び処分庁等に、それぞれ送付しなければならない。

（口頭意見陳述）

第三十一条　審査請求人又は参加人の申立てがあった場合には、審理員は、当該申立てをした者（以下この条及び第四十一条第二項第二号において「申立人」という。）に口頭で審査請求に係る事件に関する意見を述べる機会を与えなければならない。ただし、当該申立人の所在その他の事情により当該意見を述べる機会を与えることが困難であると認められる場合には、この限りでない。

2　前項本文の規定による意見の陳述（以下「口頭意見陳述」という。）は、審理員が期日及び場所を指定し、全ての審理関係人を招集してさせるものとする。

3　口頭意見陳述において、申立人は、審理員の許可を得て、補佐人とともに出頭することができる。

4　口頭意見陳述において、審理員は、申立人のする陳述が事件に関係のない事項にわたる場合その他相当でない場合には、これを制限することができる。

5　口頭意見陳述に際し、申立人は、審理員の許可を得て、審査請求に係る事件に関し、処分庁等に対して、質問を発することができる。

（証拠書類等の提出）

第三十二条　審査請求人又は参加人は、証拠書類又は証拠物を提出することができる。

2　処分庁等は、当該処分の理由となる事実を証する書類その他の物件を提出することができる。

3　前二項の場合において、審理員が、証拠書類若しくは証拠物又は書類その他の物件を提出すべき相当の期間を定めたときは、その期間内にこれを提出しなければならない。

（物件の提出要求）

第三十三条　審理員は、審査請求人若しくは参加人の申立てにより又は職権で、書類その他の物件の所持人に対し、相当の期間を定めて、その物件の提出を求めることができる。この場合において、審理員は、その提出された物件を留め置くことができる。

（参考人の陳述及び鑑定の要求）

第三十四条　審理員は、審査請求人若しくは参加人の申立てにより又は職権で、適当と認める者に、参考人としてその知っている事実の陳述を求め、又は鑑定を求めることができる。

（検証）

第三十五条　審理員は、審査請求人若しくは参加人の申立てにより又は職権で、必要な場所につき、検証をすることができる。

2　審理員は、審査請求人又は参加人の申立てにより前項の検証をしようとするときは、あらかじめ、その日時及び場所を当該申立てをした者に通知し、これに立ち会う機会を与えなければならない。

（審理関係人への質問）

第三十六条　審理員は、審査請求人若しくは参加人の申立てにより又は職権で、審査請求に係る事件に関し、審理関係人に質問することができる。

（審理手続の計画的遂行）

第三十七条　審理員は、審査請求に係る事件について、審理すべき事項が多数であり又は錯綜しているなど事件が複雑であることその他の事情により、迅速かつ公正な審理を行うため、第三十一条から前条までに定める審理手続を計画的に遂行する必要があると認める場合には、期日及び場所を指定して、審理関係人を招集し、あらかじめ、これらの審理手続の申立てに関する意見の聴取を行うことができる。

2　審理員は、審理関係人が遠隔の地に居住している場合その他相当と認める場合には、政令で定めるところにより、審理員及び審理関係人が音声の送受信により通話をすることができる方法によって、前項に規定する意見の聴取を行うことができる。

3　審理員は、前二項の規定による意見の聴取を行ったときは、遅滞なく、第三十一条から前条までに定める審理手続の期日及び場所並びに第四十一条第一項の規定による審理手続の終結の予定時期を決定し、これらを審理関係人に通知するものとする。当該予定時期を変更したときも、同様とする。

（審査請求人等による提出書類等の閲覧等）

第三十八条　審査請求人又は参加人は、第四十一条第一項又は第二項の規定により審理手続が終結するまでの間、審理員に対し、提出書類等（第二十九条第四項各号に掲げる書面又は第三十二条第一項若しくは第二項若しくは第三十三条の規定により提出された書類その他の物件をいう。次項において同じ。）の閲覧（電磁的記録（電子的方式、磁気的方式その他人の知覚によっては認識することができない方式で作られる記録であって、電子計算機による情報処理の用に供されるものをいう。以下同じ。）にあっては、記録された事項を審査庁が定める方法により表示したものの閲覧）又は当該書面若しくは当該書類の写し若しくは当該電磁的記録に記録された事項を記載した書面の交付を求めることができる。この場合において、審理員は、第三者の利益を害するおそれがあると認めるとき、その他正当な理由があるときでなければ、その閲覧又は交付を拒むことができない。

2　審理員は、前項の規定による閲覧をさせ、又は同項の規定による交付をしようとするときは、当該閲覧又は交付に係る提出書類等の提出人の意見を聴かなければならない。ただし、審理員が、その必要がないと認めるときは、この限りでない。

3　審理員は、第一項の規定による閲覧について、日時及び場所を指定することができる。

4　第一項の規定による交付を受ける審査請求人又は参加人は、政令で定めるところにより、実費の範囲内において政令で定める額の手数料を納めなければならない。

5　審理員は、経済的困難その他特別の理由があると認めるときは、政令で定めるところにより、前項の手数料を減額し、又は免除することができる。

6　地方公共団体（都道府県、市町村及び特別区並びに地方公共団体の組合に限る。以下同じ。）に所属する行政庁が審査庁である場合における前二項の規定の適用については、これらの規定中「政令」とあるのは、「条例」とし、国又は地方公共団体に所属しない行政庁が審査庁である場合におけるこれらの規定の適用については、これらの規定中「政令で」とあるのは、「審査庁が」とする。

（審理手続の併合又は分離）

第三十九条　審理員は、必要があると認める場合には、数個の審査請求に係る審理手続を併合し、又は併合された数個の審査請求に係る審理手続を分離することができる。

（審理員による執行停止の意見書の提出）

第四十条　審理員は、必要があると認める場合には、審査庁に対し、執行停止をすべき旨の意見書を提出することができる。

（審理手続の終結）

第四十一条　審理員は、必要な審理を終えたと認めるときは、審理手続を終結するものとする。

2　前項に定めるもののほか、審理員は、次の各号のいずれかに該当するときは、審理手続を終結することができる。

一　次のイからホまでに掲げる規定の相当の期間内に、当該イからホまでに定める物件が提出されない場合において、更に一定の期間を示して、当該物件の提出を求めたにもかかわらず、当該提出期間内に当該物件が提出されなかったとき。

イ　第二十九条第二項　弁明書

ロ　第三十条第一項後段　反論書

ハ　第三十条第二項後段　意見書

ニ　第三十二条第三項　証拠書類若しくは証拠物又は書類その他の物件

ホ　第三十三条前段　書類その他の物件

二　申立人が、正当な理由なく、口頭意見陳述に出頭しないとき。

3　審理員が前二項の規定により審理手続を終結したときは、速やかに、審理関係人に対し、審理手続を終結した旨並びに次条第一項に規定する審理員意見書及び事件記録（審査請求書、弁明書その他審査請求に係る事件に関する書類その他の物件のうち政令で定めるものをいう。同条第二項及び第四十三条第二項において同じ。）を審査庁に提出する予定時期を通知するものとする。当該予定時期を変更したときも、同様とする。

（審理員意見書）

第四十二条　審理員は、審理手続を終結したときは、遅滞なく、審査庁がすべき裁決に関する意見書（以下「審理員意見書」という。）を作成しなければならない。

2　審理員は、審理員意見書を作成したときは、速やかに、これを事件記録とともに、審査庁に提出しなければならない。

第四節　行政不服審査会等への諮問

第四十三条　審査庁は、審理員意見書の提出を受けたときは、次の各号のいずれかに該当する場合を除き、審査庁が主任の大臣又は宮内庁長官若しくは内閣府設置法第四十九条第一項若しくは第二項若しくは国家行政組織法第三条第二項に規定する庁の長である場合にあっては行政不服審査会に、審査庁が地方公共団体の長（地方公共団体の組合にあっては、長、管理者又は理事会）である場合にあっては第八十一条第一項又は第二項の機関に、それぞれ諮問しなければならない。

一　審査請求に係る処分をしようとするときに他の法律又は政令（条例に基づく処分については、条例）に第九条第一項各号に掲げる機関若しくは地方公共団体の議会又はこれらの機関に類するものとして政令で定めるもの（以下「審議会等」という。）の議を経るべき旨又は経ることができる旨の定めがあり、かつ、当該議を経て当該処分がされた場合

二　裁決をしようとするときに他の法律又は政令（条例に基づく処分については、条例）に第九条第一項各号に掲げる機関若しくは地方公共団体の議会又はこれらの機関に類するものとして政令で定めるものの議を経るべき旨又は経ることができる旨の定めがあり、かつ、当該議を経て裁決をしようとする場合

三　第四十六条第三項又は第四十九条第四項の規定により審議会等の議を経て裁決をしようとする場合

四　審査請求人から、行政不服審査会又は第八十一条第一項若しくは第二項の機関（以下「行政不服審査会等」という。）への諮問を希望しない旨の申出がされている場合（参加人から、行政不服審査会等に諮問しないことについて反対する旨の申出がされている場合を除く。）

五　審査請求が、行政不服審査会等によって、国民の権利利益及び行政の運営に対する影響の程度その他当該事件の性質を勘案して、諮問を要しないものと認められたものである場合

六　審査請求が不適法であり、却下する場合

七　第四十六条第一項の規定により審査請求に係る処分（法令に基づく申請を却下し、又は棄却する処分及び事実上の行為を除く。）の全部を取り消し、又は第四十七条第一号若しくは第二号の規定により審査請求に係る事実上の行為の全部を撤廃すべき旨を命じ、若しくは撤廃することとする場合（当該処分の全部を取り消すこと又は当該事実上の行為の全部を撤廃すべき旨を命じ、若しくは撤廃することについて反対する旨の意見書が提出されている場合及び口頭意見陳述においてその旨の意見が述べられている場合を除く。）

八　第四十六条第二項各号又は第四十九条第三項各号に定める措置（法令に基づく申請の全部を認容すべき旨を命じ、又は認容するものに限る。）をとることとする場合（当該申請の全部を認容することについて反対する旨の意見書が提出されている場合及び口頭意見陳述においてその旨の意見が述べられている場合を除く。）

2　前項の規定による諮問は、審理員意見書及び事件記録の写しを添えてしなければならない。

3　第一項の規定により諮問をした審査庁は、審理関係人（処分庁等が審査庁である場合にあっては、審査請求人及び参加人）に対し、当該諮問をした旨を通知するとともに、審理員意見書の写しを送付しなければならない。

第五節　裁決

（裁決の時期）

第四十四条　審査庁は、行政不服審査会等から諮問に対する答申を受けたとき（前条第一項の規定による諮問を要しない場合（同項第二号又は第三号に該当する場合を除く。）にあっては審理員意見書が提出されたとき、同項第二号又は第三号に該当する場合にあっては同項第二号又は第三号に規定する議を経たとき）は、遅滞なく、裁決をしなければならない。

（処分についての審査請求の却下又は棄却）

第四十五条　処分についての審査請求が法定の期間経過後にされ

たものである場合その他不適法である場合には、審査庁は、裁決で、当該審査請求を却下する。

2　処分についての審査請求が理由がない場合には、審査庁は、裁決で、当該審査請求を棄却する。

3　審査請求に係る処分が違法又は不当ではあるが、これを取り消し、又は撤廃することにより公の利益に著しい障害を生ずる場合において、審査請求人の受ける損害の程度、その損害の賠償又は防止の程度及び方法その他一切の事情を考慮した上、処分を取り消し、又は撤廃することが公共の福祉に適合しないと認めるときは、審査庁は、裁決で、当該審査請求を棄却することができる。この場合には、審査庁は、裁決の主文で、当該処分が違法又は不当であることを宣言しなければならない。

（処分についての審査請求の認容）

第四十六条　処分（事実上の行為を除く。以下この条及び第四十八条において同じ。）についての審査請求が理由がある場合（前条第三項の規定の適用がある場合を除く。）には、審査庁は、裁決で、当該処分の全部若しくは一部を取り消し、又はこれを変更する。ただし、審査庁が処分庁の上級行政庁又は処分庁のいずれでもない場合には、当該処分を変更することはできない。

2　前項の規定により法令に基づく申請を却下し、又は棄却する処分の全部又は一部を取り消す場合において、次の各号に掲げる審査庁は、当該申請に対して一定の処分をすべきものと認めるときは、当該各号に定める措置をとる。

一　処分庁の上級行政庁である審査庁　当該処分庁に対し、当該処分をすべき旨を命ずること。

二　処分庁である審査庁　当該処分をすること。

3　前項に規定する一定の処分に関し、第四十三条第一項第一号に規定する議を経るべき旨の定めがある場合において、審査庁が前項各号に定める措置をとるために必要があると認めるときは、審査庁は、当該定めに係る審議会等の議を経ることができる。

4　前項に規定する定めがある場合のほか、第二項に規定する一定の処分に関し、他の法令に関係行政機関との協議の実施その他の手続をとるべき旨の定めがある場合において、審査庁が同項各号に定める措置をとるために必要があると認めるときは、審査庁は、当該手続をとることができる。

第四十七条　事実上の行為についての審査請求が理由がある場合（第四十五条第三項の規定の適用がある場合を除く。）には、審査庁は、裁決で、当該事実上の行為が違法又は不当である旨を宣言するとともに、次の各号に掲げる審査庁の区分に応じ、当該各号に定める措置をとる。ただし、審査庁が処分庁の上級行政庁以外の審査庁である場合には、当該事実上の行為を変更すべき旨を命ずることはできない。

一　処分庁以外の審査庁　当該処分庁に対し、当該事実上の行為の全部若しくは一部を撤廃し、又はこれを変更すべき旨を命ずること。

二　処分庁である審査庁　当該事実上の行為の全部若しくは一部を撤廃し、又はこれを変更すること。

（不利益変更の禁止）

第四十八条　第四十六条第一項本文又は前条の場合において、審査庁は、審査請求人の不利益に当該処分を変更し、又は当該事実上の行為を変更すべき旨を命じ、若しくはこれを変更することはできない。

（不作為についての審査請求の裁決）

第四十九条　不作為についての審査請求が当該不作為に係る処分についての申請から相当の期間が経過しないでされたものである場合その他不適法である場合には、審査庁は、裁決で、当該審査請求を却下する。

2　不作為についての審査請求が理由がない場合には、審査庁は、裁決で、当該審査請求を棄却する。

3　不作為についての審査請求が理由がある場合には、審査庁は、裁決で、当該不作為が違法又は不当である旨を宣言する。この場合において、次の各号に掲げる審査庁は、当該申請に対して一定の処分をすべきものと認めるときは、当該各号に定める措置をとる。

一　不作為庁の上級行政庁である審査庁　当該不作為庁に対し、当該処分をすべき旨を命ずること。

二　不作為庁である審査庁　当該処分をすること。

4　審査請求に係る不作為に係る処分に関し、第四十三条第一項第一号に規定する議を経るべき旨の定めがある場合において、審査庁が前項各号に定める措置をとるために必要があると認めるときは、審査庁は、当該定めに係る審議会等の議を経ることができる。

5　前項に規定する定めがある場合のほか、審査請求に係る不作為に係る処分に関し、他の法令に関係行政機関との協議の実施その他の手続をとるべき旨の定めがある場合において、審査庁が第三項各号に定める措置をとるために必要があると認めるときは、審査庁は、当該手続をとることができる。

（裁決の方式）

第五十条　裁決は、次に掲げる事項を記載し、審査庁が記名押印した裁決書によりしなければならない。

一　主文

二　事案の概要

三　審理関係人の主張の要旨

四　理由（第一号の主文が審理員意見書又は行政不服審査会等若しくは審議会等の答申書と異なる内容である場合には、異なることとなった理由を含む。）

2　第四十三条第一項の規定による行政不服審査会等への諮問を要しない場合には、前項の裁決書には、審理員意見書を添付しなければならない。

3　審査庁は、再審査請求をすることができる裁決をする場合には、裁決書に再審査請求をすることができる旨並びに再審査請求をすべき行政庁及び再審査請求期間（第六十二条に規定する期間をいう。）を記載して、これらを教示しなければならない。

（裁決の効力発生）

第五十一条　裁決は、審査請求人（当該審査請求が処分の相手方以外の者のしたものである場合における第四十六条第一項及び第四十七条の規定による裁決にあっては、審査請求人及び処分の相手方）に送達された時に、その効力を生ずる。

2　裁決の送達は、送達を受けるべき者に裁決書の謄本を送付することによってする。ただし、送達を受けるべき者の所在が知れない場合その他裁決書の謄本を送付することができない場合には、公示の方法によってすることができる。

3　公示の方法による送達は、審査庁が裁決書の謄本を保管し、いつでもその送達を受けるべき者に交付する旨を当該審査庁の掲示場に掲示し、かつ、その旨を官報その他の公報又は新聞紙に少なくとも一回掲載してするものとする。この場合において、その掲示を始めた日の翌日から起算して二週間を経過した時に裁決書の謄本の送付があったものとみなす。
4　審査庁は、裁決書の謄本を参加人及び処分庁等（審査庁以外の処分庁等に限る。）に送付しなければならない。

（裁決の拘束力）
第五十二条　裁決は、関係行政庁を拘束する。
2　申請に基づいてした処分が手続の違法若しくは不当を理由として裁決で取り消され、又は申請を却下し、若しくは棄却した処分が裁決で取り消された場合には、処分庁は、裁決の趣旨に従い、改めて申請に対する処分をしなければならない。
3　法令の規定により公示された処分が裁決で取り消され、又は変更された場合には、処分庁は、当該処分が取り消され、又は変更された旨を公示しなければならない。
4　法令の規定により処分の相手方以外の利害関係人に通知された処分が裁決で取り消され、又は変更された場合には、処分庁は、その通知を受けた者（審査請求人及び参加人を除く。）に、当該処分が取り消され、又は変更された旨を通知しなければならない。

（証拠書類等の返還）
第五十三条　審査庁は、裁決をしたときは、速やかに、第三十二条第一項又は第二項の規定により提出された証拠書類若しくは証拠物又は書類その他の物件及び第三十三条の規定による提出要求に応じて提出された書類その他の物件をその提出人に返還しなければならない。

第三章　再調査の請求

（再調査の請求期間）
第五十四条　再調査の請求は、処分があったことを知った日の翌日から起算して三月を経過したときは、することができない。ただし、正当な理由があるときは、この限りでない。
2　再調査の請求は、処分があった日の翌日から起算して一年を経過したときは、することができない。ただし、正当な理由があるときは、この限りでない。

（誤った教示をした場合の救済）
第五十五条　再調査の請求をすることができる処分につき、処分庁が誤って再調査の請求をすることができる旨を教示しなかった場合において、審査請求がされた場合であって、審査請求人から申立てがあったときは、審査庁は、速やかに、審査請求書又は審査請求録取書を処分庁に送付しなければならない。ただし、審査請求人に対し弁明書が送付された後においては、この限りでない。
2　前項本文の規定により審査請求書又は審査請求録取書の送付を受けた処分庁は、速やかに、その旨を審査請求人及び参加人に通知しなければならない。
3　第一項本文の規定により審査請求書又は審査請求録取書が処分庁に送付されたときは、初めから処分庁に再調査の請求がされたものとみなす。

（再調査の請求についての決定を経ずに審査請求がされた場合）
第五十六条　第五条第二項ただし書の規定により審査請求がされたときは、同項の再調査の請求は、取り下げられたものとみなす。ただし、処分庁において当該審査請求がされた日以前に再調査の請求に係る処分（事実上の行為を除く。）を取り消す旨の第六十条第一項の決定書の謄本を発している場合又は再調査の請求に係る事実上の行為を撤廃している場合は、当該審査請求（処分（事実上の行為を除く。）の一部を取り消す旨の第五十九条第一項の決定がされている場合又は事実上の行為の一部が撤廃されている場合にあっては、その部分に限る。）が取り下げられたものとみなす。

（三月後の教示）
第五十七条　処分庁は、再調査の請求がされた日（第六十一条において読み替えて準用する第二十三条の規定により不備を補正すべきことを命じた場合にあっては、当該不備が補正された日）の翌日から起算して三月を経過しても当該再調査の請求が係属しているときは、遅滞なく、当該処分について直ちに審査請求をすることができる旨を書面でその再調査の請求人に教示しなければならない。

（再調査の請求の却下又は棄却の決定）
第五十八条　再調査の請求が法定の期間経過後にされたものである場合その他不適法である場合には、処分庁は、決定で、当該再調査の請求を却下する。
2　再調査の請求が理由がない場合には、処分庁は、決定で、当該再調査の請求を棄却する。

（再調査の請求の認容の決定）
第五十九条　処分（事実上の行為を除く。）についての再調査の請求が理由がある場合には、処分庁は、決定で、当該処分の全部若しくは一部を取り消し、又はこれを変更する。
2　事実上の行為についての再調査の請求が理由がある場合には、処分庁は、決定で、当該事実上の行為が違法又は不当である旨を宣言するとともに、当該事実上の行為の全部若しくは一部を撤廃し、又はこれを変更する。
3　処分庁は、前二項の場合において、再調査の請求人の不利益に当該処分又は当該事実上の行為を変更することはできない。

（決定の方式）
第六十条　前二条の決定は、主文及び理由を記載し、処分庁が記名押印した決定書によりしなければならない。
2　処分庁は、前項の決定書（再調査の請求に係る処分の全部を取り消し、又は撤廃する決定に係るものを除く。）に、再調査の請求に係る処分につき審査請求をすることができる旨（却下の決定である場合にあっては、当該却下の決定が違法な場合に限り審査請求をすることができる旨）並びに審査請求をすべき行政庁及び審査請求期間を記載して、これらを教示しなければならない。

（審査請求に関する規定の準用）
第六十一条　第九条第四項、第十条から第十六条まで、第十八条第三項、第十九条（第三項並びに第五項第一号及び第二号を除く。）、第二十条、第二十三条、第二十四条、第二十五条（第三項を除く。）、第二十六条、第二十七条、第三十一条（第五項を除く。）、第三十二条（第二項を除く。）、第三十九条、第五十一条及び第五十三条の規定は、再調査の請求について準用する。この場合において、別表第二の上欄に掲げる規定中同表の中欄に掲げる字句は、それぞれ同表の下欄に掲げる字句に読み替えるものとする。

第四章　再審査請求

（再審査請求期間）

第六十二条　再審査請求は、原裁決があったことを知った日の翌日から起算して一月を経過したときは、することができない。ただし、正当な理由があるときは、この限りでない。

2　再審査請求は、原裁決があった日の翌日から起算して一年を経過したときは、することができない。ただし、正当な理由があるときは、この限りでない。

（裁決書の送付）

第六十三条　第六十六条第一項において読み替えて準用する第十一条第二項に規定する審理員又は第六十六条第一項において準用する第九条第一項各号に掲げる機関である再審査庁（他の法律の規定により再審査請求がされた行政庁（第六十六条第一項において読み替えて準用する第十四条の規定により引継ぎを受けた行政庁を含む。）をいう。以下同じ。）は、原裁決をした行政庁に対し、原裁決に係る裁決書の送付を求めるものとする。

（再審査請求の却下又は棄却の裁決）

第六十四条　再審査請求が法定の期間経過後にされたものである場合その他不適法である場合には、再審査庁は、裁決で、当該再審査請求を却下する。

2　再審査請求が理由がない場合には、再審査庁は、裁決で、当該再審査請求を棄却する。

3　再審査請求に係る原裁決（審査請求を却下し、又は棄却したものに限る。）が違法又は不当である場合において、当該審査請求に係る処分が違法又は不当のいずれでもないときは、再審査庁は、裁決で、当該再審査請求を棄却する。

4　前項に規定する場合のほか、再審査請求に係る原裁決等が違法又は不当ではあるが、これを取り消し、又は撤廃することにより公の利益に著しい障害を生ずる場合において、再審査請求人の受ける損害の程度、その損害の賠償又は防止の程度及び方法その他一切の事情を考慮した上、原裁決等を取り消し、又は撤廃することが公共の福祉に適合しないと認めるときは、再審査庁は、裁決で、当該再審査請求を棄却することができる。この場合には、再審査庁は、裁決の主文で、当該原裁決等が違法又は不当であることを宣言しなければならない。

（再審査請求の認容の裁決）

第六十五条　原裁決等（事実上の行為を除く。）についての再審査請求が理由がある場合（前条第三項に規定する場合及び同条第四項の規定の適用がある場合を除く。）には、再審査庁は、裁決で、当該原裁決等の全部又は一部を取り消す。

2　事実上の行為についての再審査請求が理由がある場合（前条第四項の規定の適用がある場合を除く。）には、裁決で、当該事実上の行為が違法又は不当である旨を宣言するとともに、処分庁に対し、当該事実上の行為の全部又は一部を撤廃すべき旨を命ずる。

（審査請求に関する規定の準用）

第六十六条　第二章（第九条第三項、第十八条（第三項を除く。）、第十九条第三項並びに第五項第一号及び第二号、第二十二条、第二十五条第二項、第二十九条（第一項を除く。）、第三十条第一項、第四十一条第二項第一号イ及びロ、第四節、第四十五条から第四十九条まで並びに第五十条第三項を除く。）の規定は、再審査請求について準用する。この場合において、別表第三の上欄に掲げる規定中同表の中欄に掲げる字句は、それぞれ同表の下欄に掲げる字句に読み替えるものとする。

2　再審査庁が前項において準用する第九条第一項各号に掲げる機関である場合には、前項において準用する第十七条、第四十条、第四十二条及び第五十条第二項の規定は、適用しない。

第五章　行政不服審査会等

第一節　行政不服審査会

第一款　設置及び組織

（設置）

第六十七条　総務省に、行政不服審査会（以下「審査会」という。）を置く。

2　審査会は、この法律の規定によりその権限に属させられた事項を処理する。

（組織）

第六十八条　審査会は、委員九人をもって組織する。

2　委員は、非常勤とする。ただし、そのうち三人以内は、常勤とすることができる。

（委員）

第六十九条　委員は、審査会の権限に属する事項に関し公正な判断をすることができ、かつ、法律又は行政に関して優れた識見を有する者のうちから、両議院の同意を得て、総務大臣が任命する。

2　委員の任期が満了し、又は欠員を生じた場合において、国会の閉会又は衆議院の解散のために両議院の同意を得ることができないときは、総務大臣は、前項の規定にかかわらず、同項に定める資格を有する者のうちから、委員を任命することができる。

3　前項の場合においては、任命後最初の国会で両議院の事後の承認を得なければならない。この場合において、両議院の事後の承認が得られないときは、総務大臣は、直ちにその委員を罷免しなければならない。

4　委員の任期は、三年とする。ただし、補欠の委員の任期は、前任者の残任期間とする。

5　委員は、再任されることができる。

6　委員の任期が満了したときは、当該委員は、後任者が任命されるまで引き続きその職務を行うものとする。

7　総務大臣は、委員が心身の故障のために職務の執行ができないと認める場合又は委員に職務上の義務違反その他委員たるに適しない非行があると認める場合には、両議院の同意を得て、その委員を罷免することができる。

8　委員は、職務上知ることができた秘密を漏らしてはならない。その職を退いた後も同様とする。

9　委員は、在任中、政党その他の政治的団体の役員となり、又は積極的に政治運動をしてはならない。

10　常勤の委員は、在任中、総務大臣の許可がある場合を除き、報酬を得て他の職務に従事し、又は営利事業を営み、その他金銭上の利益を目的とする業務を行ってはならない。

11　委員の給与は、別に法律で定める。

（会長）

第七十条　審査会に、会長を置き、委員の互選により選任する。
2　会長は、会務を総理し、審査会を代表する。
3　会長に事故があるときは、あらかじめその指名する委員が、その職務を代理する。

（専門委員）
第七十一条　審査会に、専門の事項を調査させるため、専門委員を置くことができる。
2　専門委員は、学識経験のある者のうちから、総務大臣が任命する。
3　専門委員は、その者の任命に係る当該専門の事項に関する調査が終了したときは、解任されるものとする。
4　専門委員は、非常勤とする。

（合議体）
第七十二条　審査会は、委員のうちから、審査会が指名する者三人をもって構成する合議体で、審査請求に係る事件について調査審議する。
2　前項の規定にかかわらず、審査会が定める場合においては、委員の全員をもって構成する合議体で、審査請求に係る事件について調査審議する。

（事務局）
第七十三条　審査会の事務を処理させるため、審査会に事務局を置く。
2　事務局に、事務局長のほか、所要の職員を置く。
3　事務局長は、会長の命を受けて、局務を掌理する。

第二款　審査会の調査審議の手続

（審査会の調査権限）
第七十四条　審査会は、必要があると認める場合には、審査請求に係る事件に関し、審査請求人、参加人又は第四十三条第一項の規定により審査会に諮問をした審査庁（以下この款において「審査関係人」という。）にその主張を記載した書面（以下この款において「主張書面」という。）又は資料の提出を求めること、適当と認める者にその知っている事実の陳述又は鑑定を求めることその他必要な調査をすることができる。

（意見の陳述）
第七十五条　審査会は、審査関係人の申立てがあった場合には、当該審査関係人に口頭で意見を述べる機会を与えなければならない。ただし、審査会が、その必要がないと認める場合には、この限りでない。
2　前項本文の場合において、審査請求人又は参加人は、審査会の許可を得て、補佐人とともに出頭することができる。

（主張書面等の提出）
第七十六条　審査関係人は、審査会に対し、主張書面又は資料を提出することができる。この場合において、審査会が、主張書面又は資料を提出すべき相当の期間を定めたときは、その期間内にこれを提出しなければならない。

（委員による調査手続）
第七十七条　審査会は、必要があると認める場合には、その指名する委員に、第七十四条の規定による調査をさせ、又は第七十五条第一項本文の規定による審査関係人の意見の陳述を聴かせることができる。

（提出資料の閲覧等）
第七十八条　審査関係人は、審査会に対し、審査会に提出された主張書面若しくは資料の閲覧（電磁的記録にあっては、記録された事項を審査会が定める方法により表示したものの閲覧）又は当該主張書面若しくは当該資料の写し若しくは当該電磁的記録に記録された事項を記載した書面の交付を求めることができる。この場合において、審査会は、第三者の利益を害するおそれがあると認めるとき、その他正当な理由があるときでなければ、その閲覧又は交付を拒むことができない。
2　審査会は、前項の規定による閲覧をさせ、又は同項の規定による交付をしようとするときは、当該閲覧又は交付に係る主張書面又は資料の提出人の意見を聴かなければならない。ただし、審査会が、その必要がないと認めるときは、この限りでない。
3　審査会は、第一項の規定による閲覧について、日時及び場所を指定することができる。
4　第一項の規定による交付を受ける審査請求人又は参加人は、政令で定めるところにより、実費の範囲内において政令で定める額の手数料を納めなければならない。
5　審査会は、経済的困難その他特別の理由があると認めるときは、政令で定めるところにより、前項の手数料を減額し、又は免除することができる。

（答申書の送付等）
第七十九条　審査会は、諮問に対する答申をしたときは、答申書の写しを審査請求人及び参加人に送付するとともに、答申の内容を公表するものとする。

第三款　雑則

（政令への委任）
第八十条　この法律に定めるもののほか、審査会に関し必要な事項は、政令で定める。

第二節　地方公共団体に置かれる機関

第八十一条　地方公共団体に、執行機関の附属機関として、この法律の規定によりその権限に属させられた事項を処理するための機関を置く。
2　前項の規定にかかわらず、地方公共団体は、当該地方公共団体における不服申立ての状況等に鑑み同項の機関を置くことが不適当又は困難であるときは、条例で定めるところにより、事件ごとに、執行機関の附属機関として、この法律の規定によりその権限に属させられた事項を処理するための機関を置くこととすることができる。
3　前節第二款の規定は、前二項の機関について準用する。この場合において、第七十八条第四項及び第五項中「政令」とあるのは、「条例」と読み替えるものとする。
4　前三項に定めるもののほか、第一項又は第二項の機関の組織及び運営に関し必要な事項は、当該機関を置く地方公共団体の条例（地方自治法第二百五十二条の七第一項の規定により共同設置する機関にあっては、同項の規約）で定める。

第六章　補則

（不服申立てをすべき行政庁等の教示）
第八十二条　行政庁は、審査請求若しくは再調査の請求又は他の法令に基づく不服申立て（以下この条において「不服申立て」と総称する。）をすることができる処分をする場合には、処分の相手方に対し、当該処分につき不服申立てをすることができる旨並びに不服申立てをすべき行政庁及び不服申立てをすることとができる期間を書面で教示しなければならない。ただし、当該処分を口頭でする場合は、この限りでない。

2 行政庁は、利害関係人から、当該処分が不服申立てをすることができる処分であるかどうか並びに当該処分が不服申立てをすることができるものである場合における不服申立てをすべき行政庁及び不服申立てをすることができる期間につき教示を求められたときは、当該事項を教示しなければならない。

3 前項の場合において、教示を求めた者が書面による教示を求めたときは、当該教示は、書面でしなければならない。

（教示をしなかった場合の不服申立て）

第八十三条 行政庁が前条の規定による教示をしなかった場合には、当該処分について不服がある者は、当該処分庁に不服申立書を提出することができる。

2 第十九条（第五項第一号及び第二号を除く。）の規定は、前項の不服申立書について準用する。

3 第一項の規定により不服申立書の提出があった場合において、当該処分が処分庁以外の行政庁に対し審査請求をすることができる処分であるときは、処分庁は、速やかに、当該不服申立書を当該行政庁に送付しなければならない。当該処分が他の法令に基づき、処分庁以外の行政庁に不服申立てをすることができる処分であるときも、同様とする。

4 前項の規定により不服申立書が送付されたときは、初めから当該行政庁に審査請求又は当該法令に基づく不服申立てがされたものとみなす。

5 第三項の場合を除くほか、第一項の規定により不服申立書が提出されたときは、初めから当該処分庁に審査請求又は当該法令に基づく不服申立てがされたものとみなす。

（情報の提供）

第八十四条 審査請求、再調査の請求若しくは再審査請求又は他の法令に基づく不服申立て（以下この条及び次条において「不服申立て」と総称する。）につき裁決、決定その他の処分（同条において「裁決等」という。）をする権限を有する行政庁は、不服申立てをしようとする者又は不服申立てをした者の求めに応じ、不服申立書の記載に関する事項その他の不服申立てに必要な情報の提供に努めなければならない。

（公表）

第八十五条 不服申立てにつき裁決等をする権限を有する行政庁は、当該行政庁がした裁決等の内容その他当該行政庁における不服申立ての処理状況について公表するよう努めなければならない。

（政令への委任）

第八十六条 この法律に定めるもののほか、この法律の実施のために必要な事項は、政令で定める。

（罰則）

第八十七条 第六十九条第八項の規定に違反して秘密を漏らした者は、一年以下の懲役又は五十万円以下の罰金に処する。

附 則

（施行期日）

第一条 この法律は、公布の日から起算して二年を超えない範囲内において政令で定める日〔平二八・四・一〕から施行する。ただし、次条の規定は、公布の日から施行する。

（準備行為）

第二条 第六十九条第一項の規定による審査会の委員の任命に関し必要な行為は、この法律の施行の日前においても、同項の規定の例によりすることができる。

（経過措置）

第三条 行政庁の処分又は不作為についての不服申立てであって、この法律の施行前にされた行政庁の処分又はこの法律の施行前にされた申請に係る行政庁の不作為に係るものについては、なお従前の例による。

第四条 この法律の施行後最初に任命される審査会の委員の任期は、第六十九条第四項本文の規定にかかわらず、九人のうち、三人は二年、六人は三年とする。

2 前項に規定する各委員の任期は、総務大臣が定める。

（その他の経過措置の政令への委任）

第五条 前二条に定めるもののほか、この法律の施行に関し必要な経過措置は、政令で定める。

（検討）

第六条 政府は、この法律の施行後五年を経過した場合において、この法律の施行の状況について検討を加え、必要があると認めるときは、その結果に基づいて所要の措置を講ずるものとする。

附 則（平二九・三・三一法四）（抄）

（施行期日）

第一条 この法律は、平成二十九年四月一日から施行する。ただし、次の各号に掲げる規定は、当該各号に定める日から施行する。

一〜四 〔略〕

五 次に掲げる規定 平成三十年四月一日

イ〜ハ 〔略〕

ニ 〔前略〕附則〔中略〕第百二十九条〔中略〕の規定

ホ〜ル 〔略〕

六〜十一 〔略〕

附 則（令三・五・一九法三七）（抄）

（施行期日）

第一条 この法律は、令和三年九月一日から施行する。〔ただし書略〕

別表第一（第九条関係）

第十一条第二項	第九条第一項の規定により指名された者（以下「審理員」という。）	審査庁
第十三条第一項及び第二項	審理員	審査庁
第二十五条第七項	執行停止の申立てがあったとき、又は審理員から第四十条に規定する執行停止をすべき旨の意見書が提出されたとき	執行停止の申立てがあったとき
第二十八条	審理員	審査庁
第二十九条第一項	審理員は、審査庁から指名されたときは、直ちに	審査庁は、審査請求がされたときは、第二十四条の規定により当該審査請求を却下する場合を除き、速やかに
第二十九条第二項	審理員は	審査庁は、審査庁が処分庁等以外である場合にあっては
	提出を求める	提出を求め、審査庁が処分庁等である場合にあっては、相当の期間内に、弁明書を作成する
第二十九条第五項	審理員は	審査庁は、第二項の規定により
	提出があったとき	提出があったとき、又は弁明書を作成したとき
第三十条第一項及び第二項	審理員	審査庁
第三十条第三項	審理員	審査庁
	参加人及び処分庁等	参加人及び処分庁等（処分庁等が審査庁である場合にあっては、参加人）
	審査請求人及び処分庁等	審査請求人及び処分庁等（処分庁等が審査庁である場合にあっては、審査請求人）
第三十一条第一項	審理員	審査庁
第三十一条第二項	審理員	審査庁
	審理関係人	審理関係人（処分庁等が審査庁である場合にあっては、審査請求人及び参加人。以下この節及び第五十条第一項第三号において同じ。）
第三十一条第三項から第五項まで、第三十二条第三項、第三十三条から第三十七条まで、第三十八条第一項から第三項まで及び第五項、第三十九条並びに第四十一条第一項及び第二項	審理員	審査庁
第四十一条第三項	審理員が	審査庁が
	終結した旨並びに次条第一項に規定する審理員意見書及び事件記録（審査請求書、弁明書その他審査請求に係る事件に関する書類その他の物件のうち政令で定めるものをいう。同条第二項及び第四十三条第二項において同じ。）を審査庁に提出する予定時期を通知するものとする。当該予定時期を変更したときも、同様とする	終結した旨を通知するものとする

第四十四条	行政不服審査会等から諮問に対する答申を受けたとき（前条第一項の規定による諮問を要しない場合（同項第二号又は第三号に該当する場合を除く。）にあっては審理員意見書が提出されたとき、同項第二号又は第三号に該当する場合にあっては同項第二号又は第三号に規定する議を経たとき）	審理手続を終結したとき
第五十条第一項第四号	理由（第一号の主文が審理員意見書又は行政不服審査会等若しくは審議会等の答申書と異なる内容である場合には、異なることとなった理由を含む。）	理由

別表第二（第六十一条関係）

第九条第四項	前項に規定する場合において、審査庁	処分庁
	（第二項各号（第一項各号に掲げる機関の構成員にあっては、第一号を除く。）に掲げる者以外の者に限る。）に、前項において読み替えて適用する	に、第六十一条において読み替えて準用する
	若しくは第十三条第四項	又は第六十一条において準用する第十三条第四項
	聴かせ、前項において読み替えて適用する第三十四条の規定による参考人の陳述を聴かせ、同項において読み替えて適用する第三十五条第一項の規定による検証をさせ、前項において読み替えて適用する第三十六条の規定による第二十八条に規定する審理関係人に対する質問をさせ、又は同項において読み替えて適用する第三十七条第一項若しくは第二項の規定による意見の聴取を行わせる	聴かせる
第十一条第二項	第九条第一項の規定により指名された者（以下「審理員」という。）	処分庁
第十三条第一項	処分又は不作為に係る処分	処分
	審理員	処分庁
第十三条第二項	審理員	処分庁
第十四条	第十九条に規定する審査請求書	第六十一条において読み替えて準用する第十九条に規定する再調査の請求書
	第二十一条第二項に規定する審査請求録取書	第二十二条第三項に規定する再調査の請求録取書
第十六条	第四条又は他の法律若しくは条例の規定により審査庁となるべき行政庁（以下「審査庁となるべき行政庁」という。）	再調査の請求の対象となるべき処分の権限を有する行政庁
	当該審査庁となるべき行政庁及び関係処	当該行政庁

	分庁（当該審査請求の対象となるべき処分の権限を有する行政庁であって当該審査庁となるべき行政庁以外のものをいう。次条において同じ。）	
第十八条第三項	次条に規定する審査請求書	第六十一条において読み替えて準用する次条に規定する再調査の請求書
	前二項に規定する期間（以下「審査請求期間」という。）	第五十四条に規定する期間
第十九条の見出し及び同条第一項	審査請求書	再調査の請求書
第十九条第二項	処分についての審査請求書	再調査の請求書
	処分（当該処分について再調査の請求についての決定を経たときは、当該決定）	処分
第十九条第四項	審査請求書	再調査の請求書
	第二項各号又は前項各号	第二項各号
第十九条第五項	処分についての審査請求書	再調査の請求書
	審査請求期間	第五十四条に規定する期間
	前条第一項ただし書又は第二項ただし書	同条第一項ただし書又は第二項ただし書
第二十条	前条第二項から第五項まで	第六十一条において読み替えて準用する前条第二項、第四項及び第五項
第二十三条（見出しを含む。）	審査請求書	再調査の請求書
第二十四条第一項	次節に規定する審理手続を経ないで、第四十五条第一項又は第四十九条第一項	審理手続を経ないで、第五十八条第一項
第二十五条第二項	処分庁の上級行政庁又は処分庁である審査庁	処分庁
第二十五条第四項	前二項	第二項
第二十五条第六項	第二項から第四項まで	第二項及び第四項
第二十五条第七項	執行停止の申立てがあったとき、又は審	執行停止の申立てがあったとき
	理員から第四十条に規定する執行停止をすべき旨の意見書が提出されたとき	
第三十一条第一項	審理員	処分庁
	この条及び第四十一条第二項第二号	この条
第三十一条第二項	審理員	処分庁
	全ての審理関係人	再調査の請求人及び参加人
第三十一条第三項及び第四項	審理員	処分庁
第三十二条第三項	前二項	第一項
	審理員	処分庁
第三十九条	審理員	処分庁
第五十一条第一項	第四十六条第一項及び第四十七条	第五十九条第一項及び第二項
第五十一条第四項	参加人及び処分庁等（審査庁以外の処分庁等に限る。）	参加人
第五十三条	第三十二条第一項又は第二項の規定により提出された証拠書	第六十一条において準用する第三十二条第一項の規定により提出さ

	類若しくは証拠物又は書類その他の物件及び第三十三条の規定による提出要求に応じて提出された書類その他の物件	れた証拠書類又は証拠物

別表第三（第六十六条関係）

第九条第一項	第四条又は他の法律若しくは条例の規定により審査請求がされた行政庁（第十四条の規定により引継ぎを受けた行政庁を含む。以下「審査庁」という。）	第六十三条に規定する再審査庁（以下この章において「再審査庁」という。）
	この節	この節及び第六十三条
	処分庁等（審査庁以外の処分庁等に限る。）	裁決庁等（原裁決をした行政庁（以下この章において「裁決庁」という。）又は処分庁をいう。以下この章において同じ。）
	若しくは条例に基づく処分について条例に特別の定めがある場合又は第二十四条	又は第六十六条第一項において読み替えて準用する第二十四条
第九条第二項第一号	審査請求に係る処分若しくは	原裁決に係る審査請求に係る処分、
	に関与した者又は審査請求に係る不作為に係る処分に関与し、若しくは関与することとなる者	又は原裁決に関与した者

第九条第四項	前項に規定する場合において、審査庁	第一項各号に掲げる機関である再審査庁（以下「委員会等である再審査庁」という。）
	前項において	第六十六条第一項において
	適用する	準用する
	第十三条第四項	第六十六条第一項において準用する第十三条第四項
	第二十八条	同項において読み替えて準用する第二十八条
第十一条第二項	第九条第一項の規定により指名された者（以下「審理員」という。）	第六十六条第一項において読み替えて準用する第九条第一項の規定により指名された者（以下「審理員」という。）又は委員会等である再審査庁
第十三条第一項	処分又は不作為に係る処分の根拠となる法令に照らし当該処分	原裁決等の根拠となる法令に照らし当該原裁決等
	審理員	審理員又は委員会等である再審査庁
第十三条第二項	審理員	審理員又は委員会等である再審査庁

第十四条	第十九条に規定する審査請求書	第六十六条第一項において読み替えて準用する第十九条に規定する再審査請求書
	第二十一条第二項に規定する審査請求録取書	同項において読み替えて準用する第二十一条第二項に規定する再審査請求録取書
第十五条第一項、第二項及び第六項	審査請求の	原裁決に係る審査請求の
第十六条	第四条又は他の法律若しくは条例	他の法律
	関係処分庁（当該審査請求の対象となるべき処分の権限を有する行政庁であって当該審査庁となるべき行政庁以外のものをいう。次条において同じ。）	当該再審査請求の対象となるべき裁決又は処分の権限を有する行政庁
第十七条	関係処分庁	当該再審査請求の対象となるべき裁決又は処分の権限を有する行政庁
第十八条第三項	次条に規定する審査請求書	第六十六条第一項において読み替えて準用する次条に規定する再審査請求書
	前二項に規定する期間（以下「審査請求期間」という。）	第五十条第三項に規定する再審査請求期間（以下この章において「再審査請求期間」という。）
第十九条の見出し及び同条第一項	審査請求書	再審査請求書
第十九条第二項	処分についての審査請求書	再審査請求書
	処分の内容	原裁決等の内容
	審査請求に係る処分（当該処分について再調査の請求についての決定を経たときは、当該決定）	原裁決
	処分庁	裁決庁
第十九条第四項	審査請求書	再審査請求書
	第二項各号又は前項各号	第二項各号
第十九条第五項	処分についての審査請求書	再審査請求書
	審査請求期間	再審査請求期間
	前条第一項ただし書又は第二項ただし書	第六十二条第一項ただし書又は第二項ただし書
第二十条	前条第二項から第五項まで	第六十六条第一項において読み替えて準用する前条第二項、第四項及び第五項
第二十一条の見出し	処分庁等	処分庁又は裁決庁
第二十一条第一項	審査請求をすべき行政庁が処分庁等と異なる場合における審査請求は、処分庁等	再審査請求は、処分庁又は裁決庁
	処分庁等に	処分庁若しくは裁決庁に
	審査請求書	再審査請求書
	第十九条第二項から第五項まで	第六十六条第一項において読み替えて準用する第十九条第二項、第四項及び第五項
第二十一条第二項	処分庁等	処分庁又は裁決庁
	審査請求書又は審査請求録取書（前条後段	再審査請求書又は再審査請求録取書（第六十六条第一項において準用する前条後段
	第二十九条第一項及	第六十六条第一項にお

	び第五十五条	いて読み替えて準用する第二十九条第一項
第二十一条第三項	審査請求期間	再審査請求期間
	処分庁に	処分庁若しくは裁決庁に
	審査請求書	再審査請求書
	処分についての審査請求	再審査請求
第二十三条（見出しを含む。）	審査請求書	再審査請求書
第二十四条第一項	審理手続を経ないで、第四十五条第一項又は第四十九条第一項	審理手続（第六十三条に規定する手続を含む。）を経ないで、第六十四条第一項
第二十五条第一項	処分	原裁決等
第二十五条第三項	処分庁の上級行政庁又は処分庁のいずれでもない審査庁	再審査庁
	処分庁の意見	裁決庁等の意見
	執行停止をすることができる。ただし、処分の効力、処分の執行又は手続の続行の全部又は一部の停止以外の措置をとることはできない	原裁決等の効力、原裁決等の執行又は手続の続行の全部又は一部の停止（以下「執行停止」という。）をすることができる
第二十五条第四項	前二項	前項
	処分	原裁決等
第二十五条第六項	第二項から第四項まで	第三項及び第四項
	処分	原裁決等
第二十五条第七項	第四十条に規定する執行停止をすべき旨の意見書が提出されたとき	第六十六条第一項において準用する第四十条に規定する執行停止をすべき旨の意見書が提出されたとき（再審査庁が委員会等である再審査庁である場合にあっては、執行停止の申立てがあったとき）
第二十八条	処分庁等	裁決庁等
	審理員	審理員又は委員会等である再審査庁
第二十九条第一項	審理員は	審理員又は委員会等である再審査庁は、審理員にあっては
	審査請求書又は審査請求録取書の写しを処分庁等に送付しなければならない。ただし、処分庁等が審査庁である場合には、この限りでない	委員会等である再審査庁にあっては、再審査請求がされたときは第六十六条第一項において読み替えて準用する第二十四条の規定により当該再審査請求を却下する場合を除き、速やかに、それぞれ、再審査請求書又は再審査請求録取書の写しを裁決庁等に送付しなければならない
第三十条の見出し	反論書等	意見書
第三十条第二項	審理員	審理員又は委員会等である再審査庁
第三十条第三項	審理員は、審査請求人から反論書の提出があったときはこれを参加人及び処分庁等に	審理員又は委員会等である再審査庁は
	これを審査請求人及び処分庁等に、それぞれ	、これを再審査請求人及び裁決庁等に
第三十一条第一項から第四項まで	審理員	審理員又は委員会等である再審査庁
第三十一条第五項	審理員	審理員又は委員会等である再審査庁
	処分庁等	裁決庁等

第三十二条第二項	処分庁等は、当該処分	裁決庁等は、当該原裁決等
第三十二条第三項及び第三十三条から第三十七条まで	審理員	審理員又は委員会等である再審査庁
第三十八条第一項	審理員	審理員又は委員会等である再審査庁
	第二十九条第四項各号に掲げる書面又は第三十二条第一項若しくは第二項若しくは	第六十六条第一項において準用する第三十二条第一項若しくは第二項又は
第三十八条第二項、第三項及び第五項、第三十九条並びに第四十一条第一項	審理員	審理員又は委員会等である再審査庁
第四十一条第二項	審理員	審理員又は委員会等である再審査庁
	イからホまで	ハからホまで
第四十一条第三項	審理員が	審理員又は委員会等である再審査庁が
	審理手続を終結した旨並びに次条第一項	審理員にあっては審理手続を終結した旨並びに第六十六条第一項において準用する次条第一項
	審査請求書、弁明書	再審査請求書、原裁決に係る裁決書
	同条第二項及び第四十三条第二項	第六十六条第一項において準用する次条第二項
	を通知する	を、委員会等である再審査庁にあっては審理手続を終結した旨を、それぞれ通知する
	当該予定時期	審理員が当該予定時期
第四十四条	行政不服審査会等から諮問に対する答申を受けたとき（前条第一項の規定による諮問を要しない場合（同項第二号又は第三号に該当する場合を除く。）にあっては審理員意見書が提出されたとき、同項第二号又は第三号に該当する場合にあっては同項第二号又は第三号に規定する議を経たとき）	審理員意見書が提出されたとき（委員会等である再審査庁にあっては、審理手続を終結したとき）
第五十条第一項第四号	第一号の主文が審理員意見書又は行政不服審査会等若しくは審議会等の答申書と異なる内容である場合には	再審査庁が委員会等である再審査庁以外の行政庁である場合において、第一号の主文が審理員意見書と異なる内容であるときは
第五十条第二項	第四十三条第一項の規定による行政不服審査会等への諮問を要しない場合	再審査庁が委員会等である再審査庁以外の行政庁である場合
第五十一条第一項	処分	原裁決等
	第四十六条第一項及び第四十七条	第六十五条
第五十一条第四項	及び処分庁等（審査庁以外の処分庁等に限る。）	並びに処分庁及び裁決庁（処分庁以外の裁決庁に限る。）
第五十二条第二項	申請を	申請若しくは審査請求を
	棄却した処分	棄却した原裁決等
	処分庁	裁決庁等
	申請に対する処分	申請に対する処分又は審査請求に対する裁決
第五十二条第三項	処分が	原裁決等が
	処分庁	裁決庁等
第五十二条第	処分の	原裁決等の

四項	
処分が	処分庁
原裁決等が	裁決庁等

㊟　次の法律の第一五〇条により行政不服審査法が改正されたが、刑法等一部改正法施行日〔令七・六・一〕から施行となるため、一部改正法の形式で掲載した。

○刑法等の一部を改正する法律の施行に伴う関係法律の整理等に関する法律

令四・六・一七
法　六　八

（当せん金付証票法等の一部改正）

第百五十条　次に掲げる法律の規定中「懲役」を「拘禁刑」に改める。

一～十七　〔略〕

十八　行政不服審査法（平成二十六年法律第六十八号）第八十七条

十九～二十二　〔略〕

附　則（抄）

（施行期日）

1　この法律は、刑法等一部改正法施行日〔令七・六・一〕から施行する。〔ただし書略〕

㊟　次の法律の第六二条により行政不服審査法が改正されたが、公布の日から起算して三年を超えない範囲内において政令で定める日から施行となるため、一部改正法の形式で掲載した。

○デジタル社会の形成を図るための規制改革を推進するためのデジタル社会形成基本法等の一部を改正する法律

令五・六・一六
法　六　三

（行政不服審査法の一部改正）

第六十二条　行政不服審査法（平成二十六年法律第六十八号）の一部を次のように改正する。

第五十一条第三項中「交付する旨」の下に「を総務省令で定める方法により不特定多数の者が閲覧することができる状態に置くとともに、その旨が記載された書面」を、「当該審査庁」の下に「の事務所」を加え、「かつ、その旨を官報その他の公報又は新聞紙に少なくとも一回掲載してする」を「又はその旨を当該事務所に設置した電子計算機の映像面に表示したものの閲覧をすることができる状態に置く措置をとることにより行う」に、「その掲示を始めた」を「当該措置を開始した」に改める。

附　則（抄）

（施行期日）

第一条　この法律は、公布の日から起算して一年を超えない範囲内において政令で定める日〔令六・四・一〕から施行する。ただし、次の各号に掲げる規定は、当該各号に定める日から施行する。

一　〔略〕

二　〔前略〕第六十二条〔中略〕の規定並びに次条〔中略〕の規定　公布の日から起算して三年を超えない範囲内において政令で定める日

（公示送達等の方法に関する経過措置）

第二条　次に掲げる法律の規定は、前条第二号に掲げる規定の施行の日以後にする公示送達、送達又は通知について適用し、同日前にした公示送達、送達又は通知については、なお従前の例による。
一～十三　〔略〕
十四　第六十二条の規定による改正後の行政不服審査法第五十一条第三項（同法又は他の法律において準用する場合を含む。）
十五　〔略〕

○行政事件訴訟法

昭三七・五・一六
法　一　三　九

最終改正　令六・六・二一法六〇

目次〔略〕

第一章　総則

（この法律の趣旨）
第一条　行政事件訴訟については、他の法律に特別の定めがある場合を除くほか、この法律の定めるところによる。
（行政事件訴訟）
第二条　この法律において「行政事件訴訟」とは、抗告訴訟、当事者訴訟、民衆訴訟及び機関訴訟をいう。
（抗告訴訟）
第三条　この法律において「抗告訴訟」とは、行政庁の公権力の行使に関する不服の訴訟をいう。
2　この法律において「処分の取消しの訴え」とは、行政庁の処分その他公権力の行使に当たる行為（次項に規定する裁決、決定その他の行為を除く。以下単に「処分」という。）の取消しを求める訴訟をいう。
3　この法律において「裁決の取消しの訴え」とは、審査請求その他の不服申立て（以下単に「審査請求」という。）に対する行政庁の裁決、決定その他の行為（以下単に「裁決」という。）の取消しを求める訴訟をいう。
4　この法律において「無効等確認の訴え」とは、処分若しくは裁決の存否又はその効力の有無の確認を求める訴訟をいう。
5　この法律において「不作為の違法確認の訴え」とは、行政庁が法令に基づく申請に対し、相当の期間内に何らかの処分又は裁決をすべきであるにかかわらず、これをしないことについての違法の確認を求める訴訟をいう。
6　この法律において「義務付けの訴え」とは、次に掲げる場合において、行政庁がその処分又は裁決をすべき旨を命ずることを求める訴訟をいう。
一　行政庁が一定の処分をすべきであるにかかわらずこれがされないとき（次号に掲げる場合を除く。）。
二　行政庁に対し一定の処分又は裁決を求める旨の法令に基づく申請又は審査請求がされた場合において、当該行政庁がその処分又は裁決をすべきであるにかかわらずこれがされないとき。
7　この法律において「差止めの訴え」とは、行政庁が一定の処分又は裁決をすべきでないにかかわらずこれがされようとしている場合において、行政庁がその処分又は裁決をしてはならない旨を命ずることを求める訴訟をいう。
（当事者訴訟）
第四条　この法律において「当事者訴訟」とは、当事者間の法律関係を確認し又は形成する処分又は裁決に関する訴訟で法令の規定によりその法律関係の当事者の一方を被告とするもの及び公法上の法律関係に関する確認の訴えその他の公法上の法律関係に関する訴訟をいう。
（民衆訴訟）
第五条　この法律において「民衆訴訟」とは、国又は公共団体の機関の法規に適合しない行為の是正を求める訴訟で、選挙人たる資格その他自己の法律上の利益にかかわらない資格で提起するものをいう。
（機関訴訟）
第六条　この法律において「機関訴訟」とは、国又は公共団体の機関相互間における権限の存否又はその行使に関する紛争についての訴訟をいう。
（この法律に定めがない事項）
第七条　行政事件訴訟に関し、この法律に定めがない事項については、民事訴訟の例による。

第二章　抗告訴訟

第一節　取消訴訟

（処分の取消しの訴えと審査請求との関係）
第八条　処分の取消しの訴えは、当該処分につき法令の規定により審査請求をすることができる場合においても、直ちに提起することを妨げない。ただし、法律に当該処分についての審査請求に対する裁決を経た後でなければ処分の取消しの訴えを提起することができない旨の定めがあるときは、この限りでない。

2　前項ただし書の場合においても、次の各号の一に該当するときは、裁決を経ないで、処分の取消しの訴えを提起することができる。

一　審査請求があつた日から三箇月を経過しても裁決がないとき。

二　処分、処分の執行又は手続の続行により生ずる著しい損害を避けるため緊急の必要があるとき。

三　その他裁決を経ないことにつき正当な理由があるとき。

3　第一項本文の場合において、当該処分につき審査請求がされているときは、裁判所は、その審査請求に対する裁決があるまで（審査請求があつた日から三箇月を経過しても裁決がないときは、その期間を経過するまで）、訴訟手続を中止することができる。

（原告適格）

第九条　処分の取消しの訴え及び裁決の取消しの訴え（以下「取消訴訟」という。）は、当該処分又は裁決の取消しを求めるにつき法律上の利益を有する者（処分又は裁決の効果が期間の経過その他の理由によりなくなつた後においてもなお処分又は裁決の取消しによつて回復すべき法律上の利益を有する者を含む。）に限り、提起することができる。

2　裁判所は、処分又は裁決の相手方以外の者について前項に規定する法律上の利益の有無を判断するに当たつては、当該処分又は裁決の根拠となる法令の規定の文言のみによることなく、当該法令の趣旨及び目的並びに当該処分において考慮されるべき利益の内容及び性質を考慮するものとする。この場合において、当該法令の趣旨及び目的を考慮するに当たつては、当該法令と目的を共通にする関係法令があるときはその趣旨及び目的をも参酌するものとし、当該利益の内容及び性質を考慮するに当たつては、当該処分又は裁決がその根拠となる法令に違反してされた場合に害されることとなる利益の内容及び性質並びにこれが害される態様及び程度をも勘案するものとする。

（取消しの理由の制限）

第十条　取消訴訟においては、自己の法律上の利益に関係のない違法を理由として取消しを求めることができない。

2　処分の取消しの訴えとその処分についての審査請求を棄却した裁決の取消しの訴えとを提起することができる場合には、裁決の取消しの訴えにおいては、処分の違法を理由として取消しを求めることができない。

（被告適格等）

第十一条　処分又は裁決をした行政庁（処分又は裁決があつた後に当該行政庁の権限が他の行政庁に承継されたときは、当該他の行政庁。以下同じ。）が国又は公共団体に所属する場合には、取消訴訟は、次の各号に掲げる訴えの区分に応じてそれぞれ当該各号に定める者を被告として提起しなければならない。

一　処分の取消しの訴え　当該処分をした行政庁の所属する国又は公共団体

二　裁決の取消しの訴え　当該裁決をした行政庁の所属する国又は公共団体

2　処分又は裁決をした行政庁が国又は公共団体に所属しない場合には、取消訴訟は、当該行政庁を被告として提起しなければならない。

3　前二項の規定により被告とすべき国若しくは公共団体又は行政庁がない場合には、取消訴訟は、当該処分又は裁決に係る事務の帰属する国又は公共団体を被告として提起しなければならない。

4　第一項又は前項の規定により国又は公共団体を被告として取消訴訟を提起する場合には、訴状には、民事訴訟の例により記載すべき事項のほか、次の各号に掲げる訴えの区分に応じてそれぞれ当該各号に定める行政庁を記載するものとする。

一　処分の取消しの訴え　当該処分をした行政庁

二　裁決の取消しの訴え　当該裁決をした行政庁

5　第一項又は第三項の規定により国又は公共団体を被告として取消訴訟が提起された場合には、被告は、遅滞なく、裁判所に対し、前項各号に掲げる訴えの区分に応じてそれぞれ当該各号に定める行政庁を明らかにしなければならない。

6　処分又は裁決をした行政庁は、当該処分又は裁決に係る第一項の規定による国又は公共団体を被告とする訴訟について、裁判上の一切の行為をする権限を有する。

（管轄）

第十二条　取消訴訟は、被告の普通裁判籍の所在地を管轄する裁判所又は処分若しくは裁決をした行政庁の所在地を管轄する裁判所の管轄に属する。

2　土地の収用、鉱業権の設定その他不動産又は特定の場所に係る処分又は裁決についての取消訴訟は、その不動産又は場所の所在地の裁判所にも、提起することができる。

3　取消訴訟は、当該処分又は裁決に関し事案の処理に当たつた下級行政機関の所在地の裁判所にも、提起することができる。

4　国又は独立行政法人通則法（平成十一年法律第百三号）第二条第一項に規定する独立行政法人若しくは別表に掲げる法人を被告とする取消訴訟は、原告の普通裁判籍の所在地を管轄する高等裁判所の所在地を管轄する地方裁判所（次項において「特定管轄裁判所」という。）にも、提起することができる。

5　前項の規定により特定管轄裁判所に同項の取消訴訟が提起された場合であつて、他の裁判所に事実上及び法律上同一の原因に基づいてされた処分又は裁決に係る抗告訴訟が係属している場合においては、当該特定管轄裁判所は、当事者の住所又は所在地、尋問を受けるべき証人の住所、争点又は証拠の共通性その他の事情を考慮して、相当と認めるときは、申立てにより又は職権で、訴訟の全部又は一部について、当該他の裁判所又は第一項から第三項までに定める裁判所に移送することができる。

（関連請求に係る訴訟の移送）

第十三条　取消訴訟と次の各号の一に該当する請求（以下「関連請求」という。）に係る訴訟とが各別の裁判所に係属する場合において、相当と認めるときは、関連請求に係る訴訟の係属する裁判所は、申立てにより又は職権で、その訴訟を取消訴訟の係属する裁判所に移送することができる。ただし、取消訴訟又は関連請求に係る訴訟の係属する裁判所が高等裁判所であるときは、この限りでない。

一　当該処分又は裁決に関連する原状回復又は損害賠償の請求

二　当該処分とともに一個の手続を構成する他の処分の取消しの請求

三　当該処分に係る裁決の取消しの請求

四　当該裁決に係る処分の取消しの請求
五　当該処分又は裁決の取消しを求める他の請求
六　その他当該処分又は裁決の取消しの請求と関連する請求

（出訴期間）
第十四条　取消訴訟は、処分又は裁決があつたことを知つた日から六箇月を経過したときは、提起することができない。ただし、正当な理由があるときは、この限りでない。
2　取消訴訟は、処分又は裁決の日から一年を経過したときは、提起することができない。ただし、正当な理由があるときは、この限りでない。
3　処分又は裁決につき審査請求をすることができる場合又は行政庁が誤つて審査請求をすることができる旨を教示した場合において、審査請求があつたときは、処分又は裁決に係る取消訴訟は、その審査請求をした者については、前二項の規定にかかわらず、これに対する裁決があつたことを知つた日から六箇月を経過したとき又は当該裁決の日から一年を経過したときは、提起することができない。ただし、正当な理由があるときは、この限りでない。

（被告を誤つた訴えの救済）
第十五条　取消訴訟において、原告が故意又は重大な過失によらないで被告とすべき者を誤つたときは、裁判所は、原告の申立てにより、決定をもつて、被告を変更することを許すことができる。
2　前項の決定は、書面でするものとし、その正本を新たな被告に送達しなければならない。
3　第一項の決定があつたときは、出訴期間の遵守については、新たな被告に対する訴えは、最初に訴えを提起した時に提起されたものとみなす。
4　第一項の決定があつたときは、従前の被告に対しては、訴えの取下げがあつたものとみなす。
5　第一項の決定に対しては、不服を申し立てることができない。
6　第一項の申立てを却下する決定に対しては、即時抗告をすることができる。
7　上訴審において第一項の決定をしたときは、裁判所は、その訴訟を管轄裁判所に移送しなければならない。

（請求の客観的併合）
第十六条　取消訴訟には、関連請求に係る訴えを併合することができる。
2　前項の規定により訴えを併合する場合において、取消訴訟の第一審裁判所が高等裁判所であるときは、関連請求に係る訴えの被告の同意を得なければならない。被告が異議を述べないで、本案について弁論をし、又は弁論準備手続において申述をしたときは、同意したものとみなす。

（共同訴訟）
第十七条　数人は、その数人の請求又はその数人に対する請求が処分又は裁決の取消しの請求と関連請求とである場合に限り、共同訴訟人として訴え、又は訴えられることができる。
2　前項の場合には、前条第二項の規定を準用する。

（第三者による請求の追加的併合）
第十八条　第三者は、取消訴訟の口頭弁論の終結に至るまで、その訴訟の当事者の一方を被告として、関連請求に係る訴えをこれに併合して提起することができる。この場合において、当該取消訴訟が高等裁判所に係属しているときは、第十六条第二項の規定を準用する。

（原告による請求の追加的併合）
第十九条　原告は、取消訴訟の口頭弁論の終結に至るまで、関連請求に係る訴えをこれに併合して提起することができる。この場合において、当該取消訴訟が高等裁判所に係属しているときは、第十六条第二項の規定を準用する。
2　前項の規定は、取消訴訟について民事訴訟法（平成八年法律第百九号）第百四十三条の規定の例によることを妨げない。

第二十条　前条第一項前段の規定により、処分の取消しの訴えをその処分についての審査請求を棄却した裁決の取消しの訴えに併合して提起する場合には、同項後段において準用する第十六条第二項の規定にかかわらず、処分の取消しの訴えの被告の同意を得ることを要せず、また、その提起があつたときは、出訴期間の遵守については、処分の取消しの訴えは、裁決の取消しの訴えを提起した時に提起されたものとみなす。

（国又は公共団体に対する請求への訴えの変更）
第二十一条　裁判所は、取消訴訟の目的たる請求を当該処分又は裁決に係る事務の帰属する国又は公共団体に対する損害賠償その他の請求に変更することが相当であると認めるときは、請求の基礎に変更がない限り、口頭弁論の終結に至るまで、原告の申立てにより、決定をもつて、訴えの変更を許すことができる。
2　前項の決定には、第十五条第二項の規定を準用する。
3　裁判所は、第一項の規定により訴えの変更を許す決定をするには、あらかじめ、当事者及び損害賠償その他の請求に係る訴えの被告の意見をきかなければならない。
4　訴えの変更を許す決定に対しては、即時抗告をすることができる。
5　訴えの変更を許さない決定に対しては、不服を申し立てることができない。

（第三者の訴訟参加）
第二十二条　裁判所は、訴訟の結果により権利を害される第三者があるときは、当事者若しくはその第三者の申立てにより又は職権で、決定をもつて、その第三者を訴訟に参加させることができる。
2　裁判所は、前項の決定をするには、あらかじめ、当事者及び第三者の意見をきかなければならない。
3　第一項の申立てをした第三者は、その申立てを却下する決定に対して即時抗告をすることができる。
4　第一項の規定により訴訟に参加した第三者については、民事訴訟法第四十条第一項から第三項までの規定を準用する。
5　第一項の規定により第三者が参加の申立てをした場合には、民事訴訟法第四十五条第三項及び第四項の規定を準用する。

（行政庁の訴訟参加）
第二十三条　裁判所は、処分又は裁決をした行政庁以外の行政庁を訴訟に参加させることが必要であると認めるときは、当事者若しくはその行政庁の申立てにより又は職権で、決定をもつて、その行政庁を訴訟に参加させることができる。
2　裁判所は、前項の決定をするには、あらかじめ、当事者及び当該行政庁の意見をきかなければならない。
3　第一項の規定により訴訟に参加した行政庁については、民事訴訟法第四十五条第一項及び第二項の規定を準用する。

（釈明処分の特則）

第二十三条の二 裁判所は、訴訟関係を明瞭にするため、必要があると認めるときは、次に掲げる処分をすることができる。

一 被告である国若しくは公共団体に所属する行政庁又は被告である行政庁に対し、処分又は裁決の内容、処分又は裁決の根拠となる法令の条項、処分又は裁決の原因となる事実その他処分又は裁決の理由を明らかにする資料（次項に規定する審査請求に係る事件の記録を除く。）であつて当該行政庁が保有するものの全部又は一部の提出を求めること。

二 前号に規定する行政庁以外の行政庁に対し、同号に規定する資料であつて当該行政庁が保有するものの全部又は一部の送付を嘱託すること。

2 裁判所は、処分についての審査請求に対する裁決を経た後に取消訴訟の提起があつたときは、次に掲げる処分をすることができる。

一 被告である国若しくは公共団体に所属する行政庁又は被告である行政庁に対し、当該審査請求に係る事件の記録であつて当該行政庁が保有するものの全部又は一部の提出を求めること。

二 前号に規定する行政庁以外の行政庁に対し、同号に規定する事件の記録であつて当該行政庁が保有するものの全部又は一部の送付を嘱託すること。

（職権証拠調べ）

第二十四条 裁判所は、必要があると認めるときは、職権で、証拠調べをすることができる。ただし、その証拠調べの結果について、当事者の意見をきかなければならない。

（執行停止）

第二十五条 処分の取消しの訴えの提起は、処分の効力、処分の執行又は手続の続行を妨げない。

2 処分の取消しの訴えの提起があつた場合において、処分、処分の執行又は手続の続行により生ずる重大な損害を避けるため緊急の必要があるときは、裁判所は、申立てにより、決定をもつて、処分の効力、処分の執行又は手続の続行の全部又は一部の停止（以下「執行停止」という。）をすることができる。ただし、処分の効力の停止は、処分の執行又は手続の続行の停止によつて目的を達することができる場合には、することができない。

3 裁判所は、前項に規定する重大な損害を生ずるか否かを判断するに当たつては、損害の回復の困難の程度を考慮するものとし、損害の性質及び程度並びに処分の内容及び性質をも勘案するものとする。

4 執行停止は、公共の福祉に重大な影響を及ぼすおそれがあるとき、又は本案について理由がないとみえるときは、することができない。

5 第二項の決定は、疎明に基づいてする。

6 第二項の決定は、口頭弁論を経ないですることができる。ただし、あらかじめ、当事者の意見をきかなければならない。

7 第二項の申立てに対する決定に対しては、即時抗告をすることができる。

8 第二項の決定に対する即時抗告は、その決定の執行を停止する効力を有しない。

（事情変更による執行停止の取消し）

第二十六条 執行停止の決定が確定した後に、その理由が消滅し、その他事情が変更したときは、裁判所は、相手方の申立てにより、決定をもつて、執行停止の決定を取り消すことができる。

2 前項の申立てに対する決定及びこれに対する不服については、前条第五項から第八項までの規定を準用する。

（内閣総理大臣の異議）

第二十七条 第二十五条第二項の申立てがあつた場合には、内閣総理大臣は、裁判所に対し、異議を述べることができる。執行停止の決定があつた後においても、同様とする。

2 前項の異議には、理由を附さなければならない。

3 前項の異議の理由においては、内閣総理大臣は、処分の効力を存続し、処分を執行し、又は手続を続行しなければ、公共の福祉に重大な影響を及ぼすおそれのある事情を示すものとする。

4 第一項の異議があつたときは、裁判所は、執行停止をすることができず、また、すでに執行停止の決定をしているときは、これを取り消さなければならない。

5 第一項後段の異議は、執行停止の決定をした裁判所に対して述べなければならない。ただし、その決定に対する抗告が抗告裁判所に係属しているときは、抗告裁判所に対して述べなければならない。

6 内閣総理大臣は、やむをえない場合でなければ、第一項の異議を述べてはならず、また、異議を述べたときは、次の常会において国会にこれを報告しなければならない。

（執行停止等の管轄裁判所）

第二十八条 執行停止又はその決定の取消しの申立ての管轄裁判所は、本案の係属する裁判所とする。

（執行停止に関する規定の準用）

第二十九条 前四条の規定は、裁決の取消しの訴えの提起があつた場合における執行停止に関する事項について準用する。

（裁量処分の取消し）

第三十条 行政庁の裁量処分については、裁量権の範囲をこえ又はその濫用があつた場合に限り、裁判所は、その処分を取り消すことができる。

（特別の事情による請求の棄却）

第三十一条 取消訴訟については、処分又は裁決が違法ではあるが、これを取り消すことにより公の利益に著しい障害を生ずる場合において、原告の受ける損害の程度、その損害の賠償又は防止の程度及び方法その他一切の事情を考慮したうえ、処分又は裁決を取り消すことが公共の福祉に適合しないと認めるときは、裁判所は、請求を棄却することができる。この場合には、当該判決の主文において、処分又は裁決が違法であることを宣言しなければならない。

2 裁判所は、相当と認めるときは、終局判決前に、判決をもつて、処分又は裁決が違法であることを宣言することができる。

3 終局判決に事実及び理由を記載するには、前項の判決を引用することができる。

（取消判決等の効力）

第三十二条 処分又は裁決を取り消す判決は、第三者に対しても効力を有する。

2 前項の規定は、執行停止の決定又はこれを取り消す決定に準用する。

第三十三条　処分又は裁決を取り消す判決は、その事件について、処分又は裁決をした行政庁その他の関係行政庁を拘束する。

２　申請を却下し若しくは棄却した処分又は審査請求を却下し若しくは棄却した裁決が判決により取り消されたときは、その処分又は裁決をした行政庁は、判決の趣旨に従い、改めて申請に対する処分又は審査請求に対する裁決をしなければならない。

３　前項の規定は、申請に基づいてした処分又は審査請求を認容した裁決が判決により手続に違法があることを理由として取り消された場合に準用する。

４　第一項の規定は、執行停止の決定に準用する。

（第三者の再審の訴え）

第三十四条　処分又は裁決を取り消す判決により権利を害された第三者で、自己の責めに帰することができない理由により訴訟に参加することができなかつたため判決に影響を及ぼすべき攻撃又は防御の方法を提出することができなかつたものは、これを理由として、確定の終局判決に対し、再審の訴えをもつて、不服の申立てをすることができる。

２　前項の訴えは、確定判決を知つた日から三十日以内に提起しなければならない。

３　前項の期間は、不変期間とする。

４　第一項の訴えは、判決が確定した日から一年を経過したときは、提起することができない。

（訴訟費用の裁判の効力）

第三十五条　国又は公共団体に所属する行政庁が当事者又は参加人である訴訟における確定した訴訟費用の裁判は、当該行政庁が所属する国又は公共団体に対し、又はそれらの者のために、効力を有する。

第二節　その他の抗告訴訟

（無効等確認の訴えの原告適格）

第三十六条　無効等確認の訴えは、当該処分又は裁決に続く処分により損害を受けるおそれのある者その他当該処分又は裁決の無効等の確認を求めるにつき法律上の利益を有する者で、当該処分若しくは裁決の存否又はその効力の有無を前提とする現在の法律関係に関する訴えによつて目的を達することができないものに限り、提起することができる。

（不作為の違法確認の訴えの原告適格）

第三十七条　不作為の違法確認の訴えは、処分又は裁決についての申請をした者に限り、提起することができる

（義務付けの訴えの要件等）

第三十七条の二　第三条第六項第一号に掲げる場合において、義務付けの訴えは、一定の処分がされないことにより重大な損害を生ずるおそれがあり、かつ、その損害を避けるため他に適当な方法がないときに限り、提起することができる。

２　裁判所は、前項に規定する重大な損害を生ずるか否かを判断するに当たつては、損害の回復の困難の程度を考慮するものとし、損害の性質及び程度並びに処分の内容及び性質をも勘案するものとする。

３　第一項の義務付けの訴えは、行政庁が一定の処分をすべき旨を命ずることを求めるにつき法律上の利益を有する者に限り、提起することができる。

４　前項に規定する法律上の利益の有無の判断については、第九条第二項の規定を準用する。

５　義務付けの訴えが第一項及び第三項に規定する要件に該当する場合において、その義務付けの訴えに係る処分につき、行政庁がその処分をすべきであることがその処分の根拠となる法令の規定から明らかであると認められ又は行政庁がその処分をしないことがその裁量権の範囲を超え若しくはその濫用となると認められるときは、裁判所は、行政庁がその処分をすべき旨を命ずる判決をする。

第三十七条の三　第三条第六項第二号に掲げる場合において、義務付けの訴えは、次の各号に掲げる要件のいずれかに該当するときに限り、提起することができる。

一　当該法令に基づく申請又は審査請求に対し相当の期間内に何らの処分又は裁決がされないこと。

二　当該法令に基づく申請又は審査請求を却下し又は棄却する旨の処分又は裁決がされた場合において、当該処分又は裁決が取り消されるべきものであり、又は無効若しくは不存在であること。

２　前項の義務付けの訴えは、同項各号に規定する法令に基づく申請又は審査請求をした者に限り、提起することができる。

３　第一項の義務付けの訴えを提起するときは、次の各号に掲げる区分に応じてそれぞれ当該各号に定める訴えをその義務付けの訴えに併合して提起しなければならない。この場合において、当該各号に定める訴えに係る訴訟の管轄について他の法律に特別の定めがあるときは、当該義務付けの訴えに係る訴訟の管轄は、第三十八条第一項において準用する第十二条の規定にかかわらず、その定めに従う。

一　第一項第一号に掲げる要件に該当する場合　同号に規定する処分又は裁決に係る不作為の違法確認の訴え

二　第一項第二号に掲げる要件に該当する場合　同号に規定する処分又は裁決に係る取消訴訟又は無効等確認の訴え

４　前項の規定により併合して提起された義務付けの訴え及び同項各号に定める訴えに係る弁論及び裁判は、分離しないでしなければならない。

５　義務付けの訴えが第一項から第三項までに規定する要件に該当する場合において、同項各号に定める訴えに係る請求に理由があると認められ、かつ、その義務付けの訴えに係る処分又は裁決につき、行政庁がその処分若しくは裁決をすべきであることがその処分若しくは裁決の根拠となる法令の規定から明らかであると認められ又は行政庁がその処分若しくは裁決をしないことがその裁量権の範囲を超え若しくはその濫用となると認められるときは、裁判所は、その義務付けの訴えに係る処分又は裁決をすべき旨を命ずる判決をする。

６　第四項の規定にかかわらず、裁判所は、審理の状況その他の事情を考慮して、第三項各号に定める訴えについてのみ終局判決をすることがより迅速な争訟の解決に資すると認めるときは、当該訴えについてのみ終局判決をすることができる。この場合において、裁判所は、当該訴えについてのみ終局判決をしたときは、当事者の意見を聴いて、当該訴えに係る訴訟手続が完結するまでの間、義務付けの訴えに係る訴訟手続を中止することができる。

７　第一項の義務付けの訴えのうち、行政庁が一定の裁決をすべき旨を命ずることを求めるものは、処分についての審査請求が

された場合において、当該処分に係る処分の取消しの訴え又は無効等確認の訴えを提起することができないときに限り、提起することができる。

（差止めの訴えの要件）

第三十七条の四　差止めの訴えは、一定の処分又は裁決がされることにより重大な損害を生ずるおそれがある場合に限り、提起することができる。ただし、その損害を避けるため他に適当な方法があるときは、この限りでない。

2　裁判所は、前項に規定する重大な損害を生ずるか否かを判断するに当たつては、損害の回復の困難の程度を考慮するものとし、損害の性質及び程度並びに処分又は裁決の内容及び性質をも勘案するものとする。

3　差止めの訴えは、行政庁が一定の処分又は裁決をしてはならない旨を命ずることを求めるにつき法律上の利益を有する者に限り、提起することができる。

4　前項に規定する法律上の利益の有無の判断については、第九条第二項の規定を準用する。

5　差止めの訴えが第一項及び第三項に規定する要件に該当する場合において、その差止めの訴えに係る処分又は裁決につき、行政庁がその処分若しくは裁決をすべきでないことがその処分若しくは裁決の根拠となる法令の規定から明らかであると認められ又は行政庁がその処分若しくは裁決をすることがその裁量権の範囲を超え若しくはその濫用となると認められるときは、裁判所は、行政庁がその処分又は裁決をしてはならない旨を命ずる判決をする。

（仮の義務付け及び仮の差止め）

第三十七条の五　義務付けの訴えの提起があつた場合において、その義務付けの訴えに係る処分又は裁決がされないことにより生ずる償うことのできない損害を避けるため緊急の必要があり、かつ、本案について理由があるとみえるときは、裁判所は、申立てにより、決定をもつて、仮に行政庁がその処分又は裁決をすべき旨を命ずること（以下この条において「仮の義務付け」という。）ができる。

2　差止めの訴えの提起があつた場合において、その差止めの訴えに係る処分又は裁決がされることにより生ずる償うことのできない損害を避けるため緊急の必要があり、かつ、本案について理由があるとみえるときは、裁判所は、申立てにより、決定をもつて、仮に行政庁がその処分又は裁決をしてはならない旨を命ずること（以下この条において「仮の差止め」という。）ができる。

3　仮の義務付け又は仮の差止めは、公共の福祉に重大な影響を及ぼすおそれがあるときは、することができない。

4　第二十五条第五項から第八項まで、第二十六条から第二十八条まで及び第三十三条第一項の規定は、仮の義務付け又は仮の差止めに関する事項について準用する。

5　前項において準用する第二十五条第七項の即時抗告についての裁判又は前項において準用する第二十六条第一項の決定により仮の義務付けの決定が取り消されたときは、当該行政庁は、当該仮の義務付けの決定に基づいてした処分又は裁決を取り消さなければならない。

（取消訴訟に関する規定の準用）

第三十八条　第十一条から第十三条まで、第十六条から第十九条まで、第二十一条から第二十三条まで、第二十四条、第三十三条及び第三十五条の規定は、取消訴訟以外の抗告訴訟について準用する。

2　第十条第二項の規定は、処分の無効等確認の訴えとその処分についての審査請求を棄却した裁決に係る抗告訴訟とを提起することができる場合に、第二十条の規定は、処分の無効等確認の訴えをその処分についての審査請求を棄却した裁決に係る抗告訴訟に併合して提起する場合に準用する。

3　第二十三条の二、第二十五条から第二十九条まで及び第三十二条第二項の規定は、無効等確認の訴えについて準用する。

4　第八条及び第十条第二項の規定は、不作為の違法確認の訴えに準用する。

第三章　当事者訴訟

（出訴の通知）

第三十九条　当事者間の法律関係を確認し又は形成する処分又は裁決に関する訴訟で、法令の規定によりその法律関係の当事者の一方を被告とするものが提起されたときは、裁判所は、当該処分又は裁決をした行政庁にその旨を通知するものとする。

（出訴期間の定めがある当事者訴訟）

第四十条　法令に出訴期間の定めがある当事者訴訟は、その法令に別段の定めがある場合を除き、正当な理由があるときは、その期間を経過した後であつても、これを提起することができる。

2　第十五条の規定は、法令に出訴期間の定めがある当事者訴訟について準用する。

（抗告訴訟に関する規定の準用）

第四十一条　第二十三条、第二十四条、第三十三条第一項及び第三十五条の規定は当事者訴訟について、第二十三条の二の規定は当事者訴訟における処分又は裁決の理由を明らかにする資料の提出について準用する。

2　第十三条の規定は、当事者訴訟とその目的たる請求と関連請求の関係にある請求に係る訴訟とが各別の裁判所に係属する場合における移送に、第十六条から第十九条までの規定は、これらの訴えの併合について準用する。

第四章　民衆訴訟及び機関訴訟

（訴えの提起）

第四十二条　民衆訴訟及び機関訴訟は、法律に定める場合において、法律に定める者に限り、提起することができる。

（抗告訴訟又は当事者訴訟に関する規定の準用）

第四十三条　民衆訴訟又は機関訴訟で、処分又は裁決の取消しを求めるものについては、第九条及び第十条第一項の規定を除き、取消訴訟に関する規定を準用する。

2　民衆訴訟又は機関訴訟で、処分又は裁決の無効の確認を求めるものについては、第三十六条の規定を除き、無効等確認の訴えに関する規定を準用する。

3　民衆訴訟又は機関訴訟で、前二項に規定する訴訟以外のものについては、第三十九条及び第四十条第一項の規定を除き、当事者訴訟に関する規定を準用する。

第五章　補則

（仮処分の排除）

第四十四条　行政庁の処分その他公権力の行使に当たる行為については、民事保全法（平成元年法律第九十一号）に規定する仮処分をすることができない。

（処分の効力等を争点とする訴訟）

第四十五条　私法上の法律関係に関する訴訟において、処分若しくは裁決の存否又はその効力の有無が争われている場合には、第二十三条第一項及び第二項並びに第三十九条の規定を準用する。

２　前項の規定により行政庁が訴訟に参加した場合には、民事訴訟法第四十五条第一項及び第二項の規定を準用する。ただし、攻撃又は防御の方法は、当該処分若しくは裁決の存否又はその効力の有無に関するものに限り、提出することができる。

３　第一項の規定により行政庁が訴訟に参加した後において、処分若しくは裁決の存否又はその効力の有無に関する争いがなくなつたときは、裁判所は、参加の決定を取り消すことができる。

４　第一項の場合には、当該争点について第二十三条の二及び第二十四条の規定を、訴訟費用の裁判について第三十五条の規定を準用する。

（取消訴訟等の提起に関する事項の教示）

第四十六条　行政庁は、取消訴訟を提起することができる処分又は裁決をする場合には、当該処分又は裁決の相手方に対し、次に掲げる事項を書面で教示しなければならない。ただし、当該処分を口頭でする場合は、この限りでない。

一　当該処分又は裁決に係る取消訴訟の被告とすべき者

二　当該処分又は裁決に係る取消訴訟の出訴期間

三　法律に当該処分についての審査請求に対する裁決を経た後でなければ処分の取消しの訴えを提起することができない旨の定めがあるときは、その旨

２　行政庁は、法律に処分についての審査請求に対する裁決に対してのみ取消訴訟を提起することができる旨の定めがある場合において、当該処分をするときは、当該処分の相手方に対し、法律にその定めがある旨を書面で教示しなければならない。ただし、当該処分を口頭でする場合は、この限りでない。

３　行政庁は、当事者間の法律関係を確認し又は形成する処分又は裁決に関する訴訟で法令の規定によりその法律関係の当事者の一方を被告とするものを提起することができる処分又は裁決をする場合には、当該処分又は裁決の相手方に対し、次に掲げる事項を書面で教示しなければならない。ただし、当該処分を口頭でする場合は、この限りでない。

一　当該訴訟の被告とすべき者

二　当該訴訟の出訴期間

附　則

（施行期日）

第一条　この法律は、昭和三十七年十月一日から施行する。

（行政事件訴訟特例法の廃止）

第二条　行政事件訴訟特例法（昭和二十三年法律第八十一号。以下「旧法」という。）は、廃止する。

（経過措置に関する原則）

第三条　この法律は、この附則に特別の定めがある場合を除き、この法律の施行前に生じた事項にも適用する。ただし、旧法によつて生じた効力を妨げない。

（訴願前置に関する経過措置）

第四条　法令の規定により訴願をすることができる処分又は裁決であつて、訴願を提起しないでこの法律の施行前にこれを提起すべき期間を経過したものの取消訴訟の提起については、この法律の施行後も、なお旧法第二条の例による。

（取消しの理由の制限に関する経過措置）

第五条　この法律の施行の際現に係属している裁決の取消しの訴えについては、第十条第二項の規定を適用しない。

（被告適格に関する経過措置）

第六条　この法律の施行の際現に係属している取消訴訟の被告適格については、なお従前の例による。

（出訴期間に関する経過措置）

第七条　この法律の施行の際現に旧法第五条第一項の期間が進行している処分又は裁決の取消しの訴えの出訴期間で、処分又は裁決があつたことを知つた日を基準とするものについては、なお従前の例による。ただし、その期間は、この法律の施行の日から起算して三箇月をこえることができない。

２　この法律の施行の際現に旧法第五条第三項の期間が進行している処分又は裁決の取消しの訴えの出訴期間で、処分又は裁決があつた日を基準とするものについては、なお従前の例による。

３　前二項の規定は、この法律の施行後に審査請求がされた場合における第十四条第四項の規定の適用を妨げない。

（取消訴訟以外の抗告訴訟に関する経過措置）

第八条　取消訴訟以外の抗告訴訟で、この法律の施行の際現に係属しているものの原告適格及び被告適格については、なお従前の例による。

２　附則第五条の規定は、処分の無効等確認の訴えとその処分についての審査請求を棄却した裁決に係る抗告訴訟とを提起することができる場合に準用する。

（当事者訴訟に関する経過措置）

第九条　第三十九条の規定は、この法律の施行後に提起される当事者訴訟についてのみ、適用する。

（民衆訴訟及び機関訴訟に関する経過措置）

第十条　民衆訴訟及び機関訴訟のうち、処分又は裁決の取消しを求めるものについては、取消訴訟に関する経過措置に関する規定を、処分又は裁決の無効の確認を求めるものについては、無効等確認の訴えに関する経過措置に関する規定を準用する。

（処分の効力等を争点とする訴訟に関する経過措置）

第十一条　第三十九条の規定は、この法律の施行の際現に係属している私法上の法律関係に関する訴訟については、この法律の施行後に新たに処分若しくは裁決の存否又はその効力の有無が争われるに至つた場合にのみ、準用する。

附　則（平一六・六・九法八四）（抄）

（施行期日）

第一条　この法律は、公布の日から起算して一年を超えない範囲内において政令で定める日〔平一七・四・一〕から施行する。

〔ただし書略〕

（経過措置に関する原則）

第二条　この法律による改正後の規定は、この附則に特別の定めがある場合を除き、この法律の施行前に生じた事項にも適用する。ただし、この法律による改正前の規定により生じた効力を妨げない。

（被告適格に関する経過措置）

第三条　この法律の施行の際現に係属している抗告訴訟（この法律による改正後の行政事件訴訟法（以下「新法」という。）第三条第一項に規定する抗告訴訟をいう。）並びに民衆訴訟（新法第五条に規定する民衆訴訟をいう。）及び機関訴訟（新法第六条に規定する機関訴訟をいう。）のうち処分（新法第三条第二項に規定する処分をいう。以下同じ。）又は裁決（同条第三項に規定する裁決をいう。以下同じ。）の取消し又は無効の確認を求めるものの被告適格に関しては、新法第十一条、第二十三条第一項及び第三十三条第一項（これらの規定を新法第三十八条第一項（新法第四十三条第二項において準用する場合を含む。）又は新法第四十三条第一項において準用する場合を含む。）並びに附則第十八条の規定による改正後の地方税法（昭和二十五年法律第二百二十六号）第十九条の十四第一項、附則第三十六条の規定による改正後の国税通則法（昭和三十七年法律第六十六号）第百十六条第一項、附則第四十三条の規定による改正後のたばこ事業法（昭和五十九年法律第六十八号）附則第二十三条及び附則第四十四条の規定による改正後の塩事業法（平成八年法律第三十九号）附則第三十四条の規定にかかわらず、なお従前の例による。

（出訴期間に関する経過措置）

第四条　この法律の施行前にその期間が満了した処分又は裁決に関する訴訟の出訴期間については、なお従前の例による。

（取消訴訟等の提起に関する事項の教示に関する経過措置）

第五条　この法律の施行前にされた処分又は裁決については、新法第四十六条の規定は、適用しない。

（検討）

第五十条　政府は、この法律の施行後五年を経過した場合において、新法の施行の状況について検討を加え、必要があると認めるときは、その結果に基づいて所要の措置を講ずるものとする。

別表（第十二条関係）

名称	根拠法
沖縄科学技術大学院大学学園	沖縄科学技術大学院大学学園法（平成二十一年法律第七十六号）
沖縄振興開発金融公庫	沖縄振興開発金融公庫法（昭和四十七年法律第三十一号）
外国人技能実習機構	外国人の技能実習の適正な実施及び技能実習生の保護に関する法律（平成二十八年法律第八十九号）
株式会社国際協力銀行	株式会社国際協力銀行法（平成二十三年法律第三十九号）
株式会社日本政策金融公庫	株式会社日本政策金融公庫法（平成十九年法律第五十七号）
株式会社日本貿易保険	貿易保険法（昭和二十五年法律第六十七号）
金融経済教育推進機構	金融サービスの提供及び利用環境の整備等に関する法律（平成十二年法律第百一号）
原子力損害賠償・廃炉等支援機構	原子力損害賠償・廃炉等支援機構法（平成二十三年法律第九十四号）
国立大学法人	国立大学法人法（平成十五年法律第百十二号）
新関西国際空港株式会社	関西国際空港及び大阪国際空港の一体的かつ効率的な設置及び管理に関する法律（平成二十三年法律第五十四号）
大学共同利用機関法人	国立大学法人法
脱炭素成長型経済構造移行推進機構	脱炭素成長型経済構造への円滑な移行の推進に関する法律（令和五年法律第三十二号）
日本銀行	日本銀行法（平成九年法律第八十九号）
日本司法支援センター	総合法律支援法（平成十六年法律第七十四号）
日本私立学校振興・共済事業団	日本私立学校振興・共済事業団法（平成九年法律第四十八号）
日本中央競馬会	日本中央競馬会法（昭和二十九年法律第二百五号）
日本年金機構	日本年金機構法（平成十九年法律第百九号）
農水産業協同組合貯金保険機構	農水産業協同組合貯金保険法（昭和四十八年法律第五十三号）
福島国際研究教育機構	福島復興再生特別措置法（平成二十四年法律第二十五号）
放送大学学園	放送大学学園法（平成十四年法律第百五十六号）
預金保険機構	預金保険法（昭和四十六年法律第三十四号）

注　次の法律の附則第五八条により行政事件訴訟法が改正されたが、公布の日から起算して四年を超えない範囲内において政令で定める日から施行となるため、一部改正法の形式で掲載した。

〇民事訴訟法等の一部を改正する法律

令四・五・二五
法　四　八

（行政事件訴訟法の一部改正）

第五十八条　行政事件訴訟法（昭和三十七年法律第百三十九号）の一部を次のように改正する。

第十五条第二項中「書面で」を「電子決定書（民事訴訟法（平成八年法律第百九号）第百二十二条において準用する同法第二百五十二条第一項の規定により作成された電磁的記録（電子的方式、磁気的方式その他人の知覚によつては認識することができない方式で作られる記録であつて、電子計算機による情報処理の用に供されるものをいう。）をいう。以下この項において同じ。）を作成して」に、「正本」を「電子決定書（同法第百二十二条において準用する同法第二百五十三条第二項の規定により裁判所の使用に係る電子計算機（入出力装置を含む。）に備えられたファイルに記録されたものに限る。）」に改める。

第十九条第二項中「（平成八年法律第百九号）」を削る。

附　則（抄）

（施行期日）

第一条　この法律は、公布の日から起算して四年を超えない範囲内において政令で定める日から施行する。〔ただし書略〕

（行政事件訴訟法の一部改正に伴う経過措置）

第五十九条　前条の規定による改正後の行政事件訴訟法第十五条第二項（同法第二十一条第二項（同法第三十八条第一項（同法第四十三条第二項において準用する場合を含む。）及び同法第四十三条第一項において準用する場合を含む。）、同法第四十条第二項（同法第四十三条第三項において準用する場合を含む。）及び同法第四十三条第一項において準用する場合を含む。）の規定は、施行日以後に提起される取消訴訟、法令に出訴期間の定めがある当事者訴訟、同法第四十三条第一項に規定する訴訟若しくは同条第三項に規定する訴訟（法令に出訴期間の定めがあるものに限る。）における被告の変更を許す決定又は抗告訴訟、同条第一項に規定する訴訟若しくは同条第二項に規定する訴訟における訴えの変更を許す決定の送達について適用し、施行日前に提起された取消訴訟、法令に出訴期間の定めがある当事者訴訟、同条第一項に規定する訴訟若しくは同条第三項に規定する訴訟（法令に出訴期間の定めがあるものに限る。）における被告の変更を許す決定又は抗告訴訟、同条第一項に規定する訴訟若しくは同条第二項に規定する訴訟における訴えの変更を許す決定の送達については、なお従前の例による。

注　次の法律の第七条により行政事件訴訟法が改正されたが、国立健康危機管理研究機構法（令和五年法律第四十六号）の施行の日〔令和五年六月七日から起算して三年を超えない範囲内において政令で定める日〕から施行となるため、一部改正法の形式で掲載した。

〇国立健康危機管理研究機構法の施行に伴う関係法律の整備に関する法律

令五・六・七
法　四　七

（行政事件訴訟法の一部改正）

第七条　行政事件訴訟法（昭和三十七年法律第百三十九号）の一部を次のように改正する。

別表原子力損害賠償・廃炉等支援機構の項の次に次のように加える。

国立健康危機管理研究機構	国立健康危機管理研究機構法（令和五年法律第四十六号）

附　則（抄）

（施行期日）

第一条　この法律は、国立健康危機管理研究機構法（令和五年法律第四十六号）の施行の日（以下「施行日」という。）から施行する。〔ただし書略〕

㊟　次の法律の附則第二七条により行政事件訴訟法が改正されたが、公布の日から起算して三年を超えない範囲内において政令で定める日から施行となるため、一部改正法の形式で掲載した。

○出入国管理及び難民認定法及び外国人の技能実習の適正な実施及び技能実習生の保護に関する法律の一部を改正する法律

令六・六・二一
法　六　〇

（国立国会図書館法等の一部改正）
第二十七条　次に掲げる法律の規定中「外国人技能実習機構」を「外国人育成就労機構」に、「外国人の技能実習の適正な実施及び技能実習生の保護に関する法律」を「外国人の育成就労の適正な実施及び育成就労外国人の保護に関する法律」に改める。
一　〔略〕
二　行政事件訴訟法（昭和三十七年法律第百三十九号）別表外国人技能実習機構の項
三～八　〔略〕

附　則（抄）

（施行期日）
第一条　この法律は、公布の日から起算して三年を超えない範囲内において政令で定める日から施行する。〔ただし書略〕

○行政代執行法

昭二三・五・一五
法　四　三

最終改正　昭三七・九・一五法一六一

第一条　行政上の義務の履行確保に関しては、別に法律で定めるものを除いては、この法律の定めるところによる。

第二条　法律（法律の委任に基く命令、規則及び条例を含む。以下同じ。）により直接に命ぜられ、又は法律に基き行政庁により命ぜられた行為（他人が代つてなすことのできる行為に限る。）について義務者がこれを履行しない場合、他の手段によつてその履行を確保することが困難であり、且つその不履行を放置することが著しく公益に反すると認められるときは、当該行政庁は、自ら義務者のなすべき行為をなし、又は第三者をしてこれをなさしめ、その費用を義務者から徴収することができる。

第三条　前条の規定による処分（代執行）をなすには、相当の履行期限を定め、その期限までに履行がなされないときは、代執行をなすべき旨を、予め文書で戒告しなければならない。

②　義務者が、前項の戒告を受けて、指定の期限までにその義務を履行しないときは、当該行政庁は、代執行令書をもつて、代執行をなすべき時期、代執行のために派遣する執行責任者の氏名及び代執行に要する費用の概算による見積額を義務者に通知する。

③　非常の場合又は危険切迫の場合において、当該行為の急速な実施について緊急の必要があり、前二項に規定する手続をとる暇がないときは、その手続を経ないで代執行をすることができる。

第四条　代執行のために現場に派遣される執行責任者は、その者が執行責任者たる本人であることを示すべき証票を携帯し、要求があるときは、何時でもこれを呈示しなければならない。

第五条　代執行に要した費用の徴収については、実際に要した費用の額及びその納期日を定め、義務者に対し、文書をもつてその納付を命じなければならない。

第六条　代執行に要した費用は、国税滞納処分の例により、これを徴収することができる。

②　代執行に要した費用については、行政庁は、国税及び地方税に次ぐ順位の先取特権を有する。

③　代執行に要した費用を徴収したときは、その徴収金は、事務費の所属に従い、国庫又は地方公共団体の経済の収入となる。

附　則

①　この法律は、公布の日から起算し、三十日を経過した日から、これを施行する。

②　行政執行法は、これを廃止する。

○請願法

昭二二・三・一三
法　一　三

第一条　請願については、別に法律の定める場合を除いては、この法律の定めるところによる。

第二条　請願は、請願者の氏名（法人の場合はその名称）及び住所（住所のない場合は居所）を記載し、文書でこれをしなければならない。

第三条　請願書は、請願の事項を所管する官公署にこれを提出しなければならない。天皇に対する請願書は、内閣にこれを提出しなければならない。

②　請願の事項を所管する官公署が明らかでないときは、請願書は、これを内閣に提出することができる。

第四条　請願書が誤つて前条に規定する官公署以外の官公署に提出されたときは、その官公署は、請願者に正当な官公署を指示し、又は正当な官公署にその請願書を送付しなければならない。

第五条　この法律に適合する請願は、官公署において、これを受理し誠実に処理しなければならない。

第六条　何人も、請願をしたためにいかなる差別待遇も受けない。

附　則

この法律は、日本国憲法施行の日〔昭二二・五・三〕から、これを施行する。

○国家賠償法

昭二二・一〇・二七
法 一二五

第一条 国又は公共団体の公権力の行使に当る公務員が、その職務を行うについて、故意又は過失によつて違法に他人に損害を加えたときは、国又は公共団体が、これを賠償する責に任ずる。

② 前項の場合において、公務員に故意又は重大な過失があつたときは、国又は公共団体は、その公務員に対して求償権を有する。

第二条 道路、河川その他の公の営造物の設置又は管理に瑕疵があつたために他人に損害を生じたときは、国又は公共団体は、これを賠償する責に任ずる。

② 前項の場合において、他に損害の原因について責に任ずべき者があるときは、国又は公共団体は、これに対して求償権を有する。

第三条 前二条の規定によつて国又は公共団体が損害を賠償する責に任ずる場合において、公務員の選任若しくは監督又は公の営造物の設置若しくは管理に当る者と公務員の俸給、給与その他の費用又は公の営造物の設置若しくは管理の費用を負担する者とが異なるときは、費用を負担する者もまた、その損害を賠償する責に任ずる。

② 前項の場合において、損害を賠償した者は、内部関係でその損害を賠償する責任ある者に対して求償権を有する。

第四条 国又は公共団体の損害賠償の責任については、前三条の規定によるの外、民法の規定による。

第五条 国又は公共団体の損害賠償の責任について民法以外の他の法律に別段の定があるときは、その定めるところによる。

第六条 この法律は、外国人が被害者である場合には、相互の保証があるときに限り、これを適用する。

附　則（抄）

① この法律は、公布の日から、これを施行する。

⑥ この法律施行前の行為に基づく損害については、なお従前の例による。

○行政書士法

昭二六・二・二二
法 四

最終改正 令五・六・一六法六三

目次〔略〕

第一章　総則

（目的）

第一条 この法律は、行政書士の制度を定め、その業務の適正を図ることにより、行政に関する手続の円滑な実施に寄与するとともに国民の利便に資し、もつて国民の権利利益の実現に資することを目的とする。

（業務）

第一条の二 行政書士は、他人の依頼を受け報酬を得て、官公署に提出する書類（その作成に代えて電磁的記録（電子的方式、磁気的方式その他人の知覚によつては認識することができない方式で作られる記録であつて、電子計算機による情報処理の用に供されるものをいう。以下同じ。）を作成する場合における当該電磁的記録を含む。以下この条及び次条において同じ。）その他権利義務又は事実証明に関する書類（実地調査に基づく図面類を含む。）を作成することを業とする。

2 行政書士は、前項の書類の作成であつても、その業務を行うことが他の法律において制限されているものについては、業務を行うことができない。

第一条の三 行政書士は、前条に規定する業務のほか、他人の依頼を受け報酬を得て、次に掲げる事務を業とすることができる。ただし、他の法律においてその業務を行うことが制限されている事項については、この限りでない。

一 前条の規定により行政書士が作成することができる官公署に提出する書類を官公署に提出する手続及び当該官公署に提出する書類に係る許認可等（行政手続法（平成五年法律第八十八号）第二条第三号に規定する許認可等及び当該書類の受理をいう。次号において同じ。）に関して行われる聴聞又は弁明の機会の付与の手続その他の意見陳述のための手続において当該官公署に対してする行為（弁護士法（昭和二十四年法律第二百五号）第七十二条に規定する法律事件に関する法律事務に該当するものを除く。）について代理すること。

二 前条の規定により行政書士が作成した官公署に提出する書類に係る許認可等に関する審査請求、再調査の請求、再審査請求等行政庁に対する不服申立ての手続について代理し、及びその手続について官公署に提出する書類を作成すること。

三 前条の規定により行政書士が作成することができる契約その他に関する書類を代理人として作成すること。

四 前条の規定により行政書士が作成することができる書類の作成について相談に応ずること。

2 前項第二号に掲げる業務は、当該業務について日本行政書士会連合会がその会則で定めるところにより実施する研修の課程を修了した行政書士（以下「特定行政書士」という。）に限り、行うことができる。

第一条の四 前二条の規定は、行政書士が他の行政書士又は行政書士法人（第十三条の三に規定する行政書士法人をいう。第八条第一項において同じ。）の使用人として前二条に規定する業務に従事することを妨げない。

（資格）

第二条 次の各号のいずれかに該当する者は、行政書士となる資格を有する。

一 行政書士試験に合格した者

二 弁護士となる資格を有する者

三 弁理士となる資格を有する者

四 公認会計士となる資格を有する者

五 税理士となる資格を有する者

六 国又は地方公共団体の公務員として行政事務を担当した期間及び行政執行法人（独立行政法人通則法（平成十一年法律第百三号）第二条第四項に規定する行政執行法人をいう。以下同じ。）又は特定地方独立行政法人（地方独立行政法人法（平成十五年法律第百十八号）第二条第二項に規定する特定地方独立行政法人をいう。以下同じ。）の役員又は職員として行政事務に相当する事務を担当した期間が通算して二十年以上（学校教育法（昭和二十二年法律第二十六号）による高

等学校を卒業した者その他同法第九十条に規定する者にあつては十七年以上）になる者

（欠格事由）

第二条の二 次の各号のいずれかに該当する者は、前条の規定にかかわらず、行政書士となる資格を有しない。

一 未成年者

二 破産手続開始の決定を受けて復権を得ない者

三 禁錮以上の刑に処せられ、その執行を終わり、又は執行を受けることがなくなつてから三年を経過しない者

四 公務員（行政執行法人又は特定地方独立行政法人の役員又は職員を含む。）で懲戒免職の処分を受け、当該処分の日から三年を経過しない者

五 第六条の五第一項の規定により登録の取消しの処分を受け、当該処分の日から三年を経過しない者

六 第十四条の規定により業務の禁止の処分を受け、当該処分の日から三年を経過しない者

七 懲戒処分により、弁護士会から除名され、公認会計士の登録の抹消の処分を受け、弁理士、税理士、司法書士若しくは土地家屋調査士の業務を禁止され、又は社会保険労務士の失格処分を受けた者で、これらの処分を受けた日から三年を経過しないもの

八 税理士法（昭和二十六年法律第二百三十七号）第四十八条第一項の規定により同法第四十四条第三号に掲げる処分を受けるべきであつたことについて決定を受けた者で、当該決定を受けた日から三年を経過しないもの

第二章 行政書士試験

（行政書士試験）

第三条 行政書士試験は、総務大臣が定めるところにより、行政書士の業務に関し必要な知識及び能力について、毎年一回以上行う。

2 行政書士試験の施行に関する事務は、都道府県知事が行う。

（指定試験機関の指定）

第四条 都道府県知事は、総務大臣の指定する者（以下「指定試験機関」という。）に、行政書士試験の施行に関する事務（総務省令で定めるものを除く。以下「試験事務」という。）を行わせることができる。

2 前項の規定による指定は、総務省令で定めるところにより、試験事務を行おうとする者の申請により行う。

3 都道府県知事は、第一項の規定により指定試験機関に試験事務を行わせるときは、試験事務を行わないものとする。

（指定の基準）

第四条の二 総務大臣は、前条第二項の規定による申請が次の要件を満たしていると認めるときでなければ、同条第一項の規定による指定をしてはならない。

一 職員、設備、試験事務の実施の方法その他の事項についての試験事務の実施に関する計画が試験事務の適正かつ確実な実施のために適切なものであること。

二 前号の試験事務の実施に関する計画の適正かつ確実な実施に必要な経理的及び技術的な基礎を有するものであること。

三 申請者が、試験事務以外の業務を行つている場合には、その業務を行うことによつて試験事務が不公正になるおそれがないこと。

2 総務大臣は、前条第二項の規定による申請をした者が、次の各号のいずれかに該当するときは、同条第一項の規定による指定をしてはならない。

一 一般社団法人又は一般財団法人以外の者であること。

二 第四条の十四第一項又は第二項の規定により指定を取り消され、その取消しの日から起算して二年を経過しない者であること。

三 その役員のうちに、次のいずれかに該当する者があること。

イ この法律に違反して、刑に処せられ、その執行を終わり、又は執行を受けることがなくなつた日から起算して二年を経過しない者

ロ 第四条の五第二項の規定による命令により解任され、その解任の日から起算して二年を経過しない者

（指定の公示等）

第四条の三 総務大臣は、第四条第一項の規定による指定をしたときは、当該指定を受けた者の名称及び主たる事務所の所在地並びに当該指定をした日を公示しなければならない。

2 指定試験機関は、その名称又は主たる事務所の所在地を変更しようとするときは、変更しようとする日の二週間前までに、その旨を総務大臣に届け出なければならない。

3 総務大臣は、前項の規定による届出があつたときは、その旨を公示しなければならない。

（委任の公示等）

第四条の四 第四条第一項の規定により指定試験機関にその試験事務を行わせることとした都道府県知事（以下「委任都道府県知事」という。）は、当該指定試験機関の名称、主たる事務所の所在地及び当該試験事務を取り扱う事務所の所在地並びに当該指定試験機関に試験事務を行わせることとした日を公示しなければならない。

2 指定試験機関は、その名称、主たる事務所の所在地又は試験事務を取り扱う事務所の所在地を変更しようとするときは、委任都道府県知事（試験事務を取り扱う事務所の所在地については、関係委任都道府県知事）に、変更しようとする日の二週間前までに、その旨を届け出なければならない。

3 委任都道府県知事は、前項の規定による届出があつたときは、その旨を公示しなければならない。

（役員の選任及び解任）

第四条の五 指定試験機関の役員の選任及び解任は、総務大臣の認可を受けなければ、その効力を生じない。

2 総務大臣は、指定試験機関の役員が、この法律（この法律に基づく命令又は処分を含む。）若しくは第四条の八第一項の試験事務規程に違反する行為をしたとき、又は試験事務に関し著しく不適当な行為をしたときは、指定試験機関に対し、その役員を解任すべきことを命ずることができる。

（試験委員）

第四条の六 指定試験機関は、総務省令で定める要件を備える者のうちから行政書士試験委員（以下「試験委員」という。）を選任し、試験の問題の作成及び採点を行わせなければならない。

2 指定試験機関は、試験委員を選任し、又は解任したときは、遅滞なくその旨を総務大臣に届け出なければならない。

3 前条第二項の規定は、試験委員の解任について準用する。

（指定試験機関の役員等の秘密を守る義務等）
第四条の七 指定試験機関の役員若しくは職員（試験委員を含む。第三項において同じ。）又はこれらの職にあつた者は、試験事務に関して知り得た秘密を漏らしてはならない。
2 試験委員は、試験の問題の作成及び採点について、厳正を保持し不正の行為のないようにしなければならない。
3 試験事務に従事する指定試験機関の役員及び職員は、刑法（明治四十年法律第四十五号）その他の罰則の適用については、法令により公務に従事する職員とみなす。
（試験事務規程）
第四条の八 指定試験機関は、総務省令で定める試験事務の実施に関する事項について試験事務規程を定め、総務大臣の認可を受けなければならない。これを変更しようとするときも、同様とする。
2 指定試験機関は、前項後段の規定により試験事務規程を変更しようとするときは、委任都道府県知事の意見を聴かなければならない。
3 総務大臣は、第一項の規定により認可をした試験事務規程が試験事務の適正かつ確実な実施上不適当となつたと認めるときは、指定試験機関に対し、これを変更すべきことを命ずることができる。
（事業計画等）
第四条の九 指定試験機関は、毎事業年度、事業計画及び収支予算を作成し、当該事業年度の開始前に（第四条第一項の規定による指定を受けた日の属する事業年度にあつては、その指定を受けた後遅滞なく）、総務大臣の認可を受けなければならない。これを変更しようとするときも、同様とする。
2 指定試験機関は、事業計画及び収支予算を作成し、又は変更しようとするときは、委任都道府県知事の意見を聴かなければならない。
3 指定試験機関は、毎事業年度の経過後三月以内に、事業報告書及び収支決算書を作成し、当該事業年度の終了後三月以内に、総務大臣及び委任都道府県知事に提出しなければならない。
（試験事務に関する帳簿の備付け及び保存）
第四条の十 指定試験機関は、総務省令で定めるところにより、試験事務に関する事項で総務省令で定めるものを記載した帳簿を備え、保存しなければならない。
（監督命令等）
第四条の十一 総務大臣は、試験事務の適正な実施を確保するため必要があると認めるときは、指定試験機関に対し、試験事務に関し監督上必要な命令をすることができる。
2 委任都道府県知事は、その行わせることとした試験事務の適正な実施を確保するため必要があると認めるときは、指定試験機関に対し、当該試験事務の適正な実施のために必要な措置をとるべきことを指示することができる。
（報告の徴収及び立入検査）
第四条の十二 総務大臣は、試験事務の適正な実施を確保するため必要があると認めるときは、指定試験機関に対し、試験事務の状況に関し必要な報告を求め、又はその職員に、指定試験機関の事務所に立ち入り、試験事務の状況若しくは設備、帳簿、書類その他の物件を検査させることができる。
2 委任都道府県知事は、その行わせることとした試験事務の適正な実施を確保するため必要があると認めるときは、指定試験機関に対し、当該試験事務の状況に関し必要な報告を求め、又はその職員に、当該試験事務を取り扱う指定試験機関の事務所に立ち入り、当該試験事務の状況若しくは設備、帳簿、書類その他の物件を検査させることができる。
3 前二項の規定により立入検査をする職員は、その身分を示す証明書を携帯し、関係人の請求があつたときは、これを提示しなければならない。
4 第一項又は第二項の規定による立入検査の権限は、犯罪捜査のために認められたものと解釈してはならない。
（試験事務の休廃止）
第四条の十三 指定試験機関は、総務大臣の許可を受けなければ、試験事務の全部又は一部を休止し、又は廃止してはならない。
2 総務大臣は、指定試験機関の試験事務の全部又は一部の休止又は廃止により試験事務の適正かつ確実な実施が損なわれるおそれがないと認めるときでなければ、前項の規定による許可をしてはならない。
3 総務大臣は、第一項の規定による許可をしようとするときは、関係委任都道府県知事の意見を聴かなければならない。
4 総務大臣は、第一項の規定による許可をしたときは、その旨を、関係委任都道府県知事に通知するとともに、公示しなければならない。
（指定の取消し等）
第四条の十四 総務大臣は、指定試験機関が第四条の二第二項第一号又は第三号に該当するに至つたときは、その指定を取り消さなければならない。
2 総務大臣は、指定試験機関が次の各号のいずれかに該当するときは、その指定を取り消し、又は期間を定めて試験事務の全部若しくは一部の停止を命ずることができる。
一 第四条の二第一項各号の要件を満たさなくなつたと認められるとき。
二 第四条の六第一項、第四条の九第一項若しくは第三項、第四条の十又は前条第一項の規定に違反したとき。
三 第四条の五第二項（第四条の六第三項において準用する場合を含む。）、第四条の八第三項又は第四条の十一第一項の規定による命令に違反したとき。
四 第四条の八第一項の規定により認可を受けた試験事務規程によらないで試験事務を行つたとき。
五 不正な手段により第四条第一項の規定による指定を受けたとき。
3 総務大臣は、前二項の規定により指定を取り消し、又は前項の規定により試験事務の全部若しくは一部の停止を命じたときは、その旨を、関係委任都道府県知事に通知するとともに、公示しなければならない。
（委任の撤回の通知等）
第四条の十五 委任都道府県知事は、指定試験機関に試験事務を行わせないこととするときは、その三月前までに、その旨を指定試験機関に通知しなければならない。
2 委任都道府県知事は、指定試験機関に試験事務を行わせないこととしたときは、その旨を公示しなければならない。
（委任都道府県知事による試験事務の実施）
第四条の十六 委任都道府県知事は、指定試験機関が第四条の十三第一項の規定により試験事務の全部若しくは一部を休止したとき、総務大臣が第四条の十四第二項の規定により指定試験機関に対し試験事務の全部若しくは一部の停止を命じたとき、又は指定試験機関が天災その他の事由により試験事務の全部若しくは一部を実施することが困難となつた場合において総務大臣が必要があると認めるときは、第四条第三項の規定にかかわらず、当該試験事務の全部又は一部を行うものとする。

2 総務大臣は、委任都道府県知事が前項の規定により試験事務を行うこととなるとき、又は委任都道府県知事が同項の規定により試験事務を行うこととなる事由がなくなつたときは、速やかにその旨を当該委任都道府県知事に通知しなければならない。

3 委任都道府県知事は、前項の規定による通知を受けたときは、その旨を公示しなければならない。

（試験事務の引継ぎ等に関する総務省令への委任）

第四条の十七 前条第一項の規定により委任都道府県知事が試験事務を行うこととなつた場合、総務大臣が第四条の十三第一項の規定により試験事務の廃止を許可し、若しくは第四条の十四第一項若しくは第二項の規定により指定を取り消した場合又は委任都道府県知事が指定試験機関に試験事務を行わせないこととした場合における試験事務の引継ぎその他の必要な事項は、総務省令で定める。

（指定試験機関がした処分等に係る審査請求）

第四条の十八 指定試験機関が行う試験事務に係る処分又はその不作為については、総務大臣に対し、審査請求をすることができる。この場合において、総務大臣は、行政不服審査法（平成二十六年法律第六十八号）第二十五条第二項及び第三項、第四十六条第一項及び第二項、第四十七条並びに第四十九条第三項の規定の適用については、指定試験機関の上級行政庁とみなす。

（手数料）

第四条の十九 都道府県は、地方自治法（昭和二十二年法律第六十七号）第二百二十七条の規定に基づき行政書士試験に係る手数料を徴収する場合においては、第四条第一項の規定により指定試験機関が行う行政書士試験を受けようとする者に、条例で定めるところにより、当該手数料を当該指定試験機関へ納めさせ、その収入とすることができる。

第五条 削除

第三章 登録

（登録）

第六条 行政書士となる資格を有する者が、行政書士となるには、行政書士名簿に、住所、氏名、生年月日、事務所の名称及び所在地その他日本行政書士会連合会の会則で定める事項の登録を受けなければならない。

2 行政書士名簿は、日本行政書士会連合会に備える。

3 行政書士名簿の登録は、日本行政書士会連合会が行う。

（登録の申請及び決定）

第六条の二 前条第一項の規定による登録を受けようとする者は、行政書士となる資格を有することを証する書類を添えて、日本行政書士会連合会に対し、その事務所の所在地の属する都道府県の区域に設立されている行政書士会を経由して、登録の申請をしなければならない。

2 日本行政書士会連合会は、前項の規定による登録の申請を受けた場合において、当該申請者が行政書士となる資格を有し、かつ、次の各号に該当しない者であると認めたときは行政書士名簿に登録し、当該申請者が行政書士となる資格を有せず、又は次の各号の一に該当する者であると認めたときは登録を拒否しなければならない。この場合において、登録を拒否しようとするときは、第十八条の四に規定する資格審査会の議決に基づいてしなければならない。

一 心身の故障により行政書士の業務を行うことができない者

二 行政書士の信用又は品位を害するおそれがある者その他行政書士の職責に照らし行政書士としての適格性を欠く者

3 日本行政書士会連合会は、前項の規定により登録を拒否しようとするときは、あらかじめ、当該申請者にその旨を通知して、相当の期間内に自ら又はその代理人を通じて弁明する機会を与えなければならない。

4 日本行政書士会連合会は、第二項の規定により登録をしたときは当該申請者に行政書士証票を交付し、同項の規定により登録を拒否したときはその旨及びその理由を当該申請者に書面により通知しなければならない。

（登録を拒否された場合等の審査請求）

第六条の三 前条第二項の規定により登録を拒否された者は、当該処分に不服があるときは、総務大臣に対して審査請求をすることができる。

2 前条第一項の規定による登録の申請をした者は、当該申請をした日から三月を経過しても当該申請に対して何らの処分がされない場合には、当該登録を拒否されたものとして、総務大臣に対して審査請求をすることができる。この場合においては、審査請求のあつた日に日本行政書士会連合会が同条第二項の規定により当該登録を拒否したものとみなす。

3 前二項の場合において、総務大臣は、行政不服審査法第二十五条第二項及び第三項並びに第四十六条第二項の規定の適用については、日本行政書士会連合会の上級行政庁とみなす。

（変更登録）

第六条の四 行政書士は、第六条第一項の規定により登録を受けた事項に変更を生じたときは、遅滞なく、所属する行政書士会を経由して、日本行政書士会連合会に変更の登録を申請しなければならない。

（登録の取消し）

第六条の五 日本行政書士会連合会は、行政書士の登録を受けた者が、偽りその他不正の手段により当該登録を受けたことが判明したときは、当該登録を取り消さなければならない。

2 日本行政書士会連合会は、前項の規定により登録を取り消したときは、その旨及びその理由を当該処分を受ける者に書面により通知しなければならない。

3 第六条の二第二項後段並びに第六条の三第一項及び第三項の規定は、第一項の規定による登録の取消しに準用する。この場合において、同条第三項中「第四十六条第二項」とあるのは、「第四十六条第一項」と読み替えるものとする。

（登録の抹消）

第七条 日本行政書士会連合会は、行政書士の登録を受けた者が次の各号のいずれかに該当する場合には、その登録を抹消しなければならない。

一 第二条の二第二号から第四号まで又は第六号から第八号ま

でに掲げる事由のいずれかに該当するに至つたとき。

二　その業を廃止しようとする旨の届出があつたとき。

三　死亡したとき。

四　前条第一項の規定による登録の取消しの処分を受けたとき。

2　日本行政書士会連合会は、行政書士の登録を受けた者が次の各号のいずれかに該当する場合には、その登録を抹消することができる。

一　引き続き二年以上行政書士の業務を行わないとき。

二　心身の故障により行政書士の業務を行うことができないとき。

3　第六条の二第二項後段、第六条の三第一項及び第三項並びに前条第二項の規定は、前項の規定による登録の抹消について準用する。この場合において、第六条の三第三項中「第四十六条第二項」とあるのは、「第四十六条第一項」と読み替えるものとする。

（行政書士証票の返還）

第七条の二　行政書士の登録が抹消されたときは、その者、その法定代理人又はその相続人は、遅滞なく、行政書士証票を日本行政書士会連合会に返還しなければならない。行政書士が第十四条の規定により業務の停止の処分を受けた場合においても、また同様とする。

2　日本行政書士会連合会は、前項後段の規定に該当する行政書士が、行政書士の業務を行うことができることとなつたときは、その申請により、行政書士証票をその者に再交付しなければならない。

（特定行政書士の付記）

第七条の三　日本行政書士会連合会は、行政書士が第一条の三第二項に規定する研修の課程を修了したときは、遅滞なく、当該行政書士の登録に特定行政書士である旨の付記をしなければならない。

2　日本行政書士会連合会は、前項の規定により行政書士名簿に付記をしたときは、その旨を当該行政書士に書面により通知しなければならない。

（登録の細目）

第七条の四　この法律に定めるもののほか、行政書士の登録に関し必要な事項は、日本行政書士会連合会の会則で定める。

第四章　行政書士の義務

（事務所）

第八条　行政書士（行政書士の使用人である行政書士又は行政書士法人の社員若しくは使用人である行政書士（第三項において「使用人である行政書士等」という。）を除く。次項、次条、第十条の二及び第十一条において同じ。）は、その業務を行うための事務所を設けなければならない。

2　行政書士は、前項の事務所を二以上設けてはならない。

3　使用人である行政書士等は、その業務を行うための事務所を設けてはならない。

（帳簿の備付及び保存）

第九条　行政書士は、その業務に関する帳簿を備え、これに事件の名称、年月日、受けた報酬の額、依頼者の住所氏名その他都道府県知事の定める事項を記載しなければならない。

2　行政書士は、前項の帳簿をその関係書類とともに、帳簿閉鎖の時から二年間保存しなければならない。行政書士でなくなつたときも、また同様とする。

（行政書士の責務）

第十条　行政書士は、誠実にその業務を行なうとともに、行政書士の信用又は品位を害するような行為をしてはならない。

（報酬の額の掲示等）

第十条の二　行政書士は、その事務所の見やすい場所に、その業務に関し受ける報酬の額を掲示しなければならない。

2　行政書士会及び日本行政書士会連合会は、依頼者の選択及び行政書士の業務の利便に資するため、行政書士がその業務に関し受ける報酬の額について、統計を作成し、これを公表するよう努めなければならない。

（依頼に応ずる義務）

第十一条　行政書士は、正当な事由がある場合でなければ、依頼を拒むことができない。

（秘密を守る義務）

第十二条　行政書士は、正当な理由がなく、その業務上取り扱つた事項について知り得た秘密を漏らしてはならない。行政書士でなくなつた後も、また同様とする。

（会則の遵守義務）

第十三条　行政書士は、その所属する行政書士会及び日本行政書士会連合会の会則を守らなければならない。

（研修）

第十三条の二　行政書士は、その所属する行政書士会及び日本行政書士会連合会が実施する研修を受け、その資質の向上を図るように努めなければならない。

第五章　行政書士法人

（設立）

第十三条の三　行政書士は、この章の定めるところにより、行政書士法人（第一条の二及び第一条の三第一項（第二号を除く。）に規定する業務を行うことを目的として、行政書士が設立した法人をいう。以下同じ。）を設立することができる。

（名称）

第十三条の四　行政書士法人は、その名称中に行政書士法人という文字を使用しなければならない。

（社員の資格）

第十三条の五　行政書士法人の社員は、行政書士でなければならない。

2　次に掲げる者は、社員となることができない。

一　第十四条の規定により業務の停止の処分を受け、当該業務の停止の期間を経過しない者

二　第十四条の二第一項の規定により行政書士法人が解散又は業務の全部の停止の処分を受けた場合において、その処分を受けた日以前三十日内にその社員であつた者でその処分を受けた日から三年（業務の全部の停止の処分を受けた場合にあつては、当該業務の全部の停止の期間）を経過しないもの

（業務の範囲）

第十三条の六　行政書士法人は、第一条の二及び第一条の三第一項（第二号を除く。）に規定する業務を行うほか、定款で定めるところにより、次に掲げる業務を行うことができる。ただし、第一号の総務省令で定める業務を行うことができる行政書

士に関し法令上の制限がある場合における当該業務及び第二号に掲げる業務（以下「特定業務」という。）については、社員のうちに当該特定業務を行うことができる行政書士がある行政書士法人に限り、行うことができる。

一　法令等に基づき行政書士が行うことができる業務のうち第一条の二及び第一条の三第一項（第二号を除く。）に規定する業務に準ずるものとして総務省令で定める業務の全部又は一部

二　第一条の三第一項第二号に掲げる業務

（登記）

第十三条の七　行政書士法人は、政令で定めるところにより、登記をしなければならない。

2　前項の規定により登記をしなければならない事項は、登記の後でなければ、これをもつて第三者に対抗することができない。

（設立の手続）

第十三条の八　行政書士法人を設立するには、その社員となろうとする行政書士が、定款を定めなければならない。

2　会社法（平成十七年法律第八十六号）第三十条第一項の規定は、行政書士法人の定款について準用する。

3　定款には、少なくとも次に掲げる事項を記載しなければならない。

一　目的

二　名称

三　主たる事務所及び従たる事務所の所在地

四　社員の氏名、住所及び特定業務を行うことを目的とする行政書士法人にあつては、当該特定業務を行うことができる行政書士である社員（以下「特定社員」という。）であるか否かの別

五　社員の出資に関する事項

（成立の時期）

第十三条の九　行政書士法人は、その主たる事務所の所在地において設立の登記をすることによつて成立する。

（成立の届出等）

第十三条の十　行政書士法人は、成立したときは、成立の日から二週間以内に、登記事項証明書及び定款の写しを添えて、その旨を、その主たる事務所の所在地の属する都道府県の区域に設立されている行政書士会（以下「主たる事務所の所在地の行政書士会」という。）を経由して、日本行政書士会連合会に届け出なければならない。

2　日本行政書士会連合会は、その会則の定めるところにより、行政書士法人名簿を作成し、その事務所に備えて置かなければならない。

（定款の変更）

第十三条の十一　行政書士法人は、定款に別段の定めがある場合を除き、総社員の同意によつて、定款の変更をすることができる。

2　行政書士法人は、定款を変更したときは、変更の日から二週間以内に、変更に係る事項を、主たる事務所の所在地の行政書士会を経由して、日本行政書士会連合会に届け出なければならない。

（業務を執行する権限）

第十三条の十二　行政書士法人の社員は、定款で別段の定めがある場合を除き、すべて業務を執行する権利を有し、義務を負う。

2　特定業務を行うことを目的とする行政書士法人における当該特定業務については、前項の規定にかかわらず、当該特定業務に係る特定社員のみが業務を執行する権利を有し、義務を負う。

（法人の代表）

第十三条の十三　行政書士法人の業務を執行する社員は、各自行政書士法人を代表する。ただし、定款又は総社員の同意によつて、業務を執行する社員のうち特に行政書士法人を代表すべきものを定めることを妨げない。

2　特定業務を行うことを目的とする行政書士法人における当該特定業務については、前項本文の規定にかかわらず、当該特定業務に係る特定社員のみが各自行政書士法人を代表する。ただし、当該特定社員の全員の同意によつて、当該特定社員のうち特に当該特定業務について行政書士法人を代表すべきものを定めることを妨げない。

3　行政書士法人を代表する社員は、定款によつて禁止されていないときに限り、特定の行為の代理を他人に委任することができる。

（社員の常駐）

第十三条の十四　行政書士法人は、その事務所に、当該事務所の所在地の属する都道府県の区域に設立されている行政書士会の会員である社員を常駐させなければならない。

（特定業務の取扱い）

第十三条の十五　特定業務を行うことを目的とする行政書士法人は、当該特定業務に係る特定社員が常駐していない事務所においては、当該特定業務を取り扱うことができない。

（社員の競業の禁止）

第十三条の十六　行政書士法人の社員は、自己若しくは第三者のためにその行政書士法人の業務の範囲に属する業務を行い、又は他の行政書士法人の社員となつてはならない。

2　行政書士法人の社員が前項の規定に違反して自己又は第三者のためにその行政書士法人の業務の範囲に属する業務を行つたときは、当該業務によつて当該社員又は第三者が得た利益の額は、行政書士法人に生じた損害の額と推定する。

（行政書士の義務に関する規定の準用）

第十三条の十七　第八条第一項、第九条から第十一条まで及び第十三条の規定は、行政書士法人について準用する。

（法定脱退）

第十三条の十八　行政書士法人の社員は、次に掲げる理由によつて脱退する。

一　行政書士の登録の抹消

二　定款に定める理由の発生

三　総社員の同意

四　第十三条の五第二項各号のいずれかに該当することとなつたこと。

五　除名

（解散）

第十三条の十九　行政書士法人は、次に掲げる理由によつて解散する。

一　定款に定める理由の発生

二　総社員の同意

三　他の行政書士法人との合併

四　破産手続開始の決定

五　解散を命ずる裁判
六　第十四条の二第一項第三号の規定による解散の処分
七　社員の欠亡
2　行政書士法人は、前項第三号の事由以外の事由により解散したときは、解散の日から二週間以内に、その旨を、主たる事務所の所在地の行政書士会を経由して、日本行政書士会連合会に届け出なければならない。

（行政書士法人の継続）
第十三条の十九の二　行政書士法人の清算人は、社員の死亡により前条第一項第七号に該当するに至つた場合に限り、当該社員の相続人（第十三条の二十一第二項において準用する会社法第六百七十五条において準用する同法第六百八条第五項の規定により社員の権利を行使する者が定められている場合にはその者）の同意を得て、新たに社員を加入させて行政書士法人を継続することができる。

（裁判所による監督）
第十三条の十九の三　行政書士法人の解散及び清算は、裁判所の監督に属する。
2　裁判所は、職権で、いつでも前項の監督に必要な検査をすることができる。
3　行政書士法人の解散及び清算を監督する裁判所は、行政書士法人を監督する都道府県知事に対し、意見を求め、又は調査を嘱託することができる。
4　前項に規定する都道府県知事は、同項に規定する裁判所に対し、意見を述べることができる。

（解散及び清算の監督に関する事件の管轄）
第十三条の十九の四　行政書士法人の解散及び清算の監督に関する事件は、その主たる事務所の所在地を管轄する地方裁判所の管轄に属する。

（検査役の選任）
第十三条の十九の五　裁判所は、行政書士法人の解散及び清算の監督に必要な調査をさせるため、検査役を選任することができる。
2　前項の検査役の選任の裁判に対しては、不服を申し立てることができない。
3　裁判所は、第一項の検査役を選任した場合には、行政書士法人が当該検査役に対して支払う報酬の額を定めることができる。この場合においては、裁判所は、当該行政書士法人及び検査役の陳述を聴かなければならない。

（合併）
第十三条の二十　行政書士法人は、総社員の同意があるときは、他の行政書士法人と合併することができる。
2　合併は、合併後存続する行政書士法人又は合併により設立する行政書士法人が、その主たる事務所の所在地において登記することによつて、その効力を生ずる。
3　行政書士法人は、合併したときは、合併の日から二週間以内に、登記事項証明書（合併により設立する行政書士法人にあつては、登記事項証明書及び定款の写し）を添えて、その旨を、主たる事務所の所在地の行政書士会を経由して、日本行政書士会連合会に届け出なければならない。
4　合併後存続する行政書士法人又は合併により設立する行政書士法人は、当該合併により消滅する行政書士法人の権利義務を承継する。

（債権者の異議等）
第十三条の二十の二　合併をする行政書士法人の債権者は、当該行政書士法人に対し、合併について異議を述べることができる。
2　合併をする行政書士法人は、次に掲げる事項を官報に公告し、かつ、知れている債権者には、各別にこれを催告しなければならない。ただし、第三号の期間は、一月を下ることができない。
一　合併をする旨
二　合併により消滅する行政書士法人及び合併後存続する行政書士法人又は合併により設立する行政書士法人の名称及び主たる事務所の所在地
三　債権者が一定の期間内に異議を述べることができる旨
3　前項の規定にかかわらず、合併をする行政書士法人が同項の規定による公告を、官報のほか、第六項において準用する会社法第九百三十九条第一項の規定による定款の定めに従い、同項第二号又は第三号に掲げる方法によりするときは、前項の規定による各別の催告は、することを要しない。
4　債権者が第二項第三号の期間内に異議を述べなかつたときは、当該債権者は、当該合併について承認をしたものとみなす。
5　債権者が第二項第三号の期間内に異議を述べたときは、合併をする行政書士法人は、当該債権者に対し、弁済し、若しくは相当の担保を提供し、又は当該債権者に弁済を受けさせることを目的として信託会社等（信託会社及び信託業務を営む金融機関（金融機関の信託業務の兼営等に関する法律（昭和十八年法律第四十三号）第一条第一項の認可を受けた金融機関をいう。）をいう。）に相当の財産を信託しなければならない。ただし、当該合併をしても当該債権者を害するおそれがないときは、この限りでない。
6　会社法第九百三十九条第一項（第二号及び第三号に係る部分に限る。）及び第三項、第九百四十条第一項（第三号に係る部分に限る。）及び第三項、第九百四十一条、第九百四十六条、第九百四十七条、第九百五十一条第二項、第九百五十三条並びに第九百五十五条の規定は、行政書士法人が第二項の規定による公告をする場合について準用する。この場合において、同法第九百三十九条第一項及び第三項中「公告方法」とあるのは「合併の公告の方法」と、同法第九百四十六条第三項中「商号」とあるのは「名称」と読み替えるものとする。

（合併の無効の訴え）
第十三条の二十の三　会社法第八百二十八条第一項（第七号及び第八号に係る部分に限る。）及び第二項（第七号及び第八号に係る部分に限る。）、第八百三十四条（第七号及び第八号に係る部分に限る。）、第八百三十五条第一項、第八百三十六条第二項及び第三項、第八百三十七条から第八百三十九条まで、第八百四十三条（第一項第三号及び第四号並びに第二項ただし書を除く。）並びに第八百四十六条の規定は行政書士法人の合併の無効の訴えについて、同法第八百六十八条第六項、第八百七十条第二項（第六号に係る部分に限る。）、第八百七十条の二、第八百七十一条本文、第八百七十二条（第五号に係る部分に限る。）、第八百七十二条の二、第八百七十三条本文、第八百七十五条及び第八百七十六条の規定はこの条において準用する同法

第八百四十三条第四項の申立てについて、それぞれ準用する。

（一般社団法人及び一般財団法人に関する法律及び会社法の準用等）

第十三条の二十一　一般社団法人及び一般財団法人に関する法律（平成十八年法律第四十八号）第四条並びに会社法第六百条、第六百十四条から第六百十九条まで、第六百二十一条及び第六百二十二条の規定は行政書士法人について、同法第五百八十条第一項、第五百八十一条、第五百八十二条、第五百八十五条第一項及び第四項、第五百八十六条、第五百九十三条、第五百九十五条、第五百九十六条、第五百九十九条第四項及び第五項、第六百一条、第六百五条、第六百六条、第六百九条第一項及び第二項、第六百十一条（第一項ただし書を除く。）、第六百十二条並びに第六百十三条の規定は行政書士法人の社員について、同法第五百八十九条第一項の規定は行政書士法人の社員であると誤認させる行為をした者の責任について、同法第八百五十九条から第八百六十二条までの規定は行政書士法人の社員の除名並びに業務を執行する権利及び代表権の消滅の訴えについて、それぞれ準用する。この場合において、同法第六百十三条中「商号」とあるのは「名称」と、同法第六百十五条第一項、第六百十七条第一項及び第二項並びに第六百十八条第一項第二号中「法務省令」とあるのは「総務省令」と、同法第六百十七条第三項中「電磁的記録」とあるのは「電磁的記録（行政書士法第一条の二第一項に規定する電磁的記録をいう。次条第一項第二号において同じ。）」と、同法第八百五十九条第二号中「第五百九十四条第一項（第五百九十八条第二項において準用する場合を含む。）」とあるのは「行政書士法第十三条の十六第一項」と読み替えるものとする。

2　会社法第六百四十四条（第三号を除く。）、第六百四十五条から第六百四十九条まで、第六百五十条第一項及び第二項、第六百五十一条第一項及び第二項（同法第五百九十四条の準用に係る部分を除く。）、第六百五十二条、第六百五十三条、第六百五十五条から第六百五十九条まで、第六百六十二条から第六百六十四条まで、第六百六十六条から第六百七十三条まで、第六百七十五条、第八百六十三条、第八百六十四条、第八百六十八条第一項、第八百六十九条、第八百七十条第一項（第一号及び第二号に係る部分に限る。）、第八百七十一条、第八百七十二条（第四号に係る部分に限る。）、第八百七十四条（第一号及び第四号に係る部分に限る。）、第八百七十五条並びに第八百七十六条の規定は、行政書士法人の解散及び清算について準用する。この場合において、同法第六百四十四条第一号中「第六百四十一条第五号」とあるのは「行政書士法第十三条の十九第一項第三号」と、同法第六百四十七条第三項中「第六百四十一条第四号又は第七号」とあるのは「行政書士法第十三条の十九第一項第五号から第七号まで」と、同法第六百五十八条第一項及び第六百六十九条中「法務省令」とあるのは「総務省令」と、同法第六百六十八条第一項及び第六百六十九条中「第六百四十一条第一号から第三号まで」とあるのは「行政書士法第十三条の十九第一項第一号又は第二号」と、同法第六百七十条第三項中「第九百三十九条第一項」とあるのは「行政書士法第十三条の二十の二第六項において準用する第九百三十九条第一項」と、同法第六百七十三条第一項中「第五百八十条」とあるのは「行政書士法第十三条の二十一第一項において準用する第五百八十条第一項」と読み替えるものとする。

3　会社法第八百二十四条、第八百二十六条、第八百六十八条第一項、第八百七十条第一項（第十号に係る部分に限る。）、第八百七十一条本文、第八百七十二条（第四号に係る部分に限る。）、第八百七十三条本文、第八百七十五条、第八百七十六条、第九百四条及び第九百三十七条第一項（第三号ロに係る部分に限る。）の規定は行政書士法人の解散の命令について、同法第八百二十五条、第八百六十八条第一項、第八百七十条第一項（第一号に係る部分に限る。）、第八百七十一条、第八百七十二条（第一号及び第四号に係る部分に限る。）、第八百七十三条、第八百七十四条（第二号及び第三号に係る部分に限る。）、第八百七十五条、第八百七十六条、第九百五条及び第九百六条の規定はこの項において準用する同法第八百二十四条第一項の申立てがあった場合における行政書士法人の財産の保全について、それぞれ準用する。

4　会社法第八百二十八条第一項（第一号に係る部分に限る。）及び第二項（第一号に係る部分に限る。）、第八百三十四条（第一号に係る部分に限る。）、第八百三十五条第一項、第八百三十七条から第八百三十九条まで並びに第八百四十六条の規定は、行政書士法人の設立の無効の訴えについて準用する。

5　会社法第八百三十三条第二項、第八百三十四条（第二十一号に係る部分に限る。）、第八百三十五条第一項、第八百三十七条、第八百三十八条、第八百四十六条及び第九百三十七条第一項（第一号リに係る部分に限る。）の規定は、行政書士法人の解散の訴えについて準用する。

6　清算が結了したときは、清算人は、その旨を日本行政書士会連合会に届け出なければならない。

7　破産法（平成十六年法律第七十五号）第十六条の規定の適用については、行政書士法人は、合名会社とみなす。

第六章　監督

（立入検査）

第十三条の二十二　都道府県知事は、必要があると認めるときは、日没から日出までの時間を除き、当該職員に行政書士又は行政書士法人の事務所に立ち入り、その業務に関する帳簿及び関係書類（これらの作成又は保存に代えて電磁的記録の作成又は保存がされている場合における当該電磁的記録を含む。）を検査させることができる。

2　前項の場合においては、都道府県知事は、当該職員にその身分を証明する証票を携帯させなければならない。

3　当該職員は、第一項の立入検査をする場合においては、その身分を証明する証票を関係者に呈示しなければならない。

4　第一項の規定による立入検査の権限は、犯罪捜査のために認められたものと解釈してはならない。

（行政書士に対する懲戒）

第十四条　行政書士が、この法律若しくはこれに基づく命令、規則その他都道府県知事の処分に違反したとき又は行政書士たるにふさわしくない重大な非行があつたときは、都道府県知事は、当該行政書士に対し、次に掲げる処分をすることができる。

一　戒告

二　二年以内の業務の停止

三　業務の禁止

（行政書士法人に対する懲戒）

第十四条の二　行政書士法人が、この法律又はこの法律に基づく命令、規則その他都道府県知事の処分に違反したとき又は運営が著しく不当と認められるときは、その主たる事務所の所在地を管轄する都道府県知事は、当該行政書士法人に対し、次に掲げる処分をすることができる。
一　戒告
二　二年以内の業務の全部又は一部の停止
三　解散
2　行政書士法人が、この法律又はこの法律に基づく命令、規則その他都道府県知事の処分に違反したとき又は運営が著しく不当と認められるときは、その従たる事務所の所在地を管轄する都道府県知事は、当該行政書士法人に対し、次に掲げる処分をすることができる。ただし、当該違反等が当該従たる事務所に関するものであるときに限る。
一　戒告
二　当該都道府県の区域内にある当該行政書士法人の事務所についての二年以内の業務の全部又は一部の停止
3　都道府県知事は、前二項の規定による処分を行つたときは、総務省令で定めるところにより、当該行政書士法人の他の事務所の所在地を管轄する都道府県知事にその旨を通知しなければならない。
4　第一項又は第二項の規定による処分の手続に付された行政書士法人は、清算が結了した後においても、この条の規定の適用については、当該手続が結了するまで、なお存続するものとみなす。
5　第一項又は第二項の規定は、これらの項の規定により行政書士法人を処分する場合において、当該行政書士法人の社員につき前条に該当する事実があるときは、その社員である行政書士に対し、懲戒処分を併せて行うことを妨げるものと解してはならない。

（懲戒の手続）
第十四条の三　何人も、行政書士又は行政書士法人について第十四条又は前条第一項若しくは第二項に該当する事実があると思料するときは、当該行政書士又は当該行政書士法人の事務所の所在地を管轄する都道府県知事に対し、当該事実を通知し、適当な措置をとることを求めることができる。
2　前項の規定による通知があつたときは、同項の都道府県知事は、通知された事実について必要な調査をしなければならない。
3　都道府県知事は、第十四条第二号又は前条第一項第二号若しくは第二項第二号の処分をしようとするときは、行政手続法第十三条第一項の規定による意見陳述のための手続の区分にかかわらず、聴聞を行わなければならない。
4　前項に規定する処分又は第十四条第三号若しくは前条第一項第三号の処分に係る行政手続法第十五条第一項の通知は、聴聞の期日の一週間前までにしなければならない。
5　前項の聴聞の期日における審理は、公開により行わなければならない。

（登録の抹消の制限等）
第十四条の四　都道府県知事は、行政書士に対し第十四条第二号又は第三号に掲げる処分をしようとする場合においては、行政手続法第十五条第一項の通知を発送し、又は同条第三項前段の掲示をした後直ちに日本行政書士会連合会にその旨を通知しなければならない。
2　日本行政書士会連合会は、行政書士について前項の通知を受けた場合においては、都道府県知事から第十四条第二号又は第三号に掲げる処分の手続が結了した旨の通知を受けるまでは、当該行政書士について第七条第一項第二号又は第二項各号の規定による登録の抹消をすることができない。

（懲戒処分の公告）
第十四条の五　都道府県知事は、第十四条又は第十四条の二の規定により処分をしたときは、遅滞なく、その旨を当該都道府県の公報をもつて公告しなければならない。

第七章　行政書士会及び日本行政書士会連合会

（行政書士会）
第十五条　行政書士は、都道府県の区域ごとに、会則を定めて、一箇の行政書士会を設立しなければならない。
2　行政書士会は、会員の品位を保持し、その業務の改善進歩を図るため、会員の指導及び連絡に関する事務を行うことを目的とする。
3　行政書士会は、法人とする。
4　一般社団法人及び一般財団法人に関する法律第四条及び第七十八条の規定は、行政書士会に準用する。

（行政書士会の会則）
第十六条　行政書士会の会則には、次の事項を記載しなければならない。
一　名称及び事務所の所在地
二　役員に関する規定
三　入会及び退会に関する規定
四　会議に関する規定
五　会員の品位保持に関する規定
六　会費に関する規定
七　資産及び会計に関する規定
八　行政書士の研修に関する規定
九　その他重要な会務に関する規定

（会則の認可）
第十六条の二　行政書士会の会則を定め、又はこれを変更するには、都道府県知事の認可を受けなければならない。ただし、行政書士会の事務所の所在地その他の総務省令で定める事項に係る会則の変更については、この限りでない。

（行政書士会の登記）
第十六条の三　行政書士会は、政令で定めるところにより、登記をしなければならない。
2　前項の規定により登記をしなければならない事項は、登記の後でなければ、これをもつて第三者に対抗することができない。

（行政書士会の役員）
第十六条の四　行政書士会に、会長、副会長及び会則で定めるその他の役員を置く。
2　会長は、行政書士会を代表し、その会務を総理する。
3　副会長は、会長の定めるところにより、会長を補佐し、会長に事故があるときはその職務を代理し、会長が欠員のときはその職務を行なう。

（行政書士の入会及び退会）
第十六条の五　行政書士は、第六条の二第二項の規定による登録を受けた時に、当然、その事務所の所在地の属する都道府県の区域に設立されている行政書士会の会員となる。

2　行政書士は、他の都道府県の区域内に事務所を移転したときは、その移転があつたときに、当然、従前の行政書士会を退会し、当該都道府県の区域に設立されている行政書士会の会員となる。

3　行政書士は、第七条第一項各号の一に該当するに至つたとき又は同条第二項の規定により登録を抹消されたときは、その時に、当然、その所属する行政書士会を退会する。

（行政書士法人の入会及び退会）

第十六条の六　行政書士法人は、その成立の時に、主たる事務所の所在地の行政書士会の会員となる。

2　行政書士法人は、その事務所の所在地の属する都道府県の区域外に事務所を設け、又は移転したときは、事務所の新所在地（従たる事務所を設け、又は移転したときにあつては、主たる事務所の所在地）においてその旨の登記をした時に、当該事務所（従たる事務所を設け、又は移転したときにあつては、当該従たる事務所）の所在地の属する都道府県の区域に設立されている行政書士会の会員となる。

3　行政書士法人は、その事務所の移転又は廃止により、当該事務所の所在地の属する都道府県の区域内に事務所を有しないこととなつたときは、旧所在地（従たる事務所を移転し、又は廃止したときにあつては、主たる事務所の所在地）においてその旨の登記をした時に、当該都道府県の区域に設立されている行政書士会を退会する。

4　行政書士法人は、第二項の規定により新たに行政書士会の会員となつたときは、会員となつた日から二週間以内に、登記事項証明書及び定款の写しを添えて、その旨を、当該行政書士会を経由して、日本行政書士会連合会に届け出なければならない。

5　行政書士法人は、第三項の規定により行政書士会を退会したときは、退会の日から二週間以内に、その旨を、当該行政書士会を経由して、日本行政書士会連合会に届け出なければならない。

6　行政書士法人は、解散した時に、その所属するすべての行政書士会を退会する。

（行政書士会の報告義務）

第十七条　行政書士会は、毎年一回、会員に関し総務省令で定める事項を都道府県知事に報告しなければならない。

2　行政書士会は、会員が、この法律又はこの法律に基づく命令、規則その他都道府県知事の処分に違反したと認めるときは、その旨を都道府県知事に報告しなければならない。

（注意勧告）

第十七条の二　行政書士会は、会員がこの法律又はこの法律に基づく命令、規則その他都道府県知事の処分に違反するおそれがあると認めるときは、会則の定めるところにより、当該会員に対して、注意を促し、又は必要な措置を講ずべきことを勧告することができる。

（日本行政書士会連合会）

第十八条　全国の行政書士会は、会則を定めて、日本行政書士会連合会を設立しなければならない。

2　日本行政書士会連合会は、行政書士会の会員の品位を保持し、その業務の改善進歩を図るため、行政書士会及びその会員の指導及び連絡に関する事務を行い、並びに行政書士の登録に関する事務を行うことを目的とする。

（日本行政書士会連合会の会則）

第十八条の二　日本行政書士会連合会の会則には、次の事項を記載しなければならない。

一　第十六条第一号、第二号及び第四号から第七号までに掲げる事項

二　第一条の三第二項に規定する研修その他の行政書士の研修に関する規定

三　行政書士の登録に関する規定

四　資格審査会に関する規定

五　その他重要な会務に関する規定

第十八条の三　削除

（資格審査会）

第十八条の四　日本行政書士会連合会に、資格審査会を置く。

2　資格審査会は、日本行政書士会連合会の請求により、第六条の二第二項の規定による登録の拒否、第六条の五第一項の規定による登録の取消し又は第七条第二項の規定による登録の抹消について必要な審査を行うものとする。

3　資格審査会は、会長及び委員四人をもつて組織する。

4　会長は、日本行政書士会連合会の会長をもつて充てる。

5　委員は、会長が、総務大臣の承認を受けて、行政書士、総務省の職員及び学識経験者のうちから委嘱する。

6　委員の任期は、二年とする。ただし、欠員が生じた場合の補欠の委員の任期は、前任者の残任期間とする。

7　前各項に規定するもののほか、資格審査会の組織及び運営に関し必要な事項は、総務省令で定める。

（行政書士会に関する規定の準用）

第十八条の五　第十五条第三項及び第四項並びに第十六条の二から第十六条の四までの規定は、日本行政書士会連合会に準用する。この場合において、第十六条の二中「都道府県知事」とあるのは、「総務大臣」と読み替えるものとする。

（監督）

第十八条の六　都道府県知事は行政書士会につき、総務大臣は日本行政書士会連合会につき、必要があると認めるときは、報告を求め、又はその行なう業務について勧告することができる。

第八章　雑則

（業務の制限）

第十九条　行政書士又は行政書士法人でない者は、業として第一条の二に規定する業務を行うことができない。ただし、他の法律に別段の定めがある場合及び定型的かつ容易に行えるものとして総務省令で定める手続について、当該手続に関し相当の経験又は能力を有する者として総務省令で定める者が電磁的記録を作成する場合は、この限りでない。

2　総務大臣は、前項に規定する総務省令を定めるときは、あらかじめ、当該手続に係る法令を所管する国務大臣の意見を聴くものとする。

（名称の使用制限）

第十九条の二　行政書士でない者は、行政書士又はこれと紛らわしい名称を用いてはならない。

2　行政書士法人でない者は、行政書士法人又はこれと紛らわしい名称を用いてはならない。

3　行政書士会又は日本行政書士会連合会でない者は、行政書士会若しくは日本行政書士会連合会又はこれらと紛らわしい名称を用いてはならない。

（行政書士の使用人等の秘密を守る義務）

第十九条の三　行政書士又は行政書士法人の使用人その他の従業者は、正当な理由がなく、その業務上取り扱つた事項について知り得た秘密を漏らしてはならない。行政書士又は行政書士法人の使用人その他の従業者でなくなつた後も、また同様とする。

（資質向上のための援助）

第十九条の四　総務大臣は、行政書士の資質の向上を図るため、講習会の開催、資料の提供その他必要な援助を行うよう努めるものとする。

（総務省令への委任）

第二十条　この法律に定めるもののほか、行政書士又は行政書士法人の業務執行、行政書士会及び日本行政書士会連合会に関し必要な事項は、総務省令で定める。

第九章　罰則

第二十条の二　第四条の七第一項の規定に違反した者は、一年以下の懲役又は五十万円以下の罰金に処する。

第二十条の三　第四条の十四第二項の規定による試験事務の停止の命令に違反したときは、その違反行為をした指定試験機関の役員又は職員は、一年以下の懲役又は五十万円以下の罰金に処する。

第二十一条　次の各号のいずれかに該当する者は、一年以下の懲役又は百万円以下の罰金に処する。

一　行政書士となる資格を有しない者で、日本行政書士会連合会に対し、その資格につき虚偽の申請をして行政書士名簿に登録させたもの

二　第十九条第一項の規定に違反した者

第二十二条　第十二条又は第十九条の三の規定に違反した者は、一年以下の懲役又は百万円以下の罰金に処する。

2　前項の罪は、告訴がなければ公訴を提起することができない。

第二十二条の二　第四条の七第二項の規定に違反して不正の採点をした者は、三十万円以下の罰金に処する。

第二十二条の三　次の各号のいずれかに該当するときは、その違反行為をした指定試験機関の役員又は職員は、三十万円以下の罰金に処する。

一　第四条の十の規定に違反して帳簿を備えず、帳簿に記載せず、若しくは帳簿に虚偽の記載をし、又は帳簿を保存しなかつたとき。

二　第四条の十二第一項又は第二項の規定による報告を求められて、報告をせず、若しくは虚偽の報告をし、又はこれらの規定による立入り若しくは検査を拒み、妨げ、若しくは忌避したとき。

三　第四条の十三第一項の規定による許可を受けないで試験事務の全部を廃止したとき。

第二十二条の四　第十九条の二の規定に違反した者は、百万円以下の罰金に処する。

第二十三条　第九条又は第十一条の規定に違反した者は、百万円以下の罰金に処する。

2　行政書士法人が第十三条の十七において準用する第九条又は第十一条の規定に違反したときは、その違反行為をした行政書士法人の社員は、百万円以下の罰金に処する。

第二十三条の二　次の各号のいずれかに該当する者は、三十万円以下の罰金に処する。

一　第十三条の二十の二第六項において準用する会社法第九百五十五条第一項の規定に違反して、同項に規定する調査記録簿等に同項に規定する電子公告調査に関し法務省令で定めるものを記載せず、若しくは記録せず、若しくは虚偽の記載若しくは記録をし、又は当該調査記録簿等を保存しなかつた者

二　第十三条の二十二第一項の規定による当該職員の検査を拒み、妨げ、又は忌避した者

第二十三条の三　法人の代表者又は法人若しくは人の代理人、使用人その他の従業者が、その法人又は人の業務に関し、前条第一号の違反行為をしたときは、その行為者を罰するほか、その法人又は人に対して同条の刑を科する。

第二十四条　行政書士会又は日本行政書士会連合会が第十六条の三第一項（第十八条の五において準用する場合を含む。）の規定に基づく政令に違反して登記をすることを怠つたときは、その行政書士会又は日本行政書士会連合会の代表者は、三十万円以下の過料に処する。

第二十五条　次の各号のいずれかに該当する者は、百万円以下の過料に処する。

一　第十三条の二十の二第六項において準用する会社法第九百四十六条第三項の規定に違反して、報告をせず、又は虚偽の報告をした者

二　正当な理由がないのに、第十三条の二十の二第六項において準用する会社法第九百五十一条第二項各号又は第九百五十五条第二項各号に掲げる請求を拒んだ者

第二十六条　次の各号のいずれかに該当する場合には、行政書士法人の社員又は清算人は、三十万円以下の過料に処する。

一　この法律に基づく政令の規定に違反して登記をすることを怠つたとき。

二　第十三条の二十の二第二項又は第五項の規定に違反して合併をしたとき。

三　第十三条の二十の二第六項において準用する会社法第九百四十一条の規定に違反して同条の調査を求めなかつたとき。

四　定款又は第十三条の二十一第一項において準用する会社法第六百十五条第一項の会計帳簿若しくは第十三条の二十一第一項において準用する同法第六百十七条第一項若しくは第二項の貸借対照表に記載し、若しくは記録すべき事項を記載せず、若しくは記録せず、又は虚偽の記載若しくは記録をしたとき。

五　第十三条の二十一第二項において準用する会社法第六百五十六条第一項の規定に違反して破産手続開始の申立てを怠つたとき。

六　第十三条の二十一第二項において準用する会社法第六百六十四条の規定に違反して財産を分配したとき。

七　第十三条の二十一第二項において準用する会社法第六百七十条第二項又は第五項の規定に違反して財産を処分したとき。

附　則（抄）

1　この法律は、昭和二十六年三月一日から施行する。

㊟　次の法律の第一六一条により行政書士法が改正されたが、刑法等一部改正法施行日〔令七・六・一〕から施行となるため、一部改正法の形式で掲載した。

○刑法等の一部を改正する法律の施行に伴う関係法律の整理等に関する法律

令四・六・一七
法　六八

（行政書士法の一部改正）

第百六十一条　行政書士法（昭和二十六年法律第四号）の一部を次のように改正する。

第二条の二第三号中「禁錮」を「拘禁刑」に改める。

第二十条の二から第二十一条までの規定及び第二十二条第一項中「懲役」を「拘禁刑」に改める。

附　則（抄）

（施行期日）

1　この法律は、刑法等一部改正法施行日〔令七・六・一〕から施行する。〔ただし書略〕

㊟　次の法律の第二九五条により行政書士法が改正されたが、公布の日から起算して五年を超えない範囲内において政令で定める日から施行となるため、一部改正法の形式で掲載した。

○民事関係手続等における情報通信技術の活用等の推進を図るための関係法律の整備に関する法律

令五・六・一四
法　五三

（公認会計士法等の一部改正）

第二百九十五条　次に掲げる法律の規定中「、第九百五条及び第九百六条」を「及び第九百五条から第九百六条の二まで」に改める。

一～四　〔略〕

五　行政書士法（昭和二十六年法律第四号）第十三条の二十一第三項

六～八　〔略〕

附　則（抄）

この法律は、公布の日から起算して五年を超えない範囲内において政令で定める日から施行する。〔ただし書略〕

注 次の法律の附則第一三条により行政書士法が改正されたが、公布の日から起算して三年を超えない範囲内において政令で定める日から施行となるため、一部改正法の形式で掲載した。

○デジタル社会の形成を図るための規制改革を推進するためのデジタル社会形成基本法等の一部を改正する法律

令五・六・一六
法 六 三

（司法書士法等の一部改正）

第十三条 次に掲げる法律の規定中「同条第三項前段の掲示をした」を「同条第四項前段の措置をとつた」に改める。

一・二 〔略〕

三 行政書士法（昭和二十六年法律第四号）第十四条の四第一項

附 則（抄）

（施行期日）

第一条 この法律は、公布の日から起算して一年を超えない範囲内において政令で定める日〔令六・四・一〕から施行する。ただし、次の各号に掲げる規定は、当該各号に定める日から施行する。

一 〔略〕

二 〔前略〕附則〔中略〕第十三条の規定 公布の日から起算して三年を超えない範囲内において政令で定める日

○行政書士法施行規則

昭二六・二・二八
総 府 令 五

最終改正 令六・六・一〇総務令六一

第一章 総則

（目的）

第一条 行政書士試験、行政書士及び行政書士法人の事務所及び業務執行、行政書士会並びに日本行政書士会連合会については、行政書士法（昭和二十六年法律第四号。以下「法」という。）その他の法令に定めるもののほか、この規則の定めるところによる。

第二章 行政書士試験

（試験事務の範囲）

第二条 法第四条第一項の総務省令で定めるものは、合格の決定に関する事務とする。

（指定試験機関の指定の申請）

第二条の二 法第四条第二項の規定により申請をしようとする者は、次の事項を記載した申請書を総務大臣に提出しなければならない。

一 名称及び主たる事務所の所在地

二 指定を受けようとする年月日

2 前項の申請書には、次に掲げる書類を添付しなければならない。

一 定款及び登記事項証明書

二 申請の日の属する事業年度の前事業年度における財産目録及び貸借対照表（申請の日の属する事業年度に設立された法人にあつては、その設立時における財産目録）

三 申請の日の属する事業年度及び翌事業年度における事業計画書及び収支予算書

四 現に行つている業務の概要を記載した書類

五 組織及び運営に関する事項を記載した書類

六 役員の氏名、住所及び経歴を記載した書類

七 指定の申請に関する意思の決定を証する書類

八 試験事務を取り扱う事務所の名称及び所在地を記載した書類

九 試験用設備の概要及び整備計画を記載した書類

十 試験事務の実施の方法の概要を記載した書類

十一 法第四条の六第一項に規定する試験委員の選任に関する事項を記載した書類

十二 その他参考となる事項を記載した書類

（指定試験機関の名称等の変更の届出）

第二条の三 法第四条の三第二項の規定による指定試験機関の名称又は主たる事務所の所在地の変更の届出は、次に掲げる事項を記載した届出書によつて行わなければならない。

一 変更後の指定試験機関の名称又は主たる事務所の所在地

二 変更しようとする年月日

三 変更の理由

2 前項の規定は、法第四条の四第二項の規定による指定試験機関の名称、主たる事務所の所在地又は試験事務を取り扱う事務所の所在地の変更の届出について準用する。この場合において、前項第一号中「又は主たる事務所の所在地」とあるのは、「、主たる事務所の所在地又は試験事務を取り扱う事務所の所在地」と読み替えるものとする。

（役員の選任又は解任の認可の申請）

第二条の四 指定試験機関は、法第四条の五第一項の規定により役員の選任又は解任の認可を受けようとするときは、次に掲げる事項を記載した申請書を総務大臣に提出しなければならない。

一 役員として選任しようとする者の氏名、住所及び経歴又は解任しようとする役員の氏名

二 選任し、又は解任しようとする年月日

三 選任又は解任の理由

（試験委員の要件）

第二条の五 法第四条の六第一項の総務省令で定める要件は、次の各号のいずれかに該当する者であることとする。

一 学校教育法（昭和二十二年法律第二十六号）による大学に

において法学に関する科目を担当する教授若しくは准教授の職にあり、又はあつた者

二　前号に掲げる者と同等以上の知識及び経験を有する者

（試験委員の選任又は解任の届出）

第二条の六　法第四条の六第二項の規定による試験委員の選任又は解任の届出は、次に掲げる事項を記載した届出書によつて行わなければならない。

一　選任した試験委員の氏名及び経歴又は解任した試験委員の氏名

二　選任し、又は解任した年月日

三　選任又は解任の理由

2　前項の場合において、選任の届出をしようとするときは、同項の届出書に、当該選任した試験委員が前条に規定する要件を備えていることを証明する書類の写しを添付しなければならない。

（試験事務規程の記載事項）

第二条の七　法第四条の八第一項の総務省令で定める試験事務の実施に関する事項は、次のとおりとする。

一　試験事務を取り扱う日及び時間に関する事項

二　試験事務を取り扱う事務所及び当該事務所が担当する試験地に関する事項

三　試験事務の実施の方法に関する事項

四　試験の手数料の収納の方法に関する事項

五　試験委員の人数及び担当科目に関する事項

六　試験委員の選任及び解任に関する事項

七　試験事務に関する秘密の保持に関する事項

八　試験事務に関する帳簿及び書類の管理に関する事項

九　その他試験事務の実施に関し必要な事項

（試験事務規程の認可の申請）

第二条の八　指定試験機関は、法第四条の八第一項前段の規定により試験事務規程の認可を受けようとするときは、その旨を記載した申請書に当該試験事務規程を添付して、これを総務大臣に提出しなければならない。

2　指定試験機関は、法第四条の八第一項後段の規定により試験事務規程の変更の認可を受けようとするときは、次に掲げる事項を記載した申請書を総務大臣に提出しなければならない。

一　変更しようとする事項

二　変更しようとする年月日

三　変更の理由

四　法第四条の八第二項の規定による委任都道府県知事の意見の概要

（事業計画及び収支予算の認可の申請）

第二条の九　指定試験機関は、法第四条の九第一項前段の規定により事業計画及び収支予算の認可を受けようとするときは、その旨及び同条第二項の規定による委任都道府県知事の意見の概要を記載した申請書に事業計画書及び収支予算書を添付して、これを総務大臣に提出しなければならない。

2　前条第二項の規定は、法第四条の九第一項後段の規定による事業計画及び収支予算の変更の認可について準用する。この場合において、前条第二項第四号中「第四条の八第二項」とあるのは、「第四条の九第二項」と読み替えるものとする。

（帳簿）

第二条の十　法第四条の十の総務省令で定めるものは、次のとおりとする。

一　委任都道府県知事

二　試験を実施した年月日

三　試験地

四　受験者の受験番号、氏名、住所、生年月日及び得点

2　法第四条の十の帳簿は、委任都道府県知事ごとに備え、試験事務を廃止するまで保存しなければならない。

3　前項の規定による帳簿の備付け及び保存は、電磁的記録（電子的方式、磁気的方式その他人の知覚によつては認識することができない方式で作られた記録をいう。以下同じ。）に係る記録媒体により行うことができる。この場合においては、当該記録を必要に応じ電子計算機その他の機器を用いて直ちに表示することができなければならない。

（試験結果の報告）

第二条の十一　指定試験機関は、試験を実施したときは、遅滞なく、次に掲げる事項を記載した報告書を委任都道府県知事に提出しなければならない。

一　試験を実施した年月日

二　試験地

三　受験申込者数

四　受験者数

2　前項の報告書には、受験者の受験番号、氏名、住所、生年月日及び得点を記載した受験者一覧表を添付しなければならない。

（試験事務の休止又は廃止の許可の申請）

第二条の十二　指定試験機関は、法第四条の十三第一項の規定により試験事務の休止又は廃止の許可を受けようとするときは、次に掲げる事項を記載した申請書を総務大臣に提出しなければならない。

一　休止し、又は廃止しようとする試験事務の範囲

二　休止しようとする年月日及びその期間又は廃止しようとする年月日

三　休止又は廃止の理由

（試験事務の引継ぎ等）

第二条の十三　法第四条の十七の規定による総務省令で定める事項は、次のとおりとする。

一　試験事務を委任都道府県知事に引き継ぐこと。

二　試験事務に関する帳簿及び書類を委任都道府県知事に引き渡すこと。

三　その他委任都道府県知事が必要と認める事項を行うこと。

第三章　行政書士

（事務所の表示）

第二条の十四　行政書士は、その事務所に行政書士の事務所であることを明らかにした表札を掲示しなければならない。

2　行政書士は、法第十四条の規定により業務の停止の処分を受けたときは、その停止期間中は、前項の表札を撤去しておかなければならない。

（報酬）

第三条　法第十条の二第一項（法第十三条の十七において準用する場合を含む。）の規定による報酬の額の掲示は、日本行政書士会連合会の定める様式に準じた表により行うものとする。

2　行政書士は、依頼人の依頼しない書類（その作成に代えて電

磁的記録を作成する場合における当該電磁的記録を含む。第九条第一項において同じ。）を作成して報酬を受け、又はみだりに報酬の増加を図るような行為をしてはならない。

（他人による業務取扱の禁止）

第四条　行政書士は、その業務を他人に行わせてはならない。ただし、その使用人その他の従業者である行政書士（以下この条において「従業者である行政書士」という。）に行わせる場合又は依頼人の同意を得て、他の行政書士（従業者である行政書士を除く。）若しくは行政書士法人に行わせる場合は、この限りでない。

（補助者）

第五条　行政書士は、その事務に関して補助者を置くことができる。

２　行政書士は、前項の補助者を置いたとき又は前項の補助者に異動があつたときは、遅滞なく、その者の住所及び氏名を行政書士会に届け出なければならない。補助者を置かなくなつたときも、また同様とする。

（業務の公正保持等）

第六条　行政書士は、その業務を行うに当つては、公正でなければならず、親切丁寧を旨としなければならない。

２　行政書士は、不正又は不当な手段で、依頼を誘致するような行為をしてはならない。

（業務取扱の順序及び迅速処理）

第七条　行政書士は、正当な事由がない限り、依頼の順序に従つて、すみやかにその業務を処理しなければならない。

（依頼の拒否）

第八条　行政書士は、正当な事由がある場合において依頼を拒むときは、その事由を説明しなければならない。この場合において依頼人から請求があるときは、その事由を記載した文書を交付しなければならない。

（書類等の作成）

第九条　行政書士は、法令又は依頼の趣旨に反する書類を作成してはならない。

２　行政書士は、作成した書類に記名して職印を押さなければならない。

（領収証）

第十条　行政書士は、依頼人から報酬を受けたときは、日本行政書士会連合会の定める様式により正副二通の領収証を作成し、正本は、これに記名し職印を押して当該依頼人に交付し、副本は、作成の日から五年間保存しなければならない。

（職印）

第十一条　行政書士は、日本行政書士会連合会の会則の定めるところにより、業務上使用する職印を定めなければならない。

（届出事項）

第十二条　行政書士が、第一号又は第二号に該当する場合にはその者、第三号に該当する場合にはその者の四親等内の親族又はその者と世帯を同じくしていた者は、遅滞なく、その旨を、当該行政書士の事務所の所在地の属する都道府県の区域に設立されている行政書士会を経由して、日本行政書士会連合会に届け出なければならない。

一　法第二条の二第二号から第四号まで、第六号又は第七号に掲げる事由のいずれかに該当するに至つたとき。

二　その業を廃止しようとするとき。

三　死亡したとき。

第四章　行政書士法人

（業務の範囲）

第十二条の二　法第十三条の六の総務省令で定める業務は、次の各号に掲げるものとする。

一　出入国関係申請取次業務（出入国管理及び難民認定法（昭和二十六年政令第三百十九号）第七条の二第一項、第十九条第二項、第十九条の二第一項、第十九条の十一第一項及び第二項、第十九条の十二第一項、第十九条の十三第一項及び第三項、第二十条第二項、第二十一条第二項、第二十二条第一項、第二十二条の二第二項（第二十二条の三において準用する場合を含む。）並びに第二十六条第一項の規定による申請、同法第十九条の十第一項の規定による届出並びに同法第十九条の十第二項（第十九条の十一第三項、第十九条の十二第二項及び第十九条の十三第四項において準用する場合を含む。）、第二十条第四項第一号（第二十一条第四項、第二十二条の二第三項（第二十二条の三において準用する場合を含む。）及び第六十一条の二の五第三項において準用する場合を含む。）、第二十二条第三項（第二十二条の二第四項（第二十二条の三において準用する場合を含む。）において準用する場合を含む。）、第五十条第七項及び第六十一条の二の二第二項第一号の規定により交付される在留カードの受領に係る業務、日本国との平和条約に基づき日本の国籍を離脱した者等の出入国管理に関する特例法（平成三年法律第七十一号）第十二条第一項及び第二項、第十三条第一項並びに第十四条第一項及び第三項の規定による申請、同法第十一条第一項の規定による届出並びに同法第十一条第二項（第十二条第三項、第十三条第二項及び第十四条第四項において準用する場合を含む。）の規定により交付される特別永住者証明書の受領に係る業務並びに出入国管理及び難民認定法及び日本国との平和条約に基づき日本の国籍を離脱した者等の出入国管理に関する特例法の一部を改正する等の法律（平成二十一年法律第七十九号）附則第十六条第一項、第二十八条第三項及び第二十九条第一項の規定による申請並びに同法附則第十六条第三項、第二十七条第五項、第二十八条第四項及び第二十九条第三項の規定により交付される在留カード又は特別永住者証明書の受領に係る業務をいう。）

二　労働者派遣事業の適正な運営の確保及び派遣労働者の保護等に関する法律（昭和六十年法律第八十八号）第二条第三号に規定する労働者派遣事業（その事業を行おうとする行政書士法人が同法第五条第一項に規定する許可を受けて行うものであつて、当該行政書士法人の使用人である行政書士が労働者派遣（同法第二条第一号に規定する労働者派遣をいう。）の対象となり、かつ、派遣先（同法第二条第四号に規定する派遣先をいう。）が行政書士又は行政書士法人であるものに限る。）

三　行政書士又は行政書士法人の業務に関連する講習会の開催、出版物の刊行その他の教育及び普及の業務

四　行政書士又は行政書士法人の業務に附帯し、又は密接に関連する業務

（会計帳簿）

第十二条の二の二　法第十三条の二十一第一項において準用する

会社法（平成十七年法律第八十六号）第六百十五条第一項の規定により作成すべき会計帳簿については、この条の定めるところによる。

2　会計帳簿に計上すべき資産については、この条に別段の定めがある場合を除き、その取得価額を付さなければならない。ただし、取得価額を付すことが適切でない資産については、事業年度の末日（事業年度の末日以外の日において評価すべき場合にあつては、その日。以下この条において同じ。）における時価又は適正な価格を付すことができる。

3　償却すべき資産については、事業年度の末日において、相当の償却をしなければならない。

4　次の各号に掲げる資産については、事業年度の末日において当該各号に定める価格を付すべき場合には、当該各号に定める価格を付さなければならない。

一　事業年度の末日における時価がその時の取得原価より著しく低い資産（当該資産の時価がその時の取得原価まで回復すると認められるものを除く。）　事業年度の末日における時価

二　事業年度の末日において予測することができない減損が生じた資産又は減損損失を認識すべき資産　その時の取得原価から相当の減額をした額

5　取立不能のおそれのある債権については、事業年度の末日においてその時に取り立てることができないと見込まれる額を控除しなければならない。

6　会計帳簿に計上すべき負債については、この条に別段の定めがある場合を除き、債務額を付さなければならない。ただし、債務額を付すことが適切でない負債については、事業年度の末日における時価又は適正な価格を付すことができる。

7　のれんは、有償で譲り受け、又は合併により取得した場合に限り、資産又は負債として計上することができる。

8　前各項の用語の解釈及び規定の適用に関しては、一般に公正妥当と認められる会計の基準その他の会計の慣行を斟酌しなければならない。

（貸借対照表）

第十二条の二の三　法第十三条の二十一第一項において準用する会社法第六百十七条第一項及び第二項の規定により作成すべき貸借対照表については、この条の定めるところによる。

2　前項の貸借対照表に係る事項の金額は、一円単位、千円単位又は百万円単位をもつて表示するものとする。

3　第一項の貸借対照表は、日本語をもつて表示するものとする。ただし、その他の言語をもつて表示することが不当でない場合は、この限りでない。

4　法第十三条の二十一第一項において準用する会社法第六百十七条第一項の規定により作成すべき貸借対照表は、成立の日における会計帳簿に基づき作成しなければならない。

5　法第十三条の二十一第一項において準用する会社法第六百十七条第二項の規定により作成すべき各事業年度に係る貸借対照表は、当該事業年度に係る会計帳簿に基づき作成しなければならない。

6　各事業年度に係る貸借対照表の作成に係る期間は、当該事業年度の前事業年度の末日の翌日（当該事業年度の前事業年度がない場合にあつては、成立の日）から当該事業年度の末日までの期間とする。この場合において、当該期間は、一年（事業年度の末日を変更する場合における変更後の最初の事業年度については、一年六月）を超えることができない。

7　第一項の貸借対照表は、次に掲げる部に区分して表示しなければならない。

一　資産

二　負債

三　純資産

8　前項各号に掲げる部は、適当な項目に細分することができる。この場合において、当該各項目については、資産、負債又は純資産を示す適当な名称を付さなければならない。

9　前各項の用語の解釈及び規定の適用に関しては、一般に公正妥当と認められる会計の基準その他の会計の慣行を斟酌しなければならない。

（電磁的記録に記録された事項を表示する方法）

第十二条の二の四　法第十三条の二十一第一項において準用する会社法第六百十八条第一項第二号に規定する総務省令で定める方法は、法第十三条の二十一第一項において準用する会社法第六百十八条第一項第二号の電磁的記録に記録された事項を紙面又は映像面に表示する方法とする。

（財産目録）

第十二条の二の五　法第十三条の二十一第二項において準用する会社法第六百五十八条第一項又は第六百六十九条第一項若しくは第二項の規定により作成すべき財産目録については、この条の定めるところによる。

2　財産目録に計上すべき財産については、その処分価格を付すことが困難な場合を除き、法第十三条の十九第一項各号に掲げる場合に該当することとなつた日における処分価格を付さなければならない。この場合において、会計帳簿については、財産目録に付された価格を取得価額とみなす。

3　財産目録は、次に掲げる部に区分して表示しなければならない。この場合において、第一号及び第二号に掲げる部は、その内容を示す適当な名称を付した項目に細分することができる。

一　資産

二　負債

三　正味資産

（清算開始時の貸借対照表）

第十二条の二の六　法第十三条の二十一第二項において準用する会社法第六百五十八条第一項又は第六百六十九条第一項若しくは第二項の規定により作成すべき貸借対照表については、この条の定めるところによる。

2　前項の貸借対照表は、財産目録に基づき作成しなければならない。

3　第一項の貸借対照表は、次に掲げる部に区分して表示しなければならない。この場合において、第一号及び第二号に掲げる部は、その内容を示す適当な名称を付した項目に細分することができる。

一　資産

二　負債

三　純資産

4　処分価格を付すことが困難な資産がある場合には、第一項の貸借対照表には、当該資産に係る財産評価の方針を注記しなければならない。

（行政書士に関する規定の準用）
第十二条の三　第二条の十四、第三条第二項及び第四条から第十一条までの規定は、行政書士法人について準用する。この場合において、第二条の十四第二項中「法第十四条の規定により業務の停止の処分を受けたときは」とあるのは「法第十四条の二の規定により業務の全部の停止の処分を受けたときは」と読み替えるものとする。

第五章　監督

（懲戒処分の通知）
第十二条の四　行政書士法人の主たる事務所を管轄する都道府県知事（以下この条及び次条において「主たる事務所の都道府県知事」という。）は、法第十四条の二第一項の規定による処分を行つたときは、その従たる事務所を管轄する都道府県知事（以下この条及び次条において「従たる事務所の都道府県知事」という。）に処分の内容を通知しなければならない。
2　従たる事務所の都道府県知事は、法第十四条の二第二項の規定による処分を行つたときは、その主たる事務所の都道府県知事に処分の内容を通知しなければならない。
（都道府県知事の間の連絡調整）
第十二条の五　行政書士法人に関する法第十四条の三第一項の規定による通知及び求め（以下「懲戒の通知及び請求」という。）が当該行政書士法人の主たる事務所の都道府県知事に対してされた場合において、同項に規定する事実（以下この条において「違反事実」という。）が当該行政書士法人の従たる事務所に関するものであるときは、当該主たる事務所の都道府県知事は、当該従たる事務所の都道府県知事に対し、当該懲戒の通知及び請求の内容を知らせなければならない。
2　懲戒の通知及び請求が当該行政書士法人の従たる事務所の都道府県知事に対してされた場合において、違反事実が当該行政書士法人の他の従たる事務所に関するものであるときは、当該懲戒の通知及び請求を受けた従たる事務所の都道府県知事は、当該違反事実が生じた他の従たる事務所の都道府県知事に対し、当該懲戒の通知及び請求の内容を知らせなければならない。
3　懲戒の通知及び請求が当該行政書士法人の従たる事務所の都道府県知事に対してされたときは、当該従たる事務所の都道府県知事は、当該行政書士法人の主たる事務所の都道府県知事に対し、当該懲戒の通知及び請求の内容を知らせなければならない。

第六章　行政書士会及び日本行政書士会連合会

（会員証）
第十三条　行政書士会は、会員に対して会員証を交付しなければならない。
（記録及び帳簿）
第十四条　行政書士会は、役員の選任及び解任、会員の入会及び退会、会議の次第その他重要な会務に関する事項を記録するとともに、会計帳簿を備えて経理を明らかにしておかなければならない。
2　行政書士会は、会員から請求があつたときは、前項の記録及び帳簿を閲覧させなければならない。
3　第一項の規定による帳簿の備付けは、電磁的記録に係る記録媒体により行うことができる。この場合においては、当該記録を必要に応じ電子計算機その他の機器を用いて直ちに表示することができなければならない。
第十五条　削除
（行政書士会の会則の認可）
第十六条　行政書士会は、法第十六条の二の規定による認可を申請しようとするときは、認可申請書に次に掲げる書面を添えて都道府県知事に提出しなければならない。
一　認可を受けようとする会則
二　会則の変更の認可を申請する場合には、その変更が会則の定めるところによりなされたことを証する書面
第十七条　法第十六条の二ただし書に規定する総務省令で定める事項は、行政書士会の事務所の所在地とする。
（都道府県知事への報告事項）
第十七条の二　法第十七条第一項に規定する総務省令で定める事項は、行政書士である会員については、次に掲げるものとする。
一　住所
二　氏名
三　事務所の名称及び所在地（行政書士法人の社員である場合は、事務所の名称及び所在地並びに当該行政書士法人の名称）
四　行政書士法人の社員又は行政書士若しくは行政書士法人の使用人である場合は、その旨
五　特定行政書士である旨の付記を受けた場合は、その旨
六　その他都道府県知事の定める事項
2　法第十七条第一項に規定する総務省令で定める事項は、行政書士法人である会員については、次に掲げるものとする。
一　名称
二　主たる事務所及び従たる事務所の名称及び所在地
三　その他都道府県知事の定める事項
（資格審査会の組織及び運営）
第十八条　資格審査会の会長は、資格審査会の委員に欠員が生じたときは、遅滞なく、その欠員を補充しなければならない。
2　資格審査会の委員は、再任されることができる。
3　資格審査会の会長は、会務を総理する。
4　資格審査会は、委員の過半数の出席がなければ、会議を開き、議決をすることができない。
5　資格審査会の議事は、出席委員の過半数で決し、可否同数のときは、会長の決するところによる。
6　前各項に規定するもののほか、資格審査会の組織及び運営に関し必要な事項は、日本行政書士会連合会の会則で定める。
（行政書士会に関する規定の準用）
第十九条　第十四条及び第十六条の規定は、日本行政書士会連合会に準用する。この場合において、第十四条第二項中「会員」とあるのは「行政書士会」と、第十六条中「法第十六条の二」とあるのは「法第十八条の五において準用する法第十六条の二」と、「都道府県知事」とあるのは「総務大臣」と読み替えるものとする。

第七章　雑則

（法第十九条第一項ただし書に規定する総務省令で定める手続

及び総務省令で定める者）

第二十条　法第十九条第一項ただし書に規定する総務省令で定める手続は、次の各号に定める手続とする。

一　道路運送車両法（昭和二十六年法律第百八十五号）第四条に規定する自動車であつて、同条に規定する登録を受けたことがなく、かつ、同法第七十五条第一項の規定によりその型式について指定を受けたものについて、次に掲げる申請を同時に行う場合における当該申請（自動車の保管場所の確保等に関する法律（昭和三十七年法律第百四十五号）附則第二項の規定により同法第四条の規定が適用されない場合にあつては、ロに掲げる申請）の手続（イに掲げる申請の手続にあつては、当該手続のうち自動車の保管場所の確保等に関する法律施行規則（平成三年国家公安委員会規則第一号）第二条第二項の規定による同規則第一条第一項の申請書に記載すべき事項の入力に係る部分に限る。）

イ　自動車の保管場所の確保等に関する法律第四条第一項ただし書に規定する申請

ロ　情報通信技術を活用した行政の推進等に関する法律（平成十四年法律第百五十一号）第六条第一項の規定により同項に規定する電子情報処理組織（以下この項において単に「電子情報処理組織」という。）を使用して行う道路運送車両法第七条第一項に規定する新規登録及び同法第五十九条第一項に規定する新規検査の申請

一の二　道路運送車両法第五十九条第一項に規定する検査対象軽自動車（以下この項及び次項において単に「検査対象軽自動車」という。）であつて、同法第六十条第一項の規定による車両番号の指定を受けたことがなく、かつ、同法第七十五条第一項の規定によりその型式について指定を受けたものについて、電子情報処理組織を使用して行う同法第五十九条第一項に規定する新規検査の申請の手続

二　道路運送車両法第十三条第一項に規定する登録自動車（次項において単に「登録自動車」という。）又は検査対象軽自動車であつて、同法第九十四条の五第一項の規定により保安基準に適合する旨を自動車検査員が証明したものについて、電子情報処理組織を使用して行う同法第六十二条第一項に規定する継続検査の申請の手続

2　法第十九条第一項ただし書に規定する総務省令で定める者は、次の各号に掲げる手続の区分に応じ、当該各号に定める者とする。

一　前項第一号の手続　一般社団法人日本自動車販売協会連合会

一の二　前項第一号の二の手続　一般社団法人日本自動車販売協会連合会及び一般社団法人全国軽自動車協会連合会

二　前項第二号の手続　次のイ又はロに掲げる手続の区分に応じ、当該イ又はロに定める者

イ　登録自動車に係る手続　一般社団法人日本自動車販売協会連合会及び一般社団法人日本自動車整備振興会連合会

ロ　検査対象軽自動車に係る手続　一般社団法人日本自動車販売協会連合会、一般社団法人日本自動車整備振興会連合会及び一般社団法人全国軽自動車協会連合会

附　則

1　この府令は、昭和二十六年三月一日から施行する。

2　法附則第二項の規定により行政書士とみなされる者については、その者が法附則第三項の規定により登録を受けるまでの間は、この府令の規定は適用しない。

3　第一条から第十二条まで及び前項の規定は、法附則第四項の規定により行政書士の業務を行うことができる者にこれを準用する。但し、前項中「法附則第三項」とあるのは「法附則第五項」と読み替えるものとする。

諸法

長官として高位高禄を占めているものが、下僚の誤判を下僚の責任にしていることは許されない。任官の日、過って有罪者を赦すとも無罪者を殺さないようにと言われた。この仁義の道に私は背いた。私は記録を認めて事実を極めなかった。私の罪は死に値いする。

—李　離—

▽細　目　次△

○公共工事の入札及び契約の適正化の促進に関する法律施行令（平一三政令三四）……一六二六
◉公共工事の品質確保の促進に関する法律（平一七法一八）……一六二九

○総務省設置法

平一一・七・一六
法　九一

最終改正　令六・六・七法四六

目次（略）

第一章　総則

（目的）

第一条　この法律は、総務省の設置並びに任務及びこれを達成するため必要となる明確な範囲の所掌事務を定めるとともに、その所掌する行政事務を能率的に遂行するため必要な組織を定めることを目的とする。

第二章　総務省の設置並びに任務及び所掌事務等

第一節　総務省の設置

（設置）

第二条　国家行政組織法（昭和二十三年法律第百二十号）第三条第二項の規定に基づいて、総務省を設置する。

第二節　総務省の任務及び所掌事務

（任務）

第三条　総務省は、行政の基本的な制度の管理及び運営を通じた行政の総合的かつ効率的な実施の確保、地方自治の本旨の実現及び民主政治の基盤の確立、自立的な地域社会の形成、国と地方公共団体及び地方公共団体相互間の連絡協調、情報の電磁的方式による適正かつ円滑な流通の確保及び増進、電波の公平かつ能率的な利用の確保及び増進、郵政事業の適正かつ確実な実施の確保、公害に係る紛争の迅速かつ適正な解決、鉱業、採石業又は砂利採取業と一般公益又は各種の産業との調整並びに消防を通じた国民の生命、身体及び財産の保護を図り、並びに他の行政機関の所掌に属しない行政事務及び法律（法律に基づく命令を含む。）で総務省に属させられた行政事務を遂行することを任務とする。

2　前項に定めるもののほか、総務省は、同項の任務に関連する特定の内閣の重要政策に関する内閣の事務を助けることを任務とする。

3　総務省は、前項の任務を遂行するに当たり、内閣官房を助けるものとする。

（所掌事務）

第四条　総務省は、前条第一項の任務を達成するため、次に掲げる事務をつかさどる。

一　恩給制度に関する企画及び立案に関すること。

二　恩給を受ける権利の裁定並びに恩給の支給及び負担に関すること。

三　行政制度一般に関する基本的事項の企画及び立案に関すること。

四　行政機関の運営に関する企画及び立案並びに調整に関すること。

五　競争の導入による公共サービスの改革に関する法律（平成十八年法律第五十一号）第七条第一項に規定する公共サービス改革基本方針の策定並びに官民競争入札及び民間競争入札の実施の監理に関すること。

六　独立行政法人（独立行政法人通則法（平成十一年法律第百三号）第二条第一項に規定する独立行政法人をいい、国立大学法人（国立大学法人法（平成十五年法律第百十二号）第二条第一項に規定する国立大学法人をいう。）、大学共同利用機関法人（同条第三項に規定する大学共同利用機関法人をいう。）及び日本司法支援センター（総合法律支援法（平成十六年法律第七十四号）第十三条に規定する日本司法支援センターをいう。）を含む。以下同じ。）に関する共通的な制度の企画及び立案に関すること。

七　独立行政法人の新設、目的の変更その他当該独立行政法人に係る個別法（独立行政法人通則法第一条第一項に規定する個別法をいう。）、国立大学法人法及び総合法律支援法の定める制度の改正並びに廃止に関する審査を行うこと。

八　法律により直接に設立される法人又は特別の法律により特別の設立行為をもって設立すべきものとされる法人（独立行政法人を除く。）の新設、目的の変更その他当該法律の定める制度の改正及び廃止に関する審査を行うこと。

九　政策評価（国家行政組織法第二条第二項、内閣府設置法（平成十一年法律第八十九号）第五条第二項及びデジタル庁設置法（令和三年法律第三十六号）第五条第二項の規定による評価をいう。以下この号及び次号において同じ。）に関する基本的事項の企画及び立案並びに政策評価に関する各府省及びデジタル庁の事務の総括に関すること。

十　各府省及びデジタル庁の政策について、統一的若しくは総合的な評価を行い、又は政策評価の客観的かつ厳格な実施を担保するための評価を行うこと。

十一　各行政機関の業務の実施状況の評価（当該行政機関の政策についての評価を除く。）及び監視を行うこと。

十二　第十号の規定による評価並びに前号の規定による評価及び監視（次号において「行政評価等」という。）に関連して、次に掲げる業務の実施状況に関し必要な調査を行うこと。

イ　独立行政法人の業務

ロ　第八号に規定する法人の業務

ハ　特別の法律により設立され、かつ、その設立に関し行政官庁の認可を要する法人（その資本金の二分の一以上が国からの出資による法人であって、国の補助に係る業務を行うものに限る。）の業務

ニ　国の委任又は補助に係る業務

十三　行政評価等に関連して、前号ニの規定による調査に該当するもののほか、地方自治法（昭和二十二年法律第六十七号）第二条第九項第一号に規定する第一号法定受託事務に該当する地方公共団体の業務（各行政機関の業務と一体として把握される必要があるものに限る。）の実施状況に関し調査を行うこと。

十四　各行政機関の業務、第十二号に規定する業務及び前号に規定する地方公共団体の業務に関する苦情の申出についての必要なあっせんに関すること。

十五　行政相談委員に関すること。

十六　地方自治及び民主政治の普及徹底に関すること。

十七　国と地方公共団体及び地方公共団体相互間の連絡調整に

関すること。

十八　地方公共団体の求めに応じて当該地方公共団体の行政及び財政に関する総合的な調査を行うこと。

十九　地方自治に係る政策で地域の振興に関するものの企画及び立案並びに推進に関すること。

二十　豪雪地帯（豪雪地帯対策特別措置法（昭和三十七年法律第七十三号）第二条第一項に規定する豪雪地帯をいう。）の雪害の防除及び振興に関する総合的な政策の企画及び立案並びに推進に関すること。

二十一　公有地の拡大の推進に関する法律（昭和四十七年法律第六十六号）の規定による土地開発公社及び土地の先買いに関する事務を行うこと。

二十二　地方自治に影響を及ぼす国の施策の企画及び立案並びに運営に関し、必要な意見を関係行政機関の長に述べること。

二十三　地方公共団体の自主的かつ主体的な組織及び運営の合理化の推進について必要な助言その他の協力を行うこと。

二十四　地方自治に関する調査及び研究に関すること。

二十五　地方公共団体の組織及び運営に関する制度の企画及び立案に関すること。

二十六　市町村の合併、広域行政その他地方公共団体の機能の充実に関する政策の企画及び立案並びに推進に関すること。

二十七　住民基本台帳制度に関すること。

二十八　行政手続における特定の個人を識別するための番号の利用等に関する法律（平成二十五年法律第二十七号）第二条第五項に規定する個人番号の指定及び通知並びに同条第七項に規定する個人番号カードの発行、交付及び管理に関すること。

二十九　電子署名等に係る地方公共団体情報システム機構の認証業務に関する法律（平成十四年法律第百五十三号）第三条第一項に規定する署名用電子証明書及び同法第二十二条第一項に規定する利用者証明用電子証明書の発行及び管理に関すること。

三十　住居表示制度に関すること。

三十一　行政書士に関すること。

三十二　地方公務員に関する制度の企画及び立案に関すること。

三十三　地方公共団体の人事行政に対する協力及び技術的助言に関すること。

三十四　地方公務員の共済制度及び災害補償制度に関すること。

三十五　公職選挙法（昭和二十五年法律第百号）及び同法の規定を準用する法律に基づく選挙に関する制度の企画及び立案に関すること。

三十六　最高裁判所裁判官の国民審査、一の地方公共団体のみに適用される特別法の制定のための投票、日本国憲法改正の国民の承認に係る投票及び地方公共団体の住民による各種の直接請求に基づく投票に関する制度の企画及び立案に関すること。

三十七　前二号に掲げる選挙、国民審査及び投票の施行の準備に関すること。

三十八　第三十五号及び第三十六号に掲げる選挙、国民審査及び投票の普及及び宣伝に関すること。

三十九　政党その他の政治団体、政治資金及び政党助成に関すること。

四十　地方公共団体の財政に関する制度の企画及び立案に関すること。

四十一　地方公共団体の負担を伴う法令案並びに国の歳入歳出及び国庫債務負担行為の見積りについて、関係各大臣に対して意見を述べること。

四十二　地方交付税法（昭和二十五年法律第二百十一号）第七条に規定する翌年度の地方団体の歳入歳出総額の見込額に関すること。

四十三　後進地域その他の特定の地域に対する国の財政上の特別措置に関すること。

四十四　地方交付税に関すること。

四十五　地方債に関すること。

四十六　地方公共団体の財政資金の調達に関するあっせん、助言その他の協力に関すること。

四十七　当せん金付証票に関すること。

四十八　地方競馬、自転車競走及びモーターボート競走を行うことができる市町村の指定に関すること。

四十九　地方公共団体の経営する企業に関すること。

五十　地方公共団体の財務に関係のある事務に関する資料の提出の要求、調査及び助言に関すること。

五十一　地方公共団体の財政の健全化に関すること。

五十二　第四十号から前号までに掲げるもののほか、地方財政に関すること。

五十三　地方税、森林環境税及び特別法人事業税に関する制度の企画及び立案に関すること。

五十四　法定外普通税及び法定外目的税の新設又は変更に係る協議及び同意に関すること。

五十五　前二号に掲げるもののほか、地方税、森林環境税及び特別法人事業税に関すること。

五十六　地方揮発油譲与税、石油ガス譲与税、自動車重量譲与税、特別とん譲与税、航空機燃料譲与税、森林環境譲与税及び特別法人事業譲与税に関すること。

五十七　国有資産等所在市町村交付金、国有資産等所在都道府県交付金及び国有提供施設等所在市町村助成交付金に関すること。

五十八　符号、音響、影像その他の情報の電磁的方式による発信、伝送又は受信（以下「情報の電磁的流通」という。）のための有線又は無線の施設の設置及び使用の規律並びにこれらの施設の整備の促進に関すること。

五十九　国際放送その他の本邦と外国との間の情報の電磁的流通の促進に関すること。

六十　前二号に掲げるもののほか、情報の電磁的流通の規律及び振興に関すること。

六十一　電気通信業及び放送業（有線放送業を含む。）の発達、改善及び調整に関すること。

六十二　日本放送協会に関すること。

六十三　非常事態における重要通信の確保に関すること。

六十四　周波数の割当て及び電波の監督管理に関すること。

六十五　電波の監視及び電波の質の是正並びに不法に開設された無線局及び不法に設置された高周波利用設備の探査に関す

ること。
六十六　電波が無線設備その他のものに及ぼす影響による被害の防止又は軽減に関すること。
六十七　電波の利用の促進に関すること。
六十八　周波数標準値の設定、標準電波の発射及び標準時の通報に関すること。
六十九　有線電気通信設備及び無線設備（高周波利用設備を含む。）に関する技術上の規格に関すること。
七十　情報の電磁的流通及び電波の利用に関する技術の研究及び開発に関すること。
七十一　情報通信の高度化に関する事務のうち情報の電磁的流通に係るものに関すること。
七十二　宇宙の開発に関する大規模な技術開発であって、情報の電磁的流通及び電波の利用に係るものに関すること。
七十三　条約又は法律（法律に基づく命令を含む。）で定める範囲内において、情報の電磁的流通及び電波の利用に関する国際的取決めを協議し、及び締結すること並びに国際電気通信連合その他の機関と連絡すること。
七十四　郵政事業（法律の規定により、郵便局において行うものとされ、及び郵便局を活用して行うことができるものとされる事業をいう。）に関すること。
七十五　郵便認証司に関すること。
七十六　信書便事業の監督に関すること。
七十七　条約又は法律（法律に基づく命令を含む。）で定める範囲内において、郵便に関する国際的取決めを協議し、及び締結すること並びに万国郵便連合その他の機関と連絡すること。
七十八　統計及び統計制度の発達及び改善に関する基本的事項の企画及び立案に関すること。
七十九　統計調査の実施についての審査及び調整並びに統計基準の設定に関すること。
八十　統計職員の養成の企画及び立案に関すること。
八十一　国際統計事務の統括に関すること。
八十二　国勢調査その他国勢の基本に関する統計調査の実施及び製表並びに国の行政機関又は地方公共団体の委託による統計調査の実施又は製表に関すること。
八十三　第七十八号から前号までに掲げるもののほか、統計技術の研究その他統計の発達及び改善に関すること（他の行政機関の所掌に属するものを除く。）。
八十四　公益信託の監督に関する関係行政機関の事務の調整に関すること。
八十五　引揚者等に対する特別交付金の支給に関する法律（昭和四十二年法律第百十四号）第三条第一項の規定による特別交付金に関すること。
八十六　平和条約国籍離脱者等である戦没者遺族等に対する弔慰金等の支給に関する法律（平成十二年法律第百十四号）第九条第四項に規定する弔慰金等に関すること。
八十七　旧日本赤十字社救護看護婦及び旧陸海軍従軍看護婦に対する慰労の事務に関すること。
八十八　一般戦災死没者（今次の大戦による本邦における空襲その他の災害のため死亡した者をいう。）に対して追悼の意を表す事務に関すること（厚生労働省の所掌に属するものを除く。）。
八十九　国会議事堂等周辺地域及び外国公館等周辺地域の静穏の保持に関する法律（昭和六十三年法律第九十号）第三条第一項の規定による政党事務所周辺地域の指定に関すること。
九十　重要施設の周辺地域の上空における小型無人機等の飛行の禁止に関する法律（平成二十八年法律第九号）第四条第一項の規定による対象政党事務所及び対象政党事務所の敷地の指定並びに同条第二項の規定による対象政党事務所に係る対象施設周辺地域の指定に関すること。
九十一　所掌事務に係る一般消費者の利益の保護に関すること。
九十二　所掌事務に係る国際協力に関すること。
九十三　政令で定める文教研修施設において、所掌事務に関する研修を行うほか、次に掲げる研修を行うこと。
イ　地方公務員に対する地方自治に関する高度の研修
ロ　国家公務員及び地方公務員に対する統計に関する研修
九十四　公害等調整委員会設置法（昭和四十七年法律第五十二号）第四条に規定する事務
九十五　消防組織法（昭和二十二年法律第二百二十六号）第四条第二項に規定する事務
九十六　前各号に掲げるもののほか、他の行政機関の所掌に属しない事務及び法律（法律に基づく命令を含む。）で総務省に属させられた事務
2　前項に定めるもののほか、総務省は、前条第二項の任務を達成するため、同条第一項の任務に関連する特定の内閣の重要政策について、当該重要政策に関して閣議において決定された基本的な方針に基づいて、行政各部の施策の統一を図るために必要となる企画及び立案並びに総合調整に関する事務をつかさどる。

第三節　総務省の長

（総務大臣）
第五条　総務省の長は、総務大臣とする。
（勧告及び調査等）
第六条　総務大臣は、総務省の所掌事務のうち、第四条第一項第四号及び第十一号に掲げる事務について必要があると認めるときは、関係行政機関の長に対し勧告をすることができる。
2　総務大臣は、第四条第一項第十一号の規定による評価又は監視（以下この条において「評価又は監視」という。）を行うため必要な範囲において、各行政機関の長に対し資料の提出及び説明を求め、又は各行政機関の業務について実地に調査することができる。
3　総務大臣は、評価又は監視に関連して、第四条第一項第十二号に規定する業務について、書面により又は実地に調査することができる。この場合において、調査を受けるものは、その調査を拒んではならない。
4　総務大臣は、評価又は監視の目的を達成するために必要な最小限度において、第四条第一項第十三号に規定する地方公共団体の業務について、書面により又は実地に調査することができる。この場合においては、あらかじめ、関係する地方公共団体の意見を聴くものとする。
5　総務大臣は、評価又は監視の実施上の必要により、公私の団体その他の関係者に対し、必要な資料の提出に関し、協力を求めることができる。

6　総務大臣は、評価又は監視の結果関係行政機関の長に対し勧告をしたときは、当該行政機関の長に対し、その勧告に基づいてとった措置について報告を求めることができる。

7　総務大臣は、評価又は監視の結果行政運営の改善を図るため特に必要があると認めるときは、内閣総理大臣に対し、当該行政運営の改善について内閣法（昭和二十二年法律第五号）第六条の規定による措置がとられるよう意見を具申するものとする。

8　総務大臣は、評価又は監視の結果綱紀を維持するため必要があると認めるときは、関係行政機関の長に対し、これに関し意見を述べることができる。

第三章　本省に置かれる職及び機関

第一節　特別な職

（総務審議官）

第七条　総務省に、総務審議官三人を置く。

2　総務審議官は、命を受けて、総務省の所掌事務に係る重要な政策に関する事務を総括整理する。

第二節　審議会等

第一款　設置

第八条　本省に、地方財政審議会を置く。

2　前項に定めるもののほか、別に法律で定めるところにより総務省に置かれる審議会等で本省に置かれるものは、次のとおりとする。

情報公開・個人情報保護審査会
官民競争入札等監理委員会
行政不服審査会
独立行政法人評価制度委員会
国地方係争処理委員会
電気通信紛争処理委員会
電波監理審議会
統計委員会

第二款　地方財政審議会

（所掌事務）

第九条　地方財政審議会は、地方公務員等共済組合法（昭和三十七年法律第百五十二号）、地方交付税法、競馬法（昭和二十三年法律第百五十八号）、自転車競技法（昭和二十三年法律第二百九号）、モーターボート競走法（昭和二十六年法律第二百四十二号）、地方公共団体の財政の健全化に関する法律（平成十九年法律第九十四号）、地方税法（昭和二十五年法律第二百二十六号）、地方揮発油譲与税法（昭和三十年法律第百十三号）、石油ガス譲与税法（昭和四十年法律第百五十七号）、自動車重量譲与税法（昭和四十六年法律第九十号）、特別とん譲与税法（昭和三十二年法律第七十七号）、航空機燃料譲与税法（昭和四十七年法律第十三号）、森林環境税及び森林環境譲与税に関する法律（平成三十一年法律第三号）、特別法人事業税及び特別法人事業譲与税に関する法律（平成三十一年法律第四号）及び国有提供施設等所在市町村助成交付金に関する法律（昭和三十二年法律第百四号）の規定によりその権限に属させられた事項を処理する。

2　地方財政審議会は、前項の規定によりその権限に属させられた事項に関し、総務大臣に対し、必要な勧告をすることができる。

3　地方財政審議会は、第一項の規定によりその権限に属させられた事項及びこれに影響を及ぼす制度に関し、関係機関に対し、意見を述べることができる。

（組織）

第十条　地方財政審議会は、委員五人をもって組織する。

（会長）

第十一条　地方財政審議会に、会長を置き、委員の互選により選任する。

2　会長は、会務を総理し、地方財政審議会を代表する。

3　地方財政審議会は、あらかじめ、会長に事故があるときにその職務を代理する委員を定めておかなければならない。

（委員の任命）

第十二条　委員は、地方自治に関して優れた識見を有する者のうちから、両議院の同意を得て、総務大臣が任命する。

2　前項の委員のうちには、次に掲げる者を含まなければならない。

一　全国の都道府県知事及び都道府県議会の議長の各連合組織が共同推薦した者　一人

二　全国の市長及び市議会の議長の各連合組織が共同推薦した者　一人

三　全国の町村長及び町村議会の議長の各連合組織が共同推薦した者　一人

3　委員の任期が満了し、又は欠員が生じた場合において、国会の閉会又は衆議院の解散のために両議院の同意を得ることができないときは、総務大臣は、第一項の規定にかかわらず、委員を任命することができる。

4　前項の場合においては、任命後最初の国会で両議院の承認を得なければならない。この場合において、両議院の事後の承認を得られないときは、総務大臣は、直ちにその委員を罷免しなければならない。

（任期）

第十三条　委員の任期は、三年とする。ただし、補欠の委員の任期は、前任者の残任期間とする。

2　委員は、再任されることができる。

（委員の罷免）

第十四条　総務大臣は、委員が心身の故障のため職務の遂行ができないと認める場合又は委員に職務上の義務違反その他委員たるに適しない非行があると認める場合においては、両議院の同意を得て、これを罷免することができる。ただし、第十二条第二項の委員については、あらかじめ、それぞれ当該委員を推薦した地方公共団体の長及び議会の議長の各連合組織の意見を聴かなければならない。

（委員の兼職等の制限）

第十五条　地方財政審議会の委員は、在任中、総務大臣の許可のある場合を除くほか、報酬を得て他の職務に従事し、又は営利事業を営み、その他金銭上の利益を目的とする業務を行ってはならない。

（委員の給与）

第十六条　委員の給与は、別に法律で定める。

（政令への委任）

第十七条　第九条から前条までに規定するもののほか、地方財政審議会の組織、所掌事務、職員その他地方財政審議会に関し必要な事項については、政令で定める。

第三款 行政不服審査会

第十七条の二 行政不服審査会については、行政不服審査法（平成二十六年法律第六十八号。これに基づく命令を含む。）の定めるところによる。

第四款 情報公開・個人情報保護審査会

第十七条の三 情報公開・個人情報保護審査会については、情報公開・個人情報保護審査会設置法（平成十五年法律第六十号。これに基づく命令を含む。）の定めるところによる。

第五款 官民競争入札等監理委員会

第十七条の四 官民競争入札等監理委員会については、競争の導入による公共サービスの改革に関する法律（これに基づく命令を含む。）の定めるところによる。

第六款 独立行政法人評価制度委員会

第十七条の五 独立行政法人評価制度委員会については、独立行政法人通則法（これに基づく命令を含む。）の定めるところによる。

第七款 国地方係争処理委員会

第十八条 国地方係争処理委員会については、地方自治法（これに基づく命令を含む。）の定めるところによる。

第八款 電気通信紛争処理委員会

第十九条 電気通信紛争処理委員会については、電気通信事業法（昭和五十九年法律第八十六号）、電波法（昭和二十五年法律第百三十一号）及び放送法（昭和二十五年法律第百三十二号）並びにこれらに基づく命令の定めるところによる。

第九款 電波監理審議会

第二十条 電波監理審議会については、電波法及び放送法並びにこれらに基づく命令の定めるところによる。

第十款 統計委員会

第二十一条 統計委員会については、統計法（平成十九年法律第五十三号。これに基づく命令を含む。）の定めるところによる。

第三節 特別の機関

（設置）

第二十二条 本省に、中央選挙管理会を置く。

2 前項に定めるもののほか、別に法律で定めるところにより総務省に置かれる特別の機関で本省に置かれるものは、政治資金適正化委員会とする。

（中央選挙管理会）

第二十三条 中央選挙管理会の権限、組織、委員の任命その他の事項については、公職選挙法、最高裁判所裁判官国民審査法（昭和二十二年法律第百三十六号）、日本国憲法の改正手続に関する法律（平成十九年法律第五十一号）及び政党交付金の交付を受ける政党等に対する法人格の付与に関する法律（平成六年法律第百六号）並びにこれらに基づく命令の定めるところによる。

（政治資金適正化委員会）

第二十三条の二 政治資金適正化委員会については、政治資金規正法（昭和二十三年法律第百九十四号。これに基づく命令を含む。）の定めるところによる。

第四節 地方支分部局

（設置）

第二十四条 本省に、次の地方支分部局を置く。

管区行政評価局
総合通信局

2 前項に定めるもののほか、当分の間、本省に、次の地方支分部局を置く。

沖縄行政評価事務所
沖縄総合通信事務所

（管区行政評価局等）

第二十五条 管区行政評価局及び沖縄行政評価事務所は、総務省の所掌事務のうち第四条第一項第九号から第十五号までに掲げる事務並びに内閣法第二十六条の規定により管区行政評価局及び沖縄行政評価事務所に属させられた事務を分掌する。

2 総務大臣は、前項に定める事務のほか、管区行政評価局及び沖縄行政評価事務所に、総務省の所掌事務のうち、第四条第一項第三号、第四号、第六号から第八号まで、第七十八号から第八十一号まで及び第八十三号に掲げる事務（同号に掲げる事務にあっては、統計技術の研究に関するものを除く。）に関する調査並びに資料の収集及び整理に関する事務並びに次に掲げる案内所に関する事務を分掌させることができる。

一 行政機関の保有する情報の公開に関する法律（平成十一年法律第四十二号）第二十二条第二項の案内所

二 独立行政法人等の保有する情報の公開に関する法律（平成十三年法律第百四十号）第二十三条第二項の案内所

3 管区行政評価局及び沖縄行政評価事務所は、第一項に規定する内閣法第二十六条の規定により管区行政評価局及び沖縄行政評価事務所に属させられた事務については、内閣総理大臣の指揮監督を受けるものとする。

4 管区行政評価局の名称、位置、管轄区域及び内部組織は、政令で定める。

5 沖縄行政評価事務所の位置及び管轄区域は、政令で定める。

6 沖縄行政評価事務所の内部組織は、総務省令で定める。

（行政評価支局）

第二十六条 管区行政評価局の所掌事務を分掌させるため、所要の地に、行政評価支局を置く。

2 行政評価支局の名称、位置及び管轄区域は、政令で定める。

3 行政評価支局の内部組織は、総務省令で定める。

（行政評価事務所）

第二十七条 管区行政評価局及び行政評価支局の所掌事務を分掌させるため、所要の地に、行政評価事務所を置く。

2 行政評価事務所の名称、位置及び管轄区域は、政令で定める。

3 行政評価事務所の内部組織は、総務省令で定める。

（総合通信局等）

第二十八条 総合通信局及び沖縄総合通信事務所は、総務省の所掌事務のうち、第四条第一項第五十八号から第六十七号まで、第六十九号から第七十一号まで、第七十六号、第九十一号及び第九十六号に掲げる事務を分掌する。

2 総合通信局の名称、位置、管轄区域及び内部組織は、政令で定める。

3 沖縄総合通信事務所の位置及び管轄区域は、政令で定める。

4 沖縄総合通信事務所の内部組織は、総務省令で定める。

（総合通信局等の出張所）

第二十九条 総務大臣は、総合通信局又は沖縄総合通信事務所の所掌事務の一部を分掌させるため、所要の地に、総合通信局又は沖縄総合通信事務所の出張所を置くことができる。

2 総合通信局又は沖縄総合通信事務所の出張所の名称、位置、管轄区域、所掌事務及び内部組織は、総務省令で定める。

第四章 外局

第一節 設置

第三十条 国家行政組織法第三条第二項の規定に基づいて総務省に置かれる外局は、次のとおりとする。

公害等調整委員会

消防庁

第二節 公害等調整委員会

第三十一条 公害等調整委員会については、公害等調整委員会設置法の定めるところによる。

第三節 消防庁

第三十二条 消防庁については、消防組織法（これに基づく命令を含む。）の定めるところによる。

附 則

（施行期日）

第一条 この法律は、内閣法の一部を改正する法律（平成十一年法律第八十八号）の施行の日から施行する。ただし、第二十五条第二項（行政機関の保有する情報の公開に関する法律第三十八条第二項の案内所に関する事務に係る部分に限る。）の規定は、同法の施行の日又はこの法律の施行の日のいずれか遅い日から施行する。

（所掌事務の特例）

第二条 総務省は、第三条第一項の任務を達成するため、第四条第一項各号に掲げる事務のほか、当分の間、次に掲げる事務をつかさどる。

一 地方特例交付金に関すること。

二 交通安全対策特別交付金の交付に関すること。

三 地方法人特別税及び地方法人特別譲与税に関すること。

四 郵便貯金管理業務及び簡易生命保険管理業務に関すること。

五 条約又は法律（法律に基づく命令を含む。）で定める範囲内において、郵便為替及び郵便振替に関する国際的取決めを協議し、及び締結すること。

六 地方公共団体に交付すべき今次の大戦による不発弾その他の火薬類で陸上にあるものの処理に関する事業に係る交付金に関すること。

2 総務省は、第三条第一項の任務を達成するため、第四条第一項各号及び前項各号に掲げる事務のほか、次の表の上欄に掲げる日までの間、それぞれ同表の下欄に掲げる事務をつかさどる。

期限	事務
令和二年三月三十一日	子ども・子育て支援臨時交付金に関すること。
令和七年三月三十一日	振興山村（山村振興法（昭和四十年法律第六十四号）第七条第一項に規定する振興山村をいう。）の振興に関する総合的な政策の企画及び立案並びに推進に関すること。
	半島振興対策実施地域（半島振興法（昭和六十年法律第六十三号）第二条第一項に規定する半島振興対策実施地域をいう。）の振興に関する総合的な政策の企画及び立案並びに推進に関すること。
令和九年三月三十一日	特殊土壌地帯（特殊土壌地帯災害防除及び振興臨時措置法（昭和二十七年法律第九十六号）第二条第一項に規定する特殊土壌地帯をいう。）の災害の防除及び振興に関する総合的な政策の企画及び立案並びに推進に関すること。
令和十一年三月三十一日	奄美群島（奄美群島振興開発特別措置法（昭和二十九年法律第百八十九号）第一条に規定する奄美群島をいう。）の振興及び開発に関する総合的な政策の企画及び立案並びに推進に関すること。
令和十三年三月三十一日	過疎地域（過疎地域の持続的発展の支援に関する特別措置法（令和三年法律第十九号）第二条第一項に規定する過疎地域をいう。）の持続的発展に関する総合的な政策の企画及び立案並びに推進に関すること。
令和十五年三月三十一日	離島振興対策実施地域（離島振興法（昭和二十八年法律第七十二号）第二条第一項に規定する離島振興対策実施地域をいう。）の振興に関する総合的な政策の企画及び立案並びに推進に関すること。
郵政民営化法（平成十七年法律第九十七号）第八条に規定する移行期間の末日	同法に規定する事務を行うこと。

（総務審議官の設置期間の特例）

第三条 第七条第一項の総務審議官のうち一人は、当分の間、置かれるものとする。

（地方財政審議会の所掌事務の特例）

第四条　地方財政審議会は、第九条に定める事務をつかさどるほか、当分の間、地方特例交付金等の地方財政の特別措置に関する法律（平成十一年法律第十七号）、当せん金付証票法（昭和二十三年法律第百四十四号）、道路交通法（昭和三十五年法律第百五号）及び地方税法等の一部を改正する等の法律（平成二十八年法律第十三号）附則第三十二条の規定によりなおその効力を有するものとされた同法第九条の規定による廃止前の地方法人特別税等に関する暫定措置法（平成二十年法律第二十五号）の規定によりその権限に属させられた事項を処理する。この場合においては、第九条第二項及び第三項の規定を準用する。

2　地方財政審議会は、第九条及び前項に定める事務をつかさどるほか、当分の間、地方公共団体の財政の健全化に関する法律附則第十条の規定によりなお従前の例によるものとされた同法附則第九条の規定による改正前の地方公営企業法（昭和二十七年法律第二百九十二号）及び地方公共団体の財政の健全化に関する法律附則第四条の規定によりなお従前の例によるものとされた同法附則第三条の規定による廃止前の地方財政再建促進特別措置法（昭和三十年法律第百九十五号）の規定によりその権限に属させられた事項を処理する。この場合においては、第九条第二項及び第三項の規定を準用する。

3　地方財政審議会は、第九条及び前二項に定める事務をつかさどるほか、令和二年三月三十一日までの間、子ども・子育て支援法（平成二十四年法律第六十五号）の規定によりその権限に属させられた事項を処理する。この場合においては、同条第二項及び第三項の規定を準用する。

㊟　次の法律の附則第三二条により総務省設置法が改正されたが、公布の日から起算して二年を超えない範囲内において政令で定める日から施行となるため、一部改正法の形式で掲載した。

○公益信託に関する法律

令六・五・二二
法　三〇

（総務省設置法の一部改正）

第三十二条　総務省設置法（平成十一年法律第九十一号）の一部を次のように改正する。

第四条第一項中第八十四号を削り、第八十五号を第八十四号とし、第八十六号から第九十六号までを一号ずつ繰り上げる。

第二十八条第一項中「第九十一号及び第九十六号」を「第九十号及び第九十五号」に改める。

附　則（抄）

（施行期日）

第一条　この法律は、公布の日から起算して二年を超えない範囲内において政令で定める日から施行する。〔ただし書略〕

㊟　次の法律の附則第一五条により総務省設置法が改正されたが、公布の日から起算して一年を超えない範囲内において政令で定める日から施行となるため、一部改正法の形式で掲載した。

○情報通信技術の活用による行政手続等に係る関係者の利便性の向上並びに行政運営の簡素化及び効率化を図るためのデジタル社会形成基本法等の一部を改正する法律

令六・六・七
法　四六

（総務省設置法の一部改正）

第十五条　総務省設置法（平成十一年法律第九十一号）の一部を次のように改正する。

第四条第一項第二十八号中「通知並びに」を「通知、」に改め、「管理」の下に「並びに同条第八項に規定するカード代替電磁的記録の発行及び管理」を加える。

附　則（抄）

（施行期日）

第一条　この法律は、公布の日から起算して一年三月を超えない範囲内において政令で定める日から施行する。ただし、次の各号に掲げる規定は、当該各号に定める日から施行する。

一　〔略〕

二　〔前略〕附則第十五条の規定　公布の日から起算して一年を超えない範囲内において政令で定める日

三　〔略〕

○地方制度調査会設置法

昭二七・八・一八
法 三 一 〇

最終改正 平一一・七・一六法一〇二

（目的）

第一条 この法律は、日本国憲法の基本理念を十分に具現するように現行地方制度に全般的な検討を加えることを目的とする。

（設置及び所掌事務）

第二条 内閣総理大臣の諮問に応じ、前条の目的に従つて地方制度に関する重要事項を調査審議するため、内閣府に、地方制度調査会（以下「調査会」という。）を設置する。

（組織）

第三条 調査会は、委員三十人以内で組織する。

2 特別の事項を調査審議するため必要があるときは、臨時委員二十人以内を置くことができる。

（会長及び副会長）

第四条 調査会に、会長及び副会長一人を置き、委員の互選によつてこれを定める。

2 会長は、会務を総理する。

3 副会長は、会長を補佐し、会長に事故があるとき、又は会長が欠けたときは、その職務を代理する。

（部会）

第五条 会長は、必要に応じ、調査会に部会を置き、その所掌事務を分掌させることができる。

2 部会に部会長を置き、会長の指名する委員をもつて充てる。

3 部会所属の委員は、会長が指名する。

（委員及び臨時委員）

第六条 委員は、国会議員、地方公共団体の議会の議員、地方公共団体の長及びその他の職員並びに地方制度に関し学識経験のある者のうちから、内閣総理大臣が任命する。

2 委員の任期は、二年とし、再任されることを妨げない。委員が欠けた場合における補欠の委員の任期は、前任者の残任期間とする。

3 臨時委員は、地方公共団体の議会の議員、地方公共団体の長及びその他の職員並びに地方制度に関し学識経験のある者のうちから、内閣総理大臣が任命する。

4 臨時委員は、当該特別事項の調査審議が終了したときは、解任されるものとする。

5 委員及び臨時委員は、非常勤とする。

（雑則）

第七条 この法律に定めるものを除く外、調査会に関し必要な事項は、政令で定める。

附 則（抄）

1 この法律は、公布の日から施行する。

○民法〔第一編・第二編・第三編〕

明二九・四・二七
法　八　九

最終改正　令六・五・二四法三三

目次〔略〕

第一編　総則

第一章　通則

（基本原則）
第一条　私権は、公共の福祉に適合しなければならない。
2　権利の行使及び義務の履行は、信義に従い誠実に行わなければならない。
3　権利の濫用は、これを許さない。

（解釈の基準）
第二条　この法律は、個人の尊厳と両性の本質的平等を旨として、解釈しなければならない。

第二章　人

第一節　権利能力

第三条　私権の享有は、出生に始まる。
2　外国人は、法令又は条約の規定により禁止される場合を除き、私権を享有する。

第二節　意思能力

第三条の二　法律行為の当事者が意思表示をした時に意思能力を有しなかったときは、その法律行為は、無効とする。

第三節　行為能力

（成年）
第四条　年齢十八歳をもって、成年とする。

（未成年者の法律行為）
第五条　未成年者が法律行為をするには、その法定代理人の同意を得なければならない。ただし、単に権利を得、又は義務を免れる法律行為については、この限りでない。
2　前項の規定に反する法律行為は、取り消すことができる。
3　第一項の規定にかかわらず、法定代理人が目的を定めて処分を許した財産は、その目的の範囲内において、未成年者が自由に処分することができる。目的を定めないで処分を許した財産を処分するときも、同様とする。

（未成年者の営業の許可）
第六条　一種又は数種の営業を許された未成年者は、その営業に関しては、成年者と同一の行為能力を有する。
2　前項の場合において、未成年者がその営業に堪えることができない事由があるときは、その法定代理人は、第四編（親族）の規定に従い、その許可を取り消し、又はこれを制限することができる。

（後見開始の審判）
第七条　精神上の障害により事理を弁識する能力を欠く常況にある者については、家庭裁判所は、本人、配偶者、四親等内の親族、未成年後見人、未成年後見監督人、保佐人、保佐監督人、補助人、補助監督人又は検察官の請求により、後見開始の審判をすることができる。

（成年被後見人及び成年後見人）
第八条　後見開始の審判を受けた者は、成年被後見人とし、これに成年後見人を付する。

（成年被後見人の法律行為）
第九条　成年被後見人の法律行為は、取り消すことができる。ただし、日用品の購入その他日常生活に関する行為については、この限りでない。

（後見開始の審判の取消し）
第十条　第七条に規定する原因が消滅したときは、家庭裁判所は、本人、配偶者、四親等内の親族、後見人（未成年後見人及び成年後見人をいう。以下同じ。）、後見監督人（未成年後見監督人及び成年後見監督人をいう。以下同じ。）又は検察官の請求により、後見開始の審判を取り消さなければならない。

（保佐開始の審判）
第十一条　精神上の障害により事理を弁識する能力が著しく不十分である者については、家庭裁判所は、本人、配偶者、四親等内の親族、後見人、後見監督人、補助人、補助監督人又は検察官の請求により、保佐開始の審判をすることができる。ただし、第七条に規定する原因がある者については、この限りでない。

（被保佐人及び保佐人）
第十二条　保佐開始の審判を受けた者は、被保佐人とし、これに保佐人を付する。

（保佐人の同意を要する行為等）
第十三条　被保佐人が次に掲げる行為をするには、その保佐人の同意を得なければならない。ただし、第九条ただし書に規定する行為については、この限りでない。
一　元本を領収し、又は利用すること。
二　借財又は保証をすること。
三　不動産その他重要な財産に関する権利の得喪を目的とする行為をすること。
四　訴訟行為をすること。
五　贈与、和解又は仲裁合意（仲裁法（平成十五年法律第百三十八号）第二条第一項に規定する仲裁合意をいう。）をすること。
六　相続の承認若しくは放棄又は遺産の分割をすること。
七　贈与の申込みを拒絶し、遺贈を放棄し、負担付贈与の申込みを承諾し、又は負担付遺贈を承認すること。
八　新築、改築、増築又は大修繕をすること。
九　第六百二条に定める期間を超える賃貸借をすること。
十　前各号に掲げる行為を制限行為能力者（未成年者、成年被後見人、被保佐人及び第十七条第一項の審判を受けた被補助人をいう。以下同じ。）の法定代理人としてすること。
2　家庭裁判所は、第十一条本文に規定する者又は保佐人若しくは保佐監督人の請求により、被保佐人が前項各号に掲げる行為以外の行為をする場合であってもその保佐人の同意を得なければならない旨の審判をすることができる。ただし、第九条ただし書に規定する行為については、この限りでない。
3　保佐人の同意を得なければならない行為について、保佐人が被保佐人の利益を害するおそれがないにもかかわらず同意をしないときは、家庭裁判所は、被保佐人の請求により、保佐人の同意に代わる許可を与えることができる。

4　保佐人の同意を得なければならない行為であって、その同意又はこれに代わる許可を得ないでしたものは、取り消すことができる。

（保佐開始の審判等の取消し）

第十四条　第十一条本文に規定する原因が消滅したときは、家庭裁判所は、本人、配偶者、四親等内の親族、未成年後見人、未成年後見監督人、保佐人、保佐監督人又は検察官の請求により、保佐開始の審判を取り消さなければならない。

2　家庭裁判所は、前項に規定する者の請求により、前条第二項の審判の全部又は一部を取り消すことができる。

（補助開始の審判）

第十五条　精神上の障害により事理を弁識する能力が不十分である者については、家庭裁判所は、本人、配偶者、四親等内の親族、後見人、後見監督人、保佐人、保佐監督人又は検察官の請求により、補助開始の審判をすることができる。ただし、第七条又は第十一条本文に規定する原因がある者については、この限りでない。

2　本人以外の者の請求により補助開始の審判をするには、本人の同意がなければならない。

3　補助開始の審判は、第十七条第一項の審判又は第八百七十六条の九第一項の審判とともにしなければならない。

（被補助人及び補助人）

第十六条　補助開始の審判を受けた者は、被補助人とし、これに補助人を付する。

（補助人の同意を要する旨の審判等）

第十七条　家庭裁判所は、第十五条第一項本文に規定する者又は補助人若しくは補助監督人の請求により、被補助人が特定の法律行為をするにはその補助人の同意を得なければならない旨の審判をすることができる。ただし、その審判によりその同意を得なければならないものとすることができる行為は、第十三条第一項に規定する行為の一部に限る。

2　本人以外の者の請求により前項の審判をするには、本人の同意がなければならない。

3　補助人の同意を得なければならない行為について、補助人が被補助人の利益を害するおそれがないにもかかわらず同意をしないときは、家庭裁判所は、被補助人の請求により、補助人の同意に代わる許可を与えることができる。

4　補助人の同意を得なければならない行為であって、その同意又はこれに代わる許可を得ないでしたものは、取り消すことができる。

（補助開始の審判等の取消し）

第十八条　第十五条第一項本文に規定する原因が消滅したときは、家庭裁判所は、本人、配偶者、四親等内の親族、未成年後見人、未成年後見監督人、補助人、補助監督人又は検察官の請求により、補助開始の審判を取り消さなければならない。

2　家庭裁判所は、前項に規定する者の請求により、前条第一項の審判の全部又は一部を取り消すことができる。

3　前条第一項の審判及び第八百七十六条の九第一項の審判をすべて取り消す場合には、家庭裁判所は、補助開始の審判を取り消さなければならない。

（審判相互の関係）

第十九条　後見開始の審判をする場合において、本人が被保佐人又は被補助人であるときは、家庭裁判所は、その本人に係る保佐開始又は補助開始の審判を取り消さなければならない。

2　前項の規定は、保佐開始の審判をする場合において本人が成年被後見人若しくは被補助人であるとき、又は補助開始の審判をする場合において本人が成年被後見人若しくは被保佐人であるときについて準用する。

（制限行為能力者の相手方の催告権）

第二十条　制限行為能力者の相手方は、その制限行為能力者が行為能力者（行為能力の制限を受けない者をいう。以下同じ。）となった後、その者に対し、一箇月以上の期間を定めて、その期間内にその取り消すことができる行為を追認するかどうかを確答すべき旨の催告をすることができる。この場合において、その者がその期間内に確答を発しないときは、その行為を追認したものとみなす。

2　制限行為能力者の相手方が、制限行為能力者が行為能力者とならない間に、その法定代理人、保佐人又は補助人に対し、その権限内の行為について前項に規定する催告をした場合において、これらの者が同項の期間内に確答を発しないときも、同項後段と同様とする。

3　特別の方式を要する行為については、前二項の期間内にその方式を具備した旨の通知を発しないときは、その行為を取り消したものとみなす。

4　制限行為能力者の相手方は、被保佐人又は第十七条第一項の審判を受けた被補助人に対しては、第一項の期間内にその保佐人又は補助人の追認を得るべき旨の催告をすることができる。この場合において、その被保佐人又は被補助人がその期間内にその追認を得た旨の通知を発しないときは、その行為を取り消したものとみなす。

（制限行為能力者の詐術）

第二十一条　制限行為能力者が行為能力者であることを信じさせるため詐術を用いたときは、その行為を取り消すことができない。

第四節　住所

（住所）

第二十二条　各人の生活の本拠をその者の住所とする。

（居所）

第二十三条　住所が知れない場合には、居所を住所とみなす。

2　日本に住所を有しない者は、その者が日本人又は外国人のいずれであるかを問わず、日本における居所をその者の住所とみなす。ただし、準拠法を定める法律に従いその者の住所地法によるべき場合は、この限りでない。

（仮住所）

第二十四条　ある行為について仮住所を選定したときは、その行為に関しては、その仮住所を住所とみなす。

第五節　不在者の財産の管理及び失踪の宣告

（不在者の財産の管理）

第二十五条　従来の住所又は居所を去った者（以下「不在者」という。）がその財産の管理人（以下この節において単に「管理人」という。）を置かなかったときは、家庭裁判所は、利害関係人又は検察官の請求により、その財産の管理について必要な処分を命ずることができる。本人の不在中に管理人の権限が消滅したときも、同様とする。

2　前項の規定による命令後、本人が管理人を置いたときは、家庭裁判所は、その管理人、利害関係人又は検察官の請求により、その命令を取り消さなければならない。

（管理人の改任）

第二十六条　不在者が管理人を置いた場合において、その不在者の生死が明らかでないときは、家庭裁判所は、利害関係人又は検察官の請求により、管理人を改任することができる。

（管理人の職務）

第二十七条　前二条の規定により家庭裁判所が選任した管理人は、その管理すべき財産の目録を作成しなければならない。この場合において、その費用は、不在者の財産の中から支弁する。

2　不在者の生死が明らかでない場合において、利害関係人又は検察官の請求があるときは、家庭裁判所は、不在者が置いた管理人にも、前項の目録の作成を命ずることができる。

3　前二項に定めるもののほか、家庭裁判所は、管理人に対し、不在者の財産の保存に必要と認める処分を命ずることができる。

（管理人の権限）

第二十八条　管理人は、第百三条に規定する権限を超える行為を必要とするときは、家庭裁判所の許可を得て、その行為をすることができる。不在者の生死が明らかでない場合において、その管理人が不在者が定めた権限を超える行為を必要とするときも、同様とする。

（管理人の担保提供及び報酬）

第二十九条　家庭裁判所は、管理人に財産の管理及び返還について相当の担保を立てさせることができる。

2　家庭裁判所は、管理人と不在者との関係その他の事情により、不在者の財産の中から、相当な報酬を管理人に与えることができる。

（失踪の宣告）

第三十条　不在者の生死が七年間明らかでないときは、家庭裁判所は、利害関係人の請求により、失踪の宣告をすることができる。

2　戦地に臨んだ者、沈没した船舶の中に在った者その他死亡の原因となるべき危難に遭遇した者の生死が、それぞれ、戦争が止んだ後、船舶が沈没した後又はその他の危難が去った後一年間明らかでないときも、前項と同様とする。

（失踪の宣告の効力）

第三十一条　前条第一項の規定により失踪の宣告を受けた者は同項の期間が満了した時に、同条第二項の規定により失踪の宣告を受けた者はその危難が去った時に、死亡したものとみなす。

（失踪の宣告の取消し）

第三十二条　失踪者が生存すること又は前条に規定する時と異なる時に死亡したことの証明があったときは、家庭裁判所は、本人又は利害関係人の請求により、失踪の宣告を取り消さなければならない。この場合において、その取消しは、失踪の宣告後その取消し前に善意でした行為の効力に影響を及ぼさない。

2　失踪の宣告によって財産を得た者は、その取消しによって権利を失う。ただし、現に利益を受けている限度においてのみ、その財産を返還する義務を負う。

第六節　同時死亡の推定

第三十二条の二　数人の者が死亡した場合において、そのうちの一人が他の者の死亡後になお生存していたことが明らかでないときは、これらの者は、同時に死亡したものと推定する。

第三章　法人

（法人の成立等）

第三十三条　法人は、この法律その他の法律の規定によらなければ、成立しない。

2　学術、技芸、慈善、祭祀、宗教その他の公益を目的とする法人、営利事業を営むことを目的とする法人その他の法人の設立、組織、運営及び管理については、この法律その他の法律の定めるところによる。

（法人の能力）

第三十四条　法人は、法令の規定に従い、定款その他の基本約款で定められた目的の範囲内において、権利を有し、義務を負う。

（外国法人）

第三十五条　外国法人は、国、国の行政区画及び外国会社を除き、その成立を認許しない。ただし、法律又は条約の規定により認許された外国法人は、この限りでない。

2　前項の規定により認許された外国法人は、日本において成立する同種の法人と同一の私権を有する。ただし、外国人が享有することのできない権利及び法律又は条約中に特別の規定がある権利については、この限りでない。

（登記）

第三十六条　法人及び外国法人は、この法律その他の法令の定めるところにより、登記をするものとする。

（外国法人の登記）

第三十七条　外国法人（第三十五条第一項ただし書に規定する外国法人に限る。以下この条において同じ。）が日本に事務所を設けたときは、三週間以内に、その事務所の所在地において、次に掲げる事項を登記しなければならない。

一　外国法人の設立の準拠法
二　目的
三　名称
四　事務所の所在場所
五　存続期間を定めたときは、その定め
六　代表者の氏名及び住所

2　前項各号に掲げる事項に変更を生じたときは、三週間以内に、変更の登記をしなければならない。この場合において、登記前にあっては、その変更をもって第三者に対抗することができない。

3　代表者の職務の執行を停止し、若しくはその職務を代行する者を選任する仮処分命令又はその仮処分命令を変更し、若しくは取り消す決定がされたときは、その登記をしなければならない。この場合においては、前項後段の規定を準用する。

4　前二項の規定により登記すべき事項が外国において生じたときは、登記の期間は、その通知が到達した日から起算する。

5　外国法人が初めて日本に事務所を設けたときは、その事務所の所在地において登記するまでは、第三者は、その法人の成立を否認することができる。

6　外国法人が事務所を移転したときは、旧所在地においては三週間以内に移転の登記をし、新所在地においては四週間以内に第一項各号に掲げる事項を登記しなければならない。

7 同一の登記所の管轄区域内において事務所を移転したときは、その移転を登記すれば足りる。

8 外国法人の代表者が、この条に規定する登記を怠ったときは、五十万円以下の過料に処する。

第三十八条から第八十四条まで 削除

第四章 物

（定義）

第八十五条 この法律において「物」とは、有体物をいう。

（不動産及び動産）

第八十六条 土地及びその定着物は、不動産とする。

2 不動産以外の物は、すべて動産とする。

（主物及び従物）

第八十七条 物の所有者が、その物の常用に供するため、自己の所有に属する他の物をこれに附属させたときは、その附属させた物を従物とする。

2 従物は、主物の処分に従う。

（天然果実及び法定果実）

第八十八条 物の用法に従い収取する産出物を天然果実とする。

2 物の使用の対価として受けるべき金銭その他の物を法定果実とする。

（果実の帰属）

第八十九条 天然果実は、その元物から分離する時に、これを収取する権利を有する者に帰属する。

2 法定果実は、これを収取する権利の存続期間に応じて、日割計算によりこれを取得する。

第五章 法律行為

第一節 総則

（公序良俗）

第九十条 公の秩序又は善良の風俗に反する法律行為は、無効とする。

（任意規定と異なる意思表示）

第九十一条 法律行為の当事者が法令中の公の秩序に関しない規定と異なる意思を表示したときは、その意思に従う。

（任意規定と異なる慣習）

第九十二条 法令中の公の秩序に関しない規定と異なる慣習がある場合において、法律行為の当事者がその慣習による意思を有しているものと認められるときは、その慣習に従う。

第二節 意思表示

（心裡留保）

第九十三条 意思表示は、表意者がその真意ではないことを知ってしたときであっても、そのためにその効力を妨げられない。ただし、相手方がその意思表示が表意者の真意ではないことを知り、又は知ることができたときは、その意思表示は、無効とする。

2 前項ただし書の規定による意思表示の無効は、善意の第三者に対抗することができない。

（虚偽表示）

第九十四条 相手方と通じてした虚偽の意思表示は、無効とする。

2 前項の規定による意思表示の無効は、善意の第三者に対抗することができない。

（錯誤）

第九十五条 意思表示は、次に掲げる錯誤に基づくものであって、その錯誤が法律行為の目的及び取引上の社会通念に照らして重要なものであるときは、取り消すことができる。

一 意思表示に対応する意思を欠く錯誤

二 表意者が法律行為の基礎とした事情についてのその認識が真実に反する錯誤

2 前項第二号の規定による意思表示の取消しは、その事情が法律行為の基礎とされていることが表示されていたときに限り、することができる。

3 錯誤が表意者の重大な過失によるものであった場合には、次に掲げる場合を除き、第一項の規定による意思表示の取消しをすることができない。

一 相手方が表意者に錯誤があることを知り、又は重大な過失によって知らなかったとき。

二 相手方が表意者と同一の錯誤に陥っていたとき。

4 第一項の規定による意思表示の取消しは、善意でかつ過失がない第三者に対抗することができない。

（詐欺又は強迫）

第九十六条 詐欺又は強迫による意思表示は、取り消すことができる。

2 相手方に対する意思表示について第三者が詐欺を行った場合においては、相手方がその事実を知り、又は知ることができたときに限り、その意思表示を取り消すことができる。

3 前二項の規定による詐欺による意思表示の取消しは、善意でかつ過失がない第三者に対抗することができない。

（意思表示の効力発生時期等）

第九十七条 意思表示は、その通知が相手方に到達した時からその効力を生ずる。

2 相手方が正当な理由なく意思表示の通知が到達することを妨げたときは、その通知は、通常到達すべきであった時に到達したものとみなす。

3 意思表示は、表意者が通知を発した後に死亡し、意思能力を喪失し、又は行為能力の制限を受けたときであっても、そのためにその効力を妨げられない。

（公示による意思表示）

第九十八条 意思表示は、表意者が相手方を知ることができず、又はその所在を知ることができないときは、公示の方法によってすることができる。

2 前項の公示は、公示送達に関する民事訴訟法（平成八年法律第百九号）の規定に従い、裁判所の掲示場に掲示し、かつ、その掲示があったことを官報に少なくとも一回掲載して行う。ただし、裁判所は、相当と認めるときは、官報への掲載に代えて、市役所、区役所、町村役場又はこれらに準ずる施設の掲示場に掲示すべきことを命ずることができる。

3 公示による意思表示は、最後に官報に掲載した日又はその掲載に代わる掲示を始めた日から二週間を経過した時に、相手方に到達したものとみなす。ただし、表意者が相手方を知らないこと又はその所在を知らないことについて過失があったときは、到達の効力を生じない。

4 公示に関する手続は、相手方を知ることができない場合には表意者の住所地の、相手方の所在を知ることができない場合には相手方の最後の住所地の簡易裁判所の管轄に属する。

5　裁判所は、表意者に、公示に関する費用を予納させなければならない。

（意思表示の受領能力）

第九十八条の二　意思表示の相手方がその意思表示を受けた時に意思能力を有しなかったとき又は未成年者若しくは成年被後見人であったときは、その意思表示をもってその相手方に対抗することができない。ただし、次に掲げる者がその意思表示を知った後は、この限りでない。

一　相手方の法定代理人

二　意思能力を回復し、又は行為能力者となった相手方

第三節　代理

（代理行為の要件及び効果）

第九十九条　代理人がその権限内において本人のためにすることを示してした意思表示は、本人に対して直接にその効力を生ずる。

2　前項の規定は、第三者が代理人に対してした意思表示について準用する。

（本人のためにすることを示さない意思表示）

第百条　代理人が本人のためにすることを示さないでした意思表示は、自己のためにしたものとみなす。ただし、相手方が、代理人が本人のためにすることを知り、又は知ることができたときは、前条第一項の規定を準用する。

（代理行為の瑕疵）

第百一条　代理人が相手方に対してした意思表示の効力が意思の不存在、錯誤、詐欺、強迫又はある事情を知っていたこと若しくは知らなかったことにつき過失があったことによって影響を受けるべき場合には、その事実の有無は、代理人について決するものとする。

2　相手方が代理人に対してした意思表示の効力が意思表示を受けた者がある事情を知っていたこと又は知らなかったことにつき過失があったことによって影響を受けるべき場合には、その事実の有無は、代理人について決するものとする。

3　特定の法律行為をすることを委託された代理人がその行為をしたときは、本人は、自ら知っていた事情について代理人が知らなかったことを主張することができない。本人が過失によって知らなかった事情についても、同様とする。

（代理人の行為能力）

第百二条　制限行為能力者が代理人としてした行為は、行為能力の制限によっては取り消すことができない。ただし、制限行為能力者が他の制限行為能力者の法定代理人としてした行為については、この限りでない。

（権限の定めのない代理人の権限）

第百三条　権限の定めのない代理人は、次に掲げる行為のみをする権限を有する。

一　保存行為

二　代理の目的である物又は権利の性質を変えない範囲内において、その利用又は改良を目的とする行為

（任意代理人による復代理人の選任）

第百四条　委任による代理人は、本人の許諾を得たとき、又はやむを得ない事由があるときでなければ、復代理人を選任することができない。

（法定代理人による復代理人の選任）

第百五条　法定代理人は、自己の責任で復代理人を選任することができる。この場合において、やむを得ない事由があるときは、本人に対してその選任及び監督についての責任のみを負う。

（復代理人の権限等）

第百六条　復代理人は、その権限内の行為について、本人を代表する。

2　復代理人は、本人及び第三者に対して、その権限の範囲内において、代理人と同一の権利を有し、義務を負う。

（代理権の濫用）

第百七条　代理人が自己又は第三者の利益を図る目的で代理権の範囲内の行為をした場合において、相手方がその目的を知り、又は知ることができたときは、その行為は、代理権を有しない者がした行為とみなす。

（自己契約及び双方代理等）

第百八条　同一の法律行為について、相手方の代理人として、又は当事者双方の代理人としてした行為は、代理権を有しない者がした行為とみなす。ただし、債務の履行及び本人があらかじめ許諾した行為については、この限りでない。

2　前項本文に規定するもののほか、代理人と本人との利益が相反する行為については、代理権を有しない者がした行為とみなす。ただし、本人があらかじめ許諾した行為については、この限りでない。

（代理権授与の表示による表見代理等）

第百九条　第三者に対して他人に代理権を与えた旨を表示した者は、その代理権の範囲内においてその他人が第三者との間でした行為について、その責任を負う。ただし、第三者が、その他人が代理権を与えられていないことを知り、又は過失によって知らなかったときは、この限りでない。

2　第三者に対して他人に代理権を与えた旨を表示した者は、その代理権の範囲内においてその他人が第三者との間で行為をしたとすれば前項の規定によりその責任を負うべき場合において、その他人が第三者との間でその代理権の範囲外の行為をしたときは、第三者がその行為についてその他人の代理権があると信ずべき正当な理由があるときに限り、その行為についての責任を負う。

（権限外の行為の表見代理）

第百十条　前条第一項本文の規定は、代理人がその権限外の行為をした場合において、第三者が代理人の権限があると信ずべき正当な理由があるときについて準用する。

（代理権の消滅事由）

第百十一条　代理権は、次に掲げる事由によって消滅する。

一　本人の死亡

二　代理人の死亡又は代理人が破産手続開始の決定若しくは後見開始の審判を受けたこと。

2　委任による代理権は、前項各号に掲げる事由のほか、委任の終了によって消滅する。

（代理権消滅後の表見代理等）

第百十二条　他人に代理権を与えた者は、代理権の消滅後にその代理権の範囲内においてその他人が第三者との間でした行為について、代理権の消滅の事実を知らなかった第三者に対してそ

の責任を負う。ただし、第三者が過失によってその事実を知らなかったときは、この限りでない。

2　他人に代理権を与えた者は、代理権の消滅後に、その代理権の範囲内においてその他人が第三者との間で行為をしたとすれば前項の規定によりその責任を負うべき場合において、その他人が第三者との間でその代理権の範囲外の行為をしたときは、第三者がその行為についてその他人の代理権があると信ずべき正当な理由があるときに限り、その行為についての責任を負う。

（無権代理）

第百十三条　代理権を有しない者が他人の代理人としてした契約は、本人がその追認をしなければ、本人に対してその効力を生じない。

2　追認又はその拒絶は、相手方に対してしなければ、その相手方に対抗することができない。ただし、相手方がその事実を知ったときは、この限りでない。

（無権代理の相手方の催告権）

第百十四条　前条の場合において、相手方は、本人に対し、相当の期間を定めて、その期間内に追認をするかどうかを確答すべき旨の催告をすることができる。この場合において、本人がその期間内に確答をしないときは、追認を拒絶したものとみなす。

（無権代理の相手方の取消権）

第百十五条　代理権を有しない者がした契約は、本人が追認をしない間は、相手方が取り消すことができる。ただし、契約の時において代理権を有しないことを相手方が知っていたときは、この限りでない。

（無権代理行為の追認）

第百十六条　追認は、別段の意思表示がないときは、契約の時にさかのぼってその効力を生ずる。ただし、第三者の権利を害することはできない。

（無権代理人の責任）

第百十七条　他人の代理人として契約をした者は、自己の代理権を証明したとき、又は本人の追認を得たときを除き、相手方の選択に従い、相手方に対して履行又は損害賠償の責任を負う。

2　前項の規定は、次に掲げる場合には、適用しない。

一　他人の代理人として契約をした者が代理権を有しないことを相手方が知っていたとき。

二　他人の代理人として契約をした者が代理権を有しないことを相手方が過失によって知らなかったとき。ただし、他人の代理人として契約をした者が自己に代理権がないことを知っていたときは、この限りでない。

三　他人の代理人として契約をした者が行為能力の制限を受けていたとき。

（単独行為の無権代理）

第百十八条　単独行為については、その行為の時において、相手方が、代理人と称する者が代理権を有しないで行為をすることに同意し、又はその代理権を争わなかったときに限り、第百十三条から前条までの規定を準用する。代理権を有しない者に対しその同意を得て単独行為をしたときも、同様とする。

第四節　無効及び取消し

（無効な行為の追認）

第百十九条　無効な行為は、追認によっても、その効力を生じない。ただし、当事者がその行為の無効であることを知って追認をしたときは、新たな行為をしたものとみなす。

（取消権者）

第百二十条　行為能力の制限によって取り消すことができる行為は、制限行為能力者（他の制限行為能力者の法定代理人としてした行為にあっては、当該他の制限行為能力者を含む。）又はその代理人、承継人若しくは同意をすることができる者に限り、取り消すことができる。

2　錯誤、詐欺又は強迫によって取り消すことができる行為は、瑕疵ある意思表示をした者又はその代理人若しくは承継人に限り、取り消すことができる。

（取消しの効果）

第百二十一条　取り消された行為は、初めから無効であったものとみなす。

（原状回復の義務）

第百二十一条の二　無効な行為に基づく債務の履行として給付を受けた者は、相手方を原状に復させる義務を負う。

2　前項の規定にかかわらず、無効な無償行為に基づく債務の履行として給付を受けた者は、給付を受けた当時その行為が無効であること（給付を受けた後に前条の規定により初めから無効であったものとみなされた行為にあっては、給付を受けた当時その行為が取り消すことができるものであること）を知らなかったときは、その行為によって現に利益を受けている限度において、返還の義務を負う。

3　第一項の規定にかかわらず、行為の時に意思能力を有しなかった者は、その行為によって現に利益を受けている限度において、返還の義務を負う。行為の時に制限行為能力者であった者についても、同様とする。

（取り消すことができる行為の追認）

第百二十二条　取り消すことができる行為は、第百二十条に規定する者が追認したときは、以後、取り消すことができない。

（取消し及び追認の方法）

第百二十三条　取り消すことができる行為の相手方が確定している場合には、その取消し又は追認は、相手方に対する意思表示によってする。

（追認の要件）

第百二十四条　取り消すことができる行為の追認は、取消しの原因となっていた状況が消滅し、かつ、取消権を有することを知った後にしなければ、その効力を生じない。

2　次に掲げる場合には、前項の追認は、取消しの原因となっていた状況が消滅した後にすることを要しない。

一　法定代理人又は制限行為能力者の保佐人若しくは補助人が追認をするとき。

二　制限行為能力者（成年被後見人を除く。）が法定代理人、保佐人又は補助人の同意を得て追認をするとき。

（法定追認）

第百二十五条　追認をすることができる時以後に、取り消すことができる行為について次に掲げる事実があったときは、追認をしたものとみなす。ただし、異議をとどめたときは、この限りでない。

一　全部又は一部の履行

二　履行の請求

三　更改
四　担保の供与
五　取り消すことができる行為によって取得した権利の全部又は一部の譲渡
六　強制執行

（取消権の期間の制限）
第百二十六条　取消権は、追認をすることができる時から五年間行使しないときは、時効によって消滅する。行為の時から二十年を経過したときも、同様とする。

第五節　条件及び期限

（条件が成就した場合の効果）
第百二十七条　停止条件付法律行為は、停止条件が成就した時からその効力を生ずる。
2　解除条件付法律行為は、解除条件が成就した時からその効力を失う。
3　当事者が条件が成就した場合の効果をその成就した時以前にさかのぼらせる意思を表示したときは、その意思に従う。

（条件の成否未定の間における相手方の利益の侵害の禁止）
第百二十八条　条件付法律行為の各当事者は、条件の成否が未定である間は、条件が成就した場合にその法律行為から生ずべき相手方の利益を害することができない。

（条件の成否未定の間における権利の処分等）
第百二十九条　条件の成否が未定である間における当事者の権利義務は、一般の規定に従い、処分し、相続し、若しくは保存し、又はそのために担保を供することができる。

（条件の成就の妨害等）
第百三十条　条件が成就することによって不利益を受ける当事者が故意にその条件の成就を妨げたときは、相手方は、その条件が成就したものとみなすことができる。
2　条件が成就することによって利益を受ける当事者が不正にその条件を成就させたときは、相手方は、その条件が成就しなかったものとみなすことができる。

（既成条件）
第百三十一条　条件が法律行為の時に既に成就していた場合において、その条件が停止条件であるときはその法律行為は無条件とし、その条件が解除条件であるときはその法律行為は無効とする。
2　条件が成就しないことが法律行為の時に既に確定していた場合において、その条件が停止条件であるときはその法律行為は無効とし、その条件が解除条件であるときはその法律行為は無条件とする。
3　前二項に規定する場合において、当事者が条件が成就したこと又は成就しなかったことを知らない間は、第百二十八条及び第百二十九条の規定を準用する。

（不法条件）
第百三十二条　不法な条件を付した法律行為は、無効とする。不法な行為をしないことを条件とするものも、同様とする。

（不能条件）
第百三十三条　不能の停止条件を付した法律行為は、無効とする。
2　不能の解除条件を付した法律行為は、無条件とする。

（随意条件）
第百三十四条　停止条件付法律行為は、その条件が単に債務者の意思のみに係るときは、無効とする。

（期限の到来の効果）
第百三十五条　法律行為に始期を付したときは、その法律行為の履行は、期限が到来するまで、これを請求することができない。
2　法律行為に終期を付したときは、その法律行為の効力は、期限が到来した時に消滅する。

（期限の利益及びその放棄）
第百三十六条　期限は、債務者の利益のために定めたものと推定する。
2　期限の利益は、放棄することができる。ただし、これによって相手方の利益を害することはできない。

（期限の利益の喪失）
第百三十七条　次に掲げる場合には、債務者は、期限の利益を主張することができない。
一　債務者が破産手続開始の決定を受けたとき。
二　債務者が担保を滅失させ、損傷させ、又は減少させたとき。
三　債務者が担保を供する義務を負う場合において、これを供しないとき。

第六章　期間の計算

（期間の計算の通則）
第百三十八条　期間の計算方法は、法令若しくは裁判上の命令に特別の定めがある場合又は法律行為に別段の定めがある場合を除き、この章の規定に従う。

（期間の起算）
第百三十九条　時間によって期間を定めたときは、その期間は、即時から起算する。
第百四十条　日、週、月又は年によって期間を定めたときは、期間の初日は、算入しない。ただし、その期間が午前零時から始まるときは、この限りでない。

（期間の満了）
第百四十一条　前条の場合には、期間は、その末日の終了をもって満了する。
第百四十二条　期間の末日が日曜日、国民の祝日に関する法律（昭和二十三年法律第百七十八号）に規定する休日その他の休日に当たるときは、その日に取引をしない慣習がある場合に限り、期間は、その翌日に満了する。

（暦による期間の計算）
第百四十三条　週、月又は年によって期間を定めたときは、その期間は、暦に従って計算する。
2　週、月又は年の初めから期間を起算しないときは、その期間は、最後の週、月又は年においてその起算日に応当する日の前日に満了する。ただし、月又は年によって期間を定めた場合において、最後の月に応当する日がないときは、その月の末日に満了する。

第七章　時効

第一節　総則

（時効の効力）
第百四十四条　時効の効力は、その起算日にさかのぼる。

（時効の援用）

第百四十五条　時効は、当事者（消滅時効にあっては、保証人、物上保証人、第三取得者その他権利の消滅について正当な利益を有する者を含む。）が援用しなければ、裁判所がこれによって裁判をすることができない。

（時効の利益の放棄）

第百四十六条　時効の利益は、あらかじめ放棄することができない。

（裁判上の請求等による時効の完成猶予及び更新）

第百四十七条　次に掲げる事由がある場合には、その事由が終了する（確定判決又は確定判決と同一の効力を有するものによって権利が確定することなくその事由が終了した場合にあっては、その終了の時から六箇月を経過する）までの間は、時効は、完成しない。

一　裁判上の請求

二　支払督促

三　民事訴訟法第二百七十五条第一項の和解又は民事調停法（昭和二十六年法律第二百二十二号）若しくは家事事件手続法（平成二十三年法律第五十二号）による調停

四　破産手続参加、再生手続参加又は更生手続参加

2　前項の場合において、確定判決又は確定判決と同一の効力を有するものによって権利が確定したときは、時効は、同項各号に掲げる事由が終了した時から新たにその進行を始める。

（強制執行等による時効の完成猶予及び更新）

第百四十八条　次に掲げる事由がある場合には、その事由が終了する（申立ての取下げ又は法律の規定に従わないことによる取消しによってその事由が終了した場合にあっては、その終了の時から六箇月を経過する）までの間は、時効は、完成しない。

一　強制執行

二　担保権の実行

三　民事執行法（昭和五十四年法律第四号）第百九十五条に規定する担保権の実行としての競売の例による競売

四　民事執行法第百九十六条に規定する財産開示手続又は同法第二百四条に規定する第三者からの情報取得手続

2　前項の場合には、時効は、同項各号に掲げる事由が終了した時から新たにその進行を始める。ただし、申立ての取下げ又は法律の規定に従わないことによる取消しによってその事由が終了した場合は、この限りでない。

（仮差押え等による時効の完成猶予）

第百四十九条　次に掲げる事由がある場合には、その事由が終了した時から六箇月を経過するまでの間は、時効は、完成しない。

一　仮差押え

二　仮処分

（催告による時効の完成猶予）

第百五十条　催告があったときは、その時から六箇月を経過するまでの間は、時効は、完成しない。

2　催告によって時効の完成が猶予されている間にされた再度の催告は、前項の規定による時効の完成猶予の効力を有しない。

（協議を行う旨の合意による時効の完成猶予）

第百五十一条　権利についての協議を行う旨の合意が書面でされたときは、次に掲げる時のいずれか早い時までの間は、時効は、完成しない。

一　その合意があった時から一年を経過した時

二　その合意において当事者が協議を行う期間（一年に満たないものに限る。）を定めたときは、その期間を経過した時

三　当事者の一方から相手方に対して協議の続行を拒絶する旨の通知が書面でされたときは、その通知の時から六箇月を経過した時

2　前項の規定により時効の完成が猶予されている間にされた再度の同項の合意は、同項の規定による時効の完成猶予の効力を有する。ただし、その効力は、時効の完成が猶予されなかったとすれば時効が完成すべき時から通じて五年を超えることができない。

3　催告によって時効の完成が猶予されている間にされた第一項の合意は、同項の規定による時効の完成猶予の効力を有しない。同項の規定により時効の完成が猶予されている間にされた催告についても、同様とする。

4　第一項の合意がその内容を記録した電磁的記録（電子的方式、磁気的方式その他人の知覚によっては認識することができない方式で作られる記録であって、電子計算機による情報処理の用に供されるものをいう。以下同じ。）によってされたときは、その合意は、書面によってされたものとみなして、前三項の規定を適用する。

5　前項の規定は、第一項第三号の通知について準用する。

（承認による時効の更新）

第百五十二条　時効は、権利の承認があったときは、その時から新たにその進行を始める。

2　前項の承認をするには、相手方の権利についての処分につき行為能力の制限を受けていないこと又は権限があることを要しない。

（時効の完成猶予又は更新の効力が及ぶ者の範囲）

第百五十三条　第百四十七条又は第百四十八条の規定による時効の完成猶予又は更新は、完成猶予又は更新の事由が生じた当事者及びその承継人の間においてのみ、その効力を有する。

2　第百四十九条から第百五十一条までの規定による時効の完成猶予は、完成猶予の事由が生じた当事者及びその承継人の間においてのみ、その効力を有する。

3　前条の規定による時効の更新は、更新の事由が生じた当事者及びその承継人の間においてのみ、その効力を有する。

第百五十四条　第百四十八条第一項各号又は第百四十九条各号に掲げる事由に係る手続は、時効の利益を受ける者に対してしないときは、その者に通知をした後でなければ、第百四十八条又は第百四十九条の規定による時効の完成猶予又は更新の効力を生じない。

第百五十五条から第百五十七条まで　削除

（未成年者又は成年被後見人と時効の完成猶予）

第百五十八条　時効の期間の満了前六箇月以内の間に未成年者又は成年被後見人に法定代理人がないときは、その未成年者若しくは成年被後見人が行為能力者となった時又は法定代理人が就職した時から六箇月を経過するまでの間は、その未成年者又は成年被後見人に対して、時効は、完成しない。

2　未成年者又は成年被後見人がその財産を管理する父、母又は後見人に対して権利を有するときは、その未成年者若しくは成年被後見人が行為能力者となった時又は後任の法定代理人が就

職した時から六箇月を経過するまでの間は、その権利について、時効は、完成しない。

（夫婦間の権利の時効の完成猶予）

第百五十九条　夫婦の一方が他の一方に対して有する権利については、婚姻の解消の時から六箇月を経過するまでの間は、時効は、完成しない。

（相続財産に関する時効の完成猶予）

第百六十条　相続財産に関しては、相続人が確定した時、管理人が選任された時又は破産手続開始の決定があった時から六箇月を経過するまでの間は、時効は、完成しない。

（天災等による時効の完成猶予）

第百六十一条　時効の期間の満了の時に当たり、天災その他避けることのできない事変のため第百四十七条第一項各号又は第百四十八条第一項各号に掲げる事由に係る手続を行うことができないときは、その障害が消滅した時から三箇月を経過するまでの間は、時効は、完成しない。

第二節　取得時効

（所有権の取得時効）

第百六十二条　二十年間、所有の意思をもって、平穏に、かつ、公然と他人の物を占有した者は、その所有権を取得する。

２　十年間、所有の意思をもって、平穏に、かつ、公然と他人の物を占有した者は、その占有の開始の時に、善意であり、かつ、過失がなかったときは、その所有権を取得する。

（所有権以外の財産権の取得時効）

第百六十三条　所有権以外の財産権を、自己のためにする意思をもって、平穏に、かつ、公然と行使する者は、前条の区別に従い二十年又は十年を経過した後、その権利を取得する。

（占有の中止等による取得時効の中断）

第百六十四条　第百六十二条の規定による時効は、占有者が任意にその占有を中止し、又は他人によってその占有を奪われたときは、中断する。

第百六十五条　前条の規定は、第百六十三条の場合について準用する。

第三節　消滅時効

（債権等の消滅時効）

第百六十六条　債権は、次に掲げる場合には、時効によって消滅する。

一　債権者が権利を行使することができることを知った時から五年間行使しないとき。

二　権利を行使することができる時から十年間行使しないとき。

２　債権又は所有権以外の財産権は、権利を行使することができる時から二十年間行使しないときは、時効によって消滅する。

３　前二項の規定は、始期付権利又は停止条件付権利の目的物を占有する第三者のために、その占有の開始の時から取得時効が進行することを妨げない。ただし、権利者は、その時効を更新するため、いつでも占有者の承認を求めることができる。

（人の生命又は身体の侵害による損害賠償請求権の消滅時効）

第百六十七条　人の生命又は身体の侵害による損害賠償請求権の消滅時効についての前条第一項第二号の規定の適用については、同号中「十年間」とあるのは、「二十年間」とする。

（定期金債権の消滅時効）

第百六十八条　定期金の債権は、次に掲げる場合には、時効によって消滅する。

一　債権者が定期金の債権から生ずる金銭その他の物の給付を目的とする各債権を行使することができることを知った時から十年間行使しないとき。

二　前号に規定する各債権を行使することができる時から二十年間行使しないとき。

２　定期金の債権者は、時効の更新の証拠を得るため、いつでも、その債務者に対して承認書の交付を求めることができる。

（判決で確定した権利の消滅時効）

第百六十九条　確定判決又は確定判決と同一の効力を有するものによって確定した権利については、十年より短い時効期間の定めがあるものであっても、その時効期間は、十年とする。

２　前項の規定は、確定の時に弁済期の到来していない債権については、適用しない。

第百七十条から百七十四条まで　削除

第二編　物権

第一章　総則

（物権の創設）

第百七十五条　物権は、この法律その他の法律に定めるもののほか、創設することができない。

（物権の設定及び移転）

第百七十六条　物権の設定及び移転は、当事者の意思表示のみによって、その効力を生ずる。

（不動産に関する物権の変動の対抗要件）

第百七十七条　不動産に関する物権の得喪及び変更は、不動産登記法（平成十六年法律第百二十三号）その他の登記に関する法律の定めるところに従いその登記をしなければ、第三者に対抗することができない。

（動産に関する物権の譲渡の対抗要件）

第百七十八条　動産に関する物権の譲渡は、その動産の引渡しがなければ、第三者に対抗することができない。

（混同）

第百七十九条　同一物について所有権及び他の物権が同一人に帰属したときは、当該他の物権は、消滅する。ただし、その物又は当該他の物権が第三者の権利の目的であるときは、この限りでない。

２　所有権以外の物権及びこれを目的とする他の権利が同一人に帰属したときは、当該他の権利は、消滅する。この場合においては、前項ただし書の規定を準用する。

３　前二項の規定は、占有権については、適用しない。

第二章　占有権

第一節　占有権の取得

（占有権の取得）

第百八十条　占有権は、自己のためにする意思をもって物を所持することによって取得する。

（代理占有）

民法

第百八十一条　占有権は、代理人によって取得することができる。

（現実の引渡し及び簡易の引渡し）

第百八十二条　占有権の譲渡は、占有物の引渡しによってする。

2　譲受人又はその代理人が現に占有物を所持する場合には、占有権の譲渡は、当事者の意思表示のみによってすることができる。

（占有改定）

第百八十三条　代理人が自己の占有物を以後本人のために占有する意思を表示したときは、本人は、これによって占有権を取得する。

（指図による占有移転）

第百八十四条　代理人によって占有をする場合において、本人がその代理人に対して以後第三者のためにその物を占有することを命じ、その第三者がこれを承諾したときは、その第三者は、占有権を取得する。

（占有の性質の変更）

第百八十五条　権原の性質上占有者に所有の意思がないものとされる場合には、その占有者が、自己に占有をさせた者に対して所有の意思があることを表示し、又は新たな権原により更に所有の意思をもって占有を始めるのでなければ、占有の性質は、変わらない。

（占有の態様等に関する推定）

第百八十六条　占有者は、所有の意思をもって、善意で、平穏に、かつ、公然と占有をするものと推定する。

2　前後の両時点において占有をした証拠があるときは、占有は、その間継続したものと推定する。

（占有の承継）

第百八十七条　占有者の承継人は、その選択に従い、自己の占有のみを主張し、又は自己の占有に前の占有者の占有を併せて主張することができる。

2　前の占有者の占有を併せて主張する場合には、その瑕疵をも承継する。

第二節　占有権の効力

（占有物について行使する権利の適法の推定）

第百八十八条　占有者が占有物について行使する権利は、適法に有するものと推定する。

（善意の占有者による果実の取得等）

第百八十九条　善意の占有者は、占有物から生ずる果実を取得する。

2　善意の占有者が本権の訴えにおいて敗訴したときは、その訴えの提起の時から悪意の占有者とみなす。

（悪意の占有者による果実の返還等）

第百九十条　悪意の占有者は、果実を返還し、かつ、既に消費し、過失によって損傷し、又は収取を怠った果実の代価を償還する義務を負う。

2　前項の規定は、暴行若しくは強迫又は隠匿によって占有をしている者について準用する。

（占有者による損害賠償）

第百九十一条　占有物が占有者の責めに帰すべき事由によって滅失し、又は損傷したときは、その回復者に対し、悪意の占有者はその損害の全部の賠償をする義務を負い、善意の占有者はその滅失又は損傷によって現に利益を受けている限度において賠償をする義務を負う。ただし、所有の意思のない占有者は、善意であるときであっても、全部の賠償をしなければならない。

（即時取得）

第百九十二条　取引行為によって、平穏に、かつ、公然と動産の占有を始めた者は、善意であり、かつ、過失がないときは、即時にその動産について行使する権利を取得する。

（盗品又は遺失物の回復）

第百九十三条　前条の場合において、占有物が盗品又は遺失物であるときは、被害者又は遺失者は、盗難又は遺失の時から二年間、占有者に対してその物の回復を請求することができる。

第百九十四条　占有者が、盗品又は遺失物を、競売若しくは公の市場において、又はその物と同種の物を販売する商人から、善意で買い受けたときは、被害者又は遺失者は、占有者が支払った代価を弁償しなければ、その物を回復することができない。

（動物の占有による権利の取得）

第百九十五条　家畜以外の動物で他人が飼育していたものを占有する者は、その占有の開始の時に善意であり、かつ、その動物が飼主の占有を離れた時から一箇月以内に飼主から回復の請求を受けなかったときは、その動物について行使する権利を取得する。

（占有者による費用の償還請求）

第百九十六条　占有者が占有物を返還する場合には、その物の保存のために支出した金額その他の必要費を回復者から償還させることができる。ただし、占有者が果実を取得したときは、通常の必要費は、占有者の負担に帰する。

2　占有者が占有物の改良のために支出した金額その他の有益費については、その価格の増加が現存する場合に限り、回復者の選択に従い、その支出した金額又は増価額を償還させることができる。ただし、悪意の占有者に対しては、裁判所は、回復者の請求により、その償還について相当の期限を許与することができる。

（占有の訴え）

第百九十七条　占有者は、次条から第二百二条までの規定に従い、占有の訴えを提起することができる。他人のために占有をする者も、同様とする。

（占有保持の訴え）

第百九十八条　占有者がその占有を妨害されたときは、占有保持の訴えにより、その妨害の停止及び損害の賠償を請求することができる。

（占有保全の訴え）

第百九十九条　占有者がその占有を妨害されるおそれがあるときは、占有保全の訴えにより、その妨害の予防又は損害賠償の担保を請求することができる。

（占有回収の訴え）

第二百条　占有者がその占有を奪われたときは、占有回収の訴えにより、その物の返還及び損害の賠償を請求することができる。

2　占有回収の訴えは、占有を侵奪した者の特定承継人に対して提起することができない。ただし、その承継人が侵奪の事実を知っていたときは、この限りでない。

（占有の訴えの提起期間）

第二百一条　占有保持の訴えは、妨害の存する間又はその消滅した後一年以内に提起しなければならない。ただし、工事により占有物に損害を生じた場合において、その工事に着手した時から一年を経過し、又はその工事が完成したときは、これを提起することができない。
2　占有保全の訴えは、妨害の危険の存する間は、提起することができる。この場合において、工事により占有物に損害を生ずるおそれがあるときは、前項ただし書の規定を準用する。
3　占有回収の訴えは、占有を奪われた時から一年以内に提起しなければならない。

（本権の訴えとの関係）
第二百二条　占有の訴えは本権の訴えを妨げず、また、本権の訴えは占有の訴えを妨げない。
2　占有の訴えについては、本権に関する理由に基づいて裁判をすることができない。

第三節　占有権の消滅

（占有権の消滅事由）
第二百三条　占有権は、占有者が占有の意思を放棄し、又は占有物の所持を失うことによって消滅する。ただし、占有者が占有回収の訴えを提起したときは、この限りでない。

（代理占有権の消滅事由）
第二百四条　代理人によって占有をする場合には、占有権は、次に掲げる事由によって消滅する。
一　本人が代理人に占有をさせる意思を放棄したこと。
二　代理人が本人に対して以後自己又は第三者のために占有物を所持する意思を表示したこと。
三　代理人が占有物の所持を失ったこと。
2　占有権は、代理権の消滅のみによっては、消滅しない。

第四節　準占有

第二百五条　この章の規定は、自己のためにする意思をもって財産権の行使をする場合について準用する。

第三章　所有権

第一節　所有権の限界

第一款　所有権の内容及び範囲

（所有権の内容）
第二百六条　所有者は、法令の制限内において、自由にその所有物の使用、収益及び処分をする権利を有する。

（土地所有権の範囲）
第二百七条　土地の所有権は、法令の制限内において、その土地の上下に及ぶ。

第二百八条　削除

第二款　相隣関係

（隣地の使用）
第二百九条　土地の所有者は、次に掲げる目的のため必要な範囲内で、隣地を使用することができる。ただし、住家については、その居住者の承諾がなければ、立ち入ることはできない。
一　境界又はその付近における障壁、建物その他の工作物の築造、収去又は修繕
二　境界標の調査又は境界に関する測量
三　第二百三十三条第三項の規定による枝の切取り
2　前項の場合には、使用の日時、場所及び方法は、隣地の所有者及び隣地を現に使用している者（以下この条において「隣地使用者」という。）のために損害が最も少ないものを選ばなければならない。
3　第一項の規定により隣地を使用する者は、あらかじめ、その目的、日時、場所及び方法を隣地の所有者及び隣地使用者に通知しなければならない。ただし、あらかじめ通知することが困難なときは、使用を開始した後、遅滞なく、通知することをもって足りる。
4　第一項の場合において、隣地の所有者又は隣地使用者が損害を受けたときは、その償金を請求することができる。

（公道に至るための他の土地の通行権）
第二百十条　他の土地に囲まれて公道に通じない土地の所有者は、公道に至るため、その土地を囲んでいる他の土地を通行することができる。
2　池沼、河川、水路若しくは海を通らなければ公道に至ることができないとき、又は崖（がけ）があって土地と公道とに著しい高低差があるときも、前項と同様とする。

第二百十一条　前条の場合には、通行の場所及び方法は、同条の規定による通行権を有する者のために必要であり、かつ、他の土地のために損害が最も少ないものを選ばなければならない。
2　前条の規定による通行権を有する者は、必要があるときは、通路を開設することができる。

第二百十二条　第二百十条の規定による通行権を有する者は、その通行する他の土地の損害に対して償金を支払わなければならない。ただし、通路の開設のために生じた損害に対するものを除き、一年ごとにその償金を支払うことができる。

第二百十三条　分割によって公道に通じない土地が生じたときは、その土地の所有者は、公道に至るため、他の分割者の所有地のみを通行することができる。この場合においては、償金を支払うことを要しない。
2　前項の規定は、土地の所有者がその土地の一部を譲り渡した場合について準用する。

（継続的給付を受けるための設備の設置権等）
第二百十三条の二　土地の所有者は、他の土地に設備を設置し、又は他人が所有する設備を使用しなければ電気、ガス又は水道水の供給その他これらに類する継続的給付（以下この項及び次条第一項において「継続的給付」という。）を受けることができないときは、継続的給付を受けるため必要な範囲内で、他の土地に設備を設置し、又は他人が所有する設備を使用することができる。
2　前項の場合には、設備の設置又は使用の場所及び方法は、他の土地又は他人が所有する設備（次項において「他の土地等」という。）のために損害が最も少ないものを選ばなければならない。
3　第一項の規定により他の土地に設備を設置し、又は他人が所有する設備を使用する者は、あらかじめ、その目的、場所及び方法を他の土地等の所有者及び他の土地を現に使用している者に通知しなければならない。
4　第一項の規定による権利を有する者は、同項の規定により他の土地に設備を設置し、又は他人が所有する設備を使用するために当該他の土地又は当該他人が所有する設備がある土地を使用することができる。この場合においては、第二百九条第一項ただし書及び第二項から第四項までの規定を準用する。
5　第一項の規定により他の土地に設備を設置する者は、その土

地の損害（前項において準用する第二百九条第四項に規定する損害を除く。）に対して償金を支払わなければならない。ただし、一年ごとにその償金を支払うことができる。

6　第一項の規定により他人が所有する設備を使用する者は、その設備の使用を開始するために生じた損害に対して償金を支払わなければならない。

7　第一項の規定により他人が所有する設備を使用する者は、その利益を受ける割合に応じて、その設置、改築、修繕及び維持に要する費用を負担しなければならない。

第二百十三条の三　分割によって他の土地に設備を設置しなければ継続的給付を受けることができない土地が生じたときは、その土地の所有者は、継続的給付を受けるため、他の分割者の所有地のみに設備を設置することができる。この場合においては、前条第五項の規定は、適用しない。

2　前項の規定は、土地の所有者がその土地の一部を譲り渡した場合について準用する。

（自然水流に対する妨害の禁止）

第二百十四条　土地の所有者は、隣地から水が自然に流れて来るのを妨げてはならない。

（水流の障害の除去）

第二百十五条　水流が天災その他避けることのできない事変により低地において閉塞したときは、高地の所有者は、自己の費用で、水流の障害を除去するため必要な工事をすることができる。

（水流に関する工作物の修繕等）

第二百十六条　他の土地に貯水、排水又は引水のために設けられた工作物の破壊又は閉塞により、自己の土地に損害が及び、又は及ぶおそれがある場合には、その土地の所有者は、当該他の土地の所有者に、工作物の修繕若しくは障害の除去をさせ、又は必要があるときは予防工事をさせることができる。

（費用の負担についての慣習）

第二百十七条　前二条の場合において、費用の負担について別段の慣習があるときは、その慣習に従う。

（雨水を隣地に注ぐ工作物の設置の禁止）

第二百十八条　土地の所有者は、直接に雨水を隣地に注ぐ構造の屋根その他の工作物を設けてはならない。

（水流の変更）

第二百十九条　溝、堀その他の水流地の所有者は、対岸の土地が他人の所有に属するときは、その水路又は幅員を変更してはならない。

2　両岸の土地が水流地の所有者に属するときは、その所有者は、水路及び幅員を変更することができる。ただし、水流が隣地と交わる地点において、自然の水路に戻さなければならない。

3　前二項の規定と異なる慣習があるときは、その慣習に従う。

（排水のための低地の通水）

第二百二十条　高地の所有者は、その高地が浸水した場合にこれを乾かすため、又は自家用若しくは農工業用の余水を排出するため、公の水流又は下水道に至るまで、低地に水を通過させることができる。この場合においては、低地のために損害が最も少ない場所及び方法を選ばなければならない。

（通水用工作物の使用）

第二百二十一条　土地の所有者は、その所有地の水を通過させるため、高地又は低地の所有者が設けた工作物を使用することができる。

2　前項の場合には、他人の工作物を使用する者は、その利益を受ける割合に応じて、工作物の設置及び保存の費用を分担しなければならない。

（堰の設置及び使用）

第二百二十二条　水流地の所有者は、堰を設ける必要がある場合には、対岸の土地が他人の所有に属するときであっても、その堰を対岸に付着させて設けることができる。ただし、これによって生じた損害に対して償金を支払わなければならない。

2　対岸の土地の所有者は、水流地の一部がその所有に属するときは、前項の堰を使用することができる。

3　前条第二項の規定は、前項の場合について準用する。

（境界標の設置）

第二百二十三条　土地の所有者は、隣地の所有者と共同の費用で、境界標を設けることができる。

（境界標の設置及び保存の費用）

第二百二十四条　境界標の設置及び保存の費用は、相隣者が等しい割合で負担する。ただし、測量の費用は、その土地の広狭に応じて分担する。

（囲障の設置）

第二百二十五条　二棟の建物がその所有者を異にし、かつ、その間に空地があるときは、各所有者は、他の所有者と共同の費用で、その境界に囲障を設けることができる。

2　当事者間に協議が調わないときは、前項の囲障は、板塀又は竹垣その他これらに類する材料のものであって、かつ、高さ二メートルのものでなければならない。

（囲障の設置及び保存の費用）

第二百二十六条　前条の囲障の設置及び保存の費用は、相隣者が等しい割合で負担する。

（相隣者の一人による囲障の設置）

第二百二十七条　相隣者の一人は、第二百二十五条第二項に規定する材料より良好なものを用い、又は同項に規定する高さを増して囲障を設けることができる。ただし、これによって生ずる費用の増加額を負担しなければならない。

（囲障の設置等に関する慣習）

第二百二十八条　前三条の規定と異なる慣習があるときは、その慣習に従う。

（境界標等の共有の推定）

第二百二十九条　境界線上に設けた境界標、囲障、障壁、溝及び堀は、相隣者の共有に属するものと推定する。

第二百三十条　一棟の建物の一部を構成する境界線上の障壁については、前条の規定は、適用しない。

2　高さの異なる二棟の隣接する建物を隔てる障壁の高さが、低い建物の高さを超えるときは、その障壁のうち低い建物を超える部分についても、前項と同様とする。ただし、防火障壁については、この限りでない。

（共有の障壁の高さを増す工事）

第二百三十一条　相隣者の一人は、共有の障壁の高さを増すことができる。ただし、その障壁がその工事に耐えないときは、自己の費用で、必要な工作を加え、又はその障壁を改築しなければならない。

2　前項の規定により障壁の高さを増した部分は、その工事をした者の単独の所有に属する。

第二百三十二条　前条の場合において、隣人が損害を受けたときは、その償金を請求することができる。

（竹木の枝の切除及び根の切取り）

第二百三十三条　土地の所有者は、隣地の竹木の枝が境界線を越えるときは、その竹木の所有者に、その枝を切除させることができる。

2　前項の場合において、竹木が数人の共有に属するときは、各共有者は、その枝を切り取ることができる。

3　第一項の場合において、次に掲げるときは、土地の所有者は、その枝を切り取ることができる。

一　竹木の所有者に枝を切除するよう催告したにもかかわらず、竹木の所有者が相当の期間内に切除しないとき。

二　竹木の所有者を知ることができず、又はその所在を知ることができないとき。

三　急迫の事情があるとき。

4　隣地の竹木の根が境界線を越えるときは、その根を切り取ることができる。

（境界線付近の建築の制限）

第二百三十四条　建物を築造するには、境界線から五十センチメートル以上の距離を保たなければならない。

2　前項の規定に違反して建築をしようとする者があるときは、隣地の所有者は、その建築を中止させ、又は変更させることができる。ただし、建築に着手した時から一年を経過し、又はその建物が完成した後は、損害賠償の請求のみをすることができる。

第二百三十五条　境界線から一メートル未満の距離において他人の宅地を見通すことのできる窓又は縁側（ベランダを含む。次項において同じ。）を設ける者は、目隠しを付けなければならない。

2　前項の距離は、窓又は縁側の最も隣地に近い点から垂直線によって境界線に至るまでを測定して算出する。

（境界線付近の建築に関する慣習）

第二百三十六条　前二条の規定と異なる慣習があるときは、その慣習に従う。

（境界線付近の掘削の制限）

第二百三十七条　井戸、用水だめ、下水だめ又は肥料だめを掘るには境界線から二メートル以上、池、穴蔵又はし尿だめを掘るには境界線から一メートル以上の距離を保たなければならない。

2　導水管を埋め、又は溝若しくは堀を掘るには、境界線からその深さの二分の一以上の距離を保たなければならない。ただし、一メートルを超えることを要しない。

（境界線付近の掘削に関する注意義務）

第二百三十八条　境界線の付近において前条の工事をするときは、土砂の崩壊又は水若しくは汚液の漏出を防ぐため必要な注意をしなければならない。

第二節　所有権の取得

（無主物の帰属）

第二百三十九条　所有者のない動産は、所有の意思をもって占有することによって、その所有権を取得する。

2　所有者のない不動産は、国庫に帰属する。

（遺失物の拾得）

第二百四十条　遺失物は、遺失物法（平成十八年法律第七十三号）の定めるところに従い公告をした後三箇月以内にその所有者が判明しないときは、これを拾得した者がその所有権を取得する。

（埋蔵物の発見）

第二百四十一条　埋蔵物は、遺失物法の定めるところに従い公告をした後六箇月以内にその所有者が判明しないときは、これを発見した者がその所有権を取得する。ただし、他人の所有する物の中から発見された埋蔵物については、これを発見した者及びその他人が等しい割合でその所有権を取得する。

（不動産の付合）

第二百四十二条　不動産の所有者は、その不動産に従として付合した物の所有権を取得する。ただし、権原によってその物を附属させた他人の権利を妨げない。

（動産の付合）

第二百四十三条　所有者を異にする数個の動産が、付合により、損傷しなければ分離することができなくなったときは、その合成物の所有権は、主たる動産の所有者に帰属する。分離するのに過分の費用を要するときも、同様とする。

第二百四十四条　付合した動産について主従の区別をすることができないときは、各動産の所有者は、その付合の時における価格の割合に応じてその合成物を共有する。

（混和）

第二百四十五条　前二条の規定は、所有者を異にする物が混和して識別することができなくなった場合について準用する。

（加工）

第二百四十六条　他人の動産に工作を加えた者（以下この条において「加工者」という。）があるときは、その加工物の所有権は、材料の所有者に帰属する。ただし、工作によって生じた価格が材料の価格を著しく超えるときは、加工者がその加工物の所有権を取得する。

2　前項に規定する場合において、加工者が材料の一部を供したときは、その価格に工作によって生じた価格を加えたものが他人の材料の価格を超えるときに限り、加工者がその加工物の所有権を取得する。

（付合、混和又は加工の効果）

第二百四十七条　第二百四十二条から前条までの規定により物の所有権が消滅したときは、その物について存する他の権利も、消滅する。

2　前項に規定する場合において、物の所有者が、合成物、混和物又は加工物（以下この項において「合成物等」という。）の単独所有者となったときは、その物について存する他の権利は以後その合成物等について存し、物の所有者が合成物等の共有者となったときは、その物について存する他の権利は以後その持分について存する。

（付合、混和又は加工に伴う償金の請求）

第二百四十八条　第二百四十二条から前条までの規定の適用によって損失を受けた者は、第七百三条及び第七百四条の規定に従い、その償金を請求することができる。

第三節　共有

（共有物の使用）

第二百四十九条　各共有者は、共有物の全部について、その持分に応じた使用をすることができる。
２　共有物を使用する共有者は、別段の合意がある場合を除き、他の共有者に対し、自己の持分を超える使用の対価を償還する義務を負う。
３　共有者は、善良な管理者の注意をもって、共有物の使用をしなければならない。

（共有持分の割合の推定）
第二百五十条　各共有者の持分は、相等しいものと推定する。

（共有物の変更）
第二百五十一条　各共有者は、他の共有者の同意を得なければ、共有物に変更（その形状又は効用の著しい変更を伴わないものを除く。次項において同じ。）を加えることができない。
２　共有者が他の共有者を知ることができず、又はその所在を知ることができないときは、裁判所は、共有者の請求により、当該他の共有者以外の他の共有者の同意を得て共有物に変更を加えることができる旨の裁判をすることができる。

（共有物の管理）
第二百五十二条　共有物の管理に関する事項（次条第一項に規定する共有物の管理者の選任及び解任を含み、共有物に前条第一項に規定する変更を加えるものを除く。次項において同じ。）は、各共有者の持分の価格に従い、その過半数で決する。共有物を使用する共有者があるときも、同様とする。
２　裁判所は、次の各号に掲げるときは、当該各号に規定する他の共有者以外の共有者の請求により、当該他の共有者以外の共有者の持分の価格に従い、その過半数で共有物の管理に関する事項を決することができる旨の裁判をすることができる。
一　共有者が他の共有者を知ることができず、又はその所在を知ることができないとき。
二　共有者が他の共有者に対し相当の期間を定めて共有物の管理に関する事項を決することについて賛否を明らかにすべき旨を催告した場合において、当該他の共有者がその期間内に賛否を明らかにしないとき。
３　前二項の規定による決定が、共有者間の決定に基づいて共有物を使用する共有者に特別の影響を及ぼすべきときは、その承諾を得なければならない。
４　共有者は、前三項の規定により、共有物に、次の各号に掲げる賃借権その他の使用及び収益を目的とする権利（以下この項において「賃借権等」という。）であって、当該各号に定める期間を超えないものを設定することができる。
一　樹木の栽植又は伐採を目的とする山林の賃借権等　十年
二　前号に掲げる賃借権等以外の土地の賃借権等　五年
三　建物の賃借権等　三年
四　動産の賃借権等　六箇月
５　各共有者は、前各項の規定にかかわらず、保存行為をすることができる。

（共有物の管理者）
第二百五十二条の二　共有物の管理者は、共有物の管理に関する行為をすることができる。ただし、共有者の全員の同意を得なければ、共有物に変更（その形状又は効用の著しい変更を伴わないものを除く。次項において同じ。）を加えることができない。
２　共有物の管理者が共有者を知ることができず、又はその所在を知ることができないときは、裁判所は、共有物の管理者の請求により、当該共有者以外の共有者の同意を得て共有物に変更を加えることができる旨の裁判をすることができる。
３　共有物の管理者は、共有者が共有物の管理に関する事項を決した場合には、これに従ってその職務を行わなければならない。
４　前項の規定に違反して行った共有物の管理者の行為は、共有者に対してその効力を生じない。ただし、共有者は、これをもって善意の第三者に対抗することができない。

（共有物に関する負担）
第二百五十三条　各共有者は、その持分に応じ、管理の費用を支払い、その他共有物に関する負担を負う。
２　共有者が一年以内に前項の義務を履行しないときは、他の共有者は、相当の償金を支払ってその者の持分を取得することができる。

（共有物についての債権）
第二百五十四条　共有者の一人が共有物について他の共有者に対して有する債権は、その特定承継人に対しても行使することができる。

（持分の放棄及び共有者の死亡）
第二百五十五条　共有者の一人が、その持分を放棄したとき、又は死亡して相続人がないときは、その持分は、他の共有者に帰属する。

（共有物の分割請求）
第二百五十六条　各共有者は、いつでも共有物の分割を請求することができる。ただし、五年を超えない期間内は分割をしない旨の契約をすることを妨げない。
２　前項ただし書の契約は、更新することができる。ただし、その期間は、更新の時から五年を超えることができない。
第二百五十七条　前条の規定は、第二百二十九条に規定する共有物については、適用しない。

（裁判による共有物の分割）
第二百五十八条　共有物の分割について共有者間に協議が調わないとき、又は協議をすることができないときは、その分割を裁判所に請求することができる。
２　裁判所は、次に掲げる方法により、共有物の分割を命ずることができる。
一　共有物の現物を分割する方法
二　共有者に債務を負担させて、他の共有者の持分の全部又は一部を取得させる方法
３　前項に規定する方法により共有物を分割することができないとき、又は分割によってその価格を著しく減少させるおそれがあるときは、裁判所は、その競売を命ずることができる。
４　裁判所は、共有物の分割の裁判において、当事者に対して、金銭の支払、物の引渡し、登記義務の履行その他の給付を命ずることができる。
第二百五十八条の二　共有物の全部又はその持分が相続財産に属する場合において、共同相続人間で当該共有物の全部又はその持分について遺産の分割をすべきときは、当該共有物又はその持分について前条の規定による分割をすることができない。
２　共有物の持分が相続財産に属する場合において、相続開始の時から十年を経過したときは、前項の規定にかかわらず、相続

財産に属する共有物の持分について前条の規定による分割をすることができる。ただし、当該共有物の持分について遺産の分割の請求があった場合において、相続人が当該共有物の持分について同条の規定による分割をすることに異議の申出をしたときは、この限りでない。
3　相続人が前項ただし書の申出をする場合には、当該申出は、当該相続人が前条第一項の規定による請求を受けた裁判所から当該請求があった旨の通知を受けた日から二箇月以内に当該裁判所にしなければならない。

（共有に関する債権の弁済）
第二百五十九条　共有者の一人が他の共有者に対して共有に関する債権を有するときは、分割に際し、債務者に帰属すべき共有物の部分をもって、その弁済に充てることができる。
2　債権者は、前項の弁済を受けるため債務者に帰属すべき共有物の部分を売却する必要があるときは、その売却を請求することができる。

（共有物の分割への参加）
第二百六十条　共有物について権利を有する者及び各共有者の債権者は、自己の費用で、分割に参加することができる。
2　前項の規定による参加の請求があったにもかかわらず、その請求をした者を参加させないで分割をしたときは、その分割は、その請求をした者に対抗することができない。

（分割における共有者の担保責任）
第二百六十一条　各共有者は、他の共有者が分割によって取得した物について、売主と同じく、その持分に応じて担保の責任を負う。

（共有物に関する証書）
第二百六十二条　分割が完了したときは、各分割者は、その取得した物に関する証書を保存しなければならない。
2　共有者の全員又はそのうちの数人に分割した物に関する証書は、その物の最大の部分を取得した者が保存しなければならない。
3　前項の場合において、最大の部分を取得した者がないときは、分割者間の協議で証書の保存者を定める。協議が調わないときは、裁判所が、これを指定する。
4　証書の保存者は、他の分割者の請求に応じて、その証書を使用させなければならない。

（所在等不明共有者の持分の取得）
第二百六十二条の二　不動産が数人の共有に属する場合において、共有者が他の共有者を知ることができず、又はその所在を知ることができないときは、裁判所は、共有者の請求により、その共有者に、当該他の共有者（以下この条において「所在等不明共有者」という。）の持分を取得させる旨の裁判をすることができる。この場合において、請求をした共有者が二人以上あるときは、請求をした各共有者に、所在等不明共有者の持分を、請求をした各共有者の持分の割合で按分してそれぞれ取得させる。
2　前項の請求があった持分に係る不動産について第二百五十八条第一項の規定による請求又は遺産の分割の請求があり、かつ、所在等不明共有者以外の共有者が前項の請求を受けた裁判所に同項の裁判をすることについて異議がある旨の届出をしたときは、裁判所は、同項の裁判をすることができない。
3　所在等不明共有者の持分が相続財産に属する場合（共同相続人間で遺産の分割をすべき場合に限る。）において、相続開始の時から十年を経過していないときは、裁判所は、第一項の裁判をすることができない。
4　第一項の規定により共有者が所在等不明共有者の持分を取得したときは、所在等不明共有者は、当該共有者に対し、当該共有者が取得した持分の時価相当額の支払を請求することができる。
5　前各項の規定は、不動産の使用又は収益をする権利（所有権を除く。）が数人の共有に属する場合について準用する。

（所在等不明共有者の持分の譲渡）
第二百六十二条の三　不動産が数人の共有に属する場合において、共有者が他の共有者を知ることができず、又はその所在を知ることができないときは、裁判所は、共有者の請求により、その共有者に、当該他の共有者（以下この条において「所在等不明共有者」という。）以外の共有者の全員が特定の者に対してその有する持分の全部を譲渡することを停止条件として所在等不明共有者の持分を当該特定の者に譲渡する権限を付与する旨の裁判をすることができる。
2　所在等不明共有者の持分が相続財産に属する場合（共同相続人間で遺産の分割をすべき場合に限る。）において、相続開始の時から十年を経過していないときは、裁判所は、前項の裁判をすることができない。
3　第一項の裁判により付与された権限に基づき共有者が所在等不明共有者の持分を第三者に譲渡したときは、所在等不明共有者は、当該譲渡をした共有者に対し、不動産の時価相当額を所在等不明共有者の持分に応じて按分して得た額の支払を請求することができる。
4　前三項の規定は、不動産の使用又は収益をする権利（所有権を除く。）が数人の共有に属する場合について準用する。

（共有の性質を有する入会権）
第二百六十三条　共有の性質を有する入会権については、各地方の慣習に従うほか、この節の規定を適用する。

（準共有）
第二百六十四条　この節（第二百六十二条の二及び第二百六十二条の三を除く。）の規定は、数人で所有権以外の財産権を有する場合について準用する。ただし、法令に特別の定めがあるときは、この限りでない。

第四節　所有者不明土地管理命令及び所有者不明建物管理命令

（所有者不明土地管理命令）
第二百六十四条の二　裁判所は、所有者を知ることができず、又はその所在を知ることができない土地（土地が数人の共有に属する場合にあっては、共有者を知ることができず、又はその所在を知ることができない土地の共有持分）について、必要があると認めるときは、利害関係人の請求により、その請求に係る土地又は共有持分を対象として、所有者不明土地管理人（第四項に規定する所有者不明土地管理人をいう。以下同じ。）による管理を命ずる処分（以下「所有者不明土地管理命令」という。）をすることができる。
2　所有者不明土地管理命令の効力は、当該所有者不明土地管理命令の対象とされた土地（共有持分を対象として所有者不明土地管理命令が発せられた場合にあっては、共有物である土地）

にある動産（当該所有者不明土地管理命令の対象とされた土地の所有者又は共有持分を有する者が所有するものに限る。）に及ぶ。

3　所有者不明土地管理命令は、所有者不明土地管理命令が発せられた後に当該所有者不明土地管理命令が取り消された場合において、当該所有者不明土地管理命令の対象とされた土地又は共有持分及び当該所有者不明土地管理命令の効力が及ぶ動産の管理、処分その他の事由により所有者不明土地管理人が得た財産について、必要があると認めるときも、することができる。

4　裁判所は、所有者不明土地管理命令をする場合には、当該所有者不明土地管理命令において、所有者不明土地管理人を選任しなければならない。

（所有者不明土地管理人の権限）

第二百六十四条の三　前条第四項の規定により所有者不明土地管理人が選任された場合には、所有者不明土地管理命令の対象とされた土地又は共有持分及び所有者不明土地管理命令の効力が及ぶ動産並びにその管理、処分その他の事由により所有者不明土地管理人が得た財産（以下「所有者不明土地等」という。）の管理及び処分をする権利は、所有者不明土地管理人に専属する。

2　所有者不明土地管理人が次に掲げる行為の範囲を超える行為をするには、裁判所の許可を得なければならない。ただし、この許可がないことをもって善意の第三者に対抗することはできない。

一　保存行為

二　所有者不明土地等の性質を変えない範囲内において、その利用又は改良を目的とする行為

（所有者不明土地等に関する訴えの取扱い）

第二百六十四条の四　所有者不明土地管理命令が発せられた場合には、所有者不明土地等に関する訴えについては、所有者不明土地管理人を原告又は被告とする。

（所有者不明土地管理人の義務）

第二百六十四条の五　所有者不明土地管理人は、所有者不明土地等の所有者（その共有持分を有する者を含む。）のために、善良な管理者の注意をもって、その権限を行使しなければならない。

2　数人の者の共有持分を対象として所有者不明土地管理命令が発せられたときは、所有者不明土地管理人は、当該所有者不明土地管理命令の対象とされた共有持分を有する者全員のために、誠実かつ公平にその権限を行使しなければならない。

（所有者不明土地管理人の解任及び辞任）

第二百六十四条の六　所有者不明土地管理人がその任務に違反して所有者不明土地等に著しい損害を与えたことその他重要な事由があるときは、裁判所は、利害関係人の請求により、所有者不明土地管理人を解任することができる。

2　所有者不明土地管理人は、正当な事由があるときは、裁判所の許可を得て、辞任することができる。

（所有者不明土地管理人の報酬等）

第二百六十四条の七　所有者不明土地管理人は、所有者不明土地等から裁判所が定める額の費用の前払及び報酬を受けることができる。

2　所有者不明土地管理人による所有者不明土地等の管理に必要な費用及び報酬は、所有者不明土地等の所有者（その共有持分を有する者を含む。）の負担とする。

（所有者不明建物管理命令）

第二百六十四条の八　裁判所は、所有者を知ることができず、又はその所在を知ることができない建物（建物が数人の共有に属する場合にあっては、共有者を知ることができず、又はその所在を知ることができない建物の共有持分）について、必要があると認めるときは、利害関係人の請求により、その請求に係る建物又は共有持分を対象として、所有者不明建物管理人（第四項に規定する所有者不明建物管理人をいう。以下この条において同じ。）による管理を命ずる処分（以下この条において「所有者不明建物管理命令」という。）をすることができる。

2　所有者不明建物管理命令の効力は、当該所有者不明建物管理命令の対象とされた建物（共有持分を対象として所有者不明建物管理命令が発せられた場合にあっては、共有物である建物）にある動産（当該所有者不明建物管理命令の対象とされた建物の所有者又は共有持分を有する者が所有するものに限る。）及び当該建物を所有し、又は当該建物の共有持分を有するための建物の敷地に関する権利（賃借権その他の使用及び収益を目的とする権利（所有権を除く。）であって、当該所有者不明建物管理命令の対象とされた建物の所有者又は共有持分を有する者が有するものに限る。）に及ぶ。

3　所有者不明建物管理命令は、所有者不明建物管理命令が発せられた後に当該所有者不明建物管理命令が取り消された場合において、当該所有者不明建物管理命令の対象とされた建物又は共有持分並びに当該所有者不明建物管理命令の効力が及ぶ動産及び建物の敷地に関する権利の管理、処分その他の事由により所有者不明建物管理人が得た財産について、必要があると認めるときも、することができる。

4　裁判所は、所有者不明建物管理命令をする場合には、当該所有者不明建物管理命令において、所有者不明建物管理人を選任しなければならない。

5　第二百六十四条の三から前条までの規定は、所有者不明建物管理命令及び所有者不明建物管理人について準用する。

第五節　管理不全土地管理命令及び管理不全建物管理命令

（管理不全土地管理命令）

第二百六十四条の九　裁判所は、所有者による土地の管理が不適当であることによって他人の権利又は法律上保護される利益が侵害され、又は侵害されるおそれがある場合において、必要があると認めるときは、利害関係人の請求により、当該土地を対象として、管理不全土地管理人（第三項に規定する管理不全土地管理人をいう。以下同じ。）による管理を命ずる処分（以下「管理不全土地管理命令」という。）をすることができる。

2　管理不全土地管理命令の効力は、当該管理不全土地管理命令の対象とされた土地にある動産（当該管理不全土地管理命令の対象とされた土地の所有者又はその共有持分を有する者が所有するものに限る。）に及ぶ。

3　裁判所は、管理不全土地管理命令をする場合には、当該管理不全土地管理命令において、管理不全土地管理人を選任しなければならない。

（管理不全土地管理人の権限）

第二百六十四条の十　管理不全土地管理人は、管理不全土地管理

命令の対象とされた土地及び管理不全土地管理命令の効力が及ぶ動産並びにその管理、処分その他の事由により管理不全土地管理人が得た財産（以下「管理不全土地等」という。）の管理及び処分をする権限を有する。

2　管理不全土地管理人が次に掲げる行為の範囲を超える行為をするには、裁判所の許可を得なければならない。ただし、この許可がないことをもって善意でかつ過失がない第三者に対抗することはできない。

一　保存行為

二　管理不全土地等の性質を変えない範囲内において、その利用又は改良を目的とする行為

3　管理不全土地管理命令の対象とされた土地の処分についての前項の許可をするには、その所有者の同意がなければならない。

（管理不全土地管理人の義務）

第二百六十四条の十一　管理不全土地管理人は、管理不全土地等の所有者のために、善良な管理者の注意をもって、その権限を行使しなければならない。

2　管理不全土地等が数人の共有に属する場合には、管理不全土地管理人は、その共有持分を有する者全員のために、誠実かつ公平にその権限を行使しなければならない。

（管理不全土地管理人の解任及び辞任）

第二百六十四条の十二　管理不全土地管理人がその任務に違反して管理不全土地等に著しい損害を与えたことその他重要な事由があるときは、裁判所は、利害関係人の請求により、管理不全土地管理人を解任することができる。

2　管理不全土地管理人は、正当な事由があるときは、裁判所の許可を得て、辞任することができる。

（管理不全土地管理人の報酬等）

第二百六十四条の十三　管理不全土地管理人は、管理不全土地等から裁判所が定める額の費用の前払及び報酬を受けることができる。

2　管理不全土地管理人による管理不全土地等の管理に必要な費用及び報酬は、管理不全土地等の所有者の負担とする。

（管理不全建物管理命令）

第二百六十四条の十四　裁判所は、所有者による建物の管理が不適当であることによって他人の権利又は法律上保護される利益が侵害され、又は侵害されるおそれがある場合において、必要があると認めるときは、利害関係人の請求により、当該建物を対象として、管理不全建物管理人（第三項に規定する管理不全建物管理人をいう。第四項において同じ。）による管理を命ずる処分（以下この条において「管理不全建物管理命令」という。）をすることができる。

2　管理不全建物管理命令は、当該管理不全建物管理命令の対象とされた建物にある動産（当該管理不全建物管理命令の対象とされた建物の所有者又はその共有持分を有する者が所有するものに限る。）及び当該建物を所有するための建物の敷地に関する権利（賃借権その他の使用及び収益を目的とする権利（所有権を除く。）であって、当該管理不全建物管理命令の対象とされた建物の所有者又はその共有持分を有する者が有するものに限る。）に及ぶ。

3　裁判所は、管理不全建物管理命令をする場合には、当該管理不全建物管理命令において、管理不全建物管理人を選任しなければならない。

4　第二百六十四条の十から前条までの規定は、管理不全建物管理命令及び管理不全建物管理人について準用する。

第四章　地上権

（地上権の内容）

第二百六十五条　地上権者は、他人の土地において工作物又は竹木を所有するため、その土地を使用する権利を有する。

（地代）

第二百六十六条　第二百七十四条から第二百七十六条までの規定は、地上権者が土地の所有者に定期の地代を支払わなければならない場合について準用する。

2　地代については、前項に規定するもののほか、その性質に反しない限り、賃貸借に関する規定を準用する。

（相隣関係の規定の準用）

第二百六十七条　前章第一節第二款（相隣関係）の規定は、地上権者間又は地上権者と土地の所有者との間について準用する。ただし、第二百二十九条の規定は、境界線上の工作物が地上権の設定後に設けられた場合に限り、地上権者について準用する。

（地上権の存続期間）

第二百六十八条　設定行為で地上権の存続期間を定めなかった場合において、別段の慣習がないときは、地上権者は、いつでもその権利を放棄することができる。ただし、地代を支払うべきときは、一年前に予告をし、又は期限の到来していない一年分の地代を支払わなければならない。

2　地上権者が前項の規定によりその権利を放棄しないときは、裁判所は、当事者の請求により、二十年以上五十年以下の範囲内において、工作物又は竹木の種類及び状況その他地上権の設定当時の事情を考慮して、その存続期間を定める。

（工作物等の収去等）

第二百六十九条　地上権者は、その権利が消滅した時に、土地を原状に復してその工作物及び竹木を収去することができる。ただし、土地の所有者が時価相当額を提供してこれを買い取る旨を通知したときは、地上権者は、正当な理由がなければ、これを拒むことができない。

2　前項の規定と異なる慣習があるときは、その慣習に従う。

（地下又は空間を目的とする地上権）

第二百六十九条の二　地下又は空間は、工作物を所有するため、上下の範囲を定めて地上権の目的とすることができる。この場合においては、設定行為で、地上権の行使のためにその土地の使用に制限を加えることができる。

2　前項の地上権は、第三者がその土地の使用又は収益をする権利を有する場合においても、その権利又はこれを目的とする権利を有するすべての者の承諾があるときは、設定することができる。この場合において、土地の使用又は収益をする権利を有する者は、その地上権の行使を妨げることができない。

第五章　永小作権

（永小作権の内容）

第二百七十条　永小作人は、小作料を支払って他人の土地において耕作又は牧畜をする権利を有する。

（永小作人による土地の変更の制限）
第二百七十一条 永小作人は、土地に対して、回復することのできない損害を生ずべき変更を加えることができない。

（永小作権の譲渡又は土地の賃貸）
第二百七十二条 永小作人は、その権利を他人に譲り渡し、又はその権利の存続期間内において耕作若しくは牧畜のため土地を賃貸することができる。ただし、設定行為で禁じたときは、この限りでない。

（賃貸借に関する規定の準用）
第二百七十三条 永小作人の義務については、この章の規定及び設定行為で定めるもののほか、その性質に反しない限り、賃貸借に関する規定を準用する。

（小作料の減免）
第二百七十四条 永小作人は、不可抗力により収益について損失を受けたときであっても、小作料の免除又は減額を請求することができない。

（永小作権の放棄）
第二百七十五条 永小作人は、不可抗力によって、引き続き三年以上全く収益を得ず、又は五年以上小作料より少ない収益を得たときは、その権利を放棄することができる。

（永小作権の消滅請求）
第二百七十六条 永小作人が引き続き二年以上小作料の支払を怠ったときは、土地の所有者は、永小作権の消滅を請求することができる。

（永小作権に関する慣習）
第二百七十七条 第二百七十一条から前条までの規定と異なる慣習があるときは、その慣習に従う。

（永小作権の存続期間）
第二百七十八条 永小作権の存続期間は、二十年以上五十年以下とする。設定行為で五十年より長い期間を定めたときであっても、その期間は、五十年とする。

2 永小作権の設定は、更新することができる。ただし、その存続期間は、更新の時から五十年を超えることができない。

3 設定行為で永小作権の存続期間を定めなかったときは、その期間は、別段の慣習がある場合を除き、三十年とする。

（工作物等の収去等）
第二百七十九条 第二百六十九条の規定は、永小作権について準用する。

第六章 地役権

（地役権の内容）
第二百八十条 地役権者は、設定行為で定めた目的に従い、他人の土地を自己の土地の便益に供する権利を有する。ただし、第三章第一節（所有権の限界）の規定（公の秩序に関するものに限る。）に違反しないものでなければならない。

（地役権の付従性）
第二百八十一条 地役権は、要役地（地役権者の土地であって、他人の土地から便益を受けるものをいう。以下同じ。）の所有権に従たるものとして、その所有権とともに移転し、又は要役地について存する他の権利の目的となるものとする。ただし、設定行為に別段の定めがあるときは、この限りでない。

2 地役権は、要役地から分離して譲り渡し、又は他の権利の目的とすることができない。

（地役権の不可分性）
第二百八十二条 土地の共有者の一人は、その持分につき、その土地のために又はその土地について存する地役権を消滅させることができない。

2 土地の分割又はその一部の譲渡の場合には、地役権は、その各部のために又はその各部について存する。ただし、地役権がその性質により土地の一部のみに関するときは、この限りでない。

（地役権の時効取得）
第二百八十三条 地役権は、継続的に行使され、かつ、外形上認識することができるものに限り、時効によって取得することができる。

第二百八十四条 土地の共有者の一人が時効によって地役権を取得したときは、他の共有者も、これを取得する。

2 共有者に対する時効の更新は、地役権を行使する各共有者に対してしなければ、その効力を生じない。

3 地役権を行使する共有者が数人ある場合には、その一人について時効の完成猶予の事由があっても、時効は、各共有者のために進行する。

（用水地役権）
第二百八十五条 用水地役権の承役地（地役権者以外の者の土地であって、要役地の便益に供されるものをいう。以下同じ。）において、水が要役地及び承役地の需要に比して不足するときは、その各土地の需要に応じて、まずこれを生活用に供し、その残余を他の用途に供するものとする。ただし、設定行為に別段の定めがあるときは、この限りでない。

2 同一の承役地について数個の用水地役権を設定したときは、後の地役権者は、前の地役権者の水の使用を妨げてはならない。

（承役地の所有者の工作物の設置義務等）
第二百八十六条 設定行為又は設定後の契約により、承役地の所有者が自己の費用で地役権の行使のために工作物を設け、又はその修繕をする義務を負担したときは、承役地の所有者の特定承継人も、その義務を負担する。

第二百八十七条 承役地の所有者は、いつでも、地役権に必要な土地の部分の所有権を放棄して地役権者に移転し、これにより前条の義務を免れることができる。

（承役地の所有者の工作物の使用）
第二百八十八条 承役地の所有者は、地役権の行使を妨げない範囲内において、その行使のために承役地の上に設けられた工作物を使用することができる。

2 前項の場合には、承役地の所有者は、その利益を受ける割合に応じて、工作物の設置及び保存の費用を分担しなければならない。

（承役地の時効取得による地役権の消滅）
第二百八十九条 承役地の占有者が取得時効に必要な要件を具備する占有をしたときは、地役権は、これによって消滅する。

第二百九十条 前条の規定による地役権の消滅時効は、地役権者がその権利を行使することによって中断する。

（地役権の消滅時効）
第二百九十一条 第百六十六条第二項に規定する消滅時効の期間は、継続的でなく行使される地役権については最後の行使の時から起算し、継続的に行使される地役権についてはその行使を妨げる事実が生じた時から起算する。

第二百九十二条　要役地が数人の共有に属する場合において、その一人のために時効の完成猶予又は更新があるときは、その完成猶予又は更新は、他の共有者のためにも、その効力を生ずる。

第二百九十三条　地役権者がその権利の一部を行使しないときは、その部分のみが時効によって消滅する。

（共有の性質を有しない入会権）

第二百九十四条　共有の性質を有しない入会権については、各地方の慣習に従うほか、この章の規定を準用する。

第七章　留置権

（留置権の内容）

第二百九十五条　他人の物の占有者は、その物に関して生じた債権を有するときは、その債権の弁済を受けるまで、その物を留置することができる。ただし、その債権が弁済期にないときは、この限りでない。

２　前項の規定は、占有が不法行為によって始まった場合には、適用しない。

（留置権の不可分性）

第二百九十六条　留置権者は、債権の全部の弁済を受けるまでは、留置物の全部についてその権利を行使することができる。

（留置権者による果実の収取）

第二百九十七条　留置権者は、留置物から生ずる果実を収取し、他の債権者に先立って、これを自己の債権の弁済に充当することができる。

２　前項の果実は、まず債権の利息に充当し、なお残余があるときは元本に充当しなければならない。

（留置権者による留置物の保管等）

第二百九十八条　留置権者は、善良な管理者の注意をもって、留置物を占有しなければならない。

２　留置権者は、債務者の承諾を得なければ、留置物を使用し、賃貸し、又は担保に供することができない。ただし、その物の保存に必要な使用をすることは、この限りでない。

３　留置権者が前二項の規定に違反したときは、債務者は、留置権の消滅を請求することができる。

（留置権者による費用の償還請求）

第二百九十九条　留置権者は、留置物について必要費を支出したときは、所有者にその償還をさせることができる。

２　留置権者は、留置物について有益費を支出したときは、これによる価格の増加が現存する場合に限り、所有者の選択に従い、その支出した金額又は増価額を償還させることができる。ただし、裁判所は、所有者の請求により、その償還について相当の期限を許与することができる。

（留置権の行使と債権の消滅時効）

第三百条　留置権の行使は、債権の消滅時効の進行を妨げない。

（担保の供与による留置権の消滅）

第三百一条　債務者は、相当の担保を供して、留置権の消滅を請求することができる。

（占有の喪失による留置権の消滅）

第三百二条　留置権は、留置権者が留置物の占有を失うことによって、消滅する。ただし、第二百九十八条第二項の規定により留置物を賃貸し、又は質権の目的としたときは、この限りでない。

第八章　先取特権

第一節　総則

（先取特権の内容）

第三百三条　先取特権者は、この法律その他の法律の規定に従い、その債務者の財産について、他の債権者に先立って自己の債権の弁済を受ける権利を有する。

（物上代位）

第三百四条　先取特権は、その目的物の売却、賃貸、滅失又は損傷によって債務者が受けるべき金銭その他の物に対しても、行使することができる。ただし、先取特権者は、その払渡し又は引渡しの前に差押えをしなければならない。

２　債務者が先取特権の目的物につき設定した物権の対価についても、前項と同様とする。

（先取特権の不可分性）

第三百五条　第二百九十六条の規定は、先取特権について準用する。

第二節　先取特権の種類

第一款　一般の先取特権

（一般の先取特権）

第三百六条　次に掲げる原因によって生じた債権を有する者は、債務者の総財産について先取特権を有する。

一　共益の費用

二　雇用関係

三　葬式の費用

四　日用品の供給

（共益費用の先取特権）

第三百七条　共益の費用の先取特権は、各債権者の共同の利益のためにされた債務者の財産の保存、清算又は配当に関する費用について存在する。

２　前項の費用のうちすべての債権者に有益でなかったものについては、先取特権は、その費用によって利益を受けた債権者に対してのみ存在する。

（雇用関係の先取特権）

第三百八条　雇用関係の先取特権は、給料その他債務者と使用人との間の雇用関係に基づいて生じた債権について存在する。

（葬式費用の先取特権）

第三百九条　葬式の費用の先取特権は、債務者のためにされた葬式の費用のうち相当な額について存在する。

２　前項の先取特権は、債務者がその扶養すべき親族のためにした葬式の費用のうち相当な額についても存在する。

（日用品供給の先取特権）

第三百十条　日用品の供給の先取特権は、債務者又はその扶養すべき同居の親族及びその家事使用人の生活に必要な最後の六箇月間の飲食料品、燃料及び電気の供給について存在する。

第二款　動産の先取特権

（動産の先取特権）

第三百十一条　次に掲げる原因によって生じた債権を有する者は、債務者の特定の動産について先取特権を有する。

一　不動産の賃貸借

二 旅館の宿泊
三 旅客又は荷物の運輸
四 動産の保存
五 動産の売買
六 種苗又は肥料（蚕種又は蚕の飼養に供した桑葉を含む。以下同じ。）の供給
七 農業の労務
八 工業の労務

（不動産賃貸の先取特権）
第三百十二条 不動産の賃貸の先取特権は、その不動産の賃料その他の賃貸借関係から生じた賃借人の債務に関し、賃借人の動産について存在する。

（不動産賃貸の先取特権の目的物の範囲）
第三百十三条 土地の賃貸人の先取特権は、その土地又はその利用のための建物に備え付けられた動産、その土地の利用に供された動産及び賃借人が占有するその土地の果実について存在する。
2 建物の賃貸人の先取特権は、賃借人がその建物に備え付けた動産について存在する。

第三百十四条 賃借権の譲渡又は転貸の場合には、賃貸人の先取特権は、譲受人又は転借人の動産にも及ぶ。譲渡人又は転貸人が受けるべき金銭についても、同様とする。

（不動産賃貸の先取特権の被担保債権の範囲）
第三百十五条 賃借人の財産のすべてを清算する場合には、賃貸人の先取特権は、前期、当期及び次期の賃料その他の債務並びに前期及び当期に生じた損害の賠償債務についてのみ存在する。

第三百十六条 賃貸人は、第六百二十二条の二第一項に規定する敷金を受け取っている場合には、その敷金で弁済を受けない債権の部分についてのみ先取特権を有する。

（旅館宿泊の先取特権）
第三百十七条 旅館の宿泊の先取特権は、宿泊客が負担すべき宿泊料及び飲食料に関し、その旅館に在るその宿泊客の手荷物について存在する。

（運輸の先取特権）
第三百十八条 運輸の先取特権は、旅客又は荷物の運送賃及び付随の費用に関し、運送人の占有する荷物について存在する。

（即時取得の規定の準用）
第三百十九条 第百九十二条から第百九十五条までの規定は、第三百十二条から前条までの規定による先取特権について準用する。

（動産保存の先取特権）
第三百二十条 動産の保存の先取特権は、動産の保存のために要した費用又は動産に関する権利の保存、承認若しくは実行のために要した費用に関し、その動産について存在する。

（動産売買の先取特権）
第三百二十一条 動産の売買の先取特権は、動産の代価及びその利息に関し、その動産について存在する。

（種苗又は肥料の供給の先取特権）
第三百二十二条 種苗又は肥料の供給の先取特権は、種苗又は肥料の代価及びその利息に関し、その種苗又は肥料を用いた後一年以内にこれを用いた土地から生じた果実（蚕種又は蚕の飼養に供した桑葉の使用によって生じた物を含む。）について存在する。

（農業労務の先取特権）
第三百二十三条 農業の労務の先取特権は、その労務に従事する者の最後の一年間の賃金に関し、その労務によって生じた果実について存在する。

（工業労務の先取特権）
第三百二十四条 工業の労務の先取特権は、その労務に従事する者の最後の三箇月間の賃金に関し、その労務によって生じた製作物について存在する。

第三款 不動産の先取特権

（不動産の先取特権）
第三百二十五条 次に掲げる原因によって生じた債権を有する者は、債務者の特定の不動産について先取特権を有する。
一 不動産の保存
二 不動産の工事
三 不動産の売買

（不動産保存の先取特権）
第三百二十六条 不動産の保存の先取特権は、不動産の保存のために要した費用又は不動産に関する権利の保存、承認若しくは実行のために要した費用に関し、その不動産について存在する。

（不動産工事の先取特権）
第三百二十七条 不動産の工事の先取特権は、工事の設計、施工又は監理をする者が債務者の不動産に関してした工事の費用に関し、その不動産について存在する。
2 前項の先取特権は、工事によって生じた不動産の価格の増加が現存する場合に限り、その増価額についてのみ存在する。

（不動産売買の先取特権）
第三百二十八条 不動産の売買の先取特権は、不動産の代価及びその利息に関し、その不動産について存在する。

第三節 先取特権の順位

（一般の先取特権の順位）
第三百二十九条 一般の先取特権が互いに競合する場合には、その優先権の順位は、第三百六条各号に掲げる順序に従う。
2 一般の先取特権と特別の先取特権とが競合する場合には、特別の先取特権は、一般の先取特権に優先する。ただし、共益の費用の先取特権は、その利益を受けたすべての債権者に対して優先する効力を有する。

（動産の先取特権の順位）
第三百三十条 同一の動産について特別の先取特権が互いに競合する場合には、その優先権の順位は、次に掲げる順序に従う。この場合において、第二号に掲げる動産の保存の先取特権について数人の保存者があるときは、後の保存者が前の保存者に優先する。
一 不動産の賃貸、旅館の宿泊及び運輸の先取特権
二 動産の保存の先取特権
三 動産の売買、種苗又は肥料の供給、農業の労務及び工業の労務の先取特権
2 前項の場合において、第一順位の先取特権者は、その債権取得の時において第二順位又は第三順位の先取特権者があることを知っていたときは、これらの者に対して優先権を行使することができない。第一順位の先取特権者のために物を保存した者

に対しても、同様とする。

3　果実に関しては、第一の順位は農業の労務に従事する者に、第二の順位は種苗又は肥料の供給者に、第三の順位は土地の賃貸人に属する。

（不動産の先取特権の順位）

第三百三十一条　同一の不動産について特別の先取特権が互いに競合する場合には、その優先権の順位は、第三百二十五条各号に掲げる順序に従う。

2　同一の不動産について売買が順次された場合には、売主相互間における不動産売買の先取特権の優先権の順位は、売買の前後による。

（同一順位の先取特権）

第三百三十二条　同一の目的物について同一順位の先取特権者が数人あるときは、各先取特権者は、その債権額の割合に応じて弁済を受ける。

第四節　先取特権の効力

（先取特権と第三取得者）

第三百三十三条　先取特権は、債務者がその目的である動産をその第三取得者に引き渡した後は、その動産について行使することができない。

（先取特権と動産質権との競合）

第三百三十四条　先取特権と動産質権とが競合する場合には、動産質権者は、第三百三十条の規定による第一順位の先取特権者と同一の権利を有する。

（一般の先取特権の効力）

第三百三十五条　一般の先取特権者は、まず不動産以外の財産から弁済を受け、なお不足があるのでなければ、不動産から弁済を受けることができない。

2　一般の先取特権者は、不動産については、まず特別担保の目的とされていないものから弁済を受けなければならない。

3　一般の先取特権者は、前二項の規定に従って配当に加入することを怠ったときは、その配当加入をしたならば弁済を受けることができた額については、登記をした第三者に対してその先取特権を行使することができない。

4　前三項の規定は、不動産以外の財産の代価に先立って不動産の代価を配当し、又は他の不動産の代価に先立って特別担保の目的である不動産の代価を配当する場合には、適用しない。

（一般の先取特権の対抗力）

第三百三十六条　一般の先取特権は、不動産について登記をしなくても、特別担保を有しない債権者に対抗することができる。ただし、登記をした第三者に対しては、この限りでない。

（不動産保存の先取特権の登記）

第三百三十七条　不動産の保存の先取特権の効力を保存するためには、保存行為が完了した後直ちに登記をしなければならない。

（不動産工事の先取特権の登記）

第三百三十八条　不動産の工事の先取特権の効力を保存するためには、工事を始める前にその費用の予算額を登記しなければならない。この場合において、工事の費用が予算額を超えるときは、先取特権は、その超過額については存在しない。

2　工事によって生じた不動産の増価額は、配当加入の時に、裁判所が選任した鑑定人に評価させなければならない。

（登記をした不動産保存又は不動産工事の先取特権）

第三百三十九条　前二条の規定に従って登記をした先取特権は、抵当権に先立って行使することができる。

（不動産売買の先取特権の登記）

第三百四十条　不動産の売買の先取特権の効力を保存するためには、売買契約と同時に、不動産の代価又はその利息の弁済がされていない旨を登記しなければならない。

（抵当権に関する規定の準用）

第三百四十一条　先取特権の効力については、この節に定めるもののほか、その性質に反しない限り、抵当権に関する規定を準用する。

第九章　質権

第一節　総則

（質権の内容）

第三百四十二条　質権者は、その債権の担保として債務者又は第三者から受け取った物を占有し、かつ、その物について他の債権者に先立って自己の債権の弁済を受ける権利を有する。

（質権の目的）

第三百四十三条　質権は、譲り渡すことができない物をその目的とすることができない。

（質権の設定）

第三百四十四条　質権の設定は、債権者にその目的物を引き渡すことによって、その効力を生ずる。

（質権設定者による代理占有の禁止）

第三百四十五条　質権者は、質権設定者に、自己に代わって質物の占有をさせることができない。

（質権の被担保債権の範囲）

第三百四十六条　質権は、元本、利息、違約金、質権の実行の費用、質物の保存の費用及び債務の不履行又は質物の隠れた瑕疵によって生じた損害の賠償を担保する。ただし、設定行為に別段の定めがあるときは、この限りでない。

（質物の留置）

第三百四十七条　質権者は、前条に規定する債権の弁済を受けるまでは、質物を留置することができる。ただし、この権利は、自己に対して優先権を有する債権者に対抗することができない。

（転質）

第三百四十八条　質権者は、その権利の存続期間内において、自己の責任で、質物について、転質をすることができる。この場合において、転質をしたことによって生じた損失については、不可抗力によるものであっても、その責任を負う。

（契約による質物の処分の禁止）

第三百四十九条　質権設定者は、設定行為又は債務の弁済期前の契約において、質権者に弁済として質物の所有権を取得させ、その他法律に定める方法によらないで質物を処分させることを約することができない。

（留置権及び先取特権の規定の準用）

第三百五十条　第二百九十六条から第三百条まで及び第三百四条の規定は、質権について準用する。

（物上保証人の求償権）

第三百五十一条　他人の債務を担保するため質権を設定した者は、その債務を弁済し、又は質権の実行によって質物の所有権を失ったときは、保証債務に関する規定に従い、債務者に対して求償権を有する。

第二節 動産質

（動産質の対抗要件）
第三百五十二条 動産質権者は、継続して質物を占有しなければ、その質権をもって第三者に対抗することができない。

（質物の占有の回復）
第三百五十三条 動産質権者は、質物の占有を奪われたときは、占有回収の訴えによってのみ、その質物を回復することができる。

（動産質権の実行）
第三百五十四条 動産質権者は、その債権の弁済を受けないときは、正当な理由がある場合に限り、鑑定人の評価に従い質物をもって直ちに弁済に充てることを裁判所に請求することができる。この場合において、動産質権者は、あらかじめ、その請求をする旨を債務者に通知しなければならない。

（動産質権の順位）
第三百五十五条 同一の動産について数個の質権が設定されたときは、その質権の順位は、設定の前後による。

第三節 不動産質

（不動産質権者による使用及び収益）
第三百五十六条 不動産質権者は、質権の目的である不動産の用法に従い、その使用及び収益をすることができる。

（不動産質権者による管理の費用等の負担）
第三百五十七条 不動産質権者は、管理の費用を支払い、その他不動産に関する負担を負う。

（不動産質権者による利息の請求の禁止）
第三百五十八条 不動産質権者は、その債権の利息を請求することができない。

（設定行為に別段の定めがある場合等）
第三百五十九条 前三条の規定は、設定行為に別段の定めがあるとき、又は担保不動産収益執行（民事執行法第百八十条第二号に規定する担保不動産収益執行をいう。以下同じ。）の開始があったときは、適用しない。

（不動産質権の存続期間）
第三百六十条 不動産質権の存続期間は、十年を超えることができない。設定行為でこれより長い期間を定めたときであっても、その期間は、十年とする。

2 不動産質権の設定は、更新することができる。ただし、その存続期間は、更新の時から十年を超えることができない。

（抵当権の規定の準用）
第三百六十一条 不動産質権については、この節に定めるもののほか、その性質に反しない限り、次章（抵当権）の規定を準用する。

第四節 権利質

（権利質の目的等）
第三百六十二条 質権は、財産権をその目的とすることができる。

2 前項の質権については、この節に定めるもののほか、その性質に反しない限り、前三節（総則、動産質及び不動産質）の規定を準用する。

第三百六十三条 削除

（債権を目的とする質権の対抗要件）
第三百六十四条 債権を目的とする質権の設定（現に発生していない債権を目的とするものを含む。）は、第四百六十七条の規定に従い、第三債務者にその質権の設定を通知し、又は第三債務者がこれを承諾しなければ、これをもって第三債務者その他の第三者に対抗することができない。

第三百六十五条 削除

（質権者による債権の取立て等）
第三百六十六条 質権者は、質権の目的である債権を直接に取り立てることができる。

2 債権の目的物が金銭であるときは、質権者は、自己の債権額に対応する部分に限り、これを取り立てることができる。

3 前項の債権の弁済期が質権者の債権の弁済期前に到来したときは、質権者は、第三債務者にその弁済をすべき金額を供託させることができる。この場合において、質権は、その供託金について存在する。

4 債権の目的物が金銭でないときは、質権者は、弁済として受けた物について質権を有する。

第三百六十七条及び第三百六十八条 削除

第十章 抵当権

第一節 総則

（抵当権の内容）
第三百六十九条 抵当権者は、債務者又は第三者が占有を移転しないで債務の担保に供した不動産について、他の債権者に先立って自己の債権の弁済を受ける権利を有する。

2 地上権及び永小作権も、抵当権の目的とすることができる。この場合においては、この章の規定を準用する。

（抵当権の効力の及ぶ範囲）
第三百七十条 抵当権は、抵当地の上に存する建物を除き、その目的である不動産（以下「抵当不動産」という。）に付加して一体となっている物に及ぶ。ただし、設定行為に別段の定めがある場合及び債務者の行為について第四百二十四条第三項に規定する詐害行為取消請求をすることができる場合は、この限りでない。

第三百七十一条 抵当権は、その担保する債権について不履行があったときは、その後に生じた抵当不動産の果実に及ぶ。

（留置権等の規定の準用）
第三百七十二条 第二百九十六条、第三百四条及び第三百五十一条の規定は、抵当権について準用する。

第二節 抵当権の効力

（抵当権の順位）
第三百七十三条 同一の不動産について数個の抵当権が設定されたときは、その抵当権の順位は、登記の前後による。

（抵当権の順位の変更）
第三百七十四条 抵当権の順位は、各抵当権者の合意によって変更することができる。ただし、利害関係を有する者があるときは、その承諾を得なければならない。

2 前項の規定による順位の変更は、その登記をしなければ、その効力を生じない。

（抵当権の被担保債権の範囲）
第三百七十五条 抵当権者は、利息その他の定期金を請求する権利を有するときは、その満期となった最後の二年分についてのみ、その抵当権を行使することができる。ただし、それ以前の定期金についても、満期後に特別の登記をしたときは、その登記の時からその抵当権を行使することを妨げない。
2　前項の規定は、抵当権者が債務の不履行によって生じた損害の賠償を請求する権利を有する場合におけるその最後の二年分についても適用する。ただし、利息その他の定期金と通算して二年分を超えることができない。

（抵当権の処分）
第三百七十六条　抵当権者は、その抵当権を他の債権の担保とし、又は同一の債務者に対する他の債権者の利益のためにその抵当権若しくはその順位を譲渡し、若しくは放棄することができる。
2　前項の場合において、抵当権者が数人のためにその抵当権の処分をしたときは、その処分の利益を受ける者の権利の順位は、抵当権の登記にした付記の前後による。

（抵当権の処分の対抗要件）
第三百七十七条　前条の場合には、第四百六十七条の規定に従い、主たる債務者に抵当権の処分を通知し、又は主たる債務者がこれを承諾しなければ、これをもって主たる債務者、保証人、抵当権設定者及びこれらの者の承継人に対抗することができない。
2　主たる債務者が前項の規定により通知を受け、又は承諾をしたときは、抵当権の処分の利益を受ける者の承諾を得ないでした弁済は、その受益者に対抗することができない。

（代価弁済）
第三百七十八条　抵当不動産について所有権又は地上権を買い受けた第三者が、抵当権者の請求に応じてその抵当権者にその代価を弁済したときは、抵当権は、その第三者のために消滅する。

（抵当権消滅請求）
第三百七十九条　抵当不動産の第三取得者は、第三百八十三条の定めるところにより、抵当権消滅請求をすることができる。
第三百八十条　主たる債務者、保証人及びこれらの者の承継人は、抵当権消滅請求をすることができない。
第三百八十一条　抵当不動産の停止条件付第三取得者は、その停止条件の成否が未定である間は、抵当権消滅請求をすることができない。

（抵当権消滅請求の時期）
第三百八十二条　抵当不動産の第三取得者は、抵当権の実行としての競売による差押えの効力が発生する前に、抵当権消滅請求をしなければならない。

（抵当権消滅請求の手続）
第三百八十三条　抵当不動産の第三取得者は、抵当権消滅請求をするときは、登記をした各債権者に対し、次に掲げる書面を送付しなければならない。
一　取得の原因及び年月日、譲渡人及び取得者の氏名及び住所並びに抵当不動産の性質、所在及び代価その他取得者の負担を記載した書面
二　抵当不動産に関する登記事項証明書（現に効力を有する登記事項のすべてを証明したものに限る。）
三　債権者が二箇月以内に抵当権を実行して競売の申立てをしないときは、抵当不動産の第三取得者が第一号に規定する代価又は特に指定した金額を債権の順位に従って弁済し又は供託すべき旨を記載した書面

（債権者のみなし承諾）
第三百八十四条　次に掲げる場合には、前条各号に掲げる書面の送付を受けた債権者は、抵当不動産の第三取得者が同条第三号に掲げる書面に記載したところにより提供した同号の代価又は金額を承諾したものとみなす。
一　その債権者が前条各号に掲げる書面の送付を受けた後二箇月以内に抵当権を実行して競売の申立てをしないとき。
二　その債権者が前号の申立てを取り下げたとき。
三　第一号の申立てを却下する旨の決定が確定したとき。
四　第一号の申立てに基づく競売の手続を取り消す旨の決定（民事執行法第百八十八条において準用する同法第六十三条第三項若しくは第六十八条の三第三項の規定又は同法第百八十三条第一項第五号の謄本が提出された場合における同条第二項の規定による決定を除く。）が確定したとき。

（競売の申立ての通知）
第三百八十五条　第三百八十三条各号に掲げる書面の送付を受けた債権者は、前条第一号の申立てをするときは、同号の期間内に、債務者及び抵当不動産の譲渡人にその旨を通知しなければならない。

（抵当権消滅請求の効果）
第三百八十六条　登記をしたすべての債権者が抵当不動産の第三取得者の提供した代価又は金額を承諾し、かつ、抵当不動産の第三取得者がその承諾を得た代価又は金額を払い渡し又は供託したときは、抵当権は、消滅する。

（抵当権者の同意の登記がある場合の賃貸借の対抗力）
第三百八十七条　登記をした賃貸借は、その登記前に登記をした抵当権を有するすべての者が同意をし、かつ、その同意の登記があるときは、その同意をした抵当権者に対抗することができる。
2　抵当権者が前項の同意をするには、その抵当権を目的とする権利を有する者その他抵当権者の同意によって不利益を受けるべき者の承諾を得なければならない。

（法定地上権）
第三百八十八条　土地及びその上に存する建物が同一の所有者に属する場合において、その土地又は建物につき抵当権が設定され、その実行により所有者を異にするに至ったときは、その建物について、地上権が設定されたものとみなす。この場合において、地代は、当事者の請求により、裁判所が定める。

（抵当地の上の建物の競売）
第三百八十九条　抵当権の設定後に抵当地に建物が築造されたときは、抵当権者は、土地とともにその建物を競売することができる。ただし、その優先権は、土地の代価についてのみ行使することができる。
2　前項の規定は、その建物の所有者が抵当地を占有するについて抵当権者に対抗することができる権利を有する場合には、適用しない。

（抵当不動産の第三取得者による買受け）
第三百九十条　抵当不動産の第三取得者は、その競売において買受人となることができる。

（抵当不動産の第三取得者による費用の償還請求）
第三百九十一条　抵当不動産の第三取得者は、抵当不動産につい

て必要費又は有益費を支出したときは、第百九十六条の区別に従い、抵当不動産の代価から、他の債権者より先にその償還を受けることができる。

（共同抵当における代価の配当）
第三百九十二条 債権者が同一の債権の担保として数個の不動産につき抵当権を有する場合において、同時にその代価を配当すべきときは、その各不動産の価額に応じて、その債権の負担を按分する。

2 債権者が同一の債権の担保として数個の不動産につき抵当権を有する場合において、ある不動産の代価のみを配当すべきときは、抵当権者は、その代価から債権の全部の弁済を受けることができる。この場合において、次順位の抵当権者は、その弁済を受ける抵当権者が前項の規定に従い他の不動産の代価から弁済を受けるべき金額を限度として、その抵当権者に代位して抵当権を行使することができる。

（共同抵当における代位の付記登記）
第三百九十三条 前条第二項後段の規定により代位によって抵当権を行使する者は、その抵当権の登記にその代位を付記することができる。

（抵当不動産以外の財産からの弁済）
第三百九十四条 抵当権者は、抵当不動産の代価から弁済を受けない債権の部分についてのみ、他の財産から弁済を受けることができる。

2 前項の規定は、抵当不動産の代価に先立って他の財産の代価を配当すべき場合には、適用しない。この場合において、他の各債権者は、抵当権者に同項の規定による弁済を受けさせるため、抵当権者に配当すべき金額の供託を請求することができる。

（抵当建物使用者の引渡しの猶予）
第三百九十五条 抵当権者に対抗することができない賃貸借により抵当権の目的である建物の使用又は収益をする者であって次に掲げるもの（次項において「抵当建物使用者」という。）は、その建物の競売における買受人の買受けの時から六箇月を経過するまでは、その建物を買受人に引き渡すことを要しない。

一 競売手続の開始前から使用又は収益をする者

二 強制管理又は担保不動産収益執行の管理人が競売手続の開始後にした賃貸借により使用又は収益をする者

2 前項の規定は、買受人の買受けの時より後に同項の建物の使用をしたことの対価について、買受人が抵当建物使用者に対し相当の期間を定めてその一箇月分以上の支払の催告をし、その相当の期間内に履行がない場合には、適用しない。

第三節 抵当権の消滅

（抵当権の消滅時効）
第三百九十六条 抵当権は、債務者及び抵当権設定者に対しては、その担保する債権と同時でなければ、時効によって消滅しない。

（抵当不動産の時効取得による抵当権の消滅）
第三百九十七条 債務者又は抵当権設定者でない者が抵当不動産について取得時効に必要な要件を具備する占有をしたときは、抵当権は、これによって消滅する。

（抵当権の目的である地上権等の放棄）
第三百九十八条 地上権又は永小作権を抵当権の目的とした地上権者又は永小作人は、その権利を放棄しても、これをもって抵当権者に対抗することができない。

第四節 根抵当

（根抵当権）
第三百九十八条の二 抵当権は、設定行為で定めるところにより、一定の範囲に属する不特定の債権を極度額の限度において担保するためにも設定することができる。

2 前項の規定による抵当権（以下「根抵当権」という。）の担保すべき不特定の債権の範囲は、債務者との特定の継続的取引契約によって生ずるものその他債務者との一定の種類の取引によって生ずるものに限定して、定めなければならない。

3 特定の原因に基づいて債務者との間に継続して生ずる債権、手形上若しくは小切手上の請求権又は電子記録債権（電子記録債権法（平成十九年法律第百二号）第二条第一項に規定する電子記録債権をいう。次条第二項において同じ。）は、前項の規定にかかわらず、根抵当権の担保すべき債権とすることができる。

（根抵当権の被担保債権の範囲）
第三百九十八条の三 根抵当権者は、確定した元本並びに利息その他の定期金及び債務の不履行によって生じた損害の賠償の全部について、極度額を限度として、その根抵当権を行使することができる。

2 債務者との取引によらないで取得する手形上若しくは小切手上の請求権又は電子記録債権を根抵当権の担保すべき債権とした場合において、次に掲げる事由があったときは、その前に取得したものについてのみ、その根抵当権を行使することができる。ただし、その後に取得したものであっても、その事由を知らないで取得したものについては、これを行使することを妨げない。

一 債務者の支払の停止

二 債務者についての破産手続開始、再生手続開始、更生手続開始又は特別清算開始の申立て

三 抵当不動産に対する競売の申立て又は滞納処分による差押え

（根抵当権の被担保債権の範囲及び債務者の変更）
第三百九十八条の四 元本の確定前においては、根抵当権の担保すべき債権の範囲の変更をすることができる。債務者の変更についても、同様とする。

2 前項の変更をするには、後順位の抵当権者その他の第三者の承諾を得ることを要しない。

3 第一項の変更について元本の確定前に登記をしなかったときは、その変更をしなかったものとみなす。

（根抵当権の極度額の変更）
第三百九十八条の五 根抵当権の極度額の変更は、利害関係を有する者の承諾を得なければ、することができない。

（根抵当権の元本確定期日の定め）
第三百九十八条の六 根抵当権の担保すべき元本については、その確定すべき期日を定め又は変更することができる。

2 第三百九十八条の四第二項の規定は、前項の場合について準用する。

3 第一項の期日は、これを定め又は変更した日から五年以内でなければならない。

4 第一項の期日の変更についてその変更前の期日より前に登記

をしなかったときは、担保すべき元本は、その変更前の期日に確定する。

（根抵当権の被担保債権の譲渡等）

第三百九十八条の七　元本の確定前に根抵当権者から債権を取得した者は、その債権について根抵当権を行使することができない。元本の確定前に債務者のために又は債務者に代わって弁済をした者も、同様とする。

2　元本の確定前に債務の引受けがあったときは、根抵当権者は、引受人の債務について、その根抵当権を行使することができない。

3　元本の確定前に免責的債務引受があった場合における債権者は、第四百七十二条の四第一項の規定にかかわらず、根抵当権を引受人が負担する債務に移すことができない。

4　元本の確定前に債権者の交替による更改があった場合における更改前の債権者は、第五百十八条第一項の規定にかかわらず、根抵当権を更改後の債務に移すことができない。元本の確定前に債務者の交替による更改があった場合における債権者も、同様とする。

（根抵当権者又は債務者の相続）

第三百九十八条の八　元本の確定前に根抵当権者について相続が開始したときは、根抵当権は、相続開始の時に存する債権のほか、相続人と根抵当権設定者との合意により定めた相続人が相続の開始後に取得する債権を担保する。

2　元本の確定前にその債務者について相続が開始したときは、根抵当権は、相続開始の時に存する債務のほか、根抵当権者と根抵当権設定者との合意により定めた相続人が相続の開始後に負担する債務を担保する。

3　第三百九十八条の四第二項の規定は、前二項の合意をする場合について準用する。

4　第一項及び第二項の合意について相続の開始後六箇月以内に登記をしないときは、担保すべき元本は、相続開始の時に確定したものとみなす。

（根抵当権者又は債務者の合併）

第三百九十八条の九　元本の確定前に根抵当権者について合併があったときは、根抵当権は、合併の時に存する債権のほか、合併後存続する法人又は合併によって設立された法人が合併後に取得する債権を担保する。

2　元本の確定前にその債務者について合併があったときは、根抵当権は、合併の時に存する債務のほか、合併後存続する法人又は合併によって設立された法人が合併後に負担する債務を担保する。

3　前二項の場合には、根抵当権設定者は、担保すべき元本の確定を請求することができる。ただし、前項の場合において、その債務者が根抵当権設定者であるときは、この限りでない。

4　前項の規定による請求があったときは、担保すべき元本は、合併の時に確定したものとみなす。

5　第三項の規定による請求は、根抵当権設定者が合併のあったことを知った日から二週間を経過したときは、することができない。合併の日から一箇月を経過したときも、同様とする。

（根抵当権者又は債務者の会社分割）

第三百九十八条の十　元本の確定前に根抵当権者を分割をする会社とする分割があったときは、根抵当権は、分割の時に存する債権のほか、分割をした会社及び分割により設立された会社又は当該分割をした会社がその事業に関して有する権利義務の全部又は一部を当該会社から承継した会社が分割後に取得する債権を担保する。

2　元本の確定前にその債務者を分割をする会社とする分割があったときは、根抵当権は、分割の時に存する債務のほか、分割をした会社及び分割により設立された会社又は当該分割をした会社がその事業に関して有する権利義務の全部又は一部を当該会社から承継した会社が分割後に負担する債務を担保する。

3　前条第三項から第五項までの規定は、前二項の場合について準用する。

（根抵当権の処分）

第三百九十八条の十一　元本の確定前においては、根抵当権者は、第三百七十六条第一項の規定による根抵当権の処分をすることができない。ただし、その根抵当権を他の債権の担保とすることを妨げない。

2　第三百七十七条第二項の規定は、前項ただし書の場合において元本の確定前にした弁済については、適用しない。

（根抵当権の譲渡）

第三百九十八条の十二　元本の確定前においては、根抵当権者は、根抵当権設定者の承諾を得て、その根抵当権を譲り渡すことができる。

2　根抵当権者は、その根抵当権を二個の根抵当権に分割して、その一方を前項の規定により譲り渡すことができる。この場合において、その根抵当権を目的とする権利は、譲り渡した根抵当権について消滅する。

3　前項の規定による譲渡をするには、その根抵当権を目的とする権利を有する者の承諾を得なければならない。

（根抵当権の一部譲渡）

第三百九十八条の十三　元本の確定前においては、根抵当権者は、根抵当権設定者の承諾を得て、その根抵当権の一部譲渡（譲渡人が譲受人と根抵当権を共有するため、これを分割しないで譲り渡すことをいう。以下この節において同じ。）をすることができる。

（根抵当権の共有）

第三百九十八条の十四　根抵当権の共有者は、それぞれその債権額の割合に応じて弁済を受ける。ただし、元本の確定前に、これと異なる割合を定め、又はある者が他の者に先立って弁済を受けるべきことを定めたときは、その定めに従う。

2　根抵当権の共有者は、他の共有者の同意を得て、第三百九十八条の十二第一項の規定によりその権利を譲り渡すことができる。

（抵当権の順位の譲渡又は放棄と根抵当権の譲渡又は一部譲渡）

第三百九十八条の十五　抵当権の順位の譲渡又は放棄を受けた根抵当権者が、その根抵当権の譲渡又は一部譲渡をしたときは、譲受人は、その順位の譲渡又は放棄の利益を受ける。

（共同根抵当）

第三百九十八条の十六　第三百九十二条及び第三百九十三条の規定は、根抵当権の設定と同時に同一の債権の担保として数個の不動産につき根抵当権が設定された旨の登記をした場合に限り、適用する。

（共同根抵当の変更等）

第三百九十八条の十七　前条の登記がされている根抵当権の担保すべき債権の範囲、債務者若しくは極度額の変更又はその譲渡若しくは一部譲渡は、その根抵当権が設定されているすべての不動産について登記をしなければ、その効力を生じない。
2　前条の登記がされている根抵当権の担保すべき元本は、一個の不動産についてのみ確定すべき事由が生じた場合においても、確定する。

（累積根抵当）
第三百九十八条の十八　数個の不動産につき根抵当権を有する者は、第三百九十八条の十六の場合を除き、各不動産の代価について、各極度額に至るまで優先権を行使することができる。

（根抵当権の元本の確定請求）
第三百九十八条の十九　根抵当権設定者は、根抵当権の設定の時から三年を経過したときは、担保すべき元本の確定を請求することができる。この場合において、担保すべき元本は、その請求の時から二週間を経過することによって確定する。
2　根抵当権者は、いつでも、担保すべき元本の確定を請求することができる。この場合において、担保すべき元本は、その請求の時に確定する。
3　前二項の規定は、担保すべき元本の確定すべき期日の定めがあるときは、適用しない。

（根抵当権の元本の確定事由）
第三百九十八条の二十　次に掲げる場合には、根抵当権の担保すべき元本は、確定する。
一　根抵当権者が抵当不動産について競売若しくは担保不動産収益執行又は第三百七十二条において準用する第三百四条の規定による差押えを申し立てたとき。ただし、競売手続若しくは担保不動産収益執行手続の開始又は差押えがあったときに限る。
二　根抵当権者が抵当不動産に対して滞納処分による差押えをしたとき。
三　根抵当権者が抵当不動産に対する競売手続の開始又は滞納処分による差押えがあったことを知った時から二週間を経過したとき。
四　債務者又は根抵当権設定者が破産手続開始の決定を受けたとき。
2　前項第三号の競売手続の開始若しくは差押え又は同項第四号の破産手続開始の決定の効力が消滅したときは、担保すべき元本は、確定しなかったものとみなす。ただし、元本が確定したものとしてその根抵当権又はこれを目的とする権利を取得した者があるときは、この限りでない。

（根抵当権の極度額の減額請求）
第三百九十八条の二十一　元本の確定後においては、根抵当権設定者は、その根抵当権の極度額を、現に存する債務の額と以後二年間に生ずべき利息その他の定期金及び債務の不履行による損害賠償の額とを加えた額に減額することを請求することができる。
2　第三百九十八条の十六の登記がされている根抵当権の極度額の減額については、前項の規定による請求は、そのうちの一個の不動産についてすれば足りる。

（根抵当権の消滅請求）
第三百九十八条の二十二　元本の確定後において現に存する債務の額が根抵当権の極度額を超えるときは、他人の債務を担保するためその根抵当権を設定した者又は抵当不動産について所有権、地上権、永小作権若しくは第三者に対抗することができる賃借権を取得した第三者は、その極度額に相当する金額を払い渡し又は供託して、その根抵当権の消滅請求をすることができる。この場合において、その払渡し又は供託は、弁済の効力を有する。
2　第三百九十八条の十六の登記がされている根抵当権は、一個の不動産について前項の消滅請求があったときは、消滅する。
3　第三百八十条及び第三百八十一条の規定は、第一項の消滅請求について準用する。

第三編　債権

第一章　総則

第一節　債権の目的

（債権の目的）
第三百九十九条　債権は、金銭に見積もることができないものであっても、その目的とすることができる。

（特定物の引渡しの場合の注意義務）
第四百条　債権の目的が特定物の引渡しであるときは、債務者は、その引渡しをするまで、契約その他の債権の発生原因及び取引上の社会通念に照らして定まる善良な管理者の注意をもって、その物を保存しなければならない。

（種類債権）
第四百一条　債権の目的物を種類のみで指定した場合において、法律行為の性質又は当事者の意思によってその品質を定めることができないときは、債務者は、中等の品質を有する物を給付しなければならない。
2　前項の場合において、債務者が物の給付をするのに必要な行為を完了し、又は債権者の同意を得てその給付すべき物を指定したときは、以後その物を債権の目的物とする。

（金銭債権）
第四百二条　債権の目的物が金銭であるときは、債務者は、その選択に従い、各種の通貨で弁済をすることができる。ただし、特定の種類の通貨の給付を債権の目的としたときは、この限りでない。
2　債権の目的物である特定の種類の通貨が弁済期に強制通用の効力を失っているときは、債務者は、他の通貨で弁済をしなければならない。
3　前二項の規定は、外国の通貨の給付を債権の目的とした場合について準用する。
第四百三条　外国の通貨で債権額を指定したときは、債務者は、履行地における為替相場により、日本の通貨で弁済をすることができる。

（法定利率）
第四百四条　利息を生ずべき債権について別段の意思表示がないときは、その利率は、その利息が生じた最初の時点における法定利率による。
2　法定利率は、年三パーセントとする。
3　前項の規定にかかわらず、法定利率は、法務省令で定めるところにより、三年を一期とし、一期ごとに、次項の規定により変動するものとする。

4　各期における法定利率は、この項の規定により法定利率に変動があった期のうち直近のもの（以下この項において「直近変動期」という。）における基準割合と当期における基準割合との差に相当する割合（その割合に一パーセント未満の端数があるときは、これを切り捨てる。）を直近変動期における法定利率に加算し、又は減算した割合とする。

5　前項に規定する「基準割合」とは、法務省令で定めるところにより、各期の初日の属する年の六年前の年の一月から前々年の十二月までの各月における短期貸付けの平均利率（当該各月において銀行が新たに行った貸付け（貸付期間が一年未満のものに限る。）に係る利率の平均をいう。）の合計を六十で除して計算した割合（その割合に〇・一パーセント未満の端数があるときは、これを切り捨てる。）として法務大臣が告示するものをいう。

（利息の元本への組入れ）

第四百五条　利息の支払が一年分以上延滞した場合において、債権者が催告をしても、債務者がその利息を支払わないときは、債権者は、これを元本に組み入れることができる。

（選択債権における選択権の帰属）

第四百六条　債権の目的が数個の給付の中から選択によって定まるときは、その選択権は、債務者に属する。

（選択権の行使）

第四百七条　前条の選択権は、相手方に対する意思表示によって行使する。

2　前項の意思表示は、相手方の承諾を得なければ、撤回することができない。

（選択権の移転）

第四百八条　債権が弁済期にある場合において、相手方から相当の期間を定めて催告をしても、選択権を有する当事者がその期間内に選択をしないときは、その選択権は、相手方に移転する。

（第三者の選択権）

第四百九条　第三者が選択をすべき場合には、その選択は、債権者又は債務者に対する意思表示によってする。

2　前項に規定する場合において、第三者が選択をすることができず、又は選択をする意思を有しないときは、選択権は、債務者に移転する。

（不能による選択債権の特定）

第四百十条　債権の目的である給付の中に不能のものがある場合において、その不能が選択権を有する者の過失によるものであるときは、債権は、その残存するものについて存在する。

（選択の効力）

第四百十一条　選択は、債権の発生の時にさかのぼってその効力を生ずる。ただし、第三者の権利を害することはできない。

第二節　債権の効力

第一款　債務不履行の責任等

（履行期と履行遅滞）

第四百十二条　債務の履行について確定期限があるときは、債務者は、その期限の到来した時から遅滞の責任を負う。

2　債務の履行について不確定期限があるときは、債務者は、その期限の到来した後に履行の請求を受けた時又はその期限の到来したことを知った時のいずれか早い時から遅滞の責任を負う。

3　債務の履行について期限を定めなかったときは、債務者は、履行の請求を受けた時から遅滞の責任を負う。

（履行不能）

第四百十二条の二　債務の履行が契約その他の債務の発生原因及び取引上の社会通念に照らして不能であるときは、債権者は、その債務の履行を請求することができない。

2　契約に基づく債務の履行がその契約の成立の時に不能であったことは、第四百十五条の規定によりその履行の不能によって生じた損害の賠償を請求することを妨げない。

（受領遅滞）

第四百十三条　債権者が債務の履行を受けることを拒み、又は受けることができない場合において、その債務の目的が特定物の引渡しであるときは、債務者は、履行の提供をした時からその引渡しをするまで、自己の財産に対するのと同一の注意をもって、その物を保存すれば足りる。

2　債権者が債務の履行を受けることを拒み、又は受けることができないことによって、その履行の費用が増加したときは、その増加額は、債権者の負担とする。

（履行遅滞中又は受領遅滞中の履行不能と帰責事由）

第四百十三条の二　債務者がその債務について遅滞の責任を負っている間に当事者双方の責めに帰することができない事由によってその債務の履行が不能となったときは、その履行の不能は、債務者の責めに帰すべき事由によるものとみなす。

2　債権者が債務の履行を受けることを拒み、又は受けることができない場合において、履行の提供があった時以後に当事者双方の責めに帰することができない事由によってその債務の履行が不能となったときは、その履行の不能は、債権者の責めに帰すべき事由によるものとみなす。

（履行の強制）

第四百十四条　債務者が任意に債務の履行をしないときは、債権者は、民事執行法その他強制執行の手続に関する法令の規定に従い、直接強制、代替執行、間接強制その他の方法による履行の強制を裁判所に請求することができる。ただし、債務の性質がこれを許さないときは、この限りでない。

2　前項の規定は、損害賠償の請求を妨げない。

（債務不履行による損害賠償）

第四百十五条　債務者がその債務の本旨に従った履行をしないとき又は債務の履行が不能であるときは、債権者は、これによって生じた損害の賠償を請求することができる。ただし、その債務の不履行が契約その他の債務の発生原因及び取引上の社会通念に照らして債務者の責めに帰することができない事由によるものであるときは、この限りでない。

2　前項の規定により損害賠償の請求をすることができる場合において、債権者は、次に掲げるときは、債務の履行に代わる損害賠償の請求をすることができる。

一　債務の履行が不能であるとき。

二　債務者がその債務の履行を拒絶する意思を明確に表示したとき。

三　債務が契約によって生じたものである場合において、その契約が解除され、又は債務の不履行による契約の解除権が発生したとき。

（損害賠償の範囲）

第四百十六条 債務の不履行に対する損害賠償の請求は、これによって通常生ずべき損害の賠償をさせることをその目的とする。

2 特別の事情によって生じた損害であっても、当事者がその事情を予見すべきであったときは、債権者は、その賠償を請求することができる。

（損害賠償の方法）

第四百十七条 損害賠償は、別段の意思表示がないときは、金銭をもってその額を定める。

（中間利息の控除）

第四百十七条の二 将来において取得すべき利益についての損害賠償の額を定める場合において、その利益を取得すべき時までの利息相当額を控除するときは、その損害賠償の請求権が生じた時点における法定利率により、これをする。

2 将来において負担すべき費用についての損害賠償の額を定める場合において、その費用を負担すべき時までの利息相当額を控除するときも、前項と同様とする。

（過失相殺）

第四百十八条 債務の不履行又はこれによる損害の発生若しくは拡大に関して債権者に過失があったときは、裁判所は、これを考慮して、損害賠償の責任及びその額を定める。

（金銭債務の特則）

第四百十九条 金銭の給付を目的とする債務の不履行については、その損害賠償の額は、債務者が遅滞の責任を負った最初の時点における法定利率によって定める。ただし、約定利率が法定利率を超えるときは、約定利率による。

2 前項の損害賠償については、債権者は、損害の証明をすることを要しない。

3 第一項の損害賠償については、債務者は、不可抗力をもって抗弁とすることができない。

（賠償額の予定）

第四百二十条 当事者は、債務の不履行について損害賠償の額を予定することができる。

2 賠償額の予定は、履行の請求又は解除権の行使を妨げない。

3 違約金は、賠償額の予定と推定する。

第四百二十一条 前条の規定は、当事者が金銭でないものを損害の賠償に充てるべき旨を予定した場合について準用する。

（損害賠償による代位）

第四百二十二条 債権者が、損害賠償として、その債権の目的である物又は権利の価額の全部の支払を受けたときは、債務者は、その物又は権利について当然に債権者に代位する。

（代償請求権）

第四百二十二条の二 債務者が、その債務の履行が不能となったのと同一の原因により債務の目的物の代償である権利又は利益を取得したときは、債権者は、その受けた損害の額の限度において、債務者に対し、その権利の移転又はその利益の償還を請求することができる。

第二款 債権者代位権

（債権者代位権の要件）

第四百二十三条 債権者は、自己の債権を保全するため必要があるときは、債務者に属する権利（以下「被代位権利」という。）を行使することができる。ただし、債務者の一身に専属する権利及び差押えを禁じられた権利は、この限りでない。

2 債権者は、その債権の期限が到来しない間は、被代位権利を行使することができない。ただし、保存行為は、この限りでない。

3 債権者は、その債権が強制執行により実現することのできないものであるときは、被代位権利を行使することができない。

（代位行使の範囲）

第四百二十三条の二 債権者は、被代位権利を行使する場合において、被代位権利の目的が可分であるときは、自己の債権の額の限度においてのみ、被代位権利を行使することができる。

（債権者への支払又は引渡し）

第四百二十三条の三 債権者は、被代位権利を行使する場合において、被代位権利が金銭の支払又は動産の引渡しを目的とするものであるときは、相手方に対し、その支払又は引渡しを自己に対してすることを求めることができる。この場合において、相手方が債権者に対してその支払又は引渡しをしたときは、被代位権利は、これによって消滅する。

（相手方の抗弁）

第四百二十三条の四 債権者が被代位権利を行使したときは、相手方は、債務者に対して主張することができる抗弁をもって、債権者に対抗することができる。

（債務者の取立てその他の処分の権限等）

第四百二十三条の五 債権者が被代位権利を行使した場合であっても、債務者は、被代位権利について、自ら取立てその他の処分をすることを妨げられない。この場合においては、相手方も、被代位権利について、債務者に対して履行をすることを妨げられない。

（被代位権利の行使に係る訴えを提起した場合の訴訟告知）

第四百二十三条の六 債権者は、被代位権利の行使に係る訴えを提起したときは、遅滞なく、債務者に対し、訴訟告知をしなければならない。

（登記又は登録の請求権を保全するための債権者代位権）

第四百二十三条の七 登記又は登録をしなければ権利の得喪及び変更を第三者に対抗することができない財産を譲り受けた者は、その譲渡人が第三者に対して有する登記手続又は登録手続をすべきことを請求する権利を行使しないときは、その権利を行使することができる。この場合においては、前三条の規定を準用する。

第三款 詐害行為取消権

第一目 詐害行為取消権の要件

（詐害行為取消請求）

第四百二十四条 債権者は、債務者が債権者を害することを知ってした行為の取消しを裁判所に請求することができる。ただし、その行為によって利益を受けた者（以下この款において「受益者」という。）がその行為の時において債権者を害することを知らなかったときは、この限りでない。

2 前項の規定は、財産権を目的としない行為については、適用しない。

3 債権者は、その債権が第一項に規定する行為の前の原因に基づいて生じたものである場合に限り、同項の規定による請求（以下「詐害行為取消請求」という。）をすることができる。

4 債権者は、その債権が強制執行により実現することのできないものであるときは、詐害行為取消請求をすることができない。

（相当の対価を得てした財産の処分行為の特則）

第四百二十四条の二　債務者が、その有する財産を処分する行為をした場合において、受益者から相当の対価を取得しているときは、債権者は、次に掲げる要件のいずれにも該当する場合に限り、その行為について、詐害行為取消請求をすることができる。

一　その行為が、不動産の金銭への換価その他の当該処分による財産の種類の変更により、債務者において隠匿、無償の供与その他の債権者を害することとなる処分（以下この条において「隠匿等の処分」という。）をするおそれを現に生じさせるものであること。

二　債務者が、その行為の当時、対価として取得した金銭その他の財産について、隠匿等の処分をする意思を有していたこと。

三　受益者が、その行為の当時、債務者が隠匿等の処分をする意思を有していたことを知っていたこと。

（特定の債権者に対する担保の供与等の特則）

第四百二十四条の三　債務者がした既存の債務についての担保の供与又は債務の消滅に関する行為について、債権者は、次に掲げる要件のいずれにも該当する場合に限り、詐害行為取消請求をすることができる。

一　その行為が、債務者が支払不能（債務者が、支払能力を欠くために、その債務のうち弁済期にあるものにつき、一般的かつ継続的に弁済することができない状態をいう。次項第一号において同じ。）の時に行われたものであること。

二　その行為が、債務者と受益者とが通謀して他の債権者を害する意図をもって行われたものであること。

2　前項に規定する行為が、債務者の義務に属せず、又はその時期が債務者の義務に属しないものである場合において、次に掲げる要件のいずれにも該当するときは、債権者は、同項の規定にかかわらず、その行為について、詐害行為取消請求をすることができる。

一　その行為が、債務者が支払不能になる前三十日以内に行われたものであること。

二　その行為が、債務者と受益者とが通謀して他の債権者を害する意図をもって行われたものであること。

（過大な代物弁済等の特則）

第四百二十四条の四　債務者がした債務の消滅に関する行為であって、受益者の受けた給付の価額がその行為によって消滅した債務の額より過大であるものについて、第四百二十四条に規定する要件に該当するときは、債権者は、前条第一項の規定にかかわらず、その消滅した債務の額に相当する部分以外の部分については、詐害行為取消請求をすることができる。

（転得者に対する詐害行為取消請求）

第四百二十四条の五　債権者は、受益者に対して詐害行為取消請求をすることができる場合において、受益者に移転した財産を転得した者があるときは、次の各号に掲げる区分に応じ、それぞれ当該各号に定める場合に限り、その転得者に対しても、詐害行為取消請求をすることができる。

一　その転得者が受益者から転得した者である場合　その転得者が、転得の当時、債務者がした行為が債権者を害することを知っていたとき。

二　その転得者が他の転得者から転得した者である場合　その転得者及びその前に転得した全ての転得者が、それぞれの転得の当時、債務者がした行為が債権者を害することを知っていたとき。

第二目　詐害行為取消権の行使の方法等

（財産の返還又は価額の償還の請求）

第四百二十四条の六　債権者は、受益者に対する詐害行為取消請求において、債務者がした行為の取消しとともに、その行為によって受益者に移転した財産の返還を請求することができる。受益者がその財産の返還をすることが困難であるときは、債権者は、その価額の償還を請求することができる。

2　債権者は、転得者に対する詐害行為取消請求において、債務者がした行為の取消しとともに、転得者が転得した財産の返還を請求することができる。転得者がその財産の返還をすることが困難であるときは、債権者は、その価額の償還を請求することができる。

（被告及び訴訟告知）

第四百二十四条の七　詐害行為取消請求に係る訴えについては、次の各号に掲げる区分に応じ、それぞれ当該各号に定める者を被告とする。

一　受益者に対する詐害行為取消請求に係る訴え　受益者

二　転得者に対する詐害行為取消請求に係る訴え　その詐害行為取消請求の相手方である転得者

2　債権者は、詐害行為取消請求に係る訴えを提起したときは、遅滞なく、債務者に対し、訴訟告知をしなければならない。

（詐害行為の取消しの範囲）

第四百二十四条の八　債権者は、詐害行為取消請求をする場合において、債務者がした行為の目的が可分であるときは、自己の債権の額の限度においてのみ、その行為の取消しを請求することができる。

2　債権者が第四百二十四条の六第一項後段又は第二項後段の規定により価額の償還を請求する場合についても、前項と同様とする。

（債権者への支払又は引渡し）

第四百二十四条の九　債権者は、第四百二十四条の六第一項前段又は第二項前段の規定により受益者又は転得者に対して財産の返還を請求する場合において、その返還の請求が金銭の支払又は動産の引渡しを求めるものであるときは、受益者に対してその支払又は引渡しを、転得者に対してその引渡しを、自己に対してすることを求めることができる。この場合において、受益者又は転得者は、債権者に対してその支払又は引渡しをしたときは、債務者に対してその支払又は引渡しをすることを要しない。

2　債権者が第四百二十四条の六第一項後段又は第二項後段の規定により受益者又は転得者に対して価額の償還を請求する場合についても、前項と同様とする。

第三目　詐害行為取消権の行使の効果

（認容判決の効力が及ぶ者の範囲）

第四百二十五条　詐害行為取消請求を認容する確定判決は、債務者及びその全ての債権者に対してもその効力を有する。

（債務者の受けた反対給付に関する受益者の権利）

第四百二十五条の二　債務者がした財産の処分に関する行為（債務の消滅に関する行為を除く。）が取り消されたときは、受益者は、債務者に対し、その財産を取得するためにした反対給付の返還を請求することができる。債務者がその反対給付の返還をすることが困難であるときは、受益者は、その価額の償還を請求することができる。

（受益者の債権の回復）

第四百二十五条の三　債務者がした債務の消滅に関する行為が取り消された場合（第四百二十四条の四の規定により取り消された場合を除く。）において、受益者が債務者から受けた給付を返還し、又はその価額を償還したときは、受益者の債務者に対する債権は、これによって原状に復する。

（詐害行為取消請求を受けた転得者の権利）

第四百二十五条の四　債務者がした行為が転得者に対する詐害行為取消請求によって取り消されたときは、その転得者は、次の各号に掲げる区分に応じ、それぞれ当該各号に定める権利を行使することができる。ただし、その転得者がその前者から財産を取得するためにした反対給付又はその前者から財産を取得することによって消滅した債権の価額を限度とする。

一　第四百二十五条の二に規定する行為が取り消された場合　その行為が受益者に対する詐害行為取消請求によって取り消されたとすれば同条の規定により生ずべき受益者の債務者に対する反対給付の返還請求権又はその価額の償還請求権

二　前条に規定する行為が取り消された場合（第四百二十四条の四の規定により取り消された場合を除く。）　その行為が受益者に対する詐害行為取消請求によって取り消されたとすれば前条の規定により回復すべき受益者の債務者に対する債権

第四目　詐害行為取消権の期間の制限

第四百二十六条　詐害行為取消請求に係る訴えは、債務者が債権者を害することを知って行為をしたことを債権者が知った時から二年を経過したときは、提起することができない。行為の時から十年を経過したときも、同様とする。

第三節　多数当事者の債権及び債務

第一款　総則

（分割債権及び分割債務）

第四百二十七条　数人の債権者又は債務者がある場合において、別段の意思表示がないときは、各債権者又は各債務者は、それぞれ等しい割合で権利を有し、又は義務を負う。

第二款　不可分債権及び不可分債務

（不可分債権）

第四百二十八条　次款（連帯債権）の規定（第四百三十三条及び第四百三十五条の規定を除く。）は、債権の目的がその性質上不可分である場合において、数人の債権者があるときについて準用する。

（不可分債権者の一人との間の更改又は免除）

第四百二十九条　不可分債権者の一人と債務者との間に更改又は免除があった場合においても、他の不可分債権者は、債務の全部の履行を請求することができる。この場合においては、その一人の不可分債権者がその権利を失わなければ分与されるべき利益を債務者に償還しなければならない。

（不可分債務）

第四百三十条　第四款（連帯債務）の規定（第四百四十条の規定を除く。）は、債務の目的がその性質上不可分である場合において、数人の債務者があるときについて準用する。

（可分債権又は可分債務への変更）

第四百三十一条　不可分債権が可分債権となったときは、各債権者は自己が権利を有する部分についてのみ履行を請求することができ、不可分債務が可分債務となったときは、各債務者はその負担部分についてのみ履行の責任を負う。

第三款　連帯債権

（連帯債権者による履行の請求等）

第四百三十二条　債権の目的がその性質上可分である場合において、法令の規定又は当事者の意思表示によって数人が連帯して債権を有するときは、各債権者は、全ての債権者のために全部又は一部の履行を請求することができ、債務者は、全ての債権者のために各債権者に対して履行をすることができる。

（連帯債権者の一人との間の更改又は免除）

第四百三十三条　連帯債権者の一人と債務者との間に更改又は免除があったときは、その連帯債権者がその権利を失わなければ分与されるべき利益に係る部分については、他の連帯債権者は、履行を請求することができない。

（連帯債権者の一人との間の相殺）

第四百三十四条　債務者が連帯債権者の一人に対して債権を有する場合において、その債務者が相殺を援用したときは、その相殺は、他の連帯債権者に対しても、その効力を生ずる。

（連帯債権者の一人との間の混同）

第四百三十五条　連帯債権者の一人と債務者との間に混同があったときは、債務者は、弁済をしたものとみなす。

（相対的効力の原則）

第四百三十五条の二　第四百三十二条から前条までに規定する場合を除き、連帯債権者の一人の行為又は一人について生じた事由は、他の連帯債権者に対してその効力を生じない。ただし、他の連帯債権者の一人及び債務者が別段の意思を表示したときは、当該他の連帯債権者に対する効力は、その意思に従う。

第四款　連帯債務

（連帯債務者に対する履行の請求）

第四百三十六条　債務の目的がその性質上可分である場合において、法令の規定又は当事者の意思表示によって数人が連帯して債務を負担するときは、債権者は、その連帯債務者の一人に対し、又は同時に若しくは順次に全ての連帯債務者に対し、全部又は一部の履行を請求することができる。

（連帯債務者の一人についての法律行為の無効等）

第四百三十七条　連帯債務者の一人について法律行為の無効又は取消しの原因があっても、他の連帯債務者の債務は、その効力を妨げられない。

（連帯債務者の一人との間の更改）

第四百三十八条　連帯債務者の一人と債権者との間に更改があったときは、債権は、全ての連帯債務者の利益のために消滅する。

（連帯債務者の一人による相殺等）

第四百三十九条　連帯債務者の一人が債権者に対して債権を有する場合において、その連帯債務者が相殺を援用したときは、債権は、全ての連帯債務者の利益のために消滅する。

２　前項の債権を有する連帯債務者が相殺を援用しない間は、そ

の連帯債務者の負担部分の限度において、他の連帯債務者は、債権者に対して債務の履行を拒むことができる。

（連帯債務者の一人との間の混同）

第四百四十条　連帯債務者の一人と債権者との間に混同があったときは、その連帯債務者は、弁済をしたものとみなす。

（相対的効力の原則）

第四百四十一条　第四百三十八条、第四百三十九条第一項及び前条に規定する場合を除き、連帯債務者の一人について生じた事由は、他の連帯債務者に対してその効力を生じない。ただし、債権者及び他の連帯債務者の一人が別段の意思を表示したときは、当該他の連帯債務者に対する効力は、その意思に従う。

（連帯債務者間の求償権）

第四百四十二条　連帯債務者の一人が弁済をし、その他自己の財産をもって共同の免責を得たときは、その連帯債務者は、その免責を得た額が自己の負担部分を超えるかどうかにかかわらず、他の連帯債務者に対し、その免責を得るために支出した財産の額（その財産の額が共同の免責を得た額を超える場合にあっては、その免責を得た額）のうち各自の負担部分に応じた額の求償権を有する。

２　前項の規定による求償は、弁済その他免責があった日以後の法定利息及び避けることができなかった費用その他の損害の賠償を包含する。

（通知を怠った連帯債務者の求償の制限）

第四百四十三条　他の連帯債務者があることを知りながら、連帯債務者の一人が共同の免責を得ることを他の連帯債務者に通知しないで弁済をし、その他自己の財産をもって共同の免責を得た場合において、他の連帯債務者は、債権者に対抗することができる事由を有していたときは、その負担部分について、その事由をもってその免責を得た連帯債務者に対抗することができる。この場合において、相殺をもってその免責を得た連帯債務者に対抗したときは、その連帯債務者は、債権者に対し、相殺によって消滅すべきであった債務の履行を請求することができる。

２　弁済をし、その他自己の財産をもって共同の免責を得た連帯債務者が、他の連帯債務者があることを知りながらその免責を得たことを他の連帯債務者に通知することを怠ったため、他の連帯債務者が善意で弁済その他自己の財産をもって免責を得るための行為をしたときは、当該他の連帯債務者は、その免責を得るための行為を有効であったものとみなすことができる。

（償還をする資力のない者の負担部分の分担）

第四百四十四条　連帯債務者の中に償還をする資力のない者があるときは、その償還をすることができない部分は、求償者及び他の資力のある者の間で、各自の負担部分に応じて分割して負担する。

２　前項に規定する場合において、求償者及び他の資力のある者がいずれも負担部分を有しない者であるときは、その償還をすることができない部分は、求償者及び他の資力のある者の間で、等しい割合で分割して負担する。

３　前二項の規定にかかわらず、償還を受けることができないことについて求償者に過失があるときは、他の連帯債務者に対して分担を請求することができない。

（連帯債務者の一人との間の免除等と求償権）

第四百四十五条　連帯債務者の一人に対して債務の免除がされ、又は連帯債務者の一人のために時効が完成した場合においても、他の連帯債務者は、その一人の連帯債務者に対し、第四百四十二条第一項の求償権を行使することができる。

第五款　保証債務

第一目　総則

（保証人の責任等）

第四百四十六条　保証人は、主たる債務者がその債務を履行しないときに、その履行をする責任を負う。

２　保証契約は、書面でしなければ、その効力を生じない。

３　保証契約がその内容を記録した電磁的記録によってされたときは、その保証契約は、書面によってされたものとみなして、前項の規定を適用する。

（保証債務の範囲）

第四百四十七条　保証債務は、主たる債務に関する利息、違約金、損害賠償その他その債務に従たるすべてのものを包含する。

２　保証人は、その保証債務についてのみ、違約金又は損害賠償の額を約定することができる。

（保証人の負担と主たる債務の目的又は態様）

第四百四十八条　保証人の負担が債務の目的又は態様において主たる債務より重いときは、これを主たる債務の限度に減縮する。

２　主たる債務の目的又は態様が保証契約の締結後に加重されたときであっても、保証人の負担は加重されない。

（取り消すことができる債務の保証）

第四百四十九条　行為能力の制限によって取り消すことができる債務を保証した者は、保証契約の時においてその取消しの原因を知っていたときは、主たる債務の不履行の場合又はその債務の取消しの場合においてこれと同一の目的を有する独立の債務を負担したものと推定する。

（保証人の要件）

第四百五十条　債務者が保証人を立てる義務を負う場合には、その保証人は、次に掲げる要件を具備する者でなければならない。

一　行為能力者であること。

二　弁済をする資力を有すること。

２　保証人が前項第二号に掲げる要件を欠くに至ったときは、債権者は、同項各号に掲げる要件を具備する者をもってこれに代えることを請求することができる。

３　前二項の規定は、債権者が保証人を指名した場合には、適用しない。

（他の担保の供与）

第四百五十一条　債務者は、前条第一項各号に掲げる要件を具備する保証人を立てることができないときは、他の担保を供してこれに代えることができる。

（催告の抗弁）

第四百五十二条　債権者が保証人に債務の履行を請求したときは、保証人は、まず主たる債務者に催告をすべき旨を請求することができる。ただし、主たる債務者が破産手続開始の決定を受けたとき、又はその行方が知れないときは、この限りでない。

（検索の抗弁）

第四百五十三条　債権者が前条の規定に従い主たる債務者に催告をした後であっても、保証人が主たる債務者に弁済をする資力があり、かつ、執行が容易であることを証明したときは、債権者は、まず主たる債務者の財産について執行をしなければならない。

（連帯保証の場合の特則）

第四百五十四条　保証人は、主たる債務者と連帯して債務を負担したときは、前二条の権利を有しない。

（催告の抗弁及び検索の抗弁の効果）

第四百五十五条　第四百五十二条又は第四百五十三条の規定により保証人の請求又は証明があったにもかかわらず、債権者が催告又は執行をすることを怠ったために主たる債務者から全部の弁済を得られなかったときは、保証人は、債権者が直ちに催告又は執行をすれば弁済を得ることができた限度において、その義務を免れる。

（数人の保証人がある場合）

第四百五十六条　数人の保証人がある場合には、それらの保証人が各別の行為により債務を負担したときであっても、第四百二十七条の規定を適用する。

（主たる債務者について生じた事由の効力）

第四百五十七条　主たる債務者に対する履行の請求その他の事由による時効の完成猶予及び更新は、保証人に対しても、その効力を生ずる。

2　保証人は、主たる債務者が主張することができる抗弁をもって債権者に対抗することができる。

3　主たる債務者が債権者に対して相殺権、取消権又は解除権を有するときは、これらの権利の行使によって主たる債務者がその債務を免れるべき限度において、保証人は、債権者に対して債務の履行を拒むことができる。

（連帯保証人について生じた事由の効力）

第四百五十八条　第四百三十八条、第四百三十九条第一項、第四百四十条及び第四百四十一条の規定は、主たる債務者と連帯して債務を負担する保証人について生じた事由について準用する。

（主たる債務の履行状況に関する情報の提供義務）

第四百五十八条の二　保証人が主たる債務者の委託を受けて保証をした場合において、保証人の請求があったときは、債権者は、保証人に対し、遅滞なく、主たる債務の元本及び主たる債務に関する利息、違約金、損害賠償その他その債務に従たる全てのものについての不履行の有無並びにこれらの残額及びそのうち弁済期が到来しているものの額に関する情報を提供しなければならない。

（主たる債務者が期限の利益を喪失した場合における情報の提供義務）

第四百五十八条の三　主たる債務者が期限の利益を有する場合において、その利益を喪失したときは、債権者は、保証人に対し、その利益の喪失を知った時から二箇月以内に、その旨を通知しなければならない。

2　前項の期間内に同項の通知をしなかったときは、債権者は、保証人に対し、主たる債務者が期限の利益を喪失した時から同項の通知を現にするまでに生じた遅延損害金（期限の利益を喪失しなかったとしても生ずべきものを除く。）に係る保証債務の履行を請求することができない。

3　前二項の規定は、保証人が法人である場合には、適用しない。

（委託を受けた保証人の求償権）

第四百五十九条　保証人が主たる債務者の委託を受けて保証をした場合において、主たる債務者に代わって弁済その他自己の財産をもって債務を消滅させる行為（以下「債務の消滅行為」という。）をしたときは、その保証人は、主たる債務者に対し、そのために支出した財産の額（その財産の額がその債務の消滅行為によって消滅した主たる債務の額を超える場合にあっては、その消滅した額）の求償権を有する。

2　第四百四十二条第二項の規定は、前項の場合について準用する。

（委託を受けた保証人が弁済期前に弁済等をした場合の求償権）

第四百五十九条の二　保証人が主たる債務者の委託を受けて保証をした場合において、主たる債務の弁済期前に債務の消滅行為をしたときは、その保証人は、主たる債務者に対し、主たる債務者がその当時利益を受けた限度において求償権を有する。この場合において、主たる債務者が債務の消滅行為の日以前に相殺の原因を有していたことを主張するときは、保証人は、債権者に対し、その相殺によって消滅すべきであった債務の履行を請求することができる。

2　前項の規定による求償は、主たる債務の弁済期以後の法定利息及びその弁済期以後に債務の消滅行為をしたとしても避けることができなかった費用その他の損害の賠償を包含する。

3　第一項の求償権は、主たる債務の弁済期以後でなければ、これを行使することができない。

（委託を受けた保証人の事前の求償権）

第四百六十条　保証人は、主たる債務者の委託を受けて保証をした場合において、次に掲げるときは、主たる債務者に対して、あらかじめ、求償権を行使することができる。

一　主たる債務者が破産手続開始の決定を受け、かつ、債権者がその破産財団の配当に加入しないとき。

二　債務が弁済期にあるとき。ただし、保証契約の後に債権者が主たる債務者に許与した期限は、保証人に対抗することができない。

三　保証人が過失なく債権者に弁済をすべき旨の裁判の言渡しを受けたとき。

（主たる債務者が保証人に対して償還をする場合）

第四百六十一条　前条の規定により主たる債務者が保証人に対して償還をする場合において、債権者が全部の弁済を受けない間は、主たる債務者は、保証人に担保を供させ、又は保証人に対して自己に免責を得させることを請求することができる。

2　前項に規定する場合において、主たる債務者は、供託をし、担保を供し、又は保証人に免責を得させて、その償還の義務を免れることができる。

（委託を受けない保証人の求償権）

第四百六十二条　第四百五十九条の二第一項の規定は、主たる債務者の委託を受けないで保証をした者が債務の消滅行為をした場合について準用する。

2　主たる債務者の意思に反して保証をした者は、主たる債務者が現に利益を受けている限度においてのみ求償権を有する。この場合において、主たる債務者が求償の日以前に相殺の原因を有していたことを主張するときは、保証人は、債権者に対し、その相殺によって消滅すべきであった債務の履行を請求することができる。

3　第四百五十九条の二第三項の規定は、前二項に規定する保証人が主たる債務の弁済期前に債務の消滅行為をした場合における求償権の行使について準用する。

（通知を怠った保証人の求償の制限等）

第四百六十三条　保証人が主たる債務者の委託を受けて保証をした場合において、主たる債務者にあらかじめ通知しないで債務の消滅行為をしたときは、主たる債務者は、債権者に対抗することができた事由をもってその保証人に対抗することができる。この場合において、相殺をもってその保証人に対抗したときは、その保証人は、債権者に対し、相殺によって消滅すべきであった債務の履行を請求することができる。

2　保証人が主たる債務者の委託を受けて保証をした場合において、主たる債務者が債務の消滅行為をしたことを保証人に通知することを怠ったため、その保証人が善意で債務の消滅行為をしたときは、その保証人は、その債務の消滅行為を有効であったものとみなすことができる。

3　保証人が債務の消滅行為をした後に主たる債務者が債務の消滅行為をした場合においては、保証人が主たる債務者の意思に反して保証をしたときのほか、保証人が債務の消滅行為をしたことを主たる債務者に通知することを怠ったため、主たる債務者が善意で債務の消滅行為をしたときも、主たる債務者は、その債務の消滅行為を有効であったものとみなすことができる。

（連帯債務又は不可分債務の保証人の求償権）

第四百六十四条　連帯債務者又は不可分債務者の一人のために保証をした者は、他の債務者に対し、その負担部分のみについて求償権を有する。

（共同保証人間の求償権）

第四百六十五条　第四百四十二条から第四百四十四条までの規定は、数人の保証人がある場合において、そのうちの一人の保証人が、主たる債務が不可分であるため又は各保証人が全額を弁済すべき旨の特約があるため、その全額又は自己の負担部分を超える額を弁済したときについて準用する。

2　第四百六十二条の規定は、前項に規定する場合を除き、互いに連帯しない保証人の一人が全額又は自己の負担部分を超える額を弁済したときについて準用する。

第二目　個人根保証契約

（個人根保証契約の保証人の責任等）

第四百六十五条の二　一定の範囲に属する不特定の債務を主たる債務とする保証契約（以下「根保証契約」という。）であって保証人が法人でないもの（以下「個人根保証契約」という。）の保証人は、主たる債務の元本、主たる債務に関する利息、違約金、損害賠償その他その債務に従たる全てのもの及びその保証債務について約定された違約金又は損害賠償の額について、その全部に係る極度額を限度として、その履行をする責任を負う。

2　個人根保証契約は、前項に規定する極度額を定めなければ、その効力を生じない。

3　第四百四十六条第二項及び第三項の規定は、個人根保証契約における第一項に規定する極度額の定めについて準用する。

（個人貸金等根保証契約の元本確定期日）

第四百六十五条の三　個人根保証契約であってその主たる債務の範囲に金銭の貸渡し又は手形の割引を受けることによって負担する債務（以下「貸金等債務」という。）が含まれるもの（以下「個人貸金等根保証契約」という。）において主たる債務の元本の確定すべき期日（以下「元本確定期日」という。）の定めがある場合において、その元本確定期日がその個人貸金等根保証契約の締結の日から五年を経過する日より後の日と定められているときは、その元本確定期日の定めは、その効力を生じない。

2　個人貸金等根保証契約において元本確定期日の定めがない場合（前項の規定により元本確定期日の定めがその効力を生じない場合を含む。）には、その元本確定期日は、その個人貸金等根保証契約の締結の日から三年を経過する日とする。

3　個人貸金等根保証契約における元本確定期日の変更をする場合において、変更後の元本確定期日がその変更をした日から五年を経過する日より後の日となるときは、その元本確定期日の変更は、その効力を生じない。ただし、元本確定期日の前二箇月以内に元本確定期日の変更をする場合において、変更後の元本確定期日が変更前の元本確定期日から五年以内の日となるときは、この限りでない。

4　第四百四十六条第二項及び第三項の規定は、個人貸金等根保証契約における元本確定期日の定め及びその変更（その個人貸金等根保証契約の締結の日から三年以内の日を元本確定期日とする旨の定め及び元本確定期日より前の日を変更後の元本確定期日とする変更を除く。）について準用する。

（個人根保証契約の元本の確定事由）

第四百六十五条の四　次に掲げる場合には、個人根保証契約における主たる債務の元本は、確定する。ただし、第一号に掲げる場合にあっては、強制執行又は担保権の実行の手続の開始があったときに限る。

一　債権者が、保証人の財産について、金銭の支払を目的とする債権についての強制執行又は担保権の実行を申し立てたとき。

二　保証人が破産手続開始の決定を受けたとき。

三　主たる債務者又は保証人が死亡したとき。

2　前項に規定する場合のほか、個人貸金等根保証契約における主たる債務の元本は、次に掲げる場合にも確定する。ただし、第一号に掲げる場合にあっては、強制執行又は担保権の実行の手続の開始があったときに限る。

一　債権者が、主たる債務者の財産について、金銭の支払を目的とする債権についての強制執行又は担保権の実行を申し立てたとき。

二　主たる債務者が破産手続開始の決定を受けたとき。

（保証人が法人である根保証契約の求償権）

第四百六十五条の五　保証人が法人である根保証契約において、第四百六十五条の二第一項に規定する極度額の定めがないときは、その根保証契約の保証人の主たる債務者に対する求償権に係る債務を主たる債務とする保証契約は、その効力を生じない。

2　保証人が法人である根保証契約であってその主たる債務の範囲に貸金等債務が含まれるものにおいて、元本確定期日の定めがないとき、又は元本確定期日の定め若しくはその変更が第四百六十五条の三第一項若しくは第三項の規定を適用するとすればその効力を生じないものであるときは、その根保証契約の保証人の主たる債務者に対する求償権に係る債務を主たる債務とする保証契約は、その効力を生じない。主たる債務の範囲にその求償権に係る債務が含まれる根保証契約も、同様とする。

3　前二項の規定は、求償権に係る債務を主たる債務とする保証契約又は主たる債務の範囲に求償権に係る債務が含まれる根保証契約の保証人が法人である場合には、適用しない。

第三目　事業に係る債務についての保証契約の特則

（公正証書の作成と保証の効力）

第四百六十五条の六　事業のために負担した貸金等債務を主たる債務とする保証契約又は主たる債務の範囲に事業のために負担する貸金等債務が含まれる根保証契約は、その契約の締結に先立ち、その締結の日前一箇月以内に作成された公正証書で保証人になろうとする者が保証債務を履行する意思を表示していなければ、その効力を生じない。

2　前項の公正証書を作成するには、次に掲げる方式に従わなければならない。

一　保証人になろうとする者が、次のイ又はロに掲げる契約の区分に応じ、それぞれ当該イ又はロに定める事項を公証人に口授すること。

イ　保証契約（ロに掲げるものを除く。）　主たる債務の債権者及び債務者、主たる債務の元本、主たる債務に関する利息、違約金、損害賠償その他その債務に従たる全てのものの定めの有無及びその内容並びに主たる債務者がその債務を履行しないときには、その債務の全額について履行する意思（保証人になろうとする者が主たる債務者と連帯して債務を負担しようとするものである場合には、債権者が主たる債務者に対して催告をしたかどうか、主たる債務者がその債務を履行することができるかどうか、又は他に保証人があるかどうかにかかわらず、その全額について履行する意思）を有していること。

ロ　根保証契約　主たる債務の債権者及び債務者、主たる債務の範囲、根保証契約における極度額、元本確定期日の定めの有無及びその内容並びに主たる債務者がその債務を履行しないときには、極度額の限度において元本確定期日又は第四百六十五条の四第一項各号若しくは第二項各号に掲げる事由その他の元本を確定すべき事由が生ずる時までに生ずべき主たる債務の元本及び主たる債務に関する利息、違約金、損害賠償その他その債務に従たる全てのものの全額について履行する意思（保証人になろうとする者が主たる債務者と連帯して債務を負担しようとするものである場合には、債権者が主たる債務者に対して催告をしたかどうか、主たる債務者がその債務を履行することができるかどうか、又は他に保証人があるかどうかにかかわらず、その全額について履行する意思）を有していること。

二　公証人が、保証人になろうとする者の口述を筆記し、これを保証人になろうとする者に読み聞かせ、又は閲覧させること。

三　保証人になろうとする者が、筆記の正確なことを承認した後、署名し、印を押すこと。ただし、保証人になろうとする者が署名することができない場合は、公証人がその事由を付記して、署名に代えることができる。

四　公証人が、その証書は前三号に掲げる方式に従って作ったものである旨を付記して、これに署名し、印を押すこと。

3　前二項の規定は、保証人になろうとする者が法人である場合には、適用しない。

（保証に係る公正証書の方式の特則）

第四百六十五条の七　前条第一項の保証契約又は根保証契約の保証人になろうとする者が口がきけない者である場合には、公証人の前で、同条第二項第一号イ又はロに掲げる契約の区分に応じ、それぞれ当該イ又はロに定める事項を通訳人の通訳により申述し、又は自書して、同号の口授に代えなければならない。この場合における同項第二号の規定の適用については、同号中「口述」とあるのは、「通訳人の通訳による申述又は自書」とする。

2　前条第一項の保証契約又は根保証契約の保証人になろうとする者が耳が聞こえない者である場合には、公証人は、同条第二項第二号に規定する筆記した内容を通訳人の通訳により保証人になろうとする者に伝えて、同号の読み聞かせに代えることができる。

3　公証人は、前二項に定める方式に従って公正証書を作ったときは、その旨をその証書に付記しなければならない。

（公正証書の作成と求償権についての保証の効力）

第四百六十五条の八　第四百六十五条の六第一項及び第二項並びに前条の規定は、事業のために負担した貸金等債務を主たる債務とする保証契約又は主たる債務の範囲に事業のために負担する貸金等債務が含まれる根保証契約の保証人の主たる債務者に対する求償権に係る債務を主たる債務とする保証契約について準用する。主たる債務の範囲にその求償権に係る債務が含まれる根保証契約も、同様とする。

2　前項の規定は、保証人になろうとする者が法人である場合には、適用しない。

（公正証書の作成と保証の効力に関する規定の適用除外）

第四百六十五条の九　前三条の規定は、保証人になろうとする者が次に掲げる者である保証契約については、適用しない。

一　主たる債務者が法人である場合のその理事、取締役、執行役又はこれらに準ずる者

二　主たる債務者が法人である場合の次に掲げる者

イ　主たる債務者の総株主の議決権（株主総会において決議をすることができる事項の全部につき議決権を行使することができない株式についての議決権を除く。以下この号において同じ。）の過半数を有する者

ロ　主たる債務者の総株主の議決権の過半数を他の株式会社が有する場合における当該他の株式会社の総株主の議決権の過半数を有する者

ハ　主たる債務者の総株主の議決権の過半数を他の株式会社及び当該他の株式会社の総株主の議決権の過半数を有する者が有する場合における当該他の株式会社の総株主の議決権の過半数を有する者

ニ　株式会社以外の法人が主たる債務者である場合におけるイ、ロ又はハに掲げる者に準ずる者

三　主たる債務者（法人であるものを除く。以下この号において同じ。）と共同して事業を行う者又は主たる債務者が行う

事業に現に従事している主たる債務者の配偶者

（契約締結時の情報の提供義務）

第四百六十五条の十　主たる債務者は、事業のために負担する債務を主たる債務とする保証又は主たる債務の範囲に事業のために負担する債務が含まれる根保証の委託をするときは、委託を受ける者に対し、次に掲げる事項に関する情報を提供しなければならない。

一　財産及び収支の状況

二　主たる債務以外に負担している債務の有無並びにその額及び履行状況

三　主たる債務の担保として他に提供し、又は提供しようとするものがあるときは、その旨及びその内容

2　主たる債務者が前項各号に掲げる事項に関して情報を提供せず、又は事実と異なる情報を提供したために委託を受けた者がその事項について誤認をし、それによって保証契約の申込み又はその承諾の意思表示をした場合において、主たる債務者がその事項に関して情報を提供せず又は事実と異なる情報を提供したことを債権者が知り又は知ることができたときは、保証人は、保証契約を取り消すことができる。

3　前二項の規定は、保証をする者が法人である場合には、適用しない。

第四節　債権の譲渡

（債権の譲渡性）

第四百六十六条　債権は、譲り渡すことができる。ただし、その性質がこれを許さないときは、この限りでない。

2　当事者が債権の譲渡を禁止し、又は制限する旨の意思表示（以下「譲渡制限の意思表示」という。）をしたときであっても、債権の譲渡は、その効力を妨げられない。

3　前項に規定する場合には、譲渡制限の意思表示がされたことを知り、又は重大な過失によって知らなかった譲受人その他の第三者に対しては、債務者は、その債務の履行を拒むことができ、かつ、譲渡人に対する弁済その他の債務を消滅させる事由をもってその第三者に対抗することができる。

4　前項の規定は、債務者が債務を履行しない場合において、同項に規定する第三者が相当の期間を定めて譲渡人への履行の催告をし、その期間内に履行がないときは、その債務者については、適用しない。

（譲渡制限の意思表示がされた債権に係る債務者の供託）

第四百六十六条の二　債務者は、譲渡制限の意思表示がされた金銭の給付を目的とする債権が譲渡されたときは、その債権の全額に相当する金銭を債務の履行地（債務の履行地が債権者の現在の住所により定まる場合にあっては、譲渡人の現在の住所を含む。次条において同じ。）の供託所に供託することができる。

2　前項の規定により供託をした債務者は、遅滞なく、譲渡人及び譲受人に供託の通知をしなければならない。

3　第一項の規定により供託をした金銭は、譲受人に限り、還付を請求することができる。

第四百六十六条の三　前条第一項に規定する場合において、譲渡人について破産手続開始の決定があったときは、譲受人（同項の債権の全額を譲り受けた者であって、その債権の譲渡を債務者その他の第三者に対抗することができるものに限る。）は、譲渡制限の意思表示がされたことを知り、又は重大な過失によって知らなかったときであっても、債務者にその債権の全額に相当する金銭を債務の履行地の供託所に供託させることができる。この場合においては、同条第二項及び第三項の規定を準用する。

（譲渡制限の意思表示がされた債権の差押え）

第四百六十六条の四　第四百六十六条第三項の規定は、譲渡制限の意思表示がされた債権に対する強制執行をした差押債権者に対しては、適用しない。

2　前項の規定にかかわらず、譲受人その他の第三者が譲渡制限の意思表示がされたことを知り、又は重大な過失によって知らなかった場合において、その債権者が同項の債権に対する強制執行をしたときは、債務者は、その債務の履行を拒むことができ、かつ、譲渡人に対する弁済その他の債務を消滅させる事由をもって差押債権者に対抗することができる。

（預金債権又は貯金債権に係る譲渡制限の意思表示の効力）

第四百六十六条の五　預金口座又は貯金口座に係る預金又は貯金に係る債権（以下「預貯金債権」という。）について当事者がした譲渡制限の意思表示は、第四百六十六条第二項の規定にかかわらず、その譲渡制限の意思表示がされたことを知り、又は重大な過失によって知らなかった譲受人その他の第三者に対抗することができる。

2　前項の規定は、譲渡制限の意思表示がされた預貯金債権に対する強制執行をした差押債権者に対しては、適用しない。

（将来債権の譲渡性）

第四百六十六条の六　債権の譲渡は、その意思表示の時に債権が現に発生していることを要しない。

2　債権が譲渡された場合において、その意思表示の時に債権が現に発生していないときは、譲受人は、発生した債権を当然に取得する。

3　前項に規定する場合において、譲渡人が次条の規定による通知をし、又は債務者が同条の規定による承諾をした時（以下「対抗要件具備時」という。）までに譲渡制限の意思表示がされたときは、譲受人その他の第三者がそのことを知っていたものとみなして、第四百六十六条第三項（譲渡制限の意思表示がされた債権が預貯金債権の場合にあっては、前条第一項）の規定を適用する。

（債権の譲渡の対抗要件）

第四百六十七条　債権の譲渡（現に発生していない債権の譲渡を含む。）は、譲渡人が債務者に通知をし、又は債務者が承諾をしなければ、債務者その他の第三者に対抗することができない。

2　前項の通知又は承諾は、確定日付のある証書によってしなければ、債務者以外の第三者に対抗することができない。

（債権の譲渡における債務者の抗弁）

第四百六十八条　債務者は、対抗要件具備時までに譲渡人に対して生じた事由をもって譲受人に対抗することができる。

2　第四百六十六条第四項の場合における前項の規定の適用については、同項中「対抗要件具備時」とあるのは、「第四百六十六条第四項の相当の期間を経過した時」とし、第四百六十六条の三の場合における同項の規定の適用については、同項中「対抗要件具備時」とあるのは、「第四百六十六条の三の規定により同条の譲受人から供託の請求を受けた時」とする。

（債権の譲渡における相殺権）

第四百六十九条　債務者は、対抗要件具備時より前に取得した譲渡人に対する債権による相殺をもって譲受人に対抗することができる。

2　債務者が対抗要件具備時より後に取得した譲渡人に対する債権であっても、その債権が次に掲げるものであるときは、前項と同様とする。ただし、債務者が対抗要件具備時より後に他人の債権を取得したときは、この限りでない。

一　対抗要件具備時より前の原因に基づいて生じた債権

二　前号に掲げるもののほか、譲受人の取得した債権の発生原因である契約に基づいて生じた債権

3　第四百六十六条第四項の場合における前二項の規定の適用については、これらの規定中「対抗要件具備時」とあるのは、「第四百六十六条第四項の相当の期間を経過した時」とし、第四百六十六条の三の場合におけるこれらの規定の適用については、これらの規定中「対抗要件具備時」とあるのは、「第四百六十六条の三の規定により同条の譲受人から供託の請求を受けた時」とする。

第五節　債務の引受け

第一款　併存的債務引受

（併存的債務引受の要件及び効果）

第四百七十条　併存的債務引受の引受人は、債務者と連帯して、債務者が債権者に対して負担する債務と同一の内容の債務を負担する。

2　併存的債務引受は、債権者と引受人となる者との契約によってすることができる。

3　併存的債務引受は、債務者と引受人となる者との契約によってもすることができる。この場合において、併存的債務引受は、債権者が引受人となる者に対して承諾をした時に、その効力を生ずる。

4　前項の規定によってする併存的債務引受は、第三者のためにする契約に関する規定に従う。

（併存的債務引受における引受人の抗弁等）

第四百七十一条　引受人は、併存的債務引受により負担した自己の債務について、その効力が生じた時に債務者が主張することができた抗弁をもって債権者に対抗することができる。

2　債務者が債権者に対して取消権又は解除権を有するときは、引受人は、これらの権利の行使によって債務者がその債務を免れるべき限度において、債権者に対して債務の履行を拒むことができる。

第二款　免責的債務引受

（免責的債務引受の要件及び効果）

第四百七十二条　免責的債務引受の引受人は債務者が債権者に対して負担する債務と同一の内容の債務を負担し、債務者は自己の債務を免れる。

2　免責的債務引受は、債権者と引受人となる者との契約によってすることができる。この場合において、免責的債務引受は、債権者が債務者に対してその契約をした旨を通知した時に、その効力を生ずる。

3　免責的債務引受は、債務者と引受人となる者が契約をし、債権者が引受人となる者に対して承諾をすることによってもすることができる。

（免責的債務引受における引受人の抗弁等）

第四百七十二条の二　引受人は、免責的債務引受により負担した自己の債務について、その効力が生じた時に債務者が主張することができた抗弁をもって債権者に対抗することができる。

2　債務者が債権者に対して取消権又は解除権を有するときは、引受人は、免責的債務引受がなければこれらの権利の行使によって債務者がその債務を免れることができた限度において、債権者に対して債務の履行を拒むことができる。

（免責的債務引受における引受人の求償権）

第四百七十二条の三　免責的債務引受の引受人は、債務者に対して求償権を取得しない。

（免責的債務引受による担保の移転）

第四百七十二条の四　債権者は、第四百七十二条第一項の規定により債務者が免れる債務の担保として設定された担保権を引受人が負担する債務に移すことができる。ただし、引受人以外の者がこれを設定した場合には、その承諾を得なければならない。

2　前項の規定による担保権の移転は、あらかじめ又は同時に引受人に対してする意思表示によってしなければならない。

3　前二項の規定は、第四百七十二条第一項の規定により債務者が免れる債務の保証をした者があるときについて準用する。

4　前項の場合において、同項において準用する第一項の承諾は、書面でしなければ、その効力を生じない。

5　前項の承諾がその内容を記録した電磁的記録によってされたときは、その承諾は、書面によってされたものとみなして、同項の規定を適用する。

第六節　債権の消滅

第一款　弁済

第一目　総則

（弁済）

第四百七十三条　債務者が債権者に対して債務の弁済をしたときは、その債権は、消滅する。

（第三者の弁済）

第四百七十四条　債務の弁済は、第三者もすることができる。

2　弁済をするについて正当な利益を有する者でない第三者は、債務者の意思に反して弁済をすることができない。ただし、債務者の意思に反することを債権者が知らなかったときは、この限りでない。

3　前項に規定する第三者は、債権者の意思に反して弁済をすることができない。ただし、その第三者が債務者の委託を受けて弁済をする場合において、そのことを債権者が知っていたときは、この限りでない。

4　前三項の規定は、その債務の性質が第三者の弁済を許さないとき、又は当事者が第三者の弁済を禁止し、若しくは制限する旨の意思表示をしたときは、適用しない。

（弁済として引き渡した物の取戻し）

第四百七十五条　弁済をした者が弁済として他人の物を引き渡したときは、その弁済をした者は、更に有効な弁済をしなければ、その物を取り戻すことができない。

（弁済として引き渡した物の消費又は譲渡がされた場合の弁済の効力等）

第四百七十六条　前条の場合において、債権者が弁済として受領した物を善意で消費し、又は譲り渡したときは、その弁済は、有効とする。この場合において、債権者が第三者から賠償の請

求を受けたときは、弁済をした者に対して求償をすることを妨げない。

（預金又は貯金の口座に対する払込みによる弁済）

第四百七十七条　債権者の預金又は貯金の口座に対する払込みによってする弁済は、債権者がその預金又は貯金に係る債権の債務者に対してその払込みに係る金額の払戻しを請求する権利を取得した時に、その効力を生ずる。

（受領権者としての外観を有する者に対する弁済）

第四百七十八条　受領権者（債権者及び法令の規定又は当事者の意思表示によって弁済を受領する権限を付与された第三者をいう。以下同じ。）以外の者であって取引上の社会通念に照らして受領権者としての外観を有するものに対してした弁済は、その弁済をした者が善意であり、かつ、過失がなかったときに限り、その効力を有する。

（受領権者以外の者に対する弁済）

第四百七十九条　前条の場合を除き、受領権者以外の者に対してした弁済は、債権者がこれによって利益を受けた限度においてのみ、その効力を有する。

第四百八十条　削除

（差押えを受けた債権の第三債務者の弁済）

第四百八十一条　差押えを受けた債権の第三債務者が自己の債権者に弁済をしたときは、差押債権者は、その受けた損害の限度において更に弁済をすべき旨を第三債務者に請求することができる。

2　前項の規定は、第三債務者からその債権者に対する求償権の行使を妨げない。

（代物弁済）

第四百八十二条　弁済をすることができる者（以下「弁済者」という。）が、債権者との間で、債務者の負担した給付に代えて他の給付をすることにより債務を消滅させる旨の契約をした場合において、その弁済者が当該他の給付をしたときは、その給付は、弁済と同一の効力を有する。

（特定物の現状による引渡し）

第四百八十三条　債権の目的が特定物の引渡しである場合において、契約その他の債権の発生原因及び取引上の社会通念に照らしてその引渡しをすべき時の品質を定めることができないときは、弁済をする者は、その引渡しをすべき時の現状でその物を引き渡さなければならない。

（弁済の場所及び時間）

第四百八十四条　弁済をすべき場所について別段の意思表示がないときは、特定物の引渡しは債権発生の時にその物が存在した場所において、その他の弁済は債権者の現在の住所において、それぞれしなければならない。

2　法令又は慣習により取引時間の定めがあるときは、その取引時間内に限り、弁済をし、又は弁済の請求をすることができる。

（弁済の費用）

第四百八十五条　弁済の費用について別段の意思表示がないときは、その費用は、債務者の負担とする。ただし、債権者が住所の移転その他の行為によって弁済の費用を増加させたときは、その増加額は、債権者の負担とする。

（受取証書の交付請求等）

第四百八十六条　弁済をする者は、弁済と引換えに、弁済を受領する者に対して受取証書の交付を請求することができる。

2　弁済をする者は、前項の受取証書の交付に代えて、その内容を記録した電磁的記録の提供を請求することができる。ただし、弁済を受領する者に不相当な負担を課するものであるときは、この限りでない。

（債権証書の返還請求）

第四百八十七条　債権に関する証書がある場合において、弁済をした者が全部の弁済をしたときは、その証書の返還を請求することができる。

（同種の給付を目的とする数個の債務がある場合の充当）

第四百八十八条　債務者が同一の債権者に対して同種の給付を目的とする数個の債務を負担する場合において、弁済として提供した給付が全ての債務を消滅させるのに足りないとき（次条第一項に規定する場合を除く。）は、弁済をする者は、給付の時に、その弁済を充当すべき債務を指定することができる。

2　弁済をする者が前項の規定による指定をしないときは、弁済を受領する者は、その受領の時に、その弁済を充当すべき債務を指定することができる。ただし、弁済をする者がその充当に対して直ちに異議を述べたときは、この限りでない。

3　前二項の場合における弁済の充当の指定は、相手方に対する意思表示によってする。

4　弁済をする者及び弁済を受領する者がいずれも第一項又は第二項の規定による指定をしないときは、次の各号の定めるところに従い、その弁済を充当する。

一　債務の中に弁済期にあるものと弁済期にないものとがあるときは、弁済期にあるものに先に充当する。

二　全ての債務が弁済期にあるとき、又は弁済期にないときは、債務者のために弁済の利益が多いものに先に充当する。

三　債務者のために弁済の利益が相等しいときは、弁済期が先に到来したもの又は先に到来すべきものに先に充当する。

四　前二号に掲げる事項が相等しい債務の弁済は、各債務の額に応じて充当する。

（元本、利息及び費用を支払うべき場合の充当）

第四百八十九条　債務者が一個又は数個の債務について元本のほか利息及び費用を支払うべき場合（債務者が数個の債務を負担する場合にあっては、同一の債権者に対して同種の給付を目的とする数個の債務を負担するときに限る。）において、弁済をする者がその債務の全部を消滅させるのに足りない給付をしたときは、これを順次に費用、利息及び元本に充当しなければならない。

2　前条の規定は、前項の場合において、費用、利息又は元本のいずれかの全てを消滅させるのに足りない給付をしたときについて準用する。

（合意による弁済の充当）

第四百九十条　前二条の規定にかかわらず、弁済をする者と弁済を受領する者との間に弁済の充当の順序に関する合意があるときは、その順序に従い、その弁済を充当する。

（数個の給付をすべき場合の充当）

第四百九十一条　一個の債務の弁済として数個の給付をすべき場合において、弁済をする者がその債務の全部を消滅させるのに足りない給付をしたときは、前三条の規定を準用する。

（弁済の提供の効果）

第四百九十二条　債務者は、弁済の提供の時から、債務を履行しないことによって生ずべき責任を免れる。

（弁済の提供の方法）

第四百九十三条　弁済の提供は、債務の本旨に従って現実にしなければならない。ただし、債権者があらかじめその受領を拒み、又は債務の履行について債権者の行為を要するときは、弁済の準備をしたことを通知してその受領の催告をすれば足りる。

第二目　弁済の目的物の供託

（供託）

第四百九十四条　弁済者は、次に掲げる場合には、債権者のために弁済の目的物を供託することができる。この場合においては、弁済者が供託をした時に、その債権は、消滅する。

一　弁済の提供をした場合において、債権者がその受領を拒んだとき。

二　債権者が弁済を受領することができないとき。

2　弁済者が債権者を確知することができないときも、前項と同様とする。ただし、弁済者に過失があるときは、この限りでない。

（供託の方法）

第四百九十五条　前条の規定による供託は、債務の履行地の供託所にしなければならない。

2　供託所について法令に特別の定めがない場合には、裁判所は、弁済者の請求により、供託所の指定及び供託物の保管者の選任をしなければならない。

3　前条の規定により供託をした者は、遅滞なく、債権者に供託の通知をしなければならない。

（供託物の取戻し）

第四百九十六条　債権者が供託を受諾せず、又は供託を有効と宣告した判決が確定しない間は、弁済者は、供託物を取り戻すことができる。この場合においては、供託をしなかったものとみなす。

2　前項の規定は、供託によって質権又は抵当権が消滅した場合には、適用しない。

（供託に適しない物等）

第四百九十七条　弁済者は、次に掲げる場合には、裁判所の許可を得て、弁済の目的物を競売に付し、その代金を供託することができる。

一　その物が供託に適しないとき。

二　その物について滅失、損傷その他の事由による価格の低落のおそれがあるとき。

三　その物の保存について過分の費用を要するとき。

四　前三号に掲げる場合のほか、その物を供託することが困難な事情があるとき。

（供託物の還付請求等）

第四百九十八条　弁済の目的物又は前条の代金が供託された場合には、債権者は、供託物の還付を請求することができる。

2　債務者が債権者の給付に対して弁済をすべき場合には、債権者は、その給付をしなければ、供託物を受け取ることができない。

第三目　弁済による代位

（弁済による代位の要件）

第四百九十九条　債務者のために弁済をした者は、債権者に代位する。

第五百条　第四百六十七条の規定は、前条の場合（弁済をするについて正当な利益を有する者が債権者に代位する場合を除く。）について準用する。

（弁済による代位の効果）

第五百一条　前二条の規定により債権者に代位した者は、債権の効力及び担保としてその債権者が有していた一切の権利を行使することができる。

2　前項の規定による権利の行使は、債権者に代位した者が自己の権利に基づいて債務者に対して求償をすることができる範囲内（保証人の一人が他の保証人に対して債権者に代位する場合には、自己の権利に基づいて当該他の保証人に対して求償をすることができる範囲内）に限り、することができる。

3　第一項の場合には、前項の規定によるほか、次に掲げるところによる。

一　第三取得者（債務者から担保の目的となっている財産を譲り受けた者をいう。以下この項において同じ。）は、保証人及び物上保証人に対して債権者に代位しない。

二　第三取得者の一人は、各財産の価格に応じて、他の第三取得者に対して債権者に代位する。

三　前号の規定は、物上保証人の一人が他の物上保証人に対して債権者に代位する場合について準用する。

四　保証人と物上保証人との間においては、その数に応じて、債権者に代位する。ただし、物上保証人が数人あるときは、保証人の負担部分を除いた残額について、各財産の価格に応じて、債権者に代位する。

五　第三取得者から担保の目的となっている財産を譲り受けた者は、第三取得者とみなして第一号及び第二号の規定を適用し、物上保証人から担保の目的となっている財産を譲り受けた者は、物上保証人とみなして第一号、第三号及び前号の規定を適用する。

（一部弁済による代位）

第五百二条　債権の一部について代位弁済があったときは、代位者は、債権者の同意を得て、その弁済をした価額に応じて、債権者とともにその権利を行使することができる。

2　前項の場合であっても、債権者は、単独でその権利を行使することができる。

3　前二項の場合に債権者が行使する権利は、その債権の担保の目的となっている財産の売却代金その他の当該権利の行使によって得られる金銭について、代位者が行使する権利に優先する。

4　第一項の場合において、債務の不履行による契約の解除は、債権者のみがすることができる。この場合においては、代位者に対し、その弁済をした価額及びその利息を償還しなければならない。

（債権者による債権証書の交付等）

第五百三条　代位弁済によって全部の弁済を受けた債権者は、債権に関する証書及び自己の占有する担保物を代位者に交付しなければならない。

2　債権の一部について代位弁済があった場合には、債権者は、債権に関する証書にその代位を記入し、かつ、自己の占有する担保物の保存を代位者に監督させなければならない。

（債権者による担保の喪失等）

第五百四条　弁済をするについて正当な利益を有する者（以下この項において「代位権者」という。）がある場合において、債権者が故意又は過失によってその担保を喪失し、又は減少させたときは、その代位権者は、代位をするに当たって担保の喪失又は減少によって償還を受けることができなくなる限度において、その責任を免れる。その代位権者が物上保証人である場合において、その代位権者から担保の目的となっている財産を譲り受けた第三者及びその特定承継人についても、同様とする。

2　前項の規定は、債権者が担保を喪失し、又は減少させたことについて取引上の社会通念に照らして合理的な理由があると認められるときは、適用しない。

第二款　相殺

（相殺の要件等）

第五百五条　二人が互いに同種の目的を有する債務を負担する場合において、双方の債務が弁済期にあるときは、各債務者は、その対当額について相殺によってその債務を免れることができる。ただし、債務の性質がこれを許さないときは、この限りでない。

2　前項の規定にかかわらず、当事者が相殺を禁止し、又は制限する旨の意思表示をした場合には、その意思表示は、第三者がこれを知り、又は重大な過失によって知らなかったときに限り、その第三者に対抗することができる。

（相殺の方法及び効力）

第五百六条　相殺は、当事者の一方から相手方に対する意思表示によってする。この場合において、その意思表示には、条件又は期限を付することができない。

2　前項の意思表示は、双方の債務が互いに相殺に適するようになった時にさかのぼってその効力を生ずる。

（履行地の異なる債務の相殺）

第五百七条　相殺は、双方の債務の履行地が異なるときであっても、することができる。この場合において、相殺をする当事者は、相手方に対し、これによって生じた損害を賠償しなければならない。

（時効により消滅した債権を自働債権とする相殺）

第五百八条　時効によって消滅した債権がその消滅以前に相殺に適するようになっていた場合には、その債権者は、相殺をすることができる。

（不法行為等により生じた債権を受働債権とする相殺の禁止）

第五百九条　次に掲げる債務の債務者は、相殺をもって債権者に対抗することができない。ただし、その債権者がその債務に係る債権を他人から譲り受けたときは、この限りでない。

一　悪意による不法行為に基づく損害賠償の債務

二　人の生命又は身体の侵害による損害賠償の債務（前号に掲げるものを除く。）

（差押禁止債権を受働債権とする相殺の禁止）

第五百十条　債権が差押えを禁じたものであるときは、その債務者は、相殺をもって債権者に対抗することができない。

（差押えを受けた債権を受働債権とする相殺の禁止）

第五百十一条　差押えを受けた債権の第三債務者は、差押え後に取得した債権による相殺をもって差押債権者に対抗することはできないが、差押え前に取得した債権による相殺をもって対抗することができる。

2　前項の規定にかかわらず、差押え後に取得した債権が差押え前の原因に基づいて生じたものであるときは、その第三債務者は、その債権による相殺をもって差押債権者に対抗することができる。ただし、第三債務者が差押え後に他人の債権を取得したときは、この限りでない。

（相殺の充当）

第五百十二条　債権者が債務者に対して有する一個又は数個の債権と、債権者が債務者に対して負担する一個又は数個の債務について、債権者が相殺の意思表示をした場合において、当事者が別段の合意をしなかったときは、債権者の有する債権とその負担する債務は、相殺に適するようになった時期の順序に従って、その対当額について相殺によって消滅する。

2　前項の場合において、相殺をする債権者の有する債権がその負担する債務の全部を消滅させるのに足りないときであって、当事者が別段の合意をしなかったときは、次に掲げるところによる。

一　債権者が数個の債務を負担するとき（次号に規定する場合を除く。）は、第四百八十八条第四項第二号から第四号までの規定を準用する。

二　債権者が負担する一個又は数個の債務について元本のほか利息及び費用を支払うべきときは、第四百八十九条の規定を準用する。この場合において、同条第二項中「前条」とあるのは、「前条第四項第二号から第四号まで」と読み替えるものとする。

3　第一項の場合において、相殺をする債権者の負担する債務がその有する債権の全部を消滅させるのに足りないときは、前項の規定を準用する。

第五百十二条の二　債権者が債務者に対して有する債権に、一個の債権の弁済として数個の給付をすべきものがある場合における相殺については、前条の規定を準用する。債権者が債務者に対して負担する債務に、一個の債務の弁済として数個の給付をすべきものがある場合における相殺についても、同様とする。

第三款　更改

（更改）

第五百十三条　当事者が従前の債務に代えて、新たな債務であって次に掲げるものを発生させる契約をしたときは、従前の債務は、更改によって消滅する。

一　従前の給付の内容について重要な変更をするもの

二　従前の債務者が第三者と交替するもの

三　従前の債権者が第三者と交替するもの

（債務者の交替による更改）

第五百十四条　債務者の交替による更改は、債権者と更改後に債務者となる者との契約によってすることができる。この場合において、更改は、債権者が更改前の債務者に対してその契約をした旨を通知した時に、その効力を生ずる。

2　債務者の交替による更改後の債務者は、更改前の債務者に対して求償権を取得しない。

（債権者の交替による更改）

第五百十五条　債権者の交替による更改は、更改前の債権者、更改後に債権者となる者及び債務者の契約によってすることができる。

2　債権者の交替による更改は、確定日付のある証書によってしなければ、第三者に対抗することができない。

第五百十六条及び第五百十七条　削除

（更改後の債務への担保の移転）

第五百十八条　債権者（債権者の交替による更改にあっては、更改前の債権者）は、更改前の債務の目的の限度において、その債務の担保として設定された質権又は抵当権を更改後の債務に移すことができる。ただし、第三者がこれを設定した場合には、その承諾を得なければならない。

2　前項の質権又は抵当権の移転は、あらかじめ又は同時に更改の相手方（債権者の交替による更改にあっては、債務者）に対してする意思表示によってしなければならない。

第四款　免除

第五百十九条　債権者が債務者に対して債務を免除する意思を表示したときは、その債権は、消滅する。

第五款　混同

第五百二十条　債権及び債務が同一人に帰属したときは、その債権は、消滅する。ただし、その債権が第三者の権利の目的であるときは、この限りでない。

第七節　有価証券

第一款　指図証券

（指図証券の譲渡）

第五百二十条の二　指図証券の譲渡は、その証券に譲渡の裏書をして譲受人に交付しなければ、その効力を生じない。

（指図証券の裏書の方式）

第五百二十条の三　指図証券の譲渡については、その指図証券の性質に応じ、手形法（昭和七年法律第二十号）中裏書の方式に関する規定を準用する。

（指図証券の所持人の権利の推定）

第五百二十条の四　指図証券の所持人が裏書の連続によりその権利を証明するときは、その所持人は、証券上の権利を適法に有するものと推定する。

（指図証券の善意取得）

第五百二十条の五　何らかの事由により指図証券の占有を失った者がある場合において、その所持人が前条の規定によりその権利を証明するときは、その所持人は、その証券を返還する義務を負わない。ただし、その所持人が悪意又は重大な過失によりその証券を取得したときは、この限りでない。

（指図証券の譲渡における債務者の抗弁の制限）

第五百二十条の六　指図証券の債務者は、その証券に記載した事項及びその証券の性質から当然に生ずる結果を除き、その証券の譲渡前の債権者に対抗することができた事由をもって善意の譲受人に対抗することができない。

（指図証券の質入れ）

第五百二十条の七　第五百二十条の二から前条までの規定は、指図証券を目的とする質権の設定について準用する。

（指図証券の弁済の場所）

第五百二十条の八　指図証券の弁済は、債務者の現在の住所においてしなければならない。

（指図証券の提示と履行遅滞）

第五百二十条の九　指図証券の債務者は、その債務の履行について期限の定めがあるときであっても、その期限が到来した後に所持人がその証券を提示してその履行の請求をした時から遅滞の責任を負う。

（指図証券の債務者の調査の権利等）

第五百二十条の十　指図証券の債務者は、その証券の所持人並びにその署名及び押印の真偽を調査する権利を有するが、その義務を負わない。ただし、債務者に悪意又は重大な過失があるときは、その弁済は、無効とする。

（指図証券の喪失）

第五百二十条の十一　指図証券は、非訟事件手続法（平成二十三年法律第五十一号）第百条に規定する公示催告手続によって無効とすることができる。

（指図証券喪失の場合の権利行使方法）

第五百二十条の十二　金銭その他の物又は有価証券の給付を目的とする指図証券の所持人がその指図証券を喪失した場合において、非訟事件手続法第百十四条に規定する公示催告の申立てをしたときは、その債務者に、その債務の目的物を供託させ、又は相当の担保を供してその指図証券の趣旨に従い履行をさせることができる。

第二款　記名式所持人払証券

（記名式所持人払証券の譲渡）

第五百二十条の十三　記名式所持人払証券（債権者を指名する記載がされている証券であって、その所持人に弁済をすべき旨が付記されているものをいう。以下同じ。）の譲渡は、その証券を交付しなければ、その効力を生じない。

（記名式所持人払証券の所持人の権利の推定）

第五百二十条の十四　記名式所持人払証券の所持人は、証券上の権利を適法に有するものと推定する。

（記名式所持人払証券の善意取得）

第五百二十条の十五　何らかの事由により記名式所持人払証券の占有を失った者がある場合において、その所持人が前条の規定によりその権利を証明するときは、その所持人は、その証券を返還する義務を負わない。ただし、その所持人が悪意又は重大な過失によりその証券を取得したときは、この限りでない。

（記名式所持人払証券の譲渡における債務者の抗弁の制限）

第五百二十条の十六　記名式所持人払証券の債務者は、その証券に記載した事項及びその証券の性質から当然に生ずる結果を除き、その証券の譲渡前の債権者に対抗することができた事由をもって善意の譲受人に対抗することができない。

（記名式所持人払証券の質入れ）

第五百二十条の十七　第五百二十条の十三から前条までの規定は、記名式所持人払証券を目的とする質権の設定について準用する。

（指図証券の規定の準用）

第五百二十条の十八　第五百二十条の八から第五百二十条の十二までの規定は、記名式所持人払証券について準用する。

第三款　その他の記名証券

第五百二十条の十九　債権者を指名する記載がされている証券であって指図証券及び記名式所持人払証券以外のものは、債権の譲渡又はこれを目的とする質権の設定に関する方式に従い、かつ、その効力をもってのみ、譲渡し、又は質権の目的とすることができる。

2　第五百二十条の十一及び第五百二十条の十二の規定は、前項の証券について準用する。

第四款　無記名証券

第五百二十条の二十　第二款（記名式所持人払証券）の規定は、無記名証券について準用する。

第二章　契約

第一節　総則

第一款　契約の成立

（契約の締結及び内容の自由）
第五百二十一条　何人も、法令に特別の定めがある場合を除き、契約をするかどうかを自由に決定することができる。
2　契約の当事者は、法令の制限内において、契約の内容を自由に決定することができる。

（契約の成立と方式）
第五百二十二条　契約は、契約の内容を示してその締結を申し入れる意思表示（以下「申込み」という。）に対して相手方が承諾をしたときに成立する。
2　契約の成立には、法令に特別の定めがある場合を除き、書面の作成その他の方式を具備することを要しない。

（承諾の期間の定めのある申込み）
第五百二十三条　承諾の期間を定めてした申込みは、撤回することができない。ただし、申込者が撤回をする権利を留保したときは、この限りでない。
2　申込者が前項の申込みに対して同項の期間内に承諾の通知を受けなかったときは、その申込みは、その効力を失う。

（遅延した承諾の効力）
第五百二十四条　申込者は、遅延した承諾を新たな申込みとみなすことができる。

（承諾の期間の定めのない申込み）
第五百二十五条　承諾の期間を定めないでした申込みは、申込者が承諾の通知を受けるのに相当な期間を経過するまでは、撤回することができない。ただし、申込者が撤回をする権利を留保したときは、この限りでない。
2　対話者に対してした前項の申込みは、同項の規定にかかわらず、その対話が継続している間は、いつでも撤回することができる。
3　対話者に対してした第一項の申込みに対して対話が継続している間に申込者が承諾の通知を受けなかったときは、その申込みは、その効力を失う。ただし、申込者が対話の終了後もその申込みが効力を失わない旨を表示したときは、この限りでない。

（申込者の死亡等）
第五百二十六条　申込者が申込みの通知を発した後に死亡し、意思能力を有しない常況にある者となり、又は行為能力の制限を受けた場合において、申込者がその事実が生じたとすればその申込みは効力を有しない旨の意思を表示していたとき、又はその相手方が承諾の通知を発するまでにその事実が生じたことを知ったときは、その申込みは、その効力を有しない。

（承諾の通知を必要としない場合における契約の成立時期）
第五百二十七条　申込者の意思表示又は取引上の慣習により承諾の通知を必要としない場合には、契約は、承諾の意思表示と認めるべき事実があった時に成立する。

（申込みに変更を加えた承諾）
第五百二十八条　承諾者が、申込みに条件を付し、その他変更を加えてこれを承諾したときは、その申込みの拒絶とともに新たな申込みをしたものとみなす。

（懸賞広告）
第五百二十九条　ある行為をした者に一定の報酬を与える旨を広告した者（以下「懸賞広告者」という。）は、その行為をした者がその広告を知っていたかどうかにかかわらず、その者に対してその報酬を与える義務を負う。

（指定した行為をする期間の定めのある懸賞広告）
第五百二十九条の二　懸賞広告者は、その指定した行為をする期間を定めてした広告を撤回することができない。ただし、その広告において撤回をする権利を留保したときは、この限りでない。
2　前項の広告は、その期間内に指定した行為を完了する者がないときは、その効力を失う。

（指定した行為をする期間の定めのない懸賞広告）
第五百二十九条の三　懸賞広告者は、その指定した行為を完了する者がない間は、その指定した行為をする期間を定めないでした広告を撤回することができる。ただし、その広告中に撤回をしない旨を表示したときは、この限りでない。

（懸賞広告の撤回の方法）
第五百三十条　前の広告と同一の方法による広告の撤回は、これを知らない者に対しても、その効力を有する。
2　広告の撤回は、前の広告と異なる方法によっても、することができる。ただし、その撤回は、これを知った者に対してのみ、その効力を有する。

（懸賞広告の報酬を受ける権利）
第五百三十一条　広告に定めた行為をした者が数人あるときは、最初にその行為をした者のみが報酬を受ける権利を有する。
2　数人が同時に前項の行為をした場合には、各自が等しい割合で報酬を受ける権利を有する。ただし、報酬がその性質上分割に適しないとき、又は広告において一人のみがこれを受けるものとしたときは、抽選でこれを受ける者を定める。
3　前二項の規定は、広告中にこれと異なる意思を表示したときは、適用しない。

（優等懸賞広告）
第五百三十二条　広告に定めた行為をした者が数人ある場合において、その優等者のみに報酬を与えるべきときは、その広告は、応募の期間を定めたときに限り、その効力を有する。
2　前項の場合において、応募者中いずれの者の行為が優等であるかは、広告中に定めた者が判定し、広告中に判定をする者を定めなかったときは懸賞広告者が判定する。
3　応募者は、前項の判定に対して異議を述べることができない。
4　前条第二項の規定は、数人の行為が同等と判定された場合について準用する。

第二款　契約の効力

（同時履行の抗弁）
第五百三十三条　双務契約の当事者の一方は、相手方がその債務の履行（債務の履行に代わる損害賠償の債務の履行を含む。）を提供するまでは、自己の債務の履行を拒むことができる。ただし、相手方の債務が弁済期にないときは、この限りでない。

（債務者の危険負担等）
第五百三十四条及び第五百三十五条　削除

民法

第五百三十六条　当事者双方の責めに帰することができない事由によって債務を履行することができなくなったときは、債権者は、反対給付の履行を拒むことができる。

2　債権者の責めに帰すべき事由によって債務を履行することができなくなったときは、債権者は、反対給付の履行を拒むことができない。この場合において、債務者は、自己の債務を免れたことによって利益を得たときは、これを債権者に償還しなければならない。

（第三者のためにする契約）

第五百三十七条　契約により当事者の一方が第三者に対してある給付をすることを約したときは、その第三者は、債務者に対して直接にその給付を請求する権利を有する。

2　前項の契約は、その成立の時に第三者が現に存しない場合又は第三者が特定していない場合であっても、そのためにその効力を妨げられない。

3　第一項の場合において、第三者の権利は、その第三者が債務者に対して同項の契約の利益を享受する意思を表示した時に発生する。

（第三者の権利の確定）

第五百三十八条　前条の規定により第三者の権利が発生した後は、当事者は、これを変更し、又は消滅させることができない。

2　前条の規定により第三者の権利が発生した後に、債務者がその第三者に対する債務を履行しない場合には、同条第一項の契約の相手方は、その第三者の承諾を得なければ、契約を解除することができない。

（債務者の抗弁）

第五百三十九条　債務者は、第五百三十七条第一項の契約に基づく抗弁をもって、その契約の利益を受ける第三者に対抗することができる。

第三款　契約上の地位の移転

第五百三十九条の二　契約の当事者の一方が第三者との間で契約上の地位を譲渡する旨の合意をした場合において、その契約の相手方がその譲渡を承諾したときは、契約上の地位は、その第三者に移転する。

第四款　契約の解除

（解除権の行使）

第五百四十条　契約又は法律の規定により当事者の一方が解除権を有するときは、その解除は、相手方に対する意思表示によってする。

2　前項の意思表示は、撤回することができない。

（催告による解除）

第五百四十一条　当事者の一方がその債務を履行しない場合において、相手方が相当の期間を定めてその履行の催告をし、その期間内に履行がないときは、相手方は、契約の解除をすることができる。ただし、その期間を経過した時における債務の不履行がその契約及び取引上の社会通念に照らして軽微であるときは、この限りでない。

（催告によらない解除）

第五百四十二条　次に掲げる場合には、債権者は、前条の催告をすることなく、直ちに契約の解除をすることができる。

一　債務の全部の履行が不能であるとき。

二　債務者がその債務の全部の履行を拒絶する意思を明確に表示したとき。

三　債務の一部の履行が不能である場合又は債務者がその債務の一部の履行を拒絶する意思を明確に表示した場合において、残存する部分のみでは契約をした目的を達することができないとき。

四　契約の性質又は当事者の意思表示により、特定の日時又は一定の期間内に履行をしなければ契約をした目的を達することができない場合において、債務者が履行をしないでその時期を経過したとき。

五　前各号に掲げる場合のほか、債務者がその債務の履行をせず、債権者が前条の催告をしても契約をした目的を達するのに足りる履行がされる見込みがないことが明らかであるとき。

2　次に掲げる場合には、債権者は、前条の催告をすることなく、直ちに契約の一部の解除をすることができる。

一　債務の一部の履行が不能であるとき。

二　債務者がその債務の一部の履行を拒絶する意思を明確に表示したとき。

（債権者の責めに帰すべき事由による場合）

第五百四十三条　債務の不履行が債権者の責めに帰すべき事由によるものであるときは、債権者は、前二条の規定による契約の解除をすることができない。

（解除権の不可分性）

第五百四十四条　当事者の一方が数人ある場合には、契約の解除は、その全員から又はその全員に対してのみ、することができる。

2　前項の場合において、解除権が当事者のうちの一人について消滅したときは、他の者についても消滅する。

（解除の効果）

第五百四十五条　当事者の一方がその解除権を行使したときは、各当事者は、その相手方を原状に復させる義務を負う。ただし、第三者の権利を害することはできない。

2　前項本文の場合において、金銭を返還するときは、その受領の時から利息を付さなければならない。

3　第一項本文の場合において、金銭以外の物を返還するときは、その受領の時以後に生じた果実をも返還しなければならない。

4　解除権の行使は、損害賠償の請求を妨げない。

（契約の解除と同時履行）

第五百四十六条　第五百三十三条の規定は、前条の場合について準用する。

（催告による解除権の消滅）

第五百四十七条　解除権の行使について期間の定めがないときは、相手方は、解除権を有する者に対し、相当の期間を定めて、その期間内に解除をするかどうかを確答すべき旨の催告をすることができる。この場合において、その期間内に解除の通知を受けないときは、解除権は、消滅する。

（解除権者の故意による目的物の損傷等による解除権の消滅）

第五百四十八条　解除権を有する者が故意若しくは過失によって契約の目的物を著しく損傷し、若しくは返還することができなくなったとき、又は加工若しくは改造によってこれを他の種類の物に変えたときは、解除権は、消滅する。ただし、解除権を有する者がその解除権を有することを知らなかったときは、この限りでない。

第五款　定型約款

（定型約款の合意）

第五百四十八条の二　定型取引（ある特定の者が不特定多数の者を相手方として行う取引であって、その内容の全部又は一部が画一的であることがその双方にとって合理的なものをいう。以下同じ。）を行うことの合意（次条において「定型取引合意」という。）をした者は、次に掲げる場合には、定型約款（定型取引において、契約の内容とすることを目的としてその特定の者により準備された条項の総体をいう。以下同じ。）の個別の条項についても合意をしたものとみなす。

一　定型約款を契約の内容とする旨の合意をしたとき。

二　定型約款を準備した者（以下「定型約款準備者」という。）があらかじめその定型約款を契約の内容とする旨を相手方に表示していたとき。

2　前項の規定にかかわらず、同項の条項のうち、相手方の権利を制限し、又は相手方の義務を加重する条項であって、その定型取引の態様及びその実情並びに取引上の社会通念に照らして第一条第二項に規定する基本原則に反して相手方の利益を一方的に害すると認められるものについては、合意をしなかったものとみなす。

（定型約款の内容の表示）

第五百四十八条の三　定型取引を行い、又は行おうとする定型約款準備者は、定型取引合意の前又は定型取引合意の後相当の期間内に相手方から請求があった場合には、遅滞なく、相当な方法でその定型約款の内容を示さなければならない。ただし、定型約款準備者が既に相手方に対して定型約款を記載した書面を交付し、又はこれを記録した電磁的記録を提供していたときは、この限りでない。

2　定型約款準備者が定型取引合意の前において前項の請求を拒んだときは、前条の規定は、適用しない。ただし、一時的な通信障害が発生した場合その他正当な事由がある場合は、この限りでない。

（定型約款の変更）

第五百四十八条の四　定型約款準備者は、次に掲げる場合には、定型約款の変更をすることにより、変更後の定型約款の条項について合意があったものとみなし、個別に相手方と合意をすることなく契約の内容を変更することができる。

一　定型約款の変更が、相手方の一般の利益に適合するとき。

二　定型約款の変更が、契約をした目的に反せず、かつ、変更の必要性、変更後の内容の相当性、この条の規定により定型約款の変更をすることがある旨の定めの有無及びその内容その他の変更に係る事情に照らして合理的なものであるとき。

2　定型約款準備者は、前項の規定による定型約款の変更をするときは、その効力発生時期を定め、かつ、定型約款を変更する旨及び変更後の定型約款の内容並びにその効力発生時期をインターネットの利用その他の適切な方法により周知しなければならない。

3　第一項第二号の規定による定型約款の変更は、前項の効力発生時期が到来するまでに同項の規定による周知をしなければ、その効力を生じない。

4　第五百四十八条の二第二項の規定は、第一項の規定による定型約款の変更については、適用しない。

第二節　贈与

（贈与）

第五百四十九条　贈与は、当事者の一方がある財産を無償で相手方に与える意思を表示し、相手方が受諾をすることによって、その効力を生ずる。

（書面によらない贈与の解除）

第五百五十条　書面によらない贈与は、各当事者が解除をすることができる。ただし、履行の終わった部分については、この限りでない。

（贈与者の引渡義務等）

第五百五十一条　贈与者は、贈与の目的である物又は権利を、贈与の目的として特定した時の状態で引き渡し、又は移転することを約したものと推定する。

2　負担付贈与については、贈与者は、その負担の限度において、売主と同じく担保の責任を負う。

（定期贈与）

第五百五十二条　定期の給付を目的とする贈与は、贈与者又は受贈者の死亡によって、その効力を失う。

（負担付贈与）

第五百五十三条　負担付贈与については、この節に定めるもののほか、その性質に反しない限り、双務契約に関する規定を準用する。

（死因贈与）

第五百五十四条　贈与者の死亡によって効力を生ずる贈与については、その性質に反しない限り、遺贈に関する規定を準用する。

第三節　売買

第一款　総則

（売買）

第五百五十五条　売買は、当事者の一方がある財産権を相手方に移転することを約し、相手方がこれに対してその代金を支払うことを約することによって、その効力を生ずる。

（売買の一方の予約）

第五百五十六条　売買の一方の予約は、相手方が売買を完結する意思を表示した時から、売買の効力を生ずる。

2　前項の意思表示について期間を定めなかったときは、予約者は、相手方に対し、相当の期間を定めて、その期間内に売買を完結するかどうかを確答すべき旨の催告をすることができる。この場合において、相手方がその期間内に確答をしないときは、売買の一方の予約は、その効力を失う。

（手付）

第五百五十七条　買主が売主に手付を交付したときは、買主はその手付を放棄し、売主はその倍額を現実に提供して、契約の解除をすることができる。ただし、その相手方が契約の履行に着手した後は、この限りでない。

2　第五百四十五条第四項の規定は、前項の場合には、適用しない。

（売買契約に関する費用）

第五百五十八条　売買契約に関する費用は、当事者双方が等しい割合で負担する。

（有償契約への準用）

第五百五十九条　この節の規定は、売買以外の有償契約について準用する。ただし、その有償契約の性質がこれを許さないときは、この限りでない。

第二款　売買の効力

（権利移転の対抗要件に係る売主の義務）
第五百六十条　売主は、買主に対し、登記、登録その他の売買の目的である権利の移転についての対抗要件を備えさせる義務を負う。

（他人の権利の売買における売主の義務）
第五百六十一条　他人の権利（権利の一部が他人に属する場合におけるその権利の一部を含む。）を売買の目的としたときは、売主は、その権利を取得して買主に移転する義務を負う。

（買主の追完請求権）
第五百六十二条　引き渡された目的物が種類、品質又は数量に関して契約の内容に適合しないものであるときは、買主は、売主に対し、目的物の修補、代替物の引渡し又は不足分の引渡しによる履行の追完を請求することができる。ただし、売主は、買主に不相当な負担を課するものでないときは、買主が請求した方法と異なる方法による履行の追完をすることができる。
2　前項の不適合が買主の責めに帰すべき事由によるものであるときは、買主は、同項の規定による履行の追完の請求をすることができない。

（買主の代金減額請求権）
第五百六十三条　前条第一項本文に規定する場合において、買主が相当の期間を定めて履行の追完の催告をし、その期間内に履行の追完がないときは、買主は、その不適合の程度に応じて代金の減額を請求することができる。
2　前項の規定にかかわらず、次に掲げる場合には、買主は、同項の催告をすることなく、直ちに代金の減額を請求することができる。
一　履行の追完が不能であるとき。
二　売主が履行の追完を拒絶する意思を明確に表示したとき。
三　契約の性質又は当事者の意思表示により、特定の日時又は一定の期間内に履行をしなければ契約をした目的を達することができない場合において、売主が履行の追完をしないでその時期を経過したとき。
四　前三号に掲げる場合のほか、買主が前項の催告をしても履行の追完を受ける見込みがないことが明らかであるとき。
3　第一項の不適合が買主の責めに帰すべき事由によるものであるときは、買主は、前二項の規定による代金の減額の請求をすることができない。

（買主の損害賠償請求及び解除権の行使）
第五百六十四条　前二条の規定は、第四百十五条の規定による損害賠償の請求並びに第五百四十一条及び第五百四十二条の規定による解除権の行使を妨げない。

（移転した権利が契約の内容に適合しない場合における売主の担保責任）
第五百六十五条　前三条の規定は、売主が買主に移転した権利が契約の内容に適合しないものである場合（権利の一部が他人に属する場合においてその権利の一部を移転しないときを含む。）について準用する。

（目的物の種類又は品質に関する担保責任の期間の制限）
第五百六十六条　売主が種類又は品質に関して契約の内容に適合しない目的物を買主に引き渡した場合において、買主がその不適合を知った時から一年以内にその旨を売主に通知しないときは、買主は、その不適合を理由として、履行の追完の請求、代金の減額の請求、損害賠償の請求及び契約の解除をすることができない。ただし、売主が引渡しの時にその不適合を知り、又は重大な過失によって知らなかったときは、この限りでない。

（目的物の滅失等についての危険の移転）
第五百六十七条　売主が買主に目的物（売買の目的として特定したものに限る。以下この条において同じ。）を引き渡した場合において、その引渡しがあった時以後にその目的物が当事者双方の責めに帰することができない事由によって滅失し、又は損傷したときは、買主は、その滅失又は損傷を理由として、履行の追完の請求、代金の減額の請求、損害賠償の請求及び契約の解除をすることができない。この場合において、買主は、代金の支払を拒むことができない。
2　売主が契約の内容に適合する目的物をもって、その引渡しの債務の履行を提供したにもかかわらず、買主がその履行を受けることを拒み、又は受けることができない場合において、その履行の提供があった時以後に当事者双方の責めに帰することができない事由によってその目的物が滅失し、又は損傷したときも、前項と同様とする。

（競売における担保責任等）
第五百六十八条　民事執行法その他の法律の規定に基づく競売（以下この条において単に「競売」という。）における買受人は、第五百四十一条及び第五百四十二条の規定並びに第五百六十三条（第五百六十五条において準用する場合を含む。）の規定により、債務者に対し、契約の解除をし、又は代金の減額を請求することができる。
2　前項の場合において、債務者が無資力であるときは、買受人は、代金の配当を受けた債権者に対し、その代金の全部又は一部の返還を請求することができる。
3　前二項の場合において、債務者が物若しくは権利の不存在を知りながら申し出なかったとき、又は債権者がこれを知りながら競売を請求したときは、買受人は、これらの者に対し、損害賠償の請求をすることができる。
4　前三項の規定は、競売の目的物の種類又は品質に関する不適合については、適用しない。

（債権の売主の担保責任）
第五百六十九条　債権の売主が債務者の資力を担保したときは、契約の時における資力を担保したものと推定する。
2　弁済期に至らない債権の売主が債務者の将来の資力を担保したときは、弁済期における資力を担保したものと推定する。

（抵当権等がある場合の買主による費用の償還請求）
第五百七十条　買い受けた不動産について契約の内容に適合しない先取特権、質権又は抵当権が存していた場合において、買主が費用を支出してその不動産の所有権を保存したときは、買主は、売主に対し、その費用の償還を請求することができる。

第五百七十一条　削除

（担保責任を負わない旨の特約）
第五百七十二条　売主は、第五百六十二条第一項本文又は第五百六十五条に規定する場合における担保の責任を負わない旨の特約をしたときであっても、知りながら告げなかった事実及び自ら第三者のために設定し又は第三者に譲り渡した権利については、その責任を免れることができない。

（代金の支払期限）

第五百七十三条　売買の目的物の引渡しについて期限があるときは、代金の支払についても同一の期限を付したものと推定する。

（代金の支払場所）

第五百七十四条　売買の目的物の引渡しと同時に代金を支払うべきときは、その引渡しの場所において支払わなければならない。

（果実の帰属及び代金の利息の支払）

第五百七十五条　まだ引き渡されていない売買の目的物が果実を生じたときは、その果実は、売主に帰属する。

2　買主は、引渡しの日から、代金の利息を支払う義務を負う。ただし、代金の支払について期限があるときは、その期限が到来するまでは、利息を支払うことを要しない。

（権利を取得することができない等のおそれがある場合の買主による代金の支払の拒絶）

第五百七十六条　売買の目的について権利を主張する者があることその他の事由により、買主がその買い受けた権利の全部若しくは一部を取得することができず、又は失うおそれがあるときは、買主は、その危険の程度に応じて、代金の全部又は一部の支払を拒むことができる。ただし、売主が相当の担保を供したときは、この限りでない。

（抵当権等の登記がある場合の買主による代金の支払の拒絶）

第五百七十七条　買い受けた不動産について契約の内容に適合しない抵当権の登記があるときは、買主は、抵当権消滅請求の手続が終わるまで、その代金の支払を拒むことができる。この場合において、売主は、買主に対し、遅滞なく抵当権消滅請求をすべき旨を請求することができる。

2　前項の規定は、買い受けた不動産について契約の内容に適合しない先取特権又は質権の登記がある場合について準用する。

（売主による代金の供託の請求）

第五百七十八条　前二条の場合においては、売主は、買主に対して代金の供託を請求することができる。

第三款　買戻し

（買戻しの特約）

第五百七十九条　不動産の売主は、売買契約と同時にした買戻しの特約により、買主が支払った代金（別段の合意をした場合にあっては、その合意により定めた金額。第五百八十三条第一項において同じ。）及び契約の費用を返還して、売買の解除をすることができる。この場合において、当事者が別段の意思を表示しなかったときは、不動産の果実と代金の利息とは相殺したものとみなす。

（買戻しの期間）

第五百八十条　買戻しの期間は、十年を超えることができない。特約でこれより長い期間を定めたときは、その期間は、十年とする。

2　買戻しについて期間を定めたときは、その後にこれを伸長することができない。

3　買戻しについて期間を定めなかったときは、五年以内に買戻しをしなければならない。

（買戻しの特約の対抗力）

第五百八十一条　売買契約と同時に買戻しの特約を登記したときは、買戻しは、第三者に対抗することができる。

2　前項の登記がされた後に第六百五条の二第一項に規定する対抗要件を備えた賃借人の権利は、その残存期間中一年を超えない期間に限り、売主に対抗することができる。ただし、売主を害する目的で賃貸借をしたときは、この限りでない。

（買戻権の代位行使）

第五百八十二条　売主の債権者が第四百二十三条の規定により売主に代わって買戻しをしようとするときは、買主は、裁判所において選任した鑑定人の評価に従い、不動産の現在の価額から売主が返還すべき金額を控除した残額に達するまで売主の債務を弁済し、なお残余があるときはこれを売主に返還して、買戻権を消滅させることができる。

（買戻しの実行）

第五百八十三条　売主は、第五百八十条に規定する期間内に代金及び契約の費用を提供しなければ、買戻しをすることができない。

2　買主又は転得者が不動産について費用を支出したときは、売主は、第百九十六条の規定に従い、その償還をしなければならない。ただし、有益費については、裁判所は、売主の請求により、その償還について相当の期限を許与することができる。

（共有持分の買戻特約付売買）

第五百八十四条　不動産の共有者の一人が買戻しの特約を付してその持分を売却した後に、その不動産の分割又は競売があったときは、売主は、買主が受け、若しくは受けるべき部分又は代金について、買戻しをすることができる。ただし、売主に通知をしないでした分割及び競売は、売主に対抗することができない。

第五百八十五条　前条の場合において、買主が不動産の競売における買受人となったときは、売主は、競売の代金及び第五百八十三条に規定する費用を支払って買戻しをすることができる。この場合において、売主は、その不動産の全部の所有権を取得する。

2　他の共有者が分割を請求したことにより買主が競売における買受人となったときは、売主は、その持分のみについて買戻しをすることはできない。

第四節　交換

第五百八十六条　交換は、当事者が互いに金銭の所有権以外の財産権を移転することを約することによって、その効力を生ずる。

2　当事者の一方が他の権利とともに金銭の所有権を移転することを約した場合におけるその金銭については、売買の代金に関する規定を準用する。

第五節　消費貸借

（消費貸借）

第五百八十七条　消費貸借は、当事者の一方が種類、品質及び数量の同じ物をもって返還をすることを約して相手方から金銭その他の物を受け取ることによって、その効力を生ずる。

（書面でする消費貸借等）

第五百八十七条の二　前条の規定にかかわらず、書面でする消費貸借は、当事者の一方が金銭その他の物を引き渡すことを約し、相手方がその受け取った物と種類、品質及び数量の同じ物をもって返還をすることを約することによって、その効力を生ずる。

2　書面でする消費貸借の借主は、貸主から金銭その他の物を受け取るまで、契約の解除をすることができる。この場合において、貸主は、その契約の解除によって損害を受けたときは、借主に対し、その賠償を請求することができる。

3　書面でする消費貸借は、借主が貸主から金銭その他の物を受け取る前に当事者の一方が破産手続開始の決定を受けたときは、その効力を失う。

4　消費貸借がその内容を記録した電磁的記録によってされたときは、その消費貸借は、書面によってされたものとみなして、前三項の規定を適用する。

（準消費貸借）

第五百八十八条　金銭その他の物を給付する義務を負う者がある場合において、当事者がその物を消費貸借の目的とすることを約したときは、消費貸借は、これによって成立したものとみなす。

（利息）

第五百八十九条　貸主は、特約がなければ、借主に対して利息を請求することができない。

2　前項の特約があるときは、貸主は、借主が金銭その他の物を受け取った日以後の利息を請求することができる。

（貸主の引渡義務等）

第五百九十条　第五百五十一条の規定は、前条第一項の特約のない消費貸借について準用する。

2　前条第一項の特約の有無にかかわらず、貸主から引き渡された物が種類又は品質に関して契約の内容に適合しないものであるときは、借主は、その物の価額を返還することができる。

（返還の時期）

第五百九十一条　当事者が返還の時期を定めなかったときは、貸主は、相当の期間を定めて返還の催告をすることができる。

2　借主は、返還の時期の定めの有無にかかわらず、いつでも返還をすることができる。

3　当事者が返還の時期を定めた場合において、貸主は、借主がその時期の前に返還をしたことによって損害を受けたときは、借主に対し、その賠償を請求することができる。

（価額の償還）

第五百九十二条　借主が貸主から受け取った物と種類、品質及び数量の同じ物をもって返還をすることができなくなったときは、その時における物の価額を償還しなければならない。ただし、第四百二条第二項に規定する場合は、この限りでない。

第六節　使用貸借

（使用貸借）

第五百九十三条　使用貸借は、当事者の一方がある物を引き渡すことを約し、相手方がその受け取った物について無償で使用及び収益をして契約が終了したときに返還をすることを約することによって、その効力を生ずる。

（借用物受取り前の貸主による使用貸借の解除）

第五百九十三条の二　貸主は、借主が借用物を受け取るまで、契約の解除をすることができる。ただし、書面による使用貸借については、この限りでない。

（借主による使用及び収益）

第五百九十四条　借主は、契約又はその目的物の性質によって定まった用法に従い、その物の使用及び収益をしなければならない。

2　借主は、貸主の承諾を得なければ、第三者に借用物の使用又は収益をさせることができない。

3　借主が前二項の規定に違反して使用又は収益をしたときは、貸主は、契約の解除をすることができる。

（借用物の費用の負担）

第五百九十五条　借主は、借用物の通常の必要費を負担する。

2　第五百八十三条第二項の規定は、前項の通常の必要費以外の費用について準用する。

（貸主の引渡義務等）

第五百九十六条　第五百五十一条の規定は、使用貸借について準用する。

（期間満了等による使用貸借の終了）

第五百九十七条　当事者が使用貸借の期間を定めたときは、使用貸借は、その期間が満了することによって終了する。

2　当事者が使用貸借の期間を定めなかった場合において、使用及び収益の目的を定めたときは、使用貸借は、借主がその目的に従い使用及び収益を終えることによって終了する。

3　使用貸借は、借主の死亡によって終了する。

（使用貸借の解除）

第五百九十八条　貸主は、前条第二項に規定する場合において、同項の目的に従い借主が使用及び収益をするのに足りる期間を経過したときは、契約の解除をすることができる。

2　当事者が使用貸借の期間並びに使用及び収益の目的を定めなかったときは、貸主は、いつでも契約の解除をすることができる。

3　借主は、いつでも契約の解除をすることができる。

（借主による収去等）

第五百九十九条　借主は、借用物を受け取った後にこれに附属させた物がある場合において、使用貸借が終了したときは、その附属させた物を収去する義務を負う。ただし、借用物から分離することができない物又は分離するのに過分の費用を要する物については、この限りでない。

2　借主は、借用物を受け取った後にこれに附属させた物を収去することができる。

3　借主は、借用物を受け取った後にこれに生じた損傷がある場合において、使用貸借が終了したときは、その損傷を原状に復する義務を負う。ただし、その損傷が借主の責めに帰することができない事由によるものであるときは、この限りでない。

（損害賠償及び費用の償還の請求権についての期間の制限）

第六百条　契約の本旨に反する使用又は収益によって生じた損害の賠償及び借主が支出した費用の償還は、貸主が返還を受けた時から一年以内に請求しなければならない。

2　前項の損害賠償の請求権については、貸主が返還を受けた時から一年を経過するまでの間は、時効は、完成しない。

第七節　賃貸借

第一款　総則

（賃貸借）

第六百一条　賃貸借は、当事者の一方がある物の使用及び収益を相手方にさせることを約し、相手方がこれに対してその賃料を支払うこと及び引渡しを受けた物を契約が終了したときに返還することを約することによって、その効力を生ずる。

（短期賃貸借）

第六百二条　処分の権限を有しない者が賃貸借をする場合には、次の各号に掲げる賃貸借は、それぞれ当該各号に定める期間を超えることができない。契約でこれより長い期間を定めたときであっても、その期間は、当該各号に定める期間とする。

一　樹木の栽植又は伐採を目的とする山林の賃貸借　十年

二　前号に掲げる賃貸借以外の土地の賃貸借　五年

三　建物の賃貸借　三年

四　動産の賃貸借　六箇月

（短期賃貸借の更新）

第六百三条　前条に定める期間は、更新することができる。ただし、その期間満了前、土地については一年以内、建物については三箇月以内、動産については一箇月以内に、その更新をしなければならない。

（賃貸借の存続期間）

第六百四条　賃貸借の存続期間は、五十年を超えることができない。契約でこれより長い期間を定めたときであっても、その期間は、五十年とする。

2　賃貸借の存続期間は、更新することができる。ただし、その期間は、更新の時から五十年を超えることができない。

第二款　賃貸借の効力

（不動産賃貸借の対抗力）

第六百五条　不動産の賃貸借は、これを登記したときは、その不動産について物権を取得した者その他の第三者に対抗することができる。

（不動産の賃貸人たる地位の移転）

第六百五条の二　前条、借地借家法（平成三年法律第九十号）第十条又は第三十一条その他の法令の規定による賃貸借の対抗要件を備えた場合において、その不動産が譲渡されたときは、その不動産の賃貸人たる地位は、その譲受人に移転する。

2　前項の規定にかかわらず、不動産の譲渡人及び譲受人が、賃貸人たる地位を譲渡人に留保する旨及びその不動産を譲受人が譲渡人に賃貸する旨の合意をしたときは、賃貸人たる地位は、譲受人に移転しない。この場合において、譲渡人と譲受人又はその承継人との間の賃貸借が終了したときは、譲渡人に留保されていた賃貸人たる地位は、譲受人又はその承継人に移転する。

3　第一項又は前項後段の規定による賃貸人たる地位の移転は、賃貸物である不動産について所有権の移転の登記をしなければ、賃借人に対抗することができない。

4　第一項又は第二項後段の規定により賃貸人たる地位が譲受人又はその承継人に移転したときは、第六百八条の規定による費用の償還に係る債務及び第六百二十二条の二第一項の規定による同項に規定する敷金の返還に係る債務は、譲受人又はその承継人が承継する。

（合意による不動産の賃貸人たる地位の移転）

第六百五条の三　不動産の譲渡人が賃貸人であるときは、その賃貸人たる地位は、賃借人の承諾を要しないで、譲渡人と譲受人との合意により、譲受人に移転させることができる。この場合においては、前条第三項及び第四項の規定を準用する。

（不動産の賃借人による妨害の停止の請求等）

第六百五条の四　不動産の賃借人は、第六百五条の二第一項に規定する対抗要件を備えた場合において、次の各号に掲げるときは、それぞれ当該各号に定める請求をすることができる。

一　その不動産の占有を第三者が妨害しているとき　その第三者に対する妨害の停止の請求

二　その不動産を第三者が占有しているとき　その第三者に対する返還の請求

（賃貸人による修繕等）

第六百六条　賃貸人は、賃貸物の使用及び収益に必要な修繕をする義務を負う。ただし、賃借人の責めに帰すべき事由によってその修繕が必要となったときは、この限りでない。

2　賃貸人が賃貸物の保存に必要な行為をしようとするときは、賃借人は、これを拒むことができない。

（賃借人の意思に反する保存行為）

第六百七条　賃貸人が賃借人の意思に反して保存行為をしようとする場合において、そのために賃借人が賃借をした目的を達することができなくなるときは、賃借人は、契約の解除をすることができる。

（賃借人による修繕）

第六百七条の二　賃借物の修繕が必要である場合において、次に掲げるときは、賃借人は、その修繕をすることができる。

一　賃借人が賃貸人に修繕が必要である旨を通知し、又は賃貸人がその旨を知ったにもかかわらず、賃貸人が相当の期間内に必要な修繕をしないとき。

二　急迫の事情があるとき。

（賃借人による費用の償還請求）

第六百八条　賃借人は、賃借物について賃貸人の負担に属する必要費を支出したときは、賃貸人に対し、直ちにその償還を請求することができる。

2　賃借人が賃借物について有益費を支出したときは、賃貸人は、賃貸借の終了の時に、第百九十六条第二項の規定に従い、その償還をしなければならない。ただし、裁判所は、賃貸人の請求により、その償還について相当の期限を許与することができる。

（減収による賃料の減額請求）

第六百九条　耕作又は牧畜を目的とする土地の賃借人は、不可抗力によって賃料より少ない収益を得たときは、その収益の額に至るまで、賃料の減額を請求することができる。

（減収による解除）

第六百十条　前条の場合において、同条の賃借人は、不可抗力によって引き続き二年以上賃料より少ない収益を得たときは、契約の解除をすることができる。

（賃借物の一部滅失等による賃料の減額等）

第六百十一条　賃借物の一部が滅失その他の事由により使用及び収益をすることができなくなった場合において、それが賃借人の責めに帰することができない事由によるものであるときは、賃料は、その使用及び収益をすることができなくなった部分の割合に応じて、減額される。

2　賃借物の一部が滅失その他の事由により使用及び収益をすることができなくなった場合において、残存する部分のみでは賃借人が賃借をした目的を達することができないときは、賃借人は、契約の解除をすることができる。

（賃借権の譲渡及び転貸の制限）

第六百十二条　賃借人は、賃貸人の承諾を得なければ、その賃借権を譲り渡し、又は賃借物を転貸することができない。

2　賃借人が前項の規定に違反して第三者に賃借物の使用又は収益をさせたときは、賃貸人は、契約の解除をすることができる。

（転貸の効果）

第六百十三条　賃借人が適法に賃借物を転貸したときは、転借人は、賃貸人と賃借人との間の賃貸借に基づく賃借人の債務の範囲を限度として、賃貸人に対して転貸借に基づく債務を直接履行する義務を負う。この場合においては、賃料の前払をもって賃貸人に対抗することができない。

2　前項の規定は、賃貸人が賃借人に対してその権利を行使することを妨げない。

3　賃借人が適法に賃借物を転貸した場合には、賃貸人は、賃借人との間の賃貸借を合意により解除したことをもって転借人に対抗することができない。ただし、その解除の当時、賃貸人が賃借人の債務不履行による解除権を有していたときは、この限りでない。

（賃料の支払時期）

第六百十四条　賃料は、動産、建物及び宅地については毎月末に、その他の土地については毎年末に、支払わなければならない。ただし、収穫の季節があるものについては、その季節の後に遅滞なく支払わなければならない。

（賃借人の通知義務）

第六百十五条　賃借物が修繕を要し、又は賃借物について権利を主張する者があるときは、賃借人は、遅滞なくその旨を賃貸人に通知しなければならない。ただし、賃貸人が既にこれを知っているときは、この限りでない。

（賃借人による使用及び収益）

第六百十六条　第五百九十四条第一項の規定は、賃貸借について準用する。

第三款　賃貸借の終了

（賃借物の全部滅失等による賃貸借の終了）

第六百十六条の二　賃借物の全部が滅失その他の事由により使用及び収益をすることができなくなった場合には、賃貸借は、これによって終了する。

（期間の定めのない賃貸借の解約の申入れ）

第六百十七条　当事者が賃貸借の期間を定めなかったときは、各当事者は、いつでも解約の申入れをすることができる。この場合においては、次の各号に掲げる賃貸借は、解約の申入れの日からそれぞれ当該各号に定める期間を経過することによって終了する。

一　土地の賃貸借　一年

二　建物の賃貸借　三箇月

三　動産及び貸席の賃貸借　一日

2　収穫の季節がある土地の賃貸借については、その季節の後次の耕作に着手する前に、解約の申入れをしなければならない。

（期間の定めのある賃貸借の解約をする権利の留保）

第六百十八条　当事者が賃貸借の期間を定めた場合であっても、その一方又は双方がその期間内に解約をする権利を留保したときは、前条の規定を準用する。

（賃貸借の更新の推定等）

第六百十九条　賃貸借の期間が満了した後賃借人が賃借物の使用又は収益を継続する場合において、賃貸人がこれを知りながら異議を述べないときは、従前の賃貸借と同一の条件で更に賃貸借をしたものと推定する。この場合において、各当事者は、第六百十七条の規定により解約の申入れをすることができる。

2　従前の賃貸借について当事者が担保を供していたときは、その担保は、期間の満了によって消滅する。ただし、第六百二十二条の二第一項に規定する敷金については、この限りでない。

（賃貸借の解除の効力）

第六百二十条　賃貸借の解除をした場合には、その解除は、将来に向かってのみその効力を生ずる。この場合においては、損害賠償の請求を妨げない。

（賃借人の原状回復義務）

第六百二十一条　賃借人は、賃借物を受け取った後にこれに生じた損傷（通常の使用及び収益によって生じた賃借物の損耗並びに賃借物の経年変化を除く。以下この条において同じ。）がある場合において、賃貸借が終了したときは、その損傷を原状に復する義務を負う。ただし、その損傷が賃借人の責めに帰することができない事由によるものであるときは、この限りでない。

（使用貸借の規定の準用）

第六百二十二条　第五百九十七条第一項、第五百九十九条第一項及び第二項並びに第六百条の規定は、賃貸借について準用する。

第四款　敷金

第六百二十二条の二　賃貸人は、敷金（いかなる名目によるかを問わず、賃料債務その他の賃貸借に基づいて生ずる賃借人の賃貸人に対する金銭の給付を目的とする債務を担保する目的で、賃借人が賃貸人に交付する金銭をいう。以下この条において同じ。）を受け取っている場合において、次に掲げるときは、賃借人に対し、その受け取った敷金の額から賃貸借に基づいて生じた賃借人の賃貸人に対する金銭の給付を目的とする債務の額を控除した残額を返還しなければならない。

一　賃貸借が終了し、かつ、賃貸物の返還を受けたとき。

二　賃借人が適法に賃借権を譲り渡したとき。

2　賃貸人は、賃借人が賃貸借に基づいて生じた金銭の給付を目的とする債務を履行しないときは、敷金をその債務の弁済に充てることができる。この場合において、賃借人は、賃貸人に対し、敷金をその債務の弁済に充てることを請求することができない。

第八節　雇用

（雇用）

第六百二十三条　雇用は、当事者の一方が相手方に対して労働に従事することを約し、相手方がこれに対してその報酬を与えることを約することによって、その効力を生ずる。

（報酬の支払時期）

第六百二十四条　労働者は、その約した労働を終わった後でなければ、報酬を請求することができない。

2　期間によって定めた報酬は、その期間を経過した後に、請求することができる。

（履行の割合に応じた報酬）

第六百二十四条の二　労働者は、次に掲げる場合には、既にした履行の割合に応じて報酬を請求することができる。

一　使用者の責めに帰することができない事由によって労働に従事することができなくなったとき。
二　雇用が履行の中途で終了したとき。

（使用者の権利の譲渡の制限等）
第六百二十五条　使用者は、労働者の承諾を得なければ、その権利を第三者に譲り渡すことができない。
2　労働者は、使用者の承諾を得なければ、自己に代わって第三者を労働に従事させることができない。
3　労働者が前項の規定に違反して第三者を労働に従事させたときは、使用者は、契約の解除をすることができる。

（期間の定めのある雇用の解除）
第六百二十六条　雇用の期間が五年を超え、又はその終期が不確定であるときは、当事者の一方は、五年を経過した後、いつでも契約の解除をすることができる。
2　前項の規定により契約の解除をしようとする者は、それが使用者であるときは三箇月前、労働者であるときは二週間前に、その予告をしなければならない。

（期間の定めのない雇用の解約の申入れ）
第六百二十七条　当事者が雇用の期間を定めなかったときは、各当事者は、いつでも解約の申入れをすることができる。この場合において、雇用は、解約の申入れの日から二週間を経過することによって終了する。
2　期間によって報酬を定めた場合には、使用者からの解約の申入れは、次期以後についてすることができる。ただし、その解約の申入れは、当期の前半にしなければならない。
3　六箇月以上の期間によって報酬を定めた場合には、前項の解約の申入れは、三箇月前にしなければならない。

（やむを得ない事由による雇用の解除）
第六百二十八条　当事者が雇用の期間を定めた場合であっても、やむを得ない事由があるときは、各当事者は、直ちに契約の解除をすることができる。この場合において、その事由が当事者の一方の過失によって生じたものであるときは、相手方に対して損害賠償の責任を負う。

（雇用の更新の推定等）
第六百二十九条　雇用の期間が満了した後労働者が引き続きその労働に従事する場合において、使用者がこれを知りながら異議を述べないときは、従前の雇用と同一の条件で更に雇用をしたものと推定する。この場合において、各当事者は、第六百二十七条の規定により解約の申入れをすることができる。
2　従前の雇用について当事者が担保を供していたときは、その担保は、期間の満了によって消滅する。ただし、身元保証金については、この限りでない。

（雇用の解除の効力）
第六百三十条　第六百二十条の規定は、雇用について準用する。

（使用者についての破産手続の開始による解約の申入れ）
第六百三十一条　使用者が破産手続開始の決定を受けた場合には、雇用に期間の定めがあるときであっても、労働者又は破産管財人は、第六百二十七条の規定により解約の申入れをすることができる。この場合において、各当事者は、相手方に対し、解約によって生じた損害の賠償を請求することができない。

第九節　請負

（請負）
第六百三十二条　請負は、当事者の一方がある仕事を完成することを約し、相手方がその仕事の結果に対してその報酬を支払うことを約することによって、その効力を生ずる。

（報酬の支払時期）
第六百三十三条　報酬は、仕事の目的物の引渡しと同時に、支払わなければならない。ただし、物の引渡しを要しないときは、第六百二十四条第一項の規定を準用する。

（注文者が受ける利益の割合に応じた報酬）
第六百三十四条　次に掲げる場合において、請負人が既にした仕事の結果のうち可分な部分の給付によって注文者が利益を受けるときは、その部分を仕事の完成とみなす。この場合において、請負人は、注文者が受ける利益の割合に応じて報酬を請求することができる。
一　注文者の責めに帰することができない事由によって仕事を完成することができなくなったとき。
二　請負が仕事の完成前に解除されたとき。

第六百三十五条　削除

（請負人の担保責任の制限）
第六百三十六条　請負人が種類又は品質に関して契約の内容に適合しない仕事の目的物を注文者に引き渡したとき（その引渡しを要しない場合にあっては、仕事が終了した時に仕事の目的物が種類又は品質に関して契約の内容に適合しないとき）は、注文者は、注文者の供した材料の性質又は注文者の与えた指図によって生じた不適合を理由として、履行の追完の請求、報酬の減額の請求、損害賠償の請求及び契約の解除をすることができない。ただし、請負人がその材料又は指図が不適当であることを知りながら告げなかったときは、この限りでない。

（目的物の種類又は品質に関する担保責任の期間の制限）
第六百三十七条　前条本文に規定する場合において、注文者がその不適合を知った時から一年以内にその旨を請負人に通知しないときは、注文者は、その不適合を理由として、履行の追完の請求、報酬の減額の請求、損害賠償の請求及び契約の解除をすることができない。
2　前項の規定は、仕事の目的物を注文者に引き渡した時（その引渡しを要しない場合にあっては、仕事が終了した時）において、請負人が同項の不適合を知り、又は重大な過失によって知らなかったときは、適用しない。

第六百三十八条から第六百四十条まで　削除

（注文者による契約の解除）
第六百四十一条　請負人が仕事を完成しない間は、注文者は、いつでも損害を賠償して契約の解除をすることができる。

（注文者についての破産手続の開始による解除）
第六百四十二条　注文者が破産手続開始の決定を受けたときは、請負人又は破産管財人は、契約の解除をすることができる。ただし、請負人による契約の解除については、仕事を完成した後は、この限りでない。
2　前項に規定する場合において、請負人は、既にした仕事の報酬及びその中に含まれていない費用について、破産財団の配当に加入することができる。
3　第一項の場合には、契約の解除によって生じた損害の賠償は、破産管財人が契約の解除をした場合における請負人に限り、請求することができる。この場合において、請負人は、その損害賠償について、破産財団の配当に加入する。

第十節　委任

（委任）
第六百四十三条　委任は、当事者の一方が法律行為をすることを相手方に委託し、相手方がこれを承諾することによって、その効力を生ずる。

（受任者の注意義務）
第六百四十四条　受任者は、委任の本旨に従い、善良な管理者の注意をもって、委任事務を処理する義務を負う。

（復受任者の選任等）
第六百四十四条の二　受任者は、委任者の許諾を得たとき、又はやむを得ない事由があるときでなければ、復受任者を選任することができない。
２　代理権を付与する委任において、受任者が代理権を有する復受任者を選任したときは、復受任者は、委任者に対して、その権限の範囲内において、受任者と同一の権利を有し、義務を負う。

（受任者による報告）
第六百四十五条　受任者は、委任者の請求があるときは、いつでも委任事務の処理の状況を報告し、委任が終了した後は、遅滞なくその経過及び結果を報告しなければならない。

（受任者による受取物の引渡し等）
第六百四十六条　受任者は、委任事務を処理するに当たって受け取った金銭その他の物を委任者に引き渡さなければならない。その収取した果実についても、同様とする。
２　受任者は、委任者のために自己の名で取得した権利を委任者に移転しなければならない。

（受任者の金銭の消費についての責任）
第六百四十七条　受任者は、委任者に引き渡すべき金額又はその利益のために用いるべき金額を自己のために消費したときは、その消費した日以後の利息を支払わなければならない。この場合において、なお損害があるときは、その賠償の責任を負う。

（受任者の報酬）
第六百四十八条　受任者は、特約がなければ、委任者に対して報酬を請求することができない。
２　受任者は、報酬を受けるべき場合には、委任事務を履行した後でなければ、これを請求することができない。ただし、期間によって報酬を定めたときは、第六百二十四条第二項の規定を準用する。
３　受任者は、次に掲げる場合には、既にした履行の割合に応じて報酬を請求することができる。
一　委任者の責めに帰することができない事由によって委任事務の履行をすることができなくなったとき。
二　委任が履行の中途で終了したとき。

（成果等に対する報酬）
第六百四十八条の二　委任事務の履行により得られる成果に対して報酬を支払うことを約した場合において、その成果が引渡しを要するときは、報酬は、その成果の引渡しと同時に、支払わなければならない。
２　第六百三十四条の規定は、委任事務の履行により得られる成果に対して報酬を支払うことを約した場合について準用する。

（受任者による費用の前払請求）
第六百四十九条　委任事務を処理するについて費用を要するときは、委任者は、受任者の請求により、その前払をしなければならない。

（受任者による費用等の償還請求等）
第六百五十条　受任者は、委任事務を処理するのに必要と認められる費用を支出したときは、委任者に対し、その費用及び支出の日以後におけるその利息の償還を請求することができる。
２　受任者は、委任事務を処理するのに必要と認められる債務を負担したときは、委任者に対し、自己に代わってその弁済をすることを請求することができる。この場合において、その債務が弁済期にないときは、委任者に対し、相当の担保を供させることができる。
３　受任者は、委任事務を処理するため自己に過失なく損害を受けたときは、委任者に対し、その賠償を請求することができる。

（委任の解除）
第六百五十一条　委任は、各当事者がいつでもその解除をすることができる。
２　前項の規定により委任の解除をした者は、次に掲げる場合には、相手方の損害を賠償しなければならない。ただし、やむを得ない事由があったときは、この限りでない。
一　相手方に不利な時期に委任を解除したとき。
二　委任者が受任者の利益（専ら報酬を得ることによるものを除く。）をも目的とする委任を解除したとき。

（委任の解除の効力）
第六百五十二条　第六百二十条の規定は、委任について準用する。

（委任の終了事由）
第六百五十三条　委任は、次に掲げる事由によって終了する。
一　委任者又は受任者の死亡
二　委任者又は受任者が破産手続開始の決定を受けたこと。
三　受任者が後見開始の審判を受けたこと。

（委任の終了後の処分）
第六百五十四条　委任が終了した場合において、急迫の事情があるときは、受任者又はその相続人若しくは法定代理人は、委任者又はその相続人若しくは法定代理人が委任事務を処理することができるに至るまで、必要な処分をしなければならない。

（委任の終了の対抗要件）
第六百五十五条　委任の終了事由は、これを相手方に通知したとき、又は相手方がこれを知っていたときでなければ、これをもってその相手方に対抗することができない。

（準委任）
第六百五十六条　この節の規定は、法律行為でない事務の委託について準用する。

第十一節　寄託

（寄託）
第六百五十七条　寄託は、当事者の一方がある物を保管することを相手方に委託し、相手方がこれを承諾することによって、その効力を生ずる。

（寄託物受取り前の寄託者による寄託の解除等）
第六百五十七条の二　寄託者は、受寄者が寄託物を受け取るまで、契約の解除をすることができる。この場合において、受寄者は、その契約の解除によって損害を受けたときは、寄託者に対し、その賠償を請求することができる。

2　無報酬の受寄者は、寄託物を受け取るまで、契約の解除をすることができる。ただし、書面による寄託については、この限りでない。

3　受寄者（無報酬で寄託を受けた場合にあっては、書面による寄託の受寄者に限る。）は、寄託物を受け取るべき時期を経過したにもかかわらず、寄託者が寄託物を引き渡さない場合において、相当の期間を定めてその引渡しの催告をし、その期間内に引渡しがないときは、契約の解除をすることができる。

（寄託物の使用及び第三者による保管）

第六百五十八条　受寄者は、寄託者の承諾を得なければ、寄託物を使用することができない。

2　受寄者は、寄託者の承諾を得たとき、又はやむを得ない事由があるときでなければ、寄託物を第三者に保管させることができない。

3　再受寄者は、寄託者に対して、その権限の範囲内において、受寄者と同一の権利を有し、義務を負う。

（無報酬の受寄者の注意義務）

第六百五十九条　無報酬の受寄者は、自己の財産に対するのと同一の注意をもって、寄託物を保管する義務を負う。

（受寄者の通知義務等）

第六百六十条　寄託物について権利を主張する第三者が受寄者に対して訴えを提起し、又は差押え、仮差押え若しくは仮処分をしたときは、受寄者は、遅滞なくその事実を寄託者に通知しなければならない。ただし、寄託者が既にこれを知っているときは、この限りでない。

2　第三者が寄託物について権利を主張する場合であっても、受寄者は、寄託者の指図がない限り、寄託者に対しその寄託物を返還しなければならない。ただし、受寄者が前項の通知をした場合又は同項ただし書の規定によりその通知を要しない場合において、その寄託物をその第三者に引き渡すべき旨を命ずる確定判決（確定判決と同一の効力を有するものを含む。）があったときであって、その第三者にその寄託物を引き渡したときは、この限りでない。

3　受寄者は、前項の規定により寄託者に対して寄託物を返還しなければならない場合には、寄託者にその寄託物を引き渡したことによって第三者に損害が生じたときであっても、その賠償の責任を負わない。

（寄託者による損害賠償）

第六百六十一条　寄託者は、寄託物の性質又は瑕疵によって生じた損害を受寄者に賠償しなければならない。ただし、寄託者が過失なくその性質若しくは瑕疵を知らなかったとき、又は受寄者がこれを知っていたときは、この限りでない。

（寄託者による返還請求等）

第六百六十二条　当事者が寄託物の返還の時期を定めたときであっても、寄託者は、いつでもその返還を請求することができる。

2　前項に規定する場合において、受寄者は、寄託者がその時期の前に返還を請求したことによって損害を受けたときは、寄託者に対し、その賠償を請求することができる。

（寄託物の返還の時期）

第六百六十三条　当事者が寄託物の返還の時期を定めなかったときは、受寄者は、いつでもその返還をすることができる。

2　返還の時期の定めがあるときは、受寄者は、やむを得ない事由がなければ、その期限前に返還をすることができない。

（寄託物の返還の場所）

第六百六十四条　寄託物の返還は、その保管をすべき場所でしなければならない。ただし、受寄者が正当な事由によってその物を保管する場所を変更したときは、その現在の場所で返還をすることができる。

（損害賠償及び費用の償還の請求権についての期間の制限）

第六百六十四条の二　寄託物の一部滅失又は損傷によって生じた損害の賠償及び受寄者が支出した費用の償還は、寄託者が返還を受けた時から一年以内に請求しなければならない。

2　前項の損害賠償の請求権については、寄託者が返還を受けた時から一年を経過するまでの間は、時効は、完成しない。

（委任の規定の準用）

第六百六十五条　第六百四十六条から第六百四十八条まで、第六百四十九条並びに第六百五十条第一項及び第二項の規定は、寄託について準用する。

（混合寄託）

第六百六十五条の二　複数の者が寄託した物の種類及び品質が同一である場合には、受寄者は、各寄託者の承諾を得たときに限り、これらを混合して保管することができる。

2　前項の規定に基づき受寄者が複数の寄託者からの寄託物を混合して保管したときは、寄託者は、その寄託した物と同じ数量の物の返還を請求することができる。

3　前項に規定する場合において、寄託物の一部が滅失したときは、寄託者は、混合して保管されている総寄託物に対するその寄託した物の割合に応じた数量の物の返還を請求することができる。この場合においては、損害賠償の請求を妨げない。

（消費寄託）

第六百六十六条　受寄者が契約により寄託物を消費することができる場合には、受寄者は、寄託された物と種類、品質及び数量の同じ物をもって返還しなければならない。

2　第五百九十条及び第五百九十二条の規定は、前項に規定する場合について準用する。

3　第五百九十一条第二項及び第三項の規定は、預金又は貯金に係る契約により金銭を寄託した場合について準用する。

第十二節　組合

（組合契約）

第六百六十七条　組合契約は、各当事者が出資をして共同の事業を営むことを約することによって、その効力を生ずる。

2　出資は、労務をその目的とすることができる。

（他の組合員の債務不履行）

第六百六十七条の二　第五百三十三条及び第五百三十六条の規定は、組合契約については、適用しない。

2　組合員は、他の組合員が組合契約に基づく債務の履行をしないことを理由として、組合契約を解除することができない。

（組合員の一人についての意思表示の無効等）

第六百六十七条の三　組合員の一人について意思表示の無効又は取消しの原因があっても、他の組合員の間においては、組合契約は、その効力を妨げられない。

（組合財産の共有）

第六百六十八条　各組合員の出資その他の組合財産は、総組合員の共有に属する。

（金銭出資の不履行の責任）
第六百六十九条 金銭を出資の目的とした場合において、組合員がその出資をすることを怠ったときは、その利息を支払うほか、損害の賠償をしなければならない。

（業務の決定及び執行の方法）
第六百七十条 組合の業務は、組合員の過半数をもって決定し、各組合員がこれを執行する。
2 組合の業務の決定及び執行は、組合契約の定めるところにより、一人又は数人の組合員又は第三者に委任することができる。
3 前項の委任を受けた者（以下「業務執行者」という。）は、組合の業務を決定し、これを執行する。この場合において、業務執行者が数人あるときは、組合の業務は、業務執行者の過半数をもって決定し、各業務執行者がこれを執行する。
4 前項の規定にかかわらず、組合の業務については、総組合員の同意によって決定し、又は総組合員が執行することを妨げない。
5 組合の常務は、前各項の規定にかかわらず、各組合員又は各業務執行者が単独で行うことができる。ただし、その完了前に他の組合員又は業務執行者が異議を述べたときは、この限りでない。

（組合の代理）
第六百七十条の二 各組合員は、組合の業務を執行する場合において、組合員の過半数の同意を得たときは、他の組合員を代理することができる。
2 前項の規定にかかわらず、業務執行者があるときは、業務執行者のみが組合員を代理することができる。この場合において、業務執行者が数人あるときは、各業務執行者は、業務執行者の過半数の同意を得たときに限り、組合員を代理することができる。
3 前二項の規定にかかわらず、各組合員又は各業務執行者は、組合の常務を行うときは、単独で組合員を代理することができる。

（委任の規定の準用）
第六百七十一条 第六百四十四条から第六百五十条までの規定は、組合の業務を決定し、又は執行する組合員について準用する。

（業務執行組合員の辞任及び解任）
第六百七十二条 組合契約の定めるところにより一人又は数人の組合員に業務の決定及び執行を委任したときは、その組合員は、正当な事由がなければ、辞任することができない。
2 前項の組合員は、正当な事由がある場合に限り、他の組合員の一致によって解任することができる。

（組合員の組合の業務及び財産状況に関する検査）
第六百七十三条 各組合員は、組合の業務の決定及び執行をする権利を有しないときであっても、その業務及び組合財産の状況を検査することができる。

（組合員の損益分配の割合）
第六百七十四条 当事者が損益分配の割合を定めなかったときは、その割合は、各組合員の出資の価額に応じて定める。
2 利益又は損失についてのみ分配の割合を定めたときは、その割合は、利益及び損失に共通であるものと推定する。

（組合の債権者の権利の行使）
第六百七十五条 組合の債権者は、組合財産についてその権利を行使することができる。
2 組合の債権者は、その選択に従い、各組合員に対して損失分担の割合又は等しい割合でその権利を行使することができる。ただし、組合の債権者がその債権の発生の時に各組合員の損失分担の割合を知っていたときは、その割合による。

（組合員の持分の処分及び組合財産の分割）
第六百七十六条 組合員は、組合財産についてその持分を処分したときは、その処分をもって組合及び組合と取引をした第三者に対抗することができない。
2 組合員は、組合財産である債権について、その持分についての権利を単独で行使することができない。
3 組合員は、清算前に組合財産の分割を求めることができない。

（組合財産に対する組合員の債権者の権利の行使の禁止）
第六百七十七条 組合員の債権者は、組合財産についてその権利を行使することができない。

（組合員の加入）
第六百七十七条の二 組合員は、その全員の同意によって、又は組合契約の定めるところにより、新たに組合員を加入させることができる。
2 前項の規定により組合の成立後に加入した組合員は、その加入前に生じた組合の債務については、これを弁済する責任を負わない。

（組合員の脱退）
第六百七十八条 組合契約で組合の存続期間を定めなかったとき、又はある組合員の終身の間組合が存続すべきことを定めたときは、各組合員は、いつでも脱退することができる。ただし、やむを得ない事由がある場合を除き、組合に不利な時期に脱退することができない。
2 組合の存続期間を定めた場合であっても、各組合員は、やむを得ない事由があるときは、脱退することができる。

第六百七十九条 前条の場合のほか、組合員は、次に掲げる事由によって脱退する。
一 死亡
二 破産手続開始の決定を受けたこと。
三 後見開始の審判を受けたこと。
四 除名

（組合員の除名）
第六百八十条 組合員の除名は、正当な事由がある場合に限り、他の組合員の一致によってすることができる。ただし、除名した組合員にその旨を通知しなければ、これをもってその組合員に対抗することができない。

（脱退した組合員の責任等）
第六百八十条の二 脱退した組合員は、その脱退前に生じた組合の債務について、従前の責任の範囲内でこれを弁済する責任を負う。この場合において、債権者が全部の弁済を受けない間は、脱退した組合員は、組合に担保を供させ、又は組合に対して自己に免責を得させることを請求することができる。
2 脱退した組合員は、前項に規定する組合の債務を弁済したときは、組合に対して求償権を有する。

（脱退した組合員の持分の払戻し）

民法

第六百八十一条　脱退した組合員と他の組合員との間の計算は、脱退の時における組合財産の状況に従ってしなければならない。
2　脱退した組合員の持分は、その出資の種類を問わず、金銭で払い戻すことができる。
3　脱退の時にまだ完了していない事項については、その完了後に計算をすることができる。

（組合の解散事由）
第六百八十二条　組合は、次に掲げる事由によって解散する。
一　組合の目的である事業の成功又はその成功の不能
二　組合契約で定めた存続期間の満了
三　組合契約で定めた解散の事由の発生
四　総組合員の同意

（組合の解散の請求）
第六百八十三条　やむを得ない事由があるときは、各組合員は、組合の解散を請求することができる。

（組合契約の解除の効力）
第六百八十四条　第六百二十条の規定は、組合契約について準用する。

（組合の清算及び清算人の選任）
第六百八十五条　組合が解散したときは、清算は、総組合員が共同して、又はその選任した清算人がこれをする。
2　清算人の選任は、組合員の過半数で決する。

（清算人の業務の決定及び執行の方法）
第六百八十六条　第六百七十条第三項から第五項まで並びに第六百七十条の二第二項及び第三項の規定は、清算人について準用する。

（組合員である清算人の辞任及び解任）
第六百八十七条　第六百七十二条の規定は、組合契約の定めるところにより組合員の中から清算人を選任した場合について準用する。

（清算人の職務及び権限並びに残余財産の分割方法）
第六百八十八条　清算人の職務は、次のとおりとする。
一　現務の結了
二　債権の取立て及び債務の弁済
三　残余財産の引渡し
2　清算人は、前項各号に掲げる職務を行うために必要な一切の行為をすることができる。
3　残余財産は、各組合員の出資の価額に応じて分割する。

第十三節　終身定期金

（終身定期金契約）
第六百八十九条　終身定期金契約は、当事者の一方が、自己、相手方又は第三者の死亡に至るまで、定期に金銭その他の物を相手方又は第三者に給付することを約することによって、その効力を生ずる。

（終身定期金の計算）
第六百九十条　終身定期金は、日割りで計算する。

（終身定期金契約の解除）
第六百九十一条　終身定期金債務者が終身定期金の元本を受領した場合において、その終身定期金の給付を怠り、又はその他の義務を履行しないときは、相手方は、元本の返還を請求することができる。この場合において、相手方は、既に受け取った終身定期金の中からその元本の利息を控除した残額を終身定期金債務者に返還しなければならない。
2　前項の規定は、損害賠償の請求を妨げない。

（終身定期金契約の解除と同時履行）
第六百九十二条　第五百三十三条の規定は、前条の場合について準用する。

（終身定期金債権の存続の宣告）
第六百九十三条　終身定期金債務者の責めに帰すべき事由によって第六百八十九条に規定する死亡が生じたときは、裁判所は、終身定期金債権者又はその相続人の請求により、終身定期金債権が相当の期間存続することを宣告することができる。
2　前項の規定は、第六百九十一条の権利の行使を妨げない。

（終身定期金の遺贈）
第六百九十四条　この節の規定は、終身定期金の遺贈について準用する。

第十四節　和解

（和解）
第六百九十五条　和解は、当事者が互いに譲歩をしてその間に存する争いをやめることを約することによって、その効力を生ずる。

（和解の効力）
第六百九十六条　当事者の一方が和解によって争いの目的である権利を有するものと認められ、又は相手方がこれを有しないものと認められた場合において、その当事者の一方が従来その権利を有していなかった旨の確証又は相手方がこれを有していた旨の確証が得られたときは、その権利は、和解によってその当事者の一方に移転し、又は消滅したものとする。

第三章　事務管理

（事務管理）
第六百九十七条　義務なく他人のために事務の管理を始めた者（以下この章において「管理者」という。）は、その事務の性質に従い、最も本人の利益に適合する方法によって、その事務の管理（以下「事務管理」という。）をしなければならない。
2　管理者は、本人の意思を知っているとき、又はこれを推知することができるときは、その意思に従って事務管理をしなければならない。

（緊急事務管理）
第六百九十八条　管理者は、本人の身体、名誉又は財産に対する急迫の危害を免れさせるために事務管理をしたときは、悪意又は重大な過失があるのでなければ、これによって生じた損害を賠償する責任を負わない。

（管理者の通知義務）
第六百九十九条　管理者は、事務管理を始めたことを遅滞なく本人に通知しなければならない。ただし、本人が既にこれを知っているときは、この限りでない。

（管理者による事務管理の継続）
第七百条　管理者は、本人又はその相続人若しくは法定代理人が管理をすることができるに至るまで、事務管理を継続しなければならない。ただし、事務管理の継続が本人の意思に反し、又は本人に不利であることが明らかであるときは、この限りでない。

（委任の規定の準用）

第七百一条　第六百四十五条から第六百四十七条までの規定は、事務管理について準用する。

（管理者による費用の償還請求等）

第七百二条　管理者は、本人のために有益な費用を支出したときは、本人に対し、その償還を請求することができる。

2　第六百五十条第二項の規定は、管理者が本人のために有益な債務を負担した場合について準用する。

3　管理者が本人の意思に反して事務管理をしたときは、本人が現に利益を受けている限度においてのみ、前二項の規定を適用する。

第四章　不当利得

（不当利得の返還義務）

第七百三条　法律上の原因なく他人の財産又は労務によって利益を受け、そのために他人に損失を及ぼした者（以下この章において「受益者」という。）は、その利益の存する限度において、これを返還する義務を負う。

（悪意の受益者の返還義務等）

第七百四条　悪意の受益者は、その受けた利益に利息を付して返還しなければならない。この場合において、なお損害があるときは、その賠償の責任を負う。

（債務の不存在を知ってした弁済）

第七百五条　債務の弁済として給付をした者は、その時において債務の存在しないことを知っていたときは、その給付したものの返還を請求することができない。

（期限前の弁済）

第七百六条　債務者は、弁済期にない債務の弁済として給付をしたときは、その給付したものの返還を請求することができない。ただし、債務者が錯誤によってその給付をしたときは、債権者は、これによって得た利益を返還しなければならない。

（他人の債務の弁済）

第七百七条　債務者でない者が錯誤によって債務の弁済をした場合において、債権者が善意で証書を滅失させ若しくは損傷し、担保を放棄し、又は時効によってその債権を失ったときは、その弁済をした者は、返還の請求をすることができない。

2　前項の規定は、弁済をした者から債務者に対する求償権の行使を妨げない。

（不法原因給付）

第七百八条　不法な原因のために給付をした者は、その給付したものの返還を請求することができない。ただし、不法な原因が受益者についてのみ存したときは、この限りでない。

第五章　不法行為

（不法行為による損害賠償）

第七百九条　故意又は過失によって他人の権利又は法律上保護される利益を侵害した者は、これによって生じた損害を賠償する責任を負う。

（財産以外の損害の賠償）

第七百十条　他人の身体、自由若しくは名誉を侵害した場合又は他人の財産権を侵害した場合のいずれであるかを問わず、前条の規定により損害賠償の責任を負う者は、財産以外の損害に対してもその賠償をしなければならない。

（近親者に対する損害の賠償）

第七百十一条　他人の生命を侵害した者は、被害者の父母、配偶者及び子に対しては、その財産権が侵害されなかった場合においても、損害の賠償をしなければならない。

（責任能力）

第七百十二条　未成年者は、他人に損害を加えた場合において、自己の行為の責任を弁識するに足りる知能を備えていなかったときは、その行為について賠償の責任を負わない。

第七百十三条　精神上の障害により自己の行為の責任を弁識する能力を欠く状態にある間に他人に損害を加えた者は、その賠償の責任を負わない。ただし、故意又は過失によって一時的にその状態を招いたときは、この限りでない。

（責任無能力者の監督義務者等の責任）

第七百十四条　前二条の規定により責任無能力者がその責任を負わない場合において、その責任無能力者を監督する法定の義務を負う者は、その責任無能力者が第三者に加えた損害を賠償する責任を負う。ただし、監督義務者がその義務を怠らなかったとき、又はその義務を怠らなくても損害が生ずべきであったときは、この限りでない。

2　監督義務者に代わって責任無能力者を監督する者も、前項の責任を負う。

（使用者等の責任）

第七百十五条　ある事業のために他人を使用する者は、被用者がその事業の執行について第三者に加えた損害を賠償する責任を負う。ただし、使用者が被用者の選任及びその事業の監督について相当の注意をしたとき、又は相当の注意をしても損害が生ずべきであったときは、この限りでない。

2　使用者に代わって事業を監督する者も、前項の責任を負う。

3　前二項の規定は、使用者又は監督者から被用者に対する求償権の行使を妨げない。

（注文者の責任）

第七百十六条　注文者は、請負人がその仕事について第三者に加えた損害を賠償する責任を負わない。ただし、注文又は指図についてその注文者に過失があったときは、この限りでない。

（土地の工作物等の占有者及び所有者の責任）

第七百十七条　土地の工作物の設置又は保存に瑕疵があることによって他人に損害を生じたときは、その工作物の占有者は、被害者に対してその損害を賠償する責任を負う。ただし、占有者が損害の発生を防止するのに必要な注意をしたときは、所有者がその損害を賠償しなければならない。

2　前項の規定は、竹木の栽植又は支持に瑕疵がある場合について準用する。

3　前二項の場合において、損害の原因について他にその責任を負う者があるときは、占有者又は所有者は、その者に対して求償権を行使することができる。

（動物の占有者等の責任）

第七百十八条　動物の占有者は、その動物が他人に加えた損害を賠償する責任を負う。ただし、動物の種類及び性質に従い相当の注意をもってその管理をしたときは、この限りでない。

2　占有者に代わって動物を管理する者も、前項の責任を負う。

（共同不法行為者の責任）

第七百十九条　数人が共同の不法行為によって他人に損害を加えたときは、各自が連帯してその損害を賠償する責任を負う。共同行為者のうちいずれの者がその損害を加えたかを知ることができないときも、同様とする。

2　行為者を教唆した者及び幇助した者は、共同行為者とみなして、前項の規定を適用する。

（正当防衛及び緊急避難）

第七百二十条　他人の不法行為に対し、自己又は第三者の権利又は法律上保護される利益を防衛するため、やむを得ず加害行為をした者は、損害賠償の責任を負わない。ただし、被害者から不法行為をした者に対する損害賠償の請求を妨げない。

2　前項の規定は、他人の物から生じた急迫の危難を避けるためその物を損傷した場合について準用する。

（損害賠償請求権に関する胎児の権利能力）

第七百二十一条　胎児は、損害賠償の請求権については、既に生まれたものとみなす。

（損害賠償の方法、中間利息の控除及び過失相殺）

第七百二十二条　第四百十七条及び第四百十七条の二の規定は、不法行為による損害賠償について準用する。

2　被害者に過失があったときは、裁判所は、これを考慮して、損害賠償の額を定めることができる。

（名誉毀損における原状回復）

第七百二十三条　他人の名誉を毀損した者に対しては、裁判所は、被害者の請求により、損害賠償に代えて、又は損害賠償とともに、名誉を回復するのに適当な処分を命ずることができる。

（不法行為による損害賠償請求権の消滅時効）

第七百二十四条　不法行為による損害賠償の請求権は、次に掲げる場合には、時効によって消滅する。

一　被害者又はその法定代理人が損害及び加害者を知った時から三年間行使しないとき。

二　不法行為の時から二十年間行使しないとき。

（人の生命又は身体を害する不法行為による損害賠償請求権の消滅時効）

第七百二十四条の二　人の生命又は身体を害する不法行為による損害賠償請求権の消滅時効についての前条第一号の規定の適用については、同号中「三年間」とあるのは、「五年間」とする。

㊟　次の法律の附則第二九条により民法が改正されたが、公布の日から起算して四年を超えない範囲内において政令で定める日から施行となるため、一部改正法の形式で掲載した。

○民事訴訟法等の一部を改正する法律

令四・五・二五
法　四八

（民法の一部改正）

第二十九条　民法（明治二十九年法律第八十九号）の一部を次のように改正する。

第三百八十四条第四号中「謄本」の下に「若しくは記録事項証明書」を加える。

附　則（抄）

（施行期日）

第一条　この法律は、公布の日から起算して四年を超えない範囲内において政令で定める日から施行する。〔ただし書略〕

㊟　次の法律の第四五条により民法が改正されたが、公布の日から起算して二年六月及び五年を超えない範囲内において政令で定める日から施行となるため、一部改正法の形式で掲載した。

○民事関係手続等における情報通信技術の活用等の推進を図るための関係法律の整備に関する法律

令五・六・一四
法　五三

第四十五条　民法（明治二十九年法律第八十九号）の一部を次のように改正する。

第九十八条第二項中「裁判所の掲示場に掲示し」を「次の各号に掲げる区分に応じ、それぞれ当該各号に定める事項を不特定多数の者が閲覧することができる状態に置くとともに、当該事項が記載された書面を裁判所の掲示場に掲示し、又は当該事項を裁判所に設置した電子計算機（入出力装置を含む。以下この項において同じ。）の映像面に表示したものの閲覧をすることができる状態に置く措置をとり」に、「掲示があった」を「措置がとられた」に改め、同項に次の各号を加える。

一　書類の公示による意思表示　裁判所書記官が意思表示を記載した書類を保管し、いつでも相手方に交付すべきこと。

二　電磁的記録（電子的方式、磁気的方式その他人の知覚によっては認識することができない方式で作られる記録であって、電子計算機による情報処理の用に供されるものをいう。以下同じ。）の公示による意思表示　裁判所書記官が、裁判所の使用に係る電子計算機に備えられたファイルに記録された電磁的記録に記録されている意思表示に係る事項につき、いつでも相手方にその事項を出力することにより作成した書面を交付し、又は閲覧若しくは記録をすることができる措置をとるとともに、相手方に対し、裁判所の使用に係る電子計算機と相手方の使用に係る電子計算機とを電気通信回線で接続した電子情報処理組織を使用して当該措置がとられた旨の通知を発すべきこと。

第百五十一条第四項中「（電子的方式、磁気的方式その他人

の知覚によっては認識することができない方式で作られる記録であって、電子計算機による情報処理の用に供されるものをいう。以下同じ。）」を削る。

第三百八十四条第四号中「第百八十三条第一項第五号の謄本」を「第百八十三条第一項第二号ニに掲げる文書」に改める。

第二節 民法の一部改正に伴う経過措置

第四十六条 前条の規定による改正後の民法第九十八条第二項の規定は、施行日以後に開始される公示に関する手続における公示による意思表示について適用し、施行日前に開始された公示に関する手続における公示による意思表示については、なお従前の例による。

附 則（抄）

この法律は、公布の日から起算して五年を超えない範囲内において政令で定める日から施行する。ただし、次の各号に掲げる規定は、当該各号に定める日から施行する。

一 〔略〕

二 〔前略〕第四十五条の規定（民法第九十八条第二項及び第百五十一条第四項の改正規定を除く。）〔中略〕 公布の日から起算して二年六月を超えない範囲内において政令で定める日

三 〔略〕

㊟ 次の法律の第三七三条により、民事訴訟法等の一部を改正する法律〔令四法四八〕が改正されたが、公布の日から起算して五年を超えない範囲内において政令で定める日から施行となるため、一部改正法の形式で掲載した。

○民事関係手続等における情報通信技術の活用等の推進を図るための関係法律の整備に関する法律

令五・六・一四
法 五三

第三百七十三条 民事訴訟法等の一部を改正する法律（令和四年法律第四十八号）の一部を次のように改正する。

附則第二十九条から第三十二条までを次のように改める。

第二十九条から第三十二条まで 削除

附 則（抄）

この法律は、公布の日から起算して五年を超えない範囲内において政令で定める日から施行する。〔ただし書略〕

㊟ 次の法律の第一条により民法が改正されたが、公布の日から起算して二年を超えない範囲内において政令で定める日から施行となるため、一部改正法の形式で掲載した。

○民法等の一部を改正する法律

令六・五・二四
法 三三

（民法の一部改正）

第一条 民法（明治二十九年法律第八十九号）の一部を次のように改正する。

第三百六条中第四号を第五号とし、第三号を第四号とし、第二号の次に次の一号を加える。

三 子の監護の費用

第三百八条の次に次の一条を加える。

（子の監護費用の先取特権）

第三百八条の二 子の監護の費用の先取特権は、次に掲げる義務に係る確定期限の定めのある定期金債権の各期における定期金のうち子の監護に要する費用として相当な額（子の監護に要する標準的な費用その他の事情を勘案して当該定期金により扶養を受けるべき子の数に応じて法務省令で定めるところにより算定した額）について存在する。

一 第七百五十二条の規定による夫婦間の協力及び扶助の義務

二 第七百六十条の規定による婚姻から生ずる費用の分担の義務

三 第七百六十六条及び第七百六十六条の三（これらの規定を第七百四十九条、第七百七十一条及び第七百八十八条において準用する場合を含む。）の規定による子の監護に関する義務

四 第八百七十七条から第八百八十条までの規定による扶養の義務

附 則（抄）

（施行期日）

第一条 この法律は、公布の日から起算して二年を超えない範囲

内において政令で定める日から施行する。〔ただし書略〕

○公共工事の入札及び契約の適正化の促進に関する法律

平一二・一一・二七
法　一　二　七

最終改正　令六・六・一九法五四

目次（略）

第一章　総則

（目的）

第一条　この法律は、国、特殊法人等及び地方公共団体が行う公共工事の入札及び契約について、その適正化の基本となるべき事項を定めるとともに、情報の公表、不正行為等に対する措置、適正な金額での契約の締結等のための措置及び施工体制の適正化の措置を講じ、併せて適正化指針の策定等の制度を整備すること等により、公共工事に対する国民の信頼の確保とこれを請け負う建設業の健全な発達を図ることを目的とする。

（定義）

第二条　この法律において「特殊法人等」とは、法律により直接に設立された法人若しくは特別の法律により特別の設立行為をもって設立された法人（総務省設置法（平成十一年法律第九十一号）第四条第一項第八号の規定の適用を受けない法人を除く。）、特別の法律により設立され、かつ、その設立に関し行政官庁の認可を要する法人又は独立行政法人（独立行政法人通則法（平成十一年法律第百三号）第二条第一項に規定する独立行政法人をいう。第六条において同じ。）のうち、次の各号に掲げる要件のいずれにも該当する法人であって政令で定めるものをいう。

一　資本金の二分の一以上が国からの出資による法人又はその事業の運営のために必要な経費の主たる財源を国からの交付金若しくは補助金によって得ている法人であること。

二　その設立の目的を実現し、又はその主たる業務を遂行するため、計画的かつ継続的に建設工事（建設業法（昭和二十四年法律第百号）第二条第一項に規定する建設工事をいう。次項において同じ。）の発注を行う法人であること。

2　この法律において「公共工事」とは、国、特殊法人等又は地方公共団体が発注する建設工事をいう。

3　この法律において「建設業」とは、建設業法第二条第二項に規定する建設業をいう。

4　この法律において「各省各庁の長」とは、財政法（昭和二十二年法律第三十四号）第二十条第二項に規定する各省各庁の長をいう。

（公共工事の入札及び契約の適正化の基本となるべき事項）

第三条　公共工事の入札及び契約については、次に掲げるところにより、その適正化が図られなければならない。

一　入札及び契約の過程並びに契約の内容の透明性が確保されること。

二　入札に参加しようとし、又は契約の相手方になろうとする者の間の公正な競争が促進されること。

三　入札及び契約からの談合その他の不正行為の排除が徹底されること。

四　その請負代金の額によっては公共工事の適正な施工が通常見込まれない契約の締結が防止されること。

五　契約された公共工事の適正な施工が確保されること。

第二章　情報の公表

（国による情報の公表）

第四条　各省各庁の長は、政令で定めるところにより、毎年度、当該年度の公共工事の発注の見通しに関する事項で政令で定めるものを公表しなければならない。

2　各省各庁の長は、前項の見通しに関する事項を変更したときは、政令で定めるところにより、変更後の当該事項を公表しなければならない。

第五条　各省各庁の長は、政令で定めるところにより、次に掲げる事項を公表しなければならない。

一　入札者の商号又は名称及び入札金額、落札者の商号又は名称及び落札金額、入札の参加者の資格を定めた場合における当該資格、指名競争入札における指名した者の商号又は名称その他の政令で定める公共工事の入札及び契約の過程に関する事項

二　契約の相手方の商号又は名称、契約金額その他の政令で定める公共工事の契約の内容に関する事項

（特殊法人等による情報の公表）

第六条　特殊法人等の代表者（当該特殊法人等が独立行政法人である場合にあっては、その長。以下同じ。）は、前二条の規定に準じて、公共工事の入札及び契約に関する情報を公表するため必要な措置を講じなければならない。

（地方公共団体による情報の公表）

第七条　地方公共団体の長は、政令で定めるところにより、毎年度、当該年度の公共工事の発注の見通しに関する事項で政令で定めるものを公表しなければならない。

2　地方公共団体の長は、前項の見通しに関する事項を変更したときは、政令で定めるところにより、変更後の当該事項を公表しなければならない。

第八条　地方公共団体の長は、政令で定めるところにより、次に掲げる事項を公表しなければならない。

一　入札者の商号又は名称及び入札金額、落札者の商号又は名称及び落札金額、入札の参加者の資格を定めた場合における当該資格、指名競争入札における指名した者の商号又は名称その他の政令で定める公共工事の入札及び契約の過程に関する事項

二　契約の相手方の商号又は名称、契約金額その他の政令で定める公共工事の契約の内容に関する事項

第九条　前二条の規定は、地方公共団体が、前二条に規定する事項以外の公共工事の入札及び契約に関する情報の公表に関し、条例で必要な規定を定めることを妨げるものではない。

第三章　不正行為等に対する措置

（公正取引委員会への通知）

第十条　各省各庁の長、特殊法人等の代表者又は地方公共団体の長（以下「各省各庁の長等」という。）は、それぞれ国、特殊法人等又は地方公共団体（以下「国等」という。）が発注する

公共工事の入札及び契約に関し、私的独占の禁止及び公正取引の確保に関する法律（昭和二十二年法律第五十四号）第三条又は第八条第一号の規定に違反する行為があると疑うに足りる事実があるときは、公正取引委員会に対し、その事実を通知しなければならない。

（国土交通大臣又は都道府県知事への通知）

第十一条　各省各庁の長等は、それぞれ国等が発注する公共工事の入札及び契約に関し、当該公共工事の受注者である建設業者（建設業法第二条第三項に規定する建設業者をいう。次条において同じ。）に次の各号のいずれかに該当すると疑うに足りる事実があるときは、当該建設業者が建設業の許可を受けた国土交通大臣又は都道府県知事及び当該事実に係る営業が行われる区域を管轄する都道府県知事に対し、その事実を通知しなければならない。

一　建設業法第八条第九号、第十一号（同条第九号に係る部分に限る。）、第十三号（同条第九号に係る部分に限る。）若しくは第十四号（これらの規定を同法第十七条において準用する場合を含む。）又は第二十八条第一項第三号、第四号（同法第二十二条第一項に係る部分に限る。）若しくは第六号から第八号までのいずれかに該当すること。

二　第十五条第二項若しくは第三項、同条第一項の規定により読み替えて適用される建設業法第二十四条の八第一項、第二項若しくは第四項又は同法第十九条の五、第二十六条第一項から第三項まで、第二十六条の二若しくは第二十六条の三第七項の規定に違反したこと。

第四章　適正な金額での契約の締結等のための措置

（入札金額の内訳の提出）

第十二条　建設業者は、公共工事の入札に係る申込みの際に、入札金額の内訳を記載した書類を提出しなければならない。

（各省各庁の長等の責務）

第十三条　各省各庁の長等は、その請負代金の額によっては公共工事の適正な施工が通常見込まれない契約の締結を防止し、及び不正行為を排除するため、前条の規定により提出された書類の内容の確認その他の必要な措置を講じなければならない。

2　各省各庁の長等は、公共工事について、主要な資材の供給の著しい減少、資材の価格の高騰その他の工期又は請負代金の額に影響を及ぼすものとして国土交通省令で定める事象が発生した場合において、公共工事の受注者が請負契約の内容の変更について協議を申し出たときは、誠実に当該協議に応じなければならない。

第五章　施工体制の適正化

（一括下請負の禁止）

第十四条　公共工事については、建設業法第二十二条第三項の規定は、適用しない。

（施工体制台帳の作成及び提出等）

第十五条　公共工事についての建設業法第二十四条の八第一項、第二項及び第四項の規定の適用については、これらの規定中「特定建設業者」とあるのは「建設業者」と、同条第一項中「締結した下請契約の請負代金の額（当該下請契約が二以上あるときは、それらの請負代金の額の総額）が政令で定める金額以上になる」とあるのは「下請契約を締結した」と、同条第四項中「見やすい場所」とあるのは「工事関係者が見やすい場所及び公衆が見やすい場所」とする。

2　公共工事の受注者（前項の規定により読み替えて適用される建設業法第二十四条の八第一項の規定により同項に規定する施工体制台帳（以下「施工体制台帳」という。）を作成しなければならないこととされているものに限る。）は、当該公共工事に関する工事現場の施工体制を発注者が情報通信技術を利用する方法により確認することができる措置として国土交通省令で定めるものを講じている場合を除き、作成した施工体制台帳（同項の規定により記載すべきものとされた事項に変更が生じたことに伴い新たに作成されたものを含む。）の写しを発注者に提出しなければならない。この場合においては、同条第三項の規定は、適用しない。

3　前項の公共工事の受注者は、発注者から、公共工事の施工の技術上の管理をつかさどる者（第十七条第一項において「施工技術者」という。）の設置の状況その他の工事現場の施工体制が施工体制台帳の記載に合致しているかどうかの点検を求められたときは、これを受けることを拒んではならない。

（公共工事の適正な施工の確保のために必要な措置）

第十六条　公共工事についての建設業法第二十五条の二十八の規定の適用については、同条第一項及び第二項中「特定建設業者」とあるのは、「建設業者」とする。

（各省各庁の長等の責務）

第十七条　公共工事を発注した国等に係る各省各庁の長等は、施工技術者の設置の状況その他の工事現場の施工体制を適正なものとするため、当該工事現場の施工体制が施工体制台帳の記載に合致しているかどうかの点検その他の必要な措置を講じなければならない。

2　前項に規定するもののほか、同項の各省各庁の長等は、前条の規定により読み替えて適用する建設業法第二十五条の二十八第一項及び第二項に規定する措置が適確に講じられるよう、これらの規定に規定する建設業者に対し、必要な助言、指導その他の援助を行うよう努めなければならない。

第六章　適正化指針

（適正化指針の策定等）

第十八条　国は、各省各庁の長等による公共工事の入札及び契約の適正化を図るための措置（第二章、第三章、第十三条及び前条に規定するものを除く。）に関する指針（以下「適正化指針」という。）を定めなければならない。

2　適正化指針には、第三条各号に掲げるところに従って、次に掲げる事項を定めるものとする。

一　入札及び契約の過程並びに契約の内容に関する情報（各省各庁の長又は特殊法人等の代表者による措置にあっては第四条及び第五条、地方公共団体の長による措置にあっては第七条及び第八条に規定するものを除く。）の公表に関すること。

二　入札及び契約の過程並びに契約の内容について学識経験を有する者等の第三者の意見を適切に反映する方策に関するこ

と。

三　入札及び契約の過程に関する苦情を適切に処理する方策に関すること。

四　公正な競争を促進し、及びその請負代金の額によっては公共工事の適正な施工が通常見込まれない契約の締結を防止するための入札及び契約の方法の改善に関すること。

五　公共工事の施工に必要な工期の確保及び地域における公共工事の施工の時期の平準化を図るための方策に関すること。

六　将来におけるより適切な入札及び契約のための公共工事の施工状況の評価の方策に関すること。

七　前項に規定する措置に関する事務を適切に行うために必要な体制の整備に関すること。

八　前各号に掲げるもののほか、入札及び契約の適正化を図るため必要な措置に関すること。

3　適正化指針の策定に当たっては、特殊法人等及び地方公共団体の自主性に配慮しなければならない。

4　国土交通大臣、総務大臣及び財務大臣は、あらかじめ各省各庁の長及び特殊法人等を所管する大臣に協議した上、適正化指針の案を作成し、閣議の決定を求めなければならない。

5　国土交通大臣は、適正化指針の案の作成に先立って、中央建設業審議会の意見を聴かなければならない。

6　国土交通大臣、総務大臣及び財務大臣は、第四項の規定による閣議の決定があったときは、遅滞なく、適正化指針を公表しなければならない。

7　第三項から前項までの規定は、適正化指針の変更について準用する。

（適正化指針に基づく責務）

第十九条　各省各庁の長等は、適正化指針に定めるところに従い、公共工事の入札及び契約の適正化を図るため必要な措置を講ずるよう努めなければならない。

（措置の状況の公表）

第二十条　国土交通大臣及び財務大臣は、各省各庁の長又は特殊法人等を所管する大臣に対し、当該各省各庁の長又は当該大臣が所管する特殊法人等が適正化指針に従って講じた措置の状況について報告を求めることができる。

2　国土交通大臣及び総務大臣は、地方公共団体に対し、適正化指針に従って講じた措置の状況について報告を求めることができる。

3　国土交通大臣、総務大臣及び財務大臣は、毎年度、前二項の報告を取りまとめ、その概要を公表するものとする。

（要請等）

第二十一条　国土交通大臣及び財務大臣は、各省各庁の長又は特殊法人等を所管する大臣に対し、公共工事の入札及び契約の適正化を促進するため適正化指針に照らして特に必要があると認められる措置を講ずべきことを要請することができる。

2　国土交通大臣及び総務大臣は、地方公共団体に対し、公共工事の入札及び契約の適正化を促進するため適正化指針に照らして特に必要があると認められる措置を講ずべきことを要請することができる。

3　第一項の規定による要請をした場合において、国土交通大臣及び財務大臣は、前条第一項の規定による報告を踏まえ、適正化指針に照らして特に必要があると認められる措置の的確な実施のために必要があると認めるときは、各省各庁の長又は特殊法人等を所管する大臣に対し、必要な勧告をすることができる。

4　第二項の規定による要請をした場合において、国土交通大臣及び総務大臣は、前条第二項の規定による報告を踏まえ、適正化指針に照らして特に必要があると認められる措置の的確な実施のために必要があると認めるときは、地方公共団体に対し、必要な勧告、助言又は援助をすることができる。

第七章　国による情報の収集、整理及び提供等

（国による情報の収集、整理及び提供）

第二十二条　国土交通大臣、総務大臣及び財務大臣は、第二章の規定により公表された情報その他その普及が公共工事の入札及び契約の適正化の促進に資することとなる情報の収集、整理及び提供に努めなければならない。

（関係法令等に関する知識の習得等）

第二十三条　国、特殊法人等及び地方公共団体は、それぞれその職員に対し、公共工事の入札及び契約が適正に行われるよう、関係法令及び所管分野における公共工事の施工技術に関する知識を習得させるための教育及び研修その他必要な措置を講ずるよう努めなければならない。

2　国土交通大臣及び都道府県知事は、建設業を営む者に対し、公共工事の入札及び契約が適正に行われるよう、関係法令に関する知識の普及その他必要な措置を講ずるよう努めなければならない。

附　則

（施行期日）

第一条　この法律は、公布の日から起算して三月を超えない範囲内において政令で定める日〔平一三・二・一六〕から施行する。ただし、第二章から第四章まで並びに第十六条、第十七条第一項及び第二項、第十八条並びに附則第三条（建設業法第二十八条の改正規定に係る部分に限る。）の規定は平成十三年四月一日から、第十七条第三項の規定は平成十四年四月一日から施行する。

（経過措置）

第二条　第五条及び第八条の規定は、これらの規定の施行前に入札又は随意契約の手続に着手していた場合における当該入札及びこれに係る契約又は当該随意契約については、適用しない。

2　第四章及び次条（建設業法第二十八条の改正規定に係る部分に限る。）の規定は、これらの規定の施行前に締結された契約に係る公共工事については、適用しない。

附　則（平二六・六・四法五五）（抄）

（施行期日）

第一条　この法律は、公布の日から起算して一年を超えない範囲内において政令で定める日〔平二七・四・一・平二六・九・二〇〕から施行する。〔ただし書略〕

（公共工事の入札及び契約の適正化の促進に関する法律の一部改正に伴う経過措置）

第四条　第二条の規定による改正後の公共工事の入札及び契約の適正化の促進に関する法律（次項において「新入札契約適正化法」という。）第四章の規定は、この法律の施行の際現に入札

に付されている公共工事については、適用しない。

2　この法律の施行前に締結された契約に係る公共工事の施工については、新入札契約適正化法第十五条の規定にかかわらず、なお従前の例による。

㊟　次の法律の第二条により公共工事の入札及び契約の適正化の促進に関する法律が改正されたが、公布の日から起算して一年六月を超えない範囲内において政令で定める日から施行となるため、一部改正法の形式で掲載した。

○建設業法及び公共工事の入札及び契約の適正化の促進に関する法律の一部を改正する法律

令六・六・一四
法　四九

（公共工事の入札及び契約の適正化の促進に関する法律の一部改正）

第二条　公共工事の入札及び契約の適正化の促進に関する法律（平成十二年法律第百二十七号）の一部を次のように改正する。

第十一条第二号中「第十九条の五」を「第十九条の三第二項、第十九条の五、第二十条第二項若しくは第六項」に改める。

第十二条中「内訳」の下に「（材料費、労務費及び当該公共工事に従事する労働者による適正な施工を確保するために不可欠な経費として国土交通省令で定めるものその他当該公共工事の施工のために必要な経費の内訳をいう。）」を加える。

附　則（抄）

（施行期日）

第一条　この法律は、公布の日から起算して一年六月を超えない範囲内において政令で定める日から施行する。〔ただし書略〕

○公共工事の入札及び契約の適正化の促進に関する法律施行令

平一三・二・一五
政令　三四

最終改正　平二八・一二・二六政令三九六

（特殊法人等の範囲）

第一条　公共工事の入札及び契約の適正化の促進に関する法律（以下「法」という。）第二条第一項の政令で定める法人は、次のとおりとする。

一　首都高速道路株式会社、新関西国際空港株式会社、中間貯蔵・環境安全事業株式会社、中日本高速道路株式会社、成田国際空港株式会社、西日本高速道路株式会社、阪神高速道路株式会社、東日本高速道路株式会社、本州四国連絡高速道路株式会社、沖縄科学技術大学院大学学園及び日本中央競馬会

二　削除

三　国立研究開発法人宇宙航空研究開発機構、国立研究開発法人科学技術振興機構、国立研究開発法人情報通信研究機構、国立研究開発法人森林研究・整備機構、国立研究開発法人日本原子力研究開発機構、独立行政法人空港周辺整備機構、独立行政法人高齢・障害・求職者雇用支援機構、独立行政法人国際協力機構、独立行政法人国立科学博物館、独立行政法人国立高等専門学校機構、独立行政法人国立女性教育会館、独立行政法人国立青少年教育振興機構、独立行政法人国立美術館、独立行政法人国立文化財機構、独立行政法人自動車事故対策機構、独立行政法人中小企業基盤整備機構、独立行政法人鉄道建設・運輸施設整備支援機構、独立行政法人都市再生機構、独立行政法人日本学生支援機構、独立行政法人日本芸術文化振興会、独立行政法人日本高速道路保有・債務返済機構、独立行政法人日本スポーツ振興センター、独立行政法人水資源機構及び独立行政法人労働者健康安全機構

（国による発注の見通しに関する事項の公表）

第二条 各省各庁の長は、毎年度、四月一日（当該日において当該年度の予算が成立していない場合にあっては、予算の成立の日）以後遅滞なく、当該年度に発注することが見込まれる公共工事（国の行為を秘密にする必要があるもの及び予定価格が二百五十万円を超えないと見込まれるものを除く。）に係る次に掲げるものの見通しに関する事項を公表しなければならない。

一 公共工事の名称、場所、期間、種別及び概要

二 入札及び契約の方法

三 入札を行う時期（随意契約を行う場合にあっては、契約を締結する時期）

2 前項の規定による公表は、次のいずれかの方法で行わなければならない。

一 官報又は時事に関する事項を掲載する日刊新聞紙に掲載する方法

二 公衆の見やすい場所に掲示し、又は公衆の閲覧に供する方法

3 前項第二号の規定による公衆の閲覧は、閲覧所を設け、又はインターネットを利用して閲覧に供する方法によらなければならない。この場合においては、各省各庁の長は、あらかじめ、当該閲覧に供する方法を告示しなければならない。

4 第二項第二号に掲げる方法で公表した場合においては、当該年度の三月三十一日まで掲示し、又は閲覧に供しなければならない。

5 各省各庁の長は、少なくとも毎年度一回、十月一日を目途として、第一項の規定により公表した発注の見通しに関する事項を見直し、当該事項に変更がある場合には、変更後の当該事項を公表しなければならない。

第三条 前条第二項から第四項までの規定は、変更後の発注の見通しに関する事項の公表の方法について準用する。

（国による入札及び契約の過程並びに契約の内容に関する事項の公表）

第四条 各省各庁の長は、次に掲げる事項を定め、又は作成したときは、遅滞なく、当該事項を公表しなければならない。これを変更したときも、同様とする。

一 予算決算及び会計令（昭和二十二年勅令第百六十五号。以下「予決令」という。）第七十二条第一項に規定する一般競争に参加する者に必要な資格及び同条第三項に規定する当該資格を有する者の名簿

二 予決令第九十五条第一項に規定する指名競争に参加する者に必要な資格及び同条第二項において準用する予決令第七十二条第三項に規定する当該資格を有する者の名簿

三 予決令第九十六条第一項に規定する競争に参加する者を指名する場合の基準

四 予決令第八十五条（予決令第九十八条において準用する場合を含む。）に規定する契約の相手方となるべき者の申込みに係る価格によってはその者により当該契約の内容に適合した履行がされないこととなるおそれがあると認められる場合の基準

2 各省各庁の長は、公共工事（国の行為を秘密にする必要があるもの及び予定価格が二百五十万円を超えないものを除く。）の契約を締結したときは、当該公共工事ごとに、遅滞なく、次に掲げる事項を公表しなければならない。ただし、第一号から第八号までに掲げる事項にあっては、契約の締結前に公表することを妨げない。

一 予決令第七十三条の規定により一般競争に参加する者に必要な資格をさらに定め、その資格を有する者により当該競争を行わせた場合における当該資格

二 一般競争入札を行った場合における当該競争に参加しようとした者の商号又は名称並びにこれらのうち当該競争に参加させなかった者の商号又は名称及びその者を参加させなかった理由

三 指名競争入札を行った場合における指名した者の商号又は名称及びその者を指名した理由

四 入札者の商号又は名称及び入札金額（随意契約を行った場合を除く。）

五 落札者の商号又は名称及び落札金額（随意契約を行った場合を除く。）

六 予決令第八十六条第一項（予決令第九十八条において準用する場合を含む。）の規定により契約の相手方となるべき者により当該契約の内容に適合した履行がされないおそれがあるかどうかについて調査した場合における当該調査から落札者の決定までの経緯

七 予決令第八十九条（予決令第九十八条において準用する場合を含む。）の規定により次順位者を落札者とした場合における入札から落札者の決定までの経緯

八 予決令第九十一条第二項（予決令第九十八条において準用する場合を含む。）の規定により価格その他の条件が国にとって最も有利なものをもって申込みをした者を落札者とした場合におけるその者を落札者とした理由

九 次に掲げる契約の内容

イ 契約の相手方の商号又は名称及び住所

ロ 公共工事の名称、場所、種別及び概要

ハ 工事着手の時期及び工事完成の時期

ニ 契約金額

十 随意契約を行った場合における契約の相手方を選定した理由

3 各省各庁の長は、前項の公共工事について契約金額の変更を伴う契約の変更をしたときは、遅滞なく、変更後の契約に係る同項第九号ロからニまでに掲げる事項及び変更の理由を公表しなければならない。

4 前三項の規定による公表は、公衆の見やすい場所に掲示し、又は公衆の閲覧に供する方法で行わなければならない。

5 第二条第三項の規定は、前項の規定による公衆の閲覧について準用する。

6 第二項又は第三項の規定により公表した事項については、少なくとも、公表した日（第二項第一号から第八号までに掲げる事項のうち契約の締結前に公表した事項については、契約を締結した日）の翌日から起算して一年間が経過する日まで掲示し、又は閲覧に供しなければならない。

（地方公共団体による発注の見通しに関する事項の公表）

第五条 地方公共団体の長は、毎年度、四月一日（当該日において当該年度の予算が成立していない場合にあっては、予算の成立の日）以後遅滞なく、当該年度に発注することが見込まれる公共工事（予定価格が二百五十万円を超えないと見込まれるも

の及び公共の安全と秩序の維持に密接に関連する公共工事であって当該地方公共団体の行為を秘密にする必要があるものを除く。）に係る次に掲げるものの見通しに関する事項を公表しなければならない。
一　公共工事の名称、場所、期間、種別及び概要
二　入札及び契約の方法
三　入札を行う時期（随意契約を行う場合にあっては、契約を締結する時期）
2　前項の規定による公表は、次のいずれかの方法で行わなければならない。
一　公報又は時事に関する事項を掲載する日刊新聞紙に掲載する方法
二　公衆の見やすい場所に掲示し、又は公衆の閲覧に供する方法
3　前項第二号の規定による公衆の閲覧は、閲覧所を設け、又はインターネットを利用して閲覧に供する方法によらなければならない。この場合においては、地方公共団体の長は、あらかじめ、当該閲覧に供する方法を告示しなければならない。
4　第二項第二号に掲げる方法で公表した場合においては、当該年度の三月三十一日まで掲示し、又は閲覧に供しなければならない。
5　地方公共団体の長は、少なくとも毎年度一回、十月一日を目途として、第一項の規定により公表した発注の見通しに関する事項を見直し、当該事項に変更がある場合には、変更後の当該事項を公表しなければならない。

第六条　前条第二項から第四項までの規定は、変更後の発注の見通しに関する事項の公表の方法について準用する。

（地方公共団体による入札及び契約の過程並びに契約の内容に関する事項の公表）

第七条　地方公共団体の長は、次に掲げる事項を定め、又は作成したときは、遅滞なく、当該事項を公表しなければならない。これを変更したときも、同様とする。
一　地方自治法施行令（昭和二十二年政令第十六号。以下「自治令」という。）第百六十七条の五第一項に規定する一般競争入札に参加する者に必要な資格及び当該資格を有する者の名簿
二　自治令第百六十七条の十一第二項に規定する指名競争入札に参加する者に必要な資格及び当該資格を有する者の名簿
三　指名競争入札に参加する者を指名する場合の基準
2　地方公共団体の長は、公共工事（予定価格が二百五十万円を超えないもの及び公共の安全と秩序の維持に密接に関連する公共工事であって当該地方公共団体の行為を秘密にする必要があるものを除く。）の契約を締結したときは、当該公共工事ごとに、遅滞なく、次に掲げる事項を公表しなければならない。ただし、第一号から第八号までに掲げる事項にあっては、契約の締結前に公表することを妨げない。
一　自治令第百六十七条の五の二の規定により一般競争入札に参加する者に必要な資格を更に定め、その資格を有する者により当該入札を行わせた場合における当該資格
二　一般競争入札を行った場合における当該入札に参加しようとした者の商号又は名称並びにこれらの者のうち当該入札に参加させなかった者の商号又は名称及びその者を参加させなかった理由
三　指名競争入札を行った場合における指名した者の商号又は名称及びその者を指名した理由
四　入札者の商号又は名称及び入札金額（随意契約を行った場合を除く。）
五　落札者の商号又は名称及び落札金額（随意契約を行った場合を除く。）
六　自治令第百六十七条の十第一項（自治令第百六十七条の十三において準用する場合を含む。）の規定により最低の価格をもって申込みをした者を落札者とせず他の者のうち最低の価格をもって申込みをした者を落札者とした場合におけるその者を落札者とした理由
七　自治令第百六十七条の十第二項（自治令第百六十七条の十三において準用する場合を含む。）の規定により最低制限価格を設け最低の価格をもって申込みをした者を落札者とせず最低制限価格以上の価格をもって申込みをした者のうち最低の価格をもって申込みをした者を落札者とした場合における最低制限価格未満の価格をもって申込みをした者の商号又は名称
八　自治令第百六十七条の十の二第一項若しくは第二項の規定により落札者を決定する一般競争入札（以下「総合評価一般競争入札」という。）又は自治令第百六十七条の十三において準用する自治令第百六十七条の十の二第一項若しくは第二項の規定により落札者を決定する指名競争入札（以下「総合評価指名競争入札」という。）を行った場合における次に掲げる事項
イ　当該総合評価一般競争入札又は当該総合評価指名競争入札を行った理由
ロ　自治令第百六十七条の十の二第三項（自治令第百六十七条の十三において準用する場合を含む。）に規定する落札者決定基準
ハ　自治令第百六十七条の十の二第一項（自治令第百六十七条の十三において準用する場合を含む。）の規定により価格その他の条件が当該地方公共団体にとって最も有利なものをもって申込みをした者を落札者とした場合におけるその者を落札者とした理由
ニ　自治令第百六十七条の十の二第二項（自治令第百六十七条の十三において準用する場合を含む。）の規定により落札者となるべき者を落札者とせず他の者のうち価格その他の条件が当該地方公共団体にとって最も有利なものをもって申込みをした者を落札者とした場合におけるその者を落札者とした理由
九　次に掲げる契約の内容
イ　契約の相手方の商号又は名称及び住所
ロ　公共工事の名称、場所、種別及び概要
ハ　工事着手の時期及び工事完成の時期
ニ　契約金額
十　随意契約を行った場合における契約の相手方を選定した理由
3　地方公共団体の長は、前項の公共工事について契約金額の変更を伴う契約の変更をしたときは、遅滞なく、変更後の契約に係る同項第九号ロからニまでに掲げる事項及び変更の理由を公表しなければならない。

4 前三項の規定による公表は、公衆の見やすい場所に掲示し、又は公衆の閲覧に供する方法で行わなければならない。

5 第五条第三項の規定は、前項の規定による公衆の閲覧について準用する。

6 第二項又は第三項の規定により公表した事項については、少なくとも、公表した日（第二項第一号から第八号までに掲げる事項のうち契約の締結前に公表した事項については、契約を締結した日）の翌日から起算して一年間が経過する日まで掲示し、又は閲覧に供しなければならない。

附　則

（施行期日）

第一条 この政令は、法の施行の日（平成十三年二月十六日）から施行する。ただし、第二条から第七条までの規定は、平成十三年四月一日から施行する。

（特殊法人等の範囲に関する経過措置）

第二条 法第二条第一項の政令で定める法人は、独立行政法人環境再生保全機構が行う独立行政法人環境再生保全機構法（平成十五年法律第四十三号）附則第七条第一項第一号に掲げる業務が終了するまでの間、第一条各号に掲げるもののほか、独立行政法人環境再生保全機構とする。

○公共工事の品質確保の促進に関する法律

平一七・三・三一
法　一八

最終改正　令六・六・一九法五四

目次〔略〕

第一章　総則

（目的）

第一条 この法律は、公共工事の品質確保が、良質な社会資本の整備を通じて、豊かな国民生活の実現及びその安全の確保、環境の保全（良好な環境の創出を含む。）、自立的で個性豊かな地域社会の形成等に寄与するものであるとともに、現在及び将来の世代にわたる国民の利益であることに鑑み、公共工事の品質確保に関する基本理念、国等の責務、基本方針の策定等その担い手の中長期的な育成及び確保の促進その他の公共工事の品質確保の促進に関する基本的事項を定めることにより、現在及び将来の公共工事の品質確保の促進を図り、もって国民の福祉の向上及び国民経済の健全な発展に寄与することを目的とする。

（定義）

第二条 この法律において「公共工事」とは、公共工事の入札及び契約の適正化の促進に関する法律（平成十二年法律第百二十七号）第二条第二項に規定する公共工事をいう。

2 この法律において「公共工事に関する調査等」とは、公共工事に関し、国、特殊法人等（公共工事の入札及び契約の適正化の促進に関する法律第二条第一項に規定する特殊法人等をいう。以下同じ。）又は地方公共団体が発注する測量、地質調査その他の調査（点検及び診断を含む。）及び設計（以下「調査等」という。）をいう。

（基本理念）

第三条 公共工事の品質は、公共工事が現在及び将来における国民生活及び経済活動の基盤となる社会資本を整備するものとして社会経済上重要な意義を有することに鑑み、国及び地方公共団体並びに公共工事等（公共工事及び公共工事に関する調査等をいう。以下同じ。）の発注者及び受注者がそれぞれの役割を果たすことにより、現在及び将来の国民のために確保されなければならない。

2 公共工事の品質は、建設工事が、目的物が使用されて初めてその品質を確認できること、その品質が工事等（工事及び調査等をいう。以下同じ。）の受注者の技術的能力に負うところが大きいこと、個別の工事により条件が異なること等の特性を有することに鑑み、経済性に配慮しつつ価格以外の多様な要素をも考慮し、価格及び品質が総合的に優れた内容の契約がなされることにより、確保されなければならない。

3 公共工事の品質は、施工技術及び調査等に関する技術の維持向上が図られ、並びにそれらを有する者等が公共工事の品質確保の担い手として中長期的に育成され、及び確保されることにより、将来にわたり確保されなければならない。

4 公共工事の品質は、公共工事等の発注者（以下単に「発注者」という。）の能力及び体制を考慮しつつ、工事等の性格、地域の実情等に応じて多様な入札及び契約の方法の中から適切な方法が選択されることにより、確保されなければならない。

5 公共工事の品質は、これを確保する上で工事等の効率性、安全性、環境への影響等が重要な意義を有することに鑑み、地盤の状況に関する情報その他の工事等に必要な情報が的確に把握され、より適切な技術又は工夫が活用されることにより、確保されなければならない。

6 公共工事の品質は、公共工事等に関する技術の研究開発並びにその成果の普及及び実用化が適切に推進され、その技術が新たな技術として活用されることにより、将来にわたり確保されなければならない。

7 公共工事の品質は、完成後の適切な点検、診断、維持、修繕その他の維持管理により、将来にわたり確保されなければならない。

8 公共工事の品質は、地域において災害時における対応を含む社会資本の維持管理が適切に行われるよう、地域の実情を踏まえ地域における公共工事の品質確保の担い手が育成され及び確保されるとともに、災害応急対策又は災害復旧に関する工事等（以下「災害応急対策工事等」という。）が迅速かつ円滑に実施される体制が整備されることにより、将来にわたり確保されなければならない。

9　公共工事の品質は、これを確保する上で公共工事等の受注者のみならず下請負人及びこれらの者に使用される技術者、技能労働者等がそれぞれ重要な役割を果たすことに鑑み、公共工事等における請負契約（下請契約を含む。）の当事者が、各々の対等な立場における合意に基づいて、市場における労務の取引価格、健康保険法（大正十一年法律第七十号）等の定めるところにより事業主が納付義務を負う保険料（第八条第二項及び第二十七条第一項において単に「保険料」という。）等を的確に反映した適正な額の請負代金及び適正な工期又は調査等の履行期（以下「工期等」という。）を定める公正な契約を締結し、その請負代金をできる限り速やかに支払う等信義に従って誠実にこれを履行するとともに、公共工事等に従事する者の賃金、労働時間、休日その他の労働条件、安全衛生その他の労働環境の適正な整備について配慮がなされることにより、確保されなければならない。

10　公共工事の品質確保に当たっては、公共工事等の入札及び契約の過程並びに契約の内容の透明性並びに競争の公正性が確保されること、談合、入札談合等関与行為その他の不正行為の排除が徹底されること、その請負代金の額によっては公共工事等の適正な実施が通常見込まれない契約の締結が防止されること並びに契約された公共工事等の適正な実施が確保されることにより、公共工事等の受注者（以下単に「受注者」という。）としての適格性を有しない建設業者等が排除されること等の入札及び契約の適正化が図られるように配慮されなければならない。

11　公共工事の品質確保に当たっては、民間事業者の能力が適切に評価され、並びに公共工事等の入札及び契約に適切に反映されること、民間事業者の積極的な技術提案（公共工事等に関する技術又は工夫についての提案をいう。以下同じ。）及び創意工夫が活用されること等により民間事業者の能力が活用されるように配慮されなければならない。

12　公共工事の品質確保に当たっては、新たな技術を活用した資材、機械、工法等の採用が公共工事の品質の向上に及ぼす効果が適切に評価されること等により、新たな技術の活用が価格のみを理由として妨げられることのないように配慮されなければならない。

13　公共工事の品質確保に当たっては、調査等、施工及び維持管理の各段階における情報通信技術（デジタル社会形成基本法（令和三年法律第三十五号）第二条に規定する情報通信技術をいう。以下同じ。）の活用（当該各段階におけるデータ（電子的方式、磁気的方式その他人の知覚によっては認識することができない方式で作られる記録に記録された情報をいう。以下この項において同じ。）の適切な引継ぎ及び多様かつ大量のデータの適正かつ効果的な活用を含む。以下同じ。）等を通じて、その生産性の向上が図られるように配慮されなければならない。

14　公共工事の品質確保に当たっては、脱炭素化（脱炭素社会（地球温暖化対策の推進に関する法律（平成十年法律第百十七号）第二条の二に規定する脱炭素社会をいう。）の実現に寄与することを旨として、社会経済活動その他の活動に伴って発生する温室効果ガス（同法第二条第三項に規定する温室効果ガスをいう。）の排出の量の削減並びに吸収作用の保全及び強化を行うことをいう。第七条第一項第二号において同じ。）に向けた技術又は工夫が活用されるように配慮されなければならない。

15　公共工事の品質確保に当たっては、公共工事に関する調査等の業務の内容に応じて必要な知識又は技術を有する者の能力がその者の有する資格等により適切に評価され、及びそれらの者が十分に活用されなければならない。

（国の責務）
第四条　国は、前条の基本理念（以下「基本理念」という。）にのっとり、公共工事の品質確保の促進に関する施策を総合的に策定し、及び実施する責務を有する。

（地方公共団体の責務）
第五条　地方公共団体は、基本理念にのっとり、その地域の実情を踏まえ、公共工事の品質確保の促進に関する施策を策定し、及び実施する責務を有する。

（国及び地方公共団体の相互の連携及び協力）
第六条　国及び地方公共団体は、公共工事の品質確保の促進に関する施策の策定及び実施に当たっては、基本理念の実現を図るため、相互に緊密な連携を図りながら協力しなければならない。

（発注者等の責務）
第七条　発注者は、基本理念にのっとり、現在及び将来の公共工事の品質が確保されるよう、公共工事の品質確保の担い手の中長期的な育成及び確保に配慮しつつ、公共工事等の仕様書及び設計書の作成、予定価格の作成、入札及び契約の方法の選択、契約の相手方の決定、工事等の監督及び検査並びに工事等の実施中及び完了時の施工状況又は調査等の状況（以下「施工状況等」という。）の確認及び評価その他の事務（以下「発注関係事務」という。）を、次に定めるところによる等適切に実施しなければならない。

一　公共工事等を実施する者が、公共工事の品質確保の担い手が中長期的に育成され及び確保されるための適正な利潤を確保することができるよう、適切に作成された仕様書及び設計書に基づき、経済社会情勢の変化を勘案し、市場における労務及び資材等の取引価格、健康保険法等の定めるところにより事業主が納付義務を負う保険料、公共工事等に従事する者の業務上の負傷等に対する補償に必要な金額を担保するための保険契約の保険料、第五項の協定に基づき発注者がその実施を要請する災害応急対策工事等に係る次条第五項の保険契約の保険料、工期等、公共工事等の実施の実態等を的確に反映した積算を行うことにより、予定価格を適正に定めること。

二　価格に加え、工期、安全性、生産性、脱炭素化に対する寄与の程度その他の要素を考慮して総合的に価値の最も高い資材、機械、工法等（新たな技術を活用した資材、機械、工法等を含む。第六号において「総合的に価値の最も高い資材等」という。）を採用するに当たっては、これに必要な費用を適切に反映した積算を行うことにより、予定価格を適正に定めること。

三　入札に付しても定められた予定価格に起因して入札者又は落札者がなかったと認める場合において更に入札に付するとき、災害その他の特別な事情により通常の積算の方法によっては適正な予定価格の算定が困難と認めるときその他必要があると認めるときは、入札に参加する者から当該入札に係る工事等の全部又は一部の見積書を徴することその他の方法により積算を行うことにより、適正な予定価格を定め、できる限り速やかに契約を締結するよう努めること。

四　災害時においては、手続の透明性及び公正性の確保に留意しつつ、災害応急対策又は緊急性が高い災害復旧に関する工事等にあっては随意契約を、その他の災害復旧に関する工事等にあっては指名競争入札を活用する等緊急性に応じた適切な入札及び契約の方法を選択するよう努めること。

五　その請負代金の額によっては公共工事等の適正な実施が通常見込まれない契約の締結を防止するため、その入札金額によっては当該公共工事等の適正な実施が通常見込まれない契約となるおそれがあると認められる場合の基準又は最低制限価格の設定その他の必要な措置を講ずること。

六　公共工事等の発注に関し、経済性に配慮しつつ、総合的に価値の最も高い資材等を採用するよう努めること。

七　地域における公共工事の品質確保の担い手が中長期的に育成され及び確保されるよう、地域の実情を踏まえ、競争に参加する者に必要な資格、発注しようとする公共工事等の規模その他の入札に関する事項を適切に定めること。

八　地域における公共工事の品質確保の担い手がその地域で十分に普及していない技術を円滑に習得することができるよう、発注又は契約の相手方の選定に関し、必要に応じて、当該技術を有する民間事業者と当該地域の民間事業者との連携及び技術的な協力のために必要な措置を講ずること。

九　災害からの迅速な復旧復興に資するよう、発注又は契約の相手方の選定に関し、必要に応じて、災害からの迅速な復旧復興に資する事業のために必要な能力を有する民間事業者と地域の民間事業者との連携及び協力のために必要な措置を講ずること。

十　地域における公共工事等の実施の時期の平準化を図るため、計画的に発注を行うとともに、工期等が一年に満たない公共工事等についての繰越明許費（財政法（昭和二十二年法律第三十四号）第十四条の三第二項に規定する繰越明許費又は地方自治法（昭和二十二年法律第六十七号）第二百十三条第二項に規定する繰越明許費をいう。第十二号において同じ。）又は財政法第十五条に規定する国庫債務負担行為若しくは地方自治法第二百十四条に規定する債務負担行為の活用による翌年度にわたる工期等の設定、他の発注者との連携による中長期的な公共工事等の発注の見通しの作成及び公表その他の必要な措置を講ずること。

十一　公共工事等に従事する者の労働時間その他の労働条件が適正に確保されるよう、公共工事等に従事する者の休日、工事等の実施に必要な準備期間、天候その他のやむを得ない事由により工事等の実施が困難であると見込まれる日数等を考慮し、適正な工期等を設定すること。

十二　設計図書（仕様書、設計書及び図面をいう。以下この号において同じ。）に適切に施工条件又は調査等の実施の条件を明示するとともに、設計図書に示された施工条件と実際の工事現場の状態が一致しない場合、設計図書に示されていない施工条件又は調査等の実施の条件について予期することができない特別な状態が生じた場合その他の場合において必要があると認められるときは、適切に設計図書の変更及びこれに伴い必要となる請負代金の額又は工期等の変更を行うこと。この場合において、工期等が翌年度にわたることとなったときは、繰越明許費の活用その他の必要な措置を適切に講ずること。

十三　公共工事の契約において市場における労務及び資材等の取引価格の変動に基づく請負代金の額の変更及びその適切な算定方法に関する定めを設け、当該定めの適用に関する基準を策定するとともに、当該契約の締結後に当該変動が生じたときは、当該契約及び当該基準に基づき適切に請負代金の額の変更を行うこと。

十四　公共工事等の監督及び検査並びに施工状況等の確認及び評価に当たっては、積極的な情報通信技術の活用を図るとともに、必要に応じて、発注者及び受注者以外の者であって専門的な知識又は技術を有するものによる、工事等が適正に実施されているかどうかの確認の結果の活用を図るよう努めること。

十五　必要に応じて完成後の一定期間を経過した後において施工状況の確認及び評価を実施するよう努めること。

2　発注者は、公共工事等の施工状況等及びその評価に関する資料その他の資料が将来における自らの発注に、及び発注者間においてその発注に相互に、有効に活用されるよう、その評価の標準化のための措置並びにこれらの資料の保存のためのデータベースの整備及び更新その他の必要な措置を講じなければならない。

3　発注者は、発注関係事務を適切に実施するため、その実施に必要な知識又は技術を有する職員の育成及び確保、必要な職員の配置その他の体制の整備に努めるとともに、他の発注者と情報交換を行うこと等により連携を図るよう努めなければならない。

4　発注者は、発注者及び受注者の負担の軽減に資するよう、発注関係事務の実施に関し、情報通信技術の活用等に努めなければならない。

5　発注者は、災害応急対策工事等が迅速かつ円滑に実施されるよう、あらかじめ、建設業法（昭和二十四年法律第百号）第二十七条の三十七に規定する建設業者団体（第二十六条及び第三十一条において単に「建設業者団体」という。）その他の者との災害応急対策工事等の実施に関する協定の締結その他必要な措置を講ずるよう努めるとともに、他の発注者と連携を図るよう努めなければならない。

6　発注者は、災害応急対策工事等の迅速かつ円滑な実施に資するため、公共工事の目的物の被害状況の把握に関し、当該目的物の整備及び維持管理について必要な知識及び経験を有する者を活用するよう努めなければならない。

7　国、特殊法人等及び地方公共団体は、公共工事の目的物の維持管理を行うに際しては、当該目的物の備えるべき品質が将来にわたり確保されるよう、維持管理の担い手の中長期的な育成及び確保並びに生産性の向上に配慮しつつ、情報通信技術の活用等により、当該目的物について、適切に点検、診断、維持、修繕等を実施するよう努めなければならない。この場合において、当該目的物の維持管理を広域的又は包括的に行うときは、必要な連携体制の構築に努めなければならない。

（受注者等の責務）

第八条　受注者は、基本理念にのっとり、契約された公共工事等を適正に実施しなければならない。

2　公共工事等を実施する者は、下請契約を締結するときは、下請負人に使用される技術者、技能労働者等の賃金、労働時間、休日その他の労働条件、安全衛生その他の労働環境が適正に整備されるよう、市場における労務の取引価格、保険料等を的確に反映した適正な額の請負代金及び適正な工期等を定める下請契約を締結しなければならない。

3　公共工事等を実施する者（公共工事等を実施する者となろうとする者を含む。次項において同じ。）は、契約された又は将来実施することとなる公共工事等の適正な実施のために必要な技術的能力（新たな技術を活用した資材、機械、工法等を効果的に活用する能力を含む。）の向上、情報通信技術を活用した公共工事等の実施の効率化等による生産性の向上並びに技術者、技能労働者等の育成及び確保並びにこれらの者に係る賃金、労働時間、休日その他の労働条件、安全衛生その他の労働環境の改善に努めなければならない。

4　公共工事等を実施する者は、その使用する者の有する能力に応じた適切な処遇を確保するとともに、外国人等を含む多様な人材がその有する能力を有効に発揮できるよう、その従事する職業に適応することを容易にするための措置の実施その他の雇用管理の改善に努めなければならない。

5　前条第五項の協定に基づき災害応急対策工事等を実施する受注者は、当該災害応急対策工事等に従事する者の業務上の負傷等に対する補償及び当該災害応急対策工事等の実施について第三者に加えた損害の賠償に必要な金額を担保するため、当該災害応急対策工事等の実施に当たり、適切な保険契約を締結するよう努めなければならない。

第二章　基本方針等

（基本方針）

第九条　政府は、公共工事の品質確保の促進に関する施策を総合的に推進するための基本的な方針（以下「基本方針」という。）を定めなければならない。

2　基本方針は、次に掲げる事項について定めるものとする。

一　公共工事の品質確保の促進の意義に関する事項

二　公共工事の品質確保の促進のための施策に関する基本的な方針

3　基本方針の策定に当たっては、特殊法人等及び地方公共団体の自主性に配慮しなければならない。

4　政府は、基本方針を定めたときは、遅滞なく、これを公表しなければならない。

5　前二項の規定は、基本方針の変更について準用する。

（基本方針に基づく責務）

第十条　各省各庁の長（財政法第二十条第二項に規定する各省各庁の長をいう。）、特殊法人等の代表者（当該特殊法人等が独立行政法人（独立行政法人通則法（平成十一年法律第百三号）第二条第一項に規定する独立行政法人をいう。）である場合にあっては、その長）及び地方公共団体の長は、基本方針に定めるところに従い、公共工事の品質確保の促進を図るため必要な措置を講ずるよう努めなければならない。

（関係行政機関の協力体制）

第十一条　政府は、基本方針の策定及びこれに基づく施策の実施に関し、関係行政機関による協力体制の整備その他の必要な措置を講ずるものとする。

第三章　多様な入札及び契約の方法等

第一節　競争参加者の技術的能力の審査等

（競争参加者の技術的能力の審査）

第十二条　発注者は、その発注に係る公共工事等の契約につき競争に付するときは、競争に参加しようとする者について、工事等の経験、施工状況等の評価、当該公共工事等に配置が予定される技術者の経験又は有する資格その他競争に参加しようとする者の技術的能力に関する事項を審査しなければならない。

（競争参加者の中長期的な技術的能力の確保に関する審査等）

第十三条　発注者は、その発注に係る公共工事等の契約につき競争に付するときは、当該公共工事等の性格、地域の実情等に応じ、競争に参加する者（競争に参加しようとする者を含む。以下同じ。）について、若年の技術者、技能労働者等の育成及び確保の状況、建設機械の保有の状況、災害時における工事等の実施体制の確保の状況等に関する事項を適切に審査し、又は評価するよう努めなければならない。

第二節　多様な入札及び契約の方法

（多様な入札及び契約の方法の中からの適切な方法の選択）

第十四条　発注者は、入札及び契約の方法の決定に当たっては、その発注に係る公共工事等の性格、地域の実情等に応じ、この節に定める方式その他の多様な方法の中から適切な方法を選択し、又はこれらの組合せによることができる。

（競争参加者等の技術提案を求める方式）

第十五条　発注者は、競争に参加する者に対し、技術提案を求めるよう努めなければならない。ただし、発注者が、当該公共工事等の内容に照らし、その必要がないと認めるときは、この限りでない。

2　発注者は、前項の規定により技術提案を求めるに当たっては、競争に参加する者の技術提案に係る負担に配慮しなければならない。

3　発注者は、競争に付された公共工事等につき技術提案がされたときは、これを適切に審査し、及び評価しなければならない。この場合において、発注者は、中立かつ公正な審査及び評価が行われるようこれらに関する当事者からの苦情を適切に処理することその他の必要な措置を講ずるものとする。

4　発注者は、競争に付された公共工事等を技術提案の内容に従って確実に実施することができないと認めるときは、当該技術提案を採用しないことができる。

5　発注者は、競争に参加する者に対し技術提案を求めて落札者を決定する場合には、あらかじめその旨及びその評価の方法を公表するとともに、その評価の後にその結果を公表しなければならない。ただし、公共工事の入札及び契約の適正化の促進に関する法律第四条から第八条までに定める公共工事の入札及び契約に関する情報の公表がなされない公共工事についての技術提案の評価の結果については、この限りでない。

6　発注者は、その発注に係る公共工事に関する調査等の契約につき競争に付さないときは、受注者となろうとする者に対し、技術提案を求めるよう努めなければならない。ただし、発注者が、当該公共工事に関する調査等の内容に照らし、その必要がないと認めるときは、この限りでない。

7　第二項から第五項まで（同項ただし書を除く。）の規定は、前項に規定する場合において、技術提案がされたときについて準用する。この場合において、第二項中「前項」とあるのは「第六項」と、第三項及び第四項中「競争に付された公共工事等」とあるのは「競争に付されなかった公共工事に関する調査等」と、第五項中「落札者」とあるのは「受注者」と読み替えるものとする。

（段階的選抜方式）

第十六条　発注者は、競争に参加する者に対し技術提案を求める方式による場合において競争に参加する者の数が多数であると見込まれるときその他必要があると認めるときは、必要な施工技術又は調査等の技術を有する者が新規に競争に参加することが不当に阻害されることのないように配慮しつつ、当該公共工事等に係る技術的能力に関する事項を評価すること等により一定の技術水準に達した者を選抜した上で、これらの者の中から落札者を決定することができる。

（技術提案の改善）

第十七条　発注者は、技術提案をした者に対し、その審査において、当該技術提案についての改善を求め、又は改善を提案する機会を与えることができる。この場合において、発注者は、技術提案の改善に係る過程について、その概要を公表しなければならない。

2　第十五条第五項ただし書の規定は、技術提案の改善に係る過程の概要の公表について準用する。

（技術提案の審査及び価格等の交渉による方式）

第十八条　発注者は、当該公共工事等の性格等により当該工事等の仕様の確定が困難である場合において自らの発注の実績等を踏まえ必要があると認めるときは、技術提案を公募の上、その審査の結果を踏まえて選定した者と工法、価格等の交渉を行うことにより仕様を確定した上で契約することができる。この場合において、発注者は、技術提案の審査及び交渉の結果を踏まえ、予定価格を定めるものとする。

2　発注者は、前項の技術提案の審査に当たり、中立かつ公正な審査が行われるよう、中立の立場で公正な判断をすることができる学識経験者の意見を聴くとともに、当該審査に関する当事者からの苦情を適切に処理することその他の必要な措置を講ずるものとする。

3　発注者は、第一項の技術提案の審査の結果並びに審査及び交渉の過程の概要を公表しなければならない。この場合においては、第十五条第五項ただし書の規定を準用する。

（高度な技術等を含む技術提案を求めた場合の予定価格）

第十九条　発注者は、前条第一項の場合を除くほか、高度な技術又は優れた工夫を含む技術提案を求めたときは、当該技術提案の審査の結果を踏まえて、予定価格を定めることができる。この場合において、発注者は、当該技術提案の審査に当たり、中立の立場で公正な判断をすることができる学識経験者の意見を聴くものとする。

（地域における社会資本の維持管理に資する方式）

第二十条　発注者は、公共工事等の発注に当たり、地域における社会資本の維持管理の効率的かつ持続的な実施のために必要があると認めるときは、地域の実情に応じ、次に掲げる方式等を活用するものとする。

一　工期等が複数年度にわたる公共工事等を一の契約により発注する方式

二　複数の公共工事等を一の契約により発注する方式

三　複数の建設業者等により構成される組合その他の事業体が競争に参加することができることとする方式

（競争が存在しないことの確認による方式）

第二十一条　発注者は、その発注に係る公共工事等に必要な技術、設備又は体制等からみて、その地域において受注者となろうとする者が極めて限られており、当該地域において競争が存在しない状況が継続すると見込まれる公共工事等の契約について、当該技術、設備又は体制等及び受注者となることが見込まれる者が存在することを明示した上で公募を行い、競争が存在しないことを確認したときは、随意契約によることができる。

第三節　発注関係事務を適切に実施することができる者の活用及び発注者に対する支援等

（発注関係事務を適切に実施することができる者の活用等）

第二十二条　発注者は、その発注に係る公共工事等が専門的な知識又は技術を必要とすること、職員の不足その他の理由により自ら発注関係事務を適切に実施することが困難であると認めるときは、国、地方公共団体その他法令又は契約により発注関係事務の全部又は一部を行うことができる者の能力を活用するよう努めなければならない。この場合において、発注者は、発注関係事務を適正に行うことができる知識及び経験を有する職員が置かれていること、法令の遵守及び秘密の保持を確保できる体制が整備されていることその他発注関係事務を公正に行うことができる条件を備えた者を選定するものとする。

2　発注者は、前項の場合において、契約により発注関係事務の全部又は一部を行うことができる者を選定したときは、その者が行う発注関係事務の公正性を確保するために必要な措置を講ずるものとする。

3　第一項の規定により、契約により発注関係事務の全部又は一部を行う者は、基本理念にのっとり、発注関係事務を適切に実施しなければならない。

4　国及び都道府県は、発注者を支援するため、専門的な知識又は技術を必要とする発注関係事務を適切に実施することができる者の育成及びその活用の促進、発注関係事務を公正に行うことができる条件を備えた者の適切な評価及び選定に関する協力、発注関係事務に関し助言その他の援助を適切に行う能力を有する者の活用の促進、発注者間の連携体制の整備その他の必要な措置を講ずるよう努めなければならない。

5　国及び都道府県は、発注者が発注関係事務の適切な実施に必要な知識又は技術を有する職員を育成することを支援するため、講習会の開催、自らが実施する研修への発注者の職員の受入れ、民間団体による研修の活用の促進その他必要な措置を講ずるよう努めなければならない。

（発注関係事務の実施に関する助言等）

第二十三条　国は、発注者の発注関係事務の実施の実態を調査し、及びその結果を公表するよう努めるとともに、その結果を踏まえ、発注者が発注関係事務を適切に実施することができるよう、必要な助言を行わなければならない。

（発注関係事務の運用に関する指針）

第二十四条　国は、基本理念にのっとり、発注者を支援するため、地方公共団体、学識経験者、民間事業者その他の関係者の意見を聴いて、公共工事等の性格、地域の実情等に応じた入札及び契約の方法の選択その他の発注関係事務の適切な実施に係る制度の運用に関する指針を定めるものとする。

（国の援助）

第二十五条　国は、第二十二条第四項及び第五項並びに前二条に規定するもののほか、地方公共団体が講ずる公共工事の品質確保の担い手の中長期的な育成及び確保の促進その他の公共工事の品質確保の促進に関する施策に関し、必要な助言その他の援助を行うよう努めなければならない。

第四章　公共工事の品質確保のための基盤の整備等

（職業訓練実施者に対する支援等）

第二十六条　国及び地方公共団体は、公共工事の品質確保の担い手の中長期的な育成及び確保のため、工事等に関する専門的な知識又は技術を有する人材を育成するための職業訓練を実施する者に対する支援等、工事等に関する基礎的な知識及び技能を習得させるための教育を行う高等学校等と民間事業者及び建設業者団体等との間の連携の促進並びに外国人等を含む多様な人材の確保等に必要な環境の整備の促進について必要な措置を講ずるよう努めなければならない。

（労務費等に関する実態調査等）

第二十七条　国は、下請負人その他の公共工事を実施する者（以下この項及び次項において「下請負人等」という。）に対して市場における労務の取引価格、保険料等を的確に反映した適正な額の請負代金が支払われるとともに、下請負人等により公共工事に従事する者に対して適正な額の賃金が支払われるよう、公共工事の請負契約の締結の状況及び下請負人等が講じた公共工事に従事する者の能力等に即した評価に基づく賃金の支払その他の公共工事に従事する者の適切な処遇を確保するための措置に関する実態の調査を行うよう努めなければならない。

２　国は、下請負人等に使用される公共工事に従事する者に対して適切に休日が与えられるよう、その休日の付与の実態の調査を行うよう努めなければならない。

３　国は、前二項の規定による調査の結果を公表するとともに、その結果を踏まえ、公共工事に従事する者の適正な労働条件の確保のために必要な施策の策定及び実施に努めなければならない。

（民間事業者等による研究開発の促進）

第二十八条　国は、公共工事等に必要な高度な技術の研究開発に資するため、第十八条第一項の契約の方式の活用を通じた設計に携わる民間事業者と施工に携わる民間事業者との連携その他の民間事業者等相互間の連携を促進するよう努めなければならない。

２　国は、公共工事等に必要な高度な技術の研究開発を民間事業者等に委託し又は請け負わせる場合には、当該民間事業者等がその成果を有効に活用することができるようにするため、当該成果に係る知的財産権の取扱いについて適切に配慮するよう努めなければならない。

（研究開発の安定的な推進）

第二十九条　国は、公共工事等に関する技術に係る研究機関の機能の強化並びに当該技術の研究開発並びにその成果の普及及び実用化を中長期にわたって安定的に推進するため、必要な措置を講ずるよう努めなければならない。

（地方公共団体の関係部局の連携）

第三十条　地方公共団体は、公共工事等の実施の時期の平準化を図るための措置に関する施策その他の公共工事の品質確保の促進に関する施策の実施に当たっては、公共工事等の入札及び契約に関する業務を担当する部局、財政に関する業務を担当する部局、公共工事等の実施に関する業務を担当する部局その他の関係部局の相互の緊密な連携を確保するよう努めなければならない。

（国民の関心及び理解の増進）

第三十一条　国及び地方公共団体は、建設業者団体等と連携しつつ、公共工事の品質確保及びその担い手の活動（災害時における活動を含む。）の重要性に関する国民の関心と理解を深めるため、それらに関する広報活動及び啓発活動の充実その他の必要な施策を講ずるよう努めなければならない。

（公共工事に関する調査等に係る資格等に関する検討）

第三十二条　国は、公共工事に関する調査等に関し、その業務の内容に応じて必要な知識又は技術を有する者の能力がその者の有する資格等により適切に評価され、及びそれらの者が十分に活用されるようにするため、公共工事に関する調査等の担い手の中長期的な育成及び確保に留意して、これらに係る資格等の評価及び資格等に係る制度の運用の在り方等について検討を加え、その結果に基づいて必要な措置を講ずるものとする。

附　則

（施行期日）

１　この法律は、平成十七年四月一日から施行する。

（検討）

２　政府は、この法律の施行後三年を経過した場合において、この法律の施行の状況等について検討を加え、必要があると認めるときは、その結果に基づいて所要の措置を講ずるものとする。

附　則（令元・六・一四法三五）

（施行期日）

１　この法律は、公布の日から施行する。

（検討）

２　政府は、この法律の施行後五年を目途として、この法律による改正後の公共工事の品質確保の促進に関する法律の施行の状況等について検討を加え、必要があると認めるときは、その結果に基づいて所要の措置を講ずるものとする。

附

録

直接請求手続一覧表

一　条例制定（改廃）の直接請求の手続

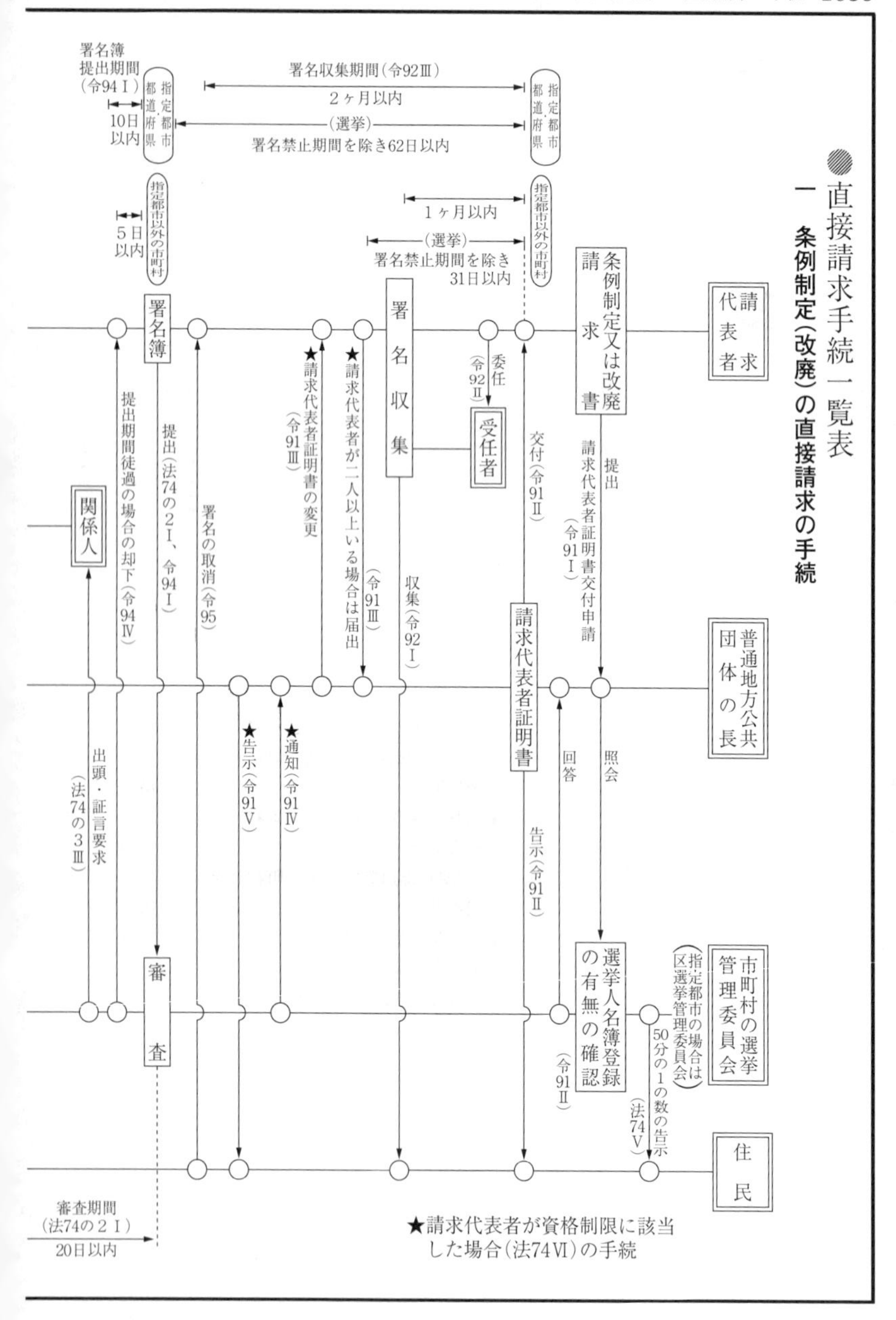

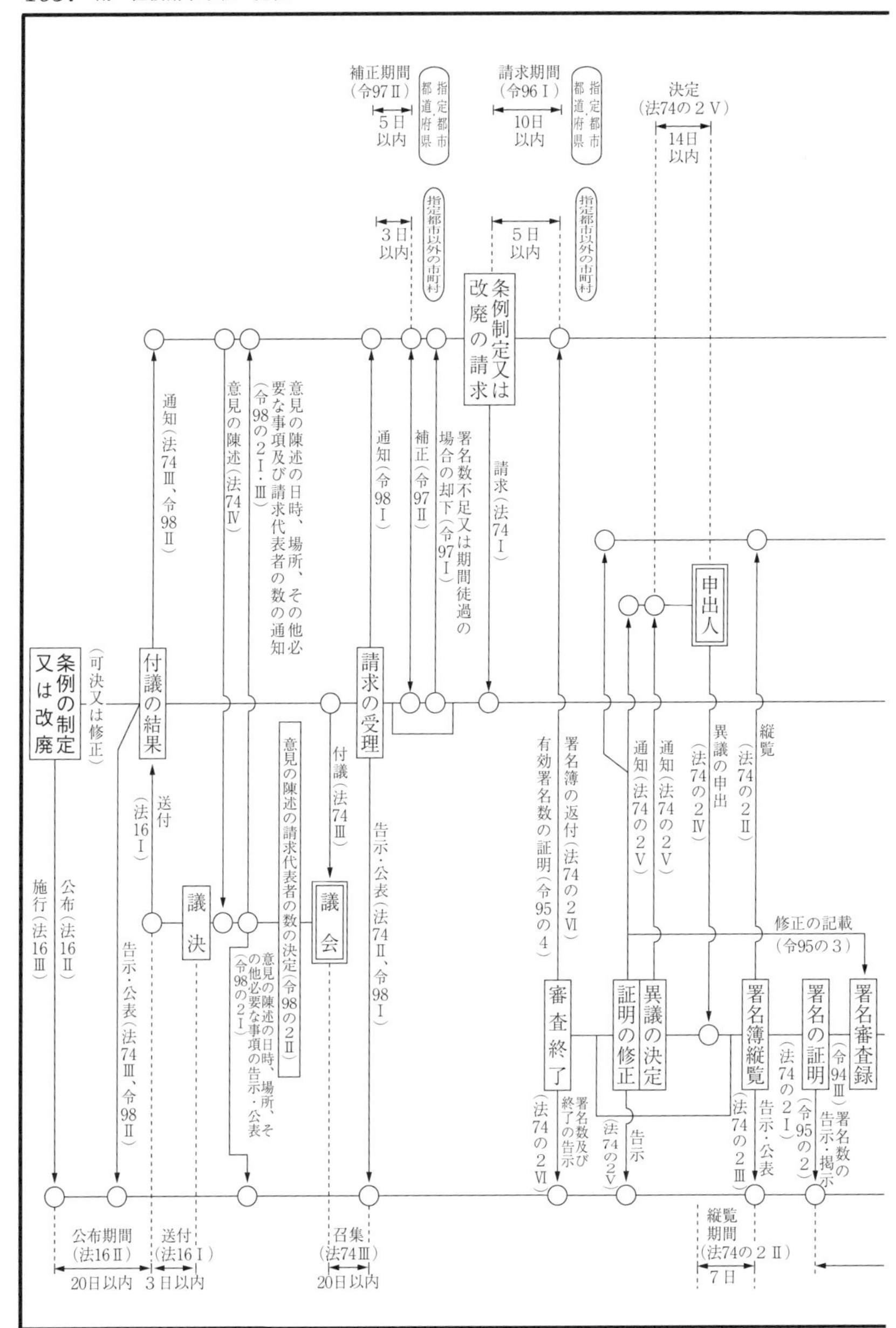
補正期間（令97Ⅱ）
5日以内
指定都市 都道府県
3日以内
指定都市以外の市町村
請求期間（令96Ⅰ）
10日以内
5日以内
決定（法74の2Ⅴ）
14日以内
条例制定又は改廃の請求
通知（法74Ⅲ、令98Ⅱ）
意見の陳述（法74Ⅳ）
意見の陳述の日時、場所、その他必要な事項及び請求代表者の数の通知（令98の2Ⅰ・Ⅲ）
通知（令98Ⅰ）
補正（令97Ⅱ）
署名数不足又は期間徒過の場合の却下（令97Ⅰ）
請求（法74Ⅰ）
条例の制定又は改廃
（可決又は修正）
付議の結果
請求の受理
申出人
送付（法16Ⅰ）
付議（法74Ⅲ）
意見の陳述の請求代表者の数の決定（令98の2Ⅱ）
告示・公表（法74Ⅱ、令98Ⅰ）
署名簿の返付（法74の2Ⅵ）
有効署名数の証明（令95の4）
通知（法74の2Ⅴ）
通知（法74の2Ⅴ）
異議の申出（法74の2Ⅳ）
縦覧（法74の2Ⅱ）
修正の記載（令95の3）
施行（法16Ⅲ）
公布（法16Ⅱ）
告示・公表（法74Ⅲ、令98Ⅱ）
議決
議会
意見の陳述の日時、場所、その他必要な事項の告示・公表（令98の2Ⅰ）
審査終了
証明の修正
異議の決定
署名簿縦覧
署名の証明
署名審査録（令94Ⅲ）
署名数及び終了の告示（法74の2Ⅵ）
告示（法74の2Ⅴ）
告示・公表（法74の2Ⅲ）
（法74の2Ⅰ）
署名数の告示・掲示（令95の2）
公布期間（法16Ⅱ）
20日以内
送付（法16Ⅰ）
3日以内
召集（法74Ⅲ）
20日以内
縦覧期間（法74の2Ⅱ）
7日

二　監査の直接請求の手続

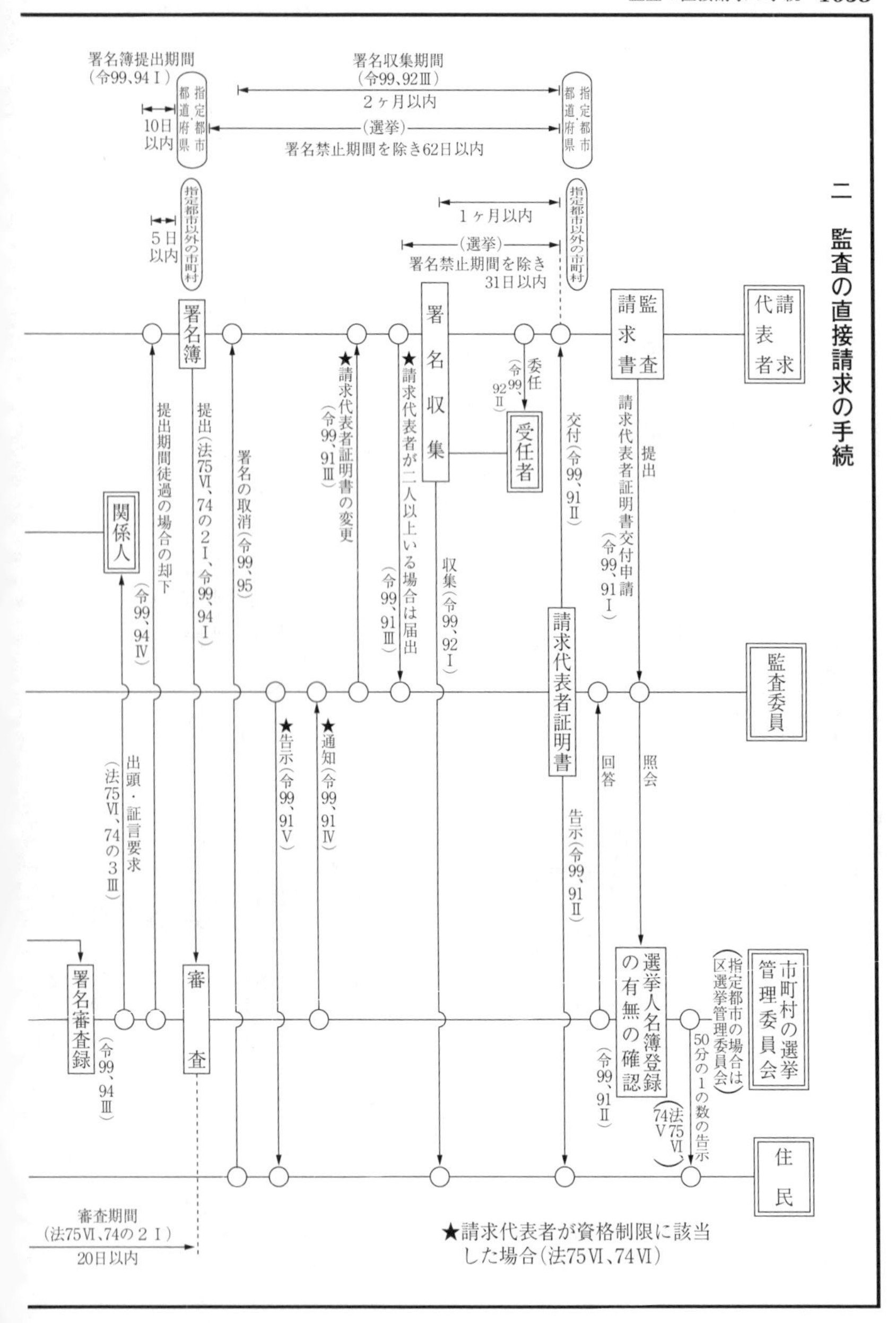

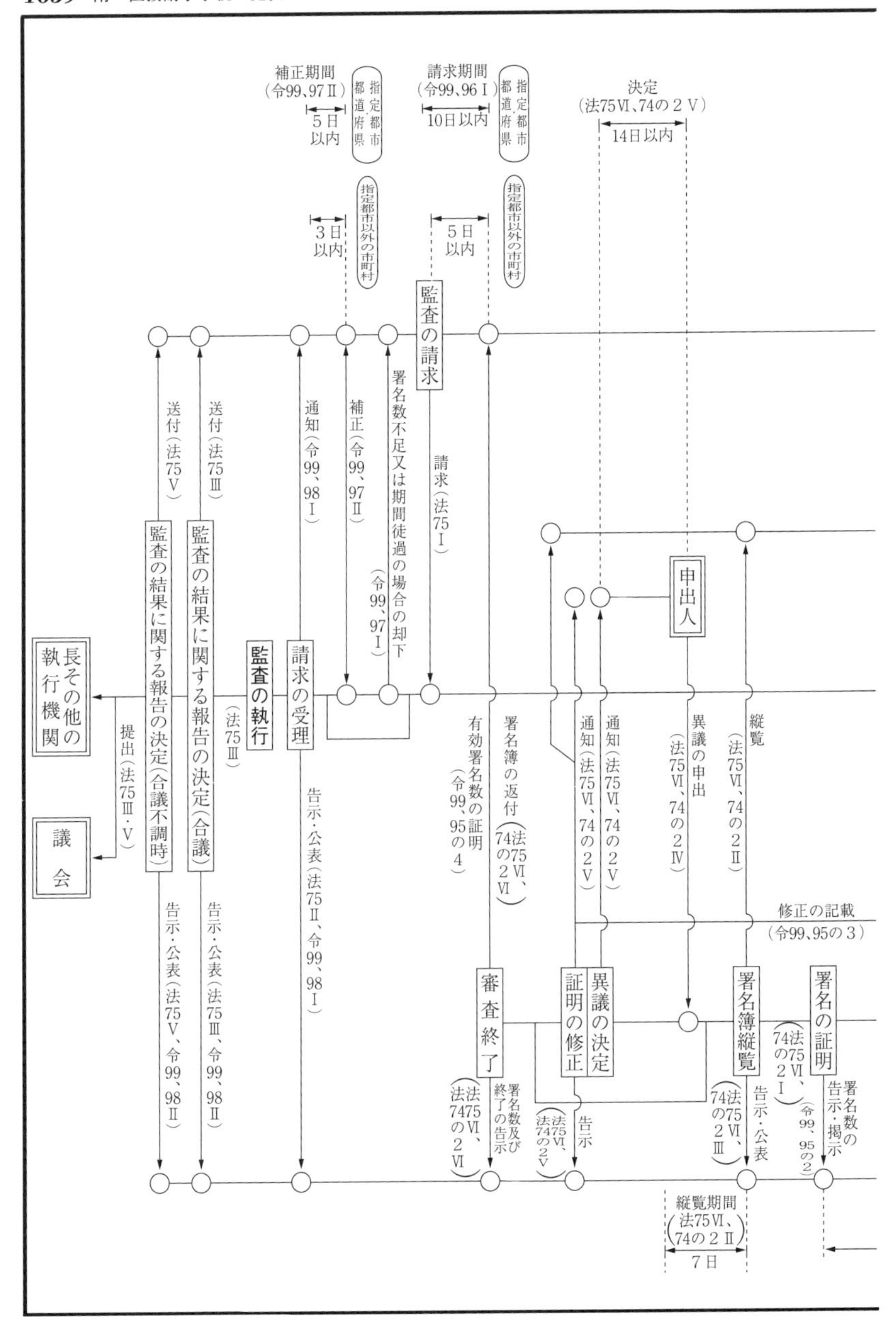

補正期間（令99、97Ⅱ）
5日以内
指定都市
都道府県
3日以内
指定都市以外の市町村
請求期間（令99、96Ⅰ）
10日以内
5日以内
指定都市
都道府県
指定都市以外の市町村
決定（法75Ⅵ、74の2Ⅴ）
14日以内
監査の請求
送付（法75Ⅴ）
送付（法75Ⅲ）
通知（令99、98Ⅰ）
補正（令99、97Ⅱ）
署名数不足又は期間徒過の場合の却下（令99、97Ⅰ）
請求（法75Ⅰ）
申出人
長その他の執行機関
議会
提出（法75Ⅲ・Ⅴ）
監査の結果に関する報告の決定（合議不調時）
監査の結果に関する報告の決定（合議）
（法75Ⅲ）
監査の執行
請求の受理
告示・公表（法75Ⅱ、令99、98Ⅰ）
有効署名数の証明（令99、95の4）
署名簿の返付（法75Ⅵ、74の2Ⅵ）
通知（法75Ⅵ、74の2Ⅴ）
通知（法75Ⅵ、74の2Ⅴ）
異議の申出（法75Ⅵ、74の2Ⅳ）
縦覧（法75Ⅵ、74の2Ⅱ）
修正の記載（令99、95の3）
告示・公表（法75Ⅴ、令99、98Ⅱ）
告示・公表（法75Ⅲ、令99、98Ⅱ）
審査終了
証明の修正
異議の決定
署名簿縦覧
署名の証明
（法75Ⅵ、74の2Ⅰ）
署名数及び終了の告示（法75Ⅵ、74の2Ⅵ）
告示（法75Ⅵ、74の2Ⅴ）
告示・公表（法75Ⅵ、74の2Ⅲ）
署名数の告示・掲示（令99、95の2）
縦覧期間（法75Ⅵ、74の2Ⅱ）
7日

三 議会の解散の直接請求の手続

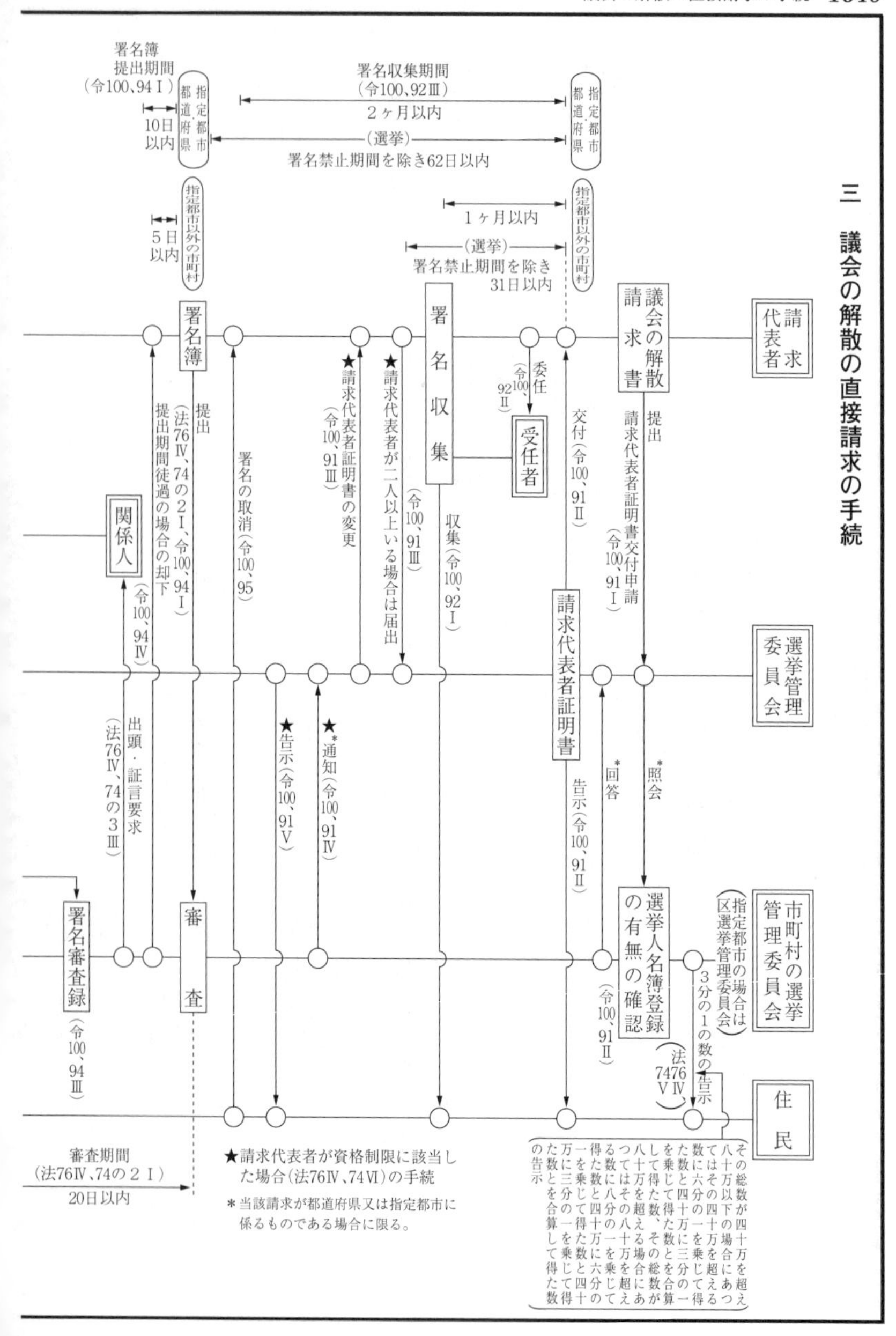

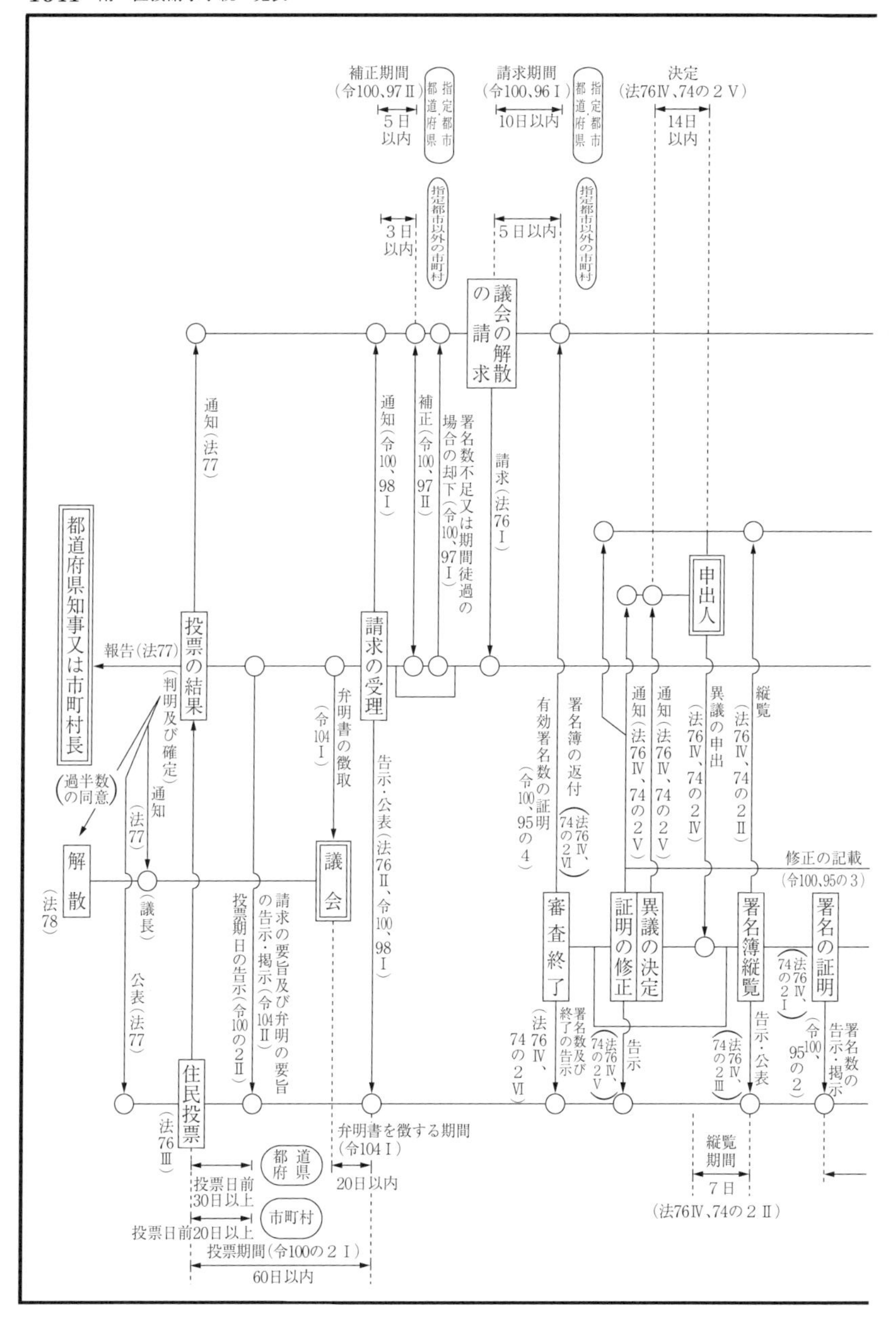
補正期間（令100、97Ⅱ）
5日以内
3日以内
指定都市 都道府県
指定都市以外の市町村
請求期間（令100、96Ⅰ）
10日以内
5日以内
決定（法76Ⅳ、74の2Ⅴ）
14日以内
議会の解散の請求
通知（法77）
通知（令100、98Ⅰ）
補正（令100、97Ⅱ）
署名数不足又は期間徒過の場合の却下（令100、97Ⅰ）
請求（法76Ⅰ）
都道府県知事又は市町村長
報告（法77）
投票の結果
請求の受理
申出人
（判明及び確定）
弁明書の徴取（令104Ⅰ）
告示・公表（法76Ⅱ、令100、98Ⅰ）
署名簿の返付（法76Ⅳ、74の2Ⅵ）
有効署名数の証明（令100、95の4）
通知（法76Ⅳ、74の2Ⅴ）
通知（法76Ⅳ、74の2Ⅴ）
異議の申出（法76Ⅳ、74の2Ⅳ）
縦覧（法76Ⅳ、74の2Ⅱ）
（過半数の同意）
通知（法77）
解散（法78）
（議長）
議会
修正の記載（令100、95の3）
審査終了
証明の修正
異議の決定
署名簿縦覧
署名の証明
公表（法77）
投票期日の告示（令100の2Ⅱ）
請求の要旨及び弁明の要旨の告示・掲示（令104Ⅱ）
（法76Ⅳ、74の2Ⅵ）
署名数及び終了の告示
告示（法76Ⅳ、74の2Ⅴ）
告示・公表（法76Ⅳ、74の2Ⅲ）
（法76Ⅳ、74の2Ⅰ）
署名数の告示・掲示（令100、95の2）
住民投票（法76Ⅲ）
弁明書を徴する期間（令104Ⅰ）
20日以内
都道府県
投票日前30日以上
市町村
投票日前20日以上
投票期間（令100の2Ⅰ）
60日以内
縦覧期間
7日
（法76Ⅳ、74の2Ⅱ）

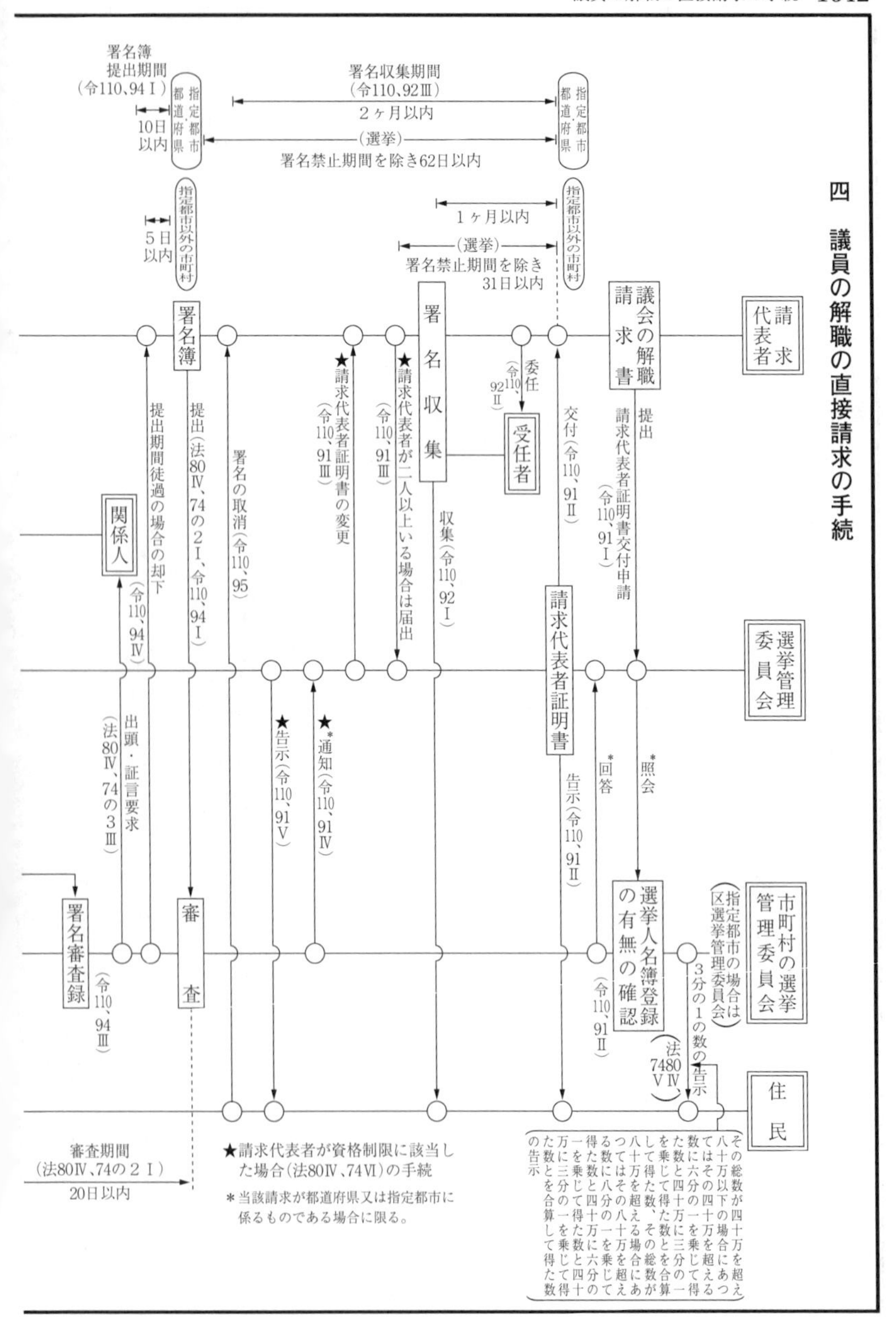
四　議員の解職の直接請求の手続
請求代表者
選挙管理委員会
市町村の選挙管理委員会
（指定都市の場合は区選挙管理委員会）
住民
議会の解職請求書
提出
請求代表者証明書交付申請（令110、91Ⅰ）
＊照会
＊回答
選挙人名簿登録の有無の確認（令110、91Ⅱ）
請求代表者証明書
交付（令110、91Ⅱ）
告示（令110、91Ⅱ）
委任（令110、92Ⅱ）
受任者
署名収集
収集（令110、92Ⅰ）
★請求代表者が二人以上いる場合は届出（令110、91Ⅲ）
★請求代表者証明書の変更（令110、91Ⅲ）
★告示（令110、91Ⅴ）
★＊通知（令110、91Ⅳ）
署名の取消（令110、95）
署名簿
提出（法80Ⅳ、74の2Ⅰ、令110、94Ⅰ）
審査
提出期間徒過の場合の却下
出頭・証言要求（法80Ⅳ、74の3Ⅲ）
関係人
（令110、94Ⅳ）
署名審査録（令110、94Ⅲ）
3分の1の数の告示（法80Ⅳ、74Ⅴ）
指定都市
都道府県
指定都市以外の市町村
署名収集期間（令110、92Ⅲ）
2ヶ月以内
（選挙）署名禁止期間を除き62日以内
1ヶ月以内
（選挙）署名禁止期間を除き31日以内
署名簿提出期間（令110、94Ⅰ）
10日以内
5日以内
審査期間（法80Ⅳ、74の2Ⅰ）
20日以内
★請求代表者が資格制限に該当した場合（法80Ⅳ、74Ⅵ）の手続
＊当該請求が都道府県又は指定都市に係るものである場合に限る。
その総数が四十万を超え八十万以下の場合にあつてはその四十万を超える数に六分の一を乗じて得た数と四十万に三分の一を乗じて得た数とを合算して得た数、その総数が八十万を超える場合にあつてはその八十万を超える数に八分の一を乗じて得た数と四十万に六分の一を乗じて得た数と四十万に三分の一を乗じて得た数とを合算して得た数の告示

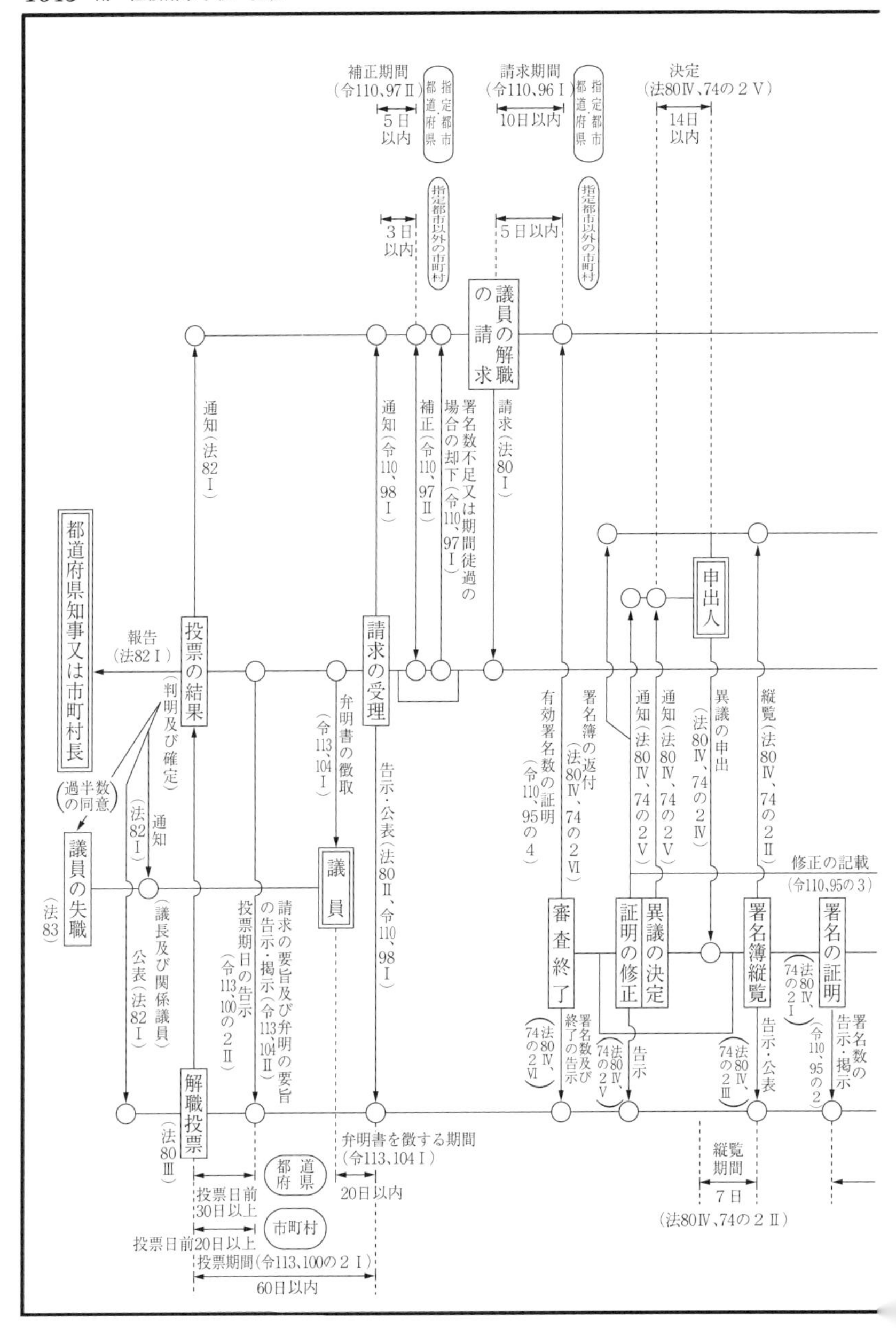

補正期間（令110、97Ⅱ）
指定都市 都道府県
5日以内
3日以内
指定都市以外の市町村
請求期間（令110、96Ⅰ）
10日以内
5日以内
決定（法80Ⅳ、74の2Ⅴ）
14日以内
議員の解職の請求
通知（法82Ⅰ）
通知（令110、98Ⅰ）
補正（令110、97Ⅱ）
署名数不足又は期間徒過の場合の却下（令110、97Ⅰ）
請求（法80Ⅰ）
都道府県知事又は市町村長
報告（法82Ⅰ）
投票の結果
（判明及び確定）
（過半数の同意）
議員の失職（法83）
（法82Ⅰ）通知
（議長及び関係議員）公表（法82Ⅰ）
請求の受理
弁明書の徴取（令113、104Ⅰ）
告示・公表（法80Ⅱ、令110、98Ⅰ）
議員
投票期日の告示（令113、100の2Ⅱ）
請求の要旨及び弁明の要旨の告示・掲示（令113、104Ⅱ）
解職投票（法80Ⅲ）
都道府県
投票日前30日以上
市町村
投票日前20日以上
投票期間（令113、100の2Ⅰ）
60日以内
弁明書を徴する期間（令113、104Ⅰ）
20日以内
申出人
有効署名数の証明（令110、95の4）
署名簿の返付（法80Ⅳ、74の2Ⅵ）
通知（法80Ⅳ、74の2Ⅴ）
通知（法80Ⅳ、74の2Ⅴ）
異議の申出（法80Ⅳ、74の2Ⅳ）
縦覧（法80Ⅳ、74の2Ⅱ）
修正の記載（令110、95の3）
審査終了
証明の修正
異議の決定
署名簿縦覧
署名の証明
（法80Ⅳ、74の2Ⅵ）
署名数及び終了の告示
（法80Ⅳ、74の2Ⅴ）
告示
（法80Ⅳ、74の2Ⅲ）
告示・公表
（法80Ⅳ、74の2Ⅰ）
（令110、95の2）
署名数の告示・掲示
縦覧期間
7日
（法80Ⅳ、74の2Ⅱ）

五　長の解職の直接請求の手続

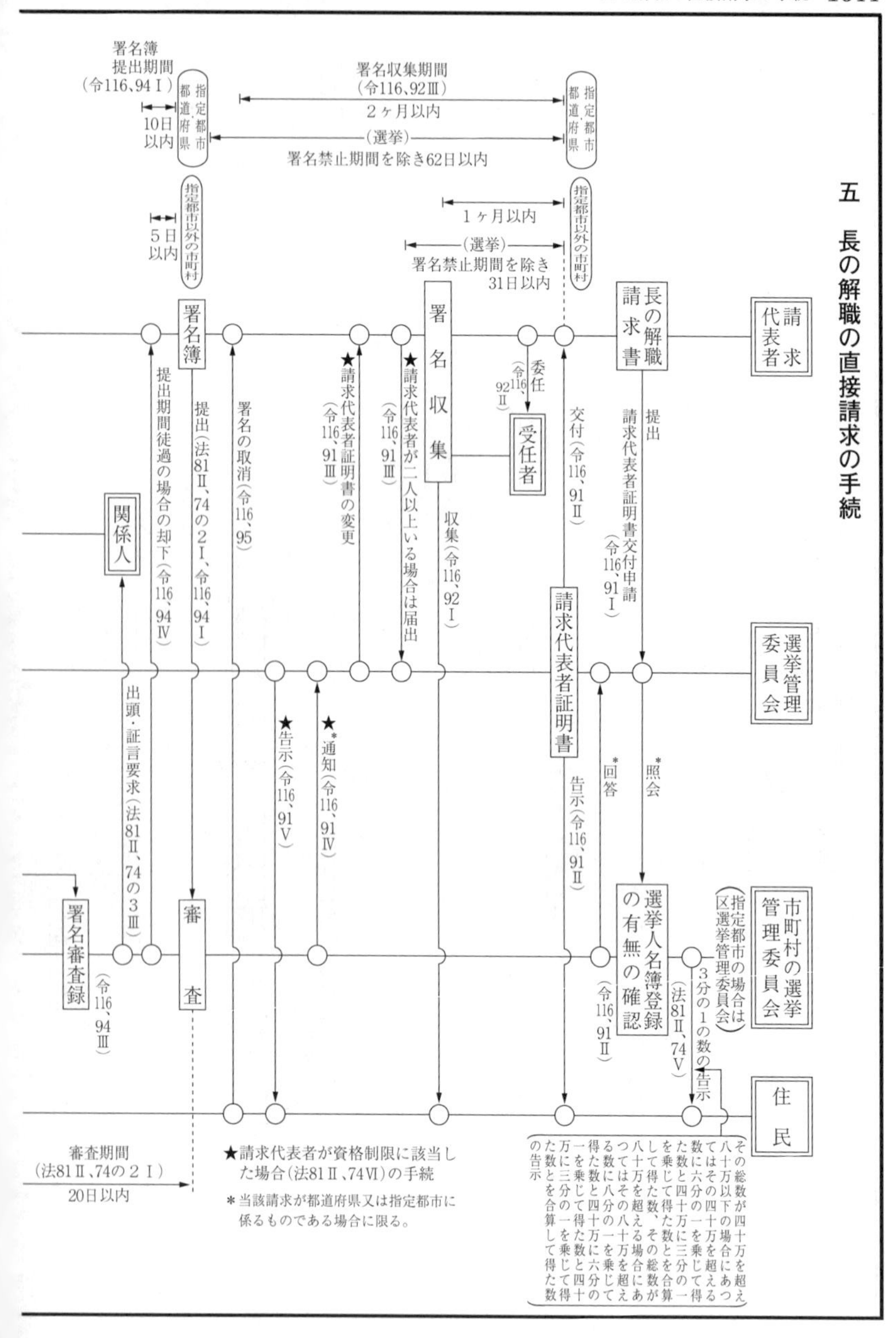

★請求代表者が資格制限に該当した場合（法81Ⅱ、74Ⅵ）の手続

＊当該請求が都道府県又は指定都市に係るものである場合に限る。

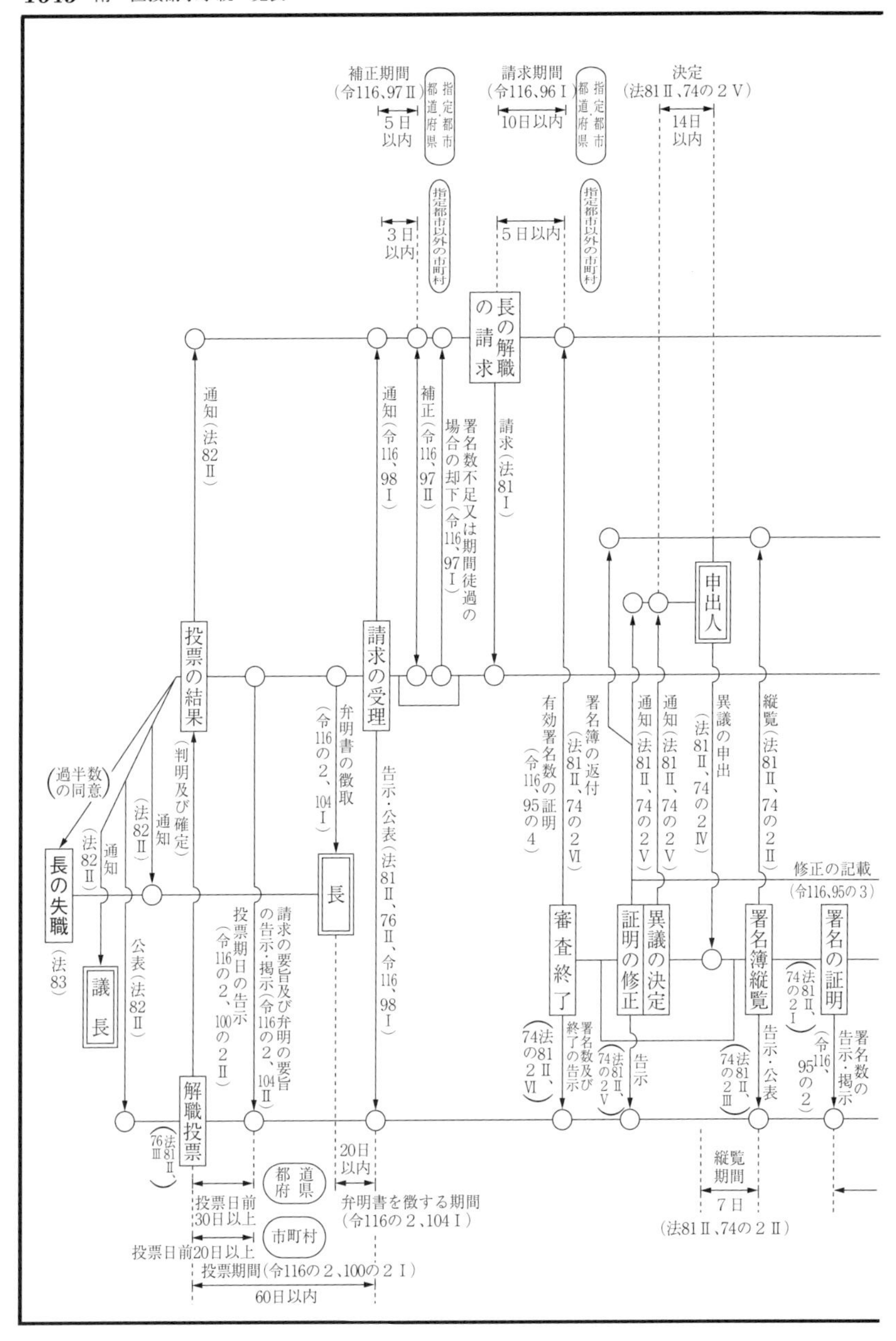
補正期間（令116、97Ⅱ）
指定都市 都道府県
5日以内
3日以内
指定都市以外の市町村
請求期間（令116、96Ⅰ）
10日以内
5日以内
決定（法81Ⅱ、74の2Ⅴ）
14日以内
長の解職の請求
通知（法82Ⅱ）
通知（令116、98Ⅰ）
補正（令116、97Ⅱ）
署名数不足又は期間徒過の場合の却下（令116、97Ⅰ）
請求（法81Ⅰ）
申出人
投票の結果
請求の受理
弁明書の徴取（令116の2、104Ⅰ）
告示・公表（法81Ⅱ、76Ⅱ、令116、98Ⅰ）
有効署名数の証明（令116、95の4）
署名簿の返付（法81Ⅱ、74の2Ⅵ）
通知（法81Ⅱ、74の2Ⅴ）
通知（法81Ⅱ、74の2Ⅴ）
異議の申出（法81Ⅱ、74の2Ⅳ）
縦覧（法81Ⅱ、74の2Ⅱ）
修正の記載（令116、95の3）
過半数の同意
長の失職（法83）
通知（法82Ⅱ）
通知（法82Ⅱ）
判明及び確定
長
議長
公表（法82Ⅱ）
投票期日の告示（令116の2、100の2Ⅱ）
請求の要旨及び弁明の要旨の告示・掲示（令116の2、104Ⅱ）
審査終了
証明の修正
異議の決定
署名簿縦覧
署名の証明
署名数及び終了の告示（法81Ⅱ、74の2Ⅵ）
告示（法81Ⅱ、74の2Ⅴ）
告示・公表（法81Ⅱ、74の2Ⅲ）
署名数の告示・掲示（令116、95の2）
（法81Ⅱ、74の2Ⅰ）
解職投票（法81Ⅱ、76Ⅲ）
投票日前30日以上
都道府県
投票日前20日以上
市町村
20日以内
弁明書を徴する期間（令116の2、104Ⅰ）
投票期間（令116の2、100の2Ⅰ）
60日以内
縦覧期間
7日（法81Ⅱ、74の2Ⅱ）

六　主要公務員の解職の直接請求の手続

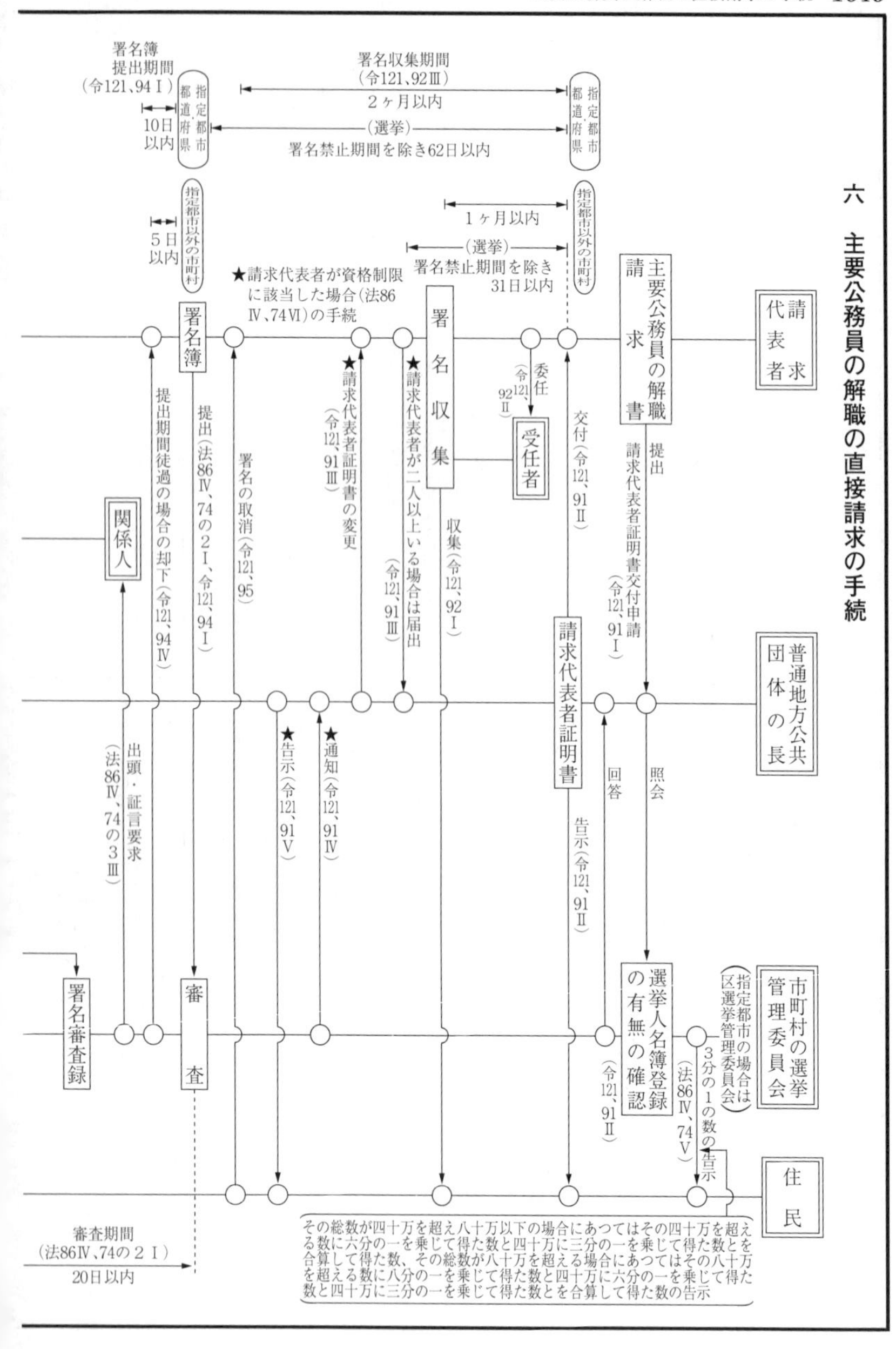

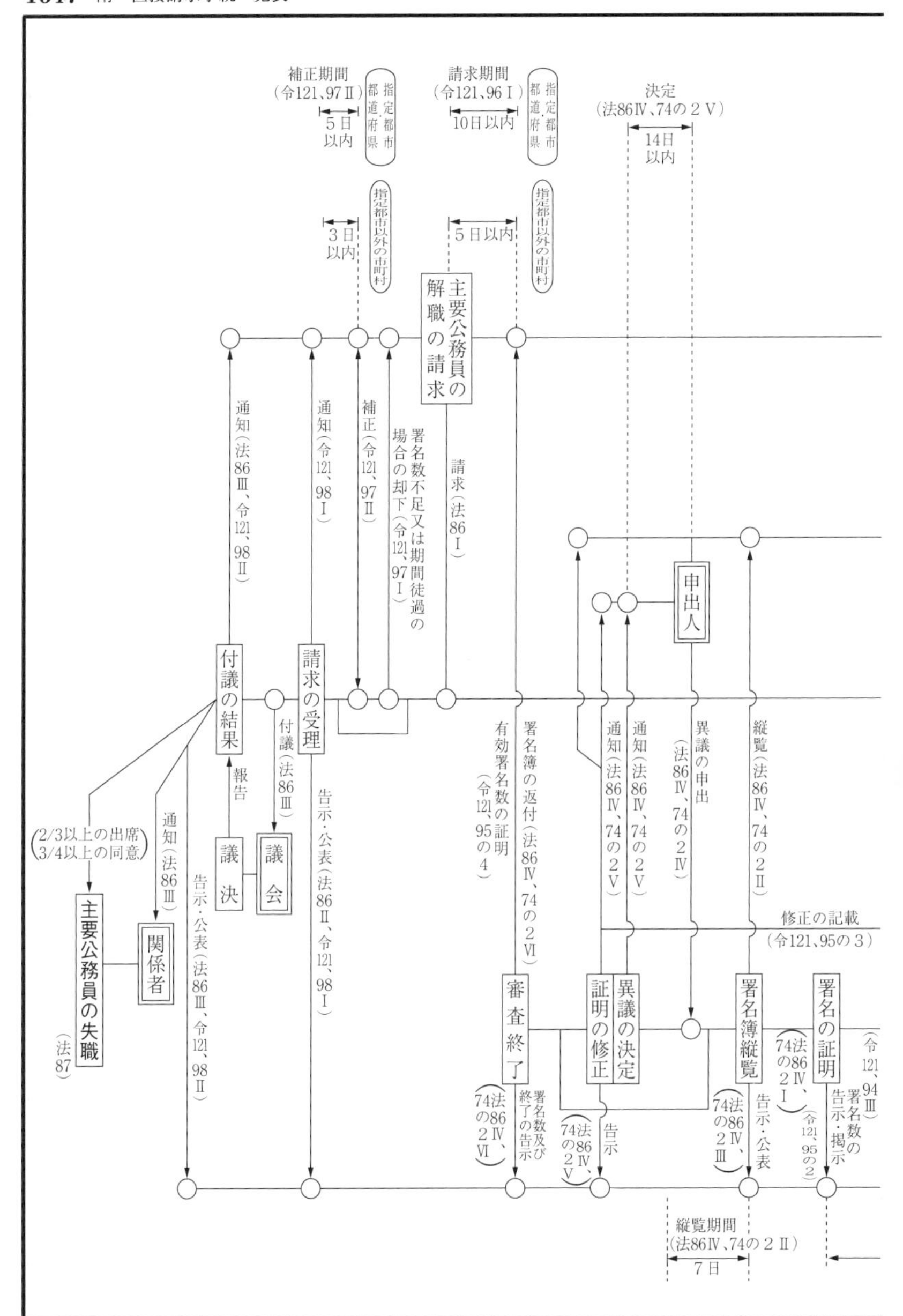

補正期間（令121、97Ⅱ）
5日以内
都道府県・指定都市
3日以内
指定都市以外の市町村
請求期間（令121、96Ⅰ）
10日以内
5日以内
決定（法86Ⅳ、74の2Ⅴ）
14日以内
主要公務員の解職の請求
通知（法86Ⅲ、令121、98Ⅱ）
通知（令121、98Ⅰ）
補正（令121、97Ⅱ）
署名数不足又は期間徒過の場合の却下（令121、97Ⅰ）
請求（法86Ⅰ）
申出人
付議の結果
請求の受理
付議（法86Ⅲ）
報告
議決
議会
告示・公表（法86Ⅱ、令121、98Ⅰ）
有効署名数の証明（令121、95の4）
署名簿の返付（法86Ⅳ、74の2Ⅵ）
通知（法86Ⅳ、74の2Ⅴ）
通知（法86Ⅳ、74の2Ⅴ）
異議の申出（法86Ⅳ、74の2Ⅳ）
縦覧（法86Ⅳ、74の2Ⅱ）
（2/3以上の出席 3/4以上の同意）
通知（法86Ⅲ）
告示・公表（法86Ⅲ、令121、98Ⅱ）
主要公務員の失職
（法87）
関係者
修正の記載（令121、95の3）
審査終了
証明の修正
異議の決定
署名簿縦覧
署名の証明
（74法の86 2Ⅳ、Ⅵ）
署名数及び終了の告示
（74法の86 2Ⅳ、Ⅴ）
告示
（74法の86 2Ⅳ、Ⅲ）
告示・公表
（74法の86 2Ⅳ、Ⅰ）
（令121、95の2）
（令121、94Ⅲ）
署名数の告示・掲示
縦覧期間（法86Ⅳ、74の2Ⅱ）
7日

七　署名に関する争訟関係

〔市町村に関する直接請求〕

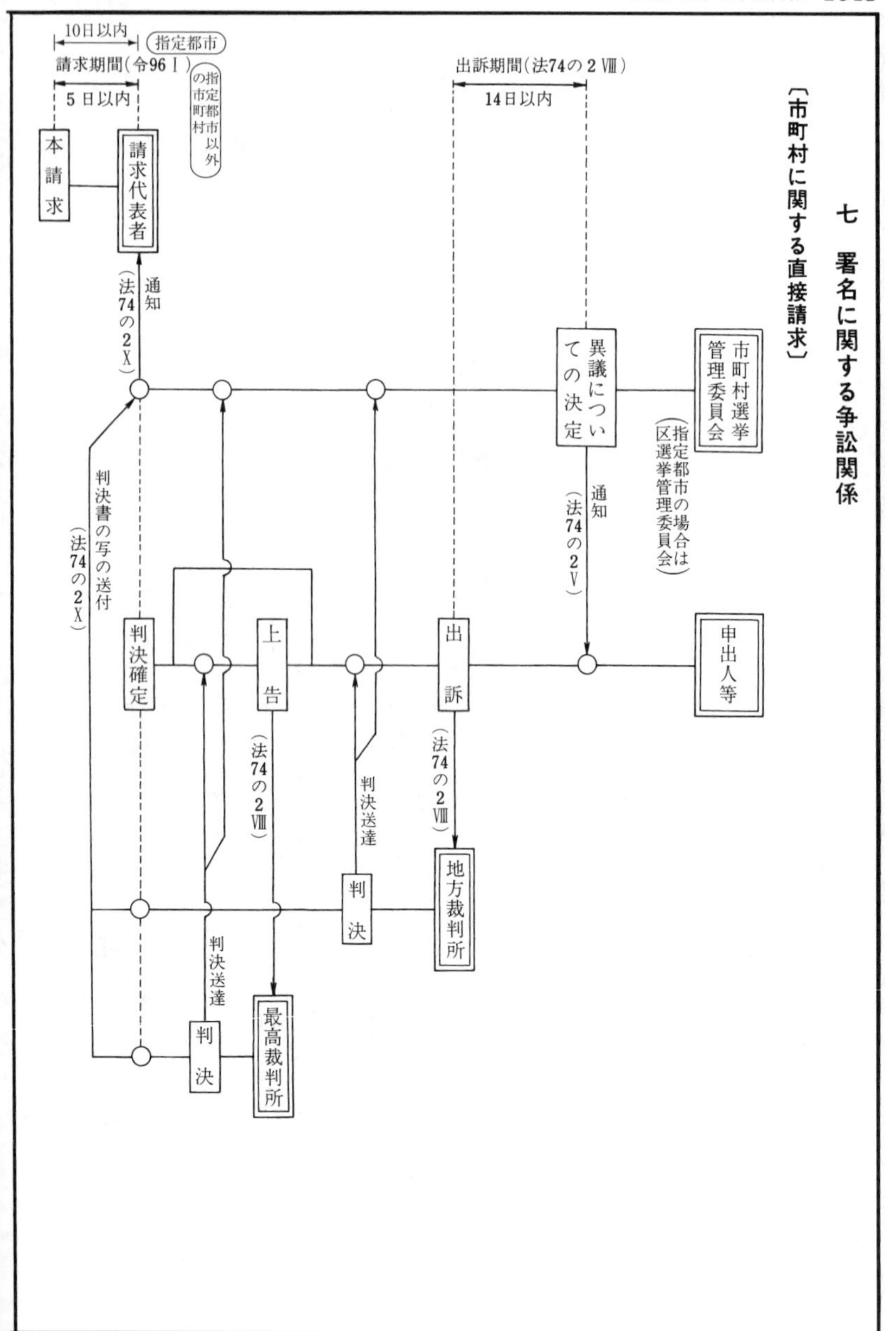

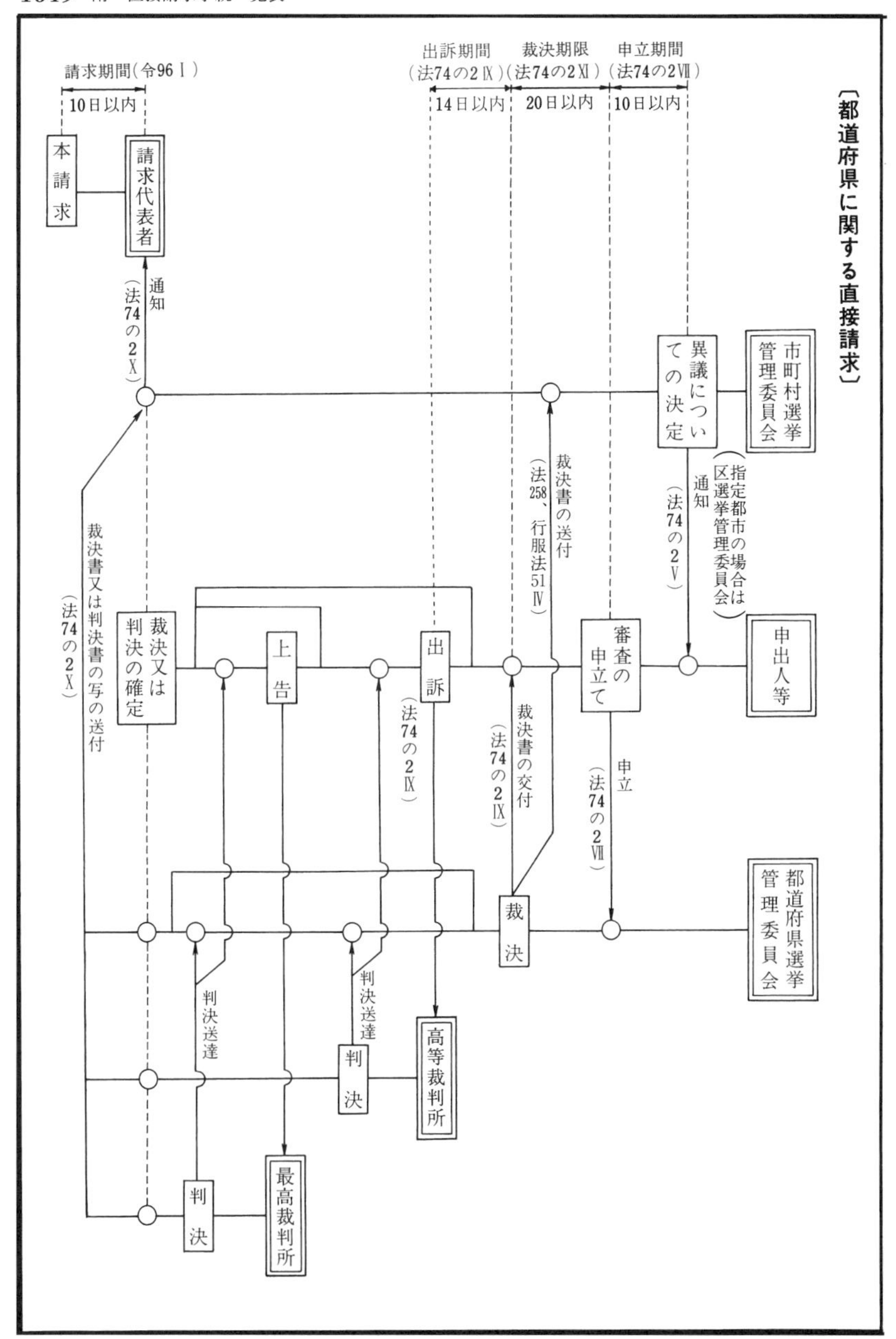
〔都道府県に関する直接請求〕
請求期間（令96Ⅰ）
10日以内
出訴期間（法74の2Ⅸ）
14日以内
裁決期限（法74の2Ⅺ）
20日以内
申立期間（法74の2Ⅶ）
10日以内
本請求
請求代表者
通知（法74の2Ⅹ）
異議についての決定
市町村選挙管理委員会
（指定都市の場合は区選挙管理委員会）
通知（法74の2Ⅴ）
裁決書の送付（法258、行服法51Ⅳ）
裁決書又は判決書の写の送付（法74の2Ⅹ）
裁決又は判決の確定
上告
出訴
審査の申立て
申出人等
裁決書の交付（法74の2Ⅸ）
（法74の2Ⅸ）
申立（法74の2Ⅶ）
裁決
都道府県選挙管理委員会
判決送達
判決送達
判決
高等裁判所
判決
最高裁判所

「標準」都道府県・市・町村議会会議規則

○都道府県議会会議規則

目次

○市議会会議規則

目次

○町村議会会議規則

目次

第一章　総則

（参集）

第一条　議員は、招集日の開議定刻前に議事堂に参集し、その旨を議長に通告しなければならない。

（欠席の届出）

第二条　議員は、公務、疾病、出産、育児、介護その他のやむを得ない事由のため出席できないときは、その理由を付け、当日の開議時刻までに議長に届け出なければならない。

2　前項の規定にかかわらず、議員が出産のため出席できないときは、当該出産の予定日の六週間（多胎妊娠の場合にあつては、十四週間）前の日から当該出産の予定日（議員が出産したときは、当該出産の日）後八週間を経過する日までの範囲内で、出席できない期間を明らかにして、あらかじめ議長に届け出ることができる。

（宿所又は連絡所の届出）

第三条　議員は、宿所又は連絡所を定めたときは、議長に届け出なければならない。これを変更したときも、また同様とする。

（議席）

第四条　議員の議席は、一般選挙後最初の会議において、議長が定める。

2　一般選挙後新たに選挙された議員の議席は、議長が定める。

3　議長は、必要があると認めるときは、議席を変更することができる。

4　議席には、番号及び氏名標を付ける。

（会期）

第五条　会期は、毎会期の初めに議会の議決で定める。

2　会期は、招集日から起算する。

（会期の延長）

第六条　会期は、議会の議決で延長することができる。

（会期中の閉会）

第七条　会議に付された事件を全て議了したときは、会期中でも議会の議決で閉会することができる。

第一章　会議

第一節　総則

（参集）

第一条　議員は、招集の当日開議定刻前に議事堂に参集し、その旨を議長に通告しなければならない。

（欠席の届出）

第二条　議員は、公務、疾病、育児、看護、介護、配偶者の出産補助その他のやむを得ない事由のため出席できないときは、その理由を付け、当日の開議時刻までに議長に届け出なければならない。

2　議員は、出産のため出席できないときは、出産予定日の六週間（多胎妊娠の場合にあつては、十四週間）前の日から当該出産の日後八週間を経過する日までの範囲内において、その期間を明らかにして、あらかじめ議長に欠席届を提出することができる。

（宿所又は連絡所の届出）

第三条　議員は、別に宿所又は連絡所を定めたときは、議長に届け出なければならない。これを変更したときも、また同様とする。

（議席）

第四条　議員の議席は、一般選挙後最初の会議において、議長が定める。

2　一般選挙後新たに選挙された議員の議席は、議長が定める。

3　議長は、必要があると認めるときは、討論を用いないで会議に諮つて議席を変更することができる。

4　議席には、番号及び氏名標を付ける。

（会期）

第五条　会期は、毎会期の初めに議会の議決で定める。

2　会期は、招集された日から起算する。

（会期の延長）

第六条　会期は、議会の議決で延長することができる。

（会期中の閉会）

第七条　会議に付された事件をすべて議了したときは、会期中でも議会の議決で閉会することができる。

第一章　総則

（参集）

第一条　議員は、招集の当日開議定刻前に議事堂に参集し、その旨を議長に通告しなければならない。

（欠席の届出）

第二条　議員は、公務、傷病、出産、育児、看護、介護、配偶者の出産補助その他のやむを得ない事由のため出席できないときは、その理由を付け、当日の開議時刻までに議長に届け出なければならない。

2　前項の規定にかかわらず、議員が出産のため出席できないときは、出産予定日の六週間（多胎妊娠の場合にあつては、十四週間）前の日から当該出産の日後八週間を経過する日までの範囲内において、その期間を明らかにして、あらかじめ議長に欠席届を提出することができる。

（宿所又は連絡所の届出）

第三条　議員は、別に宿所又は連絡所を定めたときは、議長に届け出なければならない。これを変更したときも、また同様とする。（参考）

（議席）

第四条　議員の議席は、一般選挙後最初の会議において、議長が定める。

2　一般選挙後新たに選挙された議員の議席は、議長が定める。

3　議長は、必要があると認めるときは、議席を変更することができる。

4　議席には、番号及び氏名標を付ける。

（会期）

第五条　会期は、毎会期の初めに議会の議決で定める。

2　会期は、招集された日から起算する。

（会期の延長）

第六条　会期は、議会の議決で延長することができる。

（会期中の閉会）

第七条　会議に付された事件をすべて議了したときは、会期中でも議会の議決で閉会することができる。

（議会の開閉）
第八条　議会の開閉は、議長が宣告する。

（会議時間）
第九条　会議時間は、午　○時から午後○時までとする。

２　議長は、必要があると認める場合は、会議に宣告することにより、会議時間を繰り上げ、又は延長することができる。ただし、出席議員○人以上から異議があるときは、討論を用いないで会議に諮って決める。

３　前項の規定にかかわらず、議長は、会議中でない場合であって緊急を要するときその他の特に必要があると認めるときは、議員に通知することにより、会議時間を繰り上げ、又は延長することができる。

４　会議の開始は、号鈴で報ずる。

（休会）
第十条　県の休日は、休会とする。

２　議事の都合その他必要があるときは、議会は、議決で休会とすることができる。

３　議長が特に必要があると認めるときは、休会の日でも会議を開くことができる。

４　地方自治法（昭和二十二年法律第六十七号。以下「法」という。）第百十四条第一項の規定による請求があった場合のほか、議会の議決があったときは、議長は、休会の日でも会議を開かなければならない。

（会議の開閉）
第十一条　開議、散会、延会、中止又は休憩は、議長が宣告する。

２　議長が開議を宣告する前又は散会、延会、中止若しくは休憩を宣告した後は、何人も、議事について発言することができない。

（定足数に関する措置）
第十二条　開議時刻後相当の時間を経ても、なお出席議員が定足数に達しないときは、議長は、延会を宣告することができる。

２　会議中定足数を欠くに至るおそれがあると認めるときは、議長は、議員の退席を制止し、又は議場外の議員に出席を求めることができる。

（議会の開閉）
第八条　議会の開閉は、議長が宣告する。

（会議時間）
第九条　会議時間は、午　○時から午　○時までとする。

２　議長は、必要があると認めるときは、会議に宣告することにより、会議時間を変更することができる。ただし、出席議員○人以上から異議があるときは、討論を用いないで会議に諮って決める。

３　前項の規定にかかわらず、議長は、会議中でない場合であって緊急を要するときその他の特に必要があると認めるときは、会議時間を変更することができる。

４　会議の開始は、号鈴で報ずる。

（休会）
第十条　市の休日は、休会とする。

２　議事の都合その他必要があるときは、議会は、議決で休会とすることができる。

３　議長が特に必要があると認めるときは、休会の日でも会議を開くことができる。

４　地方自治法（昭和二十二年法律第六十七号。以下「法」という。）第百十四条第一項の規定による請求があった場合のほか、議会の議決があったときは、議長は、休会の日でも会議を開かなければならない。

（会議の開閉）
第十一条　開議、散会、延会、中止又は休憩は、議長が宣告する。

２　議長が開議を宣告する前又は散会、延会、中止若しくは休憩を宣告した後は、何人も、議事について発言することができない。

（定足数に関する措置）
第十二条　開議時刻後相当の時間を経ても、なお出席議員が定足数に達しないときは、議長は、延会を宣告することができる。

２　会議中定足数を欠くに至るおそれがあると認めるときは、議長は、議員の退席を制止し、又は議場外の議員に出席を求めることができる。

（議会の開閉）
第八条　議会の開閉は、議長が宣告する。

（会議時間）
第九条　会議時間は、午　○時から午後五時までとする。

２　議長は、必要があると認める場合は、会議に宣告することにより、会議時間を変更することができる。ただし、出席議員○人以上から異議があるときは、討論を用いないで会議に諮って決める。

３　前項の規定にかかわらず、議長は、会議中でない場合であって緊急を要するときその他の特に必要があると認めるときは、会議時間を変更することができる。

４　会議の開始は、号鈴で報ずる。

（休会）
第十条　町（村）の休日は、休会とする。

２　議事の都合その他必要があるときは、議会は、議決で休会とすることができる。

３　議長が、特に必要があると認めるときは、休会の日でも会議を開くことができる。

４　地方自治法（昭和二十二年法律第六十七号。以下「法」という。）第百十四条（議員の請求による開議）第一項の規定による請求があった場合のほか、議会の議決があったときは、議長は、休会の日でも会議を開かなければならない。

（会議の開閉）
第十一条　開議、散会、延会、中止又は休憩は、議長が宣告する。

２　議長が開議を宣告する前又は散会、延会、中止若しくは休憩を宣告した後は、何人も、議事について発言することができない。

（定足数に関する措置）
第十二条　開議時刻後相当の時間を経ても、なお出席議員が定足数に達しないときは、議長は、延会を宣告することができる。

２　会議中定足数を欠くに至るおそれがあると認めるときは、議長は、議員の退席を制止し、又は議場外の議員に出席を求めることができる。

3　会議中定足数を欠くに至つたときは、議長は、休憩又は延会を宣告する。

（出席催告）

第十三条　法第百十三条の規定による出席催告の方法は、議事堂に現在する議員又は議員の住所（第三条（宿所又は連絡所の届出）の規定による届出をした者にあつては、当該届出の宿所又は連絡所）に文書又は口頭をもつて行う。

第二章　議案及び動議

（議案の提出）

第十四条　議員が議案を提出しようとするときは、その案をそなえ、理由を付け、法第百十二条第二項の規定によるものについては所定の賛成者とともに連署し、その他のものについては○人以上の賛成者とともに連署して、議長に提出しなければならない。

2　委員会が議案を提出しようとするときは、その案をそなえ、理由を付け、委員長名をもつて、議長に提出しなければならない。

（一事不再議）

第十五条　議会で議決された事件については、同一会期中は、再び提出することができない。

（動議成立に必要な賛成者の数）

第十六条　動議は、法又はこの規則において特別の規定がある場合を除くほか、他に○人以上の賛成者がなければ議題とすることができない。

（修正の動議）

第十七条　修正の動議は、その案をそなえ、法第百十五条の三の規定によるものについては所定の発議者が連署し、その他のものについては○人以上の賛成者とともに連署して、議長に提出しなければならない。

（先決動議の措置）

3　会議中定足数を欠くに至つたときは、議長は、休憩又は延会を宣告する。

（出席催告）

第十三条　法第百十三条の規定による出席催告の方法は、議事堂に現在する議員又は議員の住所（別に宿所又は連絡所の届出をした者については、当該届出の宿所又は連絡所）に、文書又は口頭をもつて行う。

第二節　議案及び動議

（議案の提出）

第十四条　議員が議案を提出しようとするときは、その案を備え、理由を付け、法第百十二条第二項の規定によるものについては所定の賛成者とともに連署し、その他のものについては○人以上の賛成者とともに連署して、議長に提出しなければならない。

2　委員会が議案を提出しようとするときは、その案を備え、理由を付け、委員長が議長に提出しなければならない。

（一事不再議）

第十五条　議会で議決された事件については、同一会期中は再び提出することができない。

（動議成立に必要な賛成者の数）

第十六条　動議は、法又はこの規則において特別の規定がある場合を除くほか、他に○人以上の賛成者がなければ議題とすることができない。

（修正の動議）

第十七条　修正の動議は、その案を備え、法第百十五条の三の規定によるものについては所定の発議者が連署し、その他のものについては○人以上の賛成者とともに連署して、議長に提出しなければならない。

（先決動議の表決の順序）

3　会議中定足数を欠くに至つたときは、議長は、休憩又は延会を宣告する。

（出席催告）

第十三条　法第百十三条（定足数）の規定による出席催告の方法は、議事堂に現在する議員又は議員の住所（別に宿所又は連絡所の届出をした者については、当該届出の宿所又は連絡所）に文書又は口頭をもつて行う。

第二章　議案及び動議

（議案の提出）

第十四条　法第百十二条（議員の議案提出権）の規定によるものを除くほか、議員が議案を提出するに当たつては、○人以上の者の賛成がなければならない。

2　議員が議案を提出しようとするときは、その案をそなえ、理由を付け、所定の賛成者とともに連署して、議長に提出しなければならない。

3　委員会が議案を提出しようとするときは、その案をそなえ、理由を付け、委員長が議長に提出しなければならない。

（一事不再議）

第十五条　議会で議決された事件については、同一会期中は、再び提出することができない。

（動議成立に必要な賛成者の数）

第十六条　動議は、法又はこの規則において特別の規定がある場合を除くほか、他に一人以上の賛成者がなければ議題とすることができない。

（修正の動議）

第十七条　法第百十五条の三（修正の動議）の規定によるものを除くほか、議会が修正の動議を議題とするに当たつては、○人以上の者の発議によらなければならない。

2　修正の動議は、その案をそなえ、所定の発議者が連署して、議長に提出しなければならない。

（秘密会の動議）

第十八条　秘密会の動議は、所定の発議者が連署して、議長に提出しなければならない。

（先決動議の措置）

第十八条　他の事件に先立つて表決に付さなければならない動議が競合したときは、議長が表決の順序を定める。ただし、出席議員〇人以上から異議があるときは、討論を用いないで会議に諮つて決める。

（事件の撤回又は訂正及び動議の撤回）

第十九条　会議の議題となつた事件を撤回し、又は訂正しようとするとき及び会議の議題となつた動議を撤回しようとするときは、議会の許可を得なければならない。ただし、会議の議題となる前においては、議長の許可を得なければならない。

2　前項の許可を求めようとするときは、提出者から事件については文書により、動議については文書又は口頭により、請求しなければならない。

第三章　議事日程

（日程の作成及び配布）

第二十条　議長は、開議の日時、会議に付する事件及びその順序等を記載した議事日程を定め、あらかじめ議員に配布する。ただし、やむを得ないときは、議長がこれを報告して配布に代えることができる。

（日程の順序変更及び追加）

第二十一条　議長が必要があると認めるとき又は議員から動議が提出されたときは、議長は、討論を用いないで会議に諮つて、議事日程の順序を変更し、又は他の事件を追加することができる。

（議事日程のない会議の通知）

第二十二条　議長は、必要があると認めるときは、開議の日時だけを議員に通知して会議を開くことができる。

2　前項の場合、議長は、その開議までに議事日程を定めなければならない。

（延会の場合の議事日程）

第二十三条　議事日程に記載した事件の議事を開くに至らなかつたとき、又はその議事が終わらなかつたときは、議長は、更にその日程を定めなければならない。

第十八条　他の事件に先立つて表決に付さなければならない動議が競合したときは、議長が表決の順序を決める。ただし、出席議員〇人以上から異議があるときは、討論を用いないで会議に諮つて決める。

（事件の撤回又は訂正及び動議の撤回）

第十九条　会議の議題となつた事件を撤回し、又は訂正しようとするとき及び会議の議題となつた動議を撤回しようとするときは、議会の許可を得なければならない。ただし、会議の議題となる前においては、議長の許可を得なければならない。

2　議員が提出した事件及び動議につき前項の許可を求めようとするときは、提出者から請求しなければならない。

3　委員会が提出した議案につき第一項の許可を求めようとするときは、委員会の許可を得て委員長から請求しなければならない。

第三節　議事日程

（日程の作成及び配布）

第二十条　議長は、開議の日時、会議に付する事件及びその順序等を記載した議事日程を定め、あらかじめ議員に配布する。ただし、やむを得ないときは、議長がこれを報告して配布に代えることができる。

（日程の順序変更及び追加）

第二十一条　議長が必要があると認めるとき又は議員から動議が提出されたときは、議長は、討論を用いないで会議に諮つて、議事日程の順序を変更し、又は他の事件を追加することができる。

（議事日程のない会議の通知）

第二十二条　議長は、必要があると認めるときは、開議の日時のみを議員に通知して会議を開くことができる。

2　前項の場合、議長は、その開議までに議事日程を定めなければならない。

（延会の場合の議事日程）

第二十三条　議事日程に記載した事件の議事を開くに至らなかつたとき、又はその議事が終わらなかつたときは、議長は、更にその日程を定めなければならない。

第十九条　他の事件に先立つて表決に付さなければならない動議が競合したときは、議長が表決の順序を定める。ただし、出席議員〇人以上から異議があるときは、討論を用いないで会議に諮つて決める。

（事件の撤回又は訂正及び動議の撤回）

第二十条　会議の議題となつた事件を撤回し、又は訂正しようとするとき及び会議の議題となつた動議を撤回しようとするときは、議会の許可を得なければならない。ただし、会議の議題となる前においては、議長の許可を得なければならない。

2　前項の許可を求めようとするときは、提出者から事件については文書により、動議については文書又は口頭により、請求しなければならない。

第三章　議事日程

（日程の作成及び配布）

第二十一条　議長は、開議の日時、会議に付する事件及びその順序等を記載した議事日程を定め、あらかじめ議員に配布する。ただし、やむを得ないときは、議長がこれを報告して配布に代えることができる。

（日程の順序変更及び追加）

第二十二条　議長が必要があると認めるとき又は議員から動議が提出されたときは、議長は、討論を用いないで会議に諮つて、議事日程の順序を変更し、又は他の事件を追加することができる。

（議事日程のない会議の通知）

第二十三条　議長は、必要があると認めるときは、開議の日時だけを議員に通知して会議を開くことができる。

2　前項の場合、議長は、その開議までに議事日程を定めなければならない。

（延会の場合の議事日程）

第二十四条　議事日程に記載した事件の議事を開くに至らなかつたとき、又はその議事が終わらなかつたときは、議長は、更にその日程を定めなければならない。

（日程の終了及び延会）
第二十四条　議事日程に記載した事件の議事を終わつたときは、議長は、散会を宣告する。
2　議事日程に記載した事件の議事が終わらない場合でも、議長が必要があると認めるとき又は議員から動議が提出されたときは、議長は、討論を用いないで会議に諮つて延会することができる。

第四章　選挙

（選挙の宣告）
第二十五条　議会において選挙を行うときは、議長は、その旨を宣告する。
（不在議員）
第二十六条　選挙を行う宣告の際、議場にいない議員は、選挙に加わることができない。
（議場の出入口閉鎖）
第二十七条　投票による選挙を行うときは、議長は、第二十五条（選挙の宣告）の規定による宣告の後、職員をして議場の出入口を閉鎖させ、出席議員数を報告する。
（投票用紙の配布及び投票箱の点検）
第二十八条　投票を行うときは、議長は、職員をして議員に所定の投票用紙を配布させた後、配布漏れの有無を確かめなければならない。
2　議長は、職員をして投票箱を改めさせなければならない。
（投票）
第二十九条　議員は、議長の指示に従つて、順次、投票する。
（投票の終了）
第三十条　議長は、投票が終わつたと認めるときは、投票漏れの有無を確かめ、投票の終了を宣告する。その宣告があつた後は、投票することができない。
（開票及び投票の効力）
第三十一条　議長は、開票を宣告した後、○人以上の立会人とともに投票を点検しなければならない。
2　前項の立会人は、議長が、議員の中から指名する。
3　投票の効力は、立会人の意見を聴いて議長が決定する。

（日程の終了及び延会）
第二十四条　議事日程に記載した事件の議事を終わつたときは、議長は、散会を宣告する。
2　議事日程に記載した事件の議事が終わらない場合でも、議長が必要があると認めるとき又は議員から動議が提出されたときは、議長は、討論を用いないで会議に諮つて延会することができる。

第四節　選挙

（選挙の宣告）
第二十五条　議会において選挙を行うときは、議長は、その旨を宣告する。
（不在議員）
第二十六条　選挙を行う際議場にいない議員は、選挙に加わることができない。
（議場の出入口閉鎖）
第二十七条　投票による選挙を行うときは、議長は、第二十五条（選挙の宣告）の規定による宣告の後、議場の出入口を閉鎖し、出席議員数を報告する。
（投票用紙の配布及び投票箱の点検）
第二十八条　投票を行うときは、議長は、職員をして議員に所定の投票用紙を配布させた後、配布漏れの有無を確かめなければならない。
2　議長は、職員をして投票箱を改めさせなければならない。
（投票）
第二十九条　議員は、議長の指示に従つて、順次、投票する。
（投票の終了）
第三十条　議長は、投票が終わつたと認めるときは、投票漏れの有無を確かめ、投票の終了を宣告する。その宣告があつた後は、投票することができない。
（開票及び投票の効力）
第三十一条　議長は、開票を宣告した後、○人以上の立会人とともに投票を点検しなければならない。
2　前項の立会人は、議長が、議員の中から指名する。
3　投票の効力は、立会人の意見を聴いて議長が決定する。

（日程の終了及び延会）
第二十五条　議事日程に記載した事件の議事を終わつたときは、議長は、散会を宣告する。
2　議事日程に記載した事件の議事が終わらない場合でも、議長が必要があると認めるとき又は議員から動議が提出されたときは、議長は、討論を用いないで会議に諮つて延会することができる。

第四章　選挙

（選挙の宣告）
第二十六条　議会において選挙を行うときは、議長は、その旨を宣告する。
（不在議員）
第二十七条　選挙を行う宣告の際、議場にいない議員は、選挙に加わることができない。
（議場の出入口閉鎖）
第二十八条　投票による選挙を行うときは、議長は、第二十六条（選挙の宣告）の規定による宣告の後、職員をして議場の出入口を閉鎖させ、出席議員数を報告する。
（投票用紙の配布及び投票箱の点検）
第二十九条　投票を行うときは、議長は、職員をして議員に所定の投票用紙を配布させた後、配布漏れの有無を確かめなければならない。
2　議長は、職員をして投票箱を点検させなければならない。
（投票）
第三十条　議員は、議長の指示に従つて、順次、投票する。
（投票の終了）
第三十一条　議長は、投票が終わつたと認めるときは、投票漏れの有無を確かめ、投票の終了を宣告する。その宣告があつた後は、投票することができない。
（開票及び投票の効力）
第三十二条　議長は、開票を宣告した後、○人以上の立会人とともに投票を点検しなければならない。
2　前項の立会人は、議長が議員の中から指名する。
3　投票の効力は、立会人の意見を聞いて議長が決定する。

4　投票の効力に係る法第百十八条第六項の規定による通知に関し必要な事項は、議長が定める。

（選挙結果の報告）

第三十二条　議長は、選挙の結果を直ちに議場において報告する。

2　議長は、当選人に当選の旨を告知しなければならない。

（選挙に関する疑義）

第三十三条　選挙に関する疑義は、議長が会議に諮つて決める。

（選挙関係書類の保存）

第三十四条　議長は、投票の有効無効を区別し、当該当選人の任期間、関係書類と併せて保存しなければならない。

第五章　議事

（議題の宣告）

第三十五条　会議に付する事件を議題とするときは、議長は、その旨を宣告する。

（一括議題）

第三十六条　議長は、必要があると認めるときは、二件以上の事件を一括して議題とすることができる。ただし、出席議員○人以上から異議があるときは、討論を用いないで会議に諮つて決める。

（議案等の朗読）

第三十七条　議長は、必要があると認めるときは、議題になつた事件を職員をして朗読させる。

（議案等の説明、質疑及び委員会付託）

第三十八条　会議に付する事件は、第九十条（請願の委員会付託）に規定する場合を除き、会議において提出者の説明を聴き、議員の質疑があるときは質疑の後、議長が所管の常任委員会又は議会運営委員会に付託する。ただし、常任委員会に係る事件は、議会の議決で特別委員会に付託することができる。

2　前項の規定にかかわらず、委員会提出に係る議案は、委員会に付託しない。ただし、議会の議決で付託することができる。

3　提出者の説明又は委員会の付託は、議会の議決で省略することができる。

4　投票の効力に係る法第百十八条第六項の規定による通知に関し必要な事項は、議長が定める。

（選挙結果の報告）

第三十二条　議長は、選挙の結果を直ちに議場において報告する。

2　議長は、当選人に当選の旨を告知しなければならない。

（選挙関係書類の保存）

第三十三条　議長は、投票の有効無効を区別し、当該当選人の任期間、関係書類とともにこれを保存しなければならない。

第五節　議事

（議題の宣告）

第三十四条　会議に付する事件を議題とするときは、議長は、その旨を宣告する。

（一括議題）

第三十五条　議長は、必要があると認めるときは、二件以上の事件を一括して議題とすることができる。ただし、出席議員○人以上から異議があるときは、討論を用いないで会議に諮つて決める。

（議案等の朗読）

第三十六条　議長は、必要があると認めるときは、議題になつた事件を職員をして朗読させる。

（議案等の説明、質疑及び委員会付託）

第三十七条　会議に付する事件は、第百四十一条（請願の委員会付託）に規定する場合を除き、会議において提出者の説明を聴き、議員の質疑があるときは質疑の後、議長が所管の常任委員会又は議会運営委員会に付託する。ただし常任委員会に係る事件は、議会の議決で特別委員会に付託することができる。

2　委員会提出の議案は、委員会に付託しない。ただし、議長が必要があると認めるときは、議会の議決で、議会運営委員会に係る議案は議会運営委員会に、常任委員会又は特別委員会に係る議案は常任委員会又は特別委員会に付託することができる。

4　投票の効力に係る法第百十八条（投票による選挙・指名推選及び投票の効力の異議）第六項の規定による通知に関し必要な事項は、議長が定める。

（選挙結果の報告）

第三十三条　議長は、選挙の結果を直ちに議場において報告する。

2　議長は、当選人に当選の旨を告知しなければならない。

（選挙に関する疑義）

第三十四条　選挙に関する疑義は、議長が会議に諮つて決める。

（選挙関係書類の保存）

第三十五条　議長は、投票の有効無効を区別し、当該当選人の任期間、関係書類とともにこれを保存しなければならない。

第五章　議事

（議題の宣告）

第三十六条　会議に付する事件を議題とするときは、議長は、その旨を宣告する。

（一括議題）

第三十七条　議長は、必要があると認めるときは、二件以上の事件を一括して議題とすることができる。ただし、出席議員○人以上から異議があるときは、討論を用いないで会議に諮つて決める。

（議案等の朗読）

第三十八条　議長は、必要があると認めるときは、議題になつた事件を職員をして朗読させる。

（議案等の説明、質疑及び委員会付託）

第三十九条　会議に付する事件は、他に規定する場合を除き、会議において提出者の説明を聞き、議員の質疑があるときは質疑の後、議長は、討論を用いないで会議に諮つて所管の常任委員会又は議会運営委員会に付託することができる。ただし、常任委員会に係る事件は、議会の議決で特別委員会に付託することができる。

2　提出者の説明は、討論を用いないで会議に諮つて省略することができる。

（参考）

（付託事件を議題とする時期）

第三十九条　委員会に付託した事件は、第七十六条（委員会報告書）の規定による報告書の提出を待つて議題とする。

（委員長及び少数意見の報告）

第四十条　委員会が審査又は調査をした事件が議題となつたときは、委員長がその経過及び結果を報告する。

2　第七十五条（少数意見の留保）第二項の規定による手続を行つた者は、前項の報告に次いで少数意見の報告をすることができる。この場合において、少数意見が二個以上あるときの報告の順序は、議長が定める。

3　前二項の報告は、議会の議決により、又は議長において委員会の報告書若しくは少数意見報告書を配布し、若しくは朗読したときは、省略することができる。

4　委員長の報告及び少数意見の報告には、自己の意見を加えてはならない。

（修正案の説明）

第四十一条　委員長の報告及び少数意見の報告が終わつたとき又は委員会の付託を省略したときは、議長は、修正案の説明をさせる。

（委員長報告等に対する質疑）

第四十二条　議員は、委員長及び少数意見を報告した者に対し、

3　前二項における提出者の説明及び第一項における委員会の付託は、討論を用いないで会議に諮つて省略することができる。

（付託事件を議題とする時期）

第三十八条　委員会に付託した事件は、その審査又は調査の終了を待つて議題とする。

（委員長及び少数意見者の報告）

第三十九条　委員会が審査又は調査をした事件が議題となつたときは、委員長がその経過及び結果を報告し、次いで少数意見者が少数意見の報告をする。

2　少数意見が二個以上あるときの報告の順序は、議長が決める。

3　第一項の報告は、討論を用いないで会議に諮つて省略することができる。

4　委員長の報告及び少数意見者の報告には、自己の意見を加えてはならない。

（修正案の説明）

第四十条　委員長の報告及び少数意見者の報告が終わつたとき又は委員会への付託を省略したときは、議長は、修正案の説明をさせる。

（委員長報告等に対する質疑）

第四十一条　議員は、委員長及び少数意見を報告した者に対し、

（議案等の説明、質疑及び委員会付託）

第三十九条　会議に付する事件は、第九十二条（請願の委員会付託）に規定する場合を除き、会議において提出者の説明を聞き、議員の質疑があるときは質疑の後、議長が所管の常任委員会又は議会運営委員会に付託する。ただし、常任委員会に係る事件は、議会の議決で特別委員会に付託することができる。

2　前項の規定にかかわらず、委員会提出の議案は、委員会に付託しない。ただし、議会の議決で付託することができる。

3　提出者の説明又は第一項の委員会の付託は、議会の議決で省略することができる。

（付託事件を議題とする時期）

第四十条　委員会に付託した事件は、第七十七条（委員会報告書）の規定による報告書の提出をまつて議題とする。

（委員長及び少数意見の報告）

第四十一条　委員会が審査又は調査した事件が議題となつたときは、委員長がその経過及び結果を報告する。

2　第七十六条（少数意見の留保）第二項の規定による手続を行つた者は、前項の報告に次いで少数意見の報告をすることができる。この場合において、少数意見が二個以上あるときの報告の順序は、議長が定める。

3　前二項の報告は、討論を用いないで会議に諮つて省略することができる。

4　委員長の報告及び少数意見の報告には、自己の意見を加えてはならない。

（修正案の説明）

第四十二条　提出者の説明又は委員長の報告及び少数意見の報告が終わつたときは、議長は、修正案の説明をさせる。

（参考）

（修正案の説明）

第四十二条　委員長の報告及び少数意見の報告が終わつたとき又は委員会の付託を省略したときは、議長は、修正案の説明をさせる。

（委員長報告等に対する質疑）

第四十三条　議員は、委員長及び少数意見を報告した者に対し、

質疑をすることができる。修正案に関しては、事件又は修正案の提出者及び説明のための出席者に対しても、また同様とする。

（討論及び表決）

第四十三条 議長は、前条の質疑が終わつたときは討論に付し、その終結の後、表決に付する。

（議決事件の字句及び数字等の整理）

第四十四条 議会は、議決の結果生じた条項、字句、数字その他の整理を議長に委任することができる。

（委員会の審査又は調査期限）

第四十五条 議会は、必要があると認めるときは、委員会に付託した事件の審査又は調査につき期限を付けることができる。

2 前項の期限までに審査又は調査を終わることができないときは、委員会は、期限の延期を議会に求めることができる。

3 前二項の期限までに審査又は調査を終わらなかつたときは、その事件は、第三十九条（付託事件を議題とする時期）の規定にかかわらず、議会において審議することができる。

（委員会の中間報告）

第四十六条 議会は、委員会の審査又は調査中の事件について、特に必要があると認めるときは、中間報告を求めることができる。

2 委員会は、その審査又は調査中の事件について、特に必要があると認めるときは、議会の承認を得て、中間報告をすることができる。

（再審査のための付託）

第四十七条 議会は、委員会の審査又は調査を経て報告された事件で、なお審査又は調査の必要があると認めるときは、更にその事件を同一又は他の委員会に付託することができる。

（議事の継続）

第四十八条 延会、中止又は休憩のため事件の議事が中断された場合において、再びその事件が議題となつたときは、前の議事を継続する。

質疑をすることができる。修正案に関しては、事件又は修正案の提出者及び説明のための出席者に対しても、また同様とする。

（討論及び表決）

第四十二条 議長は、前条の質疑が終わつたときは討論に付し、その終結の後、表決に付する。

（議決事件の字句及び数字等の整理）

第四十三条 議会は、議決の結果、条項、字句、数字その他の整理を必要とするときは、これを議長に委任することができる。

（委員会の審査又は調査期限）

第四十四条 議会は、必要があると認めるときは、委員会に付託した事件の審査又は調査につき期限を付けることができる。ただし、委員会は、期限の延期を議会に求めることができる。

2 前項の期限までに審査又は調査を終わらなかつたときは、その事件は、第三十八条（付託事件を議題とする時期）の規定にかかわらず、議会において審議することができる。

（委員会の中間報告）

第四十五条 議会は、委員会の審査又は調査中の事件について、特に必要があると認めるときは、中間報告を求めることができる。

2 委員会は、その審査又は調査中の事件について、特に必要があると認めるときは、議会の承認を得て、中間報告をすることができる。

（再付託）

第四十六条 委員会の審査又は調査を経て報告された事件について、なお審査又は調査の必要があると認めるときは、議会は、更にその事件を同一の委員会又は他の委員会に付託することができる。

（議事の継続）

第四十七条 延会、中止又は休憩のため事件の議事が中断された場合において、再びその事件が議題となつたときは、前の議事を継続する。

第六節　秘密会

質疑をすることができる。修正案に関しては、事件又は修正案の提出者及び説明のための出席者に対しても、また同様とする。

（討論及び表決）

第四十四条 議長は、前条の質疑が終わつたときは討論に付し、その終結の後、表決に付する。

（議決事件の字句及び数字等の整理）

第四十五条 議会は、議決の結果生じた条項、字句、数字その他の整理を議長に委任することができる。

（委員会の審査又は調査の期限）

第四十六条 議会は、必要があると認めるときは、委員会に付託した事件の審査又は調査につき期限を付けることができる。

2 前項の期限までに審査又は調査を終わることができないときは、委員会は、期限の延期を議会に求めることができる。

3 前二項の期限までに審査又は調査を終わらなかつたときは、その事件は、第四十条（付託事件を議題とする時期）の規定にかかわらず、議会において審議することができる。

（委員会の中間報告）

第四十七条 議会は、委員会の審査又は調査中の事件について、特に必要があると認めるときは、中間報告を求めることができる。

2 委員会は、その審査又は調査中の事件について、特に必要があると認めるときは、議会の承認を得て、中間報告をすることができる。

（再審査又は再調査のための付託）

第四十八条 委員会の審査又は調査を経て報告された事件で、なお審査又は調査の必要があると認めるときは、議会は、更にその事件を同一の委員会又は他の委員会に付託することができる。

（議事の継続）

第四十九条 延会、中止又は休憩のため事件の議事が中断された場合において、再びその事件が議題となつたときは、前の議事を継続する。

第六章　発言

（発言の許可等）

第四十九条　発言は、全て議長の許可を得た後、登壇してしなければならない。ただし、発言が簡単な場合その他特に議長が許可したときは、議席で発言することができる。

2　議長は、議席で発言する議員を登壇させることができる。

（発言の通告等）

第五十条　会議において発言しようとする者は、あらかじめ議長に発言通告書を提出しなければならない。ただし、議事進行に関する発言、一身上の弁明その他緊急を要する場合及び発言を通告した者が全て発言を終わつた場合は、この限りでない。

2　発言通告書には、質疑についてはその要旨、討論については反対又は賛成の別を記載しなければならない。

3　第一項ただし書の規定により発言しようとする者は、起立して「議長」と呼び、自己の氏名を告げ、議長の許可を求めなければならない。

4　発言の順序は、議長が定める。

5　通告した者が欠席したとき（第六十一条の二の規定により質問するときを除く。）又は発言の順位に当たつても発言しないとき若しくは議場に現在しないとき（同条の規定により質問するときを除く。）は、通告は、その効力を失う。

（討論の方法）

第五十一条　討論については、議長は、最初に反対者を発言さ

（指定者以外の者の退場）

第四十八条　秘密会を開く議決があつたときは、議長は、傍聴人及び議長の指定する者以外の者を議場の外に退去させなければならない。

（秘密の保持）

第四十九条　秘密会の議事の記録は、公表しない。

2　秘密会の議事は、何人も秘密性の継続する限り、他に漏らしてはならない。

第七節　発言

（発言の許可等）

第五十条　発言は、全て議長の許可を得た後、登壇してしなければならない。ただし、簡易な事項については、議席で発言することができる。

2　議長は、議席で発言する議員を登壇させることができる。

（発言の通告及び順序）

第五十一条　会議において発言しようとする者は、あらかじめ議長に発言通告書を提出しなければならない。ただし、議事進行、一身上の弁明等については、この限りでない。

2　発言通告書には、質疑についてはその要旨、討論については反対又は賛成の別を記載しなければならない。

3　発言の順序は、議長が決める。

4　発言の通告をした者が欠席したとき、又は発言の順位に当たつても発言しないとき、若しくは議場に現在しないときは、その通告は効力を失う。

（発言の通告をしない者の発言）

第五十二条　発言の通告をしない者は、通告した者が全て発言を終わつた後でなければ発言を求めることができない。

2　発言の通告をしない者が発言しようとするときは、起立して「議長」と呼び、自己の氏名を告げ、議長の許可を得なければならない。

3　二人以上起立して発言を求めたときは、議長は、先起立者と認める者から指名する。

（討論の方法）

第五十三条　討論については、議長は、最初に反対者を発言さ

第六章　発言

（発言の許可等）

第五十条　発言は、すべて議長の許可を得た後、登壇してしなければならない。ただし、発言が簡単な場合その他特に議長が許可したときは、議席で発言することができる。

2　議長は、議席で発言する議員を登壇させることができる。

（発言の要求）

第五十一条　会議において発言しようとする者は、起立して「議長」と呼び、自己の議席番号を告げ、議長の許可を求めなければならない。

2　二人以上起立して発言を求めたときは、議長は、先起立者と認める者から指名して発言させる。

（討論の方法）

第五十二条　討論については、議長は、最初に反対者を発言さ

せ、次に賛成者と反対者をなるべく交互に指名して発言させなければならない。

（議長の発言討論）

第五十二条　議長が議員として発言しようとするときは、議席に着き発言し、発言が終わつた後、議長席に復さなければならない。ただし、討論をしたときは、その議題の表決が終わるまでは、議長席に復することができない。

（発言内容の制限）

第五十三条　発言は、全て簡明にするものとし、議題外にわたり又はその範囲を超えてはならない。

2　議長は、発言が前項の規定に反すると認めるときは注意し、なお従わない場合は、発言を禁止することができる。

3　議員は、質疑に当たつては、自己の意見を述べることができない。

（質疑の回数）

第五十四条　質疑は、同一議員につき、同一議題について二回を超えることができない。ただし、特に議長の許可を得たときは、この限りでない。

（発言時間の制限）

第五十五条　議長は、必要があると認めるときは、あらかじめ発言時間を制限することができる。

2　議長の定めた時間の制限につき、出席議員〇人以上から異議があるときは、議長は、討論を用いないで会議に諮つて決める。

（議事進行に関する発言）

第五十六条　議事進行に関する発言は、議題に直接関係のあるもの又は直ちに処理する必要があるものでなければならない。

2　議事進行の発言がその趣旨に反すると認めるときは、議長は、直ちに制止しなければならない。

（発言の継続）

第五十七条　延会、中止又は休憩のため発言が終わらなかつた議員は、更にその議事を始めたときは、前の発言を続けることができる。

（質疑又は討論の終結）

第五十八条　質疑又は討論が終わつたときは、議長は、その終結

せ、次に賛成者と反対者をなるべく交互に指名して発言させなければならない。

（議長の発言討論）

第五十四条　議長が議員として発言しようとするときは、議席に着き発言し、発言が終わつた後、議長席に復さなければならない。ただし、討論をしたときは、その議題の表決が終わるまでは、議長席に復することができない。

（発言内容の制限）

第五十五条　発言は、全て簡明にするものとし、議題外にわたり又はその範囲を超えてはならない。

2　議長は、発言が前項の規定に反すると認めるときは、注意し、なお従わない場合は、発言を禁止することができる。

3　議員は、質疑に当たつては、自己の意見を述べることができない。

（質疑の回数）

第五十六条　質疑は、同一議員につき、同一議題について〇回を超えることができない。ただし、特に議長の許可を得たときは、この限りでない。

（発言時間の制限）

第五十七条　議長は、必要があると認めるときは、あらかじめ発言時間を制限することができる。

2　議長の定めた時間の制限について、出席議員〇人以上から異議があるときは、議長は、討論を用いないで会議に諮つて決める。

（議事進行に関する発言）

第五十八条　議事進行に関する発言は、議題に直接関係のあるもの又は直ちに処理する必要があるものでなければならない。

2　議事進行に関する発言がその趣旨に反すると認めるときは、議長は、直ちに制止しなければならない。

（発言の継続）

第五十九条　延会、中止又は休憩のため発言が終わらなかつた議員は、更にその議事を始めたときは、前の発言を続けることができる。

（質疑又は討論の終結）

第六十条　質疑又は討論が終わつたときは、議長は、その終結を

せ、次に賛成者と反対者を、なるべく交互に指名して発言させなければならない。

（議長の発言及び討論）

第五十三条　議長が議員として発言しようとするときは、議席に着き発言し、発言が終わつた後、議長席に復さなければならない。ただし、討論をしたときは、その議題の表決が終わるまでは、議長席に復することができない。

（発言内容の制限）

第五十四条　発言は、すべて簡明にするものとし、議題外にわたり又はその範囲を超えてはならない。

2　議長は、発言が前項の規定に反すると認めるときは注意し、なお従わない場合は、発言を禁止することができる。

3　議員は、質疑に当たつては、自己の意見を述べることができない。

（質疑の回数）

第五十五条　質疑は、同一議員につき、同一の議題について三回を超えることができない。ただし、特に議長の許可を得たときは、この限りでない。

（発言時間の制限）

第五十六条　議長は、必要があると認めるときは、あらかじめ発言時間を制限することができる。

2　議長の定めた時間の制限について、出席議員〇人以上から異議があるときは、議長は、討論を用いないで会議に諮つて決める。

（議事進行に関する発言）

第五十七条　議事進行に関する発言は、議題に直接関係のあるもの又は直ちに処理する必要があるものでなければならない。

2　議事進行に関する発言がその趣旨に反すると認めるときは、議長は、直ちに制止しなければならない。

（発言の継続）

第五十八条　延会、中止又は休憩のため発言が終わらなかつた議員は、更にその議事を始めたときは、前の発言を続けることができる。

（質疑又は討論の終結）

第五十九条　質疑又は討論が終わつたときは、議長は、その終結

を宣告する。

2　質疑が続出して容易に終結しないときは、議員は、質疑終結の動議を提出することができる。

3　賛否各二人以上の発言があつた後、又は甲方が二人以上発言して乙方に発言の要求者がないときは、議員は、討論終結の動議を提出することができる。

4　質疑又は討論終結の動議については、議長は、討論を用いないで会議に諮つて決める。

（選挙及び表決時の発言制限）

第五十九条　選挙及び表決の宣告後は、何人も発言を求めることができない。ただし、選挙及び表決の方法についての発言は、この限りでない。

（一般質問）

第六十条　議員は、県（都道府）の一般事務につき、議長の許可を得て、質問することができる。

2　質問者は、議長の定めた期間内に、議長にその要旨を文書で通告しなければならない。

（緊急質問等）

第六十一条　質問が緊急を要するときその他真にやむを得ないと認められるときは、前条の規定にかかわらず、議会の同意を得て質問することができる。この場合における議会の同意については、討論を用いない。

2　前項の質問がその趣旨に反すると認めるときは、議長は、直ちに制止しなければならない。

（質問の特例）

第六十一条の二　議場に現在しない議員について次に掲げる場合に該当すると議長が認めるときは、当該議員は、映像と音声の送受信により相手の状態を相互に認識しながら通話をすることができる方法によつて、質問することができる。

一　大規模な災害の発生、感染症のまん延その他の議員個人の責に帰することができない事由により出席が困難である場合

宣告する。

2　質疑又は討論が続出して容易に終結しないときは、議員は、質疑又は討論終結の動議を提出することができる。

3　質疑又は討論終結の動議については、議長は、討論を用いないで会議に諮つて決める。

（選挙及び表決時の発言制限）

第六十一条　選挙及び表決の宣告後は、何人も発言を求めることができない。ただし、選挙及び表決の方法についての発言は、この限りでない。

（一般質問）

第六十二条　議員は、市の一般事務について、議長の許可を得て質問することができる。

2　質問者は、議長の定めた期間内に、議長にその要旨を文書で通告しなければならない。

（緊急質問等）

第六十三条　質問が緊急を要するときその他真にやむを得ないと認められるときは、前条の規定にかかわらず、議会の同意を得て質問することができる。

2　前項の同意については、議長は、討論を用いないで会議に諮らなければならない。

3　第一項の質問がその趣旨に反すると認めるときは、議長は、直ちに制止しなければならない。

を宣告する。

2　質疑又は討論が続出して容易に終結しないときは、議員は、質疑又は討論終結の動議を提出することができる。

3　質疑又は討論終結の動議については、議長は、討論を用いないで会議に諮つて決める。

（選挙及び表決時の発言制限）

第六十条　選挙及び表決の宣告後は、何人も発言を求めることができない。ただし、選挙及び表決の方法についての発言は、この限りでない。

（一般質問）

第六十一条　議員は、町（村）の一般事務について、議長の許可を得て、質問することができる。

2　質問者は、議長の定めた期間内に、議長にその要旨を文書で通告しなければならない。

3　質問の順序は、議長が定める。

4　質問の通告をした者が欠席したとき、又は質問の順序に当たつても質問しないとき、若しくは議場に現在しないときは、通告は、その効力を失う。

（緊急質問等）

第六十二条　質問が緊急を要するときその他真にやむを得ないと認められるときは、前条の規定にかかわらず、議会の同意を得て質問することができる。この場合における議会の同意については、議長は、討論を用いないで会議に諮らなければならない。

2　前項の質問がその趣旨に反すると認めるときは、議長は、直ちに制止しなければならない。

二　育児、介護その他のやむを得ない事由により出席が困難である場合

（準用規定）
第六十二条　質問については、第五十四条（質疑の回数）及び第五十八条（質疑又は討論の終結）の規定を準用する。

（発言の取消し又は訂正）
第六十三条　議員は、その会期中に限り、議会の許可を得て、自己の発言を取り消し、又は議長の許可を得て発言の訂正をすることができる。ただし、発言の訂正は、字句に限るものとし、発言の趣旨を変更することはできない。

第七章　委員会

（議長への通知）
第六十四条　委員会を招集しようとするときは、委員長は、開会の日時、場所（法第百九条第九項の規定による条例の規定により全ての委員が委員会に出席するものとみなされる場合はその旨）、事件等をあらかじめ議長に通知しなければならない。

（会議中の委員会の禁止）
第六十五条　委員会は、議会の会議中は、開くことができない。

（委員の発言）
第六十六条　委員は、議題について自由に質疑し、及び意見を述べることができる。ただし、委員会において別に発言の方法を決めたときは、この限りでない。

（委員外議員の発言）
第六十七条　委員会は、審査又は調査中の事件について、必要があると認めるときは、委員でない議員に対しその出席を求めて説明又は意見を聴くことができる。委員でない議員から発言の申出があつたときも、また同様とする。

（委員の議案修正）

（準用規定）
第六十四条　質問については、第五十六条（質疑の回数）及び第六十条（質疑又は討論の終結）の規定を準用する。

（発言の取消し又は訂正）
第六十五条　発言した議員は、その会期中に限り、議会の許可を得て発言を取り消し、又は議長の許可を得て発言の訂正をすることができる。ただし、発言の訂正は、字句に限るものとし、発言の趣旨を変更することはできない。

（答弁書の配布）
第六十六条　市長その他の関係機関が、質疑及び質問に対し、直ちに答弁しがたい場合において答弁書を提出したときは、議長は、その写しを議員に配布する。ただし、やむを得ないときは、朗読をもつて配布に代えることができる。

第八節　表決

（表決問題の宣告）
第六十七条　議長は、表決を採ろうとするときは、表決に付する問題を宣告する。

（不在議員）
第六十八条　表決の際議場にいない議員は、表決に加わることができない。

（条件の禁止）
第六十九条　表決には、条件を付けることができない。

（起立による表決）
第七十条　議長が表決を採ろうとするときは、問題を可とする者を起立させ、起立者の多少を認定して可否の結果を宣告する。
2　議長が起立者の多少を認定しがたいとき、又は議長の宣告に対して出席議員〇人以上から異議があるときは、議長は、記名又は無記名の投票で表決を採らなければならない。

（投票による表決）
第七十一条　議長が必要があると認めるとき、又は出席議員〇人以上から要求があるときは、記名又は無記名の投票で表決を採る。

（準用規定）
第六十三条　質問については、第五十五条（質疑の回数）及び第五十九条（質疑又は討論の終結）第一項の規定を準用する。

（発言の取消し又は訂正）
第六十四条　議員は、その会期中に限り、議会の許可を得て自己の発言を取り消し、又は議長の許可を得て発言の訂正をすることができる。ただし、発言の訂正は、字句に限るものとし、発言の趣旨を変更することはできない。

第七章　委員会

（議長への通知）
第六十五条　委員会を招集しようとするときは、委員長は、開会の日時、場所、事件等をあらかじめ議長に通知しなければならない。

（会議中の委員会の禁止）
第六十六条　委員会は、議会の会議中は、開くことができない。

（委員の発言）
第六十七条　委員は、議題について自由に質疑し、及び意見を述べることができる。ただし、委員会において別に発言の方法を決めたときは、この限りでない。

（委員外議員の発言）
第六十八条　委員会は、審査又は調査中の事件について、必要があると認めるときは、委員でない議員に対しその出席を求めて説明又は意見を聞くことができる。
2　委員会は、委員でない議員から発言の申出があつたときは、その許否を決める。

（委員の議案修正）

第六十八条　委員は、修正案を発議しようとするときは、その案をあらかじめ委員長に提出しなければならない。

（分科会又は小委員会）

第六十九条　委員会は、審査又は調査のため必要があるときは、分科会又は小委員会を設けることができる。

（連合審査会）

第七十条　委員会は、審査又は調査のため必要があるときは、他の委員会と協議して連合審査会を開くことができる。

（証人出頭又は記録提出の要求）

第七十一条　委員会は、法第百条の規定による調査を委託された場合において、証人の出頭又は記録の提出を求めようとするときは、議長に申し出なければならない。

（所管事務等の調査）

第七十二条　常任委員会は、その所管に属する事務について調査しようとするときは、その事項、目的、方法及び期間等をあらかじめ議長に通知しなければならない。

2　議会運営委員会が、法第百九条第三項に規定する調査をしようとするときは、前項の規定を準用する。

（委員の派遣）

第七十三条　委員会は、審査又は調査のため委員を派遣しようとするときは、その日時、場所、目的及び経費等を記載した派遣承認要求書を議長に提出し、あらかじめ承認を得なければならない。

（閉会中の継続審査）

第七十四条　委員会は、閉会中もなお審査又は調査を継続する必要があると認めるときは、その理由を付け、議長に申し出なければならない。

（少数意見の留保）

第七十五条　委員は、委員会において少数で廃棄された意見で他に出席委員一人以上の賛成があるものは、これを少数意見として留保することができる。

2　前項の規定により少数意見を留保した者がその意見を議会に報告しようとする場合においては、簡明な少数意見報告書を作り、委員会の報告書が提出されるまでに、委員長を経て議長に

2　同時に前項の記名投票と無記名投票の要求があるときは、議長は、いずれの方法によるかを無記名投票で決める。

（記名投票）

第七十二条　記名投票を行う場合には、問題を可とする者は所定の白票を、問題を否とする者は所定の青票を投票箱に投入しなければならない。

（無記名投票）

第七十三条　無記名投票を行う場合には、問題を可とする者は賛成と、問題を否とする者は反対と所定の投票用紙に記載し、投票箱に投入しなければならない。

2　無記名投票による表決において、賛否を表明しない投票及び賛否が明らかでない投票は、否とみなす。（参考）

（選挙規定の準用）

第七十四条　記名投票又は無記名投票を行う場合には、第二十七条（議場の出入口閉鎖）、第二十八条（投票用紙の配布及び投票箱の点検）、第二十九条（投票）、第三十条（投票の終了）、第三十一条（開票及び投票の効力）、第三十二条（選挙結果の報告）第一項及び第三十三条（選挙関係書類の保存）の規定を準用する。

（表決の訂正）

第七十五条　議員は、自己の表決の訂正を求めることができない。

（簡易表決）

第七十六条　議長は、問題について異議の有無を会議に諮ることができる。異議がないと認めるときは、議長は、可決の旨を宣告する。ただし、議長の宣告に対して、出席議員〇人以上から異議があるときは、議長は、起立の方法で表決をとらなければならない。

（表決の順序）

第七十七条　議員の提出した修正案は、委員会の修正案より先に表決を採らなければならない。

2　同一の議題について、議員から数個の修正案が提出されたときは、議長が表決の順序を決める。その順序は、原案に最も遠いものから先に表決を採る。ただし、表決の順序について出席議員〇人以上から異議があるときは、議長は、討論を用いない

第六十九条　委員は、修正案を発議しようとするときは、その案をあらかじめ委員長に提出しなければならない。

（分科会又は小委員会）

第七十条　委員会は、審査又は調査のため必要があると認めるときは、分科会又は小委員会を設けることができる。

（連合審査会）

第七十一条　委員会は、審査又は調査のため必要があると認めるときは、他の委員会と協議して連合審査会を開くことができる。

（証人出頭又は記録提出の要求）

第七十二条　委員会は、法第百条（調査権）の規定による調査を委託された場合において、証人の出頭又は記録の提出を求めようとするときは、議長に申し出なければならない。

（所管事務等の調査）

第七十三条　常任委員会は、その所管に属する事務について調査しようとするときは、その事項、目的、方法及び期間等をあらかじめ議長に通知しなければならない。

2　議会運営委員会が、法第百九条第三項に規定する調査をしようとするときは、前項の規定を準用する。

（委員の派遣）

第七十四条　委員会は、審査又は調査のため委員を派遣しようとするときは、その日時、場所、目的及び経費等を記載した派遣承認要求書を議長に提出し、あらかじめ承認を得なければならない。

（閉会中の継続審査）

第七十五条　委員会は、閉会中もなお審査又は調査を継続する必要があると認めるときは、その理由を付け、議長に申し出なければならない。

（少数意見の留保）

第七十六条　委員は、委員会において少数で廃棄された意見で他に出席委員一人以上の賛成があるものは、これを少数意見として留保することができる。

2　前項の規定により少数意見を留保した者がその意見を議会に報告しようとする場合においては、簡明な少数意見報告書を作り、委員会の報告書が提出されるまでに、委員長を経て議長に

提出しなければならない。

（委員会報告書）

第七十六条　委員会は、事件の審査又は調査を終わつたときは、報告書を作り、議長に提出しなければならない。

第八章　表決

（表決問題の宣告）

第七十七条　議長は、表決を採ろうとするときは、表決に付する問題を会議に宣告する。

（不在議員）

第七十八条　表決宣告の際、議場にいない議員は、表決に加わることができない。

（条件の禁止）

第七十九条　表決には、条件を付けることができない。

（起立による表決）

第八十条　議長は、表決を採ろうとするときは、問題を可とする者を起立させ、起立者の多少を認定して可否の結果を宣告する。

2　議長が起立者の多少を認定しがたいとき、又は議長の宣告に対し出席議員〇人以上から異議があるときは、議長は、記名又は無記名の投票で表決を採らなければならない。

（投票による表決）

第八十一条　議長が必要があると認めるとき、又は出席議員〇人以上から要求があるときは、記名又は無記名の投票で表決を採る。

2　同時に記名投票と無記名投票の要求があるときは、議長は、いずれの方法によるかを無記名投票で決める。

（記名投票）

第八十二条　記名投票を行う場合には、問題を可とする者は所定の白票を、問題を否とする者は所定の青票を投票箱に投入しなければならない。

（無記名投票）

第八十三条　無記名投票を行う場合には、問題を可とする者は賛成と、否とする者は反対と所定の投票用紙に記載し、投票箱に投入しなければならない。

で会議に諮つて決める。

3　修正案がすべて否決されたときは、原案について表決を採る。

第九節　公聴会及び参考人

（公聴会開催の手続）

第七十八条　会議において公聴会を開く議決があつたときは、議長は、その日時、場所及び意見を聴こうとする案件その他必要な事項を公示する。

（意見を述べようとする者の申出）

第七十九条　公聴会に出席して意見を述べようとする者は、文書であらかじめその理由及び案件に対する賛否を、議長に申し出なければならない。

（公述人の決定）

第八十条　公聴会において意見を聴こうとする利害関係者及び学識経験者等（以下「公述人」という。）は、前条の規定によりあらかじめ申し出た者及びその他の者の中から、議会において定め、議長から本人にその旨を通知する。

2　あらかじめ申し出た者の中に、その案件に対して、賛成者及び反対者があるときは、一方に偏らないように公述人を選ばなければならない。

（公述人の発言）

第八十一条　公述人が発言しようとするときは、議長の許可を得なければならない。

2　公述人の発言は、その意見を聴こうとする案件の範囲を超えてはならない。

3　公述人の発言がその範囲を超え、又は公述人に不穏当な言動があるときは、議長は、発言を制止し、又は退席させることができる。

（議員と公述人の質疑）

第八十二条　議員は、公述人に対して質疑をすることができる。

2　公述人は、議員に対して質疑をすることができない。

（代理人又は文書による意見の陳述）

第八十三条　公述人は、代理人に意見を述べさせ、又は文書で意

提出しなければならない。

（委員会報告書）

第七十七条　委員会は、事件の審査又は調査を終わつたときは、報告書を作り、議長に提出しなければならない。

第八章　表決

（表決問題の宣告）

第七十八条　議長は、表決を採ろうとするときは、表決に付する問題を会議に宣告する。

（不在議員）

第七十九条　表決を行う宣告の際、議場にいない議員は、表決に加わることができない。

（条件の禁止）

第八十条　表決には、条件を付けることができない。

（起立による表決）

第八十一条　議長は、表決を採ろうとするときは、問題を可とする者を起立させ、起立者の多少を認定して可否の結果を宣告する。

2　議長が起立者の多少を認定しがたいとき、又は議長の宣告に対して出席議員〇人以上から異議があるときは、議長は、記名又は無記名の投票で表決を採らなければならない。

（投票による表決）

第八十二条　議長が必要があると認めるとき、又は出席議員〇人以上から要求があるときは、記名又は無記名の投票で表決を採る。

2　同時に記名投票と無記名投票の要求があるときは、議長は、いずれの方法によるかを無記名投票で決める。

（記名及び無記名の投票）

第八十三条　投票による表決を行う場合には、問題を可とする者は賛成と、否とする者は反対と所定の投票用紙に記載し、投票しなければならない。ただし、記名投票の場合は、自己の氏名を併記しなければならない。

（白票の取扱い）

第八十四条　投票による表決において、賛否を表明しない投票及び賛否が明らかでない投票は、否とみなす。

（選挙規定の準用）

第八十四条　記名投票又は無記名投票を行う場合には、第二十七条（議場の出入口閉鎖）、第二十八条（投票用紙の配布及び投票箱の点検）、第二十九条（投票）、第三十条（投票の終了）、第三十一条（開票及び投票の効力）、第三十二条（選挙結果の報告）第一項、第三十三条（選挙に関する疑義）及び第三十四条（選挙関係書類の保存）の規定を準用する。

（表決の訂正）

第八十五条　議員は、自己の表決の訂正を求めることができない。

（簡易表決）

第八十六条　議長は、問題について異議の有無を会議に諮ることができる。異議がないと認めるときは、議長は、可決の旨を宣告する。ただし、議長の宣告に対し、出席議員〇人以上から異議があるときは、議長は、起立の方法で表決を採らなければならない。

（表決の順序）

第八十七条　議員の提出した修正案は、委員会の修正案より先に表決を採らなければならない。

2　同一の議題について、議員から数個の修正案が提出されたときは、議長が表決の順序を定める。その順序は、原案に最も遠いものから先に表決を採る。ただし、表決の順序について出席議員〇人以上から異議があるときは、議長は、討論を用いないで会議に諮って決める。

3　修正案が全て否決されたときは、原案について表決を採る。

第九章　請願

（請願書の記載事項等）

第八十八条　請願書には、邦文を用い、請願の趣旨、提出年月日及び請願者の住所（法人の場合にはその所在地）を記載し、請願者（法人の場合にはその名称を記載し、代表者）が署名又は記名押印しなければならない。

2　請願を紹介する議員は、請願書の表紙に署名又は記名押印し

見を提示することができない。ただし、議会が特に許可した場合は、この限りでない。

（参考人）

第八十四条　会議において参考人の出席を求める議決があったときは、議長は、参考人にその日時、場所及び意見を聴こうとする案件その他必要な事項を通知しなければならない。

2　参考人については、第八十一条（公述人の発言）、第八十二条（議員と公述人の質疑）及び第八十三条（代理人又は文書による意見の陳述）の規定を準用する。

第十節　会議録

（会議録の記載事項）

第八十五条　会議録に記載する事項は、次のとおりとする。

一　開会及び閉会に関する事項並びにその年月日時
二　開議、散会、延会、中止及び休憩の日時
三　出席及び欠席議員の氏名
四　職務のため議場に出席した事務局職員の職氏名
五　説明のため出席した者の職氏名
六　議事日程
七　議長の諸報告
八　議員の異動並びに議席の指定及び変更
九　委員会報告書及び少数意見報告書
十　会議に付した事件
十一　議案の提出、撤回及び訂正に関する事項
十二　選挙の経過
十三　議事の経過
十四　記名投票における賛否の氏名
十五　その他議長又は議会において必要と認めた事項

2　議事は、速記法その他議長が適当と認める方法によって記録する。

（会議録の配布）

第八十六条　会議録は、議員及び関係者に配布する。

（会議録に掲載しない事項）

第八十七条　前条の会議録には、秘密会の議事並びに議長が取消しを命じた発言及び第六十五条（発言の取消し又は訂正）の規

（選挙規定の準用）

第八十五条　記名又は無記名の投票を行う場合には、第二十八条（議場の出入口閉鎖）、第二十九条（投票用紙の配布及び投票箱の点検）、第三十条（投票）、第三十一条（投票の終了）、第三十二条（開票及び投票の効力）第一項から第三項まで、第三十三条（選挙結果の報告）第一項、第三十四条（選挙に関する疑義）及び第三十五条（選挙関係書類の保存）の規定を準用する。

（表決の訂正）

第八十六条　議員は、自己の表決の訂正を求めることができない。

（簡易表決）

第八十七条　議長は、問題について異議の有無を会議に諮ることができる。異議がないと認めるときは、議長は、可決の旨を宣告する。ただし、議長の宣告に対して、出席議員〇人以上から異議があるときは、議長は、起立の方法で表決を採らなければならない。

（表決の順序）

第八十八条　議員の提出した修正案は、委員会の修正案より先に表決を採らなければならない。

2　同一の議題について、議員から数個の修正案が提出されたときは、議長が表決の順序を定める。その順序は、原案に最も遠いものから先に表決を採る。ただし、表決の順序について出席議員〇人以上から異議があるときは、議長は、討論を用いないで会議に諮って決める。

3　修正案がすべて否決されたときは、原案について表決を採る。

第九章　請願

（請願書の記載事項等）

第八十九条　請願書には、邦文を用い、請願の趣旨、提出年月日及び請願者の住所（法人の場合にはその所在地）を記載し、請願者（法人の場合にはその名称を記載し、代表者）が署名又は記名押印しなければならない。

2　請願を紹介する議員は、請願書の表紙に署名又は記名押印し

なければならない。

3 請願書の提出は、平穏になされなければならない。

（請願の紹介の取消し）

第八十八条の二 議員が請願の紹介を取り消そうとするときは、会議の議題となつた後においては議会の許可を得なければならない。ただし、会議の議題となる前においては、議長の許可を得なければならない。

2 前項の許可を求めようとするときは、文書により請求しなければならない。

（請願文書表）

第八十九条 議長は、請願文書表を作成し、議員に配布する。

2 請願文書表には、請願書の受理番号、請願者の住所及び氏名、請願の要旨、紹介議員の氏名並びに受理年月日を記載する。

3 請願者数人連署のものはほか何人と、同一議員の紹介による数件の内容同一のものはほか何件と記載する。

（請願の委員会付託）

第九十条 議長は、請願文書表の配布とともに、請願を所管の常任委員会又は議会運営委員会に付託する。ただし、常任委員会に係る請願は、議会の議決で特別委員会に付託することができる。

2 委員会の付託は、議会の議決で省略することができる。

3 請願の内容が二以上の委員会の所管に属する場合は、二以上の請願が提出されたものとみなし、それぞれの委員会に付託する。

定により取り消した発言は、掲載しない。

（会議録署名議員）

第八十八条 会議録に署名する議員は、○人とし、議長が会議において指名する。

（会議録の保存年限）

第八十九条 会議録の保存年限は、永年とする。（参考）

第二章 委員会

第一節 総則

（議長への通知）

第九十条 委員会を招集しようとするときは、委員長は、開会の日時、場所、事件等をあらかじめ議長に通知しなければならない。

（欠席の届出）

第九十一条 委員は、公務、疾病、育児、看護、介護、配偶者の出産補助その他のやむを得ない事由のため出席できないときは、その理由を付け、当日の開議時刻までに委員長に届け出なければならない。

2 委員は、出産のため出席できないときは、出産予定日の六週間（多胎妊娠の場合にあっては、十四週間）前の日から当該出産の日後八週間を経過する日までの範囲内において、その期間を明らかにして、あらかじめ委員長に欠席届を提出することができる。

（会議中の委員会の禁止）

第九十二条 委員会は、議会の会議中は、開くことができない。

（会議の開閉）

第九十三条 開議、散会、中止又は休憩は、委員長が宣告する。

2 委員長が開議を宣告する前又は散会、中止若しくは休憩を宣告した後は、何人も、議事について発言することができない。

（定足数に関する措置）

第九十四条 開議時刻後相当の時間を経ても、なお出席委員が定足数に達しないときは、委員長は散会を宣告することができる。

2 会議中定足数を欠くに至るおそれがあると認めるときは、委員長は委員の退席を制止し、又は会議室外の委員に出席を求め

なければならない。

3 請願書の提出は、平穏になされなければならない。

（請願の紹介の取消し）

第九十条 議員が請願の紹介を取り消そうとするときは、会議の議題となつた後においては議会の許可を得なければならない。ただし、会議の議題となる前においては、議長の許可を得なければならない。

2 前項の許可を求めようとするときは、文書により請求しなければならない。

（請願文書表の作成及び配布）

第九十一条 議長は、請願文書表を作成し、議員に配布する。

2 請願文書表には、請願書の受理番号、請願者の住所及び氏名、請願の要旨、紹介議員の氏名並びに受理年月日を記載する。

3 請願者数人連署のものはほか何人と、同一議員の紹介による数件の内容同一のものはほか何件と記載する。

（参考）

（請願書の写しの配布）

第九十一条 議長は、受理番号及び受理年月日を記載した請願書の写しを議員に配布する。

（請願の委員会付託）

第九十二条 議長は、第三十九条（議案等の説明、質疑及び委員会付託）第一項の規定にかかわらず、請願文書表の配布とともに、請願を所管の常任委員会又は議会運営委員会に付託する。ただし、会議に付した請願で常任委員会に係るものは、議会の議決で特別委員会に付託することができる。

（注 前条において請願書の写しを配布する場合においては、「請願文書表」とあるのは「請願書の写し」とする。）

2 会議に付した請願の委員会の付託は、議会の議決で省略することができる。

3 請願の内容が二以上の委員会の所管に属する場合は、二以上の請願が提出されたものとみなし、それぞれの委員会に付託する。

（参考）

（請願の委員会付託）

（紹介議員の委員会出席）

第九十一条　委員会は、審査のため必要があると認めるときは、紹介議員の説明を求めることができる。

2　紹介議員は、前項の求めがあつたときは、これに応じなければならない。

（請願の審査報告）

第九十二条　委員会は、請願について審査の結果を次の区分により議長に報告しなければならない。

一　採択すべきもの

二　不採択とすべきもの

2　委員会は、必要があると認めるときは、請願の審査結果に意見を付けることができる。

3　採択すべきものと決定した請願で、知事その他の関係執行機関に送付することを適当と認めるもの並びにその処理の経過及び結果の報告を請求することを適当と認めるものについては、その旨を付記しなければならない。

（陳情書の処理）

第九十三条　陳情書又はこれに類するもので議長が必要があると認めるものは、請願書の例により処理するものとする。

第十章　公聴会及び参考人

（公聴会開催の手続）

第九十四条　会議において公聴会を開こうとするときは、議長は、その日時、場所及び意見を聴こうとする案件その他必要な

ることができる。

3　会議中定足数を欠くに至つたときは、委員長は、休憩又は散会を宣告する。（参考）

（出席委員に関する措置）

第九十四条の二　この章における出席委員には、法第百九条第九項の規定に基づく条例の規定により、映像と音声の送受信により相手の状態を相互に認識しながら通話をすることができる方法（以下「オンラインによる方法」という。）で委員会に出席している委員を含む。

第二節　審査

（議題の宣告）

第九十五条　会議に付する事件を議題とするときは、委員長は、その旨を宣告する。

（一括議題）

第九十六条　委員長は、必要があると認めるときは、二件以上の事件を一括して議題とすることができる。ただし、出席委員から異議があるときは、討論を用いないで会議に諮つて決める。

（議案等の朗読）

第九十七条　委員長は、必要があると認めるときは、議題になつた事件を職員をして朗読させる。

（審査順序）

第九十八条　委員会における事件の審査は、提出者の説明及び委員の質疑の後、修正案の説明及びこれに対する質疑、討論、表決の順序によつて行うを例とする。

（先決動議の表決順序）

第九十九条　他の事件に先立つて表決に付さなければならない動議が競合したときは、委員長が表決の順序を決める。ただし、出席委員から異議があるときは、討論を用いないで会議に諮つて決める。

（動議の撤回）

第百条　提出者が会議の議題となつた動議を撤回しようとするときは、委員会の許可を得なければならない。ただし、会議の議題となる前においては、委員長の許可を得なければならない。

（委員の議案修正）

第百一条　委員が修正案を発議しようとするときは、その案をあ

第九十二条　議長は、請願文書表の配布とともに、請願を所管の常任委員会又は議会運営委員会に付託する。ただし、会議に付した請願で常任委員会に係るものは、議会の議決で特別委員会に付託することができる。

（注　前条において請願書の写しを配布する場合においては、「請願文書表」とあるのは「請願書の写し」とする。）

2　会議に付した請願の委員会の付託は、議会の議決で省略することができる。

3　請願の内容が二以上の委員会の所管に属する場合は、二以上の請願が提出されたものとみなし、それぞれの委員会に付託する。

（紹介議員の委員会出席）

第九十三条　委員会は、審査のため必要があると認めるときは、紹介議員の説明を求めることができる。

2　紹介議員は、前項の求めがあつたときは、これに応じなければならない。

（請願の審査報告）

第九十四条　委員会は、請願について審査の結果を次の区分により議長に報告しなければならない。

一　採択すべきもの

二　不採択とすべきもの

2　委員会は、必要があると認めるときは、請願の審査結果に意見を付けることができる。

3　採択すべきものと決定した請願で、町（村）長その他の関係執行機関に送付することを適当と認めるもの並びにその処理の経過及び結果の報告を請求することを適当と認めるものについては、その旨を付記しなければならない。

（陳情書の処理）

第九十五条　陳情書又はこれに類するもので議長が必要があると認めるものは、請願書の例により処理するものとする。

事項を公示する。

〈第九十四条参考〉〔公聴会開催の手続を議決による場合の例〕

（公聴会開催の手続）

第九十四条 会議において公聴会を開く議決があつたときは、議長は、その日時、場所及び意見を聴こうとする案件その他必要な事項を公示する。

（意見を述べようとする者の申出）

第九十五条 公聴会に出席して意見を述べようとする者は、文書であらかじめその理由及び案件に対する賛否を、議長に申し出なければならない。

（公述人の決定）

第九十六条 公聴会において意見を聴こうとする利害関係者及び学識経験者等（以下「公述人」という。）は、前条の規定によりあらかじめ申し出た者及びその他の者の中から、議長が議会運営委員会に諮つて定め、本人にその旨を通知する。

2 あらかじめ申し出た者の中に、その案件に対して、賛成者及び反対者があるときは、一方に偏らないように公述人を選ばなければならない。

（公述人の発言）

第九十七条 公述人が発言しようとするときは、議長の許可を得なければならない。

2 前項の発言は、その意見を聴こうとする案件の範囲を超えてはならない。

3 公述人の発言がその範囲を超え、又は公述人に不穏当な言動があるときは、議長は、発言を制止し、又は退席させることができる。

（議員と公述人の質疑）

第九十八条 議員は、公述人に対し質疑をすることができる。

2 公述人は、議員に対し質疑をすることができない。

（代理人又は文書による意見の陳述）

第九十九条 公述人は、代理人に意見を述べさせ、又は文書で意見を提示することができない。ただし、議長が特に許可した場合は、この限りでない。

（参考人）

らかじめ委員長に提出しなければならない。

（分科会又は小委員会）

第百二条 委員会は、審査又は調査のため必要があると認めるときは、分科会又は小委員会を設けることができる。

（連合審査会）

第百三条 委員会は、審査又は調査のため必要があると認めるときは、他の委員会と協議して、連合審査会を開くことができる。

（証人出頭又は記録提出の要求）

第百四条 委員会は、法第百条の規定による調査を委託された場合において、証人の出頭又は記録の提出を求めようとするときは、議長に申し出なければならない。

（所管事務等の調査）

第百五条 常任委員会は、その所管に属する事務について調査しようとするときは、その事項、目的、方法及び期間等をあらかじめ議長に通知しなければならない。

2 議会運営委員会が法第百九条第三項に規定する調査をしようとするときは、前項の規定を準用する。

（委員の派遣）

第百六条 委員会は、審査又は調査のため委員を派遣しようとするときは、その日時、場所、目的及び経費等を記載した派遣承認要求書を議長に提出し、あらかじめ承認を得なければならない。

（議事の継続）

第百七条 会議が中止又は休憩のため事件の議事が中断された場合において、再びその事件が議題となつたときは、前の議事を継続する。

（少数意見の留保）

第百八条 委員は、委員会において少数で廃棄された意見で他に出席委員一人以上の賛成があるものは、これを少数意見として留保することができる。

2 前項の規定により少数意見を留保した者がその意見を議会に報告しようとする場合においては、簡明な少数意見報告書を作り、委員会の報告書が提出されるまでに、委員長を経て議長に提出しなければならない。

第百条　会議において参考人の出席を求めようとするときは、議長は、参考人にその日時、場所及び意見を聴こうとする案件その他必要な事項を通知しなければならない。

２　参考人については、第九十七条（公述人の発言）、第九十八条（議員と公述人の質疑）及び第九十九条（代理人又は文書による意見の陳述）の規定を準用する。

〔第百条参考〕〔参考人の出席を議決による場合の例〕

（参考人）

第百条　会議において参考人の出席を求める議決があったときは、議長は、参考人にその日時、場所及び意見を聴こうとする案件その他必要な事項を通知しなければならない。

２　参考人については、第九十七条（公述人の発言）、第九十八条（議員と公述人の質疑）及び第九十九条（代理人又は文書による意見の陳述）の規定を準用する。

第十一章　秘密会

（指定者以外の退場）

第百一条　秘密会を開く議決があったときは、議長は、傍聴人及び議長の指定する者以外の者を議場の外に退去させなければならない。

（秘密の保持）

第百二条　秘密会の議事の記録は、公表しない。

２　秘密会の議事は、何人も秘密性の継続する限り、他に漏らしてはならない。

第十二章　辞職及び資格の決定

（議長及び副議長の辞職）

第百三条　議長が辞職しようとするときは副議長に、副議長が辞職しようとするときは議長に辞表を提出しなければならない。

２　前項の辞表の提出があったときは、その旨議会に報告し、討論を用いないで会議に諮ってその許否を決める。

３　閉会中に副議長の辞職を許可した場合は、議長は、その旨を次の議会に報告しなければならない。

（議員の辞職）

（議決事件の字句及び数字等の整理）

第百九条　委員会は、議決の結果、条項、字句、数字その他の整理を必要とするときは、これを委員長に委任することができる。

（委員会報告書）

第百十条　委員会は、事件の審査又は調査を終わったときは、報告書を作り、委員長から議長に提出しなければならない。

（閉会中の継続審査）

第百十一条　委員会は、閉会中もなお審査又は調査を継続する必要があると認めるときは、その理由を付け、委員長から議長に申し出なければならない。

第三節　秘密会

（指定者以外の者の退場）

第百十二条　秘密会を開く議決があったときは、委員長は、傍聴人及び委員長の指定する者以外の者を会議室の外に退去させなければならない。

（秘密の保持）

第百十三条　秘密会の議事の記録は、公表しない。

２　秘密会の議事は、何人も秘密性の継続する限り、他に漏らしてはならない。

第四節　発言

（発言の許可）

第百十四条　委員は、全て委員長の許可を得た後でなければ発言することができない。

（委員の発言）

第百十五条　委員は、議題について自由に質疑し及び意見を述べることができる。ただし、委員会において別に発言の方法を決めたときは、この限りでない。

（発言内容の制限）

第百十六条　発言は全て、簡明にするものとして、議題外にわたり又はその範囲を超えてはならない。

２　委員長は、発言が前項の規定に反すると認めるときは注意し、なお従わない場合は発言を禁止することができる。

（委員外議員の発言）

第百十七条　委員会は、審査又は調査中の事件について、必要が

第十章　秘密会

（指定者以外の退場）

第九十六条　秘密会を開く議決があったときは、議長は、傍聴人及び議長の指定する者以外の者を議場の外に退去させなければならない。

（秘密の保持）

第九十七条　秘密会の議事の記録は、公表しない。

２　秘密会の議事は、何人も秘密性の継続する限り、他に漏らしてはならない。

第十一章　辞職及び資格の決定

（議長及び副議長の辞職）

第九十八条　議長が辞職しようとするときは副議長に、副議長が辞職しようとするときは議長に、辞表を提出しなければならない。

２　前項の辞表の提出があったときは、その旨議会に報告し、討論を用いないで会議に諮ってその許否を決める。

３　閉会中に副議長の辞職を許可した場合は、議長は、その旨を次の議会に報告しなければならない。

（議員の辞職）

第百四条　議員が辞職しようとするときは、議長に辞表を提出しなければならない。

2　前条第二項及び第三項の規定は、議員の辞職について、準用する。

（資格決定の要求）

第百五条　法第百二十七条第一項の規定により議員の被選挙権の有無又は法第九十二条の二の規定に該当するかどうかについて議会の決定を求めようとする議員は、その理由を記載した要求書を証拠書類とともに議長に提出しなければならない。

（資格決定の審査）

第百六条　前条の要求については、議会は、第三十八条（議案等の説明、質疑及び委員会付託）第三項の規定にかかわらず、委員会の付託を省略して決定することができない。

第百七条　法第百二十七条第三項の規定により準用される法第百十八条第六項の規定による通知に関し必要な事項は、議長が定める。

第十三章　規律

（品位の尊重）

第百八条　議員は、議会の品位を重んじなければならない。

（携帯品）

第百九条　議場に入る者は、帽子、コート、マフラー、傘の類を着用し、又は携帯してはならない。ただし、病気その他の理由により会議への出席に必要と認められる物であつて議長にあらかじめ届け出たものについては、この限りでない。

（議事妨害の禁止）

第百十条　何人も、会議中は、みだりに発言し、騒ぎ、その他議

あると認めるときは、委員でない議員（以下この条において「委員外議員」という。）に対し、その出席を求めて説明又は意見を聴くことができる。

2　委員会は、委員外議員から発言の申し出があつたときは、その許否を決める。

3　前二項の場合において、法第百九条第九項の規定に基づく条例の規定により、委員会がオンラインによる方法で開かれているときは、委員外議員は、オンラインによる方法で説明し、若しくは意見を述べ、又は発言することができる。

4　前項の委員外議員が、オンラインによる方法で説明し、若しくは意見を述べ、又は発言することを希望するときは、あらかじめ委員長に届け出なければならない。

（委員長の発言）

第百十八条　委員長が、委員として発言しようとするときは、委員席に着き発言し、発言が終わつた後、委員長席に復さなければならない。ただし、討論をしたときは、その議題の表決が終わるまでは、委員長席に復することができない。

2　法第百九条第九項の規定に基づく条例の規定により、委員会がオンラインによる方法で開かれている場合において、委員長が、委員として発言するときは、委員長の職務を行うことができない。ただし、討論をしたときは、その議題の表決が終わるまでは、委員長の職務を行うことができない。

（発言時間の制限）

第百十九条　委員長は、必要があると認めるときは、あらかじめ発言時間を制限することができる。

2　委員長の定めた時間の制限について、出席委員から異議があるときは、委員長は、討論を用いないで会議に諮つて決める。

（議事進行に関する発言）

第百二十条　議事進行に関する発言は、議題に直接関係のあるもの又は直ちに処理する必要があるものでなければならない。

2　議事進行に関する発言がその趣旨に反すると認めるときは、委員長は、直ちに制止しなければならない。（参考）

（発言の継続）

第百二十一条　会議の中止又は休憩のため発言が終わらなかつた委員は、更にその議事を始めたときは、前の発言を続けること

第九十九条　議員が辞職しようとするときは、議長に辞表を提出しなければならない。

2　前条第二項及び第三項の規定は、議員の辞職について、準用する。

（資格決定の要求）

第百条　法第百二十七条（失職及び資格決定）第一項の規定により、議員の被選挙権の有無又は法第九十二条の二（議員の兼業禁止）の規定に該当するかどうかについて議会の決定を求めようとする議員は、要求の理由を記載した要求書を証拠書類とともに議長に提出しなければならない。

（資格決定の審査）

第百一条　前条の要求については、議会は、第三十九条（議案等の説明、質疑及び委員会付託）第一項の規定にかかわらず、委員会に付託しなければ決定することができない。

（参考）

（資格決定の審査）

第百一条　前条の要求については、議会は、第三十九条（議案等の説明、質疑及び委員会付託）第三項の規定にかかわらず、委員会の付託を省略して決定することができない。

（資格決定の通知）

第百一条の二　法第百二十七条（失職及び資格決定）第三項の規定により準用される法第百十八条（投票による選挙・指名推選及び投票の効力の異議）第六項の規定による決定の本人への通知に関し必要な事項は、議長が定める。

第十二章　規律

（品位の尊重）

第百二条　議員は、議会の品位を重んじなければならない。

（携帯品）

第百三条　議場に入る者は、帽子、コート、マフラー、傘の類を着用し、又は携帯してはならない。ただし、病気その他の理由により会議への出席に必要と認められる物であつて議長にあらかじめ届け出たものについては、この限りでない。

（議事妨害の禁止）

第百四条　何人も、会議中は、みだりに発言し、騒ぎ、その他議

事の妨害となる言動をしてはならない。

（離席）
第百十一条　議員は、会議中みだりに議席を離れてはならない。

（禁煙）
第百十二条　何人も、議場において喫煙してはならない。

（新聞等の閲読禁止）
第百十三条　何人も、会議中は、参考のためにするもののほか、新聞紙又は書籍の類を閲読してはならない。

（許可のない登壇の禁止）
第百十四条　何人も、議長の許可がなければ演壇に登つてはならない。

（議長の秩序保持権）
第百十五条　法又はこの規則に定めるもののほか、規律に関する問題は、議長が定める。ただし、議長は、必要があると認めるときは、討論を用いないで会議に諮つて決める。

第十四章　懲罰

（懲罰動議の提出）
第百十六条　懲罰の動議は、文書をもつて所定の発議者が連署して、議長に提出しなければならない。
2　前項の動議は、懲罰事犯があつた日から起算して三日以内に提出しなければならない。ただし、第百二条（秘密の保持）第二項の違反に係るものについては、この限りでない。

（懲罰の審査）
第百十七条　懲罰については、議会は、第三十八条（議案等の説明、質疑及び委員会付託）第三項の規定にかかわらず、委員会の付託を省略して議決することができない。

（代理弁明）
第百十八条　議員は、自己に関する懲罰動議及び懲罰事犯の会議並びに委員会で一身上の弁明をする場合において、議会又は委

ができる。

（質疑又は討論の終結）
第百二十二条　質疑又は討論が終わつたときは、委員長は、その終結を宣告する。
2　質疑又は討論が続出して容易に終結しないときは、委員は、質疑又は討論終結の動議を提出することができる。
3　質疑又は討論終結の動議については、委員長は、討論を用いないで会議に諮つて決める。

（選挙及び表決時の発言制限）
第百二十三条　選挙及び表決の宣告後は、何人も発言を求めることができない。ただし、選挙及び表決の方法についての発言は、この限りでない。

（発言の取消し又は訂正）
第百二十四条　発言した委員は、委員会の許可を得て発言を取り消し、又は委員長の許可を得て発言の訂正をすることができる。

（答弁書の配布）
第百二十五条　市長その他の関係機関が、質疑に対し、直ちに答弁しがたい場合において答弁書を提出したときは、委員長は、その写しを委員に配布する。ただし、やむを得ないときは、朗読をもつて配布に代えることができる。（参考）

第五節　委員長及び副委員長の互選

（互選の方法）
第百二十六条　委員長及び副委員長の互選は、それぞれ単記無記名投票で行う。
2　有効投票の最多数を得た者を当選人とする。ただし、得票数が同じときは、くじで定める。
3　前項の当選人は、有効投票の総数の四分の一以上の得票がなければならない。
4　第一項の投票を行う場合には、委員長の職務を行つている者も、投票することができる。
5　委員会は、委員のうちに異議を有する者がないときは、第一項の互選につき、指名推選の方法を用いることができる。
6　指名推選の方法を用いる場合においては、被指名人をもつて、当選人と定めるべきかどうかを委員会に諮り委員の全員の

事の妨害となる言動をしてはならない。

（離席）
第百五条　議員は、会議中みだりに議席を離れてはならない。

（禁煙）
第百六条　何人も、議場において喫煙してはならない。

（新聞等の閲読禁止）
第百七条　何人も、会議中は、参考のためにするもののほか、新聞紙又は書籍の類を閲読してはならない。

（許可のない登壇の禁止）
第百八条　何人も、議長の許可がなければ演壇に登つてはならない。

（議長の秩序保持権）
第百九条　法又はこの規則に定めるもののほか、規律に関する問題は、議長が定める。ただし、議長は、必要があると認めるときは、討論を用いないで会議に諮つて決める。

第十三章　懲罰

（懲罰動議の提出）
第百十条　懲罰の動議は、文書をもつて所定の発議者が連署して、議長に提出しなければならない。
2　前項の動議は、懲罰事犯があつた日から起算して三日以内に提出しなければならない。ただし、第九十七条（秘密の保持）第二項の違反に係るものについては、この限りでない。

（懲罰の審査）
第百十一条　懲罰については、議会は、第三十九条（議案等の説明、質疑及び委員会付託）第一項の規定にかかわらず、委員会に付託しなければ決定することができない。

（参考）
（懲罰の審査）
第百十一条　懲罰については、議会は、第三十九条（議案等の説明、質疑及び委員会付託）第三項の規定にかかわらず、委員会の付託を省略して議決することができない。

（代理弁明）
第百十二条　議員は、自己に関する懲罰動議及び懲罰事犯の会議並びに委員会で一身上の弁明をする場合において、議会又は委

員会の同意を得たときは、他の議員をして代わつて弁明させることができる。

（戒告又は陳謝の方法）

第百十九条 戒告又は陳謝は、議会の決めた戒告文又は陳謝文によつて行うものとする。

（出席停止の期間）

第百二十条 出席停止は、〇日を超えることができない。ただし、数個の懲罰事犯が併発した場合又は既に出席を停止された者についてその停止期間内に更に懲罰事犯が生じた場合は、この限りでない。

（出席停止期間中出席したときの措置）

第百二十一条 出席を停止された者がその期間内に議会の会議又は委員会に出席したときは、議長又は委員長は、直ちに退去を命じなければならない。

第百二十二条 削除

（懲罰の宣告）

第百二十三条 議会が懲罰の議決をしたときは、議長は、公開の議場において宣告する。

同意があつた者をもつて、当選人とする。

（選挙規定の準用）

第百二十七条 前条に定めるもののほか、委員長及び副委員長の互選の方法については、第一章第四節の規定を準用する。

第六節 表決

（表決問題の宣告）

第百二十八条 委員長は、表決を採ろうとするときは、表決に付する問題を宣告する。

（不在委員）

第百二十九条 表決の際会議室にいない委員は、表決に加わることができない。ただし、法第百九条第九項に基づく条例の規定により、オンラインによる方法で出席している委員は、この限りでない。

（条件の禁止）

第百三十条 表決には、条件を付けることができない。

（起立による表決）

第百三十一条 委員長が表決を採ろうとするときは、問題を可とする者を起立させ、起立者の多少を認定して可否の結果を宣告する。

2 委員長が起立者の多少を認定しがたいとき、又は委員長の宣告に対して出席委員から異議があるときは、委員長は、記名又は無記名の投票で表決を採らなければならない。

（投票による表決）

第百三十二条 委員長が必要があると認めるとき、又は出席委員から要求があるときは、記名又は無記名の投票で表決を採る。

2 同時に前項の記名投票と無記名投票の要求があるときは、委員長は、いずれの方法によるかを無記名投票で決める。

（記名投票）

第百三十三条 記名投票を行う場合には、問題を可とする者は所定の白票を、問題を否とする者は所定の青票を投票箱に投入しなければならない。

（無記名投票）

第百三十四条 無記名投票を行う場合には、問題を可とする者は賛成と、問題を否とする者は反対と所定の投票用紙に記載し、投票箱に投入しなければならない。

員会の同意を得たときは、他の議員をして代わつて弁明させることができる。

（戒告又は陳謝の方法）

第百十三条 戒告又は陳謝は、議会の決めた戒告文又は陳謝文によつて行うものとする。

（出席停止の期間）

第百十四条 出席停止は、〇日を超えることができない。ただし、数個の懲罰事犯が併発した場合又は既に出席を停止された者についてその停止期間内に更に懲罰事犯が生じた場合は、この限りでない。

（出席停止期間中出席したときの措置）

第百十五条 出席を停止された議員がその期間内に議会の会議又は委員会に出席したときは、議長又は委員長は、直ちに退去を命じなければならない。

（懲罰の宣告）

第百十六条 議会が懲罰の議決をしたときは、議長は、公開の議場において宣告する。

第十四章 公聴会

（公聴会開催の手続）

第百十七条 議会が、法第百十五条の二第一項の規定により、会議において、公聴会を開こうとするときは、議会の議決でこれを決定する。

2 議長は、前項の議会の議決があつたときは、その日時、場所及び意見を聴こうとする案件その他必要な事項を公示する。

（意見を述べようとする者の申出）

第百十八条 公聴会に出席して意見を述べようとする者は、文書であらかじめその理由及び案件に対する賛否を、議会に申し出なければならない。

（公述人の決定）

第百十九条 公聴会において意見を聴こうとする利害関係者及び学識経験者等（以下「公述人」という。）は、前条の規定によりあらかじめ申し出た者及びその他の者の中から、議会において定め、議長は、本人にその旨を通知する。

第十五章　会議録

（会議録の記載事項）

第百二十四条　会議録に記載する事項は、次のとおりとする。

2　無記名投票による表決において、賛否を表明しない投票及び賛否が明らかでない投票は、否とみなす。（参考）

（選挙規定の準用）

第百三十五条　記名投票、又は無記名投票を行う場合には、第二十八条（投票用紙の配布及び投票箱の点検）、第二十九条（投票）、第三十条（投票の終了）、第三十一条（開票及び投票の効力）第一項から第三項まで及び第三十二条（選挙結果の報告）第一項の規定を準用する。

（表決の訂正）

第百三十六条　委員は、自己の表決の訂正を求めることができない。

（簡易表決）

第百三十七条　委員長は、問題について異議の有無を会議に諮ることができる。異議がないと認めるときは、委員長は、可決の旨を宣告する。ただし、委員長の宣告に対して、出席委員から異議があるときは、委員長は、起立の方法で表決を採らなければならない。

（表決の順序）

第百三十八条　同一の議題について、委員から数個の修正案が提出されたときは、委員長が表決の順序を決める。その順序は、原案に最も遠いものから先に表決を採る。ただし、表決の順序について出席委員から異議があるときは、委員長は、討論を用いないで会議に諮って決める。

2　修正案がすべて否決されたときは、原案について表決を採る。

第三章　請願

（請願書の記載事項等）

第百三十九条　請願書には、邦文を用いて、請願の趣旨、提出年月日及び請願者の住所を記載し、請願者が署名又は記名押印をしなければならない。

2　請願者が法人の場合には、邦文を用いて、請願の趣旨、提出年月日並びに法人の名称及び所在地を記載し、代表者が署名又は記名押印をしなければならない。

2　あらかじめ申し出た者の中に、その案件に対して、賛成者及び反対者があるときは、一方に偏らないように公述人を選ばなければならない。

（公述人の発言）

第百二十条　公述人が発言しようとするときは、議長の許可を得なければならない。

2　前項の発言は、その意見を聴こうとする案件の範囲を超えてはならない。

3　公述人の発言がその範囲を超え、又は公述人に不穏当な言動があるときは、議長は、発言を制止し、又は退席させることができる。

（議員と公述人の質疑）

第百二十一条　議員は、公述人に対して質疑をすることができる。

2　公述人は、議員に対して質疑をすることができない。

（代理人又は文書による意見の陳述）

第百二十二条　公述人は、代理人に意見を述べさせ、又は文書で意見を提示することができない。ただし、議会が特に許可した場合は、この限りでない。

第十五章　参考人

（参考人）

第百二十三条　議会が、法第百十五条の二第二項の規定により、会議において、参考人の出席を求めようとするときは、議会の議決でこれを決定する。

2　前項の場合において、議長は、参考人にその日時、場所及び意見を聴こうとする案件その他必要な事項を通知しなければならない。

3　参考人については、第百二十条（公述人の発言）、第百二十一条（議員と公述人の質疑）及び第百二十二条（代理人又は文書による意見の陳述）の規定を準用する。

第十六章　会議録

（会議録の記載事項）

第百二十四条　会議録に記載する事項は、次のとおりとする。

一　開会及び閉会に関する事項並びにその年月日時
二　開議、散会、延会、中止及び休憩の日時
三　出席議員及び欠席議員の氏名（第六十一条の二の規定により質問した議員とそれ以外の議員とを分けて記載すること。）
四　職務のため議場に出席した事務局職員の職氏名
五　説明のため出席した者の職氏名
六　議事日程
七　議長の諸報告
八　議員の異動並びに議席の指定及び変更
九　委員会報告書及び少数意見報告書
十　会議に付した事件
十一　議案の提出、撤回及び訂正に関する事項
十二　選挙の経過
十三　議事の経過
十四　記名投票における賛否の氏名
十五　その他議長又は議会において必要と認めた事項

2　議事は、速記法その他議長が適当と認める方法によつて記録する。

（会議録の配布）
第百二十五条　会議録は、印刷して、議員及び関係者に配布する。

（会議録に掲載しない事項）
第百二十六条　前条の会議録には、秘密会の議事並びに議長が取消しを命じた発言及び第六十三条（発言の取消し又は訂正）の規定により取り消した発言は、掲載しない。

（会議録署名議員）
第百二十七条　会議録に署名する議員は、〇人とし、議長が会議において指名する。

3　前二項の請願を紹介する議員は、請願書の表紙に署名又は記名押印をしなければならない。
4　請願書の提出は、平穏になされなければならない。
5　請願者が請願書（会議の議題となつたものを除く。）を撤回しようとするときは、議長の許可を得なければならない。
6　議員が請願の紹介を取り消そうとするときは、会議の議題となつた後においては議会の許可を得なければならない。ただし、会議の議題となる前においては、議長の許可を得なければならない。

（請願文書表の作成及び配布）
第百四十条　議長は、請願文書表を作成し、議員に配布する。
2　請願文書表には、請願書の受理番号、請願者の住所及び氏名、請願の要旨、紹介議員の氏名並びに受理年月日を記載する。
3　請願者数人連署のものは請願者某ほか何人と記載し、同一議員の紹介による数件の内容同一のものは請願者某ほか何人と記載するほかその件数を記載する。

（請願の委員会付託）
第百四十一条　議長は、請願文書表の配布とともに、請願を、所管の常任委員会又は議会運営委員会に付託する。ただし、常任委員会に係る請願は、議会の議決で特別委員会に付託することができる。
2　委員会の付託は、議会の議決で省略することができる。
3　請願の内容が二以上の委員会の所管に属する場合は、二以上の請願が提出されたものとみなし、それぞれの委員会に付託する。

（紹介議員の委員会出席）
第百四十二条　委員会は、審査のため必要があると認めるときは、紹介議員の説明を求めることができる。
2　紹介議員は、前項の要求があつたときは、これに応じなければならない。
3　前項の場合において、法第百九条第九項の規定に基づく条例の規定により、委員会がオンラインによる方法で開かれているときは、紹介議員は、オンラインによる方法で説明することができる。

一　開会及び閉会に関する事項並びにその年月日時
二　開議、散会、延会、中止及び休憩の日時
三　出席及び欠席議員の氏名
四　職務のため議場に出席した事務局職員の職氏名
五　説明のため出席した者の職氏名
六　議事日程
七　議長の諸報告
八　議員の異動並びに議席の指定及び変更
九　委員会報告書及び少数意見報告書
十　会議に付した事件
十一　議案の提出、撤回及び訂正に関する事項
十二　選挙の経過
十三　議事の経過
十四　記名投票における賛否の氏名
十五　その他議長又は議会において必要と認めた事項

（会議録の配布）
第百二十五条　会議録は、印刷して、議員及び関係者に配布する。（参考）

（会議録に掲載しない事項）
第百二十六条　前条の会議録には、秘密会の議事並びに議長が取消しを命じた発言及び第六十四条（発言の取消し又は訂正）の規定により取り消した発言は、掲載しない。（参考）

（会議録署名議員）
第百二十七条　会議録に署名すべき議員は、〇人とし、議長が会議において指名する。

4　前項の紹介議員が、オンラインによる方法で説明することを希望するときは、あらかじめ委員長に届け出なければならない。

（請願の審査報告）

第百四十三条　委員会は、請願について審査の結果を次の区分により議長に報告しなければならない。

(一)　採択すべきもの

(二)　不採択とすべきもの

2　委員会は、必要があると認めるときは、請願の審査結果に意見を付けることができる。

3　採択すべきものと決定した請願で、市長その他の関係機関に送付することを適当と認めるもの並びにその処理の経過及び結果の報告を請求することを適当と認めるものについては、その旨を付記しなければならない。

（請願の送付並びに処理の経過及び結果報告の請求）

第百四十四条　議長は、議会の採択した請願で、市長その他の関係機関に送付しなければならないものはこれを送付し、その処理の経過及び結果の報告を請求することに決したものについては、これを請求しなければならない。

（陳情書の処理）

第百四十五条　議長は、陳情書又はこれに類するもので議長が必要があると認めるものは、請願書の例により処理するものとする。

第四章　辞職及び資格の決定

（議長及び副議長の辞職）

第百四十六条　議長が辞職しようとするときは副議長に、副議長が辞職しようとするときは議長に、辞表を提出しなければならない。

2　前項の辞表は、議会に報告し、討論を用いないで会議に諮つてその許否を決定する。

3　閉会中に副議長の辞職を許可した場合は、議長は、その旨を次の議会に報告しなければならない。

（議員の辞職）

第百四十七条　議員が辞職しようとするときは、議長に辞表を提出しなければならない。

2 前条第二項及び第三項の規定は、議員の辞職について、準用する。

（資格決定の要求）

第百四十八条 法第百二十七条第一項の規定による議員の被選挙権の有無又は法第九十二条の二の規定に該当するかどうかについて議会の決定を求めようとする議員は、要求の理由を記載した要求書を、証拠書類とともに、議長に提出しなければならない。

（資格決定の審査）

第百四十九条 前条の要求については、議会は、第三十七条（議案等の説明、質疑及び委員会付託）第三項の規定にかかわらず、委員会の付託を省略して決定することができない。

（決定の通知）

第百五十条 前条の規定による決定の本人への通知に関し必要な事項は、議長が定める。

第五章　規律

（品位の尊重）

第百五十一条 議員は、議会の品位を重んじなければならない。

（携帯品）

第百五十二条 議場又は委員会の会議室に入る者は、帽子、コート、マフラー、傘の類を着用し、又は携帯してはならない。ただし、病気その他の理由により会議への出席に必要と認められる物であつて議長にあらかじめ届け出たものについては、この限りでない。

（議事妨害の禁止）

第百五十三条 何人も、会議中は、みだりに発言し、騒ぎ、その他議事の妨害となる言動をしてはならない。

（離席）

第百五十四条 議員は、会議中は、みだりにその席を離れてはならない。

（禁煙）

第百五十五条 何人も、議場において喫煙してはならない。

（新聞紙等の閲読禁止）

第百五十六条　何人も、会議中は、参考のためにするもののほか、新聞紙又は書籍の類を閲読してはならない。

（資料等印刷物の配布許可）

第百五十七条　議場又は委員会の会議室において、資料等を配布するときは、議長又は委員長の許可を得なければならない。

（参考）

（許可のない登壇の禁止）

第百五十八条　何人も、議長の許可がなければ演壇に登つてはならない。

（議長の秩序保持権）

第百五十九条　全て規律に関する問題は、議長が定める。ただし、議長は、必要があると認めるときは、討論を用いないで会議に諮つて定める。

第六章　懲罰

（懲罰動議の提出）

第百六十条　懲罰の動議は、文書をもつて所定数の発議者が連署して、議長に提出しなければならない。

2　前項の動議は、懲罰事犯があつた日から起算して三日以内に提出しなければならない。ただし、第四十九条（秘密の保持）第二項又は第百十三条（秘密の保持）第二項の規定の違反に係るものについては、この限りでない。

（懲罰動議の審査）

第百六十一条　懲罰については、議会は、第三十七条（議案等の説明、質疑及び委員会付託）第三項の規定にかかわらず、委員会の付託を省略して議決することはできない。

（代理弁明）

第百六十一条の二　議員は、自己に関する懲罰動議及び懲罰事犯の会議並びに委員会で一身上の弁明をする場合において、議会又は委員会の同意を得たときは、他の議員をして代わつて弁明させることができる。

（戒告又は陳謝の方法）

第百六十二条　戒告又は陳謝は、議会の決めた戒告文又は陳謝文によつて行うものとする。

（出席停止の期間）

第十六章　協議又は調整を行うための場

（協議又は調整を行うための場）

第百二十八条　法第百条第十二項に規定する議案の審査又は議会の運営に関し協議又は調整を行うための場（以下「協議等の場」という。）を別表のとおり設ける。

2　前項で定めるもののほか、協議等の場を臨時的に設ける必要があるときは、議会の議決でこれを決定する。ただし、緊急を要する場合は、議長が設けることができる。

3　前項の規定により、協議等の場を設けるに当たっては、名称、目的、構成員及び招集権者を明らかにしなければならない。

4　協議等の場の運営その他必要な事項は、議長が別に定める。

〔第百二十八条参考〕〔運営に関し必要な事項を「協議等の場」において定める場合の例〕

（協議又は調整を行うための場）

第百二十八条　法第百条第十二項に規定する議案の審査又は議会の運営に関し協議又は調整を行うための場（以下「協議等の場」という。）を別表のとおり設ける。

2　前項で定めるもののほか、協議等の場を臨時的に設ける必要があるときは、議会の議決でこれを決定する。ただし、緊急を要する場合は、議長が設けることができる。

3　前項の規定により、協議等の場を設けるに当たっては、名称、目的、構成員及び招集権者を明らかにしなければならな

第百六十三条　出席停止は、〇日を超えることができない。ただし、数個の懲罰事犯が併発した場合又は既に出席を停止された者についてその停止期間内に更に懲罰事犯が生じた場合は、この限りでない。

（出席停止期間中出席したときの措置）

第百六十四条　出席を停止された者がその期間内に議会の会議又は委員会に出席したときは、議長又は委員長は、直ちに退去を命じなければならない。

（懲罰の宣告）

第百六十五条　議会が懲罰の議決をしたときは、議長は、公開の議場において宣告する。

第七章　協議又は調整を行うための場

（協議又は調整を行うための場）

第百六十六条　法第百条第十二項の規定による議案の審査又は議会の運営に関し協議又は調整を行うための場（以下「協議等の場」という。）を別表のとおり設ける。

2　前項で定めるもののほか、協議等の場を臨時に設けようとするときは、議会の議決でこれを決定する。

3　前項の規定により、協議等の場を設けるに当たつては、名称、目的、構成員、招集権者及び期間を明らかにしなければならない。

4　協議等の場の運営その他必要な事項は、議長が別に定める。

（協議等の場の開催方法の特例）

第百六十六条の二　前条の協議等の場については、大規模な災害等の発生等又は重大な感染症のまん延により、その構成員が開会場所に参集することが困難と認めるときは、オンラインによる方法で協議等の場を開くことができる。

2　前項の場合において、開会方法その他必要な事項は、委員会条例の例による。

第十七章　全員協議会

（全員協議会）

第百二十八条　法第百条第十二項の規定により議案の審査又は議会の運営に関し協議又は調整を行うための場として、全員協議会を設ける。

2　全員協議会は、議員の全員で構成し、議長が招集する。

3　全員協議会の運営その他必要な事項は、議長が別に定める。

い。

4　協議等の場の運営その他必要な事項は、協議等の場において別に定める。

第十七章　議員の派遣

（議員の派遣）

第百二十九条　法第百条第十三項の規定により議員を派遣しようとするときは、議会の議決でこれを決定する。ただし、緊急を要する場合は、議長において議員の派遣を決定することができる。

2　前項の規定により、議員の派遣を決定するに当たつては、派遣の目的、場所、期間その他必要な事項を明らかにしなければならない。

第十八章　補則

（電子情報処理組織による通知等）

第百二十九条の二　議会又は議長若しくは委員長（以下この条及び次条第一項において「議会等」という。）に対して行われる通知のうちこの規則の規定において文書その他文字、図形その他の人の知覚によつて認識することができる情報が記載された紙その他の有体物（次項及び第六項並びに次条において「文書等」という。）により行うことが規定されているものについては、当該通知に関するこの規則の規定にかかわらず、議長が定めるところにより、議長が定める電子情報処理組織（議会等の使用に係る電子計算機（入出力装置を含む。以下この項及び第四項において同じ。）とその通知の相手方の使用に係る電子計算機とを電気通信回線で接続した電子情報処理組織をいう。以下この条において同じ。）を使用する方法により行うことができる。

2　議会等が行う通知のうちこの規則の規定において文書等により行うことが規定されているものについては、当該通知に関するこの規則の規定にかかわらず、議長が定めるところにより、議長が定める電子情報処理組織を使用する方法により行うことができる。ただし、当該通知を受ける者が当該電子情報処理組織を使用する方法により受ける旨の議長が定める方式による表

第八章　議員の派遣

（議員の派遣）

第百六十七条　法第百条第十三項の規定により議員を派遣しようとするときは、議会の議決でこれを決定する。ただし、緊急を要する場合は、議長において議員の派遣を決定することができる。

2　前項の規定により、議員の派遣を決定するに当たつては、派遣の目的、場所、期間、その他必要な事項を明らかにしなければならない。

第九章　補則

（電子情報処理組織による通知等）

第百六十七条の二　議会又は議長若しくは委員長（以下この条及び次条第一項において「議会等」という。）に対して行われる通知のうちこの規則の規定において文書その他文字、図形その他の人の知覚によつて認識することができる情報が記載された紙その他の有体物（次項及び第六項並びに次条において「文書等」という。）により行うことが規定されているものについては、当該通知に関するこの規則の規定にかかわらず、議長が定めるところにより、議長が定める電子情報処理組織（議会等の使用に係る電子計算機（入出力装置を含む。以下この項及び第四項において同じ。）とその通知の相手方の使用に係る電子計算機とを電気通信回線で接続した電子情報処理組織をいう。以下この条において同じ。）を使用する方法により行うことができる。

2　議会等が行う通知のうちこの規則の規定において文書等により行うことが規定されているものについては、当該通知に関するこの規則の規定にかかわらず、議長が定めるところにより、議長が定める電子情報処理組織を使用する方法により行うことができる。ただし、当該通知を受ける者が当該電子情報処理組織を使用する方法により受ける旨の議長が定める方式による表

第十八章　議員の派遣

（議員の派遣）

第百二十九条　法第百条（調査権）第十三項の規定により議員を派遣しようとするときは、議会の議決でこれを決定する。ただし、緊急を要する場合は、議長において議員の派遣を決定することができる。

2　前項の規定により、議員の派遣を決定するに当たつては、派遣の目的、場所、期間その他必要な事項を明らかにしなければならない。

第十九章　補則

（電子情報処理組織による通知等）

第百二十九条の二　議会又は議長若しくは委員長（以下この条及び次条第一項において「議会等」という。）に対して行われる通知のうちこの規則の規定において文書その他文字、図形その他の人の知覚によつて認識することができる情報が記載された紙その他の有体物（次項及び第六項並びに次条において「文書等」という。）により行うことが規定されているものについては、当該通知に関するこの規則の規定にかかわらず、議長が定めるところにより、議長が定める電子情報処理組織（議会等の使用に係る電子計算機（入出力装置を含む。以下この項及び第四項において同じ。）とその通知の相手方の使用に係る電子計算機とを電気通信回線で接続した電子情報処理組織をいう。以下この条において同じ。）を使用する方法により行うことができる。

2　議会等が行う通知のうちこの規則の規定において文書等により行うことが規定されているものについては、当該通知に関するこの規則の規定にかかわらず、議長が定めるところにより、議長が定める電子情報処理組織を使用する方法により行うことができる。ただし、当該通知を受ける者が当該電子情報処理組織を使用する方法により受ける旨の議長が定める方式による表

示をする場合に限る。

3　前二項の電子情報処理組織を使用する方法により行われた通知については、当該通知に関するこの規則の規定に規定する方法により行われたものとみなして、当該通知に関するこの規則の規定を適用する。

4　第一項又は第二項の電子情報処理組織を使用する方法により行われた通知は、当該通知を受ける者の使用に係る電子計算機に備えられたファイルへの記録がされた時（第二十条、第四十条第三項、第八十九条第一項、第九十条第一項及び第百二十五条の規定による議員に対する通知にあつては、当該ファイルへの記録がされた時又は議会等が、当該通知を受ける者が当該通知をすべき電磁的記録（電子的方式、磁気的方式その他人の知覚によつては認識することができない方式で作られる記録であつて、電子計算機（入出力装置を除く。）による情報処理の用に供されるものをいう。次条において同じ。）に記録されている事項を議長が定める方法により表示をしたものの閲覧若しくは当該事項について当該者の使用に係る電子計算機に備えられたファイルへの記録をすることができる措置をとるとともに、当該者に対し、議長が定める電子情報処理組織を使用して当該措置がとられた旨の通知を発した時のいずれか早い時）に当該者に到達したものとみなす。

5　議会等に対して行われ、又は議会等が行う通知のうち当該通知に関するこの規則の規定において署名し、若しくは連署し、又は記名押印すること（以下この項において「署名等」という。）が規定されているものを第一項又は第二項の電子情報処理組織を使用する方法により行う場合には、当該署名等については、当該署名等に関する規定にかかわらず、氏名又は名称を明らかにする措置であつて議長が定めるものをもつて代えることができる。

6　議会等に対して通知を行い、又は議会等から通知を受ける者について対面により本人確認をするべき事情がある場合、議会等に対して行われ、又は議会等が行う通知に係る文書等のうちにその原本を確認し、又は交付する必要があるものがある場合その他の当該通知のうちに第一項又は第二項の電子情報処理組織を使用する方法により行うことが困難又は著しく不適当と認

示をする場合に限る。

3　前二項の電子情報処理組織を使用する方法により行われた通知については、当該通知に関するこの規則の規定に規定する方法により行われたものとみなして、当該通知に関するこの規則の規定を適用する。

4　第一項又は第二項の電子情報処理組織を使用する方法により行われた通知は、当該通知を受ける者の使用に係る電子計算機に備えられたファイルへの記録がされた時（第二十条（日程の作成及び配布）、第六十六条（答弁書の配布）、第八十六条（会議録の配布）、第百二十五条（答弁書の配布）、第百四十条（請願文書表の作成及び配布）第一項及び第百四十一条（請願の委員会付託）第一項の規定による議員に対する通知にあつては、当該ファイルへの記録がされた時又は議会等が、当該通知を受ける者が当該通知をすべき電磁的記録（電子的方式、磁気的方式その他人の知覚によつては認識することができない方式で作られる記録であつて、電子計算機（入出力装置を除く。）による情報処理の用に供されるものをいう。次条において同じ。）に記録されている事項を議長が定める方法により表示をしたものの閲覧若しくは当該事項について当該者の使用に係る電子計算機に備えられたファイルへの記録をすることができる措置をとるとともに、当該者に対し、議長が定める電子情報処理組織を使用して当該措置がとられた旨の通知を発した時のいずれか早い時）に当該者に到達したものとみなす。

5　議会等に対して行われ、又は議会等が行う通知のうち当該通知に関するこの規則の規定において署名し、若しくは連署し、又は記名押印すること（以下この項において「署名等」という。）が規定されているものを第一項又は第二項の電子情報処理組織を使用する方法により行う場合には、当該署名等については、当該署名等に関する規定にかかわらず、氏名又は名称を明らかにする措置であつて議長が定めるものをもつて代えることができる。

6　議会等に対して通知を行い、又は議会等から通知を受ける者について対面により本人確認をするべき事情がある場合、議会等に対して行われ、又は議会等が行う通知に係る文書等のうちにその原本を確認し、又は交付する必要があるものがある場合

示をする場合に限る。

3　前二項の電子情報処理組織を使用する方法により行われた通知については、当該通知に関するこの規則の規定に規定する方法により行われたものとみなして、当該通知に関するこの規則の規定を適用する。

4　第一項又は第二項の電子情報処理組織を使用する方法により行われた通知は、当該通知を受ける者の使用に係る電子計算機に備えられたファイルへの記録がされた時（第二十一条（日程の作成及び配布）、第九十一条（請願文書表の作成及び配布）第一項、第九十二条（請願の委員会付託）第一項及び第百二十五条（会議録の配布）の規定による議員に対する通知にあつては、当該ファイルへの記録がされた時又は議会等が、当該通知を受ける者が当該通知をすべき電磁的記録（電子的方式、磁気的方式その他人の知覚によつては認識することができない方式で作られる記録であつて、電子計算機（入出力装置を除く。）による情報処理の用に供されるものをいう。次条において同じ。）に記録されている事項を議長が定める方法により表示をしたものの閲覧若しくは当該事項について当該者の使用に係る電子計算機に備えられたファイルへの記録をすることができる措置をとるとともに、当該者に対し、議長が定める電子情報処理組織を使用して当該措置がとられた旨の通知を発した時のいずれか早い時）に当該者に到達したものとみなす。

5　議会等に対して行われ、又は議会等が行う通知のうち当該通知に関するこの規則の規定において署名し、若しくは連署し、又は記名押印すること（以下この項において「署名等」という。）が規定されているものを第一項又は第二項の電子情報処理組織を使用する方法により行う場合には、当該署名等については、当該署名等に関する規定にかかわらず、氏名又は名称を明らかにする措置であつて議長が定めるものをもつて代えることができる。

6　議会等に対して通知を行い、又は議会等から通知を受ける者について対面により本人確認をするべき事情がある場合、議会等に対して行われ、又は議会等が行う通知に係る文書等のうちにその原本を確認し、又は交付する必要があるものがある場合その他の当該通知のうちに第一項又は第二項の電子情報処理組

められる部分がある場合として議長が定める場合には、議長が定めるところにより、当該通知のうち当該部分以外の部分につき、前各項の規定を適用する。この場合において、第三項中「行われた通知」とあるのは、「行われた通知（第六項の規定により前二項の規定を適用する部分に限る。以下この項から第五項までにおいて同じ。）」とする。

（電磁的記録による作成等）

第百二十九条の三　この規則の規定（第二十八条第一項（第八十四条において準用される場合を含む。）を除く。）において議会等が文書等を作成し、又は保存すること（次項において「作成等」という。）が規定されているものについては、当該規定にかかわらず、議長が定めるところにより、当該文書等に係る電磁的記録により行うことができる。

２　前項の電磁的記録により行われた作成等については、当該作成等に関するこの規則の規定により文書等により行われたものとみなして、当該作成等に関するこの規則の規定を適用する。

（会議規則の疑義）

第百三十条　この規則の施行に関し疑義が生じたときは、議長が決める。ただし、異議があるときは、会議に諮つて決める。

附　則

この規則は、　　年　　月　　日から施行する。

別表（第百二十八条関係）

名称	目的	構成員	招集権者

その他の当該通知のうちに第一項又は第二項の電子情報処理組織を使用する方法により行うことが困難又は著しく不適当と認められる部分がある場合として議長が定める場合には、議長が定めるところにより、当該通知のうち当該部分以外の部分につき、前各項の規定を適用する。この場合において、第三項中「行われた通知」とあるのは、「行われた通知（第六項の規定により前二項の規定を適用する部分に限る。以下この項から第五項までにおいて同じ。）」とする。

（電磁的記録による作成等）

第百六十七条の三　この規則の規定（第二十八条（投票用紙の配布及び投票箱の点検）第一項（第七十四条（選挙規定の準用）において準用される場合を含む。）を除く。）において議会等が文書等を作成し、又は保存すること（次項において「作成等」という。）が規定されているものについては、当該規定にかかわらず、議長が定めるところにより、当該文書等に係る電磁的記録により行うことができる。

２　前項の電磁的記録により行われた作成等については、当該作成等に関するこの規則の規定により文書等により行われたものとみなして、当該作成等に関するこの規則の規定を適用する。

（会議規則の疑義に対する措置）

第百六十八条　この規則の疑義は、議長が決定する。ただし、議員から異議があるときは、会議に諮つて決定する。

附　則

この規則は、　　年　　月　　日から施行する。

別表（第百六十六条関係）

名称	目的	構成員	招集権者

織を使用する方法により行うことが困難又は著しく不適当と認められる部分がある場合として議長が定める場合には、議長が定めるところにより、当該通知のうち当該部分以外の部分につき、前各項の規定を適用する。この場合において、第三項中「行われた通知」とあるのは、「行われた通知（第六項の規定により前二項の規定を適用する部分に限る。以下この項から第五項までにおいて同じ。）」とする。

（電磁的記録による作成等）

第百二十九条の三　この規則の規定（第二十九条（投票用紙の配布及び投票箱の点検）第一項（第八十五条（選挙規定の準用）において準用される場合を含む。）を除く。）において議会等が文書等を作成し、又は保存すること（次項において「作成等」という。）が規定されているものについては、当該規定にかかわらず、議長が定めるところにより、当該文書等に係る電磁的記録により行うことができる。

２　前項の電磁的記録により行われた作成等については、当該作成等に関するこの規則の規定により文書等により行われたものとみなして、当該作成等に関するこの規則の規定を適用する。

（会議規則の疑義）

第百三十条　この規則の施行に関し疑義が生じたときは、議長が決める。ただし、異議があるときは、会議に諮つて決める。

附　則

この規則は、　　年　　月　　日から施行する。

「標準」都道府県・市・町村議会委員会条例

○都道府県議会委員会条例

（常任委員会の設置）

第一条 議会に常任委員会を置く。

（常任委員会の名称、委員定数及び所管）

第二条 常任委員会の名称、委員の定数及び所管は、次のとおりとする。

（常任委員の任期）

第三条 常任委員の任期は、○年とする。ただし、後任者が選任されるまで在任する。

2 補欠委員の任期は、前任者の残任期間とする。

〈第三条参考〉〔任期満了前選任とする場合において、任期起算日を明確にする場合の例〕

（常任委員の任期）

第三条 常任委員の任期は、○年とする。ただし、後任者が選任されるまで在任する。

2 補欠委員の任期は、前任者の残任期間とする。

3 第五条（委員の選任）第三項の規定により選任された委員の任期は、前任者の任期満了の日の翌日から起算する。

（議会運営委員会の設置）

第三条の二 議会に議会運営委員会を置く。

○市議会委員会条例

（常任委員会の設置）

第一条 議会に常任委員会を置く。

（常任委員の所属、常任委員会の名称、委員定数及びその所管）

第二条 議員は、少なくとも一の常任委員となるものとする。

2 常任委員会の名称、委員の定数及び所管は、次のとおりとする。

（常任委員の任期）

第三条 常任委員の任期は、○年とする。ただし、後任者が選任されるまで在任する。

2 補欠委員の任期は、前任者の残任期間とする。

（議会運営委員会の設置）

第四条 議会に議会運営委員会を置く。

○町村議会委員会条例

目次〔略〕

第一章 通則

（常任委員会の設置）

第一条 議会に常任委員会を置く。

（常任委員会の名称、委員定数及びその所管）

第二条 常任委員会の名称、委員の定数及び所管は、次のとおりとする。

一 ○○常任委員会　○人
　○○○○○に関する事務

（二号以下同文略）

（常任委員の任期）

第三条 常任委員の任期は、○年とする。ただし、後任者が選任されるまで在任する。

2 補欠委員の任期は、前任者の残任期間とする。

（常任委員の任期の起算）

第四条 常任委員の任期は、選任の日から起算する。ただし、任

2　議会運営委員会の委員の定数は、〇人とする。

3　前項の委員の任期については、前条の規定を準用する。

（特別委員会の設置）

第四条　特別委員会は、必要がある場合において議会の議決で置く。

2　特別委員の定数は、議会の議決で定める。

3　特別委員は、委員会に付議された事件が議会において審議されている間在任する。

（委員の選任）

第五条　常任委員、議会運営委員及び特別委員（以下「委員」という。）は、議長が会議に諮って指名する。ただし、閉会中においては、議長が指名することができる。

2　議員は、少なくとも一の常任委員となるものとする。

3　議長は、常任委員の申出があるときは、会議に諮って当該委員の委員会の所属を変更することができる。ただし、閉会中においては、議長が変更することができる。

4　第一項ただし書の規定により委員を指名したとき及び前項ただし書の規定により委員の所属を変更したときは、議長は、その旨を次の議会に報告しなければならない。

5　第三項の規定により所属を変更した常任委員の任期は、第三条（常任委員の任期）第二項の例による。

〈第五条参考1〉［委員の所属数をそれぞれ〇（例えば一（又は二））とする場合の例］

（委員の選任）

第五条　常任委員、議会運営委員及び特別委員（以下「委員」という。）は、議長が会議に諮って指名する。ただし、閉会中においては、議長が指名することができる。

2　議員は、それぞれ〇（例えば一（又は二））の常任委員となるものとする。

3　議長は、常任委員の申出があるときは、会議に諮って当該委

2　議会運営委員会の委員の定数は、〇人とする。

3　前項の委員の任期については、前条の規定を準用する。

（常任委員及び議会運営委員の任期の起算）

第五条　常任委員及び議会運営委員の任期は、選任の日から起算する。

（特別委員会の設置等）

第六条　特別委員会は、必要がある場合において議会の議決で置く。

2　特別委員の定数は、議会の議決で定める。

3　特別委員は、特別委員会に付議された事件が議会において審議されている間在任する。

（資格審査特別委員会、懲罰特別委員会の設置）

第七条　議員の資格決定の要求又は懲罰の動議があったときは、前条第一項の規定にかかわらず資格審査特別委員会又は懲罰特別委員会が設置されたものとする。（参考）

2　資格審査特別委員及び懲罰特別委員の定数は、前条第二項の規定にかかわらず、〇人とする。（参考）

（委員の選任）

第八条　常任委員、議会運営委員及び特別委員（以下「委員」という。）の選任は、議長の指名による。

2　議長は、委員の選任事由が生じたとき、速やかに選任する。

3　議長は、常任委員の申出があるときは、当該委員の委員会の所属を変更することができる。

4　前項の規定により所属を変更した常任委員の任期は、第三条

期満了による後任者の選任が任期満了前に行われたときは、その選任による委員の任期は、前任の委員の任期満了の日の翌日から起算する。

（議会運営委員会の設置）

第四条の二　議会に議会運営委員会を置く。

2　議会運営委員会の委員の定数は、〇人とする。

3　前項の委員の任期については、前二条の規定を準用する。

（特別委員会の設置）

第五条　特別委員会は、必要がある場合において議会の議決で置く。

2　特別委員の定数は、議会の議決で定める。

3　特別委員は、委員会に付議された事件が議会において審議されている間在任する。

（資格審査特別委員会及び懲罰特別委員会の設置）

第六条　議員の資格決定の要求又は懲罰の動議があったときは、前条第一項の規定にかかわらず、資格審査特別委員会又は懲罰特別委員会が設置されたものとする。（参考）

2　資格審査特別委員会及び懲罰特別委員会の委員の定数は、前条第二項の規定にかかわらず、〇人とする。（参考）

（委員の選任）

第七条　常任委員、議会運営委員及び特別委員（以下「委員」という。）は、議長が会議に諮って指名する。ただし、閉会中においては、議長が指名することができる。

2　議員は、少なくとも一の常任委員となるものとする。

3　常任委員及び議会運営委員の任期満了による後任者の選任は、その任期満了前〇日以内に行うことができる。

員の委員会の所属を変更することができる。ただし、閉会中においては、議長が変更することができる。

4　第一項ただし書の規定により委員を指名したとき及び前項ただし書の規定により委員の所属を変更したときは、議長は、その旨を次の議会に報告しなければならない。

5　第三項の規定により所属を変更した常任委員の任期は、第三条（常任委員の任期）第二項の例による。

〈第五条参考2―1〉〔任期満了前選任とする場合の例〕

（委員の選任）

第五条　常任委員、議会運営委員及び特別委員（以下「委員」という。）は、議長が会議に諮つて指名する。ただし、閉会中においては、議長が指名することができる。

2　議員は、少なくとも一の常任委員となるものとする。

3　常任委員及び議会運営委員の任期満了による後任者の選任は、その任期満了前〇日以内に行うことができる。

4　議長は、常任委員の申出があるときは、会議に諮つて当該委員の委員会の所属を変更することができる。ただし、閉会中においては、議長が変更することができる。

5　第一項ただし書の規定により委員を指名したとき及び前項ただし書の規定により委員の所属を変更したときは、議長は、その旨を次の議会に報告しなければならない。

6　第四項の規定により所属を変更した常任委員の任期は、第三条（常任委員の任期）第二項の例による。

〈第五条参考2―2〉〔任期満了前選任とする場合で委員の所属数をそれぞれ〇（例えば一（又は二））とする場合の例〕

（委員の選任）

第五条　常任委員、議会運営委員及び特別委員（以下「委員」という。）は、議長が会議に諮つて指名する。ただし、閉会中においては、議長が指名することができる。

2　議員は、それぞれ〇（例えば一（又は二））の常任委員となるものとする。

3　常任委員及び議会運営委員の任期満了による後任者の選任は、その任期満了前〇日以内に行うことができる。

4　議長は、常任委員の申出があるときは、会議に諮つて当該委員の委員会の所属を変更することができる。ただし、閉会中に

（常任委員の任期）第二項の例による。

4　議長は、常任委員の申出があるときは、会議に諮つて当該委員の委員会の所属を変更することができる。ただし、閉会中においては、議長が変更することができる。

5　前項の規定により所属を変更した常任委員の任期は、第三条（常任委員の任期）第二項の例による。

おいては、議長が変更することができる。

5　第一項ただし書の規定により委員を指名したとき及び前項ただし書の規定により委員の所属を変更したときは、議長は、その旨を次の議会に報告しなければならない。

6　第四項の規定により所属を変更した常任委員の任期は、第三条〔常任委員の任期〕第二項の例による。

〈第五条参考3―1〉〔委員の選任を議長指名とする場合の例〕

（委員の選任）

第五条　常任委員、議会運営委員及び特別委員（以下「委員」という。）の選任は、議長の指名による。

2　議員は、少なくとも一の常任委員となるものとする。

3　議長は、常任委員の申出があるときは、当該委員の委員会の所属を変更することができる。

4　第一項の規定により委員を指名したとき及び前項の規定により委員の所属を変更したときは、議長は、その旨を次の会議に報告しなければならない。

5　第三項の規定により所属を変更した常任委員の任期は、第三条〔常任委員の任期〕第二項の例による。

〈第五条参考3―2〉〔委員の選任を議長指名とする場合で委員の所属数をそれぞれ○（例えば一（又は二））とする場合の例〕

（委員の選任）

第五条　常任委員、議会運営委員及び特別委員（以下「委員」という。）の選任は、議長の指名による。

2　議員は、それぞれ○（例えば一（又は二））の常任委員となるものとする。

3　議長は、常任委員の申出があるときは、当該委員の委員会の所属を変更することができる。

4　第一項の規定により委員を指名したとき及び前項の規定により委員の所属を変更したときは、議長は、その旨を次の会議に報告しなければならない。

5　第三項の規定により所属を変更した常任委員の任期は、第三条〔常任委員の任期〕第二項の例による。

（委員長及び副委員長）

（委員長及び副委員長）

（委員長及び副委員長）

第六条 常任委員会、議会運営委員会及び特別委員会（以下「委員会」という。）に委員長及び副委員長一人を置く。
2 委員長及び副委員長は、委員会において互選する。
3 委員長及び副委員長の任期は、委員の任期による。

〈第六条参考１〉〔正副委員長を会議に諮って指名する場合の例〕

（委員長及び副委員長）
第六条 常任委員会、議会運営委員会及び特別委員会（以下「委員会」という。）に委員長及び副委員長一人を置く。
2 委員長及び副委員長は、議長が、当該委員会の委員のうちから会議に諮つて指名する。
3 委員長及び副委員長の任期は、委員の任期による。

〈第六条参考２〉〔正副委員長を会議に諮らないで議長指名とする場合の例〕

（委員長及び副委員長）
第六条 常任委員会、議会運営委員会及び特別委員会（以下「委員会」という。）に委員長及び副委員長一人を置く。
2 委員長及び副委員長は、議長が、当該委員会の委員のうちから指名する。
3 前項の規定により委員長及び副委員長を指名したときは、議長は、その旨を次の会議に報告しなければならない。
4 委員長及び副委員長の任期は、委員の任期による。

（委員長及び副委員長がともにないときの互選）
第七条 委員長及び副委員長がともにないときは、議長が委員会の招集日時及び場所（第十二条の二第二項の規定により全ての委員が委員会に出席しているものとみなされる場合はその旨。第二十一条第二項において同じ。）を定めて、委員長の互選を行わせる。
2 前項の互選に関する職務は、年長の委員が行う。

（委員長の議事整理、秩序保持権）
第八条 委員長は、委員会の議事を整理し、秩序を保持する。

（委員長の職務代行）
第九条 委員長に事故があるとき又は委員長が欠けたときは、副委員長が委員長の職務を行う。
2 委員長及び副委員長にともに事故があるときは、年長の委員

第九条 常任委員会、議会運営委員会及び特別委員会（以下「委員会」という。）に委員長及び副委員長一人を置く。
2 委員長及び副委員長は、委員会において互選する。
3 委員長及び副委員長の任期は、委員の任期による。

（委員長及び副委員長がともにないときの互選）
第十条 委員長及び副委員長がともにないときは、議長が委員会の招集日時及び場所を定めて、委員長の互選を行わせる。
2 前項の互選の場合には、年長の委員が委員長の職務を行う。

（委員長の議事整理権・秩序保持権）
第十一条 委員長は、委員会の議事を整理し、秩序を保持する。

（委員長の職務代行）
第十二条 委員長に事故があるとき又は委員長が欠けたときは、副委員長が委員長の職務を行う。
2 委員長及び副委員長ともに事故があるときは、年長の委員が委員長の職務を行う。

（委員長、副委員長の辞任）
第十三条 委員長及び副委員長が辞任しようとするときは、委員

第八条 常任委員会、議会運営委員会及び特別委員会（以下「委員会」という。）に、委員長及び副委員長一人を置く。
2 委員長及び副委員長は、委員会において互選する。
3 委員長及び副委員長の任期は、委員の任期による。

（委員長及び副委員長がともにないときの互選）
第九条 委員長及び副委員長がともにないときは、議長が委員会の招集日時及び場所を定めて、委員長の互選を行わせる。
2 前項の互選に関する職務は、年長の委員が行う。

（委員長の議事整理及び秩序保持権）
第十条 委員長は、委員会の議事を整理し、秩序を保持する。

（委員長の職務代行）
第十一条 委員長に事故があるとき又は委員長が欠けたときは、副委員長が委員長の職務を行う。
2 委員長及び副委員長にともに事故があるときは、年長の委員

が委員長の職務を行う。

（委員長、副委員長の辞任）

第十条　委員長及び副委員長が辞任しようとするときは、委員会の許可を得なければならない。

〔第十条参考〕〔正副委員長の辞任を議長許可とする場合の例〕

（委員長、副委員長の辞任）

第十条　委員長及び副委員長が辞任しようとするときは、議長の許可を得なければならない。

２　前項の規定により委員長及び副委員長の辞任を許可したときは、議長は、その旨を次の会議に報告しなければならない。

（議会運営委員及び特別委員の辞任）

第十一条　議会運営委員及び特別委員が辞任しようとするときは、議会の許可を得なければならない。ただし、閉会中においては、議長が許可することができる。

２　前項ただし書の規定により議会運営委員及び特別委員の辞任を許可したときは、議長は、その旨を次の議会に報告しなければならない。

〔第十一条参考〕〔委員の辞任を議長許可とする場合の例〕

（議会運営委員及び特別委員の辞任）

第十一条　議会運営委員及び特別委員が辞任しようとするときは、議長の許可を得なければならない。

２　前項の規定により議会運営委員及び特別委員の辞任を許可したときは、議長は、その旨を次の会議に報告しなければならない。

（招集）

第十二条　委員会は、委員長が招集する。

２　委員の定数の半数以上の者から審査又は調査すべき事件を示して招集の請求があつたときは、委員長は、委員会を招集しなければならない。

（出席の特例）

第十二条の二　委員長は、委員について、次に掲げる場合に該当すると認めるときは、映像と音声の送受信により相手の状態を相互に認識しながら通話をすることができる方法（次項におい

会の許可を得なければならない。

（委員の辞任）

第十四条　委員が辞任しようとするときは、議長の許可を得なければならない。

（招集）

第十五条　委員会は、委員長が招集する。

２　委員の定数の半数以上の者から審査又は調査すべき事件を示して招集の請求があつたときは、委員長は、委員会を招集しなければならない。

（委員会の開会方法の特例）

第十五条の二　委員長は、大規模な災害等の発生等又は重大な感染症のまん延により委員が委員会の開会場所に参集することが困難と認めるときは、映像と音声の送受信により相手の状態を

が委員長の職務を行う。

（委員長、副委員長及び委員の辞任）

第十二条　委員長及び副委員長が辞任しようとするときは、委員会の許可を得なければならない。

２　委員が辞任しようとするときは、議会の許可を得なければならない。ただし、閉会中においては、議長が許可することができる。

第二章　会議及び規律

（招集）

第十三条　委員会は、委員長が招集する。

２　委員の定数の半数以上の者から審査又は調査すべき事件を示して招集の請求があつたときは、委員長は、委員会を招集しなければならない。

（開会の特例）

第十三条の二　委員長は、委員について、次に掲げる場合に該当すると認めるときは、映像と音声の送受信により相手の状態を相互に認識しながら通話をすることができる方法（以下この条

て「オンラインによる方法」という。）によつて、当該委員に発言その他の行為をさせることができる。

一　大規模な災害の発生、感染症のまん延その他の委員個人の責に帰することができない事由により委員会を招集しようとする場所に参集することが困難である場合

二　育児、介護その他のやむを得ない事由により委員会を招集しようとする場所に参集することが困難である場合

2　前項の規定によりオンラインによる方法によつて発言その他の行為をする委員は、この条例の規定の適用については、委員会に出席しているものとみなす。

〈第十二条の二参考〉〔開会の特例とする場合の例〕

（開会の特例）

第十二条の二　委員長は、委員について、次に掲げる場合に該当すると認めるときは、映像と音声の送受信により相手の状態を相互に認識しながら通話をすることができる方法（以下この条において「オンラインによる方法」という。）によつて、委員会を開会することができる。

一　大規模な災害の発生、感染症のまん延その他の委員個人の責に帰することができない事由により委員会を招集しようとする場所に参集することが困難である場合

二　育児、介護その他のやむを得ない事由により委員会を招集しようとする場所に参集することが困難である場合

2　前項の規定により委員会が開会される場合において、委員は、当該委員会でオンラインによる方法によつて発言その他の行為をするときは、あらかじめ委員長の許可を得なければならない。

3　第一項の規定により開会された委員会に、オンラインによる方法によつて発言その他の行為をする委員は、この条例の規定の適用については、当該委員会に出席しているものとみなす。

（定足数）

相互に認識しながら通話をすることができる方法（以下「オンラインによる方法」という。）で委員会を開くことができる。ただし、第二十条《秘密会》第一項の秘密会は、この限りでない。

2　前項の規定により開く委員会において、オンラインによる方法で出席を希望する委員は、あらかじめ委員長に届け出なければならない。

3　前項の規定による届出をして、委員会に出席する委員は、この条例の規定の適用については、当該委員会に出席しているものとみなす。

4　オンラインによる方法での委員会の開会方法その他必要な事項は、議長が別に定める。

〈第十五条の二参考〉〔オンライン委員会の対象に育児等を加える場合の参考〕

（委員会の開会方法の特例）

第十五条の二　委員長は、委員について、次に掲げる場合に該当すると認めるときは、映像と音声の送受信により相手の状態を相互に認識しながら通話をすることができる方法（以下この条において「オンラインによる方法」という。）によつて、委員会を開会することができる。ただし、第二十条《秘密会》第一項の秘密会は、この限りでない。

一　大規模な災害の発生、感染症のまん延その他の委員個人の責に帰することができない事由により委員会を招集しようとする場所に参集することが困難である場合

二　育児、介護その他のやむを得ない事由により委員会を招集しようとする場所に参集することが困難である場合

2　前項の規定により委員会が開会される場合において、オンラインによる方法で出席を希望する委員は、あらかじめ委員長の許可を得なければならない。

3　第一項の規定により開会された委員会に、オンラインによる方法で出席する委員は、この条例の規定の適用については、当該委員会に出席しているものとみなす。

4　オンラインによる方法での委員会の開会方法その他必要な事項は、議長が別に定める。

（定足数）

において「オンラインによる方法」という。）を活用して委員会を開会することができる。

一　大規模な災害の発生、感染症のまん延その他の委員個人の責に帰することができない事由により委員会を招集しようとする場所に参集することが困難である場合

二　育児、介護その他のやむを得ない事由により委員会を招集しようとする場所に参集することが困難である場合（参考）

2　前項の規定により委員会が開会される場合において、オンラインによる方法によつて出席を希望する委員は、あらかじめ委員長の許可を得なければならない。（参考）

3　オンラインによる方法を活用した委員会の開会方法その他必要な事項は、議長が別に定める。（参考）

（定足数）

第十三条　委員会は、委員の定数の半数以上の委員が出席しなければ会議を開くことができない。ただし、第十五条（委員長及び委員の除斥）の規定による除斥のため半数に達しないときは、この限りでない。

（表決）

第十四条　委員会の議事は、出席委員の過半数で決し、可否同数のときは、委員長の決するところによる。

２　前項の場合においては、委員長は、委員として議決に加わることができない。

（委員長及び委員の除斥）

第十五条　委員長及び委員は、自己若しくは父母、祖父母、配偶者、子、孫若しくは兄弟姉妹の一身上に関する事件又は自己若しくはこれらの者の従事する業務に直接の利害関係のある事件については、その議事に参与することができない。ただし、委員会の同意があつたときは、会議に出席し、発言することができる。

（傍聴の取扱い）

第十六条　委員会は、これを公開する。ただし、その議決により秘密会とすることができる。

第十七条　削除

（出席説明の要求）

第十八条　委員会は、審査又は調査のため、知事、教育委員会の教育長、選挙管理委員会の委員長、人事委員会の委員長、公安

第十六条　委員会は、委員の定数の半数以上の委員が出席しなければ会議を開くことができない。ただし、第十八条（委員長及び委員の除斥）の規定による除斥のため半数に達しないときは、この限りでない。

（表決）

第十七条　委員会の議事は、出席委員の過半数で決し、可否同数のときは、委員長の決するところによる。

２　前項の場合においては、委員長は、委員として議決に加わることができない。

（委員長及び委員の除斥）

第十八条　委員長及び委員は、自己若しくは父母、祖父母、配偶者、子、孫若しくは兄弟姉妹の一身上に関する事件又は自己若しくはこれらの者の従事する業務に直接の利害関係のある事件については、その議事に参与することができない。ただし、委員会の同意があつたときは、会議に出席し、発言することができる。

（傍聴の取扱）

第十九条　委員会は、議員のほか、委員長の許可を得た者が傍聴することができる。

２　委員長は、必要があると認めるときは、傍聴人の退場を命ずることができる。

（秘密会）

第二十条　委員会は、その議決で秘密会とすることができる。

２　委員会を秘密会とする委員長又は委員の発議については、討論を用いないで委員会に諮つて決める。

（出席説明の要求）

第二十一条　委員会は、審査又は調査のため、市長、教育委員会の教育長、選挙管理委員会の委員長、公平委員会の委員長、農

第十四条　委員会は、委員の定数の半数以上の委員が出席しなければ会議を開くことができない。ただし、第十六条（委員長及び委員の除斥）の規定による除斥のため半数に達しないときは、この限りでない。

（表決）

第十五条　委員会の議事は、出席委員の過半数で決し、可否同数のときは、委員長の決するところによる。

２　前項の場合においては、委員長は、委員として議決に加わることができない。

（委員長及び委員の除斥）

第十六条　委員長及び委員は、自己若しくは父母、祖父母、配偶者、子、孫若しくは兄弟姉妹の一身上に関する事件又は自己若しくはこれらの者の従事する業務に直接の利害関係のある事件については、その議事に参与することができない。ただし、委員会の同意があつたときは、会議に出席して、発言することができる。

（傍聴の取扱）

第十七条　委員会は、議員のほか、委員長の許可を得た者が傍聴することができる。

２　委員長は、必要があると認めるときは、傍聴人の退場を命ずることができる。

（秘密会）

第十八条　委員会は、その議決で秘密会とすることができる。

２　委員会を秘密会とする委員長又は委員の発議については、討論を用いないで委員会に諮つて決める。

〈第十三条の二を規定した場合の参考〉

（秘密会）

第十八条　委員会（第十三条の二（開会の特例）第一項の規定により開会するものを除く。）は、その議決で秘密会とすることができる。

２　委員会を秘密会とする委員長又は委員の発議については、討論を用いないで委員会に諮つて決める。

（出席説明の要求）

第十九条　委員会は、審査又は調査のため、町（村）長、教育委員会の教育長、選挙管理委員会の委員長、公平委員会の委員

委員会の委員長、労働委員会の委員及び監査委員その他法律に基づく委員会の代表者又は委員並びにその委任又は嘱託を受けた者に対し、説明のため出席を求めようとするときは、議長を経てしなければならない。

（議事妨害及び離席の禁止）

第十九条　何人も、会議中は、みだりに発言し、騒ぎ、その他議事の妨害となる言動をしてはならない。

2　委員は、会議中みだりに離席してはならない。

（秩序保持に関する措置）

第二十条　委員会において地方自治法（昭和二十二年法律第六十七号）、会議規則又はこの条例に違反し、その他委員会の秩序を乱す委員があるときは、委員長は、これを制止し、又は発言を取り消させることができる。

2　委員が前項の規定による命令に従わないときは、委員長は、当日の委員会が終わるまで発言を禁止し、又は退場させることができる。

3　委員長は、委員会が騒然として整理することが困難であると認めるときは、委員会を閉じ、又は中止することができる。

4　委員長は、必要があると認めるときは、傍聴人の退場を命ずることができる。

（公聴会開催の手続）

第二十一条　委員会が、公聴会を開こうとするときは、議長の承認を得なければならない。

2　議長は、前項の承認をしたときは、その日時、場所及び意見を聴こうとする案件その他必要な事項を公示する。

（意見を述べようとする者の申出）

第二十二条　公聴会に出席して意見を述べようとする者は、文書であらかじめその理由及び案件に対する賛否を、その委員会に申し出なければならない。

2　前項の規定にかかわらず、同項の規定による申出は、委員長が定めるところにより、委員長が定める電子情報処理組織（委員会又は委員長の使用に係る電子計算機（入出力装置を含む。以下この項において同じ。）とその通知の相手方の使用に係る

業委員会の会長及び監査委員その他法律に基づく委員会の代表者又は委員並びにその委任又は嘱託を受けた者に対し、説明のため出席を求めようとするときは、議長を経てしなければならない。

2　前項の規定により出席を求められた者がオンラインによる方法で説明するときは、議長を経て、委員会にその旨を申し出なければならない。（参考）

（秩序保持に関する措置）

第二十二条　委員会において地方自治法（昭和二十二年法律第六十七号。以下「法」という。）、会議規則又はこの条例に違反し、その他委員会の秩序を乱す委員があるときは、委員長は、これを制止し、又は発言を取り消させることができる。

2　委員が前項の規定による命令に従わないときは、委員長は、当日の委員会が終わるまで発言を禁止し、又は退場させることができる。

3　委員長は、委員会が騒然として整理することが困難であると認めるときは、委員会を閉じ、又は中止することができる。

（公聴会開催の手続）

第二十三条　委員会が、公聴会を開こうとするときは、議長の承認を得なければならない。

2　議長は、前項の承認をしたときは、その日時、場所及び意見を聴こうとする案件その他必要な事項を公示する。

（意見を述べようとする者の申出）

第二十四条　公聴会に出席して意見を述べようとする者は、文書であらかじめその理由及び案件に対する賛否を、その委員会に申し出なければならない。

2　前項の規定にかかわらず、前項の規定による申出は、委員長が定めるところにより、委員長が定める電子情報処理組織（委員会又は委員長の使用に係る電子計算機（入出力装置を含む。以下この項において同じ。）とその通知の相手方の使用に係る

長、農業委員会の会長及び監査委員その他法律に基づく委員会の代表者又は委員並びにその委任又は嘱託を受けた者に対し、説明のため出席を求めようとするときは、議長を経てしなければならない。

（秩序保持に関する措置）

第二十条　委員会において地方自治法（昭和二十二年法律第六十七号）、会議規則又はこの条例に違反し、その他委員会の秩序を乱す委員があるときは、委員長は、これを制止し、又は発言を取り消させることができる。

2　委員が前項の規定による命令に従わないときは、委員長は、当日の委員会が終わるまで発言を禁止し、又は退場させることができる。

3　委員長は、委員会が騒然として整理することが困難であると認めるときは、委員会を閉じ、又は中止することができる。

第三章　公聴会

（公聴会開催の手続）

第二十一条　委員会が、公聴会を開こうとするときは、議長の承認を得なければならない。

2　議長は、前項の承認をしたときは、その日時、場所及び意見を聴こうとする案件その他必要な事項を公示する。

（意見を述べようとする者の申出）

第二十二条　公聴会に出席して意見を述べようとする者は、文書であらかじめその理由及び案件に対する賛否を、その委員会に申し出なければならない。

2　前項の規定にかかわらず、同項の規定による申出は、委員長が定めるところにより、委員長が定める電子情報処理組織（委員会又は委員長の使用に係る電子計算機（入出力装置を含む。以下この項において同じ。）とその通知の相手方の使用に係る

電子計算機とを電気通信回線で接続した電子情報処理組織をいう。第二十六条において同じ。）を使用する方法により行うことができる。

（公述人の決定）

第二十三条　公聴会において意見を聴こうとする利害関係者及び学識経験者等（以下「公述人」という。）は、前条の規定によりあらかじめ申し出た者及びその他の者の中から、委員会において定め、議長を経て、本人にその旨を通知する。

２　あらかじめ申し出た者の中に、その案件に対して、賛成者及び反対者があるときは、一方に偏らないように公述人を選ばなければならない。

（公述人の発言）

第二十四条　公述人が発言しようとするときは、委員長の許可を得なければならない。

２　前項の発言は、その意見を聴こうとする案件の範囲を超えてはならない。

３　公述人の発言がその範囲を超え、又は公述人に不穏当な言動があるときは、委員長は、発言を制止し、又は退席させることができる。

（委員と公述人の質疑）

第二十五条　委員は、公述人に対し質疑をすることができる。

２　公述人は、委員に対し質疑をすることができない。

（代理人又は文書等による意見の陳述）

第二十六条　公述人は、代理人に意見を述べさせ、又は文書若しくは電子情報処理組織を使用する方法により意見を提示することができない。ただし、委員会が特に許可した場合は、この限りでない。

（参考人）

第二十六条の二　委員会が、参考人の出席を求めるには、議長を経なければならない。

２　前項の場合において、議長は、参考人にその日時、場所及び意見を聴こうとする案件その他必要な事項を通知しなければならない。

電子計算機とを電気通信回線で接続した電子情報処理組織をいう。第二十八条において同じ。）を使用する方法により行うことができる。

（公述人の決定）

第二十五条　公聴会において意見を聞こうとする利害関係者及び学識経験者等（以下「公述人」という。）は、前条の規定によりあらかじめ申し出た者及びその他の者の中から、委員会において定め、議長を経て、本人にその旨を通知する。

２　あらかじめ申し出た者の中に、その案件に対して、賛成者及び反対者があるときは、一方に偏らないように公述人を選ばなければならない。

（公述人の発言）

第二十六条　公述人が発言しようとするときは、委員長の許可を得なければならない。

２　公述人の発言は、その意見を聴こうとする案件の範囲を超えてはならない。

３　公述人の発言がその範囲を超え、又は公述人に不穏当な言動があるときは、委員長は、発言を制止し、又は退席させることができる。

（委員と公述人の質疑）

第二十七条　委員は、公述人に対して質疑をすることができる。

２　公述人は、委員に対して質疑をすることができない。

（代理人又は文書等による意見の陳述）

第二十八条　公述人は、代理人に意見を述べさせ、又は文書若しくは電子情報処理組織を使用する方法により意見を提示することができない。ただし、委員会が特に許可した場合は、この限りでない。

（参考人）

第二十九条　委員会が、参考人の出席を求めるには、議長を経なければならない。

２　前項の場合において、議長は、参考人にその日時、場所及び意見を聴こうとする案件その他必要な事項を通知しなければならない。

電子計算機とを電気通信回線で接続した電子情報処理組織をいう。第二十六条（代理人又は文書等による意見の陳述）において同じ。）を使用する方法により行うことができる。

（公述人の決定）

第二十三条　公聴会において意見を聴こうとする利害関係者及び学識経験者等（以下「公述人」という。）は、前条の規定によりあらかじめ申し出た者及びその他の者の中から、委員会において定め、議長を経て、本人にその旨を通知する。

２　あらかじめ申し出た者の中に、その案件に対して、賛成者及び反対者があるときは、一方に偏らないように公述人を選ばなければならない。

（公述人の発言）

第二十四条　公述人が発言しようとするときは、委員長の許可を得なければならない。

２　前項の発言は、その意見を聴こうとする案件の範囲を超えてはならない。

３　公述人の発言がその範囲を超え、又は公述人に不穏当な言動があるときは、委員長は、発言を制止し、又は退席させることができる。

（委員と公述人の質疑）

第二十五条　委員は、公述人に対して質疑をすることができる。

２　公述人は、委員に対して質疑をすることができない。

（代理人又は文書等による意見の陳述）

第二十六条　公述人は、代理人に意見を述べさせ、又は文書若しくは電子情報処理組織を使用する方法により意見を提示することができない。ただし、委員会が特に許可した場合は、この限りでない。

第四章　参考人

（参考人）

第二十六条の二　委員会が、参考人の出席を求めるには、議長を経なければならない。

２　前項の場合において、議長は、参考人にその日時、場所及び意見を聴こうとする案件その他必要な事項を通知しなければならない。

3　参考人については、第二十四条（公述人の発言）、第二十五条（委員と公述人の質疑）及び第二十六条（代理人又は文書による意見の陳述）の規定を準用する。

（記録）

第二十七条　委員長は、職員をして会議の概要、出席委員の氏名等必要な事項を記載した記録を作成させ、これに署名又は押印しなければならない。

2　前項の記録は、議長が保管する。

3　第一項の規定にかかわらず、同項の規定による記録の作成は、議長が定めるところにより、当該記録に係る電磁的記録（電子的方式、磁気的方式その他人の知覚によつては認識することができない方式で作られる記録であつて、電子計算機による情報処理の用に供されるものをいう。）により行うことができる。この場合において、同項の規定による署名又は押印については、同項の規定にかかわらず、氏名又は名称を明らかにする措置であつて議長が定めるものをもつて代えることができる。

（会議規則との関係）

第二十八条　この条例に定めるもののほか、委員会に関しては、会議規則の定めるところによる。

附　則

この条例は、　　年　　月　　日から施行する。

3　参考人は、オンラインによる方法により委員会で意見を述べることができる。

4　参考人については、第二十六条（公述人の発言）、第二十七条（委員と公述人の質疑）及び第二十八条（代理人又は文書等による意見の陳述）の規定を準用する。

（記録）

第三十条　委員長は、職員をして会議の概要、出席委員の氏名等必要な事項を記載した記録を作成させ、これに署名又は押印しなければならない。

2　前項の記録は、議長が保管する。

3　第一項の規定にかかわらず、同項の規定による記録の作成は、議長が定めるところにより、当該記録に係る電磁的記録（電子的方式、磁気的方式その他人の知覚によつては認識することができない方式で作られる記録であつて、電子計算機による情報処理の用に供されるものをいう。）により行うことができる。この場合において、同項の規定による署名又は押印については、同項の規定にかかわらず、氏名又は名称を明らかにする措置であつて議長が定めるものをもつて代えることができる。

（会議規則への委任）

第三十一条　この条例に定めるもののほか、委員会に関しては、会議規則の定めるところによる。

附　則

この条例は、　　年　　月　　日から施行する。

3　参考人については、第二十四条（公述人の発言）、第二十五条（委員と公述人の質疑）及び第二十六条（代理人又は文書による意見の陳述）の規定を準用する。

第五章　記録

（記録）

第二十七条　委員長は、職員をして会議の概要、出席委員の氏名等必要な事項を記載した記録を作成させ、これに署名又は記名押印しなければならない。

2　前項の記録は、議長が保管する。

3　第一項の規定にかかわらず、同項の規定による記録の作成は、議長が定めるところにより、当該記録に係る電磁的記録（電子的方式、磁気的方式その他人の知覚によつては認識することができない方式で作られる記録であつて、電子計算機による情報処理の用に供されるものをいう。）により行うことができる。この場合において、同項の規定による署名又は記名押印については、同項の規定にかかわらず、氏名又は名称を明らかにする措置であつて議長が定めるものをもつて代えることができる。

第六章　補則

（会議規則との関係）

第二十八条　この条例に定めるもののほか、委員会に関しては、会議規則の定めるところによる。

附　則

この条例は、　　年　　月　　日から施行する。

「標準」都道府県・市・町村議会傍聴規則

○都道府県議会傍聴規則

（この規則の目的）
第一条　この規則は、地方自治法（昭和二十二年法律第六十七号）第百三十条第三項の規定に基づき会議の傍聴に関し必要な事項を定めることを目的とする。

（傍聴席の区分）
第二条　傍聴席は、一般席及び報道関係者席に分ける。

（傍聴人の定員）
第三条　一般席の傍聴人の定員は、○○人とする。

（傍聴券等の交付）
第四条　会議を傍聴しようとする者は、傍聴券又は傍聴〔証／章〕の交付を受けなければならない。

（傍聴券）
第五条　傍聴券は、会議当日〔議会事務局所定の場所／受付〕で先着順により交付する。
2　傍聴券の交付を受けた者は、傍聴券に記載された日に限り、傍聴することができる。

（傍聴券への記入）
第六条　傍聴券の交付を受けた者は、傍聴券に住所及び氏名を記入しなければならない。

（傍聴〔証／章〕）

○市議会傍聴規則

（趣旨）
第一条　この規則は、地方自治法（昭和二十二年法律第六十七号。以下「法」という。）第百三十条第三項の規定に基づき、傍聴に関し必要な事項を定めるものとする。

（傍聴席の区分）
第二条　傍聴席は、一般席及び報道関係者席に分ける。

（傍聴券等の交付）
第三条　会議を傍聴しようとする者は、傍聴券又は傍聴〔証／章〕の交付を受けなければならない。

（傍聴券）
第四条　傍聴券の種別は、一般傍聴券及び団体傍聴券とする。
2　一般傍聴券は、会議当日所定の場所で先着順により交付する。
3　団体傍聴券は、その代表者又は責任者に交付する。
4　傍聴券の交付を受けた者は、傍聴券に記載された日に限り傍聴することができる。

（傍聴〔証／章〕）
第五条　傍聴〔証／章〕は、報道関係者及び○○市職員で、議長が特に必要があると認める者に交付する。
2　傍聴〔証／章〕の交付を受けた者は、当該会期を通じて傍聴すること

○町村議会傍聴規則

（この規則の目的）
第一条　この規則は、地方自治法（昭和二十二年法律第六十七号）第百三十条第三項の規定に基づき、傍聴に関し必要な事項を定めることを目的とする。

（傍聴席の区分）
第二条　傍聴席は、一般席及び報道関係者席に分ける。

（傍聴人の定員）
第三条　一般席の定員は、○○人とする。

（傍聴の手続）
第四条　会議を傍聴しようとする者は、所定の場所で自己の住所、氏名及び年齢を傍聴人受付票に記入しなければならない。

（傍聴券）
第五条　議長は、必要があると認めるときは、前条の規定にかかわらず傍聴券を交付することができる。
2　傍聴券は、会議当日所定の場所で先着順により交付する。
3　傍聴券の交付を受けた者は、傍聴券に住所、氏名及び年齢を記入しなければならない。
4　傍聴券の交付を受けた者は、傍聴券に記載された日に限り傍聴することができる。
5　傍聴人が入場しようとするときは、所定の入口で傍聴券を提示しなければならない。
6　傍聴人は、係員から要求を受けたときは、傍聴券を提示しなければならない。
7　傍聴券の交付を受けた者は、傍聴を終え退場しようとすると

第七条　傍聴証（章）は、報道関係者及び（何都道府県）職員で議長が特に必要があると認めるものに交付する。
２　傍聴証（章）の交付を受けた者は、当該会期を通じて、傍聴することができる。
（傍聴人の入場）
第八条　傍聴人が入場しようとするときは、指定の入口で傍聴券又は傍聴証（章）を提示しなければならない。
（傍聴券等の提示）
第九条　傍聴人は、係員から要求を受けたときは、傍聴券又は傍聴証（章）を提示しなければならない。
（傍聴券等の返還）
第十条　傍聴券の交付を受けた者は、傍聴を終え退場しようとするときは、これを返還しなければならない。
２　傍聴証（章）の交付を受けた者は、当該会期が終わつたときは、これを返還しなければならない。
（電子情報処理組織による傍聴券の交付等）
第十条の二　議長は、第五条の規定による傍聴券の交付又は第七条の規定による傍聴証（章）の交付に代えて、議長が定めるところにより、会議を傍聴しようとする者の承諾を得て、傍聴券又は傍聴証（章）に記載すべき事項を議長が定める電子情報処理組織（議長の使用に係る電子計算機（入出力装置を含む。以下この項において同じ。）とその交付の相手方の使用に係る電子計算機とを電気通信回線で接続した電子情報処理組織をいう。次項及び第三項において同じ。）を使用する方法により提供することができる。この場合において、議長は、傍聴券又は傍聴証（章）を交付したものとみなす。

ができる。

（傍聴券への記入）

第六条　傍聴券の交付を受けた者は、傍聴券に住所、氏名及び年齢を記入しなければならない。
２　団体傍聴券には、団体の名称、人員、代表者又は責任者の住所、氏名及び年齢を記入しなければならない。
（傍聴人の入場）
第七条　傍聴人が入場しようとするときは、傍聴人入口で傍聴券又は傍聴証（章）を係員に提示しなければならない。
（傍聴券等の提示）
第八条　傍聴人は、係員から要求を受けたときは、傍聴券又は傍聴証（章）を提示しなければならない。
（傍聴券等の返還）
第九条　傍聴券の交付を受けた者は、傍聴を終え退場しようとするときは返還しなければならない。
２　傍聴証（章）の交付を受けた者は、当該会期が終つたときに返還しなければならない。
（傍聴人の定員）
第十条　傍聴人の定員は、〇〇人とする。
２　傍聴人が前項の定員に達したときは、傍聴券又は傍聴証（章）を所持する者でも入場させないことがある。
（議場への入場禁止）
第十一条　傍聴人は、議場に入ることができない。
（傍聴席に入ることができない者）
第十二条　次に該当する者は、傍聴席に入ることができない。
一　銃器その他危険なものを持つている者
二　酒気を帯びていると認められる者
三　異様な服装をしている者
四　張り紙、ビラ、掲示板、プラカード、旗、のぼりの類を持つている者
五　笛、ラッパ、太鼓その他楽器の類を持つている者

きは、これを返還しなければならない。

（議場への入場禁止）

第六条　傍聴人は、議場に入ることができない。

（傍聴席に入ることができない者）

第七条　次に該当する者は、傍聴席に入ることができない。
一　銃器、棒その他人に危害を加え、又は迷惑を及ぼすおそれのある物を携帯している者
二　張り紙、ビラ、掲示板、プラカード、旗、のぼり、垂れ幕、かさの類を携帯している者
三　鉢巻、腕章、たすき、リボン、ゼッケン、ヘルメットの類を着用し、又は携帯している者
四　ラジオ、拡声器、無線機、マイク、録音機、写真機、映写機の類を携帯している者。ただし、第九条の規定により、撮影又は録音することにつき議長の許可を得た者を除く。
五　笛、ラッパ、太鼓その他の楽器の類を携帯している者
六　下駄、木製サンダルの類を履いている者
七　酒気を帯びていると認められる者
八　異様な服装をしている者
九　その他議事を妨害することを疑うに足りる顕著な事情が認められる者
２　議長は、必要と認めたときは、傍聴人に対し、係員をして、前項第一号から第五号までに規定する物品を携帯しているか否かを質問させることができる。
３　議長は、前項の質問を受けた者がこれに応じないときは、その者の入場を禁止することができる。
４　児童及び乳幼児は、傍聴席に入ることができない。ただし、議長の許可を得た場合は、この限りでない。
（傍聴人の守るべき事項）
第八条　傍聴人は、傍聴席にあるときは、静粛を旨とし、次の事項を守らなければならない。
一　議場における言論に対して拍手その他の方法により公然と可否を表明しないこと。
二　談論し、放歌し、高笑し、その他騒ぎ立てないこと。
三　鉢巻、腕章、たすき、リボン、ゼッケン、ヘルメットの類を着用し、又は張り紙、旗、垂れ幕の類を掲げる等示威的行

2　前項の規定により傍聴券又は傍聴証（章）の交付を電子情報処理組織を使用する方法により行う場合において、第五条中「会議当日議会事務局所定の場所（受付）で先着順により」とあるのは「議長が定めるところにより」と、第八条及び第九条中「傍聴券又は傍聴証（章）を提示しなければならない」とあるのは「第十条の二第一項の規定による提供を受けたことについて、議長が定める方法により確認を受けなければならない」とする。

3　第一項の規定により傍聴券又は傍聴証（章）の交付を電子情報処理組織を使用する方法により行う場合は、第六条及び前条の規定は適用しない。

（議場への入場禁止）

第十一条　傍聴人は、議場に入ることができない。

（傍聴席に入ることができない者）

第十二条　次に該当する者は、傍聴席に入ることができない。

一　銃器、棒その他人に危害を加え、又は迷惑を及ぼすおそれのある物を携帯している者

二　張り紙、ビラ、掲示板、プラカード、旗、のぼり、垂れ幕、かさの類を携帯している者

三　はち巻、腕章、たすき、リボン、ゼッケン、ヘルメットの類を着用し、又は携帯している者

四　ラジオ、拡声器、無線機、マイク、録音機、写真機、映写機の類を携帯している者。ただし、第十四条の規定により、撮影又は録音することにつき議長の許可を得た者を除く。

五　笛、ラッパ、太鼓その他の楽器の類を携帯している者

六　下駄、木製サンダルの類を履いている者

七　酒気を帯びていると認められる者

八　異様な服装をしている者

九　その他議事を妨害することを疑うに足りる顕著な事情が認められる者

2　議長は、必要と認めたときは、傍聴人に対し、係員をして、前項第一号から第五号までに規定する物品を携帯しているか否

六　前各号に定めるもののほか、会議を妨害し又は人に迷惑を及ぼすと認められる者

2　児童及び乳幼児は傍聴席に入ることができない。ただし、議長の許可を得た場合はこの限りでない。（参考）

（傍聴人の守るべき事項）

第十三条　傍聴人は、傍聴席にあるときは、次の事項を守らなければならない。

一　議場における言論に対して拍手その他の方法により公然と可否を表明しないこと

二　談論し、放歌し、高笑しその他騒ぎたてないこと

三　はち巻、腕章の類をする等示威的行為をしないこと

四　帽子、外とう、えり巻の類を着用しないこと。ただし、病気その他の理由により議長の許可を得たときはこの限りでない

五　飲食又は喫煙をしないこと

六　みだりに席を離れ又は不体裁な行為をしないこと

七　前各号に定めるもののほか、議場の秩序を乱し又は会議の妨害となるような行為をしないこと

（写真、映画等の撮影及び録音等の禁止）

第十四条　傍聴人は、傍聴席において写真、映画等を撮影し又は録音等をしてはならない。ただし、特に議長の許可を得た者はこの限りでない。

（傍聴人の退場）

第十五条　傍聴人は、秘密会を開く議決があったときは、すみやかに退場しなければならない。

（係員の指示）

第十六条　傍聴人は、すべて係員の指示に従わなければならない。

（違反に対する措置）

第十七条　法第百三十条第一項及び第二項に定めるものを除くほか、傍聴人がこの規則に違反するときは、議長はこれを制止し、その命令に従わないときはこれを退場させることができる。

附　則

この規則は、　　年　　月　　日から施行する。

為をしないこと。

四　帽子、外とう、襟巻の類を着用しないこと。ただし、病気その他の理由により議長の許可を得た場合は、この限りでない。

五　飲食又は喫煙をしないこと。

六　みだりに席を離れないこと。

七　不体裁な行為又は他人の迷惑となる行為をしないこと。

八　その他議場の秩序を乱し、又は議事の妨害となるような行為をしないこと。

（写真、映画等の撮影及び録音等の禁止）

第九条　傍聴人は、傍聴席において写真、映画等を撮影し又は録音等をしてはならない。ただし、特に議長の許可を得た場合は、この限りでない。

（係員の指示）

第十条　傍聴人は、すべて係員の指示に従わなければならない。

（違反に対する措置）

第十一条　傍聴人がこの規則に違反するときは、議長は、これを制止し、その命令に従わないときは、これを退場させることができる。

附　則

この規則は、　　年　　月　　日から施行する。

かを質問させることができる。

3　議長は、前項の質問を受けた者がこれに応じないときは、その者の入場を禁止することができる。

4　児童及び乳幼児は、傍聴席に入ることができない。ただし、議長の許可を得た場合は、この限りでない。

（傍聴人の守るべき事項）

第十三条　傍聴人は、傍聴席にあるときは、静粛を旨とし、次の事項を守らなければならない。

一　議場における言論に対して拍手その他の方法により公然と可否を表明しないこと。

二　談論し、放歌し、高笑し、その他騒ぎ立てないこと。

三　はち巻、腕章、たすき、リボン、ゼッケン、ヘルメットの類を着用し、又は張り紙、旗、垂れ幕の類を掲げる等示威的行為をしないこと。

四　帽子、外とう、えり巻の類を着用しないこと。ただし、病気その他の理由により議長の許可を得た場合は、この限りでない。

五　飲食又は喫煙をしないこと。

六　みだりに席を離れないこと。

七　不体裁な行為又は他人の迷惑となる行為をしないこと。

八　その他議場の秩序を乱し、又は議事の妨害となるような行為をしないこと。

（写真、映画等の撮影及び録音等の禁止）

第十四条　傍聴人は、傍聴席において写真、映画等を撮影し、又は録音等をしてはならない。ただし、特に議長の許可を得た場合は、この限りでない。

（係員の指示）

第十五条　傍聴人は、全て係員の指示に従わなければならない。

（違反に対する措置）

第十六条　傍聴人がこの規則に違反するときは、議長は、これを制止し、その命令に従わないときは、これを退場させることができる。

附　則

この規則は、　　年　　月　　日から施行する。

（傍聴券を交付しない場合）

（趣旨）

第一条　この規則は、地方自治法（昭和二十二年法律第六十七号。以下「法」という。）第百三十条第三項の規定に基づき、傍聴に関し必要な事項を定めるものとする。

（傍聴席の区分）

第二条　傍聴席は、一般席及び報道関係者席に分ける。

（傍聴の手続）

第三条　会議を傍聴しようとする者は、所定の場所で自己の住所、氏名、年齢を傍聴人受付簿に記入しなければならない。

2　会議を傍聴しようとする者が団体である場合においては、代表者又は責任者が、その団体の名称、年齢及び傍聴する者の人員を傍聴人受付簿に記入しなければならない。

3　報道関係者及び○○市職員で、議長から傍聴証（章）の交付を受けた者は、前二項の規定にかかわらず、これを係員に提示して傍聴することができる。

（傍聴証（章）の交付及び返還）

第四条　傍聴証（章）は、会期ごとに交付する。

2　傍聴証（章）の交付を受けた者は、当該会期が終わつたときは返還しなければならない。

（傍聴人の定員）

第五条　傍聴人の定員は、○○人とする。

（議場への入場禁止）

第六条　傍聴人は、議場に入ることができない。

（傍聴席に入ることができない者）

第七条　次に該当する者は、傍聴席に入ることができない。

一　銃器その他危険なものを持つている者

二　酒気を帯びていると認められる者

三　異様な服装をしている者

四　張り紙、ビラ、掲示板、プラカード、旗、のぼりの類を持つている者

五　笛、ラッパ、太鼓その他楽器の類を持つている者

六　前各号に定めるもののほか、会議を妨害し又は人に迷惑を及ぼすと認められる者

2　児童及び乳幼児は、傍聴席に入ることができない。ただし、議長の許可を得た場合は、この限りでない。（参考）

（傍聴人の守るべき事項）

第八条　傍聴人は、傍聴席にあるときは、次の事項を守らなければならない。

一　議場における言論に対して拍手その他の方法により公然と可否を表明しないこと

二　談論し、放歌し、高笑しその他騒ぎ立てないこと

三　はち巻、腕章の類をする等示威的行為をしないこと

四　帽子、外とう、えり巻の類を着用しないこと。ただし、病気その他の理由により議長の許可を得たときは、この限りでない

五　飲食又は喫煙をしないこと

六　みだりに席を離れ又は不体裁な行為をしないこと

七　前各号に定めるもののほか、議場の秩序を乱し又は会議の妨害となるような行為をしないこと

（写真、映画等の撮影及び録者等の禁止）

第九条　傍聴人は、傍聴席において写真、映画等を撮影し又は録音等をしてはならない。ただし、特に議長の許可を得た者は、この限りでない。

（傍聴人の退場）

第十条　傍聴人は、秘密会を開く議決があつたときは、すみやかに退場しなければならない。

（係員の指示）

第十一条　傍聴人は、すべて係員の指示に従わなければならない。

（違反に対する措置）

第十二条　法第百三十条第一項及び第二項に定めるものを除くほか、傍聴人がこの規則に違反するときは、議長はこれを制止し、その命令に従わないときは、これを退場させることができる。

附　則

この規則は、　　年　月　日から施行する。

地方自治法関係
事項別条文索引

★本索引においては，別に特定の略語を使用せず，直ちに条文を示す。
〔例〕 96①Ⅷ 地方自治法第九十六条第一項第八号

㊟地方自治法の一部を改正する法律（令和６年法律第65号）の改正を反映

こ

す

せ

つ

て

と

へ

ほ

議会議決事項一覧表

地方自治法　(昭22. 4 .17法67)

権　限　事　項	種　別	根拠条項	議会名	摘　要
第1編　総　則				
1　都道府県以外の地方公共団体の名称変更について定めること	条　例	第3条3項	都道府県以外の地方公共団体の議会	286条，287条1項,291条の3，291条の4・1項に定めるものを除く
2　地方公共団体の事務所の位置決定又は変更について定めること	条　例	第4条1，3項	地方公共団体の議会	特別議決$\frac{2}{3}$
3　地方公共団体の休日を定めること	条　例	第4条の2・1，2，3項	地方公共団体の議会	
第2編　普通地方公共団体				
第1章　通　則				
4　都道府県の廃置分合又は境界変更等の場合の財産処分の協議	議　決	第6条4項	関係地方公共団体の議会	
5　二以上の都道府県の廃止及びそれらの区域の全部による一の都道府県の設置又は都道府県の廃止及びその区域の全部の他の一の都道府県の区域への編入の申請	議　決	第6条の2・2項	関係都道府県の議会	
6　市町村の廃置分合又は境界変更の決定	議　決	第7条1項	都道府県の議会	
7　市町村の廃置分合又は境界変更若しくは都道府県の境界にわたる市町村の設置の処分を行う場合における当該市町村の属すべき都道府県に係る申請及びその場合の財産処分についての協議	議　決	第7条6項	関係普通地方公共団体の議会	
8　従来地方公共団体の区域に属しなかった地域の編入を内閣が定める場合における関係都道府県又は市町村の意見	議　決	第7条の2・2項	関係普通地方公共団体の議会	
9　市となるべき普通地方公共団体の要件のうち、8条1項1号から3号に定める以外の都市的施設その他の要件を定めること	条　例	第8条1項4号	都道府県の議会	
10　町となるべき普通地方公共団体の要件を定めること	条　例	第8条2項	都道府県の議会	
11　町村を市に、市を町村に、又は村を町に、町を村とする処分の決定	議　決	第8条3項(第7条1項)	都道府県の議会	
12　前項の場合における申請	議　決	第8条3項(第7条6項)	関係普通地方公共団体の議会	
13　都道府県知事が市町村の廃置分合又は境界変更の計画を決定、変更する場合	意　見	第8条の2・2項	都道府県、当該都道府県の区域内の市町村の議会	
14　8条の2・2項についての関係市町村の意見	議　決	第8条の2・3項	関係市町村の議会	
15　都道府県知事に対する市町村の境界に関	議　決	第9条4項	関係市町村の	

権限事項	種別	根拠条項	議会名	摘要
する争論の調停又は裁定の申請			議会	
16 市町村の境界を都道府県知事が決定する場合における関係市町村の意見	議決	第９条の２・３項	関係市町村の議会	
17 公有水面のみに係る市町村の境界変更の決定	議決	第９条の３・１項	都道府県の議会	
18 公有水面のみに係る市町村の境界変更等に関する関係普通地方公共団体の同意	議決	第９条の３・５項	関係普通地方公共団体の議会	
19 公有水面埋立地の所属市町村の決定	議決	第９条の４（第９条の３・１項）	都道府県の議会	
20 公有水面埋立地の所属市町村を定める場合の関係普通地方公共団体の同意又は意見	議決	第９条の４（第９条の２・１，３項，第９条の３・１，５項）	関係普通地方公共団体の議会	
21 市町村の区域内にあらたに生じた土地の確認	議決	第９条の５・１項	市町村の議会	
第３章　条例及び規則				
22 普通地方公共団体における２条２項の事務に関する事項を定めること	条例	第14条１項	普通地方公共団体の議会	
23 普通地方公共団体が義務を課し、又は権利を制限すること	条例	第14条２項	普通地方公共団体の議会	法令に特別の定めがある場合を除く
24 条例違反者に対して２年以下の懲役若しくは禁錮、100万円以下の罰金、拘留、科料若しくは没収の刑又は５万円以下の過料を科する旨の規定を設けること	条例	第14条３項	普通地方公共団体の議会	法令に特別の定めがあるものを除く
25 普通地方公共団体の長の署名、施行期日の特例その他条例・規則等の公布に関する必要事項を定めること	条例	第16条４，５項	普通地方公共団体の議会	規則等については、法令又は条例に特別の定めがあるときを除く
第５章　直接請求				
26 条例の制定又は改廃の請求を受理した場合	議決	第74条３項	普通地方公共団体の議会	
27 監査請求に基づく監査委員による監査の結果に関する報告	受理	第75条３，５項	普通地方公共団体の議会	
28 副知事（副市町村長）、指定都市の総合区長、選挙管理委員、監査委員、公安委員会の委員の解職請求があった場合	同意	第86条３項 第87条１項	普通地方公共団体の議会	特別議決 $\frac{3}{4}$（出席 $\frac{2}{3}$）
第６章　議　　会				
29 都道府県の議会の議員の定数を定めること	条例	第90条１項	都道府県の議会	
30 申請に基づく都道府県合併により新たに設置される都道府県の議会の議員の定数を定めるための協議	議決	第90条４，７項	設置関係都道府県の議会	
31 市町村の議会の議員の定数を定めること	条例	第91条１項	市町村の議会	
32 市町村の廃置分合により新たに設置される市町村の議会の議員の定数を定めるための協議	議決	第91条５，８項	設置関係市町村の議会	設置関係市町村が２以上のとき
33 市町村の廃置分合により新たに設置され	議決	第91条５項	設置関係市町	設置関係市町

権　　限　　事　　項	種　別	根拠条項	議会名	摘　　要
る市町村の議会の議員の定数を定めること			村の議会	村が１のとき
34　町村に議会を置かず選挙権を有する者の総会を設けること	条　例	第94条	町村の議会	
35　条例を設け又は改廃すること	議　決	第96条１項１号	普通地方公共団体の議会	本条項各号において種別及び発案権がないものは各権限事項を参照
36　予算を定めること	議　決	第96条１項２号	普通地方公共団体の議会	
37　決算を認定すること	議　決	第96条１項３号	普通地方公共団体の議会	
38　地方税の賦課徴収又は分担金、使用料、加入金若しくは手数料の徴収に関すること	議　決	第96条１項４号	普通地方公共団体の議会	法律又はこれに基づく政令に規定するものを除く
39　議会の議決を経るべき契約の種類及び金額を政令で定める基準に従って定めること	条　例	第96条１項５号	普通地方公共団体の議会	
40　その種類及び金額について政令で定める基準に従い条例で定める契約を締結すること	議　決	第96条１項５号	普通地方公共団体の議会	
41　財産を交換し、出資の目的とし、若しくは支払手段として使用し、又は適正な対価なくしてこれを譲渡し、若しくは貸し付けることにつき定めること	条　例	第96条１項６号	普通地方公共団体の議会	
42　財産を交換し、出資の目的とし、若しくは支払手段として使用し、又は適正な対価なくしてこれを譲渡し、若しくは貸し付けること	議　決	第96条１項６号	普通地方公共団体の議会	条例で定める場合を除く
43　不動産を信託すること	議　決	第96条１項７号	普通地方公共団体の議会	
44　議会の議決を経るべき財産の取得又は処分の種類及び金額を政令で定める基準に従って定めること	条　例	第96条１項８号	普通地方公共団体の議会	
45　その種類及び金額について政令で定める基準に従い条例で定める財産の取得又は処分をすること	議　決	第96条１項８号	普通地方公共団体の議会	96条１項６、７号に定めるものを除く
46　負担付きの寄附又は贈与を受けること	議　決	第96条１項９号	普通地方公共団体の議会	
47　権利の放棄につき定めること	条　例	第96条１項10号	普通地方公共団体の議会	
48　権利を放棄すること	議　決	第96条１項10号	普通地方公共団体の議会	法律若しくはこれに基づく政令又は条例に特別の定めがある場合を除く
49　議会の議決を経るべき重要な公の施設の長期かつ独占的な利用につき定めること	条　例	第96条１項11号	普通地方公共団体の議会	
50　条例で定める重要な公の施設につき条例で定める長期かつ独占的な利用をさせること	議　決	第96条１項11号	普通地方公共団体の議会	
51　普通地方公共団体がその当事者である審	議　決	第96条１項12	普通地方公共	訴えの提起及

権限事項		種別	根拠条項	議会名	摘要
	査請求その他の不服申立て、訴えの提起、和解、あっせん、調停及び仲裁に関すること		号	団体の議会	び和解については，普通地方公共団体の行政庁の処分又は裁決に係る普通地方公共団体を被告とする訴訟に係るものを除く
52	法律上その義務に属する損害賠償の額を定めること	議　決	第96条１項13号	普通地方公共団体の議会	
53	普通地方公共団体の区域内の公共的団体等の活動の総合調整に関すること	議　決	第96条１項14号	普通地方公共団体の議会	
54	96条１項１号から14号までに規定するもののほか、法律又はこれに基づく政令に基づいて議会の権限に属する事項につき定めること	条　例	第96条１項15号	普通地方公共団体の議会	
55	96条１項１号から14号までに規定するもののほか、法律又はこれに基づく政令（これらに基づく条例を含む。）により議会の権限に属する事項	議　決	第96条１項15号	普通地方公共団体の議会	
56	96条１項に定めるものを除くほか、普通地方公共団体に関する事件につき議会の議決すべきものを定めること	条　例	第96条２項	普通地方公共団体の議会	法定受託事務にあっては、国の安全に関することその他の事由により議会の議決すべきものとすることが適当でないものとして政令で定めるものを除く
57	96条１項に定めるものを除くほか、普通地方公共団体に関する事件につき条例により議会の議決すべきものとして定めたもの	議　決	第96条２項	普通地方公共団体の議会	
58	法律又はこれに基づく政令により議会の権限に属する選挙	選　挙	第97条１項	普通地方公共団体の議会	
59	予算の増額修正	議　決	第97条２項	普通地方公共団体の議会	長の予算提出権限を侵すことはできない
60	普通地方公共団体の事務（自治事務にあっては労働委員会及び収用委員会の権限に属する事務で政令で定めるものを除き、法定受託事務にあっては国の安全を害するおそれがあることその他の事由により議会の検査の対象とすることが適当でないものとして政令で定めるものを除く。）に関する書類及び計算書の検閲、当該普通地方公共団体の長、各種委員会又は委員の報告の請求、当該事務の管理、議決の執行及び出納の検査	検　閲 請　求 検　査	第98条１項	普通地方公共団体の議会	
61	監査委員に対する普通地方公共団体の事	請　求	第98条２項	普通地方公共	

権　　限　　事　　項		種　別	根拠条項	議会名	摘　要
	務（自治事務にあっては労働委員会及び収用委員会の権限に属する事務で政令で定めるものを除き、法定受託事務にあっては国の安全を害するおそれがあることその他の事由により本項の監査の対象とすることが適当でないものとして政令で定めるものを除く。）に関する監査及び監査の結果に関する報告の請求			団体の議会	
62	普通地方公共団体の公益に関する事件についての国会又は関係行政庁に対する意見書	提　出	第99条	普通地方公共団体の議会	
63	普通地方公共団体の事務（自治事務にあっては労働委員会及び収用委員会の権限に属する事務で政令で定めるものを除き、法定受託事務にあっては国の安全を害するおそれがあることその他の事由により議会の調査の対象とすることが適当でないものとして政令で定めるものを除く。）に関する調査、選挙人その他の関係人の出頭及び証言並びに記録の提出の請求	調　査 請　求	第100条１項	普通地方公共団体の議会	
64	選挙人その他の関係人の証言又は記録の提出が公の利益を害する旨の官公署による声明	要　求	第100条５項	普通地方公共団体の議会	
65	調査の終了	議　決	第100条８項	普通地方公共団体の議会	
66	選挙人その他の関係人が100条３項又は７項の罪を犯したときの告発又は自白したときの告発しないこと	告　発	第100条９項	普通地方公共団体の議会	
67	調査を行うための普通地方公共団体の区域内の団体等に対する照会又は記録の送付の請求	照　会 請　求	第100条10項	普通地方公共団体の議会	
68	調査に要する経費の額の決定及びその額を超えた支出を要する場合	議　決	第100条11項	普通地方公共団体の議会	
69	議案の審査又は議会の運営に関し協議又は調整を行うための場の設置について会議規則で定めること	議　決	第100条12項	普通地方公共団体の議会	
70	議員の派遣について会議規則で定めること	議　決	第100条13項	普通地方公共団体の議会	
71	会派又は議員に対して政務活動費を交付することを定めること及びこの場合において当該政務活動費の交付対象、額及び交付方法並びに当該政務活動費を充てることができる経費の範囲を定めること	条　例	第100条14項	普通地方公共団体の議会	
72	政務活動費の交付を受けた会派又は議員が当該政務活動費に係る収入及び支出の報告書を議長に提出することを定めること	条　例	第100条15項	普通地方公共団体の議会	
73	官報、公報及び刊行物の送付	受　理	第100条17, 18項	都道府県、市町村の議会	
74	議会図書室の設置	設　置	第100条19項	普通地方公共団体の議会	
75	定例会の回数を定めること	条　例	第102条２項	普通地方公共団体の議会	
76	議会の会期及びその延長並びにその開閉	議　決	第102条７項	普通地方公共	

権　　限　　事　　項	種　別	根拠条項	議 会 名	摘　要
に関する事項			団体の議会	
77 定例会及び臨時会とせず通年を会期とする場合の会期の初日を定めること	条　例	第102条の2・1項	普通地方公共団体の議会	
78 通年を会期とする場合の定期的に会議を開く日を定めること	条　例	第102条の2・6項	普通地方公共団体の議会	
79 議会の議長及び副議長の選挙	選　挙	第103条1項	普通地方公共団体の議会	
80 議会の仮議長の選挙又は選任の委任	選　挙 委　任	第106条2，3項	普通地方公共団体の議会	
81 議会の議長及び副議長の辞職	許　可	第108条	普通地方公共団体の議会	議会閉会中の副議長の辞職は議長許可
82 議会の常任、議会運営、特別委員会を設置すること	条　例	第109条1項	普通地方公共団体の議会	
83 議会の常任委員会における普通地方公共団体の事務に関する調査及び議案、請願等の審査	調　査 審　査	第109条2項	普通地方公共団体の議会の常任委員会	
84 議会の議会運営委員会における当該議会の運営、会議規則、委員会に関する条例等、議長の諮問に関する事項の調査及び議案、請願等の審査	調　査 審　査	第109条3項	普通地方公共団体の議会の議会運営委員会	
85 議会の特別委員会に対する事件の付議	議　決	第109条4項	普通地方公共団体の議会	
86 議会の特別委員会における議会の議決により付議された事件の審査	審　査	第109条4項	普通地方公共団体の議会の特別委員会	
87 議会の常任、議会運営、特別委員会における公聴会開会及び関係者等からの意見の聴取	公　聴	第109条5項（第115条の2・1項）	普通地方公共団体の議会の常任、議会運営、特別委員会	
88 議会の常任、議会運営、特別委員会における参考人からの意見聴取	聴　取	第109条5項（第115条の2・2項）	普通地方公共団体の議会の常任、議会運営、特別委員会	
89 議会の常任、議会運営、特別委員会に対する閉会中審査についての付議	議　決	第109条8項	普通地方公共団体の議会	
90 109条1項から8項に定めるもののほか委員の選任その他委員会に関する必要事項を定めること	条　例	第109条9項	普通地方公共団体の議会	
91 議員による議案（予算を除く。）の提出	受　理	第112条1項	普通地方公共団体の議会	議員の定数の12分の1以上の者の賛成
92 議員の請求によりその日の会議を開いたとき又は議員中に異議があるときの閉会又は中止	議　決	第114条2項	普通地方公共団体の議会	
93 議会の秘密会の開会	議　決	第115条1項	普通地方公共団体の議会	議長又は議員3人以上の発議 特別議決$\frac{2}{3}$
94 議会における公聴会開会及び関係者等からの意見の聴取	公　聴	第115条の2・1項	普通地方公共団体の議会	
95 議会における参考人からの意見聴取	聴　取	第115条の2・2項	普通地方公共団体の議会	

権限事項	種別	根拠条項	議会名	摘要
96 議案に対する修正動議の発議	受理	第115条の３	普通地方公共団体の議会	議員の定数の12分の１以上の者の発議
97 議会の議長及び議員が自己若しくは一定の範囲の親族の一身上の事件等に関する会議に出席し発言する場合	同意	第117条	普通地方公共団体の議会	
98 議会において行う選挙の投票の効力に関する異議に係る決定	決定	第118条１項	普通地方公共団体の議会	
99 議会において行う選挙について指名推選の方法を用いること	議決	第118条２項	普通地方公共団体の議会	議員中に異議がないとき
100 議会において行う選挙について指名推選の方法を用いる場合の当選人の決定	同意	第118条３項	普通地方公共団体の議会	議員全員の同意
101 議会の会議規則の設定	議決	第120条	普通地方公共団体の議会	
102 長からの事務に関する説明書の提出	受理	第122条	普通地方公共団体の議会	
103 会議録署名議員の決定	議決	第123条２，３項	普通地方公共団体の議会	２人以上の議員
104 請願書の提出	受理	第124条	普通地方公共団体の議会	議員の紹介による
105 採択した請願の長等に対する送付並びに当該請願の処理経過及び結果の報告の請求	送付 請求	第125条	普通地方公共団体の議会	
106 議会の議員の辞職	許可	第126条	普通地方公共団体の議会	閉会中は議長の許可
107 公職選挙法又は政治資金規正法の規定に該当する場合以外の場合における議員の資格の決定	決定	第127条１項	普通地方公共団体の議会	特別議決$\frac{2}{3}$
108 議会の会議又は委員会において侮辱を受けた議員からの訴えの受理及び当該訴えに基づく処分	受理 処分	第133条	普通地方公共団体の議会	
109 本法律並びに会議規則及び委員会に関する条例に違反した議員に対する懲罰	議決	第134条１項 第135条２，３項 第137条	普通地方公共団体の議会	議員の定数の８分の１以上の者の発議、除名の場合は特別議決$\frac{3}{4}$(出席$\frac{2}{3}$)、137条の発案は議長専属
110 都道府県の議会に事務局を設置すること	設置	第138条１項	都道府県の議会	
111 市町村の議会に事務局を設置することを定めること	条例	第138条２項	市町村の議会	
112 市町村の議会に事務局を設置すること	設置	第138条２項	市町村の議会	
113 議会事務局の事務局長、書記長、書記その他の常勤の職員の定数を定めること	条例	第138条６項	都道府県、市町村の議会	
第７章　執行機関				
114 執行機関の附属機関を設置すること	条例	第138条の４・３項	普通地方公共団体の議会	政令で定める執行機関を除く
115 長の法定期日前の退職	同意	第145条	普通地方公共団体の議会	
116 内部統制に関する方針及びこれに基づき整備した体制について評価した報告書の	受理	第150条６項	都道府県・指定都市・対象	

権限事項	種別	根拠条項	議会名	摘要
提出			市町村の議会	
117 都道府県の支庁及び地方事務所、市町村の支所又は出張所を設置すること	条例	第155条1項	普通地方公共団体の議会	
118 支庁、地方事務所又は支所、出張所の位置、名称及び所管区域を定めること	条例	第155条2項	普通地方公共団体の議会	
119 保健所、警察署その他の行政機関を設置すること	条例	第156条1項	普通地方公共団体の議会	
120 156条1項の行政機関の位置、名称及び所管区域を定めること	条例	第156条2項	普通地方公共団体の議会	
121 内部組織を設置すること及びその分掌する事務を定めること	条例	第158条1項	普通地方公共団体の議会	
122 都道府県に副知事を、市町村に副市町村長を置かないこと	条例	第161条1項	都道府県、市町村の議会	
123 副知事及び副市町村長の定数を定めること	条例	第161条2項	都道府県、市町村の議会	
124 副知事及び副市町村長の選任	同意	第162条	普通地方公共団体の議会	
125 長の職務を代理する副知事又は副市町村長の法定期日前の退職	承認	第165条1項	普通地方公共団体の議会	
126 職員の定数を定めること	条例	第172条3項	普通地方公共団体の議会	臨時又は非常勤の職を除く
127 長が議会における議決（条例の制定若しくは改廃又は予算に関するものを除く。）について異議に基づいて再議に付した場合	議決	第176条1項	普通地方公共団体の議会	
128 長が議会における条例の制定若しくは改廃又は予算に関する議決について異議に基づいて再議に付した場合	議決	第176条1，3項	普通地方公共団体の議会	特別議決 $\frac{2}{3}$
129 長が議会の議決又は選挙がその権限を超え又は法令若しくは会議規則に違反するとしてこれを再議に付し又は再選挙を行わせた場合	議決 選挙	第176条4項	普通地方公共団体の議会	
130 176条4項の再議又は再選挙がなおその権限を超え又は法令若しくは会議規則に違反するとして長が申し立てた審査に対する裁定に不服がある場合	出訴	第176条7項	普通地方公共団体の議会	裁定のあった日から60日以内
131 議会が法定経費等を削除し又は減額する議決をしたときにおいて長がその経費及びこれに伴う収入について再議に付した場合	議決	第177条1項	普通地方公共団体の議会	
132 長に対する不信任	議決	第178条1，3項	普通地方公共団体の議会	特別議決 $\frac{3}{4}$（出席 $\frac{2}{3}$）
133 長の解散権行使後の最初の議会における再度の不信任	議決	第178条2，3項	普通地方公共団体の議会	$\frac{2}{3}$ 出席
134 長の専決処分の次の会議における報告	承認	第179条3項	普通地方公共団体の議会	
135 長の条例の制定若しくは改廃又は予算に関する専決処分について承認を求める議案が否決されたときの長の講ずる措置の議会への報告	受理	第179条4項	普通地方公共団体の議会	
136 議会の委任による長の専決処分事項の指定	議決	第180条1項	普通地方公共団体の議会	
137 議会の委任による長の専決処分の議会への報告	受理	第180条2項	普通地方公共団体の議会	
138 選挙管理委員及び補充員の選挙	選挙	第182条1，2	普通地方公共	

権　限　事　項	種　別	根拠条項	議 会 名	摘　要
		項	団体の議会	
139　選挙管理委員会の委員長による選挙管理委員又は補充員の選挙を行うべき事由が生じた旨の通知	受　理	第182条８項	普通地方公共団体の議会	
140　選挙管理委員の罷免	議　決	第184条の２・１項	普通地方公共団体の議会	公聴会の開催
141　選挙管理委員会の書記長、書記その他の常勤の職員の定数を定めること	条　例	第191条２項	都道府県、市町村の議会	臨時の職を除く
142　監査委員の定数を増加すること	条　例	第195条２項	都道府県、市町村の議会	
143　監査委員の選任	同　意	第196条１項	普通地方公共団体の議会	
144　議員のうちから監査委員を選任しないこと	条　例	第196条１項	普通地方公共団体の議会	
145　監査委員の罷免	同　意	第197条の２・１項	普通地方公共団体の議会	公聴会の開催
146　監査基準の通知	受　理	第198条の４・３項	普通地方公共団体の議会	
147　監査委員の監査の結果に関する報告	受　理	第199条９・13項	普通地方公共団体の議会	
148　監査委員による監査に係る勧告	受　理	第199条11項	普通地方公共団体の議会	
149　監査委員の監査の結果に基づいて又は当該監査の結果を参考として講じる措置及び監査委員に対するその旨の通知	措　置 通　知	第199条14項	普通地方公共団体の議会	
150　監査委員による監査に係る勧告に基づいて講じる措置及び監査委員に対するその旨の通知	措　置 通　知	第199条15項	普通地方公共団体の議会	
151　市町村の監査委員に事務局を置くこと	条　例	第200条２項	市町村の議会	
152　監査委員事務局の事務局長、書記その他の常勤の職員の定数を定めること	条　例	第200条６項	都道府県、市町村の議会	臨時の職を除く
153　監査委員に関する必要な事項を定めること	条　例	第202条	普通地方公共団体の議会	本法律及びこれに基づく政令に規定するものを除く
154　執行機関の附属機関の職務権限を定めること	条　例	第202条の３・１項	普通地方公共団体の議会	
155　地域自治区を設けること	条　例	第202条の４・１項	市町村の議会	
156　地域自治区の事務所の位置，名称及び所管区域を定めること	条　例	第202条の４・２項	市町村の議会	
157　地域協議会の構成員の任期を定めること	条　例	第202条の５・４項	市町村の議会	
158　地域協議会の会長及び副会長の選任及び解任の方法を定めること	条　例	第202条の６・２項	市町村の議会	
159　市町村の施策に関する重要事項を定めること	条　例	第202条の７・２項	市町村の議会	
160　地域協議会の構成員の定数その他の地域協議会の組織及び運営に関し必要な事項を定めること	条　例	第202条の８	市町村の議会	本法律に定めるものを除く
第８章　給与その他の給付				
161　議会の議員に対し期末手当を支給すること	条　例	第203条３項	普通地方公共団体の議会	
162　議員報酬、費用弁償及び期末手当の額並	条　例	第203条４項	普通地方公共	

権限事項	種別	根拠条項	議会名	摘要
びにその支給方法を定めること			団体の議会	
163 203条の２・１項の職員に対し報酬の日割支給の特例を定めること	条例	第203条の２・２項	普通地方公共団体の議会	
164 203条の２・１項の職員に対する報酬及び費用弁償の額並びにその支給方法を定めること	条例	第203条の２・４項	普通地方公共団体の議会	
165 204条１項の職員に対し諸手当を支給すること	条例	第204条２項	普通地方公共団体の議会	
166 給料、手当及び旅費の額並びにその支給方法を定めること	条例	第204条３項	普通地方公共団体の議会	
167 給与その他の給付に関する処分についての審査請求に対する長の決定に係る諮問	意見	第206条２，３項	普通地方公共団体の議会	諮問があった日から20日以内
168 206条２項の規定による諮問をしないで審査請求を却下したときの長による報告	受理	第206条４項	普通地方公共団体の議会	
169 議会等の請求による出頭者等の要した実費を弁償すること	条例	第207条	普通地方公共団体の議会	
第９章 財務				
170 特別会計を設置すること	条例	第209条２項	普通地方公共団体の議会	
171 毎会計年度の予算	議決	第211条１項 第96条１項２号	普通地方公共団体の議会	年度開始前
172 長による予算に関する説明書の提出	受理	第211条２項	普通地方公共団体の議会	
173 補正予算及び暫定予算	議決	第218条1，2項 第96条１項２号	普通地方公共団体の議会	
174 特別会計のうち業務量の増加により増加する収入に相当する金額を経費に使用することができるものを定めること	条例	第218条４項	普通地方公共団体の議会	
175 特別会計のうちその事業の経費を主として当該事業の経営に伴う収入をもって充てるもので条例で定めるものについて、業務量の増加により業務のため直接必要な経費に不足を生じたために当該業務量の増加により増加する収入に相当する金額を当該経費に使用した場合の長による報告	受理	第218条４項	普通地方公共団体の議会	
176 分担金、使用料、加入金及び手数料に関する事項を定めること	条例	第228条１項	普通地方公共団体の議会	
177 分担金、使用料、加入金及び手数料の徴収に関して過料を科する規定を設けること	条例	第228条２，３項	普通地方公共団体の議会	
178 分担金、使用料、加入金及び手数料の徴収に関する処分についての審査請求に対する長の決定に係る諮問	意見	第229条２，３項	普通地方公共団体の議会	諮問があった日から20日以内
179 229条２項の規定による諮問をしないで審査請求を却下したときの長による報告	受理	第229条４項	普通地方公共団体の議会	
180 使用料又は手数料の徴収について証紙による収入の方法によること	条例	第231条の２・１項	普通地方公共団体の議会	
181 分担金、使用料、加入金、手数料及び過料その他の歳入を納期限までに納付しない者に対して督促をした場合において手	条例	第231条の３・２項	普通地方公共団体の議会	

	権限事項	種別	根拠条項	議会名	摘要
	数料及び延滞金を徴収すること				
182	分担金、使用料、加入金、手数料及び過料その他の歳入の督促、滞納処分等についての審査請求に対する長の決定に係る諮問	意見	第231条の3・7，8項	普通地方公共団体の議会	諮問があった日から20日以内
183	231条の3・7項の規定による諮問をしないで審査請求を却下したときの長による報告	受理	第231条の3・9項	普通地方公共団体の議会	
184	毎会計年度の決算	認定	第233条3項 第96条1項3号	普通地方公共団体の議会	次の通常予算を議する会議まで
185	長による決算に係る会計年度における主要な施策の成果を説明する書類等の提出	受理	第233条5項	普通地方公共団体の議会	
186	決算の認定に関する議決を否決した場合に長が講じた措置の報告	受理	第233条7項	普通地方公共団体の議会	
187	歳計剰余金の全部又は一部を翌年度に繰り越さないで基金に編入すること	条例又は議決	第233条の2	普通地方公共団体の議会	
188	公金の収納又は支払の事務を取り扱わせる金融機関の指定	議決	第235条1，2項	都道府県、市町村の議会	
189	監査委員による現金出納検査又は指定金融機関の事務監査の結果に関する報告	受理	第235条の2・3項	普通地方公共団体の議会	
190	財産を交換し、出資の目的とし、若しくは支払手段として使用し、又は適正な対価なくしてこれを譲渡し、若しくは貸し付けること	条例又は議決	第237条2項 第96条1項6号	普通地方公共団体の議会	238条の4・1項の規定の適用がある場合を除く
191	普通財産である土地を当該普通地方公共団体を受益者として政令で定める信託の目的により信託すること	議決	第237条3項 第96条1項7号	普通地方公共団体の議会	
192	市町村の旧慣による公有財産の使用に係る旧慣の変更若しくは廃止又は新たに使用しようとする者に対する許可	議決	第238条の6・1，2項	市町村の議会	
193	行政財産を使用する権利に関する処分についての審査請求に対する長の決定に係る諮問	意見	第238条の7・2，3項	普通地方公共団体の議会	諮問があった日から20日以内
194	238条の7・2項の規定による諮問をしないで審査請求を却下したときの長による報告	受理	第238条の7・4項	普通地方公共団体の議会	
195	特定の目的のために財産を維持し、資金を積み立て、又は定額の資金を運用するための基金を設けること	条例	第241条1項	普通地方公共団体の議会	
196	長による定額資金運用のための基金設置に係る運用の状況を示す書類の提出	受理	第241条5項	普通地方公共団体の議会	
197	基金の管理及び処分に関する必要事項を定めること	条例	第241条8項	普通地方公共団体の議会	241条2～7項までに定めるものを除く
198	住民監査請求の要旨の通知	受理	第242条3項	普通地方公共団体の議会	
199	監査委員による住民監査請求に基づく監査に係る勧告	受理	第242条5項	普通地方公共団体の議会	住民監査請求があった日から60日以内
200	監査委員による住民監査請求に基づく監査に係る勧告を受けた必要な措置及び監査委員に対するその旨の通知	措置通知	第242条9項	普通地方公共団体の議会	勧告に示された期間内

権限事項	種別	根拠条項	議会名	摘要
201 住民監査請求に関する損害賠償又は不当利得返還の請求権その他の権利の放棄の議決に係る監査委員からの意見の聴取	公聴	第242条10項	普通地方公共団体の議会	
202 長等の損害賠償責任の免除	条例	第243条の2・1項	普通地方公共団体の議会	
203 長等の損害賠償責任の免除に係る監査委員からの意見の聴取	公聴	第243条の2・2項	普通地方公共団体の議会	
204 長による普通地方公共団体に損害を与えた職員の賠償責任の全部又は一部の免除	同意	第243条の2の8・8項	普通地方公共団体の議会	
205 普通地方公共団体に損害を与えた職員の賠償責任に関する処分についての審査請求に対する長の決定に係る諮問	意見	第243条の2の8・11, 12項	普通地方公共団体の議会	諮問があった日から20日以内
206 243条の2の8・11項の規定による諮問をしないで審査請求を却下したときの長による報告	受理	第243条の2の8・13項	普通地方公共団体の議会	
207 財政状況の公表について定めること	条例	第243条の3・1項	普通地方公共団体の議会	
208 長による221条3項の法人の経営状況を説明する書類の提出	受理	第243条の3・2項	普通地方公共団体の議会	
209 長による221条3項の信託の事務処理状況を説明する書類の提出	受理	第243条の3・3項	普通地方公共団体の議会	
第10章 公の施設				
210 公の施設の設置及び管理に関する事項を定めること	条例	第244条の2・1項	普通地方公共団体の議会	法律又はこれに基づく政令に特別の定めがあるものを除く
211 重要な公の施設及びそのうち特に重要なものを定めること	条例	第244条の2・2項	普通地方公共団体の議会	
212 条例で定める特に重要な公の施設の長期かつ独占的な利用について定めること	条例	第244条の2・2項	普通地方公共団体の議会	
213 条例で定める特に重要な公の施設を廃止し又は条例で定める長期かつ独占的な利用に供する場合	同意	第244条の2・2項	普通地方公共団体の議会	特別議決 $\frac{2}{3}$
214 公の施設の管理を指定管理者に行わせること	条例	第244条の2・3項	普通地方公共団体の議会	
215 指定管理者の指定の手続、指定管理者が行う管理の基準及び業務の範囲その他必要な事項を定めること	条例	第244条の2・4項	普通地方公共団体の議会	
216 指定管理者の指定	議決	第244条の2・5, 6項	普通地方公共団体の議会	期間を定めて行う
217 指定管理者が公の施設の利用料金を定めること	条例	第244条の2・9項	普通地方公共団体の議会	公益上必要があると認める場合を除く
218 普通地方公共団体の区域外において公の施設を設置する場合における関係普通地方公共団体の協議	議決	第244条の3・1, 3項	関係普通地方公共団体の議会	
219 他の普通地方公共団体の公の施設を自己の住民の利用に供させる場合における関係普通地方公共団体の協議	議決	第244条の3・2, 3項	関係普通地方公共団体の議会	
220 公の施設の利用権に関する処分についての審査請求に対する長の決定に係る諮問	意見	第244条の4・2, 3項	普通地方公共団体の議会	諮問があった日から20日以内

権限事項		種別	根拠条項	議会名	摘要
221	244条の４・２項の規定による諮問をしないで審査請求を却下したときの長による報告	受理	第244条の４・４項	普通地方公共団体の議会	
	第12章　国と普通地方公共団体との関係及び普通地方公共団体相互間の関係				
222	連携協約の締結、変更又は廃止に係る協議	議決	第252条の２・３，４項	関係地方公共団体の議会	
223	協議会の設置に関する規約の制定に係る協議	議決	第252条の２の２・３項	関係普通地方公共団体の議会	事務の管理及び執行について連絡調整を図るために設置する場合を除く
224	協議会を設ける普通地方公共団体の数の増減若しくは協議会の規約の変更又は協議会の廃止に係る協議	議決	第252条の６	関係普通地方公共団体の議会	
225	協議会からの脱退の予告	議決	第252条の６の２・１項	協議会を設ける普通地方公共団体の議会	脱退する日の２年前まで他の全ての関係普通地方公共団体に対して行う
226	脱退の予告を受けた場合の協議会に関する規約の変更の協議	議決	第252条の６の２・２項	協議会を設ける他の関係普通地方公共団体の議会	第252条の４・１項２号に掲げる事項のみに係る規約の変更については議決不要
227	協議会からの脱退の予告の撤回についての同意	議決	第252条の６の２・３項	協議会を設ける他の関係普通地方公共団体の議会	
228	協議会からの脱退の予告の撤回についての同意を求めること	議決	第252条の６の２・３項	予告した普通地方公共団体の議会	
229	機関等の共同設置に関する規約の制定に係る協議及び機関等を共同設置する普通地方公共団体の数の増減若しくは機関等の共同設置に関する規約の変更又は機関等の共同設置の廃止に係る協議	議決	第252条の７・３項	関係普通地方公共団体の議会	政令で定める委員会を除く
230	機関等の共同設置からの脱退の予告	議決	第252条の７の２・１項	機関等を共同設置する普通地方公共団体の議会	脱退する日の２年前まで他の全ての関係普通地方公共団体に対して行う
231	脱退の予告を受けた場合の機関等の共同設置に関する規約の変更の協議	議決	第252条の７の２・２項	機関等を共同設置する他の関係普通地方公共団体の議会	第252条の８・２号に掲げる事項のみに係る規約の変更については議決不要

権限事項		種別	根拠条項	議会名	摘要
232	機関等の共同設置からの脱退の予告の撤回についての同意	議決	第252条の7の2・4項	機関等を共同設置する他の関係普通地方公共団体の議会	
233	機関等の共同設置からの脱退の予告の撤回についての同意を求めること	議決	第252条の7の2・4項	予告した普通地方公共団体の議会	
234	共同設置する委員会の委員で、議会が選挙すべきものの選任	選挙	第252条の9・1項	関係普通地方公共団体の議会	
235	共同設置する委員会の委員若しくは委員又は附属機関の委員その他の構成員で、長が議会の同意を得て選任すべきものの選任	同意	第252条の9・2項	関係普通地方公共団体の議会	
236	共同設置する委員会の委員若しくは委員又は附属機関の委員その他の構成員で、選挙権を有する者の請求に基づき議会の議決により解職することができるものの解職	同意	第252条の10	関係普通地方公共団体の議会	2の普通地方公共団体の場合はすべての議会 3以上の普通地方公共団体の場合は過半数の議会
237	他の普通地方公共団体に対する事務委託に関する規約の制定に係る協議及び委託事務の変更又は事務委託の廃止に係る協議	議決	第252条の14・3項	関係普通地方公共団体の議会	
238	事務の代替執行に関する規約の制定に係る協議又は代替執行事務の変更若しくは事務の代替執行の廃止に係る協議	議決	第252条の16の2・3項	関係地方公共団体の議会	
239	都道府県知事の権限に属する事務の一部を市町村が処理することとすること	条例	第252条の17の2・1項	都道府県の議会	制定又は改廃に当たってはあらかじめ都道府県知事から市町村長に対する協議が必要
240	都道府県知事の権限に属する事務の一部を市町村が処理することに係る要請	議決	第252条の17の2・3項	市町村の議会	
241	臨時選挙管理委員に対する給与について定めること	条例	第252条の17の10	普通地方公共団体の議会	
	第13章　大都市等に関する特例				
242	指定都市の区、区の事務所又はその出張所を設置すること	条例	第252条の20・1項	指定都市の議会	
243	指定都市の区の事務所又はその出張所の位置、名称及び所管区域並びに区の事務所が分掌する事務について定めること	条例	第252条の20・2項	指定都市の議会	
244	指定都市に区地域協議会を設置すること	条例	第252条の20・7項	指定都市の議会	
245	区地域協議会の構成員の任期を定めること	条例	第252条の20・8項（第202条の5・4項）	指定都市の議会	

権限事項		種別	根拠条項	議会名	摘要
246	区地域協議会の会長及び副会長の選任及び解任の方法を定めること	条例	第252条の20・8項（第202条の6・2項）	指定都市の議会	
247	指定都市の施策に関する重要事項を定めること	条例	第252条の20・8項（第202条の7・2項）	指定都市の議会	
248	区地域協議会の構成員の定数その他の区地域協議会の組織及び運営に関し必要な事項を定めること	条例	第252条の20・8項（第202条の8）	指定都市の議会	本法律に定めるものを除く
249	指定都市の総合区、総合区の事務所、又はその出張所を設置すること	条例	第252条の20の2・1項	指定都市の議会	
250	指定都市の総合区の事務所又はその出張所の位置、名称及び所管区域並びに総合区の事務所が分掌する事務	条例	第252条の20の2・2項	指定都市の議会	
251	総合区長の選任	同意	第252条の20の2・4項	指定都市の議会	
252	総合区長が執行することとされた事務	条例	第252条の20の2・8項	指定都市の議会	
253	指定都市に総合区地域協議会を設置すること	条例	第252条の20の2・13項	指定都市の議会	
254	総合区地域協議会の構成員の任期を定めること	条例	第252条の20の2・13項（第202条の5・4項）	指定都市の議会	
255	総合区地域協議会の会長及び副会長の選任及び解任の方法を定めること	条例	第252条の20の2・13項（第202条の6・2項）	指定都市の議会	
256	指定都市の施策に関する重要事項を定めること	条例	第252条の20の2・13項（第202条の7・2項）	指定都市の議会	
257	総合区地域協議会の構成員の定数その他の総合区地域協議会の組織及び運営に関し必要な事項を定めること	条例	第252条の20の2・13項（第202条の8）	指定都市の議会	本法律に定めるものを除く
258	指定都市都道府県調整会議の構成員のうち議会の議員の選出に係る選挙	選挙	第252条の21の2・3項・3，6号	都道府県・指定都市の議会	
259	指定都市及び包括都道府県の間の協議に係る勧告の求め	議決	第252条の21の3・2項	都道府県・指定都市の議会	
260	中核市の指定に係る申出	議決	第252条の24・2項	市の議会	
261	中核市の指定に係る申出についての同意	議決	第252条の24・3項	都道府県の議会	
	第15章　外部監査契約に基づく監査				
262	外部監査人の監査の適正かつ円滑な遂行	協力	第252条の33・1項	普通地方公共団体の議会	
263	外部監査人又は外部監査人であった者の説明	要求	第252条の34・1項	普通地方公共団体の議会	
264	外部監査人に対する意見	意見	第252条の34・2項	普通地方公共団体の議会	

権限事項	種別	根拠条項	議会名	摘要
265 長による外部監査契約の解除	同意	第252条の35・2項	普通地方公共団体の議会	
266 長による包括外部監査契約の締結	議決	第252条の36・1項	都道府県・指定都市・中核市の議会	
267 包括外部監査を導入すること	条例	第252条の36・2項	指定都市、中核市以外の市町村の議会	
268 包括外部監査人が財政援助団体等の出納等を監査することができることを定めること	条例	第252条の37・4項	包括外部監査対象団体の議会	
269 包括外部監査人による監査結果に関する報告の提出	受理	第252条の37・5項	包括外部監査対象団体の議会	
270 監査委員による包括外部監査人の監査結果についての意見の提出	受理	第252条の38・4項	包括外部監査対象団体の議会	
271 包括外部監査人の監査の結果に基づいて又は当該監査の結果を参考として講じる措置及び監査委員に対するその旨の通知	措置通知	第252条の38・6項	包括外部監査対象団体の議会	
272 個別外部監査を導入すること（事務監査請求に係るもの）	条例	第252条の39・1項	普通地方公共団体の議会	
273 個別外部監査を導入すること（議会からの請求に係るもの）	条例	第252条の40・1項	普通地方公共団体の議会	
274 個別外部監査を導入すること（長からの要求に係るもの）	条例	第252条の41・1項	普通地方公共団体の議会	
275 個別外部監査を導入すること（財政的援助を与えているもの等に係る長からの要求に係るもの）	条例	第252条の42・1項	普通地方公共団体の議会	
276 個別外部監査を導入すること（住民監査請求に係るもの）	条例	第252条の43・1項	普通地方公共団体の議会	
277 事務監査請求に係る個別外部監査請求について監査委員の監査に代えて個別外部監査契約に基づく監査によること	議決	第252条の39・5項	普通地方公共団体の議会	
278 個別外部監査契約に基づく監査の請求	請求	第252条の40・1項	普通地方公共団体の議会	
279 199条6項の要求に係る監査について監査委員の監査に代えて個別外部監査契約に基づく監査によること	議決	第252条の41・4項	普通地方公共団体の議会	
280 199条7項の要求に係る監査について監査委員の監査に代えて個別外部監査契約に基づく監査によること	議決	第252条の42・4項	普通地方公共団体の議会	
281 長による個別外部監査契約の締結	議決	第252条の39・6項, 第252条の40・4項, 第252条の41・4項, 第252条の42・4項, 第252条の43・3項	普通地方公共団体の議会	
282 長による包括外部監査人と個別外部監査契約を締結した旨の報告	受理	第252条の39・11項, 第252条の40・4項, 第252条の41・4項, 第252条の	包括外部監査対象団体の議会	

権限事項		種別	根拠条項	議会名	摘要
			42・4項, 第252条の43・3項		
283	個別外部監査人による監査結果に関する報告の提出	受理	第252条の39・12項, 第252条の40・6項, 第252条の41・6項, 第252条の42・6項	普通地方公共団体の議会	
284	監査委員による個別外部監査人の監査結果についての意見の提出	受理	第252条の39・14項, 第252条の40・6項, 第252条の41・6項, 第252条の42・6項	普通地方公共団体の議会	
285	個別外部監査人の監査の結果に基づいて又は当該監査の結果を参考として講じる措置及び監査委員に対するその旨の通知	措置 通知	第252条の39・14項, 第252条の40・6項, 第252条の41・6項, 第252条の42・6項	普通地方公共団体の議会	
286	個別外部監査人が252条の29の規定により監査することができなくなったと認められる場合の個別外部監査契約の解除	同意	第252条の44	普通地方公共団体の議会	
	第16章　補　則				
287	郡の区域の新設若しくは廃止又は郡の区域若しくはその名称の変更	議決	第259条1項	都道府県の議会	
288	郡の区域の境界にわたる町村設置の場合におけるその町村の属すべき郡の区域の決定	議決	第259条3項（第259条1項）	都道府県の議会	
289	市町村の区域内の町、字の区域の新設若しくは廃止又は町、字の区域若しくはその名称の変更	議決	第260条1項	市町村の議会	政令で特別の定めをする場合を除く
290	指定地域共同活動団体の指定の要件	議決	第260条の49・2項	市町村の議会	
291	他の普通地方公共団体と共同して行う火災、水災、震災その他の災害による財産の損害に対する相互救済事業の委託	議決	第263条の2・1項	普通地方公共団体の議会	
	第3編　特別地方公共団体				
	第2章　特　別　区				
292	市町村の廃置分合又は境界変更を伴わない特別区の廃置分合又は境界変更	議決	第281条の4・1項	都の議会	
293	281条の4・1，3，4項の申請又は協議	議決	第281条の4・5項	関係特別区及び関係普通地方公共団体の議会	
294	都内の市町村の区域の全部又は一部による特別区の設置	議決	第281条の4・8項	都の議会	
295	281条の4・8項の申請	議決	第281条の4・9項	市町村の議会	
296	都内の市町村の廃置分合又は境界変更を伴う特別区の境界変更で市町村の設置を伴わないもの	議決	第281条の4・10項	都の議会	

	権限事項	種別	根拠条項	議会名	摘要
297	281条の4・10項の申請又は同条11項において準用する同条4項の協議	議決	第281条の4・11項	関係特別区及び関係市町村の議会	
298	都と特別区及び特別区相互間の財源の均衡化を図り、並びに特別区の行政の自主的かつ計画的な運営を確保するため、特別区財政調整交付金を交付すること	条例	第282条1項	都の議会	政令の定めるところによる
	第3章　地方公共団体の組合				
299	一部事務組合の設置に関する協議	議決	第284条2項 第290条	関係地方公共団体の議会	
300	広域連合の設置に関する協議	議決	第284条3項 第291条の11	関係地方公共団体の議会	
301	一部事務組合を組織する地方公共団体の数の増減、共同処理する事務の変更、組合規約の変更の協議	議決	第286条1項 第290条	関係地方公共団体の議会	
302	一部事務組合の名称、事務所の位置又は経費の支弁の方法のみに係る規約の変更の協議	議決	第286条2項 第290条	関係地方公共団体の議会	
303	一部事務組合からの脱退の予告	議決	第286条の2・1項	一部事務組合を設ける普通地方公共団体の議会	脱退する日の2年前まで他の全ての関係普通地方公共団体に対して行う
304	脱退の予告を受けた場合の一部事務組合に関する規約の変更の協議	議決	第286条の2・2項	一部事務組合を設ける他の関係普通地方公共団体の議会	第287条1項1、2、4、7号に掲げる事項のみに係る規約の変更については議決不要
305	一部事務組合からの脱退の予告の撤回についての同意	議決	第286条の2・3項	一部事務組合を設ける他の関係普通地方公共団体の議会	
306	一部事務組合からの脱退の予告の撤回についての同意を求めること	議決	第286条の2・3項	予告した普通地方公共団体の議会	
307	特例一部事務組合の議会に付議することとされている事件に係る議案の提出	受理	第287条の2・2項	関係地方公共団体の議会	
308	特例一部事務組合の議会に付議することとされている事件に係る議案	議決	第287条の2・3項	関係地方公共団体の議会	
309	複合的一部事務組合の理事の指名	同意	第287条の3・3項	関係市町村及び関係特別区の議会	
310	一部事務組合の解散、財産処分の協議	議決	第288条 第289条 第290条	関係地方公共団体の議会	
311	一部事務組合の経費の分賦に関する一部事務組合を組織する地方公共団体からの異議の申出に対する管理者の決定に係る諮問	意見	第291条2，3項	一部事務組合の議会	諮問があった日から20日以内

権限事項		種別	根拠条項	議会名	摘要
312	都道府県の執行機関の権限に属する事務のうち都道府県の加入しない広域連合の事務に関連するものを当該広域連合が処理することとすること	条例	第291条の2・2項	都道府県の議会	制定又は改廃に当たってはあらかじめ都道府県知事から広域連合長に対する協議が必要
313	都道府県の加入する広域連合の長が国の行政機関の長に対して当該広域連合の事務に密接に関連する国の行政機関の長の権限に属する事務の一部を当該広域連合が処理することとするよう要請すること	議決	第291条の2・4項	広域連合の議会	
314	都道府県の加入しない広域連合の長が都道府県に対して当該広域連合の事務に密接に関連する都道府県の事務の一部を当該広域連合が処理することとするよう要請すること	議決	第291条の2・5項	広域連合の議会	
315	広域連合を組織する地方公共団体の数の増減、処理する事務の変更、広域連合規約の変更の協議	議決	第291条の3・1項 第291条の11	関係地方公共団体の議会	
316	広域連合の事務所の位置又は経費の支弁の方法のみに係る規約の変更の協議	議決	第291条の3・3項 第291条の11	関係地方公共団体の議会	
317	広域連合を組織する地方公共団体に対する当該広域連合の規約変更の要請	議決	第291条の3・7項	広域連合の議会	
318	広域連合の条例の制定又は改廃の請求を受理した場合	議決	第291条の6・1項（第74条3項）	広域連合の議会	
319	広域連合の事務の執行に関する監査請求に基づく監査の結果に関する報告	受理	第291条の6・1項 （第75条3項）	広域連合の議会	
320	広域連合の職員で政令で定めるものの解職請求があった場合	同意	第291条の6・1項 （第86条3項 第87条1項）	広域連合の議会	特別議決 $\frac{3}{4}$ （出席 $\frac{2}{3}$）
321	広域連合の広域計画の作成	議決	第291条の7・1項	広域連合の議会	
322	広域連合の広域計画の変更	議決	第291条の7・3項	広域連合の議会	
323	広域連合の長が当該広域連合を組織する地方公共団体に対して広域計画の実施に関し必要な措置を講ずべきことを勧告すること	議決	第291条の7・5項	広域連合の議会	
324	広域連合の協議会を設置すること	条例	第291条の8・1項	広域連合の議会	
325	広域連合の協議会の運営に関し必要な事項を定めること	条例	第291条の8・3項	広域連合の議会	
326	広域連合の解散、財産処分の協議	議決	第291条の10・1項 第291条の13（第289条） 第291条の11	関係地方公共団体の議会	
327	広域連合の経費の分賦に関する広域連合を組織する地方公共団体からの異議の申	意見	第291条の12・1，3，4項	広域連合の議会	諮問があった日から20日以

権限事項		種別	根拠条項	議会名	摘要
	出に対する広域連合の長の決定に係る諮問				内
328	291条の3・4項の規定による広域連合の規約の変更のうち291条の4・1項9号に掲げる事項に係るものに関する広域連合を組織する地方公共団体からの異議の申出に対する広域連合の長の必要な措置に係る諮問	意見	第291条の12・2，3，4項	広域連合の議会	諮問があった日から20日以内
	第4章 財産区				
329	財産区の財産又は公の施設の管理及び処分又は廃止については、この法律中地方公共団体の財産又は公の施設の管理及び処分又は廃止に関する規定による	条例 議決等	第294条1項	関係地方公共団体の議会	法律又はこれに基づく政令に特別の定めがあるものを除く
330	財産区の議会又は総会を設置すること	条例	第295条	市町村、特別区の議会	
331	財産区の議会の議員の定数、任期、選挙権、被選挙権及び選挙人名簿並びに総会の組織に関する事項について定めること	条例	第296条1項	市町村、特別区の議会	
332	財産区管理会を設置すること	条例	第296条の2・1項本文	市町村、特別区の議会	財産区の議会又は総会を設ける場合は設置できない
333	市町村等の廃置分合又は境界変更に伴う財産処分の協議により財産区を設ける場合の財産区管理会の設置	議決	第296条の2・1項但書 第7条5項 第283条	市町村、特別区の議会	
334	財産区の財産又は公の施設の管理及び処分又は廃止に当たり財産区管理会の同意を要する重要なものを定めること	条例	第296条の3・1項	市町村、特別区の議会	
335	財産区管理委員の選任、財産区管理会の運営その他財産区管理会に関し必要な事項を定めること	条例	第296条の4・1項本文	市町村、特別区の議会	296条の2、296条の3に定めるものを除く
336	協議により財産区管理会を置く場合の財産区管理委員の選任、財産区管理会の運営その他財産区管理会に関し必要な事項	議決	第296条の4・1項但書 第296条の2・1項但書 第7条5項	市町村、特別区の議会	
337	市町村等の廃置分合又は境界変更に伴う財産処分の協議により設けた財産区の財産区管理会に関する協議の内容を変更すること	条例	第296条の4・2項 第296条の2・1項但書 第7条5項	市町村、特別区の議会	
338	財産区が当該財産区の財産又は公の施設から生ずる収入の全部又は一部を財産区のある市町村又は特別区の事務経費の一部に充てる場合の市町村等との協議	議決	第296条の5・3項	財産区の議会 財産区の総会	
	附則				
339	労政事務所を設置すること	条例	(附)第4条2項	都道府県の議会	

◈事項別条文索引の使い方

1．この索引は，日常法令に余り親しんでいない方々でも，調べたい事項（必要事項）が第何条にあるかをたやすく，検出できるように作成しました。

例えば，「議員の定数」については何条に規定されているか疑問である場合，㋖の項の「議員」を検出すると，次のとおり記載されてあります。

議員

～の定数　　90（都道府県の～）
　　　　　　91（市町村の～）

すなわち，「県議会議員」については地方自治法第90条に，「市町村議会議員」については同法第91条に規定されていることを知ることができます。

2．また，この索引は，必要とする事項の検出を容易にするために，どこからでも引けるように配意しました。

例えば，上記の「議員の定数」については，「議員の定数」の㋖の項の外，「定数」からも引けるようになつています。すなわち，㋢の項の「定数」の項でも次のように右の条数が示されています。

定数

議員の～　　90，91
議会職員の～　　138⑥
副知事，副市町村長の～　　161
職員の～　　172③

——以下略——

3．事項の配列は，原則として「五十音順」によりましたが，当該事項の関係条文が数カ条にわたるものについては，条文の若い順序によりました。
また，接続詞としての「と」，「に」，「の」については，五十音による順序に関係なく，それに続く事項により配列しました。

4．この索引に使用した記号は，下の通りです。

(1)　～印　　「直前の事項と同一」であることを示す。

〔例〕

議員

(議員)　　　　(議員の定数)
～の定数　　90（都道府県の～）

(2)　→印　　「その事項を見よ」ということを示す。

(3)　※印　　当該事項の条文とは直接関係があるというよりも，間接的なものとして，「参考までに留意して見よ」という意味を示す。

5．地方自治法本文に附してある参照条文と一体的に利用すれば一層その真価を発揮できるよう工夫してあります。

例えば，「長の退職」については，本索引によつて，地方自治法第145条に「根拠規定」のあることを承知し，さらに同法第145条の末尾に附されている参照条文により，公職選挙法第90条に「特別規定」のあることを知ることができます。

事項別条文索引

地方自治小六法
〔令和７年版〕
〔登録商標第468059号〕

昭和27年８月25日　初　版　発　行
令和６年９月30日　７　年　版　発　行

監修者　地方自治制度研究会
編　者　学陽書房編集部
発行者　佐　久　間　重　嘉
発行所　学　陽　書　房
東京都千代田区飯田橋1-9-3
(営業) TEL (03) 3261―1111(代)
FAX (03) 5211―3300
(編集) TEL (03) 3261―1112(代)
http://www.gakuyo.co.jp/

不許複製

Printed in Japan

ISBN978-4-313-00007-0　C2032
法規書籍印刷／東京美術紙工

自治体の
法規担当になったら読む本〈改訂版〉
塩浜克也・遠藤雅之　著

例規審査を中心に、原課からの法律相談、訴訟対応など、必須の基礎知識と実務ノウハウを解説した、好評ロングセラーの改訂版。「改正方法の選択」「法律を理解するコツ」「法務の効果的な執行」等のトピックを追加し、内容をアップデート！

Ａ５判並製　定価　二九一五円（一〇％税込）

基礎から分かる！
自治体の例規審査
伊藤和之　著

自治体の法規担当者必携！　例規審査のノウハウが１冊でわかる！
例規審査を行う心構えから、例規の形式・構成、実質的な規定内容、用字・用語、わかりやすい表現、一部改正及び全部改正、廃止の仕方まで、担当者に欠かせないポイントを伝えます。

Ａ５判並製　定価　三八五〇円（一〇％税込）